HARRAP'S
DICTIONNAIRE
DE POCHE

Anglais-Français/Français-Anglais

Publishing Manager/Direction éditoriale
Patrick White

Prepress Manager/Direction prépresse
Sharon McTeir

Prepress/Prépresse
Clair Simpson

HARRAP

Édition publiée en France 2005
par Chambers Harrap Publishers Ltd
7 Hopetoun Crescent, Edinburgh EH7 4AY
Grande-Bretagne

Édition précédente publiée en 2001

ISBN 978 0 245 50842 4

Réimprimé 2006, 2007 (twice), 2008

Dépôt légal : janvier 2005

Photocomposition : Chambers Harrap Publishers Ltd
Impression et reliure : Clays Ltd, St Ives plc, Grande-Bretagne

Contents/Table des matières

Trademarks

Words considered to be trademarks have been designated in this dictionary by the symbol ®. However, no judgment is implied concerning the legal status of any trademark by virtue of the presence or absence of such a symbol.

Marques déposées

Les termes considérés comme des marques déposées sont signalés dans ce dictionnaire par le symbole ®. Cependant, la présence ou l'absence de ce symbole ne constitue nullement une indication quant à la valeur juridique de ces termes.

Preface

This pocket-sized dictionary from Harrap is aimed at students from beginners to intermediate level. For this brand new edition, the whole text has been thoroughly reread, revised and updated.

This informative little book packs as many words into its pages as possible, covering all the basic vocabulary students will need for everyday communication. It also features terms from a wide range of technical areas (computing, biology, education, finance etc), and, like all Harrap dictionaries, offers excellent coverage of colloquial and idiomatic language. In addition, many new words have been added from rapidly developing fields such as the Internet and mobile communication, including **broadband**, **chatroom**, **text** and **top-up card** (**connexion à haut débit**, **site de bavardage**, **texto** and **carte de recharge** in French). The most up-to-date words found in the press are also included, such as **cloning**, **reality TV** and **SARS** (**clonage**, **télé-réalité** and **SRAS** in French).

Another feature of the dictionary is the boxes on "false friends" which appear throughout the text, highlighting words that speakers of the other language often find confusing.

The dictionary has a clear, systematic layout which makes it a reliable and user-friendly tool for both finding translations of French items and translating from English into French. In order to be able to include as much information as possible, only the base forms are entered as headwords; derivatives (eg **commonly** from **common**) are given at the end of the entry in alphabetical order.

Structure of Entries

> **baccalauréat** [bakalɔrea] *nm* = secondary school examination qualifying for entry to university, *Br* ≃ A-levels, *Am* ≃ high school diploma

- The equals sign = introduces an explanation when there is no translation possible.
- The sign ≃ introduces a word that has a roughly equivalent status but is not identical.

> **forcer** [fɔrse] **1** *vt (obliger)* to force; *(porte)* to force open; *(voix)* to strain; **f. qn à faire qch** to force sb to do sth; **f. la main à qn** to force sb's hand; *Fam* **f. la dose** to overdo it **2** *vi (appuyer, tirer)* to force it; *(se surmener)* to overdo it **3 se forcer** *vpr* to force oneself (**à faire** to do)

- The different grammatical categories are cleary indicated, introduced by a bold Arabic numeral.
- Usage labels are clearly shown.

> **échoir*** [eʃwar] *vi* **é. à qn** to fall to sb

- The asterisk indicates that the verb is irregular. See the verb tables in the middle of the book for information on how to conjugate it.

> **agenda** [aʒɛ̃da] *nm Br* diary, *Am* datebook; **a. électronique** electronic organizer
>
> > Il faut noter que le nom anglais **agenda** est un faux ami. Il signifie **ordre du jour**.

- British and American translations clearly indicated.
- Usage notes warn users when a word is a false friend.

> **grand, -e** [grã, grãd] **1** *adj* big, large; *(en hauteur)* tall; *(chaleur, découverte, âge, mérite, ami)* great; *(bruit)* loud; *(différence)* big, great; *(adulte, mûr, plus âgé)* grown-up, big; *(âme)* noble; *(illustre)* great; **g. frère** *(plus âgé)* big brother; **le g. air** the open air; **il est g. temps que je parte** it's high time that I left; **il n'y avait pas g. monde** there were not many people **2** *adv* **g. ouvert** *(yeux, fenêtre)* wide open; **ouvrir g.** to open wide; **en g.** on a grand *or* large scale **3** *nmf (à l'école)* senior; *(adulte)* grown-up ▪**grandement** *adv (beaucoup)* greatly; *(généreusement)* grandly; **avoir g. de quoi vivre** to have plenty to live on ▪**grand-mère** *(pl* grands-mères*) nf* grandmother ▪**grand-père** *(pl* grands-pères*) nm* grandfather ▪**grand-route** *(pl* grand-routes*) nf* main road ▪**grands-parents** *nmpl* grandparents

- Derivatives are placed at the end of each entry in alphabetical order, introduced by ▪.

- The plural of compound French nouns is given systematically.

> **différence** [diferãs] *nf* difference (de in); **à la d. de qn/qch** unlike sb/sth; **faire la d. entre** to make a distinction between

- The most common prepositions used are given after the translation.

Préface

S'inscrivant dans la longue tradition Harrap, ce dictionnaire de poche s'adresse à l'utilisateur débutant ou de niveau intermédiaire et au voyageur qui souhaite avoir à portée de la main un ouvrage lui permettant de traduire les termes les plus fréquents de la langue. Reprenant les éditions précédentes, le texte a été entièrement revu, corrigé et mis à jour. Ouvrage fiable et de consultation aisée, il permet sans difficulté de sélectionner la traduction recherchée grâce à une présentation claire et systématique.

La langue familière y est bien représentée ainsi que les termes de base de divers domaines techniques (informatique, biologie, enseignement, finance, etc.) et le vocabulaire apparu le plus récemment y fait son entrée. De plus, de nombreux termes nouveaux issus de domaines en pleine expansion tels qu'Internet et la téléphonie mobile ont été ajoutés, tels que **connexion à haut débit**, **site de bavardage**, **carte de recharge** et **texto** (**broadband**, **chatroom**, **top-up card** et **text** en anglais). Les termes nouveaux les plus fréquemment utilisés dans la presse sont également présents : c'est le cas notamment de **clonage**, **SRAS** et **télé-réalité** (**cloning**, **SARS** et **reality TV** en anglais).

En outre, des notes sur les faux amis ont été inclues dans le texte pour mettre l'utilisateur en garde lorsqu'un terme anglais ressemble au français mais a une signification tout autre.

Par souci de concision, seuls les termes de base apparaissent en entrées : leurs dérivés (p.ex. **chanceux** de **chance**) sont donnés en fin d'article et présentés par ordre alphabétique. La prononciation et l'accent tonique du vocabulaire anglais ne sont repris pour les dérivés que s'ils diffèrent de la forme de base.

Structure des entrées

> **baccalauréat** [bakalɔrea] *nm* = secondary school examination qualifying for entry to university, *Br* ≃ A-levels, *Am* ≃ high school diploma

- Le signe = introduit une explication quand il n'y a pas de traduction possible.
- Le signe ≃ introduit les équivalents culturels.

> **forcer** [fɔrse] **1** *vt (obliger)* to force; *(porte)* to force open; *(voix)* to strain; **f. qn à faire qch** to force sb to do sth; **f. la main à qn** to force sb's hand; *Fam* **f. la dose** to overdo it **2** *vi (appuyer, tirer)* to force it; *(se surmener)* to overdo it **3 se forcer** *vpr* to force oneself (**à faire** to do)

- Les différentes catégories grammaticales ressortent clairement : elles sont introduites par un chiffre arabe et sont toujours présentées dans le même ordre.
- Des indicateurs d'usage sont donnés.

> **échoir*** [eʃwar] *vi* **é. à qn** to fall to sb

- * indique que le verbe est irrégulier. Se reporter aux pages centrales.

> **athlète** [atlɛt] *nmf* athlete ▪**athlétique** *adj* athletic ▪**athlétisme** *nm* athletics *(sing)*

- Indique le nombre lorsqu'une traduction est ambiguë.

grand, -e [grɑ̃, grɑ̃d] **1** *adj* big, large; *(en hauteur)* tall; *(chaleur, découverte, âge, mérite, ami)* great; *(bruit)* loud; *(différence)* big, great; *(adulte, mûr, plus âgé)* grown-up, big; *(âme)* noble; *(illustre)* great; **g. frère** *(plus âgé)* big brother; **le g. air** the open air; **il est g. temps que je parte** it's high time that I left; **il n'y avait pas g. monde** there were not many people **2** *adv* **g. ouvert** *(yeux, fenêtre)* wide open; **ouvrir g.** to open wide; **en g.** on a grand *or* large scale **3** *nmf (à l'école)* senior; *(adulte)* grown-up ▪**grandement** *adv (beaucoup)* greatly; *(généreusement)* grandly; **avoir g. de quoi vivre** to have plenty to live on ▪**grand-mère** *(pl* **grands-mères)** *nf* grandmother ▪**grand-père** *(pl* **grands-pères)** *nm* grandfather ▪**grand-route** *(pl* **grand-routes)** *nf* main road ▪**grands-parents** *nmpl* grandparents

● Les dérivés sont clairement placés en fin d'article et rangés par ordre alphabétique.

● Le pluriel des noms composés est donné à chaque fois.

agenda [aʒɛ̃da] *nm Br* diary, *Am* datebook; **a. électronique** electronic organizer

> Il faut noter que le nom anglais **agenda** est un faux ami. Il signifie **ordre du jour**.

● La différence entre les termes anglais et américains est clairement indiquée.

● Une note d'usage avertit le lecteur qu'il a affaire à un faux ami.

différence [diferɑ̃s] *nf* difference (**de** in); **à la d. de qn/qch** unlike sb/sth; **faire la d. entre** to make a distinction between

● Les prépositions les plus courantes apparaissent à la suite de la traduction.

Abbreviations

Abréviations

gloss	=	glose
[introduces an explanation]		[introduit une explication]
cultural equivalent	≃	équivalent culturel
[introduces a translation which has a roughly equivalent status in the target language]		[introduit une traduction dont les connotations dans la langue cible sont comparables]
abbreviation	*abbr, abrév*	abréviation
adjective	*adj*	adjectif
adverb	*adv*	adverbe
agriculture	*Agr*	agriculture
American English	*Am*	anglais américain
anatomy	*Anat*	anatomie
architecture	*Archit*	architecture
slang	*Arg*	argot
article	*art*	article
cars	*Aut*	automobile
auxiliary	*aux*	auxiliaire
aviation	*Av*	aviation
Belgian French	*Belg*	belgicisme
biology	*Biol*	biologie
botany	*Bot*	botanique
British English	*Br*	anglais britannique
Canadian French	*Can*	canadianisme
chemistry	*Chem, Chim*	chimie
cinema	*Cin*	cinéma
commerce	*Com*	commerce
computing	*Comptr*	informatique
conjunction	*conj*	conjonction
cooking	*Culin*	cuisine
economics	*Econ, Écon*	économie
electricity, electronics	*El, Él*	électricité, électronique
exclamation	*exclam*	exclamation
feminine	*f*	féminin
familiar	*Fam*	familier
figurative	*Fig*	figuré
finance	*Fin*	finance
geography	*Geog, Géog*	géographie
geology	*Geol, Géol*	géologie
gymnastics	*Gym*	gymnastique
history	*Hist*	histoire
humorous	*Hum*	humoristique
industry	*Ind*	industrie
invariable	*inv*	invariable
journalism	*Journ*	journalisme
law	*Jur*	droit
law	*Law*	droit
linguistics	*Ling*	linguistique
masculine	*m*	masculin
mathematics	*Math*	mathématique
medicine	*Med, Méd*	médecine
meteorology	*Met, Météo*	météorologie
military	*Mil*	militaire
music	*Mus*	musique
noun	*n*	nom
shipping	*Naut*	nautisme
feminine noun	*nf*	nom féminin
feminine plural noun	*nfpl*	nom féminin pluriel

masculine noun	*nm*	nom masculin
masculine and feminine noun	*nmf*	nom masculin et féminin
masculine plural noun	*nmpl*	nom masculin pluriel
plural noun	*npl*	nom pluriel
computing	*Ordinat*	ordinateurs, informatique
pejorative	*Pej, Péj*	péjoratif
philosophy	*Phil*	philosophie
photography	*Phot*	photographie
physics	*Phys*	physique
plural	*pl*	pluriel
politics	*Pol*	politique
past participle	*pp*	participe passé
prefix	*pref, préf*	préfixe
preposition	*prep, prép*	préposition
pronoun	*pron*	pronom
past tense	*pt*	prétérit
something	*qch*	quelque chose
somebody	*qn*	quelqu'un
registered trademark	®	marque déposée
rail	*Rail*	chemins de fer
religion	*Rel*	religion
somebody	*sb*	quelqu'un
school	*Sch, Scol*	domaine scolaire
Scottish English	*Scot*	anglais d'Écosse
singular	*sing*	singulier
slang	*Sl*	argot
something	*sth*	quelque chose
suffix	*suff*	suffixe
technical term	*Tech*	terme technique
telecommunications	*Tel, Tél*	télécommunications
textiles	*Tex*	textile
very familiar	*très Fam*	très familier
television	*TV*	télévision
typography, printing	*Typ*	typographie, imprimerie
university	*Univ*	domaine universitaire
verb	*v*	verbe
very familiar	*very Fam*	très familier
intransitive verb	*vi*	verbe intransitif
reflexive verb	*vpr*	verbe pronominal
transitive verb	*vt*	verbe transitif
inseparable transitive verb	*vt insep*	verbe transitif à particule inséparable [par ex.: **he looks after the children** il s'occupe des enfants]
separable transitive verb	*vt sep*	verbe transitif à particule séparable [par ex.: **she sent the present back** or **she sent back the present** elle a rendu le cadeau]
vulgar	*Vulg*	vulgaire

Prononciation de l'anglais

Pour indiquer la prononciation anglaise, nous avons utilisé dans ce dictionnaire les symboles de l'API (Alphabet phonétique international). Pour chaque son anglais, vous trouverez dans le tableau ci-dessous des exemples de mots anglais, suivis de mots français présentant un son similaire. Une explication est donnée lorsqu'il n'y a pas d'équivalent en français.

Caractère API	Exemple en anglais	Exemple en français
Consonnes		
[b]	babble	bébé
[d]	dig	dent
[dʒ]	giant, jig	jean
[f]	fit, physics	face
[g]	grey, big	gag
[h]	happy	h aspiré : à quelques rares exceptions près, il est toujours prononcé en anglais
[j]	yellow	yaourt
[k]	clay, kick	car
[l]	lip, pill	lilas
[m]	mummy	maman
[n]	nip, pin	né
[ŋ]	sing	parking
[p]	pip	papa
[r]	rig, write	Pas d'équivalent français : se prononce en plaçant le bout de la langue au milieu du palais
[(r)]		Seulement prononcé en cas de liaison avec la voyelle qui suit comme dans : far away; the car is blue
[s]	sick, science	silence
[ʃ]	ship, nation	chèvre
[t]	tip, butt	tartine
[tʃ]	chip, batch	atchoum
[θ]	thick	Son proche du /s/ français, il se prononce en plaçant le bout de la langue entre les dents du haut et celles du bas
[ð]	this, with	Son proche du /z/ français, il se prononce en plaçant le bout de la langue entre les dents du haut et celles du bas
[v]	vague, give	vie
[w]	wit, why	whisky

Caractère API	Exemple en anglais	Exemple en français
[z]	zip, physics	rose
[ʒ]	pleasure	je
[χ]	loch	Existe seulement dans certains mots écossais. Pas d'équivalent français : se prononce du fond de la gorge, comme Bach en allemand ou la 'jota' espagnole.
Voyelles		
[æ]	rag	natte
[ɑː]	large, half	pâte
[e]	set	/e/ moins ouvert que le [ɛ] français
[ɜː]	curtain, were	heure
[ə]	utter	cheval
[ɪ]	big, women	/i/ bref, à mi-chemin entre les sons [ɛ] et [i] français (plus proche de 'net' que de 'vite')
[iː]	leak, wee	/i/ plus long que le [i] français
[ɒ]	lock	bonne – mais plus ouvert et prononcé au fond du palais
[ɔː]	wall, cork	baume – mais plus ouvert et prononcé au fond du palais
[ʊ]	put, look	Son à mi-chemin entre un /ou/ bref et un /o/ ouvert
[uː]	moon	Son /ou/ prolongé
[ʌ]	cup	À mi-chemin entre un /a/ et un /e/ ouverts
Diphtongues : Elles sont rares en français et sont la combinaison de deux sons.		
[aɪ]	why, high, lie	aïe
[aʊ]	how	miaou, août at – mais se prononce comme un seul son
[eə]	bear, share, where	flair
[eɪ]	day, make, main	merveille
[əʊ]	show, go	Combinaison d'un /o/ fermé et d'un /ou/
[ɪə]	here, gear	Combinaison d'un /i/ long suivi d'un /e/ ouvert bref
[ɔɪ]	boy, soil	langue d'oïl
[ʊə]	sure	Combinaison d'un son /ou/ suivi d'un /e/ ouvert bref

French Pronunciation

French pronunciation is shown in this dictionary using the symbols of the IPA (International Phonetic Alphabet). In the table below, examples of French words using these sounds are given, followed by English words which have a similar sound. Where there is no near-equivalent in English, an explanation is given.

IPA symbol	French example	English example
Consonants		
[b]	bébé	but
[d]	donner	door
[f]	forêt	fire
[g]	gare	get
[ʒ]	jour	pleasure
[k]	carte	kitten
[l]	lire	lonely
[m]	maman	mat
[n]	ni	now
[ŋ]	parking	singing
[ɲ]	campagne	canyon
[p]	patte	pat
[r]	rare	Like an English /r/ but pronounced at the back of the throat
[s]	soir	sit
[ʃ]	chose	sham
[t]	table	tap
[v]	valeur	value
[z]	zéro	zero
Vowels		
[a]	chat	cat
[ɑ]	âge	gasp
[e]	été	bay
[ɛ]	père	bed
[ə]	le	amend
[ø]	deux	Does not exist in English : [e] pronounced with the lips rounded
[œ]	seul	curtain
[i]	vite	bee – not quite as long as the English [i:]
[ɔ]	donner	cot – slightly more open than the English /o/
[o]	chaud	daughter – but higher than its English equivalent

IPA symbol	French example	English example
[u]	tout	**you** – but shorter than its English equivalent
[y]	voiture	Does not exist in English: [i] with lips rounded
[ɑ̃]	enfant	Nasal sound pronounced lower and further back in the mouth than [ɔ̃]
Vowels		
[ɛ̃]	vin	Nasal sound: /a/ sound pronounced letting air pass through the nose
[ɔ̃]	bonjour	Nasal sound: closed /o/ sound pronounced letting air pass through the nose
[œ̃]	un	Nasal sound: like [ɛ̃] but with lips more rounded
Semi-vowels		
[w]	voir	**w**eek
[j]	**y**oyo, pai**ll**e	**y**ard
[ɥ]	nuit	Does not exist in English: the vowel [y] elided with the following vowel

A, a¹ [eɪ] *n* (**a**) A, a *m inv*; **5A** (*in address, street number*) 5 bis; **to go from A to B** aller du point A au point B (**b**) *Mus* **A** la *m* (**c**) *Sch* (*grade*) **to get an A in French** = obtenir une très bonne note en français (**d**) (*street atlas*) **an A to Z of London** un plan de Londres

a² [ə, *stressed* eɪ]

a devient an [ən, *stressed* æn] devant voyelle ou h muet.

indefinite article (**a**) (*in general*) un, une; **a man** un homme; **an apple** une pomme; **an hour** une heure

(**b**) (*definite article in French*) **60 pence a kilo** 60 pence le kilo; **50 km an hour** 50 km à l'heure; **I have a broken arm** j'ai le bras cassé

(**c**) (*article omitted in French*) **he's a doctor/a father** il est médecin/père; **Caen, a town in Normandy** Caen, ville de Normandie; **what a man!** quel homme!; **a hundred** cent; **a thousand** mille

(**d**) (*a certain*) **a Mr Smith** un certain M. Smith

(**e**) (*time*) **twice a month** deux fois par mois

(**f**) (*some*) **to make a noise/a fuss** faire du bruit/des histoires

aback [ə'bæk] *adv* **taken a. (by)** déconcerté (par)

abandon [ə'bændən] **1** *n* (*freedom of manner*) abandon *m* **2** *vt* abandonner; **to a. ship** abandonner le navire ▪**abandonment** *n* abandon *m*

abashed [ə'bæʃt] *adj* honteux, -euse (**at** de)

abate [ə'beɪt] *vi* (*of storm, pain*) se calmer; (*of noise*) diminuer; (*of flood*) baisser

abbey ['æbɪ] (*pl* -eys) *n* abbaye *f*

abbot ['æbət] *n* abbé *m*

abbreviate [ə'briːvɪeɪt] *vt* abréger ▪**abbreviation** *n* abréviation *f*

abdicate ['æbdɪkeɪt] *vti* abdiquer ▪**abdication** *n* abdication *f*

abdomen ['æbdəmən] *n* abdomen *m* ▪**abdominal** [əb'dɒmɪnəl] *adj* abdominal ▪**abdominals** *npl* abdominaux *mpl*

abduct [æb'dʌkt] *vt* (*kidnap*) enlever ▪**abduction** *n* enlèvement *m*, rapt *m*

aberration [æbə'reɪʃən] *n* (*folly, lapse*) aberration *f*

abet [ə'bet] (*pt & pp* -tt-) *vt Law* **to aid and a. sb** être le complice de qn

abeyance [ə'beɪəns] *n* **in a.** (*matter*) en suspens; (*law*) en désuétude

abhor [əb'hɔː(r)] (*pt & pp* -rr-) *vt* avoir horreur de, exécrer ▪**abhorrent** [-'hɒrənt] *adj* exécrable

abide [ə'baɪd] **1** *vi* **to a. by** (*promise*) tenir; (*decision*) se plier à **2** *vt* supporter; **I can't a. him** je ne peux pas le supporter

ability [ə'bɪlətɪ] (*pl* -ies) *n* capacité *f* (**to do** de faire); **he's a man of great a.** c'est quelqu'un de très compétent; **to the best of my a.** de mon mieux

abject ['æbdʒekt] *adj* (*contemptible*) abject; (*poverty-stricken*) misérable; **a. poverty** la misère noire

ablaze [ə'bleɪz] *adj* en feu; **to set sth a.** (*person*) mettre le feu à qch; (*candle, spark*) embraser qch; **a. with** (*light*) resplendissant de; **his eyes were a. with anger** il avait les yeux brillants de colère

able ['eɪbəl] *adj* capable; **to be a. to do sth** être capable de faire qch, pouvoir faire qch; **to be a. to swim/drive** savoir nager/conduire ▪**able-bodied** *adj* robuste ▪**ably** *adv* habilement

abnormal [æb'nɔːməl] *adj* anormal ▪**abnormality** [-'mælɪtɪ] (*pl* -ies) *n* anomalie *f*; (*physical*) difformité *f* ▪**abnormally** *adv* (*more than usually*) exceptionnellement

aboard [ə'bɔːd] **1** *adv* (*on ship, plane*) à bord; **all a.** (*on train*) en voiture; **to go a.** monter à bord **2** *prep* **a. the ship/plane** à bord du navire/de l'avion; **a. the train** dans le train

abode [ə'bəʊd] *n Literary* demeure *f*; *Law* domicile *m*; **of no fixed a.** sans domicile fixe

abolish [ə'bɒlɪʃ] *vt* abolir ▪**abolition** [æbə'lɪʃən] *n* abolition *f*

abominable [ə'bɒmɪnəbəl] *adj* abominable ▪**abomination** [-'neɪʃən] *n* abomination *f*

Aborigine [æbə'rɪdʒɪnɪ] *n* Aborigène *mf* (d'Australie)

abort [ə'bɔːt] **1** *vt* (*space flight, computer program*) abandonner; *Med* **the foetus was aborted** la grossesse a été interrompue **2** *vi Med* faire une fausse couche ▪**abortion** *n* avortement *m*; **to have an a.** se faire avorter ▪**abortive** *adj* (*plan, attempt*) manqué, avorté

abound [ə'baʊnd] *vi* abonder (**in** ou **with**)

about [ə'baʊt] **1** *adv* (**a**) (*approximately*) à peu près, environ; **at a. two o'clock** vers deux heures; **a. time!** ce n'est pas trop tôt!

(**b**) (*here and there*) çà et là, ici et là; *Fig* **there's a lot of flu a. at the moment** il y a beaucoup de cas de grippe en ce moment; **there's a rumour**

a. (that…) il y a une rumeur qui circule (selon laquelle…); **to look a.** regarder autour de soi; **to follow someone a.** suivre quelqu'un partout; **there are lots a.** il y en a beaucoup; **(out and a.)** *(after illness)* sur pied; **(up and) a.** *(out of bed)* levé, debout

2 *prep* (**a**) *(around)* **a. the garden** autour du jardin; **a. the streets** par or dans les rues (**b**) *(near-to)* **a. here** par ici (**c**) *(concerning)* au sujet de; **to talk a. sth** parler de qch; **a book a. sth** un livre sur qch; **what's it (all) a.?** de quoi s'agit-il?; **while you're a. it** pendant que vous y êtes (**d**) *(+ infinitive)* **a. to do** sur le point de faire; **I was a. to say…** j'étais sur le point de dire… ▪**about-'face, about-'turn** *n Mil* demi-tour *m*; *Fig* volte-face *f inv*

above [ə'bʌv] **1** *adv* au-dessus; *(in book, document)* ci-dessus; **from a.** d'en haut; **the floor a.** l'étage *m* du dessus

2 *prep* (**a**) au-dessus de; **a. the bridge** *(on river)* en amont du pont; **he's a. me** *(in rank)* c'est mon supérieur; **she's not a. lying** elle n'est pas incapable de mentir; **he's not a. asking** il n'est pas trop fier pour demander; **a. all** surtout (**b**) *(with numbers)* plus de; **the temperature didn't rise above 2°C** la température n'a pas dépassé 2°C ▪**above-'board 1** *adj* honnête **2** *adv* sans tricherie ▪**above-mentioned** *adj* susmentionné

abrasion [ə'breɪʒən] **1** *n* frottement *m*; *(wound)* écorchure *f* ▪**abrasive** [-sɪv] **1** *adj (substance)* abrasif, -ive; *Fig (person, manner)* caustique **2** *n* abrasif *m*

abreast [ə'brest] *adv* côte à côte, de front; **four a.** par rangs de quatre; **to keep a. of** or **with** *(events)* se tenir au courant de

abridge [ə'brɪdʒ] *vt (book)* abréger

abroad [ə'brɔːd] *adv* (**a**) *(in or to a foreign country)* à l'étranger; **from a.** de l'étranger (**b**) *(over a wide area)* de tous côtés; **there's a rumour a. that…** il y a un bruit qui court comme quoi…

abrogate ['æbrəgeɪt] *vt* abroger

abrupt [ə'brʌpt] *adj (sudden)* brusque, soudain; *(rude)* brusque, abrupt; *(slope, style)* abrupt ▪**abruptly** *adv (suddenly)* brusquement; *(rudely)* avec brusquerie

abscess ['æbses] *n* abcès *m*

abscond [əb'skɒnd] *vi Formal* s'enfuir

absence ['æbsəns] *n* absence *f*; **in the a. of** *(person)* en l'absence de; *(thing)* faute de

absent 1 ['æbsənt] *adj* absent **(from** de) **2** [æb'sent] *vt* **to a. oneself (from)** s'absenter (de) ▪**absent-'minded** *adj* distrait ▪**absent-'mindedness** *n* distraction *f*

absentee [æbsən'tiː] *n* absent, -ente *mf* ▪**absenteeism** *n* absentéisme *m*

absolute ['æbsəluːt] *adj* absolu; *(proof)* indiscutable; **he's an a. coward** c'est un vrai lâche; **he's an a. fool!** il est complètement idiot!; **it's an a. disgrace!** c'est une honte! ▪**absolutely** *adv* absolument; **a. forbidden** formellement interdit; **you're a. right** tu as tout à fait raison

absolve [əb'zɒlv] *vt (sinner, accused)* absoudre; **to a. from** *(vow)* libérer de ▪**absolution** [æbsə'luːʃən] *n* absolution *f*

absorb [əb'zɔːb] *vt (liquid)* absorber; *(shock)* amortir; **to be absorbed in sth** être plongé dans qch ▪**absorbing** *adj (work)* absorbant; *(book, film)* passionnant ▪**absorption** *n* absorption *f*

absorbent [əb'zɔːbənt] *adj* absorbant

abstain [əb'steɪn] *vi Pol* s'abstenir; **to a. from sth/from doing sth** s'abstenir de qch/de faire qch ▪**abstention** *n Pol* abstention *f*

abstemious [əb'stiːmɪəs] *adj* sobre, frugal

abstinence ['æbstɪnəns] *n* abstinence *f*

abstract ['æbstrækt] **1** *adj* abstrait **2** *n* (**a**) *(notion)* **the a.** l'abstrait *m* (**b**) *(summary)* résumé *m* **3** [əb'strækt] *vt Formal* extraire **(de** from)

abstruse [əb'struːs] *adj* obscur

absurd [əb'sɜːd] *adj* absurde, ridicule ▪**absurdity** *(pl* **-ies)** *n* absurdité *f* ▪**absurdly** *adv* absurdement

abundant [ə'bʌndənt] *adj* abondant ▪**abundance** *n* abondance *f* ▪**abundantly** *adv* **a. clear** parfaitement clair

abuse 1 [ə'bjuːs] *n (of power)* abus *m* **(of** de); *(of child)* mauvais traitements *mpl*; *(insults)* injures *fpl* **2** [ə'bjuːz] *vt (misuse)* abuser de; *(ill-treat)* maltraiter; *(insult)* injurier ▪**abusive** [ə'bjuːsɪv] *adj (person, language)* grossier, -ière

Note that the French verb *abuser* is a false friend. It is never used to mean **to insult**.

abysmal [ə'bɪzməl] *adj Fam (bad)* exécrable

abyss [ə'bɪs] *n* abîme *m*

academic [ækə'demɪk] **1** *adj* (**a**) *(year, diploma)* *(of school)* scolaire; *(of university)* universitaire (**b**) *(scholarly)* intellectuel, -uelle (**c**) *(theoretical)* **the issue is of purely a. interest** cette question n'a d'intérêt que d'un point de vue théorique; **this is a. now** cela n'a plus d'importance (**d**) *(style)* académique **2** *n (teacher)* universitaire *mf*

academy [ə'kædəmɪ] *(pl* **-ies)** *n (society)* académie *f*; *(military)* école *f*; **a. of music** conservatoire *m*

accede [ək'siːd] *vi Formal* **to a. to** *(request, throne, position)* accéder à

accelerate [ək'seləreɪt] **1** *vt* accélérer **2** *vi (of pace)* s'accélérer; *(of vehicle, driver)* accélérer ▪**accele'ration** *n* accélération *f* ▪**accelerator** *n* accélérateur *m*

accent ['æksənt] *n* accent *m* ▪**accentuate** [-'sentʃʊeɪt] *vt* accentuer

accept [ək'sept] *vt* accepter ■**acceptable** *adj* (*worth accepting, tolerable*) acceptable; **to be a. to sb** convenir à qn ■**acceptance** *n* acceptation *f*; (*approval, favour*) accueil *m* favorable ■**accepted** *adj* (*opinion*) reçu; (*fact*) reconnu

access ['ækses] **1** *n* accès *m* (**to sth** à qch; **to sb** auprès de qn); **a. road** route *f* d'accès; *Comptr* **a. code** code *m* d'accès; *Comptr* **a. provider** fournisseur *m* d'accès **2** *vt Comptr* accéder à ■**ac'cessible** *adj* accessible

accessories [ək'sesərɪz] *npl* (*objects*) accessoires *mpl*

accessory [ək'sesərɪ] (*pl* **-ies**) *n Law* (*accomplice*) complice *mf* (**to** de)

accident ['æksɪdənt] *n* accident *m*; **by a.** accidentellement; (*by chance*) par hasard ■**accident-prone** *adj* prédisposé aux accidents ■**accidental** [-'dentəl] *adj* accidentel, -elle ■**accidentally** [-'dentəlɪ] *adv* accidentellement; (*by chance*) par hasard

acclaim [ə'kleɪm] **1** *n* (*critical*) **a.** éloges *mpl*; **the film enjoys critical a.** ce film est salué par la critique **2** *vt* (*cheer*) acclamer; (*praise*) faire l'éloge de

acclimatize [ə'klaɪmətaɪz] (*Am* **acclimate** ['ækləmeɪt]) **1** *vt* acclimater **2** *vi* s'acclimater ■**acclimatization** (*Am* **acclimation**) acclimatisation *f*

accolade ['ækəleɪd] *n Fig* (*praise*) louange *f*

accommodate [ə'kɒmədeɪt] *vt* (**a**) (*of house*) loger (**b**) (*reconcile*) concilier (**c**) (*supply*) fournir (**sb with sth** qch à qn) (**d**) (*oblige*) rendre service à ■**accommodating** *adj* accommodant, obligeant

> Note that the French verb **accommoder** is a false friend and is rarely a translation for the English verb **to accommodate**. Its most common translations are **to adapt** and **to prepare**.

accommodation [əkɒmə'deɪʃən] *n* (**a**) (*Am* **accommodations**) (*lodging*) logement *m*; (*rented room(s)*) chambre(s) *f(pl)* (**b**) *Formal* (*compromise*) compromis *m*

accompany [ə'kʌmpənɪ] (*pt & pp* **-ied**) *vt* accompagner ■**accompaniment** *n* accompagnement *m* ■**accompanist** *n* (*musician*) accompagnateur, -trice *mf*

accomplice [ə'kʌmplɪs] *n* complice *mf*

accomplish [ə'kʌmplɪʃ] *vt* (*task, duty*) accomplir; (*aim*) atteindre ■**accomplished** *adj* accompli ■**accomplishment** *n* (*of task, duty*) accomplissement *m*; (*thing achieved*) réalisation *f*; **writing a novel is a great a.** écrire un roman, c'est vraiment quelque chose; **accomplishments** (*skills*) talents *mpl*

accord [ə'kɔːd] **1** *n* accord *m*; **of my own a.** de mon plein gré **2** *vt* (*grant*) accorder ■**accordance** *n* **in a. with** conformément à

according [ə'kɔːdɪŋ] **according to** *prep* selon, d'après ■**accordingly** *adv* en conséquence

accordion [ə'kɔːdɪən] *n* accordéon *m*

accost [ə'kɒst] *vt* accoster, aborder

account [ə'kaʊnt] **1** *n* (**a**) (*with bank or firm*) compte *m*; **accounts department** comptabilité *f* (**b**) (*report*) compte rendu *m*; (*explanation*) explication *f*; **to give a good a. of oneself** s'en tirer à son avantage (**c**) (*expressions*) **by all accounts** au dire de tous; **on a. of** à cause de; **on no a.** en aucun cas; **to take sth into a.** tenir compte de qch **2** *vi* **to a. for** (*explain*) expliquer; (*give reckoning of*) rendre compte de; (*represent*) représenter ■**accountable** *adj* responsable (**for** de; **to** devant)

accountant [ə'kaʊntənt] *n* comptable *mf* ■**accountancy** *n* comptabilité *f*

accrue [ə'kruː] *vi Fin* (*of interest*) s'accumuler; **to a. to sb** (*of advantage*) revenir à qn

accumulate [ə'kjuːmjʊleɪt] **1** *vt* accumuler **2** *vi* s'accumuler ■**accumulation** [-'leɪʃən] *n* accumulation *f*

accurate ['ækjʊrət] *adj* exact, précis ■**accuracy** *n* exactitude *f*, précision *f* ■**accurately** *adv* avec précision

accuse [ə'kjuːz] *vt* **to a. sb** (*of sth/doing sth*) accuser qn (de qch/faire qch) ■**accusation** [ækjʊ'zeɪʃən] *n* accusation *f*; **to make an a. against sb** lancer une accusation contre qn ■**accused** *n Law* **the a.** l'accusé, -ée *mf* ■**accusing** *adj* accusateur, -trice

accustom [ə'kʌstəm] *vt* habituer, accoutumer ■**accustomed** *adj* **to be a. to sth/to doing sth** être habitué à qch/à faire qch; **to get a. to sth/to doing sth** s'habituer à qch/à faire qch

ace [eɪs] *n* (**a**) (*card, person*) as *m* (**b**) (*at tennis*) ace *m*

acetate ['æsɪteɪt] *n* acétate *m*

acetic [ə'siːtɪk] *adj* (*acid*) acétique

ache [eɪk] **1** *n* douleur *f* **2** *vi* faire mal; **my head aches** j'ai mal à la tête; **I'm aching all over** j'ai mal partout; **it makes my heart a.** cela me fend le cœur; *Fam* **to be aching to do sth** brûler de faire qch ■**aching** *adj* douloureux, -euse

achieve [ə'tʃiːv] *vt* (*result*) obtenir; (*aim*) atteindre; (*ambition*) réaliser; (*victory*) remporter; **to a. success** réussir; **he'll never a. anything** il n'arrivera jamais à rien ■**achievement** *n* (*success*) réussite *f*; (*of ambition*) réalisation *f*; **writing a novel is quite an a.** écrire un roman, c'est vraiment quelque chose

> Note that the French words **achever** and **achèvement** are false friends and are never translations for the English words **to achieve** and **achievement**. Their most common meanings are respectively **to complete** and **completion**.

acid ['æsɪd] *adj & n* acide (*m*); **a. rain** pluies *fpl* acides ▪**acidity** [ə'sɪdɪtɪ] *n* acidité *f*

acknowledge [ək'nɒlɪdʒ] *vt* reconnaître (**as** pour); *(greeting)* répondre à; **to a. (receipt of)** accuser réception de; **to a. defeat** s'avouer vaincu ▪**acknowledg(e)ment** *n (of letter)* accusé *m* de réception; *(receipt)* reçu *m*; *(confession)* aveu *m* (**of** de); **in a. of** en reconnaissance de

acme ['ækmɪ] *n* sommet *m*, comble *m*

acne ['æknɪ] *n* acné *f*

acorn ['eɪkɔːn] *n* gland *m*

acoustic [ə'kuːstɪk] *adj* acoustique ▪**acoustics** *npl* acoustique *f*

acquaint [ə'kweɪnt] *vt* **to a. sb with sth** informer qn de qch; **to be acquainted with** *(person)* connaître; *(fact)* savoir; **we are acquainted** on se connaît ▪**acquaintance** *n (person, knowledge)* connaissance *f*

acquiesce [ækwɪ'es] *vi* (**a**) *(agree)* acquiescer (**in/to** à) (**b**) *(collude)* **to a. in sth** ne pas s'opposer à qch ▪**acquiescence** *n* acquiescement *m*

acquire [ə'kwaɪə(r)] *vt* acquérir; *(taste)* prendre (**for** à); *(friends)* se faire; **acquired taste** goût *m* qui s'acquiert ▪**acquisition** [ækwɪ'zɪʃən] *n* acquisition *f* ▪**acquisitive** [ə'kwɪzɪtɪv] *adj* avide, cupide

acquit [ə'kwɪt] (*pt & pp* -tt-) *vt* (**a**) *Law* **to a. sb (of a crime)** acquitter qn (**b**) **to a. oneself badly/well** mal/bien s'en tirer ▪**acquittal** *n* acquittement *m*

acre ['eɪkə(r)] *n* acre *f* (≃ 0,4 *hectare*); *Fam* **acres of space** plein de place

acrid ['ækrɪd] *adj (smell, taste)* âcre

acrimonious [ækrɪ'məʊnɪəs] *adj* acerbe

acrobat ['ækrəbæt] *n* acrobate *mf* ▪**acro'batic** *adj* acrobatique; **a. movement** *or* **feat** acrobatie *f* ▪**acro'batics** *npl* acrobaties *fpl*

acronym ['ækrənɪm] *n* sigle *m*

across [ə'krɒs] **1** *prep (from side to side of)* d'un côté à l'autre de; *(on the other side of)* de l'autre côté de; *(crossways)* en travers de; **a bridge a. the river** un pont sur la rivière; **to walk** *or* **go a.** *(street, lawn)* traverser; **to run/swim a.** traverser en courant/à la nage **2** *adv* **to be a kilometre a.** *(wide)* avoir un kilomètre de large; **to get sth a. to sb** faire comprendre qch à qn

acrylic [ə'krɪlɪk] **1** *adj (paint, fibre)* acrylique; *(garment)* en acrylique **2** *n* acrylique *m*

act [ækt] **1** *n* (**a**) *(deed)* acte *m*; **a. (of parliament)** loi *f*; **caught in the a.** pris sur le fait; **a. of walking** action *f* de marcher; **an a. of folly** une folie (**b**) *Theatre (part of play)* acte *m*; *(in circus, cabaret)* numéro *m*; *Fig* **to get one's a. together** se secouer; *Fam* **to put on an a.** jouer la comédie; *Fam* **in on the a.** dans le coup **2** *vt (part in play or film)* jouer; **to a. the fool** faire l'idiot **3** *vi* (**a**) *(take action, behave)* agir; **it's time to a.** il est temps d'agir; **to a. as secretary/etc** faire office de secrétaire/etc; **to a. as a warning** servir d'avertissement; **to a. (up)on** *(affect)* agir sur; *(advice)* suivre; **to a. on behalf of sb** représenter qn; *Fam* **to a. up** *(of person, machine)* faire des siennes (**b**) *(in play, film)* jouer; *(pretend)* jouer la comédie ▪**acting 1** *adj (temporary)* intérimaire **2** *n (of play)* représentation *f*; *(actor's art)* jeu *m*; *(career)* théâtre *m*

action ['ækʃən] *n* action *f*; *(military)* combats *mpl*; *(legal)* procès *m*, action *f*; **to take a.** prendre des mesures; **to put into a.** *(plan)* exécuter; **out of a.** *(machine)* hors service; *(person)* hors de combat; **killed in a.** mort au champ d'honneur

activate ['æktɪveɪt] *vt Chem* activer; *(mechanism)* déclencher

active ['æktɪv] **1** *adj* actif, -ive; *(interest, dislike)* vif (*f* vive); *(volcano)* en activité **2** *n Grammar* actif *m* ▪**ac'tivity** (*pl* -ies) *n* activité *f*; *(in street)* animation *f*

activist ['æktɪvɪst] *n* activiste *mf*

actor ['æktə(r)] *n* acteur *m*

actress ['æktrɪs] *n* actrice *f*

actual ['æktʃʊəl] *adj* réel (*f* réelle); *(example)* concret, -ète; **the a. book** le livre même; **in a. fact** en réalité ▪**actually** *adv (truly)* réellement; *(in fact)* en réalité, en fait

> Note that the French words **actuel** and **actuellement** are false friends and are never translations for the English words **actual** and **actually.** They mean respectively **present** and **at present.**

actuary ['æktʃʊərɪ] (*pl* -ies) *n* actuaire *mf*

acumen [*Br* 'ækjʊmən, *Am* ə'kjuːmən] *n* perspicacité *f*; **to have business a.** avoir le sens des affaires

acupuncture ['ækjʊpʌŋktʃə(r)] *n* acuponcture *f* ▪**acupuncturist** *n* acuponcteur, -trice *mf*

acute [ə'kjuːt] *adj (pain, angle)* aigu (*f* aiguë); *(anxiety, emotion)* vif (*f* vive); *(mind, observer)* perspicace; *(shortage)* grave ▪**acutely** *adv (suffer, feel)* profondément; *(painful)* extrêmement; **he's a. aware that...** il a parfaitement conscience du fait que...

AD [eɪ'diː] (*abbr* **anno Domini**) *adv* apr. J.-C.

ad [æd] *n Fam (on radio, TV)* pub *f*; *(private, in newspaper)* annonce *f*; *Br* **small a.,** *Am* **want a.** petite annonce

Adam ['ædəm] *n* **A.'s apple** pomme *f* d'Adam

adamant ['ædəmənt] *adj* catégorique; **to be a. that...** maintenir que...

adapt [ə'dæpt] **1** *vt* adapter (**to** à); **to a. oneself to sth** s'adapter à qch **2** *vi* s'adapter ▪**adaptable** *adj (person)* souple; *(instrument)* adaptable ▪**adap'tation** *n* adaptation *f*

▪**adapter, adaptor** *n (for use abroad)* adaptateur *m; (for several plugs)* prise *f* multiple
add [æd] **1** *vt* ajouter (**to** à; **that** que); **to a. (up** *or* **together)** *(numbers)* additionner; **to a. in** inclure **2** *vi* **to a. to** *(increase)* augmenter; **to a. up to** *(total)* s'élever à; *(mean)* signifier; *(represent)* constituer; *Fam* **it all adds up** tout s'explique
adder [ˈædə(r)] *n* vipère *f*
addict [ˈædɪkt] *n* **drug a.** toxicomane *mf*, drogué, -ée *mf*; **jazz/TV a.** fana(tique) *mf* du jazz/de la télé ▪**addicted** [əˈdɪktɪd] *adj* **to be a. to drugs** être toxicomane; **to be a. to drink** être alcoolique; **to be a. to cigarettes** ne pas pouvoir se passer de tabac; **to be a. to sport** se passionner pour le sport; **to be a. to work** être un bourreau de travail; **to be a. to doing sth** *(have the habit of)* avoir la manie de faire qch ▪**addiction** [əˈdɪkʃən] *n (to drugs)* dépendance *f* (**to** à); *(to chocolate)* passion *f* (**to** pour); **drug a.** toxicomanie *f* ▪**addictive** *adj (drug, TV)* qui crée une dépendance
addition [əˈdɪʃən] *n* addition *f*; *(increase)* augmentation *f*; **in a.** de plus; **in a. to** en plus de ▪**additional** *adj* supplémentaire
additive [ˈædɪtɪv] *n* additif *m*
address [*Br* əˈdres, *Am* ˈædres] **1** *n (on letter, parcel)* adresse *f*; *(speech)* allocution *f* **2** [əˈdres] *vt (person, audience)* s'adresser à; *(words, speech)* adresser (**to** à); *(letter)* mettre l'adresse sur; **I addressed it to you** c'est à vous que je le/l'ai adressé ▪**addressee** [ædreˈsiː] *n* destinataire *mf*
adenoids [ˈædɪnɔɪdz] *npl* végétations *fpl*
adept [əˈdept] *adj* expert (**in** *or* **at** à)
adequate [ˈædɪkwət] *adj (enough)* suffisant; *(acceptable)* convenable; *(performance)* acceptable ▪**adequacy** *n (of person)* compétence *f*; **to doubt the a. of sth** douter que qch soit suffisant ▪**adequately** *adv (sufficiently)* suffisamment; *(acceptably)* convenablement
adhere [ədˈhɪə(r)] *vi* **to a. to** adhérer à; *(decision, rule)* s'en tenir à ▪**adherence** *n (support)* adhésion *f* ▪**adhesion** [-ˈhiːʒən] *n (grip)* adhérence *f* ▪**adhesive** [-ˈhiːsiv] *adj & n* adhésif *(m)*
ad infinitum [ædɪnfɪˈnaɪtəm] *adv* à l'infini
adjacent [əˈdʒeɪsənt] *adj (house, angle)* adjacent (**to** à)
adjective [ˈædʒɪktɪv] *n* adjectif *m*
adjoin [əˈdʒɔɪn] *vt* être attenant à ▪**adjoining** *adj* attenant
adjourn [əˈdʒɜːn] **1** *vt (postpone)* ajourner; *(session)* suspendre **2** *vi* suspendre la séance; **to a. to another room** passer dans une autre pièce ▪**adjournment** *n* ajournement *m; (of session)* suspension *f* (de séance)
adjudicate [əˈdʒuːdɪkeɪt] *vti* juger ▪**adjudication** [-ˈkeɪʃən] *n* jugement *m* ▪**adjudicator** *n* juge *m*, arbitre *m*

adjust [əˈdʒʌst] *vt (machine)* régler; *(machine part)* ajuster, régler; *(salaries, prices)* (r)ajuster; *(clothes)* rajuster; **to a. (oneself) to sth** s'adapter à qch ▪**adjustable** *adj (seat)* réglable ▪**adjustment** *n Tech* réglage *m; (of person)* adaptation *f; (of salaries, prices)* réajustement *m*
ad-lib [ædˈlɪb] **1** *(pt & pp* **-bb-***) vi* improviser **2** *adj (joke)* improvisé **3** *adv* en improvisant
administer [ədˈmɪnɪstə(r)] *vt (manage, dispense)* administrer (**to** à) ▪**administration** [-ˈstreɪʃən] *n* administration *f; (government)* gouvernement *m* ▪**administrative** *adj* administratif, -ive ▪**administrator** *n* administrateur, -trice *mf*
admirable [ˈædmərəbəl] *adj* admirable ▪**admiration** [-ˈreɪʃən] *n* admiration *f*
admiral [ˈædmərəl] *n* amiral *m*
admire [ədˈmaɪə(r)] *vt* admirer (**for sth** pour qch; **for doing** de faire) ▪**admirer** *n* admirateur, -trice *mf* ▪**admiring** *adj* admiratif, -ive
admit [ədˈmɪt] *(pt & pp* **-tt-***)* **1** *vt (let in)* laisser entrer; *(to hospital, college)* admettre; *(acknowledge)* reconnaître, admettre (**that** que) **2** *vi* **to a. to sth** avouer qch; *(mistake)* reconnaître qch ▪**admissible** *adj* admissible ▪**admission** *n (entry to theatre)* entrée *f* (**to** à *ou* de); *(to club, school)* admission *f; (acknowledgement)* aveu *m;* **a. (charge)** *(prix m* d')entrée *f* ▪**admittance** *n* entrée *f;* **'no a.'** 'entrée interdite' ▪**admittedly** [-ɪdlɪ] *adv* de l'aveu général; **a., it was dark** je dois convenir qu'il faisait sombre
admonish [ədˈmɒnɪʃ] *vt (rebuke)* réprimander; *(warn)* avertir
ado [əˈduː] *n* **without further a.** sans plus de façons
adolescent [ædəˈlesənt] *n* adolescent, -ente *mf* ▪**adolescence** *n* adolescence *f*
adopt [əˈdɒpt] *vt (child, method, attitude)* adopter; *Pol (candidate)* choisir ▪**adopted** *adj (child)* adopté; *(son, daughter)* adoptif, -ive; *(country)* d'adoption ▪**adoption** *n* adoption *f* ▪**adoptive** *adj (parent)* adoptif, -ive
adore [əˈdɔː(r)] *vt* adorer (**doing** faire); **he adores being flattered** il adore qu'on le flatte ▪**adorable** *adj* adorable ▪**adoration** [ædəˈreɪʃən] *n* adoration *f*
adorn [əˈdɔːn] *vt (room, book)* orner (**with** de); *(person, dress)* parer (**with** de) ▪**adornment** *n* ornements *mpl; (finery)* parure *f*
adrenalin(e) [əˈdrenəlɪn] *n* adrénaline *f*
Adriatic [eɪdrɪˈætɪk] *n* **the A.** l'Adriatique *f*
adrift [əˈdrɪft] *adj & adv (boat)* à la dérive; **to come a.** *(of rope, collar)* se détacher; *Fig* **to turn sb a.** abandonner qn à son sort
adroit [əˈdrɔɪt] *adj* habile
ADSL [eɪdiːesˈel] *(abbr* **Asynchronous Digital Subscriber Line***) n Comptr* ADSL *f*

adulation [ædjʊ'leɪʃən] n adulation f

adult ['ædʌlt, ə'dʌlt] 1 n adulte mf 2 adj (animal) adulte; **a. class/film** classe f/film m pour adultes **• adulthood** n âge m adulte

adulterate [ə'dʌltəreɪt] vt (food) empoisonner

adultery [ə'dʌltərɪ] n adultère m; **to commit a.** commettre l'adultère **• adulterous** adj adultère

advance [əd'vɑːns] 1 n (movement, money) avance f; (of science) progrès mpl; **advances** (of love, friendship) avances fpl; **in a.** (book, inform, apply) à l'avance; (pay) d'avance; (arrive) en avance; **in a. of sb** avant qn
2 adj (payment) anticipé; **a. booking** réservation f; **a. guard** avant-garde f
3 vt (a) (put forward) faire avancer; (chess piece) avancer (b) (science, one's work) faire progresser; (opinion) avancer
4 vi (go forward, progress) avancer; **to a. towards sb** s'avancer ou avancer vers qn **• advanced** adj avancé; (studies, level) supérieur; (course) de niveau supérieur; **a. in years** âgé; **she's very a. for her age** elle est très en avance pour son âge **• advancement** n (progress, promotion) avancement m

advantage [əd'vɑːntɪdʒ] n avantage m (over sur); **to take a. of** (situation) profiter de; (person) exploiter; (woman) séduire; **to show sth (off) to a.** mettre qch en valeur; Sport **a. Federer** (in tennis) avantage Federer **• advantageous** [ædvən'teɪdʒəs] adj avantageux, -euse (**to** pour)

advent ['ædvent] n arrivée f, avènement m; Rel **A.** l'Avent m

adventure [əd'ventʃə(r)] 1 n aventure f 2 adj (film) d'aventures **• adventurer** n aventurier, -ière mf **• adventurous** adj aventureux, -euse

adverb ['ædvɜːb] n adverbe m

adversary ['ædvəsərɪ] n (pl -ies) n adversaire mf

adverse ['ædvɜːs] adj défavorable; (effect) négatif, -ive **• adversity** [əd'vɜːsɪtɪ] n adversité f

advert ['ædvɜːt] n Br pub f; (private, in newspaper) annonce f

advertise ['ædvətaɪz] 1 vt (commercially) faire de la publicité pour; (privately) passer une annonce pour vendre; **he didn't want to a. his presence** il ne voulait pas se faire remarquer 2 vi faire de la publicité; (privately) passer une annonce (**for** pour trouver) **• advertiser** n annonceur, -euse mf **• advertising** n publicité f; **a. agency** agence f de publicité; **a. campaign** campagne f de publicité

> Note that the French verb **avertir** is a false friend and is never a translation for the English verb **to advertise**. Its most common meaning is **to warn**.

advertisement [Br əd'vɜːtɪsmənt, Am ædvər'taɪzmənt] n publicité f; (private or in newspaper) annonce f; (poster) affiche f; TV **the advertisements** la publicité

> Note that the French noun **avertissement** is a false friend and is never a translation for the English noun **advertisement**. It means **warning**.

advice [əd'vaɪs] n conseil(s) m(pl); Com (notification) avis m; **a piece of a.** un conseil; **to ask sb's a.** demander conseil à qn; **to take sb's a.** suivre les conseils de qn

advise [əd'vaɪz] vt (a) (counsel) conseiller; (recommend) recommander; **to a. sb to do sth** conseiller à qn de faire qch; **to a. sb against doing sth** déconseiller à qn de faire qch; **he would be well advised to leave** il ferait bien de partir (b) (inform) **to a. sb that...** aviser qn que... **• advisable** adj (action) à conseiller; **it's a. to wait/etc** il est plus prudent d'attendre/etc **• advisedly** [-ɪdlɪ] adv après réflexion **• adviser, advisor** n conseiller, -ère mf; **careers a.** conseiller, -ère mf d'orientation **• advisory** adj consultatif, -ive; **in an a. capacity** à titre consultatif

advocate 1 ['ædvəkət] n (of cause) défenseur m; (lawyer) avocat, -ate mf 2 ['ædvəkeɪt] vt préconiser

aegis ['iːdʒɪs] n **under the a. of** sous l'égide de

aeon ['iːɒn] n éternité f

aerial ['eərɪəl] 1 n Br antenne f 2 adj (photo) aérien, -ienne

aerobatics [eərə'bætɪks] npl acrobaties fpl aériennes

aerobics [eə'rəʊbɪks] npl aérobic m

aerodynamic [eərəʊdaɪ'næmɪk] adj aérodynamique

aeronautics [eərə'nɔːtɪks] n aéronautique f

aeroplane ['eərəpleɪn] n Br avion m

aerosol ['eərəsɒl] n aérosol m

aerospace ['eərəspeɪs] adj (industry) aérospatial

aesthetic [iːs'θetɪk] (Am **esthetic** [es'θetɪk]) adj esthétique

afar [ə'fɑː(r)] adv Literary **from a.** de loin

affable ['æfəbəl] adj affable

affair ['əfeə(r)] n (matter, concern) affaire f; (love) **a.** liaison f; **state of affairs** situation f

> Note that the French word **affaire** is a false friend. It is never used to mean **love affair**.

affect [ə'fekt] vt (concern) concerner; (move, pretend to have) affecter; (harm) nuire à; (influence) influer sur; **to be deeply affected by sth** être très affecté par qch; **to be affected by a disease/famine** être atteint par une maladie/touché par la famine **• affectation**

[æfek'teɪʃən] n affectation f ▪**affected** adj (manner) affecté

affection [ə'fekʃən] n affection f (**for** pour) ▪**affectionate** adj affectueux, -ueuse ▪**affectionately** adv affectueusement

affiliate [ə'fɪlɪeɪt] vt affilier; **affiliated company** filiale f ▪**affili'ation** n affiliation f; **what are his political affiliations?** quels sont ses liens avec les différents partis politiques?

affinity [ə'fɪnɪtɪ] (pl **-ies**) n affinité f

affirm [ə'fɜːm] vt affirmer ▪**affirmation** [æfə'meɪʃən] n affirmation f ▪**affirmative 1** adj affirmatif, -ive **2** n affirmative f; **to answer in the a.** répondre par l'affirmative

affix [ə'fɪks] vt (stamp, signature) apposer

afflict [ə'flɪkt] vt affliger (**with** de) ▪**affliction** n (misery) affliction f; (disability) infirmité f

affluent ['æflʊənt] adj riche; **a. society** société f d'abondance ▪**affluence** n richesse f

afford [ə'fɔːd] vt (**a**) (pay for) **to be able to a. sth** avoir les moyens d'acheter qch, pouvoir se payer qch; **he can't a. the time (to read it)** il n'a pas le temps (de le lire); **I can a. to wait** je peux me permettre d'attendre (**b**) Formal (provide) fournir, donner; **to a. sb sth** fournir qch à qn ▪**affordable** adj (price) abordable

affray [ə'freɪ] n Law rixe f

affront [ə'frʌnt] **1** n affront m **2** vt faire un affront à

Afghanistan [æf'gænɪstɑːn] n l'Afghanistan m

afield [ə'fiːld] adv **further a.** plus loin

afloat [ə'fləʊt] adv (ship, swimmer, business) à flot; (awash) submergé; **to stay a.** (of ship) rester à flot; (of business) se maintenir à flot

afoot [ə'fʊt] adv **there's something a.** il se trame quelque chose; **there's a plan a. to…** on prépare un projet pour…

aforementioned [ə'fɔːmenʃənd] adj susmentionné

afraid [ə'freɪd] adj **to be a.** avoir peur (**of sb/ sth** de qn/qch); **to be a. to do** or **of doing** avoir peur de faire; **to make sb a.** faire peur à qn; **I'm a. (that) he'll fall** j'ai peur qu'il (ne) tombe; **he's a. (that) she may be ill** il a peur qu'elle (ne) soit malade; **I'm a. he's out** (I regret to say) je regrette, il est sorti

afresh [ə'freʃ] adv de nouveau; **to start a.** recommencer

Africa ['æfrɪkə] n l'Afrique f ▪**African 1** adj africain **2** n Africain, -aine mf

after ['ɑːftə(r)] **1** adv après; **soon/long a.** peu/ longtemps après; **the month a.** le mois d'après; **the day a.** le lendemain

2 prep après; **a. three days** au bout de trois jours; **the day a. the battle** le lendemain de la bataille; **a. eating** après avoir mangé; **day a. day** jour après jour; **a. you!** je vous en prie!; **a. all** après tout; **it's a. five** il est cinq heures

passées; Am **ten a. four** quatre heures dix; **to be a. sb/sth** (seek) chercher qn/qch

3 conj après que; **a. he saw you** après qu'il t'a vu ▪**aftercare** n Med soins mpl postopératoires ▪**aftereffects** npl suites fpl, séquelles fpl ▪**afterlife** n vie f après la mort ▪**aftermath** n suites fpl ▪**aftersales 'service** n service m après-vente ▪**after-shave (lotion)** n lotion f après-rasage, after-shave m inv ▪**aftertaste** n arrière-goût m ▪**afterthought** n réflexion f après coup; **to add/say sth as an a.** ajouter/ dire qch après coup ▪**afterward(s)** adv après, plus tard

afternoon [ɑːftə'nuːn] n après-midi m ou f inv; **in the a.** l'après-midi; **at three in the a.** à trois heures de l'après-midi; **every Monday a.** tous les lundis après-midi; **good a.!** (hello) bonjour!; (goodbye) au revoir! ▪**afternoons** adv Am l'après-midi

afters ['ɑːftəz] npl Br Fam dessert m

again [ə'gen, ə'geɪn] adv de nouveau, encore une fois; (furthermore) en outre; **to do a.** refaire; **to go down/up a.** redescendre/ remonter; **she won't do it a.** elle ne le fera plus; **never a.** plus jamais; **half as much a.** moitié plus; **a. and a.** bien des fois, maintes fois; **what's his name a.?** comment s'appelle-t-il déjà?

against [ə'genst, ə'geɪnst] prep contre; **to lean a. sth** s'appuyer contre qch; **to go** or **be a. sth** s'opposer à qch; **a. the law** illégal; **a law a. drinking** une loi qui interdit de boire; **his age is a. him** son âge lui est défavorable; **a. a background of** sur (un) fond de; **a. the light** à contre-jour; Br **a. the rules,** Am **a. the rule** interdit, contraire aux règlements; **the pound rose a. the dollar** la livre est en hausse par rapport au dollar

age [eɪdʒ] **1** n âge m; (old) **a.** vieillesse f; **what a. are you?, what's your a.?** quel âge as-tu?; **five years of a.** âgé de cinq ans; **to be of a.** être majeur; **to come of a.** atteindre sa majorité; **under a.** trop jeune, mineur; Fam **to wait (for) ages** attendre une éternité; **a. gap** différence f d'âge; **a. group** tranche f d'âge; **a. limit** limite f d'âge **2** vti (pres p **ag(e)ing**) vieillir ▪**aged** adj (**a**) [eɪdʒd] **a. ten** âgé de dix ans (**b**) ['eɪdʒɪd] vieux (f vieille), âgé; **the a.** les personnes fpl âgées ▪**ageless** adj toujours jeune ▪**age-old** adj séculaire

agenda [ə'dʒendə] n ordre m du jour

> Note that the French noun **agenda** is a false friend and is never a translation for the English noun **agenda**. It means **diary**.

agent ['eɪdʒənt] n agent m; (car dealer) concessionnaire mf ▪**agency** n (**a**) (office) agence f (**b**) **through the a. of sb** par l'intermédiaire de qn

aggravate ['ægrəveɪt] *vt (make worse)* aggraver; *Fam (person)* exaspérer ■**aggra'vation** *n* aggravation *f*; *Fam (bother)* embêtements *mpl*

aggregate ['ægrɪgət] **1** *adj* global **2** *n (total)* ensemble *m*; **on a.** au total

aggression [ə'greʃən] *n (act)* agression *f*; *(aggressiveness)* agressivité *f* ■**aggressive** *adj* agressif, -ive ■**aggressiveness** *n* agressivité *f* ■**aggressor** *n* agresseur *m*

aggrieved [ə'griːvd] *adj (offended)* blessé, froissé; *(tone)* peiné

aggro ['ægrəʊ] *n Br Fam (bother)* embêtements *mpl*; *(violence)* bagarre *f*

aghast [ə'gɑːst] *adj* horrifié (**at** par)

agile [*Br* 'ædʒaɪl, *Am* 'ædʒəl] *adj* agile ■**agility** [ə'dʒɪlɪtɪ] *n* agilité *f*

agitate ['ædʒɪteɪt] **1** *vt (worry)* agiter; **to be agitated** être agité **2** *vi* **to a. for sth** faire campagne pour qch ■**agitation** [-'teɪʃən] *n (anxiety, unrest)* agitation *f* ■**agitator** *n (political)* agitateur, -trice *mf*

aglow [ə'gləʊ] *adj (sky)* embrasé; **to be a.** rayonner (**with** de)

agnostic [æg'nɒstɪk] *adj & n* agnostique *(mf)*

ago [ə'gəʊ] *adv* **a year a.** il y a un an; **how long a.?** il y a combien de temps (de cela)?; **long a.** il y a longtemps; **as long a. as 1800** déjà en 1800; **a short time a.** il y a peu de temps

agog [ə'gɒg] *adj (excited)* en émoi; *(eager)* impatient

agonize ['ægənaɪz] *vi* se faire beaucoup de souci ■**agonized** *adj (look)* angoissé; *(cry)* de douleur ■**agonizing** *adj (pain)* atroce; *(situation)* angoissant

> Note that the French verb **agoniser** is a false friend and is never a translation for the English verb **to agonize**. It means **to be dying**.

agony ['ægənɪ] *(pl* **-ies**) *n (pain)* douleur *f* atroce; *(anguish)* angoisse *f*; **to be in a.** être au supplice; **a. aunt** = responsable de la rubrique courrier du cœur; **a. column** *(in newspaper)* courrier *m* du cœur

> Note that the French noun **agonie** is a false friend and is never a translation for the English noun **agony**. It means **death throes**.

agree [ə'griː] **1** *vi (come to an agreement)* se mettre d'accord; *(be in agreement)* être d'accord (**with** avec); *(of facts, dates)* concorder; *(of verb)* s'accorder; **to a. (up)on** *(decide)* convenir de; **to a. to sth/to doing** consentir à qch/à faire; **it doesn't a. with me** *(food, climate)* ça ne me réussit pas **2** *vt (plan)* se mettre d'accord sur; *(date, price)* convenir de; *(figures, sums)* faire concorder; *(approve)* approuver; **to a. to do** accepter de faire; **to a. that...** admettre que... ■**agreed**

adj (time, place) convenu; **we are a.** nous sommes d'accord; **a.!** entendu! ■**agreement** *n (contract, assent) & Grammar* accord *m* (**with** avec); **to be in a. with sb** être d'accord avec qn; **to be in a. with a decision** approuver une décision; **to come to an a.** se mettre d'accord; **by mutual a.** d'un commun accord

> Note that the French noun **agrément** is a false friend and is never a translation for the English noun **agreement**. Its most common meaning is **pleasure** or **charm**.

agreeable [ə'griːəbəl] *adj (pleasant)* agréable; **to be a.** *(agree)* être d'accord; **to be a. to sth** consentir à qch

agriculture ['ægrɪkʌltʃə(r)] *n* agriculture *f* ■**agri'cultural** *adj* agricole

aground [ə'graʊnd] *adv* **to run a.** *(of ship)* (s')échouer

ah [ɑː] *exclam* ah!

ahead [ə'hed] *adv (in space)* en avant; *(leading)* en tête; *(in the future)* à l'avenir; **a. of** *(space)* devant; *(time)* avant; **one hour/etc a.** une heure/*etc* d'avance (**of** sur); **to be a. of schedule** être en avance; **to go on a.** partir devant; **to go a.** *(advance)* avancer; *(continue)* continuer; *(start)* commencer; **go a.!** allez-y!; **to go a. with** *(task)* mettre à exécution; **to get a.** *(in race)* prendre de l'avance; *(succeed)* réussir; **to think a.** prévoir

aid [eɪd] **1** *n (help)* aide *f*; *(device)* accessoire *m*; **with the a. of sb** avec l'aide de qn; **with the a. of sth** à l'aide de qch; **in a. of** *(charity)* au profit de; *Fam* **what's (all) this in a. of?** ça sert à quoi, tout ça? **2** *vt* aider (**sb to do** qn à faire)

aide [eɪd] *n* collaborateur, -trice *mf*

AIDS [eɪdz] *(abbr* **Acquired Immune Deficiency Syndrome)** *n* SIDA *m*; **A. victim/virus** malade *mf*/virus *m* du SIDA

ail [eɪl] *vt* **what ails you?** de quoi souffrez-vous? ■**ailing** *adj (ill)* souffrant; *(company)* en difficulté ■**ailment** *n (petit)* ennui *m* de santé

aim [eɪm] **1** *n* but *m*; **to take a. (at)** viser; **with the a. of** dans le but de **2** *vt (gun)* braquer (**at** sur); *(lamp)* diriger (**at** vers); *(stone)* lancer (**at** à *ou* vers); *(blow, remark)* décocher (**at** à); **aimed at children** *(product)* destiné aux enfants **3** *vi* viser; **to a. at sb** viser qn; **to a. to do** *or* **at doing** avoir l'intention de faire ■**'aimless** *adj (existence)* sans but ■**'aimlessly** *adv* sans but

air [eə(r)] **1** *n* (**a**) *(atmosphere)* air *m*; **in the open a.** en plein air; **by a.** *(travel)* en *ou* par avion; *(send letter or goods)* par avion; **to be** *or* **go on the a.** *(of person)* passer à l'antenne; *(of programme)* être diffusé; **to throw (up) in(to) the a.** jeter en l'air; **(up)** in the a. *(plan)* incertain; *Fig* **there's something in the a.** il se prépare quelque chose (**b**) *(appearance, tune)* air *m*; **to put on airs** se donner des airs; **with an a. of sadness** d'un air triste

2 *adj (base)* aérien, -ienne; **a. bed** matelas *m* pneumatique; **a. fare** prix *m* du billet d'avion; **a. force** armée *f* de l'air

3 *vt (room) (views)* exposer; *Br* **airing cupboard** = placard où se trouve le chauffe-eau ▪**airbag** *n* Air Bag® *m* ▪**airborne** *adj (troops)* aéroporté; **to become a.** *(of aircraft)* décoller ▪**air-conditioned** *adj* climatisé ▪**air-conditioning** *n* climatisation *f* ▪**aircraft** *n inv* avion *m*; **a. carrier** porte-avions *m inv* ▪**airfield** *n* terrain *m* d'aviation ▪**air freshener** *n* désodorisant *m (pour la maison)* ▪**airgun** *n Br* carabine *f* à air comprimé ▪**air letter** *n* aérogramme *m* ▪**airlift 1** *n* pont *m* aérien **2** *vt* transporter par avion ▪**airline** *n* compagnie *f* aérienne; **a. ticket** billet *m* d'avion ▪**airlock** *n (in submarine, spacecraft)* sas *m*; *(in pipe)* poche *f* d'air ▪**airmail** *n* poste *f* aérienne; **by a.** par avion ▪**airman** *(pl* **-men)** *n* aviateur *m* ▪**airplane** *n Am* avion *m* ▪**airpocket** *n* trou *m* d'air ▪**airport** *n* aéroport *m* ▪**air-raid shelter** *n* abri *m* antiaérien ▪**airship** *n* dirigeable *m* ▪**airsick** *adj* **to be a.** avoir le mal de l'air ▪**airsickness** *n* mal *m* de l'air ▪**airstrip** *n* terrain *m* d'atterrissage ▪**airtight** *adj* hermétique ▪**air traffic controller** *n* contrôleur *m* aérien, aiguilleur *m* du ciel ▪**airway** *n (route)* couloir *m* aérien ▪**airworthy** *adj* en état de voler

airy ['eərɪ] **(-ier, -iest)** *adj (room)* clair et spacieux, -ieuse; *Fig (manner)* désinvolte ▪**airy-'fairy** *adj Br Fam* farfelu ▪**airily** *adv (not seriously)* d'un ton léger

aisle [aɪl] *n (in supermarket, cinema)* allée *f*; *(in plane)* couloir *m*; *(in church) (on side)* nef *f* latérale; *(central)* allée centrale

ajar [ə'dʒɑ:(r)] *adj & adv (door)* entrouvert

akin [ə'kɪn] *adj* **a. to** apparenté à

alabaster ['æləbɑːstə(r)] *n* albâtre *m*

alacrity [ə'lækrɪtɪ] *n* empressement *m*

à la mode [æla'məʊd] *adj Am (dessert)* avec de la crème glacée

alarm [ə'lɑːm] **1** *n (warning, fear, device)* alarme *f*; *(mechanism)* sonnerie *f* (d'alarme); **false a.** fausse alerte *f*; **a. clock** réveil *m* **2** *vt (frighten)* alarmer; *(worry)* inquiéter; **to get alarmed** s'alarmer; **they were alarmed at the news** la nouvelle les a beaucoup inquiétés ▪**alarmist** *n* alarmiste *mf*

alas [ə'læs] *exclam* hélas!

Albania [æl'beɪnɪə] *n* l'Albanie *f* ▪**Albanian 1** *adj* albanais **2** *n* Albanais, -aise *mf*

albatross ['ælbətrɒs] *n* albatros *m*

albeit [ɔːl'biːɪt] *conj Literary* quoique (+ subjunctive)

albino [*Br* æl'biːnəʊ, *Am* æl'baɪnəʊ] *(pl* **-os)** *n* albinos *mf*

album ['ælbəm] *n (book, record)* album *m*

alchemy ['ælkəmɪ] *n* alchimie *f* ▪**alchemist** *n* alchimiste *m*

alcohol ['ælkəhɒl] *n* alcool *m* ▪**alco'holic 1** *adj (person)* alcoolique; **a. drink** boisson *f* alcoolisée **2** *n (person)* alcoolique *mf* ▪**alcoholism** *n* alcoolisme *m*

alcopop ['ælkəʊpɒp] *n* prémix *m*

alcove ['ælkəʊv] *n* alcôve *f*

ale [eɪl] *n* bière *f*

alert [ə'lɜːt] **1** *adj (watchful)* vigilant; *(lively) (mind, baby)* éveillé **2** *n* alerte *f*; **on the a.** sur le qui-vive **3** *vt* alerter ▪**alertness** *n* vigilance *f*; *(of mind, baby)* vivacité *f*

A level ['eɪlevəl] *n Br (exam)* ≃ épreuve *f* de baccalauréat

alfalfa [æl'fælfə] *n Am* luzerne *f*

algebra ['ældʒɪbrə] *n* algèbre *f*

Algeria [æl'dʒɪərɪə] *n* l'Algérie *f* ▪**Algerian 1** *adj* algérien, -ienne **2** *n* Algérien, -ienne *mf*

alias ['eɪlɪəs] **1** *adv* alias **2** *(pl* **aliases)** *n* nom *m* d'emprunt

alibi ['ælɪbaɪ] *n* alibi *m*

alien ['eɪlɪən] **1** *adj (foreign)* étranger, -ère **(to** à**) 2** *n Formal (foreigner)* étranger, -ère *mf*; *(from outer space)* extraterrestre *mf* ▪**alienate** *vt (supporters, readers)* s'aliéner; **to a. sb** *(make unfriendly)* s'aliéner qn; **to feel alienated** se sentir exclu

alight¹ [ə'laɪt] *adj (fire)* allumé; *(building)* en feu; *(face)* éclairé; **to set sth a.** mettre le feu à qch

alight² [ə'laɪt] *(pt & pp* **alighted** *or* **alit)** *vi* **(a)** *Formal (from bus, train)* descendre **(from** de**) (b)** *(of bird)* se poser **(on** sur**)**

align [ə'laɪn] *vt* aligner; **to a. oneself with sb** s'aligner sur qn ▪**alignment** *n* alignement *m*; **in a. (with)** aligné (sur)

alike [ə'laɪk] **1** *adj (people, things)* semblables, pareils, -eilles; **to look** *or* **be a.** se ressembler **2** *adv* de la même manière; **summer and winter a.** été comme hiver

alimony [*Br* 'ælɪmənɪ, *Am* 'ælɪməʊnɪ] *n Law* pension *f* alimentaire

alit [ə'lɪt] *pt & pp of* **alight²**

alive [ə'laɪv] *adj* vivant, en vie; **a. to** conscient de; **a. with worms/etc** *(crawling)* grouillant de vers/etc; **to stay a.** survivre; **to keep sb a.** maintenir qn en vie; **to keep a memory/ custom a.** entretenir un souvenir/une tradition; **anyone a. will tell you** n'importe qui vous le dira; **a. and well** bien portant; *Fam* **a. and kicking** plein de vie

all [ɔːl] **1** *adj* tout, toute, *pl* tous, toutes; **a. day** toute la journée; **a. men** tous les hommes; **a. the girls** toutes les filles; **a. four of them** tous les quatre; **with a. speed** à toute vitesse; **for a. his wealth** malgré toute sa fortune

2 *pron (everyone)* tous *mpl*, toutes *fpl*; *(every-*

thing) tout; **my sisters are a. here** toutes mes sœurs sont ici; **he ate it a., he ate a. of it** il a tout mangé; **take a. of it** prends (le) tout; **a. of us** nous tous; **a. together** tous ensemble; **a. (that) he has** tout ce qu'il a; **a. in a.** à tout prendre; **in a., a. told** en tout; **a. but impossible/etc (almost)** presque impossible/ *etc*; **anything at a.** quoi que ce soit; **if he comes at a.** s'il vient effectivement; **if there's any wind at a.** s'il y a le moindre vent; **nothing at a.** rien du tout; **not at a.** pas du tout; *(after 'thank you')* il n'y a pas de quoi

3 *adv* tout; **a. alone** tout seul; **a. bad** entièrement mauvais; **a. over** *(everywhere)* partout; *(finished)* fini; **a. too soon** bien trop tôt; *Sport* **six a.** six partout; *Fam* **a. there** éveillé, intelligent; *Fam* **not a. there** un peu fêlé; *Br Fam* **a. in** épuisé

4 *n Literary* **my a.** tout ce que j'ai ▪**all-'clear** *n Mil* fin f d'alerte; *Fig* feu *m* vert ▪**all-important** *adj* essentiel, -ielle *m* ▪**all-in** *adj Br* **a. price** prix *m* global ▪**all-night** *adj (party)* qui dure toute la nuit; *(shop)* ouvert toute la nuit ▪**all-out** *adj (effort)* acharné; *(war, strike)* tous azimuts ▪**all-powerful** *adj* tout-puissant (f toute-puissante) ▪**all-purpose** *adj (tool)* universel, -elle ▪**all-round** *adj (knowledge)* approfondi; *(athlete)* complet, -ète ▪**all-'rounder** *n* personne *f* qui est forte en tout ▪**all-star** *adj* **an a. cast** une distribution prestigieuse ▪**all-time** *adj (record)* jamais battu; **to reach an a. low/high** arriver à son point le plus bas/le plus haut

allay [ə'leɪ] *vt (fears)* calmer, apaiser; *(doubts)* dissiper

allegation [ælɪ'geɪʃən] *n* accusation *f*

allege [ə'ledʒ] *vt* prétendre (**that** que) ▪**alleged** *adj (so-called) (crime, fact)* prétendu; *(author, culprit)* présumé; **he is a. to be...** on prétend qu'il est... ▪**allegedly** [-ɪdlɪ] *adv* à ce qu'on dit

allegiance [ə'liːdʒəns] *n (to party, cause)* fidélité *f* (**to** à)

allegory ['ælɪgərɪ] *(pl* **-ies)** *n* allégorie *f* ▪**allegorical** [-'gɒrɪkəl] *adj* allégorique

allergy ['ælədʒɪ] *(pl* **-ies)** *n* allergie *f* (**to** à) ▪**allergic** [ə'lɜːdʒɪk] *adj* allergique (**to** à)

alleviate [ə'liːvɪeɪt] *vt (pain, suffering)* soulager; *(burden, task)* alléger; *(problem)* remédier à

alley ['ælɪ] *(pl* **-eys)** *n* ruelle *f*; *(in park)* allée *f*; *Fam* **that's right up my a.** c'est mon rayon ▪**alleyway** *n* ruelle *f*

alliance [ə'laɪəns] *n* alliance *f*

allied ['ælaɪd] *adj (country)* allié; *(matters)* lié

alligator ['ælɪgeɪtə(r)] *n* alligator *m*

allocate ['æləkeɪt] *vt (assign)* affecter (**to** à); *(distribute)* répartir ▪**allocation** [-'keɪʃən] *n* affectation *f*

allot [ə'lɒt] *(pt & pp* **-tt-)** *vt (assign)* attribuer (**to** à); *(distribute)* répartir; **in the allotted time** dans le temps imparti ▪**allotment** *n* **(a)** *(action)* attribution *f*; *(share)* part *f* **(b)** *Br (land)* jardin *m* ouvrier

allow [ə'laʊ] **1** *vt* permettre (**sb sth** qch à qn); *(give, grant)* accorder (**sb sth** qch à qn); *(request)* accéder à; **to a. a discount** accorder une réduction; **to a. sb to do** permettre à qn de faire; **to a. an hour/a metre/etc (estimated period or quantity)** prévoir une heure/un mètre/etc; **a. me!** permettez(-moi)!; **it's not allowed** c'est interdit; **you're not allowed to go** on vous interdit d'y aller **2** *vi* **to a. for sth** tenir compte de qch ▪**allowable** *adj (acceptable)* admissible; *(expense)* déductible

allowance [ə'laʊəns] *n* allocation *f*; *(for travel, housing, food)* indemnité *f*; *(for duty-free goods)* tolérance *f*; *(tax-free amount)* abattement *m*; **to make allowances for** *(person)* être indulgent envers; *(thing)* tenir compte de

alloy ['ælɔɪ] *n* alliage *m*

all right [ɔːl'raɪt] **1** *adj (satisfactory)* bien *inv*; *(unharmed)* sain et sauf; *(undamaged)* intact; *(without worries)* tranquille; **it's a.** ça va; **are you a.?** ça va?; **I'm a.** *(healthy)* je vais bien; *(financially)* je m'en sors; *(trustworthy)* c'est quelqu'un de bien; **to be a. at maths** se débrouiller en maths; **the TV is a. now** *(fixed)* la télé marche maintenant **2** *adv (well)* bien; **a.!** *(agreement)* d'accord!; **I received your letter a.** *(emphatic)* j'ai bien reçu votre lettre; **is it a. if I smoke?** ça ne vous dérange pas si je fume?

allude [ə'luːd] *vi* **to a. to** faire allusion à ▪**allusion** *n* allusion *f*

alluring [ə'ljʊərɪŋ] *adj* séduisant

ally 1 ['ælaɪ] *(pl* **-ies)** *n* allié, -iée *mf* **2** [ə'laɪ] *(pt & pp* **-ied)** *vt* **to a. oneself with** s'allier à *ou* avec

almanac ['ɔːlmənæk] *n* almanach *m*

almighty [ɔːl'maɪtɪ] **1** *adj* **(a)** *(powerful)* tout-puissant (f toute-puissante) **(b)** *Fam (enormous)* terrible, formidable **2** *n* **the A.** le Tout-Puissant

almond ['ɑːmənd] *n* amande *f*

almost ['ɔːlməʊst] *adv* presque; **he a. fell** il a failli tomber

alms [ɑːmz] *npl* aumône *f*

aloft [ə'lɒft] *adv Literary* en haut

alone [ə'ləʊn] *adj & adv* seul; **an expert a. can...** seul un expert peut...; **I did it (all) a.** je l'ai fait (tout) seul; **to leave** *or* **let a.** *(person)* laisser tranquille; *(thing)* ne pas toucher à; **to go it a.** faire cavalier seul; **they can't dance, let a. sing** ils ne savent pas danser, et encore moins chanter

along [ə'lɒŋ] **1** *prep (all)* **a.** (tout) le long de; **to walk a. the shore** marcher le long du rivage; **to go** *or* **walk a. the street** marcher dans la rue; **a.**

here par ici; *Fig* **somewhere a. the way** à un moment donné 2 *adv* **to move a.** avancer; **to hobble/plod a.** avancer en boitant/péniblement; **I'll be** *or* **come a. shortly** je viendrai tout à l'heure; **come a.!** venez donc!; **to bring sth a.** apporter qch; **to bring sb a.** amener qn; **all a.** *(all the time)* dès le début; *(all the way)* d'un bout à l'autre; **a. with** ainsi que

alongside [əlɒŋ'saɪd] *prep & adv* à côté (de); **a. the kerb** le long du trottoir

aloof [ə'luːf] 1 *adj* distant 2 *adv* à distance; **to keep a. (from sth)** rester à l'écart (de qch)

aloud [ə'laʊd] *adv* à haute voix

alphabet ['ælfəbet] *n* alphabet *m* ■**alpha'betical** *adj* alphabétique

Alps [ælps] *npl* **the A.** les Alpes *fpl* ■**Alpine** ['ælpaɪn] *adj* (*club, range*) alpin; *(scenery)* alpestre

already [ɔːl'redɪ] *adv* déjà

alright [ɔːl'raɪt] *adv Fam* = **all right**

Alsatian [æl'seɪʃən] *n (dog)* berger *m* allemand

also ['ɔːlsəʊ] *adv* aussi, également; *(more-over)* de plus ■**also-ran** *n (person)* perdant,-ante *mf*

altar ['ɔːltə(r)] *n* autel *m*

alter ['ɔːltə(r)] 1 *vt* changer; *(clothing)* retoucher 2 *vi* changer ■**alteration** [-'reɪʃən] *n* changement *m* (**in** de); *(of clothing)* retouche *f*; **alterations** *(to building)* travaux *mpl*

altercation [ɔːltə'keɪʃən] *n* altercation *f*

alternate ['ɔːltəneɪt] 1 [ɔːl'tɜːnət] *adj* alterné; **on a. days** tous les deux jours 2 *vt* faire alterner 3 *vi* alterner (**with** avec); *El* **alternating current** courant *m* alternatif ■**al'ternately** *adv* alternativement ■**alter'nation** *n* alternance *f*

alternative [ɔːl'tɜːnətɪv] 1 *adj (other)* de remplacement; **an a. way** une autre façon; **a. answers** d'autres réponses (possibles); **a. energy** énergies *fpl* de substitution; **a. medicine** médecine *f* douce 2 *n (choice)* alternative *f*; **she had no a. but to obey** elle n'a pas pu faire autrement que d'obéir ■**alternatively** *adv* **(or) a.** *(or else)* ou alors, ou bien

although [ɔːl'ðəʊ] *adv* bien que *(+ subjunctive)*

altitude ['æltɪtjuːd] *n* altitude *f*

altogether [ɔːltə'geðə(r)] *adv (completely)* tout à fait; *(on the whole)* somme toute; **how much a.?** combien en tout?

aluminium [*Br* æljʊ'mɪnɪəm] (*Am* **aluminum** [ə'luːmɪnəm]) *n* aluminium *m*

alumnus [ə'lʌmnəs] (*pl* **-ni** [-naɪ]) *n* ancien(ienne) élève *mf*

always ['ɔːlweɪz] *adv* toujours; **he's a. criticizing** il est toujours à critiquer; **as a.** comme toujours

am [æm, *unstressed* əm] *see* **be**

a.m. [eɪ'em] *adv* du matin

amalgam [ə'mælgəm] *n (mix)* amalgame *m*

amalgamate [ə'mælgəmeɪt] *vti* fusionner

amass [ə'mæs] *vt (riches)* amasser

amateur ['æmətə(r)] 1 *n* amateur *m* 2 *adj (interest, sports, performance)* d'amateur; **a. painter/actress** peintre *m*/actrice *f* amateur ■**amateurish** *adj Pej (work)* d'amateur

amaze [ə'meɪz] *vt* stupéfier ■**amazed** *adj* stupéfait (**at sth** de qch); *(filled with wonder)* émerveillé; **a. at seeing** stupéfait de voir; **I was a. by his courage** son courage m'a stupéfié ■**amazing** *adj (surprising)* stupéfiant; *(incredible)* extraordinaire ■**amazingly** *adv* extraordinairement; *(miraculously)* par miracle

amazement [ə'meɪzmənt] *n* stupéfaction *f*; *(sense of wonder)* émerveillement *m*; **to my a.** à ma grande stupéfaction

ambassador [æm'bæsədə(r)] *n (man)* ambassadeur *m*; *(woman)* ambassadrice *f*

amber ['æmbə(r)] *n* ambre *m*; **a. (light)** *(of traffic signal)* (feu *m*) orange *m*; **the lights are at a.** le feu est à l'orange

ambidextrous [æmbɪ'dekstrəs] *adj* ambidextre

ambiguous [æm'bɪgjʊəs] *adj* ambigu (*f* ambiguë) ■**ambiguously** *adv* de façon ambiguë ■**ambiguity** [-'gjuːɪtɪ] *n* ambiguïté *f*

ambition [æm'bɪʃən] *n* ambition *f* ■**ambitious** *adj* ambitieux, -ieuse

ambivalent [æm'bɪvələnt] *adj* ambivalent

amble ['æmbəl] *vi* marcher d'un pas tranquille

ambulance ['æmbjʊləns] *n* ambulance *f*; **a. driver** ambulancier, -ière *mf*

ambush ['æmbʊʃ] 1 *n* embuscade *f* 2 *vt* tendre une embuscade à; **to be ambushed** tomber dans une embuscade

amen [*Br* ɑː'men, *Am* eɪ'men] *exclam* amen

amenable [ə'miːnəbəl] *adj* docile; **a. to** *(responsive to)* sensible à; **a. to reason** raisonnable

amend [ə'mend] *vt (text)* modifier; *Pol (law)* amender; *(conduct)* corriger ■**amendment** *n Pol (to law, rule)* amendement *m*

amends [ə'mendz] *npl* **to make a.** se racheter; **to make a. for sth** réparer qch

amenities [*Br* ə'miːnɪtɪz, *Am* ə'menɪtɪz] *npl (pleasant things)* agréments *mpl*; *(of sports club)* équipement *m*; *(of town)* aménagements *mpl*; *(shops)* commerces *mpl*

America [ə'merɪkə] *n* l'Amérique *f*; **North/South A.** l'Amérique du Nord/du Sud ■**American 1** *adj* américain 2 *n* Américain, -aine *mf* ■**Americanism** *n* américanisme *m*

amethyst ['æməθɪst] *n* améthyste *f*

amiable ['eɪmɪəbəl] *adj* aimable

amicable ['æmɪkəbəl] *adj* amical ■**amicably** *adv (part)* amicalement; *Law (settle a dispute)* à l'amiable

amid(st) [ə'mɪd(st)] *prep* au milieu de, parmi

amiss [ə'mɪs] *adv & adj* **to take sth a.** mal prendre qch; **something is a.** *(wrong)* quelque

chose ne va pas; **that wouldn't go a.** ça ne ferait pas de mal
ammonia [ə'məʊnɪə] *n* (*gas*) ammoniac *m*; (*liquid*) ammoniaque *f*
ammunition [æmjʊ'nɪʃən] *n* munitions *fpl*
amnesia [æm'niːzɪə] *n* amnésie *f*
amnesty ['æmnəstɪ] (*pl* -ies) *n* amnistie *f*
amniocentesis [æmnɪəʊsen'tiːsɪs] *n* amniocentèse *f*
amok [ə'mɒk] *adv* **to run a.** (*of crowd*) se déchaîner; (*of person, animal*) devenir fou furieux (*f* folle furieuse)
among(st) [ə'mʌŋ(st)] *prep* (*amidst*) parmi; (*between*) entre; **a. the crowd/books/others/** *etc* parmi la foule/les livres/les autres/*etc*; **a. themselves/friends** entre eux/amis; **a. other things** entre autres (choses)
amoral [eɪ'mɒrəl] *adj* amoral
amorous ['æmərəs] *adj* (*look, words*) polisson, -onne; (*person*) d'humeur polissonne; (*adventure*) amoureux, -euse
amount [ə'maʊnt] **1** *n* quantité *f*; (*sum of money*) somme *f*; (*total figure of invoice, debt*) montant *m*; (*scope, size*) importance *f* **2** *vi* **a. to** (*bill*) s'élever à; *Fig* **it amounts to blackmail** ce n'est rien d'autre que du chantage; **it amounts to the same thing** ça revient au même
amp [æmp] *n* (*unit of electricity*) ampère *m*; *Br* **3-a. plug** prise *f* avec fusible de 3 ampères
amphibian [æm'fɪbɪən] *n & adj* amphibie (*m*) ▪ **amphibious** *adj* amphibie
amphitheatre ['æmfɪθɪətə(r)] *n* (*Greek, Roman*) amphithéâtre *m*
ample ['æmpəl] *adj* (**a**) (*plentiful*) abondant; **to have a. time to do sth** avoir largement le temps de faire qch; **that's (quite) a.** c'est largement suffisant (**b**) (*large*) (*woman, bosom*) fort (**c**) (*roomy*) (*garment*) large ▪ **amply** *adv* largement, amplement
amplify ['æmplɪfaɪ] (*pt & pp* -**ied**) *vt* (*essay, remarks*) développer; (*sound*) amplifier ▪ **amplifier** *n* amplificateur *m*
amputate ['æmpjʊteɪt] *vt* amputer; **to a. sb's hand/**etc amputer qn de la main/*etc* ▪ **amputation** [-'teɪʃən] *n* amputation *f*
amuck [ə'mʌk] *adv* = **amok**
amuse [ə'mjuːz] *vt* amuser; **to keep sb amused** distraire qn ▪ **amusement** *n* amusement *m*, divertissement *m*; (*pastime*) distraction *f*; **amusements** (*at fairground*) attractions *fpl*; (*gambling machines*) machines *fpl* à sous; **a. arcade** salle *f* de jeux; **a. park** parc *m* d'attractions ▪ **amusing** *adj* amusant
an [æn, *unstressed* ən] *see* **a**
anachronism [ə'nækrənɪzəm] *n* anachronisme *m*
anaemia (*Am* **anemia**) [ə'niːmɪə] *n* anémie *f* ▪ **anaemic** (*Am* **anemic**) *adj* anémique; **to become a.** faire de l'anémie

anaesthesia (*Am* **anesthesia**) [ænɪs'θiːzɪə] *n* anesthésie *f* ▪ **anaesthetic** (*Am* **anesthetic**) [ænɪs'θetɪk] *n* (*process*) anesthésie *f*; (*substance*) anesthésique *m*; **under a.** sous anesthésie; **general/local a.** anesthésie générale/locale ▪ **anaesthetize** (*Am* **anesthetize**) [ə'niːsθɪtaɪz] *vt* anesthésier
anagram ['ænəgræm] *n* anagramme *f*
anal ['eɪnəl] *adj* anal
analogy [ə'nælədʒɪ] (*pl* -ies) *n* analogie *f* (**with** avec) ▪ **analogous** *adj* analogue (**to** à)
analyse ['ænəlaɪz] *vt* analyser ▪ **analysis** [ə'næləsɪs] (*pl* -yses [-əsiːz]) *n* analyse *f*; *Fig* **in the final a.** en fin de compte ▪ **analyst** [-ɪst] *n* analyste *mf* ▪ **analytical** [-'lɪtɪkəl] *adj* analytique
anarchy ['ænəkɪ] *n* anarchie *f* ▪ **anarchic** [æ'nɑːkɪk] *adj* anarchique ▪ **anarchist** *n* anarchiste *mf*
anathema [ə'næθəmə] *n Rel* anathème *m*; **it is (an) a. to me** j'ai une sainte horreur de cela
anatomy [ə'nætəmɪ] *n* anatomie *f* ▪ **anatomical** [ænə'tɒmɪkəl] *adj* anatomique
ancestor ['ænsestə(r)] *n* ancêtre *m* ▪ **ancestral** [-'sestrəl] *adj* ancestral; **a. home** demeure *f* ancestrale ▪ **ancestry** *n* (*lineage*) ascendance *f*; (*ancestors*) ancêtres *mpl*
anchor ['æŋkə(r)] **1** *n* ancre *f*; **to drop a.** jeter l'ancre; **to weigh a.** lever l'ancre **2** *vt* (*ship*) mettre à l'ancre **3** *vi* jeter l'ancre, mouiller ▪ **anchored** *adj* ancré, à l'ancre
anchovy [*Br* 'æntʃəvɪ, *Am* æn'tʃəʊvɪ] (*pl* -ies) *n* anchois *m*
ancient ['eɪnʃənt] *adj* ancien, -ienne; (*pre-medieval*) antique; *Hum* (*person*) d'un grand âge; *Fig* **that's a. history!** c'est de l'histoire ancienne!
ancillary [æn'sɪlərɪ] *adj* auxiliaire
and [ænd, *unstressed* ən(d)] *conj* et; **a knife a. fork** un couteau et une fourchette; **my mother a. father** mon père et ma mère; **two hundred a. two** deux cent deux; **four a. three quarters** quatre trois quarts; **nice a. warm** bien chaud; **better a. better** de mieux en mieux; **she can read a. write** elle sait lire et écrire; **go a. see** va voir; **I knocked a. knocked** j'ai frappé pendant un bon moment
anecdote ['ænɪkdəʊt] *n* anecdote *f*
anemia [ə'niːmɪə] *n Am* = **anaemia**
anemic [ə'niːmɪk] *adj Am* = **anaemic**
anemone [ə'nemənɪ] *n* anémone *f*
anesthesia [ænɪs'θiːzɪə] *n Am* = **anaethesia**
anesthetic [ænɪs'θetɪk] *n Am* = **anaesthetic**
anesthetize [ə'niːsθɪtaɪz] *vt Am* = **anaesthetize**
anew [ə'njuː] *adv Literary* de nouveau; **to start a.** recommencer
angel ['eɪndʒəl] *n* ange *m* ▪ **angelic** [æn'dʒelɪk] *adj* angélique

anger ['æŋgə(r)] **1** n colère f; **in a., out of a.** sous le coup de la colère **2** vt mettre en colère

angina [æn'dʒaɪnə] n angine f de poitrine

angle¹ ['æŋgəl] n angle m; **at an a.** en biais; Fig **seen from this a.** vu sous cet angle

angle² ['æŋgəl] vi (to fish) pêcher à la ligne; Fig **to a. for** (compliments) quêter ▪ **angler** n pêcheur, -euse mf à la ligne ▪ **angling** n pêche f à la ligne

Anglican ['æŋglɪkən] adj & n anglican, -ane (mf)

anglicism ['æŋglɪsɪzəm] n anglicisme m

Anglo- ['æŋgləʊ] pref anglo- ▪ **Anglo-'Saxon** adj & n anglo-saxon, -onne (mf)

angora [æn'gɔːrə] n (wool) angora m; **a. sweater/etc** pull m/etc en angora

angry ['æŋgrɪ] (**-ier, -iest**) adj (person) en colère, fâché; (look) furieux, -ieuse; **an a. letter** une lettre indignée; **a. words** des paroles indignées; **to get a.** se fâcher (**with** contre) ▪ **angrily** adv (leave) en colère; (speak) avec colère

angst [æŋst] n angoisse f

anguish ['æŋgwɪʃ] n angoisse f ▪ **anguished** adj (look, voice) angoissé; (cry) d'angoisse

angular ['æŋgjʊlə(r)] adj (face) anguleux, -euse

animal ['ænɪməl] **1** adj (kingdom, fat) animal **2** n animal m

animate 1 ['ænɪmeɪt] vt animer **2** ['ænɪmət] adj (alive) animé ▪ **animated** [-meɪtɪd] adj (lively) & Cin animé; **to become a.** s'animer ▪ **animation** [-'meɪʃən] n (liveliness) & Cin animation f

animosity [ænɪ'mɒsɪtɪ] n animosité f

aniseed ['ænɪsiːd] n (as flavouring) anis m; **a. drink** boisson f à l'anis

ankle ['æŋkəl] n cheville f; **a. boot** bottine f; **a. sock** socquette f

annals ['ænəlz] npl annales fpl

annex¹ [ə'neks] vt annexer

annex², Br **annexe** ['æneks] n (building) annexe f

annihilate [ə'naɪəleɪt] vt anéantir ▪ **annihi'lation** n anéantissement m

anniversary [ænɪ'vɜːsərɪ] (pl **-ies**) n (of event) anniversaire m

annotate ['ænəteɪt] vt annoter ▪ **annotation** [-'teɪʃən] n annotation f

announce [ə'naʊns] vt annoncer; (birth, marriage) faire part de ▪ **announcement** n (statement) annonce f; (notice of birth, marriage, death) avis m; (private letter) faire-part m inv ▪ **announcer** n (on TV) speaker m, speakerine f

annoy [ə'nɔɪ] vt (inconvenience) ennuyer; (irritate) agacer ▪ **annoyance** n contrariété f, ennui m ▪ **annoyed** adj fâché; **to get a.** se fâcher (**with** contre) ▪ **annoying** adj ennuyeux, -euse

> Note that the French verb **ennuyer** can be a false friend. Its most common meaning is **to bore**.

annual ['ænjʊəl] **1** adj annuel, -uelle **2** n (yearbook) annuaire m; (children's) album m; (plant) plante f annuelle ▪ **annually** adv (every year) tous les ans; (per year) par an

annuity [ə'njʊətɪ] (pl **-ies**) n (of retired person) pension f viagère

annul [ə'nʌl] (pt & pp **-ll-**) vt (contract, marriage) annuler ▪ **annulment** n annulation f

anoint [ə'nɔɪnt] vt oindre (**with** de) ▪ **anointed** adj oint

anomalous [ə'nɒmələs] adj anormal ▪ **anomaly** (pl **-ies**) n anomalie f

anon [ə'nɒn] adv Literary or Hum tout à l'heure

anonymous [ə'nɒnɪməs] adj anonyme; **to remain a.** garder l'anonymat ▪ **anonymity** [ænə'nɪmɪtɪ] n anonymat m

anorak ['ænəræk] n anorak m

anorexia [ænə'reksɪə] n anorexie f ▪ **anorexic** adj & n anorexique (mf)

another [ə'nʌðə(r)] adj & pron un(e) autre; **a. man** (different) un autre homme; **a. month** (additional) encore un mois; **a. ten** encore dix; **one a.** l'un(e) l'autre, pl les un(e)s les autres; **they love one a.** ils s'aiment

answer ['ɑːnsə(r)] **1** n réponse f; (to problem, riddle) & Math solution f (**to** de); (reason) explication f; **in a. to your letter** en réponse à votre lettre

2 vt (person, question, letter) répondre à; (prayer, wish) exaucer; **he answered 'yes'** il a répondu 'oui'; **to a. the door** ouvrir la porte; **to a. the phone** répondre au téléphone; **to a. sb back** (be rude to) répondre à qn

3 vi répondre; **to a. back** (rudely) répondre, répliquer; **to a. for sb/sth** (be responsible for) répondre de qn/qch; **to a. (to) a description** (of suspect) correspondre à un signalement ▪ **answering machine** n répondeur m

answerable ['ɑːnsərəbəl] adj responsable (**for** sth de qch; **to sb** devant qn)

ant [ænt] n fourmi f ▪ **anthill** n fourmilière f

antagonism [æn'tægənɪzəm] n (hostility) hostilité f ▪ **antagonist** n adversaire mf ▪ **antago'nistic** adj (hostile) hostile (**to** à) ▪ **antagonize** vt provoquer (l'hostilité de)

Antarctic [æn'tɑːktɪk] **1** adj antarctique **2** n **the A.** l'Antarctique m

antecedent [æntɪ'siːdənt] n antécédent m

antechamber ['æntɪtʃeɪmbə(r)] n antichambre f

antedate ['æntɪdeɪt] vt (letter) antidater

antelope ['æntɪləʊp] n antilope f

antenatal [æntɪ'neɪtəl] Br **1** adj prénatal; **a. classes** préparation f à l'accouchement **2** n examen m prénatal

antenna¹ [æn'tenə] (pl **-ae** [-iː]) n (of insect) antenne f

antenna² [æn'tenə] (pl **-as**) n Am (for TV, radio) antenne f

anteroom ['æntɪrʊm] n antichambre f

anthem ['ænθəm] n **national a.** hymne m national

anthology [æn'θɒlədʒɪ] (pl **-ies**) n anthologie f

anthropology [ænθrə'pɒlədʒɪ] n anthropologie f

anti- [Br 'æntɪ, Am 'æntaɪ] pref anti-; Fam **to be anti sth** être contre qch ▪ **anti-aircraft** adj antiaérien, -ienne ▪ **antibiotic** [-baɪ'ɒtɪk] adj & n antibiotique (m) ▪ **antibody** n anticorps m ▪ **anticlimax** n déception f ▪ **anticlockwise** adv Br dans le sens inverse des aiguilles d'une montre ▪ **anticyclone** n anticyclone m ▪ **antidote** n antidote m ▪ **antifreeze** n (for vehicle) antigel m ▪ **antihistamine** n (drug) antihistaminique m ▪ **antiperspirant** n antisudoral m ▪ **anti-Semitic** adj antisémite ▪ **anti-Semitism** n antisémitisme m ▪ **antiseptic** adj & n antiseptique (m) ▪ **antisocial** adj (misfit) asocial; (measure, principles) antisocial; (unsociable) peu sociable

anticipate [æn'tɪsɪpeɪt] vt (foresee) anticiper; (expect) s'attendre à, prévoir; (forestall) devancer ▪ **antici'pation** n (expectation) attente f; (foresight) prévision f; **in a. of** en prévision de; **in a.** (thank, pay) d'avance

antics ['æntɪks] npl singeries fpl; **he's up to his a. again** il a encore fait des siennes

antipathy [æn'tɪpəθɪ] n antipathie f

antipodes [æn'tɪpədiːz] npl antipodes mpl

antiquarian [æntɪ'kweərɪən] adj **a. bookseller** libraire mf spécialisé(e) dans le livre ancien

antiquated ['æntɪkweɪtɪd] adj (expression, custom) vieillot, -otte; (person) vieux jeu inv; (object, machine) antédiluvien, -ienne

antique [æn'tiːk] **1** adj (furniture) ancien, -ienne; (of Greek or Roman antiquity) antique; **a. dealer** antiquaire mf; **a. shop** magasin m d'antiquités **2** n antiquité f, objet m d'époque ▪ **antiquity** [-'tɪkwɪtɪ] n (period) antiquité f

antithesis [æn'tɪθəsɪs] (pl **-eses** [-ɪsiːz]) n antithèse f

antlers ['æntləz] npl (of deer) bois mpl

antonym ['æntənɪm] n antonyme m

Antwerp ['æntwɜːp] n Anvers m ou f

anus ['eɪnəs] n anus m

anvil ['ænvɪl] n enclume f

anxiety [æŋ'zaɪətɪ] (pl **-ies**) n (worry) inquiétude f (**about** au sujet de); (fear) anxiété f; (eagerness) désir m (**to do** de faire; **for sth** de qch)

anxious ['æŋkʃəs] adj (worried) inquiet, -iète (**about/for** pour); (troubled) anxieux, -ieuse; (causing worry) angoissant; (eager) impatient (**to do** de faire); **I'm a. (that)** he should leave je tiens absolument à ce qu'il parte ▪ **anxiously** adv (worriedly) avec inquiétude; (with impatience) impatiemment

any ['enɪ] **1** adj (a) (in questions) du, de la, des; **have you a. milk/tickets?** avez-vous du lait/des billets?; **is there a. man (at all) who...?** y a-t-il un homme qui...?

(b) (in negatives) de; (not the slightest) aucun; **he hasn't got a. milk/tickets** il n'a pas de lait/de billets; **there isn't a. doubt/problem** il n'y a aucun doute/problème

(c) (no matter which) n'importe quel; **ask a. doctor** demande à n'importe quel médecin

(d) (every) tout; **at a. moment** à tout moment; **in a. case, at a. rate** de toute façon

2 pron (a) (no matter which one) n'importe lequel; (somebody) quelqu'un; **if a. of you...** si l'un d'entre vous..., si quelqu'un parmi vous...

(b) (quantity) en; **have you got a.?** en as-tu?; **I don't see a.** je n'en vois pas

3 adv **not a. further/happier** pas plus loin/plus heureux, -euse; **I don't see him a. more** je ne le vois plus; **a. more tea?** encore un peu de thé?; **I'm not a. better** je ne vais pas mieux

anybody ['enɪbɒdɪ] pron (a) (somebody) quelqu'un; **do you see a.?** tu vois quelqu'un?; **more than a.** plus que tout autre (b) (in negatives) personne; **he doesn't know a.** il ne connaît personne (c) (no matter who) n'importe qui; **a. would think that...** on croirait que...

anyhow ['enɪhaʊ] adv (at any rate) de toute façon; Fam (badly) n'importe comment

anyone ['enɪwʌn] pron = **anybody**

anyplace ['enɪpleɪs] adv Am = **anywhere**

anything ['enɪθɪŋ] pron (a) (something) quelque chose; **can you see a.?** tu vois quelque chose? (b) (in negatives) rien; **he doesn't do a.** il ne fait rien; **without a.** sans rien (c) (everything) tout; **a. you like** tout ce que tu veux; Fam **like a.** (work) comme un fou (d) (no matter what) **a. (at all)** n'importe quoi

anyway ['enɪweɪ] adv (at any rate) de toute façon

anywhere ['enɪweə(r)] adv (a) (no matter where) n'importe où (b) (everywhere) partout; **a. you go** où que vous alliez, partout où vous allez; **a. you like** (là) où tu veux (c) (somewhere) quelque part; **is he going a.?** va-t-il quelque part? (d) (in negatives) nulle part; **he doesn't go a.** il ne va nulle part; **without a. to put it** sans un endroit où le/la mettre

apace [ə'peɪs] adv rapidement

apart [ə'pɑːt] adv (a) (separated) **we kept them a.** nous les tenions séparés; **with legs (wide) a.** les jambes écartées; **two years a.** à deux ans d'intervalle; **they are a metre a.** ils se trouvent à un mètre l'un de l'autre; **to come a.** (of two objects) se séparer; **to tell two things/**

people a. distinguer deux choses/personnes (l'une de l'autre); **worlds a.** *(very different)* diamétralement opposé (**b**) *(to pieces)* **to tear a.** mettre en pièces; **to take a.** démonter (**c**) *(to one side)* à part; **joking a.** sans blague; **a. from** *(except for)* à part

apartheid [ə'pɑːteɪt] *n* apartheid *m*

apartment [ə'pɑːtmənt] *n* appartement *m*; **a. building** immeuble *m* (d'habitation)

apathy ['æpəθɪ] *n* apathie *f* ▪ **apa'thetic** *adj* apathique

ape [eɪp] **1** *n* grand singe *m* **2** *vt (imitate)* singer

aperitif [əperɪ'tiːf] *n* apéritif *m*

aperture ['æpətʃʊə(r)] *n* ouverture *f*

APEX ['eɪpeks] *adj Br Rail* **A. ticket** = billet d'avion ou de train à tarif réduit, soumis à certaines restrictions

apex ['eɪpeks] *n (of triangle)* & *Fig* sommet *m*

aphorism ['æfərɪzm] *n* aphorisme *m*

aphrodisiac [æfrə'dɪzɪæk] *adj* & *n* aphrodisiaque *(m)*

apiece [ə'piːs] *adv* chacun; **£1 a.** 1 livre pièce *ou* chacun

apocalypse [ə'pɒkəlɪps] *n* apocalypse *f* ▪ **apoca'lyptic** *adj* apocalyptique

apocryphal [ə'pɒkrɪfəl] *adj* apocryphe

apologetic [əpɒlə'dʒetɪk] *adj (letter)* plein d'excuses; **a. smile** sourire *m* d'excuse; **to be a. (about)** s'excuser (de) ▪ **apologetically** *adv* en s'excusant

apology [ə'pɒlədʒɪ] *n (pl -ies)* excuses *fpl*; *Fam Pej* **an a. for a dinner** un dîner minable ▪ **apologize** *vi* s'excuser (**for** de); **he apologized for being late** il s'est excusé de son retard; **to a. to sb** faire ses excuses à qn (**for** pour)

Note that the French noun **apologie** is a false friend and is never a translation for the English verb **apology**. It means **defence**.

---

apoplexy ['æpəpleksɪ] *n* apoplexie *f* ▪ **apo'plectic** *adj* & *n* apoplectique *(mf)*

apostle [ə'pɒsəl] *n* apôtre *m*

apostrophe [ə'pɒstrəfɪ] *n* apostrophe *f*

appal [ə'pɔːl] *(Am* **appall)** *(pt & pp* **-ll-)** *vt* consterner; **to be appalled (at)** être horrifié (par) ▪ **appalling** *adj* épouvantable

apparatus [æpə'reɪtəs] *n (equipment, organization)* appareil *m; Br (in gym)* agrès *mpl*

apparent [ə'pærənt] *adj (seeming)* apparent; *(obvious)* évident; **it's a. that...** il est clair que... ▪ **apparently** *adv* apparemment; **a. she's going to Venice** il paraît qu'elle va à Venise

apparition [æpə'rɪʃən] *n (phantom)* apparition *f*

appeal [ə'piːl] **1** *n (charm)* attrait *m; (interest)* intérêt *m; (call)* appel *m; (pleading)* supplication *f; (to a court)* appel *m* **2** *vt* **to a. to sb** *(attract)* plaire à qn; *(interest)* intéresser qn;

(ask for help) faire appel à qn; **to a. to sb's generosity** faire appel à la générosité de qn; **to a. to sb for sth** demander qch à qn; **to a. to sb to do sth** supplier qn de faire qch **3** *vi (in court)* faire appel; **to a. against a decision** faire appel d'une décision ▪ **appealing** *adj (attractive) (offer, idea)* séduisant; *(begging) (look)* suppliant

---

Note that the French verb **appeler** is a false friend and is never a translation for the English verb **to appeal**. Its most common meaning is **to call**.

---

appear [ə'pɪə(r)] *vi (become visible)* apparaître; *(seem, be published)* paraître; *(on stage, in film)* jouer; *(in court)* comparaître; **it appears that...** *(it seems)* il semble que... (+ subjunctive or indicative); *(it is rumoured)* il paraîtrait que... (+ indicative) ▪ **appearance** *n (act)* apparition *f; (look)* apparence *f; (of book)* parution *f;* **to put in an a.** faire acte de présence; **to keep up appearances** sauver les apparences

appease [ə'piːz] *vt (soothe)* apaiser; *(curiosity)* satisfaire

append [ə'pend] *vt* joindre, ajouter (**to** à) ▪ **appendage** *n Anat* appendice *m*

appendix [ə'pendɪks] *(pl* **-ixes** [-ɪksɪz] *or* **-ices** [-ɪsiːz]) *n (in book, body)* appendice *m;* **to have one's a. out** se faire opérer de l'appendicite ▪ **appendicitis** [-dɪ'saɪtɪs] *n* appendicite *f*

appetite ['æpɪtaɪt] *n* appétit *m;* **to take away sb's a.** couper l'appétit à qn ▪ **appetizer** *n (drink)* apéritif *m; (food)* amuse-gueule *m inv* ▪ **appetizing** *adj* appétissant

applaud [ə'plɔːd] **1** *vt (clap)* applaudir; *(approve of)* approuver, applaudir à **2** *vi* applaudir ▪ **applause** *n* applaudissements *mpl*

apple ['æpəl] *n* pomme *f; Br* **stewed apples**, *Am* **a. sauce** compote *f* de pommes; **cooking a.** pomme *f* à cuire; **eating a.** pomme *f* de dessert; **a. core** trognon *m* de pomme; **a. pie** tarte *f* aux pommes; **a. tree** pommier *m*

appliance [ə'plaɪəns] *n* appareil *m*

applicable [ə'plɪkəbəl] *adj (rule)* applicable (**to** à); *(relevant)* pertinent

applicant ['æplɪkənt] *n* candidat, -ate *mf* (**for** à)

application [æplɪ'keɪʃən] *n* (**a**) *(request)* demande *f* (**for** de); *(for job)* candidature *f* (**for** de); *(for membership)* demande d'inscription; **a. (form)** *(for job)* formulaire *m* de candidature; *(for club)* formulaire d'inscription (**b**) *(diligence)* application *f*

apply [ə'plaɪ] *(pt & pp* **-ied)** **1** *vt (put on, carry out)* appliquer; *(brake of vehicle)* appuyer sur; **to a. oneself to** s'appliquer à **2** *vi (be relevant)* s'appliquer (**to** à); **to a. for** *(job)* poser sa candidature à; **to a. to sb** *(ask)* s'adresser à qn (**for** pour) ▪ **applied** *adj (maths, linguistics)* appliqué

appoint [ə'pɔɪnt] *vt (person)* nommer (**to a post** à un poste; **to do** pour faire); *(director, minister)* nommer; *(secretary, clerk)* engager; *(time, place)* fixer; **at the appointed time** à l'heure dite; **well-appointed** *(kitchen)* bien équipé **■appointment** *n* nomination *f*; *(meeting)* rendez-vous *m inv*; *(post)* situation *f*; **to make an a. with** prendre rendez-vous avec

> Note that the French noun **appointements** is a false friend and is never a translation for the English noun **appointment**. It means **salary**.

apportion [ə'pɔːʃən] *vt* répartir; **to a. blame** dégager les responsabilités de chacun

appraise [ə'preɪz] *vt* évaluer **■appraisal** *n* évaluation *f*

appreciable [ə'priːʃəbəl] *adj* appréciable, sensible

appreciate [ə'priːʃɪeɪt] **1** *vt (enjoy, value, assess)* apprécier; *(understand)* comprendre; *(be grateful for)* être reconnaissant de **2** *vi (of goods)* prendre de la valeur **■appreciation** [-'eɪʃən] *n* **(a)** *(gratitude)* reconnaissance *f*; *(judgement)* appréciation *f* **(b)** *(rise in value)* augmentation *f* (de la valeur) **■appreciative** [-ʃɪətɪv] *adj (grateful)* reconnaissant (**of** de); *(favourable)* élogieux, -ieuse; **to be a. of** *(enjoy)* apprécier

apprehend [æprɪ'hend] *vt (seize, arrest)* appréhender

apprehension [æprɪ'henʃən] *n (fear)* appréhension *f* **■apprehensive** *adj* inquiet, -iète (**about** de, au sujet de); **to be a. of** appréhender

apprentice [ə'prentɪs] **1** *n* apprenti, -ie *mf* **2** *vt* **to a. sb to sb** placer qn en apprentissage chez qn **■apprenticeship** *n* apprentissage *m*

approach [ə'prəʊtʃ] **1** *n (method)* façon *f* de s'y prendre; *(path, route)* voie *f* d'accès; *(of winter, vehicle)* approche *f*; **at the a. of** à l'approche de; **a. to a question** manière *f* d'aborder une question; **to make approaches to** faire des démarches auprès de; *(sexually)* faire des avances à **2** *vt (draw near to)* s'approcher de; *(go up to, tackle)* aborder; **to a. sb about sth** parler à qn de qch; **he's approaching forty** il va sur ses quarante ans **3** *vi (of person, vehicle)* s'approcher; *(of date)* approcher **■approachable** *adj (person)* d'un abord facile; *(place)* accessible (**by road** par la route)

appropriate 1 [ə'prəʊprɪət] *adj (place, clothes, means)* approprié (**to** à); *(remark, time)* opportun; **a. to** *or* **for** qui convient à **2** [ə'prəʊprɪeɪt] *vt (steal)* s'approprier; *(set aside)* affecter (**for** à) **■appropriately** *adv* convenablement

approval [ə'pruːvəl] *n* approbation *f*; **on a.** *(goods)* à l'essai

approve [ə'pruːv] *vt* approuver; **to a. of** *(conduct, decision, idea)* approuver; **I don't a. of him** il ne me plaît pas; **I a. of his going** je trouve bon qu'il y aille; **I a. of his accepting** *or* **having accepted** je l'approuve d'avoir accepté **■approving** *adj (look)* approbateur, -trice

approximate 1 [ə'prɒksɪmət] *adj* approximatif, -ive **2** [ə'prɒksɪmeɪt] *vi* **to a. to sth** se rapprocher de qch **■approximately** *adv* approximativement **■approxi'mation** *n* approximation *f*

apricot ['eɪprɪkɒt] *n* abricot *m*

April ['eɪprəl] *n* avril *m*; **A. fool!** poisson d'avril!

apron ['eɪprən] *n (garment)* tablier *m*

apt [æpt] *adj (remark, reply, means)* qui convient, *(word, name)* bien choisi; **she/it is a. to fall**/*etc (likely) (in general)* elle/ça a tendance à tomber/*etc*; *(on a particular occasion)* elle/ça pourrait bien tomber/*etc*; **a. at sth** *(manual work)* habile à qch; *(intellectual)* doué pour qch **■aptly** *adv (described)* justement; *(chosen)* bien; **a. named** qui porte bien son nom

aptitude ['æptɪtjuːd] *n* aptitude *f* (**for** pour); *(of student)* don *m* (**for** pour)

aqualung ['ækwəlʌŋ] *n* scaphandre *m* autonome

aquarium [ə'kweərɪəm] *n* aquarium *m*

Aquarius [ə'kweərɪəs] *n (sign)* le Verseau; **to be (an) A.** être Verseau

aquarobics [ækwə'rəʊbɪks] *n* aquagym *f*

aquatic [ə'kwætɪk] *adj (plant)* aquatique; *(sport)* nautique

aqueduct ['ækwɪdʌkt] *n* aqueduc *m*

aquiline ['ækwɪlaɪn] *adj (nose, profile)* aquilin

Arab ['ærəb] **1** *adj* arabe **2** *n* Arabe *mf* **■Arabian** [ə'reɪbɪən] *adj* arabe **■Arabic** *adj & n (language)* arabe *(m)*; **A. numerals** chiffres *mpl* arabes

arable ['ærəbəl] *adj (land)* arable

arbiter ['ɑːbɪtə(r)] *n* arbitre *m*

arbitrary ['ɑːbɪtrərɪ] *adj (decision, arrest)* arbitraire

arbitrate ['ɑːbɪtreɪt] *vti* arbitrer **■arbitration** [-'treɪʃən] *n* arbitrage *m*; **to go to a.** avoir recours à l'arbitrage **■arbitrator** *n (in dispute)* médiateur, -trice *mf*

arc [ɑːk] *n (of circle)* arc *m*

arcade [ɑː'keɪd] *n (for shops) (small)* passage *m* couvert; *(large)* galerie *f* marchande

arch [ɑːtʃ] **1** *n (of bridge)* arche *f*; *(of building)* voûte *f*, arc *m*; *(of foot)* cambrure *f* **2** *vt* **to a. one's back** *(inwards)* se cambrer; *(outwards)* se voûter **■archway** *n* voûte *f*

arch- [ɑːtʃ] *pref (hypocrite)* achevé, fini; **a.-enemy** ennemi *m* juré; **a.-rival** grand rival *m*

archaeology *(Am* **archeology)** [ɑːkɪ'ɒlədʒɪ] *n* archéologie *f* **■archaeologist** *(Am* **archeologist)** *n* archéologue *mf*

archaic [ɑː'keɪɪk] *adj* archaïque

archangel ['ɑːkeɪndʒəl] *n* archange *m*

archbishop [ɑːtʃ'bɪʃəp] *n* archevêque *m*

archeologist [ɑːkɪ'ɒlədʒɪst] *n Am* = archaeologist

archeology [ɑːkɪ'ɒlədʒɪ] *n Am* = archaeology

archer ['ɑːtʃə(r)] *n* archer *m* ▪**archery** *n* tir *m* à l'arc

archetype ['ɑːkɪtaɪp] *n* archétype *m*

archipelago [ɑːkɪ'pelagəʊ] (*pl* -oes *or* -os) *n* archipel *m*

architect ['ɑːkɪtekt] *n* architecte *mf* ▪**architecture** *n* architecture *f*

archives ['ɑːkaɪvz] *npl* archives *fpl* ▪**archivist** ['ɑːkɪvɪst] *n* archiviste *mf*

arctic ['ɑːktɪk] **1** *adj* arctique; (*weather*) polaire, glacial **2** *n* **the A.** l'Arctique *m*

ardent ['ɑːdənt] *adj* (*supporter*) ardent, chaud ▪**ardently** *adv* ardemment ▪**ardour** (*Am* **ardor**) *n* ardeur *f*

arduous ['ɑːdjʊəs] *adj* pénible, ardu ▪**arduously** *adv* péniblement, ardument

are [ɑː(r)] *see* be

area ['eərɪə] *n* (*of country*) région *f*; (*of town*) quartier *m*; *Mil* zone *f*; (*surface*) superficie *f*; *Fig* (*of knowledge*) domaine *m*; **dining a.** coin-repas *m*; **kitchen a.** coin-cuisine *m*; **play a.** (*in house*) coin-jeux *m*; (*outdoors*) aire *f* de jeux; *Tel* **a. code** indicatif *m*

arena [ə'riːnə] *n* (*for sports*) & *Fig* arène *f*

aren't [ɑːnt] = **are not**

Argentina [ɑːdʒən'tiːnə] *n* l'Argentine *f* ▪**Argentinian** [-'tɪnɪən] **1** *adj* argentin **2** *n* Argentin, -ine *mf*

arguable ['ɑːgjʊəbəl] *adj* discutable ▪**arguably** *adv* **it is a. the…** on peut dire que c'est le/la…

argue ['ɑːgjuː] **1** *vt* (*matter*) discuter (de); (*position*) défendre; **to a. that…** soutenir que… **2** *vi* (*quarrel*) se disputer (**with** avec; **about** au sujet de); (*reason*) raisonner (**with** avec; **about** sur); **to a. in favour of** plaider en faveur de; **don't a.!** ne discute pas!

argument ['ɑːgjʊmənt] *n* (*quarrel*) dispute *f*; (*debate*) discussion *f*; (*point*) argument *m*; **to have an a. with sb** (*quarrel*) se disputer avec qn ▪**argumentative** [-'mentətɪv] *adj* (*person*) querelleur, -euse

aria ['ɑːrɪə] *n Mus* aria *f*

arid ['ærɪd] *adj* aride

Aries ['eəriːz] *n* (*sign*) le Bélier; **to be (an) A.** être Bélier

arise [ə'raɪz] (*pt* **arose**, *pp* **arisen** [ə'rɪzən]) *vi* (*of problem, opportunity*) se présenter; (*of cry, objection*) s'élever; (*result*) provenir (**from** de); *Literary* (*get up*) se lever

aristocracy [ærɪ'stɒkrəsɪ] *n* aristocratie *f* ▪**aristocrat** [*Br* 'ærɪstəkræt, *Am* ə'rɪstəkræt] *n* aristocrate *mf* ▪**aristocratic** [*Br* ærɪstə'krætɪk, *Am* ərɪstə'krætɪk] *adj* aristocratique

arithmetic [ə'rɪθmətɪk] *n* arithmétique *f*

ark [ɑːk] *n* **Noah's a.** l'arche *f* de Noé

arm¹ [ɑːm] *n* bras *m*; **a. in a.** bras dessus bras dessous; **with open arms** à bras ouverts ▪**armband** *n* brassard *m* ▪**armchair** *n* fauteuil *m* ▪**armful** *n* brassée *f* ▪**armhole** *n* emmanchure *f* ▪**armpit** *n* aisselle *f* ▪**armrest** *n* accoudoir *f*

arm² [ɑːm] *vt* (*with weapon*) armer (**with** de) ▪**armaments** *npl* armements *mpl*

armadillo [ɑːmə'dɪləʊ] (*pl* -os) *n* tatou *m*

armistice ['ɑːmɪstɪs] *n* armistice *m*

armour ['ɑːmə(r)] (*Am* **armor** ['ɑːmər]) *n* (*of knight*) armure *f*; (*of tank*) blindage *m* ▪**armoured** (*Am* **armored**), **armour-'plated** (*Am* **armor-plated**) *adj* (*car*) blindé ▪**armoury** (*Am* **armory**) *n* arsenal *m*

arms [ɑːmz] *npl* (*weapons*) armes *fpl*; **the a. race** la course aux armements

army ['ɑːmɪ] **1** (*pl* -ies) *n* armée *f*; **to join the a.** s'engager; **the regular a.** l'armée active **2** *adj* (*uniform*) militaire

A road ['eɪrəʊd] *n Br* ≃ route *f* nationale

aroma [ə'rəʊmə] *n* arôme *m* ▪**aroma'therapy** *n* aromathérapie *f* ▪**aromatic** [ærə'mætɪk] *adj* aromatique

arose [ə'rəʊz] *pp of* **arise**

around [ə'raʊnd] **1** *prep* autour de; (*approximately*) environ; **to travel a. the world** faire le tour du monde **2** *adv* autour; **all a.** tout autour; **a. here** par ici; **to follow sb a.** suivre qn partout; **to rush a.** courir dans tous les sens; **is Jack a.?** est-ce que Jack est dans le coin?; **he's still a.** il est encore là; **there's a lot of flu a.** beaucoup de gens ont la grippe en ce moment

arouse [ə'raʊz] *vt* (*suspicion, anger, curiosity*) éveiller; (*sexually*) exciter; **to a. sb from sleep** tirer qn du sommeil

arrange [ə'reɪndʒ] *vt* arranger; (*time, meeting*) fixer; **it was arranged that…** il était convenu que…; **to a. to do sth** s'arranger pour faire qch ▪**arrangement** *n* (*layout, agreement, for music*) arrangement *m*; **arrangements** (*preparations*) préparatifs *mpl*; (*plans*) projets *mpl*; **to make arrangements to do sth** prendre des dispositions pour faire qch

arrears [ə'rɪəz] *npl* (*payment*) arriéré *m*; **to be in a.** avoir du retard dans ses paiements; **to be three months in a.** avoir trois mois de retard dans ses paiements; **to be paid monthly in a.** être payé à la fin du mois

arrest [ə'rest] **1** *vt* (*criminal, progress*) arrêter **2** *n* (*of criminal*) arrestation *f*; **under a.** en état d'arrestation ▪**arresting** *adj Fig* (*striking*) frappant

arrive [ə'raɪv] *vi* arriver; **to a. at** (*conclusion, decision*) arriver à, parvenir à ▪**arrival** *n* arrivée *f*; **on my a.** à mon arrivée; **new a.**

nouveau venu *m*, nouvelle venue *f*; *(baby)* nouveau-né, -ée *mf*

arrogant ['ærəgənt] *adj* arrogant ▪ **arrogance** *n* arrogance *f* ▪ **arrogantly** *adv* avec arrogance

arrow ['ærəʊ] *n* flèche *f*

arse [ɑːs] *n Br very Fam* cul *m*

arsenal ['ɑːsənəl] *n* arsenal *m*

arsenic ['ɑːsnɪk] *n* arsenic *m*

arson ['ɑːsən] *n* incendie *m* criminel ▪ **arsonist** *n* incendiaire *mf*

art [ɑːt] *n* art *m*; **faculty of arts, arts faculty** faculté *f* des lettres; **arts degree** ≃ licence *f* ès lettres; **a. exhibition** exposition *f* d'œuvres d'art; **a. gallery** *(museum)* musée *m*; *(shop)* galerie *f* d'art; **a. school** école *f* des beaux-arts

artefact ['ɑːtɪfækt] *n* objet *m*

artery ['ɑːtərɪ] *(pl* **-ies***) n (in body, main route)* artère *f* ▪ **arterial** [ɑːˈtɪərɪəl] *adj (blood)* artériel, -ielle; *Br* **a. road** route *f* principale

artful ['ɑːtfəl] *adj* astucieux, -ieuse ▪ **artfully** *adv* astucieusement

arthritis [ɑːˈθraɪtɪs] *n* arthrite *f*

artichoke ['ɑːtɪtʃəʊk] *n (globe)* **a.** artichaut *m*; **Jerusalem a.** topinambour *m*

article ['ɑːtɪkəl] *n (object, clause, in newspaper)* & *Grammar* article *m*; **a. of clothing** vêtement *m*; **articles of value** objets *mpl* de valeur; *Br* **articles** *(of lawyer)* contrat *m* de stage

articulate 1 [ɑːˈtɪkjʊlət] *adj (person)* qui s'exprime clairement; *(speech)* clair **2** [ɑːˈtɪkjʊleɪt] *vti (speak)* articuler ▪ **articulated lorry** *n Br* semi-remorque *m* ▪ **articulation** [-leɪʃən] *n* articulation *f*

artifact ['ɑːtɪfækt] *n* objet *m*

artifice ['ɑːtɪfɪs] *n* artifice *m*

artificial [ɑːtɪˈfɪʃəl] *adj* artificiel, -ielle ▪ **artificiality** [-fɪʃɪˈælɪtɪ] *n* caractère *m* artificiel

artillery [ɑːˈtɪlərɪ] *n* artillerie *f*

artisan [ɑːtɪˈzæn] *n* artisan *m*

artist ['ɑːtɪst] *n* artiste *mf* ▪ **artiste** [ɑːˈtiːst] *n (singer, dancer)* artiste *mf* ▪ **ar'tistic** *adj (pattern, treasure)* artistique; *(person)* artiste ▪ **artistry** *n* art *m*

artless ['ɑːtləs] *adj* naturel, -elle

arty ['ɑːtɪ] *adj Pej* du genre artiste

as [æz, *unstressed* əz] **1** *adv* **(a)** *(with manner)* comme; **as promised/planned** comme promis/prévu; **A as in Anne** A comme Anne; **as you like** comme tu veux; **such as** comme, tel que; **as much** *or* **as hard as I can** (au)tant que je peux; **as it is** *(this being the case)* les choses étant ainsi; **to leave sth as it is** laisser qch comme ça *ou* tel quel; **it's late as it is** il est déjà tard; **as if, as though** comme si; **you look as if** *or* **as though you're tired** tu as l'air fatigué **(b)** *(comparison)* **as tall as you** aussi grand que vous; **as white as a sheet** blanc *(f*

blanche) **comme un linge; as much** *or* **as hard as you** autant que vous; **as much money as** autant d'argent que; **as many people as** autant de gens que; **twice as big as** deux fois plus grand que; **the same as** le même que

2 *conj* **(a)** *(time)* **as always** comme toujours; **as I was leaving, as I left** comme je partais; **as one grows older** à mesure que l'on vieillit; **as he slept** pendant qu'il dormait; **one day as…** un jour que…; **as from, as of** *(time)* à partir de **(b)** *(reason)* puisque, comme; **as it's late…** puisqu'il est tard…, comme il est tard… **(c)** *(though)* **(as) clever as he is…** si intelligent qu'il soit… **(d)** *(concerning)* **as for that, as to that** quant à cela **(e)** *(+ infinitive)* **so as to…** de manière à…; **so stupid as to…** assez bête pour…

3 *prep* **(a)** comme; **she works as a cashier** elle est caissière, elle travaille comme caissière; **dressed up as a clown** déguisé en clown **(b)** *(capacity)* **as a teacher** en tant que professeur; **to act as a father** agir en père

asap [eɪeseɪˈpiː] *(abbr* **as soon as possible***)* dès que possible

asbestos [æsˈbestəs] *n* amiante *f*

ascend [əˈsend] **1** *vt (throne)* accéder à; *(stairs, mountain)* gravir **2** *vi* monter ▪ **ascent** *n* ascension *f* (**of** de); *(slope)* côte *f*

ascertain [æsəˈteɪn] *vt (discover)* établir; *(truth)* découvrir; *(check)* s'assurer de; **to a. that…** s'assurer que…

ascetic [əˈsetɪk] **1** *adj* ascétique **2** *n* ascète *mf*

ascribe [əˈskraɪb] *vt* attribuer (**to** à)

ash [æʃ] *n* **(a)** *(of cigarette, fire)* cendre *f*; **A. Wednesday** mercredi *m* des Cendres **(b)** *(tree)* frêne *m* ▪ **ashtray** *n* cendrier *m*

ashamed [əˈʃeɪmd] *adj* **to be/feel a.** avoir honte (**of sb/sth** de qn/qch); **to be a. of oneself** avoir honte; **to make sb a.** faire honte à qn

ashen ['æʃən] *adj (pale grey)* cendré; *(face)* blême

ashore [əˈʃɔː(r)] *adv* à terre; **to go a.** débarquer; **to put sb a.** débarquer qn

Asia ['eɪʃə, 'eɪʒə] *n* l'Asie *f* ▪ **Asian 1** *adj* asiatique; *Br (from India)* indien, -ienne **2** *n* Asiatique *mf*; *Br (Indian)* Indien, -ienne *mf*

aside [əˈsaɪd] **1** *adv* de côté; **to draw a.** *(curtain)* écarter; **to take** *or* **draw sb a.** prendre qn à part; **to step a.** s'écarter; *Am* **a. from** en dehors de **2** *n (in play, film)* aparté *m*

asinine ['æsɪnaɪn] *adj* stupide

ask [ɑːsk] **1** *vt (request, inquire about)* demander; *(invite)* inviter (**to sth** à qch); **to a. sb sth** demander qch à qn; **to a. to sb about sb/ sth** interroger qn sur qn/qch; **to a. (sb) a question** poser une question (à qn); **to a. sb the time/way** demander l'heure/son chemin à qn; **to a. sb for sth** demander qch à qn; **to a. sb to do** *(request)* demander à qn de faire; *(invite)* inviter qn à faire; **to a. to leave**/*etc* demander à partir/*etc* **2** *vi (inquire)* se renseigner (**about** sur); *(request)* demander; **to a. for sb/sth** demander qn/qch; **to a. for sth back** redemander qch; **to a. after** *or* **about sb** demander des nouvelles de qn; **the asking price** le prix demandé

askance [ə'skɑːns] *adv* **to look a. at sb** regarder qn de travers

askew [ə'skjuː] *adv* de travers

asleep [ə'sliːp] *adj* endormi; *(arm, leg)* engourdi; **to be a.** dormir; **to fall a.** s'endormir

asparagus [ə'spærəgəs] *n (plant)* asperge *f*; *(food)* asperges *fpl*

aspect ['æspekt] *n* aspect *m*; *(of house)* orientation *f*

aspersions [ə'spɜːʃənz] *npl* **to cast a. on** dénigrer

asphalt ['æsfɔːlt] *n* asphalte *m*

asphyxia [əs'fɪksɪə] *n* asphyxie *f* ▪ **asphyxiate** *vt* asphyxier ▪ **asphyxi'ation** *n* asphyxie *f*

aspire [ə'spaɪə(r)] *vi* **to a. to** aspirer à ▪ **aspiration** [æspə'reɪʃən] *n* aspiration *f*

aspirin ['æsprɪn] *n* aspirine *f*

ass [æs] *n* (**a**) *(animal)* âne *m*; *Fam (person)* imbécile *mf*, âne (**b**) *Am very Fam* cul *m*

assail [ə'seɪl] *vt* assaillir (**with** de) ▪ **assailant** *n* agresseur *m*

assassin [ə'sæsɪn] *n* assassin *m* ▪ **assassinate** *vt* assassiner ▪ **assassi'nation** *n* assassinat *m*

assault [ə'sɔːlt] **1** *n (military)* assaut *m*; *(crime)* agression *f* **2** *vt (attack)* agresser; **to be sexually assaulted** être victime d'une agression sexuelle

assemble [ə'sembəl] **1** *vt (objects, ideas)* assembler; *(people)* rassembler; *(machine)* monter **2** *vi* se rassembler ▪ **assembly** *n (meeting)* assemblée *f*; *(of machine)* montage *m*, assemblage *m*; *(in school)* rassemblement *m (avant les cours)*; **a. line** *(in factory)* chaîne *f* de montage

assent [ə'sent] **1** *n* assentiment *m* **2** *vi* consentir (**to** à)

assert [ə'sɜːt] *vt* affirmer (**that** que); *(rights)* faire valoir; **to a. oneself** s'affirmer ▪ **assertion** *n (statement)* affirmation *f*; *(of rights)* revendication *f* ▪ **assertive** *adj (forceful) (tone, person)* affirmatif, -ive; *(authoritarian)* autoritaire

assess [ə'ses] *vt (value, damage)* évaluer; *(situation)* analyser; *(decide amount of)* fixer le montant de; *(person)* juger ▪ **assessment** *n* évaluation *f*; *(of person)* jugement *m* ▪ **assessor** *n (valuer)* expert *m*

asset ['æset] *n (advantage)* atout *m*; **assets** *(of business)* avoir *m*

assiduous [ə'sɪdjuəs] *adj* assidu ▪ **assiduously** *adv* avec assiduité

assign [ə'saɪn] *vt (give)* attribuer; *(day, time)* fixer; *(appoint)* nommer; *(send, move)* affecter (**to** à) ▪ **assignment** *n (task)* mission *f*; *(for student)* devoir *m*

assimilate [ə'sɪmɪleɪt] **1** *vt (absorb)* assimiler **2** *vi (of immigrants)* s'assimiler ▪ **assimilation** [-'leɪʃən] *n* assimilation *f*

assist [ə'sɪst] *vti* aider (**in doing** *or* **to do** à faire) ▪ **assistance** *n* aide *f*; **to be of a. to sb** aider qn ▪ **assistant 1** *n* assistant, -ante *mf*; *Br (in shop)* vendeur, -euse *mf* **2** *adj* adjoint

assizes [ə'saɪzɪz] *npl Br (court meetings)* assises *fpl*

associate 1 [ə'səʊʃɪeɪt] *vt* associer (**with sth** à *ou* avec qch; **with sb** à qn) **2** *vi* **to a. with sb** *(mix socially)* fréquenter qn; **to a. (oneself) with sb** *(in business venture)* s'associer à *ou* avec qn **3** [ə'səʊʃɪət] *n & adj* associé, -iée *(mf)* ▪ **association** [-'eɪʃən] *n* association *f*; **associations** *(memories)* souvenirs *mpl*

assorted [ə'sɔːtɪd] *adj (different)* variés; *(foods)* assortis; **a well-a. couple**/*etc* un couple/*etc* bien assorti ▪ **assortment** *n (of cheeses)* assortiment *m*; **an a. of people** des gens de toutes sortes

assuage [ə'sweɪdʒ] *vt Literary* apaiser

assume [ə'sjuːm] *vt* (**a**) *(suppose)* supposer (**that** que); **let us a. that...** supposons que... (+ *subjunctive*) (**b**) *(take on) (power, control)* prendre; *(responsibility, role)* assumer; *(attitude, name)* adopter ▪ **assumed** *adj (feigned)* faux (*f* fausse); **a. name** nom *m* d'emprunt ▪ **assumption** [ə'sʌmpʃən] *n (supposition)* supposition *f*; **on the a. that...** en supposant que... (+ *subjunctive*)

> Note that the French verb **assumer** is a false friend and is never a translation for the English verb **to assume**. It never means **to suppose** or **to adopt**.

assurance [ə'ʃʊərəns] *n* (**a**) *(confidence, promise)* assurance *f* (**b**) *Br (insurance)* assurance *f*

assure [ə'ʃʊə(r)] *vt* assurer (**sb that** à qn que; **sb of sth** qn de qch) ▪ **assuredly** [-ɪdlɪ] *adv* assurément

asterisk ['æstərɪsk] *n* astérisque *m*

astern [ə'stɜːn] *adv (in ship)* à l'arrière

asthma [*Br* 'æsmə, *Am* 'æzmə] *n* asthme *m* ▪ **asthmatic** [-'mætɪk] *adj & n* asthmatique *(mf)*

astonish [ə'stɒnɪʃ] *vt* étonner; **to be astonished (at sth)** s'étonner (de qch) ▪ **astonishing** *adj* étonnant ▪ **astonishingly** *adv* étonnamment ▪ **astonishment** *n* étonnement *m*

astound [ə'staʊnd] *vt* stupéfier ▪ **astounding** *adj* stupéfiant

astray [ə'streɪ] *adv* **to go a.** s'égarer; **to lead a.** détourner du droit chemin

astride [ə'straɪd] **1** adv à califourchon **2** prep à cheval sur

astringent [ə'strɪndʒənt] adj astringent; Fig (harsh) sévère

astrology [ə'strɒlədʒɪ] n astrologie f ▪**astrologer** n astrologue mf

astronaut ['æstrənɔːt] n astronaute mf

astronomy [ə'strɒnəmɪ] n astronomie f ▪**astronomer** n astronome mf ▪**astronomical** [æstrə'nɒmɪkəl] adj astronomique

astute [ə'stjuːt] adj (crafty) rusé; (clever) astucieux, -ieuse

asunder [ə'sʌndə(r)] adv Literary **to tear a.** (to pieces) mettre en pièces; **to break a.** (in two) casser en deux

asylum [ə'saɪləm] n asile m; Pej **lunatic a.** asile d'aliénés ▪**asylum-seeker** n demandeur, -euse mf d'asile

at [æt, unstressed ət] prep (a) à; **at the end** à la fin; **at school** à l'école; **at work** au travail; **at six (o'clock)** à six heures; **at Easter** à Pâques; **to drive at 10 mph** ≃ rouler à 15 km; **to buy/ sell at 3 euros a kilo** acheter/vendre (à) 3 euros le kilo
(b) chez; **at the doctor's** chez le médecin; **at home** chez soi, à la maison
(c) en; **at sea** en mer; **at war** en guerre; **good at maths** fort en maths
(d) contre; **angry at** fâché contre
(e) sur; **to shoot at** tirer sur; **at my request** sur ma demande
(f) de; **to laugh at sb/sth** rire de qn/qch; **surprised at sth** surpris de qch
(g) (au)près de; **at the window** près de la fenêtre
(h) par; **to come in at the door** entrer par la porte; **six at a time** six par six
(i) (phrases) **at night** la nuit; **to look at** regarder; **to be (hard) at it** travailler dur; **while you're at it** tant que tu y es; Br **he's always (on) at me** Fam il est toujours après moi
(j) Comptr (in e-mail addresses) **at** (sign) arrobas m; **'gwilson at transex, dot, co, dot, uk'** 'gwilson, arrobas, transex, point, co, point, uk'

atchoo [ə'tʃuː] exclam Am = **atishoo**

ate [eɪt] pt of **eat**

atheism ['eɪθɪɪzəm] n athéisme m ▪**atheist** n athée mf

Athens ['æθənz] n Athènes m ou f

athlete ['æθliːt] n athlète mf; **a.'s foot** (disease) mycose f ▪**athletic** [-'letɪk] adj athlétique; **a. meeting** Br réunion f d'athlétisme; Am réunion f sportive ▪**athletics** [-'letɪks] npl Br athlétisme m; Am sport m

atishoo [ə'tɪʃuː] (Am **atchoo**) exclam atchoum!

Atlantic [ət'læntɪk] **1** adj (coast, ocean) atlantique **2** n **the A.** l'Atlantique m

atlas ['ætləs] n atlas m

atmosphere ['ætməsfɪə(r)] n atmosphère f ▪**atmospheric** [-'ferɪk] adj atmosphérique

atom ['ætəm] n atome m; **a. bomb** bombe f atomique ▪**atomic** [ə'tɒmɪk] adj atomique ▪**atomizer** n atomiseur m

atone [ə'təʊn] vi **a. for** (sin, crime) expier ▪**atonement** n expiation f (**for** de)

atrocious [ə'trəʊʃəs] adj atroce ▪**atrocity** [ə'trɒsɪtɪ] n (cruel action) atrocité f

atrophy ['ætrəfɪ] (pt & pp -ied) vi (of muscle) s'atrophier

attach [ə'tætʃ] vt attacher (**to** à); (document) joindre (**to** à); **attached to sb** (fond of) attaché à qn ▪**attachment** n (**a**) (affection) attachement m (**to sb** à qn) (**b**) (tool) accessoire m (**c**) (to e-mail) fichier m joint

attaché [ə'tæfeɪ] n (**a**) (in embassy) attaché, -ée mf (**b**) **a. case** attaché-case m

attack [ə'tæk] **1** n (**a**) (military) attaque f (**on** contre); (on sb's life) attentat m; (of illness) crise f; (of fever) accès m; **an a. of migraine** une migraine; **to launch an a. on** attaquer; **to be** or **come under a.** être attaqué **2** vt attaquer; (problem, plan) s'attaquer à **3** vi attaquer ▪**attacker** n agresseur m

attain [ə'teɪn] vt (aim) atteindre; (ambition) réaliser; (rank) parvenir à ▪**attainable** adj (aim) accessible; (ambition, result) réalisable ▪**attainment** n (of ambition) réalisation f (**of** de); **attainments** (skills) talents mpl

attempt [ə'tempt] **1** n tentative f; **to make an a. to do** tenter de faire; **they made no a. to help her** ils n'ont rien fait pour l'aider; **to make an a. on** (record) faire une tentative pour battre; **to make an a. on sb's life** attenter à la vie de qn; **at the first a.** du premier coup **2** vt tenter; (task) entreprendre; **to a. to do** tenter de faire; **attempted murder** tentative f d'assassinat

attend [ə'tend] **1** vt (meeting) assister à; (course) suivre; (school, church) aller à; (patient) soigner; (wait on, serve) servir; (escort) accompagner; **well-attended course** cours m très suivi; **the meeting was well attended** il y a eu du monde à la réunion **2** vi assister; **to a. to** (take care of) s'occuper de; Literary (pay attention to) prêter attention à ▪**attendance** n présence f (**at** à); (people) assistance f; (school) **a.** scolarité f; **in a. de service** ▪**attendant** n employé, -ée mf; (in service station) pompiste mf; Br (in museum) gardien, -ienne mf; **attendants** (of prince, king) suite f

attention [ə'tenʃən] n attention f; **to pay a.** faire ou prêter attention (**to** à); **for the a. of** à l'attention de; **to stand at a./to a.** (of soldier) être/se mettre au garde-à-vous; **a.!** garde-à-vous!; **a. to detail** minutie f

attentive [ə'tentɪv] adj (heedful) attentif, -ive (**to** à); (thoughtful) attentionné (**to** pour) ▪**attentively** adv attentivement

attenuate [ə'tenjʊeɪt] *vt* atténuer

attest [ə'test] **1** *vt (certify, confirm)* confirmer **2** *vi* **to a. to** témoigner de

attic ['ætɪk] *n* grenier *m*

attire [ə'taɪə(r)] *n Literary* vêtements *mpl*

attitude ['ætɪtjuːd] *n* attitude *f*

attorney [ə'tɜːnɪ] *(pl* **-eys)** *n Am (lawyer)* avocat *m*

attract [ə'trækt] *vt* attirer **▪ attraction** *n (charm, appeal)* attrait *m*; *(place, person)* attraction *f*; *(between people)* attirance *f*; *Phys* attraction terrestre; **attractions** *(at funfair)* attractions *fpl* **▪ attractive** *adj (house, room, person, car)* beau *(f* belle); *(price, offer)* intéressant; *(landscape)* attrayant; **do you find her a.?** elle te plaît?

attribute 1 ['ætrɪbjuːt] *n (quality)* attribut *m* **2** [ə'trɪbjuːt] *vt (ascribe)* attribuer **(to** à) **▪ attributable** *adj* attribuable **(to** à)

attrition [ə'trɪʃən] *n* **war of a.** guerre *f* d'usure

attuned [ə'tjuːnd] *adj* **a. to** *(of ideas, trends)* en accord avec; *(used to)* habitué à

atypical [eɪ'tɪpɪkəl] *adj* atypique

aubergine ['əʊbəʒiːn] *n Br* aubergine *f*

auburn ['ɔːbən] *adj (hair)* auburn *inv*

auction ['ɔːkʃən] **1** *n* vente *f* aux enchères **2** *vt* **to a. (off)** vendre aux enchères **▪ auctioneer** *n* commissaire-priseur *m*

audacious [ɔː'deɪʃəs] *adj* audacieux, -ieuse **▪ audacity** [ɔː'dæsɪtɪ] *n* audace *f*

audible ['ɔːdɪbəl] *adj (sound, words)* audible **▪ audibly** *adv* distinctement

audience ['ɔːdɪəns] *n* **(a)** *(of speaker, musician, actor)* public *m*; *(of radio broadcast)* auditeurs *mpl*; **TV** *&* télé. téléspectateurs *mpl* **(b)** *(interview)* audience *f* **(with sb** avec qn)

audio ['ɔːdɪəʊ] *adj (cassette, system)* audio *inv*; **a. tape** cassette *f* audio **▪ audiotypist** *n* audiotypiste *mf* **▪ audio'visual** *adj* audio-visuel, -uelle

audit ['ɔːdɪt] **1** *n* audit *m* **2** *vt (accounts)* vérifier **▪ auditor** *n* commissaire *m* aux comptes

audition [ɔː'dɪʃən] **1** *n* audition *f* **2** *vti* auditionner

auditorium [ɔːdɪ'tɔːrɪəm] *n* salle *f* de spectacle/de concert

augment [ɔːg'ment] *vt* augmenter **(with** *or* **by** de)

augur ['ɔːgə(r)] **1** *vi* **to a. well** être de bon augure **2** *vt* présager

August ['ɔːgəst] *n* août *m*

august [ɔː'gʌst] *adj* auguste

aunt [ɑːnt] *n* tante *f* **▪ 'auntie, 'aunty** *(pl* **aunties)** *n Fam* tata *f*

au pair [əʊ'peə(r)] **1** *n* **a. (girl)** jeune fille *f* au pair **2** *adv* au pair

aura ['ɔːrə] *n (of place)* atmosphère *f*; *(of person)* aura *f*

auspices ['ɔːspɪsɪz] *npl* **under the a.** of sous les auspices de

auspicious [ɔː'spɪʃəs] *adj* prometteur, -trice

austere [ɔː'stɪə(r)] *adj* austère **▪ austerity** [ɔː'sterɪtɪ] *n* austérité *f*

Australia [ɒ'streɪlɪə] *n* l'Australie *f* **▪ Australian 1** *adj* australien, -ienne **2** *n* Australien, -ienne *mf*

Austria ['ɒstrɪə] *n* l'Autriche *f* **▪ Austrian 1** *adj* autrichien, -ienne **2** *n* Autrichien, -ienne *mf*

authentic [ɔː'θentɪk] *adj* authentique **▪ authenticate** *vt* authentifier **▪ authenticity** [-'tɪsɪtɪ] *n* authenticité *f*

author ['ɔːθə(r)] *n* auteur *m*

authoritarian [ɔːθɒrɪ'teərɪən] *adj & n* autoritaire *(mf)*

authoritative [ɔː'θɒrɪtətɪv] *adj (report, book)* qui fait autorité; *(tone, person)* autoritaire

authority [ɔː'θɒrɪtɪ] *(pl* **-ies)** *n* autorité *f*; *(permission)* autorisation *f* **(to do** de faire); **to be in a.** *(in charge)* être responsable; **to be an a. on** faire autorité en ce qui concerne

authorize ['ɔːθəraɪz] *vt* autoriser **(to do** à faire) **▪ authori'zation** *n* autorisation *f* **(to do** de faire)

autistic [ɔː'tɪstɪk] *adj* autiste

auto ['ɔːtəʊ] *(pl* **-os)** *n Am* auto *f*

autobiography [ɔːtəʊbaɪ'ɒɡrəfɪ] *(pl* **-ies)** *n* autobiographie *f* **▪ autobiographical** [-baɪə'ɡræfɪkəl] *adj* autobiographique

autocrat ['ɔːtəkræt] *n* autocrate *m* **▪ auto'cratic** *adj* autocratique

autograph ['ɔːtəgrɑːf] **1** *n* autographe *m*; **a. book** album *m* d'autographes **2** *vt* dédicacer **(for sb** à qn)

automate ['ɔːtəmeɪt] *vt* automatiser **▪ auto'mation** *n* automatisation *f*

automatic [ɔːtə'mætɪk] *adj* automatique **▪ automatically** *adv* automatiquement

automaton [ɔː'tɒmətən] *n* automate *m*

automobile ['ɔːtəməbiːl] *n Am* automobile *f*

autonomous [ɔː'tɒnəməs] *adj* autonome **▪ autonomy** *n* autonomie *f*

autopsy ['ɔːtɒpsɪ] *(pl* **-ies)** *n* autopsie *f*

autumn ['ɔːtəm] *n* automne *m*; **in a.** en automne **▪ autumnal** [ɔː'tʌmnəl] *adj (weather, day)* d'automne

auxiliary [ɔːg'zɪljərɪ] *(pl* **-ies)** *adj & n* auxiliaire *(mf)*; **a. (verb)** (verbe *m*) auxiliaire *m*

avail [ə'veɪl] **1** *n* **to no a.** en vain; **of no a.** inutile **2** *vt* **to a. oneself of** profiter de

available [ə'veɪləbəl] *adj* disponible; **a. to all** *(education, goal)* accessible à tous; **tickets are still a.** il reste des tickets; **this model is a. in black or green** ce modèle existe en noir et en vert **▪ availability** [-'bɪlɪtɪ] *n (of object)* disponibilité *f*; *(of education)* accessibilité *f*

avalanche ['ævəlɑːnʃ] *n* avalanche *f*

avarice ['ævərɪs] *n* avarice *f* **▪ avaricious** [-'rɪʃəs] *adj* avare

Ave *(abbr* **avenue)** *n* av.

avenge [ə'vendʒ] *vt* venger; **to a. oneself (on)** se venger (de)

avenue ['ævənjuː] *n* avenue *f*; *Fig (way to a result)* voie *f*

average ['ævərɪdʒ] **1** *n* moyenne *f*; **on a.** en moyenne; **above/below a.** au-dessus/au-dessous de la moyenne **2** *adj* moyen, -enne **3** *vt (do)* faire en moyenne; *(reach)* atteindre la moyenne de; *(figures)* faire la moyenne de

averse [ə'vɜːs] *adj* **to be a. to doing** répugner à faire ▪ **aversion** [ə'vɜːʃən] *n (dislike)* aversion *f*, **to have an a. to sth/to doing** avoir de la répugnance pour qch/à faire

avert [ə'vɜːt] *vt (prevent)* éviter; **to a. one's eyes** *(turn away)* détourner les yeux (**from** de)

aviary ['eɪvɪərɪ] *(pl* **-ies)** *n* volière *f*

aviation [eɪvɪ'eɪʃən] *n* aviation *f* ▪ **aviator** *n* aviateur, -trice *mf*

avid ['ævɪd] *adj* avide (**for** de) ▪ **avidly** *adv* avidement

avocado [ævə'kɑːdəʊ] *(pl* **-os)** *n* **a. (pear)** avocat *m*

avoid [ə'vɔɪd] *vt* éviter; **to a. doing** éviter de faire; **I can't a. doing it** je ne peux pas ne pas le faire ▪ **avoidable** *adj* évitable ▪ **avoidance** *n* **his a. of danger/***etc* son désir d'éviter le danger/*etc*; **tax a.** évasion *f* fiscale

avowed [ə'vaʊd] *adj (enemy)* déclaré

await [ə'weɪt] *vt* attendre

awake [ə'weɪk] **1** *adj* réveillé, éveillé; **(wide-)a.** *(not feeling sleepy)* éveillé; **he's (still) a.** il ne dort pas (encore); **to keep sb a.** empêcher qn de dormir, tenir qn éveillé; **to lie a.** être incapable de dormir; **a. to** *(conscious of)* conscient de **2** *(pt* **awoke,** *pp* **awoken)** *vi* se réveiller **3** *(person)* réveiller; *Literary (old memories)* éveiller, réveiller ▪ **awaken 1** *vti* = **awake 2** *vt* **to a. sb to sth** faire prendre conscience de qch à qn ▪ **awakening** *n* réveil *m*; **a rude a.** *(shock)* un réveil brutal

award [ə'wɔːd] **1** *n (prize)* prix *m*, récompense *f*; *(scholarship)* bourse *f* **2** *vt (money)* attribuer; *(prize)* décerner; **to a. damages** *(of judge)* accorder des dommages-intérêts

aware [ə'weə(r)] *adj* **to be a. of** *(conscious)* être conscient de; *(informed)* être au courant de; *(realize)* se rendre compte de; **to become a. of/that** se rendre compte de/que; **to be a. that...** se rendre compte que... ▪ **awareness** *n* conscience *f*

awash [ə'wɒʃ] *adj* inondé (**with** de)

away [ə'weɪ] *adv* (**a**) *(distant)* loin; **5 km a.** à 5

km (de distance) (**b**) *(in time)* **ten days a.** dans dix jours (**c**) *(absent, gone)* absent; **a. with you!** va-t'en!; **to drive a.** partir (en voiture); **to fade/melt a.** disparaître/fondre complètement (**d**) *(to one side)* **to look** *or* **turn a.** détourner les yeux (**e**) *(continuously)* **to work/talk a.** travailler/parler sans arrêt (**f**) *Br* **to play a.** *(of team)* jouer à l'extérieur

awe [ɔː] *n* crainte *f* (mêlée de respect); **to be in a. of sb** éprouver pour qn une crainte mêlée de respect ▪ **awe-inspiring** *adj (impressive)* imposant ▪ **awesome** *adj (impressive)* impressionnant; *(frightening)* effrayant; *Am Fam (excellent)* super *inv*

awful ['ɔːfəl] *adj* affreux, -euse; *(terrifying)* effroyable; *(ill)* malade; **I feel a. (about it)** j'ai vraiment honte ▪ **awfully** *adv (suffer)* affreusement; *(very) (good, pretty)* extrêmement; *(bad, late)* affreusement; **thanks a.** merci infiniment

awhile [ə'waɪl] *adv* quelque temps; *(stay, wait)* un peu

awkward ['ɔːkwəd] *adj* (**a**) *(clumsy) (person, gesture)* maladroit (**b**) *(difficult)* difficile; *(cumbersome) (tool)* peu commode; *(time)* mal choisi; *(silence)* gêné; **the a. age** l'âge ingrat; *Fam* **to be an a. customer** ne pas être commode ▪ **awkwardly** *adv (walk)* maladroitement; *(speak)* d'un ton gêné; *(placed, situated)* à un endroit peu pratique ▪ **awkwardness** *n* maladresse *f*; *(difficulty)* difficulté *f*; *(discomfort)* gêne *f*

awl [ɔːl] *n* poinçon *m*

awning ['ɔːnɪŋ] *n (of tent)* auvent *m*; *(over shop, window)* store *m*; *(canvas or glass canopy)* marquise *f*

awoke [ə'wəʊk] *pt of* **awake**

awoken [ə'wəʊkən] *pp of* **awake**

awry [ə'raɪ] *adv* **to go a.** *(of plan)* mal tourner

axe [æks] *(Am* **ax**) **1** *n* hache *f*; *Fig (reduction)* coupe *f* sombre; **to get the a.** *(of project)* être abandonné; *(of worker)* être mis à la porte; *Fig* **to have an a. to grind** agir dans un but intéressé **2** *vt (costs)* réduire; *(job)* supprimer; *(project)* abandonner

axiom ['æksɪəm] *n* axiome *m*

axis ['æksɪs] *(pl* **axes** ['æksiːz]) *n* axe *m*

axle ['æksəl] *n* essieu *m*

ay(e) [aɪ] **1** *adv* oui **2** *n* **the ayes** *(votes)* les voix *fpl* pour

azalea [ə'zeɪlɪə] *n (plant)* azalée *f*

B, b [biː] *n* B, b *m inv;* **2B** *(number)* 2 ter

BA [biːˈeɪ] *abbr* = **Bachelor of Arts**

babble [ˈbæbəl] **1** *vi (mumble)* bredouiller; *(of baby, stream)* gazouiller **2** *vt* **to b. (out)** *(words)* bredouiller **3** *n inv (of voices)* rumeur *f; (of baby, stream)* gazouillis *m*

babe [beɪb] *n* (**a**) *Literary* bébé *m* (**b**) *Fam (girl)* belle nana *f*

baboon [bəˈbuːn] *n* babouin *m*

baby [ˈbeɪbɪ] **1** *(pl* **-ies)** *n* bébé *m;* **b. boy** petit garçon *m;* **b. girl** petite fille *f;* **b. tiger/etc** bébé-tigre/etc *m;* **b. clothes/toys/etc** vêtements *mpl/* jouets *mpl/etc* de bébé; *Am* **b. carriage** landau *m;* **b. sling** kangourou *m,* porte-bébé *m;* **b. face** visage *m* poupin **2** *(pt & pp* **-ied)** *vt Fam* dorloter ▪ **baby-minder** *n Br* nourrice *f* ▪ **baby-sit** *(pt & pp* **-sat,** *pres p* **-sitting)** *vi* faire du baby-sitting; **to b. for sb** garder les enfants de qn ▪ **baby-sitter** *n* baby-sitter *mf* ▪ **baby-walker** *n* trotteur *m*

babyish [ˈbeɪbɪɪʃ] *adj* de bébé; *(puerile)* bébé *inv,* puéril

bachelor [ˈbætʃələ(r)] *n* (**a**) *(not married)* célibataire *m; Br* **b. flat** garçonnière *f* (**b**) *Univ* **B. of Arts/of Science** *(person)* ≃ licencié, -iée *mf* ès lettres/ès sciences; *(qualification)* ≃ licence *f* de lettres/sciences

back¹ [bæk] *n (of person, animal)* dos *m; (of chair)* dossier *m; (of hand)* revers *m; (of house, vehicle, train, head)* arrière *m; (of room)* fond *m; (of page)* verso *m; (of fabric)* envers *m; Football* arrière *m;* **at the b. of the book** à la fin du livre; **in** *or* **at the b. of the car** à l'arrière de la voiture; **at the b. of one's mind** derrière la tête; **b. to front** devant derrière, à l'envers; *Fam* **to get off sb's b.** ficher la paix à qn; *Fam* **to get sb's b. up** irriter qn; *Am* **in b. of** derrière ▪ **backache** *n* mal de dos ▪ **backbiting** *n Fam* médisance *f* ▪ **backbone** *n* colonne *f* vertébrale; *(of fish)* grande arête *f; Fig (main support)* pivot *m* ▪ **backbreaking** *adj* éreintant ▪ **back'bencher** *n Br Pol* député *m* de base ▪ **backchat** *n Br Fam* impertinence *f* ▪ **backcloth** *n* toile *f* de fond ▪ **back'date** *vt* antidater ▪ **back'handed** *adj (compliment)* équivoque ▪ **backhander** *n (stroke)* revers *m; Br Fam (bribe)* pot-de-vin *m* ▪ **backpack** *n* sac *m* à dos ▪ **backrest** *n* dossier *m* ▪ **back'side** *n Fam (buttocks)* derrière *m* ▪ **back'stage** *adv* dans les coulisses ▪ **backstroke** *n (in swim-*

ming) dos *m* crawlé ▪ **backtrack** *vi* rebrousser chemin ▪ **backup** *n* appui *m; Am (tailback)* embouteillage *m; Comptr* sauvegarde *f* ▪ **backwater** *n (place)* trou *m* perdu ▪ **back-woods** *npl* forêt(s) *f(pl)* vierge(s); *Fig* **to live in the b.** habiter dans le bled ▪ **back'yard** *n Br* arrière-cour *f; Am* jardin *m* (à l'arrière d'une maison)

back² [bæk] *adj (wheel, seat)* arrière *inv;* **b. door** porte *f* de derrière; **b. end** *(of bus)* arrière *m;* **b. issue** *(of magazine)* vieux numéro *m;* **b. pay** rappel *m* de salaire; **b. payments** arriéré *m;* **b. room** pièce *f* du fond; **b. street** rue *f* écartée; **b. taxes** arriéré *m* d'impôts; **b. tooth** molaire *f*

back³ [bæk] *adv (behind)* en arrière; **far b., a long way b.** loin derrière; **a long way b. in the past** à une époque reculée; **a month b.** il y a un mois; **to stand b.** *(of house)* être en retrait (**from the road** par rapport à la route); **to go b. and forth** aller et venir; **to come b.** revenir; **he's b.** il est de retour, il est rentré *ou* revenu; **the trip there and b.** le voyage aller et retour

back⁴ [bæk] **1** *vt (with money)* financer; *(horse)* parier sur; *(vehicle)* faire reculer; **to be backed with** *(of curtain, picture)* être renforcé de; **to b. sb (up)** *(support)* appuyer qn; *Comptr* **to b. up** sauvegarder **2** *vi (move backwards)* reculer; **to b. down** faire marche arrière; **to b. out** *(withdraw)* se retirer; *(of vehicle)* sortir en marche arrière; **to b. on to** *(of house)* donner par derrière sur; **to b. up** *(of vehicle)* faire marche arrière

backer [ˈbækə(r)] *n (supporter)* partisan *m; (on horses)* parieur, -ieuse *mf; (financial)* commanditaire *m*

backfire [bækˈfaɪə(r)] *vi* (**a**) *(of vehicle)* pétarader (**b**) *Fig* **to b. on sb** *(of plot)* se retourner contre qn

backgammon [ˈbækgæmən] *n* backgammon *m*

background [ˈbækgraʊnd] *n* fond *m,* arrière-plan *m; (educational)* formation *f; (professional)* expérience *f; (environment)* milieu *m; (circumstances)* contexte *m;* **to keep sb in the b.** tenir qn à l'écart; **b. music/noise** musique *f*/bruit *m* de fond

backing [ˈbækɪŋ] *n (aid)* soutien *m; (material)* support *m*

backlash [ˈbæklæʃ] *n* choc *m* en retour, retour *m* de flamme

backlog ['bæklɒg] n **b. of work** travail m en retard

backward ['bækwəd] **1** adj (person, country) arriéré; (glance) en arrière **2** adv = **backwards** ▪**backwardness** n (of person, country) retard m ▪**backwards** adv en arrière; (to walk) à reculons; (to fall) à la renverse; **to go** or **move b.** reculer; **to go b. and forwards** aller et venir

bacon ['beɪkən] n lard m; (in rashers) bacon m; **b. and eggs** œufs mpl au bacon

bacteria [bæk'tɪərɪə] npl bactéries fpl

bad [bæd] (worse, worst) adj mauvais; (wicked) méchant; (sad) triste; (accident, wound) grave; (tooth) carié; (arm, leg) malade; (pain) violent; **b. language** gros mots mpl; **b. cheque** chèque m sans provision; **it's b. to think that…** ce n'est pas bien de penser que…; **to feel b.** (ill) se sentir mal; **to feel b. about sth** s'en vouloir de qch; **to be b. at maths** être mauvais en maths; **things are b.** ça va mal; **that's not b.!** ce n'est pas mal!; **to go b.** (of fruit, meat) se gâter; (of milk) tourner; **in a b. way** (sick) mal en point; (in trouble) dans le pétrin; **too b.!** tant pis! ▪**bad-'mannered** adj mal élevé ▪**bad-'tempered** adj grincheux, -euse

bade [bæd] pt of **bid**

badge [bædʒ] n (of plastic, bearing slogan or joke) badge m; (of metal, bearing logo) pin's m; (of postman, policeman) plaque f; (on school uniform) insigne m

badger ['bædʒə(r)] **1** n (animal) blaireau m **2** vt importuner

badly ['bædlɪ] adv mal; (hurt) grièvement; **b. affected** très touché; **b. shaken** bouleversé; **to be b. mistaken** se tromper lourdement; **b. off** dans la gêne; **to be b. off for** manquer de; **to want sth b.** avoir grande envie de qch

badminton ['bædmɪntən] n badminton m

baffle ['bæfəl] vt (person) déconcerter

bag¹ [bæg] n sac m; **bags** (luggage) bagages mpl; (under eyes) poches fpl; Fam **bags of** (lots of) beaucoup de; Fam Pej **an old b.** une vieille taupe; Fam **in the b.** dans la poche; Fam **b. lady** clocharde f ▪**bagful** n (plein) sac m

bag² [bæg] (pt & pp **-gg-**) vt Fam (claim) accaparer

baggage ['bægɪdʒ] n bagages mpl; (of soldier) équipement m; Am **b. car** fourgon m; **b. handler** (in airport) bagagiste mf; Am **b. room** consigne f

baggy ['bægɪ] (-ier, -iest) adj (clothing) (out of shape) déformé; (deliberately loose) large

bagpipes ['bægpaɪps] npl cornemuse f

Bahamas [bə'hɑːməz] npl **the B.** les Bahamas fpl

bail [beɪl] **1** n Law caution f; **on b.** sous caution; **to grant sb b.** libérer qn sous caution **2** vt **to b. sb out** Law se porter garant de qn; Fig tirer qn d'affaire; **to b. a company out** renflouer une entreprise **3** vi **to b. out** (from aircraft) s'éjecter

bailiff ['beɪlɪf] n (law officer) huissier m; Br (of landowner) régisseur m

bait [beɪt] **1** n appât m **2** vt (**a**) (fishing hook) amorcer (**b**) (annoy) tourmenter

baize [beɪz] n **green b.** (on card table) tapis m vert

bake [beɪk] **1** vt (faire) cuire au four **2** vi (of cook) faire de la pâtisserie/du pain; (of cake) cuire (au four); Fam **we're** or **it's baking (hot)** on crève de chaleur ▪**baked** adj (potatoes, apples) au four; **b. beans** haricots mpl blancs à la tomate ▪**baking** n cuisson f; **to do some b.** faire de la pâtisserie/du pain; **b. powder** levure f chimique; **b. tin** moule m à pâtisserie

baker ['beɪkə(r)] n boulanger, -ère mf ▪**bakery** n boulangerie f

balaclava [bælə'klɑːvə] n Br **b. (helmet)** passe-montagne m

balance ['bæləns] **1** n (equilibrium) équilibre m; (of account) solde m; (remainder) reste m; (in accounting) bilan m; (for weighing) balance f; **to lose one's b.** perdre l'équilibre; **to strike a b.** trouver le juste milieu; **sense of b.** sens m de la mesure; **to be in the b.** être incertain; **on b.** à tout prendre; **b. of payments** balance f des paiements; **b. sheet** bilan m **2** vt maintenir en équilibre (**on** sur); (budget, account) équilibrer; (compare) mettre en balance; **to b. (out)** (compensate for) compenser **3** vi (of person) se tenir en équilibre; (of accounts) être en équilibre, s'équilibrer; **to b. (out)** (even out) s'équilibrer

> Note that the French word **balance** is a false friend. Its most common meaning is **scales**.

balcony ['bælkənɪ] (pl -ies) n balcon m

bald [bɔːld] (-er, -est) adj chauve; (statement) brutal; (tyre) lisse; **b. patch** or **spot** tonsure f ▪**bald-'headed** adj chauve ▪**balding** adj to **be b.** perdre ses cheveux ▪**baldness** n calvitie f

bale [beɪl] **1** n (of cotton) balle f **2** vi **to b. out** (from aircraft) s'éjecter

baleful ['beɪlfəl] adj Literary sinistre

balk [bɔːk] vi reculer (**at** devant)

Balkans ['bɔːlkənz] npl **the B.** les Balkans fpl

ball¹ [bɔːl] n balle f; (inflated, for football, rugby) ballon m; Billiards bille f; (of string, wool) pelote f; (sphere) boule f; (of meat, fish) boulette f; Fam **to be on the b.** (alert) avoir de la présence d'esprit; (knowledgeable) connaître son affaire; **b. bearing** roulement m à billes; Am **b. game** match m de base-ball; Fig **it's a whole new b. game** c'est une tout autre affaire

ball² [bɔːl] n (dance) bal m (pl bals)

ballad ['bæləd] n (poem) ballade f; (song) romance f

ballast ['bæləst] **1** n lest m **2** vt lester

ballcock ['bɔːlkɒk] n Br robinet m à flotteur

ballerina [bælə'riːnə] n ballerine f

ballet [Br 'bæleɪ, Am bæ'leɪ] n ballet m

ballistic [bə'lɪstɪk] adj **b. missile** engin m balistique

balloon [bə'luːn] n (toy, airship) ballon m; (in cartoon) bulle f; **(weather) b.** ballon-sonde m

ballot ['bælət] **1** n (voting) scrutin m; **b. paper** bulletin m de vote; **b. box** urne f **2** vt (members) consulter (par un scrutin)

ballpoint (pen) ['bɔːlpɔɪnt(pen)] n stylo m à bille

ballroom ['bɔːlruːm] n salle f de danse; **b. dancing** danses fpl de salon

balm [bɑːm] n (oil, comfort) baume m ▪**balmy** (-ier, -iest) adj (a) (mild) doux (f douce); Literary (fragrant) embaumé (b) Br Fam = **barmy**

baloney [bə'ləʊnɪ] n Am Culin (sausage) saucisse f bolognaise; Fam (nonsense) âneries fpl

Baltic ['bɔːltɪk] n the B. la Baltique

balustrade ['bæləstreɪd] n balustrade f

bamboo [bæm'buː] n bambou m; **b. shoots** pousses fpl de bambou

bamboozle [bæm'buːzəl] vt Fam (cheat) embobiner

ban [bæn] **1** n interdiction f; **to impose a b. on sth** interdire qch **2** (pt & pp **-nn-**) vt interdire; **to b. sb from doing sth** interdire à qn de faire qch; **to b. sb from** (club) exclure qn de

banal [bə'næl] adj banal (mpl -als)

banana [bə'nɑːnə] n banane f; **b. skin** peau f de banane

band [bænd] **1** n (a) (strip) bande f; (of hat) ruban m; **rubber** or **elastic b.** élastique m (b) (group of people) bande f; (of musicians) (petit) orchestre m; (pop group) groupe m **2** vi **to b. together** se (re)grouper

bandage ['bændɪdʒ] **1** n (strip) bande f; (dressing) bandage m **2** vt **to b. (up)** (arm, leg) bander; (wound) mettre un bandage sur; **to b. sb's arm** bander le bras à qn

Band-aid® ['bændeɪd] n Am pansement m adhésif

B and B [biːənd'biː] (abbr **bed and breakfast**) n Br see **bed**

bandit ['bændɪt] n bandit m

bandstand ['bændstænd] n kiosque m à musique

bandwagon ['bændwægən] n Fig **to jump on the b.** suivre le mouvement

bandwidth ['bændwɪdθ] n Radio & Comptr largeur f de bande

bandy¹ ['bændɪ] (-ier, -iest) adj **to have b. legs** avoir les jambes arquées

bandy² ['bændɪ] (pt & pp **-ied**) vt **to b. about** (story, rumour) faire circuler

bane [beɪn] n Literary fléau m; Fam **he's the b. of my life** il m'empoisonne l'existence

bang¹ [bæŋ] **1** n (blow, noise) coup m (violent); (of gun) détonation f; (of door) claquement m **2** vt (hit) cogner, frapper; (door) (faire) claquer; **to b. one's head** se cogner la tête; **to b. down** (lid) rabattre (violemment) **3** vi cogner, frapper; (of door) claquer; (of gun) détoner; (of firework) éclater; **to b. into sb/sth** heurter qn/qch **4** exclam vlan!, pan!; **to go b.** éclater

bang² [bæŋ] adv Br Fam (exactly) exactement; **b. in the middle** en plein milieu; **b. on six** à six heures tapantes

banger ['bæŋə(r)] n Br (a) Fam (sausage) saucisse f; **bangers and mash** purée f avec des saucisses (b) (firecracker) pétard m (c) Fam **old b.** (car) vieille guimbarde f

Bangladesh [bæŋglə'deʃ] n le Bangladesh ▪**Bangladeshi 1** adj bangladeshi **2** n Bangladeshi, -e mf

bangle ['bæŋgəl] n bracelet m

bangs [bæŋz] npl Am (of hair) frange f

banish ['bænɪʃ] vt bannir

banister ['bænɪstə(r)] n banister(s) rampe f (d'escalier)

banjo ['bændʒəʊ] (pl **-os** or **-oes**) n banjo m

bank¹ [bæŋk] **1** n (of river) bord m, rive f; (raised) berge f; (of earth) talus m; (of sand) banc m; **the Left B.** (in Paris) la Rive gauche **2** vt **to b. (up)** (earth) amonceler; (fire) couvrir **3** vi (of aircraft) virer

bank² [bæŋk] **1** n (for money) banque f; **b. account** compte m en banque; **b. card** carte f d'identité bancaire; **b. clerk** employé, -ée mf de banque; Br **b. holiday** jour m férié; Br **b. note** billet m de banque; **b. rate** taux m d'escompte **2** vt (money) mettre à la banque **3** vi avoir un compte en banque (**with** à) ▪**banker** n banquier, -ière mf; Br **b.'s card** carte f d'identité bancaire ▪**banking 1** adj (transaction) bancaire **2** n (activity, profession) la banque

bank³ [bæŋk] vi **to b. on sb/sth** (rely on) compter sur qn/qch

bankrupt ['bæŋkrʌpt] **1** adj **to go b.** faire faillite; Fig **morally b.** qui a perdu toute crédibilité **2** vt mettre en faillite ▪**bankruptcy** n faillite f

banner ['bænə(r)] n banderole f; (military flag) & Fig bannière f

banns [bænz] npl bans mpl; **to publish the b.** publier les bans

banoffee pie, banoffi pie [bə'nɒfɪ'paɪ] n Culin = gâteau à la banane et au caramel

banquet ['bæŋkwɪt] n banquet m

banter ['bæntə(r)] **1** n plaisanteries fpl **2** vi plaisanter

baptism ['bæptɪzəm] n baptême m ▪**Baptist** n & adj baptiste (mf)

baptize [bæp'taɪz] vt baptiser

bar [bɑː(r)] **1** n (a) (of metal) barre f; (of gold)

lingot m; (of chocolate) tablette f; (on window) barreau m; **b. of soap** savonnette f; **behind bars** (criminal) sous les verrous; **to be a b. to sth** faire obstacle à qch; Law **the B.** le barreau; **b. code** (on product) code-barres m (**b**) (pub) bar m; (counter) bar, comptoir m (**c**) (group of musical notes) mesure f **2** (pt & pp **-rr-**) vt (**a**) **to b. sb's way** barrer le passage à qn; **barred window** fenêtre f munie de barreaux (**b**) (prohibit) interdire (**sb from doing** à qn de faire); (exclude) exclure (**from** à) **3** prep (except) sauf; **b. none** sans exception ▪ **barmaid** n serveuse f de bar ▪ **barman** (pl **-men**) n barman m ▪ **bartender** n Am barman m

Barbados [bɑːˈbeɪdɒs] n la Barbade

barbarian [bɑːˈbeərɪən] n barbare mf ▪ **barbaric** [-ˈbærɪk] adj barbare ▪ **barbarity** [-ˈbærɪtɪ] n barbarie f

barbecue [ˈbɑːbɪkjuː] **1** n barbecue m **2** vt cuire au barbecue

barbed wire [bɑːbdˈwaɪə(r)] n fil m de fer barbelé; (fence) barbelés mpl

barber [ˈbɑːbə(r)] n coiffeur m pour hommes

Barbie® [ˈbɑːbɪ] n **B. doll** poupée f Barbie®

barbiturate [bɑːˈbɪtjʊrət] n barbiturique m

bare [beə(r)] **1** (**-er, -est**) adj nu; (tree, hill) dénudé; (room, cupboard) vide; (mere) simple; **the b. necessities** le strict nécessaire; **with his b. hands** à mains nues **2** vt (arm, wire) dénuder; **to b. one's head** se découvrir ▪ **bareback** adv **to ride b.** monter à cru ▪ **barefaced** adj (lie) éhonté ▪ **barefoot 1** adv nu-pieds **2** adj aux pieds nus ▪ **bareˈheaded** adj & adv nu-tête inv

barely [ˈbeəlɪ] adv (scarcely) à peine; **b. enough** tout juste assez

bargain [ˈbɑːgɪn] **1** n (deal) marché m, affaire f; **a b.** (cheap buy) une occasion, une bonne affaire; **a real b.** une véritable occasion ou affaire; **it's a b.!** (agreed) c'est entendu!; **to make a b.** faire un marché (**with sb** avec qn); **into the b.** (in addition) par-dessus le marché; **b. price** prix m exceptionnel; **b. counter** rayon m des soldes **2** vi (negotiate) négocier; (haggle) marchander; **to b. for** or **on sth** (expect) s'attendre à qch; **he got more than he bargained for** il ne s'attendait pas à ça ▪ **bargaining** n négociations fpl; (haggling) marchandage m

barge [bɑːdʒ] **1** n péniche f **2** vi **to b. in** (enter room) faire irruption; (interrupt) interrompre; **to b. into** (hit) se cogner contre

baritone [ˈbærɪtəʊn] n (voice, singer) baryton m

bark¹ [bɑːk] n (of tree) écorce f

bark² [bɑːk] **1** n aboiement m **2** vi aboyer; Fam Fig **you're barking up the wrong tree** tu fais fausse route ▪ **barking 1** n aboiements mpl **2** adj Br Fam **b. (mad)** complètement cinglé

barley [ˈbɑːlɪ] n orge f; **b. sugar** sucre m d'orge

barmy [ˈbɑːmɪ] (**-ier, -iest**) adj Br Fam (crazy) dingue

barn [bɑːn] n (for crops) grange f; (for horses) écurie f; (for cattle) étable f

barometer [bəˈrɒmɪtə(r)] n baromètre m

baron [ˈbærən] n baron m; Fig (industrialist) magnat m; **press/oil b.** magnat de la presse/du pétrole ▪ **baroness** n baronne f

baroque [Br bəˈrɒk, Am bəˈrəʊk] adj & n Archit & Mus baroque (m)

barracks [ˈbærəks] npl caserne f

Note that the French word **baraque** is a false friend. Its most common translation is **shack**.

---

barrage [Br ˈbærɑːʒ, Am bəˈrɑːʒ] n (across river) barrage m; Fig **a b. of questions** un feu roulant de questions

barrel [ˈbærəl] n (**a**) (cask) tonneau m; (of oil) baril m (**b**) (of gun) canon m (**c**) **b. organ** orgue m de Barbarie

barren [ˈbærən] adj (land, woman, ideas) stérile; (style) aride

barrette [bəˈret] n Am (hair slide) barrette f

barricade [ˈbærɪkeɪd] **1** n barricade f **2** vt barricader; **to b. oneself (in)** se barricader (dans)

barrier [ˈbærɪə(r)] n also Fig barrière f; Br (ticket) b. (of station) portillon m; **sound b.** mur m du son

barring [ˈbɑːrɪŋ] prep sauf

barrister [ˈbærɪstə(r)] n Br ≃ avocat m

barrow [ˈbærəʊ] n (wheelbarrow) brouette f; (cart) charrette f ou voiture f à bras

barter [ˈbɑːtə(r)] **1** n troc m **2** vt troquer (**for** contre)

base [beɪs] **1** n (**a**) (bottom, main ingredient) base f; (of tree, lamp) pied m; **b. rate** (of bank) taux m de base (**b**) (military) base f **2** adj (**a**) (dishonourable) bas (f basse) (**b**) **b. metal** métal m vil **3** vt baser, fonder (**on** sur); **based in London** (person, company) basé à Londres ▪ **baseless** adj sans fondement ▪ **baseness** n bassesse f

baseball [ˈbeɪsbɔːl] n base-ball m

basement [ˈbeɪsmənt] n sous-sol m

bash [bæʃ] Fam **1** n (bang) coup m; Br **to have a b.** (try) essayer un coup **2** vt (hit) cogner; **to b. (about)** (ill-treat) malmener; **to b. sb up** tabasser qn; **to b. in** or **down** (door, fence) défoncer ▪ **bashing** n Fam (thrashing) raclée f; **to get a b.** prendre une raclée

bashful [ˈbæʃfəl] adj timide

basic [ˈbeɪsɪk] **1** adj essentiel, -ielle, de base; (elementary) élémentaire; (pay, food) de base; (room, house, meal) tout simple **2** n Fam **the basics** l'essentiel m ▪ **basically** [-klɪ] adv (on the whole) en gros; (in fact) en fait; (fundamentally) au fond

basil [Br 'bæzəl, Am 'beɪzəl] n (herb) basilic m

basilica [bə'zɪlɪkə] n basilique f

basin ['beɪsən] n (**a**) (made of plastic) bassine f; (for soup, food) (grand) bol m; (portable washbasin) cuvette f; (sink) lavabo m (**b**) (of river) bassin m

basis ['beɪsɪs] (pl **bases** [beɪsi:z]) n (for discussion) base f; (for opinion, accusation) fondement m; (of agreement) bases fpl; **on the b. of** d'après; **on that b.** dans ces conditions; **on a weekly b.** chaque semaine

bask [baːsk] vi (in the sun) se chauffer

basket ['baːskɪt] n panier m; (for bread, laundry, litter) corbeille f ■**basketball** n basket(-ball) m

Basque [bæsk] **1** adj basque **2** n (**a**) (person) Basque mf (**b**) (language) basque m

bass¹ [beɪs] n 1 Mus basse f 2 adj (note, voice, instrument) bas (f basse)

bass² [bæs] n (sea fish) bar m; (freshwater fish) perche f

bassoon [bə'su:n] n basson m

bastard ['baːstəd] **1** adj (child) bâtard **2** n (**a**) (child) bâtard, -arde mf (**b**) Vulg (unpleasant person) salaud m, salope f

baste [beɪst] vt (**a**) (fabric) bâtir (**b**) (meat) arroser de son jus

bastion ['bæstɪən] n also Fig bastion m

bat¹ [bæt] n (animal) chauve-souris f

bat² [bæt] **1** n Cricket & Baseball batte f; (in table-tennis) raquette f, **off my own b.** de ma propre initiative **2** (pt & pp **-tt-**) vt (**a**) (ball) frapper (**b**) **she didn't b. an eyelid** elle n'a pas sourcillé

batch [bætʃ] n (of people) groupe m; (of letters) paquet m; (of books) lot m; (of loaves) fournée f; (of papers) liasse f

bated ['beɪtɪd] adj **with b. breath** en retenant son souffle

bath [baːθ] **1** (pl **baths** [baːðz]) n bain m; (tub) baignoire f; **to have** or **take a b.** prendre un bain; **b. towel** drap m de bain; Br **swimming baths** piscine f **2** vt Br baigner **3** vi Br prendre un bain ■**bathrobe** n peignoir m de bain; Am robe f de chambre ■**bathroom** n salle f de bain(s); Am (toilet) toilettes fpl ■**bathtub** n baignoire f

bathe [beɪð] **1** vt baigner; (wound) laver **2** vi se baigner; Am prendre un bain **3** n Old-fashioned bain m (de mer), baignade f; **to go for a b.** se baigner ■**bathing** n baignades fpl; **b. suit**, Br **b. costume** maillot m de bain

baton [Br 'bætən, Am bə'tɒn] n (of conductor) baguette f; (of policeman) matraque f; (of soldier, drum majorette) bâton m; (in relay race) témoin m

battalion [bə'tæljən] n bataillon m

batter ['bætə(r)] **1** n pâte f à frire **2** vt (strike) cogner sur; (person) frapper; (town) pilonner; **to b. down** (door) défoncer ■**battered** adj (car, hat) cabossé; (house) délabré; (face)

meurtri; **b. child** enfant m martyr; **b. wife** femme f battue ■**battering** n **to take a b.** souffrir beaucoup

battery ['bætərɪ] (pl **-ies**) n (in vehicle, of guns, for hens) batterie f; (in radio, appliance) pile f; **b. hen** poule f de batterie

battle ['bætəl] **1** n bataille f; (struggle) lutte f; Fam **that's half the b.** la partie est à moitié gagnée **2** vi se battre, lutter ■**battlefield** n champ m de bataille ■**battleship** n cuirassé m

battlements ['bætəlmənts] npl (indentations) créneaux mpl; (wall) remparts mpl

batty ['bætɪ] (**-ier, -iest**) adj Br Fam toqué

baulk [bɔːk] vi reculer (**at** devant)

bawdy ['bɔːdɪ] (**-ier, -iest**) adj paillard

bawl [bɔːl] vti **to b. (out)** brailler; Am Fam **to b. sb out** engueuler qn

bay¹ [beɪ] **1** n (**a**) (part of coastline) baie f (**b**) (in room) renfoncement m; **b. window** bow-window m, oriel m (**c**) Br (for loading) aire f de chargement (**d**) **at b.** (animal, criminal) aux abois; **to keep** or **hold at b.** (enemy, wild dog) tenir en respect; (disease) juguler **2** vi aboyer **3** adj (horse) bai

bay² [beɪ] n (tree) laurier m; **b. leaf** feuille f de laurier

bayonet ['beɪənɪt] n baïonnette f

bazaar [bə'zaː(r)] n (market, shop) bazar m; (charity sale) vente f de charité

bazooka [bə'zuːkə] n bazooka m

BB gun [biː'biːgʌn] n Am carabine f à air comprimé

BBQ [biːbiː'kjuː] (abbr **barbecue**) n Fam barbecue m

BC [biː'siː] (abbr **before Christ**) adv av. J.-C.

BCG [biːsiː'dʒiː] (abbr **bacille Calmette-Guérin**) n Med BCG m

be [biː] (present tense **am, are, is**; past tense **was, were**; pp **been**; pres p **being**)

À l'oral et dans un style familier à l'écrit, le verbe **be** peut être contracté: **I am** devient **I'm, he/she/it is** deviennent **he's/she's/it's** et **you/we/they are** deviennent **you're/we're/they're**. Les formes négatives **is not/are not/was not** et **were not** se contractent respectivement en **isn't/aren't/wasn't** et **weren't**.

1 vi (**a**) (gen) être; **it is green/small/etc** c'est vert/petit/etc; **he's a doctor** il est médecin; **he's an Englishman** c'est un Anglais; **it's him** c'est lui; **it's them** ce sont eux; **it's three (o'clock)** il est trois heures; **it's the sixth of May**, Am **it's May sixth** nous sommes le six mai (**b**) (with age, height) avoir; **to be twenty** (age) avoir vingt ans; **to be 2 m high** avoir 2 m de haut; **to be 6 f tall** ≃ mesurer 1,80 m; **to be hot/right/lucky** avoir chaud/raison/de la chance; **my feet are cold** j'ai froid aux pieds (**c**) (with health) aller; **how are you?** comment vas-tu? **I'm well/not well** je vais bien/mal (**d**) *(with place, situation)* se trouver, être; **she's in York** elle se trouve *ou* elle est à York

(**e**) *(exist)* être; **the best painter there is** le meilleur peintre qui soit; **leave me be** laissez-moi *(tranquille)*; **that may be** cela se peut

(**f**) *(go, come)* **I've been to see her** je suis allé la voir; **he's (already) been** il est (déjà) venu

(**g**) *(with weather, calculations)* faire; **it's fine** il fait beau; **it's foggy** il y a du brouillard; **2 and 2 are 4** 2 et 2 font 4

(**h**) *(cost)* coûter, faire; **it's 20 pence** ça coûte 20 pence; **how much is it?** ça fait combien?, c'est combien?

2 *v aux* (**a**) **I am/was doing** je fais/faisais; **I'll be staying** je vais rester; **I'm listening to the radio** je suis en train d'écouter la radio; **what has she been doing?** qu'est-ce qu'elle a fait?; **she's been there some time** elle est là depuis un moment; **I've been waiting (for) two hours** j'attends depuis deux heures; **it is said** on dit; **she's to be pitied** elle est à plaindre

(**b**) *(in questions and answers)* **isn't it?/aren't you?/**etc n'est-ce pas?, non?; **she's ill, is she?** *(surprise)* alors, comme ça, elle est malade?; **I am!/he is!/**etc oui!

(**c**) (+ *infinitive*) **he is to come at once** *(must)* il doit venir tout de suite; **he's shortly to go** *(intends to)* il va bientôt partir

(**d**) **there is/are** il y a; *(pointing)* voilà; **here is/are** voici; **there she is** la voilà; **here they are** les voici

beach [biːtʃ] *n* plage *f*

beacon ['biːkən] *n (for ship, aircraft)* balise *f*; *(lighthouse)* phare *m*

bead [biːd] *n (small sphere)* perle *f*, *(of rosary)* grain *m*; *(of sweat)* goutte *f*, gouttelette *f*; **(string of) beads** collier *m*

beak [biːk] *n* bec *m*

beaker ['biːkə(r)] *n* gobelet *m*

beam [biːm] **1** *n* (**a**) *(of wood)* poutre *f* (**b**) *(of light, sunlight)* rayon *m*; *(of headlight, flashlight)* faisceau *m* (lumineux) **2** *vi (of light)* rayonner; *(of sun, moon)* briller; *(smile broadly)* sourire largement; **b. with pride/joy** rayonner de fierté/joie **3** *vt (signals, programme)* transmettre (**to** à) ▪ **beaming** *adj (face, person, smile)* rayonnant

bean [biːn] *n* haricot *m*; *(of coffee)* grain *m*; *Fam* **to be full of beans** être plein d'énergie; **b. curd** pâte *f* de soja ▪ **beanshoots, beansprouts** *npl* germes *mpl* de soja

beanie hat ['biːnɪhæt] *n* bonnet *m*

bear[1] [beə(r)] *n (animal)* ours *m*; **b. cub** ourson *m*

bear[2] [beə(r)] **1** *(pt* bore, *pp* borne) *vt (carry, show)* porter; *(endure)* supporter; *(resemblance)* offrir; *(comparison)* soutenir; *(responsibility)* assumer; *(child)* donner naissance à; **I can't b.**

him/it je ne peux pas le supporter/supporter ça; **to b. sth in mind** *(remember)* se souvenir de qch; *(take into account)* tenir compte de qch; **to b. out** corroborer **2** *vi* **to b. left/right** *(turn)* tourner à gauche/droite; **to b. north/**etc *(go)* aller en direction du nord/etc; **to b. (up)on** *(relate to)* se rapporter à; *Fig* **to b. heavily on sb** *(of burden)* peser sur qn; **to b. with sb** être patient avec qn; **if you could b. with me** si vous voulez bien patienter; **to bring one's energies to b. on a task** consacrer toute son énergie à un travail; **to bring pressure to b. on sb** faire pression sur qn (**to do** pour faire); **to b. up** tenir le coup; **b. up!** courage!

bearable ['beərəbəl] *adj* supportable

beard [bɪəd] *n* barbe *f*; **to have a b.** porter la barbe ▪ **bearded** *adj* barbu

bearer ['beərə(r)] *n* porteur, -euse *mf*

bearing ['beərɪŋ] *n (relevance)* rapport *m* (**on** avec); *(posture, conduct)* port *m*; *(of ship, aircraft)* position *f*; **to get one's bearings** s'orienter

beast [biːst] *n* bête *f*; *Fam (person)* brute *f*

beastly ['biːstlɪ] *adj* *Br Fam (unpleasant)* horrible

beat [biːt] **1** *n (of heart, drum)* battement *m*; *(of policeman)* ronde *f*; *(in music)* rythme *m*

2 *(pt* beat, *pp* beaten) *vt* battre; **to b. a drum** battre du tambour; *Fam* **that beats me** ça me dépasse; *Fam* **b. it!** fiche le camp!; **to b. sb to it** devancer qn; **to b. back** *or* **off** repousser; **to b. down** *(price)* faire baisser; **to b. down** *or* **in** *(door)* défoncer; **to b. out** *(rhythm)* marquer; *(tune)* jouer; **to b. sb up** tabasser qn

3 *vi* battre; *(at door)* frapper (**at** à); *Fam* **to b. about** *or* **around the bush** tourner autour du pot; **to b. down** *(of rain)* tomber à verse; *(of sun)* taper ▪ **beating** *n (blows, defeat)* raclée *f*; *(of heart, drums)* battement *m*; **to take a b.** souffrir beaucoup

beater ['biːtə(r)] *n (for eggs)* fouet *m*

beautician [bjuː'tɪʃən] *n* esthéticienne *f*

beautiful ['bjuːtɪfəl] *adj* (très) beau (*f* belle); *(superb)* merveilleux, -euse ▪ **beautifully** *adv* *(after verb)* à merveille; *(before adjective)* merveilleusement

beauty ['bjuːtɪ] *(pl* -ies) *n (quality, woman)* beauté *f*; **it's a b.!** *(car, house)* c'est une merveille!; **the b. of it is (that)…** le plus beau, c'est que…; **b. parlour** *or* **salon** institut *m* de beauté; **b. spot** *(on skin)* grain *m* de beauté; *Br (in countryside)* endroit *m* pittoresque; **b. therapist** esthéticienne *f*

beaver ['biːvə(r)] **1** *n* castor *m* **2** *vi* **to b. away** travailler dur (**at sth** à qch)

became [bɪ'keɪm] *pt of* **become**

because [bɪ'kɒz] *conj* parce que; **b. of** à cause de

beck [bek] *n* **at sb's b. and call** aux ordres de qn

beckon ['bekən] *vti* **to b. (to) sb** faire signe à qn (to do de faire)

become [bɪ'kʌm] **1** (*pt* **became,** *pp* **become**) *vi* devenir; **to b. a painter** devenir peintre; **to b. thin** maigrir; **to b. worried** commencer à s'inquiéter; **what has b. of her?** qu'est-elle devenue? **2** *vt Formal* **that hat becomes her** ce chapeau lui va bien ▪**becoming** *adj* (*clothes*) seyant; (*modesty*) bienséant

bed [bed] **1** *n* lit *m*; (*flowerbed*) parterre *m*; (*of vegetables*) carré *m*; (*of sea*) fond *m*; (*of river*) lit *m*; (*of rock*) couche *f*; **to go to b.** (aller) se coucher; **to put sb to b.** coucher qn; **in b.** couché; **to get out of b.** se lever; **to make the b.** faire le lit; **b. and breakfast** (*in hotel*) chambre *f* avec petit déjeuner; **to stay in a b. and breakfast** ≃ prendre une chambre d'hôte; *Br* **b. settee** (canapé *m*) convertible *m* **2** *vi* **to b. down** se coucher ▪**bedbug** *n* punaise *f* ▪**bedclothes** *npl*, ▪**bedding** *n* couvertures *fpl* et draps *mpl* ▪**bedpan** *n* bassin *m* (hygiénique) ▪**bedridden** *adj* alité ▪**bedroom** *n* chambre *f* à coucher ▪**bedside** *n* chevet *m*; **b. lamp/book/table** lampe *f*/livre *m*/table *f* de chevet ▪**bed'sit, bedsitter** *n Br* chambre *f* meublée ▪**bedspread** *n* dessus-de-lit *m inv* ▪**bedtime** *n* heure *f* du coucher; **b.!** c'est l'heure d'aller se coucher!; **b. story** histoire *f* (pour endormir les enfants)

bedevil [bɪ'devəl] (*Br* **-ll-,** *Am* **-l-**) *vt* (*plague*) tourmenter; (*confuse*) embrouiller; **bedevilled by** (*problems*) perturbé par

bedlam ['bedləm] *n Fam* (*noise*) chahut *m*

bedraggled [bɪ'drægəld] *adj* (*clothes, person*) débraillé et tout trempé

bee [bi:] *n* abeille *f* ▪**beehive** *n* ruche *f*

beech [bi:tʃ] *n* (*tree, wood*) hêtre *m*

beef [bi:f] **1** *n* bœuf *m* **2** *vi Fam* (*complain*) rouspéter (**about** contre) ▪**beefburger** *n* hamburger *m* ▪**beefy** (**-ier, -iest**) *adj Fam* costaud

beekeeper ['bi:ki:pə(r)] *n* apiculteur, -trice *mf* ▪**beekeeping** *n* apiculture *f*

beeline ['bi:laɪn] *n Fam* **to make a b. for** aller droit vers

been [bi:n] *pp of* **be**

beep ['bi:p] **1** *n* (*of machine*) bip *m*, signal *m* sonore; (*of car horn*) coup *m* de klaxon **2** *vi* (*of machine*) faire bip, émettre un signal sonore; (*of car driver*) klaxonner **3** *vt* **to b. the horn** klaxonner ▪**beeper** *n* récepteur *m* d'appels

beer [bɪə(r)] *n* bière *f*; **b. garden** = jardin où les clients d'un pub peuvent consommer; **b. glass** chope *f*

beet [bi:t] *n* betterave *f* ▪**beetroot** *n* betterave *f*

beetle ['bi:təl] **1** *n* scarabée *m*; (*any beetle-like insect*) bestiole *f* **2** *vi Br* **to b. off** *Fam* (*run off*) se sauver

before [bɪ'fɔ:(r)] **1** *adv* avant; (*already*) déjà; (*in front*) devant; **the month b.** le mois d'avant *ou* précédent; **the day b.** la veille; **I've seen it b.** je l'ai déjà vu; **I've never done it b.** je ne l'ai (encore) jamais fait **2** *prep* (*time*) avant; (*place*) devant; **the year b. last** il y a deux ans; **b. my very eyes** sous mes yeux **3** *conj* avant que (+ ne) (+ subjunctive), avant de (+ infinitive); **b. he goes** avant qu'il (ne) parte; **b. going** avant de partir ▪**beforehand** *adv* à l'avance; **check b.** vérifiez au préalable

befriend [bɪ'frend] *vt* **to b. sb** se prendre d'amitié pour qn

befuddled [bɪ'fʌdəld] *adj* (*drunk*) ivre

beg [beg] **1** (*pt & pp* **-gg-**) *vt* **to b. (for)** (*favour, help*) demander; (*bread, money*) mendier; **to b. sb to do sth** supplier qn de faire qch; **I b. to differ** permettez-moi de ne pas être d'accord; **to b. the question** esquiver la question **2** *vi* (*in street*) mendier; (*ask earnestly*) supplier; **to go begging** (*of food, articles*) ne pas trouver d'amateurs

began [bɪ'gæn] *pt of* **begin**

beggar ['begə(r)] *n* mendiant, -iante *mf*; *Br Fam* (*person*) type *m*; **lucky b.** veinard, -arde *mf*

begin [bɪ'gɪn] **1** (*pt* **began,** *pp* **begun,** *pres p* **beginning**) *vt* commencer; (*fashion, campaign*) lancer; (*bottle, sandwich*) entamer; (*conversation*) engager; **to b. doing** *or* **to do sth** commencer *ou* se mettre à faire qch; **he began laughing** il s'est mis à rire **2** *vi* commencer (**with** par; **by doing** par faire); **to b. on sth** commencer qch; **beginning from** à partir de; **to b. with** (*first of all*) d'abord

beginner [bɪ'gɪnə(r)] *n* débutant, -ante *mf*

beginning [bɪ'gɪnɪŋ] *n* commencement *m*, début *m*; **in** *or* **at the b.** au début, au commencement

begrudge [bɪ'grʌdʒ] *vt* (*envy*) envier (**sb sth** qch à qn); (*reproach*) reprocher (**sb sth** qch à qn); (*give unwillingly*) donner à contrecœur; **to b. doing sth** faire qch à contrecœur

begun [bɪ'gʌn] *pt of* **begin**

behalf [bɪ'hɑ:f] *n* **on b. of sb, on sb's b.** (*representing*) au nom de qn, de la part de qn; (*in the interests of*) en faveur de qn

behave [bɪ'heɪv] *vi* se conduire; (*of machine*) fonctionner; **to b. (oneself)** se tenir bien; (*of child*) être sage

behaviour [bɪ'heɪvjə(r)] (*Am* **behavior**) *n* conduite *f*, comportement *m*; **to be on one's best b.** se tenir particulièrement bien

behead [bɪ'hed] *vt* décapiter

behind [bɪ'haɪnd] **1** *prep* derrière; (*in terms of progress*) en retard sur; **what's b. all this?** qu'est-ce que ça cache? **2** *adv* derrière; (*late*) en retard; **to be b. with the rent** être en retard pour payer le loyer; **to be b. with one's work** avoir du travail en retard **3** *n Fam* (*buttocks*) derrière m ▪ **behindhand** adv en retard (**with** or **in** dans)

beige [beɪʒ] adj & n beige (m)

Beijing [beɪ'dʒɪŋ] n Beijing m ou f

being ['biːɪŋ] n (person, soul) être m; **to come into b.** naître

belated [bɪ'leɪtɪd] adj tardif, -ive

belch [beltʃ] 1 n renvoi m 2 vi (of person) roter 3 vt **to b. (out)** (smoke) vomir

beleaguered [bɪ'liːgəd] adj (besieged) assiégé

belfry ['belfrɪ] (pl **belfries**) n beffroi m, clocher m

Belgium ['beldʒəm] n la Belgique ▪ **Belgian** [-dʒən] 1 adj belge 2 n Belge mf

belie [bɪ'laɪ] vt (feelings, background) ne pas refléter

belief [bɪ'liːf] n (believing, thing believed) croyance f (**in sb** en qn; **in sth** à ou en qch); (trust) confiance f, foi f (**in** en); (religious faith) foi; **to the best of my b.** pour autant que je sache

believe [bɪ'liːv] vt croire; **I don't b. it** c'est pas possible; **I b. I'm right** je crois avoir raison, je crois que j'ai raison 2 vi croire (**in sth** à qch; **in God/sb** en Dieu/qn); **I b. so/not** je crois que oui/que non; **to b. in doing sth** croire qu'il faut faire qch; **he doesn't b. in smoking** il désapprouve que l'on fume ▪ **believable** adj crédible ▪ **believer** n (religious) croyant, -ante mf; **to be a b. in sth** croire à qch

belittle [bɪ'lɪtəl] vt dénigrer

bell [bel] n (large) (of church) cloche f; (small) clochette f; (in phone, mechanism, alarm) sonnerie f; (on door, bicycle) sonnette f; (on tambourine, dog) grelot m; **b. tower** clocher m ▪ **bellboy, bellhop** n Am groom m

belle [bel] n (woman) beauté f; **the b. of the ball** la reine du bal

belligerent [bɪ'lɪdʒərənt] adj & n belligérant, -ante (mf)

bellow ['beləʊ] vi beugler, mugir

bellows ['beləʊz] npl (pair of) **b.** soufflet m

belly ['belɪ] (pl **-ies**) n ventre m; Fam **b. button** nombril m; **b. dancing** danse f du ventre ▪ **bellyache** Fam 1 n mal m au ventre 2 vi (complain) rouspéter (**about sb** après qn; **about sth** au sujet de qch) ▪ **bellyful** n Fam **to have had a b.** en avoir plein le dos

belong [bɪ'lɒŋ] vi appartenir (**to** à); **to b. to a club** être membre d'un club; **that book belongs to me** ce livre m'appartient ou est à moi; **the cup belongs here** cette tasse se range ici; **he doesn't b.** il n'est pas à sa place ▪ **belongings** npl affaires fpl

beloved [bɪ'lʌvɪd] adj & n Literary bien-aimé, -ée (mf)

below [bɪ'ləʊ] 1 prep (lower than) au-dessous de; (under) sous; (with numbers) moins de; Fig (unworthy of) indigne de 2 adv en dessous; (in text) ci-dessous; **on the floor b.** à l'étage du dessous; **it's 10 degrees b.** il fait moins 10

belt [belt] 1 n ceinture f; (in machine) courroie f; (area) zone f, région f 2 vi **to b. up** (fasten seat belt) attacher sa ceinture; Br Fam **to b. (along)** (rush) filer à toute allure; Br Fam **to b. up!** (shut up) boucle-la! 3 vt Fam (hit) (ball) cogner dans; (person) flanquer un gnon à

bemoan [bɪ'məʊn] vt déplorer

bemused [bɪ'mjuːzd] adj perplexe

bench [bentʃ] n (seat) banc m; (work table) établi m; Law **the B.** (magistrates) la magistrature (assise); (court) le tribunal; Sport **to be on the b.** être remplaçant(e)

bend [bend] 1 n courbe f; (in river, pipe) coude m; (in road) virage m; (of arm, knee) pli m; Br **double b.** (on road) virage m en S, double virage m; Fam **round the b.** (mad) cinglé 2 (pt & pp **bent**) vt courber; (leg, arm) plier; **to b. one's head** baisser la tête; **to b. the rules** faire une entorse au règlement 3 vi (of branch) plier; (of road) tourner; (of river) faire un coude; **to b. (down)** (stoop) se courber; **to b. (over** or **forward)** se pencher; Fig **to b. over backwards to do sth** se mettre en quatre pour faire qch; **to b. to sb's will/etc** se soumettre à la volonté de qn/etc ▪ **bendy** (-ier, -iest) Br Fam (road) plein de virages; (flexible) souple

beneath [bɪ'niːθ] 1 prep sous; (unworthy of) indigne de 2 adv (au-)dessous

benediction [benɪ'dɪkʃən] n bénédiction f

benefactor ['benɪfæktə(r)] n bienfaiteur m ▪ **benefactress** n bienfaitrice f

beneficial [benɪ'fɪʃəl] adj bénéfique

beneficiary [benɪ'fɪʃərɪ] (pl **-ies**) n bénéficiaire mf

benefit ['benɪfɪt] 1 n (advantage) avantage m; (money) allocation f; **benefits** (of science, education) bienfaits mpl; **to sb's b.** dans l'intérêt de qn; **for your (own) b.** pour vous, pour votre bien; **to be of b.** faire du bien (**to sb** à qn); **to give sb the b. of the doubt** accorder à qn le bénéfice du doute; **b. concert** concert m de bienfaisance 2 vt faire du bien à; (be useful to) profiter à 3 vi you'll b. from the rest le repos vous fera du bien; **to b. from doing sth** gagner à faire qch

Benelux ['benɪlʌks] n Benelux m

benevolent [bɪ'nevələnt] adj bienveillant ▪ **benevolence** n bienveillance f

benign [bɪ'naɪn] adj (kind) bienveillant; (climate) doux (f douce); **b. tumour** tumeur f bénigne

bent [bent] 1 adj (nail, mind) tordu; Fam (dishonest) pourri; **b. on doing sth** résolu à faire qch 2 n (talent) aptitude f (**for** pour); (inclination, liking) penchant m, goût m (**for** pour); **to have a musical b.** avoir des dispositions pour la musique 3 pt & pp of **bend**

bequeath [bɪ'kwiːð] vt Formal léguer (**to** à)
■ **bequest** [bɪ'kwest] n Formal legs m

bereaved [bɪ'riːvd] 1 adj endeuillé 2 npl **the b.**
la famille du défunt/de la défunte ■ **bereavement** n deuil m

bereft [bɪ'reft] adj **b. of** dénué de

beret [Br 'bereɪ, Am bə'reɪ] n béret m

berk [bɜːk] n Br Fam andouille f

Berlin [bɜː'lɪn] n Berlin m ou f; **the B. Wall** le mur
de Berlin

Bermuda [bə'mjuːdə] n les Bermudes fpl

berry ['berɪ] (pl -ies) n baie f

berserk [bə'zɜːk] adj **to go b.** devenir fou
furieux (f folle furieuse)

berth [bɜːθ] 1 n (a) (in ship, train) couchette f
(b) (anchorage) poste m à quai; Fig **to give sb
a wide b.** éviter qn comme la peste 2 vi (of
ship) aborder à quai

beseech [bɪ'siːtʃ] (pt & pp **besought** or
beseeched) vt Literary implorer (**to do** de faire)

beset [bɪ'set] (pt & pp **beset**, pres p **besetting**)
vt assaillir; **b. with obstacles** semé d'obstacles;
b. with difficulties en proie à toutes sortes de
difficultés

beside [bɪ'saɪd] prep à côté de; **that's b. the
point** ça n'a rien à voir; **b. oneself** (angry) hors
de soi; **to be b. oneself with joy/anger** être fou
(f folle) de joie/de colère

besides [bɪ'saɪdz] 1 prep (in addition to) en plus
de; (except) excepté; **there are ten of us b.** Paul
nous sommes dix sans compter Paul; **what else
can you do b.** singing? que savez-vous faire à
part chanter? 2 adv (in addition) en plus;
(moreover) d'ailleurs; **there are more b.** il y en
a d'autres encore

besiege [bɪ'siːdʒ] vt (of soldiers, crowd)
assiéger; Fig (annoy) assaillir (**with** de)

besotted [bɪ'sɒtɪd] adj (drunk) abruti; **b. with**
(infatuated) entiché de

bespatter [bɪ'spætə(r)] vt éclabousser (**with**
de)

bespectacled [bɪ'spektəkəld] adj à lunettes

bespoke [bɪ'spəʊk] adj (tailor) à façon

best [best] 1 adj meilleur; **the b. page in the
book** la meilleure page du livre; **my b. dress**
ma plus belle robe; **the b. part of** (most) la
plus grande partie de; **the b. thing is to
accept** le mieux c'est d'accepter; **'b. before…'**
(on product) 'à consommer avant…'; **b. man** (at
wedding) témoin m

2 n **the b. (one)** le meilleur, la meilleure; **it's
for the b.** c'est pour le mieux; **at b.** au mieux;
to do one's b. faire de son mieux; **to look one's
b.**, **to be at one's b.** être à son avantage; **to the
b. of my knowledge** autant que je sache; **to
make the b. of sth** (accept) s'accommoder de
qch; **to get the b. out of sth** tirer le meilleur
parti de qch; **to get the b. of it** avoir le dessus;
in one's Sunday b. endimanché; **all the b.!**

(when leaving) prends bien soin de toi!; (good
luck) bonne chance!; (in letter) amicalement

3 adv (**the) b.** (play, sing) le mieux; **to like sb/
sth (the) b.** aimer qn/qch le plus; **the b. loved**
le plus aimé; **I think it b. to wait** je juge prudent
d'attendre ■ **best-'seller** n (book) best-seller
m

bestow [bɪ'stəʊ] vt accorder (**on** à)

bet [bet] 1 n pari m 2 (pt & pp **bet** or **betted**, pres
p **betting**) vt parier (**on** sur; **that** que); Fam **you
b.!** tu parles!

betray [bɪ'treɪ] vt (person, secret) trahir; **to b. to
sb** (give away to) livrer à qn ■ **betrayal** n
(disloyalty) trahison f; (disclosure) (of secret)
révélation f

better ['betə(r)] 1 adj meilleur (**than** que); **I
need a b. car** j'ai besoin d'une meilleure
voiture; **that's b.** c'est mieux; **she's (much) b.**
(in health) elle va (beaucoup) mieux; **to get b.**
(recover) se remettre; (improve) s'améliorer; **it's
b. to go** il vaut mieux partir; **the b. part of**
(most) la plus grande partie de

2 adv mieux (**than** que); **b. dressed/known/**
etc mieux habillé/connu/etc; **to look b.** (of ill
person) avoir meilleure mine; **b. and b.** de
mieux en mieux; **so much the b.**, **all the b.**
tant mieux (**for** pour); **for b. and for worse**
pour le meilleur et pour le pire; **I had b. go** il
vaut mieux que je parte; **to be b. off**
(financially) être plus à l'aise

3 n **to get the b. of sb** l'emporter sur qn; **to
change for the b.** (of person) changer en bien;
(of situation) s'améliorer; **one's betters** ses
supérieurs mpl

4 vt (improve) améliorer; (do better than)
dépasser; **to b. oneself** améliorer sa
condition; **to b. sb's results**/etc (do better than)
dépasser les résultats/etc de qn ■ **betterment**
n amélioration f

betting ['betɪŋ] n paris mpl; Br **b. shop** or **office**
≃ PMU m

between [bɪ'twiːn] 1 prep entre; **we did it b. us**
nous l'avons fait à nous deux/trois/etc; **this is
strictly b. you and me** que cela reste entre
nous; **in b.** entre 2 adv **in b.** (space) au milieu;
(time) dans l'intervalle

bevel ['bevəl] n (edge) biseau m ■ **bevelled** (Am
beveled) adj **b. edge** biseau m

beverage ['bevərɪdʒ] n boisson f

bevvy ['bevɪ] (pl -ies) n Br Fam **to have a b.**
(alcoholic drink) boire un coup

bevy ['bevɪ] (pl -ies) n **a b. of** (girls, reporters)
une nuée de

beware [bɪ'weə(r)] vi se méfier (**of** de); **b.!**
attention!; **b. of falling** prenez garde de ne pas
tomber; **'b. of the trains!'** 'attention aux
trains!'; **'b. of the dog!'** 'attention, chien
méchant!'; **'danger b.!'** 'attention! danger!'

bewilder [bɪ'wɪldə(r)] vt dérouter, laisser

perplexe ▪**bewildering** adj déroutant ▪**bewilderment** n perplexité f

bewitch [bɪ'wɪtʃ] vt ensorceler ▪**bewitching** adj enchanteur, -eresse

beyond [bɪ'jɒnd] **1** prep (**a**) (further than) au-delà de; **b. a year** (longer than) plus d'un an; **b. reach/doubt** hors de portée/de doute; **b. belief** incroyable; **b. my/our/etc means** au-dessus de mes/nos/etc moyens; **due to circumstances b. our control** en raison de circonstances indépendantes de notre volonté; **it's b. me** ça me dépasse (**b**) (except) sauf **2** adv (further) au-delà

bias ['baɪəs] **1** n (**a**) (inclination) penchant m (**towards** pour); (prejudice) préjugé m, parti pris m (**towards/against** en faveur de/contre) (**b**) **cut on the b.** (fabric) coupé dans le biais **2** (pt & pp **-ss-** or **-s-**) vt influencer (**towards/against** en faveur de/contre) ▪**bias(s)ed** adj partial; **to be b. against** avoir des préjugés contre

bib [bɪb] n (for baby) bavoir m

bible ['baɪbəl] n bible f; **the B.** la Bible ▪**biblical** ['bɪblɪkəl] adj biblique

bibliography [bɪblɪ'ɒɡrəfɪ] (pl **-ies**) n bibliographie f

bicarbonate [baɪ'kɑːbənət] n **b. of soda** bicarbonate m de soude

bicentenary [baɪsen'tiːnərɪ] (Am **bicentennial** [baɪsen'tenɪəl]) n bicentenaire m

biceps ['baɪseps] n inv (muscle) biceps m

bicker ['bɪkə(r)] vi se chamailler ▪**bickering** n chamailleries fpl

bicycle ['baɪsɪkəl] n bicyclette f; **by b.** à bicyclette

bid¹ [bɪd] **1** n (**a**) (offer) offre f; (at auction) enchère f (**for** pour) (**b**) (attempt) tentative f; **a b. for attention/love** une tentative pour attirer l'attention/se faire aimer; **to make a b. for power** (legally) viser le pouvoir; (illegally) faire une tentative de coup d'État **2** (pt & pp bid, pres p bidding) vt (sum of money) offrir; (at auction) faire une enchère de **3** vi faire une offre (**for** pour); (at auction) faire une enchère (**for** sur) ▪**bidder** n (at auction) enchérisseur, -euse mf; **to the highest b.** au plus offrant ▪**bidding** n (at auction) enchères fpl

bid² [bɪd] (pt bade, pp bidden ['bɪdən] or bid, pres p **bidding**) vt Literary (command) commander (**sb to do** à qn de faire); (say, wish) dire, souhaiter; **to b. sb good day** souhaiter le bonjour à qn ▪**bidding** n at sb's **b.** sur les ordres de qn

bide [baɪd] vt **to b. one's time** attendre le bon moment

bier [bɪə(r)] n (for coffin) brancards mpl

bifocals [baɪ'fəʊkəlz] npl verres mpl à double foyer

big [bɪɡ] **1** (**bigger, biggest**) adj (tall, large)

grand; (fat) gros (f grosse); (drop, increase) fort; **to get big(ger)** (taller) grandir; (fatter) grossir; **my b. brother** mon grand frère; Fam **b. mouth** grande gueule f; **b. toe** gros orteil m; Fam **the b. time** le succès **2** adv Fam **to do things b.** faire les choses en grand; **to think b.** voir grand; **to look b.** faire l'important; **to talk b.** fanfaronner ▪**bighead** n Fam crâneur, -euse mf ▪**big'headed** adj Fam crâneur, -euse ▪**big-'hearted** adj généreux, -euse ▪**bigshot**, **bigwig** n Fam gros bonnet m ▪**big-time** adj Fam (criminal) de première

bigamy ['bɪɡəmɪ] n bigamie f ▪**bigamist** n bigame mf ▪**bigamous** adj bigame

bigot ['bɪɡət] n sectaire mf; (religious) bigot, -ote mf ▪**bigoted** adj sectaire; (religious) bigot ▪**bigotry** n sectarisme m; (religious) bigoterie f

> Note that the French word **bigot** is a false friend. It is only used to describe an excessively religious person and has no overtones of sectarianism.

bike [baɪk] n Fam vélo m; (motorbike) moto f

bikini [bɪ'kiːnɪ] n Bikini® m; **b. briefs** mini-slip m; **b. top/bottoms** haut m/bas m de maillot

bilberry ['bɪlbərɪ] (pl **-ies**) n myrtille f

bile [baɪl] n bile f

bilingual [baɪ'lɪŋɡwəl] adj bilingue

bill¹ [bɪl] **1** n (**a**) (invoice) facture f; (in restaurant) addition f; (in hotel) note f (**b**) Am (banknote) billet m (**c**) (bank draft) effet m; **b. of sale** acte m de vente (**d**) (notice) affiche f (**e**) Pol projet m de loi; **B. of Rights** = les dix premiers amendements de la Constitution américaine (**f**) (list) **b. of fare** menu m **2** vt (**a**) **to b. sb** envoyer la facture à qn (**b**) (publicize) annoncer ▪**billboard** n Am panneau m d'affichage ▪**billfold** n Am portefeuille m

bill² [bɪl] n (of bird) bec m

billet ['bɪlɪt] Mil **1** n cantonnement m **2** vt cantonner

billiards ['bɪljədz] n billard m

billion ['bɪljən] n milliard m ▪**billio'naire** n milliardaire mf

billow ['bɪləʊ] **1** n (of smoke) volute f **2** vi (of smoke) tourbillonner; (of sea) se soulever; (of sail) se gonfler; **billowing smoke** des volutes fpl de fumée

billy-goat ['bɪlɪɡəʊt] n bouc m

bimbo ['bɪmbəʊ] (pl **-os**) n Fam minette f

bimonthly [baɪ'mʌnθlɪ] adj (every two weeks) bimensuel, -uelle; (every two months) bimestriel, -ielle

bin [bɪn] **1** n boîte f; (for litter) poubelle f **2** (pt & pp **-nn-**) vt Fam mettre à la poubelle

binary ['baɪnərɪ] adj binaire

bind [baɪnd] **1** (pt & pp bound) vt (fasten) attacher; (book) relier; (fabric, hem) border; (unite) lier; **to b. sb hand and foot** ligoter qn;

to b. sb to do sth obliger qn à faire qch; **to be bound by sth** être lié par qch **2** *n Fam (bore)* plaie *f* ▪ **binding 1** *n (of book)* reliure *f* **2** *adj (contract)* qui lie; **to be b. on sb** *(legally)* lier qn

binder ['baɪndə(r)] *n (for papers)* classeur *m*

binge [bɪndʒ] *n Fam* **to go on a b.** *(drinking)* faire la bringue; *(eating)* se gaver

bingo ['bɪŋɡəʊ] *n* ≃ loto *m*

binoculars [bɪ'nɒkjʊləz] *npl* jumelles *fpl*

biochemistry [baɪəʊ'kemɪstrɪ] *n* biochimie *f* ▪ **biochemical** *adj* biochimique

biodegradable [baɪəʊdɪ'greɪdəbəl] *adj* biodégradable

biography [baɪ'ɒɡrəfɪ] *(pl* **-ies)** *n* biographie *f* ▪ **biographer** *n* biographe *mf* ▪ **bio'graphical** [baɪə'ɡræfɪkəl] *adj* biographique

biology [baɪ'ɒlədʒɪ] *n* biologie *f* ▪ **biological** [baɪə'lɒdʒɪkəl] *adj* biologique; **b. warfare** guerre *f* bactériologique ▪ **biologist** *n* biologiste *mf*

biped ['baɪped] *n* bipède *m*

birch [bɜːtʃ] **1** *n* **(silver) b.** bouleau *m*; **to give sb the b.** fouetter qn **2** *vt* fouetter

bird [bɜːd] *n* **(a)** *(animal)* oiseau *m*; *(fowl)* volaille *f*; **b. of prey** oiseau de proie; **b. table** mangeoire *f* pour oiseaux; **b.'s-eye view** perspective *f* à vol d'oiseau; *Fig* vue *f* d'ensemble **(b)** *Br Fam (girl)* nana *f* ▪ **birdseed** *n* graines *fpl* pour oiseaux

Biro® ['baɪrəʊ] *(pl* **-os)** *n Br* stylo *m* à bille

birth [bɜːθ] *n* naissance *f*; **to give b.** to donner naissance à; **from b.** *(blind, deaf)* de naissance; **b. certificate** acte *m* de naissance; **b. control** limitation *f* des naissances; **b. rate** (taux *m* de) natalité *f* ▪ **birthday** *n* anniversaire *m*; **happy b.!** joyeux anniversaire!; **b. party** fête *f* d'anniversaire; *Fig* **in one's b. suit** *(man)* en costume d'Adam; *(woman)* en costume d'Ève ▪ **birthmark** *n* tache *f* de naissance ▪ **birthplace** *n* lieu *m* de naissance; *(house)* maison *f* natale

biscuit ['bɪskɪt] *n Br* biscuit *m*, petit gâteau *m*; *Am* petit pain *m* au lait

bishop ['bɪʃəp] *n* évêque *m*; *(in chess)* fou *m*

bison ['baɪsən] *n inv* bison *m*

bit¹ [bɪt] *n* **(a)** *(of string, time)* bout *m*; **a b.** *(a little)* un peu; **a tiny b.** un tout petit peu; **quite a b.** *(very)* très; *(a lot)* beaucoup; **not a b.** pas du tout; **a b. of luck** une chance; **b. by b.** petit à petit; **in bits (and pieces)** en morceaux; **to come to bits** se démonter; **to do one's b.** participer; *Fam* **she's a b. of all right** elle est pas mal **(b)** *(coin)* pièce *f* **(c)** *(of horse)* mors *m* **(d)** *(of drill)* mèche *f* **(e)** *Comptr* bit *m*

bit² [bɪt] *pt of* **bite**

bitch [bɪtʃ] **1** *n* chienne *f*; *very Fam Pej (woman)* garce *f* **2** *vi Fam (complain)* râler **(about** après**)** ▪ **bitchy (-ier, -iest)** *adj Fam (remark, behaviour)* vache

bite [baɪt] **1** *n* **(a)** *(wound)* morsure *f*; *(from insect)* piqûre *f*; *Fishing* touche *f* **(b)** *(mouthful)* bouchée *f*; **to have a b.** to eat manger un morceau **(c)** *Fig (of style, text)* mordant *m* **2** *(pt* bit, *pp* bitten ['bɪtən]) *vt* mordre; *(of insect)* piquer; **to b. one's nails** se ronger les ongles; **to b. sth off** arracher qch d'un coup de dents; **to b. off a piece of apple** mordre dans une pomme **3** *vi (of person, dog)* mordre; *(of insect)* piquer; **to b. into sth** mordre dans qch ▪ **biting** *adj (cold, irony)* mordant; *(wind)* cinglant

bitter ['bɪtə(r)] **1** *n Br (beer)* = bière anglaise brune **2** *adj (person, taste, irony)* amer, -ère; *(cold, wind)* glacial; *(criticism)* acerbe; *(shock, fate)* cruel *(f* cruelle); *(conflict)* violent; **to feel b. (about sth)** être plein d'amertume (à cause de qch); **to the b. end** jusqu'au bout ▪ **bitterly** *adv* **to cry/regret b.** pleurer/regretter amèrement; **b. disappointed** cruellement déçu; **it's b. cold** il fait un froid de canard ▪ **bitterness** *n* amertume *f*; *(of the cold)* âpreté *f*; *(of conflict)* violence *f* ▪ **bitter'sweet** *adj* doux-amer *(f* douce-amère); *Am* **b. chocolate** chocolat *m* à croquer

bivouac ['bɪvʊæk] *Mil* **1** *n* bivouac *m* **2** *(pt & pp* **-ck-)** *vi* bivouaquer

bizarre [bɪ'zɑː(r)] *adj* bizarre

blab [blæb] *(pt & pp* **-bb-)** *vi* **(a)** *(chatter)* jaser **(b)** *(betray secret)* vendre la mèche

black [blæk] **1** *(-er, -est)* *adj* noir; **b. eye** œil *m* au beurre noir; **to give sb a b. eye** pocher l'œil à qn; **b. and blue** *(bruised)* couvert de bleus; *Av* **b. box** boîte *f* noire; *Br* **b. ice** verglas *m*; *Br* **b. pudding** boudin *m* noir; *Fig* **b. sheep** brebis *f* galeuse **2** *n (colour)* noir *m*; *(person)* Noir, -e *mf*; **it says here in b. and white** c'est écrit noir sur blanc **3** *vt* noircir; *(refuse to deal with)* boycotter **4** *vi* **to b. out** *(faint)* s'évanouir ▪ **blackberry** *(pl* **-ies)** *n* mûre *f* ▪ **blackbird** *n* merle *m* (noir) ▪ **blackboard** *n* tableau *m* (noir); **on the b.** au tableau ▪ **black'currant** *n* cassis *m* ▪ **blacken** *vti* noircir ▪ **blacklist 1** *n* liste *f* noire **2** *vt* mettre sur la liste noire ▪ **blackmail 1** *n* chantage *m* **2** *vt* faire chanter; **to b. sb into doing** faire chanter qn pour qu'il/elle fasse ▪ **blackmailer** *n* maître chanteur *m* ▪ **blackness** *n* noirceur *f*; *(of night)* ténèbres *fpl* ▪ **blackout** *n* panne *f* d'électricité; *(during war)* black-out *m inv*; *(fainting fit)* évanouissement *m*; *(news)* **b.** black-out ▪ **blacksmith** *n* forgeron *m*; *(working with horses)* maréchal-ferrant *m*

bladder ['blædə(r)] *n* vessie *f*

blade [bleɪd] *n* lame *f*; *(of windscreen wiper)* caoutchouc *m*; **b. of grass** brin *m* d'herbe

blame [bleɪm] **1** *n* responsabilité *f*; *(criticism)* blâme *m*; **to lay the b. (for sth) on sb** faire porter à qn la responsabilité (de qch); **to take**

the b. for sth endosser la responsabilité de qch 2 *vt* rendre responsable, faire porter la responsabilité à (**for** de); **to b. sb for doing sth** reprocher à qn d'avoir fait qch; **you're to b.** c'est de ta faute; **I b. you for doing that** je considère que c'est toi qui es responsable de cela ▪**blameless** *adj* irréprochable

blanch [blɑ:ntʃ] 1 *vt (vegetables)* blanchir 2 *vi (turn pale)* blêmir

blancmange [bləˈmɒnʒ] *n Br* blanc-manger *m*

bland [blænd] (**-er, -est**) *adj (person)* terne; *(food)* insipide; *(remark, joke)* quelconque

blank [blæŋk] 1 *adj (paper, page)* blanc *(f* blanche*)*, vierge; *(cheque)* en blanc; *(look, mind)* vide; *(puzzled)* ébahi; *(refusal)* absolu; *Comptr (disk, screen)* vide; *(unformatted)* vierge; **to leave b.** *(on form)* laisser en blanc; **b. tape** cassette *f* vierge 2 *n (space)* blanc *m*; *(cartridge)* cartouche *f* à blanc; **to fire blanks** tirer à blanc; **my mind's a b.** j'ai un trou ▪**blankly** *adv* **to look b. at** *(without expression)* regarder, le visage inexpressif; *(without understanding)* regarder sans comprendre

blanket [ˈblæŋkɪt] 1 *n (on bed)* couverture *f*; *(of snow, leaves)* couche *f* 2 *vt Fig (cover)* recouvrir 3 *adj (term, remark)* général

blare [bleə(r)] 1 *n (noise)* beuglements *mpl*; *(of trumpet)* sonnerie *f* 2 *vi* **to b. (out)** *(of radio)* beugler; *(of music, car horn)* retentir

blarney [ˈblɑ:nɪ] *n Fam* boniments *mpl*

blasé [ˈblɑ:zeɪ] *adj* blasé

blaspheme [blæsˈfi:m] *vti* blasphémer ▪**blasphemous** [ˈblæsfəməs] *adj (text)* blasphématoire; *(person)* blasphémateur, -trice ▪**blasphemy** [ˈblæsfəmɪ] *n* blasphème *m*

blast [blɑ:st] 1 *n* explosion *f*; *(air from explosion)* souffle *m*; *(of wind)* rafale *f*; *(of trumpet)* sonnerie *f*; **(at) full b.** *(loud)* à fond; *(fast)* à toute vitesse; **b. furnace** haut-fourneau *m* 2 *vt (hole, tunnel)* creuser *(en dynamitant)*; *Fam (criticize)* démolir 3 *exclam Br Fam* zut! ▪**blasted** *adj Br Fam* fichu ▪**blast-off** *n (of spacecraft)* mise *f* à feu

blatant [ˈbleɪtənt] *adj (obvious)* flagrant; *(shameless)* éhonté ▪**blatantly** *adv* de façon flagrante; **b. obvious** tout à fait évident

blaze [bleɪz] 1 *n (fire)* feu *m*; *(large)* incendie *m*; *Fig (splendour)* éclat *m*; **a b. of colour** une explosion de couleurs; **b. of light** torrent *m* de lumière 2 *vi (of fire, sun)* flamboyer; *(of light, eyes)* être éclatant 3 *vt Fig* **to b. a trail** ouvrir la voie ▪**blazing** *adj (burning)* en feu; *(sun)* brûlant; *Fig (argument)* violent

blazer [ˈbleɪzə(r)] *n* blazer *m*

bleach [bli:tʃ] 1 *n (household)* (eau *f* de) Javel *f*; *(for hair)* décolorant *m* 2 *vt (clothes)* passer à l'eau de Javel; *(hair)* décolorer

bleachers [ˈbli:tʃərz] *npl Am (at stadium)* gradins *mpl*

bleak [bli:k] (**-er, -est**) *adj (appearance, countryside, weather)* morne; *(outlook)* lugubre; *(prospect)* peu encourageant

bleary [ˈblɪərɪ] *adj (eyes)* rouge

bleat [bli:t] *vi* bêler

bleed [bli:d] *(pt & pp* **bled** [bled]*)* 1 *vi* saigner; **to b. to death** saigner à mort; **her nose is bleeding** elle saigne du nez 2 *vt (radiator)* purger ▪**bleeding** 1 *adj (a) (wound)* qui saigne **(b)** *Br very Fam* **a b. idiot** une espèce de con 2 *n* saignement; **has the b. stopped?** est-ce que ça saigne encore?

bleep [bli:p] 1 *n* bip *m* 2 *vt* appeler au bip 3 *vi* faire bip ▪**bleeper** *n (pager)* bip *m*

blemish [ˈblemɪʃ] 1 *n (fault)* défaut *m*; *(mark)* marque *f*; *Fig* **it left a b. on his reputation** ça a entaché sa réputation 2 *vt Fig (reputation)* entacher

> Note that the French verb **blêmir** is a false friend and is never a translation for the English verb **to blemish**. It means **to go pale**.

blend [blend] 1 *n* mélange *m* 2 *vt* mélanger (**with** à *ou* avec) 3 *vi* se mélanger; *(of styles, colours)* se marier (**with** avec); **everything blends (in)** *(decor of room)* tout est assorti ▪**blender** *n* mixer *m*

bless [bles] *vt* bénir; **to be blessed with sth** être doté de qch; **to be blessed with good health** avoir le bonheur d'être en bonne santé; **God b. you!** que Dieu te bénisse!; **b. you!** *(when sneezing)* à vos souhaits! ▪**blessed** [blesɪd] *adj (a) (holy)* béni **(b)** *Fam (blasted)* fichu; **the whole b. day** toute la sainte journée; **I can't see a b. thing** je n'y vois absolument rien ▪**blessing** *n Rel* bénédiction *f*; *(benefit)* bienfait *m*; **it was a b. in disguise** finalement, ça a été une bonne chose

blew [blu:] *pt of* **blow**[2]

blight [blaɪt] *n (on plants)* rouille *f*; *Fig (scourge)* fléau *m*; **urban b.** *(area)* quartier *m* délabré; *(condition)* délabrement *m* urbain

blimey [ˈblaɪmɪ] *exclam Br Fam* zut!

blind[1] [blaɪnd] 1 *adj* aveugle; **b. person** aveugle *mf*; **b. in one eye** borgne; **as b. as a bat** myope comme une taupe; *Fig* **b. with fury** aveuglé par la colère; *Fig* **to be b. to sth** ne pas voir qch; *Fig* **to turn a b. eye to sth** fermer les yeux sur qch; **b. alley** impasse *f*; **b. date** = rencontre arrangée avec quelqu'un qu'on ne connaît pas 2 *npl* **the b.** les aveugles *mpl* 3 *adv* **b. drunk** ivre mort 4 *vt (dazzle, make blind)* aveugler ▪**blindly** *adv Fig* aveuglément ▪**blindness** *n* cécité *f*

blind[2] [blaɪnd] *n Br (on window)* store *m*

blinders [ˈblaɪndərz] *npl Am* œillères *fpl*

blindfold [ˈblaɪndfəʊld] 1 *n* bandeau *m* 2 *vt* bander les yeux à 3 *adv* les yeux bandés

blink [blɪŋk] 1 *n* clignement *m*; *Br Fam* **on the b.**

(machine) détraqué **2** *vt* **to b. one's eyes** cligner des yeux **3** *vi (of person)* cligner des yeux; *(of eyes)* cligner; *(of light)* clignoter ▪ **blinking** *adj Br Fam (for emphasis)* sacré; **you b. idiot!** espèce d'idiot!

blinkers ['blɪŋkəz] *npl Br (of horse)* œillères *fpl*; *Fam (indicators of vehicle)* clignotants *mpl*

bliss [blɪs] *n* félicité *f* ▪ **blissful** *adj (wonderful)* merveilleux, -euse; *(very happy) (person)* aux anges ▪ **blissfully** *adv (happy)* merveilleusement; **to be b. unaware that...** ne pas se douter le moins du monde que...

blister ['blɪstə(r)] **1** *n (on skin)* ampoule *f* **2** *vi* se couvrir d'ampoules

blithe [blaɪð] *adj Literary* joyeux, -euse

blitz [blɪts] **1** *n (air attack)* raid *m* éclair; *(bombing)* bombardement *m* aérien; *Fam (onslaught)* offensive *f* **2** *vt* bombarder

blizzard ['blɪzəd] *n* tempête *f* de neige

bloated ['bləʊtɪd] *adj (swollen)* gonflé

blob [blɒb] *n (of water)* grosse goutte *f*; *(of ink, colour)* tache *f*

bloc [blɒk] *n (political group)* bloc *m*

block [blɒk] **1** *n (of stone)* bloc *m*; *(of buildings)* pâté *m* de maisons; *(in pipe)* obstruction *f*; **b. of flats** immeuble *m*; *Am* **a b. away** une rue plus loin; **school b.** groupe *m* scolaire; **b. booking** réservation *f* de groupe; **b. capitals** *or* **letters** majuscules *fpl* **2** *vt (obstruct)* bloquer; *(pipe)* boucher; *(view)* cacher; **to b. off** *(road)* barrer; *(light)* intercepter; **to b. up** *(pipe, hole)* boucher ▪ **blockage** *n* obstruction *f*

blockade [blɒ'keɪd] **1** *n* blocus *m* **2** *vt* bloquer

blockbuster ['blɒkbʌstə(r)] *n (film)* film *m* à grand spectacle

blog [blɒg] *(abbr* **weblog)** *n Comptr* blog *m*

bloke [bləʊk] *n Br Fam* type *m*

blond [blɒnd] *adj & n* blond *(m)* ▪ **blonde** *adj & n* blonde *(f)*

blood [blʌd] *n* sang *m*; **b. bank** banque *f* du sang; **b. bath** bain *m* de sang; **b. donor** donneur, -euse *mf* de sang; **b. group** groupe *m* sanguin; **b. poisoning** empoisonnement *m* du sang; **b. pressure** tension *f* artérielle; **high b. pressure** hypertension *f*; **to have high b. pressure** avoir de la tension; *Am* **b. sausage** boudin *m* **b. test** prise *f* de sang; ▪ **bloodcurdling** *adj* à vous tourner le sang ▪ **bloodhound** *n (dog, detective)* limier *m* ▪ **bloodletting** *n Med* saignée *f* ▪ **bloodshed** *n* effusion *f* de sang ▪ **bloodshot** *adj (eye)* injecté de sang ▪ **bloodstained** *adj* taché de sang ▪ **bloodstream** *n* sang *m* ▪ **bloodsucker** *n (insect, person)* sangsue *f* ▪ **bloodthirsty** *adj* sanguinaire

bloody ['blʌdɪ] **1** (**-ier, -iest**) *adj* **(a)** ensanglanté **(b)** *Br very Fam* foutu; **a b. liar** un sale menteur; **b. weather!** sale temps!; **you b. fool!** conard! **2** *adv Br Fam (very)* vachement;

it's b. hot! il fait une putain de chaleur! ▪ **bloody-'minded** *adj* pas commode

bloom [bluːm] **1** *n* fleur *f*; **in b.** *(tree)* en fleur(s); *(flower)* éclos **2** *vi (of tree, flower)* fleurir; *Fig (of person)* s'épanouir ▪ **blooming** *adj* **(a)** *(in bloom)* en fleur(s); *(person)* resplendissant; *(thriving)* florissant **(b)** *Br Fam (for emphasis)* sacré; **you b. idiot!** espèce d'idiot!

bloomer ['bluːmə(r)] *n* **(a)** *Br Fam (mistake)* gaffe *f* **(b)** *(bread)* ≃ bâtard *m* court

blossom ['blɒsəm] **1** *n* fleurs *fpl* **2** *vi* fleurir; **to b. (out)** *(of person)* s'épanouir

blot [blɒt] **1** *n* tache *f* **2** (*pt & pp* **-tt-**) *vt (stain)* tacher; *(dry)* sécher; **to b. sth out** *(obliterate)* effacer qch ▪ **blotting paper** *n* (papier *m*) buvard *m*

blotch [blɒtʃ] *n* tache *f* ▪ **blotchy** (**-ier, -iest**) *adj* couvert de taches; *(face, skin)* marbré

blouse [blaʊz] *n* chemisier *m*

> Note that the French word **blouse** is a false friend. Its most common meaning is **overall**.

blow¹ [bləʊ] *n (hit, setback)* coup *m*; **to come to blows** en venir aux mains

blow² [bləʊ] **1** (*pt* **blew**, *pp* **blown**) *vt (of wind)* pousser; *(of person) (smoke, glass)* souffler; *(bubbles)* faire; *(trumpet)* souffler dans; *(kiss)* envoyer **(to** à); *Br Fam (money)* claquer **(on sth** pour s'acheter); **to b. a fuse** faire sauter un plomb; **to b. one's nose** se moucher; **to b. a whistle** donner un coup de sifflet **2** *vi (of wind, person)* souffler; *(of fuse)* sauter; *(of papers) (in wind)* s'éparpiller ▪ **blowout** *n* **(a)** *(tyre)* éclatement *m* **(b)** *Br Fam (meal)* gueuleton *m* ▪ **blow-up** *n (of photo)* agrandissement *m*

▸ **blow away 1** *vt sep (of wind)* emporter **2** *vi (of hat)* s'envoler

▸ **blow down 1** *vt sep (chimney, fence)* faire tomber **2** *vi (fall)* tomber

▸ **blow off** *vt sep (hat)* emporter; *(arm)* arracher

▸ **blow out 1** *vt sep (candle)* souffler; *(cheeks)* gonfler **2** *vi (of light)* s'éteindre

▸ **blow over 1** *vti* = **blow down 2** *vi (of quarrel)* se tasser

▸ **blow up 1** *vt sep (building)* faire sauter; *(pump up)* gonfler; *(photo)* agrandir **2** *vi (explode)* exploser

blow-dry ['bləʊdraɪ] **1** *n* Brushing® *m* **2** *vt* **to b. sb's hair** faire un Brushing® à qn

blowlamp ['bləʊlæmp] *n* chalumeau *m*

blown [bləʊn] *pp of* **blow**

blowtorch ['bləʊtɔːtʃ] *n* chalumeau *m*

blubber ['blʌbə(r)] *n* graisse *f (de baleine)*

bludgeon ['blʌdʒən] **1** *n* gourdin *m* **2** *vt* matraquer

blue [bluː] **1** (**-er, -est**) *adj* bleu; *Fam* **to feel b.** avoir le cafard; *Fam* **b. movie** film *m* porno **2** *n* bleu *m*; *Fam* **the blues** *(depression)* le cafard; *(music)* le blues; **out of the b.** *(unexpectedly)*

sans crier gare ■ **bluebell** n jacinthe f des bois
■ **blueberry** (pl **-ies**) n airelle f ■ **bluebottle** n
mouche f de la viande ■ **blueprint** n Fig plan m
bluff [blʌf] **1** adj (person) direct **2** n bluff m **3** vti
bluffer

blunder ['blʌndə(r)] **1** n (mistake) gaffe f **2** vi
faire une gaffe; **to b. along** (move awkwardly)
avancer maladroitement ■ **blundering 1** adj
(clumsy) maladroit **2** n maladresse f

blunt [blʌnt] **1** (**-er, -est**) adj (edge) émoussé;
(pencil) mal taillé; (question, statement) direct;
(person) brusque **2** vt (blade) émousser;
(pencil) épointer ■ **bluntly** adv (say)
franchement ■ **bluntness** n (of manner,
statement) rudesse f; (of person) franchise f

blur [blɜː(r)] **1** n tache f floue **2** (pt & pp **-rr-**) vt
(outline) brouiller ■ **blurred** adj (image, outline)
flou

blurb [blɜːb] n (on book cover) notice f
publicitaire

blurt [blɜːt] vt **to b. (out)** (secret) laisser
échapper; (excuse) bredouiller

blush [blʌʃ] **1** n rougeur f; **with a b.** en
rougissant; **to spare sb's blushes** éviter un
embarras à qn **2** vi rougir (**with** de)

bluster ['blʌstə(r)] vi (of person) tempêter; (of
wind) faire rage ■ **blustery** adj (weather) de
grand vent; (wind) violent

BO [biː'əʊ] (abbr **body odour**) n Fam **to have BO**
sentir mauvais

boar [bɔː(r)] n (wild) **b.** sanglier m

board¹ [bɔːd] **1** n (piece of wood) planche f; (for
notices) panneau m; (for games) tableau m;
(cardboard) carton m; **on b. (a ship/plane)** à
bord (d'un navire/avion); **to go on b.** monter à
bord; Fig **to take sth on b.** tenir compte de qch;
to go by the b. (of plan) être abandonné
2 vt (ship, plane) monter à bord de; (bus, train)
monter dans; **to b. up** (door) condamner
3 vi flight Z001 is now boarding vol Z001,
embarquement immédiat ■ **boarding** n (of
passengers) embarquement m; **b. card/pass**
carte f d'embarquement ■ **boardwalk** n Am
(on beach) promenade f

board² [bɔːd] n (committee) conseil m; **b. (of
directors)** conseil m d'administration; **b. (of
examiners)** jury m (d'examen); **across the b.**
(pay increase) global; (apply) globalement; **b.
room** salle f du conseil

board³ [bɔːd] **1** n (food) pension f; **b. and
lodging**, Br **full b.** pension f complète; Br **half
b.** demi-pension f **2** vi (lodge) être en pension
(**with** chez); **boarding house** pension f de
famille; **boarding school** pensionnat m
■ **boarder** n pensionnaire mf

boast [bəʊst] **1** n vantardise f **2** vt se glorifier
de; **to b. that one can do sth** se vanter de
pouvoir faire qch **3** vi se vanter (**about** or **of**
de) ■ **boasting** n vantardise f

boastful ['bəʊstfəl] adj vantard

boat [bəʊt] n bateau m; (small) canot m; (liner)
paquebot m; **by b.** en bateau; Fig **in the same
b.** logé à la même enseigne; **b. race** course f
d'aviron ■ **boating** n canotage m; **to go b.**
faire du canotage; **b. trip** excursion f en bateau

boatswain ['bəʊsən] n Naut maître m d'équipage

bob [bɒb] (pt & pp **-bb-**) vi **to b. (up and down)**
(on water) danser sur l'eau

bobbin ['bɒbɪn] n bobine f

bobby ['bɒbɪ] (pl **-ies**) n (**a**) Br Fam (policeman)
agent m (**b**) Am **b. pin** pince f à cheveux

bode [bəʊd] vi **to b. well/ill (for)** être de bon/
mauvais augure (pour)

bodice ['bɒdɪs] n corsage m

bodily ['bɒdɪlɪ] **1** adj (need) physique **2** adv
(lift, seize) à bras-le-corps; (carry) dans ses bras

body ['bɒdɪ] (pl **-ies**) n corps m; (of car)
carrosserie f; (quantity) masse f; (institution)
organisme m; **dead b.** cadavre m; **the main b.
of the audience** le gros de l'assistance; **b.
building** culturisme m; **b. piercing** piercing m;
b. warmer gilet m matelassé ■ **bodyguard** n
garde m du corps ■ **bodywork** n carrosserie f

boffin ['bɒfɪn] n Br Fam Hum scientifique mf

bog [bɒg] **1** n (swamp) marécage m **2** vt **to get
bogged down in** (mud, work) s'enliser dans;
(details) se perdre (dans) ■ **boggy** (**-ier, -iest**)
adj marécageux, -euse

bogey ['bəʊgɪ] (pl **-eys**) n (**a**) (source of fear)
spectre m (**b**) Br Fam (in nose) crotte f de nez
■ **bogeyman** n croque-mitaine m

boggle ['bɒgəl] vi Fam **the mind boggles** ça
laisse rêveur

bogus ['bəʊgəs] adj faux (f fausse)

boil¹ [bɔɪl] n (pimple) furoncle m

boil² [bɔɪl] **1** n **to come to the b.** bouillir; **to
bring sth to the b.** amener qch à ébullition **2**
vt **to b. (up)** faire bouillir; **to b. the kettle**
mettre de l'eau à chauffer **3** vi bouillir; **to b.
away** (until dry) s'évaporer; (on and on) bouillir
sans arrêt; Fig **to b. down to** (of situation,
question) revenir à; **to b. over** (of milk)
déborder; Fig (of situation) empirer ■ **boiled**
adj bouilli; **b. egg** œuf m à la coque ■ **boiling
1** n ébullition f; **to be at b. point** (of liquid)
bouillir **2** adj **b. (hot)** bouillant; **it's b. (hot)**
(weather) il fait une chaleur infernale

boiler ['bɔɪlə(r)] n chaudière f; Br **b. suit** bleus
mpl de chauffe

boisterous ['bɔɪstərəs] adj (noisy) bruyant;
(child) turbulent; (meeting) houleux, -euse

bold [bəʊld] (**-er, -est**) adj hardi; Typ **in b. (type)**
en (caractères) gras ■ **boldness** n hardiesse f

Bolivia [bə'lɪvɪə] n la Bolivie ■ **Bolivian 1** adj
bolivien, -ienne **2** n Bolivien, -ienne mf

bollard ['bɒləd, 'bɒlɑːd] n Br (for traffic) borne f

bolster ['bəʊlstə(r)] **1** n (pillow) traversin m **2** vt
(confidence, pride) renforcer, consolider

bolt [bəʊlt] **1** n (**a**) (on door) verrou m; (for nut) boulon m (**b**) (dash) to make a b. for the door se précipiter vers la porte (**c**) **b. of lightning** éclair m **2** adv **b. upright** tout droit **3** vt (**a**) (door) verrouiller (**b**) (food) engloutir **4** vi (dash) se précipiter; (run away) détaler; (of horse) s'emballer

bomb [bɒm] **1** n bombe f; **b. scare** alerte f à la bombe; Fam **it costs a b.** ça coûte les yeux de la tête **2** vt (from the air) bombarder; (of terrorist) faire sauter une bombe dans ou à ▪**bomber** n (aircraft) bombardier m; (terrorist) poseur m de bombe ▪**bombing** n bombardement m; (terrorist) attentat m à la bombe ▪**bombshell** n **to come as a b.** faire l'effet d'une bombe ▪**bombsite** n zone f bombardée; Fig **to look like a b.** ressembler à un champ de bataille

bombard [bɒm'bɑːd] vt (with bombs, questions) bombarder (**with** de) ▪**bombardment** n bombardement m

bona fide [bəʊnə'faɪdɪ] adj véritable

bonanza [bə'nænzə] n aubaine f

bond [bɒnd] **1** n (link) lien m; (agreement) engagement m; Fin obligation f **2** vt (of glue) coller (**to** à) **3** vi (form attachment) créer des liens affectifs (**with** avec)

bondage ['bɒndɪdʒ] n esclavage m

bone [bəʊn] **1** n os m; (of fish) arête f; **b. of contention** pomme f de discorde; **b. china** porcelaine f tendre **2** vt (meat) désosser; (fish) ôter les arêtes de **3** vi Am Fam **to b. up on** (subject) bûcher ▪**bone-dry** adj complètement sec (f sèche) ▪**bone-'idle** adj Br paresseux, -euse ▪**bony** (-ier, -iest) adj (thin) maigre; (fish) plein d'arêtes

bonfire ['bɒnfaɪə(r)] n (for celebration) feu m de joie; (for dead leaves) feu m (de jardin)

bonkers ['bɒŋkəz] adj Br Fam dingue

bonnet ['bɒnɪt] n (hat) bonnet m; Br (of vehicle) capot m

bonus ['bəʊnəs] (pl -uses [-əsɪz]) n prime f; **no claims b.** (of car driver) bonus m; **b. number** (in lottery) numéro m complémentaire

boo [buː] **1** exclam (to frighten) hou! **2** n boos huées fpl **3** (pt & pp **booed**) vti huer

boob [buːb] Fam **1** n (**a**) Br (mistake) gaffe f (**b**) **boobs** (breasts) nénés mpl **2** vi Br gaffer

booby-trap ['buːbɪtræp] **1** n engin m piégé **2** (pt & pp -**pp**-) vt piéger

book[1] [bʊk] n livre m; (record) registre m; (of tickets) carnet m; (for exercises and notes) cahier m; **books** (accounts) comptes mpl; **b. club** club m du livre ▪**bookbinding** n reliure f ▪**bookcase** n bibliothèque f ▪**bookend** n serre-livres m inv ▪**bookie** n Br Fam bookie m ▪**bookkeeping** n comptabilité f ▪**booklet** n brochure f ▪**book-lover** n bibliophile mf ▪**bookmaker** n bookmaker m ▪**bookmark** **1** n marque-page m; Comptr

signet m **2** vt Comptr (Web page) créer un signet sur ▪**bookseller** n libraire mf ▪**bookshelf** n étagère f ▪**bookshop** (Am **bookstore**) n librairie f ▪**bookstall** n kiosque m à journaux ▪**bookworm** n passionné, -ée mf de lecture

book[2] [bʊk] **1** vt **to b. (up)** (seat) réserver; Br **to b. sb** (for traffic offence) dresser une contravention à qn; **fully booked (up)** (hotel, concert) complet, -ète; (person) pris **2** vi **to b. (up)** réserver des places; **to b. in** (to hotel) signer le registre; **to b. into a hotel** prendre une chambre dans un hôtel ▪**bookable** adj (seat) qu'on peut réserver ▪**booking** n réservation f; **b. clerk** guichetier, -ière mf; **b. office** bureau m de location

bookish ['bʊkɪʃ] adj (word, theory) livresque; (person) studieux, -ieuse

boom [buːm] **1** n (**a**) (noise) grondement m (**b**) (economic) boom m **2** vi (**a**) (of thunder, gun) gronder (**b**) (of business, trade) être florissant

boomerang ['buːməræŋ] n boomerang m

boor [bʊə(r)] n rustre m ▪**boorish** adj rustre

boost [buːst] **1** n **to give sb a b.** remonter le moral à qn **2** vt (increase) augmenter; (product) faire de la réclame pour; (economy) stimuler; **to b. sb's confidence** remonter le moral à qn; **to b. sb (up)** (push upwards) soulever qn ▪**booster** n **b. (injection)** rappel m

boot[1] [buːt] **1** n (**a**) (shoe) botte f; (ankle) bottillon m; (knee) bottine f; Fam **to get the b.** être mis à la porte; **b. polish** cirage m (**b**) Br (of vehicle) coffre m (**c**) **to b.** (in addition) en plus **2** vt Fam (kick) donner un coup ou des coups de pied à; **to b. sb out** mettre qn à la porte ▪**bootee** n (of baby) chausson m ▪**bootlace** n lacet m

boot[2] [buːt] Comptr **1** vt amorcer **2** vi s'amorcer

booth [buːθ, buːð] n (for phone, in language lab) cabine f; (at fair) stand m; (for voting) isoloir m

booty ['buːtɪ] n (loot) butin m

booze [buːz] Fam **1** n alcool m **2** vi picoler ▪**boozer** n Fam (person) poivrot, -ote mf; Br (pub) pub m ▪**booze-up** n Br Fam beuverie f

border ['bɔːdə(r)] **1** n (of country) & Fig frontière f; (edge) bord m; (of garden) bordure f **2** adj (town) frontière inv; (incident) de frontière **3** vt (street) border; **to b. on** (country) avoir une frontière commune avec; **to b. (up)on** (resemble, verge on) être voisin de ▪**borderline** n frontière f; **b. case** cas m limite

bore[1] [bɔː(r)] **1** vt (weary) ennuyer; **to be bored** s'ennuyer; **I'm bored with that job** ce travail m'ennuie **2** n (person) raseur, -euse mf; **it's a b.** c'est ennuyeux ou rasoir ▪**boring** adj ennuyeux, -euse

bore[2] [bɔː(r)] **1** n (of gun) calibre m **2** vt (hole) percer; (rock, well) forer, creuser **3** vi forer

bore[3] [bɔː(r)] pt of **bear**[2]

boredom ['bɔːdəm] n ennui m

born [bɔːn] adj né; **to be b.** naître; **he was b. in Paris/in 1980** il est né à Paris/en 1980

borne [bɔːn] pp of **bear²**

borough ['bʌrə] n circonscription f électorale urbaine

borrow ['bɒrəʊ] vt emprunter (**from** à) ▪ **borrowing** n emprunt m

Bosnia ['bɒznɪə] n la Bosnie

bosom ['bʊzəm] n (chest, breasts) poitrine f; (breast) sein m; Fig (heart, soul) sein; **b. friend** ami, -ie mf intime

boss [bɒs] 1 n patron, -onne mf 2 vt **to b. sb around** or **about** donner des ordres à qn ▪ **bossy** (-ier, -iest) adj autoritaire

boss-eyed ['bɒsaɪd] adj **to be b.** loucher

bosun ['bəʊsən] n Naut maître m d'équipage

botany ['bɒtənɪ] n botanique f ▪ **botanical** [bə'tænɪkəl] adj botanique ▪ **botanist** n botaniste mf

botch [bɒtʃ] vt Fam **to b. (up)** (spoil) bâcler; (repair badly) rafistoler

both [bəʊθ] 1 adj les deux; **b. brothers** les deux frères 2 pron tous/toutes (les) deux; **b. of the boys** les deux garçons; **b. of us** tous les deux; **b. of them died** ils sont morts tous les deux 3 adv (at the same time) à la fois; **b. in England and in France** en Angleterre comme en France; **b. you and I know that…** vous et moi, nous savons que…

bother ['bɒðə(r)] 1 n (trouble) ennui m; (effort) peine f; (inconvenience) dérangement m; Br **(oh) b.!** zut alors! 2 vt (annoy, worry) ennuyer; (disturb) déranger; (pester) importuner; (hurt, itch) (of foot, eye) gêner; **to b. doing** or **to do sth** se donner la peine de faire qch; **I can't be bothered!** ça m'embête! 3 vi **to b. about** (worry about) se préoccuper de; (deal with) s'occuper de; **don't b.!** ne prends pas cette peine!

bottle ['bɒtl] 1 n bouteille f; (small) flacon m; (wide-mouthed) bocal m; (for baby) biberon m; **b. bank** conteneur m pour verre usagé; **b. opener** ouvre-bouteilles m inv 2 vt (milk, wine) mettre en bouteilles; **to b. up** (feeling) refouler ▪ **bottle-feed** (pt & pp **-fed**) vt nourrir au biberon ▪ **bottleneck** n (in road) goulot m d'étranglement; (traffic hold-up) bouchon m

bottom ['bɒtəm] 1 n (of sea, box) fond m; (of page, hill) bas m; (of table) bout m; Fam (buttocks) derrière m; **to be (at the) b. of the class** être le dernier/la dernière de la classe 2 adj (shelf) inférieur, du bas; **b. floor** rez-de-chaussée m; **b. gear** première vitesse f; **b. part** or **half** partie f inférieure; Fig **the b. line is that…** le fait est que… ▪ **bottomless** adj (funds) inépuisable; **b. pit** gouffre m

bough [baʊ] n Literary rameau m

bought [bɔːt] pt & pp of **buy**

boulder ['bəʊldə(r)] n rocher m

boulevard ['buːləvɑːd] n boulevard m

bounce [baʊns] 1 n rebond m 2 vt (ball) faire rebondir 3 vi (of ball) rebondir (**off** contre); (of person) faire des bonds; Fam (of cheque) être sans provision

bouncer ['baʊnsə(r)] n Fam (doorman) videur m

bound¹ [baʊnd] adj (a) **b. to do** (obliged) obligé de faire; (certain) sûr de faire; **it's b. to snow** va sûrement neiger; **to be b. for** (of person, ship) être en route pour; (of train, plane) être à destination de (b) **b. up with** (connected) lié à

bound² [baʊnd] 1 n (leap) bond m 2 vi bondir

bound³ [baʊnd] pt & pp of **bind**

boundary ['baʊndərɪ] (pl **-ies**) n limite f

bounded ['baʊndɪd] adj **b. by** limité par

boundless ['baʊndləs] adj sans bornes

bounds [baʊndz] npl limites fpl; **out of b.** (place) interdit

bounty ['baʊntɪ] (pl **-ies**) n (reward) prime f

bouquet [bəʊ'keɪ] n (of flowers, wine) bouquet m

bourbon ['bɜːbən] n (whisky) bourbon m

bout [baʊt] n (of fever, coughing, violence) accès m; (of asthma, malaria) crise f; (session) séance f; (period) période f; Boxing combat m; **a b. of flu** une grippe

boutique [buː'tiːk] n boutique f (de mode)

bow¹ [bəʊ] n (weapon) arc m; (of violin) archet m; (knot) nœud m; **b. tie** nœud m papillon ▪ **bow-legged** ['bəʊ'legɪd] adj aux jambes arquées

bow² [baʊ] 1 n (with knees bent) révérence f; (nod) salut m; **to take a b.** (of actor) saluer 2 vt **to b. one's head** incliner la tête 3 vi s'incliner (**to** devant); (nod) incliner la tête (**to** devant); **to b. down** (submit) s'incliner (**to** devant)

bow³ [baʊ] n (of ship) proue f

bowels ['baʊəlz] npl intestins mpl; Literary **in the b. of the earth** dans les entrailles de la terre

bowl¹ [bəʊl] n (small dish) bol m; (for salad) saladier m; (for soup) assiette f creuse; (of toilet) cuvette f

bowl² [bəʊl] 1 n **bowls** (game) boules fpl 2 vi (in cricket) lancer la balle ▪ **bowling** n (tenpin) **b.** bowling m; **b. alley** bowling; **b. ball** boule f de bowling; **b. green** terrain m de boules

▶ **bowl along** vi (of car, bicycle) rouler à toute vitesse

▶ **bowl over** vt sep (knock down) renverser; Fig (astound) **to be bowled over by sth** être stupéfié par qch

bowler ['bəʊlə(r)] n Br **b. (hat)** chapeau m melon

box [bɒks] 1 n boîte f; (larger) caisse f; (of cardboard) carton m; (in theatre) loge f; (for horse, in stable) box m; Br Fam (television) télé f;

b. number (at post office) numéro m de boîte postale; (at newspaper) référence f de petite annonce; **b. office** bureau m de location; Br **b. room** (lumber room) débarras m; (bedroom) petite chambre f **2** vt (**a**) **to b. (up)** mettre en boîte/caisse; **to b. in** (enclose) enfermer (**b**) **to b. sb's ears** gifler qn **3** vi boxer; **to b. against sb** boxer contre qn ▪ **boxing** n (**a**) boxe f; **b. gloves/match** gants mpl/combat m de boxe; **b. ring** ring m (**b**) Br **B. Day** le lendemain de Noël

boxcar ['bɒkskɑːr] n Am Rail wagon m couvert

boxer ['bɒksə(r)] n (fighter) boxeur m; (dog) boxer m

boy [bɔɪ] n garçon m; **English b.** jeune Anglais m; Br **old b.** (former pupil) ancien élève m; Fam **the boys** (pals) les copains mpl; **my dear b.** mon cher ami; **oh b.!** mon Dieu! ▪ **boyband** n boys band m ▪ **boyfriend** n petit ami m ▪ **boyhood** n enfance f ▪ **boyish** adj de garçon; Pej puéril

boycott ['bɔɪkɒt] **1** n boycottage m **2** vt boycotter

bra [brɑː] n soutien-gorge m

brace [breɪs] **1** n (dental) appareil m dentaire; (on leg, arm) appareil m orthopédique; (for fastening) attache f; Br **braces** (for trousers) bretelles fpl **2** vt **to b. oneself for sth** (news, shock) se préparer à qch ▪ **bracing** adj (air) vivifiant

bracelet ['breɪslɪt] n bracelet m

bracken ['brækən] n fougère f

bracket ['brækɪt] **1** n (for shelves) équerre f; (round sign) parenthèse f; (square sign) crochet m; (group) groupe m; (for tax) tranche f; **in brackets** entre parenthèses/crochets **2** vt mettre entre parenthèses/crochets; **to b. together** mettre dans le même groupe

brag [bræg] (pt & pp -gg-) vi se vanter (**about** or **of sth** de qch; **about doing** de faire)

braid [breɪd] **1** n (of hair) tresse f; (trimming) galon m **2** vt (hair) tresser; (trim) galonner

Braille [breɪl] n braille m; **in B.** en braille

brain [breɪn] **1** n cerveau m; (of animal, bird) cervelle f; Fam **to have brains** (sense) être intelligent; Fam **to have money on the b.** être obsédé par l'argent; Hum **use your brain(s)!** réfléchis un peu!; **b. damage** lésions fpl cérébrales; **b. dead** dans un coma dépassé; **b. drain** fuite f des cerveaux; **b. surgeon** neurochirurgien, -ienne mf **2** vt Fam (hit) assommer ▪ **brainchild** ['breɪntʃaɪld] n trouvaille f ▪ **brainstorm** n Br (mental confusion) aberration f; Am (brilliant idea) idée f géniale ▪ **brainstorming** n brainstorming m ▪ **brainwash** vt faire un lavage de cerveau à ▪ **brainwashing** n lavage m de cerveau ▪ **brainwave** n idée f géniale ▪ **brainy** (-ier, -iest) adj Fam intelligent

braise [breɪz] vt Culin braiser

brake [breɪk] **1** n frein m; **b. fluid** liquide m de freins; **b. light** (on vehicle) stop m **2** vi freiner ▪ **braking** n freinage m

bramble ['bræmbəl] n ronce f

bran [bræn] n son m

branch [brɑːntʃ] **1** n branche f; (of road) embranchement m; (of river) bras m; (of store) succursale f; (of bank) agence f; **b. office** succursale f **2** vi **to b. off** (of road) bifurquer; **to b. out** (of firm, person) étendre ses activités; (of family, tree) se ramifier

brand [brænd] **1** n (on product, on cattle) marque f; (type) type m, style m; **b. name** marque f **2** vt (mark) marquer; Fig **to be branded as a liar/coward** avoir une réputation de menteur/lâche

brandish ['brændɪʃ] vt brandir

brand-new [brænd'njuː] adj tout neuf (f toute neuve)

brandy ['brændɪ] (pl -ies) n cognac m; (made with fruit) eau-de-vie f

brash [bræʃ] adj exubérant

brass [brɑːs] n cuivre m; (instruments in orchestra) cuivres mpl; Fam **the top b.** (officers, executives) les huiles fpl; **b. band** fanfare f

brassiere [Br 'bræzɪə(r), Am brə'zɪə(r)] n soutien-gorge m

brat [bræt] n Pej (child) morveux, -euse mf; (badly behaved) sale gosse mf

bravado [brə'vɑːdəʊ] n bravade f

brave [breɪv] **1** (-er, -est) adj courageux, -euse **2** n (native American) brave m **3** vt (danger) braver ▪ **bravely** adv courageusement ▪ **bravery** n courage m

> Note that the French word **brave** is a false friend. Its most common meaning is **kind**.

bravo [brɑː'vəʊ] exclam bravo!

brawl [brɔːl] **1** n (fight) bagarre f **2** vi se bagarrer ▪ **brawling 1** adj bagarreur, -euse **2** n bagarres fpl

brawn [brɔːn] n Fam muscles mpl ▪ **brawny** (-ier, -iest) adj musclé

bray [breɪ] vi (of donkey) braire

brazen ['breɪzən] **1** adj (shameless) effronté; (lie) éhonté **2** vt **to b. it out** s'en sortir au culot

Brazil [brə'zɪl] n le Brésil ▪ **Brazilian 1** adj brésilien, -ienne **2** n (**a**) (person) Brésilien, -ienne mf (**b**) (wax) épilation f maillot brésilien

breach [briːtʃ] **1** n (**a**) (of rule) violation f (**of** de); **b. of contract** rupture f de contrat; **b. of trust** abus m de confiance (**b**) (in wall) brèche f **2** vt (**a**) (law, code) enfreindre à; (contract) rompre (**b**) (wall) ouvrir une brèche dans

bread [bred] n pain m; Fam (money) blé m; **loaf of b.** pain; **brown b.** pain bis; **(slice or piece of) b. and butter** pain beurré; **it's my b. and butter** (job) c'est mon gagne-pain; **b. knife** couteau m à pain ▪**breadbin** (Am **breadbox**) n boîte f à pain ▪**breadboard** n planche f à pain ▪**breadcrumb** n miette f de pain; **breadcrumbs** (in cooking) chapelure f ▪**breaded** adj pané ▪**breadline** n on the b. indigent ▪**breadwinner** n to be the b. faire bouillir la marmite

breadth [bretθ] n largeur f

break [breɪk] **1** n cassure f; (in bone) fracture f; (with person, group) rupture f; (in journey) interruption f; (rest) repos m; (in activity) pause f; (at school) récréation f; (holidays) vacances fpl; Fam **to have a lucky b.** avoir de la veine; Fam **this could be your big b.** ça peut être la chance de ta vie; Fam **give him a b.!** laisse-le tranquille!

2 (pt **broke**, pp **broken**) vt casser; (into pieces, with force) briser; (silence, spell, vow) rompre; (strike, will, ice) briser; (agreement, promise) manquer à; (treaty, law) violer; (record) battre; (journey) interrompre; (news) annoncer (**to** à); (habit) se débarrasser de; **to b. one's arm** se casser le bras; **to b. sb's heart** briser le cœur à qn; Fam **b. a leg!** bonne chance!; **to b. the sound barrier** franchir le mur du son; **to b. a fall** amortir une chute; **to b. new ground** innover; **to b. open** (safe) percer

3 vi se casser; (into pieces, of heart, of voice) se briser; (of boy's voice) muer; (of spell) se rompre; (of weather) changer; (of news) éclater; (of day) se lever; (of wave) déferler; (stop work) faire la pause; **to b. in two** se casser en deux; **to b. free** se libérer; **to b. loose** se détacher ▪**breakable** adj fragile ▪**breakage** n **were there any breakages?** est-ce qu'il y a eu de la casse? ▪**breakaway** adj (group) dissident ▪**breakdown** n (of machine) panne f; (of argument, figures) analyse f; (of talks) échec m; (of person) dépression f; Br **b. lorry** or **van** dépanneuse f ▪**breaker** n (wave) déferlante f ▪**break-in** n cambriolage m ▪**breaking-point** n **at b.** (person, patience) à bout; (marriage) au bord de la rupture ▪**breakthrough** n (discovery) découverte f fondamentale ▪**breakup** n fin f; (in marriage, friendship) rupture f

▸**break away 1** vi se détacher **2** vt sep détacher

▸**break down 1** vt sep (door) enfoncer; (resistance) briser; (argument, figures) analyser **2** vi (of machine) tomber en panne; (of talks, negotiations) échouer; (of person) (collapse) s'effondrer; (have nervous breakdown) craquer; (start crying) éclater en sanglots

▸**break in 1** vi (of burglar) entrer par effraction; (interrupt) interrompre **2** vt sep (door) enfoncer; (horse) dresser

▸**break into** vt insep (house) entrer par effraction; (safe) forcer; **to b. into song/a run** se mettre à chanter/courir; **to b. into**

laughter/tears éclater de rire/en sanglots

▸**break off 1** vt sep (detach) (twig, handle) détacher; (relations) rompre **2** vi (become detached) se casser; (stop) s'arrêter; **to b. off with sb** rompre avec qn

▸**break out** vi (of war, fire) éclater; (escape) s'échapper (**of** de); **to b. out in a rash** se couvrir de boutons

▸**break through 1** vi (of sun, army) percer **2** vt insep (defences) percer; (barrier) forcer; (wall) faire une brèche dans

▸**break up 1** vt sep (reduce to pieces) mettre en morceaux; (marriage) briser; (fight) mettre fin à **2** vi (end) prendre fin; (of group) se disperser; (of marriage) se briser; (from school) partir en vacances; **to b. up with sb** rompre avec qn

breakfast ['brekfəst] n petit déjeuner m; **to have b.** prendre le petit déjeuner; **b. TV** émissions fpl (télévisées) du matin

breakwater ['breɪkwɔ:tə(r)] n brise-lames m inv

breast [brest] n (of woman) sein m; (chest) poitrine f; (of chicken) blanc m ▪**breastfeed** (pt & pp **-fed**) vt allaiter ▪**breaststroke** n (in swimming) brasse f

breath [breθ] n souffle m; **bad b.** mauvaise haleine f; **out of b.** à bout de souffle; **to take a deep b.** respirer profondément; **to hold one's b.** retenir son souffle; **to get a b. of fresh air** prendre l'air; **under one's b.** tout bas; **one's last b.** son dernier soupir ▪**breathalyser**® n Alcotest® m ▪**breathless** adj hors d'haleine ▪**breathtaking** adj à couper le souffle

breathe [bri:ð] **1** vi (of person, animal) respirer; **to b. in** inhaler; **to b. out** expirer **2** vt respirer; **to b. air into sth** souffler dans qch; **to b. a sigh of relief** pousser un soupir de soulagement; **she didn't b. a word (about it)** elle n'en a pas soufflé mot ▪**breathing** n respiration f; Fig **b. space** moment m de repos

breather ['bri:ðə(r)] n Fam pause f; **to take a b.** faire une pause

bred [bred] **1** pt & pp of **breed 2** adj **well-b.** bien élevé

breed [bri:d] **1** n race f **2** (pt & pp **bred**) vt (animals) élever; Fig (hatred, violence) engendrer **3** vi (of animals) se reproduire ▪**breeder** n éleveur, -euse mf ▪**breeding** n (of animals) élevage m; (procreation) reproduction f; Fig (manners) éducation f

breeze [bri:z] n brise f ▪**breezy** (**-ier**, **-iest**) adj (**a**) (weather, day) frais (f fraîche), venteux, -euse (**b**) (cheerful) jovial; (relaxed) décontracté

breeze-block n Br parpaing m

brevity ['brevɪtɪ] n brièveté f

brew [bru:] **1** n (drink) breuvage m; (of tea) infusion f **2** vt (beer) brasser; Fig (trouble, plot) préparer; **to b. some tea** (make) préparer du thé **3** vi (of beer) fermenter; (of tea) infuser; Fig (of storm) se préparer; **something is brewing** il

se trame quelque chose ■ **brewer** *n* brasseur *m*
■ **brewery** (*pl* **-ies**) *n* brasserie *f*

bribe [braɪb] **1** *n* pot-de-vin *m* **2** *vt* acheter,
soudoyer; **to b. sb into doing sth** soudoyer qn
pour qu'il fasse qch ■ **bribery** *n* corruption *f*

brick [brɪk] **1** *n* brique *f*; (*child's*) cube *m*; **b. wall**
mur en briques; *Br Fam* **to drop a b.** faire une
gaffe **2** *vt* **to b. up** (*gap, door*) murer
■ **bricklayer** *n* maçon *m* ■ **brickwork** *n* (*bricks*)
briques *fpl*; (*construction*) ouvrage *m* en briques

bridal ['braɪdəl] *adj* (*ceremony, bed*) nuptial; **b.
gown** robe *f* de mariée; **b. suite** (*in hotel*) suite
f nuptiale

bride [braɪd] *n* mariée *f*; **the b. and groom** les
mariés *mpl* ■ **bridegroom** *n* marié *m*
■ **bridesmaid** *n* demoiselle *f* d'honneur

bridge¹ [brɪdʒ] **1** *n* pont *m*; (*on ship*) passerelle
f; (*of nose*) arête *f*; (*on teeth*) bridge *m* **2** *vt* **to b. a
gap** combler une lacune

bridge² [brɪdʒ] *n* (*game*) bridge *m*

bridle ['braɪdəl] **1** *n* (*for horse*) bride *f*; **b. path**
allée *f* cavalière **2** *vt* (*horse*) brider

brief¹ [briːf] (**-er, -est**) *adj* bref (*f* brève); **in b.** en
résumé ■ **briefly** *adv* (*quickly*) en vitesse; (*say*)
brièvement; (*hesitate*) un court instant

brief² [briːf] **1** *n* (*instructions*) instructions *fpl*;
(*legal*) dossier *m*; *Fig* (*task*) tâche *f* **2** *vt* donner
des instructions à; (*inform*) mettre au courant
(**on** de) ■ **briefing** *n* (*information*) instructions
fpl; (*meeting*) briefing *m*

briefcase ['briːfkeɪs] *n* serviette *f*

briefs [briːfs] *npl* (*underwear*) slip *m*

brigade [brɪ'geɪd] *n* brigade *f* ■ **brigadier**
[brɪgə'dɪə(r)] *n* général *m* de brigade

bright [braɪt] **1** (**-er, -est**) *adj* (*star, eyes,
situation*) brillant; (*light, colour*) vif (*f* vive);
(*weather, room*) clair; (*clever*) intelligent;
(*happy*) joyeux, -euse; (*future*) prometteur,
-euse; (*idea*) génial; **b. interval** (*sunny period*)
éclaircie *f* **2** *adv* **b. and early** (*to get up*) de bon
matin ■ **brightly** *adv* (*shine*) avec éclat
■ **brightness** *n* éclat *m*; (*of person*) intelligence *f*

brighten ['braɪtən] **1** *vt* **to b. (up)** (*room*) égayer
2 *vi* **to b. (up)** (*of weather*) s'éclaircir; (*of face*)
s'éclairer; (*of person*) s'égayer

brilliant ['brɪljənt] *adj* (*light*) éclatant; (*person,
idea, career*) brillant; *Br Fam* (*fantastic*) super *inv*
■ **brilliance** *n* éclat *m*; (*of person*) intelligence *f*

brim [brɪm] **1** *n* (*of hat, cup*) bord *m* **2** (*pt & pp*
-mmm-) *vi* **to b. over** déborder (**with** de)

brine [braɪn] *n* saumure *f*

bring [brɪŋ] (*pt & pp* **brought**) *vt* (*person, animal,
car*) amener; (*object*) apporter; (*cause*)
provoquer; **it has brought me great
happiness** cela m'a procuré un grand
bonheur; **to b. tears to sb's eyes** faire venir
les larmes aux yeux de qn; **to b. sth to sb's
attention** attirer l'attention de qn sur qch; **to b.
sth to an end** mettre fin à qch; **to b. sth to mind**

rappeler qch; **to b. sth on oneself** s'attirer qch; **I
can't b. myself to do it** je ne peux pas me
résoudre à le faire
▶ **bring about** *vt sep* provoquer
▶ **bring along** *vt sep* (*object*) apporter; (*person*)
amener
▶ **bring back** *vt sep* (*person*) ramener; (*object*)
rapporter; (*memories*) rappeler
▶ **bring down** *vt sep* (*object*) descendre;
(*overthrow*) faire tomber; (*reduce*) réduire;
(*shoot down*) (*plane*) abattre
▶ **bring forward** *vt sep* (*in time or space*)
avancer; (*witness*) produire
▶ **bring in** *vt sep* (*object*) rentrer; (*person*) faire
entrer/venir; (*introduce*) introduire; (*income*)
rapporter
▶ **bring off** *vt sep* (*task*) mener à bien
▶ **bring out** *vt sep* (*object*) sortir; (*person*) faire
sortir; (*meaning*) faire ressortir; (*book*) publier;
(*product*) lancer
▶ **bring round** *vt sep* ranimer; (*convert*)
convaincre; **she brought him round to her
point of view** elle a su le convaincre
▶ **bring to** *vt sep* **to b. sb to** ranimer qn
▶ **bring together** *vt sep* (*friends, members*)
réunir; (*reconcile*) réconcilier; (*put in touch*)
mettre en contact
▶ **bring up** *vt sep* (*object*) monter; (*child*) élever;
(*question*) soulever; (*subject*) mentionner;
(*food*) rendre

brink [brɪŋk] *n* bord *m*; **on the b. of sth** au bord
de qch

brisk [brɪsk] (**-er, -est**) *adj* (*lively*) vif (*f* vive); **at
a b. pace** vite; **trading is b.** le marché est actif;
business is b. les affaires marchent bien
■ **briskly** *adv* vivement; (*walk*) d'un bon pas

bristle ['brɪsəl] **1** *n* poil *m* **2** *vi* se hérisser;
bristling with difficulties hérissé de difficultés

Britain ['brɪtən] *n* la Grande-Bretagne
■ **British 1** *adj* britannique; **the B. Isles** les îles
fpl Britanniques; **B. Summer Time** heure *f* d'été
(*en Grande-Bretagne*) **2** *npl* **the B.** les
Britanniques *mpl* ■ **Briton** *n* Britannique *mf*

Brittany ['brɪtənɪ] *n* la Bretagne

brittle ['brɪtəl] *adj* cassant

broach [brəʊtʃ] *vt* (*topic*) aborder

broad¹ [brɔːd] (**-er, -est**) *adj* (*wide*) large;
(*accent*) prononcé; **in b. daylight** en plein jour;
the b. outline of (*plan*) les grandes lignes de; **b.
bean** fève *f*; *Am Sport* **b. jump** saut *m* en
longueur ■ **broadband** *Tel & Comptr* **1** *n*
connexion *f* à haut débit *ou* à large bande **2**
adj à haut débit, à large bande ■ **'broad-
'minded** *adj* (*person*) à l'esprit large; **b.-
minded views (on)** des idées *fpl* larges (**sur**)
■ **'broad-'shouldered** *adj* large d'épaules

broad² [brɔːd] *n* *Am Fam* (*woman*) gonzesse *f*

broadcast ['brɔːdkɑːst] **1** *n* émission *f* **2** (*pt & pp*
broadcast) *vt* diffuser **3** *vi* (*of station*) émettre;

(of person) parler à la radio/à la télévision ■**broadcaster** *n* journaliste *mf* de radio/ télévision ■**broadcasting** *n* Radio radiodif- fusion *f*; TV télévision *f*

broaden ['brɔːdən] 1 *vt* élargir 2 *vi* s'élargir

broadly ['brɔːdlɪ] *adv* **b. (speaking)** en gros

broccoli ['brɒkəlɪ] *n inv (plant)* brocoli *m*; *(food)* brocolis *mpl*

brochure ['brəʊʃə(r)] *n* brochure *f*

brogue [brəʊg] *n (Irish)* accent *m* irlandais

broil [brɔɪl] *vti Am* griller ■**broiler** *n Am* poulet *m* (à rôtir); *(apparatus)* gril *m*

broke [brəʊk] 1 *pt of* **break** 2 *adj Fam (penniless)* fauché ■**broken** 1 *pp of* **break** 2 *adj (man, voice, line)* brisé; *(ground)* accidenté; *(spirit)* abattu; **in b. English** en mauvais anglais; **b. home** famille *f* désunie ■**broken-'down** *adj (machine)* détraqué

broker ['brəʊkə(r)] *n (for shares, currency)* agent *m* de change; *(for goods, insurance)* courtier, -ière *mf*

brolly ['brɒlɪ] *(pl* -ies) *n Br Fam (umbrella)* pépin *m*

bronchitis [brɒŋ'kaɪtɪs] *n* bronchite *f*

bronze [brɒnz] *n* bronze *m*; **b. statue** statue *f* en bronze

brooch [brəʊtʃ] *n (ornament)* broche *f*

brood [bruːd] 1 *n* couvée *f* 2 *vi (of bird)* couver; *Fig* **to b. over sth** *(of person)* ruminer qch ■**broody** (-ier, -iest) *adj (person) (sulky)* maussade; *(dreamy)* rêveur, -euse; *Br Fam (woman)* en mal d'enfant

brook [brʊk] 1 *n* ruisseau *m* 2 *vt Formal (tolerate)* tolérer

broom [bruːm] *n* (a) *(for sweeping)* balai *m* (b) *(plant)* genêt *m* ■**broomstick** *n* manche à balai

Bros *(abbr* Brothers) *npl Com* **Richard B.** Richard Frères *mpl*

broth [brɒθ] *n (thin)* bouillon *m*; *(thick)* potage *m*

brothel ['brɒθəl] *n* maison *f* close

brother ['brʌðə(r)] *n* frère *m* ■**brother-in-law** *(pl* **brothers-in-law)** *n* beau-frère *m* ■**brotherhood** *n* fraternité *f* ■**brotherly** *adj* fraternel, -elle

brought [brɔːt] *pt & pp of* **bring**

brow [braʊ] *n* (a) *(forehead)* front *m* (b) *(of hill)* sommet *m*

browbeat ['braʊbiːt] *(pt* -beat, *pp* -beaten) *vt* intimider; **to b. sb into doing sth** faire faire qch à qn à force d'intimidation

brown [braʊn] 1 (-er, -est) *adj* marron *inv*; *(hair)* châtain; *(tanned)* bronzé 2 *n* marron *m* 3 *vt (of sun)* brunir; *(food)* faire dorer; *Br Fam* **to be browned off** en avoir marre 4 *vi (of food)* dorer

Brownie ['braʊnɪ] *n (girl scout)* ≃ jeannette *f*

brownie ['braʊnɪ] *n (cake)* brownie *m*

browse [braʊz] 1 *vt Comptr* **to b. the Web** naviguer sur le Web 2 *vi* (a) *(in bookshop)* feuilleter des livres; *(in shop, supermarket)* regarder; **to b. through** *(book)* feuilleter (b) *(of animal)* brouter

bruise [bruːz] 1 *n* bleu *m*; *(on fruit)* meurtrissure *f* 2 *vt* **to b. one's knee/hand** se faire un bleu au genou/à la main; **to b. a fruit** taler un fruit ■**bruised** *adj (covered in bruises)* couvert de bleus ■**bruising** *n (bruises)* bleus *mpl*

brunch [brʌntʃ] *n Fam* brunch *m*

brunette [bruː'net] *n* brunette *f*

brunt [brʌnt] *n* **to bear the b. of** *(attack, anger)* subir le plus gros de; *(expense)* assumer la plus grosse part de

brush [brʌʃ] 1 *n (tool)* brosse *f*; *(for shaving)* blaireau *m*; *(for sweeping)* balayette *f*; **to give sth a b.** donner un coup de brosse à qch 2 *vt (teeth, hair)* brosser; *(clothes)* donner un coup de brosse à; **to b. sb/sth aside** écarter qn/ qch; **to b. sth away** *or* **off** enlever qch; **to b. up (on) one's French** se remettre au français 3 *vi* **to b. against sb/sth** effleurer qn/qch ■**brush-off** *n Fam* **to give sb the b.** envoyer promener qn ■**brush-up** *n* **to have a wash and b.** faire un brin de toilette

brushwood ['brʌʃwʊd] *n* broussailles *fpl*

brusque [bruːsk] *adj* brusque

Brussels ['brʌsəlz] *n* Bruxelles *m ou f*; **B. sprouts** choux *mpl* de Bruxelles

brutal ['bruːtəl] *adj* brutal; *(attack)* sauvage ■**bru'tality** [-'tælɪtɪ] *n* brutalité *f*; *(of attack)* sauvagerie *f*

brute [bruːt] 1 *n (animal)* bête *f*; *(person)* brute *f* 2 *adj* **by b. force** par la force

BSc [biːes'siː] *(Am* **BS** [biː'es]) *abbr* = **Bachelor of Science**

BSE [biːes'iː] *(abbr* **bovine spongiform encephalopathy)** *n* EBS *f*, maladie *f* de la vache folle

bubble ['bʌbəl] 1 *n (of air, soap)* bulle *f*; **b. bath** bain *m* moussant; **b. gum** chewing-gum *m* 2 *vi (of liquid)* bouillonner; **to b. over (with)** déborder (de) ■**bubbly** 1 *adj (liquid)* plein de bulles; *(person, personality)* débordant de vitalité 2 *n Fam Hum (champagne)* champ *m*

buck [bʌk] 1 *n* (a) *Am Fam* dollar *m* (b) *(of rabbit)* mâle *m* (c) *Fam* **to pass the b. (to sb)** refiler le bébé (à qn) 2 *vt Fam* **to b. sb up** remonter le moral à qn 3 *vi Fam* **to b. up** *(become livelier)* reprendre du poil de la bête; *(hurry)* se grouiller

bucket ['bʌkɪt] *n* seau *m*

buckle ['bʌkəl] 1 *n* boucle *f* 2 *vt* (a) *(fasten)* boucler (b) *(deform)* déformer 3 *vi (deform)* se déformer; **to b. down to a task** s'atteler à une tâche

buckshot ['bʌkʃɒt] *n inv* chevrotine *f*

buckteeth [bʌk'tiːθ] *npl* dents *fpl* de lapin

bud [bʌd] 1 *n (on tree)* bourgeon *m*; *(on flower)* bouton *m* 2 *(pt & pp* -dd-) *vi* bourgeonner; *(of* *flower)* pousser les boutons ∎**budding** *adj (talent)* naissant; *(doctor)* en herbe

Buddhist ['bʊdɪst] *adj & n* bouddhiste *(mf)*

buddy ['bʌdɪ] *(pl -ies) n Am Fam* pote *m*

budge [bʌdʒ] **1** *vi* bouger **2** *vt* faire bouger

budgerigar ['bʌdʒərɪgɑː(r)] *n Br* perruche *f*

budget ['bʌdʒɪt] **1** *n* budget *m* **2** *vi* dresser un budget; **to b. for sth** inscrire qch au budget

budgie ['bʌdʒɪ] *n Br Fam* perruche *f*

buff [bʌf] **1** *adj* **b.(-coloured)** chamois *inv* **2** *n Fam* **(a)** jazz/film b. fanatique *mf* de jazz/de cinéma **(b)** **in the b.** à poil **3** *vt (polish)* lustrer; **to b. one's nails** se polir les ongles

buffalo ['bʌfələʊ] *(pl -oes* or *-o) n* buffle *m*; **(American) b.** bison *m*

buffer ['bʌfə(r)] *n (a) (on train)* tampon *m*; *(at end of track)* butoir *m*; *Fig (safeguard)* protection *f* **(against** contre); **b. state** État *m* tampon **(b)** *(for polishing)* polissoir *m*

buffet[1] ['bʊfeɪ] *n (meal, café)* buffet *m*; **cold b.** viandes *fpl* froides; *Br* **b. car** *(on train)* wagon-restaurant *m*

buffet[2] ['bʌfɪt] *vt (of waves)* secouer; *(of wind, rain)* cingler

buffoon [bə'fuːn] *n* bouffon *m*

bug[1] [bʌg] **1** *n* **(a)** *(insect)* bestiole *f*; *(bedbug)* punaise *f*; *Fam (germ)* microbe *m*; **the travel/ skiing b.** le virus des voyages/du ski **(b)** *(in machine)* défaut *m*; *Comptr* bogue *m* **(c)** *(listening device)* micro *m* **2** *(pt & pp* **-gg-)** *vt (room)* installer des micros dans

bug[2] [bʌg] *(pt & pp* **-gg-)** *vt Fam (nag)* embêter

bugbear ['bʌgbeə(r)] *n Fam* cauchemar *m*

buggy ['bʌgɪ] *n Br* **(baby) b.** *(pushchair)* poussette *f*; *Am (pram)* landau *m*

bugle ['bjuːgəl] *n (instrument)* clairon *m*

build [bɪld] **1** *n (of person)* carrure *f* **2** *(pt & pp* **built** [bɪlt]) *vt* construire; **to b. sth up** *(increase)* augmenter qch; *(business)* monter qch; **to b. up speed/one's strength** prendre de la vitesse/des forces **3** *vi* **to b. up** *(of tension, pressure)* augmenter; *(of dust, snow, interest)* s'accumuler; *(of traffic)* devenir dense ∎**builder** *n (skilled)* maçon *m*; *(unskilled)* ouvrier *m*; *(contractor)* entrepreneur *m* ∎**building** *n* bâtiment *m*; *(flats, offices)* immeuble *m*; *(action)* construction *f*; **b. site** chantier *m*; *Br* **b. society** ≃ société *f* de crédit immobilier ∎**build-up** *n (increase)* augmentation *f*; *(of dust)* accumulation *f*; *(of troops)* concentration *f*; *(for author, book)* publicité *f*; **the b. to Christmas** la période précédant Noël

built-in [bɪlt'ɪn] *adj (cupboard)* encastré; *(part of machine)* incorporé; *Fig (innate)* inné

built-up ['bɪltʌp] *adj* urbanisé; **b. area** agglomération *f*

bulb [bʌlb] *n (of plant)* bulbe *m*; *(of lamp)* ampoule *f*

bulbous ['bʌlbəs] *adj (shape, nose)* gros et rond *(f* grosse et ronde); *(table leg)* renflé

Bulgaria [bʌl'geərɪə] *n* la Bulgarie ∎**Bulgarian 1** *adj* bulgare **2** *n* Bulgare *mf*

bulge [bʌldʒ] **1** *n* renflement *m*; *Fam (increase)* augmentation *f* **2** *vi* **to b. (out)** bomber; *(of eyes)* sortir de la tête ∎**bulging** *adj* bombé; *(eyes)* protubérant; **to be b.** *(of bag, pocket)* être bourré **(with** de)

bulimia [bʊ'lɪmɪə] *n* boulimie *f*

bulk [bʌlk] *n inv (of building, parcel)* volume *m*; *(of person)* grosseur *f*; **the b. of sth** la majeure partie de qch; **in b.** *(buy, sell)* en gros ∎**bulky** *(-ier, -iest) adj* volumineux, -euse

bull [bʊl] *n* **(a)** *(animal)* taureau *m* **(b)** *very Fam (nonsense)* conneries *fpl* ∎**bullfight** *n* corrida *f* ∎**bullfighter** *n* torero *m* ∎**bullring** *n* arène *f*

bulldog ['bʊldɒg] *n* bouledogue *m*; **b. clip** pince *f* (à dessin)

bulldoze ['bʊldəʊz] *vt (site)* passer au bulldozer; *(building)* démolir au bulldozer ∎**bulldozer** *n* bulldozer *m*

bullet ['bʊlɪt] *n* balle *f* ∎**bulletproof** *adj (car)* blindé; **it's b. glass** la vitre est blindée; **b. vest** gilet *m* pare-balles *inv*

bulletin ['bʊlətɪn] *n* bulletin *m*; *& Comptr* **b. board** panneau *m* d'affichage

bullion ['bʊljən] *n* **gold b.** lingots *mpl* d'or

bullock ['bʊlək] *n* bœuf *m*

bull's-eye ['bʊlzaɪ] *n (of target)* centre *m*; **to hit the b.** mettre dans le mille

bully ['bʊlɪ] **1** *(pl -ies) n* terreur *f* **2** *(pt & pp -ied) vt (ill-treat)* maltraiter; **to b. sb into doing sth** forcer qn à faire qch ∎**bullying** *n* brimades *fpl*

bulwark ['bʊlwək] *n* rempart *m*

bum [bʌm] *Fam* **1** *n* **(a)** *Br (buttocks)* derrière *m*; **b. bag** banane *f* **(b)** *Am (tramp)* clochard, -arde *mf*; *(good-for-nothing)* bon *m* à rien, bonne *f* à rien **2** *(pt & pp* **-mm-)** *vi* **to b. (around)** *(be idle)* glander; *(travel)* vadrouiller **3** *vt Am* **to b. sth off sb** *(cigarette)* taxer qch à qn ∎**bummer** *n* **what a b.!** quelle poisse!

bumblebee ['bʌmbəlbiː] *n* bourdon *m*

bumf [bʌmf] *n Br Fam* paperasse *f*

bump [bʌmp] **1** *n (impact)* choc *m*; *(jerk)* secousse *f*; *(on road, body)* bosse *f* **2** *vt (of car)* heurter; **to b. one's head/knee** se cogner la tête/le genou; **to b. into** *(of person)* se cogner contre; *(of car)* rentrer dans; *(meet)* tomber sur; *Fam* **to b. sb off** liquider qn; *Fam* **to b. up** *(price)* augmenter **3** *vi* **to b. along** *(in car)* cahoter ∎**bumper 1** *n (of car)* pare-chocs *m inv* **2** *adj (crop, year)* exceptionnel, -elle; **b. cars** autos *fpl* tamponneuses

bumpkin ['bʌmpkɪn] *n* **(country) b.** péquenaud, -aude *mf*

bumptious ['bʌmpʃəs] *adj* prétentieux, -ieuse

bumpy ['bʌmpɪ] *(-ier, -iest) adj (road, ride)*

cahoteux, -euse; **we had a b. flight** on a traversé des trous d'air pendant le vol

bun [bʌn] *n* (**a**) *(cake)* petit pain *m* au lait (**b**) *(of hair)* chignon *m*

bunch [bʌntʃ] *n* *(of flowers)* bouquet *m*; *(of keys)* trousseau *m*; *(of bananas)* régime *m*; *(of grapes)* grappe *f*; *(of people)* bande *f*; *Fam* **a b. of books/ ideas** un tas de livres/d'idées; **to wear one's hair in bunches** porter des couettes

bundle [bʌndəl] **1** *n* paquet *m*; *(of papers)* liasse *f*; *(of firewood)* fagot *m* **2** *vt* *(put)* fourrer (**into** dans); *(push)* pousser (**into** dans); **to b. up** *(newspapers, letters)* mettre en paquet; **to b. sb off** expédier qn **3** *vi* **to b. (oneself) up** (bien) se couvrir

bung [bʌŋ] **1** *n* *(stopper)* bonde *f* **2** *vt* (**a**) *Br Fam (toss)* balancer (**b**) **to b. up** boucher

bungalow [bʌŋgələʊ] *n* pavillon *m* de plain-pied

bungee jumping [bʌndʒiːdʒʌmpɪŋ] *n* saut *m* à l'élastique

bungle [bʌŋgəl] **1** *vt* gâcher **2** *vi* se tromper ▪**bungler** *n* **to be a b.** faire du mauvais travail ▪**bungling 1** *adj (clumsy)* maladroit **2** *n* gâchis *m*

bunion [bʌnjən] *n* oignon *m* *(au pied)*

bunk [bʌŋk] *n* *(in ship, train)* couchette *f*; **b. beds** lits *mpl* superposés

bunker [bʌŋkə(r)] *n Mil & Golf* bunker *m*; *(for coal)* coffre *m* à charbon

bunny [bʌnɪ] *(pl* **-ies)** *n Fam* **b. (rabbit)** petit lapin *m*

bunting [bʌntɪŋ] *n (flags)* guirlande *f* de drapeaux

buoy [bɔɪ] **1** *n* bouée *f* **2** *vt Fig* **to b. up** *(support)* soutenir

buoyant [bɔɪənt] *adj (in water)* qui flotte; *Fig (economy, prices)* stable; *Fig (person, mood)* plein d'allant

burden [bɜːdən] **1** *n* fardeau *m*; **the tax b.** la pression fiscale; *Law* **b. of proof** charge *f* de la preuve **2** *vt* charger (**with** de); *Fig* accabler (**with** de)

bureau [bjʊərəʊ] *(pl* **-eaux** [-əʊz]) *n (office)* bureau *m*; *Br (desk)* secrétaire *m*; *Am (chest of drawers)* commode *f*

bureaucracy [bjʊəˈrɒkrəsɪ] *n* bureaucratie *f* ▪**bureaucrat** [bjʊərəkræt] *n* bureaucrate *mf*

burger [bɜːgə(r)] *n* hamburger *m*

burglar [bɜːglə(r)] *n* cambrioleur, -euse *mf*; **b. alarm** alarme *f* antivol ▪**burglarize** *vt Am* cambrioler ▪**burglary** *(pl* **-ies)** *n* cambriolage *m* ▪**burgle** *vt Br* cambrioler

burial [berɪəl] **1** *n* enterrement *m* **2** *adj (service)* funèbre; **b. ground** cimetière *m*

burly [bɜːlɪ] *(-ier, -iest)* *adj* costaud

Burma [bɜːmə] *n Formerly* la Birmanie ▪**Burmese** [-ˈmiːz] **1** *adj* birman **2** *n* Birman, -ane *mf*

burn [bɜːn] **1** *n* brûlure *f* **2** *(pt & pp* **burned** *or* **burnt)** *vt* brûler; **burnt alive** brûlé vif *(f* brûlée

vive); **to b. sth down** incendier qch; **to b. off** *(paint)* décaper au chalumeau; **to b. up** *(energy)* dépenser **3** *vi* brûler; **to b. down** *(of house)* être détruit par les flammes; **to b. out** *(of fire)* s'éteindre; *(of fuse)* sauter ▪**burning 1** *adj* en feu; *(fire)* allumé; *Fig (topic)* brûlant; *(fever)* dévorant **2** *n* **smell of b.** odeur *f* de brûlé

burner [bɜːnə(r)] *n (on stove)* brûleur *m*; *Fig* **to put sth on the back b.** remettre qch à plus tard

burp [bɜːp] *Fam* **1** *n* rot *m* **2** *vi* roter

burrow [bʌrəʊ] **1** *n (hole)* terrier *m* **2** *vti* creuser

bursar [bɜːsə(r)] *n (in school)* intendant, -ante *mf*

bursary [bɜːsərɪ] *(pl* **-ies)** *n (scholarship)* bourse *f*

burst [bɜːst] **1** *n (of shell)* éclatement *m*, explosion *f*; *(of laughter)* éclat *m*; *(of applause)* salve *f*; *(of thunder)* coup *m*; *(surge)* élan *m* **2** *(pt & pp* **burst)** *vt (bubble, balloon, boil)* crever; *(tyre)* faire éclater; **to b. a blood vessel** se rompre une veine; **to b. open** *(door)* ouvrir brusquement; **the river b. its banks** le fleuve est sorti de son lit **3** *vi (of bubble, balloon, boil, tyre, cloud)* crever; *(with force) (of shell, boiler, tyre)* éclater; **to b. into a room** faire irruption dans une pièce; **to b. into flames** prendre feu; **to b. into tears** fondre en larmes; **to b. out laughing** éclater de rire; **to b. open** *(of door)* s'ouvrir brusquement ▪**bursting** *adj (full) (pockets)* plein à craquer (**with** de); **b. with joy** débordant de joie; **to be b. to do** mourir d'envie de faire

bury [berɪ] *(pt & pp* **-ied)** *vt (body)* enterrer; *(hide)* enfouir; *(plunge)* plonger (**in** dans); **to b. one's face into one's hands** enfouir son visage dans ses mains; **buried in one's work** plongé dans son travail

bus [bʌs] **1** *(pl* **buses** *or* **busses)** *n* autobus *m*, bus *m*; *(long-distance)* autocar *m*, car *m*; **by b.** en bus/en car; **b. driver/ticket** chauffeur *m/* ticket *m* de bus/car; **b. lane** couloir *m* de bus; **b. shelter** Abribus® *m*; **b. station** gare *f* routière; **b. stop** arrêt *m* de bus **2** *(pt & pp* **bused** *or* **bussed)** *vt (children)* transporter en bus

bush [bʊʃ] *n* buisson *m*; **the b.** *(land)* la brousse; **a b. of hair** une tignasse ▪**bushy** *(-ier, -iest)* *adj (hair, tail)* touffu

bushed [bʊʃt] *adj Fam (tired)* crevé

busily [bɪzɪlɪ] *adv* **to be b. doing sth** être très occupé à faire qch

business [bɪznɪs] **1** *n* affaires *fpl*, commerce *m*; *(shop)* commerce *m*; *(company, task, concern, matter)* affaire *f*; **the textile/construction b.** l'industrie *f* du textile/de la construction; **the travel b.** le tourisme; **big b.** les grosses entreprises *fpl*; **to travel on b.** partir en voyage d'affaires; **to go out of b.** *(stop trading)* fermer; **to go about one's b.** vaquer à ses occupations; **it's quite a b.** c'est toute une affaire; **it's your b. to...** c'est à vous de...; **you have no b. to...** vous n'avez pas le droit de...;

that's none of your b.!, mind your own b.! ça ne vous regarde pas!; *Fam* **to mean b.** ne pas plaisanter **2** *adj* commercial; *(meeting, trip, lunch)* d'affaires; **b. card** carte *f* de visite; **b. hours** *(office)* heures *fpl* de bureau; *(shop)* heures d'ouverture; **b. school** école *f* de commerce; **b. studies** études *fpl* de commerce **■businesslike** *adj* professionnel, -elle **■businessman** *(pl* -men*)* *n* homme *m* d'affaires **■businesswoman** *(pl* -women*)* *n* femme *f* d'affaires

busker ['bʌskə(r)] *n Br* musicien, -ienne *mf* des rues

bust [bʌst] **1** *n (statue)* buste *m*; *(of woman)* poitrine *f* **2** *adj Fam (broken)* fichu; **to go b.** *(bankrupt)* faire faillite **3** *(pt & pp* **bust** or **busted)** *vt Fam (break)* bousiller; *(arrest)* coffrer **■bust-up** *n Fam (quarrel)* engueulade *f*; *(break-up)* rupture *f*

bustle ['bʌsəl] **1** *n* animation *f* **2** *vi* **to b. (about)** s'affairer

busy ['bɪzɪ] **1** (-ier, -iest) *adj* occupé; *(active)* actif, -ive; *(day)* chargé; *(street)* animé; *Am (phone, line)* occupé; **to be b. doing** *(in the process of)* être occupé à faire; **to keep sb b.** occuper qn; **to keep oneself b.** s'occuper; **the shops were very b.** il y avait plein de monde dans les magasins; *Am* **b. signal** sonnerie *f* 'occupé' **2** *vt* **to b. oneself** s'occuper (**with sth** à qch; **doing** à faire) **■busybody** *(pl* -ies*)* *n Fam* fouineur, -euse *mf*

but [bʌt, *unstressed* bət] **1** *conj* mais **2** *prep (except)* sauf; **b. for that** sans cela; **b. for him** sans lui; **no one b. you** personne d'autre que toi; **the last b. one** l'avant-dernier, -ière *mf* **3** *adv Formal (only)* ne...que, seulement; **he's b. a child** ce n'est qu'un enfant; **one can b. try** on peut toujours essayer

butane ['bjuːteɪn] *n* **b. (gas)** butane *m*

butcher ['bʊtʃə(r)] **1** *n* boucher *m*; **b.'s (shop)** boucherie *f* **2** *vt (people)* massacrer; *(animal)* abattre **■butchery** *n* massacre *m* (**of** de)

butler ['bʌtlə(r)] *n* maître *m* d'hôtel

butt [bʌt] **1** *n (of cigarette)* mégot *m*; *(of gun)* crosse *f*; *Fig (of joke)* cible *f*; *Am Fam (buttocks)* derrière *m* **2** *vt (with head)* donner un coup de tête à **3** *vi* **to b. in** intervenir

butter ['bʌtə(r)] **1** *n* beurre *m*; *Br* **b. bean** = gros haricot blanc; **b. dish** beurrier *m* **2** *vt* beurrer; *Fam* **to b. sb up** passer de la pommade à qn **■butterfingers** *n Fam* empoté, -ée *mf* **■buttermilk** *n* babeurre *m* **■butterscotch** *n* caramel *m* dur au beurre

buttercup ['bʌtəkʌp] *n* bouton-d'or *m*

butterfly ['bʌtəflaɪ] *(pl* -ies*)* *n* papillon *m*; *Fam* **to have butterflies** avoir l'estomac noué; **b. stroke** *(in swimming)* brasse *f* papillon

buttock ['bʌtək] *n* fesse *f*

button ['bʌtən] **1** *n* bouton *m*; *(of phone)* touche *f*; *Am (badge)* badge *m* **2** *vt* **to b. (up)** boutonner **3** *vi* **to b. (up)** *(of garment)* se boutonner **■buttonhole 1** *n* boutonnière *f* **2** *vt Fam (person)* coincer

buttress ['bʌtrɪs] **1** *n Archit* contrefort *m*; *Fig* soutien *m* **2** *vt Fig (support)* renforcer

buxom ['bʌksəm] *adj (full-bosomed)* à la poitrine généreuse

buy [baɪ] **1** *n* **a good b.** une bonne affaire **2** *(pt & pp* **bought)** *vt* (**a**) *(purchase)* acheter (**from sb** à qn; **for sb** à ou pour qn); **to b. back** racheter; **to b. over** *(bribe)* corrompre; **to b. up** acheter en bloc (**b**) *Am Fam (believe)* avaler; **I'll b. that!** je veux bien te croire! **■buyer** *n* acheteur, -euse *mf*

buzz [bʌz] **1** *n* (**a**) *(noise)* bourdonnement *m* (**b**) *Fam (phone call)* to give sb a b. passer un coup de fil à qn **2** *vt* **to b. sb** *(using buzzer)* appeler qn **3** *vi* bourdonner; *Fam* **to b. off** se tirer **■buzzer** *n (internal phone)* Interphone® *m*; *(of bell, clock)* sonnerie *f*

by [baɪ] **1** *prep* (**a**) *(agent)* par; de; **hit/chosen by** frappé/choisi par; **surrounded/followed by** entouré/suivi de; **a book/painting by...** un livre/tableau de...
(**b**) *(manner, means)* par; en; à; de; **by sea** par mer; **by mistake** par erreur; **by car/train** en voiture/train; **by bicycle** à bicyclette; **by moonlight** au clair de lune; **by doing** en faisant; **one by one** un à un; **day by day** de jour en jour; **by sight/day** de vue/jour; **(all) by oneself** tout seul
(**c**) *(next to)* à côté de; *(near)* près de; **by the lake/sea** au bord du lac/de la mer; **to go or pass by the bank/school** passer devant la banque/l'école
(**d**) *(before in time)* avant; **by Monday** avant lundi, d'ici lundi; **by now** à cette heure-ci; **by yesterday** (dès) hier
(**e**) *(amount, measurement)* à; **by the kilo** au kilo; **taller by a metre** plus grand d'un mètre; **paid by the hour** payé à l'heure
(**f**) *(according to)* à, d'après; **by my watch** à ma montre; **it's fine or OK or all right by me** je n'y vois pas d'objection
2 *adv* **close by** tout près; **to go or pass by** passer; **by and large** en gros **■by-election** *n* élection *f* partielle **■by-law** *n* arrêté *m* (municipal) **■by-product** *n* sous-produit *m* **■by-road** *n* chemin *m* de traverse

bye(-bye) ['baɪ('baɪ)] *exclam Fam* salut!, au revoir!; **b. for now!** à bientôt!

bygone ['baɪgɒn] **1** *adj* **in b. days** jadis **2** *npl* **let bygones be bygones** oublions le passé

bypass ['baɪpɑːs] **1** *n* rocade *f*; **(heart) b. operation** pontage *m* **2** *vt (town)* contourner; *Fig (ignore)* court-circuiter

bystander ['baɪstændə(r)] *n* passant, -ante *mf*

byte [baɪt] *n Comptr* octet *m*

byword ['baɪwɜːd] *n* **a b. for** un synonyme de

C, c¹ [siː] n C, c m inv

c² abbr = **cent**

cab [kæb] n taxi m; (of train, lorry) cabine f; Hist (horse-drawn) fiacre m

cabaret ['kæbəreɪ] cabaret m

cabbage ['kæbɪdʒ] n chou m (pl choux)

cabbie, cabby ['kæbɪ] (pl -ies) n Fam chauffeur m de taxi

cabin ['kæbɪn] n (on ship, plane) cabine f; (hut) cabane f; Av **c. crew** équipage m

cabinet¹ ['kæbɪnɪt] n (cupboard) armoire f; (for display) vitrine f; **(filing) c.** classeur m (meuble) • **cabinet-maker** n ébéniste m

cabinet² ['kæbɪnɪt] n (government ministers) gouvernement m; **c. meeting** ≃ Conseil m des ministres; **c. minister** ministre m

cable ['keɪbəl] **1** n câble m; **c. car** (with overhead cable) téléphérique m; (on tracks) funiculaire m; **c. television** la télévision par câble; Fam **to have c.** avoir le câble **2** vt (message) câbler (**to** à)

cache [kæʃ] n (place) cachette f; **an arms c.** une cache d'armes

cachet ['kæʃeɪ] n (mark, character) cachet m

cackle ['kækəl] **1** n (of hen) caquet m; (laughter) gloussement m **2** vi (of hen) caqueter; Fam (laugh) glousser

cactus ['kæktəs] (pl **-ti** [-taɪ] or **-tuses** [-təsɪz]) n cactus m

cadaverous [kə'dævərəs] adj cadavérique

caddie ['kædɪ] n Golf caddie m

caddy ['kædɪ] (pl -ies) n **(tea) c.** boîte f à thé

cadence ['keɪdəns] n (rhythm) & Mus cadence f

cadet [kə'det] n élève m officier

cadge [kædʒ] vt Fam (meal) se faire payer (**off sb** par qn); **to c. money from** or **off sb** taper qn

Caesarean [sɪ'zeərɪən] (Am **Cesarean**) n C. **(section)** césarienne f

caesar salad ['siːzə'sæləd] (Am **cesar salad**) = salade à base de romaine, de croûtons et d'une vinaigrette additionnée d'œuf

café ['kæfeɪ] n café m

cafeteria [kæfɪ'tɪərɪə] n cafétéria f

cafetière [kæfə'tjeə(r)] n (for making coffee) cafetière f (à piston)

caffeine ['kæfiːn] n caféine f

cage [keɪdʒ] **1** n cage f **2** vt **to c. (up)** mettre en cage

cagey ['keɪdʒɪ] adj (evasive) évasif, -ive (**about** sur); (cautious) prudent

cahoots [kə'huːts] n Fam **in c.** de mèche (**with sb** avec qn)

Cairo ['kaɪərəʊ] n Le Caire

cajole [kə'dʒəʊl] vt enjôler

cake¹ [keɪk] n gâteau m; (small) pâtisserie f; **c. shop** pâtisserie; **c. of soap** savonnette f; **it's a piece of c.** c'est du gâteau

cake² vt **caked with blood/mud** couvert de sang/boue

calamity [kə'læmɪtɪ] (pl -ies) n calamité f

calcium ['kælsɪəm] n calcium m

calculate ['kælkjʊleɪt] vti calculer; **to c. that...** (estimate) calculer que... • **calculated** adj (deliberate) délibéré; **a c. risk** un risque calculé • **calculating** adj (shrewd) calculateur, -trice • **calculation** [-'leɪʃən] n calcul m

calculator ['kælkjʊleɪtə(r)] n calculatrice f

calculus ['kælkjʊləs] n Math & Med calcul m

calendar ['kælɪndə(r)] n calendrier m; (directory) annuaire m; Am (for engagements) agenda m; **c. month** mois m civil; **c. year** année f civile

calf [kɑːf] (pl **calves**) n **(a)** (animal) veau m **(b)** (part of leg) mollet m

calibre ['kælɪbə(r)] (Am **caliber**) n calibre m • **calibrate** vt calibrer

calico ['kælɪkəʊ] n (fabric) calicot m; Am (printed) indienne f

call [kɔːl] **1** n (on phone) appel m; (shout) cri m; (vocation) vocation f; (visit) visite f; **(telephone) c.** appel téléphonique; **to make a c.** téléphoner (**to** à); **to give sb a c.** téléphoner à qn; **to return sb's c.** rappeler qn; **on c.** (doctor) de garde; **there's no c. to do that** il n'y a aucune raison de faire cela; **there's no c. for that article** cet article n'est pas très demandé; Br **c. box** cabine f téléphonique; **c. centre** centre m d'appels; **c. girl** call-girl f

2 vt (phone) appeler; (shout to) crier; (truce) demander; **he's called David** il s'appelle David; **to c. a meeting** décider d'organiser une réunion; **to c. sb a liar** traiter qn de menteur; **she calls herself an expert** elle se dit expert; **to c. sth into question** mettre qch en question; Fam **let's c. it a day** ça suffit pour aujourd'hui

3 vi appeler; (cry out) crier; (visit) passer; **the train will c. at York** le train s'arrêtera à York

- **call-up** n (of recruits) appel m (sous les drapeaux)
▸ **call back 1** vt sep rappeler **2** vi rappeler
▸ **call by** vi (visit) passer
▸ **call for** vt insep (require) demander; (summon) appeler; (collect) passer prendre
▸ **call in 1** vt sep (into room) faire entrer; (police) appeler; (product) rappeler **2** vi **to c. in (on sb)** (visit) passer (chez qn)
▸ **call off** vt sep (cancel) annuler; (strike) mettre fin à; (dog) rappeler
▸ **call on** vt insep (visit) passer voir; (invoke) invoquer; **to c. (up)on sb to do** inviter qn à faire; (urge) sommer qn de faire
▸ **call out 1** vt sep (shout) crier; (doctor) appeler; (workers) donner une consigne de grève à **2** vi (shout) crier; **to c. out to sb** interpeller qn; **to c. out for sth** demander qch à haute voix
▸ **call round** vi (visit) passer
▸ **call up** vt sep (phone) appeler; Mil (recruits) appeler (sous les drapeaux); (memories) évoquer
caller ['kɔːlə(r)] n visiteur, -euse mf; (on phone) correspondant, -ante mf; Tel **c. ID** identification f d'appel
calligraphy [kə'lɪgrəfɪ] n calligraphie f
calling ['kɔːlɪŋ] n vocation f; Am **c. card** carte f de visite
callous ['kæləs] adj (a) (cruel) insensible (b) (skin) calleux, -euse
callus ['kæləs] n cal m
calm [kɑːm] **1** (-er, -est) adj calme, tranquille; **keep c.!** restez calme! **2** n calme m **3** vt **to c. (down)** calmer **4** vi **to c. down** se calmer ▪ **calmly** adv calmement ▪ **calmness** n calme m
Calor Gas® ['kæləgæs] n Br Butagaz® m
calorie ['kælərɪ] n calorie f
calumny ['kæləmnɪ] (pl -ies) n calomnie f
calve [kɑːv] vi (of cow) vêler
calves [kɑːvz] pl of **calf**
camcorder ['kæmkɔːdə(r)] n Caméscope® m
came [keɪm] pt of **come**
camel ['kæməl] n chameau m
cameo ['kæmɪəʊ] (pl -os) (gem) camée m; **c. role** (in film) brève apparition f (d'un acteur connu)
camera ['kæmrə] n appareil photo m; (TV or film) **c.** caméra f ▪ **cameraman** (pl -men) n cameraman m
camomile ['kæməmaɪl] n camomille f
camouflage ['kæməflɑːʒ] **1** n camouflage m **2** vt also Fig camoufler
camp¹ [kæmp] **1** n camp m, campement m; **c. bed** lit m de camp **2** vi **to c. (out)** camper ▪ **camper** n (person) campeur, -euse mf; (vehicle) camping-car m ▪ **campfire** n feu m de camp ▪ **camping** n camping; **c. site** (terrain m de) camping m ▪ **campsite** n camping m

camp² [kæmp] adj (effeminate) efféminé
campaign [kæm'peɪn] **1** n (political, military) campagne f; **press/publicity c.** campagne de presse/publicité **2** vi faire campagne (**for** pour; **against** contre) ▪ **campaigner** n militant, -ante mf (**for** pour)
campus ['kæmpəs] n (of university) campus m
can¹ [kæn, unstressed kən] (pt **could**)

Le verbe **can** n'a ni infinitif, ni gérondif, ni participe. Pour exprimer l'infinitif ou le participe, on aura recours à la forme correspondante de **be able to** (he wanted to be able to speak English; she has always been able to swim). La forme négative est **can't**, qui s'écrit **cannot** dans la langue soutenue.

v aux (be able to) pouvoir; (know how to) savoir; **he couldn't help me** il ne pouvait pas m'aider; **she c. swim** elle sait nager; **if I could swim** si je savais nager; **he could do it tomorrow** il pourrait le faire demain; **he could have done it** il aurait pu le faire; **you could be wrong** (possibility) tu as peut-être tort; **he can't be dead** (probability) il ne peut pas être mort; **that can't be right!** ce n'est pas possible!; **c. I come in?** (permission) puis-je entrer?; **yes, you c.!** oui!; **I c. see** je vois; **as happy as c. be** aussi heureux, -euse que possible
can² [kæn] **1** n (for water) bidon m; (for food) boîte f; (for beer) can(n)ette f **2** (pt & pp **-nn-**) vt mettre en boîte ▪ **canned** adj en boîte, en conserve; **c. beer** bière f en can(n)ette; **c. food** conserves fpl ▪ **'can-opener** n ouvre-boîtes m inv
Canada ['kænədə] n le Canada ▪ **Canadian** [kə'neɪdɪən] **1** adj canadien, -ienne **2** n Canadien, -ienne mf
canal [kə'næl] n canal m
canary [kə'neərɪ] (pl -ies) n canari m
cancan ['kænkæn] n french cancan m
cancel ['kænsəl] **1** (Br **-ll-**, Am **-l-**) vt (flight, appointment) annuler; (goods, taxi) décommander; (train) supprimer; (word, paragraph) biffer; (cheque) faire opposition à; **to c. a ticket** (punch) (with date) composter un billet; (with hole) poinçonner un billet; **to c. each other out** s'annuler **2** vi se décommander ▪ **cancellation** [-'leɪʃən] n annulation f; (of train) suppression f
Cancer ['kænsə(r)] n (sign) le Cancer; **to be (a) C.** être Cancer
cancer ['kænsə(r)] n cancer m; **stomach/skin c.** cancer de l'estomac/la peau; **c. patient** cancéreux, -euse mf; **c. specialist** cancérologue mf
candelabra [kændɪ'lɑːbrə] n candélabre m
candid ['kændɪd] adj franc (f franche) ▪ **candour** (Am **candor**) n franchise f

Note that the French words **candide** and **candeur** are false friends and are never translations for the English words **candid** and **candour**. They mean **ingenuous** and **ingenuousness**.

candidate ['kændɪdeɪt] n candidat, -ate mf (for à); **to stand as a c.** être candidat ▪**candidacy** [-dəsɪ], **candidature** [-dətʃə(r)] n candidature f

candle ['kændəl] n (wax) bougie f; (tallow) chandelle f; (in church) cierge m; **c. grease** suif m ▪**candlelight** n **by c.** à la (lueur d'une) bougie; **to have dinner by c.** dîner aux chandelles ▪**candlestick** n bougeoir m; (taller) chandelier m

candy ['kændɪ] (pl -ies) n Am bonbon m; (sweets) bonbons mpl; **(sugar) c.** sucre m candi; Am **c. store** confiserie f ▪**candied** adj (fruit) confit ▪**candyfloss** n Br barbe f à papa

cane [keɪn] 1 n (stick) canne f; (for basket) rotin m; (for punishment) baguette f 2 vt (punish) frapper avec une baguette

canine ['keɪnaɪn] 1 adj (tooth, race) canin 2 n (tooth) canine f

canister ['kænɪstə(r)] n boîte f (en métal)

cannabis ['kænəbɪs] n (drug) cannabis m; (plant) chanvre m indien

cannibal ['kænɪbəl] n cannibale mf

cannon ['kænən] (pl -s or cannon) n canon m ▪**cannonball** n boulet m de canon

cannot ['kænɒt] = **can not**

canny ['kænɪ] (-ier, -iest) adj rusé

canoe [kə'nu:] 1 n canoë m; (dugout) pirogue f 2 vi faire du canoë-kayak ▪**canoeing** n **to go c.** faire du canoë-kayak ▪**canoeist** n canoéiste mf

canon ['kænən] n (law) & Fig canon m; (priest) chanoine m ▪**canonize** vt Rel canoniser

canopy ['kænəpɪ] (pl -ies) n (of baby carriage) capote f; (awning) auvent m; (over bed) baldaquin m; (over altar) dais m; (made of glass) marquise f; Fig (of tree branches) canopée f

can't [kɑːnt] = **can not**

cantaloup(e) ['kæntəluːp] n (melon) cantaloup m

cantankerous [kæn'tæŋkərəs] adj acariâtre

cantata [kæn'tɑːtə] n Mus cantate f

canteen [kæn'tiːn] n (in school, factory) cantine f; (flask) gourde f; Br **c. of cutlery** ménagère f

canter ['kæntə(r)] 1 n petit galop m 2 vi aller au petit galop

canvas ['kænvəs] n (a) (cloth) (grosse) toile f; (for embroidery) canevas m; **under c.** (in a tent) sous la tente f; Art toile f

canvass ['kænvəs] vt (area) faire du démarchage dans; (opinions) sonder; **to c. sb** (seek votes) solliciter le suffrage de qn; (seek orders) solliciter des commandes de qn ▪**canvasser** n Pol agent m électoral; Com démarcheur, -euse mf ▪**canvassing** n (for orders) démarchage m; (for votes) démarchage électoral

canyon ['kænjən] n cañon m, canyon m

CAP [siːeɪ'piː] (abbr **common agricultural policy**) n PAC f

cap¹ [kæp] n (a) (hat) casquette f; (for shower, of sailor) bonnet m; (of soldier) képi m (b) (of tube, valve) bouchon m; (of bottle) capsule f; (of pen) capuchon m (c) (of child's gun) amorce f (d) **(Dutch) c.** (contraceptive) diaphragme m

cap² [kæp] (pt & pp -pp-) vt (a) (outdo) surpasser; **to c. it all...** pour couronner le tout... (b) Br (spending) limiter (c) (cover) **capped with** recouvert de; **capped with snow** coiffé de neige

capable ['keɪpəbəl] adj (person) capable (of sth de qch; of doing de faire) ▪**capa'bility** n capacité f ▪**capably** adv avec compétence

capacity [kə'pæsɪtɪ] (pl -ies) n (of container) capacité f; (ability) aptitude f, capacité f (for sth pour qch; for doing à faire); (output) rendement m; **in my c. as a doctor** en ma qualité de médecin; **in an advisory c.** à titre consultatif; **filled to c.** (concert hall) comble

cape [keɪp] n (a) (cloak) cape f; (of cyclist) pèlerine f (b) (of coast) cap m; **C. Town** Le Cap

caper¹ ['keɪpə(r)] n Culin câpre f

caper² ['keɪpə(r)] 1 n (prank) cabriole f 2 vi (jump about) faire des cabrioles

capital ['kæpɪtəl] 1 adj (letter, importance) capital; **c. punishment** peine f capitale 2 n (a) **c. (city)** capitale f; (b) **c. (letter)** majuscule f (c) (money) capital m ▪**capitalism** n capitalisme m ▪**capitalist** adj & n capitaliste (mf) ▪**capitalize** vi **to c.** on tirer parti de

capitulate [kə'pɪtʃʊleɪt] vi capituler (**to** devant) ▪**capitu'lation** n capitulation f

cappuccino [kæpu'tʃiːnəʊ] n cappuccino m

caprice [kə'priːs] n caprice m ▪**capricious** [kə'prɪʃəs] adj capricieux, -ieuse

Capricorn ['kæprɪkɔːn] n (sign) le Capricorne; **to be a C.** être Capricorne

capsicum ['kæpsɪkəm] n poivron m

capsize [kæp'saɪz] 1 vt faire chavirer 2 vi chavirer

capsule [Br 'kæpsjuːl, Am 'kæpsəl] n (of medicine) gélule f; (space) **c.** capsule f spatiale

captain ['kæptɪn] 1 n capitaine m 2 vt (ship) commander; (team) être le capitaine de

caption ['kæpʃən] n (of illustration) légende f; (of film, article) sous-titre m

captivate ['kæptɪveɪt] vt captiver ▪**captivating** adj captivant

captive ['kæptɪv] n captif, -ive mf; **to be taken c.** être fait prisonnier ▪**cap'tivity** n captivité f; **in c.** en captivité

capture ['kæptʃə(r)] 1 n capture f; (of town)

prise f **2** vt (person, animal, ship) capturer; (escaped prisoner or animal) reprendre; (town) prendre; (attention) capter; Fig (mood) rendre

car [kɑː(r)] n voiture f, automobile f; (train carriage) wagon m, voiture; **c. insurance/industry** assurance f/industrie f automobile; **the c. door** la portière de la voiture; **c. bomb** voiture f piégée; Br **c. boot sale** = vente f à la brocante où les marchandises sont exposées à l'arrière de voitures; **c. chase** poursuite f en voiture; **c. crash** accident m de voiture; **c. ferry** ferry m; Br **c. hire** location f de voitures; Br **c. park** parking m; **c. phone** téléphone m de voiture; **c. radio** autoradio m; **c. rental** location f de voitures; **c. wash** (machine) = station de lavage automatique pour voitures; (sign) lavage m automatique ▪ **carpool** n = groupe de personnes effectuant régulièrement un trajet dans la même voiture ▪ **carpooling** n covoiturage m ▪ **carport** n abri m pour voiture ▪ **carsick** adj **to be c.** être malade en voiture

> Note that the French word **car** is a false friend and is never a translation for the English word **car**. It means **coach**.

carafe [kəˈræf] n carafe f

caramel [ˈkærəməl] n caramel m

carat [ˈkærət] (Am **karat**) n carat m; **18-c. gold** or m (à) 18 carats

caravan [ˈkærəvæn] n caravane f; (horse-drawn) roulotte f; **c. site** camping m pour caravanes

caraway [ˈkærəweɪ] n (plant) carvi m; **c. seeds** graines fpl de carvi

carbohydrates [kɑːbəʊˈhaɪdreɪts] npl hydrates mpl de carbone

carbon [ˈkɑːbən] n carbone m; **c. dioxide** dioxyde m de carbone, gaz m carbonique; **c. fibre** fibre f de carbone; **c. paper** (papier m) carbone

carburettor [kɑːbjʊˈretə(r)] (Am **carburetor** [ˈkɑːrbəretər]) n carburateur m

carcass [ˈkɑːkəs] n carcasse f

card [kɑːd] n carte f; (cardboard) carton m; (index) **c.** fiche f; **c. game** jeu m de cartes; **c. index** fichier m; **c. table** table f de jeu; **to play cards** jouer aux cartes; **it is** Br **on** or Am **in the cards that…** il est bien possible que… ▪ **cardphone** n téléphone m à carte

cardboard [ˈkɑːdbɔːd] n carton m; **c. box** boîte f en carton, carton

cardiac [ˈkɑːdɪæk] adj cardiaque; **c. arrest** arrêt m du cœur

cardigan [ˈkɑːdɪgən] n cardigan m

cardinal [ˈkɑːdɪnəl] **1** adj (number, point) cardinal **2** n Rel cardinal m

care [keə(r)] **1** n (attention) soin m; (protection) soins mpl; (worry) souci m; **to take c. to do** veiller à faire; **to take c. not to do** faire attention à ne pas faire; **to take c. of sb/sth**

s'occuper de qn/qch; **to take c. of oneself** (manage) savoir se débrouiller tout seul; (keep healthy) faire bien attention à soi; **that will take c. of itself** ça s'arrangera; **take c.!** (goodbye) au revoir!; **'c. of'** (on envelope) 'chez' **2** vt **I don't c. what he says** peu m'importe ce qu'il en dit; **would you c. to try?** voulez-vous essayer? **3** vi **I don't c.** ça m'est égal; **I couldn't c. less** ça m'est complètement égal; **who cares?** qu'est-ce que ça peut faire?; **to c. about** (feel concern about) se soucier de; **I don't c. for it (much)** je n'aime pas tellement ça; **to c. for a drink/a change** avoir envie d'un verre/d'un changement; **to c. about** or **for sb** (be fond of) avoir de la sympathie pour qn; **to c. for sb** (look after) soigner qn

career [kəˈrɪə(r)] **1** n carrière f; **to make a c. in sth** faire carrière dans qch **2** adj (diplomat) de carrière; **the job has c. prospects** cet emploi offre des perspectives de carrière; **it's a good c. move** c'est bon pour ma/ta/etc carrière **3** vi **to c. along** aller à vive allure

carefree [ˈkeəfriː] adj insouciant

careful [ˈkeəfəl] adj (exact, thorough) soigneux, -euse (**about** de); (work) minutieux, -ieuse; (cautious) prudent; **c. (about** or **with money)** regardant (à la dépense); **to be c. of** or **with sth** faire attention à qch; **to be c. to do** veiller à faire; **to be c. not to do** faire attention à ne pas faire; **be c.!** (fais) attention!; **be c. she doesn't see you!** (fais) attention qu'elle ne te voie pas! ▪ **carefully** adv (thoroughly) avec soin; (cautiously) prudemment

careless [ˈkeələs] adj négligent; (absentminded) étourdi; (work) peu soigné; **c. about one's work** peu soigneux dans son travail; **c. about one's appearance** négligé; **c. mistake** faute f d'étourderie ▪ **carelessness** n négligence f

carer [ˈkeərə(r)] n (relative) = personne s'occupant d'un parent malade ou âgé

caress [kəˈres] **1** n caresse f **2** vt (stroke) caresser; (kiss) embrasser

caretaker [ˈkeəteɪkə(r)] n gardien, -ienne mf, concierge mf

cargo [ˈkɑːgəʊ] (pl **-oes** or **-os**) n cargaison f; **c. ship** cargo m

> Note that the French word **cargo** is a false friend and is never a translation for the English word **cargo**. It means **cargo ship**.

Caribbean [Br kærɪˈbiːən, Am kəˈrɪbɪən] **1** adj caraïbe **2** n **the C. (islands)** les Antilles fpl

caricature [ˈkærɪkətʃʊə(r)] **1** n caricature f **2** vt caricaturer

caring [ˈkeərɪŋ] **1** adj (loving) aimant; (understanding) très humain **2** n affection f

carnage [ˈkɑːnɪdʒ] n carnage m

carnal [ˈkɑːnəl] adj charnel, -elle

carnation [kɑːˈneɪʃən] n œillet m

carnival [ˈkɑːnɪvəl] n carnaval m (pl -als)

carnivore [ˈkɑːnɪvɔː(r)] n carnivore m ▪ **carnivorous** [-ˈnɪvərəs] adj carnivore

carol [ˈkærəl] n chant m de Noël

carouse [kəˈraʊz] vi faire la fête

carp [kɑːp] **1** n inv (fish) carpe f **2** vi se plaindre (at de)

carpenter [ˈkɑːpɪntə(r)] n (for house building) charpentier m; (for light woodwork) menuisier m ▪ **carpentry** n charpenterie f; (for light woodwork) menuiserie f

carpet [ˈkɑːpɪt] **1** n (rug) & Fig tapis m; (fitted) moquette f; **c. sweeper** balai m mécanique **2** vt recouvrir d'un tapis/d'une moquette; Fig (of snow) recouvrir ▪ **carpeting** n (rugs) tapis mpl; (wall-to-wall) **c.** moquette f

> Note that the French word **carpette** is a false friend and is never a translation for the English word **carpet**. It means **small rug**.

carriage [ˈkærɪdʒ] n Br (of train) voiture f; (horse-drawn) voiture, équipage m; Br (transport of goods) transport m; (cost) frais mpl; (of typewriter) chariot m; Br **c. paid** port payé

carriageway [ˈkærɪdʒweɪ] n Br chaussée f

carrier [ˈkærɪə(r)] n (of illness) porteur, -euse mf; (company, airline) transporteur m; Br **c. (bag)** sac m en plastique; **c. pigeon** pigeon m voyageur

carrot [ˈkærət] n carotte f

carry [ˈkærɪ] (pt & pp -ied) **1** vt porter; (goods, passengers) transporter; (gun, money) avoir sur soi; (by wind) emporter; (sound) conduire; (disease) être porteur de; (sell) stocker; Pol (motion) faire passer, voter; Math (in calculation) retenir; **to c. water to** (of pipe) amener l'eau à; **to c. responsibility** (of job) comporter des responsabilités; Fam **to c. the can** porter le chapeau; **to c. sth too far** pousser qch trop loin; **to c. oneself** se comporter **2** vi (of sound) porter ▪ **carryall** [ˈkærɪɔːl] n Am (bag) fourre-tout m inv ▪ **carrycot** n Br porte-bébé m inv

▸ **carry away** vt sep emporter; Fig (of idea) transporter; **to be** or **get carried away** (excited) s'emballer

▸ **carry back** vt sep (thing) rapporter; (person) ramener; (in thought) reporter

▸ **carry forward** vt sep (in bookkeeping) reporter

▸ **carry off** vt sep (take away) emporter; (kidnap) enlever; (prize) remporter; **she carried it off** elle s'en est bien sortie

▸ **carry on** vt sep (continue) continuer (doing à faire); (negotiations) mener; (conversation) poursuivre **2** vi (continue) continuer; Pej (behave badly) se conduire mal; (complain) se plaindre; **to c. on with sth** continuer qch

▸ **carry out** vt sep (plan, promise) mettre à exécution; (order) exécuter; (repair, reform) effectuer; (duty) accomplir; Am (meal) emporter

▸ **carry through** vt sep (plan) mener à bien

cart [kɑːt] **1** n (horse-drawn) charrette f; (handcart) voiture f à bras; Am (in supermarket) Caddie® m **2** vt (goods, people) transporter; Fam **to c. (around)** trimbaler; **to c. away** emporter ▪ **carthorse** n cheval m de trait

cartel [kɑːˈtel] n Econ cartel m

cartilage [ˈkɑːtɪlɪdʒ] n cartilage m

carton [ˈkɑːtən] n (box) carton m; (of milk, fruit juice) brique f; (of cigarettes) cartouche f; (of cream) pot m

cartoon [kɑːˈtuːn] n (in newspaper) dessin m humoristique; (film) dessin animé; **c. (strip)** bande f dessinée

cartridge [ˈkɑːtrɪdʒ] n cartouche f; **c. belt** cartouchière f

cartwheel [ˈkɑːtwiːl] n **to do a c.** faire la roue

carve [kɑːv] vt (cut) tailler (**out of** dans); (name) graver; (sculpt) sculpter; **to c. (up)** (meat) découper; **to c. up** (country) morceler; **to c. out a career for oneself** faire carrière ▪ **carving 1** adj **c. knife** couteau m à découper **2** n (wood) sculpture f sur bois

cascade [kæsˈkeɪd] **1** n cascade f **2** vi tomber en cascade

case¹ [keɪs] n (instance, situation) & Med cas m; Law affaire f; Fig (arguments) arguments mpl; **in any c.** en tout cas; **in c. it rains** au cas où il pleuvrait; **in c. of** en cas de; **(just) in c.** au cas où

case² [keɪs] n (bag) valise f; (crate) caisse f; (for pen, glasses, camera, violin, cigarettes) étui m; (for jewels) écrin m

cash [kæʃ] **1** n (coins, banknotes) liquide m; Fam (money) sous mpl; **to pay (in) c.** payer en liquide; **to pay c. (down)** (not on credit) payer comptant; **to have c. flow problems** avoir des problèmes d'argent; **c. box** caisse f; Br **c. desk** caisse; **c. dispenser** or **machine** distributeur m de billets; **c. price** prix m (au) comptant; **c. register** caisse f enregistreuse **2** vt **to c. a cheque** or Am **check** (of person) encaisser un chèque; (of bank) payer un chèque; Fam **to c. in on** (situation) profiter de ▪ **cashback** n Br = espèces retirées à la caisse d'un magasin lors d'un paiement par carte

cashew [ˈkæʃuː] n **c. (nut)** noix f de cajou

cashier [kæˈʃɪə(r)] n caissier, -ière mf

cashmere [ˈkæʃmɪə(r)] n cachemire m

casing [ˈkeɪsɪŋ] n Tech boîtier m; (of sausage) boyau m

casino [kəˈsiːnəʊ] (pl -os) n casino m

cask [kɑːsk] n fût m, tonneau m ▪ **casket** n (box) coffret m; (coffin) cercueil m

casserole [ˈkæsərəʊl] n (covered dish) cocotte f; (stew) ragoût m

Note that the French word **casserole** is a false friend and is never a translation for the English word **casserole**. It means **saucepan**.

cassette [kəˈset] n (audio, video) cassette f; (for camera) cartouche f; **c. player** lecteur m de cassettes; **c. recorder** magnétophone m à cassettes

cassock [ˈkæsək] n soutane f

cast [kɑːst] **1** n (actors) acteurs mpl; (list of actors) distribution f; (mould) moulage m; (of dice) coup m; (for broken bone) plâtre m; Med **in a c.** dans le plâtre; **to have a c. in one's eye** avoir une coquetterie dans l'œil **2** (pt & pp **cast**) vt (throw) jeter; (light, shadow) projeter; (blame) rejeter; (glance) jeter (**at** à ou sur); (metal) couler; (theatrical role) distribuer; (actor) donner un rôle à; **to c. doubt on sth** jeter le doute sur qch; **to c. a spell on sb** jeter un sort à qn; **to c. one's mind back** se reporter en arrière; **to c. a vote** voter; **to c. aside** rejeter; **c. iron** fonte f **3** vi (of ship) appareiller ▪**cast-'iron** adj (pan) en fonte; Fig (will) de fer; Fig (alibi, excuse) en béton

castaway [ˈkɑːstəweɪ] n naufragé, -ée mf

caste [kɑːst] n caste f

caster [ˈkɑːstə(r)] n (wheel) roulette f; Br **c. sugar** sucre m en poudre

castle [ˈkɑːsəl] n château m; (in chess) tour f

castoffs [ˈkɑːstɒfs] npl vieux vêtements mpl

castor [ˈkɑːstə(r)] n (wheel) roulette f; **c. oil** huile f de ricin; Br **c. sugar** sucre m en poudre

castrate [kæˈstreɪt] vt châtrer ▪**castration** n castration f

casual [ˈkæʒjʊəl] adj (offhand) (remark, glance) en passant; (relaxed, informal) décontracté; (conversation) à bâtons rompus; (clothes) sport inv; (careless) désinvolte; (meeting) fortuit; (employment, worker) temporaire ▪**casually** adv (remark, glance) en passant; (informally) avec décontraction; (dress) sport; (carelessly) avec désinvolture; (meet) par hasard

casualty [ˈkæʒjʊəltɪ] (pl -ies) n victime f; Br **c. (department)** (in hospital) (service m des) urgences fpl

cat [kæt] n chat m; (female) chatte f; **c. burglar** monte-en-l'air m inv; Br **c.'s eyes**® Cataphotes® mpl; **c. food** pâtée f

catalogue [ˈkætəlɒg] (Am **catalog**) **1** n catalogue m **2** vt cataloguer

catalyst [ˈkætəlɪst] n Chem & Fig catalyseur m

catapult [ˈkætəpʌlt] **1** n (toy) lance-pierres m inv; (on aircraft carrier) catapulte f **2** vt catapulter

cataract [ˈkætərækt] n Med cataracte f

catarrh [kəˈtɑː(r)] n Br gros rhume m

catastrophe [kəˈtæstrəfɪ] n catastrophe f ▪**catastrophic** [kætəˈstrɒfɪk] adj catastrophique

catcall [ˈkætkɔːl] n sifflet m

catch [kætʃ] **1** n (captured animal) capture f, prise f; (in fishing) prise; (of a whole day) pêche f; (difficulty) piège m; (on door) loquet m; **there's a c.** il y a un piège **2** (pt & pp **caught**) vt (ball, thief, illness) attraper; (fish, train, bus) prendre; (grab) prendre, saisir; (surprise) surprendre; (understand) saisir; (garment) accrocher (**on** à); **to c. one's fingers in the door** se prendre les doigts dans la porte; **to c. sb's eye** or **attention** attirer l'attention de qn; **to c. sight of sb/sth** apercevoir qn/qch; **to c. fire** prendre feu; **to c. the sun** (of garden, room) être ensoleillé; (of person) prendre des couleurs; Fam **to c. sb (in)** trouver qn (chez soi); **to c. sb up** rattraper qn; **to c. one's breath** (rest a while) reprendre haleine; (stop breathing) retenir son souffle; **to c. sb doing** surprendre qn à faire; **to c. sb out** prendre qn en défaut; **to c. sb up** rattraper qn **3** vi (of fire) prendre; **her skirt (got) caught in the door** sa jupe s'est prise dans la porte; **to c. on** (become popular) prendre; Fam (understand) piger; **to c. up with sb/sth** rattraper qn ▪**catching** adj (illness) contagieux, -ieuse ▪**catchphrase** n (of politician) slogan m; (of comedian) formule f favorite

catchy [ˈkætʃɪ] (-ier, -iest) adj Fam (tune, slogan) facile à retenir

catechism [ˈkætɪkɪzəm] n catéchisme m

category [ˈkætɪgərɪ] (pl -ies) n catégorie f ▪**categorical** [-ˈgɒrɪkəl] adj catégorique ▪**categorize** vt classer (par catégories)

cater [ˈkeɪtə(r)] vi (provide food) s'occuper des repas (**for** pour); **to c. to**, Br **to c. for** (need, taste) satisfaire; (of book, newspaper) s'adresser à ▪**caterer** n traiteur m ▪**catering** n restauration f; **to do the c.** s'occuper des repas

caterpillar [ˈkætəpɪlə(r)] n chenille f; **c. track** chenille

catgut [ˈkætgʌt] n (cord) boyau m

cathedral [kəˈθiːdrəl] n cathédrale f

Catholic [ˈkæθlɪk] adj & n catholique (mf) ▪**Catholicism** [kəˈθɒlɪsɪzəm] n catholicisme m

cattle [ˈkætəl] npl bétail m

catty [ˈkætɪ] (-ier, -iest) adj Fam (spiteful) vache

catwalk [ˈkætwɔːk] n Br (in fashion show) podium m

caught [kɔːt] pt & pp of **catch**

cauldron [ˈkɔːldrən] n chaudron m

cauliflower [ˈkɒlɪflaʊə(r)] n chou-fleur m; Br **c. cheese** chou-fleur au gratin

cause [kɔːz] **1** n (origin, ideal, aim) & Law cause f; (reason) raison f, motif m (**of** de); **c. for complaint/dispute** sujet m de plainte/dispute; **to have c. for complaint** avoir des raisons de se plaindre; **to have no c. to worry** n'avoir aucune raison de s'inquiéter **2** vt causer, occasionner; **to c. trouble for sb** créer ou causer des ennuis à qn; **to c. sb/sth to fall** faire tomber qn/qch

causeway ['kɔːzweɪ] *n* chaussée *f (sur un marécage)*

caustic ['kɔːstɪk] *adj (substance, remark)* caustique; **c. soda** soude *f* caustique

cauterize ['kɔːtəraɪz] *vt (wound)* cautériser

caution ['kɔːʃən] **1** *n (care)* prudence *f; (warning)* avertissement *m* **2** *vt (warn)* avertir; *Sport* donner un avertissement à; **to c. sb against sth** mettre qn en garde contre qch; **to c. sb against doing sth** déconseiller à qn de faire qch

> Note that the French noun **caution** is a false friend and is never a translation for the English noun **caution**. Its most common meanings are **deposit** or **guarantee**. Note also that the French verb **cautionner** is a false friend. It never means **to warn**.

cautionary ['kɔːʃənərɪ] *adj* **c. tale** conte *m* moral

cautious ['kɔːʃəs] *adj* prudent ▪ **cautiously** *adv* prudemment

cavalier [kævə'lɪə(r)] **1** *adj* cavalier, -ière **2** *n Hist (horseman, knight)* cavalier *m*

cavalry ['kævəlrɪ] *n* cavalerie *f*

cave [keɪv] **1** *n* grotte *f* **2** *vi* **to c. in** *(of ceiling)* s'effondrer; *(of floor)* s'affaisser ▪ **caveman** *(pl* -men*) n* homme *m* des cavernes

> Note that the French word **cave** is a false friend and is never a translation for the English word **cave**. It means **cellar**.

cavern ['kævən] *n* caverne *f*

caviar(e) ['kævɪɑː(r)] *n* caviar *m*

cavity ['kævɪtɪ] *(pl* -ies*) n* cavité *f*

cavort [kə'vɔːt] *vi Fam* faire des cabrioles; **to c. naked** se balader tout nu

CCTV [siːsiːtiːˈviː] *(abbr* **closed-circuit television**) *n* télévision *f* en circuit fermé

CD [siːˈdiː] *(abbr* **compact disc**) *n* CD *m*; **CD burner** *or* **writer** graveur *m* de CD; **CD player** lecteur *m* de CD

CD-ROM [siːdiːˈrɒm] *(abbr* **compact disc read-only memory**) *n Comptr* CD-ROM *m inv*

cease [siːs] **1** *vt* cesser (**doing** de faire); **to c. fire** cesser le feu **2** *vi* cesser (**from doing** de faire) ▪ **cease-fire** *n* cessez-le-feu *m inv* ▪ **ceaseless** *adj* incessant ▪ **ceaselessly** *adv* sans cesse

cedar ['siːdə(r)] *n (tree, wood)* cèdre *m*

cedilla [sɪ'dɪlə] *n Grammar* cédille *f*

ceiling ['siːlɪŋ] *n (of room)* & *Fig (limit)* plafond *m*; *Fam* **to hit the c.** piquer une crise

celebrate ['selɪbreɪt] **1** *vt (event)* célébrer, fêter; *(mass)* célébrer **2** *vi* faire la fête; **we should c.!** il faut fêter ça! ▪ **celebration** [-'breɪʃən] *n (event)* fête *f*; **the celebrations** les festivités *fpl*

celebrity [sə'lebrətɪ] *(pl* -ies*) n* célébrité *f* ▪ **celeb** *n Br Fam* célébrité *f*

celery ['selərɪ] *n* céleri *m*; **stick of c.** branche *f* de céleri

celibate ['selɪbət] *adj* **to be c.** ne pas avoir de rapports sexuels; *(by choice)* être chaste ▪ **celibacy** *n* absence *f* de rapports sexuels; *(by choice)* chasteté *f*

> Note that the French word **célibataire** is a false friend and is never a translation for the English word **celibate**. It means **unmarried**.

cell [sel] *n* cellule *f*; *El* élément *m*; *Am* **c. (phone)** portable *m*

cellar ['selə(r)] *n* cave *f*

> Note that the French word **cellier** is a false friend. It means **storeroom**.

cello ['tʃeləʊ] *(pl* -os*) n* violoncelle *m* ▪ **cellist** *n* violoncelliste *mf*

cellophane® ['seləfeɪn] *n Br* Cellophane® *f*

cellular ['seljʊlə(r)] *adj* cellulaire; **c. blanket** couverture *f* en cellular; *Am* **c. phone** téléphone *m* portable

celluloid® ['seljʊlɔɪd] *n* Celluloïd® *m*

cellulose ['seljʊləʊs] *n* cellulose *f*

Celsius ['selsɪəs] *adj* Celsius *inv*

Celt [kelt] *n* Celte *mf* ▪ **Celtic** *adj* celtique, celte

cement [sɪ'ment] **1** *n* ciment *m*; **c. mixer** bétonnière *f* **2** *vt* cimenter

cemetery ['semətrɪ] *(pl* -ies*) n* cimetière *m*

cenotaph ['senətɑːf] *n* cénotaphe *m*

censor ['sensə(r)] **1** *n* censeur *m* **2** *vt* censurer ▪ **censorship** *n* censure *f*

censure ['senʃə(r)] **1** *n* critique *f*; **c. motion, vote of c.** motion *f* de censure **2** *vt (criticize)* blâmer

> Note that the French verb **censurer** is a false friend and is never a translation for the English verb **to censure**. It means **to censor**.

census ['sensəs] *n* recensement *m*

cent [sent] *n (coin)* cent *m*; *Fam* **not a c.** pas un sou

centenary [*Br* sen'tiːnərɪ, *Am* sen'tenərɪ] *(pl* -ies*) n* centenaire *m*

center ['sentə(r)] *n Am* = **centre**

centigrade ['sentɪgreɪd] *adj* centigrade

centimetre ['sentɪmiːtə(r)] *n* centimètre *m*

centipede ['sentɪpiːd] *n* mille-pattes *m inv*

central ['sentrəl] *adj* central; **C. London** le centre de Londres; **c. heating** chauffage *m* central; *Br* **c. reservation** *(on motorway)* terre-plein *m* central ▪ **centralize** *vt* centraliser

centre ['sentə(r)] *(Am* **center**) **1** *n* centre *m*; *Football* **c. forward** avant-centre *m* **2** *vt (attention, interest)* concentrer (**on** sur)

centrifugal [sen'trɪfjʊgəl] *adj* centrifuge

century ['sentʃərɪ] *(pl* -ies*) n* siècle *m*; **in the twenty-first c.** au vingt et unième siècle

ceramic [sə'ræmɪk] *adj (tile)* en céramique ▪**ceramics 1** *npl (objects)* céramiques *fpl* **2** *n (art)* céramique *f*

cereal ['sɪərɪəl] *n* céréale *f*; **(breakfast) c.** céréales *fpl (pour petit déjeuner)*

cerebral [*Br* 'serɪbrəl, *Am* sə'riːbrəl] *adj* cérébral

ceremony ['serɪmənɪ] *(pl* **-ies)** *n (event)* cérémonie *f*; **to stand on c.** faire des façons ▪**ceremonial** [-'məʊnɪəl] **1** *adj* **c. dress** tenue *f* de cérémonie **2** *n* cérémonial *m* ▪**ceremonious** [-'məʊnɪəs] *adj* cérémonieux, -ieuse

certain ['sɜːtən] *adj* (**a**) *(sure)* certain (**that** que); **she's c. to come, she'll come for c.** c'est certain qu'elle viendra; **I'm not c. what to do** je ne sais pas très bien quoi faire; **be c. you go!** il faut absolument que tu y ailles!; **to be c. of sth** être certain *ou* sûr de qch; **to make c. of sth** *(find out)* s'assurer de qch; *(be sure to get)* s'assurer qch; **for c.** *(say, know)* avec certitude (**b**) *(particular, some)* certain; **a c. person** une certaine personne; **c. people** certaines personnes ▪**certainly** *adv (undoubtedly)* certainement; *(yes)* bien sûr; *(without fail)* sans faute ▪**certainty** *(pl* **-ies)** *n* certitude *f*

certificate [sə'tɪfɪkɪt] *n* certificat *m*; *(from university)* diplôme *m*

certify ['sɜːtɪfaɪ] *(pt & pp* **-ied)** **1** *vt (document, signature)* certifier; **to c. sb (insane)** déclarer que l'état de santé de qn nécessite son internement psychiatrique; *Am* **certified letter** ≃ lettre *f* recommandée; *Am* **certified public accountant** expert-comptable *m* **2** *vi* **to c. to sth** attester qch

cervix ['sɜːvɪks] *(pl* **-vices** ['-vɪsiːz]) *n Anat* col *m* de l'utérus

cesspool ['sespuːl] *n* fosse *f* d'aisances; *Fig* cloaque *m*

CFC [siːef'siː] *n (abbr* **chlorofluorocarbon)** *n* CFC *m*

chador [tʃɑːdɔː(r)] *n (veil)* tchador *m*

chafe [tʃeɪf] *vt (skin)* irriter; *(of shoes)* blesser

chaff [tʃæf] *vt (tease)* taquiner

chaffinch ['tʃæfɪntʃ] *n (bird)* pinson *m*

chain [tʃeɪn] **1** *n (of rings, mountains)* chaîne *f*; *(of ideas)* enchaînement *m*; *(of events)* suite *f*; *(of lavatory)* chasse *f* d'eau; **c. reaction** réaction *f* en chaîne; **c. saw** tronçonneuse *f*; **c. store** magasin *m* à succursales multiples **2** *vt* **to c. (down)** enchaîner; **to c. (up)** *(dog)* mettre à l'attache ▪**chain-smoker** *n* **to be a c.** fumer cigarette sur cigarette

chair [tʃeə(r)] **1** *n* chaise *f*; *(armchair)* fauteuil *m*; *Univ (of professor)* chaire *f*; **the c.** *(office of chairperson)* la présidence; **c. lift** télésiège *m* **2** *vt (meeting)* présider ▪**chairman** *(pl* **-men)** *n* président, -ente *mf* ▪**chairmanship** *n* présidence *f*

chalet ['ʃæleɪ] *n* chalet *m*

chalk [tʃɔːk] **1** *n* craie *f*; **they are like c. and**

cheese c'est le jour et la nuit; *Fam* **not by a long c.** loin de là **2** *vt* marquer à la craie; *Fig* **to c. up** *(success)* remporter ▪**chalky (-ier, -iest)** *adj* crayeux, -euse

challenge ['tʃælɪndʒ] **1** *n* défi *m*; *(task)* challenge *m*, gageure *f*; **a c. for sth** *(bid)* une tentative d'obtenir qch **2** *vt* défier (**sb to do** qn de faire); *(question, dispute)* contester ▪**challenger** *n Sport* challenger *m* ▪**challenging** *adj (book, job)* stimulant

chamber ['tʃeɪmbə(r)] *n (room, assembly, of gun)* chambre *f*; *Br Law* **chambers** *(of judge)* cabinet *m*; **C. of Commerce** Chambre *f* de commerce; **c. music/orchestra** musique *f*/orchestre *m* de chambre; **c. pot** pot *m* de chambre ▪**chambermaid** *n* femme *f* de chambre

chameleon [kə'miːlɪən] *n* caméléon *m*

chamois ['ʃæmɪ] *n* **c. (leather)** peau *f* de chamois

champagne [ʃæm'peɪn] *n* champagne *m*

champion ['tʃæmpɪən] **1** *n* champion, -ionne *mf*; **c. skier, skiing c.** champion, -ionne de ski **2** *vt (support)* se faire le champion de ▪**championship** *n* championnat *m*

chance [tʃɑːns] **1** *n (luck)* hasard *m*; *(possibility)* chance *f*; *(opportunity)* occasion *f*; *(risk)* risque *m*; **by c.** par hasard; **by any c.** *(possibly)* par hasard; **to have the c. to do sth** *or* **of doing sth** avoir l'occasion de faire qch; **to give sb a c.** donner une chance à qn; **to take a c.** tenter le coup; **on the off c. (that) you could help me** au cas où tu pourrais m'aider **2** *adj (remark)* fait au hasard; **c. meeting** rencontre *f* fortuite; **c. occurrence** événement *m* fortuit **3** *vt* **to c. doing sth** prendre le risque de faire qch; **to c. to do sth** faire qch par hasard; **to c. it** risquer le coup

> Note that the French noun **chance** is a false friend. Its most common meaning is **luck**.

chancellor ['tʃɑːnsələ(r)] *n Pol* chancelier *m* ▪**chancellery** *n* chancellerie *f*

chandelier [ʃændə'lɪə(r)] *n* lustre *m*

> Note that the French word **chandelier** is a false friend. It means **candlestick**.

change [tʃeɪndʒ] **1** *n* changement *m*; *(money)* monnaie *f*; **for a c.** pour changer; **it makes a c. from…** ça change de…; **to have a c. of heart** changer d'avis; **a c. of clothes** des vêtements de rechange **2** *vt (modify)* changer; *(exchange)* échanger (**for** pour *ou* contre); *(money)* changer (**into** en); *(transform)* changer, transformer (**into** en); **to c. trains/one's skirt** changer de train/ de jupe; **to c. gear** *(in vehicle)* changer de vitesse; **to c. colour** changer de couleur; **to c. the subject** changer de sujet; **to get changed** *(put on other clothes)* se changer

3 *vi (alter)* changer; *(change clothes)* se changer; **to c. into sth** *(be transformed)* se changer *ou* se transformer en qch; **she changed into a dress** elle a mis une robe; **to c. over** passer (**from** de; **to** à) ▪**changing** *n Br* the c. of the guard la relève de la garde; **c. room** vestiaire *m; (in shop)* cabine *f* d'essayage

changeable ['tʃeɪndʒəbəl] *adj (weather, mood)* changeant

changeover ['tʃeɪndʒəʊvə(r)] *n* passage *m* (**from** de; **to** à)

channel ['tʃænəl] **1** *n (on television)* chaîne *f; (for boats)* chenal *m; (groove)* rainure *f; (of communication, distribution)* canal *m; Geog* **the C. la** Manche; **the C. Islands** les îles Anglo-Normandes; **the C. Tunnel** le tunnel sous la Manche **2** *(Br -ll-, Am -l-) vt (energies, crowd, money)* canaliser (**into** vers)

chant [tʃɑːnt] **1** *n (of demonstrators)* slogan *m; (religious)* psalmodie *f* **2** *vt (slogan)* scander **3** *vi (of demonstrators)* scander des slogans; *(of monks)* psalmodier

> Note that the French words **chant** and **chanter** are false friends and are never translations for the English **chant** and **to chant**. They mean **song** and **to sing**.

chaos ['keɪɒs] *n* chaos *m* ▪**chaotic** [-'ɒtɪk] *adj (situation, scene)* chaotique; *(room)* sens dessus dessous

chap¹ [tʃæp] *n Br Fam (fellow)* type *m;* **old c.!** mon vieux!

chap² [tʃæp] *(pt & pp -pp-)* **1** *vt* gercer; **chapped hands/lips** des mains/lèvres gercées **2** *vi* se gercer

chapel ['tʃæpəl] *n* chapelle *f; (nonconformist church)* temple *m*

chaperon(e) ['ʃæpərəʊn] **1** *n* chaperon *m* **2** *vt* chaperonner

chaplain ['tʃæplɪn] *n* aumônier *m*

chapter ['tʃæptə(r)] *n* chapitre *m*

character ['kærɪktə(r)] *n* (**a**) *(of person, place)* caractère *m; (in book, film)* personnage *m; (person)* individu *m; (unusual person)* personnage; **he's a bit of a c.** c'est un personnage; **c. reference** *(for job)* références *fpl* (**b**) *(letter)* caractère *m;* **in bold characters** en caractères gras

characteristic ['kærɪktərɪstɪk] *adj & n* caractéristique *(f)* ▪**characteristically** *adv* typiquement

characterize [kærɪktə'raɪz] *vt* caractériser

charade [*Br* ʃə'rɑːd, *Am* ʃə'reɪd] *n (travesty)* mascarade *f;* **charades** *(game)* charades *fpl* mimées

> Note that the French word **charade** is a false friend. It is a type of word game.

charcoal ['tʃɑːkəʊl] *n* charbon *m* de bois; *Art* fusain *m;* **c. grey** anthracite *inv*

charge¹ [tʃɑːdʒ] **1** *n (in battle)* charge *f; Law* chef *m* d'accusation; *(responsibility)* responsabilité *f,* charge; *(care)* garde *f;* **to take c. of sth** prendre qch en charge; **to be in c. of** être responsable de; **who's in c. here?** qui est le chef ici?; **the person in c.** le/la responsable; **the battery is on c.** la batterie est en charge **2** *vt (battery, soldiers)* charger; *Law (accuse)* inculper (**with** de) **3** *vi (rush)* se précipiter; *(soldiers)* charger; **to c. in/out** entrer/sortir en trombe ▪**charged** *adj Fig* **a highly c. atmosphere** une atmosphère très tendue ▪**charger** *n (for battery)* chargeur *m*

charge² [tʃɑːdʒ] **1** *n (cost)* prix *m;* **charges** *(expenses)* frais *mpl;* **there's a c. (for it)** c'est payant; **to make a c. for sth** faire payer qch; **free of c.** gratuit; **extra c.** supplément *m;* **c. card** carte *f* de paiement *(de magasin)* **2** *vt (amount)* demander (**for** pour); **to c. sb** faire payer qn; **to c. sth (up) to sb** mettre qch sur le compte de qn; **how much do you c.?** combien demandez-vous? ▪**chargeable** *adj* **c. to sb** aux frais de qn

chariot ['tʃærɪət] *n* char *m*

charisma [kə'rɪzmə] *n* charisme *m*

charity ['tʃærɪtɪ] *(pl -ies) n (kindness, alms)* charité *f; (society)* œuvre *f* de charité; **to give to c.** faire des dons à des œuvres de charité ▪**charitable** *adj (person, action)* charitable; *(organization)* caritatif, -ive

charlatan ['ʃɑːlətən] *n* charlatan *m*

charm [tʃɑːm] **1** *n (attractiveness, spell)* charme *m; (trinket)* breloque *f* **2** *vt* charmer ▪**charming** *adj* charmant ▪**charmingly** *adv* d'une façon charmante

charred [tʃɑːd] *adj (burnt until black)* carbonisé; *(scorched)* brûlé légèrement

chart [tʃɑːt] **1** *n (map)* carte *f; (table)* tableau *m; (graph)* graphique *m;* **charts** hit-parade *m* **2** *vt (route)* porter sur une carte; *(make a graph of)* faire le graphique de; *(of graph)* montrer; *Fig (observe)* suivre

charter ['tʃɑːtə(r)] **1** *n* (**a**) *(aircraft)* charter *m;* **the c. of** *(hiring)* l'affrètement *m* de; **c. flight** vol *m* charter (**b**) *(document)* charte *f* **2** *vt (aircraft)* affréter ▪**chartered ac'countant** *n Br* expert-comptable *m*

chase [tʃeɪs] **1** *n* poursuite *f;* **to give c. to sb** se lancer à la poursuite de qn **2** *vt* poursuivre; **to c. sb away** *or* **off** chasser qn; *Fam* **to c. sth up** rechercher qch **3** *vi* **to c. after sb/sth** courir après qn/qch

> Note that the French verb **chasser** is a false friend. It means **to hunt**.

chasm ['kæzəm] *n also Fig* abîme *m,* gouffre *m*

chassis ['ʃæsɪ] *n (of vehicle)* châssis *m*

chaste [tʃeɪst] *adj* chaste ▪ **chastity** ['tʃæstɪtɪ] *n* chasteté *f*

chastening ['tʃeɪsənɪŋ] *adj (experience)* instructif, -ive

chastise [tʃæ'staɪz] *vt* punir

chat [tʃæt] **1** *n* petite conversation *f; Comptr* bavardage *m*; **to have a c.** causer (**with** avec) **2** (*pt & pp* -**tt**-) *vi* causer (**with** avec); *Comptr* bavarder **3** *vt Br Fam* **to c. sb up** draguer qn ▪ **chatroom** *n Comptr* site *m* de bavardage

chatter ['tʃætə(r)] **1** *n* bavardage *m*; *(of birds)* jacassement *m* **2** *vi (of person)* bavarder; *(of birds, monkeys)* jacasser; **his teeth were chattering** il claquait des dents ▪ **chatterbox** *n* pie *f*

chatty ['tʃætɪ] (-**ier**, -**iest**) *adj (person)* bavard; *(letter)* plein de détails

chauffeur ['ʃəʊfə(r)] *n* chauffeur *m*

chauvinist ['ʃəʊvɪnɪst] *adj & n* chauvin, -ine *(mf); Pej (male)* **c.** macho *m*

cheap [tʃiːp] **1** (-**er**, -**est**) *adj* bon marché *inv*, pas cher (*f* pas chère); *(rate, fare)* réduit; *(worthless)* sans valeur; *(vulgar)* de mauvais goût; *(superficial) (emotion, remark)* facile; *(mean, petty)* mesquin; **cheaper** meilleur marché *inv*, moins cher (*f* moins chère); **to feel c.** se sentir minable **2** *adv Fam (buy)* (à) bon marché, au rabais; **it was going c.** c'était bon marché **3** *n* **on the c.** à peu de frais ▪ **cheaply** *adv* (à) bon marché

cheapen ['tʃiːpən] *vt (degrade)* gâcher

cheat [tʃiːt] **1** *n (at games)* tricheur, -euse *mf; (crook)* escroc *m* **2** *vt (deceive)* tromper; *(defraud)* frauder; **to c. sb out of sth** escroquer qch à qn; **to c. on sb** tromper qn **3** *vi (at games)* tricher; *(defraud)* frauder ▪ **cheating** *n (at games)* tricherie *f; (deceit)* tromperie *f*; **it's c.!** c'est de la triche!

check¹ [tʃek] **1** *adj (pattern)* à carreaux **2** *n c.* **(pattern)** carreaux *mpl* ▪ **checked** *adj (patterned)* à carreaux

check² [tʃek] **1** *n* vérification *f* (**on** de); *(inspection)* contrôle *m*; *(in chess)* échec *m; Am (tick)* ≃ croix *f; Am (receipt)* reçu *m; Am (restaurant bill)* addition *f; Am (cheque)* chèque *m*; **to keep a c. on sth** contrôler qch; **to put a c. on sth** mettre un frein à qch; **to keep sb in c.** tenir qn en échec; *Pol* **checks and balances** équilibre *m* des pouvoirs **2** *vt (examine)* vérifier; *(inspect)* contrôler; *(mark off)* cocher; *(inflation)* enrayer; *(emotion, impulse, enemy advance)* contenir; *Am (baggage)* mettre à la consigne **3** *vi* vérifier; **to c. on sth** vérifier qch; **to c. on sb** surveiller qn; **c. with her** pose-lui la question ▪ **checkbook** *n Am* carnet *m* de chèques ▪ **check-in** *n (at airport)* enregistrement *m* (des bagages) ▪ **checking account** *n Am* compte *m* courant ▪ **checklist** *n*

liste *f* de contrôle; *Av* check-list *f* ▪ **checkmate** *n (in chess)* échec et mat ▪ **checkout** *n (in supermarket)* caisse *f* ▪ **checkpoint** *n* poste *m* de contrôle ▪ **checkroom** *n Am* vestiaire *m; Am (left-luggage office)* consigne *f* ▪ **checkup** *n (medical)* bilan *m* de santé; **to have a c.** faire un bilan de santé

▸ **check in 1** *vt sep (luggage)* enregistrer **2** *vi (arrive)* arriver; *(sign in)* signer le registre; *(at airport)* se présenter à l'enregistrement

▸ **check off** *vt sep (from list)* cocher

▸ **check out 1** *vt sep (confirm)* confirmer **2** *vi (at hotel)* régler sa note

▸ **check up** *vi* vérifier

checkered ['tʃekəd] *adj Am* = **chequered**

checkers ['tʃekəz] *npl Am* jeu *m* de dames ▪ **checkerboard** *n Am* damier *m*

cheddar ['tʃedə(r)] *n* cheddar *m (fromage)*

cheek [tʃiːk] *n* joue *f; Br Fam (impudence)* culot *m* ▪ **cheekbone** *n* pommette *f* ▪ **cheeky** (-**ier**, -**iest**) *adj Br (person, reply)* insolent

cheep [tʃiːp] *vi (of bird)* piailler

cheer [tʃɪə(r)] **1** *n* **cheers** *(shouts)* acclamations *fpl; Fam* **cheers!** *(when drinking)* à votre santé!; *Br (thanks)* merci! **2** *vt (applaud)* acclamer; **to c. sb on** encourager qn; **to c. sb (up)** *(comfort)* remonter le moral à qn; *(amuse)* faire sourire qn **3** *vi* applaudir; **to c. up** reprendre courage; *(be amused)* se dérider; **c. up!** (du) courage! ▪ **cheering 1** *adj (encouraging)* réjouissant **2** *n (shouts)* acclamations *fpl*

cheerful ['tʃɪəfəl] *adj* gai ▪ **cheerfully** *adv* gaiement ▪ **cheerless** *adj* morne

cheerio [tʃɪərɪ'əʊ] *exclam Br* salut!, au revoir!

cheese [tʃiːz] *n* fromage *m; Fam (say)* **c.!** *(for photograph)* souriez!; **c. board** plateau *m* de fromages; **c. sandwich** sandwich *m* au fromage ▪ **cheeseburger** *n* cheeseburger *m* ▪ **cheesecake** *n* tarte *f* au fromage blanc

cheesed [tʃiːzd] *adj Fam* **to be c. (off)** en avoir marre (**with** de)

cheesy ['tʃiːzɪ] (-**ier**, -**iest**) *adj Fam* ringard

cheetah ['tʃiːtə] *n* guépard *m*

chef [ʃef] *n* chef *m (cuisinier)*

chemical 1 *adj* chimique **2** *n* produit *m* chimique

chemist ['kemɪst] *n Br (pharmacist)* pharmacien, -ienne *mf; (scientist)* chimiste *mf; Br* **c.'s shop** pharmacie *f* ▪ **chemistry** *n* chimie *f*

chemotherapy [kiːməʊ'θerəpɪ] *n Med* chimiothérapie *f*; **to have c.** faire de la chimiothérapie

cheque [tʃek] *n Br* chèque *m*; **c. card** carte *f* d'identité bancaire *(sans laquelle un chéquier n'est pas valable)* ▪ **chequebook** *n Br* carnet *m* de chèques

chequered ['tʃekəd] (*Am* **checkered**) *adj Br (pattern)* à carreaux; *Fig (career)* en dents de scie; *Sport* **c. flag** drapeau *m* à damier

cherish ['tʃerɪʃ] *vt (hope)* nourrir, caresser; *(person, memory)* chérir

cherry ['tʃerɪ] **1** *(pl* **-ies**) *n* cerise *f*; *(tree)* cerisier *m*; **c. brandy** cherry *m* **2** *adj* **c.(-red)** cerise *inv*

chess [tʃes] *n* échecs *mpl* ▪ **chessboard** *n* échiquier *m*

chest [tʃest] *n* (**a**) *(part of body)* poitrine *f*; *Fig* **to get it off one's c.** dire ce qu'on a sur le cœur (**b**) *(box)* coffre *m*; **c. of drawers** commode *f*

chestnut ['tʃesnʌt] **1** *n (nut)* châtaigne *f*; *(cooked)* châtaigne, marron *m*; **c. (tree)** châtaignier *m* **2** *adj (hair)* châtain

chew [tʃuː] **1** *vt* **to c. (up)** mâcher; **to c. one's nails** se ronger les ongles; *Fam* **to c. over** *(plan, problem)* réfléchir à **2** *vi* mastiquer ▪ **chewing gum** *n* chewing-gum *m*

chewy ['tʃuːɪ] *adj (meat)* caoutchouteux, -euse; *(sweet)* mou *(f* molle)

chick [tʃɪk] *n* (**a**) *(chicken)* poussin *m*; *(bird)* oisillon *m* (**b**) *Fam (girl)* nana *f*; **c. flick** = film qui plaît particulièrement aux femmes

chicken ['tʃɪkɪn] **1** *n* poulet *m*; *Fam* **it's c. feed!** c'est trois fois rien! **2** *adj Fam (cowardly)* froussard **3** *vi Fam* **to c. out** se dégonfler ▪ **chickenpox** *n* varicelle *f*

chickpea ['tʃɪkpiː] *n* pois *m* chiche

chicory ['tʃɪkərɪ] *n inv (for salad)* endive *f*; *(for coffee)* chicorée *f*

chief [tʃiːf] **1** *n* chef *m*; *Fam (boss)* patron *m*; *Mil* **c. of staff** chef d'état-major **2** *adj (most important)* principal; *Com* **c. executive** directeur *m* général ▪ **chiefly** *adv* principalement, surtout ▪ **chieftain** ['tʃiːftən] *n (of clan)* chef *m*

chilblain ['tʃɪlbleɪn] *n* engelure *f*

child [tʃaɪld] *(pl* **children**) *n* enfant *mf*; **it's c.'s play** c'est un jeu d'enfant; **c. abuse** mauvais traitements *mpl* à enfant, maltraitance *f*; *Br* **c. benefit** ≃ allocations *fpl* familiales; **c. care** *(for working parents)* crèches *fpl* et garderies *fpl*; *Br* **c. minder** assistante *f* maternelle ▪ **childbearing** *n (motherhood)* maternité *f*; **of c. age** en âge d'avoir des enfants ▪ **childbirth** *n* accouchement *m* ▪ **childhood** *n* enfance *f* ▪ **childish** *adj* puéril ▪ **childishness** *n* puérilité *f* ▪ **childlike** *adj* enfantin ▪ **childproof** *adj (lock, bottle)* que les enfants ne peuvent pas ouvrir

children ['tʃɪldrən] *pl of* **child**

Chile ['tʃɪlɪ] *n* le Chili

chill [tʃɪl] **1** *n* froid *m*; *(in feelings)* froideur *f*; *(illness)* refroidissement *m*; **to catch a c.** prendre froid **2** *vt (wine, melon)* mettre au frais; *(meat)* réfrigérer; **to c. sb** faire frissonner qn; **to be chilled to the bone** être transi; **chilled wine** vin *m* frappé; **chilled dessert** dessert *m* frais ▪ **chilled** *adj* (**a**) *(food, wine)* refroidi; **best served c.** servir très frais (**b**) *Fam (relaxed)* relax ▪ **chilling** *adj (frightening)* qui fait froid dans le dos ▪ **chilly** *adj* (**-ier, -iest**) froid; **it's c.** il fait (un peu) froid

▸ **chill out** *vi Fam* se détendre; **c. out!** relax!

chilli ['tʃɪlɪ] *(pl* **-is** *or* **-ies**) *n (plant)* piment *m* (rouge); *(dish)* **c. (con carne)** chili *m* (con carne); **c. powder** ≃ poivre *m* de Cayenne

chime [tʃaɪm] **1** *n (of bells)* carillon *m*; *(of clock)* sonnerie *f* **2** *vi (of bell)* carillonner; *(of clock)* sonner; *Fam* **to c. in** *(interrupt)* interrompre

chimney ['tʃɪmnɪ] *(pl* **-eys**) *n* cheminée *f* ▪ **chimneypot** *n Br* tuyau *m* de cheminée ▪ **chimneysweep** *n* ramoneur *m*

> Note that the French noun **cheminée** can be a false friend. It also means **fireplace** and **mantelpiece**.

chimpanzee [tʃɪmpæn'ziː] *n* chimpanzé *m*

chin [tʃɪn] *n* menton *m*; *Fig* **to keep one's c. up** tenir le coup

China ['tʃaɪnə] *n* la Chine ▪ **Chinese** [tʃaɪ'niːz] **1** *adj* chinois; *Br* **C. leaves,** *Am* **C. cabbage** chou *m* chinois **2** *n inv (person)* Chinois, -oise *mf*; *(language)* chinois *m*; *Fam (meal)* repas *m* chinois; *Fam (restaurant)* restaurant *m* chinois

china ['tʃaɪnə] **1** *n inv* porcelaine *f* **2** *adj* en porcelaine

chink [tʃɪŋk] **1** *n* (**a**) *(slit)* fente *f* (**b**) *(sound)* tintement *m* **2** *vt* faire tinter **3** *vi (of glasses)* tinter

chip [tʃɪp] **1** *n (splinter)* éclat *m*; *(break)* ébréchure *f*; *(counter)* jeton *m*; *Comptr* puce *f*; **chips** *Br (French fries)* frites *fpl*; *Am (crisps)* chips *fpl*; *Br* **c. shop** = boutique où l'on vend du poisson pané et des frites; *Fig* **to have a c. on one's shoulder** en vouloir à tout le monde **2** *(pt & pp* **-pp-**) *vt (cup, blade)* ébrécher; *(table)* abîmer; *(paint)* écailler; *(cut at) (stone, wood)* tailler **3** *vi Fam* **to c. in** *(contribute)* contribuer; *(interrupt)* mettre son grain de sel ▪ **chipboard** *n* aggloméré *m* ▪ **chippings** *npl* **road** *or* **loose c.** gravillons *mpl*

> Note that the French word **chips** is a false friend for British English speakers. It means **crisps**.

chiropodist [kɪ'rɒpədɪst] *n Br* pédicure *mf* ▪ **chiropody** *n Br* soins *mpl* du pied

chirp [tʃɜːp] **1** *n* pépiement *m* **2** *vi (of bird)* pépier

chirpy ['tʃɜːpɪ] (**-ier, -iest**) *adj* d'humeur joyeuse

chisel ['tʃɪzəl] **1** *n* ciseau *m* **2** *(Br* **-ll-,** *Am* **-l-**) *vt* ciseler

chitchat ['tʃɪttʃæt] *n Fam* bavardage *m*

chivalry ['ʃɪvəlrɪ] *n (courtesy)* courtoisie *f*; *(towards women)* galanterie *f*; *Hist (of knights)* chevalerie *f* ▪ **chivalrous** *adj (man)* galant

chives [tʃaɪvz] *npl* ciboulette *f*

chlorine ['klɔriːn] *n Chem* chlore *m*

chloroform ['klɒrəfɔːm] *n Chem* chloroforme *m*

choc-ice ['tʃɒkaɪs] *n Br* = glace individuelle enrobée de chocolat

chock [tʃɒk] **1** *n (wedge)* cale *f* **2** *vt* caler

chock-a-block [tʃɒkə'blɒk], **chock-full** [tʃɒk'fʊl] *adj Br Fam* archiplein

chocolate ['tʃɒklɪt] **1** *n* chocolat *m*; **drinking c.** chocolat en poudre; **hot c.** chocolat chaud; **milk/plain c.** chocolat au lait/à croquer **2** *adj (made of chocolate)* en chocolat; *(chocolate-flavoured)* au chocolat; *(colour)* chocolat *inv*; **c. egg** œuf *m* en chocolat ▪ **chocolate-coated** *adj* enrobé de chocolat

choice [tʃɔɪs] **1** *n* choix *m*; **to make a c.** choisir; **I had no c.** je n'ai pas eu le choix **2** *adj (goods)* de choix

choir ['kwaɪə(r)] *n* chœur *m* ▪ **choirboy** *n* jeune choriste *m*

choke [tʃəʊk] **1** *n (of car)* starter *m* **2** *vt (strangle)* étrangler; *(clog)* boucher **3** *vi* s'étrangler; **to c. with anger/laughter** s'étrangler de colère/de rire; **she choked on a fishbone** elle a failli s'étouffer avec une arête ▪ **choker** *n (necklace)* collier *m* (de chien)

cholera ['kɒlərə] *n* choléra *m*

cholesterol [kə'lestərɒl] *n* cholestérol *m*

choose [tʃuːz] **1** *(pt* **chose,** *pp* **chosen)** *vt* choisir; **to c. to do sth** choisir de faire qch **2** *vi* choisir; **as I/you/etc c.** comme il me/vous/etc plaît

choos(e)y ['tʃuːzɪ] **(choosier, choosiest)** *adj Fam* difficile **(about** sur)

chop [tʃɒp] **1** *n (of lamb, pork)* côtelette *f*; *Br Fam* **to get the c.** être flanqué à la porte **2** *(pt & pp* **-pp-)** *vt (wood)* couper (à la hache); *(food)* couper en morceaux; *(finely)* hacher; **to c. down** *(tree)* abattre; **to c. off** *(branch, finger)* couper; **to c. up** couper en morceaux **3** *vi* **to c. and change** changer sans cesse ▪ **chopper** *n (cleaver)* couperet *m*; *(axe)* hachette *f*; *Fam (helicopter)* hélico *m*

choppy ['tʃɒpɪ] **(-ier, -iest)** *adj (sea, river)* agité

chopsticks ['tʃɒpstɪks] *npl* baguettes *fpl (pour manger)*

choral ['kɔːrəl] *adj* choral; **c. society** chorale *f*

chord [kɔːd] *n Mus* accord *m*

chore [tʃɔː(r)] *n* corvée *f*; **(household) chores** travaux *mpl* du ménage; **to do the chores** faire le ménage

choreograph ['kɒrɪəgrɑːf] *vt* chorégraphier; *Fig* organiser ▪ **choreographer** [-'ɒgrəfə(r)] *n* chorégraphe *mf* ▪ **choreography** [-'ɒgrəfɪ] *n* chorégraphie *f*

chortle ['tʃɔːtəl] **1** *n* gloussement *m* (de joie) **2** *vi (laugh)* glousser (de joie)

chorus ['kɔːrəs] *n (of song)* refrain *m*; *(singers)* chœur *m*; *(dancers)* troupe *f*

chose [tʃəʊz] *pt of* **choose**

chosen ['tʃəʊzən] *pp of* **choose**

chowder ['tʃaʊdə(r)] *n Am Culin* = soupe de poissons épaisse

Christ [kraɪst] *n* le Christ ▪ **Christian** ['krɪstʃən] *adj & n* chrétien, -ienne *(mf)*; **C. name** prénom *m* ▪ **Christianity** [krɪstɪ'ænɪtɪ] *n* christianisme *m*

christen ['krɪsən] *vt (person, ship)* baptiser ▪ **christening** *n* baptême *m*

Christmas ['krɪsməs] **1** *n* Noël *m*; **at C. (time)** à Noël; **Merry** *or* **Happy C.!** Joyeux Noël! **2** *adj (tree, card, day, party)* de Noël; **C. Eve** la veille de Noël

chrome [krəʊm], **chromium** ['krəʊmɪəm] *n* chrome *m*

chronic ['krɒnɪk] *adj (disease, state)* chronique; *Fam (bad)* atroce

chronicle ['krɒnɪkəl] **1** *n* chronique *f* **2** *vt* faire la chronique de

chronology [krə'nɒlədʒɪ] *(pl* **-ies)** *n* chronologie *f* ▪ **chronological** [krɒnə'lɒdʒɪkəl] *adj* chronologique; **in c. order** par ordre chronologique

chronometer [krə'nɒmɪtə(r)] *n* chronomètre *m*

chrysanthemum [krɪ'sænθəməm] *n* chrysanthème *m*

chubby ['tʃʌbɪ] **(-ier, -iest)** *adj (person, hands)* potelé; *(cheeks)* rebondi

chuck [tʃʌk] *vt Fam (throw)* lancer; *(boyfriend, girlfriend)* plaquer; **to get chucked** se faire plaquer; **to c. away** *(old clothes)* balancer; *(money)* gaspiller; *(opportunity)* ficher en l'air; *Br* **to c. (in** *or* **up)** *(give up)* laisser tomber; **to c. out** *(throw away)* balancer; *(from house, school, club)* vider

chuckle ['tʃʌkəl] **1** *n* petit rire *m* **2** *vi* rire tout bas

chuffed [tʃʌft] *adj Br Fam* super content **(about** de)

chug [tʃʌg] *(pt & pp* **-gg-)** *vi* **to c. along** *(of vehicle)* avancer lentement; *(of train)* haleter

chum [tʃʌm] *n Fam* copain *m*, copine *f* ▪ **chummy (-ier, -iest)** *adj Fam* **to be c. with sb** être copain *(f* copine) avec qn

chunk [tʃʌŋk] *n (gros)* morceau *m*; *(of time)* partie *f* ▪ **chunky (-ier, -iest)** *adj Fam (person)* trapu; *(coat, sweater, material)* gros *(f* grosse)

church [tʃɜːtʃ] *n* église *f*; *(French Protestant)* temple *m*; **to go to c.** aller à l'église/au temple; **in c.** à l'église; **c. hall** salle *f* paroissiale ▪ **churchgoer** *n* pratiquant, -ante *mf* ▪ **churchyard** *n* cimetière *m*

churlish ['tʃɜːlɪʃ] *adj (rude)* grossier, -ière *(f)*; *(bad-tempered)* hargneux, -euse

churn [tʃɜːn] **1** *n (for making butter)* baratte *f*; *(milk can)* bidon *m* **2** *vt Pej* **to c. out** *(books)* pondre (en série); *(goods)* produire en série

chute [ʃuːt] *n Br (in pool, playground)* toboggan *m*; *(for rubbish)* vide-ordures *m inv*

chutney ['tʃʌtnɪ] n chutney m, = condiment épicé à base de fruits

CID [siːaɪ'diː] (abbr **Criminal Investigation Department**) n Br ≃ PJ f

cider ['saɪdə(r)] n cidre m

cigar [sɪ'gɑː(r)] n cigare m

cigarette [sɪgə'ret] n cigarette f; **c. end** mégot m; **c. lighter** briquet m

cinch [sɪntʃ] n Fam **it's a c.** (easy) c'est un jeu d'enfant; (sure) c'est sûr et certain

cinder ['sɪndə(r)] n cendre f; **burnt to a c.** carbonisé; Br **c. track** (for running) cendrée f

Cinderella [sɪndə'relə] n Cendrillon f

cine camera ['sɪnɪkæmrə] n Br caméra f

cinema ['sɪnəmə] n (art) cinéma m; Br (place) cinéma; Br **to go to the c.** aller au cinéma ▪ **cinemagoer** n Br cinéphile mf

cinnamon ['sɪnəmən] n cannelle f

circle ['sɜːkəl] **1** n (shape, group, range) cercle m; (around eyes) cerne m; Theatre balcon m; **to sit in a c.** s'asseoir en cercle; Fig **to go round in circles** tourner en rond; **in political circles** dans les milieux mpl politiques **2** vt (move round) tourner autour de; (surround) entourer (**with** de) **3** vi (of aircraft, bird) décrire des cercles

circuit ['sɜːkɪt] n (electrical path, journey, for motor racing) circuit m; (of entertainers, judge) tournée f; El **c. breaker** disjoncteur m ▪ **circuitous** [sɜː'kjuːɪtəs] adj (route, means) indirect

circular ['sɜːkjʊlə(r)] **1** adj circulaire **2** n (letter) circulaire f; (advertisement) prospectus m

circulate ['sɜːkjʊleɪt] **1** vt faire circuler **2** vi circuler ▪ **circulation** [-'leɪʃən] n (of air, blood, money) circulation f; (of newspaper) tirage m; Fam **to be in c.** (person) être dans le circuit

circumcise ['sɜːkəmsaɪz] vt circoncire ▪ **circumcised** adj circoncis ▪ **circumcision** [-'sɪʒən] n circoncision f

circumference [sɜː'kʌmfərəns] n circonférence f

circumflex ['sɜːkəmfleks] n & adj **c. (accent)** accent m circonflexe

circumspect ['sɜːkəmspekt] adj circonspect

circumstance ['sɜːkəmstæns] n circonstance f; **circumstances** (financial) situation f financière; **in** or **under the circumstances** étant donné les circonstances; **in** or **under no circumstances** en aucun cas ▪ **circumstantial** [-'stænʃəl] adj Law **c. evidence** preuves fpl indirectes; **on c. evidence** sur la base de preuves indirectes

circumvent [sɜːkəm'vent] vt (rule, law, difficulty) contourner

circus ['sɜːkəs] n cirque m

cirrhosis [sɪ'rəʊsɪs] n Med cirrhose f

CIS (abbr **Commonwealth of Independent States**) n CEI f

cistern ['sɪstən] n citerne f; (for lavatory) réservoir m de chasse d'eau

citadel ['sɪtədəl] n citadelle f

cite [saɪt] vt (quote, commend) citer ▪ **ci'tation** n citation f

citizen ['sɪtɪzən] n citoyen, -enne mf; (of city) habitant, -ante mf ▪ **citizenship** n citoyenneté f; Br Sch instruction f civique

citrus ['sɪtrəs] adj **c. fruit(s)** agrumes mpl

city ['sɪtɪ] (pl **-ies**) n (grande) ville f, cité f; Br **the C.** la City (quartier des affaires de Londres); **c. centre** centre-ville m; **c. dweller** citadin, -ine mf; Am **c. hall** hôtel m de ville

civic ['sɪvɪk] adj (duty) civique; **c. centre** salle f municipale ▪ **civics** n Am Sch instruction f civique

civil ['sɪvəl] adj **(a)** (rights, war, marriage) civil; **c. servant** fonctionnaire mf; **c. service** fonction f publique **(b)** (polite) civil ▪ **civility** [sɪ'vɪlɪtɪ] n politesse f

civilian [sɪ'vɪljən] adj & n civil, -ile (mf)

civilize ['sɪvɪlaɪz] vt civiliser ▪ **civilization** [-'zeɪʃən] n civilisation f

civvies ['sɪvɪz] npl Fam **in c.** en civil

clad [klæd] adj Literary vêtu (**in** de)

claim [kleɪm] **1** n (demand) (for damages, compensation) demande f d'indemnisation; (as a right) revendication f; (statement) affirmation f, (right) droit m (**to** à); (insurance) **c.** demande d'indemnité; **to lay c. to sth** revendiquer qch **2** vt (as a right) réclamer, revendiquer; (payment, benefit, reduction) demander à bénéficier de; **to c. damages (from sb)** réclamer des dommages et intérêts (à qn); **to c. that...** (assert) prétendre que... ▪ **claimant** n Br (for social benefits, insurance) demandeur, -euse mf

clairvoyant [kleə'vɔɪənt] n voyant, -ante mf

clam [klæm] **1** n palourde f **2** (pt & pp **-mm-**) vi Fam **to c. up** (stop talking) se fermer comme une huître

clamber ['klæmbə(r)] vi **to c. up** grimper

clammy ['klæmɪ] (**-ier, -iest**) adj (hands) moite (et froid)

clamour ['klæmə(r)] (Am **clamor**) **1** n clameur f **2** vi **to c. for sth** demander qch à grands cris

clamp [klæmp] **1** n (clip-like) pince f; (in carpentry) serre-joint m; (wheel) **c.** (for vehicle) sabot m (de Denver) **2** vt serrer; (vehicle) mettre un sabot à **3** vi Fam **to c. down on** sévir contre ▪ **clampdown** n Fam coup m d'arrêt (**on** à)

clan [klæn] n also Fig clan m

clandestine [klæn'destɪn] adj clandestin

clang [klæŋ] n son m métallique

clanger ['klæŋə(r)] n Br Fam gaffe f; **to drop a c.** faire une gaffe

clap [klæp] **1** n battement m de mains; (on back) tape f; (of thunder) coup m **2** (pt & pp **-pp-**) vti (applaud) applaudir; **to c. (one's hands)** applaudir; (once) frapper dans ses mains

▪ **'clapped-'out** adj Br Fam (person) crevé; (car, machine) pourri ▪ **clapping** n applaudissements mpl

claptrap ['klæptræp] n Fam bêtises fpl; **to talk c.** dire des bêtises

claret ['klærət] n (wine) bordeaux m rouge

clarify ['klærɪfaɪ] (pt & pp **-ied**) vt clarifier ▪ **clarification** [-ɪ'keɪʃən] n clarification f

clarinet ['klærɪ'net] n clarinette f

clarity ['klærətɪ] n (of expression, argument) clarté f; (of sound) pureté f; (of water) transparence f

clash [klæʃ] 1 n (noise) fracas m; (of interests) conflit m; (of events) coïncidence f 2 vi (of objects) s'entrechoquer; (of interests, armies) s'affronter; (of colours) jurer (with avec); (coincide) tomber en même temps (with que)

clasp [klɑːsp] 1 n (fastener) fermoir m; (of belt) boucle f 2 vt (hold) serrer; **to c. one's hands** joindre les mains

class [klɑːs] n classe f; (lesson) cours m; Br (university grade) mention f; Am **the c. of 2003** la promotion de 2003; **to have c.** avoir de la classe 2 vt classer (**as** comme) ▪ **classmate** n camarade mf de classe ▪ **classroom** n (salle f de) classe f

classic ['klæsɪk] 1 adj classique 2 n (writer, work) classique m ▪ **classical** adj classique

classify ['klæsɪfaɪ] (pt & pp **-ied**) vt classer ▪ **classification** [-fɪ'keɪʃən] n classification f ▪ **classified** adj (information, document) confidentiel, -ielle; **c. advertisement** petite annonce f

classy ['klɑːsɪ] (**-ier, -iest**) adj Fam chic inv

clatter ['klætə(r)] n fracas m

clause [klɔːz] n (in sentence) proposition f; (in legal document) clause f

claustrophobia [klɔːstrə'fəʊbɪə] n claustrophobie f ▪ **claustrophobic** adj (person) claustrophobe; (room, atmosphere) oppressant

claw [klɔː] 1 n (of lobster) pince f; (of cat, sparrow) griffe f; (of eagle) serre f 2 vt (scratch) griffer; **to c. back** (money) récupérer

clay [kleɪ] n argile f

clean [kliːn] 1 (**-er, -est**) adj propre; (clear-cut) net (f nette); (joke) pour toutes les oreilles; (game, fight) dans les règles; **c. living** vie f saine; **a c. record** (of suspect) un casier judiciaire vierge; **to have a c. driving licence** avoir tous ses points sur son permis de conduire; **to make a c. breast of it, to come c.** tout avouer

2 adv (utterly) complètement; **to break c.** (se) casser net; **to cut c.** couper net

3 n **to give sth a c.** nettoyer qch

4 vt nettoyer; (wash) laver; **to c. one's teeth** se brosser ou se laver les dents; **to c. out** (room) nettoyer à fond; (empty) vider; **to c. up** (room) nettoyer; Fig (reform) épurer

5 vi **to c. (up)** faire le nettoyage ▪ **clean-cut** adj net (f nette) ▪ **cleaner** n (in home) femme f de ménage; (dry) **c.** teinturier, -ière mf ▪ **cleaning** n nettoyage m; (housework) ménage m; **c. lady** femme f de ménage ▪ **'clean-'living** adj honnête ▪ **cleanly** adv (break, cut) net ▪ **cleanness** n propreté f ▪ **'clean-'shaven** adj (with no beard or moustache) glabre; (closely shaven) rasé de près ▪ **clean-up** n Fig purge f

cleanliness ['klenlɪnɪs] n propreté f

cleanse [klenz] vt nettoyer; Fig (soul, person) purifier (of de); **cleansing cream** crème f démaquillante ▪ **cleanser** n (for skin) démaquillant m

clear [klɪə(r)] 1 (**-er, -est**) adj (sky, water, sound, thought) clair; (glass) transparent; (outline, photo, skin, majority) net (f nette); (road) libre; (winner) incontesté; (obvious) évident, clair; (certain) certain; **on a c. day** par temps clair; **all c.!** la voie est libre!; **to make oneself (completely** or **abundantly) c.** se faire (bien) comprendre; **it is c. that...** il est évident ou clair que...; **I wasn't c. what she meant** je n'étais pas sûr de la comprendre; **to have a c. conscience** avoir la conscience tranquille; **two c. weeks** (complete) deux semaines entières; **c. profit** bénéfice m net

2 adv **c. of** (away from) à l'écart de; **to keep** or **steer c. of** se tenir à l'écart de; **to get c. of** (away from) s'éloigner de

3 vt (table) débarrasser; (road, area) dégager; (land) défricher; (fence) franchir (sans toucher); (obstacle) éviter; (accused person) disculper; (cheque) compenser; (debts, goods) liquider; (through customs) dédouaner; (for security) autoriser; **to c. one's throat** s'éclaircir la gorge

4 vi (of weather) s'éclaircir; (of fog) se dissiper ▪ **clearing** n (in woods) clairière f ▪ **clearly** adv (explain, write) clairement; (see, understand) bien; (obviously) évidemment ▪ **clearness** n (of sound) clarté f, netteté f; (of mind) lucidité f

▸ **clear away** 1 vt sep (remove) enlever 2 vi (of fog) se dissiper

▸ **clear off** vi Fam (leave) filer

▸ **clear out** vt sep (empty) vider; (clean) nettoyer; (remove) enlever

▸ **clear up** 1 vt sep (mystery) éclaircir; (room) ranger 2 vi (of weather) s'éclaircir; (of fog) se dissiper; (tidy) ranger

clearance ['klɪərəns] n (sale) liquidation f; (space) dégagement m; (permission) autorisation f

clear-cut [klɪə'kʌt] adj net (f nette)

clear-headed [klɪə'hedɪd] adj lucide

cleavage ['kliːvɪdʒ] n (split) clivage m; (of woman) décolleté m

clef [klef] n Mus clef f

cleft [kleft] **1** n fissure f **2** adj Anat **c. palate** palais m fendu

clement ['klemənt] adj (person, weather) clément ▪ **clemency** n clémence f

clementine ['kleməntaɪn] n clémentine f

clench [klentʃ] vt to c. one's fist/teeth serrer le poing/les dents

clergy ['klɜːdʒɪ] n clergé m ▪ **clergyman** (pl **-men**) n ecclésiastique m

cleric ['klerɪk] n Rel ecclésiastique m ▪ **clerical** adj (job) d'employé; (work) de bureau; (error) d'écriture; Rel clérical

clerk [Br klɑːk, Am klɜːk] n employé, -ée mf de bureau; Am (in store) vendeur, -euse mf; Law **c. of the court** greffier m

clever ['klevə(r)] (-er, -est) adj intelligent; (smart, shrewd) astucieux, -ieuse; (skilful) habile (**at sth** à qch; **at doing** à faire); (ingenious) (machine, plan) ingénieux, -ieuse; (gifted) doué; **c. at English** fort en anglais; **c. with one's hands** adroit de ses mains ▪ **cleverly** adv intelligemment; (ingeniously) astucieusement; (skilfully) habilement ▪ **cleverness** n intelligence f; (ingenuity) astuce f; (skill) adresse f

cliché ['kliːʃeɪ] n cliché m

click [klɪk] **1** n bruit m sec; Comptr (of mouse) clic m; Comptr **d. click** double-clic m **2** vt to c. one's heels claquer des talons; **to c. one's tongue** faire claquer sa langue **3** vi faire un bruit sec; Comptr (with mouse) cliquer; Fam (of lovers) se plaire du premier coup; Fam **it suddenly clicked** ça a fait tilt; Comptr **to c. on sth** cliquer sur qch; Comptr **to double c. on sth** faire un double-clic sur qch

client ['klaɪənt] n client, -iente mf ▪ **clientele** [kliːənˈtel] n clientèle f

cliff [klɪf] n falaise f

climate ['klaɪmɪt] n (weather) & Fig (conditions) climat m; **c. of opinion** opinion f générale ▪ **climatic** [-ˈmætɪk] adj (changes) climatique

climax ['klaɪmæks] **1** n point m culminant; (sexual) orgasme m **2** vi atteindre son point culminant; (sexually) atteindre l'orgasme

climb [klaɪm] **1** n montée f **2** vt to c. (up) (steps, hill) gravir; (mountain) faire l'ascension de; (tree, ladder) grimper à; **to c. (over)** (wall) escalader; **to c. down (from)** (wall, tree) descendre de; (hill) descendre **3** vi (of plant) grimper; **to c. (up)** (steps, tree, hill) monter; **to c. down** descendre; Fig (back down) revenir sur sa décision ▪ **climber** n grimpeur, -euse mf; (mountaineer) alpiniste mf; (on rocks) varappeur, -euse mf; (plant) plante f grimpante ▪ **climbing** n montée f; (mountain) alpinisme m; (rock-)c. varappe f; **c. frame** cage f à poule

climb-down ['klaɪmdaʊn] n reculade f

clinch [klɪntʃ] vt (deal) conclure

cling [klɪŋ] (pt & pp clung) vi s'accrocher (**to** à); (stick) adhérer (**to** à) ▪ **clinging** adj (clothes) collant

clingfilm ['klɪŋfɪlm] n Br film m alimentaire

clinic ['klɪnɪk] n Br (private) clinique f; (part of hospital) service m ▪ **clinical** adj Med clinique; Fig (attitude) froid

clink [klɪŋk] **1** n tintement m **2** vt faire tinter **3** vi tinter

clip [klɪp] **1** n (**a**) (fastener) attache f; (for paper) trombone m; (of brooch, of cyclist, for hair) pince f; (**b**) (of film) extrait m (**c**) Br Fam (blow) taloche f (**d**) Comptr **c. art** clipart m **2** (pt & pp **-pp-**) vt (paper) attacher (avec un trombone); (cut) couper; (hedge) tailler; (ticket) poinçonner; (sheep) tondre; **to c. sth out of** (newspaper) découper qch dans; **to c. (on)** (attach) attacher (**to** à) **3** vi **to c. together** s'emboîter ▪ **clippers** npl (for hair) tondeuse f; (for fingernails) coupe-ongles m inv ▪ **clipping** n Am (from newspaper) coupure f

clique [kliːk] n Pej clique f ▪ **cliquey** adj Pej très fermé

cloak [kləʊk] n cape f ▪ **cloakroom** n vestiaire m; Br (lavatory) toilettes fpl

clobber[1] ['klɒbə(r)] n Br Fam (clothes) fringues fpl; (belongings) barda m

clobber[2] ['klɒbə(r)] vt Fam (hit) tabasser

clock [klɒk] **1** n (large) horloge f; (small) pendule f; Br Fam (mileometer) compteur m; **a race against the c.** une course contre la montre; **round the c.** vingt-quatre heures sur vingt-quatre; **to put the clocks forward/back** (in spring, autumn) avancer/retarder les pendules; Fig **to turn the c. back** revenir en arrière; **c. radio** radioréveil m; **c. tower** clocher m **2** vt (measure speed of) chronométrer **3** vi **to c. in** or **out** (of worker) pointer ▪ **clockwise** adv dans le sens des aiguilles d'une montre

clockwork ['klɒkwɜːk] **1** adj (toy) mécanique **2** n **to go like c.** marcher comme sur des roulettes

clod [klɒd] n (**a**) (of earth) motte f (**b**) Fam (oaf) balourd, -ourde mf

clog [klɒg] **1** n (shoe) sabot m **2** (pt & pp **-gg-**) vt to c. (up) (obstruct) boucher

cloister ['klɔɪstə(r)] **1** n cloître m **2** vt cloîtrer

clone [kləʊn] **1** n clone m **2** vt cloner ▪ **cloning** n clonage m

close[1] [kləʊs] **1** (-er, -est) adj (in distance, time, relationship) proche; (collaboration, resemblance, connection) étroit; (friend) intime; (contest) serré; (study) rigoureux, -euse; Ling (vowel) fermé; Br **the weather is c., it's c.** il fait lourd; Br **it's c. in this room** cette pièce est mal aérée; **c. to** (near) près de, proche de; **c. to tears** au bord des larmes; **I'm very c. to her** (friendly) je suis très proche d'elle; **that was a c. shave** or **call** il s'en est fallu de peu

2 adv c. (by), c. at hand tout près; c. behind juste derrière; Fam c. on (almost) pas loin de; we stood/sat c. together nous étions debout/assis serrés les uns contre les autres; to follow c. behind suivre de près; to hold sb c. tenir qn contre soi ▪'close-'cropped adj (hair) coupé ras ▪'close-'fitting adj (clothes) ajusté ▪'close-'knit adj (group, family) très uni ▪closely adv (follow, guard) de près; (listen, examine) attentivement; c. linked étroitement lié (to à); c. contested très disputé ▪closeness n proximité f; (of collaboration) étroitesse f; (of friendship) intimité f; Br (of weather) lourdeur f ▪close-up n gros plan m

close² [kləʊz] **1** n (end) fin f; to bring to a c. mettre fin à; to draw to a c. tirer à sa fin

2 vt (door, shop, account, book, eye) fermer; (discussion) clore; (opening) boucher; (road) barrer; (gap) réduire; (deal) conclure; to c. the meeting lever la séance; to c. ranks serrer les rangs

3 vi (of door) se fermer; (of shop) fermer; (of wound) se refermer; (of meeting, festival) se terminer ▪closed adj (door, shop) fermé; c.-circuit television télévision f en circuit fermé; behind c. doors à huis clos ▪close-down n fermeture f (définitive); TV fin f des émissions ▪closing **1** n fermeture f; (of session) clôture f **2** adj (words, remarks) dernier, -ière; c. date (for application) date f limite; c. speech discours m de clôture; c. time heure f de fermeture ▪closure ['kləʊʒə(r)] n fermeture f (définitive)

▸ **close down 1** vt sep (business, factory) fermer (définitivement) **2** vi (of TV station) terminer les émissions; (of business, factory) fermer (définitivement)

▸ **close in 1** vt sep (enclose) enfermer **2** vi (approach) approcher; to c. in on sb se rapprocher de qn

▸ **close up 1** vt sep fermer **2** vi (of shopkeeper) fermer; (of wound) se refermer; (of line of people) se resserrer

closet ['klɒzɪt] n Am (cupboard) placard m; (wardrobe) penderie f; Fig to come out of the c. révéler son homosexualité

clot [klɒt] **1** n (of blood) caillot m; Br Fam (person) andouille f **2** (pt & pp -tt-) vt (blood) coaguler **3** vi (of blood) (se) coaguler

cloth [klɒθ] n tissu m; (of linen) toile f; (for dusting) chiffon m; (for dishes) torchon m; (tablecloth) nappe f

clothe [kləʊð] vt vêtir (in de) ▪clothing n (clothes) vêtements mpl; an article of c. un vêtement

clothes [kləʊðz] npl vêtements mpl; to put one's c. on s'habiller; to take one's c. off se déshabiller; c. brush brosse f à habits; c. line

corde f à linge; Br c. peg, Am c. pin pince f à linge; c. shop magasin m de vêtements

cloud [klaʊd] **1** n nuage m; Fig (of arrows, insects) nuée f **2** vt (window, mirror) embuer; (mind) obscurcir; (judgement) affecter **3** vi to c. (over) (of sky) se couvrir ▪cloudburst n averse f ▪cloudy (-ier, -iest) adj (weather, sky) nuageux, -euse; (liquid) trouble; it's c., it's a c. day le temps est couvert

clout [klaʊt] Fam **1** n (blow) taloche f; (influence) influence f; to have (plenty of) c. avoir le bras long **2** vt (hit) flanquer une taloche à

clove [kləʊv] n (spice) clou m de girofle; c. of garlic gousse f d'ail

clover ['kləʊvə(r)] n trèfle m

clown [klaʊn] **1** n clown m **2** vi to c. around or about faire le clown

cloying ['klɔɪɪŋ] adj (smell, sentiments) écœurant

club [klʌb] **1** n (a) (society) club m (b) (nightclub) boîte f de nuit (c) (weapon) massue f; (in golf) club m (d) Cards clubs trèfle m **2** (pt & pp -bb-) vt frapper avec une massue **3** vi (a) Br to c. together se cotiser (to buy sth pour acheter qch) (b) to go clubbing aller en boîte ▪clubhouse n pavillon m ▪club soda n Am eau f gazeuse

cluck [klʌk] vi (of hen) glousser

clue [kluː] n indice m; (of crossword) définition f; Fam I don't have a c. je n'en ai pas la moindre idée ▪clueless adj Br Fam nul (f nulle)

clump [klʌmp] n (of flowers, trees) massif m

clumsy ['klʌmzɪ] (-ier, -iest) adj maladroit; (tool) peu commode ▪clumsily adv maladroitement ▪clumsiness n maladresse f

clung [klʌŋ] pt & pp of **cling**

cluster ['klʌstə(r)] **1** n groupe m; (of stars) amas m **2** vi se grouper

clutch [klʌtʃ] **1** n (a) (in car) embrayage m; (pedal) pédale f d'embrayage; to let in/out the c. embrayer/débrayer (b) to fall into/escape from sb's clutches tomber dans les griffes/ s'échapper des griffes de qn **2** vt tenir fermement **3** vi to c. at essayer de saisir

clutter ['klʌtə(r)] **1** n (objects) désordre m **2** vt to c. (up) (room, table) encombrer (with de)

cm (abbr centimetre(s)) n(pl) cm m(pl)

Co (abbr company) n Cie f

co- [kəʊ] pref co-

c/o (abbr care of) (on envelope) chez

coach [kəʊtʃ] **1** n (a) Br (train carriage) voiture f, wagon m; Br (bus) car m; (horse-drawn) carrosse m (b) (for sports) entraîneur, -euse mf **2** vt (sportsman, team) entraîner; to c. sb for an exam préparer qn pour un examen (en lui donnant des leçons particulières)

coal [kəʊl] **1** n charbon m **2** adj (merchant, fire) de charbon; (cellar, bucket) à charbon; c. industry industrie f houillère ▪coalfield n bassin *m* houiller ■**coalmine** *n* mine *f* de charbon ■**coalminer** *n* mineur *m*

coalition [kəʊə'lɪʃən] *n* coalition *f*

coarse [kɔːs] (**-er, -est**) *adj (person, manners)* grossier, -ière, vulgaire; *(accent)* vulgaire; *(surface, fabric)* grossier; **to have c. hair** avoir les cheveux épais; **c. salt** gros sel *m* ■**coarsely** *adv* grossièrement

coast [kəʊst] 1 *n* côte *f*; *Fig* **the c. is clear** la voie est libre 2 *vi* **to c.** (**down** *or* **along**) *(of vehicle, bicycle)* descendre en roue libre ■**coastal** *adj* côtier, -ière ■**coastguard** *n (person)* garde-côte *m* ■**coastline** *n* littoral *m*

coaster ['kəʊstə(r)] *n (for glass)* dessous-de-verre *m inv*

coat [kəʊt] 1 *n* manteau *m*; *(overcoat)* pardessus *m*; *(jacket)* veste *f*; *(of animal)* pelage *m*; *(of paint)* couche *f*; **c. hanger** cintre *m*; **c. of arms** armoiries *fpl* 2 *vt* couvrir (**with** de); *(with chocolate, sugar)* enrober (**with** de) ■**coating** *n* couche *f*

coax [kəʊks] *vt* enjôler; **to c. sb to do** *or* **into doing sth** amener qn à faire qch par des cajoleries; **she needed coaxing** elle s'est fait tirer l'oreille ■**coaxing** *n* cajoleries *fpl*

cob [kɒb] *n (of corn)* épi *m*

cobble ['kɒbəl] 1 *n* pavé *m* 2 *vt Fam* **to c. together** *(text, compromise)* bricoler ■**cobbled** *adj (street)* pavé ■**cobble-stone** *n* pavé *m*

cobbler ['kɒblə(r)] *n* cordonnier *m*

cobra ['kəʊbrə] *n (snake)* cobra *m*

cobweb ['kɒbweb] *n* toile *f* d'araignée

Coca-Cola® [kəʊkə'kəʊlə] *n* Coca-Cola® *m*

cocaine [kəʊ'keɪn] *n* cocaïne *f*

cock [kɒk] 1 *n (rooster)* coq *m*; *(male bird)* mâle *m* 2 *vt (gun)* armer; **to c. one's ears** *(listen carefully)* dresser l'oreille ■**cock-a-doodle-'doo** *n & exclam* cocorico (*m*) ■**cock-and-'bull story** *n* histoire *f* à dormir debout

cockatoo [kɒkə'tuː] *n* cacatoès *m*

cocker ['kɒkə(r)] *n* **c.** (**spaniel**) cocker *m*

cockerel ['kɒkərəl] *n* jeune coq *m*

cock-eyed [kɒk'aɪd] *adj Fam (plan, idea)* farfelu

cockle ['kɒkəl] *n (shellfish)* coque *f*

cockney ['kɒknɪ] *adj & n* cockney (*mf*) *(natif des quartiers est de Londres)*

cockpit ['kɒkpɪt] *n (of aircraft)* poste *m* de pilotage

cockroach ['kɒkrəʊtʃ] *n* cafard *m*

cocksure [kɒk'ʃʊə(r)] *adj Fam* présomptueux, -ueuse

cocktail ['kɒkteɪl] *n* cocktail *m*; **fruit c.** macédoine *f* de fruits; **prawn c.** crevettes *fpl* à la mayonnaise; **c. party** cocktail *m*

cocky ['kɒkɪ] (**-ier, -iest**) *adj Fam* culotté

cocoa ['kəʊkəʊ] *n* cacao *m*

coconut ['kəʊkənʌt] *n* noix *f* de coco

cocoon [kə'kuːn] *n* cocon *m*

COD [siːəʊ'diː] *(abbr* **cash on delivery**) *n Br Com* paiement *m* à la livraison

cod [kɒd] *n* morue *f*; *(as food)* cabillaud *m* ■**cod-liver 'oil** *n* huile *f* de foie de morue

coddle ['kɒdəl] *vt* dorloter

code [kəʊd] 1 *n* code *m*; **in c.** *(letter, message)* codé; **c. number** numéro *m* de code; **c. word** code 2 *vt* coder ■**coding** *n* codage *m*

codeine ['kəʊdiːn] *n* codéine *f*

codify ['kəʊdɪfaɪ] *(pt & pp* **-ied**) *vt* codifier

co-educational [kəʊedjʊ'keɪʃənəl] *adj (school, teaching)* mixte

coefficient [kəʊɪ'fɪʃənt] *n Math* coefficient *m*

coerce [kəʊ'ɜːs] *vt* contraindre (**sb into doing** qn à faire) ■**coercion** *n* contrainte *f*

coexist [kəʊɪg'zɪst] *vi* coexister ■**coexistence** *n* coexistence *f*

coffee ['kɒfɪ] 1 *n* café *m*; **c. with milk,** *Br* **white c.** café au lait; **black c.** café noir; *Br* **c. bar** *or* **shop** café; **c. break** pause-café *f*; **c. cup** tasse *f* à café; **c. pot** cafetière *f*; **c. table** table *f* basse 2 *adj* **c.(-coloured)** café au lait *inv*

coffin ['kɒfɪn] *n* cercueil *m*

cog [kɒg] *n* dent *f*

cogitate ['kɒdʒɪteɪt] *vi Fml* méditer

cognac ['kɒnjæk] *n* cognac *m*

cohabit [kəʊ'hæbɪt] *vi* vivre en concubinage (**with** avec)

coherent [kəʊ'hɪərənt] *adj (logical)* cohérent; *(way of speaking)* compréhensible, intelligible ■**cohesion** [-'hiːʒən] *n* cohésion *f*

coil [kɔɪl] 1 *n (of wire, rope)* rouleau *m*; *(single loop) (of hair)* boucle *f*; *(of snake)* anneau *m*; *(electrical)* bobine *f*; *(contraceptive)* stérilet *m* 2 *vt (rope, hair, hose)* enrouler (**around** autour de) 3 *vi (of snake)* s'enrouler (**around** autour de)

coin [kɔɪn] 1 *n* pièce *f* (de monnaie); *Am* **c. bank** tirelire *f* 2 *vt (money)* frapper; *Fig (word)* inventer; **to c. a phrase...** pour ainsi dire... ■**coinage** *n (coins)* monnaie *f*; *Fig* invention *f*; **a recent c.** *(word)* un mot de formation récente ■**coin-'operated** *adj (machine)* à pièces

coincide [kəʊɪn'saɪd] *vi* coïncider (**with** avec) ■**coincidence** [-'ɪnsɪdəns] *n* coïncidence *f* ■**coincidental** [-sɪ'dentəl] *adj (resemblance)* fortuit; **it's c.** c'est une coïncidence

coke [kəʊk] *n (fuel)* coke *m*; *(Coca-Cola®)* Coca® *m inv*

colander ['kʌləndə(r)] *n (for vegetables)* passoire *f*

cold [kəʊld] 1 (**-er, -est**) *adj* froid; **to be** *or* **feel c.** *(of person)* avoir froid; **to feel the c.** être frileux, -euse; **my hands are c.** j'ai froid aux mains; **it's c.** *(of weather)* il fait froid; **to get c.** *(of weather)* se refroidir; *(of food)* refroidir; **I'm getting c.** je commence à avoir froid; *Fam* **to get c. feet** se dégonfler; **in c. blood** de sang-froid; **c. cream** cold-cream *m*; *Br* **c. meats,** *Am*

c. cuts viandes *fpl* froides; **c. sore** bouton *m* de fièvre; **c. war** guerre *f* froide
2 *n* (**a**) *(temperature)* froid *m*; **to be out in the c.** être dehors dans le froid; *Fig* **to be left out in the c.** rester sur la touche (**b**) *(illness)* rhume *m*; **a bad** *or* **nasty c.** un gros rhume; **to have a c.** être enrhumé; **to catch a c.** attraper un rhume; **to get a c.** s'enrhumer ▪ **coldly** *adv* avec froideur ▪ **coldness** *n* froideur *f*

cold-blooded [ˈkəʊldblʌdɪd] *adj (person)* insensible; *(murder)* commis de sang-froid

cold-shoulder [kəʊldˈʃəʊldə(r)] *vt* snober

coleslaw [ˈkəʊlslɔː] *n* = salade de chou cru à la mayonnaise

colic [ˈkɒlɪk] *n* coliques *fpl*

collaborate [kəˈlæbəreɪt] *vi* collaborer (**on** à) ▪ **collaboration** [-ˈreɪʃən] *n* collaboration *f* ▪ **collaborator** *n* collaborateur, -trice *mf*

collage [ˈkɒlɑːʒ] *n (picture)* collage *m*

collapse [kəˈlæps] **1** *n* effondrement *m*; *(of government)* chute *f* **2** *vi (of person, building)* s'effondrer; *(faint)* se trouver mal; *(of government)* tomber ▪ **collapsible** *adj (chair)* pliant

collar [ˈkɒlə(r)] *n (on garment)* col *m*; *(of dog)* collier *m*; **to seize sb by the c.** saisir qn au collet ▪ **collarbone** *n* clavicule *f*

collate [kəˈleɪt] *vt (documents) (gather)* rassembler; *(compare)* collationner

collateral [kɒˈlætərəl] **1** *n Law & Fin (guarantee)* nantissement *m* **2** *adj* parallèle; *Law* collatéral; **c. damage** dégâts *mpl* ou dommages *mpl* collatéraux

colleague [ˈkɒliːg] *n* collègue *mf*

collect [kəˈlekt] **1** *vt (pick up)* ramasser; *(gather)* rassembler; *(information)* recueillir; *(taxes)* percevoir; *(rent)* encaisser; *(stamps)* collectionner; **to c. money** *(in street, church)* quêter; **to c. sb** *(pick up)* passer prendre qn **2** *vi (of dust)* s'accumuler; *(of people)* se rassembler; *(in street, church)* quêter (**for** pour) **3** *adv Am* **to call** *or* **phone sb c.** téléphoner à qn en PCV

collection [kəˈlekʃən] *n (of objects, stamps)* collection *f*; *(of poems)* recueil *m*; *(of money for church)* quête *f*; *(of mail, taxes)* levée *f*; *Br (of twigs, rubbish)* ramassage *m*

collective [kəˈlektɪv] *adj* collectif, -ive ▪ **collectively** *adv* collectivement

collector [kəˈlektə(r)] *n (of stamps)* collectionneur, -euse *mf*

college [ˈkɒlɪdʒ] *n Br (of further education)* établissement *m* d'enseignement supérieur; *Br (part of university)* = association d'enseignants et d'étudiants d'une même université qui dispose d'une semi-autonomie administrative; *Am (university)* université *f*; *Pol & Rel* collège *m*; **to be at c.** être étudiant; **c. of music** conservatoire *m* de musique

collide [kəˈlaɪd] *vi* entrer en collision (**with** avec) ▪ **collision** [-ˈlɪʒən] *n* collision *f*

colliery [ˈkɒlɪərɪ] *(pl* -**ies**) *n Br* houillère *f*

colloquial [kəˈləʊkwɪəl] *adj* familier, -ière ▪ **colloquialism** *n* expression *f* familière

collywobbles [ˈkɒlɪwɒbəlz] *npl Br Fam* **to have the c.** *(feel nervous)* avoir la frousse

cologne [kəˈləʊn] *n* eau *f* de Cologne

colon [ˈkəʊlən] *n* (**a**) *(punctuation mark)* deux-points *m* (**b**) *Anat* côlon *m*

colonel [ˈkɜːnəl] *n* colonel *m*

colonial [kəˈləʊnɪəl] *adj* colonial

colonize [ˈkɒlənaɪz] *vt* coloniser ▪ **colonization** [-ˈzeɪʃən] *n* colonisation *f*

colony [ˈkɒlənɪ] *(pl* -**ies**) *n* colonie *f*

colossal [kəˈlɒsəl] *adj* colosse

colour [ˈkʌlə(r)] *(Am* **color**) **1** *n* couleur *f* **2** *adj (photo, television)* en couleurs; *(television set)* couleur *inv*; *(problem)* racial; **c. supplement** *(of newspaper)* supplément *m* en couleurs; **to be off c.** *(of person)* ne pas être dans son assiette **3** *vt* colorer; **to c. (in)** *(drawing)* colorier ▪ **coloured** *(Am* **colored**) *adj (person, pencil)* de couleur; *(glass, water)* coloré ▪ **colouring** *(Am* **coloring**) *n (in food)* colorant *m*; *(complexion)* teint *m*; *(with crayons)* coloriage *m*; *(shade, effect)* coloris *m*; *(blend of colours)* couleurs *fpl*; **c. book** album *m* de coloriages

colour-blind [ˈkʌləblaɪnd] *(Am* **color-blind**) *adj* daltonien, -ienne ▪ **colour-blindness** *(Am* **color-blindness**) *n* daltonisme *m*

colourfast [ˈkʌləfɑːst] *(Am* **colorfast**) *adj* grand teint *inv*

colourful [ˈkʌləfəl] *(Am* **colorful**) *adj (crowd, story)* coloré; *(person)* pittoresque

colt [kəʊlt] *n (horse)* poulain *m*

column [ˈkɒləm] *n* colonne *f*; *(newspaper feature)* rubrique *f*

coma [ˈkəʊmə] *n* coma *m*; **in a c.** dans le coma

comb [kəʊm] **1** *n* peigne *m* **2** *vt (hair)* peigner; *Fig (search)* ratisser, passer au peigne fin; **to c. one's hair** se peigner

combat [ˈkɒmbæt] **1** *n* combat *m*; *Br* **c. trousers,** *Am* **c. pants** battle-dress *m inv* **2** *vti* combattre (**for** pour)

combine[1] [ˈkɒmbaɪn] *n* (**a**) *(commercial)* association *f*; *(cartel)* cartel *m* (**b**) **c. harvester** *(machine)* moissonneuse-batteuse *f*

combine[2] [kəmˈbaɪn] **1** *vt (activities, qualities, features, elements, sounds)* combiner; *(efforts)* joindre, unir; **to c. business with pleasure** joindre l'utile à l'agréable; **our combined efforts have produced a result** en joignant nos efforts, nous avons obtenu un résultat; **combined wealth/***etc (put together)* richesses/ *etc fpl* réunies **2** *vi (of teams, groups)* s'unir; *(of elements)* se combiner; *(of gases)* s'associer ▪ **combination** [kɒmbɪˈneɪʃən] *n* combinaison f; *(of qualities)* réunion f; **in c. with** en association avec; **c. lock** serrure f à combinaison

combustion [kəm'bʌstʃən] n combustion f

come [kʌm] *(pt* came, *pp* come) *vi* venir (**from** de; **to** à); **I've just c. from Glasgow/Scotland** j'arrive de Glasgow/d'Écosse; **to c. home** rentrer (à la maison); **to c. first** *(in race, exam)* se classer premier; **c. and see me** viens me voir; **coming!** j'arrive!; **it came as a surprise to me** cela m'a surpris; **to c. near** or **close to doing sth** faillir faire qch; **to c. true** se réaliser; **c. next summer** l'été prochain; **in the years to c.** dans les années à venir; **nothing came of it** ça n'a abouti à rien; **c. what may** quoi qu'il arrive; **c. to think of it…** maintenant que j'y pense…; *Fam* **how c. …?** comment se fait-il que…?
■ **comeback** n **to make a c.** *(of fashion)* revenir; *(of actor, athlete)* faire un come-back
■ **comedown** n *Fam* régression f

▸ **come about** *vi (happen)* arriver

▸ **come across** 1 *vi* **to c. across well/badly** bien/mal passer 2 *vt insep (find)* tomber sur

▸ **come along** *vi* venir (**with** avec); *(progress) (of work)* avancer; *(of student)* progresser; **c. along!** allons, pressons!

▸ **come at** *vt insep (attack)* attaquer

▸ **come away** *vi (leave, come off)* partir (**from** de); **to c. away from sb/sth** *(step or move back from)* s'écarter de qn/qch

▸ **come back** *vi* revenir; *(return home)* rentrer

▸ **come by** *vt insep (obtain)* obtenir; *(find)* trouver

▸ **come down** 1 *vi* descendre; *(of rain, temperature, price)* tomber; *(of building)* être démoli 2 *vt insep (stairs, hill)* descendre

▸ **come down with** *vt insep (illness)* attraper

▸ **come for** *vt insep* venir chercher

▸ **come forward** *vi (make oneself known, volunteer)* se présenter; **to c. forward with** *(suggestion)* offrir

▸ **come in** *vi (enter)* entrer; *(of tide)* monter; *(of train, athlete)* arriver; *(of money)* rentrer; **to c. in first** terminer premier; **to c. in useful** être bien utile

▸ **come in for** *vt insep* **to c. in for criticism** faire l'objet de critiques

▸ **come into** *vt insep (room)* entrer dans; *(money)* hériter de

▸ **come off** 1 *vi (of button)* se détacher; *(succeed)* réussir; *(happen)* avoir lieu 2 *vt insep (fall from)* tomber de; *(get down from)* descendre de

▸ **come on** *vi (make progress) (of work)* avancer; *(of student)* progresser; **c. on!** allez!

▸ **come out** *vi* sortir; *(of sun, book)* paraître; *(of stain)* s'enlever, partir; *(of secret)* être révélé; *(of photo)* réussir; **to c. out (on strike)** se mettre en grève

▸ **come over** *vi (visit)* passer (**to** chez); **to c. over to** *(approach)* s'approcher de 2 *vt insep* **I don't know what came over me** je ne sais pas ce qui m'a pris

▸ **come round** *vi (visit)* passer (**to** chez); *(of date)* revenir; *(regain consciousness)* revenir à soi

▸ **come through** 1 *vi (survive)* s'en tirer 2 *vt insep (crisis)* sortir indemne de

▸ **come to** 1 *vi (regain consciousness)* revenir à soi 2 *vt insep (amount to)* revenir à; **to c. to a conclusion** arriver à une conclusion; **to c. to a decision** se décider; **to c. to an end** toucher à sa fin

▸ **come under** *vt insep (heading)* être classé sous; **to c. under sb's influence** subir l'influence de qn

▸ **come up** 1 *vi (rise)* monter; *(of question, job)* se présenter 2 *vt insep (stairs)* monter

▸ **come up against** *vt insep (problem)* se heurter à

▸ **come upon** *vt insep (book, reference)* tomber sur

▸ **come up to** *vt insep (reach)* arriver jusqu'à; *(approach)* s'approcher de; **the film didn't c. up to my expectations** le film n'était pas à la hauteur de mes espérances

▸ **come up with** *vt insep (idea, money)* trouver

comedy ['kɒmɪdɪ] *(pl* -ies) n comédie f
■ **comedian** [kə'miːdɪən] n comique mf

> Note that the French word **comédien** is a false friend. It means **actor**.

comet ['kɒmɪt] n comète f

come-uppance [kʌm'ʌpəns] n *Fam* **he got his c.** il n'a eu que ce qu'il méritait

comfort ['kʌmfət] 1 n *(ease)* confort m; *(consolation)* réconfort m, consolation f; **to be a c. to sb** être d'un grand réconfort à qn; **too close for c.** trop près à mon/son/*etc* goût; *Am* **c. station** toilettes *fpl* publiques 2 *vt (console)* *(cheer)* réconforter ■ **comfortable** *adj (chair, house)* confortable; *(rich)* aisé; **he's c.** *(in chair)* il est à son aise; *(of patient)* il ne souffre pas; **make yourself c.** mets-toi à ton aise ■ **comfortably** *adv (sit)* confortablement; *(win)* facilement; **to live c.** avoir une vie aisée; **c. off** *(rich)* à l'aise financièrement ■ **comforting** *adj (reassuring)* réconfortant

comforter ['kʌmfətər] n *Am (quilt)* édredon m; *(for baby)* sucette f

comfy ['kʌmfɪ] *(-ier, -iest)* *adj Fam (chair)* confortable; **I'm c.** je suis bien

comic ['kɒmɪk] 1 *adj* comique 2 n *(actor)* comique mf; *Br (magazine)* bande f dessinée, BD f; **c. book** bande f dessinée; **c. strip** *(in newspaper)* bande f dessinée ■ **comical** *adj* comique

coming ['kʌmɪŋ] 1 *adj (future)* *(years, election,*

difficulties) à venir; **the c. month** le mois prochain; **the c. days** les prochains jours **2** *n* **comings and goings** allées *fpl* et venues

comma ['kɒmə] *n* virgule *f*

command [kə'mɑːnd] **1** *n* (*order*) ordre *m*; (*authority*) commandement *m*; (*mastery*) maîtrise *f* (**of** de); *Comptr* commande *f*; **at one's c.** (*disposal*) à sa disposition; **to be in c.** (**of**) (*ship, army*) commander; (*situation*) être maître (de); **under the c. of** sous le commandement de

2 *vt* (*order*) commander (**sb to do** à qn de faire); (*control*) (*ship, army*) commander; (*dominate*) (*of building*) dominer; (*be able to use*) disposer de; (*respect*) forcer

3 *vt* (*of captain*) commander ▪**commanding** *adj* (*authoritative*) imposant; (*position*) dominant; **c. officer** commandant *m*

commandant ['kɒməndænt] *n Mil* commandant *m*

commandeer [kɒmən'dɪə(r)] *vt* réquisitionner

commander [kə'mɑːndə(r)] *n Mil* commandant *m*; **c.-in-chief** commandant *m* en chef

commandment [kə'mɑːndmənt] *n Rel* commandement *m*

commando [kə'mɑːndəʊ] (*pl* **-os** *or* **-oes**) *n* (*soldiers, unit*) commando *m*

commemorate [kə'meməreɪt] *vt* commémorer ▪**commemoration** [-'reɪʃən] *n* commémoration *f* ▪**commemorative** [-rətɪv] *adj* commémoratif, -ive

commence [kə'mens] *vti Formal* commencer (**doing** à faire) ▪**commencement** *n* commencement *m*; *Am* (*ceremony*) remise *f* des diplômes

commend [kə'mend] *vt* (*praise*) louer; (*recommend*) recommander ▪**commendable** *adj* louable

comment ['kɒment] **1** *n* commentaire *m* (**on** sur); **no c.!** sans commentaire! **2** *vi* faire des commentaires (**on** sur); **I won't c.** je n'ai rien à dire; **to c. on** (*text, event, news item*) commenter; **to c. that...** remarquer que... ▪**commentary** [-əntərɪ] (*pl* **-ies**) *n* commentaire *m*; **live c.** (*on TV or radio*) reportage *m* en direct ▪**commentate** [-ənteɪt] *vi* faire le commentaire; **to c. on sth** commenter qch ▪**commentator** [-ənteɪtə(r)] *n* commentateur, -trice *mf* (**on** de)

commerce ['kɒmɜːs] *n* commerce *m* ▪**commercial** [kə'mɜːʃəl] **1** *adj* commercial; **c. break** page *f* de publicité; **c. district** quartier *m* commerçant; *Br* **c. traveller** voyageur *m* de commerce **2** *n* (*advertisement*) publicité *f*; **the commercials** la publicité

commercialize [kə'mɜːʃəlaɪz] *vt Pej* (*event*) transformer en une affaire de gros sous ▪**commercialized** *adj* (*district*) devenu trop commercial

commiserate [kə'mɪzəreɪt] *vi* **to c. with sb** être désolé pour qn ▪**commiseration** [-'reɪʃən] *n* commisération *f*

commission [kə'mɪʃən] **1** *n* (*fee, group*) commission *f*; (*order for work*) commande *f*; **out of c.** (*machine*) hors service; *Mil* **to get one's c.** être nommé officier **2** *vt* (*artist*) passer une commande à; (*book*) commander; **to c. sb to do sth** charger qn de faire qch; *Mil* **to be commissioned** être nommé officier; **commissioned officer** officier *m* ▪**commissioner** *n Pol* commissaire *m*; *Br* **(police) c.** commissaire de police

commissionaire [kəmɪʃə'neə(r)] *n Br* (*in hotel*) chasseur *m*

commit [kə'mɪt] (*pt & pp* **-tt-**) *vt* (*crime*) commettre; (*bind*) engager; (*devote*) consacrer; **to c. suicide** se suicider; **to c. sth to memory** apprendre qch par cœur; **to c. sb to prison** incarcérer qn; **to c. oneself** (*make a promise*) s'engager (**to** à) ▪**commitment** *n* (*duty, responsibility*) obligation *f*; (*promise*) engagement *m*; (*devotion*) dévouement *m* (**to** à)

committee [kə'mɪtɪ] *n* comité *m*; (*parliamentary*) commission *f*

commodity [kə'mɒdɪtɪ] (*pl* **-ies**) *n Econ* marchandise *f*, produit *m*

common ['kɒmən] **1** (**-er, -est**) *adj* (*shared, vulgar*) commun; (*frequent*) courant, commun; **the c. man** l'homme *m* de la rue; **in c.** (*shared*) en commun (**with** avec); **to have nothing in c.** n'avoir rien de commun (**with** avec); **in c. with** (*like*) comme; **c. law** droit *m* coutumier; **c.-law wife** concubine *f*; *C.* **Market** Marché *m* commun; **c. room** (*for students*) salle *f* commune; (*for teachers*) salle *f* des professeurs; **c. sense** sens *m* commun, bon sens; **c. or garden** ordinaire

2 *n* (*land*) terrain *m* communal; **the Commons** les Communes *fpl*

▪**commoner** *n* roturier, -ière *mf* ▪**commonly** *adv* communément ▪**commonness** *n* (*frequency*) fréquence *f*; (*vulgarity*) vulgarité *f*

commonplace ['kɒmənpleɪs] **1** *adj* courant **2** *n* banalité *f*

Commonwealth ['kɒmənwelθ] *n Br* **the C.** le Commonwealth

commotion [kə'məʊʃən] *n* (*disruption*) agitation *f*

communal [kə'mjuːnəl] *adj* (*shared*) (*bathroom, kitchen*) commun; (*of the community*) communautaire ▪**communally** *adv* (*own*) en commun; (*live*) en communauté

commune 1 ['kɒmjuːn] *n* (*district*) commune *f*; (*group*) communauté *f* **2** [kə'mjuːn] *vi* **to c. with nature/God** être en communion avec la nature/Dieu ▪**co'mmunion** *n* communion *f* (**with** avec); **(Holy) C.** communion; **to take C.** communier

communicate [kə'mjuːnɪkeɪt] 1 *vt* communiquer; *(illness)* transmettre (**to** à) 2 *vi (of person, rooms)* communiquer (**with** avec) ▪**communication** [-'keɪʃən] *n* communication *f*; *Br* **c. cord** *(on train)* signal *m* d'alarme

communicative [kə'mjuːnɪkətɪv] *adj* communicatif, -ive

communism ['kɒmjʊnɪzəm] *n* communisme *m* ▪**communist** *adj & n* communiste *(mf)*

community [kə'mjuːnɪtɪ] 1 *(pl* **-ies)** communauté *f*; **the student c.** les étudiants *mpl* 2 *adj (rights, life, spirit)* communautaire; **c. centre** centre *m* socioculturel; **c. worker** animateur, -trice *mf* socioculturel(le)

commute [kə'mjuːt] 1 *n (journey)* trajet *m* 2 *vt Law* commuer (**to** en) 3 *vi* **to c. (to work)** faire la navette entre son domicile et son travail ▪**commuter** *n* banlieusard, -arde *mf*; **c. town** cité-dortoir *m*; **c. train** train *m* de banlieue

compact¹ [kəm'pækt] *adj (car, crowd, substance)* compact; *(style)* condensé; **c. disc** ['kɒmpækt] disque *m* compact

compact² ['kɒmpækt] *n (for face powder)* poudrier *m*

companion [kəm'pænjən] *n (person)* compagnon *m*, compagne *f*; *(handbook)* manuel *m* ▪**companionship** *n* camaraderie *f*

company ['kʌmpənɪ] *(pl* **-ies)** *n (companionship)* compagnie *f*; *(guests)* invités *mpl*, -ées *fpl*; *(people present)* assemblée *f*; *(business)* société *f*, compagnie *f*; **(theatre) c.** compagnie *f* (théâtrale); **to keep sb c.** tenir compagnie à qn; **in sb's c.** en compagnie de qn; **he's good c.** c'est un bon compagnon; **c. car** voiture *f* de société

comparable ['kɒmpərəbəl] *adj* comparable (**with** *or* **to** à)

comparative [kəm'pærətɪv] 1 *adj (method)* comparatif, -ive; *(law, literature)* comparé; *(relative) (costs, comfort)* relatif, -ive 2 *n Grammar* comparatif *m* ▪**comparatively** *adv* relativement

compare [kəm'peə(r)] 1 *vt* comparer (**with** *or* **to** à); **compared to** *or* **with** en comparaison de 2 *vi* être comparable (**with** à) ▪**comparison** [-'pærɪsən] *n* comparaison *f* (**between** entre; **with** avec); **in c. with** en comparaison avec; **by** *or* **in c.** en comparaison; **there is no c.** il n'y a pas de comparaison

compartment [kəm'pɑːtmənt] *n* compartiment *m* ▪**compartmentalize** [kɒmpɑːt'mentəlaɪz] *vt* compartimenter

compass ['kʌmpəs] *n* **(a)** *(for finding direction)* boussole *f*; *(on ship)* compas *m* **(b)** **(pair of) compasses** compas *m*

compassion [kəm'pæʃən] *n* compassion *f* ▪**compassionate** *adj* compatissant; **on c. grounds** pour raisons personnelles

compatible [kəm'pætɪbəl] *adj* compatible ▪**compati'bility** *n* compatibilité *f*

compatriot [kəm'pætrɪət, kəm'peɪtrɪət] *n* compatriote *mf*

compel [kəm'pel] *(pt & pp* **-ll-)** *vt* forcer, obliger; *(respect, obedience)* forcer (**from sb** chez qn); **to c. sb to do sth** forcer qn à faire qch ▪**compelling** *adj (film)* captivant; *(argument)* convaincant; *(urge)* irrésistible

compendium [kəm'pendɪəm] *n* abrégé *m*

compensate ['kɒmpənseɪt] 1 *vt* **to c. sb** *(with payment, reward)* dédommager qn (**for** de) 2 *vi* compenser; **to c. for sth** *(make up for)* compenser qch ▪**compensation** [-'seɪʃən] *n (financial)* dédommagement *m*; *(consolation)* compensation *f*; **in c. for** en dédommagement/compensation de

compère ['kɒmpeə(r)] 1 *n* animateur, -trice *mf* 2 *vt* animer

compete [kəm'piːt] *vi (take part in race)* concourir (**in** à); **to c. (with sb)** rivaliser (avec qn); *(in business)* faire concurrence (à qn); **to c. for sth** se disputer qch; **to c. in a race/rally** participer à une course/un rallye

competent ['kɒmpɪtənt] *adj (capable)* compétent (**to do** pour faire); *(sufficient) (knowledge)* suffisant ▪**competence** *n* compétence *f* ▪**competently** *adv* avec compétence

competition [kɒmpə'tɪʃən] *n* **(a)** *(rivalry)* rivalité *f*; *(between companies)* concurrence *f*; **to be in c. with sb** être en concurrence avec qn **(b)** *(contest)* concours *m*; *(in sport)* compétition *f*

competitive [kəm'petɪtɪv] *adj (price, market)* compétitif, -ive; *(selection)* par concours; *(person)* qui a l'esprit de compétition; **c. examination** concours *m* ▪**competitor** *n* concurrent, -ente *mf*

compile [kəm'paɪl] *vt (list, catalogue)* dresser; *(documents)* compiler

complacent [kəm'pleɪsənt] *adj* content de soi ▪**complacence, complacency** *n* autosatisfaction *f*; **there is no room for c.** ce n'est pas le moment de faire de l'autosatisfaction

complain [kəm'pleɪn] *vi* se plaindre (**to sb** à qn; **of** *or* **about sb/sth** de qn/qch; **that** que); **to c. of** *or* **about being tired** se plaindre d'être fatigué ▪**complaint** *n* plainte *f*; *(in shop)* réclamation *f*; *(illness)* maladie *f*

complement 1 ['kɒmplɪmənt] *n* complément *m* **2** ['kɒmplɪment] *vt* compléter ▪**complementary** [-'mentərɪ] *adj* complémentaire; **c. medicine** médecines *fpl* douces

complete [kəm'pliːt] 1 *adj (whole)* complet, -ète; *(utter)* total; *(finished)* achevé; **he's a c. fool** il est complètement idiot 2 *vt (finish)* achever; *(form)* compléter ▪**completely** *adv* complètement ▪**completion** *n* achèvement *m*; *(of contract, sale)* exécution *f*

complex ['kɒmpleks] **1** *adj* complexe **2** *n (feeling, buildings)* complexe *m* ▪**complexity** [kəm'pleksɪtɪ] *(pl* **-ies)** *n* complexité *f*

complexion [kəm'plekʃən] *n (of face)* teint *m*; *Fig* caractère *m* (**of** de)

compliance [kəm'plaɪəns] *n (agreement)* conformité *f* (**with** avec)

complicate ['kɒmplɪkeɪt] *vt* compliquer (**with** de) ▪**complicated** *adj* compliqué ▪**complication** [-'keɪʃən] *n* complication *f*

compliment 1 ['kɒmplɪmənt] *n* compliment *m*; **compliments** *(of author)* hommages *mpl*; **to pay sb a c.** faire un compliment à qn; **compliments of the season** meilleurs vœux pour Noël et le nouvel an **2** ['kɒmplɪment] *vt* complimenter, faire des compliments à; **to c. sb on sth** *(bravery)* féliciter qn de qch; *(dress, haircut)* faire des compliments à qn sur qch ▪**complimentary** [-'mentərɪ] *adj* (**a**) *(praising)* élogieux, -ieuse (**b**) *(free)* gratuit; **c. ticket** billet *m* de faveur

comply [kəm'plaɪ] *(pt & pp* **-ied)** *vi (obey)* obéir; **to c. with** *(order)* obéir à; *(rule)* se conformer à; *(request)* accéder à

component [kəm'pəʊnənt] **1** *n (of structure, self-assembly furniture, problem)* élément *m*; *(of machine)* pièce *f*; *(chemical, electronic)* composant *m* **2** *adj* **c. part** pièce *f* détachée

compose [kəm'pəʊz] *vt* composer; **to c. oneself** se calmer ▪**composed** *adj* calme ▪**composer** *n (of music)* compositeur, -trice *mf* ▪**composition** [kɒmpə'zɪʃən] *n (in music, art, chemistry)* composition *f*; *(school essay)* rédaction *f*

compost ['kɒmpɒst] *n* compost *m*

composure [kəm'pəʊʒə(r)] *n* sang-froid *m*

compound ['kɒmpaʊnd] **1** *n (word) & Chem (substance)* composé *m*; *(area)* enclos *m* **2** *adj (word, substance) & Fin (interest)* composé; *(sentence, number)* complexe **3** [kəm'paʊnd] *vt (problem)* aggraver

comprehend [kɒmprɪ'hend] *vt* comprendre ▪**comprehensible** *adj* compréhensible ▪**comprehension** *n* compréhension *f*

comprehensive [kɒmprɪ'hensɪv] **1** *adj* complet, -ète; *(study)* exhaustif, -ive; *(knowledge)* étendu; *(view, measure)* d'ensemble; *(insurance)* tous risques *inv* **2** *adj & n Br* **c. (school)** ≃ établissement *m* d'enseignement secondaire *(n'opérant pas de sélection à l'entrée)*

> Note that the French word **compréhensif** is a false friend and is never a translation for the English word **comprehensive**. It means **understanding**.

compress 1 ['kɒmpres] *n Med* compresse *f* **2** [kəm'pres] *vt (gas, air)* comprimer; *Fig (ideas, facts)* condenser ▪**compression** [-'preʃən] *n* compression *f*

comprise [kəm'praɪz] *vt (consist of)* comprendre; *(make up)* constituer; **to be comprised of** comprendre

compromise ['kɒmprəmaɪz] **1** *n* compromis *m*; **c. solution** solution *f* de compromis **2** *vt (person, security)* compromettre; *(principles)* transiger sur; **to c. oneself** se compromettre **3** *vi* transiger (**on** sur) ▪**compromising** *adj* compromettant

compulsion [kəm'pʌlʃən] *n (urge)* besoin *m*; *(obligation)* contrainte *f* ▪**compulsive** *adj (behaviour)* compulsif, -ive; *(smoker, gambler, liar)* invétéré; **c. eater** boulimique *mf*

compulsory [kəm'pʌlsərɪ] *adj* obligatoire; **c. redundancy** licenciement *m* sec

compunction [kəm'pʌŋkʃən] *n* scrupule *m* (**about doing** à faire)

compute [kəm'pjuːt] *vt* calculer ▪**computing** *n* informatique *f*

computer [kəm'pjuːtə(r)] **1** *n* ordinateur *m* **2** *adj (program, system, network)* informatique; *(course, firm)* d'informatique; **to be c. literate** avoir des connaissances en informatique; **c. game** jeu *m* électronique; **c. language** langage *m* de programmation; **c. operator** opérateur, -trice *mf* sur ordinateur; **c. science** informatique *f*; **c. scientist** informaticien, -ienne *mf* ▪**computerization** [-raɪ'zeɪʃən] *n* informatisation *f* ▪**computerized** *adj* informatisé

comrade ['kɒmreɪd] *n* camarade *mf*

con [kɒn] *Fam* **1** *n* arnaque *f*; **c. man** arnaqueur *m* **2** *(pt & pp* **-nn-)** *vt* arnaquer; **to be conned** se faire arnaquer

concave [kɒn'keɪv] *adj* concave

conceal [kən'siːl] *vt (hide) (object)* dissimuler (**from sb** à qn); *(plan, news)* cacher (**from sb** à qn) ▪**concealment** *n* dissimulation *f*

concede [kən'siːd] **1** *vt* concéder (**to** à; **that** que); **to c. defeat** s'avouer vaincu **2** *vi* s'incliner

conceit [kən'siːt] *n* vanité *f* ▪**conceited** *adj* vaniteux, -euse

conceive [kən'siːv] **1** *vt (idea, child)* concevoir **2** *vi (of woman)* concevoir; **to c. of sth** concevoir qch ▪**conceivable** *adj* concevable; **it's c. that...** il est concevable que... (+ *subjunctive)* ▪**conceivably** *adv* **yes, c.** oui, c'est concevable

concentrate ['kɒnsəntreɪt] **1** *vt* concentrer (**on** sur) **2** *vi* se concentrer (**on** sur); **to c. on doing sth** s'appliquer à faire qch ▪**concentration** [-'treɪʃən] *n* concentration *f*; **to have a short c. span** ne pas avoir une grande capacité de concentration; **c. camp** camp *m* de concentration

concentric [kən'sentrɪk] *adj Math* concentrique

concept ['kɒnsept] *n* concept *m* ▪**conception** [kən'sepʃən] *n (of child, idea)* conception *f*

concern [kən'sɜːn] **1** n (matter) affaire f; (worry) inquiétude f; **his c. for** son souci de; **it's no c. of mine** cela ne me regarde pas; (business) **c.** entreprise f **2** vt concerner; **to c. oneself with sth, to be concerned with sth** (be busy) s'occuper de qch; **to be concerned about** (be worried) s'inquiéter de; **as far as I'm concerned...** en ce qui me concerne... ■**concerned** adj (anxious) inquiet, -iète (about/at au sujet de); **the department c.** (relevant) le service compétent ■**concerning** prep en ce qui concerne

concert ['kɒnsət] n concert m; **in c.** (together) de concert (**with** avec); **c. hall** salle f de concert; **c. pianist** concertiste mf ■**concert-goer** n habitué, -uée mf des concerts

concerted [kən'sɜːtɪd] adj (effort) concerté

concertina [kɒnsə'tiːnə] n concertina m; **c. crash** (of vehicles) carambolage m

concerto [kən'tʃɜːtəʊ] (pl **-os**) n concerto m

concession [kən'seʃən] n concession f (**to** à) ■**concessionary** adj (rate, price) réduit

conciliate [kən'sɪlɪeɪt] vt **to c. sb** (win over) se concilier qn; (soothe) apaiser qn ■**conciliation** [-'eɪʃən] n conciliation f; (soothing) apaisement m ■**conciliatory** [-lɪətərɪ, Am -tɔːrɪ] adj (tone, person) conciliant

concise [kən'saɪs] adj concis ■**concisely** adv avec concision ■**conciseness, concision** ['sɪʒən] n concision f

conclude [kən'kluːd] **1** vt (end, settle) conclure; (festival) clore; **to c. that...** (infer) conclure que... **2** vi (of event) se terminer (**with** par); (of speaker) conclure ■**concluding** adj (remarks, speech) final (mpl **-als**) ■**conclusion** n conclusion f; **in c.** pour conclure; **to come to the c. that...** arriver à la conclusion que...

conclusive [kən'kluːsɪv] adj concluant ■**conclusively** adv de manière concluante

concoct [kən'kɒkt] vt (dish, scheme) concocter ■**concoction** n (dish, drink) mixture f

concord ['kɒŋkɔːd] n concorde f

concourse ['kɒŋkɔːs] n (in airport, train station) hall m

concrete ['kɒŋkriːt] **1** n béton m; **c. wall** mur en béton; **c. mixer** bétonnière f **2** adj (ideas, example) concret, -ète

concur [kən'kɜː(r)] (pt & pp **-rr-**) vi (a) (agree) être d'accord (**with** avec) (b) (happen together) coïncider; **to c. to** (contribute) concourir à

concurrent [kən'kʌrənt] adj simultané ■**concurrently** adv simultanément

concussion [kən'kʌʃən] n (injury) commotion f cérébrale

condemn [kən'dem] vt condamner (**to** à); (building) déclarer inhabitable; **condemned man** condamné m à mort ■**condemnation** [kɒndem'neɪʃən] n condamnation f

condense [kən'dens] **1** vt condenser **2** vi se condenser ■**condensation** [kɒndən'seɪʃən] n condensation f (**of** de); (mist) buée f

condescend [kɒndɪ'send] vi condescendre (**to do** à faire) ■**condescension** n condescendance f

condiment ['kɒndɪmənt] n condiment m

condition ['kɒndɪʃən] **1** n (stipulation, circumstance, rank) condition f; (state) état m, condition f; (disease) maladie f; **on the c. that...** à la condition que... (+ subjunctive); **on c. that I come with you** à condition que je t'accompagne; **in good c.** en bon état; **in/out of c.** en bonne/mauvaise forme **2** vt (influence) conditionner; (hair) mettre de l'après-shampooing sur; **to c. sb** (train) conditionner qn (**to do** à faire); **to be conditioned by sth** dépendre de qch ■**conditional 1** adj conditionnel, -elle; **to be c. upon** dépendre de **2** n Grammar conditionnel m

conditioner [kən'dɪʃənə(r)] n (hair) **c.** après-shampooing m

condo ['kɒndəʊ] (pl **-os**) n Am = **condominium**

condolences [kən'dəʊlənsɪz] npl condoléances fpl

condom ['kɒndəm, -dɒm] n préservatif m

condominium [kɒndə'mɪnɪəm] n Am (building) immeuble m en copropriété; (apartment) appartement m en copropriété

condone [kən'dəʊn] vt (overlook) fermer les yeux sur; (forgive) excuser

conducive [kən'djuːsɪv] adj **to be c. to** être favorable à; **not to be c. to** ne pas inciter à

conduct 1 ['kɒndʌkt] n (behaviour, directing) conduite f **2** [kən'dʌkt] vt (campaign, inquiry, experiment) mener; (orchestra) diriger; (electricity, heat) conduire; **to c. one's business** diriger ses affaires; **to c. oneself** se conduire; **conducted tour** (of building, region) visite f guidée

conductor [kən'dʌktə(r)] n (of orchestra) chef m d'orchestre; Br (on bus) receveur m; Am (on train) chef m de train; (metal, cable) conducteur m

> Note that the French word **conducteur** often is a false friend and is rarely a translation for the English word **conductor**.

cone [kəʊn] n cône m; (for ice cream) cornet m; (paper) **c.** cornet de papier; **pine** or **fir c.** pomme f de pin; Br **traffic c.** cône de chantier

confectioner [kən'fekʃənə(r)] n (of sweets) confiseur, -euse mf; (of cakes) pâtissier, -ière mf ■**confectionery** n (sweets) confiserie f; (cakes) pâtisserie f

> Note that the French word **confectionneur** is a false friend and is not a translation for the English word **confectioner**. It means **clothes manufacturer**.

confederate [kən'fedərət] **1** adj Pol confédéré **2** n (accomplice) complice mf ▪**confederacy, confederation** [-'reɪʃən] n confédération f

confer [kən'fɜː(r)] (pt & pp **-rr-**) **1** vt (grant) octroyer (**on** à) **2** vi (talk together) se consulter (**on** or about sur); **to c. with sb** consulter qn

conference ['kɒnfərəns] n conférence f; (scientific, academic) congrès m; **press** or **news c.** conférence de presse; **in c. (with)** en conférence (avec); Tel **c. call** téléconférence f

confess [kən'fes] **1** vt avouer, confesser (**that** que; **to sb** à qn); Rel confesser **2** vi avouer; Rel se confesser; **to c. to sth** (crime) avouer ou confesser qch; (feeling) avouer qch ▪**confession** n aveu m, confession f; Rel confession; **to go to c.** aller à confesse ▪**confessional** n Rel confessionnal m

confetti [kən'fetɪ] n confettis mpl

confidante [kɒnfɪ'dænt] n confident, -ente mf

confide [kən'faɪd] **1** vt confier (**to** à; **that** que) **2** vi **to c. in sb** se confier à qn

confidence ['kɒnfɪdəns] n (trust) confiance f (**in** en); (secret) confidence f; (**self-**)**c.** confiance f en soi; **in c.** (adverb) en confidence; (adjective) confidentiel, -ielle; **in strict c.** (adverb) tout à fait confidentiellement; (adjective) tout à fait confidentiel; **c. trick** escroquerie f; **c. trickster** escroc m ▪**confident** adj (smile, exterior) confiant; (**self-**)**c.** sûr de soi ▪**confidently** adv avec confiance

confidential [kɒnfɪ'denʃəl] adj confidentiel, -ielle ▪**confidentially** adv en confidence

configuration [kənfɪgjʊ'reɪʃən] n configuration f

confine [kən'faɪn] vt (**a**) (limit) limiter (**to** à); **to c. oneself to doing sth** se limiter à faire qch (**b**) (keep prisoner) enfermer (**to/in** dans) ▪**confined** adj (atmosphere) confiné; (space) réduit; **c. to bed** alité; **c. to the house/one's room** obligé de rester chez soi/de garder la chambre ▪**confinement** n (of prisoner) emprisonnement m; Old-fashioned Med (of pregnant woman) couches fpl

confines ['kɒnfaɪnz] npl confins mpl; Fig limites fpl

confirm [kən'fɜːm] vt confirmer (**that** que); Rel **to be confirmed** recevoir la confirmation ▪**confirmation** [kɒnfə'meɪʃən] n & Rel confirmation f; **it's subject to c.** c'est à confirmer ▪**confirmed** adj (bachelor) endurci; (smoker, habit) invétéré

confiscate ['kɒnfɪskeɪt] vt confisquer (**from** à) ▪**confiscation** [-'keɪʃən] n confiscation f

conflagration [kɒnflə'greɪʃən] n incendie m

conflict 1 ['kɒnflɪkt] n conflit m **2** [kən'flɪkt] vi (of statement) être en contradiction (**with** avec); (of dates, events, programmes) tomber en même temps (**with** que) ▪**conflicting** adj (views,

theories, evidence) contradictoire; (dates) incompatible

confluence ['kɒnfluəns] n (of rivers) confluent m

conform [kən'fɔːm] vi (of person) se conformer (**to** or **with** à); (of ideas, actions) être en conformité (**to** with); (of product) être conforme (**to** or **with** à) ▪**conformist** adj & n conformiste (mf) ▪**conformity** n conformité f

confound [kən'faʊnd] vt (surprise, puzzle) laisser perplexe

confront [kən'frʌnt] vt (danger) affronter; (problem) faire face à; **to c. sb** (be face to face with) se trouver en face de qn; (oppose) s'opposer à qn; **to c. sb with sth** mettre qn en face de qch ▪**confrontation** [kɒnfrən-'teɪʃən] n confrontation f

confuse [kən'fjuːz] vt (make unsure) embrouiller; **to c. sb/sth with** (mistake for) confondre qn/qch avec; **to c. matters** or **the issue** embrouiller la question ▪**confused** adj (situation, noises, idea) confus; **to be c.** (of person) s'y perdre; **I'm (all** or **quite) c. (about it)** je m'y perds; **to get c.** s'embrouiller ▪**confusing** adj déroutant ▪**confusion** n (bewilderment) perplexité f; (disorder, lack of clarity) confusion f; **in (a state of) c.** en désordre

congeal [kən'dʒiːl] vi (of blood) (se) coaguler ▪**congealed** adj **c. blood** sang m coagulé

congenial [kən'dʒiːnɪəl] adj sympathique

congenital [kən'dʒenɪtəl] adj congénital

congested [kən'dʒestɪd] adj (street, town, lungs) congestionné; (nose) bouché ▪**congestion** n (traffic) encombrements mpl; (overcrowding) surpeuplement m

Congo ['kɒŋgəʊ] n (the) C. le Congo

congratulate [kən'grætʃʊleɪt] vt féliciter (**sb on sth** qn de qch; **sb on doing sth** qn d'avoir fait qch) ▪**congratulations** [-'leɪʃənz] npl félicitations fpl (**on** pour) ▪**congratulatory** adj (telegram) de félicitations

congregate ['kɒŋgrɪgeɪt] vi se rassembler ▪**congregation** [-'geɪʃən] n (worshippers) fidèles mpl

congress ['kɒŋgres] n congrès m; Am Pol **C.** le Congrès (assemblée législative américaine) ▪**Congressional** [kən'greʃənəl] adj Am Pol (committee) du Congrès ▪**Congressman** (pl **-men**) n Am Pol membre m du Congrès

conical ['kɒnɪkəl] adj conique

conifer ['kɒnɪfə(r)] n conifère m

conjecture [kən'dʒektʃə(r)] **1** n conjecture f **2** vt supposer **3** vi faire des conjectures

conjugal ['kɒndʒʊgəl] adj conjugal

conjugate ['kɒndʒʊgeɪt] Grammar **1** vt (verb) conjuguer **2** vi se conjuguer ▪**conju'gation** n conjugaison f

conjunction [kən'dʒʌŋkʃən] n Grammar conjonction f; **in c. with** conjointement avec

conjunctivitis [kəndʒʌŋktɪ'vaɪtɪs] n conjonctivite f; **to have c.** avoir de la conjonctivite

conjure ['kʌndʒə(r)] vt **to c. (up)** (by magic) faire
apparaître, Fig **to c. up** (memories, images)
évoquer; **conjuring trick** tour m de
prestidigitation ▪**conjurer** n prestidigitateur,
-trice mf

conk [kɒŋk] Fam **1** n Br (nose) pif m; (blow) gnon
m **2** vi **to c. out** (break down) tomber en panne;
the car conked out on me la voiture m'a claqué
entre les doigts

conker ['kɒŋkə(r)] n Br Fam (chestnut) marron m
(d'Inde)

connect [kə'nekt] **1** vt relier (**with** or **to** à);
(telephone, washing machine) brancher; **to c.
sb with sb** (on phone) mettre qn en
communication avec qn; **to c. sb/sth with sb/
sth** établir un lien entre qn/qch et qn/qch **2** vi
(be connected) être relié; (of rooms)
communiquer; (of roads) se rejoindre; **to c.
with** (of train, bus) assurer la correspondance
avec ▪**connected** adj (facts, events) lié; **to be
c. with** (have to do with, relate to) avoir un lien
avec; (have dealings with) être lié à; (by
marriage) être parent avec; **the two issues are
not c.** les deux questions n'ont aucun rapport;
to be well c. avoir des relations

connection [kə'nekʃən] n (link) rapport m, lien
m (**with** avec); (train, bus) correspondance f;
(phone call) communication f; (between
electrical wires) contact m; (between pipes)
raccord m; **connections** (contacts) relations
fpl; **to have no c. with** n'avoir aucun rapport
avec; **in c. with** à propos de; **in this** or **that c.** à
ce propos; **there's a loose c.** (in electrical
appliance) il y a un faux contact

connive [kə'naɪv] vi **to c. with sb** être de
connivence avec qn; **to c. at sth** (let happen)
laisser faire qch

connoisseur [kɒnə'sɜː(r)] n connaisseur m

connotation [kɒnə'teɪʃən] n connotation f

conquer ['kɒŋkə(r)] vt (country, freedom)
conquérir; (enemy, habit, difficulty) vaincre
▪**conquering** adj victorieux, -ieuse
▪**conqueror** n vainqueur m ▪**conquest**
['kɒŋkwest] n conquête f

cons [kɒnz] npl **the pros and c.** le pour et le
contre

conscience ['kɒnʃəns] n conscience f; **to have
sth on one's c.** avoir qch sur la conscience

conscientious [kɒnʃɪ'enʃəs] adj consciencieux, -ieuse; **c. objector** objecteur m de
conscience ▪**conscientiousness** n sérieux m

conscious ['kɒnʃəs] adj (awake) conscient; **to
make a c. effort to do sth** faire un effort
particulier pour faire qch; **to make a c.
decision to do sth** chercher délibérément à
faire qch; **c. of sth** (aware) conscient de qch;
c. that... conscient que... ▪**consciously** adv

(knowingly) consciemment ▪**consciousness**
n conscience f (**of** de); **to lose/regain c.**
perdre/reprendre connaissance

conscript 1 ['kɒnskrɪpt] n (soldier) conscrit m **2**
[kən'skrɪpt] vt enrôler ▪**conscription**
[kən'skrɪpʃən] n conscription f

consecrate ['kɒnsɪkreɪt] vt Rel (church, place,
bishop) & Fig consacrer ▪**consecration**
[-'kreɪʃən] n consécration f

consecutive [kən'sekjʊtɪv] adj consécutif, -ive
▪**consecutively** adv consécutivement

consensus [kən'sensəs] n consensus m

consent [kən'sent] **1** n consentement m; **by
common c.** de l'aveu de tous; **by mutual c.**
d'un commun accord **2** vi consentir (**to** à)

consequence ['kɒnsɪkwəns] n (result)
conséquence f; (importance) importance f; **of
no c.** sans importance ▪**consequently** adv
par conséquent

conservative [kən'sɜːvətɪv] **1** adj (estimate)
modeste; (view, attitude) traditionnel, -elle;
(person) traditionaliste; Br Pol conservateur,
-trice; Br Pol **the C. Party** le Parti conservateur
2 n Br Pol conservateur, -trice mf
▪**conservatism** n (in behaviour) & Br Pol
conservatisme m

conservatory [kən'sɜːvətrɪ] (pl -ies) n Br
(room) véranda f

conserve [kən'sɜːv] vt (energy, water, electricity)
faire des économies de; (monument, language,
tradition) préserver; **to c. one's strength**
ménager ses forces ▪**conservation**
[kɒnsə'veɪʃən] n (of energy) économies fpl; (of
nature) protection f de l'environnement; **c.
area** zone f naturelle protégée ▪**conser-
vationist** [kɒnsə'veɪʃənɪst] n défenseur m de
l'environnement

consider [kən'sɪdə(r)] vt (think over)
considérer; (take into account) tenir compte de;
(offer) étudier; **I'll c. it** je vais y réfléchir; **to c.
doing sth** envisager de faire qch; **to c. that...**
considérer que...; **I c. her as a friend** je la
considère comme une amie; **he's being
considered for the job** sa candidature est à
l'étude pour ce poste; **all things considered**
tout bien considéré

considerable [kənsɪdərəbəl] adj (large)
considérable; (much) beaucoup de; **after c.
difficulty** après bien des difficultés
▪**considerably** adv considérablement

considerate [kən'sɪdərət] adj attentionné (**to** à
l'égard de)

consideration [kənsɪdə'reɪʃən] n (thought,
thoughtfulness, reason) considération f; **under
c.** à l'étude; **out of c. for sb** par égard pour qn;
to take sth into c. prendre qch en
considération

considering [kən'sɪdərɪŋ] **1** prep étant donné
2 conj **c. (that)** étant donné que **3** adv Fam

the result was good, c. c'est un bon résultat après tout

consign [kən'saɪn] *vt (send)* expédier; *(give, entrust)* confier (**to** à) ▪**consignment** *n (goods)* envoi *m; (sending)* expédition *f*

consist [kən'sɪst] *vi* consister (**of** en; **in** en; **in doing** à faire)

consistent [kən'sɪstənt] *adj (unchanging) (loyalty, quality, results)* constant; *(coherent) (ideas, argument)* cohérent, logique; **to be c. with** *(of statement)* concorder avec ▪**consistency** *n (of substance, liquid)* consistance *f; (of ideas, arguments)* cohérence *f* ▪**consistently** *adv (always)* constamment; *(regularly)* régulièrement; *(logically)* avec logique

Note that the French word **consistant** is a false friend and is never a translation for the English word **consistent**. It means substantial.

console[1] [kən'səʊl] *vt* consoler (**for** de) ▪**consolation** [kɒnsə'leɪʃən] *n* consolation *f*; **c. prize** lot *m* de consolation

console[2] ['kɒnsəʊl] *n (control desk)* console *f*

consolidate [kən'sɒlɪdeɪt] **1** *vt* consolider **2** *vi* se consolider ▪**consoli'dation** *n* consolidation *f*

consonant ['kɒnsənənt] *n* consonne *f*

consort 1 ['kɒnsɔːt] *n* époux *m*, épouse *f* **2** [kən'sɔːt] *vi* **to c. with** *(criminals, addicts)* fréquenter

consortium [kən'sɔːtɪəm] *(pl* **-iums** *or* **-ia)** *n Com* consortium *m*

conspicuous [kən'spɪkjʊəs] *adj (noticeable)* bien visible; *(striking)* manifeste; *(showy)* voyant; **to look c.** ne pas passer inaperçu; **to be c. by one's absence** briller par son absence; **to make oneself c.** se faire remarquer; **in a c. position** bien en évidence ▪**conspicuously** *adv* visiblement

conspire [kən'spaɪə(r)] *vi* conspirer (**against** contre); **to c. to do sth** comploter de faire qch; **circumstances conspired against me** les circonstances se sont liguées contre moi ▪**conspiracy** [-'spɪrəsɪ] *(pl* **-ies)** *n* conspiration *f*

constable ['kʌnstəbəl] *n Br (police)* **c.** agent *m* de police; *Br* **chief c.** commissaire *m* de police divisionnaire

constant ['kɒnstənt] **1** *adj (frequent)* incessant; *(unchanging)* constant; *(faithful)* fidèle **2** *n Math* constante *f* ▪**constancy** *n* constance *f* ▪**constantly** *adv* constamment, sans cesse

constellation [kɒnstə'leɪʃən] *n* constellation *f*

consternation [kɒnstə'neɪʃən] *n* consternation *f*

constipate ['kɒnstɪpeɪt] *vt* constiper ▪**constipated** *adj* constipé ▪**consti'pation** *n* constipation *f*

constituent [kən'stɪtjʊənt] **1** *adj (element, part)* constitutif, -ive **2** *n* **(a)** *(part)* élément *m* constitutif **(b)** *Pol (voter)* électeur, -trice *mf* ▪**constituency** *(pl* **-ies)** *n* circonscription *f* électorale; *(voters)* électeurs *mpl*

constitute ['kɒnstɪtjuːt] *vt* constituer ▪**consti'tution** *n* constitution *f* ▪**constitutional** [-'tjuːʃənəl] *adj Pol* constitutionnel, -elle

constrain [kən'streɪn] *vt* **(a)** *(force)* contraindre (**sb to do sth** qn à faire) **(b)** *(of clothing)* gêner ▪**constraint** *n* contrainte *f*

constrict [kən'strɪkt] *vt (tighten, narrow)* resserrer; *(movement)* gêner ▪**constriction** *n (of blood vessel)* constriction *f; (of person)* gêne *f*

construct [kən'strʌkt] *vt* construire ▪**construction** *n (building, structure)* & *Grammar* construction *f;* **under c.** en construction; **c. site** chantier *m* ▪**constructive** *adj* constructif, -ive

construe [kən'struː] *vt* interpréter

consul ['kɒnsəl] *n* consul *m* ▪**consular** [-sjʊlə(r)] *adj* consulaire ▪**consulate** [-sjʊlət] *n* consulat *m*

consult [kən'sʌlt] **1** *vt* consulter **2** *vi* **to c. with sb** discuter avec qn; *Br* **consulting room** *(of doctor)* cabinet *m* de consultation ▪**consultation** [kɒnsəl'teɪʃən] *n* consultation *f*; **in c. with** en consultation avec

consultancy [kən'sʌltənsɪ] *(pl* **-ies)** *n* **c. (firm)** cabinet-conseil *m*; **to do c. work** être consultant ▪**consultant** *n Br (doctor)* spécialiste *mf; (adviser)* consultant *m* **2** *adj (engineer)* consultant ▪**consultative** *adj (committee, role)* consultatif, -ive

consume [kən'sjuːm] *vt (food, supplies)* consommer; *(of fire)* consumer; *(of grief, hate)* dévorer; **to be consumed by** *or* **with jealousy** brûler de jalousie; **consuming ambition/ passion** ambition *f*/passion *f* dévorante ▪**consumer** *n* consommateur, -trice *mf*; **gas/ electricity c.** abonné, -ée *mf* au gaz/à l'électricité; **c. goods/society** biens *mpl*/ société *f* de consommation; **c. protection** défense *f* du consommateur ▪**consumerism** *n* consumérisme *m* ▪**consumption** [-'sʌmpʃən] *n* consommation *f*

consummate 1 [kən'sʌmɪt] *adj (linguist, cook)* de premier ordre; *(snob, hypocrite)* parfait **2** ['kɒnsəmeɪt] *vt (marriage, relationship)* consommer

contact ['kɒntækt] **1** *n (act of touching)* contact *m; (person)* relation *f;* **in c. with** en contact avec; **c. lenses** lentilles *fpl* de contact **2** *vt* contacter

contagious [kən'teɪdʒəs] *adj (disease)* contagieux, -ieuse; *(laughter)* communicatif, -ive

contain [kən'teɪn] *vt (enclose, hold back)* contenir; **to c. oneself** se contenir ▪**container** *n (box, jar)* récipient *m; (for transporting goods)* conteneur *m*

contaminate [kən'tæmɪneɪt] *vt* contaminer ∎**contamination** [-'neɪʃən] *n* contamination *f*

contemplate ['kɒntəmpleɪt] *vt* (*look at*) contempler; (*consider*) envisager (**doing** de faire) ∎**contemplation** [-'pleɪʃən] *n* contemplation *f*; **deep in c.** en pleine contemplation

contemporary [kən'tempərərɪ] **1** *adj* contemporain (**with** de); (*pattern, colour, style*) moderne **2** (*pl* **-ies**) *n* (*person*) contemporain, -aine *mf*

contempt [kən'tempt] *n* mépris *m*; **to hold sb/sth in c.** mépriser qn/qch ∎**contemptible** *adj* méprisable ∎**contemptuous** *adj* méprisant (**of** de); **to be c. of sth** mépriser qch

contend [kən'tend] **1** *vi* **to c. with** (*problem*) faire face à; **to c. with sb** (*struggle*) se battre avec qn **2** *vt* **to c. that...** (*claim*) soutenir que... ∎**contender** *n* (*in sport*) concurrent, -ente *mf*; (*in election, for job*) candidat, -ate *mf*

content¹ [kən'tent] *adj* (*happy*) satisfait (**with** de) ∎**contented** *adj* satisfait ∎**contentment** *n* contentement *m*

content² ['kɒntent] *n* (*of book, text, film*) (*subject matter*) contenu *m*; **contents** contenu *m*; **contents page** (*of book*) table *f* des matières; **alcoholic/iron c.** teneur *f* en alcool/fer

contention [kən'tenʃən] *n* (**a**) (*claim, belief*) affirmation *f* (**b**) (*disagreement*) désaccord *m*

contentious [kən'tenʃəs] *adj* (*issue, views*) controversé

contest 1 ['kɒntest] *n* (*competition*) concours *m*; (*fight*) lutte *f*; *Boxing* combat *m* **2** [kən'test] *vt* (*dispute*) contester; **to c. a seat** se porter candidat; **a fiercely contested election** une élection très disputée ∎**contestant** [kən'testənt] *n* concurrent, -ente *mf*; (*in fight*) adversaire *mf*

context ['kɒntekst] *n* contexte *m*; **in/out of c.** en/hors contexte ∎**contextualize** *vt* contextualiser

continent ['kɒntɪnənt] *n* continent *m*; **the C.** l'Europe *f* continentale; **on the C.** en Europe ∎**continental** [-'nentəl] **1** *adj* (*of Europe*) européen, -enne; (*of other continents*) continental; **c. breakfast** petit déjeuner *m* à la française **2** *n* Européen, -enne *mf* (continental(e))

contingent [kən'tɪndʒənt] **1** *adj* contingent; **to be c. on sth** dépendre de qch **2** *n* (*group*) contingent *m* ∎**contingency** (*pl* **-ies**) *n* éventualité *f*; **c. plan** plan *m* d'urgence

continual [kən'tɪnjʊəl] *adj* continuel, -uelle ∎**continually** *adv* continuellement

continue [kən'tɪnjuː] **1** *vt* continuer (**to do** *ou* **doing** de faire); **to c. (with)** (*work, speech*) poursuivre; (*resume*) reprendre **2** *vi* continuer; (*resume*) reprendre; **to c. in one's job** garder son emploi ∎**continuation** [-ʊ'eɪʃən] *n*

continuation *f*; (*resumption*) reprise *f*; (*new episode*) suite *f* ∎**continued** *adj* (*interest, attention*) soutenu; (*presence*) continuel, -uelle; **to be c.** (*of story*) à suivre

continuity [kɒntɪ'njuːɪtɪ] *n* continuité *f*

continuous [kən'tɪnjʊəs] *adj* continu; *Sch & Univ* **c. assessment** contrôle *m* continu des connaissances ∎**continuously** *adv* sans interruption

contort [kən'tɔːt] **1** *vt* (*twist*) tordre; **to c. oneself** se contorsionner **2** *vi* se tordre (**with** de) ∎**contorsion** *n* contorsion *f* ∎**contortionist** *n* (*acrobat*) contorsionniste *mf*

contour ['kɒntʊə(r)] *n* contour *m*; **c. (line)** (*on map*) courbe *f* de niveau

contraband ['kɒntrəbænd] *n* contrebande *f*

contraception [kɒntrə'sepʃən] *n* contraception *f* ∎**contraceptive** *n* contraceptif *m*

contract¹ ['kɒntrækt] **1** *n* contrat *m*; **to be under c.** être sous contrat; **c. killer** tueur *m* à gages; **c. work** travail *m* en sous-traitance **2** *vt* **to c. to do sth** s'engager (par un contrat) à faire qch; **to c. work out** sous-traiter du travail **3** *vi* **to c. out** (*of policy, pension plan*) arrêter de souscrire ∎**contractor** [kən'træktə(r)] *n* entrepreneur *m*

contract² [kən'trækt] **1** *vt* (*illness, debt*) contracter **2** *vi* (*shrink*) se contracter ∎**contraction** *n* contraction *f*

contradict [kɒntrə'dɪkt] *vt* (*person, statement*) contredire; (*deny*) démentir; **to c. oneself** se contredire ∎**contradiction** *n* contradiction *f* ∎**contradictory** *adj* contradictoire

contralto [kən'træltəʊ] (*pl* **-os**) *n* contralto *mf*

contraption [kən'træpʃən] *n* *Fam* machin *m*

contrary ['kɒntrərɪ] **1** *adj* (**a**) (*opposite*) contraire (**to** à) (**b**) [kən'treərɪ] (*awkward*) contrariant **2** *adv* **c. to** contrairement à **3** *n* contraire *m*; **on the c.** au contraire; **unless you/I/etc hear to the c.** sauf avis contraire

contrast 1 ['kɒntrɑːst] *n* contraste *m*; **in c. to** par opposition à **2** *vt* mettre en contraste **3** *vi* contraster (**with** avec) ∎**contrasting** *adj* (*opinions*) opposé

contravene [kɒntrə'viːn] *vt* (*law*) enfreindre ∎**contravention** [-'venʃən] *n* **in c. of a treaty** en violation d'un traité

contribute [kən'trɪbjuːt] **1** *vt* (*time, clothes*) donner (**to** à); (*article*) écrire (**to** pour); **to c. money** to verser de l'argent à **2** *vi* **to c. to** contribuer à; (*publication*) collaborer à; (*discussion*) prendre part à; (*charity*) donner à ∎**contribution** [kɒntrɪ-'bjuːʃən] *n* contribution *f* ∎**contributor** *n* (*to newspaper*) collaborateur, -trice *mf*; (*of money*) donateur, -trice *mf* ∎**contributory** *adj* (*cause, factor*) concourant; **to be a c. factor in sth** concourir à qch

contrite [kən'traɪt] *adj* contrit

contrivance [kən'traɪvəns] *n* (*device*) dispositif *m*; (*scheme*) système *m*

contrive [kən'traɪv] *vt* **to c. to do sth** trouver moyen de faire qch

contrived [kən'traɪvd] *adj* qui manque de naturel

control [kən'trəʊl] **1** *n* contrôle *m*; *(authority)* autorité *f* (**over** sur); **the controls** *(of plane)* les commandes *fpl*; *(of TV set, radio)* les boutons *mpl*; **(self-)c.** la maîtrise (de soi); **the situation** *or* **everything is under c.** je/il/*etc* contrôle la situation; **to lose c. of** *(situation, vehicle)* perdre le contrôle de; **out of c.** *(situation, crowd)* difficilement maîtrisable; *Comptr* **c. key** touche *f* de contrôle; **c. panel** tableau *m* de bord; **c. tower** *(at airport)* tour *f* de contrôle **2** *(pt & pp* -**ll-**) *vt (business, organization)* diriger; *(prices, quality)* contrôler; *(emotion, reaction)* maîtriser; *(disease)* enrayer; **to c. oneself** se contrôler

controversy ['kɒntrəvɜːsɪ] *(pl* -**ies**) *n* controverse *f* • **controversial** [-'vɜːʃəl] *adj* controversé

conundrum [kə'nʌndrəm] *n (riddle)* devinette *f*; *(mystery)* énigme *f*

conurbation [kɒnɜː'beɪʃən] *n* conurbation *f*

convalesce [kɒnvə'les] *vi (rest)* être en convalescence • **convalescence** *n* convalescence *f*

convene [kən'viːn] **1** *vt (meeting)* convoquer **2** *vi (meet)* se réunir

convenience [kən'viːnɪəns] *n* commodité *f*; **come at your (own) c.** venez quand vous voudrez; **all modern conveniences** tout le confort moderne; *Br* **(public) conveniences** toilettes *fpl*; **c. food(s)** plats *mpl* tout préparés; **c. store** magasin *m* de proximité

convenient [kən'viːnɪənt] *adj* commode, pratique; **to be c. (for)** *(suit)* convenir (à) • **conveniently** *adv (arrive, say)* à propos; **c. situated** bien situé

convent ['kɒnvənt] *n* couvent *m*; **c. school** école *f* des sœurs

convention [kən'venʃən] *n (custom)* usage *m*; *(agreement)* convention *f*; *(conference)* convention, congrès *m* • **conventional** *adj* conventionnel, -elle

converge [kən'vɜːdʒ] *vi* converger (**on** sur) • **convergence** *n* convergence *f* • **converging** *adj* convergent

conversation [kɒnvə'seɪʃən] *n* conversation *f* (**with** avec) • **conversational** *adj (tone)* de la conversation; *(person)* loquace • **conversationalist** *n* **to be a good c.** avoir de la conversation

converse 1 ['kɒnvɜːs] *adj & n* inverse *(m)* **2** [kən'vɜːs] *vi* s'entretenir (**with** avec) • **con'versely** *adv* inversement

convert 1 ['kɒnvɜːt] *n* converti, -ie *mf* **2** *vt (change)* convertir (**into** *or* **to** en); *(building)* aménager (**into** *or* **to** en); *Rel* **to c.**

sb convertir qn (**to** à) **3** *vi (change religion)* se convertir (**to** à) • **conversion** *n* conversion *f*; *(of building)* aménagement *m*; *(in rugby)* transformation *f*

convertible [kən'vɜːtəbəl] **1** *adj (money, sofa)* convertible **2** *n (car)* décapotable *f*

convex [kɒn'veks] *adj* convexe

convey [kən'veɪ] *vt (transport)* transporter; *(communicate)* transmettre • **conveyor belt** *n* tapis *m* roulant

convict 1 ['kɒnvɪkt] *n* détenu *m* **2** [kən'vɪkt] *vt* déclarer coupable (**of** de) • **con'viction** [kən'vɪkʃən] *n (for crime)* condamnation *f*; *(belief)* conviction *f* (**that** que)

convince [kən'vɪns] *vt* convaincre (**of sth** de qch; **sb to do sth** qn de faire qch); **I was convinced that I was right** j'étais convaincu d'avoir raison • **convincing** *adj (argument, person)* convaincant • **convincingly** *adv (argue)* de façon convaincante

convivial [kən'vɪvɪəl] *adj (event)* joyeux, -euse; *(person)* chaleureux, -euse

convoluted [kɒnvə'luːtɪd] *adj (argument, style)* compliqué

convoy ['kɒnvɔɪ] *n* convoi *m*

convulse [kən'vʌls] *vt (shake)* ébranler; *(face)* convulser; **to be convulsed with pain** se tordre de douleur • **convulsion** *n Med* convulsion *f* • **convulsive** *adj* convulsif, -ive

coo [kuː] *(pt & pp* **cooed**) *vi (of dove)* roucouler

cook [kʊk] **1** *n (person)* cuisinier, -ière *mf* **2** *vt (meal)* préparer; *(food)* (faire) cuire; *Fam* **to c. the books** truquer les comptes; *Fam* **to c. up** inventer **3** *vi (of food)* cuire; *(of person)* faire la cuisine; *Fam* **what's cooking?** qu'est-ce qui se passe? • **cookbook** *n* livre *m* de cuisine • **cooker** *n Br (stove)* cuisinière *f* • **cookery** *n* cuisine *f*; *Br* **c. book** livre *m* de cuisine • **cooking** *n (activity, food)* cuisine *f*; *(process)* cuisson *f*; **to do the c.** faire la cuisine; **c. apple** pomme *f* à cuire; **c. utensils** ustensiles *mpl* de cuisine

cookie ['kʊkɪ] *n Am* biscuit *m*

cool [kuːl] **1** (-**er**, -**est**) *adj (weather, place, wind)* frais (*f* fraîche); *(tea, soup)* tiède; *(calm)* calme; *(unfriendly)* froid; *Fam (good)* cool *inv*; *Fam (trendy)* branché; **a (nice) c. drink** une boisson (bien) fraîche; **a c. £50** la coquette somme de 50 livres; **the weather is c., it's c.** il fait frais; **to keep sth c.** tenir qch au frais; **to keep a c. head** garder la tête froide **2** *n (of evening)* fraîcheur *f*; **to keep/lose one's c.** garder/perdre son sang-froid **3** *vt* **to c. (down)** refroidir, rafraîchir **4** *vi* **to c. (down** *or* **off)** *(of hot liquid)* refroidir; *(of enthusiasm)* se refroidir; *(of angry person)* se calmer; **to c. off** *(by drinking, swimming)* se rafraîchir • **cooler** *n (for food)* glacière *f* • **cool-'headed** *adj* calme • **coolly** *adv (calmly)* calmement; *(welcome)* froidement;

(boldly) effrontément ▪ **coolness** n fraîcheur f; *(unfriendliness)* froideur f

coop [ku:p] **1** n *(for chickens)* poulailler m **2** vt **to c. up** *(person, animal)* enfermer; **I've been cooped up** je suis resté enfermé

co-op ['kəʊp] n coopérative f

cooperate [kəʊ'ɒpəreɪt] vi coopérer (**in** à; **with** avec) ▪ **coope'ration** n coopération f

cooperative [kəʊ'ɒpərətɪv] **1** adj coopératif, -ive **2** n coopérative f

coopt [kəʊ'ɒpt] vt coopter (**onto** à)

coordinate [kəʊ'ɔːdɪneɪt] vt coordonner ▪ **coordination** [-'neɪʃən] n coordination f ▪ **coordinator** n *(of project)* coordinateur, -trice mf

coordinates [kəʊ'ɔːdɪnəts] npl Math coordonnées fpl; *(clothes)* coordonnés mpl

co-owner [kəʊ'əʊnə(r)] n copropriétaire mf

cop [kɒp] Fam **1** n *(policeman)* flic m **2** vi **to c. out** se défiler

cope [kəʊp] vi **to c. with** *(problem, demand)* faire face à; **to be able to c.** savoir se débrouiller; **I (just) can't c.** je n'y arrive plus

copier ['kɒpɪə(r)] n *(photocopier)* photocopieuse f

copilot ['kəʊpaɪlət] n copilote m

copious ['kəʊpɪəs] adj *(meal)* copieux, -ieuse; *(sunshine, amount)* abondant

copper ['kɒpə(r)] n (**a**) *(metal)* cuivre m; Br Fam **coppers** *(coins)* petite monnaie f (**b**) Br Fam *(policeman)* flic m

coppice ['kɒpɪs], **copse** [kɒps] n taillis m

copulate ['kɒpjʊleɪt] vi copuler

copy ['kɒpɪ] **1** (pl **-ies**) n *(of letter, document)* copie f; *(of book, magazine)* exemplaire m; *(of photo)* épreuve f; Comptr **c. and paste** copier-coller m **2** (pt & pp **-ied**) vt copier; **to c. out** or **down** *(text, letter)* copier; Comptr **to c. and paste sth** faire un copier-coller sur qch; Comptr **to c. sth to disk** copier qch sur disquette **3** vi copier ▪ **copyright** n copyright m

coral ['kɒrəl] n corail m

cord [kɔːd] n (**a**) *(of curtain, bell, pyjamas)* cordon m; *(electrical)* cordon électrique (**b**) *(corduroy)* velours m côtelé; **cords** *(trousers)* pantalon m en velours côtelé

cordial ['kɔːdɪəl] **1** adj *(friendly)* cordial **2** n Br *(fruit)* **c.** sirop m

cordless ['kɔːdləs] adj **c. phone** téléphone m sans fil

cordon ['kɔːdən] **1** n cordon m **2** vt **to c. off** *(road)* barrer; *(area)* boucler

corduroy ['kɔːdərɔɪ] n velours m côtelé

core [kɔː(r)] **1** n *(of apple)* trognon m; *(of problem)* cœur m; *(group of people)* & Geol noyau m; **rotten to the c.** corrompu jusqu'à la moelle; Sch **c. curriculum** tronc m commun; **c. vocabulary** vocabulaire m de base **2** vt *(apple)* évider

cork [kɔːk] **1** n *(material)* liège m; *(stopper)* bouchon m **2** vt *(bottle)* boucher ▪ **corkscrew** n tire-bouchon m

corn[1] [kɔːn] n Br *(wheat)* blé m; Am *(maize)* maïs m; *(seed)* grain m; **c. on the cob** maïs en épi, Can blé m en Inde

corn[2] [kɔːn] n *(on foot)* cor m

corned beef [kɔːnd'biːf] n corned-beef m

corner ['kɔːnə(r)] **1** n *(of street, room, page, screen)* coin m; *(bend in road)* virage m; Football corner m; Fig **in a (tight) c.** en situation difficile; **it's just round the c.** c'est juste au coin; Fig **Christmas is just round the c.** on est tout près de Noël; **c. shop** épicerie f du coin **2** vt *(person, animal)* acculer; **to c. the market** monopoliser le marché **3** vi *(of car, driver)* prendre un virage ▪ **cornerstone** n pierre f angulaire

cornet ['kɔːnɪt] n Br *(of ice cream)* cornet m; *(instrument)* cornet m à pistons

cornflakes ['kɔːnfleɪks] npl corn flakes mpl

cornflour ['kɔːnflaʊə(r)] n Br farine f de maïs, Maïzena® f

cornflower ['kɔːnflaʊə(r)] n bleuet m

cornstarch ['kɔːnstɑːtʃ] n Am = **cornflour**

Cornwall ['kɔːnwəl] n Cornouailles f

corny ['kɔːnɪ] (**-ier, -iest**) adj Fam *(joke)* nul (f nulle); *(film)* tarte

coronary ['kɒrənərɪ] (pl **-ies**) n infarctus m

coronation [kɒrə'neɪʃən] n couronnement m

coroner ['kɒrənə(r)] n Law coroner m

corporal ['kɔːpərəl] **1** n *(in army)* caporal-chef m **2** adj corporel, -elle; **c. punishment** châtiment m corporel

corporate ['kɔːpərət] adj *(budget)* de l'entreprise; *(decision)* collectif, -ive; **c. image** image f de marque de l'entreprise

corporation [kɔːpə'reɪʃən] n *(business)* société f; Br *(of town)* conseil m municipal

corps [kɔː(r), pl kɔːz] n inv Mil & Pol corps m; **the press c.** les journalistes mpl

corpse [kɔːps] n cadavre m

corral [kə'ræl] n Am corral m (pl **-als**)

correct [kə'rekt] **1** adj *(accurate)* exact; *(proper)* correct; **he's c.** il a raison; **the c. time** l'heure exacte **2** vt corriger ▪ **correctly** adv correctement ▪ **correction** n correction f; **c. fluid** liquide m correcteur

correlate ['kɒrəleɪt] **1** vt mettre en corrélation (**with** avec) **2** vi être en corrélation (**with** à) ▪ **correlation** [-'leɪʃən] n corrélation f

correspond [kɒrɪ'spɒnd] vi correspondre ▪ **corresponding** adj *(matching)* correspondant; *(similar)* semblable

correspondence [kɒrɪ'spɒndəns] n correspondance f; **c. course** cours m par correspondance ▪ **correspondent** n correspondant, -ante mf

corridor ['kɒrɪdɔː(r)] n couloir m, corridor m

corroborate [kə'rɒbəreɪt] vt corroborer

corrode [kə'rəʊd] 1 *vt (metal)* corroder 2 *vi (of metal)* se corroder ▪**corroded** *adj (rusty)* rouillé ▪**corrosion** *n* corrosion *f*

corrugated ['kɒrəgeɪtɪd] *adj* ondulé

corrupt [kə'rʌpt] 1 *adj* corrompu 2 *vt* corrompre ▪**corruption** *n* corruption *f*

Corsica ['kɔːsɪkə] *n* la Corse ▪**Corsican** 1 *adj* corse 2 *n* Corse *mf*

cos [kɒs] *n Br* **c.** *(lettuce)* romaine *f*

cosh [kɒʃ] *Br* 1 *n* matraque *f* 2 *vt* matraquer

cosiness ['kəʊzɪnəs] *n* confort *m*

cosmetic [kɒz'metɪk] 1 *adj Fig (change)* superficiel, -ielle; **c. surgery** chirurgie *f* esthétique 2 *n* produit *m* de beauté

cosmopolitan [kɒzmə'pɒlɪtən] *adj* cosmopolite *mf*

cost [kɒst] 1 *n* coût *m; Econ* **the c. of living** le coût de la vie; **at great c.** à grands frais; **to my c.** à mes dépens; **at any c., at all costs** à tout prix; *Br* **at c. price** au prix coûtant 2 *(pt & pp cost)* *vti* coûter; **how much does it c.?** ça coûte combien?; *Fam* **to c. the earth** *or* **an arm and a leg** coûter les yeux de la tête ▪**cost-effective** *adj* rentable ▪**costly** (-ier, -iest) *adj (expensive) (car, trip)* coûteux, -euse; *(valuable) (jewel, antique)* de (grande) valeur; **it was a c. mistake** c'est une erreur qui a coûté cher

co-star ['kəʊstɑː(r)] *n (in film, play)* partenaire *mf*

Costa Rica [kɒstə'riːkə] *n* le Costa Rica

costume ['kɒstjuːm] *n* costume *m; (woman's suit)* tailleur *m; Br* **(swimming) c.** maillot *m* de bain

cosy ['kəʊzɪ] 1 (-ier, -iest) *adj Br (house)* douillet, -ette; *(atmosphere)* intime; **make yourself (nice and) c.** mets-toi à l'aise; **we're c. on est bien ici** 2 *n (tea)* **c.** couvre-théière *m*

cot [kɒt] *n Br (for child)* lit *m* d'enfant; *Am (camp bed)* lit de camp; *Br* **c. death** mort *f* subite du nourrisson

cottage ['kɒtɪdʒ] *n* petite maison *f* de campagne; *(thatched)* **c.** chaumière *f;* **c. cheese** fromage *m* blanc (maigre); **c. industry** industrie *f* artisanale; *(at home)* industrie familiale; *Br* **c. pie** ≃ hachis *m* Parmentier

cotton ['kɒtən] 1 *n* coton *m; (yarn)* fil *m* de coton; *Br* **c. wool,** *Am* **absorbent c.** coton *m* hydrophile, ouate *f;* **c. shirt** chemise *f* en coton; *Am* **c. candy** barbe *f* à papa 2 *vi Fam* **to c. on (to sth)** *(realize)* piger (qch)

couch [kaʊtʃ] 1 *n (sofa)* canapé *m; (for doctor's patient)* lit *m* 2 *vt (express)* formuler

couchette [kuːˈʃet] *n Br (on train)* couchette *f*

cough [kɒf] 1 *n* toux *f;* **c. syrup** *or* **medicine,** *Br* **c. mixture** sirop *m* pour la toux 2 *vi* tousser; *Fam* **to c. up** casquer 3 *vt* **to c. up** *(blood)* cracher; *Fam (money)* allonger

could [kʊd, *unstressed* kəd] *pt of* **can[1]**

couldn't ['kʊdənt] = **could not**

council ['kaʊnsəl] *n (assembly)* conseil *m; (local government)* municipalité *f;* **(town/city) c.** conseil *m* municipal; **C. of Europe** Conseil de l'Europe; *Br* **c. flat/house** ≃ HLM *f; Br* **c. tax** = impôt regroupant taxe d'habitation et impôts locaux ▪**councillor** *n* conseiller, -ère *mf;* **(town) c.** conseiller *m* municipal

counsel ['kaʊnsəl] 1 *n inv (advice)* conseil *m; Br (lawyer)* avocat, -ate *mf* 2 *(Br* **-ll-,** *Am* **-l-)** *vt* conseiller (**sb to do** à qn de faire) ▪**counselling** *(Am* **counseling)** *n* assistance *f* psychosociale ▪**counsellor** *(Am* **counselor)** *n* conseiller, -ère *mf*

count[1] [kaʊnt] 1 *n (calculation)* compte *m; Law (charge)* chef *m* d'accusation; **to keep c. of sth** tenir le compte de qch 2 *vt (find number of, include)* compter; *(consider)* considérer; **not counting Paul** sans compter Paul; **to c. in** *(include)* inclure; **c. me in!** j'en suis!; **to c. out** *(exclude)* exclure; *(money)* compter; **c. me out!** ne comptez pas sur moi! 3 *vi* compter; **to c. against sb** jouer contre qn; **to c. on sb/sth** *(rely on)* compter sur qn/qch; **to c. on doing sth** compter faire qch ▪**countdown** *n* compte *m* à rebours

count[2] [kaʊnt] *n (title)* comte *m*

counter ['kaʊntə(r)] 1 *n* **(a)** *(in shop, bar)* comptoir *m; (in bank)* guichet *m;* **the food c.** *(in store)* le rayon alimentation; *Fig* **under the c.** *(buy, sell)* au marché noir; **over the c.** *(medicine)* en vente libre **(b)** *(in games)* jeton *m* **(c)** *(counting device)* compteur *m* 2 *adv* **c. to** contrairement à; **to run c. to** aller à l'encontre de 3 *vt (threat)* répondre à; *(effects)* neutraliser; *(blow)* parer; **to c. that...** riposter que... 4 *vi* riposter (**with** par)

counter- ['kaʊntə(r)] *pref* contre-

counteract [kaʊntə'rækt] *vt (influence)* contrecarrer; *(effects)* neutraliser

counterattack ['kaʊntərətæk] 1 *n* contre-attaque *f* 2 *vti* contre-attaquer

counterbalance ['kaʊntəbæləns] 1 *n* contre-poids *m* 2 *vt* contrebalancer

counterclockwise [kaʊntə'klɒkwaɪz] *adj & adv Am* dans le sens inverse des aiguilles d'une montre

counterfeit ['kaʊntəfɪt] 1 *adj* faux (*f* fausse) 2 *n* faux *m* 3 *vt* contrefaire

counterfoil ['kaʊntəfɔɪl] *n* souche *f*

counterpart ['kaʊntəpɑːt] *n (thing)* équivalent *m; (person)* homologue *mf*

counterproductive [kaʊntəprə'dʌktɪv] *adj (action)* contre-productif, -ive

countersign ['kaʊntəsaɪn] *vt* contresigner

countess ['kaʊntɪs] *n* comtesse *f*

countless ['kaʊntlɪs] *adj* innombrable; **on c. occasions** à maintes occasions

country ['kʌntrɪ] (*pl* **-ies**) 1 *n* pays *m; (region)* région f, pays; (opposed to town) campagne f; **in the c.** à la campagne **2** adj (house, road) de campagne; **c. and western music** country f; **c. dancing** danse f folklorique ▪**countryman** (pl **-men**) n (**fellow**) c. compatriote m ▪**countryside** n campagne f; **in the c.** à la campagne

county ['kaʊntɪ] (pl **-ies**) n comté m; **c. council** ≃ conseil m général; Br **c. town**, Am **c. seat** chef-lieu m de comté

coup [kuː, pl kuːz] n Pol coup m d'État

couple ['kʌpəl] **1** n (of people) couple m; **a c. of** deux ou trois; (a few) quelques **2** vt (connect) accoupler

coupon ['kuːpɒn] n (for discount) bon m; (form) coupon m

courage ['kʌrɪdʒ] n courage m ▪**courageous** [kə'reɪdʒəs] adj courageux, -euse

courgette [kʊə'ʒet] n Br courgette f

courier ['kʊrɪə(r)] n (for tourists) guide mf; (messenger) messager m

course [kɔːs] **1** n (**a**) (of river, time, events) cours m; (of ship) route f; (means) moyen m; **c. of action** ligne f de conduite; **to be on c.** Naut suivre le cap; Fig être en bonne voie; **your best c. is to...** le mieux c'est de...; **as a matter of c.** normalement; **in the c. of** au cours de; **in the c. of time** avec le temps; **in due c.** en temps utile (**b**) (lessons) cours m; **c. of lectures** série f de conférences (**c**) Med **c. of treatment** traitement m (**d**) (of meal) plat m; **first c.** entrée f; **main c.** plat principal (**e**) (for race) parcours m; (for horseracing) champ m de courses; (for golf) terrain m **2** adv **of c.!** bien sûr!; **of c. not!** bien sûr que non!

court¹ [kɔːt] n (of king) cour f; (for trials) cour, tribunal m; (for tennis) court m; **c. of law** tribunal m; **to go to c.** aller en justice; **to take sb to c.** poursuivre qn en justice; Br **c. shoe** escarpin m ▪**courthouse** n Am palais m de justice ▪**courtroom** n Law salle f d'audience ▪**courtyard** n cour f

court² [kɔːt] **1** vt (woman) faire la cour à; (danger) aller au-devant de; (death) braver; (friendship, favour) rechercher **2** vi **to be courting** (of couple) se fréquenter ▪**courtship** n (of person) cour f; (of animal) parade f nuptiale

courteous ['kɜːtɪəs] adj poli, courtois ▪**courtesy** [-təsɪ] (pl **-ies**) n politesse f, courtoisie f; **c. car** = voiture mise à la disposition d'un client par un hôtel, un garage etc

courtier ['kɔːtɪə(r)] n Hist courtisan m

court-martial [kɔːt'mɑːʃəl] **1** n conseil m de guerre **2** vt (Br **-ll-**, Am **-l-**) **to be court-martialled** passer en cour martiale

cousin ['kʌzən] n cousin, -ine mf

cove [kəʊv] n crique f

Coventry ['kɒvəntrɪ] n Br **to send sb to C.** (punish) mettre qn en quarantaine

cover ['kʌvə(r)] **1** n (lid) couvercle m; (of book) couverture f; (for furniture, typewriter) housse f; (bedspread) dessus-de-lit m inv; **the covers** (blankets) les couvertures fpl; **to take c.** se mettre à l'abri; **under c.** (sheltered) à l'abri; **under separate c.** (letter) sous pli séparé; **under c. of darkness** à la faveur de la nuit; **c. charge** (in restaurant) couvert m; Am **c. letter** lettre f jointe; Br **c. note** (insurance) certificat m provisoire d'assurance **2** vt couvrir (**with** or **in** de); (include) englober; (treat) traiter; (distance) parcourir; (event) (in newspaper, on TV) couvrir; (aim gun at) tenir en joue; (insure) assurer (**against** contre); **to c. one's eyes** se couvrir les yeux; **to c. one's costs** couvrir ses frais; **to c. over** (floor, saucepan) recouvrir; **to c. up** recouvrir; (truth, tracks) dissimuler; (scandal) étouffer **3** vi **to c. (oneself) up** (wrap up) se couvrir; **to c. up for sb** cacher la vérité pour protéger qn ▪**cover-up** n **there was a c.** on a étouffé l'affaire

coverage ['kʌvərɪdʒ] n (on TV, in newspaper) couverture f médiatique

coveralls ['kʌvərɔːlz] npl Am bleu m de travail

covering ['kʌvərɪŋ] n (wrapping) enveloppe f; (layer) couche f; Br **c. letter** lettre f jointe

covert ['kəʊvɜːt, 'kʌvət] adj secret, -ète; (look) furtif, -ive

covet ['kʌvɪt] vt convoiter

cow¹ [kaʊ] n vache f; Fam Pej (nasty woman) peau f de vache; **c. elephant** éléphant f ▪**cowboy** n cow-boy m ▪**cowshed** n étable f

cow² [kaʊ] vt **to be cowed** (frightened) être intimidé (**by** par)

coward ['kaʊəd] n lâche mf ▪**cowardice** n lâcheté f ▪**cowardly** adj lâche

cower ['kaʊə(r)] vi (crouch) se tapir; (with fear) trembler; (move back) reculer (par peur)

cowslip ['kaʊslɪp] n (plant) coucou m

cox [kɒks] **1** n barreur, -euse mf **2** vt (boat) barrer

coy [kɔɪ] (**-er**, **-est**) adj (shy) timide; Pej (affectedly shy) (faussement) timide

coyote [kaɪ'əʊtɪ] n coyote m

cozy ['kəʊzɪ] adj Am = **cosy**

CPA [siːpiː'eɪ] (abbr **certified public accountant**) n Am expert-comptable m

crab [kræb] n (**a**) (crustacean) crabe m (**b**) **c. apple** pomme f sauvage

crabby ['kræbɪ] (**-ier**, **-iest**) adj (person) grincheux, -euse

crack¹ [kræk] **1** n (split) fente f; (in glass, china, bone) fêlure f; (in skin) crevasse f; (noise) craquement m; (of whip) claquement m; (blow) coup m; Fam (joke) plaisanterie f (**at** aux dépens de); Fam **to have a c. at doing sth**

essayer de faire qch; **at the c. of dawn** au point du jour **2** *vt (glass, ice)* fêler; *(nut)* casser; *(ground, skin)* crevasser; *(whip)* faire claquer; *(problem)* résoudre; *(code)* déchiffrer; *(safe)* percer; *(joke)* raconter **3** *vi se* fêler; *(of skin)* se crevasser; *(of branch, wood)* craquer; *Fam* **to get cracking** *(get to work)* s'y mettre; *(hurry)* se grouiller

► **crack down** *vi* to c. down on sth prendre des mesures énergiques en matière de qch

► **crack up** *Fam* **1** *vt sep* to c. sb up faire éclater qn de rire; **it's not as hard as it's cracked up to be** ce n'est pas aussi dur qu'on le dit **2** *vi* to c. up *(mentally)* craquer; *(laugh hysterically)* éclater de rire

crack² [kræk] *adj (first-rate) (driver, skier)* d'élite; **c. shot** fin tireur *m*

crack³ [kræk] *n (drug)* crack *m*

crackdown ['krækdaʊn] *n* mesures *fpl* énergiques **(on** en matière de)

cracked [krækt] *adj Fam (crazy)* cinglé

cracker ['krækə(r)] *n* (a) *(biscuit)* biscuit *m* salé (b) *(firework)* pétard *m*; **Christmas c.** diablotin *m* (c) *Br Fam* **she's a c.** *(attractive)* elle est canon ▪ **crackers** *adj Br Fam (mad)* cinglé ▪ **crackpot** *n Br Fam* cinglé, -ée *mf*

crackle ['krækəl] **1** *(of twigs)* craquement *m*; *(of fire)* crépitement *m*; *(of frying)* grésillement *m*; *(of radio)* crachotement *m* **2** *vi (of fire)* crépiter; *(of frying)* grésiller; *(of radio)* crachoter

cradle ['kreɪdəl] **1** *n* berceau *m* **2** *vt* bercer

craft¹ [krɑ:ft] **1** *n (skill)* art *m*; *(job)* métier *m* **2** *vt* façonner ▪ **craftsman** *(pl* -men*)* *n* artisan *m* ▪ **craftsmanship** *n (skill)* art *m*; **a fine piece of c.** une belle pièce

craft² [krɑ:ft] *n (cunning)* ruse *f*

craft³ [krɑ:ft] *n inv (boat)* bateau *m*

crafty ['krɑ:ftɪ] (-ier, -iest) *adj* astucieux, -ieuse; *Pej* rusé

crag [kræg] *n* rocher *m* à pic ▪ **craggy** *adj (rock)* à pic; *(face)* anguleux, -euse

cram [kræm] *(pt & pp* -mm-*)* **1** *vt* to c. sth into *(force)* fourrer qch dans; **to c. with** *(fill)* bourrer de **2** *vi* to c. into *(of people)* s'entasser dans; **to c. (for an exam)** bûcher

cramp [kræmp] *n (pain)* crampe *f* (**in** à)

cramped [kræmpt] *adj (surroundings)* exigu *(f* exiguë*)*; **in c. conditions** à l'étroit; **to be c. for space** être à l'étroit

cranberry ['krænbərɪ] *(pl* -ies*)* *n* canneberge *f*

crane [kreɪn] **1** *n (machine, bird)* grue *f* **2** *vt* to c. one's neck tendre le cou

crank¹ [kræŋk] **1** *n (handle)* manivelle *f* **2** *vt* to c. (up) *(vehicle)* faire démarrer à la manivelle

crank² [kræŋk] *n Fam (person)* excentrique *mf*; *(fanatic)* fanatique *mf* ▪ **cranky** (-ier, -iest) *adj Fam* excentrique; *Am (bad-tempered)* grincheux, -euse

cranny ['krænɪ] *(pl* -ies*)* *n see* **nook**

crap [kræp] **1** *n Vulg (excrement)* merde *f*; *very Fam (nonsense)* conneries *fpl* **2** *adj very Fam (bad)* nul *(f* nulle*)*

craps [kræps] *n Am* **to shoot c.** jouer aux dés

crash [kræʃ] **1** *n (accident)* accident *m*; *(collapse of firm)* faillite *f*; *(noise)* fracas *m*; *(of thunder)* coup *m*; **c. course/diet** cours *m*/régime *m* intensif; **c. barrier** *(on road)* glissière *f* de sécurité; **c. helmet** casque *m*; **c. landing** atterrissage *m* en catastrophe **2** *exclam (of fallen object)* patatras! **3** *vt (car)* avoir un accident avec; **to c. one's car into sth** rentrer dans qch (avec sa voiture) **4** *vi (of car, plane)* s'écraser; **to c. into** rentrer dans; **the cars crashed (into each other)** les voitures se sont percutées ▪ **crash-'land** *vi* atterrir en catastrophe

crass [kræs] *adj* grossier, -ière; **c. stupidity** immense bêtise *f*; **c. ignorance** ignorance *f* crasse

crate [kreɪt] *n (large)* caisse *f*; *(small)* cageot *m*; *(for bottles)* casier *m*

crater ['kreɪtə(r)] *n* cratère *m*; **(bomb) c.** entonnoir *m*

cravat [krə'væt] *n* foulard *m*

crave [kreɪv] *vi* to c. for avoir un besoin terrible de ▪ **craving** *n* envie *f* (**for** de)

craven ['kreɪvən] *adj Literary (cowardly)* lâche

crawl [krɔ:l] **1** *n (swimming stroke)* crawl *m*; **to do the c.** nager le crawl; **to move at a c.** *(in vehicle)* avancer au pas **2** *vi (of snake, animal)* ramper; *(of child)* marcher à quatre pattes; *(of vehicle)* avancer au pas; **to be crawling with** grouiller de

crayfish ['kreɪfɪʃ] *n inv (freshwater)* écrevisse *f*

crayon ['kreɪən] *n (wax)* crayon *m* gras

craze [kreɪz] *n* engouement *m* (**for** pour) ▪ **crazed** *adj* affolé

crazy ['kreɪzɪ] (-ier, -iest) *adj* fou *(f* folle*)*; **to go c.** devenir fou; **to drive sb c.** rendre qn fou; **to be c. about sb/sth** être fou de qn/qch; **to run/work like c.** courir/travailler comme un fou; **c. paving** dallage *m* irrégulier ▪ **craziness** *n* folie *f*

creak [kri:k] *vi (of hinge)* grincer; *(of floor, timber)* craquer ▪ **creaky** *adj* grinçant; *(floor)* qui craque

cream [kri:m] **1** *n (of milk, lotion)* crème *f*; *Fig* **the c.** *(the best)* la crème de la crème; **c.(-coloured)** crème *inv*; **c. of tomato soup** crème de tomates; **c. cake** gâteau *m* à la crème; **c. cheese** fromage *m* à tartiner; **c. tea** = thé servi avec des scones, de la crème fouettée et de la confiture **2** *vt (milk)* écrémer; *Fig* **they c. off the best students** ils sélectionnent les meilleurs étudiants ▪ **creamy** (-ier, -iest) *adj* crémeux, -euse

crease [kri:s] **1** *n* pli *m* **2** *vt* froisser **3** *vi* se froisser ▪ **crease-resistant** *adj* infroissable

create [kriː'eɪt] *vt* créer; **to c. a good impression** faire bonne impression ■ **creation** *n* création *f* ■ **creator** *n* créateur, -trice *mf*

creative [kriː'eɪtɪv] *adj (person, activity)* créatif, -ive ■ **creativeness, crea'tivity** *n* créativité *f*

creature ['kriːtʃə(r)] *n (animal)* bête *f; (person)* créature *f;* **one's c. comforts** ses aises *fpl*

crèche [kreʃ] *n Br (nursery)* crèche *f; Am (nativity scene)* crèche

credence ['kriːdəns] *n* **to give** or **lend c. to** ajouter foi à

credentials [krɪ'denʃəlz] *npl (proof of ability)* références *fpl; (identity)* pièce d'identité; *(of diplomat)* lettres *fpl* de créance

credible ['kredɪbəl] *adj* crédible; **it is hardly c. that…** on a peine à croire que… ■ **credi'bility** *n* crédibilité *f*

credit ['kredɪt] **1** *n (financial)* crédit *m; (merit)* mérite *m; (from university)* unité *f* de valeur; **credits** *(of film)* générique *m;* **to buy sth on c.** acheter qch à crédit; **to be in c.** *(of account)* être créditeur; *(of person)* avoir un solde positif; **to give c. to sb** *Fin* faire crédit à qn; *Fig* reconnaître le mérite de qn; **to give c. to sth** ajouter foi à qch; **she's a c. to the school** elle fait honneur à l'école; **to her c., she refused** c'est tout à son honneur d'avoir refusé; **c. balance** solde *m* créditeur; **c. card** carte *f* de crédit; **c. facilities** facilités *fpl* de paiement **2** *vt (of bank)* créditer *(sb with sth* qn de qch); *(believe)* croire; **to c. sb/sth with sth** *(qualities)* attribuer qch à qn/qch ■ **creditable** *adj* honorable ■ **creditor** *n* créancier, -ière *mf* ■ **creditworthy** *adj* solvable

credulous ['kredjʊləs] *adj* crédule

creed [kriːd] *n* credo *m*

creek [kriːk] *n (bay)* crique *f; Am (stream)* ruisseau *m; Br Fam* **to be up the c. (without a paddle)** être dans le pétrin

creep [kriːp] **1** *n Fam (unpleasant man)* type *m* répugnant; *(obsequious person)* lèche-bottes *mf inv; Fam* **it gives me the creeps** ça me fait froid dans le dos **2** *(pt & pp* **crept)** *vi (make)* *(silently)* se glisser *(furtively)* *(slowly)* avancer lentement; **it makes my flesh c.** ça me donne la chair de poule ■ **creepy (-ier, -iest)** *adj Fam* sinistre ■ **creepy-'crawly** *(pl* **-ies)** *(Am* **creepy-crawler)** *n Fam* bestiole *f*

cremate [krɪ'meɪt] *vt* incinérer ■ **cremation** *n* crémation *f*

crematorium [kremə'tɔːrɪəm] *(pl* **-ia** *-ɪə)* *(Am* **crematory** ['kriːmətɔːrɪ]) *n* crématorium *m*

crêpe [kreɪp] *n (fabric)* crêpe *m;* **c. (rubber) soles** semelles *fpl* de crêpe; **c. bandage** bande *f* Velpeau®; **c. paper** papier *m* crépon

crept [krept] *pt & pp of* **creep**

crescent ['kresənt] *n (shape)* croissant *m; Br Fig (street)* rue *f* en demi-lune

cress [kres] *n* cresson *m*

crest [krest] *n (of wave, mountain, bird)* crête *f; (of hill)* sommet *m; (on seal, letters)* armoiries *fpl*

Crete [kriːt] *n* la Crète

cretin ['kretɪn] *n Fam* crétin, -ine *mf*

crevasse [krɪ'væs] *n (in ice)* crevasse *f*

crevice ['krevɪs] *n (crack)* fente *f*

crew [kruː] *n (of ship, plane)* équipage *m; Fam (gang)* équipe *f;* **c. cut** coupe *f* en brosse ■ **crew-neck(ed) sweater** *n* pull *m* ras du cou

crib [krɪb] **1** *n* **(a)** *Am (cot)* lit *m* d'enfant; *(cradle)* berceau *m; (nativity scene)* crèche *f* **(b)** *Br Fam* **c. (sheet)** antisèche *f* **2** *(pt & pp* **-bb-)** *vti Fam* pomper

crick [krɪk] *n* **c. in the neck** torticolis *m;* **c. in the back** tour *m* de reins

cricket¹ ['krɪkɪt] *n (game)* cricket *m; Fig* **that's not c.!** ce n'est pas du jeu!

cricket² ['krɪkɪt] *n (insect)* grillon *m*

crikey ['kraɪkɪ] *exclam Br Fam* zut alors!

crime [kraɪm] *n* crime *m; Law* délit *m; (criminal practice)* criminalité *f;* **c. wave** vague *f* de criminalité

criminal ['krɪmɪnəl] **1** *n* criminel, -elle *mf* **2** *adj* criminel, -elle; **c. offence** *(minor)* délit *m; (serious)* crime *m;* **c. record** casier *m* judiciaire

crimson ['krɪmzən] *adj & n* cramoisi *(m)*

cringe [krɪndʒ] *vi (show fear)* avoir un mouvement de recul; *(be embarrassed)* avoir envie de rentrer sous terre

crinkle ['krɪŋkəl] **1** *n (in paper, fabric)* pli *m* **2** *vt (paper, fabric)* froisser

cripple ['krɪpəl] **1** *n (lame)* estropié, -iée *mf; (disabled)* infirme *mf* **2** *vt (disable)* rendre infirme; *Fig (nation, system)* paralyser ■ **crippled** *adj* infirme; *(ship)* désemparé

crisis ['kraɪsɪs] *(pl* **crises** ['kraɪsiːz]) *n* crise *f*

crisp [krɪsp] **1** *(-er, -est)* *adj (biscuit)* croustillant; *(apple, vegetables)* croquant; *(snow)* qui crisse sous les pas; *(air, style)* vif *(f* vive) **2** *n Br* **packet of crisps** sachet *m* de chips; **(potato) crisps** chips *fpl;* ■ **crispbread** *n* pain *m* suédois

criss-cross ['krɪskrɒs] **1** *adj (lines)* entre-croisé; *(muddled)* enchevêtré **2** *vi* s'entre-croiser **3** *vt* sillonner (en tous sens)

criterion [kraɪ'tɪərɪən] *(pl* **-ia** *[-ɪə])* *n* critère *m*

critic ['krɪtɪk] *n (reviewer)* critique *mf; (opponent)* détracteur, -trice *mf* ■ **critical** *adj* critique ■ **critically** *adv (examine)* en critique; *(harshly)* sévèrement; **to be c. ill** être dans un état critique ■ **criticism** [-sɪzəm] *n* critique *f* ■ **criticize** [-saɪz] *vti* critiquer ■ **critique** [krɪ'tiːk] *n (essay)* critique *f*

croak [krəʊk] **1** *n* croassement *m* **2** *vi (of frog)* croasser; *(of person)* parler d'une voix rauque

Croatia [krəʊ'eɪʃə] *n* la Croatie ■ **Croatian, Croat** ['krəʊæt] **1** *adj* croate **2** *n (person)* Croate *mf; (language)* croate *m*

crochet ['krəʊʃeɪ] **1** n (travail m au) crochet m; **c. hook** crochet m **2** vt faire au crochet **3** vi faire du crochet

crock [krɒk] n Fam **a c., an old c.** (person) un croulant; (car) un tacot

crockery ['krɒkərɪ] n vaisselle f

crocodile ['krɒkədaɪl] n crocodile m

crocus ['krəʊkəs] (pl -uses [-əsɪz]) n crocus m

croft [krɒft] n Br petite ferme f

crony ['krəʊnɪ] (pl -ies) n Fam Pej copain m, copine f

crook [krʊk] n (a) (thief) escroc m (b) (shepherd's stick) houlette f

crooked ['krʊkɪd] adj (hat, picture) de travers; (nose) tordu; (smile) en coin; (deal, person) malhonnête

croon [kruːn] vti chantonner

crop [krɒp] **1** n (harvest) récolte f; (produce) culture f; Fig (of questions) série f; (of people) groupe m; **c. of hair** chevelure f; **c. circle** = motif circulaire tracé dans un champ, attribué par certains à l'intervention d'extraterrestres **2** (pt & pp -pp-) vt (hair) couper ras **3** vi **to c. up** (of issue) survenir; (of opportunity) se présenter; (of name) être mentionné ▪ **cropper** n Br Fam **to come a c.** se ramasser une pelle

croquet ['krəʊkeɪ] n (game) croquet m

croquette [krəʊˈket] n Culin croquette f

cross¹ [krɒs] **1** n croix f; **a c. between** (animal) un croisement entre; Fig **it's a c. between a car and a van** c'est un compromis entre une voiture et une camionnette; **c. street** rue f transversale

2 vt (street, room) traverser; (barrier, threshold) franchir; (legs, animals) croiser; (oppose) contrecarrer; (cheque) barrer; **to c. off or out** (word, name) rayer; **to c. over** (road) traverser; **it never crossed my mind that...** il ne m'est pas venu à l'esprit que...

3 vi (of paths) se croiser; **to c. over** traverser ▪ **crossbow** n arbalète f ▪ **'cross'check** vt vérifier (par recoupement) ▪ **'cross-'country** adj (walk) à travers champs; **c. race** cross m; **c. runner** coureur, -euse mf de fond ▪ **'cross-exami'nation** n Law contre-interrogatoire m ▪ **'cross-ex'amine** vt Law soumettre à un contre-interrogatoire ▪ **'cross-'eyed** adj qui louche ▪ **'crossfire** n feux mpl croisés ▪ **'cross-legged** [-'leg(ɪ)d] adj & adv **to sit c.** être assis en tailleur ▪ **'cross-'purposes** npl **to be at c.** ne pas parler de la même chose ▪ **'cross-'reference** n renvoi m ▪ **crossroads** n carrefour m ▪ **'cross-'section** n coupe f transversale; (sample) échantillon m représentatif ▪ **'cross-'training** n = entraînement dans plusieurs disciplines ▪ **crosswalk** n Am passage m clouté ▪ **crosswind** n vent m de travers ▪ **crossword (puzzle)** n mots mpl croisés

cross² [krɒs] adj (angry) fâché (**with** contre); **to get c.** se fâcher (**with** contre)

crossing ['krɒsɪŋ] n (of sea, river) traversée f; Br **(pedestrian) c.** passage m clouté

crotch [krɒtʃ] n (of garment, person) entrejambe m

crotchet ['krɒtʃɪt] n Mus noire f

crotchety ['krɒtʃɪtɪ] adj Fam grognon, -onne

crouch [kraʊtʃ] vi **to c. (down)** (of person) s'accroupir; (of animal) se tapir

crow [krəʊ] **1** n corbeau m; **as the c. flies** à vol d'oiseau; **c.'s nest** (on ship) nid-de-pie m **2** vi (of cock) chanter; Fig (boast) se vanter (**about** de)

crowbar ['krəʊbɑː(r)] n levier m

crowd [kraʊd] **1** n foule f; Fam (group of people) bande f; Fam (of things) masse f; **there was quite a c.** il y avait beaucoup de monde; Fig **to follow the c.** suivre le mouvement **2** vt (fill) entasser; (street) envahir; **to c. people/ objects into** entasser des gens/des objets dans; Fam **don't c. me!** ne me bouscule pas! **3** vi **to c. into** (of people) s'entasser dans; **to c. round sb/sth** se presser autour de qn/qch; **to c. together** se serrer ▪ **crowded** adj plein (**with** de); (train, room) bondé; (city) surpeuplé; **it's very c.** il y a beaucoup de monde

crown [kraʊn] **1** n (of king) couronne f; (of head, hill) sommet m; **the C.** (monarchy) la Couronne; Br Law **c. court** ≃ cour f d'assises; Br **c. jewels** joyaux mpl de la Couronne; **c. prince** prince m héritier **2** vt couronner ▪ **crowning** adj (glory) suprême; **c. achievement** (of career) couronnement m

crucial ['kruːʃəl] adj crucial

crucify ['kruːsɪfaɪ] (pt & pp -ied) vt crucifier ▪ **crucifix** [-fɪks] n crucifix m ▪ **crucifixion** [-'fɪkʃən] n crucifixion f

crude [kruːd] (-er, -est) adj (manners, person, language) grossier, -ière; (painting, work) rudimentaire; (fact) brut; **c. oil** pétrole m brut ▪ **crudely** adv (say, order) crûment; (build, paint) grossièrement ▪ **crudeness** n (of manners) grossièreté f; (of painting) état m rudimentaire

cruel [krʊəl] (crueller, cruellest) adj cruel (f cruelle) ▪ **cruelty** n cruauté f; **an act of c.** une cruauté

cruise [kruːz] **1** n croisière f; **to go on a c.** partir en croisière; Mil **c. missile** missile m de croisière; **c. ship** navire m de croisière **2** vi (of ship) croiser; (of vehicle) rouler; (of plane) voler; (of taxi) marauder; (of tourists) faire une croisière; **cruising speed** (of ship, plane) vitesse f de croisière

crumb [krʌm] n miette f; Fig (of comfort) brin m

crumble ['krʌmbəl] **1** n crumble m (dessert aux fruits recouvert de pâte sablée) **2** vt (bread) émietter **3** vi (of bread) s'émietter; (collapse) (of-resistance) s'effondrer; **to c. (away)** (in small pieces) s'effriter; *(become ruined) (of building)* tomber en ruine ▪ **crumbly** *adj (pastry)* friable

crummy ['krʌmɪ] *(-ier, -iest) adj Fam* minable

crumpet ['krʌmpɪt] *n Br* = petite crêpe épaisse servie chaude et beurrée

crumple ['krʌmpəl] **1** *vt* froisser **2** *vi* se froisser

crunch [krʌntʃ] **1** *n Fam* **when it comes to the c.** au moment crucial **2** *vt (food)* croquer **3** *vi (of snow)* crisser ▪ **crunchy** (**-ier, -iest**) *adj (apple, vegetables)* croquant; *(bread)* croustillant

crusade [kru:'seɪd] **1** *n Hist & Fig* croisade *f* **2** *vi* faire une croisade ▪ **crusader** *n Hist* croisé *m*; *Fig* militant, -ante *mf*

crush [krʌʃ] **1** *n (crowd)* foule *f*; *(confusion)* bousculade *f*; *Fam* **to have a c. on sb** en pincer pour qn **2** *vt* écraser; *(hope)* détruire; *(clothes)* froisser; *(cram)* entasser (**into** dans) ▪ **crushing** *adj (defeat)* écrasant

crust [krʌst] *n* croûte *f* ▪ **crusty** (**-ier, -iest**) *n (bread)* croustillant

crutch [krʌtʃ] *n* (**a**) *(of invalid)* béquille *f* (**b**) *(crotch)* entrejambe *m*

crux [krʌks] *n* **the c. of the matter/problem** le nœud de l'affaire/du problème

cry [kraɪ] **1** *(pl* **cries***) n (shout)* cri *m*; *Fam* **to have a good c.** pleurer un bon coup **2** *(pt & pp* **cried***) vt* **to c. (out)** *(shout)* crier; **to c. one's eyes out** pleurer toutes les larmes de son corps **3** *vi (weep)* pleurer; **to c. (out)** pousser un cri; **to c. for help** appeler au secours; **to c. out for sth** *(of person)* demander à grands cris; **to be crying out for sth** *(of thing)* avoir grand besoin de qch; **to c. off** *(from invitation)* se décommander; **to c. over sb/sth** pleurer qn/qch ▪ **crying 1** *adj* **a c. need of sth** un besoin urgent de qch; **a c. shame** un scandale **2** *n (shouts)* cris *mpl*; *(weeping)* pleurs *mpl*

crypt [krɪpt] *n* crypte *f*

cryptic ['krɪptɪk] *adj* énigmatique; **c. crossword** = mots croisés dont les définitions sont des énigmes

crystal ['krɪstəl] *n* cristal *m*; **c. ball** boule *f* de cristal; **c. vase** vase *m* en cristal ▪ '**crystal-'clear** *adj (water, sound)* cristallin; *(explanation)* clair comme de l'eau de roche

crystallize ['krɪstəlaɪz] **1** *vt* cristalliser **2** *vi (se)* cristalliser

cub [kʌb] *n* (**a**) *(of animal)* petit *m* (**b**) *(scout)* louveteau *m*

Cuba ['kju:bə] *n* Cuba *f* ▪ **Cuban 1** *adj* cubain **2** *n* Cubain, -aine *mf*

cubbyhole ['kʌbɪhəʊl] *n* cagibi *m*

cube [kju:b] *n* cube *m*; *(of meat, vegetables)* dé *m*; *(of sugar)* morceau *m* ▪ **cubic** *adj (shape)* cubique; **c. capacity** volume *m*; *(of engine)* cylindrée *f*; **c. metre** mètre *m* cube

cubicle ['kju:bɪkəl] *n (for changing clothes)* cabine *f*, *(in hospital, dormitory)* box *m*

cuckoo [*Br* 'kʊku:, *Am* 'ku:ku:] *(pl* **-oos***) n*

(bird) coucou *m*; **c. clock** coucou **2** *adj Fam (mad)* cinglé

cucumber ['kju:kʌmbə(r)] *n* concombre *m*

cuddle ['kʌdəl] **1** *n* câlin *m*; **to give sb a c.** faire un câlin à qn **2** *vt (hug)* serrer dans ses bras; *(caress)* câliner **3** *vi (of lovers)* se faire des câlins; **to (kiss and) c.** s'embrasser; **to c. up to sb** *(huddle)* se blottir contre qn ▪ **cuddly** (**-ier, -iest**) *adj (person)* mignon, -onne à croquer; **c. toy** peluche *f*

cudgel ['kʌdʒəl] *n* gourdin *m*

cue¹ [kju:] *n (in theatre)* réplique *f*; *(signal)* signal *m*; *Fig* **(right) on c.** au bon moment

cue² [kju:] *n (billiard)* **c.** queue *f* de billard

cuff [kʌf] **1** *n (of shirt)* poignet *m*; *Am (of trousers)* revers *m*; **off the c.** *(remark)* impromptu; **c. link** bouton *m* de manchette **2** *vt (strike)* gifler

cul-de-sac ['kʌldəsæk] *n Br* impasse *f*

culinary ['kʌlɪnərɪ] *adj* culinaire

cull [kʌl] *vt* choisir (**from** dans); *(animals)* abattre sélectivement

culminate ['kʌlmɪneɪt] *vi* **to c. in** aboutir à ▪ **culmination** [-'neɪʃən] *n* point *m* culminant

culprit ['kʌlprɪt] *n* coupable *mf*

cult [kʌlt] *n* culte *m*; **c. film** film *m* culte

cultivate ['kʌltɪveɪt] *vt (land, mind)* cultiver ▪ **cultivated** *adj* cultivé ▪ **cultivation** [-'veɪʃən] *n* culture *f*

culture ['kʌltʃə(r)] *n* culture *f* ▪ **cultural** *adj* culturel, -elle ▪ **cultured** *adj (person, mind)* cultivé

cumbersome ['kʌmbəsəm] *adj* encombrant

cumulative ['kju:mjʊlətɪv] *adj* cumulatif, -ive; **c. effect** *(long-term)* effet *m* à long terme

cunning ['kʌnɪŋ] **1** *adj (ingenious)* astucieux, -ieuse; *(devious)* rusé **2** *n* astuce *f*; *Pej* ruse *f* ▪ **cunningly** *adv* avec astuce; *Pej* avec ruse

cup [kʌp] *n* tasse *f*; *(goblet, prize)* coupe *f*; *Fam* **it's not my c. of tea** ce n'est pas mon truc; *Football* **c. final** finale *f* de la coupe ▪ **cupful** *n* tasse *f*

cupboard ['kʌbəd] *n Br* armoire *f*; *(built into wall)* placard *m*

cup-tie ['kʌptaɪ] *n Football* match *m* éliminatoire

curate ['kjʊərɪt] *n* vicaire *m*

curator [kjʊə'reɪtə(r)] *n (of museum)* conservateur *m*

curb [kɜ:b] **1** *n* (**a**) *(limit)* **to put a c. on** mettre un frein à (**b**) *Am (kerb)* bord *m* du trottoir **2** *vt (feelings)* refréner; *(ambitions)* modérer; *(expenses)* réduire

curd [kɜ:d] *n* **curd(s)** lait *m* caillé; **c. cheese** fromage *m* blanc battu

curdle ['kɜ:dəl] **1** *vt* cailler **2** *vi* se cailler

cure ['kjʊə(r)] **1** *n* remède *m* (**for** contre) **2** *vt* (**a**) *(person, illness)* guérir; *Fig (poverty)* éliminer; **to c. sb of** guérir qn de (**b**) *(meat, fish) (smoke)* fumer; *(salt)* saler; *(dry)* sécher ▪ **curable** *adj* guérissable

curfew ['kɜːfjuː] *n* couvre-feu *m*

curious ['kjʊərɪəs] *adj* (*odd*) curieux, -ieuse; (*inquisitive*) curieux, -ieuse (**about** de); **to be c. to know/see** être curieux de savoir/voir ▪**curiously** *adv* (*oddly*) curieusement; (*inquisitively*) avec curiosité

curiosity [kjʊərɪ'ɒsɪtɪ] (*pl* -**ies**) *n* curiosité *f* (**about** de)

curl [kɜːl] **1** *n* (*in hair*) boucle *f*; *Fig* (*of smoke*) spirale *f* **2** *vti* (*hair*) boucler; (*with small, tight curls*) friser **3** *vi* **to c. up** (*shrivel*) se racornir; **to c. (oneself) up** (*into a ball*) se pelotonner ▪**curler** *n* bigoudi *m* ▪**curly** (-**ier, -iest**) *adj* (*hair*) bouclé; (*with small, tight curls*) frisé

currant ['kʌrənt] *n* (*dried grape*) raisin *m* de Corinthe; (*fruit*) groseille *f*

currency ['kʌrənsɪ] (*pl* -**ies**) *n* (**a**) (*money*) monnaie *f*; (**foreign**) **c.** devises *fpl* (étrangères) (**b**) **to gain c.** (*of ideas*) se répandre

current ['kʌrənt] **1** *adj* (*fashion, trend*) actuel, -uelle; (*opinion, use, phrase*) courant; (*year, month*) en cours; **c. account** (*in bank*) compte *m* courant; **c. affairs** questions *fpl* d'actualité; **c. events** actualité *f*; **the c. issue** (*of magazine*) le dernier numéro **2** *n* (*of river, air, electricity*) courant *m* ▪**currently** *adv* actuellement

curriculum [kə'rɪkjʊləm] (*pl* -**la** [-lə]) *n* programme *m* scolaire; *Br* **c. vitae** curriculum vitae *m inv*

curry ['kʌrɪ] **1** (*pl* -**ies**) *n* (*dish*) curry *m*, cari *m*; **chicken c.** poulet *m* au curry **2** (*pt & pp* -**ied**) *vt* **to c. favour with sb** s'insinuer dans les bonnes grâces de qn

curse [kɜːs] **1** *n* malédiction *f*; (*swearword*) juron *m*; (*scourge*) fléau *m* **2** *vt* maudire; **cursed with sth** affligé de qch **3** *vi* (*swear*) jurer

cursor ['kɜːsə(r)] *n* Comptr curseur *m*

cursory ['kɜːsərɪ] *adj* superficiel, -ielle

curt [kɜːt] *adj* brusque ▪**curtly** *adv* d'un ton brusque

curtail [kɜː'teɪl] *vt* (*visit*) écourter; (*expenses*) réduire ▪**curtailment** *n* raccourcissement *m*; (*of expenses*) réduction *f*

curtain ['kɜːtən] *n* rideau *m*; **to draw the curtains** (*close*) tirer les rideaux; **c. call** (*in theatre*) rappel *m*

curts(e)y ['kɜːtsɪ] **1** (*pl* -**ies** *or* -**eys**) *n* révérence *f* **2** (*pt & pp* -**ied**) *vi* faire une révérence (**to** à)

curve [kɜːv] **1** *n* courbe *f*; (*in road*) virage *m* **2** *vt* courber **3** *vi* se courber; (*of road*) faire une courbe ▪**curved** *adj* (*line*) courbe ▪**curvy** *adj* (*line*) courbe; (*woman*) qui a des formes

cushion ['kʊʃən] **1** *n* coussin *m* **2** *vt* (*shock*) amortir ▪**cushioned** *adj* (*seat*) rembourré

cushy ['kʊʃɪ] (-**ier, -iest**) *adj* Fam (*job, life*) pépère

custard ['kʌstəd] *n* crème *f* anglaise; (*when set*) crème renversée; **c. pie** tarte *f* à la crème

custody ['kʌstədɪ] *n* (*of child, important papers*) garde *f*; **in the c. of sb** sous la garde de qn; **to take sb into c.** placer qn en garde à vue ▪**custodial** [kʌ'stəʊdɪəl] *adj* Law **c. sentence** peine *f* de prison ▪**custodian** [kʌ'stəʊdɪən] *n* gardien, -ienne *mf*

custom ['kʌstəm] *n* coutume *f*; (*of individual*) habitude *f*; (*customers*) clientèle *f* ▪**'custom-'built, customized** *adj* (*car*) (fait) sur commande ▪**'custom-'made** *adj* (*shirt*) (fait) sur mesure ▪**customize** *vt* personnaliser

customary ['kʌstəmərɪ] *adj* habituel, -uelle; **it is c. to...** il est d'usage de...

customer ['kʌstəmə(r)] *n* client, -iente *mf*; *Pej* (*individual*) individu *m*

customs ['kʌstəmz] *npl* (**the**) **c.** la douane; **c. duties** droits *mpl* de douane; **c. officer** douanier *m*; **c. union** union *f* douanière

cut [kʌt] **1** *n* (*mark*) coupure *f*; (*stroke*) coup *m*; (*of clothes, hair*) coupe *f*; (*in salary, prices*) réduction *f*; (*of meat*) morceau *m*; Comptr **c. and paste** couper-coller *m*
2 (*pt & pp* cut, *pres p* cutting) *vt* couper; (*meat, chicken*) découper; (*glass, diamond, tree*) tailler; (*hay*) faucher; (*salary, prices, profits*) réduire; **to c. sb's hair** couper les cheveux à qn; **to have one's hair c.** se faire couper les cheveux; **to c. a tooth** (*of child*) faire une dent; **to c. a corner** (*in vehicle*) prendre un virage à la corde; **to c. sth open** ouvrir qch avec un couteau/des ciseaux/*etc*; **to c. sth short** (*visit*) écourter qch; **to c. a long story short...** enfin, bref...; Comptr **to c. and paste sth** couper-coller qch
3 *vi* (*of knife, scissors*) couper; **this cloth cuts easily** ce tissu se coupe facilement ▪**cutback** *n* réduction *f* ▪**cutout** *n* (*picture*) découpage *m*; (*electrical*) coupe-circuit *m inv*

▸ **cut away** *vt sep* (*remove*) enlever

▸ **cut back** *vt sep & vi* réduire

▸ **cut down 1** *vt sep* (**a**) (*tree*) abattre (**b**) (*reduce*) réduire **2** *vi* réduire

▸ **cut in** *vi* (*interrupt*) interrompre; (*in vehicle*) faire une queue de poisson (**on sb** à qn)

▸ **cut off** *vt sep* (*piece, limb, hair*) couper; (*isolate*) isoler

▸ **cut out 1** *vt sep* (*article*) découper; (*garment*) tailler; (*remove*) enlever; (*eliminate*) supprimer; **to c. out drinking** (*stop*) s'arrêter de boire; *Fam* **c. it out!** ça suffit!; **c. out to be a doctor** fait pour être médecin **2** *vi* (*of car engine*) caler

▸ **cut up** *vt sep* couper en morceaux; (*meat, chicken*) découper; **to be very c. up about sth** (*upset*) être complètement chamboulé par qch

cute [kjuːt] (-**er, -est**) *adj* Fam mignon, -onne

cuticle ['kjuːtɪkəl] *n* cuticule *f*

cutlery ['kʌtlərɪ] *n* couverts *mpl*

cutlet ['kʌtlɪt] *n* côtelette *f*

cut-price [kʌt'praɪs] *adj* à prix réduit

cutthroat ['kʌtθrəʊt] **1** *n* assassin *m* **2** *adj* (*competition*) impitoyable

cutting ['kʌtɪŋ] **1** *n* coupe *f*; *(of glass, diamond)* taille *f*; *(from newspaper)* coupure *f*; *(plant)* bouture *f*; *(for train)* voie *f* en déblai **2** *adj (wind, remark)* cinglant; **c. edge** tranchant *m*

CV [si:'vi:] *(abbr* **curriculum vitae)** *n Br* CV *m*

cyanide ['saɪənaɪd] *n* cyanure *m*

cybercafé ['saɪbəkæfeɪ] *n* cybercafé *m*

cybernetics [saɪbə'netɪks] *n Comptr* cybernétique *f*

cybersex ['saɪbəseks] *n Comptr* cybersexe *m*

cyberspace ['saɪbəspeɪs] *n Comptr* cyberespace *m*

cycle¹ ['saɪkəl] **1** *n (bicycle)* bicyclette *f*; **c. lane** voie *f* réservée aux vélos; **c. path** piste *f* cyclable; **c. race** course *f* cycliste **2** *vi* aller à bicyclette (**to** à); *(as activity)* faire de la bicyclette ▪ **cycling** *n* cyclisme *m* ▪ **cyclist** *n* cycliste *mf*

cycle² ['saɪkəl] *n (series, period)* cycle *m* ▪ **cyclical** ['sɪklɪkəl] *adj* cyclique

cyclone ['saɪkləʊn] *n* cyclone *m*

cylinder ['sɪlɪndə(r)] *n* cylindre *m* ▪ **cylindrical** [sɪ'lɪndrɪkəl] *adj* cylindrique

cymbal ['sɪmbəl] *n* cymbale *f*

cynic ['sɪnɪk] *n* cynique *mf* ▪ **cynical** *adj* cynique ▪ **cynicism** [-sɪzm] *n* cynisme *m*

cypress ['saɪprəs] *n* cyprès *m*

Cyprus ['saɪprəs] *n* Chypre *f* ▪ **Cypriot** ['sɪprɪət] **1** *adj* cypriote **2** *n* Cypriote *mf*

cyst [sɪst] *n Med* kyste *m*

cystitis [sɪ'staɪtəs] *n Med* cystite *f*

czar [zɑ:(r)] *n* tsar *m*

Czech [tʃek] **1** *adj* tchèque; **the C. Republic** la République tchèque **2** *n (person)* Tchèque *mf*; *(language)* tchèque *m* ▪ **Czechoslovakia** [tʃekəslə'vækɪə] *n Formerly* Tchécoslovaquie *f*

D, d [di:] *n* D, d *m inv* ▪ **D.-day** *n* le jour J

dab [dæb] **1** *n* **a d. of** un petit peu de **2** (*pt & pp* **-bb-**) *vt* (*wound, brow*) tamponner; **to d. sth on sth** appliquer qch (à petits coups) sur qch

dabble ['dæbəl] *vi* **to d. in politics/journalism** faire vaguement de la politique/du journalisme

dad [dæd] *n Fam* papa *m* ▪ **daddy** (*pl* **-ies**) *n Fam* papa *m*; *Br* **d. longlegs** (*cranefly*) tipule *f*; *Am* (*spider*) faucheur *m*

daffodil ['dæfədɪl] *n* jonquille *f*

daft [dɑːft] (**-er, -est**) *adj Fam* bête

dagger ['dægə(r)] *n* dague *f*; **at daggers drawn** (**with** avec) à couteaux tirés

dahlia ['deɪlɪə] *n* dahlia *m*

daily ['deɪlɪ] **1** *adj* quotidien, -ienne; (*wage*) journalier, -ière; *Br* **d. help** (*cleaning woman*) femme *f* de ménage; **d. paper** quotidien *m* **2** *adv* chaque jour, quotidiennement; **twice d.** deux fois par jour **3** (*pl* **-ies**) *n* quotidien *m*

dainty ['deɪntɪ] (**-ier, -iest**) *adj* délicat

dairy ['deərɪ] **1** (*pl* **-ies**) *n* (*factory*) laiterie *f*; (*shop*) crèmerie *f* **2** *adj* laitier, -ière; **d. farm/cow** ferme *f*/vache *f* laitière; **d. product** produit *m* laitier; **d. produce** produits *mpl* laitiers

daisy ['deɪzɪ] (*pl* **-ies**) *n* pâquerette *f*; (*bigger*) marguerite *f*; *Fam* **to push up the daisies** manger les pissenlits par la racine

dale [deɪl] *n Literary* vallée *f*

dally ['dælɪ] (*pt & pp* **-ied**) *vi* lambiner

dam [dæm] **1** *n* (*wall*) barrage *m* **2** (*pt & pp* **-mm-**) *vt* (*river*) construire un barrage sur

damage ['dæmɪdʒ] **1** *n* dégâts *mpl*; (*harm*) préjudice *m*; **damages** (*in court*) dommages-intérêts *mpl* **2** *vt* (*object*) endommager, abîmer; (*health*) nuire à; (*eyesight*) abîmer; (*plans, reputation*) compromettre ▪ **damaging** *adj* (*harmful*) préjudiciable (**to** à)

damn [dæm] **1** *n Fam* **he doesn't care** *or* **give a d.** il s'en fiche pas mal **2** *adj Fam* (*awful*) fichu; **that d. car** cette fichue bagnole **3** *adv Fam* (*very*) vachement; *Br* **d. all** que dalle **4** *vt* (*condemn, doom*) condamner; (*of God*) damner; (*curse*) maudire; *Fam* **d. him!** qu'il aille se faire voir! **5** *exclam Fam* **d. (it)!** mince! ▪ **damned 1** *adj* (**a**) (*soul*) damné (**b**) *Fam* (*awful*) fichu **2** *adv Fam* vachement ▪ **damning** *adj* (*evidence*) accablant

damnation [dæm'neɪʃən] **1** *n* damnation *f* **2** *exclam Fam* bon sang!

damp [dæmp] **1** (**-er, -est**) *adj* humide; (*skin*) moite **2** *n* humidité *f* ▪ **damp(en)** *vt* humecter; **to d.** (**down**) (*enthusiasm, zeal*) refroidir; (*ambition*) freiner; **to d. sb's spirits** décourager qn ▪ **dampness** *n* humidité *f*

damper ['dæmpə(r)] *n* **to put a d. on** jeter un froid sur

damson ['dæmzən] *n* prune *f* de Damas

dance [dɑːns] **1** *n* danse *f*; (*social event*) bal *m* (*pl* bals); **d. floor** piste *f* de danse; **d. hall** dancing *m* **2** *vt* (*waltz, tango*) danser **3** *vi* danser; **to d. for joy** sauter de joie ▪ **dancer** *n* danseur, -euse *mf* ▪ **dancing** *n* danse *f*; **d. partner** cavalier, -ière *mf*

dandelion ['dændɪlaɪən] *n* pissenlit *m*

dandruff ['dændrʌf] *n* pellicules *fpl*

dandy ['dændɪ] *adj Am Fam* super *inv*

Dane [deɪn] *n* Danois, -oise *mf*

danger ['deɪndʒə(r)] *n* danger *m* (**to** pour); **in d.** en danger; **out of d.** hors de danger; **in d. of** (*threatened by*) menacé de; **to be in d. of doing sth** risquer de faire qch; **on the d. list** (*hospital patient*) dans un état critique; **'d. of fire'** 'risque d'incendie'; **d. zone** zone *f* dangereuse ▪ **dangerous** *adj* dangereux, -euse (**to** pour) ▪ **dangerously** *adv* dangereusement; **d. ill** gravement malade

dangle ['dæŋgəl] **1** *vt* balancer; *Fig* **to d. sth in front of sb** faire miroiter qch à qn **2** *vi* (*hang*) pendre; (*swing*) se balancer

Danish ['deɪnɪʃ] **1** *adj* danois **2** *n* (*language*) danois *m*

dank [dæŋk] (**-er, -est**) *adj* humide et froid

dapper ['dæpə(r)] *adj* soigné

dappled ['dæpəld] *adj* tacheté; (*horse*) pommelé

dare [deə(r)] **1** *n* défi *m*; **to do sth for a d.** faire qch par défi **2** *vt* **to d.** (**to**) **do sth** oser faire qch; **he doesn't d.** (**to**) **go** il n'ose pas y aller; **if you d.** (**to**) si tu l'oses; **I d. say he tried** il a essayé, c'est bien possible; **to d. sb to do sth** défier qn de faire qch

daredevil ['deədevəl] *n* casse-cou *mf inv*

daring ['deərɪŋ] **1** *adj* audacieux, -ieuse **2** *n* audace *f*

dark [dɑːk] **1** (**-er, -est**) *adj* (*room, night*) & *Fig* sombre; (*colour, skin, hair, eyes*) foncé; **it's d. at**

six il fait nuit à six heures; **d. glasses** lunettes *fpl* noires **2** *n* obscurité *f*; **after d.** une fois la nuit tombée; *Fig* **to keep sb in the d.** laisser qn dans l'ignorance (**about** de) ■**dark-'haired** *adj* aux cheveux bruns ■**dark-'skinned** *adj* (*person*) à peau brune

darken ['dɑːkən] **1** *vt* assombrir; (*colour*) foncer **2** *vi* s'assombrir; (*of colour*) foncer

darkness ['dɑːknəs] *n* obscurité *f*

darkroom ['dɑːkruːm] *n* (*for photography*) chambre *f* noire

darling ['dɑːlɪŋ] **1** *adj* chéri; *Fam* (*delightful*) adorable **2** *n* (*favourite*) chouchou, -oute *mf*; **(my) d.** (mon) chéri/(ma) chérie; **be a d.!** sois un ange!

darn [dɑːn] **1** *vt* (*mend*) repriser **2** *exclam* **d. it!** bon sang! ■**darning** **1** *n* reprise *f* **2** *adj* (*needle, wool*) à repriser

dart [dɑːt] **1** *n* (*in game*) fléchette *f*; **darts** (*game*) fléchettes *fpl*; **to make a d.** se précipiter (**for** vers) **2** *vi* (*dash*) se précipiter (**for** vers) ■**dartboard** *n* cible *f* (*du jeu de fléchettes*)

dash [dæʃ] **1** *n* (**a**) (*run, rush*) ruée *f*; **to make a d. for sth** se ruer vers qch (**b**) **a d. of sth** un petit peu de qch (**c**) (*handwritten stroke*) trait *m*; (*punctuation sign*) tiret *m* **2** *vt* (*throw*) jeter; *Fig* (*destroy*) (*hopes*) briser; *Br Fam* **d. (it)!** zut!; **to d. off** (*letter*) écrire en vitesse **3** *vi* se précipiter; (*of waves*) se briser (**against** contre); **to d. in/ out** entrer/sortir en vitesse; **to d. off** *or* **away** filer

dashboard ['dæʃbɔːd] *n* (*of vehicle*) tableau *m* de bord

dashing ['dæʃɪŋ] *adj* (*person*) fringant

data ['deɪtə] *npl* informations *fpl*; *Comptr* données *fpl*; **d. bank/base** banque *f*/base *f* de données; **d. capture** saisie *f* de données; **d. processing** informatique *f*

date¹ [deɪt] **1** *n* (*day*) date *f*; *Fam* (*meeting*) rendez-vous *m inv*; *Fam* (*person*) ami, -ie *mf*; **of birth** date de naissance; **up to d.** (*in fashion*) à la mode; (*information*) à jour; (*well-informed*) au courant (**on** de); **out of d.** (*old-fashioned*) démodé; (*expired*) périmé; **to d.** à ce jour; **d. rape** = viol commis par une connaissance; **d. stamp** (*object*) tampon *m* dateur; (*mark*) cachet *m* **2** *vt* (*letter*) dater; (*girl, boy*) sortir avec **3** *vi* (*go out of fashion*) dater; **to d. back to, to d. from** dater de; (*couple*) **they're dating** ils sortent ensemble; **dating agency** agence *f* matrimoniale

date² [deɪt] *n* (*fruit*) datte *f*

datebook ['deɪtbʊk] *n Am* agenda *m*

dated ['deɪtɪd] *adj* démodé

daub [dɔːb] *vt* barbouiller (**with** de)

daughter ['dɔːtə(r)] *n* fille *f* ■**daughter-in-law** (*pl* **daughters-in-law**) *n* belle-fille *f*

daunt [dɔːnt] *vt* intimider

dawdle ['dɔːdəl] *vi* traînasser

dawn [dɔːn] **1** *n* aube *f*; **at d.** à l'aube **2** *vi* (*of day*) se lever; (*of new era, idea*) naître; **it dawned upon him that...** il s'est rendu compte que...

day [deɪ] *n* (*period of daylight, 24 hours*) jour *m*; (*referring to duration*) journée *f*; **all d. (long)** toute la journée; **what d. is it?** quel jour sommes-nous?; **the following** *or* **next d.** le lendemain; **the d. before** la veille; **the d. before yesterday** *or* **before last** avant-hier; **the d. after tomorrow** après-demain; **to the d.** jour pour jour; **in my days** de mon temps; **in those days** en ce temps-là; **these days** de nos jours; *Br* **d. boarder** demi-pensionnaire *mf*; *Br* **d. nursery** crèche *f*; *Br* **d. return** (*on train*) aller et retour *m* (*valable une journée*); *Br* **d. tripper** excursionniste *mf* ■**daybreak** ['deɪbreɪk] *n* point *m* du jour ■**daydream** **1** *n* rêverie *f* **2** *vi* rêvasser ■**daylight** *n* (*lumière f du*) jour *m*; (*dawn*) point *m* du jour; **it's d.** il fait jour ■**daytime** *n* journée *f*, jour *m* ■**'day-to-'day** *adj* quotidien, -ienne; **on a d. basis** au jour le jour

daze [deɪz] **1** *n* **in a d.** étourdi; (*because of drugs*) hébété; (*astonished*) ahuri **2** *vt* (*by blow*) étourdir; (*of drug*) hébéter

dazzle ['dæzəl] *vt* éblouir

deacon ['diːkən] *n* diacre *m*

dead [ded] **1** *adj* mort; (*numb*) (*limb*) engourdi; (*party*) mortel, -elle; **the phone's d.** il n'y a pas de tonalité; **in (the) d. centre** au beau milieu; **d. end** (*street*) & *Fig* impasse *f*; **a d.-end job** un travail sans avenir; *Fam* **to be a d. loss** (*of person*) être bon (*f* bonne) à rien; *Fam* **it's a d. loss** ça ne vaut rien; **the D. Sea** la mer Morte; **d. silence** silence *m* de mort; **a d. stop** un arrêt complet

2 *npl* **the d.** les morts *mpl*; **in the d. of night/ winter** au cœur de la nuit/l'hiver

3 *adv* (*completely*) totalement; (*very*) très; *Br Fam* **d. beat** éreinté; *Fam* **d. drunk** ivre mort; **'d. slow'** (*on sign*) 'roulez au pas'; **to stop d.** s'arrêter net ■**deadbeat** *n Am Fam* (*sponger*) parasite *m* ■**deadline** *n* date *f* limite; (*hour*) heure *f* limite ■**deadlock** *n Fig* impasse *f* ■**deadpan** *adj* (*face*) figé

deaden ['dedən] *vt* (*shock*) amortir; (*pain*) calmer; (*feeling*) émousser

deadly ['dedlɪ] **1** (**-ier, -iest**) *adj* (*poison, blow, enemy*) mortel, -elle; (*paleness, silence*) de mort; *Fam* (*boring*) mortel; **d. weapon** arme *f* meurtrière **2** *adv* (*pale, boring*) mortellement

deaf [def] **1** *adj* sourd; **d. and dumb** sourd-muet (*f* sourde-muette); **d. in one ear** sourd d'une oreille; **to go d.** devenir sourd; **to be d. to sb's requests** rester sourd aux prières de qn **2** *npl* **the d.** les sourds *mpl* ■**deafen** *vt* assourdir ■**deafness** *n* surdité *f*

deal¹ [diːl] *n* **a good** *or* **great d. (of)** (*a lot*) beaucoup (de)

deal² [di:l] *n* **1** *(in business)* marché *m*, affaire *f*; *Cards* donne *f*; **to make** *or* **do a d.** *(with sb)* conclure un marché (avec qn); **to give sb a fair d.** traiter qn équitablement; **to get a fair d. from sb** être traité équitablement par qn; **it's a d.!** d'accord!; *Ironic* **big d.!** la belle affaire!; **it's no big d.** ce n'est pas bien grave **2** *(pt & pp dealt) vt* **to d. sb a blow** porter un coup à qn; **to d. (out)** *(cards, money)* distribuer **3** *vi (trade)* traiter (**with sb** avec qn); **to d. in** faire le commerce de; **to d. with** *(take care of)* s'occuper de; *(concern) (of book)* traiter de, parler de **• dealer** *n* marchand, -ande *mf* (**in** de); *(agent)* dépositaire *mf*; *(for cars)* concessionnaire *mf*; *(in drugs)* revendeur, -euse *mf*; *Cards* donneur, -euse *mf* **• dealings** *npl* relations *fpl* (**with** avec); *(in business)* transactions *fpl*

deal³ [di:l] *n (wood)* sapin *m*

dealt [delt] *pt & pp of* **deal**

dean [di:n] *n Br (in church, university)* doyen *m*; *Am (in secondary school)* conseiller, -ère *mf* principal(e) d'éducation

dear [dɪə(r)] **1** *(-er, -est) adj (loved, precious, expensive)* cher (*f* chère); *(price)* élevé; **D. Sir** *(in letter)* Monsieur; **D. Sirs** Messieurs; **D. Uncle** (mon) cher oncle; **oh d.!** oh là là! **2** *n (my) d. (darling)* (mon) chéri/(ma) chérie; *(friend)* mon cher/ma chère; **be a d.!** sois un ange! **3** *adv (cost, pay)* cher **• dearly** *adv (love)* tendrement; *(very much)* beaucoup; **to pay d. for sth** payer qch cher

dearth [dɜ:θ] *n* pénurie *f*

death [deθ] *n* mort *f*; **to put sb to d.** mettre qn à mort; **to be burnt to d.** mourir carbonisé; **to be bored to d.** s'ennuyer à mourir; **to be scared to d.** être mort de peur; **to be sick to d.** en avoir vraiment marre (**of** de); **there were many deaths** il y a eu de nombreux morts; **d. certificate** acte *m* de décès; *Br* **d. duty** *or* **duties,** *Am* **d. taxes** droits *mpl* de succession; **d. march** marche *f* funèbre; **d. mask** masque *m* mortuaire; **d. penalty** peine *f* de mort; **d. rate** (taux *m* de) mortalité *f*; **d. sentence** condamnation *f* à mort; **d. wish** désir *m* de mort **• deathbed** *n* lit *m* de mort **• death- blow** *n* coup *m* mortel **• deathly** *adj (silence, pallor)* de mort

debar [dɪ'bɑ:(r)] *(pt & pp -rr-) vt* exclure (**from** sth de qch); **to d. sb from doing sth** interdire à qn de faire qch

debase [dɪ'beɪs] *vt (person)* avilir; *(reputation)* ternir; *(coinage)* altérer

debate [dɪ'beɪt] **1** *n* débat *m* **2** *vti* discuter; **he debated whether to do it** il se demandait s'il devait le faire **• debatable** *adj* discutable; **it's d. whether she will succeed** il est difficile de dire si elle réussira

debilitate [dɪ'bɪlɪteɪt] *vt* débiliter **• debilita- ting** *adj* débilitant

debit ['debɪt] **1** *n* débit *m*; **in d.** *(account)* débiteur; **d. balance** solde *m* débiteur **2** *vt* débiter (**sb with sth** qn de qch)

debonair [debə'neə(r)] *adj* élégant et raffiné

debris ['debri:] *n (of building)* décombres *mpl*; *(of plane, car)* débris *mpl*

debt [det] *n* dette *f*; **to be in d.** avoir des dettes; **to be 50 dollars in d.** devoir 50 dollars; **to run** *or* **get into d.** faire des dettes **• debtor** *n* débiteur, -trice *mf*

debug [di:'bʌg] *(pt & pp -gg-) vt Comptr* déboguer

debunk [di:'bʌŋk] *vt Fam (idea, theory)* discréditer

debut ['debju:] *n (on stage)* début *m*; **to make one's d.** faire ses débuts

decade ['dekeɪd] *n* décennie *f*

> Note that the French word **décade** is a false friend. It usually refers to a period of ten days.

decadent ['dekədənt] *adj* décadent **• deca- dence** *n* décadence *f*

decaffeinated [di:'kæfɪneɪtɪd] *adj* décaféiné

decant [dɪ'kænt] *vt (wine)* décanter **• decanter** *n* carafe *f*

decapitate [dɪ'kæpɪteɪt] *vt* décapiter

decathlon [dɪ'kæθlɒn] *n Sport* décathlon *m*

decay [dɪ'keɪ] **1** *n (rot)* pourriture *f*; *(of building)* délabrement *m*; *(of tooth)* carie *f*; *(of nation)* déclin *m*; **to fall into d.** *(of building)* tomber en ruine **2** *vi (go bad)* se gâter; *(rot)* pourrir; *(of tooth)* se carier; *(of building)* tomber en ruine; *Fig (decline) (of nation)* décliner **• decaying** *adj (meat, fruit)* pourrissant; *(nation)* sur le déclin

deceased [dɪ'si:st] **1** *adj* décédé **2** *n* **the d.** le défunt/la défunte

deceit [dɪ'si:t] *n* tromperie *f* **• deceitful** *adj (person)* fourbe; *(behaviour)* malhonnête **• deceitfully** *adv* avec duplicité

deceive [dɪ'si:v] *vti* tromper; **to d. oneself** se faire des illusions

> Note that the French verb **décevoir** is a false friend and is never a translation for the Eng- lish verb **to deceive**. It means **to disap- point**.

December [dɪ'sembə(r)] *n* décembre *m*

decent ['di:sənt] *adj (respectable)* convenable; *(good)* bon (*f* bonne); *(kind)* gentil, -ille; **that was d. (of you)** c'était chic de ta part **• decency** *n* décence *f*; *(kindness)* gentillesse *f* **• decently** *adv (respectably)* convenablement

deception [dɪ'sepʃən] *n* tromperie *f* **• deceptive** *adj* trompeur, -euse **• deceptive- ly** *adv* **it looks d. straightforward** ça a l'air simple mais il ne faut pas s'y fier

Note that the French word **déception** is a false friend and is never a translation for the English word **deception**. It means **disappointment**.

decibel ['desɪbel] n décibel m

decide [dɪ'saɪd] 1 vt (outcome, future) décider de; (question, matter) régler; **to d. to do sth** décider de faire qch; **to d. that...** décider que...; **to d. sb to do sth** décider qn à faire qch 2 vi (make decisions) décider; (make up one's mind) se décider (**on doing** à faire); **to d. on sth** décider de qch; (choose) choisir qch; **the deciding factor** le facteur décisif ▪**decided** adj (firm) décidé; (clear) net (f nette) ▪**decidedly** [-ɪdlɪ] adv (firmly) résolument; (clearly) nettement

Note that the French word **décidément** is a false friend and is never a translation for the English word **decidedly**.

decimal ['desɪməl] 1 adj décimal; **d. point** virgule f 2 n décimale f ▪**decimalization** [-aɪ'zeɪʃən] n décimalisation f

decimate ['desɪmeɪt] vt décimer

decipher [dɪ'saɪfə(r)] vt déchiffrer

decision [dɪ'sɪʒən] n décision f

decisive [dɪ'saɪsɪv] adj (action, event, tone) décisif, -ive; (person) résolu

deck [dek] 1 n (a) (of ship) pont m; **top d.** (of bus) impériale f (**b**) **d. of cards** jeu m de cartes (**c**) (of record player) platine f 2 vt **to d. (out)** (adorn) orner ▪**deckchair** n chaise f longue

declare [dɪ'kleə(r)] vt déclarer (**that** que); (verdict, result) proclamer ▪**declaration** [deklə'reɪʃən] n déclaration f; (of verdict) proclamation f

decline [dɪ'klaɪn] 1 n déclin m; (fall) baisse f 2 vt (offer) décliner; **to d. to do sth** refuser de faire qch 3 vi (become less) (of popularity, birthrate) être en baisse; (deteriorate) (of health, strength) décliner; (refuse) refuser; **to d. in importance** perdre de l'importance; **one's declining years** ses dernières années

decode [di:'kəʊd] vt (message) décoder ▪**decoder** n Comptr & TV décodeur m

decompose [di:kəm'pəʊz] 1 vt (chemical compound) décomposer 2 vi (rot) se décomposer ▪**decomposition** [-kɒmpə'zɪʃən] n décomposition f

decompression [di:kəm'preʃən] n décompression f; **d. chamber** sas m de décompression

decontaminate [di:kən'tæmɪneɪt] vt décontaminer

decor ['deɪkɔː(r)] n décor m

decorate ['dekəreɪt] vt (cake, house, soldier) décorer (**with** de); (hat, skirt) orner (**with** de); (paint) peindre; (wallpaper) tapisser

▪**decorating** n **interior d.** décoration f d'intérieurs ▪**decoration** [-'reɪʃən] n décoration f ▪**decorative** [-rətɪv] adj décoratif, -ive ▪**decorator** n Br (house painter) peintre m décorateur; (interior) d. décorateur, -trice mf

decorum [dɪ'kɔːrəm] n convenances fpl

decoy ['di:kɔɪ] n (artificial bird) appeau m; Fig leurre m; (police) d. policier m en civil

decrease 1 ['di:kri:s] n diminution f (**in** de) 2 [dɪ'kri:s] vti diminuer ▪**decreasing** adj décroissant ▪**decreasingly** adv de moins en moins

decree [dɪ'kri:] 1 n (by king) décret m; (by court) jugement m; (municipal) arrêté m 2 (pt & pp -eed) vt décréter (**that** que)

decrepit [dɪ'krepɪt] adj (building) en ruine; (person) décrépit

decry [dɪ'kraɪ] (pt & pp -ied) vt décrier

dedicate ['dedɪkeɪt] vt (devote) consacrer (**to** à); (book) dédier (**to** à); **to d. oneself to sth** se consacrer à qch ▪**dedicated** adj (teacher) consciencieux, -ieuse ▪**dedi'cation** n (in book) dédicace f; (devotion) dévouement m

deduce [dɪ'dju:s] vt (conclude) déduire (**from** de; **that** que)

deduct [dɪ'dʌkt] vt déduire (**from** de) ▪**deductible** adj (from invoice) à déduire (**from** de); (from income) (expenses) déductible ▪**deduction** n (subtraction, conclusion) déduction f

deed [di:d] n action f, acte m; (feat) exploit m; (legal document) acte m notarié

deem [di:m] vt Formal juger

deep [di:p] 1 (-er, -est) adj profond; (snow) épais (f épaisse); (voice) grave; (musical note) bas (f basse); (person) (difficult to understand) insondable; **to be 6 m d.** avoir 6 m de profondeur; **d. in thought** plongé dans ses pensées; **the d. end** (in swimming pool) le grand bain; **d. red** rouge foncé 2 adv profondément; **she went in d.** (into water) elle alla (jusqu')où elle n'avait pas pied; **d. into the night** tard dans la nuit 3 n Literary **the d.** l'océan m ▪**deeply** adv profondément ▪**deep-'rooted**, **deep-'seated** adj profondément enraciné ▪**deep-sea 'diving** n plongée f sous-marine (en haute mer)

deepen ['di:pən] 1 vt (increase) augmenter; (canal, knowledge) approfondir 2 vi (of river, silence) devenir plus profond; (of mystery) s'épaissir; (of voice) devenir plus grave ▪**deepening** adj (gap) grandissant; **the d. recession/crisis** l'aggravation f de la récession/crise

deep-freeze [di:p'fri:z] 1 n congélateur m 2 vt surgeler ▪**deep-frozen** adj surgelé

deep-fry [di:p'fraɪ] vt faire cuire dans la friture ▪**deep-'fryer** n friteuse f

deer [dɪə(r)] n inv cerf m

deface [dɪ'feɪs] *vt (damage)* dégrader; *(daub)* barbouiller

defamation [defə'meɪʃən] *n* diffamation *f* ▪**defamatory** [dɪ'fæmətərɪ] *adj* diffamatoire

default [dɪ'fɔːlt] 1 *n* by d. par défaut; to win by d. gagner par forfait 2 *vi* Law *(fail to appear in court)* ne pas comparaître; to d. on one's payments être en rupture de paiement

defeat [dɪ'fiːt] 1 *n* défaite *f* 2 *vt (opponent, army)* vaincre; *(plan, effort)* faire échouer; that defeats the purpose *or* object ça va à l'encontre du but recherché ▪**defeatism** *n* défaitisme *m* ▪**defeatist** *adj & n* défaitiste *(mf)*

defect¹ ['diːfekt] *n* défaut *m*

defect² [dɪ'fekt] *vi (of party member, soldier)* déserter; to d. to the enemy passer à l'ennemi ▪**defection** *n* défection *f* ▪**defector** *n* transfuge *mf*

defective [dɪ'fektɪv] *adj (machine)* défectueux, -euse

defence [dɪ'fens] *(Am* **defense**) *n* défense *f*; *(against* contre); to speak in d. of sb prendre la défense de qn; in his d. à sa décharge ▪**defenceless** *(Am* **defenseless**) *adj* sans défense

defend [dɪ'fend] *vti* défendre ▪**defendant** *n (accused)* prévenu, -ue *mf* ▪**defender** *n* défenseur *m*; *(of sports title)* tenant, -ante *mf*

defense [dɪ'fens] *n Am =* **defence**

defensible [dɪ'fensəbəl] *adj* défendable

defensive [dɪ'fensɪv] 1 *adj* défensif, -ive; to be d. être sur la défensive 2 *n* on the d. sur la défensive

defer [dɪ'fɜː(r)] *(pt & pp* **-rr-**) 1 *vt (postpone)* différer 2 *vi* to d. to s'en remettre à ▪**deferment** *n (postponement)* report *m*

defiant [dɪ'faɪənt] *adj (tone)* de défi; *(person)* provocant ▪**defiance** *n (resistance)* défi *m (of* à); in d. of *(contempt)* au mépris de ▪**defiantly** *adv* d'un air de défi

deficient [dɪ'fɪʃənt] *adj (not adequate)* insuffisant; *(faulty)* défectueux, -ueuse; to be d. in manquer de ▪**deficiency** *(pl* **-ies**) *n (shortage)* manque *m*; *(in vitamins, minerals)* carence *f (in* de); *(flaw)* défaut *m*

deficit ['defɪsɪt] *n* déficit *m*

defile [dɪ'faɪl] *vt (make dirty)* souiller

define [dɪ'faɪn] *vt* définir

definite ['defɪnɪt] *adj (exact) (date, plan, answer)* précis; *(clear) (improvement, advantage)* net *(f* nette); *(firm) (offer, order)* ferme; *(certain)* certain; it's d. that... il est certain que... *(+ indicative)*; I was quite d. j'ai été tout à fait formel; *Grammar* d. article article *m (f* nette) ▪**definitely** *adv* certainement; *(improved, superior)* nettement; *(say)* catégoriquement

definition [defɪ'nɪʃən] *n* définition *f*

definitive [dɪ'fɪnɪtɪv] *adj* définitif, -ive

deflate [dɪ'fleɪt] *vt (tyre)* dégonfler ▪**deflation** *n* dégonflement *m*; *Econ* déflation *f*

deflect [dɪ'flekt] 1 *vt (bullet)* faire dévier; to d. sb from a plan/aim détourner qn d'un projet/objectif 2 *vi (of bullet)* dévier

deform [dɪ'fɔːm] *vt* déformer ▪**deformed** *adj (body)* difforme ▪**deformity** *n* difformité *f*

defraud [dɪ'frɔːd] *vt (customs, State)* frauder; to d. sb of sth escroquer qch à qn

defrost [diː'frɒst] *vt (fridge)* dégivrer; *(food)* décongeler

deft [deft] *adj* adroit *(with* de) ▪**deftly** *adv* adroitement ▪**deftness** *n* adresse *f*

defunct [dɪ'fʌŋkt] *adj* défunt

defuse [diː'fjuːz] *vt (bomb, conflict)* désamorcer

defy [dɪ'faɪ] *(pt & pp* **-ied**) *vt (person, death, logic)* défier; *(efforts)* résister à; to d. sb to do sth défier qn de faire qch; it defies description cela défie toute description

degenerate 1 [dɪ'dʒenərət] *adj & n* dégénéré, -ée *(mf)* 2 [dɪ'dʒenəreɪt] *vi* dégénérer *(into* en) ▪**degeneration** [-'reɪʃən] *n* dégénérescence *f*

degrade [dɪ'greɪd] *vt* dégrader ▪**degrading** *adj* dégradant

degree [dɪ'griː] *n* (a) *(angle, temperature, extent)* degré *m*; it's 20 degrees il fait 20 degrés; by degrees peu à peu; not in the slightest d. pas du tout; to some d., to a certain d. jusqu'à un certain point; to such a d. à tel point *(that* que) (b) *(from university)* diplôme *m*; *(Bachelor's)* ≃ licence *f*; *(Master's)* ≃ maîtrise *f*; *(PhD)* ≃ doctorat *m*

dehumanize [diː'hjuːmənaɪz] *vt* déshumaniser

dehydrated [diːhaɪ'dreɪtɪd] *adj* déshydraté; to get d. se déshydrater

de-ice [diː'aɪs] *vt (car window)* dégivrer ▪**de-icer** *n* dégivreur *m*

deign [deɪn] *vt* daigner *(to do* faire)

deity ['diːɪtɪ] *(pl* **-ies**) *n* dieu *m*

dejected [dɪ'dʒektɪd] *adj* abattu ▪**dejection** *n* abattement *m*

delay [dɪ'leɪ] 1 *n (lateness)* retard *m*; *(waiting period)* délai *m*; without d. sans tarder 2 *vt* retarder; *(payment)* différer; to d. doing sth tarder à faire qch; to be delayed avoir du retard 3 *vi (be slow)* tarder *(in doing* à faire); *(linger)* s'attarder; don't d.! faites vite! ▪**delayed-'action** *adj (bomb, fuse)* à retardement ▪**delaying** *adj* d. tactics *or* actions moyens *mpl* dilatoires

> Note that the French word **délai** is a false friend and is never a translation for the English word **delay**.

delectable [dɪ'lektəbəl] *adj* délectable

delegate 1 ['delɪgət] *n* délégué, -ée *mf* 2 ['delɪgeɪt] *vt* déléguer *(to* à) ▪**dele'gation** *n* délégation *f*

delete [dɪ'liːt] *vt* supprimer ▪**deletion** [-ʃən] *n* suppression *f*

deliberate¹ [dɪ'lɪbərət] *adj* *(intentional)* délibéré; *(cautious)* réfléchi; *(slow)* mesuré ▪**deliberately** *adv* *(intentionally)* délibérément; *(walk)* avec mesure

deliberate² [dɪ'lɪbəreɪt] **1** *vt* *(discuss)* délibérer sur **2** *vi* délibérer (**on** sur) ▪**delibe'ration** *n (discussion)* délibération *f*

delicate ['delɪkət] *adj* délicat ▪**delicacy** (*pl* -ies) *n (quality)* délicatesse *f*, *(food)* mets *m* délicat ▪**delicately** *adv* délicatement

delicatessen [delɪkə'tesən] *n (shop)* épicerie *f* fine

delicious [dɪ'lɪʃəs] *adj* délicieux, -ieuse

delight [dɪ'laɪt] **1** *n (pleasure)* plaisir *m*, joie *f*; *(food)* délice *m*; **delights** *(pleasures, things)* délices *fpl*; **to my (great) d.** à ma grande joie; **to be the d. of** faire les délices de; **to take d. in sth/in doing sth** se délecter de qch/à faire qch **2** *vt* ravir **3** *vi* **to d. in doing sth** prendre plaisir à faire qch ▪**delighted** *adj* ravi (**with** sth de qch; **to do** de faire; **that** que)

delightful [dɪ'laɪtfəl] *adj* charmant; *(meal, perfume, sensation)* délicieux, -ieuse ▪**delightfully** *adv (with charm)* avec beaucoup de charme; *(wonderfully)* merveilleusement

delineate [dɪ'lɪnɪeɪt] *vt (outline)* esquisser; *(plan, proposal)* définir

delinquent [dɪ'lɪŋkwənt] *adj & n* délinquant, -ante (*mf*) ▪**delinquency** *n* délinquance *f*

delirious [dɪ'lɪrɪəs] *adj* délirant; **to be d.** délirer ▪**delirium** [-rɪəm] *n (illness)* délire *m*

deliver [dɪ'lɪvə(r)] *vt* (**a**) *(goods)* livrer; *(letters)* distribuer; *(hand over)* remettre (**to** à) (**b**) *(rescue)* délivrer (**from** de) (**c**) *(give birth to)* mettre au monde; **to d. a woman's baby** accoucher une femme (**d**) *(speech)* prononcer; *(warning, ultimatum)* lancer; *(blow)* porter

deliverance [dɪ'lɪvərəns] *n* délivrance *f* (**from** de)

delivery [dɪ'lɪvərɪ] (*pl* -ies) *n* (**a**) *(of goods)* livraison *f*; *(of letters)* distribution *f*; *(handing over)* remise *f*; **d. man** (*pl* -**men**) livreur *m* (**b**) *(birth)* accouchement *m* (**c**) *(speaking)* débit *m*

delta ['deltə] *n (of river)* delta *m*

delude [dɪ'luːd] *vt* tromper; **to d. oneself** se faire des illusions ▪**delusion** *n* illusion *f*; *(in mental illness)* aberration *f* mentale

deluge ['deljuːdʒ] **1** *n (rain) & Fig (of water, questions)* déluge *m* **2** *vt* inonder (**with** de)

de luxe [dɪ'lʌks] *adj* de luxe

delve [delv] *vi* **to d. into** *(question)* creuser; *(past, books)* fouiller dans

demagogue ['deməɡɒɡ] *n* démagogue *mf*

demand [dɪ'mɑːnd] **1** *n* exigence *f*; *(claim)* revendication *f*; *(for goods)* demande *f* (**for** pour); **to be in (great) d.** être très demandé; **to make demands on sb** exiger beaucoup de qn **2** *vt* exiger (**sth from sb** qch de qn); *(rights, more pay)* revendiquer; **to d. that...** exiger que...; **to d. to know** insister pour savoir ▪**demanding** *adj* exigeant

demarcation [diːmɑː'keɪʃən] *n* démarcation *f*; **d. line** ligne *f* de démarcation

demean [dɪ'miːn] *vt* **to d. oneself** s'abaisser ▪**demeaning** *adj* dégradant

demeanour [dɪ'miːnə(r)] (*Am* **demeanor**) *n (behaviour)* comportement *m*

demented [dɪ'mentɪd] *adj* dément

demerara [demə'reərə] *n Br* **d. sugar** cassonade *f*

demise [dɪ'maɪz] *n* disparition *f*

demister [diː'mɪstə(r)] *n Br (for vehicle)* dispositif *m* de désembuage

demo ['deməʊ] (*pl* -**os**) *n* (**a**) *Fam (demonstration)* manif *f* (**b**) *(of musician)* disque *m*/cassette *f*/vidéo *f* de démonstration; **d. tape** cassette *f* démo; *Comptr* **d. version** version *f* de démonstration

demobilize [diː'məʊbɪlaɪz] *vt* démobiliser

democracy [dɪ'mɒkrəsɪ] (*pl* -ies) *n* démocratie *f* ▪**democrat** ['deməkræt] *n* démocrate *mf* ▪**democratic** [demə'krætɪk] *adj (institution)* démocratique; *(person)* démocrate ▪**democratically** [demə'krætɪkəlɪ] *adv* démocratiquement

demography [dɪ'mɒɡrəfɪ] *n* démographie *f*

demolish [dɪ'mɒlɪʃ] *vt* démolir ▪**demolition** [demə'lɪʃən] *n* démolition *f*

demon ['diːmən] *n* démon *m*

demonstrate ['demənstreɪt] **1** *vt* démontrer; *(machine)* faire une démonstration de; **to d. how to do sth** montrer comment faire qch **2** *vi (protest)* manifester ▪**demonstration** [-'streɪʃən] *n* démonstration *f*; *(protest)* manifestation *f*; **to hold** or **stage a d.** manifester ▪**demonstrator** *n (protester)* manifestant, -ante *mf*; *(of machine)* démonstrateur, -trice *mf*

demonstrative [dɪ'mɒnstrətɪv] **1** *adj (person, attitude)* démonstratif, -ive **2** *adj & n Grammar* démonstratif (*m*)

demoralize [dɪ'mɒrəlaɪz] *vt* démoraliser

demote [dɪ'məʊt] *vt* rétrograder

demure [dɪ'mjʊə(r)] *adj* réservé

den [den] *n (of lion, person)* antre *m*

denationalize [diː'næʃənəlaɪz] *vt* dénationaliser

denial [dɪ'naɪəl] *n (of rumour, allegation)* démenti *m*; *(psychological)* dénégation *f*; **to issue a d.** publier un démenti

denigrate ['denɪɡreɪt] *vt* dénigrer

denim ['denɪm] *n* denim *m*; **denims** *(jeans)* jean *m*

Denmark ['denmɑːk] *n* le Danemark

denomination [dɪnɒmɪ'neɪʃən] n (religion) confession f; (of coin, banknote) valeur f

denominator [dɪ'nɒmɪneɪtə(r)] n Math & Fig dénominateur m; **lowest common d.** plus petit dénominateur m commun

denote [dɪ'nəʊt] vt dénoter

denounce [dɪ'naʊns] vt (person, injustice) dénoncer (**to** à); **to d. sb as a spy** accuser qn d'être un espion

dense [dens] (**-er, -est**) adj dense; Fam (stupid) lourd ▪**densely** adv **d. populated** très peuplé ▪**density** n densité f

dent [dent] **1** n (in car, metal) bosse f; **full of dents** (car) cabossé; **to make a d. in sth** cabosser qch; **to make a d. in one's savings** (of purchase) faire un trou dans ses économies **2** vt cabosser

dental ['dentəl] adj dentaire; **d. appointment** rendez-vous m inv chez le dentiste; **d. surgeon** chirurgien-dentiste m

dentist ['dentɪst] n dentiste mf; **to go to the d.('s)** aller chez le dentiste ▪**dentistry** n dentisterie f; **school of d.** école f dentaire

dentures ['dentʃəz] npl dentier m

> Note that the French word **denture** is a false friend and is never a translation for the English word **dentures**. It means **a set of teeth**.

denunciation [dɪnʌnsɪ'eɪʃən] n dénonciation f; (public) accusation f publique

deny [dɪ'naɪ] (pt & pp **-ied**) vt nier (**doing** avoir fait; **that** que); (rumour) démentir; (authority) rejeter; (disown) renier; **to d. sb sth** refuser qch à qn

deodorant [di:'əʊdərənt] n déodorant m

depart [dɪ'pɑːt] **1** vi partir; (deviate) s'écarter (**from** de) **2** vt Literary **to d. this world** quitter ce monde ▪**departed 1** adj (dead) défunt **2** n **the d.** le défunt/la défunte

department [dɪ'pɑːtmənt] n département m; (in office) service m; (in shop) rayon m; (of government) ministère m; Fig **that's your d.** c'est ton rayon; **d. store** grand magasin m ▪**departmental** [di:pɑːt'mentəl] adj **d. manager** (in office) chef m de service; (in shop) chef m de rayon

departure [dɪ'pɑːtʃə(r)] n départ m; Fig **a d. from the rule** une entorse au règlement; **to be a new d. for** constituer une nouvelle voie pour; **d. lounge** (in airport) salle f d'embarquement

depend [dɪ'pend] vi dépendre (**on** or **upon** de); **to d. (up)on** (rely on) compter sur (**for sth** pour qch); **you can d. on it!** tu peux compter là-dessus! ▪**dependable** adj (person, information) sûr; (machine) fiable ▪**dependant** n personne f à charge ▪**dependence** n dépendance f (**on** de) ▪**dependency** (pl **-ies**) n (country) dépendance f ▪**dependent** adj dépendant (**on** or **upon** de); (relative, child) à

charge; **to be d. (up)on** dépendre de; **to be d. on sb** (financially) être à la charge de qn

depict [dɪ'pɪkt] vt (describe) décrire; (in pictures) représenter ▪**depiction** n (description) peinture f; (in picture form) représentation f

deplete [dɪ'pliːt] vt (use up) épuiser; (reduce) réduire ▪**depletion** n épuisement m; (reduction) réduction f

deplore [dɪ'plɔː(r)] vt déplorer ▪**deplorable** adj déplorable ▪**deplorably** adv déplorablement

deploy [dɪ'plɔɪ] vt (troops) déployer

depopulate [di:'pɒpjʊleɪt] vt dépeupler ▪**depopulation** [-'leɪʃən] n dépeuplement m

deport [dɪ'pɔːt] vt (foreigner, criminal) expulser; Hist (to concentration camp) déporter ▪**deportation** [di:pɔː'teɪʃən] n expulsion f; Hist déportation f

deportment [dɪ'pɔːtmənt] n maintien m

depose [dɪ'pəʊz] vt (ruler) déposer

deposit [dɪ'pɒzɪt] **1** n (**a**) (in bank) dépôt m; (part payment) acompte m; (returnable) caution f; **d. account** compte m de dépôt (**b**) (sediment) dépôt m; (of gold, oil) gisement m **2** vt (object, money) déposer

depot [Br 'depəʊ, Am 'di:pəʊ] n (for goods) dépôt m; Am (railroad station) gare f; (bus) **d.** Br dépôt de bus; Am gare f routière

deprave [dɪ'preɪv] vt dépraver ▪**depraved** adj dépravé ▪**depravity** [dɪ'prævɪtɪ] n dépravation f

depreciate [dɪ'priːʃɪeɪt] **1** vt (reduce in value) déprécier **2** vi (fall in value) se déprécier ▪**depreciation** [-'eɪʃən] n dépréciation f

depress [dɪ'pres] vt (discourage) déprimer; (push down) appuyer sur ▪**depressed** adj (person, market) déprimé; (industry) (in decline) en déclin; (in crisis) en crise; **to get d.** se décourager ▪**depression** n dépression f

deprive [dɪ'praɪv] vt priver (**of** de) ▪**deprivation** [deprə'veɪʃən] n (hardship) privations fpl; (loss) perte f ▪**deprived** adj (child) défavorisé

depth [depθ] n profondeur f; (of snow) épaisseur f; (of interest) intensité f; **in the depths of** (forest, despair) au plus profond de; (winter) au cœur de; Fig **to get out of one's d.** (be unable to cope) ne pas être à la hauteur; **in d.** en profondeur

deputation [depjʊ'teɪʃən] n députation f

deputize ['depjʊtaɪz] **1** vt députer (**sb to do** qn pour faire) **2** vi assurer l'intérim (**for sb** de qn)

deputy ['depjʊtɪ] (pl **-ies**) n (replacement) remplaçant, -ante mf; (assistant) adjoint, -ointe mf; Am **d. (sheriff)** shérif m adjoint; **d. chairman** vice-président, -ente mf

derailed [dɪ'reɪld] adj **to be d.** (of train) dérailler ▪**derailment** n déraillement m

deranged [dɪ'reɪndʒd] adj **he's (mentally) d., his mind is d.** il a le cerveau dérangé

derby [Br 'dɑːbɪ, Am 'dɜːrbɪ] (pl **-ies**) n (**a**) Am (hat) chapeau m melon (**b**) Sport derby m
derelict ['derɪlɪkt] adj (building) abandonné
deride [dɪ'raɪd] vt tourner en dérision ▪ **derision** [-'rɪʒən] n dérision f ▪ **derisive** adj (laughter) moqueur, -euse; (amount) dérisoire ▪ **derisory** adj (amount) dérisoire

> Note that the French word **dérider** is a false friend and is never a translation for the English word **to deride**.

derive [dɪ'raɪv] **1** vt provenir (**from** de); **to d. pleasure from sth** prendre plaisir à qch; **to be derived from** provenir de **2** vi **to d. from** provenir de ▪ **derivative** [dɪ'rɪvətɪv] **1** adj banal **2** n Ling & Chem dérivé (m)
dermatitis [dɜːmə'taɪtəs] n Med dermatite f
dermatologist [dɜːmə'tɒlədʒɪst] n dermatologiste mf, dermatologue mf ▪ **dermatology** n dermatologie f
derogatory [dɪ'rɒgətərɪ] adj (word) péjoratif, -ive; (remark) désobligeant (**to** pour)
derrick ['derɪk] n (of oil well) derrick m
descend [dɪ'send] **1** vt (stairs, hill) descendre; **to be descended from** descendre de **2** vi descendre (**from** de); (of darkness, rain) tomber; **to d. upon** (of tourists) envahir; (attack) faire une descente sur; **in descending order** en ordre décroissant
descendant [dɪ'sendənt] n descendant, -ante mf
descent [dɪ'sent] n (**a**) (of aircraft) descente f (**b**) (ancestry) origine f; **to be of Norman d.** être d'origine normande
describe [dɪ'skraɪb] vt décrire ▪ **description** [dɪ'skrɪpʃən] n description f; (on passport) signalement m; **of every d.** de toutes sortes ▪ **descriptive** [dɪ'skrɪptɪv] adj descriptif, -ive
desecrate ['desɪkreɪt] vt profaner ▪ **dese'cration** n profanation f
desegregate [diː'segrɪgeɪt] vt (school) supprimer la ségrégation raciale dans ▪ **desegre'gation** n déségrégation f
desert¹ ['dezət] n désert m; **d. climate** climat m désertique; **d. animal/plant** animal m/plante f du désert; **d. island** île f déserte
desert² [dɪ'zɜːt] **1** vt (person) abandonner; (place, cause) déserter **2** vi (of soldier) déserter ▪ **deserted** adj désert ▪ **deserter** n déserteur m
desertion [dɪ'zɜːʃən] n (by soldier) désertion f; (by spouse) abandon m du domicile conjugal
deserts [dɪ'zɜːts] npl **to get one's just d.** avoir ce qu'on mérite
deserve [dɪ'zɜːv] vt mériter (**to do** de faire) ▪ **deservedly** [-ɪdlɪ] adv à juste titre ▪ **deserving** adj (person) méritant; (action, cause) méritoire; **to be d. of** (praise, love) être digne de

desiccated ['desɪkeɪtɪd] adj desséché
design [dɪ'zaɪn] **1** n (**a**) (pattern) motif m; (sketch) plan m; (of dress, car, furniture) modèle m; (planning) conception f; **industrial d.** dessin m industriel; **to study d.** étudier le design (**b**) (aim) dessein m; **by d.** intentionnellement; **to have designs on** avoir des vues sur **2** vt (car, building) concevoir; (dress) créer; **designed to do sth/for sth** conçu pour faire qch/pour qch; **well designed** bien conçu ▪ **designer** n (artistic) dessinateur, -trice mf; (industrial) concepteur-dessinateur m; (of clothes) styliste mf; (well-known) couturier m; **d. clothes** vêtements mpl de marque
designate ['dezɪgneɪt] vt désigner ▪ **designation** [-'neɪʃən] n désignation f
desire [dɪ'zaɪə(r)] **1** n désir m; **I've got no d. to do that** je n'ai aucune envie de faire cela **2** vt désirer (**to do** faire) ▪ **desirable** adj désirable; **d. property** (in advertising) (très) belle propriété
desk [desk] n (in school) table f; (in office) bureau m; Br (in shop) caisse f; (reception) **d.** (in hotel) réception f; **the news d.** le service des informations; Am **d. clerk** (in hotel) réceptionniste mf; **d. job** travail m de bureau
desktop ['desktɒp] n **d. computer** ordinateur m de bureau; **d. publishing** publication f assistée par ordinateur
desolate ['desələt] adj (deserted) désolé; (in ruins) dévasté; (dreary, bleak) morne, triste; (person) abattu ▪ **desolation** [-'leɪʃən] n (ruin) dévastation f; (emptiness) solitude f; (of person) affliction f
despair [dɪ'speə(r)] **1** n désespoir m; **to drive sb to d.** désespérer qn; **to be in d.** être au désespoir (**of sb** de qn; **of doing** de faire) **2** vi désespérer (**of sb** de qn; **of doing** de faire) ▪ **despairing** adj désespéré
despatch [dɪ'spætʃ] n & vt = **dispatch**
desperate ['despərət] adj désespéré; **to be d. for** (money, love) avoir désespérément besoin de; (cigarette, baby) mourir d'envie d'avoir ▪ **desperately** adv (ill) gravement; (in love) éperdument
desperation [despə'reɪʃən] n désespoir m; **in d.** en désespoir de cause
despicable [dɪ'spɪkəbəl] adj méprisable
despise [dɪ'spaɪz] vt mépriser
despite [dɪ'spaɪt] prep malgré
despondent [dɪ'spɒndənt] adj abattu ▪ **despondency** n abattement m
dessert [dɪ'zɜːt] n dessert m ▪ **dessertspoon** n Br cuillère f à dessert
destabilize [diː'steɪbəlaɪz] vt déstabiliser
destination [destɪ'neɪʃən] n destination f
destine ['destɪn] vt destiner (**for** à; **to do** à faire); **it was destined to happen** ça devait arriver
destiny ['destɪnɪ] (pl **-ies**) n destin m, destinée f

destitute ['destɪtjuːt] adj (poor) indigent; **d. of** (lacking in) dénué de ▪**desti'tution** n dénuement m

destroy [dɪ'strɔɪ] vt détruire; (horse, monkey) abattre; (cat, dog) faire piquer ▪**destroyer** n (ship) contre-torpilleur m; (person) destructeur, -trice mf

destruction [dɪ'strʌkʃən] n destruction f ▪**destructive** adj (person, war) destructeur, -trice; (power) destructif, -ive

detach [dɪ'tætʃ] vt détacher (**from** de) ▪**detached** adj (indifferent) (person, manner) détaché; (without bias) (view) désintéressé; Br **d. house** maison f individuelle

detachable [dɪ'tætʃəbəl] adj amovible

detachment [dɪ'tætʃmənt] n (attitude, group of soldiers) détachement m; **the d. of** (action) la séparation de

detail ['diːteɪl] **1** n (a) (item of information) détail m; **in d.** en détail; **to go into d.** entrer dans les détails (b) Mil détachement m **2** vt (a) (describe) détailler (b) Mil **to d. sb to do sth** donner l'ordre à qn de faire qch ▪**detailed** adj (account) détaillé

detain [dɪ'teɪn] vt (delay) retenir; (prisoner) placer en détention; (in hospital) garder ▪**detainee** [diːteɪ'niː] n Pol & Law détenu, -ue mf ▪**detention** [dɪ'tenʃən] n (at school) retenue f; (in prison) détention f

detect [dɪ'tekt] vt détecter ▪**detection** n découverte f; (identification) identification f; (of mine) détection f

detective [dɪ'tektɪv] n (police officer) ≃ inspecteur m de police; (private) détective m privé; **d. film/novel** film m/roman m policier

detector [dɪ'tektə(r)] n détecteur m

deter [dɪ'tɜː(r)] (pt & pp -rr-) vt **to d. sb** dissuader qn (**from doing** de faire; **from sth** de qch)

detergent [dɪ'tɜːdʒənt] n détergent m

deteriorate [dɪ'tɪərɪəreɪt] vi se détériorer ▪**deterioration** [-'reɪʃən] n détérioration f

determine [dɪ'tɜːmɪn] vt (cause, date) déterminer; (price) fixer; **to d. to do sth** décider de faire qch; **to d. sb to do sth** décider qn à faire qch; **to d. that...** décider que... ▪**determined** adj (look, person, quantity) déterminé; **to be d. to do** or **on doing sth** être décidé à faire qch; **I'm d. she'll succeed** je suis bien décidé à ce qu'elle réussisse

deterrent [dɪ'terənt] n (military) force f de dissuasion; Fig **to be a d., to act as a d.** être dissuasif, -ive

detest [dɪ'test] vt détester (**doing** faire) ▪**detestable** adj détestable

detonate ['detəneɪt] **1** vt faire exploser **2** vi exploser ▪**detonation** [-'neɪʃən] n détonation f ▪**detonator** n détonateur m

detour ['diːtʊə(r)] n détour m; **to make a d.** faire un détour

detract [dɪ'trækt] vi **to d. from** (make less) diminuer ▪**detractor** n détracteur, -trice mf

detriment ['detrɪmənt] n **to the d. of** au détriment de ▪**detrimental** [-'mentəl] adj préjudiciable (**to** à)

devalue [diː'væljuː] vt (money) dévaluer; (person, achievement) dévaloriser ▪**devalu-ation** n (of money) dévaluation f

devastate ['devəsteɪt] vt (crop, village) dévaster; (person) anéantir ▪**devastating** adj (storm) dévastateur, -trice; (news, results) accablant; (shock) terrible; (charm) irrésistible

develop [dɪ'veləp] **1** vt (theory, argument) développer; (area, land) mettre en valeur; (habit, illness) contracter; (talent) manifester; (photo) développer; **to d. a liking for sth** prendre goût à qch **2** vi (grow) se développer; (of event, argument, crisis) se produire; (of talent, illness) se manifester; **to d. into** devenir ▪**developing 1** adj **d. country** pays m en voie de développement **2** n (of photos) développement m

developer [dɪ'veləpə(r)] n (**property) d.** promoteur m

development [dɪ'veləpmənt] n (growth, progress) développement m; (of land) mise f en valeur; **(housing) d.** lotissement m; (large) grand ensemble m; **a (new) d.** (in situation) un fait nouveau

deviate ['diːvɪeɪt] vi dévier (**from** de); **to d. from the norm** s'écarter de la norme ▪**deviant** [-ɪənt] adj (behaviour) anormal ▪**deviation** [-'eɪʃən] n déviation f

device [dɪ'vaɪs] n (instrument, gadget) dispositif m; (scheme) procédé m; **explosive/nuclear d.** engin m explosif/nucléaire; **safety d.** dispositif de sécurité; **left to one's own devices** livré à soi-même

devil ['devəl] n diable m; Fam **a** or **the d. of a problem** un problème épouvantable; Fam **a** or **the d. of a noise** un bruit infernal; Fam**I had a** or **the d. of a job doing it** j'ai eu un mal fou à le faire; Fam **what/where/why the d....?** que/où/pourquoi diable...?; Fam **to run like the d.** courir comme un fou (f une folle) ▪**devilish** adj diabolique

devious ['diːvɪəs] adj (mind, behaviour) tortueux, -ueuse; **he's d.** il a l'esprit tortueux

devise [dɪ'vaɪz] vt imaginer; (plot) ourdir

devitalize [diː'vaɪtəlaɪz] vt rendre exsangue

devoid [dɪ'vɔɪd] adj **d. of** dénué ou dépourvu de; (guilt) exempt de

devolution [diːvə'luːʃən] n Pol décentralisation f; **the d. of** (power) la délégation de

devolve [dɪ'vɒlv] vi **to d. upon** incomber à

devote [dɪ'vəʊt] vt consacrer (**to** à) ▪**devoted** adj dévoué; (admirer) fervent

devotee [dɪvəʊ'tiː] n (of music, sport) passionné, -ée mf (**of** de)

devotion [dɪ'vəʊʃən] n (to friend, family, cause) dévouement m (**to sb** à qn); (religious) dévotion f; **devotions** (prayers) prières fpl

devour [dɪ'vaʊə(r)] vt (eat, engulf, read) dévorer

devout [dɪ'vaʊt] adj dévot; (supporter, prayer) fervent

dew [djuː] n rosée f

dext(e)rous ['dekstərəs] adj adroit ▪ **dexterity** [-'sterɪtɪ] n dextérité f

diabetes [daɪə'biːtiːz] n diabète m ▪ **diabetic** [-'betɪk] 1 adj diabétique; **d. jam** confiture f pour diabétiques 2 n diabétique mf

diabolical [daɪə'bɒlɪkəl] adj diabolique; Fam (very bad) épouvantable

diagnose [daɪəg'nəʊz] vt diagnostiquer ▪ **diagnosis** [-'nəʊsɪs] (pl **-oses** [-əʊsiːz]) n diagnostic m

diagonal [daɪ'ægənəl] 1 adj diagonal 2 n diagonale f ▪ **diagonally** adv en diagonale

diagram ['daɪəgræm] n schéma m; (geometrical) figure f

dial ['daɪəl] 1 n cadran m 2 (Br **-ll-**, Am **-l-**) vt (phone number) composer; (person) appeler ▪ **dialling code** n Br indicatif m ▪ **dialling tone** n Br tonalité f ▪ **dial tone** n Am tonalité f

dialect ['daɪəlekt] n dialecte m

dialogue ['daɪəlɒg] (Am **dialog**) n dialogue m; Comptr **d. box** boîte f de dialogue

dialysis [daɪ'ælɪsɪs] n Med dialyse f; **to be in d.** être sous dialyse

diameter [daɪ'æmɪtə(r)] n diamètre m ▪ **diametrically** [daɪə'metrɪklɪ] adv **d. opposed** (opinion) diamétralement opposé

diamond ['daɪəmənd] n (a) (stone) diamant m; (shape) losange m; Am (baseball) **d.** terrain m de baseball; **d. necklace** rivière f de diamants (b) Cards **diamond(s)** carreau m

diaper ['daɪpər] n Am couche f

diaphragm ['daɪəfræm] n diaphragme m

diarrhoea (Am **diarrhea**) [daɪə'riːə] n diarrhée f; **to have d.** avoir la diarrhée

diary ['daɪərɪ] (pl **-ies**) n Br (calendar) agenda m; (private) journal m (intime)

dice [daɪs] 1 n inv dé m 2 vt (food) couper en dés

dicey ['daɪsɪ] (**-ier, -iest**) adj Fam risqué

dichotomy [daɪ'kɒtəmɪ] (pl **-ies**) n dichotomie f

Dictaphone® ['dɪktəfəʊn] n Dictaphone® m

dictate [dɪk'teɪt] 1 vt (letter, conditions) dicter (**to** à) 2 vi dicter; **to d. to sb** (order around) donner des ordres à qn ▪ **dictation** n dictée f

dictates ['dɪkteɪts] npl préceptes mpl; **the d. of conscience** la voix de la conscience

dictator [dɪk'teɪtə(r)] n dictateur m ▪ **dicta'torial** [-tə'tɔːrɪəl] adj dictatorial ▪ **dictatorship** n dictature f

dictionary ['dɪkʃənərɪ] (pl **-ies**) n dictionnaire m; **English d.** dictionnaire m d'anglais

did [dɪd] pt of **do**

diddle ['dɪdəl] vt Br Fam (cheat) rouler; **to d. sb out of sth** carotter qch à qn; **to get diddled out of sth** se faire refaire de qch

die¹ [daɪ] (pt & pp **died**, pres p **dying**) vi mourir (**of** or **from** de); Fig **to be dying to do sth** mourir d'envie de faire qch; **to be dying for sth** avoir une envie folle de qch; **to d. away** (of noise) mourir; **to d. down** (of fire) mourir; (of storm) se calmer; **to d. off** mourir (les uns après les autres); **to d. out** (of custom) mourir; (of family) s'éteindre

die² [daɪ] n (a) (pl **dice** [daɪs]) (in games) dé m; **the d. is cast** les dés sont jetés (b) (mould) matrice f

die-hard ['daɪhɑːd] n réactionnaire mf

diesel ['diːzəl] adj & n **d. (engine)** (moteur m) diesel m; **d. (oil)** gazole m

diet ['daɪət] 1 n (usual food) alimentation f; (restricted food) régime m; **to go on a d.** faire un régime; **d. foods** aliments mpl allégés 2 vi être au régime ▪ **dietary** adj alimentaire; **d. fibre** fibres fpl alimentaires ▪ **dietician** [-'tɪʃən] n diététicien, -ienne mf

differ ['dɪfə(r)] vi différer (**from** de); (disagree) ne pas être d'accord (**from** avec)

difference ['dɪfərəns] n différence f (**in** de); **d. of opinion** différend m; **it makes no d.** ça n'a pas d'importance; **it makes no d. to me** ça m'est égal; **that will make a big d.** ça va changer pas mal de choses

different ['dɪfərənt] adj différent (**from** de); (another) autre; (various) divers ▪ **differently** adv différemment (**from** de)

differentiate [dɪfə'renʃɪeɪt] 1 vt différencier (**from** de) 2 vi faire la différence (**between** entre)

difficult ['dɪfɪkəlt] adj difficile (**to do** à faire); **it's d. for us to...** il nous est difficile de...; **the d. thing is to...** le plus difficile est de...

difficulty ['dɪfɪkəltɪ] (pl **-ies**) n difficulté f; **to have d. doing sth** avoir du mal à faire qch; **to be in d.** avoir des difficultés; **to have d.** or **difficulties with sb/sth** (problems) avoir des ennuis avec qn/qch

diffident ['dɪfɪdənt] adj (person) qui manque d'assurance; (smile, tone) mal assuré ▪ **diffidence** n manque m d'assurance

diffuse [dɪ'fjuːs] adj (spread out, wordy) diffus 2 [dɪ'fjuːz] vt (spread) diffuser ▪ **diffusion** n diffusion f

dig [dɪg] 1 n (in archaeology) fouilles fpl; (with spade) coup m de bêche; (with elbow) coup de coude; (with fist) coup de poing; Fam (remark) pique f 2 (pt & pp **dug**, pres p **digging**) vt (ground, garden) bêcher; (hole, grave) creuser; **to d. sth into sth** (push) planter qch dans qch; **to d. out** (animal, object) déterrer; (accident victim) dégager; Fam (find) dénicher; **to d. up**

(from ground) déterrer; *(weed)* arracher; *(road)* excaver **3** *vi (dig a hole)* creuser; *(of pig)* fouiller; **to d. (oneself) in** *(of soldier)* se retrancher; *Fam* **to d. in** *(eat)* attaquer; **to d. into** *(past)* fouiller dans

digest 1 ['daɪdʒest] *n (summary)* condensé *m* **2** [daɪ'dʒest] *vti* digérer **■ digestible** [-'dʒestəbəl] *adj* digeste **■ di'gestion** *n* digestion *f* **■ digestive** [-'dʒestɪv] *adj* digestif, -ive

digger ['dɪgə(r)] *n (machine)* pelleteuse *f*

digit ['dɪdʒɪt] *n (number)* chiffre *m* **■ digital** *adj (TV, camera, computer)* numérique; *(tape, recording)* audionumérique; *(watch, clock)* à affichage numérique

dignified ['dɪgnɪfaɪd] *adj* digne **■ dignitary** *(pl -ies) n* dignitaire *m* **■ dignity** *n* dignité *f*

digress [daɪ'gres] *vi* faire une digression; **to d. from** s'écarter de **■ digression** *n* digression *f*

digs [dɪgz] *npl Br Fam* chambre *f* meublée

dike [daɪk] *n Am* = **dyke**

dilapidated [dɪ'læpɪdeɪtɪd] *adj (house)* délabré

dilate [daɪ'leɪt] **1** *vt* dilater **2** *vi* se dilater **■ dilation** *n* dilatation *f*

dilemma [daɪ'lemə] *n* dilemme *m*

diligent ['dɪlɪdʒənt] *adj* appliqué; **to be d. in doing sth** faire qch avec zèle **■ diligence** *n* zèle *m*

dilly-dally ['dɪlɪ'dælɪ] *(pt & pp -ied) vi Fam (dawdle)* lambiner; *(hesitate)* tergiverser

dilute [daɪ'luːt] **1** *vt* diluer **2** *adj* dilué

dim [dɪm] **1** *(dimmer, dimmest) adj (light)* faible; *(colour)* terne; *(room)* sombre; *(memory, outline)* vague; *(person)* stupide **2** *(pt & pp -mm-) vt (light)* baisser; *(glory)* ternir; *(memory)* estomper; *Am* **to d. one's headlights** se mettre en code **■ dimly** *adv (shine)* faiblement; *(vaguely)* vaguement; **d. lit** mal éclairé **■ dimness** *n* faiblesse *f*; *(of memory)* flou *m*; *(of room)* pénombre *f*

dime [daɪm] *n Am (piece f de)* dix cents *mpl*; **it's not worth a d.** ça ne vaut pas un clou; **a d. store** ≃ un Prisunic®, ≃ un Monoprix®

dimension [daɪ'menʃən] *n* dimension *f*

diminish [dɪ'mɪnɪʃ] *vti* diminuer **■ diminishing** *adj* décroissant

diminutive [dɪ'mɪnjʊtɪv] **1** *adj (tiny)* minuscule **2** *adj & n Grammar* diminutif *(m)*

dimmer ['dɪmə(r)] *n* **d. (switch)** variateur *m*

dimmers ['dɪməz] *npl Am Aut* codes *mpl*

dimple ['dɪmpəl] *n* fossette *f* **■ dimpled** *adj (chin, cheek)* à fossettes

dimwit ['dɪmwɪt] *n Fam* andouille *f* **■ 'dim'witted** *adj Fam* tarte

din [dɪn] **1** *n (noise)* vacarme *m* **2** *(pt & pp -nn-) vt* **to d. into sb that...** rabâcher à qn que...

dine [daɪn] *vi* dîner **(on** or **off** de); **to d. out** dîner dehors **■ diner** *n (person)* dîneur, -euse *mf*; *Am (restaurant)* petit restaurant *m* **■ dining**

car *n (on train)* wagon-restaurant *m* **■ dining room** *n* salle *f* à manger

dinghy ['dɪŋgɪ] *(pl -ies) n* petit canot *m*; **(rubber) d.** canot pneumatique

dingy ['dɪndʒɪ] *(-ier, -iest) adj (room)* minable; *(colour)* terne

dinner ['dɪnə(r)] *n (evening meal)* dîner *m*; *(lunch)* déjeuner *m*; *(for dog, cat)* pâtée *f*; **to have d.** dîner; **to have sb to d.** avoir qn à dîner; **it's d. time** c'est l'heure de dîner; *(lunch)* c'est l'heure de déjeuner; **d. dance** dîner-dansant *m*; **d. jacket** smoking *m*; **d. party** dîner; **d. plate** grande assiette *f*; **d. service, d. set** service *m* de table

dinosaur ['daɪnəsɔː(r)] *n* dinosaure *m*

dint [dɪnt] *n Formal* **by d. of sth/of doing** à force de qch/de faire

diocese ['daɪəsɪs] *n Rel* diocèse *m*

dip [dɪp] **1** *n (in road)* petit creux *m*; **to go for a d.** *(swim)* faire trempette **2** *(pt & pp -pp-) vt* plonger; *Br* **to d. one's headlights** se mettre en code **3** *vi (of road)* plonger; *(of sun)* descendre; **to d. into** *(pocket, savings)* puiser dans; *(book)* feuilleter

diphtheria [dɪf'θɪərɪə] *n Med* diphtérie *f*

diphthong ['dɪfθɒŋ] *n Ling* diphtongue *f*

diploma [dɪ'pləʊmə] *n* diplôme *m*

diplomacy [dɪ'pləʊməsɪ] *n* diplomatie *f*

diplomat ['dɪpləmæt] *n* diplomate *mf* **■ diplo'matic** *adj* diplomatique; **to be d.** *(tactful)* être diplomate

dipper ['dɪpə(r)] *n Br* **the big d.** *(at fairground)* les montagnes *fpl* russes

dipstick ['dɪpstɪk] *n* jauge *f* de niveau d'huile

dire ['daɪə(r)] *adj (situation)* affreux, -euse; *(consequences)* tragique; *(poverty, need)* extrême; **to be in d. straits** être dans une mauvaise passe

direct[1] [daɪ'rekt] **1** *adj (result, flight, person)* direct; *(danger)* immédiat; *Br* **d. debit** prélèvement *m* automatique **2** *adv* directement **■ directness** *n (of person, reply)* franchise *f*

direct[2] [daɪ'rekt] *vt (gaze, light, company, attention)* diriger **(at** sur); *(traffic)* régler; *(letter, remark)* adresser **(to** à); *(efforts)* consacrer **(towards** à); *(film)* réaliser; *(play)* mettre en scène; **to d. sb to** *(place)* indiquer à qn le chemin de; **to d. sb to do sth** charger qn de faire qch

direction [daɪ'rekʃən] *n* direction *f*, sens *m*; *(management)* direction; *(of film)* réalisation *f*; *(of play)* mise *f* en scène; **directions** *(orders)* indications *fpl*; **directions (for use)** mode *m* d'emploi; **in the opposite d.** en sens inverse

directive [dɪ'rektɪv] *n* directive *f*

directly [daɪ'rektlɪ] **1** *adv (without detour)* directement; *(exactly)* juste; *(at once)* tout de suite; *(speak)* franchement; **d. in front/behind**

juste devant/derrière **2** *conj Br Fam (as soon as)* aussitôt que (*+ indicative*)

director [daɪ'rektə(r)] *n* directeur, -trice *mf*; *(board member)* administrateur, -trice *mf*; *(of film)* réalisateur, -trice *mf*; *(of play)* metteur *m* en scène ▪ **directorship** *n* poste *m* de directeur; *(as board member)* poste d'administrateur

directory [daɪ'rektərɪ] *(pl -ies)* *n (phone book)* annuaire *m*; *(of streets)* guide *m*; *(of addresses)* & *Comptr* répertoire *m*; **telephone d.** annuaire *m* du téléphone; *Br* **d. enquiries** renseignements *mpl* téléphoniques

dirt [dɜːt] *n* saleté *f*; *(mud)* boue *f*; *(earth)* terre *f*; *Fig (talk)* obscénité(s) *f(pl)*; *Fam* **d. cheap** très bon marché; **d. road** chemin *m* de terre; *Sport* **d. track** cendrée *f*

dirty ['dɜːtɪ] **1** (**-ier, -iest**) *adj* sale; *(job)* salissant; *(word)* grossier, -ière; **to get d.** se salir; **to get sth d.** salir qch; **a d. joke** une histoire cochonne; **a. trick** un sale tour; **a d. old man** un vieux cochon **2** *adv (fight)* déloyalement **3** *vt* salir; *(machine)* encrasser

disability [dɪsə'bɪlɪtɪ] *(pl -ies)* *n (injury)* infirmité *f*; *(condition)* invalidité *f*; *Fig* désavantage *m*

disable [dɪs'eɪbəl] *vt* rendre infirme ▪ **disabled 1** *adj* handicapé **2** *npl* **the d.** les handicapés *mpl*

disadvantage [dɪsəd'vɑːntɪdʒ] **1** *n* désavantage *m* **2** *vt* désavantager

disaffected [dɪsə'fektɪd] *adj* mécontent ▪ **disaffection** *n* désaffection *f*

disagree [dɪsə'griː] *vi* ne pas être d'accord (**with** avec); *(of figures, reports)* ne pas concorder; **to d. with sb** *(of food, climate, medicine)* ne pas réussir à qn ▪ **disagreement** *n* désaccord *m*; *(quarrel)* différend *m*

disagreeable [dɪsə'griːəbəl] *adj* désagréable

disallow [dɪsə'laʊ] *vt Formal* rejeter

disappear [dɪsə'pɪə(r)] *vi* disparaître ▪ **disappearance** *n* disparition *f*

disappoint [dɪsə'pɔɪnt] *vt* décevoir; **I'm disappointed with it** ça m'a déçu ▪ **disappointing** *adj* décevant ▪ **disappointment** *n* déception *f*

disapproval [dɪsə'pruːvəl] *n* désapprobation *f*

disapprove [dɪsə'pruːv] *vi* **to d. of sb/sth** désapprouver qn/qch; **I d.** je suis contre ▪ **disapproving** *adj (look, tone)* désapprobateur, -trice

disarm [dɪs'ɑːm] *vti* désarmer ▪ **disarmament** *n* désarmement *m*

disarray [dɪsə'reɪ] *n (distress)* désarroi *m*; *(disorder)* désordre *m*; **in d.** *(army, political party)* en plein désarroi; *(clothes, hair)* en désordre

disaster [dɪ'zɑːstə(r)] *n* désastre *m*, catastrophe *f*; **d. area** région *f* sinistrée ▪ **disastrous** *adj* désastreux, -euse

disband [dɪs'bænd] **1** *vt* dissoudre **2** *vi* se dissoudre

disbelief [dɪsbə'liːf] *n* incrédulité *f*

disc [dɪsk] *(Am* **disk**) *n* disque *m*; **d. jockey** disc-jockey *m*

discard [dɪs'kɑːd] *vt (get rid of)* se débarrasser de; *(plan)* abandonner

discern [dɪ'sɜːn] *vt* discerner ▪ **discerning** *adj (person)* averti

discernible [dɪ'sɜːnəbəl] *adj* perceptible

discernment [dɪ'sɜːnmənt] *n* discernement *m*

discharge 1 ['dɪstʃɑːdʒ] *n (of gun, electricity)* décharge *f*; *(of pus, liquid)* écoulement *m*; *(dismissal)* renvoi *m*; *(freeing)* libération *f*; *(of unfit soldier)* réforme *f* **2** [dɪs'tʃɑːdʒ] *vt (patient)* laisser sortir; *(employee)* renvoyer; *(soldier, prisoner)* libérer; *(unfit soldier)* réformer; *(gun)* décharger; *(liquid)* déverser

disciple [dɪ'saɪpəl] *n* disciple *m*

disciplinary [dɪsɪ'plɪnərɪ] *adj (measure)* disciplinaire

discipline ['dɪsɪplɪn] **1** *n (behaviour, subject)* discipline *f* **2** *vt (control)* discipliner; *(punish)* punir

disclaim [dɪs'kleɪm] *vt (renounce)* renoncer à; *(deny)* démentir

disclose [dɪs'kləʊz] *vt (renounce)* révéler ▪ **disclosure** [-ʒə(r)] *n* révélation *f*

disco ['dɪskəʊ] *(pl -os)* *n* discothèque *f* ▪ **discotheque** *n* discothèque *f*

discolour [dɪs'kʌlə(r)] *(Am* **discolor**) **1** *vt* décolourer; *(teeth)* jaunir **2** *vi* se décolorer; *(of teeth)* jaunir

discomfort [dɪs'kʌmfət] *n (physical)* petite douleur *f*; *(mental)* malaise *m*

disconcerting [dɪskən'sɜːtɪŋ] *adj* déconcertant

disconnect [dɪskə'nekt] *vt (unfasten)* détacher; *(unplug)* débrancher; *(gas, telephone, electricity)* couper

discontent [dɪskən'tent] *n* mécontentement *m* ▪ **discontented** *adj* mécontent (**with** de)

discontinue [dɪskən'tɪnjuː] *vt* interrompre

discord ['dɪskɔːd] *n (disagreement)* discorde *f*; *Mus* dissonance *f*

discount 1 ['dɪskaʊnt] *n (on article)* réduction *f*; *(on account paid early)* escompte *m*; **at a d.** *(buy, sell)* au rabais; **d. store** solderie *f* **2** [dɪs'kaʊnt] *vt (story)* ne pas tenir compte de

discourage [dɪs'kʌrɪdʒ] *vt* décourager (**sb from doing** qn de faire); **to get discouraged** se décourager ▪ **discouragement** *n* découragement *m*

discourse ['dɪskɔːs] *n* discours *m*

discourteous [dɪs'kɜːtɪəs] *adj* discourtois (**towards** envers)

discover [dɪs'kʌvə(r)] *vt* découvrir (**that** que) ▪ **discovery** *(pl -ies)* *n* découverte *f*

discredit [dɪs'kredɪt] **1** *n* discrédit *m* **2** *vt (cast*

slur on) discréditer; *(refuse to believe)* ne pas croire ▪ **discreditable** *adj* indigne

discreet [dɪ'skriːt] *adj* discret, -ète

discrepancy [dɪ'skrepənsɪ] *(pl* **-ies)** *n* décalage *m* (**between** entre)

discretion [dɪ'skreʃən] *n (tact)* discrétion *f*; **I'll use my own d.** je jugerai par moi-même

discriminate [dɪ'skrɪmɪneɪt] *vi* **to d. against** faire de la discrimination envers; **to be discriminated against** être victime de discrimination; **to d. between** distinguer entre ▪ **discriminating** *adj* perspicace ▪ **discrimination** [-'neɪʃən] *n (bias)* discrimination *f*; *(judgement)* discernement *m*; *(distinction)* distinction *f* ▪ **discriminatory** [-nətərɪ] *adj* discriminatoire

discus ['dɪskəs] *n Sport* disque *m*

discuss [dɪ'skʌs] *vt* discuter de ▪ **discussion** *n* discussion *f*; **under d.** en discussion

disdain [dɪs'deɪn] **1** *n* dédain *m* **2** *vt* dédaigner (**to do** de faire) ▪ **disdainful** *adj* dédaigneux, -euse; **to be d. of** dédaigner

disease [dɪ'ziːz] *n* maladie *f* ▪ **diseased** *adj* malade

disembark [dɪsɪm'bɑːk] *vti* débarquer ▪ **disembarkation** [-embɑː'keɪʃən] *n* débarquement *m*

disembodied [dɪsɪm'bɒdɪd] *adj* désincarné

disembowel [dɪsɪm'baʊəl] *(Br* **-ll-,** *Am* **-l-)** *vt* éviscérer

disenchanted [dɪsɪn'tʃɑːntɪd] *adj* désenchanté

disengage [dɪsɪn'geɪdʒ] *vt (object)* dégager (**from** de); *(troops)* désengager; *Br* **to d. the clutch** débrayer

disentangle [dɪsɪn'tæŋgəl] *vt (string)* démêler; **to d. oneself from** se dégager de

disfavour [dɪs'feɪvə(r)] *(Am* **disfavor)** *n* défaveur *f*

disfigure [dɪs'fɪgə(r)] *vt* défigurer ▪ **disfigured** *adj* défiguré ▪ **disfigurement** *n* défigurement *m*

disgorge [dɪs'gɔːdʒ] *vt Fig (water, passengers)* dégorger; *(food)* vomir

disgrace [dɪs'greɪs] **1** *n (shame)* honte *f* (**to** à); *(disfavour)* disgrâce *f* **2** *vt* déshonorer ▪ **disgraced** *adj* disgracié

disgraceful [dɪs'greɪsfəl] *adj* honteux, -euse ▪ **disgracefully** *adv* honteusement

> Note that the French word **disgracieux** is a false friend and is never a translation for the English word **disgraceful**. It means **ungainly**.

disgruntled [dɪs'grʌntəld] *adj* mécontent

disguise [dɪs'gaɪz] **1** *n* déguisement *m*; **in d.** déguisé **2** *vt* déguiser (**as** en)

disgust [dɪs'gʌst] **1** *n* dégoût *m* (**for** or **at** or **with** de); **in d.** dégoûté **2** *vt* dégoûter

▪ **disgusted** *adj* dégoûté (**at** or **by** or **with** de); **to be d. with sb** *(annoyed)* être fâché contre qn; **I was d. to hear that...** j'ai été indigné d'apprendre que... ▪ **disgusting** *adj* dégoûtant

dish [dɪʃ] **1** *n (container, food)* plat *m*; **the dishes** la vaisselle; **to do the dishes** faire la vaisselle **2** *vt Fam* **to d. out** *(money, advice)* distribuer; **to d. out** or **up** *(food)* servir ▪ **dishtowel** *n* torchon *m* (à vaisselle) ▪ **dishwasher** *n* lave-vaisselle *m inv*

disharmony [dɪs'hɑːmənɪ] *n* désaccord *m*; *(in music)* dissonance *f*

dishcloth ['dɪʃklɒθ] *n (for washing)* lavette *f*; *(for drying)* torchon *m*

dishevelled [dɪ'ʃevəld] *(Am* **disheveled)** *adj (person, hair)* ébouriffé

dishonest [dɪs'ɒnɪst] *adj* malhonnête ▪ **dishonesty** *n* malhonnêteté *f*

dishonour [dɪs'ɒnə(r)] *(Am* **dishonor) 1** *n* déshonneur *m* **2** *vt* déshonorer; *(cheque)* refuser d'honorer ▪ **dishonourable** *(Am* **dishonorable)** *adj* déshonorant ▪ **dishonourably** *(Am* **dishonorably)** *adv* avec déshonneur

disillusion [dɪsɪ'luːʒən] **1** *n* désillusion *f* **2** *vt* décevoir; **to be disillusioned (with)** être déçu (de) ▪ **disillusionment** *n* désillusion *f*

disinclined [dɪsɪŋ'klaɪnd] *adj* peu disposé (**to do** à faire) ▪ **disinclination** [-klɪ'neɪʃən] *n* répugnance *f* (**to do** à faire)

disinfect [dɪsɪn'fekt] *vt* désinfecter ▪ **disinfectant** *adj & n* désinfectant *(m)* ▪ **disinfection** *n* désinfection *f*

disinherit [dɪsɪn'herɪt] *vt* déshériter

disintegrate [dɪs'ɪntɪgreɪt] **1** *vt* désintégrer **2** *vi* se désintégrer ▪ **disintegration** [-'greɪʃən] *n* désintégration *f*

disinterested [dɪs'ɪntrɪstɪd] *adj (impartial)* désintéressé; *Fam (uninterested)* indifférent (**in** à)

disjointed [dɪs'dʒɔɪntɪd] *adj (words, style)* décousu

disk [dɪsk] *n* **(a)** *Am =* **disc** **(b)** *Comptr* disque *m*; *(floppy)* disquette *f*; **on d.** sur disque; **hard d.** disque *m* dur; **d. drive** unité *f* de disques ▪ **diskette** [dɪs'ket] *n Comptr* disquette *f*

dislike [dɪs'laɪk] **1** *n* aversion *f* (**for** or **of** de); **to take a d. to sb/sth** prendre qn/qch en grippe; **our likes and dislikes** nos goûts *mpl* **2** *vt* ne pas aimer (**doing** faire); **he doesn't d. it** ça ne lui déplaît pas

dislocate ['dɪsləkeɪt] *vt (limb)* démettre; *Fig (disrupt)* désorganiser; **to d. one's shoulder** se démettre l'épaule ▪ **dislocation** *n* dislocation *f*

dislodge [dɪs'lɒdʒ] *vt* faire bouger, déplacer; *(enemy)* déloger

disloyal [dɪs'lɔɪəl] *adj* déloyal ▪ **disloyally** *adv (act)* déloyalement ▪ **disloyalty** *n* déloyauté *f*

dismal ['dɪzməl] *adj* lugubre ▪**dismally** *adv* *(fail, behave)* lamentablement

dismantle [dɪs'mæntəl] *vt (machine)* démonter; *(organization)* démanteler

dismay [dɪs'meɪ] **1** *n* consternation *f* **2** *vt* consterner

dismiss [dɪs'mɪs] *vt (from job)* renvoyer (**from** de); *(official)* destituer; *(thought, suggestion)* écarter; **to d. an appeal** *(in court)* rejeter un appel; **to d. a case** *(of judge)* classer une affaire; **d.!** *(to soldiers)* rompez!; *(to class)* vous pouvez partir ▪**dismissal** *n* renvoi *m*; *(of official)* destitution *f*

dismount [dɪs'maʊnt] **1** *vi (of person)* descendre (**from** de) **2** *vt (of horse)* désarçonner

disobedience [dɪsə'biːdɪəns] *n* désobéissance *f* ▪**disobedient** *adj* désobéissant

disobey [dɪsə'beɪ] **1** *vt* désobéir à **2** *vi* désobéir

disorder [dɪs'ɔːdə(r)] *n (confusion)* désordre *m*; *(illness, riots)* troubles *mpl* ▪**disorderly** *adj (behaviour, person, room)* désordonné; *(meeting, crowd)* houleux, -euse

disorganize [dɪs'ɔːgənaɪz] *vt* désorganiser; **to be disorganized** être désorganisé

disorientate [dɪs'ɔːrɪənteɪt] *(Am* **disorient** [dɪs'ɔːrɪənt]) *vt* désorienter

disown [dɪs'əʊn] *vt* renier

disparage [dɪs'pærɪdʒ] *vt* dénigrer ▪**disparaging** *adj (remark)* désobligeant

disparate ['dɪspərət] *adj* disparate ▪**disparity** [-'pærɪtɪ] *(pl* **-ies**) *n* disparité *f* (**between** entre)

dispassionate [dɪs'pæʃənət] *adj (unemotional)* calme; *(not biased)* impartial

dispatch [dɪs'pætʃ] **1** *n (sending)* expédition *f* (**of** de); *(message)* dépêche *f* **2** *vt (send, finish off)* expédier; *(troops, messenger)* envoyer

dispel [dɪs'pel] *(pt & pp* **-ll-**) *vt* dissiper

dispensary [dɪs'pensərɪ] *(pl* **-ies**) *n (in hospital)* pharmacie *f*; *(in chemist's shop)* officine *f*

dispense [dɪs'pens] **1** *vt (give out)* distribuer; *(justice)* administrer; *(medicine)* préparer; **Br dispensing chemist** pharmacien, -ienne *mf*; *(shop)* pharmacie *f* **2** *vi* **to d. with** *(do without)* se passer de; **that dispenses with the need for...** cela rend superflu... ▪**dispensation** [-'seɪʃən] *n* distribution *f*; **special d.** *(exemption)* dérogation *f* ▪**dispenser** *n (device)* distributeur *m*

disperse [dɪs'pɜːs] **1** *vt* disperser **2** *vi* se disperser ▪**dispersal, dispersion** *n* dispersion *f*

dispirited [dɪs'pɪrɪtɪd] *adj* découragé

displace [dɪs'pleɪs] *vt (shift)* déplacer; *(replace)* supplanter; **displaced person** personne *f* déplacée

display [dɪs'pleɪ] **1** *n (in shop)* étalage *m*; *(of paintings, handicrafts)* exposition *f*; *(of force)* déploiement *m*; *(of anger)* manifestation *f*; **d. (unit)** *(of computer)* moniteur *m*; **on d.** exposé

2 *vt (goods)* exposer; *(sign, notice)* afficher; *(emotion)* manifester; *(talent, concern, ignorance)* faire preuve de

displease [dɪs'pliːz] *vt* mécontenter ▪**displeased** *adj* mécontent (**with** de)

displeasure [dɪs'pleʒə(r)] *n* mécontentement *m*

disposable [dɪ'spəʊzəbəl] *adj Br (plate, nappy)* jetable; *(income)* disponible

disposal [dɪ'spəʊzəl] *n (sale)* vente *f*; *(of waste)* évacuation *f*; **at the d. of** à la disposition de

dispose¹ [dɪ'spəʊz] *vi* **to d. of** *(get rid of)* se débarrasser de; *(throw away)* jeter; *(matter, problem)* régler; *Fam (kill)* liquider

> Note that the French verb **disposer de** is a false friend. It only means **to have at one's disposal**.

dispose² [dɪ'spəʊz] *vt* **to d. sb to do** *(make willing)* disposer qn à faire; **to be disposed to do** être disposé à faire; **well-disposed towards** bien disposé envers

disposition [dɪspə'zɪʃən] *n (placing)* disposition *f*; *(character)* tempérament *m*; *(readiness)* inclination *f*

dispossess [dɪspə'zes] *vt* déposséder (**of** de)

disproportion [dɪsprə'pɔːʃən] *n* disproportion *f* ▪**disproportionate** *adj* disproportionné

disprove [dɪs'pruːv] *(pp* **disproved,** *Law* **disproven** [-'prəʊvən]) *vt* réfuter

dispute [dɪ'spjuːt] **1** *n (quarrel)* dispute *f*; *(debate)* controverse *f*; *(legal)* litige *m*; **beyond d.** incontestable; **in d.** *(matter)* débattu; *(facts, territory)* contesté; *(competence)* en question; **(industrial) d.** conflit *m* social **2** *vt (claim, will)* contester

disqualify [dɪs'kwɒlɪfaɪ] *(pt & pp* **-ied**) *vt (make unfit)* rendre inapte (**from** à); *Sport* disqualifier; **to d. sb from driving** retirer son permis à qn ▪**disqualification** [-fɪ'keɪʃən] *n Sport* disqualification *f*; **his d. from driving** le retrait de son permis de conduire

disquiet [dɪs'kwaɪət] **1** *n* inquiétude *f* **2** *vt* inquiéter ▪**disquieting** *adj* inquiétant

disregard [dɪsrɪ'gɑːd] **1** *n* mépris *m* (**for** de) **2** *vt* ne tenir aucun compte de

disrepair [dɪsrɪ'peə(r)] *n* **in (a state of) d.** délabré

disreputable [dɪs'repjʊtəbəl] *adj* peu recommandable; *(behaviour)* honteux, -euse

disrepute [dɪsrɪ'pjuːt] *n* discrédit *m*; **to bring sb/sth into d.** discréditer qn/qch

disrespect [dɪsrɪ'spekt] *n* irrespect *m* ▪**disrespectful** *adj* irrespectueux, -ueuse (**to** envers)

disrupt [dɪs'rʌpt] *vt (traffic, class)* perturber; *(communications)* interrompre; *(plan)* déranger ▪**disruption** *n* perturbation *f*; *(of communications)* interruption *f*; *(of plan)* dérangement *m*

disruptive [dɪs'rʌptɪv] *adj* perturbateur, -trice
dissatisfied [dɪ'sætɪsfaɪd] *adj* mécontent
(**with** de) ▪**dissatisfaction** [-'fækʃən] *n*
mécontentement *m* (**with** devant)
dissect [daɪ'sekt] *vt* disséquer ▪**dissection** *n*
dissection *f*
disseminate [dɪ'semɪneɪt] *vt* disséminer
dissension [dɪ'senʃən] *n* dissension *f*
dissent [dɪ'sent] **1** *n* désaccord *m* **2** *vi* être en
désaccord (**from** avec) ▪**dissenting** *adj*
(*voice*) dissident
dissertation [dɪsə'teɪʃən] *n* mémoire *m*
disservice [dɪ'sɜːvɪs] *n* **to do sb a d.** rendre un
mauvais service à qn
dissident ['dɪsɪdənt] *adj & n* dissident, -ente
(*mf*) ▪**dissidence** *n* dissidence *f*
dissimilar [dɪ'sɪmɪlə(r)] *adj* différent (**to** de)
dissipate ['dɪsɪpeɪt] *vt* (*clouds, fog, fears*)
dissiper; (*energy, fortune*) gaspiller
dissociate [dɪ'səʊʃɪeɪt] *vt* dissocier (**from** de)
dissolute ['dɪsəluːt] *adj* dissolu
dissolve [dɪ'zɒlv] **1** *vt* dissoudre **2** *vi* se
dissoudre ▪**dissolution** [dɪsə'luːʃən] *n* dissolution *f*
dissuade [dɪ'sweɪd] *vt* dissuader (**from doing**
de faire); **to d. sb from sth** détourner qn de qch
▪**dissuasion** [-ʒən] *n* dissuasion *f*
distance ['dɪstəns] *n* distance *f*; **in the d.** au
loin; **from a d.** de loin; **at a d.** assez loin; **it's
within walking d.** on peut y aller à pied; **to
keep one's d.** garder ses distances
distant ['dɪstənt] *adj* lointain; (*relative*) éloigné;
(*reserved*) distant; **5 km d. from** à (une distance
de) 5 km de ▪**distantly** *adv* **we're d. related**
nous sommes parents éloignés
distaste [dɪs'teɪst] *n* aversion *f* (**for** pour)
▪**distasteful** *adj* déplaisant
distemper[1] [dɪs'tempə(r)] *n* (*paint*) détrempe *f*
distemper[2] [dɪs'tempə(r)] *n* (*disease*) maladie *f*
de Carré
distil [dɪ'stɪl] (*pt & pp* **-ll-**) *vt* distiller; **distilled
water** (*for battery, iron*) eau *f* déminéralisée
▪**distillation** [-'leɪʃən] *n* distillation *f*
▪**distillery** (*pl* **-ies**) *n* distillerie *f*
distinct [dɪ'stɪŋkt] *adj* (**a**) (*clear*) clair;
(*preference, improvement, difference*) net (*f*
nette) (**b**) (*different*) distinct (**from** de)
▪**distinctly** *adv* (*see, hear*) distinctement;
(*remember*) très bien; (*better, easier*) nettement;
(*stupid, ill-mannered*) vraiment; **d. possible**
tout à fait possible
distinction [dɪ'stɪŋkʃən] *n* distinction *f*; (*in
exam*) mention *f* bien; **singer/writer of d.**
chanteur, -euse *mf*/écrivain *m* réputé(e)
distinctive [dɪ'stɪŋktɪv] *adj* distinctif, -ive
distinguish [dɪ'stɪŋgwɪʃ] *vti* distinguer (**from**
de; **between** entre); **to d. oneself** se
distinguer (**as** en tant que) ▪**distinguished**
adj distingué

distort [dɪ'stɔːt] *vt* déformer ▪**distorted** *adj*
déformé; (*false*) (*idea*) faux (*f* fausse)
▪**distortion** *n* (*of features, sound*) distorsion *f*;
(*of truth*) déformation *f*
distract [dɪ'strækt] *vt* distraire (**from** de)
▪**distracted** *adj* préoccupé ▪**distracting** *adj*
(*noise*) gênant

> Note that the French word **distrait** is a false
> friend. It means **absent-minded**.

distraction [dɪ'strækʃən] *n* (*lack of attention,
amusement*) distraction *f*; **to drive sb to d.**
rendre qn fou/folle
distraught [dɪ'strɔːt] *adj* éperdu
distress [dɪ'stres] **1** *n* (*mental*) détresse *f*;
(*physical*) douleur *f*; **in d.** (*ship, soul*) en
détresse; **in (great) d.** (*poverty*) dans la
détresse **2** *vt* bouleverser ▪**distressing** *adj*
bouleversant
distribute [dɪ'strɪbjuːt] *vt* (*give out*) & Com
(*supply*) distribuer; (*spread evenly*) répartir
▪**distribution** [-'bjuːʃən] *n* distribution *f*; (*even
spread*) répartition *f* ▪**distributor** *n* (*in car, of
films*) distributeur *m*; (*of cars*) concessionnaire
mf
district ['dɪstrɪkt] *n* région *f*; (*of town*) quartier
m; (*administrative*) district *m*; *Am* **d. attorney** ≃
procureur *m* de la République; *Br* **d. nurse**
infirmière *f* visiteuse
distrust [dɪs'trʌst] **1** *n* méfiance *f* (**of** à l'égard
de) **2** *vt* se méfier de ▪**distrustful** *adj* méfiant;
to be d. of se méfier de
disturb [dɪ'stɜːb] *vt* (*sleep, water*) troubler;
(*papers, belongings*) déranger; **to d. sb** (*bother*)
déranger qn; (*worry, alarm*) troubler qn
▪**disturbed** *adj* (*person*) (*worried, mentally
unbalanced*) perturbé; (*sleep*) agité
▪**disturbing** *adj* (*worrying*) inquiétant;
(*annoying, irksome*) gênant
disturbance [dɪ'stɜːbəns] *n* (*noise*) tapage *m*;
disturbances (*riots*) troubles *mpl*
disunity [dɪs'juːnɪtɪ] *n* désunion *f*
disuse [dɪs'juːs] *n* **to fall into d.** tomber en
désuétude ▪**disused** [-'juːzd] *adj* (*building*)
désaffecté
ditch [dɪtʃ] **1** *n* fossé *m* **2** *vt* *Fam* (*get rid of*) se
débarrasser de; (*plan*) laisser tomber
dither ['dɪðə(r)] *vi* *Fam* tergiverser; **to d.
(around)** (*waste time*) tourner en rond
ditto ['dɪtəʊ] *adv* idem
diva ['diːvə] *n* (*singer, star*) diva *f*
divan [dɪ'væn] *n* divan *m*
dive [daɪv] **1** *n* (**a**) (*of swimmer, goalkeeper*)
plongeon *m*; (*of submarine*) plongée *f*; (*of
aircraft*) piqué *m* (**b**) *Fam Pej* (*bar*) boui-boui *m*
2 (*pt* **dived**, *Am* **dove**) *vi* plonger; (*of plane*)
piquer; **to d. for pearls** pêcher des perles; **to
d. for the exit/into the pub** se précipiter vers
la sortie/dans le pub ▪**diver** *n* plongeur, -euse

mf; *(deep-sea)* scaphandrier *m* ▪**diving** *n* *(underwater)* plongée *f* sous-marine; **d. suit** scaphandre *m*; **d. board** plongeoir *m*

diverge [daɪ'vɜːdʒ] *vi* diverger (**from** de) ▪**divergence** *n* divergence *f* ▪**divergent** *adj* divergent

diverse [daɪ'vɜːs] *adj* divers ▪**diversify** *(pt & pp* **-ied)** **1** *vt* diversifier **2** *vi (of firm)* se diversifier ▪**diversity** *n* diversité *f*

diversion [daɪ'vɜːʃən] *n Br (on road)* déviation *f*; *(amusement)* distraction *f*; **to create a d.** faire diversion

divert [daɪ'vɜːt] *vt (attention, suspicions, river, plane)* détourner; *Br (traffic)* dévier; *(amuse)* divertir; **to d. sb from** détourner qn de

divest [daɪ'vest] *vt Formal* **to d. of** *(power, rights)* priver de

divide [dɪ'vaɪd] **1** *vt Math* diviser (**into** en; **by** par); *(food, money, time)* partager (**between** *or* **among** entre); **to d. sth (off) (from sth)** séparer qch (de qch); **to d. sth up** *(share out)* partager qch **2** *vi (of group, road)* se diviser (**into** en); **dividing line** ligne *f* de démarcation ▪**divided** *adj* divisé

dividend ['dɪvɪdend] *n* dividende *m*

divine [dɪ'vaɪn] *adj* divin ▪**divinity** [-'vɪnɪtɪ] *(pl* **-ies)** *n (quality, god)* divinité *f*; *(study)* théologie *f*

division [dɪ'vɪʒən] *n* division *f*; *(distribution)* partage *m*; *(dividing object)* séparation *f*; *Sport* **first d.** première division ▪**divisible** [-'vɪzɪbəl] *adj* divisible ▪**divisive** [-'vaɪsɪv] *adj* qui cause des dissensions

divorce [dɪ'vɔːs] **1** *n* divorce *m* **2** *vt (husband, wife)* divorcer de; *Fig (idea)* séparer (**from** de) **3** *vi* divorcer ▪**divorced** *adj* divorcé (**from** de); **to get d.** divorcer ▪**divorcee** [*Br* dɪvɔː'siː, *Am* dɪvɔːr'seɪ] *n* divorcé, -ée *mf*

divulge [dɪ'vʌldʒ] *vt* divulguer

DIY [diːaɪ'waɪ] *(abbr* **do-it-yourself)** *n Br* bricolage *m*

dizzy ['dɪzɪ] *(-ier, -iest)* *adj* **to be** *or* **feel d.** avoir le vertige; **to make sb (feel) d.** donner le vertige à qn

DJ ['diːdʒeɪ] *abbr* = **disc jockey**

do [duː]

Les formes négatives sont **don't/doesn't** et **didn't**, qui deviennent **do not/does not** et **did not** à l'écrit, dans un style plus soutenu.

1 *(3rd person sing present tense* **does**; *pt* **did**; *pp* **done**; *pres p* **doing)** *v aux* **do you know?** savez-vous?, est-ce que vous savez?; **I do not** *or* **don't see** je ne vois pas; **he DID say so** *(emphasis)* il l'a bien dit; **do stay** reste donc; **you know him, don't you?** tu le connais, n'est-ce pas?; **better than I do** mieux que je ne le fais; **neither do I** moi non plus; **so do I** moi aussi; **oh, does he?** *(surprise)* ah oui?; **don't!** non!

2 *vt* faire; **to do nothing but sleep** ne faire que

dormir; **what does she do?** *(in general)*, **what is she doing?** *(now)* que fait-elle?, qu'est-ce qu'elle fait?, que fait-elle?; **what have you done (with...)?** qu'as-tu fait (de...)?; **well done** *(congratulations)* bravo!; *(steak)* bien cuit; **it's over and done (with)** c'est fini; **that'll do me** *(suit)* ça m'ira; *Br Fam* **I've been done** *(cheated)* je me suis fait avoir; *Fam* **I'll do you!** je t'aurai!; **to do sb out of sth** escroquer qch à qn; **he's hard done by** on le traite durement; *Fam* **I'm done (in)** *(tired)* je suis claqué; *Fam* **he's done for** il est fichu; *Fam* **to do in** *(kill)* zigouiller; **to do out** *(clean)* nettoyer; **to do over** *(redecorate)* refaire; **to do up** *(coat, buttons)* boutonner; *(zip)* fermer; *(house)* refaire; *(goods)* emballer; **do yourself up well!** *(wrap up)* couvre-toi (bien)!

3 *vi* **to do well/badly** bien/mal se débrouiller; **do as you're told** fais ce qu'on te dit; **that will do** *(be OK)* ça ira; *(be enough)* ça suffit; **have you done?** vous avez fini?; **business is doing well** les affaires marchent bien; **how are you doing?** *(comment)* ça va?; **how do you do?** *(introduction)* enchanté; *(greeting)* bonjour; **he did well** *or* **right to leave** il a bien fait de partir; **do as I do** fais comme moi; **to make do** se débrouiller; **to do away with sb/sth** supprimer qn/qch; **I could do with a coffee** *(need, want)* je prendrais bien un café; **to do without sb/sth** se passer de qn/qch; **it has to do with...** *(relates to)* cela a à voir avec...; *(concerns)* cela concerne...; *Fam* **anything doing?** est-ce qu'il se passe quelque chose?

4 *n (pl* **dos)** *Br Fam (party)* fête *f* ▪**the do's and don'ts** les choses à faire et à ne pas faire

docile ['dəʊsaɪl] *adj* docile

dock¹ [dɒk] **1** *n* (**a**) *(for ship)* dock *m* (**b**) *(in court)* banc *m* des accusés **2** *vi (of ship) (at quayside)* accoster; *(in port)* relâcher; *(of spacecraft)* s'arrimer ▪**docker** *n* docker *m* ▪**dockyard** *n* chantier *m* naval

dock² [dɒk] *vt* (**a**) *(wages)* rogner; **to d. sth from** *(wages)* retenir qch sur (**b**) *(animal's tail)* couper

doctor ['dɒktə(r)] **1** *n (medical)* médecin *m*, docteur *m*; *(having doctor's degree)* docteur **2** *vt (text, food)* altérer; *(cat)* châtrer ▪**doctorate** *n* doctorat *m* (**in** ès/en)

doctrine ['dɒktrɪn] *n* doctrine *f*

document 1 ['dɒkjʊmənt] *n* document *m* **2** ['dɒkjʊment] *vt (inform)* documenter; *(report in detail)* *(of film, author)* rendre compte de; *(support)* étayer; **well-documented** *(person)* bien renseigné; *(book)* bien documenté ▪**documentary** [-'mentərɪ] **1** *adj* documentaire **2** *(pl* **-ies)** *n* documentaire *m*

doddering ['dɒdərɪŋ] *adj (senile)* gâteux, -euse; *(shaky)* branlant

doddle ['dɒdəl] *n Br Fam* **it's a d.** c'est simple comme bonjour

dodge [dɒdʒ] **1** n (to one side) mouvement m de côté; Fig (trick) truc m **2** vt (question) esquiver; (person) éviter; (pursuer) échapper à; (tax) éviter de payer **3** vi (to one side) faire un saut de côté; **to d. out of sight** s'esquiver; **to d. through** (crowd) se faufiler dans

Dodgems® ['dɒdʒəmz] npl autos fpl tamponneuses

dodgy ['dɒdʒɪ] (-ier, -iest) adj Fam (suspect) louche; (not working properly) en mauvais état; (risky) risqué

doe [dəʊ] n (deer) biche f

does [dʌz] see do ▪ **doesn't** ['dʌzənt] = does not

dog¹ [dɒg] n chien m; (female) chienne f; **d. biscuit** biscuit m pour chien; **d. collar** collier m de chien; Fam (of clergyman) col m de pasteur; **d. days** canicule f; **d. food** nourriture f pour chien ▪ **dog-eared** adj (page) corné ▪ **dog-'tired** adj Fam claqué

dog² [dɒg] (pt & pp -gg-) vt (follow) suivre de près

dogged ['dɒgɪd] adj obstiné ▪ **doggedly** adv obstinément

doggy ['dɒgɪ] (pl -ies) n Fam toutou m; **d. bag** (in restaurant) = petit sac fourni par certains restaurants pour que les clients puissent emporter les restes

doghouse ['dɒghaʊs] n Am (kennel) niche f; Fam **to be in the d.** ne pas être en odeur de sainteté

dogsbody ['dɒgzbɒdɪ] (pl -ies) n Br Fam Pej factotum m

doily ['dɔɪlɪ] (pl -ies) n napperon m

doing ['duːɪŋ] n that's your d. c'est toi qui as fait ça; Fam **doings** (activities) activités fpl

do-it-yourself [duːɪtjə'self] n Br bricolage m; **d. store/book** magasin m/livre m de bricolage

doldrums ['dɒldrəmz] npl **to be in the d.** (of person) avoir le cafard; (of business) être en plein marasme

dole [dəʊl] **1** n Br **d. (money)** allocation f de chômage; **to go on the d.** s'inscrire au chômage **2** vt **to d. out** distribuer au compte-gouttes

doleful ['dəʊlfəl] adj triste

doll [dɒl] **1** n poupée f; Br **doll's house** maison f de poupée **2** vt Fam **to d. oneself up** se bichonner ▪ **dollhouse** n Am maison f de poupée

dollar ['dɒlə(r)] n dollar m

dollop ['dɒləp] n (of cream, purée) grosse cuillerée f

dolly ['dɒlɪ] (pl -ies) n Fam (doll) poupée f

dolphin ['dɒlfɪn] n dauphin m

domain [dəʊ'meɪn] n (land, sphere) & Comptr domaine m; Comptr **d. name** nom m de domaine

dome [dəʊm] n dôme m

domestic [də'mestɪk] adj (appliance, use, tasks)

ménager, -ère; (animal) domestique; (policy, flight, affairs) intérieur; (economy, currency) national; Br Sch **d. science** cours mpl de couture et de cuisine ▪ **domesticated** adj **to be d.** (of person) se débrouiller plutôt bien avec les travaux ménagers; (of animal) être domestiqué

domicile ['dɒmɪsaɪl] n Law domicile m

dominant ['dɒmɪnənt] adj dominant; (person) dominateur, -trice ▪ **dominance** n prédominance f

dominate ['dɒmɪneɪt] vti dominer ▪ **domination** [-'neɪʃən] n domination f

domineering [dɒmɪ'nɪərɪŋ] adj (person, character) dominateur, -trice

domino ['dɒmɪnəʊ] (pl -oes) n domino m; **dominoes** (game) dominos mpl

don [dɒn] **1** n Br Univ professeur m **2** (pt & pp -nn-) vt Literary (clothing) revêtir

donate [dəʊ'neɪt] **1** vt faire don de; (blood) donner **2** vi donner ▪ **donation** n don m

done [dʌn] pp of do

donkey ['dɒŋkɪ] (pl -eys) n âne m; Br Fam **I haven't seen him for d.'s years** je ne l'ai pas vu depuis belle lurette; **d. work** travail m pénible

donor ['dəʊnə(r)] n donneur, -euse mf

don't [dəʊnt] = do not

donut ['dəʊnʌt] n Am beignet m

doodle ['duːdəl] vi griffonner

doom [duːm] **1** n (fate) destin m; **to be all d. and gloom** voir tout en noir **2** vt condamner (**to** à); **to be doomed** (unlucky) être marqué par le destin; (about to die) être perdu; **to be doomed (to failure)** (of project) être voué à l'échec

door [dɔː(r)] n porte f; (of vehicle, train) portière f; **out of doors** dehors; **d.-to-d. salesman** démarcheur m ▪ **doorbell** n sonnette f ▪ **door handle** n poignée f de porte ▪ **doorknob** n bouton m de porte ▪ **doorknocker** n marteau m ▪ **doorman** (pl -men) n (of hotel) portier m; (in block of flats) concierge m ▪ **doormat** n paillasson m ▪ **doorstep** n seuil m ▪ **doorstop(per)** n butoir m ▪ **doorway** n in the d. dans l'embrasure de la porte

dope [dəʊp] Fam **1** n (**a**) (drugs) drogue f; (for horse, athlete) dopant m (**b**) (idiot) andouille f **2** vt doper

dopey ['dəʊpɪ] (-ier, -iest) adj Fam (stupid) abruti; (sleepy) endormi

dorm [dɔːm] n Fam = **dormitory**

dormant ['dɔːmənt] adj (volcano) en sommeil

dormer ['dɔːmə(r)] n **d. (window)** lucarne f

dormitory [Br 'dɔːmɪtrɪ, Am 'dɔːmɪtɔːrɪ] (pl -ies) n Br dortoir m; Am (university residence) résidence f universitaire

dormouse ['dɔːmaʊs] (pl -mice [-maɪs]) n loir m

dose [dəʊs] **1** n dose f; (of illness) attaque f; **a d.**

of flu une grippe **2** *vt* **to d. oneself (up)** se bourrer de médicaments ▪ **dosage** ['dəʊsɪdʒ] *n (amount)* dose *f*

doss [dɒs] *vi Br Fam* **to d. down** crécher ▪ **dosshouse** *n Br Fam* asile *m* de nuit

dossier ['dɒsɪeɪ] *n (papers)* dossier *m*

dot [dɒt] **1** *n & Comptr* point *m; Fam* **on the d.** à l'heure pile; *Comptr* **d. com** start-up *f inv* **2** *(pt & pp* **-tt-)** *vt (letter)* mettre un point sur; **dotted with** parsemé de; **dotted line** pointillé *m* ▪ **dot-matrix printer** *n Comptr* imprimante *f* matricielle

dote [dəʊt] *vt* **to d. on** adorer

dotty ['dɒtɪ] **(-ier, -iest)** *adj Br Fam* cinglé

double ['dʌbəl] **1** *adj* double; **a d. bed** un grand lit; **a d. room** une chambre pour deux personnes; **d. 's**deux 's'; **d. six** deux fois six; **d. three four two** *(phone number)* trente-trois quarante-deux **2** *adv* (twice) deux fois; *(fold)* en deux; **he earns d. what I earn** il gagne le double de moi; **to see d.** voir double **3** *n* double *m; (person)* double, sosie *m; (stand-in in film)* doublure *f*; **on** *or* **at the d.** au pas de course **4** *vt* doubler; **to d. sth back** *or* **over** *(fold)* replier qch; **to be doubled over in pain** être plié (en deux) de douleur **5** *vi* doubler; **to d. back** *(of person)* revenir en arrière; **to d. up with pain/laughter** être plié (en deux) de douleur/rire ▪ **double-barrelled** [dʌbəl'bærəld] *adj (gun)* à deux canons; *(name)* à rallonges ▪ **double-bass** [dʌbəl'beɪs] *n Br (instrument)* contrebasse *f* ▪ **'double-'breasted** *adj (jacket)* croisé ▪ **'double-'check** *vti* revérifier ▪ **'double-'cross** *vt* doubler ▪ **'double-'dealing** *n* double jeu *m* ▪ **'double-'decker (bus)** *n* autobus *m* à impériale ▪ **'double-'door(s)** *n* porte *f* à deux battants ▪ **double-'Dutch** *n Fam* baragouin *m* ▪ **'double-'glazing** *n (window)* double vitrage *m* ▪ **double-'jointed** *adj* désarticulé ▪ **double-'parking** *n* stationnement *m* en double file ▪ **double-'quick** *adv* en vitesse

doubly ['dʌblɪ] *adv* doublement

doubt [daʊt] **1** *n* doute *m*; **to be in d. about sth** avoir des doutes sur qch; **I have no d.** je n'en doute pas; **no d.** *(probably)* sans doute; **in d.** *(result, career)* dans la balance; **when in d.** dans le doute **2** *vt* douter de; **to d. whether** *or* **that** *or* **if…** douter que… (+ subjunctive)

doubtful ['daʊtfəl] *adj (person, future, success)* incertain; *(dubious) (quality)* douteux, -euse; **to be d. (about sth)** avoir des doutes (sur qch); **it's d. whether** *or* **that** *or* **if…** il n'est pas certain que… (+ subjunctive) ▪ **doubtless** *adv* sans doute

dough [dəʊ] *n* pâte *f; Fam (money)* blé *m*

doughnut ['dəʊnʌt] *n Br* beignet *m*

dour ['dʊə(r)] *adj* austère

douse [daʊs] *vt* arroser; *Fam (light)* éteindre

dove¹ [dʌv] *n* colombe *f* ▪ **dovecote** ['dʌvkɒt] *n* colombier *m*

dove² [dəʊv] *Am pt of* **dive**

Dover ['dəʊvə(r)] *n* Douvres *m ou f*

dovetail ['dʌvteɪl] **1** *n (wood joint)* queue-d'aronde *f* **2** *vi Fig (fit)* concorder (**with** avec)

dowdy ['daʊdɪ] **(-ier, -iest)** *adj* peu élégant

down¹ [daʊn] **1** *adv* en bas; *(to the ground)* à terre; **d. (in writing)** inscrit; **(lie) d.!** *(to dog)* couché!; **to come** *or* **go d.** descendre; **to come d. from** *(place)* arriver de; **to fall d.** tomber (par terre); **d. there** *or* **here** en bas; **d. with traitors!** à bas les traîtres!; **d. with (the) flu** grippé; *Fam* **to feel d.** *(depressed)* avoir le cafard; **d. to** *(in series, numbers, dates)* jusqu'à; **d. payment** acompte *m*; **d. under** aux antipodes, en Australie; *Br* **d. at heel,** *Am* **d. at the heels** miteux, -euse **2** *prep (at bottom of)* en bas de; *(from top to bottom of)* du haut en bas de; *(along)* le long de; **to go d.** *(hill, street, stairs)* descendre; **to live d. the street** habiter plus loin dans la rue **3** *vt (shoot down)* abattre; *(knock down)* terrasser; **to d. a drink** vider un verre ▪ **down-and-out 1** *adj* sur le pavé **2** *n* clochard, -arde *mf* ▪ **downbeat** *adj Fam (gloomy)* pessimiste ▪ **downcast** *adj* découragé ▪ **downfall** *n* chute *f* ▪ **downgrade** *vt (job)* déclasser; *(person)* rétrograder ▪ **down-'hearted** *adj* découragé ▪ **down'hill** *adv* en pente; **to go d.** descendre; *(of sick person, business)* aller de plus en plus mal ▪ **download 1** [daʊn'ləʊd] *vt* télécharger **2** ['daʊnləʊd] *n* téléchargement *m* ▪ **down-'market** *adj Br (car, furniture)* bas de gamme *inv; (neighbourhood, accent)* populaire; *(person, crowd)* ordinaire ▪ **downpour** *n* averse *f* ▪ **downright 1** *adj (rogue)* véritable; *(refusal)* catégorique; *Br* **a d. nerve** *or* **cheek** un sacré culot **2** *adv (rude, disagreeable)* franchement ▪ **down'scale** *adj Am =* **down-market** ▪ **downstairs 1** ['daʊnsteəz] *adj (room, neighbours) (below)* d'en bas; *(on the ground floor)* du rez-de-chaussée **2** [daʊn'steəz] *adv* en bas/au rez-de-chaussée; **to come** *or* **go d.** descendre l'escalier ▪ **down'stream** *adv* en aval ▪ **'down-to-'earth** *adj* terre-à-terre *inv* ▪ **'down-'town** *adv* en ville; **d. Chicago** le centre de Chicago ▪ **'down-'trodden** *adj* opprimé ▪ **downward** *adj* vers le bas; *(path)* qui descend; *(trend)* à la baisse ▪ **downward(s)** *adv* vers le bas

down² [daʊn] *n (on bird, person)* duvet *m* ▪ **downy (-ier, -iest)** *adj (skin)* duveté

Downing Street ['daʊnɪŋstriːt] *nm Br Pol =* résidence officielle du Premier Ministre britannique (n° 10)

Down's [daʊnz] *adj* D. syndrome trisomie *f* 21; a D. baby un bébé trisomique *ou* mongolien
downs [daʊnz] *npl Br (hills)* collines *fpl*
dowry ['daʊərɪ] *(pl -ies)* n dot *f*
doze [dəʊz] 1 *n* petit somme *m* 2 *vi* sommeiller; to d. off s'assoupir ▪ **dozy** (-ier, -iest) *adj* somnolent; *Br Fam (silly)* gourde
dozen ['dʌzən] *n* douzaine *f*; a d. books/eggs une douzaine de livres/d'œufs; *Fig* dozens of des dizaines de
Dr *(abbr Doctor)* Docteur
drab [dræb] *adj* terne; *(weather)* gris
draft[1] [drɑːft] 1 *n* (a) *(outline)* ébauche *f*; *(of letter)* brouillon *m*; *(commercial document)* traite *f* (b) *Am (military)* conscription *f*; *(men)* contingent *m*; d. dodger insoumis *m* 2 *vt* (a) to d. (out) *(sketch out)* faire le brouillon de; *(write out)* rédiger (b) *(conscript)* appeler sous les drapeaux
draft[2] [drɑːft] *n Am* = **draught**
draftsman ['drɑːftsmən] *(pl -men)* n *Am* = **draughtsman**
drafty ['drɑːftɪ] (-ier, -iest) *adj Am* = **draughty**
drag [dræg] 1 *n Fam (boring task)* corvée *f*; *(boring person)* raseur, -euse *mf*; *(on cigarette)* taffe *f* (on de); what a d.! quelle barbe!; to be in d. être travesti; *Am* the main d. la rue principale 2 *(pt & pp -gg-)* vt traîner; *(river)* draguer; *Fig* to d. sth from sb *(confession, promise)* arracher qch à qn; to d. sb/sth along (en)traîner qn/qch; to d. sb away from arracher qn à; to d. sb into entraîner qn dans 3 *vi* traîner; to d. on or out *(of film, day)* traîner en longueur
dragon ['drægən] *n* dragon *m*
dragonfly ['drægənflaɪ] *(pl -ies)* n libellule *f*
drain [dreɪn] 1 *n (sewer)* égout *m*; *(in street)* bouche *f* d'égout; that's one year's work down the d. voilà une année de travail perdue; that's my holiday down the d. mes vacances tombent à l'eau; to be a d. on *(resources, patience)* épuiser 2 *vt (glass, tank)* vider; *(vegetables)* égoutter; *(land)* drainer; *(resources)* épuiser; to d. (off) *(liquid)* faire écouler; to d. sb/sth of *(deprive of)* priver qn/qch de; to feel drained être épuisé 3 *vi* to d. (off) *(of liquid)* s'écouler; to d. away *(of strength)* s'épuiser; *Br* ▪ **draining board** paillasse *f* ▪ **drainage** *n* drainage *m* ▪ **drainboard** *n Am* paillasse *f* ▪ **drainer** *n (board)* paillasse *f*; *(rack, basket)* égouttoir *m*
drainpipe ['dreɪnpaɪp] *n* tuyau *m* d'évacuation
drake [dreɪk] *n* canard *m* (mâle)
dram [dræm] *n Fam (of whisky)* goutte *f*
drama ['drɑːmə] *n (event)* drame *m*; *(dramatic art)* théâtre *m*; d. critic critique *m* dramatique; *Fam* don't be such a d. queen! arrête ton cinéma!
dramatic [drə'mætɪk] *adj* dramatique; *(very great, striking)* spectaculaire ▪ **dramatics** *n* théâtre *m*
dramatist ['dræmətɪst] *n* dramaturge *m*
dramatize ['dræmətaɪz] *vt (exaggerate)* dramatiser; *(novel)* adapter pour la scène/l'écran
drank [dræŋk] *pt of* **drink**
drape [dreɪp] *vt (person, shoulders)* draper (with de); *(wall)* tapisser (de tentures) ▪ **drapes** *npl Am (curtains)* rideaux *mpl*
drastic ['dræstɪk] *adj (change, measure)* radical; *(remedy)* puissant; d. reductions *(in shop)* soldes *mpl* ▪ **drastically** *adv* radicalement; d. reduced prices prix *mpl* cassés
draught [drɑːft] *(Am draft)* n (a) *(wind)* courant *m* d'air; *(for fire)* tirage *m*; d. excluder bourrelet *m* (b) *Br draughts (game)* dames *fpl* ▪ **draught beer** *n* bière *f* (à la) pression ▪ **draughtboard** *n Br* damier *m*
draughtsman ['drɑːftsmən] *(Am draftsman)* *(pl -men)* n dessinateur, -trice *mf* (industriel(le))
draughty ['drɑːftɪ] *(Am drafty)* (-ier, -iest) *adj (room)* plein de courants d'air
draw[1] [drɔː] 1 *n Sport* match *m* nul; *(of lottery)* tirage *m* au sort; *(attraction)* attraction *f*
2 *(pt drew, pp drawn)* vt (a) *(pull)* tirer; *(pass, move)* passer (over sur; into dans); to d. in *(claws)* rentrer; to d. out *(meeting)* faire traîner en longueur; to d. up *(chair)* approcher; *(contract, list, plan)* dresser, rédiger (b) *(extract)* retirer; *(pistol, sword)* dégainer; *(water, wine)* tirer; *Fig (strength, comfort)* retirer, puiser (from de); *(applause)* provoquer (c) *(attract)* attirer; to d. a smile faire sourire (from sb qn) (d) *Sport* to d. a match faire match nul
3 *vi Sport* faire match nul; to d. near (to) s'approcher (de); *(of time)* approcher (de); to d. to a close tirer à sa fin; to d. aside *(step aside)* s'écarter; to d. away *(go away)* s'éloigner; to d. back *(go backwards)* reculer; to d. in *(of days)* diminuer; *(of train)* arriver (en gare); to d. into the station *(of train)* entrer en gare; to d. on *(of time)* s'avancer; to d. up *(of vehicle)* s'arrêter
draw[2] [drɔː] 1 *(pt drew, pp drawn)* vt *(picture)* dessiner; *(circle)* tracer; *Fig (parallel, distinction)* faire (between entre) 2 *vi (as artist)* dessiner
drawback ['drɔːbæk] *n* inconvénient *m*
drawbridge ['drɔːbrɪdʒ] *n* pont-levis *m*
drawer [drɔː(r)] *n (in furniture)* tiroir *m*
drawing ['drɔːɪŋ] *n* dessin *m*; d. board planche *f* à dessin; d. pin punaise *f*; d. room salon *m*
drawl [drɔːl] 1 *n* voix *f* traînante 2 *vi* parler d'une voix traînante
drawn [drɔːn] 1 *pp of* **draw**[1,2] 2 *adj (face)* tiré, crispé; d. match *or* game match *m* nul

dread [dred] **1** *n* terreur *f* **2** *vt (exam)* appréhender; **to d. doing sth** appréhender de faire qch

dreadful ['dredfəl] *adj* épouvantable; *(child)* insupportable; **I feel d.** *(ill)* je ne me sens vraiment pas bien; **I feel d. about it** j'ai vraiment honte ▪ **dreadfully** *adv* terriblement; **to be** *or* **feel d. sorry** regretter infiniment

dreadlocks ['dredlɒks] *npl* dreadlocks *fpl*

dream [driːm] **1** *n* rêve *m*; *Fam (wonderful thing or person)* merveille *f*; **to have a d.** faire un rêve (**about** de); **to have dreams of** rêver de; **a d. house** une maison de rêve; **a d. world** un monde imaginaire **2** *(pt & pp* **dreamed** *or* **dreamt** [dremt]) *vt* rêver (**that** que); **I never dreamt that...** *(imagined)* je n'aurais jamais songé que...; **to d. sth up** imaginer qch **3** *vi* rêver (**of** *or* **about sb/sth** de qn/qch); **of** *or* **about doing** rêver de; **I wouldn't d. of it!** je n'y songerais même pas! ▪ **dreamer** *n* rêveur, -euse *mf* ▪ **dreamy** (**-ier, -iest**) *adj* rêveur, -euse

dreary ['drɪərɪ] (**-ier, -iest**) *adj* morne

dredge ['dredʒ] **1** *n* drague *f* **2** *vt (river)* draguer

dregs [dregz] *npl (of wine)* lie *f*; *Fig* **the d. of society** les bas-fonds *mpl* de la société

drench [drentʃ] *vt* tremper; **to get drenched** se faire tremper (jusqu'aux os)

dress [dres] **1** *n (garment)* robe *f*; *(style of dressing)* tenue *f*; *Br* **d. circle** *(in theatre)* premier balcon *m*; **d. designer** styliste *mf*; *(well-known)* couturier *m*; **d. rehearsal** *(in theatre)* (répétition *f*) générale *f*; **d. shirt** chemise *f* de soirée **2** *vt (person)* habiller; *(wound)* panser; *(salad)* assaisonner; *(chicken)* préparer; **to get dressed** s'habiller; **dressed for tennis** en tenue de tennis **3** *vi* s'habiller; **to d. up** *(smartly)* bien s'habiller; *(in disguise)* se déguiser (**as** en)

dresser ['dresə(r)] *n* (a) *Br (furniture)* vaisselier *m*; *Am (dressing table)* coiffeuse *f* (b) **she's a good d.** elle s'habille toujours bien

dressing ['dresɪŋ] *n (for wound)* pansement *m*; *(seasoning)* assaisonnement *m*; *Fam* **to give sb a d.-down** passer un savon à qn; *Br* **d. gown** robe *f* de chambre; *(of boxer)* peignoir *m*; **d. room** *(in theatre)* loge *f*; *(in store)* cabine *f* d'essayage; **d. table** coiffeuse *f*

dressmaker ['dresmeɪkə(r)] *n* couturière *f* ▪ **dressmaking** *n* couture *f*

dressy ['dresɪ] (**-ier, -iest**) *adj (smart)* chic *inv*; **(too)** *adj* trop habillé

drew [druː] *pt of* **draw**[1,2]

dribble ['drɪbəl] *vi* (a) *(of baby)* baver; *(of liquid)* tomber goutte à goutte (b) *Football* dribbler

dribs [drɪbz] *npl* **in d. and drabs** par petites quantités; *(arrive)* par petits groupes

dried [draɪd] *adj (fruit)* sec *(f* sèche); *(milk, eggs)* en poudre; *(flowers)* séché

drier ['draɪə(r)] *n* = **dryer**

drift [drɪft] **1** *n (movement)* mouvement *m*; *(direction)* sens *m*; *(of events)* cours *m*; *(of snow)* congère *f*; *(meaning)* sens général **2** *vi (through air)* être emporté par le vent; *(on water)* être emporté par le courant; *(of ship)* dériver; *Fig (of person, nation)* aller à la dérive; *(of snow)* s'amonceler; **to d. about (aimlessly)** *(walk around)* se promener sans but; **to d. apart** *(of husband and wife)* devenir des étrangers l'un pour l'autre ▪ **driftwood** *n* bois *m* flotté

drill [drɪl] **1** *n* (a) *(tool)* perceuse *f*; *(bit)* mèche *f*; *(pneumatic)* marteau *m* piqueur; *(dentist's)* roulette *f*; *(for rock)* foreuse *f* (b) *(exercise)* exercice *m*; *(correct procedure)* marche *f* à suivre **2** *vt* (a) *(wood)* percer; *(tooth)* fraiser; *(oil well)* forer (b) *(of troops)* faire faire l'exercice à **3** *vi* (a) **to d. for oil** faire de la recherche pétrolière (b) faire l'exercice

drily ['draɪlɪ] *adv (remark)* sèchement, d'un ton sec

drink [drɪŋk] **1** *n* boisson *f*; **to give sb a d.** donner (quelque chose) à boire à qn; **to have a d.** boire quelque chose; *(alcoholic)* prendre un verre **2** *(pt* **drank,** *pp* **drunk)** *vt* boire; **he drank himself to death** c'est l'alcool qui l'a tué; **to d. sth up** finir (de boire) qch **3** *vi* boire (**out of** dans); *Fam* **to d. like a fish** boire comme un trou; **to d. up** finir son verre; **to d. to sb** boire à la santé de qn; **drinking chocolate** chocolat *m* en poudre; **drinking fountain** fontaine *f* publique; **drinking trough** abreuvoir *m*; **drinking water** eau *f* potable

drinkable ['drɪŋkəbəl] *adj (fit for drinking)* potable; *(not unpleasant)* buvable

drip [drɪp] **1** *n (drop)* goutte *f*; *(sound)* bruit *m* de l'eau qui goutte; *(in hospital)* goutte-à-goutte *m inv*; *Fam (weak person)* mou *m*, molle *f*; **to be on a d.** être sous perfusion **2** *(pt & pp* **-pp-)** *vt (paint)* laisser tomber goutte à goutte; **you're dripping water everywhere!** tu mets de l'eau partout! **3** *vi (of water, rain)* goutter; *(of washing, vegetables)* s'égoutter; *(of tap)* fuir ▪ **'drip-'dry** *adj (shirt)* qui ne nécessite pas de repassage

dripping ['drɪpɪŋ] **1** *adj & adv* **d. (wet)** trempé **2** *n (fat)* graisse *f* de rôti

drive [draɪv] **1** *n* (a) *(in car)* promenade *f* en voiture; *(road to private house)* allée *f*; *(energy)* énergie *f*; *(campaign)* campagne *f*; *Comptr* lecteur *m*; **an hour's d.** une heure de voiture; **left-hand d.** *(vehicle)* conduite *f* à gauche; **front-wheel d.** *(vehicle)* traction *f* avant; **sex d.** pulsion *f* sexuelle **2** *(pt* **drove,** *pp* **driven)** *vt (vehicle, train, passenger)* conduire (**to** à); *(machine)* actionner; *(chase away)* chasser; **to d. sb to do sth** pousser qn à faire qch; **to d. sb to despair** réduire qn au désespoir; **to d. sb mad** *or* **crazy**

rendre qn fou/folle; **to d. the rain/smoke against** *(of wind)* rabattre la pluie/fumée contre; **to d. sb hard** surmener qn; **he drives a Ford** il a une Ford

3 *vi (drive a car)* conduire; *(go by car)* rouler; **to d. on the left** rouler à gauche; **to d. to Paris** aller en voiture à Paris; **to d. to work** aller au travail en voiture; *Fig* **what are you driving at?** où veux-tu en venir?

▸ **drive along** *vi (in car)* rouler

▸ **drive away 1** *vt sep (chase away)* chasser **2** *vi (in car)* partir en voiture

▸ **drive back 1** *vt sep (passenger)* ramener (en voiture); *(enemy)* repousser **2** *vi (in car)* revenir (en voiture)

▸ **drive in** *vt sep (nail, knife)* enfoncer

▸ **drive off** *vi (in car)* partir en voiture

▸ **drive on** *vi (in car)* continuer sa route

▸ **drive out** *vt sep (chase away)* chasser

▸ **drive over** *vt insep (crush)* écraser

▸ **drive up** *vi (in car)* arriver (en voiture)

drive-in ['draɪvɪn] *adj Am* accessible en voiture; **d. (movie theater)** drive-in *m inv*; **d. (restaurant)** = restaurant où l'on est servi dans sa voiture

drivel ['drɪvəl] *n* idioties *fpl*

driven ['drɪvən] *pp of* **drive**

driver ['draɪvə(r)] *n (of car)* conducteur, -trice *mf*; *(of taxi, truck)* chauffeur *m*; **(train or engine) d.** mécanicien *m*; **she's a good d.** elle conduit bien; *Am* **d.'s license** permis *m* de conduire

driveway ['draɪvweɪ] *n (road to house)* allée *f*

driving ['draɪvɪŋ] **1** *n (in car)* conduite *f*; **d. conditions** état *m* des routes; **d. lesson** leçon *f* de conduite; *Br* **d. licence** permis *m* de conduire; **d. school** auto-école *f*; **d. test** examen *m* du permis de conduire **2** *adj (forceful)* **d. force** moteur *m*; **d. rain** pluie *f* battante

drizzle ['drɪzəl] **1** *n* bruine *f* **2** *vi* bruiner

droll [drəʊl] *adj* drôle, comique

dromedary ['drɒmədərɪ] *(pl -ies) n* dromadaire *m*

drone [drəʊn] **1** *n* (**a**) *(bee)* faux-bourdon *m* (**b**) *(hum)* bourdonnement *m*; *(purr)* ronronnement *m*; *Fig (of person)* débit *m* monotone **2** *vi (of engine)* ronronner; *(of bee)* bourdonner; *Fig* **to d. (on)** *(of person)* parler d'une voix monotone

drool [druːl] *vi (slaver)* baver; *Fig (talk nonsense)* radoter; *Fig* **to d. over sb/sth** baver d'admiration devant qn/qch

droop [druːp] *vi (of flower)* se faner; *(of head)* pencher; *(of eyelids, shoulders)* tomber

drop [drɒp] **1** *n* (**a**) *(of liquid)* goutte *f*; **eye/nose drops** gouttes *fpl* pour les yeux/le nez (**b**) *(fall)* baisse *f*, chute *f* (**in** de); *(distance of fall)* hauteur *f* de chute; *(slope)* descente *f*; *(of supplies from aircraft)* parachutage *m*

2 *(pt & pp* **-pp-)** *vt* laisser tomber; *(price, voice)* baisser; *(bomb)* larguer; *(passenger, goods from vehicle)* déposer; *(from boat)* débarquer; *(leave out)* faire sauter, omettre; *(remark)* laisser échapper; *(get rid of)* supprimer; *(habit)* abandonner; *(team member)* écarter; **to d. sb off** *(from vehicle)* déposer qn; **to d. a line/postcard to sb** écrire un petit mot/une carte postale à qn; **to d. a hint** faire une allusion; **to d. a hint that…** laisser entendre que…; **to d. one's h's** ne pas prononcer les h; **to d. a word in sb's ear** glisser un mot à l'oreille de qn

3 *vi (fall)* tomber; *(of person)* se laisser tomber; *(of price)* baisser; *Fam* **he's ready to d.** il tombe de fatigue; *Fam* **let it d.!** laisse tomber!; **to d. away** *(diminish)* diminuer; **to d. back** *or* **behind** rester en arrière; **to d. by** *or* **in** *(visit sb)* passer; **to d. off** *(fall asleep)* s'endormir; *(fall off)* tomber; *(of interest, sales)* diminuer; **to d. out** *(fall out)* tomber; *(withdraw)* se retirer; *(socially)* se mettre en marge de la société; *(of student)* laisser tomber ses études; **to d. over** *or* **round** *(visit sb)* passer

dropout ['drɒpaʊt] *n* marginal, -ale *mf*; *(student)* étudiant, -iante *mf* qui abandonne ses études

dropper ['drɒpə(r)] *n (for medicine)* compte-gouttes *m inv*

droppings ['drɒpɪŋz] *npl (of animal)* crottes *fpl*; *(of bird)* fiente *f*

dross [drɒs] *n Fam* rebut *m*

drought [draʊt] *n* sécheresse *f*

drove [drəʊv] *pt of* **drive**

droves [drəʊvz] *npl (of people)* foules *fpl*; **in d.** en foule

drown [draʊn] **1** *vt* noyer; **to d. oneself, to be drowned** se noyer **2** *vi* se noyer ▪ **drowning 1** *adj (person)* qui se noie **2** *n (death)* noyade *f*

drowse [draʊz] *vi* somnoler

drowsy ['draʊzɪ] *(-ier, -iest) adj* somnolent; **to be** *or* **feel d.** avoir sommeil; **to make sb (feel) d.** assoupir qn ▪ **drowsiness** *n* somnolence *f*

drudge [drʌdʒ] **1** *n (man)* homme *m* de peine; *(woman)* bonne *f* à tout faire **2** *vi* trimer ▪ **drudgery** *n* corvée *f*

drug [drʌg] **1** *n (against illness)* médicament *m*; *(narcotic)* drogue *f*; *Fig (activity, hobby)* drogue *f*; **drugs** *(narcotics in general)* la drogue; **hard/soft drugs** drogues dures/douces; **to be on drugs, to take drugs** se droguer; **d. addict** drogué, -ée *mf*; **d. addiction** toxicomanie *f*; **d. dealer** *(large-scale)* trafiquant *m* de drogue; *(small-scale)* petit trafiquant de drogue, dealer *m*; **d. squad** *(police)* brigade *f* des stupéfiants *ou Fam* des stups; **d. taking** usage *m* de la drogue **2** *(pt & pp* **-gg-)** *vt* droguer; *(drink)* mettre un médicament dans

druggist ['drʌgɪst] *n Am* pharmacien, -ienne *mf*

drugstore ['drʌgstɔːr] *n Am* drugstore *m*

drum [drʌm] **1** *n Mus* tambour *m*; *(for oil)* bidon *m; Mus* **the big** *or* **bass d.** la grosse caisse; **the drums** *(of rock group)* la batterie **2** *(pt & pp* **-mm-)** *vt* to d. one's fingers tambouriner avec ses doigts; **to d. sth into sb** enfoncer qch dans la tête de qn; **to d. up** *(support, interest)* rechercher; **to d. up business** *or* **custom** attirer les clients **3** *vi (with fingers)* tambouriner ▪**drummer** *n* tambour *m; (in pop or jazz group)* batteur *m* ▪**drumstick** *n (for drum)* baguette *f* de tambour; *(of chicken)* pilon *m*

drunk [drʌŋk] **1** *pp of* **drink 2** *adj* ivre; **to get d.** s'enivrer; *Fig* **d. with power/success** grisé par le pouvoir/le succès **3** *n* ivrogne *mf* ▪**drunkard** *n* ivrogne *mf* ▪**drunken** *adj (person) (regularly)* ivrogne; *(driver)* ivre; *(quarrel, brawl)* d'ivrogne; **d. driving** conduite *f* en état d'ivresse ▪**drunkenness** *n (state)* ivresse *f; (habit)* ivrognerie *f*

dry [draɪ] **1** (**drier, driest**) *adj* sec *(f* sèche); *(well, river)* à sec; *(day)* sans pluie; *(toast)* sans beurre; *(wit)* caustique; *(subject, book)* aride; **on d. land** sur la terre ferme; **to keep sth d.** tenir qch au sec; **to wipe sth d.** essuyer qch; **to run d.** se tarir; **to feel** *or* **be d.** *(thirsty)* avoir soif; **d. dock** cale *f* sèche; *Am* **d. goods store** épicerie *f;* **d. ice** neige *f* carbonique **2** *vt* sécher; *(by wiping)* essuyer; *(clothes)* faire sécher; **to d. the dishes** essuyer la vaisselle; **to d. sth off** *or* **up** sécher qch **3** *vi* sécher; **to d. off** sécher; **to d. up** sécher; *(dry the dishes)* essuyer la vaisselle; *(of stream)* se tarir ▪**dryer** *n (for hair, clothes)* séchoir *m; (helmet-style for hair)* casque *m* ▪**dryness** *n* sécheresse *f; (of wit)* causticité *f; (of book)* aridité *f*

dry-clean [draɪ'kliːn] *vt* nettoyer à sec ▪**dry-cleaner** *n* teinturier, -ière *mf;* **the d.'s** *(shop)* le pressing, la teinturerie

DTP [diːtiː'piː] *(abbr* **desktop publishing)** *n Comptr* PAO *f*

dual ['djuːəl] *adj* double; *Br* **d. carriageway** route *f* à deux voies ▪**duality** [-'ælɪtɪ] *n* dualité *f*

dub [dʌb] *(pt & pp* **-bb-)** *vt* (**a**) *(film)* doubler **(into** en) (**b**) *(nickname)* surnommer ▪**dubbing** *n (of film)* doublage *m*

dubious ['djuːbɪəs] *adj (offer, person)* douteux, -euse; **I'm d. about going** *or* **about whether to go** je me demande si je dois y aller

duchess ['dʌtʃɪs] *n* duchesse *f*

duck [dʌk] **1** *n* canard *m* **2** *vt (head)* baisser subitement; **to d. sb** plonger qn dans l'eau; *Fig* **to d. the issue** se dérober **3** *vi* se baisser ▪**duckling** *n* caneton *m*

duct [dʌkt] *n (tube in body, pipe)* conduit *m*

dud [dʌd] *adj (coin)* faux *(f* fausse); *(cheque)* en bois; *(watch)* qui ne marche pas; *(bomb)* qui n'a pas éclaté **2** *n (person)* type *m* nul

dude [duːd] *n Am Fam* type *m;* **d. ranch** ranch (-hôtel) *m*

due¹ [djuː] **1** *adj (money, sum)* dû *(f* due) (**to** à); *(rent, bill)* à payer; *(fitting, proper)* qui convient; **to fall d.** échoir; **she's d. for a pay rise** elle mérite une augmentation de salaire; **he's d. (to arrive)** il doit arriver d'un moment à l'autre; **I'm d. there** il faut que j'y sois; **when is the baby d.?** pour quand la naissance est-elle prévue?; **with all d. respect...** avec tout le respect que je vous dois...; **in d. course** *(when appropriate)* en temps voulu; *(eventually)* le moment venu; **d. to** par suite de, en raison de; *Fin* **d. date** échéance *f* **2** *n* dû *m;* **dues** *(of club)* cotisation *f; (official charges)* droits *mpl;* **to give him his d....** pour lui rendre justice...

due² [djuː] *adv* **north/south** plein nord/sud

duel ['djuːəl] **1** *n* duel *m* **2** *(Br* **ll-,** *Am* **-l-)** *vi* se battre en duel

duet [djuː'et] *n* duo *m*

duffel, duffle ['dʌfəl] *adj* **d. bag** sac *m* de marin; **d. coat** duffel-coat *m*

dug [dʌg] *pt & pp of* **dig** ▪**dugout** *n* (**a**) *(canoe)* pirogue *f* (**b**) *Mil* tranchée-abri *f; Sport* banc *m* de touche

duke [djuːk] *n* duc *m*

dull [dʌl] **1** (**1, -er**) *adj (boring)* ennuyeux, -euse; *(colour, character)* terne; *(weather)* maussade; *(sound, ache)* sourd; *(mind)* lent; *(edge, blade)* émoussé; *(hearing, sight)* faible **2** *vt (sound)* amortir; *(pain)* endormir; *(senses)* émousser; *(mind)* engourdir; *(colour)* ternir ▪**dullness** *n (of life, town)* monotonie *f; (of colour)* manque *m* d'éclat; *(of mind)* lourdeur *f*

duly ['djuːlɪ] *adv (properly)* dûment; *(as expected)* comme prévu

dumb [dʌm] *adj (1, -est) adj* muet *(f* muette); *Fam (stupid)* bête; **d. animals** les bêtes *fpl*

dumbbell ['dʌmbel] *n* haltère *m*

dumbfound [dʌm'faʊnd] *vt* sidérer

dumbwaiter [dʌm'weɪtə(r)] *n (lift for food)* monte-plats *m inv*

dummy ['dʌmɪ] **1** *(pl* **-ies)** *n Br (of baby)* tétine *f; (for displaying clothes)* mannequin *m; (of ventriloquist)* pantin *m; Fam (fool)* idiot, -iote *mf* **2** *adj* factice

dump [dʌmp] **1** *n (for refuse)* décharge *f; (for ammunition)* dépôt *m; Fam Pej (town)* trou *m; Fam Pej (house)* baraque *f; Fam* **to be (down) in the dumps** avoir le cafard; **d. truck** tombereau *m* **2** *vt (rubbish)* déposer; *(waste)* déverser; *(bricks)* décharger; *Comptr (memory)* vider; **to d. (down)** déposer; *Fam* **to d. sb** plaquer qn ▪**dumper** *n Br* **d. (truck)** tombereau *m*

dumpling ['dʌmplɪŋ] *n (in stew)* boulette *f* de pâte; *Scot* = sorte de plum-pudding

Dumpster® ['dʌmpstə(r)] *n Am* benne *f* à ordures

dumpy ['dʌmpɪ] (**-ier, -iest**) *adj Fam (person)* boulot, -otte

dunce [dʌns] *n* cancre *m*

dune [djuːn] *n* (**sand**) **d.** dune *f*

dung [dʌŋ] *n (of horse)* crottin *m*; *(of cattle)* bouse *f*; *(manure)* fumier *m*

dungarees [dʌŋgə'riːz] *npl Br (of child, workman)* salopette *f*; *Am (jeans)* jean *m*

dungeon ['dʌndʒən] *n* cachot *m*

dunk [dʌŋk] *vt* tremper

dupe [djuːp] **1** *n* dupe *f* **2** *vt* duper

duplex ['duːpleks] *n Am (apartment)* duplex *m*

duplicate 1 ['djuːplɪkət] *n* double *m*; **in d.** en deux exemplaires; **a d. copy** un duplicata; **a d. key** un double **2** ['djuːplɪkeɪt] *vt (key, map)* faire un double de; *(on machine)* photocopier ▪**duplication** [-'keɪʃən] *n (on machine)* reproduction *f*; *(of effort)* répétition *f*

durable ['djʊərəbəl] *adj (material, shoes)* résistant; *(friendship, love)* durable ▪**dura-'bility** *n* résistance *f*; *(of friendship)* durabilité *f*

duration [djʊə'reɪʃən] *n* durée *f*

duress [djʊ'res] *n* **under d.** sous la contrainte

during ['djʊərɪŋ] *prep* pendant, durant

dusk [dʌsk] *n (twilight)* crépuscule *m*

dusky ['dʌskɪ] (**-ier, -iest**) *adj (complexion)* basané

dust [dʌst] **1** *n* poussière *f*; *Am* **d. cloth** chiffon *m*; **d. cover** *or* **sheet** *(for furniture)* housse *f*; **d. cover** *or* **jacket** *(for book)* jaquette *f* **2** *vt* (**a**) *(furniture)* dépoussiérer (**b**) *(sprinkle)* saupoudrer (**with** de) **3** *vi* faire la poussière ▪**dustbin** *n Br* poubelle *f* ▪**dustcart** *n Br* benne *f* à ordures ▪**dustman** *(pl* **-men**) *n Br* éboueur *m* ▪**dustpan** *n* pelle *f* (à poussière)

duster ['dʌstə(r)] *n Br* chiffon *m*

dusty ['dʌstɪ] (**-ier, -iest**) *adj* poussiéreux, -euse

Dutch [dʌtʃ] **1** *adj* hollandais; *Fam* **to go D.** partager les frais (**with** avec) **2** *n* (**a**) **the D.** *(people)* les Hollandais *mpl* (**b**) *(language)* hollandais *m* ▪**Dutchman** *(pl* **-men**) *n* Hollandais *m* ▪**Dutchwoman** *(pl* **-women**) *n* Hollandaise *f*

dutiful ['djuːtɪfəl] *adj (son, child)* obéissant

duty ['djuːtɪ] *(pl* **-ies**) *n* devoir *m*; *(tax)* droit *m*; **duties** *(responsibilities)* fonctions *fpl*; **to be on/off d.** être/ne pas être de service ▪**duty-'free** *adj (goods, shop)* hors taxe *inv*

duvet ['duːveɪ] *n Br* couette *f*

DVD [diːviː'diː] *(abbr* **Digital Video Disk, Digital Versatile Disk)** *n* DVD *m inv*; **D. player** lecteur *m* (de) DVD

DVD-ROM [diːviːdiː'rɒm] *(abbr* **Digital Versatile Disk read-only memory)** *n* DVD-ROM *m inv*

dwarf [dwɔːf] **1** *n* nain *m*, naine *f* **2** *vt (of building, trees)* écraser; *(of person)* éclipser

dwell [dwel] *(pt & pp* **dwelt** [dwelt]) *vi* demeurer; **to d. (up)on** *(think about)* penser sans cesse à; *(speak about)* parler sans cesse de; *(insist on)* appuyer sur

dwindle ['dwɪndəl] *vi* diminuer (peu à peu) ▪**dwindling** *adj (interest, resources)* décroissant; *(supplies)* qui s'épuisent

dye [daɪ] **1** *n* teinture *f* **2** *vt* teindre; **to d. sth green** teindre qch en vert ▪**dyeing** *n* teinture *f*; *(industry)* teinturerie *f* ▪**dyer** *n* teinturier, -ière *mf*

dying ['daɪɪŋ] **1** *pres p of* **die¹ 2** *adj (person, animal)* mourant; *(custom)* qui se perd; *(wish, words)* dernier, -ière; **to my d. day** jusqu'à ma mort **3** *n (death)* mort *f*

dyke [daɪk] *n (wall)* digue *f*; *(ditch)* fossé *m*

dynamic [daɪ'næmɪk] *adj* dynamique ▪**dynamism** ['daɪnəmɪzəm] *n* dynamisme *m*

dynamite ['daɪnəmaɪt] **1** *n* dynamite *f* **2** *vt* dynamiter

dynamo ['daɪnəməʊ] *(pl* **-os**) *n* dynamo *f*

dynasty [*Br* 'dɪnəstɪ, *Am* 'daɪnəstɪ] *(pl* **-ies**) *n* dynastie *f*

dysentery ['dɪsəntrɪ] *n (illness)* dysenterie *f*

dyslexia [dɪs'leksɪə] *n* dyslexie *f* ▪**dyslexic** [-'leksɪk] *adj & n* dyslexique *(mf)*

E, e [iː] *n* (**a**) (*letter*) E, e *m inv* (**b**) *Mus* mi *m* (**c**) *Fam (ecstasy)* ecsta *f*, X *f*

each [iːtʃ] **1** *adj* chaque; **e. one** chacun, -une; **e. one of us** chacun d'entre nous **2** *pron* chacun, -une; **e. other** l'un(e) l'autre, *pl* les un(e)s les autres; **to see/greet e. other** se voir/se saluer; **separated from e. other** séparés l'un de l'autre; **e. of us** chacun, -une d'entre nous

eager ['iːgə(r)] *adj* impatient (**to do** de faire); (*enthusiastic*) plein d'enthousiasme; **to be e. for sth** désirer qch vivement; **e. for money** avide d'argent; **to be e. to do** (*want*) tenir (beaucoup) à faire; **e. to help** empressé (à aider) ▪**eagerly** *adv* (*work*) avec enthousiasme; (*await*) avec impatience ▪**eagerness** *n* impatience *f* (**to do** de faire); (*zeal*) enthousiasme *m* (**for sth** pour qch)

eagle ['iːgəl] *n* aigle *m* ▪**eagle-'eyed** *adj* au regard d'aigle

ear¹ [ɪə(r)] *n* oreille *f*; **to be all ears** être tout ouïe; **up to one's ears in work** débordé de travail; **to play it by e.** improviser; **to give sb a thick e.** donner une gifle à qn ▪**earache** *n* mal *m* d'oreille ▪**eardrum** *n* tympan *m* ▪**earmuffs** *npl* protège-oreilles *m inv* ▪**earphones** *npl* écouteurs *mpl* ▪**earpiece** *n* écouteur *m* ▪**earplug** *n* boule *f* Quiès® ▪**earring** *n* boucle *f* d'oreille ▪**earshot** *n* **within e.** à portée de voix ▪**ear-splitting** *adj* assourdissant

ear² [ɪə(r)] *n* (*of corn*) épi *m*

earl [ɜːl] *n* comte *m*

early ['ɜːlɪ] **1** (**-ier, -iest**) *adj* (*first*) premier, -ière; (*fruit, season*) précoce; (*death*) prématuré; (*age*) jeune; (*painting, work*) de jeunesse; (*reply*) rapide; (*return, retirement*) anticipé; (*ancient*) ancien, -ienne; **it's e.** (*on clock*) il est tôt; (*referring to meeting, appointment*) c'est tôt; **it's too e. to get up** il est trop tôt pour se lever; **to be e.** (*ahead of time*) être en avance; (*in getting up*) être matinal; **to have an e. meal/night** manger/se coucher de bonne heure; **in e. times** jadis; **in e. summer** au début de l'été; **in the e. nineties** au début des années 90; **to be in one's e. fifties** avoir à peine plus de cinquante ans; **one's e. life** sa jeunesse

2 *adv* tôt, de bonne heure; (*ahead of time*) en avance; (*die*) prématurément; **as e. as possible** le plus tôt possible; **earlier (on)** plus tôt; **at the earliest** au plus tôt; **as e. as yesterday** déjà hier ▪**early-'warning system** *n Mil* système *m* radar de préalerte

earmark ['ɪəmɑːk] *vt* (*funds*) assigner (**for** à)

earn [ɜːn] *vt* gagner; (*interest*) rapporter; **to e. one's living** gagner sa vie ▪**earnings** *npl* (*wages*) salaire *m*; (*profits*) bénéfices *mpl*

earnest ['ɜːnɪst] **1** *adj* (*serious*) sérieux, -ieuse; (*sincere*) sincère **2** *n* **in e.** sérieusement; **it's raining in e.** il pleut pour de bon; **he's in e.** il est sérieux ▪**earnestness** *n* sérieux *m*; (*sincerity*) sincérité *f*

earth [ɜːθ] *n* (*ground*) sol *m*; (*soil*) terre *f*; *Br* (*electrical wire*) terre, masse *f*; **the E.** (*planet*) la Terre; **to fall to e.** tomber à *ou* par terre; **nothing/nobody on e.** rien/personne au monde; *Fam* **where/what on e....?** où/que diable...?; *Fam* **how on e. should I know?** comment veux-tu que je le sache? ▪**earthquake** *n* tremblement *m* de terre ▪**earthworm** *n* ver *m* de terre

earthenware ['ɜːθənweə(r)] *n* terre *f* cuite

earthly ['ɜːθlɪ] *adj* (*existence, possessions*) terrestre; *Fam* **not an e. chance** pas la moindre chance; *Fam* **for no e. reason** sans la moindre raison

earthy ['ɜːθɪ] (**-ier, -iest**) *adj* (*taste, smell*) terreux, -euse; *Fig* (*person*) terre-à-terre *inv*

earwig ['ɪəwɪg] *n* (*insect*) perce-oreille *m*

ease [iːz] **1** *n* (*facility*) facilité *f*; (*physical*) bien-être *m*; (*mental*) tranquillité *f*; **with e.** facilement; **to be at e.** être à l'aise; **to be ill at e.** être mal à l'aise; **my mind is at e.** j'ai l'esprit tranquille; *Mil* **(stand) at e.!** repos! **2** *vt* (*pain*) soulager; (*mind*) calmer; (*tension*) réduire; (*restrictions*) assouplir; **to e. sth off/along** enlever/déplacer qch doucement; **to e. oneself through** se glisser par **3** *vi* **to e.** (**off** *or* **up**) (*become less*) (*of pressure*) diminuer; (*of demand*) baisser; (*of pain*) se calmer; (*not work so hard*) se relâcher; **the situation is easing** la situation se détend

easel ['iːzəl] *n* chevalet *m*

easily ['iːzɪlɪ] *adv* facilement; **e. the best** de loin le meilleur/la meilleure; **that could e. be the case** ça pourrait bien être le cas ▪**easiness** *n* aisance *f*

east [iːst] **1** *n* est *m*; **(to the) e. of** à l'est de; **the E.** (*Eastern Europe*) l'Est *m*; (*the Orient*) l'Orient *m* **2**

adj (coast) est *inv*; *(wind)* d'est; **E. Africa** l'Afrique *f* orientale; *Formerly* **E. Germany** l'Allemagne *f* de l'Est **3** *adv* à l'est; *(travel)* vers l'est ▪**eastbound** *adj (traffic)* en direction de l'est; *Br (carriageway)* est *inv* ▪**easterly** *adj (point)* est *inv*; *(direction)* de l'est; *(wind)* d'est ▪**eastern** *adj (coast)* est *inv*; **E. France** l'est *m* de la France; **E. Europe** l'Europe *f* de l'est ▪**easterner** *n* habitant, -ante *mf* de l'est ▪**eastward(s)** *adj & adv* vers l'est

Easter ['iːstə(r)] *n* Pâques *fpl*; **Happy E.!** joyeuses Pâques!; **E. egg** œuf *m* de Pâques; **E. week** semaine *f* de Pâques

easy ['iːzɪ] **1** **(-ier, -iest)** *adj (not difficult)* facile; *(solution)* simple; *(pace)* modéré; *(manners)* naturel, -elle; *(style)* aisé; **an e. life** une vie tranquille; **it's e. to do** c'est facile à faire; **it's e. for them to do it** il leur est facile de faire ça; **to feel e. in one's mind** être tranquille; **to be an e. first** *(in race)* être bon premier; *Br Fam* **I'm e.** ça m'est égal; **e. chair** fauteuil *m* **2** *adv* doucement; **go e. on the salt** vas-y mollo avec le sel; **go e. on him** ne sois pas trop dur avec lui; **take it e.** *(rest)* repose-toi; *(work less)* ne te fatigue pas; *(calm down)* calme-toi; *(go slow)* ne te presse pas ▪**'easy'going** *adj (carefree)* insouciant; *(easy to get along with)* facile à vivre

eat [iːt] *(pt* **ate** *[Br* et, eɪt, *Am* eɪt], *pp* **eaten** ['iːtən]) **1** *vt* manger; *(meal)* prendre; **to e. breakfast** prendre le petit déjeuner; *Fig* **to e. one's words** se rétracter; *Fam* **what's eating you?** qu'est-ce qui te tracasse?; **to e. sth up** *(finish)* finir qch; **eaten up with jealousy** dévoré de jalousie **2** *vi* manger; **to e. into sth** *(of acid)* ronger qch; **to e. into one's savings** entamer ses économies; **to e. out** manger dehors; **eating place** restaurant *m* ▪**eatable** *adj* mangeable ▪**eater** *n* **big e.** gros mangeur *m*, grosse mangeuse *f*

eau de Cologne [əʊdəkə'ləʊn] *n* eau *f* de Cologne

eaves [iːvz] *npl* avant-toit *m* ▪**eavesdrop** *(pt & pp* **-pp-)** *vti* **to e. (on)** écouter avec indiscrétion

ebb [eb] **1** *n* reflux *m*; **the e. and flow** le flux et le reflux; **e. tide** marée *f* descendante; *Fig* **to be at a low e.** *(of patient, spirits)* être déprimé **2** *vi* refluer; *Fig* **to e. (away)** *(of strength)* décliner

ebony ['ebənɪ] *n* ébène *f*

ebullient [ɪ'bʌlɪənt] *adj* exubérant

EC [iː'siː] *(abbr* **European Community)** *n Formerly* CE *f*

eccentric [ɪk'sentrɪk] *adj & n* excentrique *(mf)* ▪**eccentricity** [eksən'trɪsɪtɪ] *n* excentricité *f*

ecclesiastic [ɪkliːzɪ'æstɪk] *adj & n* ecclésiastique *(m)* ▪**ecclesiastical** *adj* ecclésiastique

echelon ['eʃəlɒn] *n* échelon *m*

echo ['ekəʊ] **1** *(pl* **-oes)** *n* écho *m* **2** *(pt & pp*

echoed) *vt (sound)* répercuter; *Fig (repeat)* répéter **3** *vi* résonner *(***with** de); **the explosion echoed** le bruit de l'explosion se répercuta; **the room echoes** il y a de l'écho dans cette pièce

éclair [eɪ'kleə(r)] *n (cake)* éclair *m*

eclectic [ɪ'klektɪk] *adj* éclectique

eclipse [ɪ'klɪps] **1** *n (of sun, moon) & Fig (loss of fame)* éclipse *f* **2** *vt also Fig* éclipser

eco- ['iːkəʊ] *pref* éco- ▪**ecofriendly** *adj* qui ne nuit pas à l'environnement ▪**ecotax** *n* écotaxe *f* ▪**ecotourism** *n* écotourisme *m* ▪**ecowarrior** *n* écoguerrier, -ière *mf*

ecology [ɪ'kɒlədʒɪ] *n* écologie *f* ▪**ecological** [iːkə'lɒdʒɪkəl] *adj* écologique ▪**ecologist** *n* écologiste *mf*

e-commerce [iː'kɒmɜːs] *n Comptr* commerce *m* électronique

economic [iːkə'nɒmɪk] *adj* économique; *(profitable)* rentable ▪**economical** *adj* économique; *(thrifty)* économe ▪**economically** *adv* économiquement ▪**economics 1** *n* économie *f* **2** *npl (profitability)* aspect *m* financier

economist [ɪ'kɒnəmɪst] *n* économiste *mf*

economize [ɪ'kɒnəmaɪz] *vti* économiser *(***on** sur)

economy [ɪ'kɒnəmɪ] *(pl* **-ies)** *n (saving, system, thrift)* économie *f*; **new e.** nouvelle économie; *Av* **e. class** classe *f* économique

ecstasy ['ekstəsɪ] *(pl* **-ies)** *n (state)* extase *f*; *(drug)* ecstasy *f* ▪**ecstatic** [ɪk'stætɪk] *adj* fou *(f* folle) de joie; **to be e. about** s'extasier sur

Ecuador ['ekwədɔː(r)] *n* l'Équateur *m*

eczema ['eksɪmə] *n Med* eczéma *m*; **to have e.** avoir de l'eczéma

eddy ['edɪ] *(pl* **-ies)** *n* tourbillon *m*

edge [edʒ] **1** *n* bord *m*; *(of forest)* lisière *f*; *(of town)* abords *mpl*; *(of page)* marge *f*; *(of knife, blade)* tranchant *m*; **to be on e.** *(of person)* être énervé; **to set sb's teeth on e.** crisper qn; *Fig* **to have the e.** *or* **a slight e.** être légèrement supérieur *(***over** à) **2** *vt (clothing)* border *(***with** de) **3** *vi* **to e. into** *(move)* se glisser dans; **to e. forward** avancer doucement ▪**edging** *n (border)* bordure *f*

edgeways ['edʒweɪz] *(Am* **edgewise** ['edʒwaɪz]) *adv* de côté; *Fam* **I can't get a word in e.** je ne peux pas en placer une

edgy ['edʒɪ] **(-ier, -iest)** *adj* énervé

edible ['edɪbəl] *adj (safe to eat)* comestible; *(fit to eat)* mangeable

edifice ['edɪfɪs] *n (building, organization)* édifice *m*

edify ['edɪfaɪ] *(pt & pp* **-ied)** *vt* édifier

Edinburgh ['edɪnbərə] *n* Édimbourg *m ou f*

edit ['edɪt] *vt (newspaper)* diriger; *(article)* corriger; *(prepare for publication)* préparer pour la publication; *(film)* monter; *Comptr* éditer; **to e. (out)** *(cut out)* couper

Note that the French verb **éditer** is a false friend. It means **to publish**.

edition [ɪ'dɪʃən] n édition f

editor ['edɪtə(r)] n (in charge of newspaper) rédacteur, -trice mf en chef; (in charge of magazine) directeur, -trice mf; (of section) rédacteur, -trice mf; (proofreader) correcteur, -trice mf; (of film) monteur, -euse mf; Comptr (software) éditeur m; **sports e.** (in newspaper) rédacteur m sportif, rédactrice f sportive; **the e. in chief** (of newspaper) le rédacteur/la rédactrice en chef ■**editorial** [-'tɔːrɪəl] 1 adj de la rédaction; **e. staff** rédaction f 2 n éditorial m

educate ['edjʊkeɪt] vt (bring up) éduquer; (in school) instruire; (mind) former; **to be educated at** faire ses études à ■**educated** adj (voice) cultivé; **(well-)e.** (person) instruit

education [edjʊ'keɪʃən] n éducation f; (teaching) enseignement m; (training) formation f; (university subject) pédagogie f; **the e. system** le système éducatif ■**educational** adj (qualification) d'enseignement; (method, theory, content) pédagogique; (game, film, system) éducatif, -ive; (establishment) scolaire; (experience) instructif, -ive; **e. qualifications** diplômes mpl

Note that the French noun **éducation** can be a false friend. It refers both to education and to upbringing.

educator ['edjʊkeɪtə(r)] n éducateur, -trice mf

EEA [iːiː'eɪ] (abbr European Economic Area) n EEE m

EEC [iːiː'siː] (abbr European Economic Community) n Formerly CEE f

eel [iːl] n anguille f

eerie ['ɪərɪ] (-ier, -iest) adj sinistre

efface [ɪ'feɪs] vt effacer

effect [ɪ'fekt] 1 n (result, impression) effet m (on sur); **to no e.** en vain; **in e.** en fait; **to put sth into e.** mettre qch en application; **to come into e., to take e.** (of law) entrer en vigueur; **to take e.** (of medicine) agir; **to have an e.** (of medicine) faire de l'effet; **to write a letter to the e. that...** écrire une lettre comme quoi...; **or words to that e.** ou quelque chose d'approchant; Formal **personal effects** effets mpl personnels 2 vt (change, rescue) effectuer; (saving, wish) réaliser

effective [ɪ'fektɪv] adj (efficient) efficace; (actual) réel (f réelle); **to become e.** (of law) prendre effet ■**effectively** adv (efficiently) efficacement; (in fact) effectivement ■**effectiveness** n efficacité f

Note that the French word **effectivement** is a false friend and is never used in the sense of **efficiently**. It means **actually**.

effeminate [ɪ'femɪnɪt] adj efféminé

effervescent [efə'vesənt] adj (drink) gazeux, -euse; (mixture, liquid, youth) effervescent ■**effervescence** n (excitement, bubbling) effervescence f; (of drink) pétillement m

effete [ɪ'fiːt] adj (person) veule; (gesture) efféminé

efficient [ɪ'fɪʃənt] adj efficace; (productive) performant ■**efficiency** n efficacité f; (of machine) performances fpl ■**efficiently** adv efficacement; **to work e.** (of machine) bien fonctionner

effigy ['efɪdʒɪ] (pl -ies) n effigie f

effort ['efət] n effort m; **to make an e.** faire un effort (**to** pour); **it isn't worth the e.** ça n'en vaut pas la peine; Fam **his/her latest e.** sa dernière tentative ■**effortless** adj (victory, progress) facile; (skill, grace) naturel, -elle; **with e. ease** sans effort ■**effortlessly** adv sans effort

effrontery [ɪ'frʌntərɪ] n effronterie f

effusive [ɪ'fjuːsɪv] adj (person) expansif, -ive; (thanks, excuses) sans fin ■**effusively** adv avec effusion

E-fit® ['iːfɪt] n Comptr portrait-robot m électronique

eg [iː'dʒiː] (abbr exempli gratia) p. ex.

egalitarian [ɪgælɪ'teərɪən] adj (society) égalitaire

egg¹ [eg] n œuf m; **e. timer** sablier m ■**eggcup** n coquetier m ■**egghead** n Pej or Hum intello mf ■**eggplant** n Am aubergine f ■**eggshell** n coquille f d'œuf ■**egg-whisk** n fouet m

egg² [eg] vt **to e. sb on** encourager qn (**to do** faire)

ego ['iːgəʊ] (pl -os) n **the e.** l'ego m; **to have an enormous e.** avoir très haute opinion de soi-même ■**ego'centric** adj égocentrique

egoism ['iːgəʊɪzəm] n égoïsme m ■**egoist** n égoïste mf ■**ego'istic(al)** adj égoïste

egotism ['iːgətɪzəm] n égotisme m ■**egotist** n égotiste mf ■**egotistic(al)** [iːgə'tɪstɪk(əl)] adj égoïste

Egypt ['iːdʒɪpt] n l'Égypte f ■**Egyptian** [ɪ'dʒɪpʃən] 1 adj égyptien, -ienne 2 n Égyptien, -ienne mf

eiderdown ['aɪdədaʊn] n édredon m

eight [eɪt] adj & n huit (m) ■**eighth** adj & n huitième (mf); **an e.** un huitième

eighteen [eɪ'tiːn] adj & n dix-huit (m) ■**eighteenth** adj & n dix-huitième (mf)

eighty ['eɪtɪ] adj & n quatre-vingts (m); **e.-one** quatre-vingt-un; **in the eighties** dans les années 80 ■**eightieth** adj & n quatre-vingtième (mf)

Eire ['eərə] n l'Eire f

either ['aɪðə(r)] 1 adj & pron (one or other) l'un(e) ou l'autre; (with negative) ni l'un(e) ni l'autre; (each) chaque; **on e. side** des deux côtés; **I don't know e. man** or **e. of the men** je ne connais ni l'un ni l'autre de ces hommes 2 *adv* **she can't swim e.** elle ne sait pas nager non plus; **I don't e. (ni)** moi non plus; **and it's not so far off e.** et ce n'est pas si loin d'ailleurs 3 *conj* **e.... or** ou... ou, soit... soit; *(with negative)* ni... ni; **it isn't e. green or red** ce n'est ni vert ni rouge

eject [ɪ'dʒekt] 1 *vt (troublemaker)* expulser (**from** de); *(from aircraft, machine)* éjecter 2 *vi (of pilot)* s'éjecter ▪ **ejector** *adj* **e. seat** siège *m* éjectable

eke [iːk]

▸**eke out** *vt sep (money)* dépenser avec parcimonie; **to e. out a living** gagner péniblement sa vie

elaborate¹ [ɪ'læbərət] *adj (meal)* élaboré; *(scheme)* compliqué; *(description)* détaillé; *(preparation)* minutieux, -ieuse; *(style)* recherché ▪ **elaborately** *adv (plan)* minutieusement; *(decorate)* avec recherche

elaborate² [ɪ'læbəreɪt] 1 *vt (theory)* élaborer 2 *vi* entrer dans les détails (**on** de) ▪ **elaboration** [-'reɪʃən] *n* élaboration *f*

elapse [ɪ'læps] *vi* s'écouler

elastic [ɪ'læstɪk] 1 *adj also Fig* élastique; *Br* **e. band** élastique *m* 2 *n (fabric)* élastique *m* ▪ **elasticity** [iːlæs'tɪsɪtɪ] *n* élasticité *f*

elated [ɪ'leɪtɪd] *adj* transporté de joie ▪ **elation** *n* exaltation *f*

elbow ['elbəʊ] 1 *n* coude *m*; *Fam* **e. grease** huile *f* de coude 2 *vt* **to e. one's way** se frayer un chemin en jouant des coudes (**through** à travers) ▪ **elbow-room** *n Fam* **to have enough e.** avoir assez de liberté

elder¹ ['eldə(r)] *adj & n (of two people)* aîné, -ée *(mf)* ▪ **eldest** *adj & n* aîné, -ée *(mf)*; **his/her e. brother** l'aîné de ses frères

elder² ['eldə(r)] *n (tree)* sureau *m*

elderly ['eldəlɪ] 1 *adj* âgé 2 *npl* **the e.** les personnes *fpl* âgées

elect [ɪ'lekt] 1 *vt (by voting)* élire (**to** à); *Formal* **to e. to do sth** choisir de faire qch 2 *adj* **the president e.** le président élu

election [ɪ'lekʃən] 1 *n* élection *f*; **general e.** élections *fpl* législatives 2 *adj (campaign)* électoral; *(day, results)* des élections ▪ **electio'neering** *n* propagande *f* électorale

elective [ɪ'lektɪv] *Univ* 1 *adj (course)* optionnel, -elle 2 *n* cours *m* optionnel

electoral [ɪ'lektərəl] *adj* électoral ▪ **electorate** *n* électorat *m*

electric [ɪ'lektrɪk] *adj* électrique; **e. blanket** couverture *f* chauffante; *Br* **e. fire** radiateur *m* électrique; **e. shock** décharge *f* électrique; **e. shock treatment** électrochoc *m* ▪ **electrical** *adj* électrique; **e. engineer** ingénieur *m* électricien

electrician [ɪlek'trɪʃən] *n* électricien *m*

electricity [ɪlek'trɪsɪtɪ] *n* électricité *f*

electrify [ɪ'lektrɪfaɪ] *(pt & pp* **-ied)** *vt* électrifier; *Fig (excite)* électriser

electrocute [ɪ'lektrəkjuːt] *vt* électrocuter

electrode [ɪ'lektrəʊd] *n* électrode *f*

electron [ɪ'lektrɒn] *n* électron *m*

electronic [ɪlek'trɒnɪk] *adj* électronique ▪ **electronics** *n (subject)* électronique *f*

elegant ['elɪgənt] *adj* élégant ▪ **elegance** *n* élégance *f* ▪ **elegantly** *adv* avec élégance

elegy ['elədʒɪ] *(pl* **-ies)** *n* élégie *f*

element ['elɪmənt] *n (component, chemical, person)* élément *m*; *(of heater, kettle)* résistance *f*; **an e. of truth** une part de vérité; **the human/ chance e.** le facteur humain/chance; **the elements** *(bad weather)* les éléments *mpl*; **to be in one's e.** être dans son élément

elementary [elɪ'mentərɪ] *adj* élémentaire; *Am (school)* primaire

elephant ['elɪfənt] *n* éléphant *m*

elevate ['elɪveɪt] *vt* élever (**to** à) ▪ **elevation** [-'veɪʃən] *n* élévation *f* *(of* de); *(height)* altitude *f*

elevator ['elɪveɪtə(r)] *n Am* ascenseur *m*

eleven [ɪ'levən] *adj & n* onze *(m)* ▪ **elevenses** [ɪ'levənzɪz] *n Br Fam* pause-café *f (vers onze heures du matin)* ▪ **eleventh** *adj & n* onzième *(mf)*

elf [elf] *(pl* **elves)** *n* lutin *m*

elicit [ɪ'lɪsɪt] *vt* tirer (**from** de)

eligible ['elɪdʒəbəl] *adj (for post)* admissible (**for** à); *(for political office)* éligible (**for** à); **to be e. for sth** avoir droit à qch; **an e. young man** un beau parti ▪ **eligi'bility** *n* admissibilité *f*; *Pol* éligibilité *f*

eliminate [ɪ'lɪmɪneɪt] *vt* éliminer ▪ **elimination** [-'neɪʃən] *n* élimination *f*

elite [eɪ'liːt] *n* élite *f (of* de)

elk [elk] *n* élan *m*

ellipse [ɪ'lɪps] *n Math* ellipse *f* ▪ **elliptical** *adj* elliptique

elm [elm] *n* orme *m*

elocution [elə'kjuːʃən] *n* élocution *f*

elongate ['iːlɒŋgeɪt] *vt* allonger ▪ **elongated** *adj* allongé

elope [ɪ'ləʊp] *vi (of lovers)* s'enfuir (**with** avec)

eloquent ['eləkwənt] *adj* éloquent ▪ **eloquence** *n* éloquence *f* ▪ **eloquently** *adv* avec éloquence

El Salvador [el'sælvədɔː(r)] *n* El Salvador *m*

else [els] *adv* d'autre; **somebody/anybody e.** quelqu'un/n'importe qui d'autre; **everybody e.** tous les autres; **nobody/nothing e.** personne/rien d'autre; **something e.** autre chose; **anything e.?** *(in shop)* est-ce qu'il vous faut autre chose?; **anything e. to add?** avez-vous quelque chose d'autre à ajouter?; **somewhere e.,** *Am* **someplace e.** ailleurs, autre part; **anywhere/nowhere e.** n'importe où/nulle part ailleurs; **what e.?** quoi d'autre?;

who e.? qui d'autre?; **how e.?** de quelle autre façon?; **or e.** ou bien, sinon ▪**else'where** *adv* ailleurs; **e. in the town** dans une autre partie de la ville

elucidate [ɪ'luːsɪdeɪt] *vt* élucider

elude [ɪ'luːd] *vt* échapper à ▪**elusive** *adj (person)* insaisissable; *(reply)* évasif, -ive

elves [elvz] *pl of* elf

emaciated [ɪ'meɪsɪeɪtɪd] *adj* émacié

e-mail ['iːmeɪl] **1** *n* courrier *m* électronique, e-mail *m*, mél *m*; **to send sth by e.** envoyer qch par courrier électronique; **to check one's e.** consulter sa boîte à lettres électronique; **e. address** adresse *f* électronique **2** *vt* envoyer un courrier électronique *ou* un e-mail *ou* un mél à

emanate ['eməneɪt] *vi* émaner (**from** de)

emancipate [ɪ'mænsɪpeɪt] *vt* émanciper ▪**emancipation** [-'peɪʃən] *n* émancipation *f*

embalm [ɪm'bɑːm] *vt* embaumer

embankment [ɪm'bæŋkmənt] *n (of path)* talus *m*; *(of river)* berge *f*

embargo [ɪm'bɑːgəʊ] *(pl* **-oes)** *n* embargo *m*; **to impose an e. on** mettre l'embargo sur

embark [ɪm'bɑːk] **1** *vt (passengers, goods)* embarquer **2** *vi* (s')embarquer; **to e. on sth** s'embarquer dans qch ▪**embarkation** [embɑːˈkeɪʃən] *n* embarquement *m*

embarrass [ɪm'bærəs] *vt* embarrasser ▪**embarrassing** *adj* embarrassant ▪**embarrassment** *n* embarras *m*

embassy ['embəsɪ] *(pl* **-ies)** *n* ambassade *f*

embattled [ɪm'bætəld] *adj* assiégé de toutes parts

embedded [ɪm'bedɪd] *adj (stick, bullet)* enfoncé (**in** dans); *(jewel)* enchâssé; *(in memory)* gravé; *(in stone)* scellé

embellish [ɪm'belɪʃ] *vt* embellir ▪**embellishment** *n* embellissement *m*

embers ['embəz] *npl* braises *fpl*

embezzle [ɪm'bezəl] *vt (money)* détourner ▪**embezzlement** *n* détournement *m* de fonds ▪**embezzler** *n* escroc *m*

embitter [ɪm'bɪtə(r)] *vt (person)* aigrir; *(relations, situation)* envenimer ▪**embittered** *adj (person)* aigri

emblem ['embləm] *n* emblème *m*

embody [ɪm'bɒdɪ] *(pt & pp* **-ied)** *vt (express)* exprimer; *(represent)* incarner ▪**embodiment** *n* incarnation *f* (**of** de)

emboss [ɪm'bɒs] *vt (paper)* gaufrer; *(metal)* bosseler ▪**embossed** *adj (pattern, characters)* en relief; **e. paper** papier *m* gaufré

embrace [ɪm'breɪs] **1** *n* étreinte *f* **2** *vt (person)* étreindre; *Fig (belief)* embrasser **3** *vi* s'étreindre

embroider [ɪm'brɔɪdə(r)] *vt (cloth)* broder; *Fig (story, facts)* enjoliver ▪**embroidery** *n* broderie *f*

embroil [ɪm'brɔɪl] *vt* **to e. sb in sth** mêler qn à qch

embryo ['embrɪəʊ] *(pl* **-os)** *n* embryon *m* ▪**embryonic** [-ɪ'ɒnɪk] *adj Med & Fig* à l'état embryonnaire

emend [ɪ'mend] *vt* corriger

emerald ['emərəld] *n* émeraude *f*

emerge [ɪ'mɜːdʒ] *vi* apparaître (**from** de); *(from hole)* sortir; *(from water)* émerger; *(of nation)* naître; **it emerges that...** il apparaît que... ▪**emergence** *n* apparition *f*; *(of state, leader)* émergence *f*

emergency [ɪ'mɜːdʒənsɪ] **1** *(pl* **-ies)** *n (situation, case)* urgence *f*; **in an e.** en cas d'urgence; **this is an e.** *(speaking on telephone)* j'appelle pour une urgence **2** *adj (measure, operation)* d'urgence; **e. exit/brake** sortie *f*/ frein *m* de secours; **e. landing** atterrissage *m* forcé; **e. powers** *(of government)* pouvoirs *mpl* extraordinaires; **e. services** services *mpl* d'urgence; **e. stop** arrêt *m* d'urgence; *Br* **e. ward,** *Am* **e. room** salle *f* des urgences

emery ['emərɪ] *adj* **e. board** lime *f* à ongles *(en carton)*

emigrant ['emɪgrənt] *n* émigrant, -ante *mf* ▪**emigrate** [-greɪt] *vi* émigrer ▪**emigration** [-'greɪʃən] *n* émigration *f*

eminent ['emɪnənt] *adj* éminent ▪**eminence** *n* distinction *f*; **Your E.** *(to cardinal)* Votre Éminence ▪**eminently** *adv* éminemment

emir [e'mɪə(r)] *n* émir *m* ▪**emirate** ['emɪrət] *n* émirat *m*

emissary ['emɪsərɪ] *(pl* **-ies)** *n* émissaire *m*

emission [ɪ'mɪʃən] *n (of gas, light)* émission *f*

emit [ɪ'mɪt] *(pt & pp* **-tt-)** *vt (light, heat)* émettre; *(smell)* dégager

emoticon [ɪ'məʊtɪkɒn] *n Comptr* émoticon *m*

emotion [ɪ'məʊʃən] *n (strength of feeling)* émotion *f*; *(individual feeling)* sentiment *m*

emotional [ɪ'məʊʃənəl] *adj (person, reaction)* émotif, -ive; *(story, speech, plea)* émouvant; *(moment)* d'intense émotion; **an e. state** un état émotionnel ▪**emotionally** *adv (to say)* avec émotion; **to be e. unstable** avoir des troubles émotifs

emotive [ɪ'məʊtɪv] *adj (word)* affectif, -ive; *(person)* émotif, -ive; **an e. issue** une question sensible

empathy ['empəθɪ] *n* compassion *f*

emperor ['empərə(r)] *n* empereur *m*

emphasis ['emfəsɪs] *(pl* **-ases** [-əsiːz]) *n (in word or phrase)* accent *m*; *(insistence)* insistance *f*; **to lay** *or* **put e. on sth** mettre l'accent sur qch

emphasize ['emfəsaɪz] *vt (importance)* souligner; *(word, fact)* insister sur, souligner; *(syllable)* appuyer sur; **to e. that...** souligner que...

emphatic [em'fætɪk] *adj (denial, refusal) (clear)* catégorique; *(forceful)* énergique; **to be e. about sth** insister sur qch; **she was e.** elle a été catégorique ▪ **emphatically** *adv (refuse)* catégoriquement; *(forcefully)* énergiquement

empire ['empaɪə(r)] *n* empire *m*

empirical [em'pɪrɪkəl] *adj* empirique ▪ **empiricism** *n* empirisme *m*

employ [ɪm'plɔɪ] *vt (person, means)* employer ▪ **employable** *adj* susceptible d'être employé; **qualifications make you more e.** il est plus facile de se faire embaucher quand on a des qualifications ▪ **employability** [ɪmplɔɪə-'bɪlɪtɪ] *n* employabilité *f* ▪ **employee** [ɪm'plɔɪiː; emplɔɪ'iː] *n* employé, -ée *mf* ▪ **employer** *n* patron, -onne *mf* ▪ **employment** *n* emploi *m*; **place of e.** lieu *m* de travail; **to be in the e. of** être employé par; **e. agency** bureau *m* de placement

empower [ɪm'paʊə(r)] *vt* autoriser (**to do** à faire)

empress ['emprɪs] *n* impératrice *f*

empty ['emptɪ] **1** (**-ier, -iest**) *adj* vide; *(threat, promise)* vain; **on an e. stomach** à jeun; **to return e.-handed** revenir les mains vides **2** *npl* **empties** *(bottles)* bouteilles *fpl* vides **3** (*pt & pp* **-ied**) *vt* **to e. (out)** *(box, pocket, liquid)* vider; *(vehicle)* décharger; *(objects from box)* sortir (**from** *or* **out of** de) **4** *vi (of building, tank)* se vider; **to e. into** *(of river)* se jeter dans ▪ **emptiness** *n* vide *m*; **I was surprised by the e. of the theatre** j'ai été surpris de trouver le théâtre vide

EMU [iːem'juː] *(abbr* **Economic and Monetary Union)** *n* UME *f*

emulate ['emjʊleɪt] *vt* imiter ▪ **emu'lation** *n* émulation *f*

emulsion [ɪ'mʌlʃən] *n (paint)* peinture *f* acrylique (mate); *Phot* émulsion *f*

enable [ɪ'neɪbəl] *vt* **to e. sb to do sth** permettre à qn de faire qch

enact [ɪ'nækt] *vt (law)* promulguer; *(play, part in play)* jouer

enamel [ɪ'næməl] **1** *n* émail *m (pl* émaux) **2** *adj* en émail **3** *(Br* **-ll-,** *Am* **-l-)** *vt* émailler

enamoured *(Am* **enamored)** [ɪ'næməd] *adj* **e. of** *(thing)* séduit par; *(person)* amoureux, -euse de

encamp [ɪn'kæmp] *vi* camper ▪ **encampment** *n* campement *m*

encapsulate [ɪn'kæpsjʊleɪt] *vt (ideas, views)* résumer

encase [ɪn'keɪs] *vt (cover)* enveloppper (**in** dans)

enchant [ɪn'tʃɑːnt] *vt* enchanter ▪ **enchanting** *adj* enchanteur, -eresse ▪ **enchantment** *n* enchantement *m*

encircle [ɪn'sɜːkəl] *vt* entourer; *(of army, police)* encercler

encl *(abbr* **enclosure(s))** PJ

enclave ['enkleɪv] *n* enclave *f*

enclose [ɪn'kləʊz] *vt (send with letter)* joindre (**in** *or* **with** à); *(fence off)* clôturer; **to e. sth with a wall** entourer qch d'un mur ▪ **enclosed** *adj (receipt, document)* ci-joint; *(market)* couvert; **e. space** espace *m* clos; **please find e....** veuillez trouver ci-joint...

enclosure [ɪn'kləʊʒə(r)] *n (in letter)* pièce *f* jointe; *(place, fence)* enceinte *f*

encompass [ɪn'kʌmpəs] *vt (include)* inclure; *(surround)* entourer

encore ['ɒŋkɔː(r)] **1** *exclam & n* bis *(m)* **2** *vt* bisser

encounter [ɪn'kaʊntə(r)] **1** *n* rencontre *f* **2** *vt (person, resistance)* rencontrer

encourage [ɪn'kʌrɪdʒ] *vt* encourager (**to do** à faire) ▪ **encouragement** *n* encouragement *m*

encroach [ɪn'krəʊtʃ] *vi* empiéter (**on** *or* **upon** sur)

encumber [ɪn'kʌmbə(r)] *vt* encombrer (**with** de) ▪ **encumbrance** *n* embarras *m*

encyclop(a)edia [ɪnsaɪklə'piːdɪə] *n* encyclopédie *f* ▪ **encyclop(a)edic** *adj* encyclopédique

end [end] **1** *n (extremity)* bout *m*, extrémité *f*; *(of month, meeting, book)* fin *f*; *(purpose)* but *m*; **at an e.** *(discussion, war)* fini; *(period of time)* écoulé; **my patience is at an e.** ma patience est à bout; **in the e.** à la fin; **to come to an e.** prendre fin; **to put an e. to sth, to bring sth to an e.** mettre fin à qch; **there's no e. to it** ça n'en finit plus; *Fam* **no e. of** énormément de; **for days on end** pendant des jours et des jours; **to stand sth on e.** mettre qch debout

  2 *adj (row, house)* dernier, -ière; **e. product** *(industrial)* produit *m* fini; *Fig* résultat *m*

  3 *vt* finir, terminer (**with** par); *(rumour, speculation)* mettre fin à

  4 *vi* finir, se terminer; **to e. in failure** se solder par un échec; **to e. in a point** finir en pointe; **e. up doing sth** finir par faire qch; **to e. up in London** se retrouver à Londres; **he ended up in prison/a doctor** il a fini en prison/médecin

endanger [ɪn'deɪndʒə(r)] *vt* mettre en danger; **endangered species** espèce *f* menacée

endear [ɪn'dɪə(r)] *vt* faire aimer (**to** de); **that's what endears him to me** c'est cela qui me plaît en lui ▪ **endearing** *adj (person)* attachant; *(quality)* qui inspire la sympathie ▪ **endearment** *n* mot *m* tendre; **term of e.** terme *m* d'affection

endeavour *(Am* **endeavor)** [ɪn'devə(r)] **1** *n* effort *m* (**to do** pour faire) **2** *vi* s'efforcer (**to do** de faire)

ending ['endɪŋ] *n* fin *f*; *(of word)* terminaison *f*; **a happy e.** *(in story)* un heureux dénouement

endive ['endaɪv] *n (curly)* chicorée *f*; *(smooth)* endive *f*

endless ['endləs] *adj (speech, series, list)* interminable; *(patience)* infini; *(countless)* innombrable ▪ **endlessly** *adv* interminablement

endorse [ɪn'dɔːs] *vt (cheque)* endosser; *(action, plan)* approuver; *(claim, application)* appuyer ▪ **endorsement** *n Br (on driving licence)* ≃ point(s) enlevé(s) sur le permis de conduire

endow [ɪn'daʊ] *vt (institution)* doter (**with** de); **to be endowed with** *(of person)* être doté de ▪ **endowment** *n* dotation *f*

endurance [ɪn'djʊərəns] *n* endurance *f*; **e. test** épreuve *f* d'endurance

endure [ɪn'djʊə(r)] **1** *vt (violence)* endurer; *(person, insult)* supporter **2** *vi (last)* survivre ▪ **enduring** *adj* durable

enemy ['enəmɪ] **1** *(pl -ies)* *n* ennemi, -ie *mf* **2** *adj (army, tank)* ennemi

energetic [enə'dʒetɪk] *adj* énergique; **to feel e.** se sentir plein d'énergie ▪ **energetically** *adv* énergiquement

energy ['enədʒɪ] **1** *(pl -ies)* *n* énergie *f* **2** *adj (resources)* énergétique; **e. crisis** crise *f* de l'énergie

enforce [ɪn'fɔːs] *vt (law)* faire respecter; *(discipline)* imposer (**on** à) ▪ **enforced** *adj (rest, silence)* forcé

engage [ɪn'geɪdʒ] **1** *vt (take on)* engager; **to e. sb in conversation** engager la conversation avec qn; *Br* **to e. the clutch** embrayer **2** *vi* **to e. in** *(launch into)* se lancer dans; *(be involved in)* être mêlé à

engaged [ɪn'geɪdʒd] *adj* (**a**) *(occupied) (person, toilet, phone)* occupé; **e. in doing sth** occupé à faire qch; **to be e. in business** être dans les affaires (**b**) **e. (to be married)** fiancé; **to get e.** se fiancer

engagement [ɪn'geɪdʒmənt] *n (to marry)* fiançailles *fpl*; *(meeting)* rendez-vous *m inv*; *(undertaking)* engagement *m*; **to have a prior e.** être déjà pris; **e. ring** bague *f* de fiançailles

engaging [ɪn'geɪdʒɪŋ] *adj* engageant

engender [ɪn'dʒendə(r)] *vt* engendrer

engine ['endʒɪn] *n (of vehicle, aircraft)* moteur *m*; *(of train)* locomotive *f*; *(of ship)* machine *f*; *Br* **e. driver** *(of train)* mécanicien *m*

> Note that the French word **engin** is a false friend and is rarely a translation for the English word **engine**. Its most common meaning is **machine**.

engineer [endʒɪ'nɪə(r)] **1** *n* ingénieur *m*; *Br (repairer)* dépanneur *m*; *(on ship, train)* mécanicien *m*; **civil e.** ingénieur des travaux publics; **mechanical e.** ingénieur mécanicien **2** *vt (arrange secretly)* manigancer ▪ **engineering** *n* ingénierie *f*; **(civil) e.** génie *m* civil; **(mechanical) e.** mécanique *f*; **e. factory** atelier *m* de construction mécanique

England ['ɪŋglənd] *n* l'Angleterre *f* ▪ **English 1** *adj* anglais; **E. teacher** professeur *m* d'anglais; **the E. Channel** la Manche **2** *n (language)* anglais *m*; **the E.** *(people)* les Anglais *mpl*

▪ **Englishman** *(pl -men)* *n* Anglais *m*
▪ **English-speaking** *adj* anglophone
▪ **Englishwoman** *(pl -women)* *n* Anglaise *f*

engrave [ɪn'greɪv] *vt* graver ▪ **engraver** *n* graveur *m* ▪ **engraving** *n* gravure *f*

engrossed [ɪn'grəʊst] *adj* **e. in one's work** absorbé par son travail; **e. in one's book** absorbé dans sa lecture

engulf [ɪn'gʌlf] *vt* engloutir

enhance [ɪn'hɑːns] *vt (beauty, prestige)* rehausser; *(value)* augmenter

enigma [ɪ'nɪgmə] *n* énigme *f* ▪ **enigmatic** enɪg'mætɪk] *adj* énigmatique

enjoy [ɪn'dʒɔɪ] *vt (like)* aimer (**doing** faire); *(meal)* savourer; *(benefit from)* jouir de; **to e. the evening** passer une bonne soirée; **to e. oneself** s'amuser; **to e. being in London** se plaire à Londres ▪ **enjoyable** *adj* agréable; *(meal)* excellent ▪ **enjoyably** *adv* agréablement ▪ **enjoyment** *n* plaisir *m*

enlarge [ɪn'lɑːdʒ] **1** *vt* agrandir **2** *vi* s'agrandir; **to e. (up)on sth** s'étendre sur qch ▪ **enlargement** *n (increase)* & *Phot* agrandissement *m*

enlighten [ɪn'laɪtən] *vt* éclairer (**sb on** *or* **about sth** qn sur qch) ▪ **enlightening** *adj* instructif, -ive ▪ **enlightenment** *n (explanations)* éclaircissements *mpl*; **an age of e.** une époque éclairée

enlist [ɪn'lɪst] **1** *vt (recruit)* engager; *(supporter)* recruter; *(support)* s'assurer **2** *vi (in the army)* s'engager

enliven [ɪn'laɪvən] *vt (meeting)* animer; *(people)* égayer

enmeshed [ɪn'meʃt] *adj* empêtré (**in** dans)

enmity ['enmɪtɪ] *n* inimitié *f* (**between** entre)

enormous [ɪ'nɔːməs] *adj* énorme; *(explosion, blow)* terrible; *(patience, gratitude)* immense; **an e. success** un immense succès ▪ **enormity** *n (vastness, extent)* énormité *f*; *(atrocity)* atrocité *f* ▪ **enormously** *adv (very much)* énormément; *(very)* extrêmement

enough [ɪ'nʌf] **1** *adj* assez de; **e. time/cups** assez de temps/de tasses **2** *pron* assez; **to have e. to live on** avoir de quoi vivre; **to have e. to drink** avoir assez à boire; **to have had e. of sb/sth** en avoir assez de qn/qch; **it's e. for me to see that...** il me suffit de voir que...; **that's e.** ça suffit **3** *adv (work, sleep)* assez; **big/good e.** assez grand/bon (**to** pour); **strangely e., he left** chose curieuse, il est parti

enquire [ɪn'kwaɪə(r)] *vti* = **inquire**

enquiry [ɪn'kwaɪərɪ] *n* = **inquiry**

enrage [ɪn'reɪdʒ] *vt* mettre en rage

enrapture [ɪn'ræptʃə(r)] *vt* ravir

enrich [ɪn'rɪtʃ] *vt* enrichir; *(soil)* fertiliser ▪ **enrichment** *n* enrichissement *m*

enrol [ɪn'rəʊl] *(Am* **enroll**) *(pt & pp -ll-)* **1** *vt* inscrire **2** *vi* s'inscrire (**in/for** à) ▪ **enrolment**

(*Am* **enrollment**) *n* inscription *f*; (*people enrolled*) effectif *m*

ensconced [ɪn'skɒnst] *adj* bien installé (**in** dans)

ensemble [ɒn'sɒmbəl] *n* (*musicians, clothes*) ensemble *m*

ensign ['ensən, 'ensaɪn] *n* (*flag*) pavillon *m*; *Am* (*naval rank*) enseigne *m* de vaisseau (*de deuxième classe*)

enslave [ɪn'sleɪv] *vt* asservir

ensue [ɪn'sjuː] *vi* s'ensuivre ▪ **ensuing** *adj* (*in the past*) qui a suivi; (*in the future*) qui suivra

ensure [ɪn'ʃʊə(r)] *vt* assurer; **to e. that…** s'assurer que…

entail [ɪn'teɪl] *vt* (*involve*) occasionner; (*difficulties*) comporter; **what does the job e.?** en quoi le travail consiste-t-il?

entangle [ɪn'tæŋgəl] *vt* enchevêtrer; **to get entangled in sth** (*of person, animal*) s'empêtrer dans qch

enter ['entə(r)] **1** *vt* (*room, vehicle, army*) entrer dans; (*road*) s'engager dans; (*university*) entrer à; (*race, competition*) participer à; (*write down*) (*on list*) inscrire (**in** dans; **on** sur); (*in accounts book*) porter (**in** sur); *Comptr* (*data*) entrer; **to e. sb for an exam** inscrire qn à un examen; **to e. a painting in a competition** présenter un tableau à un concours; **it didn't e. my head** *or* **mind** ça ne m'est pas venu à l'esprit (**that** que) **2** *vi* entrer; **to e. for** (*exam*) se présenter à; (*race*) se faire inscrire à; **to e. into** (*relations*) entrer en; (*explanation*) entamer; (*contract*) passer (**with** avec); **to e. into a conversation with sb** engager une conversation avec qn; **you don't e. into it** tu n'y es pour rien; **to e. into** *or* **upon** (*career*) entrer dans; (*negotiations*) entamer; (*agreement*) conclure

enterprise ['entəpraɪz] *n* (*undertaking, firm*) entreprise *f*; (*spirit, initiative*) initiative *f* ▪ **enterprising** *adj* (*person*) entreprenant

entertain [entə'teɪn] **1** *vt* amuser, distraire; (*guest*) recevoir; (*idea, possibility*) envisager; (*doubt, hope*) nourrir; **to e. sb to a meal** recevoir qn à dîner **2** *vi* (*receive guests*) recevoir ▪ **entertainer** *n* comique *mf* ▪ **entertaining** *adj* amusant ▪ **entertainment** *n* amusement *m*; (*show*) spectacle *m*

> Note that the French verb **entretenir** is a false friend and is never a translation for the English verb **to entertain**. Its most common meaning is **to maintain**.

enthral(l) [ɪn'θrɔːl] (*pt & pp* **-ll-**) *vt* (*delight*) captiver

enthuse [ɪn'θjuːz] *vi* **to e. over** s'enthousiasmer pour

enthusiasm [ɪn'θjuːzɪæzəm] *n* enthousiasme *m* ▪ **enthusiast** *n* enthousiaste *mf*; **jazz e.** passionné, -ée *mf* de jazz

enthusiastic [ɪnθjuːzɪ'æstɪk] *adj* enthousiaste; (*golfer, photographer*) passionné; **to get e.** s'emballer (**about** pour) ▪ **enthusiastically** *adv* avec enthousiasme

entice [ɪn'taɪs] *vt* attirer (**into** dans); **to e. sb to do sth** inciter qn à faire qch ▪ **enticing** *adj* séduisant

entire [ɪn'taɪə(r)] *adj* entier, -ière ▪ **entirely** *adv* entièrement

entirety [ɪn'taɪərətɪ] *n* intégralité *f*; **in its e.** dans son intégralité

entitle [ɪn'taɪtəl] *vt* **to e. sb to do sth** donner à qn le droit de faire qch; **to e. sb to sth** donner à qn le droit à qch; **that entitles me to believe that…** ça m'autorise à croire que…; ▪ **entitled** *adj* (**a**) **to be e. to do sth** avoir le droit de faire qch; **to be e. to sth** avoir droit à qch (**b**) **a book e….** un livre intitulé… ▪ **entitlement** *n* **one's e.** son dû

entity ['entɪtɪ] (*pl* **-ies**) *n* entité *f*

entourage ['ɒntʊraːʒ] *n* entourage *m*

entrails ['entreɪlz] *npl* entrailles *fpl*

entrance¹ ['entrəns] *n* entrée *f* (**to** de); (*to university, school*) admission *f* (**to** à); **e. examination** examen *m* d'entrée; **e. fee** droit *m* d'entrée

entrance² [ɪn'traːns] *vt* (*charm*) transporter

entrant ['entrənt] *n* (*in race*) concurrent, -ente *mf*; (*for exam*) candidat, -ate *mf*

entreat [ɪn'triːt] *vt* implorer (**to do** de faire) ▪ **entreaty** (*pl* **-ies**) *n* supplication *f*

entrée ['ɒntreɪ] *n* *Br Culin* entrée *f*; *Am* (*main dish*) plat *m* principal

entrench [ɪn'trentʃ] *vt* **to e. oneself** (*of soldier*) & *Fig* se retrancher

entrepreneur [ɒntrəprə'nɜː(r)] *n* entrepreneur *m*

entrust [ɪn'trʌst] *vt* confier (**to** à); **to e. sb with sth** confier qch à qn

entry ['entrɪ] *n* entrée *f*; (*in race*) concurrent, -ente *mf*; (*to be judged in competition*) objet *m*/ œuvre *f*/projet *m* soumis au jury; **to gain e. to** pénétrer dans; **e. form** feuille *f* d'inscription; **'no e.'** (*on door*) 'entrée interdite'; (*on road sign*) 'sens interdit'

entwine [ɪn'twaɪn] *vt* entrelacer

enumerate [ɪ'njuːməreɪt] *vt* énumérer ▪ **enumeration** [-'reɪʃən] *n* énumération *f*

enunciate [ɪ'nʌnsɪeɪt] *vt* (*word*) articuler; (*theory*) énoncer ▪ **enunciation** [-'eɪʃən] *n* articulation *f*; (*of theory*) énonciation *f*

envelop [ɪn'veləp] *vt* envelopper (**in** dans); **enveloped in mystery** entouré de mystère

envelope ['envələʊp] *n* enveloppe *f*

enviable ['envɪəbəl] *adj* enviable

envious ['envɪəs] *adj* envieux, -ieuse (**of** de); **to be e. of sb** envier qn ▪ **enviously** *adv* avec envie

environment [ɪn'vaɪərənmənt] *n* (*social, moral*)

milieu *m*; **the e.** *(natural)* l'environnement *m*; **e.-friendly product** produit *m* qui ne nuit pas à l'environnement ▪**environmental** [-'mentəl] *adj (policy)* de l'environnement; **e. disaster** catastrophe *f* écologique ▪**environmentalist** [-'mentəlɪst] *n* écologiste *mf* ▪**environmentally** [-'mentəlɪ] *adv* écologiquement; **e. friendly** qui ne nuit pas à l'environnement

envisage [ɪn'vɪzɪdʒ] *(Am* **envision** [ɪn'vɪʒən]) *vt (imagine)* envisager; *(foresee)* prévoir; **to e. doing sth** envisager de faire qch

envoy ['envɔɪ] *n (messenger)* envoyé, -ée *mf*; *(diplomat)* ministre *m* plénipotentiaire

envy ['envɪ] **1** *n* envie *f* **2** *(pt & pp* **-ied)** *vt* envier; **to e. sb sth** envier qch à qn

ephemeral [ɪ'femərəl] *adj* éphémère

epic ['epɪk] **1** *adj* épique **2** *n (poem, novel)* épopée *f*; *(film)* film *m* à grand spectacle

epidemic [epɪ'demɪk] *n* épidémie *f*

epidural [epɪ'djʊərəl] *n Med* péridurale *f*

epilepsy ['epɪlepsɪ] *n* épilepsie *f* ▪**epi'leptic** *adj & n* épileptique *(mf)*

epilogue ['epɪlɒg] *n* épilogue *m*

episode ['epɪsəʊd] *n (part of story)* épisode *m*; *(incident)* incident *m* ▪**episodic** [-'sɒdɪk] *adj* épisodique

epistle [ɪ'pɪsəl] *n* épître *f*

epitaph ['epɪtɑːf] *n* épitaphe *f*

epithet ['epɪθet] *n* épithète *f*

epitome [ɪ'pɪtəmɪ] *n* **to be the e. of sth** être l'exemple même de qch ▪**epitomize** *vt* incarner

epoch ['iːpɒk] *n* époque *f*

equal ['iːkwəl] **1** *adj* égal **(to** à); **with e. hostility/respect** avec la même hostilité/le même respect; **to be e. to sth** *(in quantity)* égaler qch; *(good enough)* être à la hauteur de qch **2** *n (person)* égal, -ale *mf*; **to treat sb as an e.** traiter qn d'égal à égal; **he doesn't have his e.** il n'a pas son pareil **3** *(Br* **-ll-,** *Am* **-l-)** *vt* égaler *(in* en) ▪**equals sign** *n* signe *m* d'égalité

equality [ɪ'kwɒlɪtɪ] *n* égalité *f*

equalize ['iːkwəlaɪz] **1** *vt* égaliser; *(chances)* équilibrer **2** *vi (in sport)* égaliser

equalizer ['iːkwəlaɪzə(r)] *n (goal)* but *m* égalisateur

equally ['iːkwəlɪ] *adv (to an equal degree, also)* également; *(divide)* en parts égales; **he's e. stupid** il est tout aussi bête

equanimity [ekwə'nɪmɪtɪ] *n* égalité *f* d'humeur

equate [ɪ'kweɪt] *vt* assimiler **(with** à)

equation [ɪ'kweɪʒən] *n Math* équation *f*

equator [ɪ'kweɪtə(r)] *n* équateur *m*; **at** *or* **on the e.** sous l'équateur ▪**equatorial** [ekwə'tɔːrɪəl] *adj* équatorial

equestrian [ɪ'kwestrɪən] *adj* équestre

equilibrium [iːkwɪ'lɪbrɪəm] *n* équilibre *m*

equinox ['iːkwɪnɒks, 'ekwɪnɒks] *n* équinoxe *m*

equip [ɪ'kwɪp] *(pt & pp* **-pp-)** *vt (provide with*

equipment) équiper **(with** de); *(prepare)* préparer **(for** pour); **(well-)equipped with** pourvu de; **to be (well-)equipped to do** être compétent pour faire ▪**equipment** *n* équipement *m*; *(in factory)* matériel *m*

equity ['ekwɪtɪ] *(pl* **-ies)** *n* **(a)** *(fairness)* équité *f* **(b)** *Fin (of shareholders)* fonds *mpl* propres; *(of company)* capital *m* actions; **equities** *(shares)* actions *fpl* ordinaires ▪**equitable** *adj* équitable

equivalent [ɪ'kwɪvələnt] *adj & n* équivalent *(m)* ▪**equivalence** *n* équivalence *f*

equivocal [ɪ'kwɪvəkəl] *adj* équivoque

era [Br 'ɪərə, Am 'erə] *n* époque *f*; *(historical, geological)* ère *f*

eradicate [ɪ'rædɪkeɪt] *vt* éradiquer

erase [Br ɪ'reɪz, Am ɪ'reɪs] *vt* effacer; *(with eraser)* gommer ▪**eraser** *n Am* gomme *f*

erect [ɪ'rekt] **1** *adj (upright)* droit **2** *vt (building)* construire; *(statue, monument)* ériger; *(scaffolding)* monter; *(tent)* dresser ▪**erection** *n* construction *f*; *(of statue)* érection *f*

ERM [iːɑː'rem] *(abbr* **Exchange Rate Mechanism)** *n Formerly =* mécanisme de change

ermine ['ɜːmɪn] *n* hermine *f*

erode [ɪ'rəʊd] *vt (of sea)* éroder; *Fig (confidence)* miner ▪**erosion** [-ʒən] *n* érosion *f*

erotic [ɪ'rɒtɪk] *adj* érotique ▪**eroticism** *n* érotisme *m*

err [ɜː(r)] *vi (be wrong)* faire erreur; *(sin)* pécher; **to e. on the side of caution** pécher par excès de prudence

errand ['erənd] *n* commission *f*, course *f*; **to run errands for sb** faire des courses pour qn; **e. boy** garçon *m* de courses

erratic [ɪ'rætɪk] *adj (unpredictable) (behaviour)* imprévisible; *(service, machine)* fantaisiste; *(person)* lunatique; *(irregular) (performance, results)* irrégulier, -ière

erroneous [ɪ'rəʊnɪəs] *adj* erroné

error ['erə(r)] *n (mistake)* erreur *f*; **to do sth in e.** faire qch par erreur; **typing/printing e.** faute *f* de frappe/d'impression

erudite ['erʊdaɪt] *adj* érudit

erupt [ɪ'rʌpt] *vi (of volcano)* entrer en éruption; *(of pimples)* apparaître; *(of war, violence)* éclater ▪**eruption** *n (of volcano, pimples)* éruption *f* **(of** de); *(of violence, anger)* flambée *f*

escalate ['eskəleɪt] **1** *vt* intensifier **2** *vi (of war, violence)* s'intensifier; *(of prices)* monter en flèche ▪**esca'lation** *n* escalade *f*; *(of prices)* montée *f* en flèche

escalator ['eskəleɪtə(r)] *n* escalier *m* roulant

escapade ['eskəpeɪd] *n* frasque *f*

escape [ɪ'skeɪp] **1** *n (of gas, liquid)* fuite *f*; *(of person)* évasion *f*; **he had a lucky** *or* **narrow e.** il l'a échappé belle **2** *vt (death, punishment)* échapper à; **her name escapes me** son nom

m'échappe; **to e. notice** passer inaperçu **3** *vi*
(of gas, animal) s'échapper (**from** de); *(of
prisoner)* s'évader (**from** de); **to e. unhurt** s'en
tirer indemne; **escaped prisoner** évadé, -ée *mf*

escapism [ɪ'skeɪpɪzəm] *n* évasion *f* (hors de la
réalité) ▪**escapist** *adj (film, novel)* d'évasion

escort 1 ['eskɔːt] *n (for convoy)* escorte *f; (for
tourist)* guide *m; (of woman)* cavalier *m;* **under
e.** sous escorte; **it's dangerous – she needs
an e.** c'est dangereux – il faut que quelqu'un
l'accompagne **2** [ɪ'skɔːt] *vt* escorter; *(prisoner)*
conduire sous escorte

Eskimo ['eskɪməʊ] **1** *adj* esquimau, -aude **2** *(pl
-os)* *n* Esquimau, -aude *mf*

esoteric [esəʊ'terɪk] *adj* ésotérique

especially [ɪ'speʃəlɪ] *adv(in particular)* surtout;
(more than normally) particulièrement; *(for
purpose)* (tout) spécialement; **e. as** d'autant
plus que

espionage ['espɪɒnɑːʒ] *n* espionnage *m*

esplanade ['espləneɪd] *n* esplanade *f*

espouse [ɪ'spaʊz] *vt (cause)* épouser

espresso [e'spresəʊ] *(pl -os)* *n* express *m*

Esq *(abbr* **Esquire)** *Br* **J. Smith Esq** = Monsieur J.
Smith

essay ['eseɪ] *n (in school)* rédaction *f; (in
university)* dissertation *f* (**on** sur)

essence ['esəns] *n (distinctive quality)* essence *f;
Culin (extract)* extrait *m;* **the e. of sth** *(main
point)* l'essentiel *m* de qch; **in e.** essentiellement

essential [ɪ'senʃəl] **1** *adj (principal)* essentiel,
-ielle; *(necessary)* indispensable, essentiel; **it's
e. that...** il est indispensable que... *(+
subjunctive)* **2** *npl* **the essentials** l'essentiel *m*
(**of** de); *(basic foodstuffs)* les produits *mpl* de
première nécessité; *(of grammar)* les éléments
mpl ▪**essentially** *adv* essentiellement

establish [ɪ'stæblɪʃ] *vt* établir; *(state, society,
company)* fonder; *(post)* créer ▪**established**
adj (well-)e. (company) solide; *(fact)* reconnu;
(reputation) établi; **she's (well-)e.** *(well-known)*
elle a une réputation établie ▪**establishment**
n (institution, company) établissement *m;* **the e.
of** *(action)* l'établissement de; *(state)* la
fondation de; *(post)* la création de; **the E.**
(dominant group) les classes *fpl* dirigeantes

estate [ɪ'steɪt] *n (land)* terres *fpl*, propriété *f;
(possessions)* biens *mpl; (property after death)*
succession *f; Br* **e. agency** agence *f*
immobilière; *Br* **e. agent** agent *m* immobilier;
Br **e. car** break *m; Br* **e. duty,** *Am* **e. tax** droits
mpl de succession

esteem [ɪ'stiːm] **1** *n* estime *f;* **to hold sb in high
e.** avoir qn en haute estime **2** *vt* estimer; **highly
esteemed** très estimé

esthetic [es'θetɪk] *adj Am* esthétique

estimate 1 ['estɪmət] *n* évaluation *f; Com* devis
m; **rough e.** chiffre *m* approximatif **2** ['estɪmeɪt]

vt (value) estimer, évaluer; *(consider)* estimer
(**that** que) ▪**estimation** [-'meɪʃən] *n
jugement *m; (esteem)* estime *f; (calculation)*
estimation *f;* **in my e.** à mon avis

estranged [ɪ'streɪndʒd] *adj* **her e. husband** son
mari, dont elle vit séparée

Estonia [es'təʊnɪə] *n* Estonie *f* ▪**Estonian 1** *adj*
estonien, -ienne **2** *n (person)* Estonien, -ienne
mf; (language) estonien *m*

estuary ['estjʊərɪ] *(pl -ies)* *n* estuaire *m*

etc [et'setərə] *(abbr* **et cetera)** *adv* etc

etch [etʃ] *vti* graver à l'eau forte ▪**etching** *n
(picture)* eau-forte *f*

eternal [ɪ'tɜːnəl] *adj* éternel, -elle ▪**eternally**
adv éternellement ▪**eternity** *n* éternité *f*

ether ['iːθə(r)] *n* éther *m*

ethic ['eθɪk] *n* éthique *f* ▪**ethical** *adj* moral,
éthique ▪**ethics** *n* éthique *f*, morale *f; (of
profession)* déontologie *f*

Ethiopia [iːθɪ'əʊpɪə] *n* l'Éthiopie *f* ▪**Ethiopian
1** *adj* éthiopien, -ienne **2** *n* Éthiopien, -ienne *mf*

ethnic ['eθnɪk] *adj* ethnique; **e. cleansing**
purification *f* ethnique; **e. minority** minorité *f*
ethnique; **e. dancing** danses *fpl* tradi-
tionnelles; **e. music** musique *f* traditionnelle

ethos ['iːθɒs] *n* génie *m*

e-ticket [iː'tɪkɪt] *n Comptr* billet *m* électronique

etiquette ['etɪket] *n* étiquette *f*

etymology [etɪ'mɒlədʒɪ] *n* étymologie *f*

EU [iː'juː] *(abbr* **European Union)** *n* UE *f*

eucalyptus [juːkə'lɪptəs] *n* eucalyptus *m*

eulogy ['juːlədʒɪ] *(pl -ies)* *n* éloge *m*

euphemism ['juːfəmɪzəm] *n* euphémisme *m*

euphoria [juː'fɔːrɪə] *n* euphorie *f* ▪**euphoric**
[-'fɒrɪk] *adj* euphorique

euro ['jʊərəʊ] *(pl -os)* *n (currency)* euro *m;* **e.
area, e. zone** zone *f* euro

Euro- ['jʊərəʊ] *pref* euro- ▪**Euro-MP** *n* député
m européen ▪**Euro'sceptic** *(Am* **Euro-
'skeptic)** *n* eurosceptique *mf*

Eurocheque ['jʊərəʊtʃek] *n* eurochèque *m*

Eurocrat ['jʊərəkræt] *n* eurocrate *mf*

Europe ['jʊərəp] *n* l'Europe *f* ▪**European**
[-'piːən] **1** *adj* européen, -éenne; **E.
Commission** Commission *f* européenne; **E.
Union** Union *f* européenne **2** *n* Européen, -
éenne *mf*

euthanasia [juːθə'neɪzɪə] *n* euthanasie *f*

evacuate [ɪ'vækjʊeɪt] *vt* évacuer ▪**evacuation** [-'eɪʃən] *n* évacuation *f*

evade [ɪ'veɪd] *vt* éviter, esquiver; *(pursuer)*
échapper à; *(law, question)* éluder; **to e. tax**
frauder le fisc

> Note that the French verb **s'évader** is a false
> friend and is never a translation for the Eng-
> lish verb **to evade**. It means **to escape**.

evaluate [ɪ'væljʊeɪt] *vt* évaluer (**at** à)
▪**evalu'ation** *n* évaluation *f*

evangelical [i:væn'dʒelɪkəl] *adj* évangélique
▪ **evangelist** [ɪ'vændʒəlɪst] *n* évangéliste *m*
evaporate [ɪ'væpəreɪt] *vi (of liquid)* s'évaporer;
(of hopes) s'évanouir; **evaporated milk** lait *m*
condensé ▪ **evapo'ration** *n* évaporation *f*
evasion [ɪ'veɪʒən] *n (escape)* fuite *f*; *(of pursuer,
responsibilities, question)* dérobade *f*; **(tax) e.**
évasion *f* fiscale

> Note that the French word **évasion** is a false
> friend and is rarely a translation for the Eng-
> lish word **evasion**. Its most common mean-
> ing is **escape**.

evasive [ɪ'veɪsɪv] *adj* évasif, -ive
eve [i:v] *n* **on the e. of** à la veille de
even ['i:vən] **1** *adj (equal, flat)* égal; *(smooth)*
uni; *(regular)* régulier, -ière; *(temperature)*
constant; *(number)* pair; *Fig* **to get e. with sb**
prendre sa revanche sur qn; **I'll get e. with
him (for that)** je lui revaudrai ça; **we're e.**
(morally) nous sommes quittes; *(in score)* nous
sommes à égalité; **to break e.** *(financially)* s'y
retrouver **2** *adv* même; **e. better/more** encore
mieux/plus; **e. if** *or* **though...** bien que... *(+
subjunctive)*; **e. so** quand même **3** *vt* **to e. sth
(out** *or* **up)** égaliser qch ▪ **evenly** *adv (equally)*
de manière égale; *(uniformly)* uniformément;
(regularly) régulièrement ▪ **evenness** *n (of
surface, temper)* égalité *f* ▪ **'even-'tempered**
adj d'humeur égale
evening ['i:vnɪŋ] *n* soir *m*; *(referring to duration,
event)* soirée *f*; **tomorrow/yesterday e.**
demain/hier soir; **in the e.,** *Am* **evenings** le
soir; **at seven in the e.** à sept heures du soir;
every Tuesday e. tous les mardis soir; **all e.**
toute la soirée; **good e.!** bonsoir!; **e. meal/
paper** repas *m*/journal *m* du soir; **e. class**
cours *m* du soir; **e. dress** *(of man)* tenue *f* de
soirée; *(of woman)* robe *f* du soir; **e.
performance** *(in theatre)* soirée
event [ɪ'vent] *n* événement *m*; *Sport* épreuve *f*;
in the e. of fire en cas d'incendie; **in any e.** en
tout cas; **after the e.** après coup
eventful [ɪ'ventfəl] *adj (day, journey, life)*
mouvementé; *(occasion)* mémorable
eventual [ɪ'ventʃʊəl] *adj (final)* final, définitif,
-ive ▪ **eventuality** [-tʃʊ'ælɪtɪ] *(pl -ies)* *n*
éventualité *f* ▪ **eventually** *adv* finalement;
(some day) par la suite; **he'll do it e.** il le fera
un jour ou l'autre

> Note that the French words **éventuel** and
> **éventuellement** are false friends and are
> never translations for the English words
> **eventual** and **eventually**. They mean **poss-
> ible** and **possibly**.

ever ['evə(r)] *adv* jamais; **have you e. been to
Spain?** es-tu déjà allé en Espagne?; **has he e.
seen it?** l'a-t-il jamais vu?; **more than e.** plus
que jamais; **nothing e.** jamais rien; **hardly e.**
presque jamais; **e. ready** toujours prêt; **the
first e.** le tout premier; **e. since (1990)** depuis
(1990); **e. since then** depuis lors; **for e.** pour
toujours; **the best son e.** le meilleur fils du
monde; **e. so sorry** vraiment désolé; *Br* **thank
you e. so much** merci mille fois; *Br* **it's e. such a
pity** c'est vraiment dommage; **she's e. so nice**
elle est tellement gentille; **all she e. does is
criticize** elle ne fait que critiquer; **why e. not?**
mais pourquoi pas?
evergreen ['evəgri:n] *n* arbre *m* à feuilles
persistantes
everlasting [evə'lɑ:stɪŋ] *adj* éternel, -elle
evermore [evə'mɔ:(r)] *adv Formal* **for e.** à (tout)
jamais
every ['evrɪ] *adj* chaque; **e. child** chaque
enfant; **e. time** chaque fois (**that** que); **e. one**
chacun; **e. single one** tous/toutes (sans
exception); **e. second** *or* **other day** tous les
deux jours; **her e. gesture** ses moindres
gestes; **e. bit as big** tout aussi grand (**as** que);
e. so often, e. now and then de temps en
temps; **to have e. confidence in sb** avoir
pleine confiance en qn
everybody ['evrɪbɒdɪ] *pron* tout le monde; **e.
in turn** chacun à son tour ▪ **everyday** *adj
(happening, life)* de tous les jours; *(ordinary)*
banal *(mpl -als)*; **in e. use** d'usage courant
▪ **everyone** *pron* = **everybody** ▪ **everyplace**
adv Am = **everywhere** ▪ **everything** *pron* tout;
e. I have tout ce que j'ai ▪ **everywhere** *adv*
partout; **e. she goes** où qu'elle aille
evict [ɪ'vɪkt] *vt* expulser (**from** de) ▪ **eviction** *n*
expulsion *f*
evidence ['evɪdəns] *n (proof)* preuve(s) *f(pl)*;
(testimony) témoignage *m*; **to give e.**
témoigner (**against** contre); **to accept the e.**
se rendre à l'évidence; **to show e. of** donner
des signes de; **in e.** *(noticeable)* (bien) en vue

> Note that the French word **évidence** is a
> false friend and is never a translation for
> the English word **evidence**. It means **ob-
> viousness**.

evident ['evɪdənt] *adj* évident (**that** que); **it is e.
from...** il apparaît de... (**that** que) ▪ **evidently**
adv (clearly) manifestement; *(apparently)*
apparemment

> Note that the French word **évidemment** is a
> false friend and is never a translation for the
> English word **evidently**. It means **of course**.

evil ['i:vəl] **1** *adj (spell, influence, person)*
malfaisant; *(deed, advice, system)* mauvais;
(consequence) funeste **2** *n* mal *m*; **to speak e.**
dire du mal (**about** *or* **of** de)
evocative [ɪ'vɒkətɪv] *adj* évocateur, -trice (**of**
de)

evoke [ɪ'vəʊk] *vt (conjure up)* évoquer; *(provoke)* susciter

evolution [iːvə'luːʃən] *n* évolution *f*

evolve [ɪ'vɒlv] **1** *vt (system)* mettre au point **2** *vi (of society, idea)* évoluer; *(of plan)* se développer

ewe [juː] *n* brebis *f*

ex [eks] *n Fam (former partner)* ex *mf*

ex- [eks] *pref* ex-; **ex-wife** ex-femme *f*; **ex-minister** ancien ministre *m*

exacerbate [ɪk'sæsəbeɪt] *vt* aggraver; *(pain)* exacerber

exact [ɪg'zækt] **1** *adj* exact; **to be (more) e. about sth** préciser qch **2** *vt (demand)* exiger (**from** de); *(money, promise)* extorquer (**from** à) ▪ **exactly** *adv* exactement

exacting [ɪg'zæktɪŋ] *adj* exigeant

exaggerate [ɪg'zædʒəreɪt] *vti* exagérer ▪ **exaggeration** [-'reɪʃən] *n* exagération *f*

exalt [ɪg'zɔːlt] *vt Formal* exalter ▪ **exaltation** [-'teɪʃən] *n* exaltation *f* ▪ **exalted** *adj (position, rank)* élevé

exam [ɪg'zæm] *(abbr* **examination)** *n* examen *m*

examine [ɪg'zæmɪn] *vt (evidence, patient, question)* examiner; *(accounts, luggage)* vérifier; *(passport)* contrôler; *(student)* interroger ▪ **exami'nation** *n* examen *m*; *(of accounts)* vérification *f*; *(of passport)* contrôle *m*; **to take** *or* **sit an e.** passer un examen; **class e.** devoir *m* sur table ▪ **examiner** *n (for school exam)* examinateur, -trice *mf*

example [ɪg'zɑːmpəl] *n* exemple *m*; **for e.** par exemple; **to set an e.** *or* **a good e.** donner l'exemple (**to** à); **to set a bad e.** donner le mauvais exemple (**to** à); **to make an e. of sb** punir qn pour l'exemple

exasperate [ɪg'zɑːspəreɪt] *vt* exaspérer; **to get exasperated** s'irriter (**at** de) ▪ **exasperation** [-'reɪʃən] *n* exaspération *f*

excavate ['ekskəveɪt] *vt (dig)* creuser; *(uncover)* déterrer; *(site)* faire des fouilles dans ▪ **excavation** [-'veɪʃən] *n (digging)* creusement *m*; *(archaeological)* fouilles *fpl*

exceed [ɪk'siːd] *vt* dépasser; *(one's powers)* excéder

exceedingly [ɪk'siːdɪŋlɪ] *adv* extrêmement

excel [ɪk'sel] *(pt & pp* **-ll-) 1** *vt (be better than)* surpasser **2** *vi* **to e. in** *or* **at sth** exceller en qch; **to e. at** *or* **in doing sth** exceller à faire qch

Excellency ['eksələnsɪ] *(pl* **-ies)** *n* **Your E.** Votre Excellence *f*

excellent ['eksələnt] *adj* excellent ▪ **excellence** *n* excellence *f* ▪ **excellently** *adv* parfaitement, admirablement

except [ɪk'sept] **1** *prep* sauf, excepté; **e. for** à part; **e. that...** sauf que...; **e. if...** sauf si...; **to do nothing e. wait** ne rien faire sinon attendre **2** *vt* excepter (**de** from)

exception [ɪk'sepʃən] *n* exception *f*; **with the e.**

of... à l'exception de...; **to take e. to sth** *(object to)* trouver à redire de qch; *(be hurt by)* s'offenser de qch

exceptional [ɪk'sepʃənəl] *adj* exceptionnel, -elle ▪ **exceptionally** *adv* exceptionnellement

excerpt ['eksɜːpt] *n (from film, book)* extrait *m*

excess ['ekses] *n* excès *m*; *(surplus)* excédent *m*; **to eat/drink to e.** manger/boire à l'excès; **a sum in e. of...** une somme qui dépasse...; **e. calories** des calories *fpl* en trop; **e. fare** supplément *m*; **e. baggage** excédent *m* de bagages

excessive [ɪk'sesɪv] *adj* excessif, -ive ▪ **excessively** *adv (too much)* excessivement; *(very)* extrêmement; *(drink, eat)* à l'excès

exchange [ɪks'tʃeɪndʒ] *n* **1** échange *m*; *Fin (of currency)* change *m*; *(telephone)* central *m* téléphonique; **in e.** en échange (**for** de); **e. rate** taux *m* de change **2** *vt* échanger (**for** contre)

Exchequer [ɪks'tʃekə(r)] *n Br Pol* **Chancellor of the E.** ≃ Ministre *m* des Finances

excise ['eksaɪz] *n* taxe *f* (**on** sur)

excitable [ɪk'saɪtəbəl] *adj* nerveux, -euse

excite [ɪk'saɪt] *vt (get worked up)* surexciter; *(enthuse)* passionner; *(provoke, stimulate)* exciter ▪ **excited** *adj (happy)* surexcité; *(nervous)* énervé; *(enthusiastic)* enthousiaste; **to get e. (about)** s'exciter (pour); *(angry)* s'énerver (contre) ▪ **excitedly** [-ɪdlɪ] *adv* avec agitation; *(wait)* avec une impatience fébrile ▪ **exciting** *adj (book, adventure)* passionnant

excitement [ɪk'saɪtmənt] *n* agitation *f*; *(enthusiasm)* enthousiasme *m*; **to cause great e.** faire sensation

exclaim [ɪk'skleɪm] *vti* s'écrier (**that** que) ▪ **exclamation** [eksklə'meɪʃən] *n* exclamation *f*; *Br* **e. mark,** *Am* **e. point** point *m* d'exclamation

exclude [ɪk'skluːd] *vt* exclure (**from** de); *(doubt, suspicion)* écarter; **excluding...** à l'exclusion de... ▪ **exclusion** [-ʒən] *n* exclusion *f* (**from** de)

exclusive [ɪk'skluːsɪv] *adj (right, interest, interview, design)* exclusif, -ive; *(club, group)* fermé; **e. of wine** vin *m* non compris ▪ **exclusively** *adv* exclusivement

excommunicate [ekskə'mjuːnɪkeɪt] *vt* excommunier ▪ **excommunication** [-'keɪʃən] *n* excommunication *f*

excrement ['ekskrəmənt] *n* excrément *m*

excruciating [ɪk'skruːʃɪeɪtɪŋ] *adj* atroce

excursion [ɪk'skɜːʃən] *n* excursion *f*

excuse 1 [ɪk'skjuːs] *n* excuse *f*; **to make an e., to make excuses** se trouver une excuse **2** [ɪk'skjuːz] *vt (forgive, justify)* excuser; *(exempt)* dispenser (**from** de); **e. me for asking** permettez-moi de demander; **e. me!** excusez-moi!, pardon!; **you're excused** *(you may go)* tu peux sortir

ex-directory [eksdaɪ'rektərɪ] *adj Br* **to be e.** être sur (la) liste rouge

execute ['eksɪkjuːt] *vt* (*prisoner, order*) exécuter; (*plan*) mettre à exécution ▪**exe'cution** *n* exécution *f* ▪**exe'cutioner** *n* bourreau *m*

executive [ɪg'zekjʊtɪv] **1** *adj* (*job*) de cadre; (*car*) de luxe; *Br* **e. director** directeur *m* administratif **2** *n* (*person*) cadre *m*; (*committee*) bureau *m*; **the e.** (*part of government*) l'exécutif *m*; **senior e.** cadre *m* supérieur; **sales e.** cadre commercial

exemplary [ɪg'zemplərɪ] *adj* exemplaire

exemplify [ɪg'zemplɪfaɪ] (*pt & pp* **-ied**) *vt* illustrer

exempt [ɪg'zempt] **1** *adj* (*person*) dispensé (**from** de) **2** *vt* dispenser (**from** de; **from doing** de faire) ▪**exemption** *n* dispense *f* (**from** de)

exercise ['eksəsaɪz] **1** *n* exercice *m*; **e. bike** vélo *m* d'appartement; **e. book** cahier *m* **2** *vt* exercer; (*dog, horse*) promener; (*caution, restraint*) user de **3** *vi* faire de l'exercice

exert [ɪg'zɜːt] *vt* exercer; (*force*) employer; **to e. oneself** se donner du mal ▪**exertion** *n* effort *m*; (*of force*) emploi *m*

exhale [eks'heɪl] *vi* expirer

exhaust [ɪg'zɔːst] **1** *n* **e. (fumes)** gaz *mpl* d'échappement; **e. (pipe)** tuyau *m* d'échappement **2** *vt* (*person, resources*) épuiser ▪**exhausted** *adj* (*person, resources*) épuisé ▪**exhausting** *adj* épuisant

exhaustion [ɪg'zɔːstʃən] *n* épuisement *m*

exhaustive [ɪg'zɔːstɪv] *adj* (*list*) exhaustif, -ive; (*analysis*) détaillé; (*inquiry*) approfondi

exhibit [ɪg'zɪbɪt] **1** *n* objet *m* exposé; (*in court*) pièce *f* à conviction **2** *vt* (*put on display*) exposer; (*ticket, courage*) montrer ▪**exhibition** [eksɪ'bɪʃən] *n* exposition *f*; *Fam* **to make an e. of oneself** se donner en spectacle ▪**exhibitionist** [eksɪ'bɪʃənɪst] *n* exhibitionniste *mf*

> Note that the French word **exhibition** is a false friend and is never a translation for the English word **exhibition**. It means flaunting.

exhibitor [ɪg'zɪbɪtə(r)] *n* exposant, -ante *mf*

exhilarate [ɪg'zɪləreɪt] *vt* stimuler; (*of air*) vivifier; (*make happy*) rendre fou (*f* folle) de joie ▪**exhilarating** *adj* (*experience*) grisant; (*air*) vivifiant ▪**exhila'ration** *n* joie *f*

exhort [ɪg'zɔːt] *vt* exhorter (**to do sth** à faire qch)

exhume [eks'hjuːm] *vt* exhumer

exile ['egzaɪl] **1** *n* (*banishment*) exil *m*; (*person*) exilé, -ée *mf* **2** *vt* exiler

exist [ɪg'zɪst] *vi* exister; (*live*) survivre (**on** avec) ▪**existing** *adj* (*situation, circumstances*) actuel, -uelle; (*law*) existant

existence [ɪg'zɪstəns] *n* existence *f*; **to come into e.** être créé; **to be in e.** exister

exit ['eksɪt, 'egzɪt] **1** *n* sortie *f* **2** *vi* (*leave*) & *Comptr* sortir

exodus ['eksədəs] *n inv* exode *m*

exonerate [ɪg'zɒnəreɪt] *vt* (*from blame*) disculper (**from** de)

exorbitant [ɪg'zɔːbɪtənt] *adj* exorbitant

exorcize ['eksɔːsaɪz] *vt* exorciser ▪**exorcism** [-sɪzəm] *n* exorcisme *m*

exotic [ɪg'zɒtɪk] *adj* exotique

expand [ɪk'spænd] **1** *vt* (*production, influence*) accroître; (*knowledge*) étendre; (*trade, range, idea*) développer; (*mind*) élargir **2** *vi* (*of knowledge*) s'étendre; (*of trade*) se développer; (*of production*) augmenter; (*of gas*) se dilater; **to e. on** développer; (*fast or rapidly*) **expanding sector** secteur *m* en (pleine) expansion

expanse [ɪk'spæns] *n* étendue *f*

expansion [ɪk'spænʃən] *n* (*economic, colonial*) expansion *f*; (*of trade*) développement *m*; (*of production*) augmentation *f*; (*of gas*) dilatation *f* ▪**expansionism** *n* expansionnisme *m*

expansive [ɪk'spænsɪv] *adj* (*person*) expansif, -ive

expatriate [*Br* eks'pætrɪət, *Am* eks'peɪtrɪət] *adj & n* expatrié, -iée (*mf*)

expect [ɪk'spekt] *vt* (*anticipate*) s'attendre à; (*think*) penser (**that** que); (*await*) attendre; **to e. sth from sb/sth** attendre qch de qn/qch; **to e. to do sth** compter faire qch; **to e. that...** (*anticipate*) s'attendre à ce que... (+ *subjunctive*); **to e. sb to do sth** (*anticipate*) s'attendre à ce que qn fasse qch; (*require*) attendre de qn qu'il/elle fasse qch; **to be expecting a baby** attendre un enfant; **as expected** comme prévu

expectancy [ɪk'spektənsɪ] *n* attente *f*

expectant [ɪk'spektənt] *adj* impatient; **e. mother** future mère *f*

expectation [ekspek'teɪʃən] *n* espérance *f*; **in the e. of sth** dans l'attente de qch; **contrary to all expectations** contre toute attente; **to come up to expectations** se montrer à la hauteur

expedient [ɪks'piːdɪənt] **1** *adj* opportun **2** *n* expédient *m*

expedition [ekspɪ'dɪʃən] *n* expédition *f*

expel [ɪk'spel] (*pt & pp* **-ll-**) *vt* expulser (**from** de); (*from school*) renvoyer

expend [ɪk'spend] *vt* (*energy, money*) dépenser ▪**expendable** *adj* (*person*) qui n'est pas irremplaçable; (*troops*) que l'on peut sacrifier

expenditure [ɪk'spendɪtʃə(r)] *n* (*of money, energy*) dépense *f*

expense [ɪk'spens] *n* frais *mpl*, dépense *f*; *Com* **expenses** frais; **to go to some e.** faire des frais; **at the e. of sb/sth** aux dépens de qn/qch; **to laugh at sb's e.** rire aux dépens de qn; **e. account** note *f* de frais

expensive [ɪk'spensɪv] *adj* (*goods, hotel, shop*)

cher (*f* chère); *(tastes)* de luxe; **to be e.** coûter cher; **an e. mistake** une faute qui coûte cher ▪ **expensively** *adv* e. dressed/furnished habillé/meublé luxueusement; **to do sth e.** faire qch à grands frais

experience [ɪk'spɪərɪəns] **1** *n* expérience *f*; **from** *or* **by e.** par expérience; **I've had e. of driving** j'ai déjà conduit **2** *vt* (*emotion*) ressentir; *(hunger, success)* connaître; *(difficulty, remorse)* éprouver ▪ **experienced** *adj* (*person*) expérimenté; *(eye, ear)* exercé; **to be e. in sth** s'y connaître en qch

experiment 1 [ɪk'sperɪmənt] *n* expérience *f* **2** [ɪk'sperɪment] *vi* expérimenter (**on** sur); **to e. with sth** *(technique, drugs)* essayer qch ▪ **experimental** [-'mentəl] *adj* expérimental

expert ['ekspɜːt] **1** *n* expert *m* (**on** *or* **in** en) **2** *adj* expert (**in sth** en qch; **in** *or* **at doing** à faire); **e. advice** le conseil d'un expert; **an e. eye** l'œil d'un connaisseur ▪ **expertise** [-'tiːz] *n* compétence *f* (**in** en) ▪ **expertly** *adv* habilement

expiration [ekspə'reɪʃən] *n Am* = **expiry**

expire [ɪk'spaɪə(r)] *vi* expirer ▪ **expired** *adj* (*ticket, passport*) périmé

expiry [ɪk'spaɪərɪ] (*Am* **expiration** [ekspə'reɪʃən]) *n* expiration *f*; **e. date** *(on ticket)* date *f* d'expiration; *(on product)* date limite d'utilisation

explain [ɪk'spleɪn] *vt* expliquer (**to** à; **that** que); *(reasons)* exposer; *(mystery)* éclaircir; **e. yourself!** explique-toi!; **to e. sth away** justifier qch ▪ **explainable** *adj* explicable

explanation [eksplə'neɪʃən] *n* explication *f*

explanatory [ɪk'splænətərɪ] *adj* explicatif, -ive

expletive [ɪk'spliːtɪv] *n* juron *m*

explicit [ɪk'splɪsɪt] *adj* explicite ▪ **explicitly** *adv* explicitement

explode [ɪk'spləʊd] **1** *vt* (*bomb*) faire exploser; *Fig* (*theory*) discréditer **2** *vi* (*of bomb*) exploser; *Fig* **to e. with laughter** éclater de rire

exploit 1 ['eksplɔɪt] *n* exploit *m* **2** [ɪk'splɔɪt] *vt* (*person, land*) exploiter ▪ **exploitation** [eksplɔɪ'teɪʃən] *n* exploitation *f*

exploratory [ɪk'splɒrətərɪ] *adj* (*trip*) d'exploration; *(talks, step, surgery)* exploratoire

explore [ɪk'splɔː(r)] *vt* explorer; *(causes, possibilities)* examiner ▪ **exploration** [eksplə-'reɪʃən] *n* exploration *f*

explorer [ɪk'splɔːrə(r)] *n* explorateur, -trice *mf*

explosion [ɪk'spləʊʒən] *n* explosion *f*

explosive [ɪk'spləʊsɪv] **1** *adj* (*weapon, situation, question*) explosif; **2** *n* explosif *m*

exponent [ɪk'spəʊnənt] *n* (*of theory*) avocat, -ate *mf*; *(of music)* interprète *m*

export 1 ['ekspɔːt] *n* (*activity*) exportation *f*; **e. goods/permit** marchandises *fpl*/permis *m* d'exportation **2** [ɪk'spɔːt] *vt* exporter (**to** vers; **from** de) ▪ **exporter** *n* exportateur, -trice *mf*; *(country)* pays *m* exportateur

expose [ɪk'spəʊz] *vt* (*to air, cold, danger*) & *Phot* exposer (**to** à); *(wire)* dénuder; *(plot, scandal)* révéler; *(criminal)* démasquer; **to e. oneself** *(in public place)* s'exhiber ▪ **exposition** [ekspə'zɪʃən] *n* exposition *f*

exposure [ɪk'spəʊʒə(r)] *n* exposition *f* (**to** à); *(of plot)* révélation *f*; *Phot* pose *f*; **to die of e.** mourir de froid; **to get a lot of e.** *(in the media)* faire l'objet d'une importante couverture médiatique

expound [ɪk'spaʊnd] *vt Formal* exposer

express¹ [ɪk'spres] *vt* exprimer; **to e. oneself** s'exprimer

express² [ɪk'spres] **1** *adj* (*letter, delivery*) exprès *inv*; *(train)* rapide, express *inv*; *(order)* exprès; **with the e. purpose of doing sth** dans le seul but de faire qch **2** *adv* (*send*) en exprès **3** *n* (*train*) rapide *m*, express *m inv* ▪ **expressly** *adv* (*forbid*) expressément

expression [ɪk'spreʃən] *n* expression *f*; **an e. of gratitude** un témoignage de gratitude

expressive [ɪk'spresɪv] *adj* expressif, -ive

expressway [ɪk'spresweɪ] *n Am* autoroute *f*

expulsion [ɪk'spʌlʃən] *n* expulsion *f*; *(from school)* renvoi *m*

expurgate ['ekspəgeɪt] *vt* expurger

exquisite [ɪk'skwɪzɪt] *adj* exquis ▪ **exquisitely** *adv* d'une façon exquise

ex-serviceman [eks'sɜːvɪsmən] (*pl* **-men**) *n Br* ancien combattant *m*

extant ['ekstənt, ek'stænt] *adj* qui existe encore

extend [ɪk'stend] **1** *vt* (*in space*) étendre; *(in time)* prolonger (**by** de); *(hand)* tendre (**to sb** à qn); *(house)* agrandir; *(knowledge)* accroître; *(help, thanks)* offrir (**to** à); **to e. an invitation to** faire une invitation à **2** *vi* (*in space*) s'étendre (**to** jusqu'à); *(in time)* se prolonger

extension [ɪk'stenʃən] *n* (*for table*) rallonge *f*; *(to building)* annexe *f*; *(for telephone)* poste *m*; *(in time)* prolongation *f*; *(for essay)* délai *m* supplémentaire; *(in space)* prolongement *m*; *(of meaning, powers, strike)* extension *f*

extensive [ɪk'stensɪv] *adj* (*powers, forests*) vaste; *(repairs, damage)* important; **to make e. use of sth** faire un usage considérable de qch ▪ **extensively** *adv* (*very much*) énormément; **to use sth e.** se servir beaucoup de qch

extent [ɪk'stent] *n* (*scope*) étendue *f*; *(size)* importance *f*; **to a large** *or* **great e.** dans une large mesure; **to some** *or* **a certain e.** dans une certaine mesure; **to such an e. that...** à tel point que...

extenuating [ɪk'stenjʊeɪtɪŋ] *adj* **e. circumstances** circonstances *fpl* atténuantes

exterior [ɪk'stɪərɪə(r)] *adj* & *n* extérieur (*m*)

exterminate [ɪk'stɜːmɪneɪt] *vt* exterminer; *(disease)* éradiquer ▪ **extermi'nation** *n* extermination *f*; *(of disease)* éradication *f*

external [ɪk'stɜːnəl] *adj* (*trade, debt, event*)

extérieur; *(wall)* externe; **for e. use** *(on medicine)* à usage externe; *Pol* **e. affairs** affaires *fpl* étrangères

extinct [ɪk'stɪŋkt] *adj (volcano)* éteint; *(species, animal)* disparu ■ **extinction** *n* extinction *f*

extinguish [ɪk'stɪŋgwɪʃ] *vt* éteindre ■ **extinguisher** *n* (fire) e. extincteur *m*

extol [ɪk'stəʊl] *(pt & pp -ll-) vt (virtues)* exalter; *(beauty)* chanter

extort [ɪk'stɔːt] *vt (money)* extorquer (**from** à); *(consent)* arracher (**from** à) ■ **extortion** *n (crime)* extorsion *f* de fonds

extortionate [ɪk'stɔːʃənət] *adj* exorbitant; **that's e.!** c'est du vol!

extra ['ekstrə] **1** *adj (additional)* supplémentaire; **to be e.** *(spare)* être en trop; *(cost more)* être en supplément; **postage is e.** les frais d'envoi sont en sus; **e. care** un soin tout particulier; **e. charge** supplément *m*; *Sport* **e. time** prolongation *f* **2** *adv (more than usual)* extrêmement; **to pay e.** payer un supplément; **wine costs** *or* **is 5 euros e.** il y a un supplément de 5 euros pour le vin; **e. large** *(clothing)* grand patron **3** *n (perk)* à-côté *m*; *(actor in film)* figurant, -ante *mf*; *(on bill)* supplément *m*; **an optional e.** *(for car)* un accessoire en option

extra- ['ekstrə] *pref* extra- ■ **extra-dry** *adj (champagne)* brut ■ **extra-fine** *adj* extra-fin ■ **extra-special** *adj (occasion)* très spécial; *(care)* tout particulier *(f* toute particulière*)* ■ **extra-strong** *adj* extra-fort

extract 1 ['ekstrækt] *n* extrait *m* **2** [ɪk'strækt] *vt* extraire (**from** de); *(promise)* arracher (**from** à); *(information, money)* soutirer (**from** à) ■ **extraction** [ɪk'strækʃən] *n* (**a**) *(removal)* extraction *f* (**b**) *(descent)* origine *f*

extra-curricular [ekstrəkə'rɪkjʊlə(r)] *adj Br Sch* extrascolaire

extradite ['ekstrədaɪt] *vt* extrader ■ **extradition** [-'dɪʃən] *n* extradition *f*

extramarital [ekstrə'mærɪtəl] *adj* extraconjugal

extramural [ekstrə'mjʊərəl] *adj Br Univ* de formation continue

extraneous [ɪk'streɪnɪəs] *adj Formal* accessoire

extranet ['ekstrənet] *n Comptr* extranet *m*

extraordinary [ɪk'strɔːdənərɪ] *adj* extraordinaire ■ **extraordinarily** *adv* extraordinairement

extraterrestrial [ekstrətə'restrɪəl] *adj & n* extraterrestre *(mf)*

extravagant [ɪk'strævəgənt] *adj (behaviour,*

idea) extravagant; *(wasteful)* dépensier, -ière; *(tastes)* dispendieux, -ieuse ■ **extravagance** *n (of behaviour)* extravagance *f*; *(wastefulness)* gaspillage *m*; *(thing bought)* folie *f*

extravaganza [ɪkstrævə'gænzə] *n* spectacle *m* somptueux

extreme [ɪk'striːm] **1** *adj* extrême; **at the e. end** à l'extrémité; **of e. importance** de première importance; **e. sports** sports *mpl* extrêmes **2** *n* extrême *m*; **to carry** *or* **take sth to extremes** pousser qch à l'extrême; **extremes of temperature** *fpl* extrêmes ■ **extremely** *adv* extrêmement

extremist [ɪk'striːmɪst] *adj & n* extrémiste *(mf)* ■ **extremism** *n* extrémisme *m*

extremity [ɪk'stremɪtɪ] *(pl -ies) n* extrémité *f*

extricate ['ekstrɪkeɪt] *vt (free)* dégager (**from** de); **to e. oneself from a difficulty** se tirer d'une situation difficile

extrovert ['ekstrəvɜːt] *n* extraverti, -ie *mf*

exuberant [ɪg'zjuːbərənt] *adj* exubérant ■ **exuberance** *n* exubérance *f*

exude [ɪg'zjuːd] *vt (health, honesty)* respirer

eye [aɪ] **1** *n* œil *m (pl* yeux*)*; **before my very eyes** sous mes yeux; **as far as the e. can see** à perte de vue; **up to one's eyes in debt** endetté jusqu'au cou; **up to one's eyes in work** débordé de travail; **to have one's e. on sth** avoir qch en vue; **to keep an e. on sb/sth** surveiller qn/qch; **to lay** *or* **set eyes on sth** poser les yeux sur qch; **to take one's eyes off sb/sth** quitter qn/qch des yeux; **to catch sb's e.** attirer l'attention de qn; **to make e. contact with sb** regarder qn dans les yeux; **keep your eyes open!, keep an e. out!** ouvre l'œil!; **we don't see e. to e.** nous ne voyons pas les choses du même œil **2** *vt* regarder ■ **eyeball** *n* globe *m* oculaire ■ **eyebrow** *n* sourcil *m* ■ **eye-catching** *adj (title)* accrocheur, -euse ■ **eye doctor** *n Am* opticien, -ienne *mf* ■ **eye drops** *npl* gouttes *fpl* (pour les yeux) ■ **eyelash** *n* cil *m* ■ **eyelid** *n* paupière *f* ■ **eyeliner** *n* eye-liner *m* ■ **eye-opener** *n* **to be an e. for sb** être une révélation pour qn ■ **eye-piece** *n (of telescope)* oculaire *m* ■ **eyeshadow** *n* fard *m* à paupières ■ **eyesight** *n* vue *f* ■ **eyesore** *n* horreur *f* ■ **eyestrain** *n* fatigue *f* oculaire ■ **eye-wash** *n* collyre *m*; *Fam (nonsense)* sottises *fpl* ■ **eye-witness** *n* témoin *m* oculaire

▶ **eye up** *vt sep* reluquer

ezine, e-zine ['iːziːn] *n Comptr* ezine *m*, e-zine *m*

F, f [ef] *n* (**a**) *(letter)* F, f *m inv* (**b**) *Mus* fa *m*

fab [fæb] *adj Br Fam* super *inv*, génial

fable ['feɪbəl] *n* fable *f*

fabric ['fæbrɪk] *n* *(cloth)* tissu *m*, étoffe *f*; *(of building)* structure *f*; *Fig* **the f. of society** le tissu social

> Note that the French word **fabrique** is a false friend and is never a translation for the English word **fabric**. Its most common meaning is **factory**.

fabricate ['fæbrɪkeɪt] *vt* fabriquer ▪**fabri-'cation** *n* fabrication *f*

fabulous ['fæbjʊləs] *adj (legendary, incredible)* fabuleux, -euse

façade [fə'sɑːd] *n (of building)* & *Fig (appearance)* façade *f*

face [feɪs] **1** *n (of person)* visage *m*, figure *f*; *(expression)* mine *f*; *(of clock)* cadran *m*; *(of building)* façade *f*; *(of cube, mountain)* face *f*; *(of cliff)* paroi *f*; **the f. of the earth** la surface de la terre; **she laughed in my f.** elle m'a ri au nez; **to show one's f.** se montrer; **f. down(wards)** *(person)* face contre terre; *(thing)* à l'envers; **f. to f.** face à face; **in the f. of** devant; *(despite)* en dépit de; **to save/lose f.** sauver/perdre la face; **to make** *or* **pull faces** faire des grimaces; **to tell sb sth to his/her f.** dire qch à qn en face; **f. powder** poudre *f*; **f. value** *(of stamp, coin)* valeur *f*; *Fig* **to take sth at f. value** prendre qch au pied de la lettre; *Br* **f. cloth** gant *m* de toilette

2 *vt (danger, enemy, problem)* faire face à; **to f., to be facing** *(be opposite)* être en face de; *(of window, door, room)* donner sur; **faced with** *(prospect, problem)* confronté à; *(defeat)* menacé par; *(bill)* contraint à payer; **he can't f. leaving** il n'a pas le courage de partir; **let's f. it** soyons réalistes

3 *vi* **to f. north** *(of building)* être orienté au nord; **to f. towards** *(of person)* se tourner vers; **to f. up to** *(danger, problem)* faire face à; *(fact)* accepter

faceless ['feɪsləs] *adj* anonyme

face-lift ['feɪslɪft] *n (by surgeon)* lifting *m*; *(of building)* ravalement *m*

facet ['fæsɪt] *n* facette *f*

facetious [fə'siːʃəs] *adj (person)* facétieux, -ieuse; **don't be f.!** ne plaisante pas!

facial ['feɪʃəl] **1** *adj (expression)* du visage **2** *n* soin *m* du visage

facile [*Br* 'fæsaɪl, *Am* 'fæsəl] *adj Pej* facile

facilitate [fə'sɪlɪteɪt] *vt* faciliter

facility [fə'sɪlɪtɪ] *(pl* **-ies***)* *n (ease)* facilité *f*; *Comptr* option *f* ▪**facilities** *npl (for sports, cooking)* équipements *mpl*; *(in harbour, airport)* installations *fpl*; **shopping f.** magasins *mpl*; **transport f.** moyens *mpl* de transports; **special f.** conditions *fpl* spéciales (**for** pour)

fact [fækt] *n* fait *m*; **as a matter of f., in f.** en fait; **it's a f.** c'est une réalité; **is that a f.?** c'est vrai?; **to distinguish f. from fiction** distinguer la fiction de la réalité

faction ['fækʃən] *n* faction *f*

factor ['fæktə(r)] *n* facteur *m*

factory ['fæktərɪ] *(pl* **-ies***)* *n (large)* usine *f*; *(small)* fabrique *f*; **arms/porcelain f.** manufacture *f* d'armes/de porcelaine; **f. farming** élevage *m* industriel

factual ['fæktʃʊəl] *adj* basé sur les faits

faculty ['fækəltɪ] *(pl* **-ies***)* *n (of mind, in university)* faculté *f*

fad [fæd] *n (fashion)* mode *f* (**for** de); *(personal habit)* marotte *f*

fade [feɪd] **1** *vt* faner **2** *vi (of flower, material, colour)* se faner; *(of light)* baisser; **to f. (away)** *(of memory, smile)* s'effacer; *(of sound)* s'affaiblir; *(of person)* dépérir

fag [fæg] *n* (**a**) *Br Fam (cigarette)* clope *m* ou *f*; **f. end** mégot *m* (**b**) *Am very Fam Pej (homosexual)* pédé *m*

faggot ['fægət] *n* (**a**) *Br (meatball)* boulette *f* de viande (**b**) *Am very Fam Pej (homosexual)* pédé *m*

fail [feɪl] **1** *n* **without f.** sans faute

2 *vt (exam)* échouer à; *(candidate)* recaler; **to f. sb** *(let down)* laisser tomber qn, décevoir qn; **words f. me** les mots me manquent; **to f. to do** *(forget)* manquer de faire; *(not be able)* ne pas arriver à faire; **I f. to see the reason** je n'en vois pas la raison

3 *vi (of person, plan)* échouer; *(of business)* faire faillite; *(of health, sight, light)* baisser; *(of memory, strength)* défaillir; *(of brakes)* lâcher; *(of engine)* tomber en panne; *(run short of supplies)* manquer; *(of gas, electricity)* être coupé; **to f. in an exam** échouer à un examen; **to f. in one's duty** manquer à son devoir ▪**failed** *adj (attempt, poet)* raté ▪**failing 1** *n (fault)* défaut *m* **2** *prep* à défaut de; **f. this, f. that** à défaut

failure ['feɪljə(r)] n échec m; (of business) faillite f; (of engine, machine) panne f; (of gas) coupure f; (person) raté, -ée mf; **her f. to leave** le fait qu'elle ne soit pas partie; **to end in f.** se solder par un échec

faint [feɪnt] **1** (**-er, -est**) adj (weak) (voice, trace, breeze, hope) faible; (colour) pâle; (idea) vague; **I haven't got the faintest idea** je n'en ai pas la moindre idée; **to feel f.** se sentir mal **2** vi s'évanouir (**with** or **from** de); **she fainted with hunger** elle s'est évanouie tellement elle avait faim ▪**faintly** adv (weakly) faiblement; (slightly) légèrement

faint-hearted [feɪnt'hɑ:tɪd] adj timoré

fair[1] [feə(r)] n (trade fair) foire f; Br (funfair) fête f foraine ▪**fairground** n parc m d'attractions

fair[2] [feə(r)] **1** (**-er, -est**) adj (a) (just) juste; (game, fight) loyal; **she's f. to him** elle est juste envers lui; **to beat sb f. and square** battre qn à plates coutures; **f. play** fair-play m inv; **that's not f. play!** ce n'est pas du jeu!; **f. enough!** (OK) d'accord!; (rightly so) ça se comprend!; **f. trade** commerce m équitable (**b**) (rather good) assez bon (f bonne); (price) raisonnable; **a f. amount (of)** (a lot) pas mal (de); **f. copy** copie f au propre (**c**) (wind) favorable; (weather) beau (f belle) **2** adv (fight) loyalement; **to play f.** jouer franc jeu ▪**fairly** adv (**a**) (treat) équitablement; (act, fight, get) loyalement (**b**) (rather) assez; **f. sure** presque sûr ▪**fair-'minded** adj équitable ▪**fairness**[1] n justice f; (of person, decision) impartialité f; **in all f.** en toute justice ▪**fair-'sized** adj assez grand

fair[3] [feə(r)] adj (hair, person) blond; (complexion, skin) clair ▪**fair-'haired** adj blond ▪**fairness**[2] n (of hair) blondeur f; (of skin) pâleur f ▪**fair-'skinned** adj à la peau claire

fairy ['feərɪ] (pl **-ies**) n fée f; Br **f. lights** guirlande f lumineuse (de sapin de Noël) ▪**fairytale** n conte m de fées

faith [feɪθ] n foi f; **to be of the Catholic/etc f.** être de religion catholique/etc; **to have f. in sb** avoir foi en qn; **to put one's f. in** (justice, medicine) avoir foi en; **in good/bad f.** (act) de bonne/mauvaise foi; **f. healer** guérisseur, -euse mf

faithful ['feɪθfəl] adj fidèle ▪**faithfully** adv fidèlement; Br **yours f.**, Am **f. yours** (in letter) veuillez agréer l'expression de mes sentiments distingués ▪**faithfulness** n fidélité f

fake [feɪk] **1** adj faux (f fausse); (elections) truqué **2** n (object) faux m; (person) imposteur m **3** vt (signature) contrefaire **4** vi (pretend) faire semblant

falcon ['fɔ:lkən] n faucon m

fall [fɔ:l] **1** n (of person, snow, city) chute f; (in price, demand) baisse f; **falls** (waterfall) chutes fpl; Am **the f.** (season) l'automne m

2 (pt **fell**, pp **fallen**) vi tomber; (of price, temperature) baisser; **the dollar is falling** le dollar est en baisse; **her face fell** son visage se rembrunit; **to f. into** (hole, trap) tomber dans; (habit) prendre; **to f. into several categories** se diviser en plusieurs catégories; **to f. off a bicycle** tomber d'une bicyclette; **to f. off** or **down a ladder** tomber d'une échelle; **to f. out of a window** tomber d'une fenêtre; **to f. over sth** tomber en butant contre qch; **to f. on a Monday** tomber un lundi; **the responsibility falls on you** c'est à vous qu'en incombe la responsabilité; **to f. short of sb's expectations** ne pas répondre à l'attente de qn; **to f. short of being** être loin d'être; **to f. victim** devenir victime (**to** de); **to f. asleep** s'endormir; **to f. ill** tomber malade; **to f. due** échoir

▸ **fall apart** vi (of book, machine) tomber en morceaux; (of group) se désagréger; (of person) s'effondrer

▸ **fall away** vi (come off) tomber; (of numbers) diminuer

▸ **fall back on** vt insep (resort to) se rabattre sur

▸ **fall behind** vi (stay behind) rester en arrière; (in work, payments) prendre du retard

▸ **fall down** vi tomber; (of building) s'effondrer

▸ **fall for** vt insep (person) tomber amoureux, -euse de; (trick) se laisser prendre à

▸ **fall in** vi (collapse) s'écrouler

▸ **fall in with** vt insep (tally with) cadrer avec; (agree to) accepter

▸ **fall off** vi (come off) tomber; (of numbers) diminuer

▸ **fall out** vi (quarrel) se brouiller (**with** avec)

▸ **fall over** vi tomber; (of table, vase) se renverser

▸ **fall through** vi (of plan) tomber à l'eau, échouer

fallacious [fə'leɪʃəs] adj faux (f fausse) ▪**fallacy** ['fæləsɪ] (pl **-ies**) n erreur f

fallen ['fɔ:lən] **1** pp of **fall 2** adj tombé; (angel) déchu; (woman) perdu; **f. leaf** feuille f morte

fallible ['fælɪbəl] adj faillible

fallout ['fɔ:laʊt] n (radioactive) retombées fpl; **f. shelter** abri m antiatomique

fallow ['fæləʊ] adj (land, fields) en jachère

false [fɔ:ls] adj faux (f fausse); **f. alarm** fausse alerte f; **f. bottom** double fond m; **f. friend** faux ami m; **f. teeth** dentier m ▪**falsehood** n mensonge m ▪**falseness** n fausseté f

falsify ['fɔ:lsɪfaɪ] (pt & pp **-ied**) vt (forge) falsifier

falter ['fɔ:ltə(r)] vi (of step, courage) vaciller; (of voice, speaker) hésiter

fame [feɪm] n renommée f ▪**famed** adj renommé (**for** pour)

familiar [fə'mɪljə(r)] adj (well-known) familier, -ière (**to** à); **to be f. with sb/sth** bien connaître qn/qch; **I'm f. with her voice** sa voix

m'est familière; **to make oneself f. with** se
familiariser avec; **he looks f. (to me)** je l'ai
déjà vu (quelque part)

familiarity [fəmɪlɪˈærətɪ] n familiarité f (**with**
avec); (of event, sight) caractère m familier

familiarize [fəˈmɪljəraɪz] vt familiariser (**with**
avec); **to f. oneself with sth** se familiariser
avec qch

family [ˈfæmɪlɪ] **1** (pl **-ies**) n famille f; **to start a
f.** fonder une famille **2** adj (name, doctor, jewels)
de famille; (planning, problems, business)
familial; **f. friend** ami m/amie f de la famille; **f.
man** homme m attaché à sa famille; **f. tree**
arbre m généalogique

famine [ˈfæmɪn] n famine f

famished [ˈfæmɪʃt] adj affamé

famous [ˈfeɪməs] adj célèbre (**for** pour) **2** npl
the f. les célébrités fpl **■famously** adv Fam
(very well) rudement bien

fan¹ [fæn] **1** n (held in hand) éventail m (pl -ails);
(mechanical) ventilateur m; **f. belt** (of vehicle)
courroie f de ventilateur; **f. heater** radiateur m
soufflant **2** (pt & pp **-nn-**) vt (person) éventer;
(fire, quarrel) attiser **3** vi **to f. out** se déployer
(en éventail)

fan² [fæn] n (of person) fan mf; (of team)
supporter m; **to be a jazz/sports f.** être
passionné de jazz/de sport; **f. mail** courrier m
des admirateurs

fanatic [fəˈnætɪk] n fanatique mf **■fanatical**
adj fanatique **■fanaticism** n fanatisme m

fanciful [ˈfænsɪfəl] adj fantaisiste

fancy [ˈfænsɪ] **1** (pl **-ies**) n (imagination)
imagination f; (whim) fantaisie f; **to take a f. to
sb** se prendre d'affection pour qn; **I took a f. to
it, it took my f.** j'en ai eu envie; **when the f.
takes me** quand ça me chante

2 adj (jewels, hat, button) fantaisie inv; (car) de
luxe; (house, restaurant) chic inv; (idea)
fantaisiste; Br **f. dress** déguisement m; Br **f.
dress party** soirée f déguisée

3 (pt & pp **-ied**) vt (a) Br Fam (want) avoir envie
de; (like) aimer; **he fancies her** elle lui plaît;
Fam **to f. oneself as a writer** se prendre pour
un écrivain; Fam Pej **she fancies herself!** elle
ne se prend pas pour n'importe qui! (b) **to f.
that…** (imagine) se figurer que…; (think)
croire que…; Fam **f. that!** tiens (donc)!; Fam **f.
meeting you here!** si je m'attendais à vous
rencontrer ici!

fanfare [ˈfænfeə(r)] n fanfare f

fang [fæŋ] n (of dog, wolf) croc m; (of snake)
crochet m

fanny [ˈfænɪ] (pl **-ies**) n Am Fam (buttocks)
derrière m; **f. pack** banane f

fantastic [fænˈtæstɪk] adj fantastique; (price)
astronomique; (wealth, size) prodigieux,
-ieuse; (unbelievable) absurde; Fam (excellent)
formidable

fantasy [ˈfæntəsɪ] (pl **-ies**) n (dream) chimère f;
(fanciful, sexual) fantasme m; (imagination)
fantaisie f **■fantasize** vi fantasmer (**about** sur)

> Note that the French word **fantaisie** is a
> false friend and is rarely a translation for
> the English word **fantasy**.

FAQ [efeɪˈkjuː] (abbr **frequently asked
questions**) n Comptr FAQ f inv

far [fɑː(r)] **1** (**farther** or **further, farthest** or
furthest) adj **the f. side/end** l'autre côté/bout;
it's a f. cry from… ça n'a rien à voir avec…; **the
F. East** l'Extrême-Orient m; Pol **the f. left/right**
l'extrême gauche/droite f

2 adv (a) (in distance) loin (**from** de); **how f. is
it to Toulouse?** combien y a-t-il d'ici à
Toulouse?; **is it f. to…?** sommes-nous/suis-je/
etc loin de…?; **how f. are you going?** jusqu'où
vas-tu?; **how f. has he got with his work?** où
en est-il dans son travail?; **as f. as** jusqu'à; **as f.
or so f. as I know** autant que je sache; **as f. or so
f. as I'm concerned** en ce qui me concerne; **f.
from doing sth** loin de faire qch; **f. from it!**
loin de là!; **f. away or off** au loin; **to be f. away**
être loin (**from** de); **f. and wide** partout
(b) (in time) **as f. back as 1820** dès 1820; **so f.**
jusqu'ici; **so f. so good** jusqu'ici, tout va bien;
by f. de loin; **f. into the night** jusqu'à une
heure très avancée de la nuit
(c) (much) **f. bigger/more expensive**
beaucoup plus grand/plus cher (f chère)
(**than** que); **f. more/better** beaucoup plus/
mieux (**than** que); **f. advanced** très avancé
■far-away adj (country) lointain; (look) perdu
dans le vague **■far-'fetched** adj tiré par les
cheveux **■far-'flung, far-'off** adj (country)
lointain **■far-'reaching** adj de grande portée
■far-'sighted adj clairvoyant

farce [fɑːs] n farce f **■farcical** adj grotesque

fare [feə(r)] **1** n (a) (for journey) (in train, bus)
prix m du billet; (in taxi) prix de la course; (taxi
passenger) client, -iente mf (b) Formal (food)
chère f **2** vi (manage) se débrouiller

farewell [feəˈwel] **1** n & exclam adieu (m) **2** adj
(party, speech) d'adieu

farm [fɑːm] **1** n ferme f; **to work on a f.** travailler
dans une ferme **2** adj (worker, produce)
agricole; **f. land** terres fpl cultivées **3** vt
cultiver **4** vi être agriculteur, -trice **■farmer** n
fermier, -ière mf, agriculteur, -trice mf
■farmhand n ouvrier, -ière mf agricole
■farmhouse n ferme f **■farming** n agriculture
f; (breeding) élevage m **■farm worker** n
ouvrier, -ière mf agricole **■farmyard** n cour f
de ferme

fart [fɑːt] Fam **1** n pet m **2** vi péter

farther [ˈfɑːðə(r)] **1** comparative of **far 2** adj **at
the f. end of** à l'autre bout de **3** adv plus loin;
nothing is f. from the truth rien n'est plus

éloigné de la vérité; **f. forward** plus avancé; **to get f. away** s'éloigner ■**farthest** 1 *superlative of* **far** 2 *adj* le plus éloigné 3 *adv* le plus loin

fascinate ['fæsɪneɪt] *vt* fasciner ■**fascinating** *adj* fascinant ■**fasci'nation** *n* fascination *f*

fascism ['fæʃɪzəm] *n* fascisme *m* ■**fascist** *adj & n* fasciste (*mf*)

fashion ['fæʃən] 1 *n* (a) (*in clothes*) mode *f*; **in f.** à la mode; **out of f.** démodé; **f. designer** styliste *mf*; (*famous*) couturier *m*; **f. house** maison *f* de couture; **f. show** défilé *m* de mode (b) (*manner*) façon *f*; **after a f.** tant bien que mal 2 *vt* (*form*) façonner; (*make*) confectionner ■**fashionable** *adj* à la mode ■**fashionably** *adv* (*dressed*) à la mode

fast[1] [fɑːst] 1 (**-er, -est**) *adj* rapide; **to be f.** (*of clock*) avancer (**by** de); **f. colour** couleur *f* grand teint *inv*; **f. food** restauration *f* rapide; **f. food restaurant** fast-food *m* 2 *adv* (a) (*quickly*) vite; **how f.?** à quelle vitesse? (b) **f. asleep** profondément endormi (c) **to hold f.** (*of person*) tenir bon

fast[2] [fɑːst] 1 *n* jeûne *m* 2 *vi* jeûner

fasten ['fɑːsən] 1 *vt* attacher (**to** à); (*door, window*) fermer; **to f. sth down** attacher qch 2 *vi* (*of dress*) s'attacher; (*of door, window*) se fermer ■**fastener, fastening** *n* (*clip*) attache *f*, (*hook*) agrafe *f*; (*press stud*) bouton-pression *m*; (*of bag*) fermoir *m*

fastidious [fæ'stɪdɪəs] *adj* difficile

> Note that the French word **fastidieux** is a false friend and is never a translation for the English word **fastidious**. It means **tedious**.

fat [fæt] 1 (**fatter, fattest**) *adj* gras (*f* grasse); (*cheeks, salary, book*) gros (*f* grosse); **to get f.** grossir; *Fam Ironic* **f. lot of good that will do you!** ça te fera une belle jambe!; *Fam* **f. cat** (*person*) gros salaire *m* 2 *n* graisse *f*; (*on meat*) gras *m*

fatal ['feɪtəl] *adj* mortel, -elle ■**fatally** *adv* **f. wounded** mortellement blessé

> Note that the French word **fatalement** is a false friend and is never a translation for the English word **fatally**. It means **inevitably**.

fatality [fə'tælɪtɪ] (*pl* **-ies**) *n* (a) (*person*) victime *f* (b) (*fate*) fatalité *f*

fate [feɪt] *n* destin *m*, sort *m* ■**fated** *adj* **to be f. to do sth** être destiné à faire qch ■**fateful** *adj* (*words, day*) fatidique

father ['fɑːðə(r)] 1 *n* père *m*; **F. Christmas** le père Noël; **F. Martin** (*priest*) le Père Martin; **yes, F.** (*to priest*) oui, mon père 2 *vt* (*child*) engendrer ■**father-in-law** (*pl* **fathers-in-law**) *n* beau-père *m* ■**fatherhood** *n* paternité *f* ■**fatherly** *adj* paternel, -elle

fathom ['fæðəm] 1 *n* (*nautical measurement*)

brasse *f* (= *1,8 m*) 2 *vt* **to f. (out)** (*understand*) comprendre

fatigue [fə'tiːg] 1 *n* (a) (*tiredness*) fatigue *f* (b) *Mil* **f. (duty)** corvée *f* 2 *vt* fatiguer

fatten ['fætən] *vt* **to f. (up)** engraisser ■**fattening** *adj* (*food*) qui fait grossir

fatty ['fætɪ] 1 (**-ier, -iest**) *adj* (*food*) gras (*f* grasse); (*tissue*) adipeux, -euse 2 *n* *Fam* (*person*) gros *m*, grosse *f*

fatuous ['fætʃʊəs] *adj* stupide

faucet ['fɔːsɪt] *n* *Am* (*tap*) robinet *m*

fault [fɔːlt] 1 *n* (*blame*) faute *f*; (*defect, failing*) défaut *m*; *Geol* faille *f*; **to find f. (with)** trouver à redire (à); **to be at f.** être en faute; **it's your f.** c'est (de) ta faute 2 *vt* **to f. sb/sth** trouver des défauts chez qn/à qch

faultless ['fɔːltləs] *adj* irréprochable

faulty ['fɔːltɪ] (**-ier, -iest**) *adj* défectueux, -ueuse

fauna ['fɔːnə] *n* faune *f*

faux pas [fəʊ'pɑː] *n inv* gaffe *f*

favour ['feɪvə(r)] (*Am* **favor**) 1 *n* (*act of kindness*) service *m*; (*approval*) faveur *f*; **to do sb a f.** rendre service à qn; (*fashion*) en vogue; **in f. (with sb)** bien vu (de qn); **it's in her f. to do that** elle a intérêt à faire cela; **in f. of** en faveur de; **to be in f. of sth** être partisan de qch 2 *vt* (*encourage*) favoriser; (*support*) être partisan de; **he favoured me with a visit** il a eu la gentillesse de me rendre visite ■**favourable** (*Am* **favorable**) *adj* favorable (**to** à)

favourite ['feɪvərɪt] (*Am* **favorite**) 1 *adj* favori, -ite, préféré 2 *n* favori, -ite *mf* ■**favouritism** (*Am* **favoritism**) *n* favoritisme *m*

fawn[1] [fɔːn] 1 *n* (*deer*) faon *m* 2 *adj & n* (*colour*) fauve (*m*)

fawn[2] [fɔːn] *vi* **to f. (up)on sb** ramper devant qn

fax [fæks] 1 *n* (*message*) télécopie *f*, fax *m*; **f. (machine)** télécopieur *m*, fax *m*; *Comptr* **f. modem** fax modem *m*; **f. number** numéro *m* de fax 2 *vt* (*message*) faxer; **to f. sb** envoyer un fax à qn

fear [fɪə(r)] 1 *n* peur *f*; (*worry*) crainte *f*; **for f. of doing sth** de peur de faire qch; **for f. that...** de peur que... (+ *ne* + *subjunctive*); **there's no f. of his going** il ne risque pas d'y aller; **there are fears (that) he might leave** on craint qu'il ne parte 2 *vt* craindre; **I f. that he might leave** je crains qu'il ne parte 3 *vi* **to f. for one's life/ career** craindre pour sa vie/carrière ■**fearful** *adj* (*person*) apeuré; (*noise, pain, consequence*) épouvantable ■**fearless** *adj* intrépide ■**fearlessness** *n* intrépidité *f* ■**fearsome** *adj* effrayant

feasible ['fiːzəbəl] *adj* faisable ■**feasi'bility** *n* possibilité *f* (**of doing** de faire); (*of plan*) faisabilité *f*; **f. study** étude *f* de faisabilité

feast [fiːst] 1 *n* festin *m*; (*religious*) fête *f* 2 *vi* **to f. on sth** se régaler de qch

feat [fiːt] n exploit m; **f. of skill** tour m de force
feather ['feðə(r)] **1** n plume f; **f. duster** plumeau m **2** vt Fig **to f. one's nest** faire son beurre
feature ['fiːtʃə(r)] **1** n (of face, person) trait m; (of thing, place, machine) caractéristique f; **f. (article)** article m de fond; **f. (film)** long métrage m; **to be a regular f.** (in newspaper) paraître régulièrement **2** vt (of newspaper, exhibition, film) (present) présenter; (portray) représenter; **a film featuring...** un film ayant pour vedette... **3** vi (appear) figurer (**in** dans)
February ['februəri] n février m
fed [fed] **1** pt & pp of **feed 2** adj Fam **to be f. up** en avoir marre ou ras le bol (**with** de)
federal ['fedərəl] adj fédéral ▪**federate** [-reɪt] vt fédérer ▪**federation** [-'reɪʃən] n fédération f
fee [fiː] n **fee(s)** (of doctor, lawyer) honoraires mpl; (of artist) cachet m; (for registration, examination) droits mpl; (for membership) cotisation f; **to charge a f. (for a job)** se faire payer (pour un travail); **for a small f.** pour une petite somme; **school** or **tuition fees** frais mpl d'inscription; **f.-paying school** école f privée
feeble ['fiːbəl] (**-er,** ▪**-est**) adj faible; (excuse, smile) pauvre; (attempt) peu convaincant ▪'**feeble-'minded** adj faible d'esprit
feed [fiːd] n (animal food) nourriture f; (for baby) (from breast) tétée f; (from bottle) biberon m **2** (pt & pp **fed**) vt donner à manger à; (baby) (from breast) donner la tétée à; (from bottle) donner son biberon à; Fig (machine) alimenter; **to f. sb sth** faire manger qch à qn; **to f. sth into a machine** introduire qch dans une machine **3** vi (eat) manger; **to f. on sth** se nourrir de qch ▪**feeding** n alimentation f
feedback ['fiːdbæk] n (response) réactions fpl
feel [fiːl] **1** n (touch) toucher m; (feeling) sensation f
2 (pt & pp **felt**) vt (be aware of) sentir; (experience) éprouver, ressentir; (touch) tâter; **to f. that...** penser que...; **to f. one's way** avancer à tâtons
3 vi **to f. (about)** (grope) tâtonner; (in pocket) fouiller (**for sth** pour trouver qch); **it feels hard** c'est dur au toucher; **to f. tired/old** se sentir fatigué/vieux (f vieille); **I f. hot/sleepy/ hungry** j'ai chaud/sommeil/faim; **she feels better** elle va mieux; **he doesn't f. well** il ne se sent pas bien; **how are you feeling?** comment te sens-tu?; **to f. like sth** avoir envie de qch; **it feels like cotton** on dirait du coton; **to f. as if...** avoir l'impression que...; **what do you f. about...?** que pensez-vous de...?; **I f. bad about it** ça m'ennuie; **what does it f. like?** quelle impression ça (te) fait?; **to f. for sb** plaindre qn; **to f. up to doing sth** (well enough) être assez bien pour faire qch; (competent enough) se sentir de taille à faire qch

feeler ['fiːlə(r)] n (of insect) antenne f; Fig **to put out feelers** tâter le terrain
feeling ['fiːlɪŋ] n (emotion, impression) sentiment m; (physical) sensation f; (sense of) f. toucher m; **to have a f. for** (person) avoir de la sympathie pour; (music, painting) être sensible à; **to hurt sb's feelings** blesser qn; **no hard feelings!** sans rancune!
feet [fiːt] pl of **foot**¹
feign [feɪn] vt feindre
feint [feɪnt] n (in combat sports) feinte f
feisty ['faɪstɪ] (**-ier, -iest**) Fam adj (**a**) (lively) plein d'entrain (**b**) (pugnacious) contestataire
feline ['fiːlaɪn] adj & n félin (m)
fell [fel] **1** pt & pp of **fall 2** vt (tree) abattre; (opponent) terrasser
fellow ['feləʊ] n (**a**) (man, boy) gars m (**b**) (companion) camarade mf; **f. being** semblable mf; **f. citizen** concitoyen, -enne mf; **f. countryman/f. countrywoman** compatriote mf; **f. passenger** compagnon m de voyage, compagne f de voyage; **f. worker** collègue mf (**c**) (of society) membre m; (teacher) professeur m; (student) boursier, -ière mf
fellowship ['feləʊʃɪp] n (friendship) camaraderie f; (group) association f; (scholarship) bourse f de recherche
felony ['felənɪ] (pl **-ies**) n Am Law crime m
felt¹ [felt] pt & pp of **feel**
felt² [felt] n feutre m ▪'**felt-'tip, 'felt-tip 'pen** n crayon-feutre m
female ['fiːmeɪl] **1** adj (person, name, voice) féminin; (animal) femelle; **the f. vote** le vote des femmes; **f. student** étudiante f **2** n (woman) femme f; (girl) fille f; (animal, plant) femelle f
feminine ['femɪnɪn] **1** adj féminin **2** n Grammar féminin m ▪**femi'ninity** n féminité f ▪**feminist** adj & n féministe (mf)
fence [fens] **1** n (**a**) (barrier) clôture f; (more solid) barrière f; (in race) obstacle m (**b**) Fam (person) receleur, -euse mf **2** vt **to f. (in)** (land) clôturer **3** vi (as sport) faire de l'escrime ▪**fencing** n Sport escrime f
fend [fend] **1** vi **to f. for oneself** se débrouiller **2** vt **to f. off** (blow) parer
fender ['fendə(r)] n (**a**) Am (of car) aile f (**b**) (for fire) garde-feu m inv
fennel ['fenəl] n fenouil m
ferment 1 ['fɜːment] n (substance) ferment m; Fig (excitement) effervescence f **2** [fə'ment] vi fermenter ▪**fermentation** [fɜːmen'teɪʃən] n fermentation f
fern [fɜːn] n fougère f
ferocious [fə'rəʊʃəs] adj féroce ▪**ferocity** [fə'rɒsɪtɪ] n férocité f
ferret ['ferɪt] **1** n (animal) furet m **2** vt **to f. out** (object, information) dénicher **3** vi **to f. about for sth** fouiller pour trouver qch

ferris wheel ['ferɪswiːl] n grande roue f
ferry ['ferɪ] 1 (pl **-ies**) n ferry-boat m; (small, for river) bac m 2 (pt & pp **-ied**) vt transporter
fertile [Br 'fɜːtaɪl, Am 'fɜːtəl] adj (land, imagination) fertile; (person, animal) fécond ▪**fertility** [-'tɪlɪtɪ] n fertilité f; **f. treatment** traitement m de la stérilité
fertilize ['fɜːtɪlaɪz] vt (land) fertiliser; (egg, animal) féconder ▪**fertilizer** n engrais m
fervent ['fɜːvənt] adj fervent ▪**fervour** (Am **fervor**) n ferveur f
fester ['festə(r)] vi (of wound) s'infecter; Fig (of situation) s'envenimer
festival ['festɪvəl] n (of music, film) festival m (pl -als); (religious) fête f
festive ['festɪv] adj de fête; (mood) festif, -ive; **the f. season** les fêtes fpl de fin d'année ▪**fe'stivities** npl festivités fpl
festoon [fe'stuːn] vt orner (**with** de)
fetch [fetʃ] vt (a) (bring) aller chercher; **to f. sth in** rentrer qch (b) (be sold for) rapporter; **it fetched a high price** cela a atteint un prix élevé ▪**fetching** adj (smile) charmant
fête [feɪt] 1 n Br fête f 2 vt fêter
fetid ['fetɪd] adj fétide
fetish ['fetɪʃ] n (object) fétiche m·
fetter ['fetə(r)] vt (hinder) entraver
fettle ['fetəl] n **in fine f.** en pleine forme
fetus ['fiːtəs] n Am = **foetus**
feud [fjuːd] n querelle f
fever ['fiːvə(r)] n fièvre f; **to have a f.** (temperature) avoir de la fièvre; **a high f.** une forte fièvre ▪**feverish** adj (person, activity) fiévreux, -euse
few [fjuː] 1 adj (a) (not many) peu de; **f. towns** peu de villes; **f. of them** un petit nombre d'entre eux; **every f. days** tous les trois ou quatre jours; **one of the f. books** l'un des rares livres; **f. and far between** rarissime (b) (some) **a f.** quelques-un(e)s (**of** de); **a f. towns** quelques villes; **a f. of us** quelques-uns d'entre nous; **a f. more books** encore quelques livres; **quite a f., a good f.** bon nombre de 2 pron peu; **f. came** peu sont venus; **the examples are f.** les exemples sont peu nombreux
fewer ['fjuːə(r)] 1 adj moins de (**than** que); **f. houses** moins de maisons (**than** que); **no f. than thirty** pas moins de trente; **to be f. (than)** être moins nombreux (que) 2 pron moins ▪**fewest** ['fjuːɪst] 1 adj le moins de 2 pron le moins
fiancé [fɪ'ɒnseɪ] n fiancé m
fiancée [fɪ'ɒnseɪ] n fiancée f
fiasco [fɪ'æskəʊ] (pl **-os**, Am **-oes**) n fiasco m
fib [fɪb] Fam 1 n bobard m 2 (pt & pp **-bb-**) vi raconter des bobards ▪**fibber** n Fam menteur, -euse mf
fibre ['faɪbə(r)] (Am **fiber**) n fibre f; (in diet) fibres fpl; **high-f. diet** alimentation f riche en

fibres; **f. optics** technologie f des fibres optiques ▪**fibreglass** (Am **fiberglass**) n fibre f de verre
fickle ['fɪkəl] adj inconstant
fiction ['fɪkʃən] n (imagination) fiction f; (works of) f. livres mpl de fiction; **that's pure f.** ce sont des histoires ▪**fictional** adj (character) fictif, -ive
fictitious [fɪk'tɪʃəs] adj fictif, -ive
fiddle ['fɪdəl] 1 n (a) (violin) violon m (b) Br Fam (dishonest act) combine f; **to be on the f.** traficoter 2 vt Br Fam (accounts) truquer 3 vi (a) (play violin) jouer du violon (b) **to f. about** (waste time) traînailler; **to f. (about) with sth** tripoter qch ▪**fiddly (-ier, -iest)** adj Br Fam minutieux, -ieuse ▪**fiddler** n (a) (violin player) violoniste mf (b) Br Fam (swindler) combinard, -arde mf
fidelity [fɪ'delɪtɪ] n fidélité f (**to** à)
fidget ['fɪdʒɪt] 1 n **to be a f.** ne pas tenir en place 2 vi **to f. (about)** gigoter; **to f. (about) with sth** tripoter qch ▪**fidgety** adj agité
field [fiːld] n champ m; (for sports) terrain m; (sphere) domaine m; **to have a f. day** (a good day) s'en donner à cœur joie; **f. glasses** jumelles fpl; Am **f. hockey** hockey m (sur gazon); **f. marshal** ≃ maréchal m de France
fiend [fiːnd] n démon m; Fam **a jazz f.** un(e) fana de jazz; Fam (**sex**) **f.** obsédé m sexuel ▪**fiendish** adj (cruel) diabolique; (difficult, awful) abominable
fierce [fɪəs] (**-er, -est**) adj (animal, warrior, tone) féroce; (attack, wind) violent ▪**fierceness** n férocité f; (of attack) violence f
fiery ['faɪərɪ] (**-ier, -iest**) adj (person, speech) fougueux, -ueuse; (sun, eyes) ardent; (taste) très épicé
fifteen [fɪf'tiːn] adj & n quinze (m) ▪**fifteenth** adj & n quinzième (mf)
fifth [fɪfθ] adj & n cinquième (mf); **a f.** un cinquième
fifty ['fɪftɪ] adj & n cinquante (m); **a f.-f. chance** une chance sur deux; **to split the profits f.-f.** partager les bénéfices moitié-moitié ▪**fiftieth** adj & n cinquantième (mf)
fig [fɪg] n figue f; **f. tree** figuier m
fight [faɪt] 1 n (between people) bagarre f; (between boxers, soldiers) combat m; (struggle) lutte f (**against/for** contre/pour); (quarrel) dispute f; **to put up a good f.** bien se défendre 2 (pt & pp **fought**) vt (person) se battre contre; (decision, enemy) combattre; (fire, temptation) lutter contre; **to f. a battle** livrer bataille; Pol **to f. an election** se présenter à une élection; **to f. back** (tears) retenir; **to f. off** (attacker, attack) repousser; (illness) lutter contre; **to f. it out** se bagarrer 3 vi se battre (**against** contre); (of soldiers) combattre; (struggle) lutter; (quarrel) se disputer; **to f. back** (retaliate) se défendre; **to f. over sth** se disputer qch; **to f. against an**

illness/for a cause lutter contre une maladie/pour une cause

fighter ['faɪtə(r)] n (determined person) battant, -ante mf; (in brawl, battle) combattant, -ante mf; (boxer) boxeur m; (aircraft) avion m de chasse

fighting ['faɪtɪŋ] n (brawling) bagarres fpl; Mil combat m; **f. spirit** combativité f; **f. troops** troupes fpl de combat

figment ['fɪgmənt] n **it's a f. of your imagination** c'est le fruit de ton imagination

figurative ['fɪgjʊrətɪv] adj (meaning) figuré; (art) figuratif, -ive

figure¹ ['fɪgə(r), Am 'fɪgjə(r)] n (**a**) (numeral) chiffre m; **figures** (arithmetic) calcul m (**b**) (shape) forme f; (outline) silhouette f; **she has a nice f.** elle est bien faite (**c**) (diagram) figure f; Br **f. of eight,** Am **f. eight** huit m; **f. skating** patinage m artistique (**d**) (expression, word) **a f. of speech** une figure de rhétorique; Fig **it's just a f. of speech** c'est une façon de parler (**e**) (important person) personnage m

> Note that the French noun **figure** is a false friend when referring to the human body. It means **face**.

figure² [Br 'fɪgə(r), Am 'fɪgjə(r)] **1** vt **to f. that…** (think) penser que…; (estimate) supposer que…; **to f. out** (person, motive) arriver à comprendre; (answer) trouver; (amount) calculer **2** vi (**a**) (appear) figurer (**on** sur); **to f. on doing sth** compter faire qch (**b**) Fam **that figures!** (makes sense) ça se tient!

figurehead ['fɪgəhed] n (of ship) figure f de proue; Fig & Pej (of organization) homme m de paille

filament ['fɪləmənt] n filament m

filch [fɪltʃ] vt Fam faucher (**from** à)

file¹ [faɪl] **1** n (tool) lime f **2** vt **to f. (down)** limer

file² [faɪl] **1** n (folder) chemise f; (documents) dossier m (**on** sur); (loose-leaf) classeur m; Comptr fichier m; **to be on f.** figurer au dossier; Comptr **f. manager** gestionnaire m de fichiers **2** vt (document) classer; (complaint, claim) déposer **3** vi **to f. for divorce** demander le divorce **▪filing** adj **f. cabinet** classeur m (meuble); **f. clerk** documentaliste mf

file³ [faɪl] **1** n (line) file f; **in single f.** en file indienne **2** vi **to f. in/out** entrer/sortir à la queue leu leu; **to f. past sb/sth** défiler devant qn/qch

Filipino [fɪlɪ'piːnəʊ] **1** adj philippin, -ine **2** n (pl -os) Philippin, -ine mf

fill [fɪl] **1** n **to eat one's f.** manger à sa faim; **to have had one's f. of sb/sth** en avoir assez de qn/qch **2** vt remplir (**with** de); (tooth) plomber; (time) occuper; **to f. a need** répondre à un besoin; **to f. a vacancy** pourvoir à un poste vacant; **to be filled with hope** être plein d'espoir; **to f. in** (form) remplir; (hole)

combler; (door, window) condamner; **to f. sb in on sth** mettre qn au courant de qch; **to f. out** (form) remplir; **to f. up** (container, form) remplir **3** vi **to f. (up)** se remplir (**with** de); **to f. in for sb** remplacer qn; **to f. out** (get fatter) grossir; **to f. up** (with petrol) faire le plein

fillet [Br 'fɪlɪt, Am fɪ'leɪ] **1** n (of fish, meat) filet m **2** (Am pt & pp [fɪ'leɪd]) vt (fish) découper en filets; (meat) désosser

filling ['fɪlɪŋ] **1** adj (meal) nourrissant **2** n (in tooth) plombage m; (in food) garniture f; **f. station** station-service f

fillip ['fɪlɪp] n (stimulus) coup m de fouet

filly ['fɪlɪ] (pl -ies) n (horse) pouliche f

film [fɪlm] **1** n film m; (for camera, layer) pellicule f; (for food) film m plastique **2** adj (studio, technician, critic) de cinéma; **f. club** ciné-club m; **f. fan** or **buff** cinéphile mf; **f. festival** festival m du film; **f. library** cinémathèque f; **f. maker** cinéaste mf; **f. star** vedette f de cinéma **3** vt filmer **4** vi (of film maker, actor) tourner

Filofax® ['faɪləfæks] n organiseur m

filter ['fɪltə(r)] **1** n filtre m; Br (traffic sign) flèche f de dégagement; **f. coffee** café m filtre; Br Aut **f. lane** = voie réservée aux véhicules qui tournent; **f. tip** bout m filtre **2** vt filtrer **3** vi **to f. through** filtrer

filth [fɪlθ] n saleté f; Fig (obscenities) saletés fpl **▪filthy** **1** (-ier, -iest) adj (hands, shoes) sale; (language) obscène; (habit) dégoûtant; Br Fam **f. weather** un sale temps **2** adv Fam **f. rich** pourri de fric

fin [fɪn] n (of fish, seal) nageoire f; (of shark) aileron m; Am (of swimmer) palme f

final ['faɪnəl] **1** adj (last) dernier, -ière; (definite) définitif, -ive **2** n Sport finale f; Univ **finals** examens mpl de dernière année **▪finalist** n finaliste mf **▪finalize** vt (plan) mettre au point; (date) fixer définitivement; (deal) conclure **▪finally** adv (lastly) enfin; (eventually) finalement; (irrevocably) définitivement

finale [fɪ'nɑːlɪ] n (musical) finale m

finance ['faɪnæns] **1** n finance f; **finances** (of person) finances fpl; (of company) situation f financière; **f. company** société f financière **2** vt financer

financial [faɪ'nænʃəl] adj financier, -ière; **it was a f. success** ça a rapporté beaucoup d'argent; Br **f. year** exercice m comptable **▪financially** adv financièrement

financier [faɪ'nænsɪə(r)] n financier m

find [faɪnd] **1** n (discovery) découverte f **2** (pt & pp found) vt trouver; **I f. that…** je trouve que…; **I found him waiting in the hall** je l'ai trouvé qui attendait dans le vestibule; **she was nowhere to be found** elle était introuvable; **he found it impossible to understand her** il avait beaucoup de mal à la comprendre; **£20 all**

found 20 livres logé et nourri; **to f. difficulty doing sth** éprouver de la difficulté à faire qch; **to f. one's feet** (settle in) s'adapter; **to f. oneself** (spiritually) se trouver
▸ **find out 1** vt (secret, information) découvrir; (person) prendre en défaut **2** vi (inquire) se renseigner (**about** sur); **to f. out about sth** (discover) apprendre qch

findings ['faɪndɪŋz] npl conclusions fpl

fine¹ [faɪn] **1** n (money) amende f; (for driving offence) contravention f **2** vt **to f. sb £10** infliger une amende de 10 livres à qn

fine² [faɪn] **1** (-er, -est) adj (a) (thin, not coarse) (hair, needle) fin; (gold, metal) pur; (feeling) délicat; (distinction) subtil (b) (very good) excellent; (beautiful) (weather, statue) beau (f belle); **it's f.** (weather) il fait beau; **he's f.** (healthy) il va bien; **f. arts** beaux-arts mpl **2** adv (a) (very well) très bien; **f.!** très bien! (b) (cut, write) menu ▪ **finely** adv (dressed) magnifiquement; (embroidered, ground) finement; (painted, expressed) délicatement; **f. chopped** haché menu

finery ['faɪnərɪ] n (clothes) parure f

finesse [fɪ'nes] n finesse f

finger ['fɪŋgə(r)] **1** n doigt m; **to keep one's fingers crossed** croiser les doigts; **little f.** petit doigt m, auriculaire m; **middle f.** majeur m; **f. mark** trace f de doigt **2** vt tâter ▪ **fingernail** n ongle m ▪ **fingerprint** n empreinte f digitale ▪ **fingertip** n bout m du doigt; **to have sth at one's fingertips** savoir qch sur le bout des doigts

finicky ['fɪnɪkɪ] adj (precise) tatillon, -onne; (difficult) difficile (**about** sur)

finish ['fɪnɪʃ] **1** n (end) fin f; (of race) arrivée f; (of article, car) finition f; **paint with a matt f.** peinture f mate **2** vt **to f. sth** (off **or** up) finir qch; **to f. doing sth** finir de faire qch; **to f. sb off** (kill) achever qn **3** vi (of meeting, event) finir, se terminer; (of person) finir, terminer; **to f. first** terminer premier; **to have finished with** (object) ne plus avoir besoin de; (situation, person) en avoir fini avec; **to f. off or up** (of person) finir, terminer; **to f. up in** (end up in) se retrouver à; **to f. up doing sth** finir par faire qch; **finishing line** (of race) ligne f d'arrivée; **to put the finishing touches to sth** mettre la dernière main à qch ▪ **finished** adj (ended, complete, ruined) fini

finite ['faɪnaɪt] adj fini

Finland ['fɪnlənd] n la Finlande ▪ **Finn** n Finlandais, -aise mf, Finnois, -oise mf ▪ **Finnish 1** adj finlandais, finnois **2** n (language) finnois m

fir [fɜː(r)] n sapin m

fire ['faɪə(r)] **1** n feu m; (accidental) incendie m; Br (electric heater) radiateur m; **to light or make a f.** faire du feu; **to set f. to sb/sth** mettre le feu

à qn/qch; **to catch f.** prendre feu; **on f.** en feu; **f.!** (alarm) au feu!; (to soldiers) feu!; **to open f.** ouvrir le feu; **f. alarm** sirène f d'incendie; Br **f. brigade**, Am **f. department** pompiers mpl; **f. engine** voiture f des pompiers; **f. escape** escalier m de secours; **f. exit** sortie f de secours; **f. station** caserne f des pompiers **2** vt (cannon) tirer; (pottery) cuire; Fig (imagination) enflammer; **to f. a gun** tirer un coup de fusil/de pistolet; **to f. questions at sb** bombarder qn de questions; **to f. sb** (dismiss) renvoyer qn **3** vi tirer (**at** sur); Fam **f. away!** (start speaking) vas-y!; Fig Br in or Am **on the firing line** en butte aux attaques; **firing squad** peloton m d'exécution ▪ **firearm** n arme f à feu ▪ **firecracker** n pétard m ▪ **firedoor** n porte f pare-feu ▪ **fireguard** n garde-feu m inv ▪ **fireman** (pl -men) n sapeur-pompier m ▪ **fireplace** n cheminée f ▪ **fireproof** adj (door) ignifugé ▪ **fireside** n **by the f.** au coin du feu; ▪ **firewall** n Comptr pare-feu m inv ▪ **firewood** n bois m de chauffage ▪ **firework** n fusée f; (firecracker) pétard m ▪ Br **f. display** feu m d'artifice

firm¹ [fɜːm] n (company) entreprise f, firme f

firm² [fɜːm] **1** (-er, -est) adj (earth, decision) ferme; (foundations, faith) solide; (character) résolu; **to be f. with sb** être ferme avec qn **2** adv **to stand f.** tenir bon ou ferme ▪ **firmly** adv (believe) fermement; (speak) d'une voix ferme; (shut) bien ▪ **firmness** n fermeté f

first [fɜːst] **1** adj premier, -ière; **I'll do it f. thing in the morning** je le ferai dès le matin; **f. aid** premiers secours mpl; **f. cousin** cousin, -ine mf germain(e) **2** adv d'abord; (for the first time) pour la première fois; **f. of all, f. and foremost** tout d'abord; **at f.** d'abord; **to come f.** (in race) arriver premier; (in exam) être reçu premier **3** n (person, thing) premier, -ière mf; **from the f.** dès le début; **f. (gear)** (of vehicle) première f; Br Univ **to get a f.** ≃ avoir une licence avec mention très bien ▪ **'first-'class 1** adj excellent; (ticket) de première classe; (mail) ordinaire **2** adv (travel) en première ▪ **'first-'hand 1** adj (news) de première main; **to have (had) f. experience of sth** avoir fait l'expérience personnelle de qch **2** adv (hear news) de première main ▪ **'first-'rate** adj excellent

firstly ['fɜːstlɪ] adv premièrement

fiscal ['fɪskəl] adj fiscal

fish [fɪʃ] **1** (pl inv or -es [-ɪz]) n poisson m; **f. bone** arête f; **f. bowl** bocal m; **f. cake** croquette f de poisson; Br **f. fingers**, Am **f. sticks** bâtonnets mpl de poisson; **f. market** marché m aux poissons; **f. shop** poissonnerie f; **f. tank** aquarium m; Br **f.-and-chip shop** = magasin où on vend du poisson frit et des frites **2** vt to

f. sth out *(from water)* repêcher qch ; **to f. sb/sth from somewhere** *(remove)* sortir qn/qch de quelque part **3** *vi* pêcher ; **to f. for salmon** pêcher le saumon ; *Fig* **to f. for compliments** rechercher les compliments ▪**fishing** *n* pêche *f* ; **to go f.** aller à la pêche ; **f. boat** bateau *m* de pêche ; **f. line** ligne *f* ; **f. net** *(of fisherman)* filet *m* (de pêche) ; *(of angler)* épuisette *f* ; *Am* **f. pole** canne *f* à pêche ; **f. rod** canne à pêche

fisherman ['fɪʃəmən] *(pl* -men) *n* pêcheur *m*

fishmonger ['fɪʃmʌŋgə(r)] *n* poissonnier, -ière *mf*

fishy ['fɪʃɪ] (-ier, -iest) *adj (smell, taste)* de poisson ; *Fig (suspicious)* louche

fission ['fɪʃən] *n* **nuclear f.** fission *f* nucléaire

fissure ['fɪʃə(r)] *n (in rock)* fissure *f*

fist [fɪst] *n* poing *m* ▪**fistful** *n* poignée *f* (**of** de)

fit[1] [fɪt] **1** (fitter, fittest) *adj* (**a**) *(healthy)* en forme ; **to keep f.** se maintenir en forme (**b**) *(suitable)* propre (**for à**; **to do** à faire) ; *(worthy)* digne (**for** de ; **to do** de faire) ; *(able)* apte (**for** à ; **to do** à faire) ; **f. to eat** *or* **for eating** mangeable ; **to see f. to do sth** juger bon de faire qch ; **as you see f.** comme bon vous semblera ; *Fam* **I was f. to drop** je ne tenais plus debout (**c**) *Br Fam (attractive)* bien foutu

2 *n* **a good f.** *(clothes)* à la bonne taille ; **a close** *or* **tight f.** *(clothes)* ajusté

3 *(pt & pp* **-tt-**) *vt (be the right size for)* aller bien à ; *(match)* correspondre à ; *(put in)* poser ; *(go in)* aller dans ; *(go on)* aller sur ; **to f. sth on sb** *(garment)* ajuster qch à qn ; **to f. sth (on) to sth** *(put)* poser qch sur qch ; *(adjust)* adapter qch à qch ; *(fix)* fixer qch à qch ; **to f. sth (out** *or* **up) with sth** équiper qch de qch ; **to f. sth in** *(install)* poser qch ; *(insert)* faire entrer qch ; **to f. in a customer** *(find time to see)* prendre un client

4 *vi (of clothes, lid, key, plug)* aller ; **this shirt fits** cette chemise me/te/*etc* va ; **to f. (in)** *(go in)* aller ; *(of facts, plans)* cadrer (**with** avec) ; **he doesn't f. in** il n'est pas à sa place

fit[2] [fɪt] *n (seizure)* attaque *f* ; **to have a f.** avoir une attaque ; *Fam (get angry)* piquer une crise ; **a f. of coughing** une quinte de toux ; **a f. of crying** une crise de larmes ; **a f. of enthusiasm** un accès d'enthousiasme ; **in fits and starts** par à-coups

fitful ['fɪtfəl] *adj (sleep)* agité

fitness ['fɪtnɪs] *n (health)* santé *f* ; *(of remark)* à-propos *m* ; *(for job)* aptitude *f* (**for** à)

fitted ['fɪtɪd] *adj Br (cupboard)* encastré ; *(garment)* ajusté ; **f. carpet** moquette *f* ; **f. kitchen** cuisine *f* intégrée ; **f. (kitchen) units** éléments *mpl* de cuisine

fitter ['fɪtə(r)] *n Br (of machinery)* monteur, -euse *mf*

fitting ['fɪtɪŋ] **1** *adj (suitable)* approprié (**to** à) **2** *n (of clothes)* essayage *m* ; **f. room** cabine *f*

d'essayage ▪**fittings** *npl (in house)* installations *fpl*

five [faɪv] *adj & n* cinq (*m*) ▪**fiver** *n Br Fam* billet *m* de 5 livres

fix [fɪks] **1** *vt (make firm, decide)* fixer (**to** à) ; *(mend)* réparer ; *(deal with)* arranger ; *(prepare)* préparer ; *Fam (election)* truquer ; **to f. one's attention on sb/sth** fixer son attention sur qn/ qch ; **to f. one's hopes on sb/sth** mettre ses espoirs en qn/qch ; **to f. the blame on sb** rejeter la responsabilité sur qn ; *Fam* **to f. sb** *(punish)* régler son compte à qn ; **it's fixed in my mind** c'est gravé dans mon esprit ; **to f. sth (on)** *(lid)* mettre qch en place ; **to f. sth up** *(trip)* arranger qch ; **to f. sb up with a job** procurer un travail à qn **2** *n Fam (of drug)* dose *f*, *Fam Fig* **her daily chocolate f.** sa dose quotidienne de chocolat ; *Fam* **in a f.** dans le pétrin

fixation [fɪk'seɪʃən] *n* fixation *f*

fixed [fɪkst] *adj (price)* fixe ; *(resolution)* inébranlable ; *(idea)* bien arrêté ; *Fam* **how's he f. for cash?** a-t-il de l'argent? ; *Fam* **how are you f. for tomorrow?** qu'est-ce que tu fais demain?

fixer ['fɪksə(r)] *n Fam* combinard, -arde *mf*

fixture ['fɪkstʃə(r)] *n* (**a**) *Sport* rencontre *f* (**b**) **fixtures** *(in house)* installations *fpl*

fizz [fɪz] *vi (of drink)* pétiller ▪**fizzy** (-ier, -iest) *adj* gazeux, -euse

fizzle ['fɪzəl]
▶ **fizzle out** *vi (of firework)* rater ; *Fam (of plan)* tomber à l'eau ; *Fam (of enthusiasm)* retomber ; *Fam (of custom)* disparaître

flabbergasted ['flæbəgɑːstɪd] *adj Fam* sidéré

flabby ['flæbɪ] (-ier, -iest) *adj (person)* bouffi ; *(skin, character)* mou *(f* molle)

flag [flæg] **1** *n (a)* drapeau *m* ; *Naut* pavillon *m* ; *(for charity)* insigne *m* **2** *(pt & pp* **-gg-**) *vt* marquer ; **to f. (down) a taxi** héler un taxi **3** *vi (of person, conversation)* faiblir ; *(of plant)* dépérir ▪**flagpole** *n* mât *m*

flagrant ['fleɪgrənt] *adj* flagrant

flagstone ['flægstəʊn] *n* dalle *f*

flair [fleə(r)] *n (intuition)* don *m* (**for** pour) ; **to have a f. for business** avoir le sens des affaires

flak [flæk] *n Fam* **to get** *or* **take a lot of f.** *(be criticized)* se faire rentrer dedans ; **f. jacket** gilet *m* pare-balles

flake [fleɪk] **1** *n (of snow)* flocon *m* ; *(of paint)* écaille *f* ; *(of soap, metal)* paillette *f* **2** *vi* **to f. (off)** *(of paint)* s'écailler ▪**flaky** *adj Br* **f. pastry** pâte *f* feuilletée

flamboyant [flæm'bɔɪənt] *adj (person)* extraverti

flame [fleɪm] **1** *n* flamme *f* ; **to go up in flames** prendre feu ; **to burst into flames** s'enflammer ; **to be in flames** être en flammes **2** *vi* **to f. (up)** *(of fire, house)* flamber ▪**flaming 1** *adj* (**a**) *(sun)* flamboyant (**b**) *Br Fam (damn)* sacré **2** *n Comptr* = échange d'insultes sur Internet

flamingo [fləˈmɪŋgəʊ] (*pl* **-os** *or* **-oes**) *n* flamant *m*

flammable [ˈflæməbəl] *adj* inflammable

flan [flæn] *n* tarte *f*

flank [flæŋk] **1** *n* flanc *m* **2** *vt* flanquer (**with** *or* **by** de)

flannel [ˈflænəl] *n* (*cloth*) flanelle *f*; *Br* (*face cloth*) gant *m* de toilette; *Br* **flannels** (*trousers*) pantalon *m* de flanelle

flap [flæp] **1** *n* (*noise*) battement *m*; (*of pocket, envelope*) rabat *m*; (*of table*) abattant *m*; (*of door*) battant *m* **2** (*pt* & *pp* **-pp-**) *vt* **to f. its wings** (*of bird*) battre des ailes **3** *vi* (*of wings, sail, shutter*) battre

flare [fleə(r)] **1** *n* (**a**) (*signal*) signal *m* lumineux; (*rocket*) fusée *f* éclairante (**b**) (**pair of**) **flares** pantalon *m* pattes d'éléphant **2** *vi* (*of fire*) flamboyer; **to f. up** (*of fire*) s'embraser; (*of violence, anger, trouble*) éclater ▪**flare-up** *n* (*of violence, fire*) flambée *f*; (*of region*) embrasement *m*

flared [fleəd] *adj* (*skirt*) évasé; (*trousers*) (à) pattes d'éléphant

flash [flæʃ] **1** *n* (*of light, genius*) éclair *m*; (*for camera*) flash *m*; **f. of lightning** éclair *m*; **in a f.** en un clin d'œil **2** *vt* (*light*) projeter; (*aim*) diriger (**on/at** sur); (*smile, look*) jeter (**at** à); **to f. sth (around)** montrer qch rapidement; **to f. one's headlights** faire un appel de phares **3** *vi* (*shine*) briller; (*on and off*) clignoter; **to f. past** *or* **by** (*rush*) passer comme un éclair; **flashing lights** clignotants *mpl* ▪**flashback** *n* retour *m* en arrière ▪**flashlight** *n Am* (*torch*) lampe *f* électrique ▪**flashy** (**-ier, -iest**) *adj* tape-à-l'œil

flask [flɑːsk] *n* Thermos® *m ou f inv*; (*for alcohol*) flasque *f*; (*phial*) fiole *f*

flat¹ [flæt] **1** (**flatter, flattest**) *adj* plat; (*tyre, battery*) à plat; (*drink*) éventé; (*refusal*) net (*f* nette); **f. nose** nez *m* aplati; **f. fee** prix *m* unique; **f. rate** tarif *m* unique; **to put sth (down)** à plat; **to be f.-footed** avoir les pieds plats

2 *n* (*puncture*) crevaison *f*; (*of hand*) plat *m*; (*in music*) bémol *m*

3 *adv* **to sing f.** chanter trop bas; **to fall f. on one's face** tomber à plat ventre; **to fall f.** (*of joke, play*) tomber à plat; **to fold f.** (*of ironing board*) se (re)plier; **I told him f.** je le lui ai dit carrément; *Fam* **I. broke** complètement fauché; **in two minutes f.** en deux minutes pile; **f. out** (*work*) d'arrache-pied; (*run*) à toute vitesse; **to be lying f. out** être étendu de tout son long ▪**flatly** *adv* (*deny, refuse*) catégoriquement

flat² [flæt] *n Br* (*in building*) appartement *m*

flatmate [ˈflætmeɪt] *n Br* colocataire *mf*

flatten [ˈflætən] *vt* aplatir; (*crops*) coucher; (*town, buildings*) raser

flatter [ˈflætə(r)] *vt* flatter; (*of clothes*) avantager

▪**flattering** *adj* (*remark, words*) flatteur, -euse; (*clothes, colour*) qui avantage ▪**flattery** *n* flatterie *f*

flatulence [ˈflætjʊləns] *n* **to have f.** avoir des gaz

flaunt [flɔːnt] *vt* (*show off*) faire étalage de

flautist [ˈflɔːtɪst] *n Br* flûtiste *mf*

flavour [ˈfleɪvə(r)] (*Am* **flavor**) **1** *n* (*taste*) goût *m*; (*of ice cream*) parfum *m* **2** *vt* (*food*) relever (**with** de); (*ice cream*) parfumer (**with** à); **lemon-flavoured** (parfumé) au citron ▪**flavouring** (*Am* **flavoring**) *n* (*seasoning*) assaisonnement *m*; (*in cake, ice cream*) parfum *m*

flaw [flɔː] *n* défaut *m* ▪**flawed** *adj* qui a un défaut/des défauts ▪**flawless** *adj* parfait

flax [flæks] *n* lin *m* ▪**flaxen** *adj* (*hair*) blond de lin *inv*

flay [fleɪ] *vt* (*flog*) fouetter; *Fig* (*criticize*) éreinter

flea [fliː] *n* puce *f*; **f. market** marché *m* aux puces

fleck [flek] *n* (*mark*) petite tache *f*

fled [fled] *pt* & *pp of* **flee**

fledgling [ˈfledʒlɪŋ] *n* (*bird*) oisillon *m*

flee [fliː] **1** (*pt* & *pp* **fled**) *vt* (*place*) s'enfuir de; (*danger*) fuir **2** *vi* s'enfuir, fuir

fleece [fliːs] **1** *n* (*of sheep*) toison *f*; (*garment*) (fourrure *f*) polaire *f* **2** *vt Fam* (*overcharge*) écorcher; (*cheat*) arnaquer ▪**fleecy** (**-ier, -iest**) *adj* (*gloves*) molletonné

fleet [fliːt] *n* (*of ships*) flotte *f*; (*of taxis, buses*) parc *m*

fleeting [ˈfliːtɪŋ] *adj* (*visit, moment*) bref (*f* brève); (*beauty*) éphémère ▪**fleetingly** *adv* fugitivement, un bref instant

Flemish [ˈflemɪʃ] **1** *adj* flamand **2** *n* (*language*) flamand *m*; **the F.** (*people*) les Flamands *mpl*

flesh [fleʃ] *n* chair *f*; **in the f.** en chair et en os; **he's your (own) f. and blood** (*child*) c'est la chair de ta chair; (*brother, cousin*) il est de ton sang; **f. wound** blessure *f* superficielle ▪**fleshy** (**-ier, -iest**) *adj* charnu

flew [fluː] *pt of* **fly²**

flex [fleks] **1** *n* (*wire*) fil *m*; (*for telephone*) cordon *m* **2** *vt* (*limb*) fléchir; (*muscle*) faire jouer

flexible [ˈfleksɪbəl] *adj* flexible ▪**flexiˈbility** *n* flexibilité *f*

flexitime [ˈfleksɪtaɪm] *n* horaires *mpl* flexibles *ou* à la carte

flick [flɪk] **1** *n* (*with finger*) chiquenaude *f*; (*with whip*) petit coup *m*; *Br* **f. knife** couteau *m* à cran d'arrêt **2** *vt* (*with whip*) donner un petit coup à; (*with finger*) donner une chiquenaude à; **to f. sth off** (*remove*) enlever qch d'une chiquenaude; **to f. a switch** pousser un bouton; **to f. on/off the light** allumer/éteindre **3** *vi* **to f. over** *or* **through** (*pages*) feuilleter

flicker [ˈflɪkə(r)] **1** *n* vacillement *m*; **f. of light** lueur *f* vacillante **2** *vi* (*of flame, light*) vaciller

flier ['flaɪə(r)] n (a) (leaflet) prospectus m (b) (person) = personne qui voyage en avion

flies [flaɪz] npl (of trousers) braguette f

flight [flaɪt] n (a) (of bird, aircraft) vol m; **f. to/ from** vol à destination de/en provenance de; **to have a good f.** faire bon voyage; **f. attendant** (man) steward m; (woman) hôtesse f de l'air; **f. deck** cabine f de pilotage; **f. path** trajectoire f de vol (b) (floor) étage m; **f. of stairs** escalier m (c) (escape) fuite f (**from** de); **to take f.** prendre la fuite

flighty ['flaɪtɪ] (**-ier, -iest**) adj volage

flimsy ['flɪmzɪ] (**-ier, -iest**) adj (cloth, structure) (light) (trop) léger, -ère; (thin) (trop) mince; (excuse) piètre

flinch [flɪntʃ] vi (with pain) tressaillir; **without flinching** (complaining) sans broncher

fling [flɪŋ] **1** n (affair) aventure f **2** (pt & pp **flung**) vt jeter; (ball) lancer; **to f. a door open** ouvrir brutalement une porte

flint [flɪnt] n (stone) silex m; (of lighter) pierre f

flip [flɪp] **1** n chiquenaude f; **the f. side** (of record) la face B; **f. chart** tableau m à feuilles **2** (pt & pp **-pp-**) vt (with finger) donner une chiquenaude à; **to f. a switch** pousser un bouton; **to f. a coin** jouer à pile ou face; **to f. sth over** retourner qch **3** vi **to f. through a book** feuilleter un livre **4** adj Am Fam (impudent) effronté

flip-flops ['flɪpflɒps] npl tongs fpl

flippant ['flɪpənt] adj désinvolte

flipper ['flɪpə(r)] n Br (of swimmer) palme f; (of animal) nageoire f

flipping ['flɪpɪŋ] Br Fam **1** adj (idiot, rain) sacré **2** adv sacrément

flirt [flɜːt] **1** n charmeur, -euse mf vi flirter (**with** avec) = **flir'tation** n flirt m = **flirtatious** adj (look, smile) charmeur, -euse; **to be f. with sb** flirter avec qn

flit [flɪt] (pt & pp **-tt-**) vi (fly) voltiger; Fig **to f. in and out of** (place) entrer et sortir rapidement

float [fləʊt] **1** n Fishing bouchon m; (for swimming) flotteur m; (in procession) char m **2** vt (ship) mettre à flot; (wood) faire flotter; (idea, rumour) lancer; (company) introduire en Bourse **3** vi flotter (**on** sur); **to f. down the river** descendre la rivière = **floating** adj (wood, debt) flottant; (population) fluctuant; **f. voters** électeurs mpl indécis

flock [flɒk] **1** n (of sheep) troupeau m; (of birds) volée f; (of people) foule f; (religious congregation) ouailles fpl **2** vi **to f. round sb** s'attrouper autour de qn; **people are flocking to the exhibition** les gens vont en foule voir l'exposition

flog [flɒg] (pt & pp **-gg-**) vt (beat) flageller; Br Fam (sell) vendre

flood [flʌd] **1** n inondation f; Fig (of light) flot m; **to be in floods of tears** verser des torrents de larmes; **the F.** (in the Bible) le Déluge **2** vt (land, bathroom, market) inonder (**with** de); **the river flooded its banks** la rivière est sortie de son lit; **to f. (out)** (house) inonder **3** vi (of river) déborder; **to f. in** (of people, money) affluer; **to f. into** (of tourists) envahir = **flooding** n inondation(s) f(pl)

floodgate ['flʌdgeɪt] n (in water) vanne f

floodlight ['flʌdlaɪt] **1** n projecteur m **2** (pt & pp **-lit**) vt illuminer

floor [flɔː(r)] **1** n (of room, forest) sol m; (wooden) plancher m; (storey) étage m; **on the f.** par terre; Br **on the first f.** au premier étage; Am (ground floor) au rez-de-chaussée; **f. polish** cire f; **f. show** spectacle m de cabaret **2** vt (knock down) envoyer au tapis; (puzzle) stupéfier

floorboard ['flɔːbɔːd] n latte f (de plancher)

flop [flɒp] **1** n Fam fiasco m; (play) four m **2** (pt & pp **-pp-**) vi (fail) (of business, efforts) échouer; (of play, film) faire un four; **to f. down** s'effondrer; **to f. about** s'agiter mollement

floppy ['flɒpɪ] (**-ier, -iest**) adj (soft) mou (f molle); (clothes) (trop) large; (ears) pendant; Comptr **f. disk** disquette f

flora ['flɔːrə] n (plant life) flore f = **floral** adj (material, pattern) à fleurs

florid ['flɒrɪd] adj (style) fleuri; (complexion) rubicond

florist ['flɒrɪst] n fleuriste mf

floss [flɒs] n (dental) **f.** fil m dentaire

flotilla [flə'tɪlə] n (of ships) flottille f

flounce [flaʊns] **1** n (on dress, tablecloth) volant m **2** vi **to f. in/out** entrer/sortir brusquement

flounder ['flaʊndə(r)] **1** n (fish) carrelet m **2** vi (in water) patauger; Fig (in speech) perdre pied

flour ['flaʊə(r)] n farine f

flourish ['flʌrɪʃ] **1** n (gesture) grand geste m; (decoration) fioriture f **2** vt (wave) brandir **3** vi (of person, plant) prospérer; (of arts, business) être florissant = **flourishing** adj (plant) qui prospère; (business) florissant

flout [flaʊt] vt (rules, authority, person) défier

flow [fləʊ] **1** n (of river) courant m; (of tide) flux m; (of current, information, blood) circulation f; (of liquid) écoulement m; **f. of traffic** circulation f; **a f. of visitors/words** un flot de visiteurs/paroles; Fig **to go with the f.** suivre le mouvement; **f. chart** organigramme m **2** vi couler; (of electric current, information) circuler; (of hair, clothes) flotter; (of traffic) s'écouler; **to f. back** (of liquid) refluer; **to f. in** (of people, money) affluer; **to f. into the sea** (of river) se jeter dans la mer = **flowing** adj (movement, style) fluide; (hair, beard) flottant

flower ['flaʊə(r)] **1** n fleur f; **in f.** en fleur(s); **f. bed** parterre m; **f. pot** pot m de fleurs; **f. shop** fleuriste mf; **f. show** floralies fpl **2** vi fleurir = **flowered** adj (dress) à fleurs = **flowering 1** n floraison f 2 adj (in bloom) en fleurs; (producing flowers) (shrub) à fleurs

flowery ['flaʊərɪ] adj (style) fleuri; (material) à fleurs

flown [fləʊn] pp of **fly²**

flu [fluː] n (influenza) grippe f

fluctuate ['flʌktʃʊeɪt] vi varier ▪**fluctuation** [-'eɪʃən] n variation f (**in** de)

flue [fluː] n (of chimney) tuyau m

fluent ['fluːənt] adj (style) fluide; **he's f. in Russian, his Russian is f.** il parle couramment le russe; **to be a f. speaker** s'exprimer avec facilité ▪**fluency** n facilité f ▪**fluently** adv (write, express oneself) avec facilité; (speak language) couramment

fluff [flʌf] 1 n peluche f 2 vt Fam (bungle) rater ▪**fluffy** (-ier, -iest) adj (bird) duveteux, -euse; (toy) en peluche

fluid ['fluːɪd] 1 adj fluide; (plans) mal défini; **f. ounce** = 0,03 l 2 n fluide m, liquide m

fluke [fluːk] n Fam coup m de chance; **by a f.** par hasard ▪**flukey, fluky** adj Fam (person) chanceux, -euse; **it was a f. guess** c'est par hasard que j'ai/qu'il a /etc deviné juste

flummox ['flʌməks] vt Br Fam scier

flung [flʌŋ] pt & pp of **fling**

flunk [flʌŋk] Am Fam 1 vt (exam) être collé à; (pupil) coller 2 vi (in exam) être collé

flunkey, flunky ['flʌŋkɪ] (pl flunkeys or flunkies) n Fam Pej larbin m

fluorescent [flʊə'resənt] adj fluorescent

fluoride ['flʊəraɪd] n fluorure m; **f. toothpaste** dentifrice m au fluor

flurry ['flʌrɪ] (pl -ies) n (of snow) bourrasque f; **a f. of activity** une soudaine activité

flush [flʌʃ] 1 adj (level) de niveau (**with** de); Fam (rich) plein aux as 2 n (**a**) (blush) rougeur f; (of youth, beauty) éclat m; **hot flushes** bouffées fpl de chaleur (**b**) (in cards) flush m (**c**) (in toilet) chasse f d'eau 3 vt **to f. sth (out)** (clean) nettoyer qch à grande eau; **to f. the toilet** tirer la chasse d'eau 4 vi (blush) rougir (**with** de) ▪**flushed** adj (cheeks) rouge; **f. with success** ivre de succès

fluster ['flʌstə(r)] vt démonter; **to get flustered** se démonter

flute [fluːt] n flûte f ▪**flutist** n Am flûtiste mf

flutter ['flʌtə(r)] 1 n Br Fam **to have a f.** (bet) jouer une petite somme (**on** sur) 2 vt **to f. its wings** (of bird) battre des ailes 3 vi (of bird, butterfly) voleter; (of heart) battre; (of flag) flotter

flux [flʌks] n **in a state of f.** en changement constant

fly¹ [flaɪ] (pl -ies) n (insect) mouche f

fly² [flaɪ] 1 (pt flew, pp flown) vt (aircraft) piloter; (passengers) transporter; (airline) voyager par; (flag) arborer; (kite) faire voler; **to f. the French flag** battre pavillon français;

to f. the Atlantic traverser l'Atlantique en avion 2 vi (of bird, aircraft) voler; (of passenger) aller en avion; (of time) passer vite; (of flag) flotter; **to f. away or off** s'envoler; **to f. out** (of passenger) partir en avion; **to f. out of a room** sortir d'une pièce à toute vitesse; **to f. at sb** (attack) sauter sur qn; **to f. across or over** (country, city) survoler; **the door flew open** la porte s'ouvrit brusquement; **I must f.!** il faut que je file! ▪**flyby** n (by plane) défilé m aérien ▪**fly-by-night** adj (firm) véreux, -euse ▪**flyer** n = **flier** ▪**flying** 1 n (as pilot) pilotage m; (as passenger) voyage m en avion 2 adj (doctor, personnel) volant; **to succeed with f. colours** réussir haut la main; **to get off to a f. start** prendre un très bon départ; **f. saucer** soucoupe f volante; **f. visit** visite f éclair inv; **f. time** heures fpl de vol ▪**flyover** n Br (bridge) Toboggan® m ▪**flypast** n (by plane) défilé m aérien

fly³ [flaɪ] n Br (on trousers) braguette f

FM [ef'em] (abbr frequency modulation) n FM f

foal [fəʊl] n poulain m

foam [fəʊm] 1 n (on sea, mouth) écume f; (on beer) mousse f; **f. bath** bain m moussant; **f. rubber** caoutchouc m Mousse® 2 vi (of sea, mouth) écumer; (of beer, soap) mousser

fob [fɒb] (pt & pp -bb-) vt Fam **to f. sb off with an excuse** se débarrasser de qn en lui racontant des salades; **to f. sth off on (to) sb** refiler qch à qn

focal ['fəʊkəl] adj focal

focus ['fəʊkəs] 1 (pl focuses ['fəʊkəsəz] or foci ['fəʊkaɪ]) n (of attention, interest) centre m; (optical, geometrical) foyer m; **the photo is in f./out of f.** la photo est nette/floue; **f. group** groupe-témoin m 2 vt (image, camera) mettre au point; (attention, efforts) concentrer (**on** sur) 3 vi (converge) (of light) converger (**on** sur); **to f. on sb/sth** (with camera) faire la mise au point sur qn/qch 4 vti (one's eyes) on sb/sth fixer les yeux sur qn/qch; **to f. (one's) attention) on sb/sth** se tourner vers qn/qch

fodder ['fɒdə(r)] n fourrage m

foe [fəʊ] n Literary ennemi, -ie mf

foetus ['fiːtəs] (Am fetus) n fœtus m

fog [fɒg] 1 n brouillard m 2 (pt & pp -gg-) vt **to f. the issue** embrouiller la question ▪**fogbound** adj bloqué en raison du brouillard ▪**foghorn** n corne f de brume ▪**foglamp, foglight** n (on vehicle) phare m anti-brouillard inv

fogey ['fəʊgɪ] n = **fogy**

foggy ['fɒgɪ] (-ier, -iest) adj brumeux, -euse; **it's f.** il y a du brouillard; **on a f. day** par un jour de brouillard; **Fam I haven't got the foggiest (idea)** je n'en ai pas la moindre idée

fogy ['fəʊgɪ] n **old f.** vieille baderne f

foible ['fɔɪbəl] n (habit) petite manie f; (weakness) point m faible

foil [fɔɪl] 1 n (**a**) *(for cooking)* papier m alu; *(metal sheet)* feuille f de métal (**b**) *(person)* repoussoir m (**c**) *(sword)* fleuret m 2 vt *(plans)* contrecarrer

foist [fɔɪst] vt **to f. sth (off) on sb** refiler qch à qn; **to f. oneself on sb** s'imposer à qn

fold¹ [fəʊld] 1 n *(in paper, cloth)* pli m 2 vt plier; **to f. away** or **down** or **up** *(chair)* plier; **to f. back** or **over** *(blanket)* replier; **to f. one's arms** croiser les bras 3 vi *(of chair)* se plier; Fam *(of business)* fermer ses portes; **to f. away** or **down** or **up** *(of chair)* se plier; **to f. back** or **over** *(of blanket)* se replier ▪ **folding** adj *(chair, bed)* pliant

fold² [fəʊld] n *(for sheep)* parc m à moutons; Fig **to return to the f.** rentrer au bercail

-fold [fəʊld] suff 1 adj **tenfold** par dix 2 adv **tenfold** dix fois

folder ['fəʊldə(r)] n *(file holder)* chemise f; *(for drawings)* carton m à dessins; Comptr répertoire m

foliage ['fəʊlɪɪdʒ] n feuillage m

folk [fəʊk] 1 n *(Am* **folks)** npl gens mpl; Fam **my folks** *(parents)* mes parents mpl; Fam **hi, folks!** salut tout le monde!; Br **old f.** les vieux mpl 2 adj *(dance, costume)* folklorique; **f. music** *(contemporary)* folk m

folklore ['fəʊklɔ:(r)] n folklore m

follow ['fɒləʊ] 1 vt suivre; *(career)* poursuivre; **followed by** suivi de; **to f. suit** *(do the same)* faire de même; **to f. sb around** suivre qn partout; **to f. through** *(plan, idea)* mener à son terme; **to f. up** *(idea, story)* creuser; *(clue, case)* suivre; *(letter)* donner suite à; *(remark)* faire suivre *(with* de); *(advantage)* exploiter 2 vi *(of person, event)* suivre; **it follows that…** il s'ensuit que…; **that doesn't f.** ce n'est pas logique; **to f. on** *(come after)* suivre ▪ **follow-up** n Com *(of orders)* suivi m (**to** de); *(letter)* rappel m; **f. visit** *(by doctor)* visite f de contrôle; **f. treatment** traitement m complémentaire

follower ['fɒləʊə(r)] n *(of ideas, politician)* partisan m

following ['fɒləʊɪŋ] 1 adj suivant 2 n *(of ideas, politician)* partisans mpl; **to have a large f.** avoir de nombreux partisans; *(of programme)* être très suivi 3 prep à la suite de

folly ['fɒlɪ] *(pl* **-ies)** n folie f

fond [fɒnd] (**-er, -est**) adj *(loving)* affectueux, -ueuse; *(memory, thought)* doux *(f* douce); **to be (very) f. of sb/sth** aimer beaucoup qn/qch; **with f. regards** *(in letter)* bien amicalement ▪ **fondly** adv tendrement ▪ **fondness** n penchant m (**for sth** pour qch); *(affection)* affection f (**for sb** pour qn)

fondle ['fɒndəl] vt caresser

font [fɒnt] n (**a**) Rel fonts mpl baptismaux (**b**) Typ & Comptr police f de caractères

food [fu:d] 1 n nourriture f; *(particular substance)* aliment m; *(cooking)* cuisine f; *(for cats, dogs, pigs)* pâtée f; *(for plants)* engrais m; **foods** *(foodstuffs)* aliments mpl 2 adj *(needs, industry)* alimentaire; **f. poisoning** intoxication f alimentaire; **f. value** valeur f nutritive

foodstuffs ['fu:dstʌfs] npl denrées fpl alimentaires

fool [fu:l] 1 n imbécile mf; **(you) silly f.!** espèce d'imbécile!; **to make a f. of sb** *(ridicule)* ridiculiser qn; *(trick)* rouler qn; **to make a f. of oneself** se couvrir de ridicule; **to be f. enough to do sth** être assez stupide pour faire qch; **to play the f.** faire l'imbécile 2 vt *(trick)* duper 3 vi **to f. about** or **around** faire l'imbécile; *(waste time)* perdre son temps; Fam **to f. around** *(have affairs)* avoir des aventures

foolhardy ['fu:lhɑ:dɪ] adj *(rash)* téméraire ▪ **foolhardiness** n témérité f

foolish ['fu:lɪʃ] adj bête ▪ **foolishly** adv bêtement ▪ **foolishness** n bêtise f

foolproof ['fu:lpru:f] adj *(scheme)* infaillible

foot¹ [fʊt] *(pl* **feet)** n pied m; *(of animal)* patte f; *(unit of measurement)* = 30,48 cm, pied m; **at the f. of** *(page, stairs)* au bas de; *(table)* au bout de; **on f.** à pied; **to be on one's feet** *(standing)* être debout; *(recovered from illness)* être sur pied; **f. brake** *(of vehicle)* frein m au plancher; **f.-and-mouth disease** fièvre f aphteuse ▪ **football** n *(soccer)* football m; *(American game)* football américain; *(ball)* ballon m ▪ **footballer** n Br joueur, -euse mf de football ▪ **footbridge** n passerelle f ▪ **foothills** npl contreforts mpl ▪ **foothold** n prise f *(de pied)*; Fig position f; **to gain a f.** *(of person)* prendre pied *(in* dans) ▪ **footlights** npl *(in theatre)* rampe f ▪ **footloose** adj libre de toute attache ▪ **footman** *(pl* **-men)** n valet m de pied ▪ **footnote** n note f de bas de page; Fig *(extra comment)* post-scriptum m inv ▪ **footpath** n sentier m ▪ **footprint** n empreinte f de pied ▪ **footstep** n pas m; **to follow in sb's footsteps** suivre les traces de qn ▪ **footstool** n petit tabouret m ▪ **footwear** n chaussures fpl

foot² [fʊt] vt *(bill)* payer

footage ['fʊtɪdʒ] n Cin séquences fpl

footing ['fʊtɪŋ] n (**a**) *(balance)* **to lose one's f.** perdre l'équilibre (**b**) *(level)* **to be on an equal f.** être sur un pied d'égalité (**with** avec)

for [fɔ:(r), *unstressed* fə(r)] 1 prep pour; *(for a distance or period of)* pendant; *(in spite of)* malgré; **f. you/me** pour toi/moi; **it's f. tomorrow/f. eating** c'est pour demain/pour manger; **what's it f.?** ça sert à quoi?; **I did it f. love/pleasure** je l'ai fait par amour/par plaisir; **to swim/rush f.** *(towards)* nager/se précipiter vers; **a train f.** un train à destination de; **the road f. London** la route de Londres; **it's time f. breakfast** c'est l'heure du petit déjeuner; **to come f. dinner** venir dîner; **to sell sth f.** 7

dollars vendre qch 7 dollars; **what's the French f. 'book'?** comment dit-on 'book' en français?; **A f. Alice** A comme Alice; **she walked f. a kilometre** elle a marché pendant un kilomètre; **he was away f. a month** il a été absent pendant un mois; **he won't be back f. a month** il ne sera pas de retour avant un mois; **he's been here f. a month** il est ici depuis un mois; **I haven't seen him f. ten years** voilà dix ans que je ne l'ai vu, je ne l'ai pas vu depuis dix ans; **it's easy f. her to do it** il lui est facile de le faire; **it's f. you to say** c'est à toi de dire; **f. that to be done** pour que ça soit fait **2** *conj* (*because*) car

forage ['fɒrɪdʒ] *vi* fouiller (**for** pour trouver)

foray ['fɒreɪ] *n* incursion *f* (**into** dans)

forbad [fə'bæd] *pt of* **forbid**

forbade [fə'bæd, fə'beɪd] *pt of* **forbid**

forbearance [fɔː'beərəns] *n Formal* patience *f*

forbid [fə'bɪd] (*pt* **forbad(e)**, *pp* **forbidden** [fə'bɪdən], *pres p* **forbidding**) *vt* interdire, défendre (**sb to do à** qn de faire); **to f. sb sth** interdire qch à qn; **God f.!** Dieu nous en préserve! ▪**forbidden** *adj* (*fruit, region, palace*) défendu; **she is f. to leave** il lui est interdit de partir ▪**forbidding** *adj* (*look, landscape*) sinistre

force [fɔːs] **1** *n* force *f*; **the (armed) forces** les forces armées; **by f.** de force; **by sheer f.** par la force; **in f.** (*rule*) en vigueur; (*in great numbers*) en force **2** *vt* forcer (**to do** à faire); (*impose*) imposer (**on** à); (*door, lock*) forcer; (*confession*) arracher (**from** à); **to f. one's way into** entrer de force dans; **to f. back** (*enemy, demonstrators*) faire reculer; (*tears*) refouler; **to f. down** (*aircraft*) forcer à atterrir; **to f. sth into sth** faire entrer qch de force dans qch; **to f. sth out** faire sortir qch de force ▪**forced** *adj* **f. to do** obligé *ou* forcé de faire; **a f. smile** un sourire forcé ▪**force-feed** (*pt & pp* -**fed**) *vt* nourrir de force

forceful ['fɔːsfəl] *adj* énergique

forceps ['fɔːseps] *npl* forceps *m*

forcible ['fɔːsɪbəl] *adj* (*powerful*) puissant; *Law* **f. entry** entrée *f* par effraction ▪**forcibly** *adv* (*by force*) de force; (*argue, express*) avec force

ford [fɔːd] **1** *n* gué *m* **2** *vt* (*river*) passer à gué

fore [fɔː(r)] *n* **to come to the f.** (*of issue*) passer au premier plan

forearm ['fɔːrɑːm] *n* avant-bras *m inv*

forebode [fɔː'bəʊd] *vt* (*warn*) présager ▪**foreboding** *n* (*feeling*) pressentiment *m*

forecast ['fɔːkɑːst] **1** *n* (*of weather*) prévisions *fpl*; (*in racing*) pronostic *m* **2** (*pt & pp* **forecast(ed)**) *vt* prévoir; (*in racing*) pronostiquer

forecourt ['fɔːkɔːt] *n* (*of hotel*) avant-cour *f*; (*of petrol station*) devant *m*

forefathers ['fɔːfɑːðəz] *npl* aïeux *mpl*

forefinger ['fɔːfɪŋgə(r)] *n* index *m*

forefront ['fɔːfrʌnt] *n* **in the f. of** au premier plan de

forego [fɔː'gəʊ] (*pp* -**gone**) *vt* renoncer à; **it's a foregone conclusion** c'est couru d'avance

foreground ['fɔːgraʊnd] *n* premier plan *m*

forehead ['fɒrɪd, 'fɔːhed] *n* front *m*

foreign ['fɒrɪn] *adj* (*language, person, country*) étranger, -ère; (*trade*) extérieur; (*travel, correspondent*) à l'étranger; *Med* **f. body** corps *m* étranger; **F. Minister**, *Br* **F. Secretary** ministre *m* des Affaires étrangères; *Br* **F. Office** ministère *m* des Affaires étrangères ▪**foreigner** *n* étranger, -ère *mf*

foreman ['fɔːmən] (*pl* -**men**) *n* (*worker*) contremaître *m*; (*of jury*) président *m*

foremost ['fɔːməʊst] *adj* principal

forensic [fə'rensɪk] *adj* **f. medicine** médecine *f* légale

forerunner ['fɔːrʌnə(r)] *n* (*person*) précurseur *m*

foresee [fɔː'siː] (*pt* -**saw**, *pp* -**seen**) *vt* prévoir ▪**foreseeable** *adj* prévisible

foreshadow [fɔː'ʃædəʊ] *vt* annoncer

foresight ['fɔːsaɪt] *n* prévoyance *f*

forest ['fɒrɪst] *n* forêt *f*

forestall [fɔː'stɔːl] *vt* devancer

foretaste ['fɔːteɪst] *n* avant-goût *m* (**of** de)

foretell [fɔː'tel] (*pt & pp* -**told**) *vt* prédire

forethought ['fɔːθɔːt] *n* prévoyance *f*

forever [fə'revə(r)] *adv* (*for always*) pour toujours; (*continually*) sans cesse

forewarn [fɔː'wɔːn] *vt* avertir

foreword ['fɔːwɜːd] *n* avant-propos *m inv*

forfeit ['fɔːfɪt] **1** *n* (*in game*) gage *m*; *Law* amende *f* **2** *vt* (*lose*) perdre

forge [fɔːdʒ] **1** *n* forge *f* **2** *vt* (**a**) (*metal, alliance*) forger (**b**) (*signature, money*) contrefaire; **to f. a passport** faire un faux passeport **3** *vi* **to f. ahead** (*progress*) aller de l'avant ▪**forged** *adj* faux (*f* fausse); **f. money** fausse monnaie *f* ▪**forger** *n* (*of documents, money*) faussaire *m*

forgery ['fɔːdʒərɪ] (*pl* -**ies**) *n* contrefaçon *f*

forget [fə'get] **1** (*pt* **forgot**, *pp* **forgotten**, *pres p* **forgetting**) *vt* oublier (**to do** de faire); *Fam* **f. it!** (*when thanked*) pas de quoi!; (*it doesn't matter*) laisse tomber!; **to f. oneself** s'oublier **2** *vi* oublier; **to f. about sb/sth** oublier qn/qch ▪**forget-me-not** *n* myosotis *m*

forgetful [fə'getfəl] *adj* **to be f.** avoir une mauvaise mémoire ▪**forgetfulness** *n* manque *m* de mémoire; (*carelessness*) négligence *f*; **in a moment of f.** dans un moment d'oubli

forgive [fə'gɪv] (*pt* -**gave**, *pp* -**given**) *vt* pardonner (**sb sth** qch à qn) ▪**forgiveness** *n* pardon *m* ▪**forgiving** *adj* indulgent

forgo [fɔː'gəʊ] (*pp* -**gone**) *vt* renoncer à

forgot [fə'gɒt] *pt of* **forget**

forgotten [fə'gɒtən] *pp of* **forget**

fork [fɔːk] **1** n (for eating) fourchette f; (for gardening, in road) fourche f **2** vt Fam **to f. out** (money) allonger **3** vi (of road) bifurquer; Fam **to f. out** (pay) casquer (**on** pour) •**forked** adj (branch, tongue) fourchu •**forklift truck** n chariot m élévateur

forlorn [fəˈlɔːn] adj (forsaken) abandonné; (unhappy) triste

form [fɔːm] **1** n (shape, type, style) forme f; (document) formulaire m; Br Sch classe f; **it's good f.** c'est ce qui se fait; **in the f. of** sous forme de; **a f. of speech** une façon de parler; **on f., in good** or **top f.** en (pleine) forme **2** vt (group, basis, character) former; (clay) façonner; (habit) contracter; (obstacle) constituer; **to f. part of sth** faire partie de qch; **to f. an opinion** se faire une opinion (**of** de) **3** vi (appear) se former

formal [ˈfɔːməl] adj (person, tone) cérémonieux, -ieuse; (announcement, dinner, invitation) officiel, -ielle; (agreement) en bonne et due forme; (denial, logic) formel, -elle; (language) soutenu; **f. dress** tenue f de soirée; **f. education** éducation f scolaire •**formality** [-ˈmælɪtɪ] (pl -ies) n (procedure) formalité f •**formally** adv (declare) officiellement; **f. dressed** en tenue de soirée

> Note that the French word **formellement** is a false friend. Its most common meaning is **strictly**.

format [ˈfɔːmæt] **1** n format m **2** (pt & pp -tt-) vt Comptr formater

formation [fɔːˈmeɪʃən] n formation f

formative [ˈfɔːmətɪv] adj formateur, -trice

former [ˈfɔːmə(r)] **1** adj (previous) (president, teacher, job, house) ancien, -ienne (before noun); (situation, life) antérieur; **her f. husband** son ex-mari; **in f. days** autrefois **2** pron **the f.** celui-là, celle-là •**formerly** adv autrefois

formidable [ˈfɔːmɪdəbəl] adj effroyable

formula [ˈfɔːmjʊlə] n (a) (pl -as or -ae [-iː]) (rule, symbols) formule f; Aut **f. 1** formule 1 (b) (pl -as) (baby food) lait m en poudre •**formulate** [-leɪt] vt formuler •**formulation** [-ˈleɪʃən] n formulation f

forsake [fəˈseɪk] (pt -sook [-ˈsʊk], pp -saken [-ˈseɪkən]) vt Literary abandonner

fort [fɔːt] n Mil fort m; Fam **to hold the f.** monter la garde

forte [Br ˈfɔːteɪ, Am fɔːt] n fort m

forth [fɔːθ] adv en avant; **from this day f.** désormais; **and so f.** et ainsi de suite; **to go back and f.** aller et venir

forthcoming [fɔːθˈkʌmɪŋ] adj (a) (event) à venir; (book, film) qui va sortir; **my f. book** mon prochain livre (b) (available) disponible (c) (informative) expansif, -ive (**about** sur)

forthright [ˈfɔːθraɪt] adj franc (f franche)

forthwith [fɔːθˈwɪð] adv Formal sur-le-champ

fortieth [ˈfɔːtɪəθ] adj & n quarantième (mf)

fortify [ˈfɔːtɪfaɪ] (pt & pp -ied) vt (strengthen) fortifier; **to f. sb** (of food, drink) réconforter qn, remonter qn •**fortification** [-fɪˈkeɪʃən] n fortification f

fortitude [ˈfɔːtɪtjuːd] n force f morale

fortnight [ˈfɔːtnaɪt] n Br quinzaine f de jours •**fortnightly 1** adj Br bimensuel, -uelle **2** adv tous les quinze jours

fortress [ˈfɔːtrɪs] n forteresse f

fortuitous [fɔːˈtjuːɪtəs] adj fortuit

fortunate [ˈfɔːtʃənət] adj heureux, -euse; **to be f.** (of person) avoir de la chance; **to be f. enough to...** avoir la chance de...; **it's f. (for her) that...** c'est heureux (pour elle) que... (+ subjunctive) •**fortunately** adv heureusement

> Note that the French adjective **fortuné** is a false friend. It means **wealthy**.

fortune [ˈfɔːtʃuːn] n (wealth) fortune f; (luck) chance f; **to have the good f. to do sth** avoir la chance de faire qch; **to tell sb's f.** dire la bonne aventure à qn; **to make one's f.** faire fortune; **to cost a f.** coûter une (petite) fortune •**fortune-teller** n diseur, -euse mf de bonne aventure

forty [ˈfɔːtɪ] adj & n quarante (m)

forum [ˈfɔːrəm] n forum m; Comptr **discussion** f. forum m de discussion; **online f.** forum m en-ligne

forward [ˈfɔːwəd] **1** adj (position) avant inv; (movement) en avant; Fig (impudent) effronté **2** n Sport avant m **3** adv en avant; **to go f.** avancer; **to put the clocks f.** avancer les pendules; **from this day f.** à partir d'aujourd'hui **4** vt (letter) faire suivre; (goods) expédier •**forward-looking** adj progressiste

forwards [ˈfɔːwədz] adv = **forward**

fossil [ˈfɒsəl] n fossile m; **f. fuel** combustible m fossile

foster [ˈfɒstə(r)] **1** vt (a) (music, art) encourager (b) (child) élever en famille d'accueil **2** adj **f. child** = enfant placé dans une famille d'accueil; **f. home** or **family** famille f d'accueil; **f. parents** parents mpl nourriciers

fought [fɔːt] pt & pp of **fight**

foul [faʊl] **1** (-er, -est) adj (a) (smell, taste, weather, person) infect; (air) vicié; (breath) fétide; (language) grossier, -ière; (place) immonde; **to be in a f. mood** être d'une humeur massacrante; **to be f.-mouthed** avoir un langage grossier (b) Sport **f. play** jeu m irrégulier; Law acte m criminel **2** n Sport faute f **3** vt **to f. (up)** (get dirty) salir; (air) vicier; Fam **to f. up** (ruin) gâcher

found[1] [faʊnd] pt & pp of **find**

found[2] [faʊnd] vt (town, party) fonder; (opinion,

suspicions) fonder, baser (**on** sur) **▪founder¹** *n* fondateur, -trice *mf*

foundation [faʊn'deɪʃən] *n (of city, organization)* fondation *f; (basis)* fondement *m;* **the foundations** *(of building)* les fondations *fpl;* **without f.** sans fondement; **f. (cream)** fond *m* de teint

founder² ['faʊndə(r)] *vi (of ship)* s'échouer

foundry ['faʊndrɪ] *(pl* **-ies)** *n* fonderie *f*

fountain ['faʊntɪn] *n* fontaine *f;* **f. pen** stylo-plume *m*

four [fɔː(r)] *adj & n* quatre *(m);* **on all fours** à quatre pattes; **f.-letter word** gros mot *m* **▪fourth** *adj & n* quatrième *(mf)*

fourfold ['fɔːfəʊld] **1** *adj* **a f. increase** une augmentation au quadruple **2** *adv* **to increase f.** quadrupler

foursome ['fɔːsəm] *n* groupe *m* de quatre personnes

fourteen [fɔː'tiːn] *adj & n* quatorze *(m)* **▪fourteenth** *adj & n* quatorzième *(mf)*

fowl [faʊl] *n inv* volaille *f*

fox [fɒks] **1** *n* renard *m* **2** *vt (puzzle)* laisser perplexe; *(deceive)* duper **▪foxy** *adj Fam (sly)* rusé; *(sexy)* sexy *inv*

foyer ['fɔɪeɪ] *n (in theatre)* foyer *m; (in hotel)* hall *m*

fraction ['frækʃən] *n* fraction *f* **▪fractionally** *adv* un tout petit peu

fractious ['frækʃəs] *adj* grincheux, -euse

fracture ['fræktʃə(r)] **1** *n* fracture *f* **2** *vt* fracturer; **to f. one's leg** se fracturer la jambe **3** *vi* se fracturer

fragile [*Br* 'frædʒaɪl, *Am* 'frædʒəl] *adj* fragile **▪fragility** [frə'dʒɪlətɪ] *n* fragilité *f*

fragment ['frægmənt] *n* fragment *m* **▪fragmented** [-'mentɪd], **▪fragmentary** [-'mentərɪ] *adj* fragmentaire

fragrant ['freɪgrənt] *adj* parfumé **▪fragrance** *n* parfum *m*

frail [freɪl] **(-er, -est)** *adj (person)* frêle; *(hope, health)* fragile **▪frailty** *n* fragilité *f*

frame [freɪm] **1** *n (of building)* charpente *f; (of person)* ossature *f; (of picture, bicycle)* cadre *m; (of door, window)* encadrement *m; (of car)* châssis *m; (of spectacles)* monture *f;* **f. of mind** état *m* d'esprit **2** *vt (picture)* encadrer; *Fig (proposals, ideas)* formuler; *Fam* **to f. sb** monter un coup contre qn **▪framework** *n* structure *f;* **(with)in the f. of** *(context)* dans le cadre de

franc [fræŋk] *n (currency)* franc *m*

France [frɑːns] *n* la France

franchise ['fræntʃaɪz] *n (right to vote)* droit *m* de vote; *(right to sell product)* franchise *f*

Franco- ['fræŋkəʊ] *pref* franco-

frank¹ [fræŋk] **(-er, -est)** *adj (honest)* franc *(f* franche) **▪frankly** *adv* franchement **▪frankness** *n* franchise *f*

frank² [fræŋk] *vt (letter)* affranchir

frankfurter ['fræŋkfɜːtə(r)] *n* saucisse *f* de Francfort

frantic ['fræntɪk] *adj (activity, shouts, pace)* frénétique; *(attempt, efforts)* désespéré; **f. with joy** fou *(f* folle) de joie **▪frantically** *adv* frénétiquement; *(run, search)* comme un fou/une folle; *(work)* avec frénésie

fraternal [frə'tɜːnəl] *adj* fraternel, -elle **▪fraternity** *(pl* **-ies)** *n (brotherliness)* fraternité *f; Am Univ* = association d'étudiants; **the banking/medical f.** la confrérie des banquiers/médecins **▪fraternize** ['frætənaɪz] *vi* fraterniser (**with** avec)

fraud [frɔːd] *n* (**a**) *(crime)* fraude *f;* **to obtain sth by f.** obtenir qch frauduleusement (**b**) *(person)* imposteur *m* **▪fraudulent** ['frɔːdjʊlənt] *adj* frauduleux, -euse

fraught [frɔːt] *adj (situation)* tendu; **f. with** plein de

fray [freɪ] **1** *n (fight)* bagarre *f* **2** *vt (garment)* effilocher; *(rope)* user; **my nerves are frayed** j'ai les nerfs à vif; **tempers were frayed** on s'énervait **3** *vi (of garment)* s'effilocher; *(of rope)* s'user

freak [friːk] **1** *n (person)* monstre *m; Fam* **jazz f.** fana *f* de jazz **2** *adj (result, weather)* anormal; **f. accident** accident imprévisible
▶**freak out** *Fam* **1** *vt sep (shock, scare)* faire flipper **2** *vi (panic)* paniquer; *(get angry)* piquer une crise

freckle ['frekəl] *n* tache *f* de rousseur **▪freckled** *adj* couvert de taches de rousseur

free [friː] **1** (**freer, freest**) *adj (at liberty, not occupied)* libre; *(without cost)* gratuit; *(lavish)* généreux, -euse (**with** de); **to get f.** se libérer; **to be f. to do sth** être libre de faire qch; **to let sb go f.** relâcher qn; **to be f. of sb** être débarrassé de qn; **f. of charge** gratuit; *Fig* **to have a f. hand** avoir carte blanche (**to do** pour faire); **f. and easy** décontracté; **f. gift** cadeau *m; Football* **f. kick** coup *m* franc; **f. speech** liberté *f* d'expression; **f. trade** libre-échange *m*
2 *adv* **f. (of charge)** gratuitement
3 *(pt & pp* **freed)** *vt (prisoner, country)* libérer; *(trapped person)* dégager; *(untie)* détacher **▪Freefone®** *n Br (phone number)* ≃ numéro *m* vert **▪free-for-all** *n* bagarre *f* **▪freehold** *n Law* propriété *f* foncière perpétuelle et libre **▪freelance 1** *adj* indépendant **2** *n* travailleur, -euse *mf* indépendant(e) **3** *adv* **to work f.** travailler en indépendant **▪freeloader** *n Fam* parasite *m* **▪Freemason** *n* franc-maçon *m* **▪Freepost®** *n Br* ≃ correspondance-réponse *f* **▪free-range** *adj Br* **f. chicken** poulet *m* fermier; *Br* **f. egg** œuf *m* de ferme **▪freestyle** *n (in swimming)* nage *f* libre **▪free'thinker** *n* libre penseur, -euse *mf* **▪freeway** *n Am* autoroute *f* **▪free-wheel** *vi (on bicycle)* être en roue libre

freebie ['fri:bi:] *n Fam* petit cadeau *m*

freedom ['fri:dəm] *n* liberté *f*; **f. of information** libre accès *m* à l'information; **f. of speech** liberté *f* d'expression; **f. from worry/ responsibility** absence *f* de souci/de responsabilité; **f. fighter** guérillero *m*

freely ['fri:lɪ] *adv (speak, act, circulate)* librement; *(give)* sans compter

freeze [fri:z] **1** *n (in weather)* gel *m*; *(of prices, salaries)* blocage *m* **2** *(pt* **froze**, *pp* **frozen)** *vt (food)* congeler; *(credits, river)* geler; *(prices, wages)* bloquer; **frozen food** surgelés *mpl* **3** *vi* geler; *(of person)* s'arrêter net; **f.!** ne bougez plus!; **to f. to death** mourir de froid; **to f. up** *or* **over** *(of lake)* geler ▪**freeze-dry** *vt* lyophiliser ▪**freezer** *n (deep-freeze)* congélateur *m*; *(icebox)* freezer *m* ▪**freezing 1** *adj (weather)* glacial; *(hands, feet)* gelé; **it's f.** il gèle; *Fam* **I'm f.!** je gèle! **2** *n* **it's 5 degrees below f.** il fait 5 degrés au-dessous de zéro **3** *adv* **f. cold** très froid; **it's f. cold in here!** on meurt de froid ici!

freight [freɪt] *Com* **1** *n (transport)* fret *m*; *(goods)* cargaison *f*; **f. train** train *m* de marchandises **2** *vt (goods)* transporter ▪**freighter** *n (ship)* cargo *m*

French [frentʃ] **1** *adj* français; *(teacher)* de français; *(embassy)* de France; **F. fries** frites *fpl*; **F. loaf** baguette *f* **2** *n (language)* français *m*; **the F.** *(people)* les Français *mpl* ▪**Frenchman** *(pl* **-men)** *n* Français *m* ▪**French-speaking** *adj* francophone ▪**Frenchwoman** *(pl* **-women)** *n* Française *f*

frenzy ['frenzɪ] *(pl* **-ies)** *n* frénésie *f* ▪**frenzied** *adj (activity)* frénétique; *(person)* affolé; *(attack)* violent

frequency ['fri:kwənsɪ] *(pl* **-ies)** *n* fréquence *f*

frequent 1 ['fri:kwənt] *adj* fréquent; **f. flyer** = personne qui prend souvent l'avion; **f. visitor** habitué, -uée *mf* **(to** de) **2** [frɪ'kwent] *vt* fréquenter ▪**frequently** *adv* fréquemment

fresco ['freskəʊ] *(pl* **-oes** *or* **-os)** *n* fresque *f*

fresh [freʃ] **1** **(-er, -est)** *adj* frais *(f* fraîche); *(new)* nouveau *(f* nouvelle); *Am Fam (cheeky)* insolent; **to get some f. air** prendre l'air; **f.-water fish** poisson *m* d'eau douce **2** *adv* **to be f. from** *(city, country)* arriver tout juste de; *(school, university)* sortir tout juste de ▪**freshly** *adv (arrived, picked)* fraîchement ▪**freshness** *n* fraîcheur *f*

freshen ['freʃən] **1** *vi (of wind)* fraîchir; **to f. up** *(have a wash)* faire un brin de toilette **2** *vt* **to f. up** *(house)* retaper; **to f. sb up** *(of bath, shower)* rafraîchir qn

fresher ['freʃə(r)] *n Br Univ* étudiant, -iante *mf* de première année

freshman ['freʃmən] *(pl* **-men)** *n Am Univ* étudiant, -iante *mf* de première année

fret [fret] *(pt & pp* **-tt-)** *vi (worry)* se faire du souci ▪**fretful** *adj* inquiet, -iète

friar ['fraɪə(r)] *n* moine *m*

friction ['frɪkʃən] *n* friction *f*

Friday ['fraɪdeɪ] *n* vendredi *m*; **Good F.** le Vendredi saint

fridge [frɪdʒ] *n* frigo *m*

fried [fraɪd] **1** *pt & pp of* **fry[1]2** *adj* frit; **f. egg** œuf *m* sur le plat

friend [frend] *n* ami, -ie *mf*; **to be friends with sb** être ami avec qn; **to make friends with sb** devenir ami avec qn ▪**friendly 1 (-ier, -iest)** *adj* amical; **f. advice** conseils *mpl* d'ami; **to be f. with sb** être ami avec qn; **to be on f. terms with sb** être en bons termes avec qn **2** *n Sport* match *m* amical ▪**friendship** *n* amitié *f*

frieze [fri:z] *n (on building)* frise *f*

fright [fraɪt] *n* peur *f*; **to take f.** prendre peur; **to give sb a f.** faire peur à qn; *Fam* **you look a f.!** tu es à faire peur!

frighten ['fraɪtən] *vt* effrayer, faire peur à; **to f. sb away** *or* **off** faire fuir qn ▪**frightened** *adj* effrayé; **to be f.** avoir peur **(of** de) ▪**frightening** *adj* effrayant

frightful ['fraɪtfəl] *adj* affreux, -euse ▪**frightfully** *adv* terriblement

frigid ['frɪdʒɪd] *adj (greeting, manner)* glacial; *(woman)* frigide

frill [frɪl] *n* volant *m*; **no frills** *(machine, holiday)* rudimentaire; *(ceremony)* sans chichis

fringe [frɪndʒ] *n* **(a)** *(of hair, on clothes)* frange *f* **(b)** *(of forest)* lisière *f*; *(of town)* abords *mpl*; **on the fringes of society** en marge de la société; **f. benefits** avantages *mpl* divers; **f. group** groupuscule *m*; *Br* **f. theatre** théâtre *m* expérimental

Frisbee® ['frɪzbi:] *n* Frisbee® *m*

frisk [frɪsk] **1** *vt (search)* fouiller **2** *vi* **to f. (about)** gambader

frisky ['frɪskɪ] **(-ier, -iest)** *adj (lively)* vif *(f* vive)

fritter ['frɪtə(r)] **1** *n Culin* beignet *m* **2** *vt* **to f. away** gaspiller

frivolous ['frɪvələs] *adj* frivole ▪**frivolity** [-'vɒlɪtɪ] *(pl* **-ies)** *n* frivolité *f*

frizzy ['frɪzɪ] *adj (hair)* crépu

fro [frəʊ] *adv* **to go to and fro** aller et venir

frock [frɒk] *n (dress)* robe *f*; *(of monk)* froc *m*

Frog [frɒg] *n Br Fam (French person)* = terme injurieux désignant un Français

frog [frɒg] *n* grenouille *f*; **f.'s legs** cuisses *fpl* de grenouille; *Fam* **to have a f. in one's throat** avoir un chat dans la gorge ▪**'frogman** *(pl* **-men)** *n* homme-grenouille *m*

frolic ['frɒlɪk] *(pt & pp* **-ck-)** *vi* **to f. (about)** gambader ▪**frolics** *npl (playing)* gambades *fpl*; *(pranks)* gamineries *fpl*

from [frɒm, *unstressed* frəm] *prep* **(a)** *(expressing origin)* de; **a letter f. sb** une lettre de qn; **to suffer f. sth** souffrir de qch; **where are you f.?** d'où êtes-vous?; **I come f. Portugal** je viens du Portugal; **a train f. Paris** un train en provenance de Paris; **to be 10 m (away) f. the house** être à 10 m de la maison; **f. York to London** de York à Londres

(**b**) *(expressing time)* à partir de; **f. today (on), as f. today** à partir d'aujourd'hui; **f. then on** depuis ce jour-là; **f. the beginning** dès le début

(**c**) *(expressing range)* **f.... to...** de... à...; **f. six to seven o'clock** de six à sept heures; **f. morning till night** du matin au soir; **they take children f. the age of five** ils acceptent les enfants à partir de cinq ans

(**d**) *(expressing source)* de; **to take/borrow sth f. sb** prendre/emprunter qch à qn; **to drink f. a cup** boire dans une tasse

(**e**) *(expressing removal)* de; **to take sth f. sb** prendre qch à qn; **to take sth f. a box** prendre qch dans une boîte; **to take sth f. the table** prendre qch sur la table

(**f**) *(according to)* d'après; **f. what I saw...** d'après ce que j'ai vu...

(**g**) *(on behalf of)* de la part de; **tell her f. me** dis-lui de ma part

front [frʌnt] **1** *n* devant *m*; *(of boat, car)* avant *m*; *(of building)* façade *f*; *(of crowd)* premier rang *m*; *Mil & Pol* front *m*; *Br* **on the sea f.** sur le front de mer; **in f. of sb/sth** devant qn/qch; **in f.** devant; *(further ahead)* en avant; *(in race)* en tête; **I sat in the f.** *(of car)* j'étais assis à l'avant; *Fig* **it's just a f.** *(appearance)* ce n'est qu'une façade; *Met* **cold/warm f.** front froid/chaud **2** *adj (tooth, garden)* de devant; *(car seat)* avant *inv*; *(row, page)* premier, -ière; **f. door** porte *f* d'entrée; *Mil* **f. line** front *m*; *Br* **f. room** *(lounge)* salon *m*; **f. view** vue *f* de face; *Aut* **f.-wheel drive** traction *f* avant **3** *vt (organization)* être à la tête de; *(government)* diriger; *(TV programme)* présenter **4** *vi* **to f. on to** *(of windows)* donner sur ▪**frontrunner** *n Fig* favori, -ite *mf*

frontage ['frʌntɪdʒ] *n* façade *f*

frontal ['frʌntəl] *adj Anat & (attack)* frontal

frontier ['frʌntɪə(r)] *n* frontière *f*; **f. town** ville *f* frontalière

frost [frɒst] **1** *n* gel *m* **2** *vi* **to f. up** *(of window)* se couvrir de givre

frostbite ['frɒstbaɪt] *n* gelure *f* ▪**frostbitten** *adj* gelé

frosted ['frɒstɪd] *adj* (**a**) *(glass)* dépoli (**b**) *Am (cake)* glacé

frosting ['frɒstɪŋ] *n Am (icing on cake)* glaçage *m*

frosty ['frɒstɪ] *(-ier, -iest) adj (air, night)* glacé; *(window)* givré; *Fig (welcome)* glacial; **it's f.** il gèle

froth [frɒθ] **1** *n (on beer)* mousse *f*; *(on waves)* écume *f* **2** *vi (liquid)* mousser ▪**frothy** *(-ier, -iest) adj (beer)* mousseux, -euse

frown [fraʊn] **1** *n* froncement *m* de sourcils **2** *vi* froncer les sourcils; *Fig* **to f. (up)on** désapprouver

froze [frəʊz] *pt of* **freeze**

frozen ['frəʊzən] *pp of* **freeze**

frugal ['fruːgəl] *adj* frugal ▪**frugally** *adv* frugalement

fruit [fruːt] *n* fruit *m*; **some f.** *(one item)* un fruit; *(more than one)* des fruits; **to like f.** aimer les fruits; **f. basket/bowl** corbeille *f*/coupe *f* à fruits; **f. drink** boisson *f* aux fruits; **f. juice** jus *m* de fruit; **f. salad** salade *f* de fruits; **f. tree** arbre *m* fruitier; *Br* **f. machine** *(for gambling)* machine *f* à sous ▪**fruitcake** *n* cake *m*; *Br Fam* cinglé, -ée *mf*

fruitful ['fruːtfəl] *adj (meeting, discussion)* fructueux, -ueuse ▪**fruitless** *adj (attempt, search)* infructueux, -ueuse

fruition [fruːˈɪʃən] *n* **to come to f.** *(of plan)* porter ses fruits

fruity ['fruːtɪ] *(-ier, -iest) adj (taste)* de fruit

frumpish ['frʌmpɪʃ], **frumpy** ['frʌmpɪ] *adj Fam* **to be f.** faire mémère

frustrate [frʌˈstreɪt] *vt (person)* frustrer; *(plans)* contrarier ▪**frustrated** *adj (person)* frustré; ▪**frustrating** *adj* frustrant ▪**frustration** *n* frustration *f*

fry¹ [fraɪ] **1** *(pt & pp fried) vt* faire frire **2** *vi* frire ▪**frying** *n* friture *f*; **f. pan** poêle *f* (à frire) ▪**fry-up** *n Br Fam* = bacon, œufs, saucisses, tomates etc frits ensemble

fry² [fraɪ] *n* **small f.** *(people)* menu fretin *m*

ft *abbr (unit of measurement)* = **foot¹, feet**

fuddy-duddy ['fʌdɪdʌdɪ] *n Fam* **he's an old f.** c'est un vieux schnock

fudge [fʌdʒ] **1** *n (sweet)* caramel *m* mou **2** *vt* **to f. the issue** éluder une question

fuel [fjʊəl] **1** *n* combustible *m*; *(for engine)* carburant *m*; **f. oil** mazout *m*; **f. tank** *(in vehicle)* réservoir *m* **2** *(Br* **-ll-,** *Am* **-l-)** *vt (stove)* alimenter; *(vehicle, plane, ship)* ravitailler (en combustible); *Fig (anger, hatred)* attiser; **to be fuelled by diesel** *(of engine)* marcher au gazole

fugitive ['fjuːdʒɪtɪv] *n* fugitif, -ive *mf*

fugue [fjuːg] *n Mus* fugue *f*

fulfil [fʊlˈfɪl] *(Am* **fulfill)** *(pt & pp* **-ll-)** *vt (ambition, dream)* réaliser; *(condition, duty)* remplir; *(desire, need)* satisfaire; **to f. oneself** s'épanouir ▪**fulfilling** *adj* satisfaisant ▪**fulfilment** *(Am* **fulfillment)** *n (of ambition)* réalisation *f* (**of** de); *(satisfaction)* épanouissement *m*

full [fʊl] **1** *(-er, -est) adj* plein (**of** de); *(bus, theatre, hotel, examination)* complet, -ète; *(amount)* intégral; *(day, programme)* chargé; *(skirt)* bouffant; **to be f. (up)** *(of person)* n'avoir plus faim; *(of hotel)* être complet; **to wait a f. hour** attendre une heure entière; **to pay (the) f. fare** *or* **price** payer plein tarif; **to lead a f. life** mener une vie bien remplie; **at f. speed** à toute vitesse; **f. house** *(in theatre)* salle *f* comble; **f. member** membre *m* à part entière; **f. name** nom et prénom; *Br* **f. stop** point *m*

2 *n* **in f.** *(pay)* intégralement; *(read, publish)* en entier; *(write)* en toutes lettres; **the text in f.** le texte intégral; **to live life to the f.** vivre pleinement **3** *adv* **to know f. well** savoir fort bien; **f. in the face** *(hit)* en pleine figure ■**full-back** *n Sport* arrière *m* ■**'full-'blown** *adj (row)* vrai; **to have f. AIDS** avoir le SIDA ■**'full-'grown** *adj* adulte ■**'full-'length** *adj (portrait)* en pied; *(dress)* long *(f* longue); **f. film** long métrage *m* ■**'full-'scale** *adj (model)* grandeur nature *inv*; *(operation)* de grande envergure ■**'full-'sized** *adj (model)* grandeur nature *inv* ■**'full-'time** *adj & adv (work)* à plein temps

fullness ['fʊlnɪs] *n (of details)* abondance *f*; *(of dress)* ampleur *f*; **in the f. of time** avec le temps

fully ['fʊlɪ] *adv (completely)* entièrement; *(understand)* parfaitement; *(at least)* au moins ■**'fully-'fledged** *(Am* **'full-'fledged)** *adj (engineer, teacher)* diplômé; *(member)* à part entière ■**'fully-'grown** *adj* adulte

fulsome ['fʊlsəm] *adj (praise)* excessif, -ive; **a f. apology** de plates excuses

fumble ['fʌmbəl] *vi* **to f. (about)** *(grope)* tâtonner; *(search)* fouiller **(for** pour trouver); **to f. (about) with sth** tripoter qch

fume [fjuːm] *vi* **(a)** *(give off fumes)* fumer **(b)** **to be fuming** *(of person)* rager ■**fumes** *npl* émanations *fpl*; *(from car)* gaz *mpl* d'échappement

> Note that the French verb **fumer** is a false friend. Its most common meaning is **to smoke**.

fumigate ['fjuːmɪgeɪt] *vt* désinfecter (par fumigation)

fun [fʌn] *n* plaisir *m*; **for f., for the f. of it** pour le plaisir; **to be (good** *or* **great) f.** être (très) amusant; **to have (some) f.** s'amuser; **to make f. of sb/sth** se moquer de qn/qch; **to spoil sb's f.** empêcher qn de s'amuser

function ['fʌŋkʃən] **1** *n (role, duty) & Comptr* fonction *f*; *(party)* réception *f*; *(ceremony)* cérémonie *f* **2** *vi* fonctionner; **to f. as** faire fonction de ■**functional** *adj* fonctionnel, -elle

fund [fʌnd] **1** *n (of money)* fonds *m*; *Fig (of information)* mine *f*; **funds** fonds *mpl*; **f. manager** gestionnaire *mf* de fonds **2** *vt* financer

fundamental [fʌndə'mentəl] *adj* fondamental **2** *npl* **fundamentals** principes *mpl*

funeral ['fjuːnərəl] *n* enterrement *m*; *(grandiose)* funérailles *fpl*; **f. service/march** service *m*/marche *f* funèbre; *Br* **f. parlour,** *Am* **f. home** entreprise *f* de pompes funèbres

funfair ['fʌnfeə(r)] *n Br* fête foraine

fungus ['fʌŋɡəs] *(pl* **-gi** [-ɡaɪ]*)* *n (plant)* champignon *m*; *(on walls)* moisissure *f*

funicular [fjʊ'nɪkjʊlə(r)] *n* funiculaire *m*

funky ['fʌŋkɪ] *adj Fam* cool *inv*

funnel ['fʌnəl] *n* **(a)** *(of ship)* cheminée *f* **(b)** *(for filling)* entonnoir *m*

funny ['fʌnɪ] **(-ier, -iest)** *adj (amusing)* drôle; *(strange)* bizarre; **a f. idea** une drôle d'idée; **there's some f. business going on** il y a quelque chose de louche; **to feel f.** ne pas se sentir très bien ■**funnily** *adv (amusingly)* drôlement; *(strangely)* bizarrement; **f. enough, I was just about to…** bizarrement, j'étais sur le point de…

fur [fɜː(r)] **1** *n* **(a)** *(of animal, for wearing)* fourrure *f*; *(of dog, cat)* poil *m*; **f. coat** manteau *m* de fourrure **(b)** *Br (in kettle, boiler)* tartre *m* **2** *(pt & pp* **-rr-**) *vi Br* **to f. (up)** *(of kettle)* s'entartrer

furious ['fjʊərɪəs] *adj (violent, angry)* furieux, -ieuse **(with** *or* **at** contre); *(efforts, struggle)* violent; **at a f. speed** à une allure folle ■**furiously** *adv* furieusement; *(struggle)* avec acharnement; *(drive, rush)* à une allure folle

furlong ['fɜːlɒŋ] *n (measurement)* = 201 m

furnace ['fɜːnɪs] *n (forge)* fourneau *m*; *Fig (hot room)* fournaise *f*

furnish ['fɜːnɪʃ] *vt* **(a)** *(room, house)* meubler **(b)** *Formal (supply)* fournir **(sb with sth** qch à qn) ■**furnishings** *npl* ameublement *m*

furniture ['fɜːnɪtʃə(r)] *n* meubles *mpl*; **a piece of f.** un meuble; **f. shop** magasin *m* d'ameublement

> Note that the French noun **fourniture** is a false friend. Its most common meaning is **supplies**.

furrow ['fʌrəʊ] *n (in earth, on brow)* sillon *m*

furry ['fɜːrɪ] *adj (animal)* à poil; *(toy)* en peluche

further ['fɜːðə(r)] **1** *adv & adj* = **farther 2** *adj (additional)* supplémentaire; **a f. case** *(another)* un autre cas; **without f. delay** sans plus attendre; **until f. notice** jusqu'à nouvel ordre; **for f. information…** pour de plus amples renseignements…; *Br* **f. education** = enseignement supérieur dispensé par un établissement autre qu'une université **3** *adv (more)* davantage; *Formal (besides)* en outre; **f. to my letter…** suite à ma lettre…; **he did not question us any f.** il ne nous a pas interrogés davantage **4** *vt (cause, research, career)* promouvoir ■**further'more** *adv Formal* en outre ■**furthest** *adj & adv* = **farthest**

furtive ['fɜːtɪv] *adj* sournois

fury ['fjʊərɪ] *n (violence, anger)* fureur *f*

fuse [fjuːz] **1** *n (wire)* fusible *m*; *(of bomb)* amorce *f* **2** *vt (melt)* fondre; *(join)* fusionner; *Br* **to f. the lights** faire sauter les plombs **3** *vi (of metals)* fondre; *(of organizations)* fusionner; *Br* **the lights have fused** les plombs ont sauté

fused [fjuːzd] *adj Br* **f. plug** fiche *f* avec fusible incorporé

fuselage ['fjuːzəlɑːʒ] *n* fuselage *m*

fusion ['fjuːʒən] *n* fusion *f*

fuss [fʌs] **1** *n* histoires *fpl*; **what a (lot of) f.!** quelle histoire!; **to kick up** *or* **make a f.** faire des histoires; **to make a f. of sb** être aux petits soins pour qn **2** *vi* faire des histoires; **to f. about** s'activer; **to f. over sb** être aux petits soins pour qn ■**fusspot** (*Am* **fussbudget**) *n Fam* chichiteux, -euse *mf* ■**fussy** (**-ier, -iest**) *adj* exigeant (**about** sur); **I'm not f.** *(I don't mind)* ça m'est égal

fusty ['fʌstɪ] (**-ier, -iest**) *adj (smell)* de renfermé

futile [*Br* 'fjuːtaɪl, *Am* 'fjuːtəl] *adj (remark)* futile; *(attempt)* vain ■**fu'tility** *n* futilité *f*

futon ['fuːtɒn] *n* futon *m*

future ['fjuːtʃə(r)] **1** *n* avenir *m*; *Grammar* futur *m*; **in (the) f.** à l'avenir **2** *adj* futur; **my f. wife** ma future épouse; **the f. tense** le futur; **at a** *or* **some f. date** à une date ultérieure

fuze [fjuːz] *n & vti Am* = **fuse**

fuzz [fʌz] *n (on face, legs)* duvet *m*; *Am (of fabric)* peluches *fpl*

fuzzy ['fʌzɪ] (**-ier, -iest**) *adj* (**a**) *(unclear) (picture, idea)* flou (**b**) *Am (material, coat)* pelucheux, -euse (**c**) *(hair)* crépu

FYI [efwaɪ'aɪ] *(abbr* **for your information**) à titre indicatif

G, g [dʒiː] *n* (**a**) *(letter)* G, g *m inv* (**b**) *Mus* sol *m* ▪ **G-string** *n* string *m*

gab [gæb] *n Fam* **to have the gift of the g.** *(be talkative)* avoir la langue bien pendue; *(speak persuasively)* avoir de la tchatche

gabardine [gæbə'diːn] *n (material, coat)* gabardine *f*

gabble ['gæbəl] **1** *n* **a g. of conversation** un bruit de conversation **2** *vi (chatter)* jacasser; *(indistinctly)* bredouiller

gable ['geɪbəl] *n* pignon *m*

gad [gæd] *(pt & pp -dd-) vi* **to g. about** *or* **around** vadrouiller

gadget ['gædʒɪt] *n* gadget *m*

Gaelic ['geɪlɪk, 'gælɪk] *adj & n* gaélique *(m)*

gaffe [gæf] *n (blunder)* gaffe *f*

gag [gæg] **1** *n* (**a**) *(on mouth)* bâillon *m* (**b**) *Fam (joke)* blague *f* **2** *(pt & pp -gg-) vt (person)* bâillonner; *Fig (press)* museler **3** *vi (choke)* s'étouffer (**on** avec); *(retch)* avoir des haut-le-cœur

gaggle ['gægəl] *n* troupeau *m*

gaiety ['geɪɪtɪ] *n* gaieté *f* ▪ **gaily** *adv* gaiement

gain [geɪn] **1** *n (increase)* augmentation *f* (**in** de); *(profit)* gain *m*; *Fig* avantage *m* **2** *vt (obtain, win)* gagner; *(experience, reputation)* acquérir; **to g. speed/weight** prendre de la vitesse/du poids; **to g. support** *(of person, idea)* recueillir de plus en plus d'opinions favorables **3** *vi (of clock)* avancer; **to g. in popularity** devenir populaire; **to g. on sb** gagner du terrain sur qn; **to g. by sth** bénéficier de qch

gainful ['geɪnfəl] *adj* **g. employment** emploi *m* rémunéré

gainsay [geɪn'seɪ] *(pt & pp -said* [-sed]*) vt Formal (person)* contredire; *(facts)* nier

gait [geɪt] *n* démarche *f*

gala [*Br* 'gɑːlə, *Am* 'geɪlə] *n* gala *m*; *Br* **swimming g.** concours *m* de natation

galaxy ['gæləksɪ] *(pl -ies) n* galaxie *f*

gale [geɪl] *n* grand vent *m*

gall [gɔːl] **1** *n (bitterness)* fiel *m*; *(impudence)* culot *m*; **g. bladder** vésicule *f* biliaire **2** *vt (annoy)* irriter

gallant ['gælənt] *adj (brave)* brave; *(polite)* galant ▪ **gallantry** *n (bravery)* bravoure *f*; *(politeness)* galanterie *f*

galleon ['gælɪən] *n Hist (ship)* galion *m*

gallery ['gælərɪ] *(pl -ies) n (room, shop, in theatre)* galerie *f*; *(museum)* musée *m*; *(for public, press)* tribune *f*

galley ['gælɪ] *(pl -eys) n Hist (ship)* galère *f*; *(kitchen)* cuisine *f*

Gallic ['gælɪk] *adj (French)* français

galling ['gɔːlɪŋ] *adj* humiliant

gallivant ['gælɪvænt] *vi Fam* **to g. (about)** vadrouiller

gallon ['gælən] *n* gallon *m* (*Br* = 4,5 l, *Am* = 3,8 l)

gallop ['gæləp] **1** *n* galop *m* **2** *vi* galoper; **to g. away** *(rush off)* partir en vitesse; **galloping inflation** inflation *f* galopante

gallows ['gæləʊz] *n* potence *f*

gallstone ['gɔːlstəʊn] *n Med* calcul *m* biliaire

galore [gə'lɔː(r)] *adv Fam* à gogo

galvanize ['gælvənaɪz] *vt (metal, person)* galvaniser

Gambia ['gæmbɪə] *n* **The G.** la Gambie

gambit ['gæmbɪt] *n* **opening g.** *(ploy)* manœuvre *f* d'approche

gamble ['gæmbəl] **1** *n (risk)* coup *m* risqué; **to take a g.** prendre un risque **2** *vt (bet)* parier, jouer; **to g. sth away** *(lose)* perdre qch au jeu **3** *vi* jouer (**on** sur; **with** avec); **to g. on the horses** jouer aux courses; **to g. on sth** *(count on)* miser sur qch ▪ **gambler** *n* joueur, -euse *mf* ▪ **gambling** *n* jeu *m*

game¹ [geɪm] *n* (**a**) *(activity)* jeu *m*; *(of football, cricket)* match *m*; *(of tennis, chess, cards)* partie *f*; **to have a g. of football/tennis** faire un match de football/une partie de tennis; *Br* **games** *(in school)* le sport; *Br* **games teacher** professeur *m* d'éducation physique; **g. show** jeu *m* télévisé (**b**) *(animals, birds)* gibier *m*; *Fig* **to be fair g. for sb** être une proie idéale pour qn

game² [geɪm] *adj (brave)* courageux, -euse; **to be g. (to do sth)** être partant (pour faire qch)

gamekeeper ['geɪmkiːpə(r)] *n* garde-chasse *m*

gammon ['gæmən] *n Br* jambon *m*

gammy ['gæmɪ] *adj Fam* **a g. leg** une patte folle

gamut ['gæmət] *n Mus & Fig* gamme *f*

gang [gæŋ] **1** *n (of children, friends)* bande *f*; *(of workers)* équipe *f*; *(of criminals)* gang *m* **2** *vi* **to g. up on** *or* **against** se mettre à plusieurs contre

Ganges ['gændʒiːz] *n* **the G.** le Gange *m*

gangling ['gæŋglɪŋ] *adj* dégingandé

gangrene ['gæŋgriːn] *n* gangrène *f*

gangster ['gæŋstə(r)] *n* gangster *m*

gangway ['gæŋweɪ] *n Br* passage *m*; *(in train, plane)* couloir *m*; *(on ship)* passerelle *f*; *(in bus, cinema, theatre)* allée *f*; **g.!** dégagez!

gaol [dʒeɪl] *n & vt Br* = **jail**

gap [gæp] *n (in space)* espace *m* (**between** entre); *(in wall, fence)* trou *m*; *(in time)* intervalle *m*; *(in knowledge)* lacune *f*; **the g. between** *(difference)* l'écart *m* entre; *Br* **g. year** = année qué s'accorde un étudiant avant son entrée à l'université ou à la fin de ses études

gape [geɪp] *vi (stare)* rester bouche bée; **to g. at sb/sth** regarder qn/qch bouche bée ▪**gaping** *adj* béant

garage [*Br* 'gæra:(d)ʒ, 'gærɪdʒ, *Am* gə'ra:ʒ] *n* garage *m*

garbage ['ga:bɪdʒ] *n Am* ordures *fpl*; **g. can** poubelle *f*; **g. man** or **collector** éboueur *m*

garbled ['ga:bəld] *adj* confus

garden ['ga:dən] **1** *n* jardin *m*; **gardens** *(park)* parc *m*; **g. centre** jardinerie *f*; **g. party** garden-party *f*; **g. produce** produits *mpl* maraîchers **2** *vi* jardiner, faire du jardinage ▪**gardener** *n* jardinier, -ière *mf* ▪**gardening** *n* jardinage *m*

gargle ['ga:gəl] *vi* se gargariser

gargoyle ['ga:gɔɪl] *n Archit* gargouille *f*

garish [*Br* 'geərɪʃ, *Am* 'gærɪʃ] *adj (clothes)* voyant; *(colour)* criard; *(light)* cru

garland ['ga:lənd] *n* guirlande *f*

garlic ['ga:lɪk] *n* ail *m*; **g. bread** = pain chaud à l'ail; **g. sausage** saucisson *m* à l'ail

garment ['ga:mənt] *n* vêtement *m*

garnish ['ga:nɪʃ] **1** *n* garniture *f* **2** *vt* garnir (**with** de)

garret ['gærət] *n* mansarde *f*

garrison ['gærɪsən] *n* garnison *f*

garrulous ['gærələs] *adj (talkative)* loquace

garter ['ga:tə(r)] *n (round leg)* jarretière *f*; *Am (attached to belt)* jarretelle *f*; *(for men)* fixe-chaussette *m*

gas [gæs] **1** *n* gaz *m inv*; *Am (gasoline)* essence *f*; *Med (for operation)* anesthésique *m*; *Am Fam* **for a g.** pour rire; **g. chamber** chambre *f* à gaz; *Br* **g. cooker** cuisinière *f* à gaz; *Br* **g. heater, g. fire** radiateur *m* à gaz; **g. heating** chauffage *m* au gaz; **g. mask** masque *m* à gaz; **g. pipe** tuyau *m* de gaz; ·**g. ring** *(burner)* brûleur *m*; *Am* **g. station** station-service *f*; **g. stove** *(large)* cuisinière *f* à gaz; *(portable)* réchaud *m* à gaz; *Am* **g. tank** réservoir *m* à essence **2** *(pt & pp* **-ss-)** *vt (person)* asphyxier; *(deliberately)* gazer **3** *vi Fam (talk)* bavarder ▪**gasman** *(pl* **-men)** *n* employé *m* du gaz ▪**gasworks** *n Br* usine *f* à gaz

gasbag ['gæsbæg] *n Fam (chatterbox)* bavard, -arde *mf*

gash [gæʃ] **1** *n* entaille *f* **2** *vt (skin)* entailler; **to g. one's knee** se faire une blessure profonde au genou

gasket ['gæskɪt] *n (in engine)* joint *m* de culasse

gasoline ['gæsəliːn] *n Am* essence *f*

gasp [ga:sp] **1** *n* halètement *m*; *(of surprise)* sursaut *m* **2** *vt* dire d'une voix pantelante **3** *vi* avoir le souffle coupé (**with** *or* **in** de); **to g. for breath** haleter

gassy ['gæsɪ] *(-ier, -iest) adj* gazeux, -euse

gastric ['gæstrɪk] *adj* gastrique; **g. flu** grippe *f* gastro-intestinale

gastronomy [gæ'strɒnəmɪ] *n* gastronomie *f* ▪**gastronomic** *adj* gastronomique

gate [geɪt] *n (in garden, field)* barrière *f*; *(made of metal)* grille *f*; *(of castle, city, airport)* porte *f*; *(at stadium)* entrée *f*; **gate(s)** *(of park)* grilles *fpl*

gâteau ['gætəʊ] *(pl* **-eaux** [-əʊz]) *n Br (cake)* gros gâteau *m* à la crème

gatecrash ['geɪtkræʃ] *vt* **to g. a party** s'inviter à une réception

gateway ['geɪtweɪ] *n* entrée *f*; **the g. to success** le chemin du succès

gather ['gæðə(r)] **1** *vt* (**a**) *(people, objects)* rassembler; *(pick up)* ramasser; *(flowers, fruit)* cueillir; *(information)* recueillir; **to g. speed** prendre de la vitesse; **to g. in** *(crops, harvest)* rentrer; *(exam papers)* ramasser; **to g. (up) one's strength** rassembler ses forces; **to g. up papers** ramasser des papiers (**b**) *(understand)* **I g. that...** je crois comprendre que... (**c**) *(sew pleats in)* froncer **2** *vi (of people)* se rassembler; *(of clouds)* se former; *(of dust)* s'accumuler; **to g. round** *(come closer)* s'approcher; **to g. round sb** entourer qn

gathering ['gæðərɪŋ] *n (group)* rassemblement *m*

gaudy ['gɔ:dɪ] *(-ier, -iest) adj* voyant

gauge [geɪdʒ] **1** *n (instrument)* jauge *f*; *(of railway track)* écartement *m*; *Fig* **to be a g. of sth** permettre de jauger qch **2** *vt* évaluer

gaunt [gɔ:nt] *adj* décharné

gauntlet ['gɔ:ntlɪt] *n* gant *m*; **to run the g. of sth** s'exposer à qch

gauze [gɔ:z] *n* gaze *f*

gave [geɪv] *pt of* **give**

gawk [gɔ:k], **gawp** [gɔ:p] *vi* **to g. at sb/sth** regarder qn/qch bouche bée

gay [geɪ] *(-er, -est)* **1** *adj* (**a**) *(homosexual)* homosexuel, -uelle, gay *inv*; **g. rights** les droits *mpl* des homosexuels (**b**) *Old-fashioned (cheerful)* gai **2** *n* homosexuel, -elle *mf*

gaze [geɪz] **1** *n* regard *m* **2** *vi* **to g. at sb/sth** regarder fixement qn/qch

gazelle [gə'zel] *n* gazelle *f*

gazette [gə'zet] *n* journal *m* officiel

gazetteer [gæzə'tɪə(r)] *n* index *m* géographique

gazump [gə'zʌmp] *vt Br* = revenir sur une promesse de vente pour accepter l'offre plus élevée d'une tierce personne

GB [dʒi:'bi:] *(abbr* **Great Britain**) *n* GB

GCSE [dʒi:si:es'i:] *(abbr* **General Certificate of**

Secondary Education) *n Br* = diplôme de fin de premier cycle de l'enseignement secondaire, sanctionnant une matière déterminée

GDP [dʒiːdiːˈpiː] (*abbr* **gross domestic product**) *n Econ* PIB *m*

gear [gɪə(r)] **1** *n* (**a**) *Fam (equipment)* attirail *m*; *(belongings)* affaires *fpl*; *(clothes)* fringues *fpl* (**b**) *(on car, bicycle)* vitesse *f*; **in g.** *(vehicle)* en prise; **not in g.** au point mort; *Br* **g. lever,** *Am* **g. shift** levier *m* de (changement de) vitesse **2** *vt* **to g. sth to sth** adapter qch à qch; **to be geared (up) to do sth** être prêt à faire qch; **to g. oneself up for sth** se préparer pour qch ▪ **gearbox** *n* boîte *f* de vitesses

gee [dʒiː] *exclam Am Fam* ça alors!

geek [giːk] *Fam n* ringard, -arde *mf* ▪ **geeky** *adj Fam* ringard, débile

geese [giːs] *pl of* **goose**

geezer [ˈgiːzə(r)] *n Br Fam* type *m*

Geiger counter [ˈgaɪgəkaʊntə(r)] *n* compteur *m* Geiger

gel [dʒel] *n* gel *m*

gelatin(e) [*Br* ˈdʒelətiːn, *Am* -tən] *n* gélatine *f*

gem [dʒem] *n (stone)* pierre *f* précieuse; *Fig (person)* perle *f*; *Fig (thing)* bijou *m* (*pl* -oux); *Ironic (error)* perle *f*

Gemini [ˈdʒemɪnaɪ] *n (sign)* les Gémeaux *mpl*; **to be (a) G.** être Gémeaux

gen [dʒen] *Br Fam* **1** *n (information)* tuyaux *mpl* **2** (*pt & pp* -nn-) *vi* **to g. up on sb/sth** se rancarder sur qn/qch

gender [ˈdʒendə(r)] *n Grammar* genre *m*; *(of person)* sexe *m*; **g. discrimination** discrimination *f* fondée sur le sexe

gene [dʒiːn] *n Biol* gène *m*

genealogy [dʒiːnɪˈælədʒɪ] *n* généalogie *f*

general [ˈdʒenərəl] **1** *adj* général; **in g.** en général; **the g. public** le grand public; **for g. use** à l'usage du public; *Am* **g. delivery** poste *f* restante; **g.-purpose tool** outil *m* universel **2** *n Mil* général *m*

generality [dʒenəˈrælɪtɪ] (*pl* -**ies**) *n* généralité *f*

generalize [ˈdʒenərəlaɪz] *vti* généraliser; **to become generalized** se généraliser ▪ **generalization** [-ˈzeɪʃən] *n* généralisation *f*

generally [ˈdʒenərəlɪ] *adv* généralement; **g. speaking** de manière générale

generate [ˈdʒenəreɪt] *vt (fear, hope, unemployment)* & *Ling* engendrer; *(heat, electricity)* produire; *(interest, ideas)* faire naître; *(income, jobs)* créer

generation [dʒenəˈreɪʃən] *n (of people, products)* génération *f*; *(of electricity)* production *f*; **from g. to g.** de génération en génération; **g. gap** conflit *m* des générations

generator [ˈdʒenəreɪtə(r)] *n* générateur *m*

generous [ˈdʒenərəs] *adj* généreux, -euse (**with** de); *(helping, meal)* copieux, -ieuse ▪ **generosity** [-ˈrɒsɪtɪ] *n* générosité *f*

▪ **generously** *adv* généreusement; *(serve with food)* copieusement

genesis [ˈdʒenəsɪs] *n* genèse *f*

genetic [dʒɪˈnetɪk] *adj* génétique; **g. code** *m* génétique; **g. engineering** génie *m* génétique; **g. fingerprint** empreinte *f* génétique; **g. fingerprinting** analyse *f* de l'empreinte génétique ▪ **genetically** *adv* **g. modified** génétiquement modifié ▪ **genetics** *n* génétique *f*

Geneva [dʒɪˈniːvə] *n* Genève *m ou f*; **G. Convention** Convention *f* de Genève

genial [ˈdʒiːnɪəl] *adj* cordial

> Note that the French word **génial** is a false friend and is never a translation for the English word **genial**. It means **brilliant**.

genie [ˈdʒiːnɪ] *n (goblin)* génie *m*

genital [ˈdʒenɪtəl] *adj* génital ▪ **genitals** *npl* organes *mpl* génitaux

genius [ˈdʒiːnɪəs] *n (ability, person)* génie *m*; *Ironic* **to have a g. for sth/for doing sth** avoir le génie de qch/de faire qch

genocide [ˈdʒenəsaɪd] *n* génocide *m*

gent [dʒent] *n Br Fam* monsieur *m*; **gents' shoes** chaussures *fpl* pour hommes; **the gents** les toilettes *fpl* des hommes

genteel [dʒenˈtiːl] *adj* distingué

> Note that the French word **gentil** is a false friend and is never a translation for the English word **genteel**. It means **kind**.

gentle [ˈdʒentəl] (**-er, -est**) *adj (person, sound, slope)* doux (*f* douce); *(hint)* discret, -ète; *(exercise, speed, progress)* modéré; **g. breeze** légère brise *f*; **to be g. to sb** traiter qn avec douceur; **be g. with your sister!** ne sois pas brutal avec ta sœur!; **to be g. with sth** faire attention à qch; **of g. birth** bien né ▪ **gentleness** *n* douceur *f* ▪ **gently** *adv* doucement; *(remind)* gentiment; *(land)* en douceur

> Note that the French word **gentil** is a false friend and is never a translation for the English word **gentle**. It means **kind**.

gentleman [ˈdʒentəlmən] (*pl* -**men**) *n* monsieur *m*; *(well-bred)* gentleman *m*

genuine [ˈdʒenjʊɪn] *adj (leather, diamond)* véritable; *(signature, work of art)* authentique; *(sincere)* sincère ▪ **genuinely** *adv (sincerely)* sincèrement; *(surprised)* véritablement

geography [dʒɪˈɒgrəfɪ] *n* géographie *f* ▪ **geographical** [dʒɪəˈgræfɪkəl] *adj* géographique

geology [dʒɪˈɒlədʒɪ] *n* géologie *f* ▪ **geological** [dʒɪəˈlɒdʒɪkəl] *adj* géologique ▪ **geologist** *n* géologue *mf*

geometry [dʒɪ'ɒmɪtrɪ] n géométrie f ▪**geometric(al)** [dʒɪə'metrɪk(əl)] adj géométrique

geranium [dʒɪ'reɪnɪəm] n géranium m

geriatric [dʒerɪ'ætrɪk] adj (hospital) gériatrique; **g. ward** service m de gériatrie

germ [dʒɜːm] n (causing disease) microbe m; (seed of plant, idea) germe m; **g. warfare** guerre f bactériologique

German ['dʒɜːmən] 1 adj allemand; **G. teacher** professeur m d'allemand; **G. measles** rubéole f; **G. shepherd** berger m allemand 2 n (a) (person) Allemand, -ande mf (b) (language) allemand m ▪**Germanic** [-'mænɪk] adj germanique ▪**Germany** n l'Allemagne f

germinate ['dʒɜːmɪneɪt] vi (of seed, idea) germer

gerund ['dʒerənd] n Grammar gérondif m

gestation [dʒe'steɪʃən] n gestation f; **g. period** période f de gestation

gesticulate [dʒe'stɪkjʊleɪt] vi gesticuler

gesture ['dʒestʃə(r)] 1 n geste m 2 vi to **g. to sb to do sth** faire signe à qn de faire qch

get [get] (pt & Br pp **got**, Am pp **gotten**, pres p **getting**) 1 vt (obtain) obtenir, avoir; (find) trouver; (buy) acheter; (receive) recevoir; (catch) attraper; (bus, train) prendre; (seize) prendre, saisir; (fetch) aller chercher; (put) mettre; (derive) tirer (**from** de); (prepare) préparer; (lead) mener; (hit with fist, stick) atteindre; (reputation) se faire; Fam (understand) piger; Fam (annoy) énerver; to **g. sb to do sth** faire faire qch à qn; to **g. sth done** faire faire qch; to **g. sth built** faire construire qch; to **g. things started** faire démarrer les choses; to **g. sth clean/dirty** nettoyer/salir qch; to **g. sth to sb** (send) faire parvenir qch à qn; to **g. sb to the station** amener qn à la gare; **can I g. you anything?** je te rapporte quelque chose?; **what's that got to do with it?** qu'est-ce que ça a à voir?

2 vi (go) aller (**to** à); (arrive) arriver (**to** à); (become) devenir; to **g. old** vieillir; to **g. better** s'améliorer; to **g. caught/run over** se faire prendre/écraser; to **g. married** se marier; to **g. dressed/washed** s'habiller/se laver; to **g. paid** être payé; to **g. killed** se faire tuer; **where have you got** or Am **gotten to?** où en es-tu?; **you've got to stay** (must) tu dois rester; **I'm getting to understand** (starting) je commence à comprendre; to **g. going** (leave) se mettre en route; (start) se mettre au travail ▪**getaway** n (escape) fuite f ▪**get-together** n Fam réunion f ▪**get-up** n Fam (clothes) accoutrement m

▸**get about, get around** vi se déplacer; (of news) circuler

▸**get across** 1 vt sep (message) faire passer; to **g. sb across** faire traverser qn 2 vi traverser; (of speaker) se faire comprendre (**to** de); **g. across to sb that...** faire comprendre à qn que...

▸**get along** vi (manage) se débrouiller; (progress) avancer; (be on good terms) s'entendre (**with** avec); (leave) s'en aller

▸**get at** vt insep (reach) atteindre; Fam (taunt) s'en prendre à; **what's he getting at?** où veut-il en venir?

▸**get away** vi (leave) s'en aller; (escape) se sauver; to **g. away with a fine** s'en tirer avec une amende; **he got away with that crime** il n'a pas été inquiété pour ce crime; **there's no getting away from it** c'est comme ça

▸**get back** 1 vt sep (recover) récupérer 2 vi (return) revenir; to **g. back at sb**, to **g. one's own back on sb** (punish) se venger de qn

▸**get by** vi (manage) se débrouiller

▸**get down** 1 vi (go down) descendre (**from** de); to **g. down to** (work) se mettre à 2 vt sep (bring down) descendre (**from** de); Fam to **g. sb down** (depress) déprimer qn 3 vt insep to **g. down the stairs/a ladder** descendre l'escalier/d'une échelle

▸**get in** 1 vt sep (stock up with) faire provision de; to **g. sb in** (call for) faire venir qn 2 vi (enter) entrer; (come home) rentrer; (enter vehicle or train) monter; (arrive) arriver; (be elected) être élu

▸**get into** vt insep entrer dans; (vehicle, train) monter dans; (habit) prendre; to **g. into bed/a rage** se mettre au lit/en colère

▸**get off** 1 vt sep (remove) enlever; (send) expédier; (in court) faire acquitter; Fam to **g. off doing sth** se dispenser de faire qch 2 vt insep to **g. off a chair** se lever d'une chaise; to **g. off a bus** descendre d'un bus 3 vi (leave) partir; (from vehicle or train) descendre (**from** de); (escape) s'en tirer

▸**get on** 1 vt sep (shoes, clothes) mettre 2 vt insep (bus, train) monter dans 3 vi (enter bus or train) monter; (manage) se débrouiller; (succeed) réussir; (be on good terms) s'entendre (**with** avec); **how are you getting on?** comment ça va?; **how did you g. on?** (in exam) comment ça s'est passé?; to **be getting on** (in years) se faire vieux (f vieille); to **g. onto sb** (on phone) contacter qn; to **g. on with** (task) continuer

▸**get out** 1 vt sep (remove) enlever; (bring out) sortir 2 vi sortir; (from vehicle or train) descendre (**of** or **from** de); to **g. out of** (obligation) échapper à; (danger) se tirer de; (habit) perdre

▸**get over** 1 vt sep (ideas) faire passer; **let's g. it over with** finissons-en 2 vt insep (illness) se remettre de; (shock) revenir de

▸**get round** 1 vt insep (obstacle) contourner 2

vi (visit) passer; **to g. round to doing sth** trouver le temps de faire qch

▸ **get through 1** *vt sep (communicate)* **to g. sth through to sb** faire comprendre qch à qn **2** *vt insep (hole)* passer par; *(task)* venir à bout de; *(exam, interview)* survivre à; *(food)* consommer **3** *vi (pass)* passer; *(finish)* finir; *(pass exam)* être reçu; **to g. through to sb** *(communicate with)* se faire comprendre de qn; *(on the phone)* obtenir la communication avec qn

▸ **get together** *vi (of people)* se réunir

▸ **get up 1** *vt sep* **to g. sb up** *(out of bed)* faire lever qn; **to g. sth up** *(bring up)* monter qch **2** *vt insep (ladder, stairs)* monter **3** *vi (rise, stand up)* se lever *(from de)*; **to g. up to something** *or* **to mischief** faire des bêtises; **where have you got up to?** *(in book)* où en es-tu?

geyser ['giːzə(r)] *n* (**a**) *Br (water heater)* chauffeau *m inv* (**b**) *(spring)* geyser *m*

Ghana ['gɑːnə] *n* le Ghana

ghastly ['gɑːstlɪ] (**-ier, -iest**) *adj (horrible)* épouvantable; *(pale)* blême

gherkin ['gɜːkɪn] *n* cornichon *m*

ghetto ['getəʊ] (*pl* **-oes** *or* **-os**) *n* ghetto *m; Fam* **g. blaster** radiocassette *m*

ghost [gəʊst] *n* fantôme *m*; **not the g. of a chance** pas la moindre chance; **g. ship** vaisseau *m* fantôme; **g. story** histoire *f* de fantômes; **g. town** ville *f* fantôme ▪ **ghostly** *adj* spectral

giant ['dʒaɪənt] **1** *adj (tree, packet)* géant; *(struggle, efforts)* gigantesque; **with g. steps** à pas de géant **2** *n* géant *m*

gibberish ['dʒɪbərɪʃ] *n* baragouin *m*; **to talk g.** dire n'importe quoi

gibe [dʒaɪb] **1** *n* moquerie *f* **2** *vi* **to g. at sb** se moquer de qn

giblets ['dʒɪblɪts] *npl* abats *mpl*

giddy ['gɪdɪ] (**-ier, -iest**) *adj* **to be** *or* **feel g.** avoir le vertige; **to make sb g.** donner le vertige à qn ▪ **giddiness** *n* vertige *m*

gift [gɪft] *n* cadeau *m*; *(talent, donation)* don *m; Br* **g. voucher** *or* **token**, *Am* **g. certificate** chèque-cadeau *m* ▪ **gifted** *adj* doué (**with** de; **for** pour); **g. child** surdoué, -ée *mf*

gift-wrapped ['gɪftræpt] *adj* sous paquet-cadeau

gig [gɪg] *n Fam (pop concert)* concert *m*

gigabyte ['dʒɪgəbaɪt] *n Comptr* gigaoctet *m*

gigantic [dʒaɪ'gæntɪk] *adj* gigantesque

giggle ['gɪgəl] **1** *n* petit rire *m* bête; **to have the giggles** avoir le fou rire **2** *vi* rire (bêtement)

gild [gɪld] *vt* dorer ▪ **gilt 1** *adj* doré **2** *n* dorure *f*

gills [gɪlz] *npl (of fish)* ouïes *fpl*

gimmick ['gɪmɪk] *n (in trick, object)* truc *m*

gin [dʒɪn] *n (drink)* gin *m*

ginger ['dʒɪndʒə(r)] **1** *adj (hair)* roux (*f* rousse) **2** *n (plant, spice)* gingembre *m*; **g. beer**

limonade *f* au gingembre ▪ **gingerbread** *n* pain *m* d'épice

gingerly ['dʒɪndʒəlɪ] *adv* avec précaution

gipsy ['dʒɪpsɪ] (*pl* **-ies**) *n* bohémien, -ienne *mf*; *(Eastern European)* Tsigane *mf*; *(Spanish)* gitan, -ane *mf*

giraffe [dʒɪ'ræf, *Br* dʒɪ'rɑːf] *n* girafe *f*

girder ['gɜːdə(r)] *n (metal beam)* poutre *f*

girdle ['gɜːdəl] *n (corset)* gaine *f*

girl [gɜːl] *n (child)* (petite) fille *f*, fillette *f; (young woman)* jeune fille *f*; **English g.** jeune Anglaise *f*; **g. band** girls band *m*; **G. Guide** éclaireuse *f* ▪ **girlfriend** *n (of girl)* amie *f*; *(of boy)* petite amie *f* ▪ **girlish** *adj* de (jeune) fille

giro ['dʒaɪrəʊ] (*pl* **-os**) *n Br* **bank g.** virement *m* bancaire; **g. account** compte *m* courant postal, CCP *m*

girth [gɜːθ] *n (of tree)* circonférence *f*; *(of person)* corpulence *f*

gist [dʒɪst] *n* **to get the g. of sth** saisir l'essentiel de qch

give [gɪv] **1** *n (of fabric)* élasticité *f* **2** *(pt* **gave**, *pp* **given)** *vt* donner; *(as present)* offrir; *(support)* apporter; *(smile, gesture, pleasure)* faire; *(sigh)* pousser; *(look)* jeter; *(blow)* porter; **to g. sth to sb, to g. sb sth** donner/offrir qch à qn; *Fam* **she doesn't g. a damn** elle s'en fiche pas mal; **to g. way** *(of branch, person)* céder; *(of roof)* s'effondrer; *(in vehicle)* céder la priorité (**to** à) **3** *vi* (**a**) *(donate)* donner (**b**) *(of shoes)* se faire; *(of support)* céder

▸ **give away** *vt sep (prize)* distribuer; *(money)* donner; *(betray)* trahir

▸ **give back** *vt sep (return)* rendre

▸ **give in 1** *vt sep (hand in)* remettre **2** *vi (surrender)* céder (**to** à)

▸ **give off** *vt sep (smell, heat)* dégager

▸ **give onto** *vt insep* donner sur

▸ **give out** *vt sep (hand out)* distribuer; *(make known)* annoncer

▸ **give over 1** *vt sep (devote)* consacrer (**to** à); **to g. oneself over to** *(despair, bad habit)* s'abandonner à **2** *vi Br Fam* **g. over!** arrête!

▸ **give up 1** *vt sep (possessions)* abandonner; *(activity)* renoncer à; *(seat)* céder (**to** à); **to g. up smoking** cesser de fumer **2** *vi* abandonner

given ['gɪvən] **1** *pp of* **give 2** *adj (fixed)* donné; **at a g. time** à un moment donné; **to be g. to doing sth** avoir tendance à faire qch **3** *conj (considering)* étant donné; **g. that...** étant donné que...

glacier [*Br* 'glæsɪə(r), *Am* 'gleɪʃər] *n* glacier *m*

glad [glæd] *adj (person)* content (**of/about** de; **that** que + *subjunctive*); **I'm g. to know/hear that...** je suis content de savoir/d'apprendre que...; **I would be g. to help you** je serais ravi de vous aider ▪ **gladden** *vt* réjouir ▪ **gladly** *adv* volontiers

glade [gleɪd] *n Literary* clairière *f*

gladiolus [glædɪˈəʊləs] (*pl* **-li** [-laɪ]) *n* glaïeul *m*

glamour [ˈglæmə(r)] (*Am* **glamor**) *n* (*of person*) séduction *f*; (*of career*) prestige *m* ▪ **glamorize** *vt* rendre séduisant ▪ **glamorous** *adj* (*person, dress*) élégant; (*job*) prestigieux, -ieuse

glance [glɑːns] **1** *n* coup *m* d'œil **2** *vi* **to g. at sb/sth** jeter un coup d'œil à qn/qch; **to g. off sth** (*of bullet*) ricocher sur qch

gland [glænd] *n* glande *f* ▪ **glandular ˈfever** *n Br* mononucléose *f* infectieuse

glare [gleə(r)] **1** *n* (*of sun*) éclat *m* aveuglant; (*look*) regard *m* furieux **2** *vi* (*of sun*) briller d'un éclat aveuglant; **to g. at sb** foudroyer qn (du regard) ▪ **glaring** *adj* (*light*) éblouissant; (*sun*) aveuglant; (*eyes*) furieux, -ieuse; **a g. mistake** une faute grossière

glass [glɑːs] **1** *n* verre *m* **2** *adj* (*bottle*) de verre; **g. door** porte *f* vitrée; **g. wool** laine *f* de verre ▪ **glassful** *n* (*plein*) verre *m*

glasses [ˈglɑːsɪz] *npl* (*spectacles*) lunettes *fpl*

glaze [gleɪz] **1** *n* (*on pottery*) vernis *m* **2** *vt* (*window*) vitrer; (*pottery*) vernisser ▪ **glazier** *n* vitrier *m*

gleam [gliːm] **1** *n* lueur *f* **2** *vi* luire

glean [gliːn] *vt* (*information, grain*) glaner

glee [gliː] *n* joie *f* ▪ **gleeful** *adj* joyeux, -euse

glen [glen] *n Scot* vallon *m*

glib [glɪb] *adj* (*person, excuse*) désinvolte; (*reply*) spécieux, -ieuse

glide [glaɪd] *vi* glisser; (*of aircraft, bird*) planer ▪ **glider** *n* (*aircraft*) planeur *m* ▪ **gliding** *n* (*sport*) vol *m* à voile

glimmer [ˈglɪmə(r)] **1** *n* (*light, of hope*) faible lueur *f* **2** *vi* luire (faiblement)

glimpse [glɪmps] **1** *n* aperçu *m*; **to catch** *or* **get a g. of sth** entrevoir qch **2** *vt* entrevoir

glint [glɪnt] **1** *n* éclat *m*; (*in eye*) étincelle *f* **2** *vi* (*of light, eye*) briller

glisten [ˈglɪsən] *vi* (*of wet surface*) briller; (*of water*) miroiter

glitch [glɪtʃ] *n Fam* problème *m* (technique)

glitter [ˈglɪtə(r)] **1** *n* scintillement *m*; (*for make-up, decoration*) paillettes *fpl* **2** *vi* scintiller ▪ **glittering** *adj* scintillant; (*prize, career*) extraordinaire

gloat [gləʊt] *vi* jubiler (**over** à l'idée de)

global [ˈgləʊbəl] *adj* (*universal*) mondial; (*comprehensive*) global; **g. economy** économie *f* mondiale; **g. village** village *m* planétaire; **g. warming** réchauffement *m* de la planète ▪ **globalization** *n* mondialisation *f*

globe [gləʊb] *n* globe *m*

gloom [gluːm] *n* (*sadness*) morosité *f*; (*darkness*) obscurité *f* ▪ **gloomy** (**-ier, -iest**) *adj* (*sad*) morose; (*dark, dismal*) sombre

glorify [ˈglɔːrɪfaɪ] (*pt & pp* **-ied**) *vt* (*praise*) glorifier; *Br* **it's a glorified barn** ce n'est guère plus qu'une grange

glorious [ˈglɔːrɪəs] *adj* (*splendid*) magnifique; (*full of glory*) glorieux, -ieuse

glory [ˈglɔːrɪ] **1** *n* gloire *f*; (*great beauty*) splendeur *f* **2** *vi* **to g. in sth** se glorifier de qch

gloss [glɒs] **1** *n* (*shine*) lustre *m*; **g. paint** peinture *f* brillante; **g. finish** brillant *m* **2** *vt* **to g. over sth** glisser sur qch ▪ **glossy** (**-ier, -iest**) *adj* brillant; (*photo*) glacé; (*magazine*) de luxe

glossary [ˈglɒsərɪ] (*pl* **-ies**) *n* glossaire *m*

glove [glʌv] *n* gant *m*; **g. compartment** (*in car*) boîte *f* à gants

glow [gləʊ] **1** *n* (*light*) lueur *f*; (*on cheeks*) couleurs *fpl* **2** *vi* (*of sky, fire, embers*) rougeoyer; *Fig* (*of eyes, person*) rayonner (**with** de) ▪ **glowing** *adj* (*account, terms, reference*) enthousiaste ▪ **glow-worm** *n* ver *m* luisant

glucose [ˈgluːkəʊs] *n* glucose *m*

glue [gluː] **1** *n* colle *f* **2** *vt* coller (**to/on** à); *Fam* **to be glued to the television** être cloué devant la télévision ▪ **glue-sniffing** *n* inhalation *f* de colle

glum [glʌm] (**glummer, glummest**) *adj* triste

glut [glʌt] **1** *n* (*of goods*) surplus *m* (**of** de) **2** *vt* **the market is glutted** le marché est saturé (**with** de)

glutton [ˈglʌtən] *n* goinfre *mf*; **g. for punishment** masochiste *mf* ▪ **gluttony** *n* goinfrerie *f*

glycerin [ˈglɪsərɪn], **glycerine** [ˈglɪsəriːn] *n* glycérine *f*

GM [dʒiːˈem] *abbr* = **genetically modified**

GMO [dʒiːemˈəʊ] (*abbr* **genetically modified organism**) *n* OGM *m*

GMT [dʒiːemˈtiː] (*abbr* **Greenwich Mean Time**) *n* GMT *m*

gnarled [nɑːld] *adj* noueux, -euse

gnash [næʃ] *vt* **to g. one's teeth** grincer des dents

gnat [næt] *n* moucheron *m*

gnaw [nɔː] *vti* **to g. (at) sth** ronger qch

gnome [nəʊm] *n* gnome *m*; **garden g.** nain *m* de jardin

GNP [dʒiːenˈpiː] (*abbr* **gross national product**) *n Econ* PNB *m*

go [gəʊ] **1** (*pl* **goes**) *n* (*turn*) tour *m*; **to have a go at (doing) sth** essayer (de faire) qch; **at one go** d'un seul coup; **on the go** en mouvement; **to make a go of sth** réussir qch

2 (*3rd person sing present tense* **goes**; *pt* **went**; *pp* **gone**; *pres p* **going**) *vt* (*make sound*) faire; **cows go moo** les vaches font meuh; **to go it alone** se lancer en solo

3 *vi* aller (**to** à; **from** de); (*depart*) partir, s'en aller; (*disappear*) disparaître; (*be sold*) se vendre; (*function*) marcher; (*progress*) aller; (*become*) devenir; (*of time*) passer; (*of hearing, strength*) baisser; (*of fuse*) sauter; (*of light bulb*) griller; (*of material*) s'user; (*of rope*) céder; **to go well/badly** (*of event*) se passer bien/mal;

she's going to do sth (*is about to, intends to*) elle va faire qch; **it's going to rain** il va pleuvoir; **it's all gone** (*finished*) il n'y en a plus; **to go and get sb/sth** (*fetch*) aller chercher qn/qch; **to go and see** aller voir; **to go riding/on a trip** faire du cheval/un voyage; **to let go of sth** lâcher qch; **to go to a doctor/lawyer** aller voir un médecin/un avocat; **to get things going** faire démarrer les choses; **let's get going** allons-y; **is there any beer going?** y a-t-il de la bière?; **it goes to show that...** ça montre que...; **two hours to go** encore deux heures

▸ **go about, go around** *vi* (*of person*) se promener; (*of rumour*) circuler

▸ **go about** *vt insep* (*task*) vaquer à; **to go about doing sth** s'y prendre pour faire qch

▸ **go across 1** *vt insep* (*cross*) traverser **2** *vi* (*go*) aller (**to** à); **to go across to sb('s)** faire un saut chez qn

▸ **go after** *vt insep* (*chase*) poursuivre; (*seek*) rechercher; (*job*) essayer d'obtenir

▸ **go against** *vt insep* (*contradict*) aller à l'encontre de; (*be unfavourable to*) être défavorable à

▸ **go ahead** *vi* (*take place*) avoir lieu; (*go in front*) passer devant; **to go ahead of sb** devancer qn; **to go ahead with sth** entreprendre qch; **go ahead!** allez-y!

▸ **go along** *vi* (*proceed*) se dérouler; **to go along with sb/sth** être d'accord avec qn/qch; **we'll see as we go along** nous verrons au fur et à mesure

▸ **go away** *vi* partir, s'en aller

▸ **go back** *vi* (*return*) revenir; (*step back, retreat*) reculer; **to go back to sleep** se rendormir; **to go back to doing sth** se remettre à faire qch; **to go back to** (*in time*) remonter à; **to go back on one's promise** *or* **word** revenir sur sa promesse

▸ **go by 1** *vt insep* (*act according to*) se fonder sur; (*judge from*) juger d'après; **to go by the rules** respecter les règles; **to go by the name of...** être connu sous le nom de... **2** *vi* passer

▸ **go down 1** *vt insep* (*stairs, street*) descendre **2** *vi* descendre; (*fall down*) tomber; (*of ship*) sombrer; (*of sun*) se coucher; (*of temperature, price*) baisser; (*of tyre, balloon*) se dégonfler; **to go down well/badly** être bien/mal reçu; **he has gone down in history** as a tyrant l'histoire a retenu de lui l'image d'un tyran

▸ **go for** *vt insep* (*fetch*) aller chercher; (*attack*) attaquer; *Fam* (*like*) aimer; **the same goes for you** ça vaut aussi pour toi; *Fam* **g. for it!** vas-y!

▸ **go forward(s)** *vi* avancer

▸ **go in** *vi* (r)entrer; (*of sun*) se cacher; *Br* **to go in for** (*exam*) s'inscrire à; **she doesn't go in for cooking** elle n'est pas très portée sur la cuisine

▸ **go into** *vt insep* (*enter*) entrer dans; (*examine*) examiner

▸ **go off 1** *vt insep* (*lose liking for*) se lasser de **2** *vi* (*leave*) partir; (*go bad*) se gâter; (*of alarm*) se déclencher; (*of bomb*) exploser; **the gun went off** le coup est parti; **the light went off** la lumière s'est éteinte

▸ **go on** *vi* continuer (**doing** à faire); (*travel*) poursuivre sa route; (*happen*) se passer; (*last*) durer; **as time went on** avec le temps; **to go on to sth** passer à qch; *Fam* **to go on at sb** (*nag*) s'en prendre à qn; *Fam* **to go on about sb/sth** parler sans cesse de qn/qch

▸ **go out** *vi* sortir; (*of light, fire*) s'éteindre; (*of tide*) descendre; (*depart*) partir; (*date*) sortir ensemble; **to go out for a meal** aller au restaurant; **to go out with sb** (*date*) sortir avec qn; **to go out to work** travailler (hors de chez soi)

▸ **go over 1** *vt insep* (**a**) (*cross over*) traverser; **the ball went over the wall** la balle est passée par-dessus le mur (**b**) (*examine*) passer en revue; (*speech*) revoir; **to go over sth in one's mind** repasser qch dans son esprit **2** *vi* (*go*) aller (**to** à); (*to enemy*) passer (**to** à); **to go over to sb** aller vers qn; (*visit*) faire un saut chez qn

▸ **go round 1** *vt insep* **to go round a corner** tourner au coin; **to go round the shops** faire les magasins; **to go round the world** faire le tour du monde **2** *vi* (*turn*) tourner; (*make a detour*) faire le tour; (*of rumour*) circuler; **to go round to sb's** faire un saut chez qn; **there is enough to go round** il y en a assez pour tout le monde

▸ **go through 1** *vt insep* (*suffer, undergo*) subir; (*examine*) passer en revue; (*search*) fouiller; (*spend*) dépenser; (*wear out*) user; (*perform*) accomplir; **we've gone through six bottles of wine** nous avons bu six bouteilles de vin; **to go through with sth** aller jusqu'au bout de qch **2** *vi* passer; (*of deal*) être conclu

▸ **go under** *vi* (*of ship*) couler; *Fig* (*of firm*) faire faillite

▸ **go up 1** *vt insep* monter **2** *vi* monter; (*explode*) sauter; **to go up in sb's estimation** monter dans l'estime de qn; **to go up to sth** (*approach*) se diriger vers qch; (*reach*) aller jusqu'à qch

▸ **go with** *vt insep* aller de pair avec; **the company car goes with the job** le poste donne droit à une voiture de fonction

▸ **go without** *vt insep* se passer de

goad [gəʊd] *vt* **to g. sb (on)** aiguillonner qn

go-ahead ['gəʊəhed] **1** *adj* dynamique **2** *n* **to get the g.** avoir le feu vert; **to give sb the g.** donner le feu vert à qn

goal [gəʊl] *n* but *m*; **to score a g.** marquer un but ▪ **goalie** *n Br Fam Sport* goal *m* ▪ **goalkeeper** *n Sport* gardien *m* de but, goal *m* ▪ **goalpost** *n* poteau *m* de but

goat [gəʊt] n chèvre f; *Fam* **to get sb's g.** énerver qn

goatee [gəʊ'tiː] n barbiche f

gobble ['gɒbəl] vt **to g. (up** or **down)** *(food)* engloutir

go-between ['gəʊbɪtwiːn] n intermédiaire mf

goblet ['gɒblɪt] n verre m à pied

> Note that the French noun **gobelet** is a false friend. It means **tumbler**.

goblin ['gɒblɪn] n lutin m

god [gɒd] n dieu m; **G.** Dieu; *Fam* **oh G.!, my G.!** mon Dieu!; *Fam* **thank G.!** heureusement!; *Fam* **for G.'s sake!** pour l'amour de Dieu!; *Fam* **the gods** *(in theatre)* le poulailler ▪ **godchild** *(pl - children)* n filleul, -eule mf ▪ **goddaughter** n filleule f ▪ **goddess** n déesse f ▪ **godfather** n parrain m ▪ **god-fearing** adj croyant ▪ **god-forsaken** adj *(place)* perdu ▪ **godmother** n marraine f ▪ **godsend** n to be a g. être un don du ciel ▪ **godson** n filleul m

goddam(n) ['gɒdæm] adj Am Fam foutu

goes [gəʊz] 3rd person sing present tense & npl of **go**

goggle ['gɒgəl] vi **to g. at sb/sth** regarder qn/qch avec des yeux ronds ▪ **goggles** npl lunettes fpl *(de protection, de plongée)* ▪ **'goggle-'eyed** adj Fam **to be g.** avoir les yeux ronds

going ['gəʊɪŋ] 1 n *(condition of ground)* terrain m; **it's hard** or **heavy g.** c'est difficile; **it's slow g.** *(at work)* ça n'avance pas vite 2 adj **the g. price** le prix pratiqué (**for** pour); **the g. rate** le tarif en vigueur; **the g. salary** le salaire habituel; **a g. concern** une affaire qui tourne ▪ **goings-'on** npl Pej activités fpl

go-kart ['gəʊkɑːt] n *(for racing)* kart m

gold [gəʊld] 1 n or m 2 adj *(watch)* en or; *(coin, dust)* d'or; *Sport* **g. medal** médaille f d'or ▪ **golden** adj *(of gold colour)* doré; **g. rule** règle f d'or; **it's a g. opportunity** c'est une occasion en or ▪ **goldmine** n mine f d'or ▪ **'gold-'plated** adj plaqué or ▪ **goldsmith** n orfèvre m

goldfinch ['gəʊldfɪntʃ] n chardonneret m

goldfish ['gəʊldfɪʃ] n poisson m rouge

golf [gɒlf] n golf m; **g. club** *(stick, association)* club m de golf; **g. course** parcours m de golf ▪ **golfer** n golfeur, -euse mf ▪ **golfing** n to go **g.** faire du golf

gondola ['gɒndələ] n *(boat)* gondole f ▪ **gondolier** [-'lɪə(r)] n gondolier m

gone [gɒn] 1 pp of **go** 2 adj Br Fam **it's g. two** il est plus de deux heures ▪ **goner** n Fam **to be a g.** être fichu

gong [gɒŋ] n gong m

goo [guː] n Fam truc m visqueux

good [gʊd] 1 **(better, best)** adj bon *(f* bonne); *(kind)* gentil, -ille; *(well-behaved)* sage; **my g. friend** mon cher ami; **a g. fellow** un brave type; **g.!** bon!, bien!; **very g.!** *(all right)* très bien!; **that isn't g. enough** *(bad)* ça ne va pas; *(not sufficient)* ça ne suffit pas; **would you be g. enough to...?** auriez-vous la gentillesse de...?; **that's g. of you** c'est gentil de ta part; **it's g. for us** ça nous fait du bien; **to taste g.** avoir bon goût; **to feel g.** se sentir bien; **to have g. weather** avoir beau temps; **to be g. at French** être bon en français; **to be g. at swimming/telling jokes** savoir bien nager/raconter des blagues; **to be g. with children** savoir s'y prendre avec les enfants; **it's a g. thing (that)...** heureusement que...; **a g. many, a g. deal (of)** beaucoup (de); **as g. as** *(almost)* pratiquement; **g. afternoon, g. morning** bonjour; *(on leaving someone)* au revoir; **g. evening** bonsoir; **g. night** bonsoir; *(before going to bed)* bonne nuit

2 n *(advantage, virtue)* bien m; **for her (own) g.** pour son bien; **for the g. of your family/career** pour ta famille/carrière; **it will do you (some) g.** ça te fera du bien; **it's no g. crying/shouting** ça ne sert à rien de pleurer/crier; **that's no g.** *(worthless)* ça ne vaut rien; *(bad)* ça ne va pas; **what's the g. of crying?** à quoi bon pleurer?; **for g.** *(leave, give up)* pour de bon ▪ **good-for-'nothing** n propre-à-rien mf ▪ **'good-'humoured** *(Am* **-humored)** adj détendu ▪ **'good-'looking** adj beau *(f* belle) ▪ **'good-'natured** adj *(person)* d'un caractère agréable

goodbye [gʊd'baɪ] exclam & n au revoir *(m inv)*

goodness ['gʊdnɪs] n bonté f; **my g.!** mon Dieu!

goods [gʊdz] npl marchandises fpl; **g. train** train m de marchandises

goodwill [gʊd'wɪl] n *(willingness)* bonne volonté f; *(benevolence)* bienveillance f

gooey ['guːɪ] adj Fam gluant

goof [guːf] vi Am Fam **to g. (up)** faire une gaffe

goon [guːn] n Br Fam idiot, -iote mf

goose [guːs] *(pl* geese) n oie f; **g. pimples** or Am **bumps** chair f de poule ▪ **gooseflesh** n chair f de poule

gooseberry ['gʊzbərɪ] *(pl -ies)* n groseille f à maquereau

gorge [gɔːdʒ] 1 n *(ravine)* gorge f 2 vt **to g. oneself** se gaver (**on** de)

gorgeous ['gɔːdʒəs] adj magnifique

gorilla [gə'rɪlə] n gorille m

gormless ['gɔːmləs] adj Br Fam balourd

gorse [gɔːs] n inv ajoncs mpl

gory ['gɔːrɪ] **(-ier, -iest)** adj *(bloody)* sanglant; *Fig (details)* horrible

gosh [gɒʃ] exclam Fam mince (alors)!

gosling ['gɒzlɪŋ] n oison m

go-slow [gəʊ'sləʊ] n Br *(strike)* grève f du zèle

gospel ['gɒspəl] n évangile m

gossip ['gɒsɪp] 1 n *(talk)* bavardages mpl; *(malicious)* cancans mpl; *(person)* commère f; **g. column** *(in newspaper)* rubrique f mondaine; échos *mpl* **2** *vi* bavarder; *(maliciously)* colporter des commérages ▪**gossiping, gossipy** *adj* bavard; *(maliciously)* cancanier, -ière

got [gɒt] *pt & pp of* **get**

Gothic ['gɒθɪk] *adj & n* gothique *(m)*

gotten ['gɒtən] *Am pp of* **get**

gouge [gaʊdʒ] *vt* **to g. sb's eye out** arracher l'œil à qn

goulash ['guːlæʃ] *n* goulache *m*

gourmet ['gʊəmeɪ] *n* gourmet *m*; **g. restaurant** restaurant *m* gastronomique

gout [gaʊt] *n (illness)* goutte *f*

govern ['gʌvən] **1** *vt (rule)* gouverner; *(city, province)* administrer; *(emotion)* maîtriser; *(influence)* déterminer **2** *vi (rule)* gouverner; **governing body** conseil *m* d'administration

governess ['gʌvənɪs] *n* gouvernante *f*

government ['gʌvənmənt] **1** *n* gouvernement *m*; **local g.** administration *f* locale **2** *adj (decision, policy)* gouvernemental; **g. loan** emprunt *m* d'État ▪**governmental** [-'mentəl] *adj* gouvernemental

governor ['gʌvənə(r)] *n* gouverneur *m*; *(of school)* administrateur, -trice *mf*; *(of prison)* directeur, -trice *mf*

gown [gaʊn] *n (of woman)* robe *f*; *Br (of judge, lecturer)* toge *f*

GP [dʒiː'piː] *n (abbr* **general practitioner)** *Br* généraliste *mf*

grab [græb] *(pt & pp* **-bb-)** *vt* **to g. (hold of) sb/ sth** saisir qn/qch; **to g. sth from sb** arracher qch à qn; **I'll g. a sandwich later** j'avalerai un sandwich plus tard

grace [greɪs] **1** *n (charm, goodwill, religious mercy)* grâce *f*; *Rel* **to say g.** dire le bénédicité; **to be in sb's good graces** être dans les bonnes grâces de qn; **g. (period)** *(extension)* délai *m* de grâce; **ten days' g.** dix jours de grâce **2** *vt (adorn)* orner; *(honour)* honorer *(with* de) ▪**graceful** *adj (movement, person)* gracieux, -ieuse ▪**gracefully** *adv* avec grâce

gracious ['greɪʃəs] *adj (kind)* aimable *(to* envers); *(elegant)* élégant; *Fam* **good g.!** bonté divine! ▪**graciously** *adv (accept)* de bonne grâce

gradation [*Br* grə'deɪʃən, *Am* greɪ'deɪʃən] *n* gradation *f*

grade [greɪd] **1** *n* **(a)** *(rank)* grade *m*; *(in profession)* échelon *m*; *(quality)* qualité *f*; *(of eggs, fruit)* calibre *m*; *Am* **g. crossing** passage *m* à niveau **(b)** *Am Sch (mark)* note *f*; *(year)* classe *f*; *Am* **g. school** école *f* primaire **2** *vt (classify)* classer; *Am (exam)* noter

gradient ['greɪdɪənt] *n (slope)* dénivellation *f*

gradual ['grædʒʊəl] *adj* progressif, -ive; *(slope)* doux *(f* douce) ▪**gradually** *adv* progressivement

graduate¹ ['grædʒʊət] *n Br (from university)* ≃ licencié, -iée *mf*; *Am (from high school)* ≃ bachelier, -ière *mf*; *Am Univ* **g. studies** études *fpl* de troisième cycle **2** ['grædʒʊeɪt] *vi Br (from university)* ≃ obtenir sa licence; *Am (from high school)* ≃ obtenir son baccalauréat; **to g. from sth to sth** passer de qch à qch ▪**graduation** [-'eɪʃən] *n Univ* remise *f* des diplômes

graduate² ['grædʒʊeɪt] *vt (mark with degrees)* graduer ▪**graduated** *adj (tube, thermometer)* gradué

graffiti [grə'fiːtiː] *npl* graffiti *mpl*

graft¹ [grɑːft] **1** *n (technique)* greffe *f*; *(thing grafted)* greffon *m* **2** *vt* greffer *(on to* à)

graft² [grɑːft] *n* **(a)** *Am Fam (bribe)* pot-de-vin *m* **(b)** *Br Fam* **hard g.** boulot *m*

grain [greɪn] *n* **(a)** *(seed, particle)* grain *m*; *(cereals)* céréales *fpl*; *Fig* **a g. of truth** une once de vérité **(b)** *(in wood, leather, paper)* grain *m*; *(in cloth)* fil *m*

gram [græm] *n* gramme *m*

grammar ['græmə(r)] *n* grammaire *f*; **g. (book)** grammaire *f*; **g. school** *Br* ≃ lycée *m*, *Am* ≃ école *f* primaire ▪**grammatical** [grə'mætɪkəl] *adj* grammatical

gramme [græm] *n* gramme *m*

gramophone ['græməfəʊn] *n* phonographe *m*

gran [græn] *n Br Fam* mamie *f*

granary ['grænərɪ] *(pl* **-ies)** *n* grenier *m*; *Br* **g. bread** = pain complet

grand [grænd] **1** *(-er, -est)* *adj (splendid)* grandiose; *Fam (excellent)* excellent; **with a g. gesture** d'un geste majestueux; **she went on a g. tour of Italy** elle a visité toute l'Italie; **g. duke** grand-duc *m*; **g. piano** piano *m* à queue; **g. total** somme *f* totale **2** *n inv Br Fam* mille livres *fpl*; *Am Fam* mille dollars *mpl* ▪**grandchild** *(pl* **-children)** *n* petit-fils *m*, petite-fille *f*; **grandchildren** petitsenfants *mpl* ▪**grand(d)ad** *n Fam* papi *m* ▪**granddaughter** *n* petite-fille *f* ▪**grandfather** *n* grand-père *m* ▪**grandma** [-mɑː] *n Fam* mamie *f* ▪**grandmother** *n* grand-mère *f* ▪**grandpa** [-pɑː] *n Fam* papi *m* ▪**grandparents** *npl* grands-parents *mpl* ▪**grandson** *n* petit-fils *m*

grandeur ['grændʒə(r)] *n* grandeur *f*; *(of person, country)* magnificence *f*

grandstand ['grændstænd] *n* tribune *f*

granite ['grænɪt] *n* granit *m*

granny ['grænɪ] *(pl* **-ies)** *n Fam* mamie *f*

grant [grɑːnt] **1** *n* subvention *f*; *(for student)* bourse *f* **2** *vt* accorder *(to* à); *(request)* accéder à; *(prayer, wish)* exaucer; *(admit)* admettre *(that* que); **to take sth for granted** considérer qch comme allant de soi; **to take sb for granted** considérer qn comme faisant partie du décor; **I take it for granted that...** je présume que...

granule ['grænjuːl] *n* granule *m* ▪**granulated sugar** [grænjʊleɪtɪd'ʃʊgə(r)] *n* sucre *m* semoule

grape [greɪp] n grain m de raisin; **some grapes** du raisin; **to eat (some) grapes** manger du raisin; **g. harvest** vendange f; **g. juice** jus m de raisin

> Note that the French word **grappe** is a false friend. It means **bunch** or **cluster**.

grapefruit ['greɪpfruːt] n pamplemousse m
grapevine ['greɪpvaɪn] n Fig **on** or **through the g.** par le téléphone arabe
graph [græf, grɑːf] n graphique m; **g. paper** papier m millimétré
graphic ['græfɪk] adj (description) très détaillé; (language) cru; **in g. detail** de façon très détaillée; **g. artist** graphiste mf; **g. arts** arts mpl graphiques; **g. design** conception f graphique; **g. designer** (concepteur, -trice mf) graphiste (mf) ▪**graphically** adv (describe) de façon très détaillée ▪**graphics** npl (computer) **g.** graphiques mpl
grapple ['græpəl] vi (with problem) se débattre (**with** avec)
grasp [grɑːsp] 1 n (hold) prise f; (understanding) compréhension f; **within sb's g.** à la portée de qn 2 vt (seize, understand) saisir ▪**grasping** adj (mean) avide
grass [grɑːs] 1 n herbe f; (lawn) gazon m; Fig **the g. roots** (of organization) la base 2 vt Fam **to g. on sb** balancer qn ▪**grasshopper** n sauterelle f ▪**grassland** n prairie f ▪**grassy** adj herbeux, -euse
grate [greɪt] 1 n (for fireplace) grille f 2 vt (cheese, carrot) râper 3 vi (of sound) grincer; **to g. on the ears** écorcher les oreilles; **to g. on sb's nerves** taper sur les nerfs de qn ▪**grater** n râpe f ▪**grating** 1 adj (sound) grinçant; (voice) éraillé 2 n (bars) grille f
grateful ['greɪtfəl] adj reconnaissant (**to à**; **for** de); (words, letter) de remerciement; **I would be g. if you could let me know** je vous serais reconnaissant de m'en informer ▪**gratefully** adv avec reconnaissance
gratify ['grætɪfaɪ] (pt & pp **-ied**) vt (whim) satisfaire; **to g. sb** faire plaisir à qn ▪**gratifi'cation** n satisfaction f ▪**gratified** adj (pleased) satisfait (**by** or **with** de; **to do** de faire) ▪**gratifying** adj très satisfaisant
gratis ['greɪtɪs, 'grætɪs] adv gratis
gratitude ['grætɪtjuːd] n gratitude f (**for** de)
gratuitous [grə'tjuːɪtəs] adj (act) gratuit
gratuity [grə'tjuːɪtɪ] (pl **-ies**) n Formal (tip) pourboire m

> Note that the French word **gratuité** is a false friend and is never a translation for the English word **gratuity**. It indicates something that is free of charge.

grave¹ [greɪv] n tombe f ▪**gravedigger** n fossoyeur m ▪**gravestone** n pierre f tombale ▪**graveyard** n cimetière m

grave² [greɪv] (**-er, -est**) adj (serious) grave; (manner, voice) solennel, -elle; **to make a g. mistake** se tromper lourdement ▪**gravely** adv gravement; **g. concerned** extrêmement inquiet, -iète
gravel ['grævəl] n gravier m; **g. path** allée f de gravier
gravitate ['grævɪteɪt] vi **to g. towards sth** (be drawn to) être attiré par qch; (move towards) se diriger vers qch ▪**gravitation** [-'teɪʃən] n gravitation f
gravity ['grævɪtɪ] n (a) Phys (force) pesanteur f (b) (seriousness) gravité f
gravy ['greɪvɪ] n = sauce à base de jus de viande
gray [greɪ] adj, n & vi Am = **grey**
graze¹ [greɪz] 1 n (wound) écorchure f 2 vt (scrape) écorcher
graze² [greɪz] vi (of cattle) paître
grease [griːs] 1 n graisse f 2 vt graisser ▪**greaseproof 'paper** n Br papier m sulfurisé ▪**greasy** (**-ier, -iest**) adj graisseux, -euse; (hair, skin, food) gras (f grasse)
great [greɪt] (**-er, -est**) adj grand; (effort, heat, parcel) gros (f grosse), grand; Fam (very good) génial; **to reach a g. age** parvenir à un âge avancé; **to be g. at tennis** être très doué pour le tennis; **a g. deal** or **number (of)**, **a g. many** beaucoup (de); **the greatest team** (best) la meilleure équipe; **Great Britain** la Grande-Bretagne; **Greater London/Manchester** le grand Londres/Manchester ▪**great-'grand-father** n arrière-grand-père m ▪**great-'grandmother** n arrière-grand-mère f
greatly ['greɪtlɪ] adv très; **you'll be g. missed** vous nous manquerez beaucoup
greatness ['greɪtnɪs] n (in size, importance) grandeur f; (in degree) intensité f
Greece [griːs] n la Grèce ▪**Greek 1** adj grec (f grecque) **2** n (person) Grec m, Grecque f; (language) grec m
greed [griːd] n avidité f (**for** de); (for food) gourmandise f
greedy ['griːdɪ] (**-ier, -iest**) adj avide (**for** de); (for food) gourmand ▪**greedily** adv avidement; (eat) goulûment ▪**greediness** n = **greed**
green [griːn] 1 (**-er, -est**) adj vert; (pale) blême; Fig (immature) inexpérimenté; Fam (environmentally friendly) vert, écolo; **to turn** or **go g.** (of traffic lights) passer au vert; (of person, garden, tree) verdir; Fig **to get the g. light** avoir le feu vert; Fig **to have g. fingers** or Am **a g. thumb** avoir la main verte; Fig **g. with envy** vert de jalousie; Br **the g. belt** la zone verte; Am **g. card** ≃ permis m de travail **2** n (colour) vert m; (grassy area) pelouse f; **greens** (vegetables) légumes mpl verts; Pol **the G. Party, the Greens** les Verts mpl ▪**greenery** n

verdure f ▪**greengage** n reine-claude f
▪**greengrocer** n Br marchand, -ande mf de
fruits et légumes ▪**greenhouse** n serre f; **the
g. effect** l'effet m de serre ▪**greenish** adj
verdâtre

Greenland ['gri:nlənd] n le Groenland

greet [gri:t] vt (say hello to) saluer; (welcome)
accueillir ▪**greeting** n accueil m; (more
formal) salutation f; **greetings** (for birthday,
festival) vœux mpl; **greetings card** carte f de
vœux

gregarious [grɪ'geərɪəs] adj sociable; (instinct,
animal) grégaire

> Note that the French adjective **grégaire** is a
> false friend. It never means **sociable**.

gremlin ['gremlɪn] n Fam diablotin m

grenade [grə'neɪd] n (bomb) grenade f

grew [gru:] pt of **grow**

grey [greɪ] **1** adj (**-er, -est**) gris; Fig (pale)
morne; **to be going g.** grisonner; **g. matter**
matière f grise **2** n gris m **3** vi (of hair)
grisonner ▪'**grey-'haired** adj aux cheveux
gris ▪**greyhound** n lévrier m ▪**greyish** adj
grisâtre

grid [grɪd] n (bars) grille f; (on map) quadrillage
m; Br **the (national) g.** le réseau électrique
national

griddle ['grɪdəl] n (for cooking) tôle f

gridlock ['grɪdlɒk] n (traffic jam) embouteillage
m

grief [gri:f] n chagrin m; **to come to g.** échouer;
Fam **good g.!** mon Dieu!

> Note that the French word **grief** is a false
> friend and is never a translation for the Eng-
> lish word **grief**. It means **grievance**.

grievance ['gri:vəns] n grief m; **grievances**
(complaints) doléances fpl; **to have a g.
against sb** avoir à se plaindre de qn

grieve [gri:v] **1** vt affliger **2** vi **to g. for sb/over
sth** pleurer qn/qch

grievous ['gri:vəs] adj Formal grave; Br Law **g.
bodily harm** coups mpl et blessures fpl

grill [grɪl] **1** n (utensil) gril m; (dish) grillade f **2** vt
griller; Fam (question) cuisiner

grille [grɪl] n (bars) grille f; **(radiator) g.** (of
vehicle) calandre f

grim [grɪm] (**grimmer, grimmest**) adj (stern)
sinistre; Fam (bad) lamentable; **g.
determination** une volonté inflexible; **the g.
truth** la triste vérité ▪**grimly** adv (fight) avec
acharnement

grimace ['grɪməs] **1** n grimace f **2** vi grimacer

grime [graɪm] n crasse f ▪**grimy** (**-ier, -iest**) adj
crasseux, -euse

grin [grɪn] **1** n large sourire m **2** (pt & pp **-nn-**) vi
avoir un large sourire

grind [graɪnd] **1** n Fam (work) corvée f; **the daily**

g. le train-train quotidien **2** (pt & pp **ground**) vt
(coffee, pepper) moudre; Am (meat) hacher;
(blade, tool) aiguiser; **to g. one's teeth** grincer
des dents **3** vi **to g. to a halt** s'immobiliser;
grinding poverty la misère noire ▪**grinder** n
coffee g. moulin m à café

grip [grɪp] **1** n (hold) prise f; (handle) poignée f;
Fam (of subject) connaissance f; **to have a firm
g. on the situation** avoir la situation bien en
main; **to get a g. on oneself** se ressaisir; Fig
to lose one's g. ne plus être à la hauteur; Fig
to get to grips with sth s'attaquer à qch; **in
the g. of a disease** en proie à une maladie **2**
(pt & pp **-pp-**) vt (seize) saisir; (hold)
empoigner; (of tyre) adhérer à; **the audience
was gripped by the play** la pièce a captivé les
spectateurs **3** vi (of tyre) adhérer ▪**gripping**
adj passionnant

gripe [graɪp] vi Fam (complain) rouspéter

grisly ['grɪzlɪ] adj (gruesome) horrible

gristle ['grɪsəl] n (in meat) nerfs mpl

grit [grɪt] **1** n (a) (sand) sable m; (gravel)
gravillons mpl (b) Fam (courage) cran m **2** (pt
& pp **-tt-**) vt (a) (road) sabler (b) **to g. one's
teeth** serrer les dents

grizzly ['grɪzlɪ] (pl **-ies**) n **g. (bear)** grizzli m

groan [grəʊn] **1** n (of pain) gémissement m; (of
dissatisfaction) grognement m **2** vi (with pain)
gémir; (complain) grogner

grocer ['grəʊsə(r)] n épicier, -ière mf; **g.'s shop**
épicerie f ▪**groceries** npl (food) provisions fpl
▪**grocery** (pl **-ies**) n Am (shop) épicerie f

groggy ['grɒgɪ] (**-ier, -iest**) adj Fam groggy inv

groin [grɔɪn] n aine f

groom [gru:m] **1** n (a) (bridegroom) marié m (b)
(for horses) lad m **2** vt (horse) panser; **to g. sb
for sth** préparer qn pour qch; **well-groomed**
(person) très soigné

groove [gru:v] n (in wood, metal) rainure f; (in
record) sillon m

grope [grəʊp] vi **to g. (about) for sth** chercher
qch à tâtons

gross [grəʊs] **1** adj (a) (total) (weight, income,
profit) brut; Econ **g. domestic product** produit
m intérieur brut; Econ **g. national product**
produit national brut (b) (**-er, -est**) (coarse)
grossier, -ière; (injustice) flagrant; **g. error**
erreur f grossière (c) Fam (disgusting)
dégueulasse **2** n inv grosse f **3** vt gagner brut
▪**grossly** adv (negligent) extrêmement;
(exaggerated) grossièrement; (unfair) vraiment; **g. overweight** obèse

grotesque [grəʊ'tesk] adj grotesque

grotto ['grɒtəʊ] (pl **-oes** or **-os**) n grotte f

grotty ['grɒtɪ] (**-ier, -iest**) adj Br Fam minable

ground[1] [graʊnd] **1** n (earth) terre f, sol m; (land)
terrain m; (estate) terres fpl; **grounds** (gardens)
parc m; Fig (reasons) motifs mpl; **on the g.**
(lying, sitting) par terre; **to gain/lose.**

gagner/perdre du terrain; *Fig* **to hold one's g.** tenir bon; **g. crew** *(at airport)* personnel *m* au sol; *Br* **g. floor** rez-de-chaussée *m inv*; **g. frost** gelée *f* blanche; **g. rules** règles *fpl* de base **2** *vt (aircraft)* interdire de vol **▪grounding** *n (basis)* fondement *m*; *(basic knowledge)* bases *fpl* (**in** de) **▪groundless** *adj* sans fondement **▪groundnut** *n* arachide *f* **▪groundsheet** *n* tapis *m* de sol **▪groundswell** *n* lame *f* de fond **▪groundwork** *n* travail *m* préparatoire

ground² [graʊnd] **1** *pt & pp of* **grind 2** *adj (coffee)* moulu; *Am* **g. meat** viande *f* hachée **3** *npl* **(coffee) grounds** marc *m* (de café)

group [gruːp] **1** *n* groupe *m*; **g. decision** décision *f* collective **2** *vt* **to g. (together)** grouper **3** *vi* se grouper **▪grouping** *n (group)* groupe *m*

grouse¹ [graʊs] *n inv (bird)* tétras *m*

grouse² [graʊs] *vi Fam (complain)* rouspéter

grove [grəʊv] *n* bosquet *m*

grovel ['grɒvəl] (*Br* -ll-, *Am* -l-) *vi (be humble)* ramper, s'aplatir (**to** devant)

grow [grəʊ] **1** *(pt* **grew**, *pp* **grown)** *vt (vegetables)* cultiver; **to g. a beard** se laisser pousser la barbe **2** *vi (of person)* grandir; *(of plant, hair)* pousser; *(of economy, feeling)* croître; *(of firm, town)* se développer; *(of gap, family)* s'agrandir; **to g. fat(ter)** grossir; **to g. old** vieillir; **to g. to like sth** finir par aimer qch; **to g. into a man** devenir un homme; **to g. up** grandir; **when I g. up** quand je serai grand; **he's grown out of his shoes** ses chaussures sont maintenant trop petites pour lui; **it'll g. on you** *(of music, book)* tu finiras par t'y intéresser **▪grower** *n (person)* cultivateur, -trice *mf* (**of** de) **▪growing** *adj (child)* en pleine croissance; *(number, discontent)* grandissant **▪grown** *adj (man, woman)* adulte **▪grown-up 1** ['grəʊnʌp] *n* grande personne *f* **2** ['grəʊn'ʌp] *adj (ideas, behaviour)* d'adulte

growl [graʊl] **1** *n* grognement *m* **2** *vi* grogner (**at** contre)

grown [grəʊn] *pp of* **grow**

growth [grəʊθ] *n* croissance *f*, *(increase)* augmentation *f* (**in** de); *(lump)* grosseur *f* (**on** à); **a week's g. of beard** une barbe de huit jours

grub [grʌb] *n* (**a**) *Fam (food)* bouffe *f* (**b**) *(insect)* larve *f*

grubby ['grʌbɪ] (-ier, -iest) *adj* sale

grudge [grʌdʒ] **1** *n* rancune *f*; **to have a g. against sb** garder rancune à qn **2** *vt* **to g. sb sth** donner qch à qn à contrecœur; **to g. doing sth** faire qch à contrecœur; **he grudges her her success** il lui en veut parce qu'elle a réussi **▪grudging** *adj* accordé à contrecœur **▪grudgingly** *adv* à contrecœur

gruelling ['grʊəlɪŋ] (*Am* **grueling**) *adj (journey, experience)* épuisant

gruesome ['gruːsəm] *adj* horrible

gruff [grʌf] (-er, -est) *adj* bourru

grumble ['grʌmbəl] *vi (complain)* grommeler; **to g. about sth** rouspéter contre qch

grumpy ['grʌmpɪ] (-ier, -iest) *adj* grincheux, -euse

grunt [grʌnt] **1** *n* grognement *m* **2** *vti* grogner

GSM [dʒiːes'em] (*abbr* **global system for mobile communications**) *n Tel* GSM *m*; **G. network** réseau *m* GSM

guarantee [gærən'tiː] **1** *n* garantie *f* **2** *vt* garantir (**against** contre); *(vouch for)* se porter garant de; **to g. sb that...** garantir à qn que... **▪guarantor** [-'tɔː(r)] *n* garant, -ante *mf*

guard [gɑːd] **1** *n (supervision)* garde *f*; *(sentry)* garde *m*; *(on train)* chef *m* de train; **under g.** sous surveillance; **on one's g.** sur ses gardes; **on g. (duty)** de garde; **to stand g.** monter la garde; **to catch sb off his g.** prendre qn au dépourvu **2** *vt (protect)* garder; **to g. sb from danger** protéger qn d'un danger **3** *vt insep* **to g. against** *(protect oneself)* se prémunir contre; *(prevent)* empêcher; **to g. against doing sth** se garder de faire qch **▪guarded** *adj (cautious)* prudent

guardian ['gɑːdɪən] *n Law (of child)* tuteur, -trice *mf*; *(protector)* gardien, -ienne *mf*; **g. angel** ange *m* gardien

Guatemala [gwætɪ'mɑːlə] *n* le Guatemala

Guernsey ['gɜːnzɪ] *n* Guernesey *m* ou *f*

guerrilla [gə'rɪlə] *n (person)* guérillero *m*; **g. warfare** guérilla *f*

> Note that the French word **guérilla** is a false friend and is never a translation for the English word **guerrilla**. It means **guerrilla warfare**.

guess [ges] **1** *n (estimate)* estimation *f*; **to make or take a g.** deviner; **at a g.** à vue de nez **2** *vt* deviner (**that** que); *(suppose)* supposer, croire **3** *vi* deviner; **to g. right** deviner juste; **to g. wrong** se tromper; *Am* **I g. (so)** je crois **▪guesswork** *n* conjecture *f*; **by g.** au jugé

guest [gest] *n* invité, -ée *mf*; *(in hotel)* client, -iente *mf*; *(at meal)* convive *mf*; **be my g.!** je t'en prie!; **g. room** chambre *mf* d'amis; **g. speaker** conférencier, -ière *mf* **▪guesthouse** *n* pension *f* de famille

guffaw [gə'fɔː] *vi* rire bruyamment

guidance ['gaɪdəns] *n (advice)* conseils *mpl*

guide [gaɪd] **1** *n (person)* guide *m*; *(indication)* indication *f*; **g. (book)** guide *m*; *Br* **G.** éclaireuse *f*; *Br* **g. dog** chien *m* d'aveugle **2** *vt (lead)* guider; **guiding principle** principe *m* directeur **▪guided** *adj (missile, rocket)* guidé; **g. tour** visite *f* guidée **▪guidelines** *npl* directives *fpl*

guild [gɪld] *n* association *f*; *Hist* corporation *f*

guile [gaɪl] *n* ruse *f*

guillotine ['gɪlətiːn] *n (for execution)* guillotine *f*; *Br (for paper)* massicot *m*

guilt [gɪlt] n culpabilité f ▪ **guilty** (-ier, -iest) adj coupable; **to find sb g./not g.** déclarer qn coupable/non coupable

guinea pig ['gɪnɪpɪg] n (animal) & Fig cobaye m

guise [gaɪz] n **under the g. of** sous l'apparence de

guitar [gɪ'tɑ:(r)] n guitare f ▪ **guitarist** n guitariste mf

gulf [gʌlf] n (in sea) golfe m; (chasm) gouffre m (between entre); **the G.** le golfe Persique; **the G. War** la guerre du Golfe

gull [gʌl] n mouette f

gullet ['gʌlɪt] n gosier m

gullible ['gʌlɪbəl] adj crédule

gully ['gʌlɪ] (pl **-ies**) n petit ravin m

gulp [gʌlp] **1** n (**a**) (of drink) gorgée f; **in** or **at one g.** d'un coup (**b**) (of surprise) serrement m de gorge **2** vt **to g. (down)** engloutir **3** vi (with surprise) avoir la gorge serrée

gum¹ [gʌm] n (in mouth) gencive f

gum² [gʌm] **1** n (**a**) (glue) colle f; (from tree) gomme f (**b**) (for chewing) chewing-gum m **2** (pt & pp **-mm-**) vt coller

gumption ['gʌmpʃən] n Fam (courage) cran m; (common sense) jugeote f

gun [gʌn] **1** n pistolet m; (rifle) fusil m; (firing shells) canon m **2** (pt & pp **-nn-**) vt sep **to g. down** abattre ▪ **gunfight** n fusillade f ▪ **gunfire** n coups mpl de feu; (in battle) tir m d'artillerie ▪ **gunman** (pl **-men**) n homme m armé ▪ **gunner** n artilleur m ▪ **gunpoint** n **to hold sb at g.** tenir qn sous la menace d'une arme ▪ **gunpowder** n poudre f à canon ▪ **gunshot** n coup m de feu; **g. wound** blessure f par balle

gung-ho [gʌŋ'həʊ] adj **g. about sth** très enthousiaste à l'idée de qch

gurgle ['gɜ:gəl] **1** n gargouillement m; (of baby) gazouillis m **2** vi (of water) gargouiller; (of baby) gazouiller

guru ['gʊru:] n gourou m

gush [gʌʃ] **1** n jaillissement m **2** vi **to g. (out)** jaillir (**of** de)

gust [gʌst] **1** n (of wind) rafale f; (of hot air) bouffée f **2** vi (of wind) souffler par rafales

gusto ['gʌstəʊ] n **with g.** avec entrain

gut [gʌt] **1** n (inside body) intestin m; Fam **guts** (insides) entrailles fpl; (courage) cran m; Fam **he hates your guts** il ne peut pas te sentir **2** (pt & pp **-tt-**) vt (of fire) ravager

gutter ['gʌtə(r)] n (on roof) gouttière f; (in street) caniveau m ▪ **guttering** n gouttières fpl

guttural ['gʌtərəl] adj guttural

guy [gaɪ] n Fam (man) type m

guzzle ['gʌzəl] vt (eat) engloutir; (drink) siffler

gym [dʒɪm] n gym f; (gymnasium) gymnase m; **g. shoes** chaussures fpl de gym ▪ **gymnasium** [-'neɪzɪəm] n gymnase m ▪ **gymnast** n gymnaste mf ▪ **gym'nastics** n gymnastique f

gynaecology [gaɪnɪ'kɒlədʒɪ] (Am **gynecology**) n gynécologie f ▪ **gynaecologist** (Am **gynecologist**) n gynécologue mf

gypsy ['dʒɪpsɪ] n = **gipsy**

gyrate [dʒaɪ'reɪt] vi tournoyer

H, h [eɪtʃ] *n (letter)* H, h *m inv*; **H bomb** bombe *f* H

haberdasher ['hæbədæʃə(r)] *n Br (selling sewing items)* mercier, -ière *mf*; *Am (men's outfitter)* chemisier *m* ▪ **haberdashery** (*pl* -ies) *n* mercerie *f*; *Am* chemiserie *f*

habit ['hæbɪt] *n* (a) *(custom, practice)* habitude *f*; **to be in/get into the h. of doing sth** avoir/ prendre l'habitude de faire qch; **to make a h. of doing sth** avoir pour habitude de faire qch (b) *Fam (addiction)* accoutumance *f*; **a h.-forming drug** une drogue qui crée une accoutumance (c) *(of monk, nun)* habit *m*

habitable ['hæbɪtəbəl] *adj* habitable ▪ **habitat** [-tæt] *n (of animal, plant)* habitat *m* ▪ **habi'tation** *n* habitation *f*; **fit for (human) h.** habitable

habitual [hə'bɪtʃʊəl] *adj* habituel, -uelle; *(smoker, drunk)* invétéré ▪ **habitually** *adv* habituellement

hack[1] [hæk] *vt (cut)* hacher ▪ **hacker** *n Comptr* pirate *m* informatique

▸ **hack into** *vt insep Comptr* **to h. into a system** pirater un système

hack[2] [hæk] *n Pej* **h. (writer)** écrivaillon *m*

hackneyed ['hæknɪd] *adj (saying)* rebattu

had [hæd] *pt & pp of* **have**

haddock ['hædək] *n* aiglefin *m*; **smoked h.** haddock *m*

haemorrhage ['hemərɪdʒ] (*Am* **hemorrhage**) *n* hémorragie *f*

haemorrhoids ['hemərɔɪdz] (*Am* **hemorrhoids**) *npl Med* hémorroïdes *fpl*

hag [hæg] *n Pej (old)* **h.** vieille taupe *f*

haggard ['hægəd] *adj* hâve

haggle ['hægəl] *vi* marchander; **to h. over sth** marchander qch; **to h. over the price of sth** chicaner sur le prix de qch ▪ **haggling** *n* marchandage *m*

Hague [heɪg] *n* **The H.** La Haye

hail[1] [heɪl] **1** *n* grêle *f*; *Fig* **a h. of bullets** une pluie de balles **2** *vi* **it's hailing** il grêle ▪ **hailstone** *n* grêlon *m*

hail[2] [heɪl] **1** *vt (greet)* saluer (**as** comme); *(taxi)* héler **2** *vt insep* **to h. from** *(of person)* être originaire de; *(of ship, train)* être en provenance de

hair [heə(r)] *n (on head)* cheveux *mpl*; *(on body, of animal)* poils *mpl*; **a h.** *(on head)* un cheveu; *(on body, of animal)* un poil; **by a h.'s breadth** de

justesse; **h. straighteners** défriseur *m* ▪ **hairbrush** *n* brosse *f* à cheveux ▪ **hairclip, hairslide** *n Br* barrette *f* ▪ **haircut** *n* coupe *f* de cheveux; **to have a h.** se faire couper les cheveux ▪ **hairdo** (*pl* -dos) *n Fam* coiffure *f* ▪ **hairdresser** *n* coiffeur, -euse *mf* ▪ **hairdryer** *n* sèchecheveux *m inv* ▪ **hairgrip** *n* pince *f* à cheveux ▪ **hairnet** *n* résille *f* ▪ **hairpiece** *n* postiche *m* ▪ **hairpin** *n* épingle *f* à cheveux; **h. bend** *(in road)* virage *m* en épingle à cheveux ▪ **hair-raising** *adj* à faire dresser les cheveux sur la tête ▪ **hair-splitting** *n* ergotage *m* ▪ **hairspray** *n* laque *f* ▪ **hairstyle** *n* coiffure *f*

-haired [heəd] *suff* **long-/red-h.** aux cheveux longs/roux

hairy ['heərɪ] (-ier, -iest) *adj (person, animal, body)* poilu; *Fam (frightening)* effrayant

hake [heɪk] *n* colin *m*

half [hɑːf] **1** (*pl* **halves**) *n* moitié *f*; *(part of match)* mi-temps *f*; *Br (half fare)* demi-tarif *m*; *Br (beer)* demi *m*; **h. (of) the apple** la moitié de la pomme; **h. past one** une heure et demie; **ten and a h.** dix et demi; **ten and a h. weeks** dix semaines et demie; **h. a day** une demi-journée; **h. a dozen** une demi-douzaine; **to cut in h.** couper en deux; **to go halves with sb** partager avec qn

2 *adj* demi; **h. board** demi-pension *f*; **a h.-day** une demi-journée; **a h.-dozen** une demi-douzaine; **h. fare** demi-tarif *m*; **at h. price** à moitié prix; **h. man h. beast** mi-homme mi-bête **3** *adv (dressed, full)* à moitié; **h. asleep** à moitié endormi; *Br Fam* **he isn't h. lazy** il est rudement paresseux; **h. as much as** moitié moins que; **h. as much again** moitié plus ▪ **halfback** *n Sport* demi *m* ▪ **'half-'baked** *adj Fam (idea)* à la manque ▪ **half-'dozen** *n* demi-douzaine *f* ▪ **'half-'hearted** *adj (person, manner)* peu enthousiaste; *(effort)* timide ▪ **half-'hour** *n* demi-heure *f* ▪ **half-light** *n* demi-jour *m* ▪ **half-'mast** *n* **at h.** *(flag)* en berne ▪ **half-'open** *adj* entrouvert ▪ **half-'price** *adj & adv* à moitié prix ▪ **half-'term** *n Br Sch* congé *m* de milieu de trimestre ▪ **half-'time** *n (in game)* mi-temps *f* ▪ **'half'way** *adv (between places)* à mi-chemin (**between** entre); **to fill sth h.** remplir qch à moitié; **to be h. through a book** être à la moitié d'un livre ▪ **halfwit** *n* imbécile *mf* ▪ **halfwitted** *adj* imbécile

halibut ['hælɪbət] n (fish) flétan m

hall [hɔːl] n (room) salle f; (entrance room) entrée f; (of hotel) hall m; (mansion) manoir m; (for meals, in British university) réfectoire m; Br Univ **h. of residence** résidence f universitaire

hallelujah [hælɪ'luːjə] n & exclam alléluia (m)

hallmark ['hɔːlmɑːk] n (on metal) poinçon m; Fig (typical quality) signe m

hallo [hə'ləʊ] exclam = **hello**

Hallowe'en [hæləʊ'iːn] n Halloween m

hallucination [həluːsɪ'neɪʃən] n hallucination f

hallway ['hɔːlweɪ] n entrée f

halo ['heɪləʊ] (pl -oes or -os) n auréole f

halogen ['hælədʒən] n **h. lamp** lampe f halogène

halt [hɔːlt] 1 n halte f; **to call a h. to sth** mettre fin à qch; **to come to a h.** s'arrêter 2 exclam halte! 3 vt arrêter 4 vi (of soldiers) faire halte; (of production) s'arrêter ▪ **halting** adj (voice) hésitant

halve [hɑːv] vt (reduce by half) réduire de moitié; (divide in two) diviser en deux

ham [hæm] n (a) (meat) jambon m; **h. and eggs** œufs mpl au jambon; **h. sandwich** sandwich m au jambon (b) Pej (actor) cabotin, -ine mf

hamburger ['hæmbɜːgə(r)] n hamburger m

ham-fisted [hæm'fɪstɪd] adj Fam maladroit

hamlet ['hæmlɪt] n hameau m

hammer ['hæmə(r)] 1 n marteau m 2 vt (nail) enfoncer (**into** dans); (metal) marteler; Fam (defeat) écraser; Fam (criticize) démolir; **to h. sth out** (agreement, plan) mettre au point qch 3 vi frapper (au marteau); **to h. on the door** frapper à la porte à coups redoublés ▪ **hammered** adj Br Fam (drunk) bourré ▪ **hammering** n Fam (defeat) raclée f

hammock ['hæmək] n hamac m

hamper ['hæmpə(r)] 1 n Br (for food) panier m; Am (laundry basket) panier m à linge 2 vt (hinder) gêner

hamster ['hæmstə(r)] n hamster m

hand¹ [hænd] 1 n (a) (part of the body) main f; **to hold sth in one's h.** tenir qch à la main; **to hold hands** se tenir par la main; **by h.** (make, sew) à la main; **to deliver sth by h.** remettre qch en mains propres; **at** or **to h.** (within reach) à portée de la main; (close) **at h.** (person) tout près; **the situation is in h.** la situation est bien en main; **the matter in h.** l'affaire f en question; **to have money in h.** avoir de l'argent disponible; **work in h.** travail m en cours; **on h.** (ready for use) disponible; Fig **to have sb on one's hands** avoir qn sur les bras; **on the right h.** du côté droit (**of** de); **on the one h....** d'une part...; **on the other h....** d'autre part...; **hands up!** (in attack) haut les mains!; (to schoolchildren) levez la main!; **hands off!** bas les pattes!; Fig **my hands are full** je suis très occupé; **to lend sb a (helping) h.** donner un

coup de main à qn; **to get out of h.** (of child) devenir impossible; (of situation) devenir incontrôlable; **h. in h.** la main dans la main; Fig **it goes h. in h. with...** (together with) cela va de pair avec...; **at first h.** de première main; **to win hands down** gagner haut la main (b) (worker) ouvrier, -ière mf; (of clock) aiguille f; Cards jeu m; (style of writing) écriture f 2 adj (luggage, grenade) à main; (cream, lotion) pour les mains ▪ **handbag** n sac m à main ▪ **handball** n handball m ▪ **handbook** n (manual) manuel m; (guide) guide m ▪ **handbrake** n frein m à main ▪ **handcuff** vt passer les menottes à; **to be handcuffed** avoir les menottes aux poignets ▪ **handcuffs** npl menottes fpl ▪ **'hand'made** adj fait à la main ▪ **'hand'picked** adj (team member) trié sur le volet ▪ **handrail** n rampe f ▪ **handshake** n poignée f de main ▪ **hands-on** adj (experience) pratique ▪ **handwriting** n écriture f ▪ **'hand'written** adj écrit à la main

hand² [hænd] vt (give) donner (**to** à); **to h. sth down** (give) passer qch; **to be handed down from generation to generation** se transmettre de génération en génération; **to h. sth in** remettre qch; **to h. sth out** distribuer qch; **to h. sth over** remettre qch; **to h. sth round** faire circuler qch

handful ['hændfʊl] n (bunch, group) poignée f; Fig **she's (quite) a h.** elle n'est pas facile

handicap ['hændɪkæp] 1 n (disadvantage) & Sport handicap m 2 (pt & pp **-pp-**) vt handicaper ▪ **handicapped** adj (disabled) handicapé

handicraft ['hændɪkrɑːft] n (skill) artisanat m; (object) objet m artisanal

handiwork ['hændɪwɜːk] n (work) travail m manuel; (result) ouvrage m

handkerchief ['hæŋkətʃɪf] (pl **-chiefs**) n mouchoir m

handle ['hændəl] 1 n (of door) poignée f; (of knife) manche m; (of cup) anse f; (of saucepan) queue f; (of pump) bras m 2 vt (manipulate) manier; (touch) toucher à; (deal with) s'occuper de; (vehicle, ship) manœuvrer; (difficult child) s'y prendre avec 3 vi **to h. well** (of machine) être maniable

handlebars ['hændəlbɑːz] npl guidon m

handout ['hændaʊt] n (leaflet) prospectus m; (money) aumône f

handsome ['hænsəm] adj (person, building) beau (f belle); (profit, sum) considérable; (gift) généreux, -euse ▪ **handsomely** adv (generously) généreusement

handy ['hændɪ] (**-ier, -iest**) adj (convenient) commode; (useful) pratique; (within reach) à portée de la main; (skilful) habile (**at doing** à faire); **to come in h.** être utile; **to keep sth h.** avoir qch sous la main; **the flat is h. for the**

shops l'appartement est près des commerces ▪ **handyman** (*pl* **-men**) *n* homme *m* à tout faire
hang¹ [hæŋ] 1 *n Fam* **to get the h. of sth** piger qch 2 (*pt & pp* **hung**) *vt* suspendre (**on/from** à); (*on hook*) accrocher (**on** *or* **from** à); (*wallpaper*) poser; **to h. sth with sth** (*decorate with*) orner qch de qch 3 *vi* (*dangle*) pendre; (*of threat*) planer; (*of fog, smoke*) flotter ▪ **hanging** *adj* suspendu (**from** à); **h. on the wall** accroché au mur ▪ **hang-up** *n Fam* complexe *m*
▸ **hang about, hang around** *vi* (*loiter*) traîner; *Fam* (*wait*) poireauter
▸ **hang down** *vi* (*dangle*) pendre; (*of hair*) tomber
▸ **hang on** 1 *vi* (*hold out*) tenir le coup; *Fam* (*wait*) patienter; **to h. on to sth** garder qch 2 *vt insep* (*depend on*) dépendre de
▸ **hang out** 1 *vt sep* (*washing*) étendre 2 *vi* (*from pocket, box*) dépasser; *Fam* (*spend time*) traîner
▸ **hang together** *vi* (*of facts*) se tenir; (*of plan*) tenir debout
▸ **hang up** 1 *vt sep* (*picture*) accrocher 2 *vi* (*on phone*) raccrocher
hang² [hæŋ] (*pt & pp* **hanged**) 1 *vt* (*criminal*) pendre (**for** pour) 2 *vi* (*of criminal*) être pendu ▪ **hanging** *n* (*execution*) pendaison *f* ▪ **hangman** (*pl* **-men**) *n* bourreau *m*; (*game*) le pendu
hangar [ˈhæŋə(r)] *n* hangar *m*
hanger [ˈhæŋə(r)] *n* (**coat**) **h.** cintre *m* ▪ **hanger-on** (*pl* hangers-on) *n* parasite *m*
hang-glider [ˈhæŋɡlaɪdə(r)] *n* deltaplane *m* ▪ **hang-gliding** *n* vol *m* libre
hangnail [ˈhæŋneɪl] *n* envie *f*
hangover [ˈhæŋəʊvə(r)] *n Fam* (*after drinking*) gueule *f* de bois
hanker [ˈhæŋkə(r)] *vi* **to h. after** *or* **for sth** avoir envie de qch ▪ **hankering** *n* forte envie *f*
hankie, hanky [ˈhæŋkɪ] (*pl* **-ies**) *Fam* mouchoir *m*
hanky-panky [hæŋkɪˈpæŋkɪ] *n inv Fam* (*sexual behaviour*) galipettes *fpl*; (*underhand behaviour*) entourloupettes *fpl*
haphazard [hæpˈhæzəd] *adj* (*choice, decision*) pris au hasard; (*attempt*) mal organisé ▪ **haphazardly** *adv* n'importe comment
hapless [ˈhæplɪs] *adj Literary* infortuné
happen [ˈhæpən] *vi* arriver, se produire; **to h. to sb** arriver à qn; **I h. to know, it (so) happens that I know** il se trouve que je le sais; **do you h. to have...?** est-ce que par hasard vous avez...?; **what happened?** que s'est-il passé?; **whatever happens** quoi qu'il arrive ▪ **happening** *n* événement *m*
happily [ˈhæpɪlɪ] *adv* joyeusement; (*contentedly*) tranquillement; (*fortunately*) heureusement; **h. married couple** couple *m* heureux
happiness [ˈhæpɪnəs] *n* bonheur *m*

happy [ˈhæpɪ] (**-ier, -iest**) *adj* heureux, -euse (**to do** de faire; **about** de); **I'm not h. about it** ça ne me plaît pas; **H. New Year!** bonne année!; **h. birthday/Christmas!** joyeux anniversaire/Noël! ▪ **happy-go-'lucky** *adj* insouciant
harass [*Br* ˈhærəs, *Am* həˈræs] *vt* harceler ▪ **harassment** *n* harcèlement *m*; **sexual h.** harcèlement *m* sexuel

> Note that the French verb **harasser** is a false friend and is never a translation for the English verb **to harass**. It means **to exhaust**.

harbour [ˈhɑːbə(r)] (*Am* **harbor**) 1 *n* port *m* 2 *vt* (*fugitive*) cacher; (*hope, suspicion*) nourrir; **to h. a grudge against sb** garder rancune contre qn
hard [hɑːd] (**-er, -est**) 1 *adj* (*not soft, severe*) dur; (*difficult*) difficile, dur; (*water*) calcaire; **to be h. on sb** être dur avec qn; **to find it h. to sleep** avoir du mal à dormir; **to be h. of hearing** être dur d'oreille; **it was h. work persuading him** ça n'a pas été facile de le convaincre; *Fam* **h. up** (*broke*) fauché; **to be h. up for sth** manquer de qch; **no h. feelings!** sans rancune!; **h. cash** espèces *fpl*; *Comptr* **h. copy** copie *f* sur papier; **h. core** (*of group*) noyau *m* dur; *Comptr* **h. disk** disque *m* dur; **h. drugs** drogues *fpl* dures; **h. evidence** preuves *fpl* tangibles; **h. frost** forte gelée *f*; **h. labour** travaux *mpl* forcés; **h. shoulder** (*on motorway*) bande *f* d'arrêt d'urgence; **h. worker** gros travailleur *m*
  2 *adv* (*work*) dur; (*pull, push, hit*) fort; (*study*) assidûment; (*rain*) à verse; **to look h. at sb/sth** regarder fixement qn/qch; **to look h.** (*seek*) chercher bien; **to think h.** réfléchir bien; **to try h.** faire de son mieux; **h. at work** en plein travail; **h. by** tout près de; **to feel h. done by** se sentir brimé ▪ **'hard-and-'fast** *adj* (*rule*) strict ▪ **'hardback** *n* livre *m* relié ▪ **'hardboard** *n* aggloméré *m* ▪ **'hard-'boiled** *adj* (*egg*) dur ▪ **'hard-core** *adj* (*supporter*) inconditionnel, -elle ▪ **'hard-'earned** *adj* (*money*) durement gagné; (*rest*) bien mérité ▪ **'hard'headed** *adj* réaliste ▪ **'hard'wearing** *adj* résistant ▪ **'hard-'working** *adj* travailleur, -euse
harden [ˈhɑːdən] 1 *vt* endurcir; **to become hardened to sth** s'endurcir à qch 2 *vi* (*of substance, attitude*) durcir ▪ **hardened** *adj* (*criminal*) endurci
hardly [ˈhɑːdlɪ] *adv* à peine; **h. had I arrived when...** j'étais à peine arrivé que...; **h. anyone/anything** presque personne/rien; **h. ever** presque jamais
hardness [ˈhɑːdnɪs] *n* dureté *f*
hardship [ˈhɑːdʃɪp] *n* (*ordeal*) épreuve *f*; **to live in h.** vivre dans la misère
hardware [ˈhɑːdweə(r)] *n inv* quincaillerie *f*;

Comptr & Mil matériel *m*; **h. shop** *or Am* **store** quincaillerie

hardy ['hɑːdɪ] (**-ier, -iest**) *adj* résistant

hare [heə(r)] *n* lièvre *m* ▪ **harebrained** *adj (person)* écervelé; *(scheme)* insensé

harem ['hɑːriːm] *n* harem *m*

hark [hɑːk] *vi Literary* écouter; *Fam* **to h. back to sth** évoquer qch

harm [hɑːm] **1** *n (hurt)* mal *m*; *(wrong)* tort *m*; **to do sb h.** faire du mal à qn; **he means no h.** il ne veut pas faire de mal; **she'll come to no h.** il ne lui arrivera rien; **out of h.'s way** en lieu sûr **2** *vt (health, interests, cause)* nuire à; *(object)* abîmer ▪ **harmful** *adj (influence)* néfaste; *(substance)* nocif, -ive ▪ **harmless** *adj (person, treatment)* inoffensif, -ive; *(hobby, joke)* innocent

harmonica [hɑːˈmɒnɪkə] *n* harmonica *m*

harmonium [hɑːˈməʊnɪəm] *n* harmonium *m*

harmonize ['hɑːmənaɪz] **1** *vt* harmoniser **2** *vi* s'harmoniser

harmony ['hɑːmənɪ] (*pl* **-ies**) *n* harmonie *f* ▪ **harmonious** [hɑːˈməʊnɪəs] *adj* harmonieux, -ieuse

harness ['hɑːnɪs] **1** *n (for horse, baby)* harnais *m* **2** *vt (horse)* harnacher; *Fig (resources)* exploiter

harp [hɑːp] **1** *n* harpe *f* **2** *vi Fam* **to h. on about sth** revenir sans arrêt sur qch

harpoon [hɑːˈpuːn] **1** *n* harpon *m* **2** *vt* harponner

harpsichord ['hɑːpsɪkɔːd] *n* clavecin *m*

harrowing ['hærəʊɪŋ] *adj (story, memory)* poignant; *(experience)* très éprouvant; *(account, cry, sight)* déchirant

harsh [hɑːʃ] (**-er, -est**) *adj (person, treatment)* dur; *(winter, climate)* rude; *(sound, voice)* strident; *(light)* cru; **to be h. with sb** être dur envers qn ▪ **harshly** *adv* durement ▪ **harshness** *n* dureté *f*; *(of winter, climate)* rigueur *f*; *(of sound)* discordance *f*

harvest ['hɑːvɪst] **1** *n* moisson *f*; *(of fruit)* récolte *f* **2** *vt* moissonner; *(fruit)* récolter

has [hæz] *see* **have** ▪ **has-been** *n Fam Pej* has been *mf inv*

hash [hæʃ] **1** *n* (**a**) *(food)* hachis *m*; *Fam* **to make a h. of sth** faire un beau gâchis de qch; **h. browns** = pommes de terre râpées et sautées (**b**) *Fam (hashish)* hasch *m* (**c**) *Br Tel* **h. sign** dièse *m* **2** *vt* **to h. (up)** hacher

hashish ['hæʃiːʃ] *n* haschisch *m*

hassle ['hæsəl] *Fam* **1** *n* embêtements *mpl*; **it's too much h.** c'est trop compliqué **2** *vt* embêter

haste [heɪst] *n* hâte *f*; **in h.** à la hâte; **to make h.** se hâter

hasten ['heɪsən] **1** *vt* hâter **2** *vi* se hâter (**to do** de faire)

hasty ['heɪstɪ] (**-ier, -iest**) *adj (departure, removal)* précipité; *(visit)* rapide; *(decision, work)* hâtif, -ive ▪ **hastily** *adv (write, prepare)* hâtivement; *(say, eat)* précipitamment

hat [hæt] *n* chapeau *m*; *(woollen)* bonnet *m*; *Fam* **that's old h.** c'est vieux; *Sport* **to score** *or* **get a h. trick** *(of goals)* marquer trois buts au cours d'un match; **h. stand** portemanteau *m*

hatch [hætʃ] **1** *n* **serving h.** passe-plat *m* **2** *vt* faire éclore; *Fig (plot)* tramer **3** *vi (of chick, egg)* éclore

hatchback ['hætʃbæk] *n (car) (three-door)* trois-portes *f inv*; *(five-door)* cinq-portes *f inv*; *(door)* hayon *m*

hatchet ['hætʃɪt] *n* hachette *f*

hate [heɪt] **1** *n* haine *f* **2** *vt* haïr, détester; **to h. doing** *or* **to do sth** détester faire qch; **I h. to say it but...** ça m'ennuie de le dire mais... ▪ **hateful** *adj* odieux, -ieuse ▪ **hatred** ['heɪtrɪd] *n* haine *f*

haughty ['hɔːtɪ] (**-ier, -iest**) *adj* hautain ▪ **haughtily** *adv* avec hauteur

haul [hɔːl] **1** *n (fish caught)* prise *f*; *(of thief)* butin *m*; **a long h.** *(trip)* un long voyage **2** *vt* (**a**) *(pull)* tirer (**b**) *(goods)* transporter par camion ▪ **haulage** ['hɔːlɪdʒ] *n* transport *m* routier; *(cost)* frais *mpl* de transport ▪ **haulier** (*Am* **hauler**) *n* transporteur *m* routier

haunt [hɔːnt] **1** *n (place)* lieu *m* de rendez-vous; *(of criminal)* repaire *m* **2** *vt* hanter ▪ **haunted** *adj (house)* hanté ▪ **haunting** *adj* obsédant

have [hæv] **1** *npl* **the haves and (the) have-nots** les riches *mpl* et les pauvres *mpl*

2 *(3rd person sing present tense* **has**; *pt & pp* **had**; *pres p* **having**) *vt* avoir; *(meal, bath, lesson)* prendre; **he has (got) a big house** il a une grande maison; **she doesn't h.** *or* **hasn't got a car** elle n'a pas de voiture; **to h. a drink** prendre un verre; **to h. a walk/dream** faire une promenade/un rêve; **to h. a wash** se laver; **to h. a swim** se baigner; **to h. a pleasant holiday** passer d'agréables vacances; **to h. a party** faire une soirée; **to h. a cold** être enrhumé; **to h. flu** avoir la grippe; **will you h. some tea?** est-ce que tu veux du thé?; **to h. sth to do** avoir qch à faire; **to let sb h. sth** donner qch à qn; **he had me by the hair** il me tenait par les cheveux; **I won't h. this** *(allow)* je ne tolérerai pas ça; **to h. it from sb that...** tenir de qn que...; *Fam* **to h. had it with sb/sth** en avoir assez de qn/qch; *Fam* **you've had it!** tu es fichu!; *Fam* **I've been had** *(cheated)* je me suis fait avoir; **to h. gloves/a dress on** porter des gants/une robe; **to h. a lot on** avoir beaucoup à faire; **to h. sb over** *or* **round** inviter qn chez soi

3 *v aux* avoir; *(with entrer, monter, sortir etc & pronominal verbs)* être; **to h. decided** avoir décidé; **to h. gone** être allé; **to h. cut oneself** s'être coupé; **she has been punished** elle a été punie, on l'a punie; **I've just done it** je viens de le faire; **I haven't seen it yet,** *Formal* **I h. not seen it yet** je ne l'ai pas encore vu; **to h. to do**

sth *(must)* devoir faire qch; **I've got to go, I h. to go** je dois partir, il faut que je parte; **I don't h. to go** je ne suis pas obligé de partir; **to h. sb do sth** faire faire qch à qn; **to h. sth done** faire faire qch; **to h. one's hair cut** se faire couper les cheveux; **he's had his suitcase brought up** il a fait monter sa valise; **I've had my car stolen** on m'a volé mon auto; **I've been doing it for months** je le fais depuis des mois; **you h. told him, haven't you?** tu le lui as dit, n'est-ce pas?; **you've seen this film before – no I haven't!** tu as déjà vu ce film – mais non!; **you haven't done the dishes – yes I h.!** tu n'as pas fait la vaisselle – mais si, je l'ai faite!; **after he had eaten** *or* **after having eaten, he left** après avoir mangé, il partit

▸ **have on** *vt sep* (**a**) *(be wearing)* porter (**b**) *Fam (fool)* **to h. sb on** faire marcher qn (**c**) *(have arranged)* **to h. a lot on** avoir beaucoup à faire; **to h. nothing on** n'avoir rien de prévu

▸ **have out** *vt sep* (**a**) *(have removed)* **to h. a tooth out** se faire arracher une dent (**b**) *(resolve)* **to h. it out with sb** s'expliquer avec qn

haven ['heɪvən] *n* refuge *m*

haven't ['hævənt] = **have not**

haversack ['hævəsæk] *n* sac *m* à dos

havoc ['hævək] *n* ravages *mpl*; **to wreak** *or* **cause h.** faire des ravages; **to play h. with sth** *(plans)* chambouler qch

hawk¹ [hɔːk] *n (bird) & Pol* faucon *m*

hawk² [hɔːk] *vt* **to h. one's wares** *(from door to door)* faire du porte-à-porte ▪ **hawker** *n* colporteur, -euse *mf*

hawthorn ['hɔːθɔːn] *n* aubépine *f*

hay [heɪ] *n* foin *m* ▪ **hayfever** *n* rhume *m* des foins ▪ **haystack** *n* meule *f* de foin

haywire ['heɪwaɪə(r)] *adj* **to go h.** *(of machine)* se détraquer; *(of plan)* mal tourner

hazard ['hæzəd] **1** *n* risque *m*; **to be a health h.** présenter un risque pour la santé; **it's a fire h.** ça risque de provoquer un incendie; *Br Aut* **h. (warning) lights** feux *mpl* de détresse **2** *vt (fortune, remark)* risquer ▪ **hazardous** *adj* dangereux, -euse

Note that the French word **hasard** is a false friend and is never a translation for the English word **hazard**. It means **chance**.

haze [heɪz] **1** *n* brume *f*; *Fig* **in a h.** *(confused)* dans le brouillard **2** *vt Am Univ (student)* bizuter ▪ **hazing** *n Am Univ* bizutage *m*

hazel ['heɪzəl] **1** *n (tree)* noisetier *m* **2** *adj* **to have h. eyes** avoir les yeux noisette ▪ **hazelnut** *n* noisette *f*

hazy ['heɪzɪ] **(-ier, -iest)** *adj (weather)* brumeux, -euse; *(photo, idea)* flou; **h. sunshine** soleil *m* voilé; **to be h. about sth** *(remember vaguely)* n'avoir qu'un vague souvenir de qch

he [hiː] **1** *pron* il; *(stressed)* lui; **he wants** il veut; **he's a happy man** c'est un homme heureux; **if I were he** si j'étais lui; **he and I** lui et moi **2** *n Fam (male)* mâle *m*; **he-bear** ours *m* mâle; *Fam* **it's a he** *(baby)* c'est un garçon

head [hed] **1** *n (of person, hammer)* tête *f*; *(leader)* chef *m*; *Br (headmaster)* directeur *m*; *Br (headmistress)* directrice *f*; *(of bed)* chevet *m*, tête *f*; *(of arrow)* pointe *f*; *(subject heading)* rubrique; **(tape)** *(of tape recorder, VCR)* tête magnétique; **h. of hair** chevelure *f*; **h. of state** chef *m* d'État; **h. first** la tête la première; **at the h. of** *(in charge of)* à la tête de; **at the h. of the table** en bout de table; **at the h. of the list** en tête de liste; **at the h. of the page** en haut de la page; **it didn't enter my h.** ça ne m'est pas venu à l'esprit **(that)** que); **to take it into one's h. to do sth** se mettre en tête de faire qch; **to have a good h. for business** avoir le sens des affaires; *Fam* **to shout one's h. off** crier à tue-tête; **it's above my h.** ça me dépasse; **to keep one's h.** garder son sang-froid; **to lose one's h.** perdre la tête; **to go off one's h.** devenir fou *(of folle)*; **it's coming to a h.** *(of situation)* ça devient critique; **heads or tails?** pile ou face?; **per h., a h.** *(each)* par personne; **h. cold** rhume *m* de cerveau

2 *adj* **h. gardener** jardinier *m* en chef; **h. office** siège *m* social; **h. waiter** maître *m* d'hôtel; **to have a h. start over** avoir beaucoup d'avance sur

3 *vt (group, firm)* être à la tête de; *(list, poll)* être en tête de; *(vehicle)* diriger **(towards** vers); *Football* **to h. the ball** faire une tête; **to h. sb off** détourner qn de son chemin; **to h. sth off** éviter qch; *Am* **to be headed for** se diriger vers

4 *vi* **to h. for, to be heading for** *(place)* se diriger vers ▪ **headache** *n* mal *m* de tête; *Fig (problem)* casse-tête *m inv*; **to have a h.** avoir mal à la tête ▪ **headdress** *n (ornamental)* coiffe *f* ▪ **headlamp, headlight** *n (of vehicle)* phare *m* ▪ **headline** *n (of newspaper, TV news)* titre *m*; **to hit the headlines** faire la une des journaux ▪ **headlong** *adv (fall)* la tête la première; *(rush)* tête baissée ▪ **head'master** *n Br Sch* directeur *m* ▪ **head'mistress** *n Br Sch* directrice *f* ▪ **head-'on** *adv & adj* de front ▪ **headphones** *npl* écouteurs *mpl* ▪ **headquarters** *npl (of company, political party)* siège *m* (social); *(of army, police)* quartier *m* général, QG *m* ▪ **headrest** *n* appuie-tête *m inv* ▪ **headscarf** *(pl* **-scarves)** *n* foulard *m* ▪ **headstrong** *adj* têtu ▪ **headway** *n* **to make h.** faire des progrès

headed ['hedɪd] *adj Br* **h. (note)paper** papier *m* à en-tête

-headed ['hedɪd] *suff* **two-h.** *(monster)* à deux têtes; **curly-h.** aux cheveux frisés

header ['hedə(r)] *n Football* (coup *m* de) tête *f*

headhunter ['hedhʌntə(r)] n Com chasseur m de têtes

heading ['hedɪŋ] n (of chapter, page) titre m; (of subject) rubrique f; (printed on letter) en-tête m

heady ['hedɪ] (-ier, -iest) adj (wine, perfume) capiteux, -euse; (atmosphere) enivrant

heal [hiːl] 1 vt (wound) cicatriser; Fig (person, sorrow) guérir 2 vi to h. (up) (of wound) cicatriser • **healer** n guérisseur, -euse mf

health [helθ] n santé f; **in good/bad h.** en bonne/mauvaise santé; **h. care** soins mpl médicaux; Br **h. centre** dispensaire m; **h. food** produit m de culture biologique; **h. food shop** or Am **store** magasin m de produits biologiques; **h. resort** station f climatique; Br **the (National) H. Service** ≃ la Sécurité Sociale

healthy ['helθɪ] (-ier, -iest) adj (person) en bonne santé; (food, attitude) sain; (appetite) robuste

heap [hiːp] 1 n tas m; Fam **heaps of** (money, people) des tas de; Fam **to have heaps of time** avoir largement le temps 2 vt entasser; **to h. sth on sb** (praise, gifts) couvrir qn de qch; (insults, work) accabler qn de qch; **a heaped spoonful** une cuillerée bien pleine

hear [hɪə(r)] (pt & pp **heard** [hɜːd]) 1 vt entendre; (listen to) écouter; (learn) apprendre (**that** que); **I heard him come** or **coming** je l'ai entendu venir; **have you heard the news?** connais-tu la nouvelle?; **to h. it said that...** entendre dire que...; **I h. you're not well** j'ai appris que vous n'alliez pas bien; **to h. sb out** écouter qn jusqu'au bout; **h., h.!** bravo! 2 vi entendre; **to h. from sb** avoir des nouvelles de qn; **I've heard of** or **about him** j'ai entendu parler de lui; **she wouldn't h. of it** elle ne voulait pas en entendre parler; **I won't h. of it!** pas question! • **hearing** n (a) (sense) ouïe f; **hard of h.** dur d'oreille; **h. aid** audiophone m (b) (of committee) séance f; Law (inquiry) audition f; **to give sb a fair h.** laisser qn s'expliquer

hearsay ['hɪəseɪ] n **by h.** par ouï-dire; **it's only h.** ce ne sont que des on-dit

hearse [hɜːs] n corbillard m

heart [hɑːt] n cœur m; Cards **hearts** cœur m; **(off) by h.** (know) par cœur; **at h.** au fond; **the h. of the matter** le fond du problème; **to lose h.** perdre courage; **to one's h.'s content** tout son soûl; **his h. is set on it** il y tient; **his h. is set on doing it** il tient à le faire; **h. attack** crise f cardiaque; **h. disease** maladie f de cœur; **h. failure** arrêt m cardiaque; **h. surgeon** chirurgien, -ienne mf cardiologue • **heartache** n chagrin m • **heartbeat** n battement m de cœur; (rhythm) pouls m • **heartbreaking** adj navrant • **heartbroken** adj inconsolable • **heartburn** n (indigestion) brûlures fpl d'estomac • **heartfelt** adj sincère

• **heartlands** npl (of country) cœur m, centre m

• **heartthrob** n Fam idole f

hearten ['hɑːtən] vt encourager • **heartening** adj encourageant

hearth [hɑːθ] n foyer m

hearty ['hɑːtɪ] (-ier, -iest) adj (appetite, meal) gros (f grosse) • **heartily** adv (eat) avec appétit; (laugh, detest) de tout son cœur; (approve, agree) absolument

heat [hiːt] 1 n (a) chaleur f; (heating) chauffage m; (of oven) température f; **in the h. of the argument** dans le feu de la discussion; **at low h., on a low h.** (cook) à feu doux; **h. wave** vague f de chaleur (b) (in competition) éliminatoire f; **it was a dead h.** ils sont arrivés ex aequo 2 vti **to h. (up)** chauffer • **heated** adj (swimming pool) chauffé; (argument) animé; **the house is centrally h.** la maison a le chauffage central • **heatedly** adv avec passion • **heating** n chauffage m; **central h.** chauffage m central

heater ['hiːtə(r)] n radiateur m

heath [hiːθ] n (land) lande f

heathen ['hiːðən] adj & n Rel païen, païenne (mf)

heather ['heðə(r)] n bruyère f

heave [hiːv] 1 n (effort) effort m 2 vt (lift) soulever avec effort; (pull) tirer fort; (push) pousser fortement; Fam (throw) balancer; **to h. a sigh** pousser un soupir 3 vi (of stomach, chest) se soulever; Fam (feel sick) avoir des haut-le-cœur

heaven ['hevən] n paradis m, ciel m; **in h.** au paradis; Fig (overjoyed) aux anges; **h. knows why...** Dieu sait pourquoi...; Fam **good heavens!** mon Dieu!; Fam **it was h.** c'était divin • **heavenly** adj Fam (pleasing) divin; **h. body** corps m céleste

heavily ['hevɪlɪ] adv (walk, tax) lourdement; (breathe) bruyamment; (smoke, drink) beaucoup; **h. in debt** lourdement endetté; **to rain h.** pleuvoir à verse; **to snow h.** neiger beaucoup; **to depend h. on** dépendre beaucoup de; **to be h. defeated** subir une lourde défaite; **to be h. involved in sth** être lourdement impliqué dans qch

heavy ['hevɪ] (-ier, -iest) adj lourd; (work, cold) gros (f grosse); (blow) violent; (rain, concentration) fort; (traffic) dense; (film, text) difficile; (timetable, schedule) chargé; **how h. are you?** combien pesez-vous?; **h. snow** d'abondantes chutes de neige; **to be a h. drinker/smoker** boire/fumer beaucoup; **to be h. on** Br **petrol** or Am **gas** (of vehicle) consommer beaucoup; **it's h. going** c'est difficile; Br **h. goods vehicle** poids m lourd • **heaviness** n pesanteur f, lourdeur f • **heavyweight** n Boxing poids m lourd; Fig personnage m important

Hebrew ['hi:bru:] **1** *adj* hébraïque **2** *n* *(language)* hébreu *m*

Hebrides ['hebrɪdi:z] *n* the H. les Hébrides *fpl*

heck [hek] *n Fam* zut!; **what the h.!** et puis zut!; **a h. of a lot** des masses

heckle ['hekəl] *vt* interpeller ■**heckler** *n* chahuteur, -euse *mf* ■**heckling** *n* chahut *m*

hectic ['hektɪk] *adj (busy)* agité; *(eventful)* mouvementé; **h. life** vie *f* trépidante

he'd [hi:d] = **he had, he would**

hedge [hedʒ] **1** *n (in garden, field)* haie *f* **2** *vi (answer evasively)* ne pas se mouiller

hedgehog ['hedʒhɒg] *n* hérisson *m*

hedgerow ['hedʒrəʊ] *n Br* haie *f*

heed [hi:d] **1** *n* **to pay h. to sth, to take h. of sth** tenir compte de qch **2** *vt* tenir compte de ■**heedless** *adj* **to be h. of sth** ne pas tenir compte de qch

heel [hi:l] *n* **(a)** *(of foot, shoe)* talon *m*; *Br* **down at h.,** *Am* **down at the heels** *(shabby)* miteux, -euse; **h. bar** cordonnerie *f* express **(b)** *Am Fam (person)* salaud *m*

hefty ['heftɪ] **(-ier, -iest)** *adj (large, heavy)* gros *(f* grosse); *(person)* costaud

heifer ['hefə(r)] *n* génisse *f*

height [haɪt] *n* hauteur *f*; *(of person)* taille *f*; *(of mountain, aircraft)* altitude *f*; **to be afraid of heights** avoir le vertige; **the h. of** *(success, fame, glory)* l'apogée *m* de; *(folly, pain)* le comble de; **at the h. of** *(summer, storm)* au cœur de; **it's the h. of fashion** c'est la dernière mode

heighten ['haɪtən] *vt (tension, interest)* augmenter

heinous ['heɪnəs] *adj Formal (crime)* atroce

Note that the French word **haineux** is a false friend and is never a translation for the English word **heinous**. It means **full of hatred**.

heir [eə(r)] *n* héritier *m*; **to be h. to sth** être l'héritier de qch ■**heiress** *n* héritière *f* ■**heirloom** *n* a family h. un objet de famille

held [held] *pt & pp of* **hold**

helicopter ['helɪkɒptə(r)] *n* hélicoptère *m* ■**heliport** *n* héliport *m*

hell [hel] *n* enfer *m*; *Fam* **a h. of a lot (of sth)** énormément (de qch); *Fam* **a h. of a nice guy** un type super; *Fam* **what the h. are you doing?** qu'est-ce que tu fous?; *Fam* **to h. with him!** qu'il aille se faire voir!; *Fam* **h.!** zut! ■**hellbent** *adj Br Fam* **to be h. on doing** *or* **to do sth** vouloir à tout prix faire qch ■**hellish** *adj Fam* infernal

he'll [hi:l] = **he will, he shall**

hello [hə'ləʊ] *exclam* bonjour!; *(answering phone)* allô!

helm [helm] *n (of ship)* barre *f*

helmet ['helmɪt] *n* casque *m*

help [help] **1** *n* aide *f*; *Br (cleaning woman)* femme *f* de ménage; *(office or shop workers)* employés, -ées *mfpl*; **with the h. of sth** à l'aide de qch; **to be of h. to sb** aider qn; **to cry** *or* **shout for h.** appeler à l'aide; **h.!** au secours! **2** *vt* aider; **to h. sb do** *or* **to do sth** aider qn à faire qch; **to h. oneself (to sth)** se servir (de qch); **to h. sb out** aider qn; **to h. sb up** aider qn à monter; **I can't h. laughing** je ne peux pas m'empêcher de rire; **he can't h. being bald** ce n'est pas sa faute s'il est chauve; **it can't be helped** on n'y peut rien **3** *vi* aider; **to h. out** donner un coup de main ■**helper** *n* assistant, -ante *mf* ■**helping** *n (serving)* portion *f*

helpful ['helpfəl] *adj (person)* serviable; *(useful)* utile

helpless ['helpləs] *adj (powerless)* impuissant; *(disabled)* impotent ■**helplessly** *adv (struggle)* en vain

helpline ['helplaɪn] *n* service *m* d'assistance téléphonique

helter-skelter [heltə'skeltə(r)] **1** *n (slide)* toboggan *m* **2** *adv* **to run h.** courir comme un fou/une folle

hem [hem] **1** *n* ourlet *m* **2** *(pt & pp -mm-) vt (garment)* ourler; **to be hemmed in** *(surrounded)* être cerné *(by* de)

he-man ['hi:mæn] *n Fam* mâle *m*

hemisphere ['hemɪsfɪə(r)] *n* hémisphère *m*

hemorrhage ['hemərɪdʒ] *n Am* = **haemorrhage**

hemorrhoids ['hemərɔɪdz] *npl Am* = **haemorrhoids**

hemp [hemp] *n* chanvre *m*

hen [hen] *n* poule *f*; **h. bird** oiseau *m* femelle; *Br* **to have a h. night** *or* **party** enterrer sa vie de jeune fille

hence [hens] *adv* **(a)** *(thus)* d'où **(b)** *(from now)* **ten years h.** d'ici dix ans ■**henceforth** *adv Formal* désormais

henchman ['hentʃmən] *(pl -men) n Pej* acolyte *m*

henpecked ['henpekt] *adj (husband)* mené par le bout du nez

hepatitis [hepə'taɪtɪs] *n Med* hépatite *f*

her [hɜ:(r)] **1** *pron* la, l'; *(after prep, 'than', 'it is')* elle; **(to) h.** *(indirect)* lui; **I see h.** je la vois; **I saw h.** je l'ai vue; **I gave it to h.** je le lui ai donné; **with h.** avec elle **2** *possessive adj* son, sa, *pl* ses; **h. husband** son mari; **h. sister** sa sœur; **h. parents** ses parents

herald ['herəld] *vt* annoncer

heraldry ['herəldrɪ] *n* héraldique *f*

herb [*Br* hɜ:b, *Am* ɜ:b] *n* herbe *f* aromatique; *Br* **h. tea** tisane *f* ■**herbal** *adj* **h. tea** tisane *f*

herd [hɜ:d] **1** *n* troupeau *m* **2** *vt (cattle, people)* rassembler

here [hɪə(r)] **1** *adv* ici; **h. it/he is** le voici; **h. she comes!** la voilà!; **h. comes the teacher** voici le professeur qui arrive; **h. is a good example**

voici un bon exemple; **h. are my friends** voici mes amis; **I won't be h. tomorrow** je ne serai pas là demain; **summer is h.** c'est l'été; **h. and there** çà et là; **h. you are!** *(take this)* tenez!; **h.'s to you!** *(toast)* à la tienne! **2** *exclam* **h.!** *(giving sb sth)* tenez! **▪ here'after** *adv Formal (below)* ci-après; *(in the future)* dorénavant **▪ hereby** *adv Formal (declare)* par le présent acte; *(in writing)* par la présente **▪ here'with** *adv Formal (with letter)* ci-joint

heredity [hɪˈredɪtɪ] *n* hérédité *f* **▪ hereditary** *adj* héréditaire

heresy [ˈherəsɪ] *(pl* **-ies)** *n* hérésie *f* **▪ heretic** *n* hérétique *mf*

heritage [ˈherɪtɪdʒ] *n* patrimoine *m*

hermetic [hɜːˈmetɪk] *adj* hermétique **▪ hermetically** *adv* hermétiquement

hermit [ˈhɜːmɪt] *n* ermite *m*

hernia [ˈhɜːnɪə] *n Med* hernie *f*

hero [ˈhɪərəʊ] *(pl* **-oes)** *n* héros *m* **▪ heroic** [hɪˈrəʊɪk] *adj* héroïque **▪ heroics** [hɪˈrəʊɪks] *npl (action)* coup *m* d'éclat **▪ heroine** [ˈherəʊɪn] *n* héroïne *f* **▪ heroism** [ˈherəʊɪzəm] *n* héroïsme *m*

heroin [ˈherəʊɪn] *n (drug)* héroïne *f*

heron [ˈherən] *n* héron *m*

herring [ˈherɪŋ] *n* hareng *m*; *Fig* **a red h.** une diversion

hers [hɜːz] *possessive pron* le sien, la sienne, *pl* les sien(ne)s; **this hat is h.** ce chapeau est à elle *ou* est le sien; **a friend of h.** un ami à elle

herself [hɜːˈself] *pron* elle-même; *(reflexive)* se, s'; *(after prep)* elle; **she did it h.** elle l'a fait elle-même; **she cut h.** elle s'est coupée; **she thinks of h.** elle pense à elle

hesitant [ˈhezɪtənt] *adj* hésitant **▪ hesitantly** *adv* avec hésitation

hesitate [ˈhezɪteɪt] **1** *vt* **to h. to do sth** hésiter à faire qch **2** *vi* hésiter *(over or about* sur) **▪ hesi'tation** *n* hésitation *f*

heterogeneous [hetərəʊˈdʒiːnɪəs] *adj* hétérogène

heterosexual [hetərəʊˈseksjʊəl] *adj & n* hétérosexuel, -uelle *(mf)*

het up [hetˈʌp] *adj Fam* énervé

hew [hjuː] *(pp* **hewn** [hjuːn] *or* **hewed)** *vt* tailler

hexagon [ˈheksəɡən] *n* hexagone *m* **▪ hexagonal** [-ˈsæɡənəl] *adj* hexagonal

hey [heɪ] *exclam (calling sb)* hé!, ohé!; *(expressing surprise, annoyance)* ho!

heyday [ˈheɪdeɪ] *n* apogée *m*; **in its h.** à son apogée; **in his h.** au sommet de sa gloire

hi [haɪ] *exclam Fam* salut!

hiatus [haɪˈeɪtəs] *n (interruption)* interruption *f*; *(in conversation)* silence *m*

hibernate [ˈhaɪbəneɪt] *vi* hiberner **▪ hibernation** [-ˈneɪʃən] *n* hibernation *f*

hiccup, hiccough [ˈhɪkʌp] **1** *n* hoquet *m*; *Fig (in plan)* accroc *m*; **to have (the) hiccups** *or* **(the) hiccoughs** avoir le hoquet **2** *vi* hoqueter

hick [hɪk] *n Am Fam Pej (peasant)* plouc *mf*

hide¹ [haɪd] *(pt* **hid** [hɪd], *pp* **hidden** [ˈhɪdən])* **1** *vt* cacher *(from à)* **2** *vi* **to h. (away or out)** se cacher *(from de)* **▪ hide-and-'seek** *n* cache-cache *m inv*; **to play h.** jouer à cache-cache

hide² [haɪd] *n (skin)* peau *f*

hideaway [ˈhaɪdəweɪ] *n* cachette *f*

hideous [ˈhɪdɪəs] *adj (ugly)* hideux, -euse; *(horrific)* horrible **▪ hideously** *adv* horriblement

hide-out [ˈhaɪdaʊt] *n* cachette *f*

hiding¹ [ˈhaɪdɪŋ] *n* **to go into h.** se cacher; **h. place** cachette *f*

hiding² [ˈhaɪdɪŋ] *n Fam* **a good h.** *(thrashing)* une bonne raclée

hierarchy [ˈhaɪərɑːkɪ] *(pl* **-ies)** *n* hiérarchie *f*

hi-fi [ˈhaɪfaɪ] **1** *n (system, equipment)* chaîne *f* hi-fi; *(sound reproduction)* hi-fi *f inv* **2** *adj* hi-fi *inv*

high [haɪ] **1** *(-er, -est) adj* haut; *(speed)* grand; *(price, standards)* élevé; *(number, ideal)* grand, élevé; *(voice, tone)* aigu *(f* aiguë); *(wind)* violent; *(meat, game)* faisandé; *Fam (on drugs)* défoncé; **to be 5 m h.** avoir 5 m de haut; **h. and mighty** arrogant; **to be in h. spirits** être plein d'entrain; **it is h. time that you went** il est grand temps que tu y ailles; *Fam* **to leave sb h. and dry** laisser qn en plan; **h. fever** forte fièvre *f*; *Sport* **h. jump** *m* en hauteur; **h. noon** plein midi *m*; **h. priest** grand prêtre *m*; **h. school** ≃ lycée *m*; *Am* **h. school diploma** diplôme *m* de fin d'études secondaires; **h. spot** *(of visit, day)* point *m* culminant; *(of show)* clou *m*; *Br* **h. street** grand-rue *f*; **h. summer** été; **h. table** table *f* d'honneur; **h. tea** = dîner pris tôt dans la soirée; **h. tide** marée *f* haute

2 *adv* **h. (up)** *(fly, throw, aim)* haut; **feelings were running h.** la tension montait

3 *n* sommet *m*; **a new h., an all-time h.** *(peak)* un nouveau record; **to be on a h.** *(from drugs)* planer; *(from success)* être sur un petit nuage **▪ highchair** *n* chaise *f* haute **▪ high-'class** *adj (service)* de premier ordre; *(building)* de luxe; *(person)* raffiné **▪ high-'five** *n Fam* = tape amicale donnée dans la paume de quelqu'un, bras levé, en signe de victoire **▪ high-'flier, high-'flyer** *n* jeune loup *m* **▪ high-'handed** *adj* tyrannique **▪ high-'minded** *adj* noble **▪ high-'pitched** *adj (sound)* aigu *(f* aiguë) **▪ high-'powered** *adj (engine, car)* très puissant; *(job)* à hautes responsabilités **▪ high-'profile** *adj (person)* très en vue; *(campaign)* de grande envergure **▪ high-'rise** *adj Br* **h. building** tour *f* **▪ high-'speed** *adj* ultrarapide; **h. train** train *m* à grande vitesse **▪ high-'strung** *adj Am* nerveux, -euse **▪ high-'tech** *adj (appliance)* perfectionné; *(industry)* de pointe **▪ high-'up** *adj Fam (important)* haut placé

highbrow ['haɪbraʊ] *adj & n* intellectuel, -uelle (*mf*)

higher ['haɪə(r)] **1** *adj (number, speed, quality)* supérieur (**than** à); **h. education** enseignement *m* supérieur **2** *adv (fly, aim)* plus haut (**than** que) **3** *n Scot Sch* **H.** = diplôme de fin d'études secondaires sanctionnant une matière déterminée

highlands ['haɪləndz] *npl* régions *fpl* montagneuses

highlight ['haɪlaɪt] **1** *n (of visit, day)* point *m* culminant; *(of show)* clou *m*; **highlights** *(in hair)* mèches *fpl* **2** *vt* souligner; *(with marker)* surligner **▪highlighter** *n (pen)* surligneur *m*

highly ['haɪlɪ] *adv (very)* très; *(recommend)* chaudement; **h. paid** très bien payé; **to speak h. of sb** dire beaucoup de bien de qn; *Br* **h. strung** hypersensible

Highness ['haɪnɪs] *n* **His/Her Royal H.** Son Altesse *f*

highroad ['haɪrəʊd] *n Br Old-fashioned* grand-route *f*; *Fig* **the h. to success** la voie du succès

highway ['haɪweɪ] *n Am (main road)* nationale *f*; *(motorway)* autoroute *f*; *Br* **public h.** voie *f* publique; *Br* **H. Code** code *m* de la route

hijack ['haɪdʒæk] **1** *n* détournement *m* **2** *vt (plane)* détourner **▪hijacker** *n (of plane)* pirate *m* de l'air **▪hijacking** *n (air piracy)* piraterie *f* aérienne; *(hijack)* détournement *m*

hike [haɪk] **1** *n* (**a**) *(walk)* randonnée *f* (**b**) *Fam (increase)* hausse *f* **2** *vt Fam (price)* augmenter **3** *vi* faire de la randonnée **▪hiker** *n* randonneur, -euse *mf* **▪hiking** *n* randonnée *f*; **to go h.** faire de la randonnée

hilarious [hɪ'leərɪəs] *adj* hilarant

hill [hɪl] *n* colline *f*; *(slope)* pente *f* **▪hillbilly** (*pl* **-ies**) *n Am Fam* péquenaud, -aude *mf* **▪hillside** *n* **on the h.** à flanc de coteau **▪hilly** (**-ier, -iest**) *adj* vallonné

hilt [hɪlt] *n (of sword)* poignée *f*; *Fig* **to the h.** au maximum

him [hɪm] *pron* le, l'; *(after prep, 'than', 'it is')* lui; **(to) h.** *(indirect)* lui; **I see h.** je le vois; **I saw h.** je l'ai vu; **I gave it to h.** je le lui ai donné; **with h.** avec lui

himself [hɪm'self] *pron* lui-même; *(reflexive)* se, s'; *(after prep)* lui; **he did it h.** il l'a fait lui-même; **he cut h.** il s'est coupé; **he thinks of h.** il pense à lui

hind [haɪnd] *adj* **h. legs** pattes *fpl* de derrière **▪hindquarters** *npl* arrière-train *m*

hinder ['hɪndə(r)] *vt (obstruct)* gêner; *(delay)* retarder; **to h. sb from doing sth** empêcher qn de faire qch **▪hindrance** *n* obstacle *m*

hindsight ['haɪndsaɪt] *n* **with h.** avec le recul

Hindu ['hɪnduː] **1** *adj* hindou **2** *n* Hindou, -oue *mf*

hinge [hɪndʒ] **1** *n* gond *m*, charnière *f* **2** *vt insep* **to h. on** *(depend on)* dépendre de **▪hinged** *adj* à charnière(s)

hint [hɪnt] **1** *n (insinuation)* allusion *f*; *(sign)* signe *m*; *(clue)* indice *m*; **hints** *(advice)* conseils *mpl*; **to drop sb a h.** faire une allusion à l'intention de qn **2** *vt* laisser entendre (**that** que) **3** *vt insep* **to h. at sb/sth** faire allusion à qn/qch

hip[1] [hɪp] *n* hanche *f* **▪hipsters** (*Am* **hip-huggers**) *(trousers)* pantalon *m* (à) taille basse

hip[2] [hɪp] *adj (trendy)* branché

hip-hop ['hɪphɒp] *n (music)* hip-hop *m inv*

hippie ['hɪpɪ] *n* hippie *mf*

hippopotamus [hɪpə'pɒtəməs] *n* hippopotame *m* **▪hippo** *n Fam* hippopotame *m*

hire ['haɪə(r)] **1** *n* location *f*; **for h.** à louer; *Br (sign on taxi)* 'libre'; **on h.** en location; *Br* **h. purchase** achat *m* à crédit; *Br* **on h. purchase** à crédit **2** *vt (vehicle)* louer; *(worker)* engager; **to h. sth out** louer qch

his [hɪz] **1** *possessive pron* le sien, la sienne, *pl* les sien(ne)s; **this hat is h.** ce chapeau est à lui *ou* est le sien; **a friend of h.** un ami à lui **2** *possessive adj* son, sa, *pl* ses

Hispanic [hɪ'spænɪk] *Am* **1** *adj* hispano-américain **2** *n* Hispano-Américain, -aine *mf*

hiss [hɪs] **1** *n* sifflement *m*; **hisses** *(booing)* sifflets *mpl* **2** *vti* siffler **▪hissing** *n* sifflement *m*

history ['hɪstərɪ] (*pl* **-ies**) *n (study, events)* histoire *f*; **to make h., to go down in h.** *(of event)* faire date; *(of person)* entrer dans l'histoire; **medical h.** antécédents *mpl* médicaux **▪historian** [hɪ'stɔːrɪən] *n* historien, -ienne *mf* **▪historic(al)** [hɪ'stɒrɪk(əl)] *adj* historique

histrionic [hɪstrɪ'ɒnɪk] *adj Pej* théâtral **▪histrionics** *npl Pej* scène *f*

hit [hɪt] **1** *n (blow)* coup *m*; *(in shooting)* tir *m* réussi; *(success)* succès *m*; *Comptr (visit to website)* hit *m*, contact *m*; **to score a direct h.** taper dans le mille; **h. man** tueur *m* à gages; **h. list** liste *f* noire; **h. (song)** hit *m* **2** (*pt & pp* **hit**, *pres p* **hitting**) *vt (beat)* frapper; *(bump into)* heurter; *(reach)* atteindre; *(affect)* toucher; *(problem, difficulty)* rencontrer; *Fam* **to h. it off** s'entendre bien (**with sb** avec qn) **3** *vi* frapper; **to h. back** riposter (**at** à); *Fam* **to h. out at sb** *(physically)* frapper qn; *(verbally)* s'en prendre à qn; **to h. (up)on sth** *(solution, idea)* trouver qch **▪'hit-and-'run driver** *n* chauffard *m* (qui prend la fuite) **▪'hit-or-'miss** *adj (chancy, random)* aléatoire

hitch [hɪtʃ] **1** *n (difficulty)* problème *m* **2** *vt (fasten)* accrocher (**to** à) **3** *vti* **to h. (a ride)**, *Br* **to h. a lift** faire du stop (**to** jusqu'à) **▪hitchhike** *vi* faire du stop (**to** jusqu'à) **▪hitchhiker** *n* auto-stoppeur, -euse *mf* **▪hitchhiking** *n* auto-stop *m*

hitherto [hɪðə'tuː] *adv* jusqu'ici

HIV [eɪtʃaɪ'viː] (*abbr* **human immunodeficiency virus**) *n (virus)* VIH *m*; **HIV positive/negative** séropositif, -ive/séronégatif, -ive

hive [haɪv] **1** *n* ruche *f* **2** *vt* **to h. off** *(separate)* séparer

HMS [ˈeɪtʃemes] (abbr **Her/His Majesty's Ship**) n Br = abréviation précédant le nom des navires de la marine britannique

hoard [hɔːd] **1** n réserve f; (of money) trésor m **2** vt amasser

hoarding [ˈhɔːdɪŋ] n Br (for advertising) panneau m d'affichage

hoarse [hɔːs] (-er, -est) adj enroué

hoax [həʊks] **1** n canular m **2** vt faire un canular à

hob [hɒb] n (on stove) plaque f chauffante

hobble [ˈhɒbəl] vi boitiller

hobby [ˈhɒbɪ] (pl -ies) n passe-temps m inv ■ **hobbyhorse** n (favourite subject) dada m

hobnob [ˈhɒbnɒb] (pt & pp -bb-) vi Fam **to h. with sb** frayer avec qn

hobo [ˈhəʊbəʊ] (pl -oes or -os) n Am vagabond, -onde mf

hock [hɒk] Fam **1** n **in h.** (object) au clou **2** vt mettre au clou

hockey [ˈhɒkɪ] n hockey m; Br (field hockey) hockey sur gazon; Am (ice hockey) hockey sur glace; **h. stick** crosse f de hockey

hocus-pocus [həʊkəsˈpəʊkəs] n (deception) tromperie f; (talk) paroles fpl trompeuses

hoe [həʊ] **1** n binette f, houe f **2** (pt & pp **hoed**) vt biner

hog [hɒg] **1** n (pig) porc m châtré; Fam **to go the whole h.** aller jusqu'au bout **2** (pt & pp -gg-) vt Fam monopoliser

Hogmanay [hɒgməˈneɪ] n Scot la Saint Sylvestre

hoist [hɔɪst] **1** n (device) appareil m de levage **2** vt hisser

hold [həʊld] **1** n (grip) prise f; (of ship) cale f; (of plane) soute f; **to get h. of** (grab) saisir; (contact) joindre; (find) trouver; Fam **to get a h. of oneself** se maîtriser; **to be on h.** (of project) être en suspens; **to put sb on h.** (on phone) mettre qn en attente
2 (pt & pp **held**) vt tenir; (heat, attention) retenir; (post) occuper; (record) détenir; (title, opinion) avoir; (party, exhibition) organiser; (ceremony, mass) célébrer; (contain) contenir; (keep) garder; **to h. sb prisoner** retenir qn prisonnier; **to h. one's breath** retenir son souffle; **I h. that...** (believe) je maintiens que...; **to h. one's own** se défendre; **h. the line!** (on phone) ne quittez pas!; **h. it!** (stay still) ne bouge pas!; **to be held** (of event) avoir lieu
3 vi (of nail, rope) tenir; (of weather) se maintenir; **the same holds for you** cela vaut aussi pour toi ■ **hold-up** n (attack) hold-up m inv; Br (traffic jam) ralentissement m; (delay) retard m

▸ **hold back** vt sep (restrain) retenir; (hide) cacher (**from sb** à qn)

▸ **hold down** vt sep (price) bloquer; (person on ground) maintenir au sol; **to h. down a job** (keep) garder un emploi; (occupy) avoir un emploi

▸ **hold forth** vi Pej (talk) disserter

▸ **hold in** vt sep (enemy) tenir à distance **2** vi **if the rain holds off** s'il ne pleut pas

▸ **hold on 1** vt sep (keep in place) tenir en place **2** vi (wait) patienter; (stand firm) tenir bon; **h. on!** (on phone) ne quittez pas!; **h. on (tight)!** tenez bon!

▸ **hold on to** vt insep (cling to) tenir bien; (keep) garder

▸ **hold out 1** vt sep (offer) offrir; (hand) tendre **2** vi (resist) résister; (last) durer

▸ **hold over** vt sep (postpone) remettre

▸ **hold together** vt sep (nation, group) assurer l'union de

▸ **hold up** vt sep (raise) lever; (support) soutenir; (delay) retarder; (rob) attaquer

holdall [ˈhəʊldɔːl] n Br fourre-tout m inv

holder [ˈhəʊldə(r)] n (**a**) (of passport, degree, post) titulaire mf; (of record, card, ticket) détenteur, -trice mf (**b**) (container) support m

hole [həʊl] n trou m; Fam (town, village) bled m, trou; Fam (room) baraque f **2** vt (ship) faire une brèche dans **3** vi Fam **to h. up** (hide) se terrer

holiday [ˈhɒlɪdeɪ] **1** n Br **holiday(s)** (from work, school) vacances fpl; (day off) un congé; **a (public or bank) h.**, Am **a legal h.** un jour férié; **a religious h.** une fête; **a month's h.** un mois de vacances; **on h.** en vacances; **to be/go on h.** être/partir en vacances; **holidays with pay** congés mpl payés **2** adj (camp, clothes) de vacances; **h. home** résidence f secondaire; **h. season** saison f touristique ■ **holidaymaker** n Br vacancier, -ière mf

holiness [ˈhəʊlɪnəs] n sainteté f

Holland [ˈhɒlənd] n la Hollande

hollow [ˈhɒləʊ] **1** adj creux (f creuse); (victory) faux (f fausse); (promise) vain **2** n creux m **3** adv **to sound h.** sonner creux **4** vt **to h. sth out** évider qch

holly [ˈhɒlɪ] n houx m

holocaust [ˈhɒləkɔːst] n holocauste m

hologram [ˈhɒləgræm] n hologramme m

holster [ˈhəʊlstə(r)] n étui m de revolver

holy [ˈhəʊlɪ] (-ier, -iest) adj saint; (bread, water) bénit; (ground) sacré; **the H. Bible** la Sainte Bible

homage [ˈhɒmɪdʒ] n hommage m; **to pay h. to sb** rendre hommage à qn

home[1] [həʊm] **1** n maison f; (country) patrie f; (for old soldiers, sailors) foyer m; **old people's h.** maison f de retraite; **at h.** à la maison, chez soi; **to feel at h.** se sentir chez soi; **make yourself at h.** faites comme chez vous; **to play at h.** (of football team) jouer à domicile; **at h. and abroad** dans notre pays et à l'étranger; **far from h.** loin de chez soi; **a broken h.** un foyer désuni; **a good h.** une bonne famille; **to**

make one's **h. in France** s'installer en France; **my h. is here** j'habite ici

2 *adv* à la maison, chez soi; **to go** *or* **come** **(back) h.** rentrer chez soi; **to be h.** être rentré; **to drive sb h.** ramener qn; **to drive a nail h.** enfoncer complètement un clou; *Fig* **to bring sth h. to sb** faire voir qch à qn

3 *adj (pleasures, atmosphere, cooking)* familial; *(visit, match)* à domicile; *(product, market)* national; **h. address** adresse *f* personnelle; **h. banking** banque *f* à domicile; **h. computer** ordinateur *m* domestique; **h. economics** économie *f* domestique; *Br* **h. help** aide *f* ménagère; **h. life** vie *f* de famille; **h. loan** prêt *m* immobilier; *Br Pol* **H. Office** ≃ ministère *m* de l'Intérieur; **h. owner** propriétaire *mf*; *Comptr* **h. page** page *f* d'accueil; **h. rule** autonomie *f*; *Br Pol* **H. Secretary** ≃ ministre *m* de l'Intérieur; **h. team** équipe *f* qui reçoit; **h. town** ville *f* natale ▪**homecoming** *n* retour *m* (au foyer) ▪**'home'grown** *adj (fruit, vegetables)* du jardin; *(not grown abroad)* du pays ▪**homeland** *n* patrie *f* ▪**homeloving** *adj* casanier, -ière ▪**'home'made** *adj* (fait) maison *inv* ▪**homesick** *adj* **to be h.** avoir le mal du pays ▪**homesickness** *n* mal *m* du pays

home² [həʊm] *vi* **h. in on sth** se diriger automatiquement sur qch

homeless ['həʊmlɪs] **1** *adj* sans abri **2** *npl* **the h.** les sans-abri *mpl*

homely ['həʊmlɪ] *(-ier, -iest) adj (comfortable)* agréable et sans prétention; *Am (ugly)* sans charme

homeopathic [həʊmɪəʊ'pæθɪk] *adj* homéopathique ▪**homeopath** *n* homéopathe *mf* ▪**homeopathy** [-ɪ'ɒpəθɪ] *n* homéopathie *f*

homeward ['həʊmwəd] **1** *adj (trip)* de retour **2** *adv* **h.-bound** sur le chemin de retour

homework ['həʊmwɜːk] *n Sch* devoirs *mpl*

homey ['həʊmɪ] *(-ier, -iest) adj Am Fam* accueillant

homicide ['hɒmɪsaɪd] *n* homicide *m*

homogeneous [həʊmə'dʒiːnɪəs] *adj* homogène

homosexual [həʊmə'sekʃʊəl] *adj & n* homosexuel, -uelle *(mf)* ▪**homosexuality** [-'ælɪtɪ] *n* homosexualité *f*

Honduras [hɒn'djʊərəs] *n* le Honduras

honest ['ɒnɪst] *adj* honnête *(with* avec*); (profit, money)* honnêtement gagné; **the h. truth** la vérité vraie; **to earn an h. living** gagner honnêtement sa vie; **to be h., I don't know** franchement, je ne sais pas ▪**honestly** *adv* honnêtement; **h.!** *(showing annoyance)* vraiment! ▪**honesty** *n* honnêteté *f*

honey ['hʌnɪ] *n* miel *m*; *esp Am Fam (person)* chéri, -ie *mf* ▪**honeycomb** [-kəʊm] *n* rayon *m* de miel ▪**honeymoon** *n* voyage *m* de noces ▪**honeysuckle** *n* chèvrefeuille *m*

Hong Kong [hɒŋ'kɒŋ] *n* Hongkong *m ou f*

honk [hɒŋk] **1** *n* coup *m* de Klaxon® **2** *vi (of driver)* klaxonner

honorary ['ɒnərərɪ] *adj (member)* honoraire; *(title)* honorifique

honour ['ɒnə(r)] *(Am* **honor**) **1** *n* honneur *m*; **in h. of** en l'honneur de; **to have the h. of doing sth** avoir l'honneur de faire qch; *Br Univ* **honours degree** diplôme *m* universitaire **2** *vt* honorer **(with** de**)** ▪**honourable** ['ɒnərəbəl] *(Am* **honorable**) *adj* honorable

hood [hʊd] *n* **(a)** *(of coat)* capuche *f*; *(with eye-holes)* cagoule *f*; *Br (of car, pram)* capote *f*; *Am (car bonnet)* capot *m*; *(above stove)* hotte *f* **(b)** *Am Fam (gangster)* truand *m* ▪**hooded** *adj (person)* encapuchonné; *(coat)* à capuchon

hoodlum ['huːdləm] *n Fam* voyou *m (pl* -ous**)**

hoodwink ['hʊdwɪŋk] *vt Fam* embobiner

hoof [huːf] *(pl* **hoofs** [huːfs] *or* **hooves** [huːvz]**)** *n* sabot *m*

hoo-ha ['huːhɑː] *n Fam* tintouin *m*

hook [hʊk] **1** *n* crochet *m*; *(on clothes)* agrafe *f*; *Fishing* hameçon *m*; **off the h.** *(phone)* décroché; *Fam* **to let** *or* **get sb off the h.** tirer qn d'affaire **2** *vt* **to h. (on** *or* **up)** accrocher **(to** à**)**; **to h. a computer up** connecter un ordinateur ▪**hooked** *adj (nose, beak)* crochu; *(end, object)* recourbé; *Fam* **to be h. on sth** être accro à qch; *Fam* **to be h. on sb** *(infatuated with)* être entiché de qn; *Fam* **to be h. on drugs** être accro

hooker ['hʊkə(r)] *n Am Fam* prostituée *f*

hook(e)y ['hʊkɪ] *n Am Fam* **to play h.** sécher (les cours)

hooligan ['huːlɪɡən] *n* hooligan *m* ▪**hooliganism** *n* hooliganisme *m*

hoop [huːp] *n* cerceau *m*

hoot [huːt] **1** *n* huée *f*; *Br (of vehicle)* coup *m* de Klaxon® **2** *vti (jeer)* huer **3** *vi Br (of vehicle)* klaxonner; *(of train)* siffler; *(of owl)* hululer ▪**hooter** *n Br (of vehicle)* Klaxon® *m*; *(of factory)* sirène *f*; *Fam (nose)* pif *m*

hoover® ['huːvə(r)] **1** *n Br* aspirateur *m* **2** *vt Br (room)* passer l'aspirateur dans; *(carpet)* passer l'aspirateur sur; **to h. sth up** *(dust, crumbs)* enlever qch à l'aspirateur

hop [hɒp] **1** *n (leap)* saut *m* **2** *(pt & pp* **-pp-**) *vi (jump)* sauter; *(on one leg)* sauter à cloche-pied; **h. in!** *(to car)* allez! grimpe!; **he hopped onto the first train** il a sauté dans le premier train **3** *vt Fam* **h. it!** fiche le camp!

hope [həʊp] **1** *n* espoir *m* **2** *vt* **to h. to do sth** espérer faire qch; **to h. that...** espérer que... **3** *vi* espérer; **to h. for sth** espérer qch; **I h. so/ not** j'espère que oui/non ▪**hopeful** ['həʊpfʊl] **1** *adj (person)* optimiste; *(situation)* encourageant; **to be h. that...** avoir bon espoir que... **2** *n* **a young h.** un jeune espoir ▪**hopefully** *adv* avec un peu de chance; **to do sth h.** faire qch plein d'espoir ■**hopeless** ['həʊpləs] *adj* désespéré; *Fam (useless, bad)* nul (*f* nulle) ■**hopelessly** *adv* (*lost, out-of-date*) complètement; (*in love*) éperdument; (*live, act*) sans espoir

hops [hɒps] *npl (for beer)* houblon *m*

hopscotch ['hɒpskɒtʃ] *n* marelle *f*

horde [hɔːd] *n* horde *f*

horizon [hə'raɪzən] *n* horizon *m*; **on the h.** à l'horizon ■**horizontal** [hɒrɪ'zɒntəl] *adj* horizontal ■**horizontally** [hɒrɪ'zɒntəlɪ] *adv* horizontalement

hormone ['hɔːməʊn] *n* hormone *f*; **h. replacement therapy** hormonothérapie *f* de substitution

horn [hɔːn] **1** *n (of animal)* corne *f*; *(on vehicle)* Klaxon® *m*; *(musical instrument)* cor *m* **2** *vi Am Fam* **to h. in** mêler son grain de sel (**on** à); *(interrupt)* interrompre

hornet ['hɔːnɪt] *n* frelon *m*

horny ['hɔːnɪ] (**-ier, -iest**) *adj very Fam (aroused)* excité

horoscope ['hɒrəskəʊp] *n* horoscope *m*

horrendous [hə'rendəs] *adj* horrible

horrible ['hɒrəbəl] *adj* horrible ■**horribly** *adv* horriblement

horrid ['hɒrɪd] *adj (unpleasant)* affreux, -euse; *(unkind)* méchant

horrific [hə'rɪfɪk] *adj* horrible

horrify ['hɒrɪfaɪ] (*pt & pp* -**ied**) *vt* horrifier

horror ['hɒrə(r)] *n* horreur *f*; *Fam* (**little**) **h.** *(child)* petit monstre *m*; **h. film** film *m* d'horreur; **h. story** histoire *f* épouvantable

hors d'œuvre [ɔː'dɜːv] (*pl inv or* **hors d'œuvres**) *n* hors-d'œuvre *m inv*

horse [hɔːs] *n* (**a**) *(animal)* cheval *m*; **to go h. riding** faire du cheval; **h. racing** courses *fpl*; **h. show** concours *m* hippique (**b**) **h. chestnut** *(fruit)* marron *m* ■**horseback** *n* **on h.** à cheval; *Am* **to go h. riding** faire du cheval ■**horseman** (*pl* -**men**) *n* cavalier *m* ■**horseplay** *n* chahut *m* ■**horsepower** *(unit)* cheval-vapeur *m* ■**horseradish** *n* raifort *m* ■**horseshoe** *n* fer *m* à cheval ■**horsewoman** (*pl* -**women**) *n* cavalière *f*

horticulture ['hɔːtɪkʌltʃə(r)] *n* horticulture *f* ■**horti'cultural** *adj* horticole

hose [həʊz] **1** *n (pipe)* tuyau *m*; **garden h.** tuyau d'arrosage **2** *vt* arroser (au jet d'eau); **to h. sth down** *(car)* laver qch au jet ■**hosepipe** *n Br* tuyau *m* d'arrosage

hosiery [*Br* 'həʊzɪərɪ, *Am* 'həʊʒərɪ] *n* bonneterie *f*

hospice ['hɒspɪs] *n (hospital)* = établissement pour malades en phase terminale

hospitable [hɒ'spɪtəbəl] *adj* hospitalier, -ière (**to** envers) ■**hospitality** [-'tælɪtɪ] *n* hospitalité *f*

hospital ['hɒspɪtəl] *n* hôpital *m*; **in h.,** *Am* **in the h.** à l'hôpital; **h. bed** lit *m* d'hôpital; **h. staff/services** personnel *m*/services *mpl*

hospitalier(s) ■**hospitalize** *vt* hospitaliser

host¹ [həʊst] **1** *n (of guests)* hôte *m*; *(on TV or radio show)* présentateur, -trice *mf*; *Comptr (of Web site)* hébergeur, -euse *mf*; **h. country** pays *m* d'accueil **2** *vt (party)* donner; *(programme)* présenter; *Comptr (Web site)* héberger

host² [həʊst] *n* **a h. of** *(many)* une foule de

hostage ['hɒstɪdʒ] *n* otage *m*; **to take sb h.** prendre qn en otage; **to be held h.** être retenu en otage

hostel ['hɒstəl] *n* foyer *m*; **(youth) h.** auberge *f* de jeunesse

hostess ['həʊstɪs] *n (in house, nightclub)* hôtesse *f*; **(air) h.** hôtesse *f* (de l'air)

hostile [*Br* 'hɒstaɪl, *Am* 'hɒstəl] *adj* hostile (**to** *or* **towards** à) ■**hos'tility** *n* hostilité *f* (**to** *or* **towards** envers); **hostilities** *(in battle)* hostilités *fpl*

hot¹ [hɒt] (**hotter, hottest**) *adj* chaud; *(spice)* fort; *(temperament)* passionné; *Fam (news)* dernier, -ière; **to be** *or* **feel h.** avoir chaud; **it's h.** il fait chaud; *Fam* **to be h. on sth** *(knowledgeable)* être calé en qch; *Fam* **not so h.** *(bad)* pas fameux, -euse; *Sport* **h. favourite** grand(e) favori(te) *mf*; **h. pants** mini-short *m* ■**hotbed** *n Pej* foyer *m* (**of** de) ■'**hot-'blooded** *adj* passionné ■**hotcake** *n Am (pancake)* crêpe *f* ■**hotdog** *n* hot dog *m* ■**hothead** *n* tête *f* brûlée ■'**hot'headed** *adj* exalté ■**hothouse** *n* serre *f* (chaude) ■**hotly** *adv* passionnément ■**hotplate** *n* chauffe-plat *m*; *(on stove)* plaque *f* chauffante ■**hotshot 1** *adj* **a h. pool player** un joueur de billard super-doué; **a h. lawyer** un as du barreau **2** *n (expert)* as *m*; *Br (VIP)* gros bonnet *m*; *Am (show-off)* personne *f* suffisante ■'**hot-'tempered** *adj* emporté ■**hot-'water bottle** *n* bouillotte *f*

hot² [hɒt] (*pt & pp* -**tt**-) *vi Fam* **to h. up** *(increase)* s'intensifier; *(become dangerous or excited)* s'envenimer

hotchpotch ['hɒtʃpɒtʃ] *n Fam* fatras *m*

hotel [həʊ'tel] *n* hôtel *m*; **h. room/bed** chambre *f*/lit *m* d'hôtel; **the h. trade** l'industrie *f* hôtelière ■**hotelier** [həʊ'telɪeɪ] *n* hôtelier, -ière *mf*

houmous ['huːməs] *n* = **hummus**

hound [haʊnd] **1** *n (dog)* chien *m* de chasse **2** *vt (pursue)* traquer; *(bother, worry)* harceler

hour ['aʊə(r)] *n* heure *f*; **half an h.** une demi-heure; **a quarter of an h.** un quart d'heure; **paid 20 euros an h.** payé 20 euros (de) l'heure; **10 miles an h.** 10 miles à l'heure; **open all hours** ouvert à toute heure; **h. hand** *(of watch, clock)* petite aiguille *f*

hourly ['aʊəlɪ] **1** *adj (rate, pay)* horaire; **an h. bus/train** un bus/train toutes les heures **2** *adv* toutes les heures; **h. paid, paid h.** payé à l'heure

house 1 [haʊs] (*pl* -**ses** [-zɪz]) *n* maison *f*; *(audience in theatre)* salle *f*, auditoire *m*; *Br Pol* **the H. of Commons** la Chambre des communes; *Br Pol* **the H. of Lords** la Chambre des lords; *Br Pol* **the Houses of Parliament** le Parlement; *Am Pol* **the H. of Representatives** la Chambre des représentants; **at/to my h.** chez moi; **on the h.** *(free of charge)* aux frais de la maison; *Br* **h. doctor** interne *mf*; **h. guest** invité, -ée *mf*; **h. plant** plante *f* d'intérieur; **h. prices** prix *mpl* de l'immobilier; **h. wine** vin *m* de la maison

2 [havz] *vt* loger; *(of building)* abriter ■ **houseboat** *n* péniche *f* aménagée ■ **housebound** *adj* confiné chez soi ■ **housebreaking** *n (crime)* cambriolage *m* ■ **housebroken** *adj Am (pet)* propre ■ **housefly** *(pl -flies) n* mouche *f* (domestique) ■ **household** *n* ménage *m*; **h. chores** tâches *fpl* ménagères; **a h. name** un nom très connu ■ **householder** *n (owner)* propriétaire *mf*; ■ **househusband** *n* homme *m* au foyer ■ **housekeeper** *n (employee)* gouvernante *f* ■ **housekeeping** *n* ménage *m* ■ **houseman** *(pl -men) n Br Med* interne *m* ■ **house-proud** *adj* qui s'occupe méticuleusement de sa maison ■ **housetrained** *adj Br (pet)* propre ■ **housewarming** *n & adj* **to have a h. (party)** pendre la crémaillère ■ **housewife** *(pl -wives) n* ménagère *f* ■ **housework** *n* ménage *m*

housing [ˈhaʊzɪŋ] *n* logement *m*; *(houses)* logements *mpl*; **h. crisis** crise *f* du logement; *Br* **h. estate** lotissement *m*; *(council-owned)* cité *f*

hovel [ˈhɒvəl] *n* taudis *m*

hover [ˈhɒvə(r)] *vi (of bird, aircraft, danger)* planer; **to h. (around)** rôder

hovercraft [ˈhɒvəkrɑːft] *n* aéroglisseur *m*

how [haʊ] *adv* comment; **h. kind!** comme c'est gentil!; **h. long/high is...?** quelle est la longueur/hauteur de...?; **h. much?, h. many?** combien?; **h. much time?** combien de temps?; **h. many apples?** combien de pommes?; **h. about a walk?** si on faisait une promenade?; **h. about some coffee?** (si on prenait) du café?; **h. about me?** et moi?; **h. do you do** *(greeting)* bonjour; *Fam* **h.'s that?, h. so?, h. come?** comment ça?

howdy [ˈhaʊdɪ] *exclam Am Fam* salut!

however [haʊˈevə(r)] **1** *adv* **h. big he may be** si grand soit-il; **h. she may do it, h. she does it** de quelque manière qu'elle le fasse; **h. that may be** quoi qu'il en soit; **h. did she find out?** comment bien a-t-elle pu l'apprendre? **2** *conj* cependant

howl [haʊl] **1** *n* hurlement *m*; *(of baby)* braillement *m*; *(of wind)* mugissement *m*; **h. of laughter** éclat *m* de rire **2** *vi* hurler; *(of baby)* brailler; *(of wind)* mugir

howler [ˈhaʊlə(r)] *n Fam (mistake)* gaffe *f*

HP [eɪtʃˈpiː] *Br abbr* = **hire purchase**

hp *(abbr* **horsepower)** CV

HQ [eɪtʃˈkjuː] *(abbr* **headquarters)** *n* QG *m*

hub [hʌb] *n (of wheel)* moyeu *m; Fig* centre *m* ■ **hubcap** *n (of wheel)* enjoliveur *m*

hubbub [ˈhʌbʌb] *n* brouhaha *m*

huckleberry [ˈhʌkəlbərɪ] *(pl -ies) n Am* myrtille *f*

huddle [ˈhʌdəl] *vi* **to h. (together)** se blottir (les uns contre les autres)

hue [hjuː] *n* **(a)** *(colour)* teinte *f* **(b)** **h. and cry** tollé *m*

huff [hʌf] *n Fam* **in a h.** *(offended)* fâché

hug [hʌg] **1** *n* **to give sb a h.** serrer qn (dans ses bras) **2** *(pt & pp* **-gg-)** *vt (person)* serrer dans ses bras; **to h. the kerb/coast** serrer le trottoir/la côte

huge [hjuːdʒ] *adj* énorme ■ **hugely** *adv* énormément

hulk [hʌlk] *n (person)* mastodonte *m*

hullabaloo [hʌləbəˈluː] *(pl -oos) n Fam (noise)* raffut *m*

hullo [hʌˈləʊ] *exclam Br* bonjour!; *(answering phone)* allô!; *(surprise)* tiens!

hum [hʌm] **1** *n (of insect)* bourdonnement *m* **2** *(pt & pp* **-mm-)** *vt (tune)* fredonner **3** *vi (of insect)* bourdonner; *(of person)* fredonner; *(of engine)* ronronner

human [ˈhjuːmən] **1** *adj* humain; **h. being** être *m* humain; **h. rights** droits *mpl* de l'homme **2** *n* être *m* humain ■ **humanly** *adv* humainement

humane [hjuːˈmeɪn] *adj (kind)* humain ■ **humanely** *adv* humainement

humanitarian [hjuːmænɪˈteərɪən] *adj & n* humanitaire *(mf)*

humanity [hjuːˈmænɪtɪ] *n (human beings, kindness)* humanité *f*

humble [ˈhʌmbəl] **1** *adj* humble **2** *vt* humilier ■ **humbly** *adv* humblement

humdrum [ˈhʌmdrʌm] *adj* monotone

humid [ˈhjuːmɪd] *adj* humide ■ **hu'midify** *(pt & pp* **-ied)** *vt* humidifier ■ **hu'midity** *n* humidité *f*

humiliate [hjuːˈmɪlɪeɪt] *vt* humilier ■ **humiliation** [-ˈeɪʃən] *n* humiliation *f*

humility [hjuːˈmɪlɪtɪ] *n* humilité *f*

hummus [ˈhʌməs] *n Culin* houmous *m*

humorist [ˈhjuːmərɪst] *n* humoriste *mf*

humorous [ˈhjuːmərəs] *adj (book, writer)* humoristique; *(person, situation)* drôle ■ **humorously** *adv* avec humour

humour [ˈhjuːmə(r)] *(Am* **humor)** **1** *n (fun)* humour *m; Formal (temper)* humeur *f*; **to have a sense of h.** avoir le sens de l'humour; **in a good h.** de bonne humeur **2** *vt* **to h. sb** faire plaisir à qn

hump [hʌmp] **1** *n (lump, mound in road)* bosse *f; Br Fam* **to have the h.** *(be depressed)* avoir le cafard; *(be angry)* être en rogne **2** *vt Fam (carry)* trimbaler ■ **'humpback(ed) 'bridge** *n Br* pont *m* en dos d'âne

hunch [hʌntʃ] **1** *n Fam (intuition)* intuition *f* **2** *vt* **to h. one's shoulders** rentrer les épaules ■ **hunchback** *n* bossu, -ue *mf*

hundred [ˈhʌndrəd] *adj & n* cent *(m)*; **a h. pages**

cent pages; **two h. pages** deux cents pages; hundreds of des centaines de ▪**hundredfold** 1 *adj* centuple 2 *adv* au centuple ▪**hundredth** *adj & n* centième (*mf*)

hung [hʌŋ] *pt & pp of* **hang**[1]

Hungary ['hʌŋgərɪ] *n* la Hongrie ▪**Hungarian** [-'geərɪən] 1 *adj* hongrois 2 *n* (*person*) Hongrois, -oise *mf*; (*language*) hongrois *m*

hunger ['hʌŋgə(r)] *n* faim *f*; **h. strike** grève *f* de la faim ▪**hungrily** *adv* avidement ▪**hungry** (**-ier, -iest**) *adj* **to be** *or* **feel h.** avoir faim; **to go h.** souffrir de la faim; **to make sb h.** donner faim à qn; **h. for sth** avide de qch

hunk [hʌŋk] *n* gros morceau *m*

hunt [hʌnt] 1 *n* (*search*) recherche *f* (**for** de); (*for animals*) chasse *f* 2 *vt* (*animals*) chasser; (*pursue*) poursuivre; **to h. down** (*animal, fugitive*) traquer; **to h. out** (*information*) dénicher 3 *vi* (*kill animals*) chasser; **to h. for sth** rechercher qch ▪**hunter** *n* chasseur *m* ▪**hunting** *n* chasse *f*

hurdle ['hɜːdəl] *n* (*fence in race*) haie *f*; *Fig* (*problem*) obstacle *m*

hurl [hɜːl] *vt* (*throw*) jeter, lancer (**at** à); **to h. oneself at sb** se ruer sur qn; **to h. insults** *or* **abuse at sb** lancer des insultes à qn

hurray [hʊ'reɪ] *exclam* hourra!

hurricane [*Br* 'hʌrɪkən, *Am* 'hʌrɪkeɪn] *n* ouragan *m*

hurry ['hʌrɪ] 1 *n* hâte *f*; **in a h.** à la hâte; **to be in a h.** être pressé; **to be in a h. to do sth** avoir hâte de faire qch; **there's no h.** rien ne presse 2 (*pt & pp* **-ied**) *vt* (*person*) presser; (*work*) hâter; **to h. one's meal** manger à toute vitesse; **to h. sb out** faire sortir qn à la hâte; **he was hurried to hospital** on l'a transporté d'urgence à l'hôpital 3 *vi* se dépêcher, se presser (**to do** de faire); **to h. up** se dépêcher; **to h. back** se dépêcher de revenir; **to h. out** sortir à la hâte; **to h. towards sb/sth** se précipiter vers qn/qch ▪**hurried** *adj* (*steps, decision*) précipité; (*work*) fait à la hâte; (*visit*) éclair *inv*; **to be h.** (*in a hurry*) être pressé

hurt [hɜːt] 1 *adj* (*wounded, offended*) blessé 2 *n* (*emotional*) blessure *f* 3 (*pt & pp* **hurt**) *vt* (*physically*) faire du mal à; (*causing a wound*) blesser; (*emotionally*) faire de la peine à; (*reputation, chances*) nuire à; **to h. sb's feelings** blesser qn 4 *vi* faire mal; **where does it h.?** où avez-vous mal?; **his arm hurts** (**him**) son bras lui fait mal ▪**hurtful** *adj* (*remark*) blessant

hurtle ['hɜːtəl] *vi* **to h. along** aller à toute vitesse; **to h. down the street** dévaler la rue

husband ['hʌzbənd] *n* mari *m*

hush [hʌʃ] 1 *n* silence *m* 2 *exclam* chut! 3 *vt* (*person*) faire taire; (*baby*) calmer; **to h. up** (*scandal*) étouffer ▪**hushed** *adj* (*voice*) étouffé; (*silence*) profond ▪**'hush-'hush** *adj Fam* top secret *inv*

husk [hʌsk] *n* (*of rice, grain*) enveloppe *f*

husky ['hʌskɪ] (**-ier, -iest**) *adj* (*voice*) rauque

hussy ['hʌsɪ] (*pl* **-ies**) *n Old-fashioned or Hum* gourgandine *f*

hustle ['hʌsəl] 1 *n* **h. and bustle** effervescence *f* 2 *vt* (*shove, push*) **to h. sb away** emmener qn de force 3 *vi Am* (*work busily*) se démener (**to get sth** pour avoir qch)

hut [hʌt] *n* cabane *f*; (*dwelling*) hutte *f*

hutch [hʌtʃ] *n* (*for rabbit*) clapier *m*

hyacinth ['haɪəsɪnθ] *n* jacinthe *f*

hybrid ['haɪbrɪd] *adj & n* hybride (*m*)

hydrangea [haɪ'dreɪndʒə] *n* hortensia *m*

hydrant ['haɪdrənt] *n* (*fire*) **h.** bouche *f* d'incendie

hydraulic [haɪ'drɔːlɪk] *adj* hydraulique

hydrocarbon [haɪdrəʊ'kɑːbən] *n* hydrocarbure *m*

hydroelectric [haɪdrəʊɪ'lektrɪk] *adj* hydro-électrique

hydrogen ['haɪdrədʒən] *n Chem* hydrogène *m*

hyena [haɪ'iːnə] *n* (*animal*) hyène *f*

hygiene ['haɪdʒiːn] *n* hygiène *f* ▪**hy'gienic** *adj* hygiénique ▪**hygienist** *n* (*dental*) **h.** spécialiste *mf* de l'hygiène dentaire

hymn [hɪm] *n* cantique *m*

hype [haɪp] *n Fam* (*publicity*) battage *m* publicitaire

hyper- ['haɪpə(r)] *pref* hyper- ▪**hyperlink** *n Comptr* hyperlien *m* ▪**hypermarket** *n* hyper-marché *m*

hyphen ['haɪfən] *n* trait *m* d'union ▪**hyphenate** *vt* mettre un trait d'union à ▪**hyphenated** *adj* (*word*) à trait d'union

hypnosis [hɪp'nəʊsɪs] *n* hypnose *f* ▪**hypnotism** ['hɪpnətɪzəm] *n* hypnotisme *m* ▪**hypnotist** ['hɪpnətɪst] *n* hypnotiseur *m* ▪**hypnotize** ['hɪpnətaɪz] *vt* hypnotiser

hypoallergenic [haɪpəʊælə'dʒenɪk] *adj* hypo-allergénique

hypochondriac [haɪpə'kɒndriæk] *n* hypo-condriaque *mf*

hypocrisy [hɪ'pɒkrɪsɪ] *n* hypocrisie *f* ▪**hypocrite** ['hɪpəkrɪt] *n* hypocrite *mf* ▪**hypocritical** [hɪpə'krɪtɪkəl] *adj* hypocrite

hypodermic [haɪpə'dɜːmɪk] *adj* hypodermique

hypothermia [haɪpə'θɜːmɪə] *n Med* hypo-thermie *f*

hypothesis [haɪ'pɒθɪsɪs] (*pl* **-theses** [-θɪsiːz]) *n* hypothèse *f* ▪**hypothetical** [haɪpə'θetɪkəl] *adj* hypothétique

hysteria [hɪ'stɪərɪə] *n* hystérie *f* ▪**hysterical** [hɪ'sterɪkəl] *adj* (*very upset*) qui a une crise de nerfs; *Fam* (*funny*) tordant; **to become h.** avoir une crise de nerfs ▪**hysterically** [hɪ'sterɪkəlɪ] *adv* (*cry*) sans pouvoir s'arrêter; **to laugh h.** rire aux larmes ▪**hysterics** [hɪ'sterɪks] *npl* (*tears*) crise *f* de nerfs; (*laughter*) fou rire *m*; **to be in h.** avoir une crise de nerfs; (*with laughter*) être écroulé de rire; **he had us in h.** il nous a fait tordre de rire

I¹, i [aɪ] *n (letter)* I, i *m inv*

I² [aɪ] *pron* je, j'; *(stressed)* moi; **I want** je veux; **she and I** elle et moi

IAEA [aɪeɪi:'eɪ] *(abbr* **International Atomic Energy Agency)** *n* AIEA *f*

ice¹ [aɪs] **1** *n* glace *f; (on road)* verglas *m; Br* **black i.** *(on road)* verglas **2** *vi* **to i. (over** *or* **up)** *(of lake)* geler; *(of window)* se givrer ▪ **iceberg** *n* iceberg *m* ▪ **icebox** *n Am (fridge)* réfrigérateur *m; Br (in fridge)* freezer *m* ▪ **'ice-'cold** *adj* glacial; *(drink)* glacé ▪ **ice 'cream** *n* glace *f* ▪ **ice cube** *n* glaçon *m* ▪ **iced** *adj (tea, coffee)* glacé ▪ **ice hockey** *n* hockey *m* sur glace ▪ **ice-skating** *n* patinage *m (sur glace)*

ice² [aɪs] *vt Br (cake)* glacer ▪ **icing** *n Br (on cake)* glaçage *m*

Iceland ['aɪslənd] *n* l'Islande *f* ▪ **Icelandic** [-'lændɪk] **1** *adj* islandais **2** *n (language)* islandais *m*

icicle ['aɪsɪkəl] *n* glaçon *m (de gouttière etc)*

icon ['aɪkɒn] *n* icône *f*

icy ['aɪsɪ] *(-ier, -iest) adj (road)* verglacé; *(ground)* gelé; *(water, hands)* glacé

ID [aɪ'di:] *n* pièce *f* d'identité

I'd [aɪd] = **I had, I would**

idea [aɪ'dɪə] *n* idée *f*; **I have an i. that...** j'ai l'impression que...; **that's my i. of rest** c'est ce que j'appelle du repos; *Fam* **that's the i.!** c'est ça!; **not the slightest** *or* **foggiest i.** pas la moindre idée

ideal [aɪ'dɪəl] *adj & n* idéal *(m)*

idealism [aɪ'dɪəlɪzəm] *n* idéalisme *m* ▪ **idealist** *n* idéaliste *mf* ▪ **idea'listic** *adj* idéaliste ▪ **idealize** *vt* idéaliser

ideally [aɪ'dɪəlɪ] *adv* idéalement; **i., we should stay** l'idéal, ce serait que nous restions

identical [aɪ'dentɪkəl] *adj* identique *(to or with* à)

identify [aɪ'dentɪfaɪ] *(pt & pp -ied) vt* identifier; **to i. (oneself) with** s'identifier avec ▪ **identification** [-fɪ'keɪʃən] *n* identification *f*; **to have (some) i.** *(document)* avoir une pièce d'identité

identikit [aɪ'dentɪkɪt] *n* portrait-robot *m*

identity [aɪ'dentɪtɪ] *(pl -ies) n* identité *f*; **i. card** carte *f* d'identité; **i. disc** plaque *f* d'identité

ideology [aɪdɪ'ɒlədʒɪ] *(pl -ies) n* idéologie *f* ▪ **ideological** [aɪdɪə'lɒdʒɪkəl] *adj* idéologique

idiocy ['ɪdɪəsɪ] *n* idiotie *f*

idiom ['ɪdɪəm] *n (phrase)* expression *f* idiomatique; *(language)* idiome *m* ▪ **idio'matic** *adj* idiomatique

idiosyncrasy [ɪdɪə'sɪŋkrəsɪ] *(pl -ies) n* particularité *f*

idiot ['ɪdɪət] *n* idiot, -iote *mf* ▪ **idiotic** [-'ɒtɪk] *adj* idiot, bête ▪ **idiotically** [-'ɒtɪkəlɪ] *adv* idiotement

idle ['aɪdəl] **1** *adj (unoccupied)* désœuvré; *(lazy)* oisif, -ive; *(promise)* vain; *(pleasure, question)* futile, vain; *(rumour)* sans fondement; **to lie i.** *(of machine)* être au repos; **an i. moment** un moment de loisir **2** *vt* **to i. away the** *or* **one's time** passer son temps à ne rien faire **3** *vi (of engine, machine)* tourner au ralenti ▪ **idleness** *n (inaction)* inactivité *f; (laziness)* oisiveté *f* ▪ **idler** *n* paresseux, -euse *mf* ▪ **idly** *adv (lazily)* paresseusement; *(suggest, say)* négligemment

idol ['aɪdəl] *n* idole *f* ▪ **idolize** *vt (adore)* idolâtrer

idyllic [aɪ'dɪlɪk] *adj* idyllique

ie [aɪ'i:] *(abbr* **id est)** c'est-à-dire

if [ɪf] *conj* si; **if he comes** s'il vient; **even if** même si; **if so** c'est le cas; **if not** sinon; **if only I were rich** si seulement j'étais riche; **if only to look** ne serait-ce que pour regarder; **as if** comme si; **as if nothing had happened** comme si de rien n'était; **as if to say** comme pour dire; **if necessary** s'il le faut

igloo ['ɪglu:] *(pl -oos) n* igloo *m*

ignite [ɪg'naɪt] **1** *vt* mettre le feu à **2** *vi* prendre feu ▪ **ignition** [-'nɪʃən] *n (in vehicle)* allumage *m*; **to switch on/off the i.** mettre/couper le contact; **i. key** clef *f* de contact

ignominious [ɪgnə'mɪnɪəs] *adj* ignominieux, -ieuse

ignoramus [ɪgnə'reɪməs] *n* ignare *mf*

ignorance ['ɪgnərəns] *n* ignorance *f* **(of** de) ▪ **ignorant** *adj* ignorant **(of** de) ▪ **ignorantly** *adv* par ignorance

ignore [ɪg'nɔ:(r)] *vt* ignorer; **just i. him!** ne fais pas attention à lui!

iguana [ɪg'wɑ:nə] *n* iguane *m*

ilk [ɪlk] *n* **of that i.** de cet acabit

ill [ɪl] **1** *adj (sick)* malade; *(bad)* mauvais; **i. will** malveillance *f* **2** *npl* **ills** maux *mpl* **3** *adv* mal; **to speak i. of sb** dire du mal de qn ▪ **ill-ad'vised** *adj (person)* malavisé; *(decision)* peu judicieux, -ieuse ▪ **ill-'fated** *adj (day)* fatal; *(enterprise)*

malheureux, -euse ▪**ill-'gotten** *adj* **i. gains**
biens *mpl* mal acquis ▪**ill-in'formed** *adj* mal
renseigné ▪**'ill-'mannered** *adj* mal élevé
▪**'ill-'natured** *adj (mean, unkind)* désagréable
▪**'ill-'timed** *adj* inopportun ▪**'ill-'treat** *vt*
maltraiter

I'll [aɪl] = **I will, I shall**

illegal [ɪ'liːgəl] *adj* illégal ▪**illegality** [ɪlɪ-
'gælɪtɪ] *n* illégalité *f*

illegible [ɪ'ledʒəbəl] *adj* illisible

illegitimate [ɪlɪ'dʒɪtɪmət] *adj* illégitime
▪**illegitimacy** *n* illégitimité *f*

illicit [ɪ'lɪsɪt] *adj* illicite

illiterate [ɪ'lɪtərət] *adj & n* analphabète *(mf)*
▪**illiteracy** *n* analphabétisme *m*

illness ['ɪlnɪs] *n* maladie *f*

illogical [ɪ'lɒdʒɪkəl] *adj* illogique

illuminate [ɪ'luːmɪneɪt] *vt (monument)*
illuminer; *(street, question)* éclairer ▪**illu-
mi'nation** *n (lighting)* éclairage *m; Br* **the illuminations** *(decorative lights)* les illuminations *fpl*

illusion [ɪ'luːʒən] *n* illusion *f* **(about** sur); **to
have the i. that…** avoir l'illusion que…; **I'm
not under any i. about…** je ne me fais aucune
illusion sur… ▪**illusive, illusory** *adj* illusoire

illustrate ['ɪləstreɪt] *vt (with pictures, examples)*
illustrer **(with** de) ▪**illu'stration** *n* illustration *f*

illustrious [ɪ'lʌstrɪəs] *adj* illustre

image ['ɪmɪdʒ] *n* image *f*; **(public) i.** *(of
company)* image *f* de marque; **he's the (living
or spitting or very) i. of his brother** c'est tout
le portrait de son frère ▪**imagery** *n* imagerie *f*

imaginable [ɪ'mædʒɪnəbəl] *adj* imaginable; **the
worst thing i.** le pire que l'on puisse imaginer

imaginary [ɪ'mædʒɪnərɪ] *adj* imaginaire

imagination [ɪmædʒɪ'neɪʃən] *n* imagination *f*

imaginative [ɪ'mædʒɪnətɪv] *adj (plan, novel)*
original; *(person)* imaginatif, -ive

imagine [ɪ'mædʒɪn] *vt* imaginer **(that** que); **to
i. sb doing sth** imaginer qn faisant qch; **you're
imagining things!** tu te fais des idées!

imbalance [ɪm'bæləns] *n* déséquilibre *m*

imbecile [*Br* 'ɪmbəsiːl, *Am* 'ɪmbəsəl] *adj & n*
imbécile *(mf)* ▪**imbecility** [-'sɪlɪtɪ] *n* imbécillité *f*

imbibe [ɪm'baɪb] *vt Formal* absorber

imbued [ɪm'bjuːd] *adj Formal* **i. with** *(ideas)*
imprégné de; *(feelings)* empreint de

IMF [aɪem'ef] *(abbr* **International Monetary
Fund)** *n* FMI *m*

imitate ['ɪmɪteɪt] *vt* imiter ▪**imi'tation** *n*
imitation *f; Br* **i. jewellery,** *Am* **i. jewelry** faux
bijoux *mpl*; **i. leather** similicuir *m*

imitative ['ɪmɪtətɪv] *adj (sound)* imitatif, -ive;
(person) imitateur, -trice

imitator ['ɪmɪteɪtə(r)] *n* imitateur, -trice *mf*

immaculate [ɪ'mækjʊlət] *adj* impeccable

immaterial [ɪmə'tɪərɪəl] *adj* sans importance
(to pour)

immature [ɪmə'tʃʊə(r)] *adj (person)* immature;
(fruit) vert

immeasurable [ɪ'meʒərəbəl] *adj* incommensurable

immediate [ɪ'miːdɪət] *adj* immédiat
▪**immediacy** *n* immédiateté *f* ▪**immediately
1** *adv (at once)* tout de suite, immédiatement;
(concern, affect) directement; **it's i. above/
below** c'est juste au-dessus/en dessous **2** *conj
Br (as soon as)* dès que

immense [ɪ'mens] *adj* immense ▪**immensely**
adv (rich) immensément; *(painful)* extrêmement; **to enjoy oneself i.** s'amuser énormément ▪**immensity** *n* immensité *f*

immerse [ɪ'mɜːs] *vt (in liquid)* plonger; *Fig* **to i.
oneself in sth** se plonger dans qch
▪**immersion** *n* immersion *f; Br* **i. heater**
chauffe-eau *m inv* électrique

immigrate ['ɪmɪgreɪt] *vi* immigrer
▪**immigrant** *adj & n* immigré, -ée *f*
▪**immi'gration** *n* immigration *f*; **i. control**
contrôle *m* de l'immigration

imminent ['ɪmɪnənt] *adj* imminent
▪**imminence** *n* imminence *f*

immobile [*Br* ɪ'məʊbaɪl, *Am* ɪ'məʊbəl] *adj*
immobile ▪**immo'bility** *n* immobilité *f*
▪**immobilize** [-bɪlaɪz] *vt* immobiliser

immoderate [ɪ'mɒdərət] *adj* immodéré

immodest [ɪ'mɒdɪst] *adj* impudique

immoral [ɪ'mɒrəl] *adj* immoral ▪**immorality**
[ɪmə'rælɪtɪ] *n* immoralité *f*

immortal [ɪ'mɔːtəl] *adj* immortel, -elle
▪**immortality** [-'tælɪtɪ] *n* immortalité *f*
▪**immortalize** *vt* immortaliser

immune [ɪ'mjuːn] *adj Med (to disease)*
immunisé **(to** contre); **i. system** système *m*
immunitaire; *Fig* **i. to criticism** imperméable à
la critique ▪**immunity** *n* immunité *f*
▪**immunize** ['ɪmjʊnaɪz] *vt* immuniser
(against contre)

immutable [ɪ'mjuːtəbəl] *adj* immuable

imp [ɪmp] *n* lutin *m*; **(you) little i.!** *(to child)* petit
coquin!

impact 1 ['ɪmpækt] *n* impact *m*; **on i.** au
moment de l'impact; **to make an i. on sb/sth**
avoir un impact sur qn/qch **2** [ɪm'pækt] *vt
(collide with)* heurter; *(influence)* avoir un
impact sur

impair [ɪm'peə(r)] *vt (sight, hearing)* diminuer,
affaiblir; *(relations, chances)* compromettre

impale [ɪm'peɪl] *vt* empaler **(on** sur)

impart [ɪm'pɑːt] *vt Formal (heat, light)* donner;
(knowledge, news) transmettre **(to** à)

impartial [ɪm'pɑːʃəl] *adj* impartial
▪**impartiality** [-ʃɪ'ælɪtɪ] *n* impartialité *f*

impassable [ɪm'pɑːsəbəl] *adj (road)*
impraticable; *(river)* infranchissable

impasse [*Br* æm'pɑːs, *Am* 'ɪmpæs] *n (situation)*
impasse *f*

impassioned [ɪmˈpæʃənd] *adj (speech, request)*
passionné

impassive [ɪmˈpæsɪv] *adj* impassible
▪ **impassively** *adv* impassiblement

impatient [ɪmˈpeɪʃənt] *adj* impatient (**to do**
de faire); **to get i. (with sb)** s'impatienter
(contre qn) ▪ **impatience** *n* impatience *f*
▪ **impatiently** *adv* avec impatience,
impatiemment

impeccable [ɪmˈpekəbəl] *adj (manners, person)*
impeccable ▪ **impeccably** *adv* impeccablement

impede [ɪmˈpiːd] *vt* gêner; **to i. sb from doing**
(prevent) empêcher qn de faire

impediment [ɪmˈpedɪmənt] *n* obstacle *m*;
speech i. défaut *m* d'élocution

impel [ɪmˈpel] *(-ll-) vt (drive)* pousser; *(force)*
obliger (**to do** à faire)

impending [ɪmˈpendɪŋ] *adj* imminent

impenetrable [ɪmˈpenɪtrəbəl] *adj (forest,
mystery)* impénétrable

imperative [ɪmˈperətɪv] **1** *adj (need, tone)*
impérieux, -ieuse; **it is i. that he should come**
il faut impérativement qu'il vienne **2** *n
Grammar* impératif *m*

imperceptible [ɪmpəˈseptəbəl] *adj*
imperceptible (**to** à)

imperfect [ɪmˈpɜːfɪkt] **1** *adj* imparfait; *(goods)*
défectueux, -ueuse **2** *adj & n Grammar* **i.
(tense)** imparfait *(m)* ▪ **imperfection**
[-pəˈfekʃən] *n* imperfection *f*

imperial [ɪmˈpɪərɪəl] *adj* impérial; *Br* **i.
measure** = système de mesure anglo-saxon
utilisant les miles, les pints etc ▪ **imperialism**
n impérialisme *m*

imperil [ɪmˈperɪl] *(Br -ll-, Am -l-) vt* mettre en
péril

imperious [ɪmˈpɪərɪəs] *adj* impérieux, -ieuse

impersonal [ɪmˈpɜːsənəl] *adj* impersonnel,
-elle

impersonate [ɪmˈpɜːsəneɪt] *vt (pretend to be)*
se faire passer pour; *(imitate)* imiter
▪ **imperso'nation** *n* imitation *f* ▪ **impersonator** *n (mimic)* imitateur, -trice *mf*

impertinent [ɪmˈpɜːtɪnənt] *adj* impertinent (**to**
envers) ▪ **impertinence** *n* impertinence *f*
▪ **impertinently** *adv* avec impertinence

impervious [ɪmˈpɜːvɪəs] *adj also Fig*
imperméable (**to** à)

impetuous [ɪmˈpetjʊəs] *adj* impétueux, -ueuse

impetus [ˈɪmpɪtəs] *n* impulsion *f*

impinge [ɪmˈpɪndʒ] *vi* **to i. on sth** *(affect)*
affecter qch; *(encroach on)* empiéter sur qch

impish [ˈɪmpɪʃ] *adj* espiègle

implacable [ɪmˈplækəbəl] *adj* implacable

implant 1 [ˈɪmplɑːnt] *n Med* implant *m* **2**
[ɪmˈplɑːnt] *vt Med* implanter (**in** dans); *(ideas)*
inculquer (**in** à)

implement¹ [ˈɪmplɪmənt] *n (tool)* instrument

m; *(utensil)* ustensile *m*; **farm implements**
matériel *m* agricole

implement² [ˈɪmplɪment] *vt (carry out)* mettre
en œuvre ▪ **implemen'tation** *n* mise *f* en
œuvre

implicate [ˈɪmplɪkeɪt] *vt* impliquer (**in** dans)
▪ **impli'cation** *n (consequence)* conséquence *f*;
(involvement) implication *f*; *(innuendo)* insinuation *f*; *(impact)* portée *f*; **by i.** implicitement

implicit [ɪmˈplɪsɪt] *adj (implied)* implicite;
(absolute) absolu ▪ **implicitly** *adv* implicitement

implore [ɪmˈplɔː(r)] *vt* implorer (**sb to do** qn de
faire)

imply [ɪmˈplaɪ] *(pt & pp* **-ied**) *vt (insinuate)*
insinuer (**that** que); *(presuppose)* supposer
(**that** que); *(involve)* impliquer (**that** que)
▪ **implied** *adj* implicite

impolite [ɪmpəˈlaɪt] *adj* impoli ▪ **impoliteness**
n impolitesse *f*

import 1 [ˈɪmpɔːt] *n* (**a**) *(item, activity)*
importation *f* (**b**) *Formal (importance)*
importance *f* **2** [ɪmˈpɔːt] *vt (goods) & Comptr*
importer (**from** de) ▪ **importer** *n* importateur,
-trice *mf*

importance [ɪmˈpɔːtəns] *n* importance *f*; **to be
of i.** avoir de l'importance; **of no i.** sans
importance

important [ɪmˈpɔːtənt] *adj* important (**to/for**
pour); **it's i. that...** il est important que... (+
subjunctive); **to become more i.** prendre de
l'importance ▪ **importantly** *adv (speak)* d'un
air important; **but, more i....** mais, plus
important...

> Note that the French adjective **important**
> can be a false friend. It also means **large,
> considerable**.

impose [ɪmˈpəʊz] **1** *vt (conditions, silence)*
imposer (**on** à); *(fine, punishment)* infliger (**on
sb** à qn); **to i. a tax on sth** taxer qch **2** *vi (take
advantage)* s'imposer; **to i. on sb** abuser de la
gentillesse de qn ▪ **imposition** [-pəˈzɪʃən] *n*
imposition *f* (**of** de); *(inconvenience)*
dérangement *m*

imposing [ɪmˈpəʊzɪŋ] *adj* imposant

impossible [ɪmˈpɒsəbəl] **1** *adj* impossible (**to
do** à faire); **it is i. (for us) to do it** il (nous) est
impossible de le faire; **it is i. that...** il est
impossible que...(+ *subjunctive)*; **to make it i.
for sb to do sth** mettre qn dans l'impossibilité
de faire qch **2** *n* **to do the i.** faire l'impossible
▪ **impossi'bility** *(pl* **-ies**) *n* impossibilité *f*
▪ **impossibly** *adv (extremely)* incroyablement

impostor [ɪmˈpɒstə(r)] *n* imposteur *m*

impotent [ˈɪmpətənt] *adj* impuissant
▪ **impotence** *n* impuissance *f*

impound [ɪmˈpaʊnd] *vt (of police)* saisir;
(vehicle) mettre à la fourrière

impoverish [ɪmˈpɒvərɪʃ] *vt* appauvrir ▪ **impoverished** *adj* appauvri

impracticable [ɪmˈpræktɪkəbəl] *adj* impraticable, irréalisable

impractical [ɪmˈpræktɪkəl] *adj* peu réaliste

imprecise [ɪmprɪˈsaɪs] *adj* imprécis

impregnable [ɪmˈpregnəbəl] *adj (fortress)* imprenable; *Fig (argument)* inattaquable

impregnate [ˈɪmpregneɪt] *vt (soak)* imprégner (**with** de); *(fertilize)* féconder

impresario [ɪmprɪˈsɑːrɪəʊ] *(pl* **-os)** *n* impresario *m*

impress [ɪmˈpres] *vt (person)* impressionner; **to i. sth on sb** faire comprendre qch à qn; **to i. sth on sth** imprimer qch sur qch; **to be impressed with** *or* **by sb/sth** être impressionné par qn/qch

impression [ɪmˈpreʃən] *n* impression *f*; **to be under** *or* **have the i. that...** avoir l'impression que...; **to make a good/bad i. on sb** faire une bonne/mauvaise impression à qn ▪ **impressionable** *adj (person)* impressionnable; *(age)* où l'on est impressionnable

impressionist [ɪmˈpreʃənɪst] *n (mimic)* imitateur, -trice *mf*; *(artist)* impressionniste *mf*

impressive [ɪmˈpresɪv] *adj* impressionnant

imprint 1 [ˈɪmprɪnt] *n* empreinte *f* **2** [ɪmˈprɪnt] *vt* imprimer; **the words are imprinted on my memory** ces mots restent gravés dans ma mémoire

imprison [ɪmˈprɪzən] *vt* emprisonner ▪ **imprisonment** *n* emprisonnement *m*; **life i.** la prison à vie

improbable [ɪmˈprɒbəbəl] *adj (unlikely)* improbable; *(unbelievable)* invraisemblable ▪ **improba'bility** *(pl* **-ies)** *n* improbabilité *f*; *(of story)* invraisemblance *f*

impromptu [ɪmˈprɒmptjuː] **1** *adj (speech, party)* improvisé **2** *adv (unexpectedly)* à l'improviste; *(ad lib)* au pied levé

improper [ɪmˈprɒpə(r)] *adj* **(a)** *(indecent)* indécent **(b)** *(use, purpose)* mauvais; *(behaviour)* déplacé; *Law* **i. practices** pratiques *fpl* malhonnêtes ▪ **impropriety** [-prəˈpraɪətɪ] *n (of behaviour)* inconvenance *f*; *(of language)* impropriété *f*

improve [ɪmˈpruːv] **1** *vt* améliorer; *(technique, invention)* perfectionner; **to i. sb's looks** embellir qn; **to i. one's chances** augmenter ses chances; **to i. one's English** se perfectionner en anglais; **to i. one's mind** se cultiver **2** *vi* s'améliorer; *(of business)* reprendre; **to i. on sth** *(do better than)* faire mieux que qch ▪ **improvement** *n* amélioration *f* (**in** de); *(progress)* progrès *mpl*; **there has been an** *or* **an i.** il y a du mieux; **to be an i. on sth** *(be better than)* être meilleur que qch

improvise [ˈɪmprəvaɪz] *vti* improviser ▪ **improvi'sation** *n* improvisation *f*

impudent [ˈɪmpjʊdənt] *adj* impudent ▪ **impudence** *n* impudence *f*

impulse [ˈɪmpʌls] *n* impulsion *f*; **on i.** sur un coup de tête ▪ **im'pulsive** *adj (person)* impulsif, -ive; *(remark)* irréfléchi ▪ **im'pulsively** *adv (act)* de manière impulsive

impunity [ɪmˈpjuːnɪtɪ] *n* impunité *f*; **with i.** impunément

impure [ɪmˈpjʊə(r)] *adj* impur ▪ **impurity** *(pl* **-ies)** *n* impureté *f*

in [ɪn] **1** *prep* **(a)** dans; **in the box/the school** dans la boîte/l'école; **in an hour('s time)** dans une heure; **in the garden** dans le jardin, au jardin; **in luxury** dans le luxe; **in so far as** dans la mesure où

(b) à; **in school** à l'école; **in Paris** à Paris; **in the USA** aux USA; **in Portugal** au Portugal; **in fashion** à la mode; **in pencil** au crayon; **in ink** à l'encre; **in my opinion** à mon avis; **in spring** au printemps; **the woman in the red dress** la femme à la robe rouge

(c) en; **in summer/secret/French** en été/secret/français; **in Spain** en Espagne; **in May** en mai; **in 2003** en 2003; **in season** *(fruit)* de saison; **in an hour** *(during an hour)* en une heure; **in doing sth** en faisant qch; **dressed in black** habillé en noir; **in all** en tout

(d) de; **in a soft voice** d'une voix douce; **the best in the class** le meilleur/la meilleure de la classe; **an increase in salary** une augmentation de salaire; **at six in the evening** à six heures du soir

(e) chez; **in children/adults/animals** chez les enfants/les adultes/les animaux; **in Shakespeare** chez Shakespeare

(f) **in the rain** sous la pluie; **in the morning** le matin; **he hasn't done it in months/years** ça fait des mois/années qu'il ne l'a pas fait; **in an hour** *(at the end of an hour)* au bout d'une heure; **one in ten** un sur dix; **in tens** dix par dix; **in hundreds/thousands** par centaines/milliers; **in here** ici; **in there** là-dedans

2 *adv* **to be in** *(home)* être là; *(of train)* être arrivé; *(in fashion)* être en vogue; *(in power)* être au pouvoir; **day in, day out** jour après jour; **in on a secret** au courant d'un secret; **we're in for some rain/trouble** on va avoir de la pluie/des ennuis; *Fam* **it's the in thing** c'est à la mode

3 *npl* **the ins and outs of** les moindres détails de

in- [ɪn] *pref* in-

inbox *n Comptr (for e-mail)* boîte *f* de réception

inability [ɪnəˈbɪlɪtɪ] *(pl* **-ies)** *n* incapacité *f* (**to do sth** de faire)

inaccessible [ɪnəkˈsesəbəl] *adj* inaccessible

inaccurate [ɪnˈækjʊrət] *adj* inexact ▪ **inaccuracy** *(pl* **-ies)** *n* inexactitude *f*

inaction [ɪnˈækʃən] *n* inaction *f*

inactive [ɪnˈæktɪv] *adj* inactif, -ive
• **inac'tivity** *n* inactivité *f*
inadequate [ɪnˈædɪkwət] *adj (quantity)* insuffisant; *(person)* pas à la hauteur; *(work)* médiocre • **inadequacy** *(pl* -**ies)** *n* insuffisance *f* • **inadequately** *adv* insuffisamment
inadmissible [ɪnədˈmɪsəbəl] *adj* inadmissible
inadvertently [ɪnədˈvɜːtəntlɪ] *adv* par inadvertance
inadvisable [ɪnədˈvaɪzəbəl] *adj (action)* à déconseiller; **it is i. to go out alone** il est déconseillé de sortir seul
inane [ɪˈneɪn] *adj* inepte
inanimate [ɪnˈænɪmət] *adj* inanimé
inappropriate [ɪnəˈprəʊprɪət] *adj (unsuitable) (place, clothes)* peu approprié; *(remark, moment)* inopportun
inarticulate [ɪnɑːˈtɪkjʊlət] *adj (person)* incapable de s'exprimer; *(sound)* inarticulé
inasmuch as [ɪnəzˈmʌtʃəz] *conj Formal (because)* dans la mesure où; *(to the extent that)* en ce sens que
inattentive [ɪnəˈtentɪv] *adj* inattentif, -ive (**to** à)
inaudible [ɪnˈɔːdɪbəl] *adj* inaudible
inaugural [ɪˈnɔːgjʊrəl] *adj (speech, meeting)* inaugural
inaugurate [ɪˈnɔːgjʊreɪt] *vt (building, policy)* inaugurer; *(official)* installer (dans ses fonctions) • **inaugu'ration** *n* inauguration *f*; *(of official)* investiture *f*
inauspicious [ɪnɔːˈspɪʃəs] *adj* peu propice
inborn [ɪnˈbɔːn] *adj* inné
inbred [ɪnˈbred] *adj (quality)* inné; *(person)* de parents consanguins
Inc *(abbr* **Incorporated)** *Am Com* ≃ SARL
incalculable [ɪnˈkælkjʊləbəl] *adj* incalculable
incandescent [ɪnkænˈdesənt] *adj* incandescent
incapable [ɪnˈkeɪpəbəl] *adj* incapable (**of doing de** faire); **i. of pity** inaccessible à la pitié
incapacitate [ɪnkəˈpæsɪteɪt] *vt* rendre infirme • **incapacity** *(pl* -**ies)** *n (inability)* incapacité *f*
incarcerate [ɪnˈkɑːsəreɪt] *vt* incarcérer • **incarce'ration** *n* incarcération *f*
incarnate 1 [ɪnˈkɑːnət] *adj* incarné **2** [ɪnˈkɑːneɪt] *vt* incarner • **incar'nation** *n* incarnation *f*
incendiary [ɪnˈsendɪərɪ] *adj* **i. device** *or* **bomb** bombe *f* incendiaire
incense¹ [ˈɪnsens] *n (substance)* encens *m*
incense² [ɪnˈsens] *vt* rendre furieux, -ieuse

Note that the French verb **encenser** is a false friend and is never a translation for the English word **to incense**. It means **to praise lavishly**.

incentive [ɪnˈsentɪv] *n* motivation *f*; *(payment)* prime *f*; **to give sb an i. to work** encourager qn à travailler

incessant [ɪnˈsesənt] *adj* incessant
• **incessantly** *adv* sans cesse

Note that the French word **incessamment** is a false friend. It means **very shortly**.

incest [ˈɪnsest] *n* inceste *m* • **in'cestuous** *adj* incestueux, -euse
inch [ɪntʃ] **1** *n* pouce *m* (*=2,54 cm*); **a few inches from the edge** à quelques centimètres du bord; **within an i. of death** à deux doigts de la mort; **i. by i.** petit à petit **2** *vti* **to i. (one's way) forward** avancer tout doucement
incidence [ˈɪnsɪdəns] *n (frequency)* taux *m*; *(of disease)* incidence *f*
incident [ˈɪnsɪdənt] *n* incident *m*; *(in book, film)* épisode *m*
incidental [ɪnsɪˈdentəl] *adj (additional)* accessoire; **it's i. to the main plot** c'est secondaire par rapport à l'intrigue principale; **i. expenses** faux frais *mpl*; **i. music** *(in film)* musique *f* • **incidentally** *adv (by the way)* au fait; *(additionally)* accessoirement
incinerate [ɪnˈsɪnəreɪt] *vt (refuse, leaves)* incinérer • **incinerator** *n* incinérateur *m*
incision [ɪnˈsɪʒən] *n* incision *f*
incisive [ɪnˈsaɪsɪv] *adj* incisif, -ive
incisor [ɪnˈsaɪzə(r)] *n (tooth)* incisive *f*
incite [ɪnˈsaɪt] *vt* inciter (**to do** à faire)
• **incitement** *n* incitation *f* (**to do** à faire)
inclination [ɪnklɪˈneɪʃən] *n (liking)* inclination *f*; *(desire)* envie *f* (**to do** de faire); **to have no i. to do sth** n'avoir aucune envie de faire qch
incline 1 [ˈɪnklaɪn] *n (slope)* pente *f* **2** [ɪnˈklaɪn] *vt (bend, tilt)* incliner; **to be inclined to do sth** *(feel a wish to)* avoir bien envie de faire qch; *(tend to)* avoir tendance à faire qch; **to be inclined towards** *(indulgence)* incliner à; *(opinion)* pencher pour; **to i. sb to do sth** inciter qn à faire qch **3** *vi* **to i. to** *or* **towards sth** pencher pour qch
include [ɪnˈkluːd] *vt (contain)* comprendre, inclure; *(in letter)* joindre; **my invitation includes you** mon invitation s'adresse aussi à vous; **to be included** être compris; *(on list)* être inclus • **including** *prep* y compris; **not i.** sans compter; **i. service** service *m* compris
inclusion [ɪnˈkluːʒən] *n* inclusion *f*
inclusive [ɪnˈkluːsɪv] *adj* inclus; **from the fourth to the tenth of May i.** du quatre au dix mai inclus; **to be i. of** comprendre; **i. of tax** toutes taxes comprises; **i. charge** *or* **price** prix *m* global
incognito [ɪnkɒgˈniːtəʊ] *adv* incognito
incoherent [ɪnkəʊˈhɪərənt] *adj* incohérent • **incoherently** *adv (speak, act)* de façon incohérente
income [ˈɪnkʌm] *n* revenu *m* (**from** de); **private i.** rentes *fpl*; **i. support** ≃ RMI *m*; **i. tax** impôt *m* sur le revenu

incoming ['ɪnkʌmɪŋ] *adj (tenant, president)* nouveau *(f* nouvelle); **i. calls** *(on telephone)* appels *mpl* de l'extérieur; **i. mail** courrier *m* à l'arrivée; **i. tide** marée *f* montante

incommunicado [ɪnkəmju:nɪ'kɑ:dəʊ] *adj* injoignable

incomparable [ɪn'kɒmpərəbəl] *adj* incomparable

incompatible [ɪnkəm'pætəbəl] *adj* incompatible (**with** avec) ▪ **incompati'bility** *n* incompatibilité *f*

incompetent [ɪn'kɒmpɪtənt] *adj* incompétent ▪ **incompetence** *n* incompétence *f*

incomplete [ɪnkəm'pli:t] *adj* incomplet, -ète

incomprehensible [ɪnkɒmprɪ'hensəbəl] *adj* incompréhensible

inconceivable [ɪnkən'si:vəbəl] *adj* inconcevable

inconclusive [ɪnkən'klu:sɪv] *adj* peu concluant

incongruous [ɪn'kɒŋgrʊəs] *adj (building, colours)* qui jure(nt) (**with** avec); *(remark, attitude)* incongru

inconsequential [ɪnkɒnsɪ'kwenʃəl] *adj* sans importance

inconsiderate [ɪnkən'sɪdərət] *adj (action, remark)* inconsidéré; *(person)* sans égards pour les autres

inconsistent [ɪnkən'sɪstənt] *adj (person)* incohérent; *(uneven)* irrégulier, -ière; **to be i. with sth** ne pas concorder avec qch ▪ **inconsistency** *(pl* -ies) *n (in argument)* incohérence *f*, *(between reports)* contradiction *f*, *(uneven quality)* irrégularité *f*

> Note that the French word **inconsistant** is a false friend. It means **thin** or **runny**.

inconsolable [ɪnkən'səʊləbəl] *adj* inconsolable

inconspicuous [ɪnkən'spɪkjʊəs] *adj* qui passe inaperçu ▪ **inconspicuously** *adv* discrètement

incontinent [ɪn'kɒntɪnənt] *adj* incontinent

inconvenience [ɪnkən'vi:nɪəns] **1** *n (bother)* dérangement *m*; *(disadvantage)* inconvénient *m* **2** *vt* déranger

inconvenient [ɪnkən'vi:nɪənt] *adj (moment)* mauvais; *(arrangement)* peu commode; *(building)* mal situé; **it's i. (for me) to…** ça me dérange de…; **that's very i.** c'est très gênant ▪ **inconveniently** *adv (arrive, happen)* à un moment gênant; **i. situated** mal situé

incorporate [ɪn'kɔ:pəreɪt] *vt (contain)* contenir; *(introduce)* incorporer (**into** dans); *Am* **incorporated society** société *f* anonyme, société à responsabilité limitée

incorrect [ɪnkə'rekt] *adj* incorrect; **you're i.** vous avez tort

incorrigible [ɪn'kɒrɪdʒəbəl] *adj* incorrigible

incorruptible [ɪnkə'rʌptəbəl] *adj* incorruptible

increase 1 [ɪn'kri:s] ['ɪnkri:s] *n* augmentation *f* (**in** *or* **of** de); **on the i.** en hausse **2** *vt* augmenter; **to i. one's efforts** redoubler d'efforts **3** *vi* augmenter; **to i. in weight** prendre du poids; **to i. in price** augmenter ▪ **increasing** *adj* croissant ▪ **increasingly** *adv* de plus en plus

incredible [ɪn'kredəbəl] *adj* incroyable ▪ **incredibly** *adv* incroyablement

incredulous [ɪn'kredjʊləs] *adj* incrédule

increment ['ɪŋkrəmənt] *n* augmentation *f*

incriminate [ɪn'krɪmɪneɪt] *vt* incriminer ▪ **incriminating** *adj* compromettant

incubate ['ɪŋkjʊbeɪt] **1** *vt(eggs)* couver **2** *vi (of illness)* être en période d'incubation ▪ **incu'bation** *n* incubation *f* ▪ **incubator** *n (for baby)* couveuse *f*

incumbent [ɪn'kʌmbənt] **1** *n (of administrative position)* titulaire *mf* **2** *adj* **it is i. upon him/her to…** il lui incombe de…

incur [ɪn'kɜ:(r)] *(pt & pp* -rr-) *vt (expenses)* encourir; *(loss)* subir; *(debt)* contracter; *(criticism, anger)* s'attirer

incurable [ɪn'kjʊərəbəl] *adj* incurable

incursion [ɪn'kɜ:ʃən] *n* incursion *f* (**into** dans)

indebted [ɪn'detɪd] *adj (financially)* endetté; **i. to sb for sth/for doing sth** redevable à qn de qch/d'avoir fait qch

indecent [ɪn'di:sənt] *adj (obscene)* indécent; *Br* **i. assault** attentat *m* à la pudeur ▪ **indecency** *(pl* -ies) *n* indécence *f*; *Br Law* outrage *m* à la pudeur ▪ **indecently** *adv* indécemment

indecisive [ɪndɪ'saɪsɪv] *adj (person, answer)* indécis ▪ **inde'cision** *n* ▪ **indecisiveness** *n* indécision *f*

indeed [ɪn'di:d] *adv* en effet; **very good i. very good** très bon; **yes i.!** bien sûr!; **thank you very much i.!** merci infiniment!

indefensible [ɪndɪ'fensəbəl] *adj* indéfendable

indefinable [ɪndɪ'faɪnəbəl] *adj* indéfinissable

indefinite [ɪn'defɪnət] *adj (duration, number)* indéterminé; *(plan)* mal défini ▪ **indefinitely** *adv* indéfiniment

indelible [ɪn'deləbəl] *adj (ink, memory)* indélébile; **i. pen** stylo *m* à encre indélébile

indelicate [ɪn'delɪkət] *adj* indélicat

indemnify [ɪn'demnɪfaɪ] *(pt & pp* -ied) *vt* indemniser (**for** de) ▪ **indemnity** *(pl* -ies) *n (compensation)* indemnité *f*; **an i. against** *(protection)* une garantie contre

indented [ɪn'dentɪd] *adj (edge, coastline)* découpé ▪ **inden'tation** *n* dentelure *f*, découpure *f*; *Typ* alinéa *m*

independence [ɪndɪ'pendəns] *n* indépendance *f*

independent [ɪndɪ'pendənt] *adj* indépendant (**of** de); *(opinions, reports)* de sources différentes ▪ **independently** *adv* de façon indépendante; **i. of** indépendamment de

indescribable [ɪndɪ'skraɪbəbəl] *adj* indescriptible

indestructible [ɪndɪ'strʌktəbəl] *adj* indestructible

indeterminate [ɪndɪ'tɜ:mɪnət] *adj* indéterminé

index ['ɪndeks] **1** *n* *(in book)* index *m*; *(in library)* fichier *m*; *(number, sign)* indice *m*; **i. card** fiche *f*; **i. finger** index **2** *vt* *(classify)* classer **•index-'linked** *adj* *(wages)* indexé (**to** sur)

India ['ɪndɪə] *n* l'Inde *f* **•Indian 1** *adj* indien, -ienne **2** *n* Indien, -ienne *mf*

indicate ['ɪndɪkeɪt] *vt* indiquer (**that** que); **I was indicating right** *(in vehicle)* j'avais mis mon clignotant droit **•indi'cation** *n* *(sign)* signe *m*; *(information)* indication *f*; **there is every i. that...** tout porte à croire que...

indicative [ɪn'dɪkətɪv] **1** *adj* **to be i. of** *(symptomatic)* être symptomatique de **2** *n* *Grammar* indicatif *m*

indicator ['ɪndɪkeɪtə(r)] *n* *(sign)* indication *f* (**of** de); *Br* *(in vehicle)* clignotant *m*

indict [ɪn'daɪt] *vt* *Law* inculper (**for** de) **•indictment** *n* inculpation *f*

Indies ['ɪndɪz] *npl* **the West I.** les Antilles *fpl*

indifferent [ɪn'dɪfərənt] *adj* indifférent (**to** à); *(mediocre)* médiocre **•indifference** *n* indifférence *f* (**to** à) **•indifferently** *adv* indifféremment

indigenous [ɪn'dɪdʒɪnəs] *adj* indigène

indigestion [ɪndɪ'dʒestʃən] *n* troubles *mpl* digestifs; **(an attack of) i.** une indigestion **•indigestible** *adj* indigeste

indignant [ɪn'dɪgnənt] *adj* indigné (**at** *or* **about** de); **to become i.** s'indigner **•indignantly** *adv* avec indignation **•indig'nation** *n* indignation *f*

indignity [ɪn'dɪgnɪtɪ] *n* indignité *f*

indigo ['ɪndɪgəʊ] *n & adj* *(colour)* indigo *(m)* *inv*

indirect [ɪndaɪ'rekt] *adj* indirect **•indirectly** *adv* indirectement

indiscreet [ɪndɪ'skri:t] *adj* indiscret, -ète **•indiscretion** [-'skreʃən] *n* indiscrétion *f*

indiscriminate [ɪndɪ'skrɪmɪnət] *adj* *(person)* qui manque de discernement; **to be i. in one's praise** distribuer les compliments à tort et à travers **•indiscriminately** *adv* *(at random)* au hasard; *(without discrimination)* sans discernement

indispensable [ɪndɪ'spensəbəl] *adj* indispensable (**to** à)

indisposed [ɪndɪ'spəʊzd] *adj* *(unwell)* indisposé

indisputable [ɪndɪ'spju:təbəl] *adj* incontestable

indistinct [ɪndɪ'stɪŋkt] *adj* indistinct

indistinguishable [ɪndɪ'stɪŋgwɪʃəbəl] *adj* indifférenciable (**from** de)

individual [ɪndɪ'vɪdʒʊəl] **1** *adj* *(separate, personal)* individuel, -uelle; *(specific)* particulier, -ière **2** *n* *(person)* individu *m* **•individuality** [-ʊ'ælɪtɪ] *n* *(distinctiveness)* individualité *f* **•individually** *adv* *(separately)* individuellement; *(unusually)* de façon (très) personnelle

individualist [ɪndɪ'vɪdʒʊəlɪst] *n* individualiste *mf* **•individua'listic** *adj* individualiste

indivisible [ɪndɪ'vɪzəbəl] *adj* indivisible

Indo-China [ɪndəʊ'tʃaɪnə] *n* l'Indochine *f*

indoctrinate [ɪn'dɒktrɪneɪt] *vt* endoctriner **•indoctri'nation** *n* endoctrinement *m*

indolent ['ɪndələnt] *adj* indolent **•indolence** *n* indolence *f*

indomitable [ɪn'dɒmɪtəbəl] *adj* *(will, energy)* indomptable

Indonesia [ɪndəʊ'ni:zɪə] *n* l'Indonésie *f* **•Indonesian 1** *adj* indonésien, -ienne **2** *n* *(person)* Indonésien, -ienne *mf*; *(language)* indonésien *m*

indoor ['ɪndɔ:(r)] *adj* *(games, shoes)* d'intérieur; *(swimming pool)* couvert **•in'doors** *adv* à l'intérieur; **to go/come i.** rentrer

induce [ɪn'dju:s] *vt* *(persuade)* persuader (**to do** de faire); *(cause)* provoquer; **to i. labour** *(in pregnant woman)* déclencher l'accouchement

indulge [ɪn'dʌldʒ] **1** *vt* *(sb's wishes)* satisfaire; *(child)* gâter; **to i. oneself** se faire plaisir **2** *vi* **to i. in sth** *(ice cream, cigar)* s'offrir qch; *(hobby, vice)* s'adonner à qch **•indulgence** *n* indulgence *f* **•indulgent** *adj* indulgent (**to** envers)

industrial [ɪn'dʌstrɪəl] *adj* industriel, -ielle; *(legislation)* du travail; *Br* **i. action** grève *f*; *Br* **to take i. action** se mettre en grève; *Br* **i. estate**, *Am* **i. park** zone *f* industrielle; **i. relations** relations *fpl* patronat-salariés; **i. tribunal** ≃ conseil *m* de prud'hommes **•industrialist** *n* industriel *m* **•industrialized** *adj* industrialisé

> Note that the French adjective **industriel** never refers to the relationship between employers and employees.

industrious [ɪn'dʌstrɪəs] *adj* travailleur, -euse

industry ['ɪndəstrɪ] *(pl* **-ies***)* *n* *(economic sector)* industrie *f*; *(hard work)* application *f*

inebriated [ɪn'i:brɪeɪtɪd] *adj* ivre

inedible [ɪn'edəbəl] *adj* immangeable

ineffective [ɪnɪ'fektɪv] *adj* *(measure)* inefficace; *(person)* incapable **•ineffectiveness** *n* inefficacité *f*

ineffectual [ɪnɪ'fektʃʊəl] *adj* *(measure)* inefficace; *(person)* incompétent

inefficient [ɪnɪ'fɪʃənt] *adj* *(person, measure)* inefficace; *(machine)* peu performant **•inefficiency** *n* inefficacité *f*

ineligible [ɪn'elɪdʒəbəl] *adj* *(candidate)* inéligible; **to be i. for sth** *(scholarship)* ne pas avoir droit à qch

inept [ɪ'nept] *adj (incompetent)* incompétent; *(foolish)* inepte

inequality [ɪnɪ'kwɒlətɪ] *(pl* **-ies)** *n* inégalité *f*

inert [ɪ'nɜːt] *adj* inerte ▪ **inertia** [-ʃə] *n* inertie *f*

inescapable [ɪnɪ'skeɪpəbəl] *adj (outcome)* inéluctable; *(conclusion)* incontournable

inevitable [ɪn'evɪtəbəl] *adj* inévitable ▪ **inevitably** *adv* inévitablement

inexcusable [ɪnɪk'skjuːzəbəl] *adj* inexcusable

inexhaustible [ɪnɪg'zɔːstəbəl] *adj* inépuisable

inexorable [ɪn'eksərəbəl] *adj* inexorable

inexpensive [ɪnɪk'spensɪv] *adj* bon marché *inv*

inexperience [ɪnɪk'spɪərɪəns] *n* inexpérience *f* ▪ **inexperienced** *adj* inexpérimenté

inexplicable [ɪnɪk'splɪkəbəl] *adj* inexplicable

inexpressible [ɪnɪk'spresəbəl] *adj* inexprimable

inextricable [ɪnɪk'strɪkəbəl] *adj* inextricable

infallible [ɪn'fæləbəl] *adj* infaillible ▪ **infalli'bility** *n* infaillibilité *f*

infamous ['ɪnfəməs] *adj (well-known)* tristement célèbre; *(crime, rumour)* infâme ▪ **infamy** *n* infamie *f*

infancy ['ɪnfənsɪ] *n* petite enfance *f*; **to be in its i.** *(of art, technique)* en être à ses premiers balbutiements

infant ['ɪnfənt] *n* bébé *m*; *Br* **i. school** = école primaire pour enfants de cinq à sept ans

infantile ['ɪnfəntaɪl] *adj Pej* infantile

infantry ['ɪnfəntrɪ] *n* infanterie *f*

infatuated [ɪn'fætʃʊeɪtɪd] *adj* entiché (**with** de) ▪ **infatu'ation** *n (with person)* tocade *f* (**for** or **with** pour)

infect [ɪn'fekt] *vt (wound, person)* infecter; *(water, food)* contaminer; **to get** or **become infected** s'infecter; **to i. sb with sth** transmettre qch à qn ▪ **infection** *n* infection *f*

infectious [ɪn'fekʃəs] *adj (disease)* infectieux, -ieuse; *(person)* contagieux, -ieuse; *(laughter)* communicatif, -ive

infer [ɪn'fɜː(r)] *(pt & pp* **-rr-)** *vt* déduire (**from** de; **that** que) ▪ **inference** ['ɪnfərəns] *n* déduction *f*; **by i.** par déduction; **to draw an i. from sth** tirer une conclusion de qch

inferior [ɪn'fɪərɪə(r)] **1** *adj* inférieur (**to** à); *(goods, work)* de qualité inférieure **2** *n (person)* inférieur, -ieure *mf* ▪ **inferiority** [-rɪ'ɒrɪtɪ] *n* infériorité *f*; **i. complex** complexe *m* d'infériorité

infernal [ɪn'fɜːnəl] *adj* infernal

inferno [ɪn'fɜːnəʊ] *(pl* **-os)** *n (blaze)* brasier *m*; *(hell)* enfer *m*

infertile [*Br* ɪn'fɜːtaɪl, *Am* ɪn'fɜːrtəl] *adj (person, land)* stérile ▪ **infertility** [-'tɪlɪtɪ] *n* stérilité *f*

infest [ɪn'fest] *vt* infester (**with** de); **rat-/shark-infested** infesté de rats/requins

infidelity [ɪnfɪ'delɪtɪ] *(pl* **-ies)** *n* infidélité *f*

infighting ['ɪnfaɪtɪŋ] *n* luttes *fpl* intestines

infiltrate ['ɪnfɪltreɪt] **1** *vt* infiltrer **2** *vi* s'infiltrer

(**into** dans) ▪ **infil'tration** *n* infiltration *f*; *Pol* noyautage *m*

infinite ['ɪnfɪnɪt] *adj & n* infini *(m)* ▪ **infinitely** *adv* infiniment ▪ **in'finity** *n Math & Phot* infini *m*; *Math* **to i.** à l'infini

infinitive [ɪn'fɪnɪtɪv] *n Grammar* infinitif *m*

infirm [ɪn'fɜːm] *adj* infirme

infirmary [ɪn'fɜːmərɪ] *(pl* **-ies)** *n (hospital)* hôpital *m*; *(sickbay)* infirmerie *f*

infirmity [ɪn'fɜːmətɪ] *(pl* **-ies)** *n (disability)* infirmité *f*

inflame [ɪn'fleɪm] *vt* enflammer ▪ **inflamed** *adj (throat, wound)* enflammé; **to become i.** s'enflammer

inflammable [ɪn'flæməbəl] *adj* inflammable ▪ **inflammation** [-flə'meɪʃən] *n* inflammation *f* ▪ **inflammatory** *adj (remark, speech)* incendiaire

inflate [ɪn'fleɪt] *vt (balloon, prices)* gonfler ▪ **inflatable** *adj* gonflable

inflation [ɪn'fleɪʃən] *n Econ* inflation *f* ▪ **inflationary** *adj Econ* inflationniste

inflection [ɪn'flekʃən] *n Grammar* flexion *f*; *(of voice)* inflexion *f*

inflexible [ɪn'fleksəbəl] *adj* inflexible

inflexion [ɪn'flekʃən] *n Br* = **inflection**

inflict [ɪn'flɪkt] *vt (punishment, defeat)* infliger (**on** à); *(wound, damage)* occasionner (**on** à); **to i. pain on sb** faire souffrir qn

influence ['ɪnflʊəns] **1** *n* influence *f* (**on** sur); **to have i. over sb** avoir de l'influence sur qn; **under the i. of drink/anger** sous l'empire de la boisson/de la colère **2** *vt* influencer ▪ **influential** [-'enʃəl] *adj* influent

influenza [ɪnflʊ'enzə] *n* grippe *f*

influx ['ɪnflʌks] *n* afflux *m* (**of** de)

info ['ɪnfəʊ] *n Fam* renseignements *mpl* (**on** sur)

inform [ɪn'fɔːm] **1** *vt* informer (**of** or **about** de; **that** que) **2** *vi* **to i. on sb** dénoncer qn ▪ **informed** *adj (person, public)* informé; **to keep sb i. of sth** tenir qn au courant de qch

informal [ɪn'fɔːməl] *adj (unaffected)* simple; *(casual)* décontracté; *(tone, language)* familier, -ière; *(unofficial)* officieux, -ieuse ▪ **informality** [-'mælɪtɪ] *n (unaffectedness)* simplicité *f*; *(casualness)* décontraction *f*; *(of talks)* caractère *m* officieux ▪ **informally** *adv (unaffectedly)* avec simplicité; *(casually)* avec décontraction; *(meet, discuss)* officieusement

informant [ɪn'fɔːmənt] *n* informateur, -trice *mf*

information [ɪnfə'meɪʃən] *n (facts, news)* renseignements *mpl* (**about** or **on** sur); *Comptr* information *f*; **a piece of i.** un renseignement, une information; **to get some i.** se renseigner; **the i. superhighway** l'autoroute *f* de l'information; **i. technology** informatique *f*

informative [ɪn'fɔːmətɪv] *adj* instructif, -ive

informer [ɪn'fɔːmə(r)] *n (police)* **i.** indicateur, -trice *mf*

infrared [ɪnfrə'red] *adj* infrarouge
infrequent [ɪn'fri:kwənt] *adj* peu fréquent ▪ **infrequently** *adv* rarement
infringe [ɪn'frɪndʒ] **1** *vt (rule, law)* enfreindre à **2** *vt insep* **to i. upon sth** empiéter sur qch ▪ **infringement** *n (of rule, law)* infraction *f* (**of** à)
infuriate [ɪn'fjʊərɪeɪt] *vt* exaspérer ▪ **infuriating** *adj* exaspérant
infuse [ɪn'fju:z] *vt (tea)* (faire) infuser ▪ **infusion** *n (drink)* infusion *f*
ingenious [ɪn'dʒi:nɪəs] *adj* ingénieux, -ieuse ▪ **ingenuity** [ɪndʒɪ'nju:ɪtɪ] *n* ingéniosité *f*
ingot ['ɪŋgət] *n* lingot *m*
ingrained ['ɪn'greɪnd] *adj (prejudice, attitude)* enraciné; **i. dirt** crasse *f*
ingratiate [ɪn'greɪʃɪeɪt] *vt* **to i. oneself with sb** s'insinuer dans les bonnes grâces de qn ▪ **ingratiating** *adj (person, smile)* doucereux, -euse
ingratitude [ɪn'grætɪtju:d] *n* ingratitude *f*
ingredient [ɪn'gri:dɪənt] *n* ingrédient *m*
ingrowing ['ɪngrəʊɪŋ] *(Am* **ingrown** ['ɪngrəʊn]*) adj (toenail)* incarné
inhabit [ɪn'hæbɪt] *vt* habiter ▪ **inhabitable** *adj* habitable ▪ **inhabitant** *n* habitant, -ante *mf*

> Note that the French words **inhabitable** and **inhabité** are false friends and are never translations for the English words **inhabitable** and **inhabited**. They mean respectively **uninhabitable** and **uninhabited**.

inhale [ɪn'heɪl] *vt (gas, fumes)* inhaler; *(cigarette smoke)* avaler ▪ **inhalation** [ɪnhə'leɪʃən] *n* inhalation *f* ▪ **inhaler** *n (for medication)* inhalateur *m*
inherent [ɪn'hɪərənt] *adj* inhérent (**in** à) ▪ **inherently** *adv* intrinsèquement
inherit [ɪn'herɪt] *vt* hériter (**from** de); *(title)* accéder à ▪ **inheritance** *n* héritage *m*; *(legal process)* succession *f*; **cultural i.** patrimoine *m*
inhibit [ɪn'hɪbɪt] *vt (progress, growth)* entraver; *(of person)* inhiber; **to i. sb from doing sth** empêcher qn de faire qch ▪ **inhibited** *adj (person)* inhibé ▪ **inhi'bition** *n* inhibition *f*
inhospitable [ɪnhɒ'spɪtəbəl] *adj* inhospitalier, -ière
inhuman [ɪn'hju:mən] *adj* inhumain ▪ **inhumane** [-'meɪn] *adj* inhumain ▪ **inhumanity** [-'mænɪtɪ] *n* inhumanité *f*, cruauté *f*
inimitable [ɪ'nɪmɪtəbəl] *adj* inimitable
iniquitous [ɪ'nɪkwɪtəs] *adj* inique ▪ **iniquity** *(pl* **-ies)** *n* iniquité *f*
initial [ɪ'nɪʃəl] **1** *adj* initial **2** *npl* **initials** *(letters)* initiales *fpl*; *(signature)* paraphe *m* **3** *(Br* **-ll-,** *Am* **-l-)** *vt* parapher ▪ **initially** *adv* au début, initialement
initiate [ɪ'nɪʃɪeɪt] *vt (reform, negotiations)* amorcer; *(attack, rumour, project)* lancer; *(policy, period)* inaugurer; **to i. sb into a gang** faire subir à qn les épreuves initiatiques d'un gang; *Law* **to i. proceedings against sb** entamer des poursuites contre qn ▪ **ini'tiation** *n (beginning)* amorce *f*; *(induction)* initiation *f*; **i. ceremony** rite *m* d'initiation ▪ **initiator** *n* initiateur, -trice *mf*
initiative [ɪ'nɪʃətɪv] *n* initiative *f*
inject [ɪn'dʒekt] *vt* injecter (**into** dans); *Fig (enthusiasm)* communiquer (**into** à); **to i. sth into sb, to i. sb with sth** faire une piqûre de qch à qn; *Fig* **to i. new life into sth** donner un nouvel essor à qch ▪ **injection** *n* injection *f*, piqûre *f*; **to give sb an i.** faire une piqûre à qn
injunction [ɪn'dʒʌŋkʃən] *n Law* arrêt *m*
injure ['ɪndʒə(r)] *vt (physically)* blesser; *(reputation, interest)* nuire à; **to i. one's foot** se blesser au pied; **to i. sb's feelings** blesser qn ▪ **injured 1** *adj* blessé **2** *npl* **the i.** les blessés *mpl*

> Note that the French verb **injurier** is a false friend and is never a translation for the English verb **to injure**. It means **to insult**.

injurious [ɪn'dʒʊərɪəs] *adj* préjudiciable (**to** à)
injury ['ɪndʒərɪ] *(pl* **-ies)** *n (physical)* blessure *f*; *Fig (wrong)* préjudice *m*; *Sport* **i. time** arrêts *mpl* de jeu

> Note that the French word **injure** is a false friend. It means **insult**.

injustice [ɪn'dʒʌstɪs] *n* injustice *f*
ink [ɪŋk] *n* encre *f* ▪ **inkpot, inkwell** *n* encrier *m* ▪ **inky** *adj* couvert d'encre
inkling ['ɪŋklɪŋ] *n* petite idée *f*; **to have an i. of sth** avoir une petite idée de qch
inlaid [ɪn'leɪd] *adj (with jewels)* incrusté (**with** de); *(with wood)* marqueté
inland 1 ['ɪnlənd, 'ɪnlænd] *adj* intérieur; *Br* **the I. Revenue** ≃ le fisc **2** [ɪn'lænd] *adv (travel)* vers l'intérieur; *(live)* dans les terres
in-laws ['ɪnlɔ:z] *npl* belle-famille *f*
inlet ['ɪnlet] *n (of sea)* crique *f*; **i. pipe** tuyau *m* d'arrivée
in-line skates [ɪnlaɪn'skeɪts] *npl* rollers *mpl* (en-ligne) ▪ **in-line skating** *n* roller *m* (en-ligne)
inmate ['ɪnmeɪt] *n (of prison)* détenu, -ue *mf*; *(of asylum)* interné, -ée *mf*
inmost ['ɪnməʊst] *adj* le plus profond (*f* la plus profonde)
inn [ɪn] *n* auberge *f*
innards ['ɪnədz] *npl Fam* entrailles *fpl*
innate [ɪ'neɪt] *adj* inné
inner ['ɪnə(r)] *adj* intérieur; *(feelings)* intime; *(ear)* interne; **i. circle** *(of society)* initiés *mpl*; **i. city** quartiers *mpl* déshérités du centre-ville; **i. tube** chambre *f* à air ▪ **innermost** *adj* le plus

profond (*f* la plus profonde); *(thoughts)* le plus
secret (*f* la plus secrète)
inning ['ɪnɪŋ] *n Baseball* tour *m* de batte
▪ **innings** *n inv Cricket* tour *m* de batte; *Fig* **a
good i.** une longue vie
innkeeper ['ɪnki:pə(r)] *n* aubergiste *mf*
innocent ['ɪnəsənt] *adj* innocent ▪ **innocence**
n innocence *f* ▪ **innocently** *adv* innocemment
innocuous [ɪ'nɒkjʊəs] *adj* inoffensif, -ive
innovate ['ɪnəveɪt] *vi* innover ▪ **inno'vation**
n innovation *f* ▪ **innovator** *n* innovateur, -trice
mf
innuendo [ɪnjʊ'endəʊ] *(pl* **-oes** *or* **-os)** *n*
insinuation *f*
innumerable [ɪ'nju:mərəbəl] *adj* innombrable
inoculate [ɪ'nɒkjʊleɪt] *vt* vacciner **(against**
contre) ▪ **inocu'lation** *n* inoculation *f*
inoffensive [ɪnə'fensɪv] *adj* inoffensif, -ive
inoperative [ɪn'ɒpərətɪv] *adj (machine)* arrêté;
(rule) inopérant
inopportune [ɪn'ɒpətju:n] *adj* inopportun
inordinate [ɪ'nɔ:dɪnət] *adj* excessif, -ive
▪ **inordinately** *adv* excessivement
in-patient ['ɪnpeɪʃənt] *n Br* malade *mf*
hospitalisé(e)
input ['ɪnpʊt] **1** *n (contribution)* contribution *f*;
Comptr entrée *f*; *(data)* données *fpl*; *El*
puissance *f* d'alimentation **2** *(pt & pp* **-put)** *vt*
Comptr (data) entrer
inquest ['ɪnkwest] *n Law* enquête *f*
inquire [ɪn'kwaɪə(r)] **1** *vt* demander; **to i. how
to get to...** demander le chemin de... **2** *vi* se
renseigner **(about** sur); **to i. after sb**
demander des nouvelles de qn; **to i. into sth**
faire des recherches sur qch ▪ **inquiring** *adj
(mind, look)* curieux, -ieuse
inquiry [ɪn'kwaɪərɪ] *(pl* **-ies)** *n (request for
information)* demande *f* de renseignements;
(official investigation) enquête *f*; **'inquiries'** *(on
sign)* 'renseignements'; **to make inquiries**
demander des renseignements; *(of police)*
enquêter
inquisitive [ɪn'kwɪzɪtɪv] *adj* curieux, -ieuse
▪ **inqui'sition** *n (inquiry) & Rel* inquisition *f*
▪ **inquisitively** *adv* avec curiosité
inroads ['ɪnrəʊdz] *npl (attacks)* incursions *fpl*
(into dans); **to make i. into** *(savings, capital)*
entamer; *(market)* pénétrer
insane [ɪn'seɪn] *adj* dément, fou *(f* folle); **to go
i.** perdre la raison; **to be i. with grief** être fou de
chagrin ▪ **insanely** *adv* comme un fou *(f* une
folle) ▪ **insanity** [-'sænɪtɪ] *n* démence *f*
insanitary [ɪn'sænɪtərɪ] *adj* insalubre
insatiable [ɪn'seɪʃəbəl] *adj* insatiable
inscribe [ɪn'skraɪb] *vt* inscrire; *(book)*
dédicacer **(to** à) ▪ **inscription** [-'skrɪpʃən] *n*
inscription *f*; *(in book)* dédicace *f*
inscrutable [ɪn'skru:təbəl] *adj* impénétrable
insect ['ɪnsekt] *n* insecte *m*; **i. powder/spray**

poudre *f*/bombe *f* insecticide; **i. repellent**
anti-moustiques *m inv* ▪ **in'secticide** *n* insecticide *m*
insecure [ɪnsɪ'kjʊə(r)] *adj (unsafe)* peu sûr;
(job, future) précaire; *(person)* angoissé; **to be
financially i.** être dans une situation
financièrement précaire ▪ **insecurity** *n (of
job, future)* précarité *f*; *(of person)* angoisse *f*
insemination [ɪnsemɪ'neɪʃən] *n* **artificial i.**
insémination artificielle
insensible [ɪn'sensəbəl] *adj (unaware,
unconscious)* inconscient **(to** de)
insensitive [ɪn'sensɪtɪv] *adj (person)*
insensible **(to** à); *(remark)* indélicat
▪ **insensi'tivity** *n* insensibilité *f*
inseparable [ɪn'sepərəbəl] *adj* inséparable
(from de)
insert [ɪn'sɜ:t] *vt* insérer **(in** *or* **into** dans)
▪ **insertion** *n* insertion *f*
inshore 1 ['ɪnʃɔ:(r)] *adj* côtier, -ière **2**
[ɪn'ʃɔ:(r)] *adv (fish)* près des côtes
inside 1 ['ɪnsaɪd] *adj* intérieur; *(information)*
obtenu à la source; **the i. lane** *Br* la voie de
gauche, *Am* la voie de droite **2** ['ɪn'saɪd] *n*
intérieur *m*; *Fam* **insides** *(stomach)* entrailles
fpl; **on the i.** à l'intérieur **(of** de); **i. out** *(clothes)*
à l'envers; *(know, study)* à fond; *Fig* **to turn
everything i. out** tout chambouler **3** [ɪn'saɪd]
adv à l'intérieur; *Fam (in prison)* en taule; **come
i.!** entrez! **4** [ɪn'saɪd] *prep* à l'intérieur de, dans;
(time) en moins de
insider [ɪn'saɪdə(r)] *n* initié, -iée *mf*; *Fin* **i.
dealing** *or* **trading** délit *m* d'initié
insidious [ɪn'sɪdɪəs] *adj* insidieux, -ieuse
insight ['ɪnsaɪt] *n* perspicacité *f*; *(into question)*
aperçu *m*; **to give sb an i. into** *(sb's character)*
permettre à qn de comprendre; *(question)*
donner à qn un aperçu de
insignia [ɪn'sɪgnɪə] *n* insignes *mpl*
insignificant [ɪnsɪg'nɪfɪkənt] *adj* insignifiant
▪ **insignificance** *n* insignifiance *f*
insincere [ɪnsɪn'sɪə(r)] *adj* peu sincère
▪ **insincerity** [-'serɪtɪ] *n* manque *m* de sincérité
insinuate [ɪn'sɪnjʊeɪt] *vt (suggest)* insinuer
(that que); **to i. oneself into sb's good
favours** s'insinuer dans les bonnes grâces de
qn ▪ **insinu'ation** *n* insinuation *f*
insipid [ɪn'sɪpɪd] *adj* insipide
insist [ɪn'sɪst] **1** *vt (maintain)* soutenir **(that**
que); **I i. that you come** *or* **on your coming** *(I
demand it)* j'insiste pour que tu viennes **2** *vi*
insister; **to i. on sth** *(demand)* exiger qch;
(assert) affirmer qch; **to i. on doing sth** tenir à
faire qch
insistence [ɪn'sɪstəns] *n* insistance *f*; **her i. on
seeing me** l'insistance qu'elle met à vouloir me
voir
insistent [ɪn'sɪstənt] *adj (person, request)*
pressant; **to be i. (that)** insister (pour que +

subjunctive); **I was i. about it** j'ai insisté ▪ **insistently** *adv* avec insistance

insolent ['ɪnsələnt] *adj* insolent ▪ **insolence** *n* insolence *f* ▪ **insolently** *adv* insolemment

insoluble [ɪn'sɒljʊbəl] *adj* insoluble

insolvent [ɪn'sɒlvənt] *adj (financially)* insolvable

insomnia [ɪn'sɒmnɪə] *n* insomnie *f* ▪ **insomniac** [-nɪæk] *n* insomniaque *mf*

insomuch as [ɪnsəʊ'mʌtʃəz] *adv* = **inasmuch as**

inspect [ɪn'spekt] *vt* inspecter; *(tickets)* contrôler; *(troops)* passer en revue ▪ **inspection** *n* inspection *f*; *(of tickets)* contrôle *m*; *(of troops)* revue *f* ▪ **inspector** *n* inspecteur, -trice *mf*; *(on train)* contrôleur, -euse *mf*

inspire [ɪn'spaɪə(r)] *vt* inspirer; **to i. sb to do sth** pousser qn à faire qch; **to i. sb with sth** inspirer qch à qn ▪ **inspiration** [-spə'reɪʃən] *n* inspiration *f*; *(person)* source *f* d'inspiration ▪ **inspired** *adj* inspiré ▪ **inspiring** *adj* exaltant

instability [ɪnstə'bɪlɪtɪ] *n* instabilité *f*

install [ɪn'stɔːl] *(Am* **instal***) vt* installer ▪ **installation** [-stə'leɪʃən] *n* installation *f*

instalment [ɪn'stɔːlmənt] *(Am* **installment***) n (part payment)* versement *m*; *(of serial, story)* épisode *m*; *(of publication)* fascicule *m*; **to pay by instalments** payer par versements échelonnés; *Am* **to buy on the i. plan** acheter à crédit

instance ['ɪnstəns] *n (example)* exemple *m*; *(case)* cas *m*; **for i.** par exemple; **in this i.** dans le cas présent; **in the first i.** en premier lieu

Note that the French noun **instance** is a false friend. It never means **example**.

instant ['ɪnstənt] **1** *adj* immédiat; **i. camera** appareil photo *m* à développement instantané; **i. coffee** café *m* instantané; *Comptr* **i. messaging** messagerie *f* instantanée **2** *n (moment)* instant *m*; **this (very) i.** *(at once)* à l'instant; **the i. that I saw her** dès que je l'ai vue ▪ **instantly** *adv* immédiatement

instantaneous [ɪnstən'teɪnɪəs] *adj* instantané

instead [ɪn'sted] *adv (in place of sth)* à la place; *(in place of sb)* à ma/ta/etc place; **i. of sth** au lieu de qch; **i. of doing sth** au lieu de faire qch; **i. of sb** à la place de qn; **i. of him/her** à sa place

instep ['ɪnstep] *n (of foot)* cou-de-pied *m*; *(of shoe)* cambrure *f*

instigate ['ɪnstɪgeɪt] *vt* provoquer ▪ **insti'gation** *n* instigation *f* ▪ **instigator** *n* instigateur, -trice *mf*

instil [ɪn'stɪl] *(Am* **instill***) (pt & pp* **-ll-***) vt (idea)* inculquer (**into** à); *(courage)* insuffler (**into** à); *(doubt)* instiller (**in** à)

instinct ['ɪnstɪŋkt] *n* instinct *m*; **by i.** d'instinct

▪ **in'stinctive** *adj* instinctif, -ive ▪ **in'stinctively** *adv* instinctivement

institute ['ɪnstɪtjuːt] **1** *n* institut *m* **2** *vt (rule, practice)* instituer; *Law (inquiry)* ordonner; *Law* **to i. proceedings against sb** entamer des poursuites contre qn

institution [ɪnstɪ'tjuːʃən] *n (organization, custom)* institution *f*; *(public, financial, religious, psychiatric)* établissement *m* ▪ **institutional** *adj* institutionnel, -elle

instruct [ɪn'strʌkt] *vt (teach)* enseigner (**sb in sth** qch à qn); **to i. sb about sth** *(inform)* instruire qn de qch; **to i. sb to do** *(order)* charger qn de faire

instruction [ɪn'strʌkʃən] *n (teaching)* instruction *f*; **instructions** *(orders)* instructions *fpl*; **instructions (for use)** mode *m* d'emploi

instructive [ɪn'strʌktɪv] *adj* instructif, -ive

instructor [ɪn'strʌktə(r)] *n (for judo, dance)* professeur *m*; *(for skiing, swimming)* moniteur, -trice *mf*; *(military)* instructeur *m*; *(in American university)* maître-assistant, -ante *mf*; **driving i.** moniteur, -trice *mf* d'auto-école

instrument ['ɪnstrəmənt] *n* instrument *m*

instrumental [ɪnstrə'mentəl] *adj (music)* instrumental; **to be i. in sth/in doing sth** contribuer à qch/à faire qch ▪ **instrumentalist** *n* instrumentiste *mf*

instrumentation [ɪnstrəmən'teɪʃən] *n Mus* orchestration *f*

insubordinate [ɪnsə'bɔːdɪnət] *adj* insubordonné ▪ **insubordi'nation** *n* insubordination *f*

insubstantial [ɪnsəb'stænʃəl] *adj (argument, evidence)* peu solide

insufferable [ɪn'sʌfərəbəl] *adj* intolérable

insufficient [ɪnsə'fɪʃənt] *adj* insuffisant ▪ **insufficiently** *adv* insuffisamment

insular ['ɪnsjʊlə(r)] *adj (climate)* insulaire; *(views)* étroit, borné

insulate ['ɪnsjʊleɪt] *vt (against cold) & El* isoler; *(against sound)* insonoriser; *Fig* **to i. sb from sth** protéger qn de qch; **insulating tape** chatterton *m* ▪ **insu'lation** *n* isolation *f*; *(against sound)* insonorisation *f*; *(material)* isolant *m*

insulin ['ɪnsjʊlɪn] *n* insuline *f*

insult 1 ['ɪnsʌlt] *n* insulte *f* (**to** à); **to add i. to injury** pour aggraver les choses **2** [ɪn'sʌlt] *vt* insulter ▪ **in'sulting** *adj (words, offer)* insultant

insuperable [ɪn'suːpərəbəl] *adj* insurmontable

insure [ɪn'ʃʊə(r)] *vt* (**a**) *(house, car, goods)* assurer (**against** contre) (**b**) *Am* = **ensure** ▪ **insurance** *n* assurance *f*; **i. company** compagnie *f* d'assurances; **i. policy** police *f* d'assurance

insurgent [ɪn'sɜːdʒənt] *n* insurgé, -ée *mf*

insurmountable [ɪnsə'maʊntəbəl] *adj* insurmontable

insurrection [ɪnsə'rekʃən] *n* insurrection *f*

intact [ɪn'tækt] *adj* intact

intake ['ɪnteɪk] *n (of food)* consommation *f*; *(of students, schoolchildren)* admissions *fpl*; *(of recruits)* contingent *m*; *Tech (of gas, air)* admission *f*

intangible [ɪn'tændʒəbəl] *adj* intangible

integral ['ɪntɪgrəl] *adj* intégral; **to be an i. part of sth** faire partie intégrante de qch

integrate ['ɪntɪgreɪt] **1** *vt* intégrer (**into** dans); **integrated school** école *f* où se pratique la déségrégation raciale **2** *vi* s'intégrer (**into** dans) ▪ **inte'gration** *n* intégration *f*; **(racial) i.** déségrégation *f* raciale

integrity [ɪn'tegrɪtɪ] *n* intégrité *f*

intellect ['ɪntɪlekt] *n* intelligence *f*, intellect *m* ▪ **inte'llectual** *adj & n* intellectuel, -uelle *(mf)*

intelligence [ɪn'telɪdʒəns] *n* intelligence *f*; *(information)* renseignements *mpl*; **i. service** services *mpl* secrets

intelligent [ɪn'telɪdʒənt] *adj* intelligent ▪ **intelligently** *adv* intelligemment

intelligentsia [ɪntelɪ'dʒentsɪə] *n* intelligentsia *f*

intelligible [ɪn'telɪdʒəbəl] *adj* intelligible ▪ **intelligi'bility** *n* intelligibilité *f*

intemperance [ɪn'tempərəns] *n* intempérance *f*

intend [ɪn'tend] *vt (gift, remark)* destiner (**for** à); **to be intended for sb** être destiné à qn; **to be intended to do sth** être destiné à faire qch; **to i. to do sth** avoir l'intention de faire qch; **I i. you to stay** mon intention est que vous restiez ▪ **intended** *adj (deliberate)* voulu; *(planned)* prévu; *(effect)* escompté; **was that i.?** était-ce intentionnel?

intense [ɪn'tens] *adj* intense; *(interest)* vif *(f* vive*)*; *(person)* passionné ▪ **intensely** *adv (look at)* intensément; *Fig (very)* extrêmement

intensify [ɪn'tensɪfaɪ] *(pt & pp* **-ied***)* **1** *vt* intensifier **2** *vi* s'intensifier ▪ **intensification** [-fɪ'keɪʃən] *n* intensification *f*

intensity [ɪn'tensɪtɪ] *n* intensité *f*

intensive [ɪn'tensɪv] *adj* intensif, -ive; **in i. care** en réanimation; **i. care unit** service *m* de réanimation

intent [ɪn'tent] **1** *adj (look)* intense; **to be i. on doing** être résolu à faire; **i. on one's task** absorbé par son travail **2** *n* intention *f*; **to all intents and purposes** quasiment

intention [ɪn'tenʃən] *n* intention *f* (**of doing** de faire); **to have every i. of doing sth** avoir la ferme intention de faire qch

intentional [ɪn'tenʃənəl] *adj* intentionnel, -elle; **it wasn't i.** ce n'était pas fait exprès ▪ **intentionally** *adv* intentionnellement, exprès

inter [ɪn'tɜː(r)] *(pt & pp* **-rr-***)* *vt* enterrer

inter- ['ɪntə(r)] *pref* inter-

interact [ɪntər'ækt] *vi (of person)* communiquer (**with** avec); *(of several people)* communiquer

entre eux/elles; *(of ideas)* être inter-dépendant(e)s; *(of chemicals)* réagir (**with** avec) ▪ **interaction** *n* interaction *f* ▪ **interactive** *adj* Comptr interactif, -ive

intercede [ɪntə'siːd] *vi* intercéder (**with** auprès de

intercept [ɪntə'sept] *vt* intercepter ▪ **interception** *n* interception *f*

interchange ['ɪntətʃeɪndʒ] *n Br (on road)* échangeur *m*

interchangeable [ɪntə'tʃeɪndʒəbəl] *adj* interchangeable

inter-city [ɪntə'sɪtɪ] *adj Br* **i. service** grandes lignes *fpl*; *Br* **i. train** train *m* de grandes lignes

intercom ['ɪntəkɒm] *n* Interphone® *m*

interconnected [ɪntəkə'nektɪd] *adj (facts)* lié(e)s ▪ **interconnecting** *adj* **i. rooms** pièces *fpl* communicantes

intercontinental [ɪntəkɒntɪ'nentəl] *adj* inter-continental

intercourse ['ɪntəkɔːs] *n (sexual)* rapports *mpl* sexuels

interdependent [ɪntədɪ'pendənt] *adj* interdé-pendant; *(parts of machine)* solidaire

interest ['ɪntərest, 'ɪntrɪst] **1** *n* intérêt *m*; *(hobby)* centre *m* d'intérêt; *(money)* intérêts *mpl*; **to take an i. in sb/sth** s'intéresser à qn/ qch; **to lose i. in sb/sth** se désintéresser de qn/qch; **to have a financial i. in sth** avoir investi financièrement dans qch; **to act in sb's i.** agir dans l'intérêt de qn; **it's in my i. to do it** j'ai tout intérêt à le faire; **to be of i.** être intéressant; **to be of i. to sb** intéresser qn **2** *vt* intéresser ▪ **interested** *adj* intéressé; **to seem i.** sembler intéressé (**in** par); **to be i. in sb/sth** s'intéresser à qn/qch; **I'm i. in doing that** ça m'intéresse de faire ça; **are you i.?** ça vous intéresse? ▪ **interest-free** *adj (loan)* sans intérêts; *(credit)* gratuit ▪ **interesting** *adj* intéressant ▪ **interestingly** *adv* **i. (enough), she...** curieusement, elle...

interface ['ɪntəfeɪs] *n* Comptr interface *f*

interfere [ɪntə'fɪə(r)] *vi (meddle)* se mêler (**in** de); **to i. with sth** *(hinder)* gêner qch; *(touch)* toucher à qch; **don't i.!** ne te mêle pas de ce qui ne te regarde pas! ▪ **interfering** *adj (person)* qui se mêle de tout

interference [ɪntə'fɪərəns] *n* ingérence *f*; *TV &* Radio parasites *mpl*

interim ['ɪntərɪm] **1** *n* **in the i.** entre-temps **2** *adj (measure)* provisoire; *(post)* intérimaire

interior [ɪn'tɪərɪə(r)] **1** *adj* intérieur; **i. decoration** décoration *f* (d'intérieurs) **2** *n* intérieur *m*; *Am Pol* **Department of the I.** ministère *m* de l'Intérieur

interjection [ɪntə'dʒekʃən] *n* interjection *f*

interlock [ɪntə'lɒk] *vi (of machine parts)* s'emboîter

interloper ['ɪntələʊpə(r)] *n* intrus, -use *mf*

interlude ['ɪntəluːd] n (on TV) interlude m; (in theatre) intermède m; (period of time) intervalle m

intermarry [ɪntə'mærɪ] (pt & pp -ied) vi se marier (au sein d'une même famille) ▪ **intermarriage** n (within a family) mariage m consanguin; (with member of another group) mariage

intermediary [ɪntə'miːdɪərɪ] (pl -ies) adj & n intermédiaire (mf)

intermediate [ɪntə'miːdɪət] adj intermédiaire; (course, student) de niveau moyen

interminable [ɪn'tɜːmɪnəbəl] adj interminable

intermingle [ɪntə'mɪŋgəl] vi se mélanger

intermission [ɪntə'mɪʃən] n entracte m

intermittent [ɪntə'mɪtənt] adj intermittent ▪ **intermittently** adv par intermittence

intern 1 ['ɪntɜːn] n Am Med interne mf **2** [ɪn'tɜːn] vt (imprison) interner ▪ **in'ternment** n Pol internement m

internal [ɪn'tɜːnəl] adj interne; (flight, policy) intérieur; **i. combustion engine** moteur m à combustion interne; Am **the I. Revenue Service** ≃ le fisc ▪ **internally** adv intérieurement; 'not to be taken i.' (medicine) 'à usage externe'

international [ɪntə'næʃənəl] **1** adj international **2** n (match) rencontre f internationale; (player) international m ▪ **internationally** adv **i. famous** mondialement connu; **i. recognized** reconnu dans le monde entier

Internet ['ɪntənet] n Comptr **the I.** l'Internet m; **on the I.** sur Internet; **I. access** accès m (à l')Internet; **I. service provider** fournisseur m d'accès Internet; **I. user** internaute mf

interplanetary [ɪntə'plænɪtərɪ] adj interplanétaire

interplay ['ɪntəpleɪ] n interaction f (of or between de)

interpret [ɪn'tɜːprɪt] **1** vt interpréter **2** vi (translate for people) faire l'interprète ▪ **interpre'tation** n interprétation f ▪ **interpreter** n interprète mf

interrelated [ɪntərɪ'leɪtɪd] adj lié ▪ **interrelation** n corrélation f

interrogate [ɪn'terəgeɪt] vt interroger ▪ **interro'gation** n interrogation f; (by police) interrogatoire m ▪ **interrogator** n interrogateur, -trice mf

interrogative [ɪntə'rɒgətɪv] adj & n Grammar interrogatif, -ive (m)

interrupt [ɪntə'rʌpt] **1** vt interrompre **2** vi I'm **sorry to i.** je suis désolé de vous interrompre ▪ **interruption** n interruption f

intersect [ɪntə'sekt] **1** vt couper **2** vi se couper ▪ **intersection** n intersection f; (of roads) croisement m

interspersed [ɪntə'spɜːst] adj **i. with** sth parsemé de qch; **weeks of work i. with visits to the theatre** des semaines de travail entrecoupées de sorties au théâtre

intertwine [ɪntə'twaɪn] **1** vt entrelacer **2** vi s'entrelacer

interval ['ɪntəvəl] n intervalle m; Br (in theatre, cinema) entracte m; **at intervals** (time) de temps à autre; (space) par intervalles; **at five-minute intervals** toutes les cinq minutes; **bright** or **sunny intervals** éclaircies fpl

intervene [ɪntə'viːn] vi (of person) intervenir (in dans); (of event) survenir; **ten years intervened** dix années s'écoulèrent; **if nothing intervenes** s'il n'arrive rien entre-temps ▪ **intervention** [-'venʃən] n intervention f

interview ['ɪntəvjuː] **1** n entretien m (with avec); TV & Journ interview m ou f; **to call sb for** or **to an i.** convoquer qn **2** vt (for job) faire passer un entretien à; TV & Journ interviewer ▪ **interviewer** n TV & Journ interviewer, -euse mf; (for research, in canvassing) enquêteur, -euse mf

intestine [ɪn'testɪn] n intestin m

intimate¹ ['ɪntɪmət] adj intime; (friendship) profond; (knowledge) approfondi ▪ **intimacy** n intimité f ▪ **intimately** adv intimement

intimate² ['ɪntɪmeɪt] vt (hint at) faire comprendre; (make known) signifier ▪ **inti'mation** n (announcement) annonce f; (hint) suggestion f; (sign) indication f

intimidate [ɪn'tɪmɪdeɪt] vt intimider ▪ **intimi'dation** n intimidation f

into ['ɪntuː, unstressed 'ɪntə] prep (a) dans; **to put sth i. sth** mettre qch dans qch; **to go i. a room** entrer dans une pièce; **to go i. detail** entrer dans les détails (b) en; **to translate i. French** traduire en français; **to change sb i. sth** changer qn en qch; **to break sth i. pieces** briser qch en morceaux; **to go i. town** aller en ville (c) Math **three i. six goes two** six divisé par trois fait deux (d) Fam **to be i. jazz** être branché jazz

intolerable [ɪn'tɒlərəbəl] adj intolérable (that que + subjunctive)

intolerance [ɪn'tɒlərəns] n intolérance f ▪ **intolerant** adj intolérant; **to be i. of sb** être intolérant à l'égard de qn; **to be i. of sth** ne pas tolérer qch

intonation [ɪntə'neɪʃən] n intonation f

intoxicate [ɪn'tɒksɪkeɪt] vt enivrer ▪ **intoxicated** adj ivre; Fig **to be i. with fame** être ivre de gloire ▪ **intoxi'cation** n ivresse f

intractable [ɪn'træktəbəl] adj (person) intraitable; (problem) épineux, -euse

Intranet ['ɪntrənet] n Comptr Intranet m

intransigent [ɪn'trænsɪdʒənt] adj intransigeant ▪ **intransigence** n intransigeance f

intransitive [ɪn'trænsɪtɪv] adj Grammar intransitif, -ive

intravenous [ɪntrə'viːnəs] adj Med intraveineux, -euse

in-tray ['ɪntreɪ] n (in office) bac m du courrier à traiter

intrepid [ɪn'trepɪd] *adj* intrépide

intricate ['ɪntrɪkət] *adj* compliqué ▪ **intricacy** (*pl* **-ies**) *n* complexité *f*

intrigue 1 ['ɪntriːg] *n (plot)* intrigue *f* **2** [ɪn'triːg] *vt (interest)* intriguer; **I'm intrigued to know…** je suis curieux de savoir… ▪ **intriguing** *adj (news, attitude)* curieux, -ieuse

intrinsic [ɪn'trɪnsɪk] *adj* intrinsèque ▪ **intrinsically** *adv* intrinsèquement

introduce [ɪntrə'djuːs] *vt (bring in, insert)* introduire (**into** dans); *(programme, subject)* présenter; **to i. sb (to sb)** présenter qn (à qn); **to i. oneself (to sb)** se présenter (à qn); **to i. sb to Dickens/geography** faire découvrir Dickens/la géographie à qn

introduction [ɪntrə'dʌkʃən] *n* introduction *f*; *(of person to person)* présentation *f*; **i. to computing** initiation *f* à l'informatique; **her i. to life abroad** son premier contact avec la vie à l'étranger

introductory [ɪntrə'dʌktərɪ] *adj (words, speech)* d'introduction; *(course)* d'initiation; **i. price** prix *m* de lancement

introspective [ɪntrə'spektɪv] *adj* introspectif, -ive ▪ **introspection** *n* introspection *f*

introvert ['ɪntrəvɜːt] *n* introverti, -ie *mf*

intrude [ɪn'truːd] *vi (of person)* déranger (**on sb** qn); **to i. on sb's time** abuser du temps de qn; **to i. on sb's privacy** s'immiscer dans la vie privée de qn ▪ **intruder** *n* intrus, -use *mf* ▪ **intrusion** *n (bother)* dérangement *m*; *(interference)* intrusion *f* (**into** dans); **forgive my i.** pardonnez-moi de vous avoir dérangé

intuition [ɪntjuː'ɪʃən] *n* intuition *f* ▪ **in'tuitive** *adj* intuitif, -ive

Inuit ['ɪnjuːɪt] **1** *adj* inuit *inv* **2** *n* Inuit *mf inv*

inundate ['ɪnʌndeɪt] *vt* inonder (**with** de); **inundated with work/letters** submergé de travail/lettres ▪ **inun'dation** *n* inondation *f*

invade [ɪn'veɪd] *vt* envahir; **to i. sb's privacy** s'immiscer dans la vie privée de qn ▪ **invader** *n* envahisseur, -euse *mf*

invalid[1] ['ɪnvəlɪd] *adj & n* malade *(mf)*; *(disabled person)* infirme *(mf)*

invalid[2] [ɪn'vælɪd] *adj (ticket)* non valable ▪ **invalidate** *vt (ticket)* annuler; *(election, law)* invalider; *(theory)* infirmer

invaluable [ɪn'væljʊəbəl] *adj* inestimable

invariable [ɪn'veərɪəbəl] *adj* invariable ▪ **invariably** *adv* invariablement

invasion [ɪn'veɪʒən] *n* invasion *f*; **i. of sb's privacy** atteinte *f* à la vie privée de qn

invective [ɪn'vektɪv] *n* invectives *fpl*

inveigh [ɪn'veɪ] *vi Formal* **to i. against sb/sth** invectiver contre qn/qch

inveigle [ɪn'veɪgəl] *vt* **to i. sb into doing sth** entortiller qn pour qu'il fasse qch

invent [ɪn'vent] *vt* inventer ▪ **invention** *n* invention *f*; *(creativity)* inventivité *f*

inventive *adj* inventif, -ive ▪ **inventiveness** *n* inventivité *f* ▪ **inventor** *n* inventeur, -trice *mf*

inventory ['ɪnvəntrɪ] *(pl* **-ies**) *n* inventaire *m*

inverse [ɪn'vɜːs] *adj* inverse; **in i. proportion to sth** inversement proportionnel, -elle à qch

invert [ɪn'vɜːt] *vt (order)* intervertir; *(turn upside down)* renverser; *Br* **inverted commas** guillemets *mpl* ▪ **inversion** *n* interversion *f*; *Grammar & Anat* inversion *f*

invest [ɪn'vest] **1** *vt (money)* investir (**in** dans); *(time, effort)* consacrer (**in** à); **to i. sb with** *(right, power)* investir qn de **2** *vi* **to i. in** *(company)* investir dans; *Fig (car)* se payer ▪ **investment** *n* investissement *m* ▪ **investor** *n (in shares)* investisseur *m*

investigate [ɪn'vestɪgeɪt] **1** *vt (examine)* examiner; *(crime)* enquêter sur **2** *vi Fam* **to go and i.** aller voir ce qui se passe ▪ **investi'gation** *n* examen *m*, étude *f*; *(inquiry by journalist, police)* enquête *f* (**of** *or* **into** sur) ▪ **investigator** *n (detective)* enquêteur, -euse *mf*; *(private)* détective *m*

investiture [ɪn'vestɪtʃə(r)] *n* investiture *f*

inveterate [ɪn'vetərət] *adj* invétéré

invidious [ɪn'vɪdɪəs] *adj (unfair)* injuste; *(unpleasant)* ingrat, pénible

invigilate [ɪn'vɪdʒɪleɪt] *vi Br (in school)* être de surveillance à un examen ▪ **invigilator** *n Br* surveillant, -ante *mf (à un examen)*

invigorate [ɪn'vɪgəreɪt] *vt* revigorer ▪ **invigorating** *adj* vivifiant

invincible [ɪn'vɪnsəbəl] *adj* invincible

invisible [ɪn'vɪzəbəl] *adj* invisible; **i. ink** encre *f* sympathique

invite 1 [ɪn'vaɪt] *vt* inviter (**to do** à faire); *(ask for)* demander; *(criticism)* aller au devant de; **you're inviting trouble** tu cherches les ennuis; **to i. sb out** inviter qn (à sortir); **to i. sb over** inviter qn (à venir) **2** ['ɪnvaɪt] *n Fam* invit' *f* ▪ **invitation** [-və'teɪʃən] *n* invitation *f* ▪ **in'viting** *adj (prospect)* engageant; *(food)* appétissant

invoice ['ɪnvɔɪs] **1** *n* facture *f* **2** *vt (goods)* facturer; *(person)* envoyer la facture à

invoke [ɪn'vəʊk] *vt* invoquer

involuntary [ɪn'vɒləntərɪ] *adj* involontaire ▪ **involuntarily** *adv* involontairement

involve [ɪn'vɒlv] *vt (entail)* entraîner; **to i. sb in sth** impliquer qn dans qch; *(in project)* associer qn à qch; **the job involves going abroad** le poste nécessite des déplacements à l'étranger; **what does the job i.?** en quoi consiste le travail?

involved [ɪn'vɒlvd] *adj* (**a**) **to be i. in sth** *(crime, affair)* être impliqué dans qch; **to be i. in an accident** avoir un accident; **to be i. in teaching** être dans l'enseignement; **fifty people were i. in the project** cinquante personnes ont pris part au projet; **the police**

became i. la police est intervenue; **to get i. in a book** s'absorber dans un livre; **to be i. with sb** *(emotionally)* avoir une liaison avec qn; **I don't want to get i.** *(be a part of it)* je ne veux pas m'en mêler; *(emotionally)* je ne veux pas m'engager; **the factors i.** *(at stake)* les facteurs en jeu; **the person i.** *(concerned)* la personne en question; **to be directly i.** être directement concerné (**b**) *(complicated)* compliqué

involvement [ɪn'vɒlvmənt] *n* participation *f* (**in** à); *(commitment)* engagement *m* (**in** dans); **emotional i.** liaison *f*

invulnerable [ɪn'vʌlnərəbəl] *adj* invulnérable

inward ['ɪnwəd] **1** *adj & adv (movement, move)* vers l'intérieur **2** *adj (inner) (happiness)* intérieur; *(thoughts)* intime ▪ **inward-looking** *adj* replié sur soi-même ▪ **inwardly** *adv (laugh, curse)* intérieurement ▪ **inwards** *adv* vers l'intérieur

in-your-face [ɪnjə'feɪs] *adj (documentary, film)* sans fard; *(attitude)* agressif, -ive

iodine [*Br* 'aɪədiːn, *Am* 'aɪədaɪn] *n Chem* iode *m*; *(antiseptic)* teinture *f* d'iode

iota [aɪ'əʊtə] *n (of truth, guilt)* once *f*

IOU [aɪəʊ'juː] *(abbr* **I owe you)** *n* reconnaissance *f* de dette

IQ [aɪ'kjuː] *(abbr* **intelligence quotient)** *n* QI *m inv*

Iran [ɪ'rɑːn, ɪ'ræn] *n* l'Iran *m* ▪ **Iranian** [ɪ'reɪnɪən, *Am* ɪ'rɑːnɪən] **1** *adj* iranien, -ienne **2** *n* Iranien, -ienne *mf*

Iraq [ɪ'rɑːk] *n* l'Irak *m* ▪ **Iraqi 1** *adj* irakien, -ienne **2** *n* Irakien, -ienne *mf*

irascible [ɪ'ræsəbəl] *adj* irascible

irate [aɪ'reɪt] *adj* furieux, -ieuse

Ireland ['aɪələnd] *n* l'Irlande *f* ▪ **Irish** ['aɪərɪʃ] **1** *adj* irlandais **2** *n (language)* irlandais *m*; **the I.** *(people)* les Irlandais *mpl* ▪ **Irishman** *(pl* **-men)** *n* Irlandais *m* ▪ **Irishwoman** *(pl* **-women)** *n* Irlandaise *f*

iris ['aɪərɪs] *n (plant, of eye)* iris *m*

irk [ɜːk] *vt* agacer ▪ **irksome** *adj* agaçant

iron ['aɪən] **1** *n* fer *m*; *(for clothes)* fer à repasser; **i. and steel industry** sidérurgie *f*; **an i. will** une volonté de fer; **the I. Curtain** le rideau de fer; *Br* **old i., scrap i.** ferraille *f* **2** *vt (clothes)* repasser; *Fig* **to i. out difficulties** aplanir les difficultés ▪ **ironing** *n* repassage *m*; **i. board** planche *f* à repasser

ironmonger ['aɪənmʌŋgə(r)] *n* quincaillier, -ière *mf*; **i.'s shop** quincaillerie *f* ▪ **ironmongery** *n* quincaillerie *f*

ironwork ['aɪənwɜːk] *n* ferronnerie *f*

irony ['aɪərənɪ] *n* ironie *f* ▪ **ironic(al)** [aɪ'rɒnɪk(əl)] *adj* ironique

irradiate [ɪ'reɪdɪeɪt] *vt (subject to radiation)* irradier; **irradiated food** aliments *mpl* irradiés

irrational [ɪ'ræʃənəl] *adj* irrationnel, -elle

irreconcilable [ɪrekən'saɪləbəl] *adj (people)* irréconciliable; *(views, laws)* inconciliable

irrefutable [ɪrɪ'fjuːtəbəl] *adj (evidence)* irréfutable

irregular [ɪ'regjʊlə(r)] *adj* irrégulier, -ière ▪ **irregularity** [-'lærɪtɪ] *(pl* **-ies)** *n* irrégularité *f*

irrelevant [ɪ'reləvənt] *adj* sans rapport (**to** avec); *(remark)* hors de propos; **that's i.** ça n'a rien à voir (avec la question) ▪ **irrelevance** *n* manque *m* de rapport

irreparable [ɪ'repərəbəl] *adj (harm, loss)* irréparable

irreplaceable [ɪrɪ'pleɪsəbəl] *adj* irremplaçable

irrepressible [ɪrɪ'presəbəl] *adj (laughter, urge)* irrépressible

irreproachable [ɪrɪ'prəʊtʃəbəl] *adj* irréprochable

irresistible [ɪrɪ'zɪstəbəl] *adj (person, charm)* irrésistible

irresolute [ɪ'rezəluːt] *adj* irrésolu, indécis

irrespective [ɪrɪ'spektɪv] *prep* **i. of** indépendamment de

irresponsible [ɪrɪ'spɒnsəbəl] *adj (act)* irréfléchi; *(person)* irresponsable ▪ **irresponsibly** *adv (behave)* de façon irresponsable

irretrievable [ɪrɪ'triːvəbəl] *adj (loss, mistake, situation)* irréparable

irreverent [ɪ'revərənt] *adj* irrévérencieux, -ieuse

irreversible [ɪrɪ'vɜːsəbəl] *adj (process)* irréversible; *(decision)* irrévocable

irrevocable [ɪ'revəkəbəl] *adj* irrévocable

irrigate ['ɪrɪgeɪt] *vt* irriguer ▪ **irri'gation** *n* irrigation *f*

irritable ['ɪrɪtəbəl] *adj (easily annoyed)* irritable

irritant ['ɪrɪtənt] *n (to eyes, skin)* irritant *m*

irritate ['ɪrɪteɪt] *vt (annoy, inflame)* irriter ▪ **irritating** *adj* irritant

irritation [ɪrɪ'teɪʃən] *n (anger, inflammation)* irritation *f*

IRS [aɪɑː'res] *(abbr* **Internal Revenue Service)** *n Am* ≃ le fisc

is [ɪz] *see* **be**

Islam ['ɪzlɑːm] *n* l'Islam *m* ▪ **Islamic** [ɪz'læmɪk] *adj* islamique

island ['aɪlənd] *n* île *f*; *(traffic)* **i.** refuge *m* (pour piétons) ▪ **islander** *n* insulaire *mf*

isle [aɪl] *n* île *f*; **the British Isles** les îles Britanniques

isn't ['ɪzənt] = **is not**

isolate ['aɪsəleɪt] *vt* isoler (**from** de) ▪ **isolated** *adj (remote, unique)* isolé ▪ **iso'lation** *n* isolement *m*; **in i.** isolément

ISP [aɪes'piː] *(abbr* **Internet Service Provider)** *n Comptr* fournisseur *m* d'accès Internet

Israel ['ɪzreɪl] *n* Israël *m* ▪ **Is'raeli 1** *adj* israélien, -ienne **2** *n* Israélien, -ienne *mf*

issue ['ɪʃuː] **1** *n (of newspaper, magazine)* numéro *m*; *(matter)* question *f*; *(of stamps, banknotes)* émission *f*; **at i.** *(at stake)* en cause;

to make an i. *or* **a big i. of sth** faire toute une affaire de qch; **to take i. with sb** exprimer son désaccord à qn **2** *vt (book)* publier; *(tickets)* distribuer; *(passport)* délivrer; *(order)* donner; *(warning)* lancer; *(stamps, banknotes)* émettre; *(supply)* fournir (**with** de; **to** à); **to i. a statement** faire une déclaration **3** *vi Formal* **to i. from** *(of smell, water)* se dégager de; *(of noise)* provenir de

Note that the French word **issue** is a false friend and is never a translation for the English word **issue**. It means **exit**.

IT [aɪ'tiː] *(abbr* **information technology**) *n* informatique *f*

it [ɪt] *pron* (**a**) *(subject)* il, elle; *(object)* le, la, l'; **(to) it** *(indirect object)* lui; **it bites** *(dog)* il mord; **I've done it** je l'ai fait (**b**) *(impersonal)* il; **it's snowing** il neige; **it's hot** il fait chaud (**c**) *(non-specific)* ce, cela, ça; **it's good** c'est bon; **it was pleasant** c'était agréable; **who is it?** qui est-ce?; **that's it!** *(I agree)* c'est ça!; *(it's done)* ça y est!; **to consider it wise to do sth** juger prudent de faire qch; **it was Paul who...** c'est Paul qui...; **she's got it in her to succeed** elle est capable de réussir; **to have it in for sb** en vouloir à qn (**d**) **of it, from it, about it** en; **in it, to it, at it** y; **on it** dessus; **under it** dessous

italic [ɪ'tælɪk] *adj* italique ▪ **italics** *npl* italique *m*; **in i.** en italique

Italy ['ɪtəlɪ] *n* l'Italie *f* ▪ **Italian 1** [ɪ'tælɪən] *adj* italien, -ienne **2** *n (person)* Italien, -ienne *mf*; *(language)* italien *m*

itch [ɪtʃ] **1** *n* démangeaison *f*; **to have an i. to do sth** brûler d'envie de faire qch **2** *vi (of person)* avoir des démangeaisons; **his arm itches** son bras le *ou* lui démange; *Fig* **to be itching to do sth** brûler d'envie de faire qch ▪ **itching** *n* démangeaisons *fpl* ▪ **itchy** *adj* **I have an i. hand** j'ai la main qui me démange; **I'm (all) i.** j'ai des démangeaisons

item ['aɪtəm] *n (in collection, on list, in newspaper)* article *m*; *(matter)* question *f*; *(on entertainment programme)* numéro *m*; **i. of clothing** vêtement *m*; **news i.** information *f* ▪ **itemize** *vt (invoice)* détailler

itinerant [aɪ'tɪnərənt] *adj (musician, actor)* ambulant; *(judge, preacher)* itinérant

itinerary [aɪ'tɪnərərɪ] *(pl* **-ies**) *n* itinéraire *m*

its [ɪts] *possessive adj* son, sa, *pl* ses ▪ **it'self** *pron* lui-même, elle-même; *(reflexive)* se, s'; **goodness i.** la bonté même; **by i.** tout seul

IUD [aɪjuː'diː] *(abbr* **intrauterine device**) *n Med* stérilet *m*

I've [aɪv] **= I have**

IVF [aɪviː'ef] *(abbr* **in vitro fertilization**) *n* FIV *f*

ivory ['aɪvərɪ] *n* ivoire *m*; **i. statuette** statuette *f* en ivoire

ivy ['aɪvɪ] *n* lierre *m*

J, j [dʒeɪ] *n (letter)* J, j *m inv*

jab [dʒæb] **1** *n* coup *m*; *Br Fam (injection)* piqûre *f* **2** *(pt & pp* **-bb-)** *vt (knife, stick)* enfoncer (**into** dans); *(prick)* piquer (**with** du bout de)

jabber ['dʒæbə(r)] *Fam* **1** *vt* **to j. out** *(excuse)* marmonner **2** *vi* marmonner ▪ **jabbering** *n* bavardage *m*

jack [dʒæk] *n* **(a)** *(for vehicle)* cric *m* **(b)** *Cards* valet *m* **(c)** **j. of all trades** homme *m* à tout faire ▪ **jack-in-the-box** *n* diable *m* (à ressort)
▸ **jack in** *vt sep Br Fam (job)* plaquer
▸ **jack up** *vt sep (vehicle)* soulever *(avec un cric); Fig (price)* augmenter

jackal ['dʒækɔl] *n* chacal *m (pl* -als)

jackass ['dʒækæs] *n (animal, person)* âne *m*

jackdaw ['dʒækdɔː] *n* choucas *m*

jacket ['dʒækɪt] *n (coat)* veste *f*; *(of book)* jaquette *f*; *Br* **j. potato** pomme *f* de terre en robe des champs

jackknife ['dʒæknaɪf] **1** *(pl* -knives) *n* couteau *m* de poche **2** *vi Br (of truck)* se mettre en travers de la route

jackpot ['dʒækpɒt] *n* gros lot *m*

Jacuzzi® [dʒə'kuːzɪ] *n* Jacuzzi® *m*

jade [dʒeɪd] *n (stone)* jade *m*

jaded ['dʒeɪdɪd] *adj* blasé

jagged ['dʒægɪd] *adj* déchiqueté

jaguar [*Br* 'dʒægjʊə(r), *Am* 'dʒægwɑːr] *n* jaguar *m*

jail [dʒeɪl] **1** *n* prison *f* **2** *vt* emprisonner (**for** pour); **to j. sb for ten years** condamner qn à dix ans de prison; **to j. sb for life** condamner qn à perpétuité ▪ **jailer** *n* gardien, -ienne *mf* de prison

jalopy [dʒə'lɒpɪ] *(pl* -ies) *n Am Fam (car)* vieux tacot *m*

jam¹ [dʒæm] *n (preserve)* confiture *f*; **strawberry j.** confiture de fraises ▪ **jamjar** *n* pot *m* à confiture

jam² [dʒæm] **1** *n* **(traffic) j.** embouteillage *m*; *Fam* **in a j.** *(trouble)* dans le pétrin **2** *(pt & pp* **-mm-)** *vt (squeeze, make stuck)* coincer; *(gun)* enrayer; *(street, corridor)* encombrer; *(broadcast, radio station)* brouiller; **to j. sth into sth** entasser qch dans qch; **to j. people into a room** entasser des gens dans une pièce; **to j. a stick into sth** enfoncer un bâton dans qch; **to j. on the brakes** écraser la pédale de frein **3** *vi* **(a)** *(get stuck)* se coincer; *(of gun)* s'enrayer; *(of crowd)* s'entasser (**into** dans) **(b)**

(of musicians) improviser ▪ **jammed** *adj (machine)* coincé; *(street)* encombré ▪ **'jam-'packed** *adj Br Fam (hall, train)* bourré

Jamaica [dʒə'meɪkə] *n* la Jamaïque

jangle ['dʒæŋgəl] **1** *n* cliquetis *m* **2** *vi* cliqueter

janitor ['dʒænɪtə(r)] *n Am & Scot (caretaker)* concierge *m*

January ['dʒænjʊərɪ] *n* janvier *m*

Japan [dʒə'pæn] *n* le Japon ▪ **Japanese** [dʒæpə'niːz] **1** *adj* japonais **2** *n (person)* Japonais, -aise *mf*; *(language)* japonais *m*

jar¹ [dʒɑː(r)] *n (container)* pot *m*; *(large, glass)* bocal *m*

jar² [dʒɑː(r)] **1** *n (jolt)* choc *m* **2** *(pt & pp* **-rr-)** *vt (shake)* ébranler **3** *vi (of noise)* grincer; *(of musical note)* détonner; *(of colours, words)* jurer (**with** avec); **it jars on my nerves** ça me tape sur les nerfs; **it jars on my ears** cela m'écorche les oreilles ▪ **jarring** *adj (noise, voice)* discordant

jargon ['dʒɑːgən] *n* jargon *m*

jasmine ['dʒæzmɪn] *n* jasmin *m*

jaundice ['dʒɔːndɪs] *n (illness)* jaunisse *f* ▪ **jaundiced** *adj (bitter)* aigri; **to take a j. view of sth** voir qch d'un mauvais œil

jaunt [dʒɔːnt] *n (journey)* balade *f*

jaunty ['dʒɔːntɪ] *(-ier, -iest)* *adj (carefree)* insouciant; *(cheerful, lively)* allègre; *(hat)* coquet, -ette ▪ **jauntily** *adv* avec insouciance; *(cheerfully)* allègrement

javelin ['dʒævlɪn] *n* javelot *m*

jaw [dʒɔː] **1** *n Anat* mâchoire *f*; *Fam* **to have a j.** tailler une bavette **2** *vi Fam (talk)* papoter

jay [dʒeɪ] *n* geai *m*

jaywalker ['dʒeɪwɔːkə(r)] *n* = piéton qui traverse en dehors des passages cloutés

jazz [dʒæz] **1** *n* jazz *m* **2** *vt Fam* **to j. sth up** *(clothes, room, style)* égayer qch; *(music)* jazzifier qch

JCB® [dʒeɪsiː'biː] *n Br* tractopelle *m ou f*

jealous ['dʒeləs] *adj* jaloux, -ouse (**of** de) ▪ **jealousy** *n* jalousie *f*

jeans [dʒiːnz] *npl* **(pair of) j.** jean *m*

Jeep® [dʒiːp] *n* Jeep® *f*

jeer [dʒɪə(r)] **1** *n* raillerie *f*; **jeers** *(boos)* huées *fpl* **2** *vt (boo)* huer; *(mock)* se moquer de **3** *vi* **to j. at sb/sth** *(boo)* huer qn/qch; *(mock)* se moquer de qn/qch ▪ **jeering 1** *adj* railleur, -euse **2** *n (mocking)* railleries *fpl*; *(of crowd)* huées *fpl*

jell [dʒel] *vi Fam (of ideas)* prendre tournure

jello® ['dʒeləʊ] *n Am (dessert)* gelée *f*

jelly ['dʒelɪ] *(pl -ies) n (preserve, dessert)* gelée *f*; **j. baby** = bonbon à base de gélatine, en forme de bébé **▪ jellybean** *n* = bonbon recouvert de sucre, en forme de haricot **▪ jellyfish** *n* méduse *f*

jeopardy ['dʒepədɪ] *n* danger *m*, péril *m* **▪ jeopardize** *vt* mettre en danger

jerk¹ [dʒɜːk] **1** *n* secousse *f* **2** *vt (pull)* tirer brusquement; *(in order to move)* déplacer par à-coups **3** *vi* **to j. forward** *(of car)* faire un bond en avant

jerk² [dʒɜːk] *n Am Fam (person)* abruti, -ie *mf*

jerky ['dʒɜːkɪ] *(-ier, -iest) adj* **(a)** *(movement, voice)* saccadé **(b)** *Am Fam (stupid)* stupide, bête **▪ jerkily** *adv* par saccades

Jersey ['dʒɜːzɪ] *n* Jersey *m ou f*

jersey ['dʒɜːzɪ] *(pl -eys) n (garment)* tricot *m*; *Football* maillot *m*; *(cloth)* jersey *m*

jest [dʒest] **1** *n* plaisanterie *f*; **in j.** pour rire **2** *vi* plaisanter **▪ jester** *n Hist* **(court) j.** fou *m* (du roi)

Jesus ['dʒiːzəs] *n* Jésus *m*; **J. Christ** Jésus-Christ *m*

jet [dʒet] **1** *n* **(a)** *(plane)* avion *m* à réaction; **j. engine** réacteur *m*, moteur *m* à réaction; **j. lag** fatigue *f* due au décalage horaire; **j. ski** scooter *m* des mers, jet-ski *m* **(b)** *(steam, liquid)* jet *m* **2** *vi Fam* **to j. off** s'envoler **(to** pour)

jet-black ['dʒet'blæk] *adj* (noir) de jais

jetfoil ['dʒetfɔɪl] *n* hydroglisseur *m*

jet-lagged ['dʒetlægd] *adj Fam* qui souffre du décalage horaire

jettison ['dʒetɪsən] *vt (cargo from ship)* jeter à la mer; *(fuel from plane)* larguer; *Fig (plan, tradition)* abandonner

jetty ['dʒetɪ] *(pl -ies) n* jetée *f*, *(landing place)* embarcadère *m*

Jew [dʒuː] *n (man)* Juif *m*; *(woman)* Juive *f* **▪ Jewish** *adj* juif (*f* juive)

jewel ['dʒuːəl] *n* bijou *m* (*pl* -oux); *(in watch)* rubis *m* **▪ jewelled** (*Am* **jeweled**) *adj* orné de bijoux **▪ jeweller** (*Am* **jeweler**) *n* bijoutier, -ière *mf* **▪ jewellery** (*Am* **jewelry**) *n* bijoux *mpl*

jib [dʒɪb] *(pt & pp* **-bb-**) *vi* rechigner **(at** devant); **to j. at doing sth** rechigner à faire qch

jibe [dʒaɪb] *n & vi* = **gibe**

jiffy ['dʒɪfɪ] *n Fam* instant *m*

Jiffy bag® ['dʒɪfɪbæg] *n* enveloppe *f* matelassée

jig [dʒɪg] *n (dance, music)* gigue *f*

jigsaw ['dʒɪgsɔː] *n* **j. (puzzle)** puzzle *m*

jilt [dʒɪlt] *vt (lover)* laisser tomber

jingle ['dʒɪŋgəl] **1** *n* tintement *m*; *(in advertisement)* jingle *m* **2** *vt* faire tinter **3** *vi (of keys, bell)* tinter

jinx [dʒɪŋks] *n (person, object)* portemalheur *m inv*; *(spell, curse)* mauvais sort *m*

jitters ['dʒɪtəz] *npl Fam* **to have the j.** être à cran **▪ jittery** *adj Fam* **to be j.** être à cran

job [dʒɒb] *n (employment, post)* travail *m*, emploi *m*; *(task)* tâche *f*; *Fam (crime)* coup *m*; *Fam* **to have a (hard) j. doing** *or* **to do sth** avoir du mal à faire qch; **to have the j. of doing sth** *(unpleasant task)* être obligé de faire qch; *(for a living)* être chargé de faire qch; *Br Fam* **it's a good j. (that)...** heureusement que... (+ *indicative);Fam* **that's just the j.** c'est juste ce qu'il faut; **out of a j.** au chômage; **j. losses** suppressions *fpl* d'emplois; **j. offer** offre *f* d'emploi

jobcentre ['dʒɒbsentə(r)] *n Br* ≃ agence *f* nationale pour l'emploi

jobless ['dʒɒbləs] *adj* au chômage

jock [dʒɒk] *n Am Fam (sportsman)* sportif *m*

jockey ['dʒɒkɪ] **1** *(pl -eys) n* jockey *m* **2** *vi* **to j. for position** jouer des coudes

jockstrap ['dʒɒkstræp] *n* slip *m* à coquille

jocular ['dʒɒkjʊlə(r)] *adj* jovial

jog [dʒɒg] **1** *n (shake, jolt)* secousse *f*; *(nudge)* coup *m* de coude **2** *(pt & pp* **-gg-**) *vt (shake)* secouer; *(push)* pousser; *Fig (memory)* rafraîchir **3** *vi Sport* faire du jogging; **to go jogging** aller faire un jogging; **to j. along** *(of vehicle)* cahoter; *(of work)* aller tant bien que mal; *(of person)* faire son petit bonhomme de chemin **▪ jogging** *n Sport* jogging *m*

john [dʒɒn] *n Am Fam* **the j.** *(lavatory)* le petit coin

join [dʒɔɪn] **1** *n* raccord *m*
2 *vt* **(a)** *(put together)* joindre; *(wires, pipes)* raccorder; *(words, towns)* relier; **to j. sth to sth** joindre qch à qch; *(link)* relier qch à qch; **to j. two things together** relier une chose à une autre; **to j. sb** *(catch up with, meet)* rejoindre qn; *(associate oneself with, go with)* se joindre à qn **(in doing** pour faire); **to j. the sea** *(of river)* rejoindre la mer; **to j. hands** se donner la main; **to j. forces** s'unir **(b)** *(become a member of)* s'inscrire à; *(army, police, company)* entrer dans; **to j. the queue** *or Am* **line** prendre la queue
3 *vi* **(a)** *(of roads, rivers)* se rejoindre; **to j. (together** *or* **up)** *(of objects)* se joindre **(with** à); **to j. in sth** prendre part à qch **(b)** *(become a member)* devenir membre; *Mil* **to j. up** s'engager

joiner ['dʒɔɪnə(r)] *n Br* menuisier *m*

joint [dʒɔɪnt] **1** *n* **(a)** *(in body)* articulation *f*; *Br (meat)* rôti *m*; *Tech* joint *m*; *(in carpentry)* assemblage *m*; **out of j.** *(shoulder)* déboîté **(b)** *Fam (nightclub)* boîte *f* **(c)** *Fam (cannabis cigarette)* joint *m* **2** *adj (decision)* commun; **j. account** compte *m* joint; **j. author** coauteur *m*; **j. efforts** efforts *mpl* conjugués **▪ jointly** *adv* conjointement

joist [dʒɔɪst] *n* solive *f*

joke [dʒəʊk] **1** n plaisanterie f; (trick) tour m; **it's no j.** (it's unpleasant) ce n'est pas drôle (**doing** de faire) **2** vi plaisanter (**about** sur) ▪**joker** n plaisantin m; Fam (fellow) type m; Cards joker m ▪**jokingly** adv (say) en plaisantant

jolly¹ ['dʒɒlɪ] (**-ier, -iest**) adj (happy) gai; Fam (drunk) éméché

jolly² ['dʒɒlɪ] adv Br Fam (very) rudement; **j. good!** très bien!

> Note that the French word **joli** is a false friend and is never a translation for the English word **jolly**. It means **pretty**.

jolt [dʒɒlt] **1** n secousse f **2** vt (shake) secouer; **to j. sb into action** secouer les puces à qn **3** vi **to j. (along)** (of vehicle) cahoter

Jordan ['dʒɔːdən] n la Jordanie

jostle ['dʒɒsəl] **1** vt (push) bousculer; **don't j.!** ne bousculez pas! **2** vi (push each other) se bousculer (**for sth** pour obtenir qch)

jot [dʒɒt] (pt & pp **-tt-**) vt **to j. sth down** noter qch ▪**jotter** n (notepad) bloc-notes m

journal ['dʒɜːnəl] n (periodical) revue f

journalism ['dʒɜːnəlɪzəm] n journalisme m ▪**journalist** n journaliste mf

journey ['dʒɜːnɪ] **1** (pl **-eys**) n (trip) voyage m; (distance) trajet m; **to go on a j.** partir en voyage **2** vi voyager

> Note that the French word **journée** is a false friend and is never a translation for the English word **journey**. It means **day**.

jovial ['dʒəʊvɪəl] adj jovial

joy [dʒɔɪ] n joie f; **the joys of** (countryside, motherhood) les plaisirs mpl de ▪**joyful, joyous** adj joyeux, -euse

joyride ['dʒɔɪraɪd] n = virée dans une voiture volée ▪**joyrider** n = chauffard qui conduit une voiture volée

joystick ['dʒɔɪstɪk] n (of aircraft) manche m à balai; (for computer) manette f (de jeu)

JP [dʒeɪ'piː] abbr Br = **Justice of the Peace**

jubilant ['dʒuːbɪlənt] adj **to be j.** jubiler ▪**jubi'lation** n jubilation f

jubilee ['dʒuːbɪliː] n (golden) j. jubilé m

Judaism ['dʒuːdeɪɪzəm] n judaïsme m

judder ['dʒʌdə(r)] **1** n vibration f **2** vi (shake) vibrer

judge [dʒʌdʒ] **1** n juge m **2** vti juger; **to j. sb by** or **on sth** juger qn sur ou d'après qch; **judging by...** à en juger par... ▪**judg(e)ment** n jugement m ▪**judg(e)mental** adj critique

judicial [dʒuː'dɪʃəl] adj judiciaire

judiciary [dʒuː'dɪʃərɪ] n magistrature f

judicious [dʒuː'dɪʃəs] adj judicieux, -ieuse

judo ['dʒuːdəʊ] n judo m

jug [dʒʌg] n cruche f; (for milk) pot m

juggernaut ['dʒʌgənɔːt] n Br (truck) poids m lourd

juggle ['dʒʌgəl] **1** vt jongler avec **2** vi jongler (**with** avec) ▪**juggler** n jongleur, -euse mf ▪**juggling** n jonglerie f

juice [dʒuːs] n jus m; (in stomach) suc m; **j. bar** = bar où l'on sert des jus de fruit; **j. extractor** centrifugeuse f ▪**juicer** n (manual) presse-fruits m inv; (electric) centrifugeuse f ▪**juicy** (**-ier, -iest**) adj (fruit) juteux, -euse; (meat) succulent; Fig (story) savoureux, -euse

jukebox ['dʒuːkbɒks] n juke-box m

July [dʒuː'laɪ] n juillet m

jumble ['dʒʌmbəl] **1** n (disorder) fouillis m; Br (unwanted articles) bric-à-brac m inv; **j. sale** (used clothes) vente f de charité **2** vt **to j. (up)** (objects, facts) mélanger

jumbo ['dʒʌmbəʊ] **1** adj (packet) géant **2** (pl **-os**) adj & n **j. (jet)** jumbo-jet (m)

jump [dʒʌmp] **1** n (leap) saut m; (start) sursaut m; (increase) hausse f soudaine; Br **j. leads** câbles mpl de démarrage; Am **j. rope** corde f à sauter
2 vt (ditch) sauter; **to j. the lights** (in car) griller un feu rouge; **to j. the rails** (of train) dérailler; Br **to j. the queue** passer avant son tour, resquiller; Am **to j. rope** sauter à la corde
3 vi sauter (**at** sur); (start) sursauter; (of price, heart) faire un bond; **to j. about** sautiller; **to j. across sth** traverser qch d'un bond; **to j. to conclusions** tirer des conclusions hâtives; **to j. in** or **on** (train, vehicle, bus) sauter dans; **j. in** or **on!** montez!; **to j. off** or **out** sauter; (from bus) descendre; **to j. off sth, to j. out of sth** sauter de qch; **to j. out of the window** sauter par la fenêtre; **to j. up** se lever d'un bond ▪**jumpy** ['dʒʌmpɪ] (**-ier, -iest**) adj nerveux, -euse

jumper ['dʒʌmpə(r)] n Br pull(-over) m; Am (dress) robe f chasuble; Am **j. cables** câbles mpl de démarrage

junction ['dʒʌŋkʃən] n (crossroads) carrefour m; (joining) jonction f; **j. 23** Br (on motorway) (exit) la sortie 23; (entrance) l'entrée f 23

juncture ['dʒʌŋktʃə(r)] n Formal **at this j.** à ce moment-là

June [dʒuːn] n juin m

jungle ['dʒʌŋgəl] n jungle f

junior ['dʒuːnɪə(r)] **1** adj (younger) plus jeune; (in rank, status) subalterne; (teacher, doctor) jeune; **to be sb's j.,** to be sb être plus jeune que qn; (in rank, status) être au-dessous de qn; **Smith J.** Smith fils; Br **j. school** école f primaire (entre 7 et 11 ans); Am **j. high (school)** ≃ collège m d'enseignement secondaire **2** n cadet, -ette mf; (in school) petit, -ite mf; Sport junior mf, cadet, -ette mf; **he's three years my j.** il a trois ans de moins que moi

junk [dʒʌŋk] **1** n (unwanted objects) bric-à-brac m inv; (inferior goods) camelote f; (bad film, book) navet m; (nonsense) idioties fpl; **j. food** malbouffe f; **j. mail** prospectus mpl; **j. shop**

boutique f de brocanteur **2** vt Fam (get rid of) balancer ▪**junkyard** n dépôt m de ferrailleur

junkie ['dʒʌŋkɪ] n Fam drogué, -ée mf

jurisdiction [dʒʊərɪs'dɪkʃən] n juridiction f; **to be within the j. of** être sous la juridiction de

jury ['dʒʊərɪ] (pl -ies) n (in competition, court) jury m ▪**juror** n (in court) juré m

just [dʒʌst] **1** adv (exactly, slightly) juste; (only) juste, seulement; (simply) (tout) simplement; **j. before/after** juste avant/après; **it's j. as I thought** c'est bien ce que je pensais; **j. at that time** à cet instant même; **she has/had j. left** elle vient/venait de partir; **I've j. come from…** j'arrive de…; **I'm j. coming!** j'arrive!; **he'll (only) j. catch the bus** il aura son bus de justesse; **he j. missed it** il l'a manqué de peu; **j. as big/light** tout aussi grand/léger (**as** que); **j. listen!** écoute donc!; **j. a moment!** un instant!; **j. over ten** un peu plus de dix; **j. one** un(e) seul(e) (**of** de); **j. about** (approximately) à peu près; (almost) presque; **to be j. about to do sth** être sur le point de faire qch **2** adj (fair) juste (**to** envers) ▪**justly** adv (fairly) avec justice; (deservedly) à juste titre

justice ['dʒʌstɪs] n justice f; (judge) juge m; **to do j. to a meal** faire honneur à un repas; **it doesn't do you j.** (hat, photo) cela ne vous avantage pas; (attitude) cela ne vous fait pas honneur; **J. of the Peace** juge m de paix

justify ['dʒʌstɪfaɪ] (pt & pp -ied) vt justifier; **to be justified in doing sth** (have right) être en droit de faire qch; (have reason) être fondé à faire qch; Typ & Comptr **left/right justified** justifié à gauche/à droite ▪**justifiable** adj justifiable ▪**justifiably** adv à juste titre ▪**justification** [-fɪ'keɪʃən] n justification f

jut [dʒʌt] (pt & pp -tt-) vi **to j. out** faire saillie; **to j. out over sth** (overhang) surplomber qch

jute [dʒuːt] n jute m

juvenile ['dʒuːvənaɪl, Am -ənəl] **1** n Law mineur, -eure mf **2** adj (court, book) pour enfants; Pej (behaviour) puéril; **j. delinquent** jeune délinquant, -ante mf

juxtapose [dʒʌkstə'pəʊz] vt juxtaposer ▪**juxtaposition** [-pə'zɪʃən] n juxtaposition f

K, k [keɪ] n (letter) K, k m inv

kaleidoscope [kə'laɪdəskəʊp] n kaléidoscope m

kangaroo [kæŋɡə'ruː] n kangourou m

kaput [kə'pʊt] adj Fam kaput inv

karaoke [kærɪ'əʊkɪ] n karaoké m

karat [kærət] n Am = carat

karate [kə'rɑːtɪ] n Sport karaté m

kebab [kə'bæb] n brochette f; doner k. sandwich m grec; shish k. chiche-kébab m

keel [kiːl] 1 n (of boat) quille f 2 vi to k. over (of boat) chavirer

keen [kiːn] adj (a) Br (eager, enthusiastic) plein d'enthousiasme; he's a k. sportsman c'est un passionné de sport; to be k. on sth (music, sport) être passionné de qch; he is k. on her/the idea elle/l'idée lui plaît beaucoup; to be k. on doing sth (habitually) adorer faire qch; (want to do) avoir très envie de faire qch; to be k. to do sth avoir très envie de faire qch (b) (edge, appetite) aiguisé; (interest, feeling) vif (f vive); (mind) pénétrant; (wind) glacial; to have k. eyesight avoir la vue perçante ▪ **keenly** adv Br (work) avec enthousiasme; (feel, interest) vivement

keep [kiːp] 1 (pt & pp kept) vt garder; (shop, car) avoir; (diary, promise) tenir; (family) entretenir; (rule) respecter; (feast day) célébrer; (birthday) fêter; (delay, detain) retenir; (put) mettre; to k. doing sth continuer à faire qch; to k. sth clean garder qch propre; to k. sth from sb dissimuler qch à qn; to k. sb from doing sth empêcher qn de faire qch; to k. sb waiting/working faire attendre/travailler qn; to k. sth going (engine, machine) laisser qch en marche; to k. sb in whisky fournir qn en whisky; to k. an appointment se rendre à un rendez-vous

2 vi (remain) rester; (continue) continuer; (of food) se conserver; how is he keeping? comment va-t-il?; to k. still rester immobile; to k. quiet se tenir tranquille; to k. left tenir sa gauche; to k. from doing sth s'abstenir de faire qch; to k. going continuer; to k. at it (keep doing it) persévérer

3 n (food) subsistance f; to have one's k. être logé et nourri; Fam for keeps pour toujours

▸ **keep away 1** vt (person) éloigner (from de) 2 vi ne pas s'approcher (from de)

▸ **keep back 1** vt sep (crowd) contenir; (delay, withhold) retarder; (hide) cacher (from à) 2 vi ne pas s'approcher (from de)

▸ **keep down** vt sep (restrict) limiter; (control) maîtriser; (price, costs) maintenir bas

▸ **keep in** vt sep empêcher de sortir; (as punishment in school) garder en retenue

▸ **keep off 1** vt sep (person) éloigner; k. your hands off! n'y touche pas! 2 vt insep 'k. off the grass' 'défense de marcher sur les pelouses' 3 vi (not go near) ne pas s'approcher; if the rain keeps off s'il ne pleut pas

▸ **keep on 1** vt sep (hat, employee) garder; to k. on doing sth continuer à faire qch 2 vi to k. on at sb harceler qn

▸ **keep out 1** vt sep empêcher d'entrer 2 vi rester en dehors (of de)

▸ **keep to 1** vt insep (subject, path) ne pas s'écarter de; (room) garder 2 vi to k. to the left tenir la gauche; to k. to oneself rester à l'écart

▸ **keep up 1** vt sep (continue, maintain) continuer (doing à faire); (keep awake) empêcher de dormir; to k. up appearances sauver les apparences 2 vi (continue) continuer; (follow) suivre; to k. up with sb (follow) aller à la même allure que qn; (in quality of work) se maintenir à la hauteur de qn

keeper ['kiːpə(r)] n (in park, zoo) & Football gardien, -ienne mf

keeping ['kiːpɪŋ] n in k. with conformément à; to have sth in one's k. avoir qch sous sa garde

keepsake ['kiːpseɪk] n souvenir m

keg [keɡ] n baril m

kennel ['kenəl] n Br niche f; (for boarding dogs) chenil m; Br kennels chenil

Kenya ['kiːnjə, 'kenjə] n le Kenya ▪ **Kenyan 1** adj kenyan 2 n Kenyan, -ane mf

kept [kept] 1 pt & pp of keep 2 adj well or nicely k. (house) bien tenu

kerb [kɜːb] n Br bord m du trottoir

kernel ['kɜːnəl] n (of nut) amande f

kerosene ['kerəsiːn] n Am (paraffin) pétrole m (lampant); (aviation fuel) kérosène m

ketchup ['ketʃəp] n ketchup m

kettle ['ketəl] n bouilloire f; the k. is boiling l'eau bout; to put the k. on mettre l'eau à chauffer

key [kiː] 1 n clef f, clé f; (of piano, typewriter, computer) touche f 2 adj (industry, post) clef f *inv*, clé *f inv*; **k. person** pivot *m*; *Br Sch* **k. stage** étape *f* clé de la scolarité **3** *vt* **to k. in** *(data)* saisir ▪ **keyboard 1** *n* (*of piano, computer*) clavier *m*; **k. operator** opérateur, -trice *mf* de saisie **2** *vt* (*data*) faire la saisie de ▪ **keyhole** *n* trou *m* de serrure ▪ **keynote** *n* (*of speech*) point *m* essentiel; **k. speech** discours *m* introductif ▪ **keyring** *n* porte-clefs *m inv* ▪ **keystone** *n* (*of policy*) & *Archit* clef *f* de voûte

keyed [ki:d] *adj* **to be k. up** être surexcité

khaki ['kɑːkɪ] *adj* & *n* kaki (*m*) *inv*

kibbutz [kɪ'bʊts] (*pl* **kibbutzim** [kɪbʊt'siːm])*n* kibboutz *m*

kick [kɪk] **1** *n* coup *m* de pied; (*of horse*) ruade *f*; *Fam* **to get a k. out of doing sth** prendre son pied à faire qch; *Fam* **for kicks** pour le plaisir; **k. boxing** boxe *f* française **2** *vt* donner un coup de pied/des coups de pied à; (*of horse*) lancer une ruade à **3** *vi* donner des coups de pied; (*of horse*) ruer ▪ **kickback** *n Fam* (*bribe*) pot-de-vin *m* ▪ **kickoff** *n Football* coup *m* d'envoi

▸ **kick back** *vt sep* (*ball*) renvoyer (du pied)

▸ **kick down, kick in** *vt sep* (*door*) démolir à coups de pied

▸ **kick off** *vi Football* donner le coup d'envoi; *Fam* (*start*) démarrer

▸ **kick out** *vt sep Fam* (*throw out*) flanquer dehors

▸ **kick up** *vt sep Br Fam* **to k. up a fuss/row** faire des histoires/du vacarme

kid [kɪd] **1** *n* (**a**) *Fam* (*child*) gosse *mf*; *Am Fam* **my k. brother** mon petit frère (**b**) (*goat*) chevreau *m* **2** (*pt* & *pp* **-dd-**) *vti Fam* (*joke, tease*) faire marcher; **to k. oneself** se faire des illusions; **to be kidding** plaisanter; **no kidding!** sans blague!

kidnap ['kɪdnæp] (*pt* & *pp* **-pp-**) *vt* kidnapper ▪ **kidnapper** *n* ravisseur, -euse *mf* ▪ **kidnapping** *n* enlèvement *m*

kidney ['kɪdnɪ] (*pl* **-eys**) *n* rein *m*; (*as food*) rognon *m*; **on a k. machine** sous rein artificiel; **k. failure** insuffisance *f* rénale; **k. bean** haricot *m* rouge

kill [kɪl] **1** *n* mise *f* à mort; (*prey*) tableau *m* de chasse **2** *vt* (*person, animal, plant*) tuer; *Fig* (*rumour*) étouffer; *Fam* (*engine*) arrêter; **to k. oneself** se tuer; *Fam* **my feet are killing me** j'ai les pieds en compote; *Journ* **to k. a story** retirer une information; **to k. time** tuer le temps; **to k. off** (*bacteria*) & *Fig* détruire **3** *vi* tuer; *Fam* **I'd k. for a beer** je me damnerais pour une bière ▪ **killer** *n* tueur *m*, tueuse *f*; *Fam* (*difficult question*) colle *f*; *Fam* (*joke*) **this one's a k.** celle-là est à mourir de rire; *Fam* (*tiring experience*) **that walk was a k.!** cette promenade était vraiment crevante ▪ **killing 1** *n* (*of person*) meurtre *m*; (*of group*) massacre

m; (*of animal*) mise *f* à mort; **to make a k.** (*financially*) faire un bénéfice énorme **2** *adj Fam* (*tiring*) tuant; (*amusing*) tordant

killjoy ['kɪldʒɔɪ] *n* rabat-joie *m inv*

kiln [kɪln] *n* four *m*

kilo ['kiːləʊ] (*pl* **-os**) *n* kilo *m* ▪ **kilogram(me)** ['kɪləʊgræm] *n* kilogramme *m*

kilobyte ['kɪləbaɪt] *n Comptr* kilo-octet *m*

kilometre [kɪ'lɒmɪtə(r)] (*Am* **kilometer**) *n* kilomètre *m*

kilowatt ['kɪləʊwɒt] *n* kilowatt *m*

kilt [kɪlt] *n* kilt *m*

kimono [kɪ'məʊnəʊ] (*pl* **-os**) *n* kimono *m*

kin [kɪn] *n Formal* (*relatives*) parents *mpl*; **one's next of k.** son plus proche parent

kind[1] [kaɪnd] *n* (*sort, type*) genre *m*, espèce *f* (**of** de); **to pay in k.** payer en nature; **what k. of drink is it?** qu'est-ce que c'est comme boisson?; **that's the k. of man he is** il est comme ça; **nothing of the k.!** absolument pas!; *Fam* **k. of worried/sad** plutôt inquiet, -iète/triste; **in a k. of way** d'une certaine façon; **it's the only one of its k., it's one of a k.** c'est unique en son genre; **we are two of a k.** nous nous ressemblons

kind[2] [kaɪnd] (**-er, -est**) *adj* (*helpful, pleasant*) gentil, -ille (**to** avec); **that's k. of you** c'est gentil de votre part; **would you be so k. as to...?** auriez-vous la bonté de...? ▪ **kind-'hearted** *adj* qui a bon cœur

kindergarten ['kɪndəgɑːtən] *n* jardin *m* d'enfants

kindle ['kɪndəl] **1** *vt* allumer **2** *vi* s'allumer

kindly ['kaɪndlɪ] **1** *adv* gentiment; **k. wait** ayez la bonté d'attendre; **not to take k. to sth** ne pas apprécier qch **2** *adj* (*person*) bienveillant

kindness ['kaɪndnɪs] *n* gentillesse *f*

kindred ['kɪndrɪd] *adj* du même genre, de la même nature; **k. spirits** âmes *fpl* sœurs

king [kɪŋ] *n* roi *m* ▪ **king-size(d)** *adj* (*pack*) géant; (*bed*) grand format; (*cigarette*) long (*f* longue)

kingdom ['kɪŋdəm] *n* royaume *m*; **animal/plant k.** règne *m* animal/végétal

kingfisher ['kɪŋfɪʃə(r)] *n* martin-pêcheur *m*

kink [kɪŋk] *n* (*in rope*) boucle *f*

kinky ['kɪŋkɪ] (**-ier, -iest**) *adj* (*person*) qui a des goûts bizarres; (*clothes, tastes*) bizarre

kinship ['kɪnʃɪp] *n* parenté *f*

kiosk ['kiːɒsk] *n* kiosque *m*; *Br* **(telephone) k.** cabine *f* téléphonique

kip [kɪp] (*pt* & *pp* **-pp-**) *Br Fam* **1** *n* (*sleep*) **to have a k.** piquer un roupillon; **to get some k.** roupiller **2** *vi* (*sleep*) roupiller

kipper ['kɪpə(r)] *n* hareng *m* salé et fumé

kiss [kɪs] **1** *n* baiser *m*; **the k. of life** (*in first aid*) le bouche-à-bouche **2** *vt* (*person*) embrasser; **to k. sb's hand** baiser la main de qn; **to k. sb goodbye** dire au revoir à qn en l'embrassant **3** *vi* s'embrasser

kit [kɪt] **1** n équipement m, matériel m; (set of articles) trousse f; Br (belongings) affaires fpl; Br (sports clothes) tenue f; **first-aid k.** trousse de pharmacie; **tool k.** trousse à outils; **(do-it-yourself) k.** kit m; **model aircraft k.** maquette f d'avion; **in k. form** en kit **2** (pt & pp **-tt-**) vt Br **to k. sb out** équiper qn (**with** de) ■ **kitbag** n sac m de marin; Mil sac à paquetage

kitchen ['kɪtʃɪn] n cuisine f; **k. cabinet** buffet m de cuisine; **k. garden** jardin m potager; **k. sink** évier m; **k. units** éléments mpl de cuisine ■ **kitche'nette** n coin-cuisine m ■ **kitchen-ware** n ustensiles mpl de cuisine; (dishes) vaisselle f de cuisine

kite [kaɪt] n (toy) cerf-volant m

kith [kɪθ] n **k. and kin** parents mpl et amis mpl

kitten ['kɪtən] n chaton m

kitty ['kɪtɪ] (pl **-ies**) n (**a**) Fam (cat) minou m (**b**) (fund) cagnotte f

kiwi ['ki:wi:] n (bird, fruit) kiwi m

km (abbr **kilometre**) km

knack [næk] n (skill) talent m; **to have the k. of doing sth** avoir le don de faire qch

knackered ['nækəd] adj Br Fam (tired) crevé ■ **knackering** adj Br Fam crevant

knapsack ['næpsæk] n sac m à dos

knead [ni:d] vt (dough) pétrir

knee [ni:] n genou m; **to go down on one's knees** s'agenouiller; **k. pad** genouillère f ■ **kneecap** n rotule f ■ **'knee-'deep** adj (in water, snow) jusqu'aux genoux ■ **'knee-'high** adj jusqu'aux genoux ■ **knees-up** n Br Fam (party) soirée f

kneel [ni:l] (pt & pp **knelt** or **kneeled**) vi **to k. (down)** s'agenouiller (**before** devant); **to be kneeling (down)** être à genoux

knell [nel] n Literary glas m

knelt [nelt] pt & pp of **kneel**

knew [n(j)u:] pt of **know**

knickers ['nɪkəz] npl Br (underwear) culotte f (de femme)

knick-knack ['nɪknæk] n Fam babiole f

knife [naɪf] **1** (pl **knives**) n couteau m; (penknife) canif m **2** vt poignarder

knight [naɪt] **1** n chevalier m; Chess cavalier m **2** vt Br **to be knighted** être fait chevalier ■ **knighthood** n titre m de chevalier

knit [nɪt] (pt & pp **-tt-**) **1** vt tricoter; **to k. one's brow** froncer les sourcils **2** vi tricoter; **to k. (together)** (of bones) se ressouder ■ **knitting** n (activity, material) tricot m; **k. needle** aiguille f à tricoter ■ **knitwear** n lainages mpl

knob [nɒb] n (on door) poignée f; (on cane) pommeau m; (on radio) bouton m; **k. of butter** noix f de beurre

knock [nɒk] **1** n (blow) coup m; **there's a k. at the door** on frappe à la porte; **I heard a k.** j'ai entendu frapper **2** vt (strike) frapper; (collide with) heurter; Fam (criticize) critiquer; **to k.**

one's head on sth se cogner la tête contre qch; **to k. sb senseless** assommer qn; **to k. sb to the ground** faire tomber qn en le frappant **3** vi (strike) frapper; **to k. against** or **into sth** heurter qch ■ **knockdown** adj Br **k. price** prix m imbattable ■ **'knock-'kneed** adj cagneux, -euse ■ **knockout** n Boxing knock-out m inv; Fam **to be a k.** (of person, film) être formidable

► **knock about 1** vt sep (ill-treat) malmener **2** vi Fam (travel) bourlinguer; Fam (lie around, stand around) traîner

► **knock back** vt sep Br Fam (drink, glass) s'envoyer (derrière la cravate)

► **knock down** vt sep (object, pedestrian) renverser; (house, tree, wall) abattre; (price) baisser

► **knock in** vt sep (nail) enfoncer

► **knock off 1** vt sep (person, object) faire tomber (**from** de); Fam (do quickly) expédier; Br Fam (steal) piquer; **to k. £5 off (the price)** baisser le prix de 5 livres **2** vi (stop work) s'arrêter de travailler

► **knock out** vt sep (make unconscious) assommer; Boxing mettre K.-O.; (beat in competition) éliminer; Fam **to k. oneself out** (doing à faire)

► **knock over** vt sep (pedestrian, object) renverser

► **knock up** vt sep Br Fam (meal) préparer en vitesse

knocker ['nɒkə(r)] n (for door) marteau m

knot [nɒt] **1** n (**a**) (in rope, hair) nœud m; **to tie a k.** faire un nœud; Fig **to tie the k.** se marier (**b**) Naut (unit of speed) nœud m **2** (pt & pp **-tt-**) vt nouer ■ **knotty** (**-ier, -iest**) adj (rope, hair) plein de nœuds; (wood) noueux, -euse; Fig (problem) épineux, -euse

know [nəʊ] **1** n Fam **to be in the k.** être au courant

2 (pt **knew**, pp **known**) vt (facts, language) savoir; (person, place) connaître; (recognize) reconnaître (**by** à); **to k. that...** savoir que...; **to k. how to do sth** savoir faire qch; **for all I k.** que je sache; **I'll let you k.** je vous le ferai savoir; **I'll have you k. that...** sachez que...; **to k. (a lot) about** (person, event) en savoir long sur; **to k. (a lot) about cars/sewing** s'y connaître en voitures/couture; **I've never known him to complain** je ne l'ai jamais vu se plaindre; **to get to k. (about) sth** apprendre qch; **to get to k. sb** apprendre à connaître qn

3 vi savoir; **I k.** je (le) sais; **I wouldn't k., I k. nothing about it** je n'en sais rien; **to k. about sth** être au courant de qch; **to k. of** (have heard of) avoir entendu parler de; **do you k. of a good dentist?** connais-tu un bon dentiste?; **you (should) k. better than to do that** tu es trop intelligent pour faire ça; **you should have known better** tu aurais dû réfléchir ■ **know-**

all *n Fam Pej* je-sais-tout *mf inv* ▪**know-how** *n Fam* savoir-faire *m inv* ▪**knowing** *adj (smile, look)* entendu ▪**knowingly** *adv (consciously)* sciemment ▪**know-it-all** *n Fam Pej* je-sais-tout *mf inv* ▪**known** *adj* connu; **a k. expert** un expert reconnu; **she is k. to be...** on sait qu'elle est...

knowledge ['nɒlɪdʒ] *n (of fact)* connaissance *f*; *(learning)* connaissances *fpl*, savoir *m*; **to (the best of) my k.** à ma connaissance; **without sb's k.** à l'insu de qn; **to have no k. of sth** ignorer qch; **general k.** culture *f* générale ▪**knowledgeable** *adj* savant; **to be k. about sth** bien s'y connaître en qch

known [nəʊn] *pp of* **know**

knuckle ['nʌkəl] *n* articulation *f* (du doigt)
▸ **knuckle down** *vi Fam* se mettre au boulot; **to k. down to sth** se mettre à qch

Koran [kə'rɑːn] *n* **the K.** le Coran

Korea [kə'rɪə] *n* la Corée ▪**Korean 1** *adj* coréen, -éenne **2** *n (person)* Coréen, -éenne *mf*; *(language)* coréen *m*

kosher ['kəʊʃə(r)] *adj Rel (food)* kasher *inv*; *Fam (legitimate)* réglo

kowtow [kaʊ'taʊ] *vi* **to k. to sb** faire des courbettes devant qn

kudos ['kjuːdɒs] *n (glory)* gloire *f*; *(prestige)* prestige *m*

Kuwait [kʊ'weɪt] *n* le Koweït ▪**Kuwaiti 1** *adj* koweïtien, -ienne **2** *n* Koweïtien, -ienne *mf*

L, l [el] *n (letter)* L, l *m inv*; *Br* **L-plate** = plaque apposée sur une voiture pour signaler que le conducteur est en conduite accompagnée

lab [læb] *n Fam* labo *m* ▪**laboratory** [*Br* ləˈbɒrətərɪ, *Am* ˈlæbrətɔːrɪ] *n* laboratoire *m*; **l. assistant** laborantin, -ine *mf*

label [ˈleɪbəl] **1** *n* étiquette *f*; *(of record company)* label *m* **2** (*Br* **-ll-**, *Am* **-l-**) *vt* étiqueter; *Fig (person)* cataloguer; *Fig* **to l. sb as a liar** qualifier qn de menteur

laborious [ləˈbɔːrɪəs] *adj* laborieux, -ieuse

labour [ˈleɪbə(r)] (*Am* **labor**) **1** *n (work)* travail *m*; *(workers)* main-d'œuvre *f*; *Br* **L.** *(political party)* le parti travailliste; **in l.** *(woman)* en train d'accoucher **2** *adj (market)* du travail; *(relations)* ouvriers-patronat *inv*; **l. dispute** conflit *m* social; **l. force** effectifs *mpl*; *Am* **l. union** syndicat *m*; **l. unrest** agitation *f* ouvrière **3** *vt* **to l. a point** insister sur un point **4** *vi (toil)* peiner (**over** sur) ▪**laboured** (*Am* **labored**) *adj (style)* laborieux, -ieuse ▪**labourer** (*Am* **laborer**) *n (on roads)* manœuvre *m*; *(on farm)* ouvrier *m* agricole

labyrinth [ˈlæbərɪnθ] *n* labyrinthe *m*

lace [leɪs] **1** *n* **(a)** *(cloth)* dentelle *f* **(b)** *(of shoe)* lacet *m* **2** *vt* **(a)** **to l. (up)** *(tie up)* lacer **(b)** *(drink)* additionner (**with** de)

lacerate [ˈlæsəreɪt] *vt* lacérer ▪**lace'ration** *n* lacération *f*

lack [læk] **1** *n* manque *m* (**of** de); **for l. of sth** à défaut de qch **2** *vt* manquer de **3** *vi* **to be lacking** manquer (**in** de); **they l. for nothing** ils ne manquent de rien

lackey [ˈlækɪ] (*pl* **-eys**) *n Pej* laquais *m*

lacklustre [ˈlæklʌstə(r)] (*Am* **lackluster**) *adj* terne

laconic [ləˈkɒnɪk] *adj* laconique ▪**laconically** *adv* laconiquement

lacquer [ˈlækə(r)] **1** *n* laque *f* **2** *vt* laquer

lad [læd] *n Fam (young man)* jeune gars *m*; *(child)* garçon *m*; **when I was a l.** quand j'étais gamin; **come on lads!** allez les mecs!

ladder [ˈlædə(r)] **1** *n* échelle *f*; *Br (in tights)* maille *f* filée **2** *vti Br* filer

laden [ˈleɪdən] *adj* chargé (**with** de)

ladle [ˈleɪdəl] *n* louche *f*

▸**ladle out** *vt sep (soup)* servir (avec une louche)

lady [ˈleɪdɪ] (*pl* **-ies**) *n* dame *f*; **a young l.** une jeune fille; *(married)* une jeune dame; **the l. of the house** la maîtresse de maison; **Ladies and Gentlemen!** Mesdames, Mesdemoiselles, Messieurs!; **l. friend** amie *f*; **ladies' night** *(in bar)* = soirée où les femmes ont droit à des réductions; **the ladies' room**, *Br* **the ladies** les toilettes *fpl* pour dames ▪**lady-in-'waiting** (*pl* **ladies-in-waiting**) *n* dame *f* d'honneur

ladybird [ˈleɪdɪbɜːd] (*Am* **ladybug** [ˈleɪdɪbʌg]) *n* coccinelle *f*

ladylike [ˈleɪdɪlaɪk] *adj (manner)* distingué; **she's (very) l.** elle fait très grande dame

lag [læg] **1** *n* **time l.** *(between events)* décalage *m*; *(between countries)* décalage horaire **2** (*pt & pp* **-gg-**) *vt (pipe)* isoler **3** *vi* **to l. behind** *(in progress, work)* avoir du retard; *(dawdle)* être à la traîne; **to l. behind sb** être à la traîne derrière qn

lager [ˈlɑːgə(r)] *n Br* bière *f* blonde

lagoon [ləˈguːn] *n* lagune *f*; *(of atoll)* lagon *m*

laid [leɪd] *pt & pp of* **lay³** ▪**'laid-'back** *adj Fam* cool *inv*

lain [leɪn] *pp of* **lie²**

lair [leə(r)] *n* tanière *f*

lake [leɪk] *n* lac *m*

lamb [læm] *n* agneau *m* ▪**lambswool** *n* lambswool *m*; **l. sweater** pull *m* en lambswool

lame [leɪm] (**-er**, **-est**) *adj (person, argument)* boiteux, -euse; *(excuse)* piètre; *Fam (stupid)* cloche, nouille; **to be l.** boiter; *Am Pol* **l. duck** = candidat sortant non réélu ▪**lameness** *n Med* claudication *f*; *Fig (of excuse)* faiblesse *f*

lament [ləˈment] **1** *n* lamentation *f* **2** *vt* **to l. (over)** se lamenter sur ▪**lamentable** *adj* lamentable ▪**lamentation** [læmenˈteɪʃən] *n* lamentation *f*

laminated [ˈlæmɪneɪtɪd] *adj (glass)* feuilleté; *(wood, plastic)* stratifié

lamp [læmp] *n* lampe *f* ▪**lamppost** *n* réverbère *m* ▪**lampshade** *n* abat-jour *m inv*

lance [lɑːns] **1** *n (weapon)* lance *f* **2** *vt (abscess)* inciser

land [lænd] **1** *n* terre *f*; *(country)* pays *m*; **(plot of) l. terrain** *m*; **on dry l.** sur la terre ferme; **to travel by l.** voyager par voie de terre **2** *adj (transport, flora)* terrestre; *(reform, law)* agraire; *(tax)* foncier, -ière **3** *vt (passengers, cargo)* débarquer; *(aircraft)* poser; *(blow)* flanquer (**on** à); *Fam (job, prize)* décrocher; *Fam* **to l. sb in trouble** mettre qn dans le pétrin; *Fam* **to be landed with** *(person)* avoir sur les bras; *(fine)* écoper de; *Fam* **to l. sb one** *(hit)* en coller une à qn

4 *vi (of aircraft)* atterrir; *(of ship)* mouiller; *(of passengers)* débarquer; *(of bomb, missile)* tomber; **to l. up in a ditch/in jail** se retrouver dans un fossé/en prison ▪ **landing** *n* (**a**) *(of aircraft)* atterrissage *m*; *(of cargo, troops)* débarquement *m*; **forced l.** atterrissage *m* forcé; **l. stage** débarcadère *m* (**b**) *(of staircase)* palier *m* ▪ **landlady** *(pl -ies)* *n* propriétaire *f*; *(of pub)* patronne *f* ▪ **landlocked** *adj* sans accès à la mer ▪ **landlord** *n* propriétaire *m*; *(of pub)* patron *m* ▪ **landmark** *n* point *m* de repère ▪ **landowner** *n* propriétaire *m* foncier ▪ **landslide** *n* *(falling rocks)* glissement de terrain; *(election victory)* raz de marée *m inv* électoral

landed ['lændɪd] *adj (owning land)* terrien, -ienne

landscape ['lændskeɪp] *n* paysage *m*

lane [leɪn] *n (in country)* chemin *m*; *(in town)* ruelle *f*; *(division of road)* voie *f*; *(line of traffic)* file *f*; *(for aircraft, shipping, swimming)* couloir *m*; **'get in l.'** *(traffic sign)* 'prenez votre file'

language ['læŋgwɪdʒ] **1** *n (of a people)* langue *f*; *(faculty, style)* langage *m* **2** *adj (laboratory)* de langues; *(teacher, studies)* de langue(s)

languid ['læŋgwɪd] *adj* languissant ▪ **languish** *vi* languir (**for** or **after** après)

lank [læŋk] *adj (hair)* plat et terne

lanky ['læŋkɪ] *(-ier, -iest)* *adj* dégingandé

lantern ['læntən] *n* lanterne *f*; **Chinese l.** lampion *m*

lap [læp] **1** *n* (**a**) *(of person)* genoux *mpl*; **in the l. of luxury** dans le luxe; **l. dancer** = entraîneuse qui danse nue pour un client (**b**) *(in race)* tour *m* de piste **2** *(pt & pp -pp-)* *vt* **to l. up** *(drink)* laper; *Fam (like very much)* se délecter de; *Fam (believe)* gober **3** *vi (of waves)* clapoter; **to l. over** *(overlap)* se chevaucher

lapdog ['læpdɒg] *n* chien *m* d'appartement; *Fig* toutou *m*

lapel [lə'pel] *n* revers *m*

lapse [læps] **1** *n* (**a**) *(in concentration, standards)* baisse *f*; **a l. of memory** un trou de mémoire; **a l. in behaviour** un écart de conduite (**b**) *(interval)* laps *m* de temps; **a l. of time** un intervalle (**between** entre) **2** *vi* (**a**) *(of concentration, standards)* baisser; *(of person)* retomber dans un travers; **to l. into silence** se taire; **to l. into bad habits** reprendre de mauvaises habitudes (**b**) *(expire)* *(of ticket, passport, subscription)* expirer

laptop ['læptɒp] *adj & n* **l. (computer)** ordinateur *m* portable

larceny ['lɑːsənɪ] *n Am Law* vol *m*

lard [lɑːd] *n* saindoux *m*

Note that the French word **lard** is a false friend. Its most common meaning is **bacon**.

larder ['lɑːdə(r)] *n* garde-manger *m inv*

large [lɑːdʒ] **(-er, -est)** *adj (big)* grand; *(fat, bulky)* gros *(f* grosse); *(quantity)* grand, important; **to become** or **grow** or **get l.** s'agrandir; *(of person)* grossir; **to a l. extent** en grande partie; **at l.** *(of prisoner, animal)* en liberté; *(as a whole)* en général; **by and l.** dans l'ensemble ▪ **'large-'scale** *adj (operation, reform)* de grande envergure

largely ['lɑːdʒlɪ] *adv* en grande partie

Note that the French word **largement** is a false friend. It means **widely** or **generously** depending on the context.

largesse [lɑː'ʒes] *n* largesse *f*

lark[1] [lɑːk] *n (bird)* alouette *f*

lark[2] [lɑːk] *Fam* **1** *n (joke)* rigolade *f* **2** *vi Br* **to l. about** faire le fou/la folle

larva ['lɑːvə] *(pl -vae* [-viː]*)* *n* larve *f*

larynx ['lærɪŋks] *n* larynx *m* ▪ **laryngitis** [-rɪn'dʒaɪtəs] *n Med* laryngite *f*

lasagne [lə'zænjə] *n* lasagnes *fpl*

lascivious [lə'sɪvɪəs] *adj* lascif, -ive

laser ['leɪzə(r)] *n* laser *m*; **l. beam/printer/ pointer** rayon *m*/imprimante *f* /pointeur *m* laser; **l. surgery** chirurgie *f* au laser

lash[1] [læʃ] **1** *n (with whip)* coup *m* de fouet **2** *vt (strike)* fouetter; *(tie)* attacher (**to** à); **the dog lashed its tail** le chien donna un coup de queue **3** *vi Fam* **to l. out** *(spend wildly)* claquer son argent; **to l. out at sb** *(hit)* donner des coups à qn; *(insult)* s'en prendre violemment à qn; *(criticize)* fustiger qn

lash[2] [læʃ] *n (eyelash)* cil *m*

lashings ['læʃɪŋz] *npl Br Fam* **l. of cream/jam** une tonne de crème/confiture

lass [læs] *n Br* jeune fille *f*

lassitude ['læsɪtjuːd] *n* lassitude *f*

lasso [læ'suː] **1** *(pl -oes* or *-os)* *n* lasso *m* **2** *(pt & pp -oed)* *vt* attraper au lasso

last[1] [lɑːst] **1** *adj* dernier, -ière; **the l. ten lines** les dix dernières lignes; **l. night** *(evening)* hier soir; *(night)* la nuit dernière; **l. name** nom *m* de famille **2** *adv (lastly)* en dernier lieu; *(on the last occasion)* (pour) la dernière fois; **to leave l.** sortir le dernier; **when I saw him l.** la dernière fois que je l'ai vu **3** *n (person, object)* dernier, -ière *mf*; **l. but one** avant-dernier *m* *(f* avant-dernière)*; **that's the l. of the beer** on a fini la bière; **the day before l.** avant-hier; **at (long) l.** enfin ▪ **last-'ditch** *adj (attempt)* ultime ▪ **'last-'minute** *adj (decision)* de dernière minute

last[2] [lɑːst] *vi* durer; **to l. (out)** *(endure, resist)* tenir (le coup); *(of money, supplies)* suffire; **it lasted me ten years** ça m'a fait dix ans ▪ **lasting** *adj (impression, peace)* durable

lastly ['lɑːstlɪ] *adv* en dernier lieu

latch [lætʃ] **1** *n* loquet *m*; **the door is on the l.** la porte n'est pas fermée à clef **2** *vt insep Fam* **to l. onto** *(understand)* piger; *(grab)* s'accrocher à; *(adopt)* adopter

late¹ [leɪt] **1** (**-er, -est**) *adj (not on time)* en retard (**for** à); *(meal, fruit, season, hour)* tardif, -ive; *(stage)* avancé; *(edition)* dernier, -ière; **to be l. (for sth)** être en retard (pour qch); **to be l. (in) coming** arriver en retard; **to make sb l.** mettre qn en retard; **he's an hour l.** il a une heure de retard; **it's l.** il est tard; **in l. June** fin juin; **in the l. nineties** à la fin des années 90; **to be in one's l. forties** approcher de la cinquantaine; **a later edition** *(more recent)* une édition plus récente; **the latest edition** *(last)* la dernière édition; **to take a later train** prendre un train plus tard; **in later life** plus tard (dans la vie); **at a later date** à une date ultérieure; **at the latest** au plus tard
2 *adv (in the day, season)* tard; *(not on time)* en retard; **it's getting l.** il se fait tard; **l. into the night** jusqu'à une heure avancée de la nuit; **l. in the year** vers la fin de l'année; **later (on)** plus tard; **of l.** récemment; **not** *or* **no later than** pas plus tard que

late² [leɪt] *adj* **the l. Mr Smith** feu Monsieur Smith; **our l. friend** notre regretté ami

latecomer ['leɪtkʌmə(r)] *n* retardataire *mf*

lately ['leɪtlɪ] *adv* dernièrement

lateness ['leɪtnəs] *n (of person, train)* retard *m*; **the l. of the hour** l'heure *f* tardive

latent ['leɪtənt] *adj (disease, tendency)* latent

lateral ['lætərəl] *adj* latéral

lathe [leɪð] *n (machine)* tour *m*

lather ['lɑːðə(r)] **1** *n* mousse *f* **2** *vt* savonner **3** *vi* mousser

Latin ['lætɪn] **1** *adj* latin; **L. America** l'Amérique *f* latine **2** *n (person)* Latin, -ine *mf*; *(language)* latin *m* ▪ **Latin American 1** *adj* d'Amérique latine **2** *n* Latino-Américain, -aine *mf*

latitude ['lætɪtjuːd] *n (on map, freedom)* latitude *f*

latrines [lə'triːnz] *npl esp Mil* latrines *fpl*

latte ['læteɪ] *n* café *m* au lait

latter ['lætə(r)] **1** *adj (later, last-named)* dernier, -ière; *(second)* deuxième; **the l. part of June** la deuxième moitié du mois de juin **2** *n* **the l.** le dernier (*f* la dernière); *(of two)* le second (*f* la seconde) ▪ **latterly** *adv (recently)* récemment, dernièrement

lattice ['lætɪs] *n* treillis *m* ▪ **latticework** *n* treillis *m*

Latvia ['lætvɪə] *n* Lettonie *f* ▪ **Latvian 1** *adj* letton, -onne **2** *n (person)* Letton, -onne *mf*; *(language)* letton *m*

laudable ['lɔːdəbəl] *adj* louable

laugh [lɑːf] **1** *n* rire *m*; **to have a good l.** bien rire **2** *vt* **to l. sth off** tourner qch en plaisanterie; *Fam* **to l. one's head off** être mort de rire **3** *vi* rire (**at/about** de); **to l. to oneself** rire en soi-même ▪ **laughing** *adj* riant; **it's no l. matter** il n'y a pas de quoi rire; **to be the l. stock of** être la risée de

laughable ['lɑːfəbəl] *adj* ridicule

laughter ['lɑːftə(r)] *n* rire(s) *m(pl)*; **to roar with l.** rire aux éclats

launch [lɔːntʃ] **1** *n* (**a**) *(motorboat)* vedette *f*; *(pleasure boat)* bateau *m* de plaisance (**b**) *(of ship, rocket, product)* lancement *m*; **l. pad** aire *f* de lancement **2** *vt (ship, rocket, product)* lancer **3** *vi* **to l. (out) into** *(begin)* se lancer dans ▪ **launching** *n (of ship, rocket, product)* lancement *m*; **l. pad** aire *f* de lancement

launder ['lɔːndə(r)] *vt (clothes, money)* blanchir ▪ **laundering** *n* blanchiment *m*

launderette [lɔːndə'ret] (*Am* **Laundromat®** ['lɔːndrəmæt]) *n* laverie *f* automatique

laundry ['lɔːndrɪ] *n (place)* blanchisserie *f*; *(clothes)* linge *m*; **to do the l.** faire la lessive

laurel ['lɒrəl] *n* laurier *m*; *Fig* **to rest on one's laurels** se reposer sur ses lauriers

lava ['lɑːvə] *n* lave *f*

lavatory ['lævətɔrɪ] *(pl* **-ies***) n* toilettes *fpl*

lavender ['lævɪndə(r)] *n* lavande *f*

lavish ['lævɪʃ] **1** *adj* prodigue (**with** de); *(meal, décor, gift)* somptueux, -ueuse; *(expenditure)* excessif, -ive **2** *vt* **to l. sth on sb** couvrir qn de qch ▪ **lavishly** *adv (furnish)* somptueusement; **to spend l.** dépenser sans compter

law [lɔː] *n (rule, rules)* loi *f*; *(study, profession, system)* droit *m*; **against the l.** illégal; **to break the l.** enfreindre la loi; **to be above the l.** être au-dessus des lois; **court of l.**, **l. court** cour *f* de justice; **l. and order** l'ordre *m* public; **l. firm** cabinet *m* d'avocat; *Am* **l. school** faculté *f* de droit; **l. student** étudiant, -iante *mf* en droit ▪ **law-abiding** *adj* respectueux, -ueuse des lois

lawful ['lɔːfəl] *adj (action, age)* légal; *(wife, claim)* légitime ▪ **lawfully** *adv* légalement

lawless ['lɔːləs] *adj (country)* anarchique ▪ **lawlessness** *n* anarchie *f*

lawn [lɔːn] *n* pelouse *f*, gazon *m*; **l. mower** tondeuse *f* à gazon; **l. tennis** tennis *m*

lawsuit ['lɔːsuːt] *n* procès *m*

lawyer ['lɔːjə(r)] *n (in court)* avocat, -ate *mf*; *(for wills, sales)* notaire *m*; *(legal expert, author)* juriste *m*

lax [læks] *adj (person)* laxiste; *(discipline, behaviour)* relâché; **to be l. in doing sth** négliger de faire qch ▪ **laxity, laxness** *n* laxisme *m*; *(of discipline)* relâchement *m*

laxative ['læksətɪv] **1** *adj* laxatif, -ive **2** *n* laxatif *m*

lay¹ [leɪ] *pt of* **lie²**

lay² [leɪ] *adj (non-religious)* laïque; *(non-specialized) (opinion)* d'un profane; **l. person**

profane *mf* ▪**layman** (*pl* **-men**) *n* (*non-specialist*) profane *mf*

lay³ [leɪ] (*pt & pp* **laid**) 1 *vt* (*put down, place*) poser; (*blanket*) étendre (**over** sur); (*trap*) tendre; (*money*) miser (**on** sur); (*accusation*) porter; (*ghost*) exorciser; (*egg*) pondre; **to l. sth flat** poser qch à plat; Br **to l. the table** mettre la table; **to l. a bet** parier; **to l. sth bare** mettre qch à nu; **to l. oneself open to criticism** s'exposer aux critiques; **to l. one's hands on sth** mettre la main sur qch; **to l. a hand** *or* **a finger on sb** lever la main sur qn 2 *vi* (*of bird*) pondre ▪**lay-by** (*pl* **-bys**) *n* Br (*for vehicles*) aire *f* de stationnement ▪**layout** *n* disposition *f*; (*of text*) mise *f* en page ▪**lay-over** *n* Am halte *f*

▸**lay down** *vt sep* (*put down*) poser; (*arms*) déposer; (*principle, condition*) établir; **to l. down one's life** sacrifier sa vie (**for** pour); **to l. down the law** dicter sa loi (**to** à)

▸**lay into** *vt insep* Fam (*physically*) rosser; (*verbally*) voler dans les plumes à

▸**lay off** *vt sep* **to l. sb off** (*worker*) licencier qn 2 *vt insep* Fam (*stop*) arrêter; Fam **to l. off sb** (*leave alone*) ficher la paix à 3 *vi* Fam (*desist*) arrêter; **l. off!** (*don't touch*) pas touche!

▸**lay on** *vt sep* Br (*install*) installer; (*supply*) fournir; Fam **to l. it on (thick)** y aller un peu fort

▸**lay out** *vt sep* (*garden*) dessiner; (*house*) concevoir; (*prepare*) préparer; (*display*) disposer; Fam (*money*) mettre (**on** dans)

layer ['leɪə(r)] *n* couche *f*

laze [leɪz] *vi* **to l. (about** *or* **around)** paresser

lazy ['leɪzɪ] (**-ier, -iest**) *adj* (*person*) paresseux, -euse; (*afternoon*) passé à ne rien faire ▪**lazybones** *n* Fam flemmard, -arde *mf*

lb (*abbr* **libra**) livre *f* (*unité de poids*)

lead¹ [led] *n* (*metal*) plomb *m*; (*of pencil*) mine *f*; **l. pencil** crayon *m* à papier ▪**leaded** *adj* (*petrol*) au plomb ▪**leaden** *adj* **l. sky** ciel *m* de plomb ▪**'lead-'free** *adj* (*petrol, paint*) sans plomb

lead² [li:d] 1 *n* (*distance or time ahead*) avance *f* (**over** sur); (*example*) exemple *m*; (*clue*) indice *m*; (*in film*) rôle *m* principal; Br (*for dog*) laisse *f*; (*electric wire*) fil *m* électrique; **to take the l.** (*in race*) prendre la tête; **to be in the l.** (*in race*) être en tête; (*in match*) mener (à la marque); **l. singer** (*in pop group*) chanteur, -euse vedette 2 (*pt & pp* **led**) *vt* (*guide, conduct, take*) mener, conduire (**to** à); (*team, government*) diriger; (*expedition, attack*) commander; (*procession*) être en tête de; **to l. a happy life** mener une vie heureuse; **to l. sb in/out** faire entrer/sortir qn; **to l. sb to do sth** (*cause, induce*) amener qn à faire qch; **to l. the way** montrer le chemin; **to l. the world** tenir le premier rang mondial; **easily led** influençable 3 *vi* (*of street, door*) mener, conduire (**to** à); (*in race*) être en tête; (*in match*) mener (à la marque); (*go ahead*) aller devant; **to l. to sth** (*result in*) aboutir à qch; (*cause*) mener à qch; **to l. up to** (*of street*) conduire à, mener à; (*precede*) précéder; (*approach gradually*) en venir à

▸**lead away** *vt sep* emmener

▸**lead back** *vt sep* ramener

▸**lead off** *vt sep* emmener

▸**lead on** *vt sep* (*deceive*) tromper, duper

leader ['li:də(r)] *n* (**a**) (*of party*) chef *m*; (*of country, party*) dirigeant, -ante *mf*; (*of strike, riot*) meneur, -euse *mf*; (*guide*) guide *m*; **to be the l.** (*in race*) être en tête (**b**) Br (*newspaper article*) éditorial *m* ▪**leadership** *n* direction *f*; (*qualities*) qualités *fpl* de chef; (*leaders*) (*of country, party*) dirigeants *mpl*

leading ['li:dɪŋ] *adj* (*best, most important*) principal; **the l. car** la voiture de tête; **a l. figure, a l. light** un personnage marquant; **the l. lady** (*in film*) le premier rôle féminin; Br **l. article** (*in newspaper*) éditorial *m*

leaf [li:f] 1 (*pl* **leaves**) *n* feuille *f*; (*of book*) feuillet *m*; (*of table*) rallonge *f* 2 *vi* **to l. through** (*book*) feuilleter ▪**leafy** (**-ier, -iest**) *adj* (*tree*) feuillu

leaflet ['li:flɪt] *n* prospectus *m*; (*containing instructions*) notice *f*

league [li:g] *n* (**a**) (*alliance*) ligue *f*; Sport championnat *m*; Pej **in l. with** de connivence avec (**b**) Hist (*measure*) lieue *f*

leak [li:k] 1 *n* (*in pipe, information*) fuite *f*; (*in boat*) voie *f* d'eau 2 *vt* Fig (*information*) divulguer; **the pipe was leaking gas** du gaz fuyait du tuyau 3 *vi* (*of liquid, pipe, tap*) fuir; (*of ship*) faire eau; Fig (*of information*) être divulgué ▪**leakage** [-ɪdʒ] *n* fuite *f*; (*amount lost*) perte *f* ▪**leaky** (**-ier, -iest**) *adj* (*kettle, pipe, tap*) qui fuit; (*roof*) qui a une fuite

lean¹ [li:n] (**-er, -est**) *adj* (*meat*) maigre; (*person*) mince; (*year*) difficile

lean² [li:n] (*pt & pp* **leaned** *or* **leant** [lent]) 1 *vt* **to l. sth on/against sth** appuyer qch sur/contre qch 2 *vi* (*of object*) pencher; (*of person*) se pencher; **to l. against/on sth** (*of person*) s'appuyer contre/sur qch; **to l. back against** s'adosser à; Fam **to l. on sb** (*influence*) faire pression sur qn (**to do** pour faire); **to l. forward** (*of person*) se pencher (en avant); **to l. over** (*of person*) se pencher; (*of object*) pencher ▪**leaning** *adj* penché; **l. against** (*resting*) appuyé contre ▪**leanings** *npl* tendances *fpl* (**towards** à) ▪**lean-to** (*pl* **-tos**) *n* Br (*building*) appentis *m*

leap [li:p] 1 *n* (*jump*) bond *m*, saut *m*; Fig (*change, increase*) bond *m*; **l. year** année *f* bissextile; **in leaps and bounds** à pas de géant 2 (*pt & pp* **leaped** *or* **leapt**) *vi* bondir, sauter; (*of flames*) jaillir; (*of profits*) faire un bond; **to l. for joy** sauter de joie; **to l. to one's feet, to l. up** se lever d'un bond

leapfrog ['li:pfrɒg] n saute-mouton m; **to play l.** jouer à saute-mouton

leapt [lept] pt & pp of **leap**

learn [lɜːn] (pt & pp learned or learnt [lɜːnt]) 1 vt apprendre (**that** que); **to l. (how) to do sth** apprendre à faire qch 2 vi apprendre; **to l. about sth** (study) étudier qch; (hear about) apprendre qch ■ **learned** [-ɪd] adj savant ■ **learner** n (beginner) débutant, -ante mf; (student) étudiant, -iante mf; **to be a quick/ slow l.** apprendre vite/lentement ■ **learning** n (of language) apprentissage m (**of** de); (knowledge) savoir m; **l. curve** courbe f d'assimilation

lease [liːs] 1 n bail m (pl baux); Fig **to give sb a new l. of life** or Am **on life** redonner à qn goût à la vie 2 vt (house) louer à bail (**from/to** à)

leash [liːʃ] n (of dog) laisse f; **on a l.** en laisse

least [liːst] 1 adj **the l.** (smallest amount of) le moins de; **he has (the) l. talent** il a le moins de talent (**of all** de tous); **the l. effort/noise** le moindre effort/bruit 2 n **the l.** le moins; **at l.** du moins; (with quantity) au moins; **at l. that's what she says** du moins, c'est ce qu'elle dit; **not in the l.** pas du tout 3 adv (work, eat) le moins; **the l. difficult** le/la moins difficile; **l. of all** (especially not) surtout pas

leather ['leðə(r)] n cuir m; **l. jacket** veste m en cuir; (wash) **l.** peau f de chamois ■ **leatherette**® n similicuir m

leave [liːv] 1 n (holiday) congé m; (of soldier, permission) permission f; **to be on l.** être en congé; (of soldier) être en permission; **l. of absence** congé exceptionnel; **to take (one's) l. of sb** prendre congé de qn 2 (pt & pp left) vt (allow to remain, forget) laisser; (depart from) quitter; **to l. the table** sortir de table; **to l. sb in charge of sb/sth** laisser à qn la garde de qn/ qch; **to l. sth with sb** (entrust, give) laisser qch à qn; **to be left (over)** rester; **there's no hope/ bread left** il ne reste plus d'espoir/de pain; **l. it to me!** laisse-moi faire!; **I'll l. it (up) to you** je m'en remets à toi 3 vi (go away) partir (**from** de; **for** pour)
▸ **leave behind** vt sep **to l. sth behind** (on purpose) laisser qch; (accidentally) oublier qch; **to l. sb behind** (not take) partir sans qn; (surpass) dépasser qn; (in race, at school) distancer qn
▸ **leave off** 1 vt sep (lid) ne pas remettre; Fam **to l. off doing sth** (stop) arrêter de faire qch 2 vi Fam (stop) s'arrêter
▸ **leave on** vt sep (clothes) garder
▸ **leave out** vt sep (forget to put) oublier de mettre; (word) sauter; (exclude) exclure

Lebanon ['lebənən] n le Liban ■ **Leba'nese** 1 adj libanais 2 n Libanais, -aise mf

lecher ['letʃə(r)] n débauché m ■ **lecherous** adj lubrique

lectern ['lektən] n (for giving speeches) pupitre m; (in church) lutrin m

lecture ['lektʃə(r)] 1 n (public speech) conférence f; (as part of series at university) cours m magistral; Fam (scolding) sermon m; **l. hall** or **theatre** amphithéâtre m 2 vt Fam (scold) faire la morale à 3 vi faire une conférence/un cours; **she lectures in chemistry** elle est professeur de chimie ■ **lecturer** n conférencier, -ière mf; (at university) enseignant, -ante mf

> Note that the French word **lecture** is a false friend and is never a translation for the English word **lecture**. It means **reading**.

led [led] pt & pp of **lead²**

ledge [ledʒ] n (on wall, window) rebord m; (on mountain) saillie f

ledger ['ledʒə(r)] n grand livre m

leech [liːtʃ] n (animal, person) sangsue f

leek [liːk] n poireau m

leer [lɪə(r)] 1 n (lustful) regard m lubrique; (cruel) regard sadique 2 vi **to l. at sb** (lustfully) regarder qn d'un air lubrique; (cruelly) regarder qn d'un air sadique

leeway ['liːweɪ] n marge f (de manœuvre)

left¹ [left] pt & pp of **leave** ■ **left-'luggage office** n Br consigne f

left² [left] 1 adj (side, hand) gauche 2 n gauche f; **on** or **to the l.** à gauche (**of** de) 3 adv à gauche ■ **'left-hand** adj de gauche; **on the l. side** à gauche (**of** de); **l. drive** conduite f à gauche ■ **'left-handed** adj (person) gaucher, -ère ■ **'left-'wing** adj (views, government) de gauche

leftist ['leftɪst] n & adj Pol gauchiste (mf)

leftovers ['leftəʊvəz] npl restes mpl

leg [leg] n jambe f; (of dog, bird) patte f; (of table) pied m; (of journey) étape f; **l. of chicken** cuisse f de poulet; **l. of lamb** gigot m d'agneau; **to pull sb's l.** (make fun of) mettre qn en boîte; Fam **on its last legs** (machine, car) prêt à claquer; Fam **to be on one's last legs** avoir un pied dans la tombe

legacy ['legəsɪ] (pl -ies) n Law & Fig legs m

legal ['liːgəl] adj (lawful) légal; (affairs, adviser, mind) juridique; (error) judiciaire; Br **l. aid** aide f judiciaire; **l. expert** juriste mf; **l. proceedings** procès m ■ **legality** [lɪ'gælɪtɪ] n légalité f ■ **legalization** n légalisation f ■ **legalize** vt légaliser ■ **legally** adv légalement

legation [lɪ'geɪʃən] n Pol légation f

legend ['ledʒənd] n (story, inscription) légende f ■ **legendary** adj légendaire

leggings ['legɪŋz] npl (of woman) caleçon m; (of cowboy) jambières fpl

leggy ['legɪ] (-ier, -iest) adj (person) tout en jambes

legible ['ledʒɪbəl] adj lisible ■ **legibility** n lisibilité f ■ **legibly** adv lisiblement

legion ['li:dʒən] n légion f

legislate ['ledʒɪsleɪt] vi légiférer ▪ **legis'lation** n (laws) législation f; (action) élaboration f des lois; **(piece of) l.** loi f

legislative ['ledʒɪslətɪv] adj législatif, -ive

legitimate [lɪ'dʒɪtɪmət] adj légitime ▪ **legitimacy** n légitimité f

legless ['legləs] adj Br Fam (drunk) complètement bourré

legroom ['legru:m] n place f pour les jambes

leisure [Br 'leʒə(r), Am 'li:ʒər] n **l.** (time) loisirs mpl; **l. activities** loisirs; **l. centre** or **complex** centre m de loisirs; **moment of l.** moment m de loisir; **at (one's) l.** à tête reposée ▪ **leisurely** adj (walk, occupation) peu fatigant; (meal, life) tranquille; **at a l. pace, in a l. way** sans se presser

lemon ['lemən] n citron m; Br **l. squash** citronnade f; **l. tea** thé m au citron; **l. tree** citronnier m ▪ **lemo'nade** n Br (fizzy) limonade f; Am (still) citronnade f

lend [lend] (pt & pp **lent**) vt prêter (**to** à); (support) apporter (**to** à); Fig (charm, colour) donner (**to** à); **to l. an ear to sth** prêter l'oreille à qch; **to l. credibility to sth** rendre qch crédible ▪ **lender** n prêteur, -euse mf ▪ **lending** n prêt m; **l. library** bibliothèque f de prêt

length [leŋθ] n (in space) longueur f; (of road, string) tronçon m; (of cloth) métrage m; (duration) durée f; **a great l. of time** longtemps; **at l.** (at last) enfin; **at (great) l.** (in detail) dans le détail; (for a long time) longuement; **to go to great lengths** se donner beaucoup de mal (**to do** pour faire)

lengthen ['leŋθən] **1** vt (garment) allonger; (holiday, visit) prolonger **2** vi (of days) allonger ▪ **lengthwise** adv dans le sens de la longueur ▪ **lengthy** (-ier, -iest) adj long (f longue)

lenient ['li:nɪənt] adj indulgent (**to** envers) ▪ **leniency** n indulgence f ▪ **leniently** adv avec indulgence

lens [lenz] (pl **lenses** [-zəz]) n lentille f; (in spectacles) verre m; (of camera) objectif m

Lent [lent] n Rel carême m

lent [lent] pt & pp of **lend**

lentil ['lentəl] n (seed, plant) lentille f

Leo ['li:əʊ] (pl **Leos**) n (sign) le Lion; **to be (a) L.** être Lion

leopard ['lepəd] n léopard m

leotard ['li:əta:d] n justaucorps m

leper ['lepə(r)] n lépreux, -euse mf ▪ **leprosy** ['leprəsɪ] n lèpre f

lesbian ['lezbɪən] **1** adj lesbien, -ienne **2** n lesbienne f

lesion ['li:ʒən] n Med lésion f

less [les] **1** adj & pron moins (de) (**than** que); **l. time** moins de temps; **she has l. (than you)** elle en a moins (que toi); **l. than a kilo/ten** moins d'un kilo/de dix **2** adv moins (**than** que); **l. (often)** moins souvent; **l. and l.** de moins en moins; **one l.** un(e) de moins **3** prep moins; **l. 2 euros** moins 2 euros

-less [ləs] suff sans; **childless** sans enfants

lessen ['lesən] vti diminuer ▪ **lessening** n diminution f

lesser ['lesə(r)] **1** adj moindre **2** n **the l. of** le/la moindre de

lesson ['lesən] n leçon f; **an English l.** une leçon d'anglais; **I have lessons now** j'ai cours maintenant; Fig **he has learnt his l.** ça lui a servi de leçon

lest [lest] conj Literary de peur que... (+ ne + subjunctive)

let[1] [let] **1** (pt & pp **let**, pres p **letting**) vt (allow) to **l. sb do sth** laisser qn faire qch; **to l. sb have sth** donner qch à qn **2** v aux **l. us eat/go, l.'s eat/go** mangeons/partons; **l.'s go for a stroll** allons nous promener; **l. him come** qu'il vienne ▪ **letdown** n déception f ▪ **letup** n répit m

▸ **let away** vt sep (allow to leave) laisser partir

▸ **let down** vt sep (lower) baisser; (hair) dénouer; (dress) rallonger; (tyre) dégonfler; **to l. sb down** (disappoint) décevoir qn; **don't l. me down** je compte sur toi; **the car l. me down** la voiture est tombée en panne

▸ **let in** vt sep (person, dog) faire entrer; (noise, light) laisser entrer; Br **to l. in the clutch** (in vehicle) embrayer; **to l. sb in on sth** mettre qn au courant de qch; **to l. oneself in for a lot of expense** se laisser entraîner à des dépenses; **to l. oneself in for trouble** s'attirer des ennuis; **what are you letting yourself in for?** sais-tu à quoi tu t'exposes?

▸ **let off** vt sep (firework) tirer; (bomb) faire exploser; (gun) faire partir; **to l. sb off** (allow to leave) laisser partir qn; (not punish) ne pas punir qn; (clear of crime) disculper qn; **to be l. off with a fine** s'en tirer avec une amende; **to l. sb off doing sth** dispenser qn de faire qch

▸ **let on** vi Fam **not to l. on** ne rien dire; Fam **to l. on that...** (admit) avouer que...; (reveal) dire que...

▸ **let out** vt sep (allow to leave) laisser sortir; (prisoner) relâcher; (cry, secret) laisser échapper; (skirt) élargir; **my secretary will l. you out** ma secrétaire va vous reconduire; Br **to l. out the clutch** (in vehicle) débrayer

▸ **let up** vi (of rain, pressure) s'arrêter

let[2] [let] (pt & pp **let**, pres p **letting**) vt **to l. (off** or **out)** (house, room) louer ▪ **letting** n (renting) location f

lethal ['li:θəl] adj (blow, dose) mortel, -elle; (weapon) meurtrier, -ière

lethargy ['leθədʒɪ] n léthargie f ▪ **lethargic** [lɪ'θɑ:dʒɪk] adj léthargique

letter ['letə(r)] n (message, part of word) lettre f;

man of letters homme *m* de lettres; **l. of introduction** lettre de recommandation; **l. bomb** lettre piégée; **l. opener** coupe-papier *m inv* ▪ **letterbox** *n Br* boîte *f* aux lettres ▪ **letterhead** *n* en-tête *m* ▪ **letterheaded** *adj* **l. paper** papier *m* à en-tête ▪ **lettering** *n (letters)* lettres *fpl; (on tomb)* inscription *f*

lettuce ['letɪs] *n* laitue *f*

leukaemia [luːˈkiːmɪə] *(Am* **leukemia)** *n* leucémie *f*; **to have l.** avoir une leucémie

level ['levəl] **1** *n* niveau *m*; **at international l.** à l'échelon international; **at eye l.** à hauteur des yeux; *Fam* **on the l.** *(honest)* régulier, -ière; *(honestly)* franchement **2** *adj (surface)* plat; *(equal in score)* à égalité (**with** avec); *(in height)* à la même hauteur (**with** que); **l. spoonful** cuillerée *f* rase; *Br* **l. crossing** *(for train)* passage *m* à niveau **3** *(Br* -**ll-**, *Am* -**l-**) *vt (surface, differences)* aplanir; *(plane down)* raboter; *(building)* raser; *(gun)* braquer (**at** sur); *(accusation)* lancer (**at** contre) **4** *vi* **to l. off** *or* **out** *(of prices)* se stabiliser; *Fam* **to l. with sb** *(franche)* avec qn ▪ **'level-'headed** *adj* équilibré

lever [*Br* 'liːvə(r), *Am* 'levər] *n* levier *m* ▪ **leverage** *n (power)* influence *f*

levity ['levɪtɪ] *n* légèreté *f*

levy ['levɪ] **1** *(pl* -**ies**) *n (tax)* impôt *m* (**on** sur) **2** *(pt & pp* -**ied**) *vt (tax, troops)* lever

lewd [luːd] *(-er, -est) adj* obscène

liability [laɪəˈbɪlɪtɪ] *n Law* responsabilité *f* (**for** de); *(disadvantage)* handicap *m; Fin* **liabilities** *(debts)* passif *m*

liable ['laɪəbəl] *adj* **l. to** *(dizziness)* sujet, -ette à; *(fine, tax)* passible de; **to be l. to do sth** risquer de faire qch; **l. for sth** *(responsible)* responsable de qch

liaise [liːˈeɪz] *vi* travailler en liaison (**with** avec) ▪ **liaison** [liːˈeɪzɒn] *n (contact, love affair)* & *Mil* liaison *f*

liar ['laɪə(r)] *n* menteur, -euse *mf*

libel ['laɪbəl] *Law* **1** *n* diffamation *f*; **l. action** procès *m* en diffamation **2** *(Br* -**ll-**, *Am* -**l-**) *vt* diffamer *(par écrit)*

liberal ['lɪbərəl] **1** *adj (open-minded)* & *Pol* libéral; *(generous)* généreux, -euse (**with** de) **2** *n Pol* libéral, -ale *mf* ▪ **liberalism** *n* libéralisme *m*

liberate ['lɪbəreɪt] *vt* libérer ▪ **libe'ration** *n* libération *f* ▪ **liberator** *n* libérateur, -trice *mf*

liberty ['lɪbətɪ] *(pl* -**ies**) *n* liberté *f*; **to be at l. to do sth** être libre de faire qch; **to take liberties with sb/sth** prendre des libertés avec qn/qch; *Fam* **what a l.!** *(impudence)* quel culot!

Libra ['liːbrə] *n (sign)* la Balance; **to be (a) L.** être Balance

library ['laɪbrərɪ] *(pl* -**ies**) *n* bibliothèque *f*; **l. card** carte *f* de bibliothèque ▪ **librarian** [-ˈbreərɪən] *n* bibliothécaire *mf*

Note that the French words **libraire** and **librairie** are false friends and are never translations for the English words **librarian** and **library**. They mean **bookseller** and **bookshop**.

libretto [lɪˈbretəʊ] *(pl* -**os**) *n Mus* livret *m*

Libya ['lɪbɪə] *n* la Libye ▪ **Libyan 1** *adj* libyen, -enne **2** *n* Libyen, -enne *mf*

lice [laɪs] *pl of* **louse**

licence ['laɪsəns] *(Am* **license)** *n* **(a)** *(permit)* permis *m; (for trading)* licence *f; (for flying)* brevet *m; (TV)* redevance *f*; **l. plate/number** *(of vehicle)* plaque *f*/numéro *m* d'immatriculation **(b)** *(excessive freedom)* licence *f*

Note that the French noun **licence** can be a false friend. It also means **bachelor's degree**.

license ['laɪsəns] **1** *n Am* = **licence 2** *vt* accorder un permis/une licence/un brevet à; **to be licensed to carry a gun** avoir un permis de port d'armes; *Br* **licensed premises** débit *m* de boissons; **licensing laws** lois *fpl* relatives aux débits de boissons

licit ['lɪsɪt] *adj* licite

lick [lɪk] **1** *n* coup *m* de langue; **a l. of paint** un coup de peinture **2** *vt* lécher; *Fam (defeat)* écraser; **to l. one's lips** s'en lécher les babines ▪ **licking** *n Fam (defeat)* déculottée *f*

licorice ['lɪkərɪʃ, 'lɪkərɪs] *n* réglisse *f*

lid [lɪd] *n* **(a)** *(of box)* couvercle *m* **(b)** *(of eye)* paupière *f*

lie[1] [laɪ] **1** *n* mensonge *m*; **to tell a l.** dire un mensonge; **to give the l. to sth** *(show as untrue)* démentir qch; **l. detector** détecteur *m* de mensonges **2** *(pt & pp* **lied**, *pres p* **lying**) *vi (tell lies)* mentir; **to l. through one's teeth** mentir effrontément

lie[2] [laɪ] *(pt* **lay**, *pp* **lain**, *pres p* **lying**) *vi* **(a)** *(of person, animal) (be in a flat position)* être allongé; *(get down)* s'allonger; **to be lying on the grass** être allongé sur l'herbe; **to l. in bed** rester au lit; **he lay asleep** il dormait; **I lay awake all night** je n'ai pas dormi de la nuit; **she lay dead at my feet** elle était étendue morte à mes pieds; *Fig* **to l. low** garder un profil bas; **here lies...** *(on tomb)* ci-gît... **(b)** *(of object)* être, se trouver; **snow lay on the hills** il y avait de la neige sur les collines; **to l. in ruins** *(of building)* être en ruines; *(of career)* être détruit; **the problem lies in that...** le problème réside dans le fait que...; **a brilliant future lies before her** un brillant avenir s'ouvre devant elle; **it's lying heavy on my stomach** *(of. meal)* cela me pèse sur l'estomac ▪ **'lie-'down** *n Br* **to have a l.** faire une sieste ▪ **'lie-'in** *n Br* **to have a l.** faire la grasse matinée

▸ **lie about, lie around** *vi (of objects, person)* traîner

▸ **lie down** *vi* s'allonger; **to be lying down** être allongé

▸ **lie in** *vi Br Fam* faire la grasse matinée

lieu [luː] *n* **in l.** à la place; **in l. of sth** au lieu de qch

lieutenant [*Br* lef'tenənt, *Am* luː'tenənt] *n* lieutenant *m*

life [laɪf] *(pl* **lives)** *n* vie *f*; *(of battery, machine)* durée *f* de vie; **to come to l.** *(of party, street)* s'animer; **at your time of l.** à ton âge; **loss of l.** perte *f* en vies humaines; **true to l.** conforme à la réalité; **to take one's (own) l.** se donner la mort; **bird l.** les oiseaux *mpl*; **l. annuity** rente *f* viagère; **l. expectancy** espérance *f* de vie; **l. force** force *f* vitale; **l. insurance** assurance-vie *f*; **l. jacket** gilet *m* de sauvetage; *Br* **l. peer** pair *m* à vie; *Am* **l. preserver** ceinture *f* de sauvetage; **l. raft** radeau *m* de sauvetage; **l. span** durée *f* de vie ▪ **lifebelt** *n* ceinture *f* de sauvetage ▪ **lifeblood** *n (of person)* souffle *m* vital; *(of economy)* moteur *m* ▪ **lifeboat** *n* canot *m* de sauvetage ▪ **lifebuoy** *n* bouée *f* de sauvetage ▪ **lifeguard** *n* maître nageur *m* ▪ **lifeless** *adj* sans vie ▪ **lifelike** *adj* très ressemblant ▪ **lifeline** *n* **to be sb's l.** être essentiel, -ielle à la survie de qn ▪ **lifelong** *adj* de toute sa vie; *(friend)* de toujours ▪ **lifesaving** *n* sauvetage *m* ▪ **lifesize(d)** *adj* grandeur nature *inv* ▪ **lifestyle** *n* style *m* de vie ▪ **life-sup'port machine** *n* respirateur *m* artificiel ▪ **lifetime** *n* vie *f*; *Fig* éternité *f*; **in my l.** de mon vivant; **it's the chance of a l.** une telle chance ne se présente qu'une fois dans une vie; **the holidays of a l.** des vacances exceptionnelles; **a once-in-a-l. experience** une expérience inoubliable

lift [lɪft] **1** *n Br (elevator)* ascenseur *m*; **to give sb a l.** emmener qn en voiture **(to** à) **2** *vt* lever; *(heavy object)* soulever; *Fig (ban, siege)* lever; *Fig (steal)* piquer **(from** à) **3** *vi (of fog)* se lever ▪ **lift-off** *n (of space vehicle)* décollage *m*

▸ **lift down** *vt sep (take down)* descendre **(from** de)

▸ **lift off** *vt sep (take down)* descendre **(from** de) **2** *vi (of spacecraft)* décoller

▸ **lift out** *vt sep (take out)* sortir

▸ **lift up** *vt sep (arm, object, eyes)* lever; *(heavy object)* soulever

ligament ['lɪgəmənt] *n* ligament *m*

light¹ [laɪt] **1** *n* lumière *f*; *(on vehicle)* feu *m*; *(vehicle headlight)* phare *m*; **by the l. of sth** à la clarté de qch; **in the l. of...** *(considering)* à la lumière de...; *Fig* **in that l.** sous cet éclairage; **against the l.** à contre-jour; **to bring sth to l.** mettre qch en lumière; **to come to l.** être découvert; **to throw l. on sth** *(matter)* éclaircir qch; **do you have a l.?** *(for cigarette)* est-ce que

vous avez du feu?; **to set l. to sth** mettre le feu à qch; **turn right at the lights** tournez à droite après les feux; **l. bulb** ampoule *f*; **l. switch** interrupteur *m*

2 *adj* **it will soon be l.** il fera bientôt jour

3 *(pt & pp* **lit** *or* **lighted)** *vt (fire, candle, gas)* allumer; *(match)* allumer, gratter; **to l. (up)** *(room)* éclairer; *(cigarette)* allumer **4** *vi* **to l. up** *(of window)* s'allumer ▪ **lighting** *n (act, system)* éclairage *m* ▪ **light-year** *n* année-lumière *f*

light² [laɪt] *adj (bright, not dark)* clair; **a l. green jacket** une veste vert clair ▪ **lightness** *n (brightness)* clarté *f*

light³ [laɪt] *adj (in weight, quantity, strength)* léger, -ère; *(task, exercise)* facile; *(low-fat)* allégé; *(low-calorie)* pauvre en calories; **l. rain** pluie *f* fine; **to travel l.** voyager avec peu de bagages ▪ **light-'fingered** *adj* chapardeur, -euse ▪ **light-'headed** *adj (giddy, foolish)* étourdi ▪ **light-'hearted** *adj* enjoué ▪ **lightness** *n (in weight)* légèreté *f*

lighten ['laɪtən] **1** *vt* **(a)** *(make less dark)* éclaircir **(b)** *(make less heavy)* alléger; *Fig* **to l. sb's load** soulager qn **2** *vi (of sky)* s'éclaircir; *Fam* **to l. up** se détendre

lighter ['laɪtə(r)] *n* briquet *m*; *(for cooker)* allume-gaz *m inv*

lighthouse ['laɪthaʊs] *n* phare *m*

lightly ['laɪtlɪ] *adv* légèrement; **to get off l.** s'en tirer à bon compte

lightning ['laɪtnɪŋ] **1** *n (flashes of light)* éclairs *mpl*; *(charge)* foudre *f*; **flash of l.** éclair *m*; **struck by l.** frappé par la foudre **2** *adj (speed)* foudroyant; *(visit)* éclair *inv*; *Br* **l. conductor**, *Am* **l. rod** paratonnerre *m*

lightweight ['laɪtweɪt] **1** *adj (shoes, fabric)* léger, -ère; *Fig & Pej (person)* pas sérieux, -ieuse **2** *n Boxing* poids *m* léger

like¹ [laɪk] **1** *prep* comme; **l. this** comme ça; **what's he l.?** *(physically, as character)* comment est-il?; **to be** *or* **look l. sb/sth** ressembler à qn/qch; **what was the book l.?** comment as-tu trouvé le livre?; **what does it smell l.?** cela sent quoi?; **I have one l. it** j'en ai un pareil

2 *adv* **nothing l. as big** loin d'être aussi grand

3 *conj Fam (as)* comme; **it's l. I say** c'est comme je te le dis; **do l. I do** fais comme moi

4 *n* **...and the l.** ...et ainsi de suite; **the l. of which we shall never see again** comme on n'en reverra plus; **the likes of you** des gens de ton acabit

like² [laɪk] **1** *vt* aimer (bien) **(to do** *or* **doing** faire); **I l. him** je l'aime bien; **she likes it here** elle se plaît ici; **to l. sb/sth best** aimer mieux qn/qch; **l'd l. to come** *(want)* j'aimerais bien venir; **l'd l. a kilo of apples** je voudrais un kilo de pommes; **would you l. an apple?** voulez-vous une pomme?; **if you l.** si vous voulez;

how would you I. to come? ça te dirait de venir? **2** *npl* **one's likes and dislikes** nos préférences *fpl* ▪ **liking** *n* **a I. for** *(person)* de la sympathie pour; *(thing)* du goût pour; **to my I.** à mon goût

likeable ['laɪkəbəl] *adj* sympathique

likely ['laɪklɪ] **1** (**-ier, -iest**) *adj (result, event)* probable; *(excuse)* vraisemblable; *(place)* propice; *(candidate)* prometteur, -euse; *Ironic* **a I. excuse!** la belle excuse!; **it's I. (that) she'll come** il est probable qu'elle viendra; **he's I. to come** il viendra probablement; **he's not I. to come** il ne risque pas de venir **2** *adv* **very I.** très probablement; **not I.!** pas question! ▪ **likelihood** *n* probabilité *f*; **there isn't much I. that...** il y a peu de chances que... (+ *subjunctive)*

liken ['laɪkən] *vt* comparer (**to** à)

likeness ['laɪknɪs] *n* (**a**) *(similarity)* ressemblance *f*; **a family I.** un air de famille; **it's a good I.** c'est très ressemblant (**b**) *(portrait)* portrait *m*

likewise ['laɪkwaɪz] *adv (similarly)* de même

lilac ['laɪlək] *n* **1** *(flower, colour)* lilas *m* **2** *adj (colour)* lilas *inv*

Lilo® ['laɪləʊ] *(pl* **-os**) *n Br* matelas *m* pneumatique

lilt [lɪlt] *n (in song, voice)* modulation *f*

lily ['lɪlɪ] *(pl* **-ies**) *n* lis *m*; **I. of the valley** muguet *m*

limb [lɪm] *n (of body)* membre *m*; *Fig* **to be out on a I.** *(in dangerous position)* être sur la corde raide

limber ['lɪmbə(r)] *vi* **to I. up** s'échauffer

limbo ['lɪmbəʊ] *adv* **in I.** *(uncertain, waiting)* dans l'incertitude

lime¹ [laɪm] *n* (**a**) *(fruit)* citron *m* vert; **I. juice** jus *m* de citron vert (**b**) *(tree)* tilleul *m*

lime² [laɪm] *n Chem* chaux *f* ▪ **limestone** *n Geol* calcaire *m*

limelight ['laɪmlaɪt] *n* **to be in the I.** occuper le devant de la scène

limerick ['lɪmərɪk] *n* = poème humoristique de cinq vers

limit ['lɪmɪt] *n* limite *f*; *(restriction)* limitation *f* (**on** de); *Fam* **that's the I.!** c'est le comble!; **within limits** jusqu'à un certain point **2** *vt* limiter (**to** à); **to I. oneself to sth/doing sth** se borner à qch/faire qch ▪ **limi'tation** *n* limitation *f* ▪ **limited** *adj (restricted)* limité; *(edition)* à tirage limité; *(mind)* borné; *Br* **I. company** société *f* à responsabilité limitée; *Br* **(public) I. company** *(with shareholders)* société *f* anonyme; **to a I. degree** jusqu'à un certain point ▪ **limitless** *adj* illimité

limousine [lɪmə'ziːn] *n (car)* limousine *f* ▪ **limo** *n Fam* limousine *f*

limp¹ [lɪmp] **1** *n* **to have a I.** boiter **2** *vi (of person)* boiter; *Fig* **to I. along** *(of vehicle, ship)* avancer tant bien que mal

limp² [lɪmp] (**-er, -est**) *adj (soft)* mou (*f* molle); *(flabby) (skin)* flasque; *(person, hat)* avachi

limpid ['lɪmpɪd] *adj* limpide

linchpin ['lɪntʃpɪn] *n (person)* pivot *m*

line¹ [laɪn] **1** *n* ligne *f*; *(stroke)* trait *m*; *(of poem)* vers *m*; *(wrinkle)* ride *f*; *(track)* voie *f*; *(of vehicles)* file *f*; *Am (queue of people)* file, queue *f*; *(family)* lignée *f*; *(of goods)* ligne (de produits); **to learn one's lines** *(of actor)* apprendre son texte; **to be on the I.** *(at other end of phone line)* être au bout du fil; *(at risk) (of job)* être menacé; **hold the I.!** *(remain on phone)* ne quittez pas!; **the hot I.** le téléphone rouge; *Am* **to stand in I.** faire la queue; *Fig* **to step** *or* **get out of I.** refuser de se conformer; *(misbehave)* faire une incartade; **out of I. with** *(sb's ideas)* en désaccord avec; **in I. with sth** conforme à qch; **to be in I. for promotion** être sur la liste des promotions; **to take a hard I.** adopter une attitude ferme; **along the same lines** *(work, think, act)* de la même façon; **something along those lines** quelque chose dans ce genre-là; *Fam* **to drop a I.** *(send a letter)* envoyer un mot (**to** à); **where do we draw the I.?** où fixer les limites?; **what I. of business are you in?** dans quelle branche?; **I. dancing** = danse de style country effectuée en rangs

2 *vt* **to I. the street** *(of trees)* border la rue; *(of people)* s'aligner le long du trottoir; **to I. up** *(children, objects)* aligner; *(arrange)* organiser; **to have something lined up** *(in mind)* avoir quelque chose en vue; **lined face** visage *m* ridé; **lined paper** papier *m* réglé

3 *vi* **to I. up** s'aligner; *Am (queue up)* faire la queue; **to I. up in twos** se mettre en rangs par deux ▪ **line-up** *n (row of people)* file *f*; *Pol (of countries)* front *m*; *TV (of programmes)* programme *m*; *TV (of guests)* plateau *m*; *Am (identity parade)* séance *f* d'identification

line² [laɪn] *vt (clothes)* doubler; *Fig* **to I. one's pockets** se remplir les poches ▪ **lining** *n (of clothes)* doublure *f*; **brake I.** garniture *f* de frein

lineage ['lɪnɪɪdʒ] *n* lignée *f*

linear ['lɪnɪə(r)] *adj* linéaire

linen ['lɪnɪn] *n (sheets)* linge *m*; *(material)* (toile *f* de) lin *m*; *Br* **I. basket** panier *m* à linge; *Br* **I. cupboard,** *Am* **I. closet** armoire *f* à linge; **I. sheet** drap *m* de lin

liner ['laɪnə(r)] *n* (**a**) **(ocean) I.** paquebot *m* (**b**) *Br* **(dust)bin I.,** *Am* **garbage can I.** sac *m* poubelle

linesman ['laɪnzmən] *(pl* **-men**) *n Football* juge *m* de touche

linger ['lɪŋgə(r)] *vi* **to I. (on)** *(of person)* s'attarder; *(of smell, memory)* persister; *(of doubt)* subsister; **a lingering death** une mort lente

lingo ['lɪŋgəʊ] *(pl* **-oes**) *n Fam* jargon *m*

linguist ['lɪŋgwɪst] *n (specialist)* linguiste *mf*; **to**

be a good l. être doué pour les langues ▪ **lin'guistic** *adj* linguistique ▪ **lin'guistics** *n* linguistique *f*

liniment ['lɪnɪmənt] *n* pommade *f*

link [lɪŋk] **1** *n* (connection) & Comptr lien *m*; (of chain) maillon *m*; (by road, rail) liaison *f* **2** *vt* (connect) relier (**to** à); (relate, associate) lier (**to** à); **to l. up** relier; (computer) connecter **3** *vi* **to l. up** (of companies, countries) s'associer; (of computers) se connecter; (of roads) se rejoindre ▪ **linkup** *n* (of spacecraft) jonction *f*; (between TV stations) liaison *f*

lino ['laɪnəʊ] (*pl* **-os**) *n Br* lino *m* ▪ **linoleum** [lɪ'nəʊlɪəm] *n* linoléum *m*

linseed ['lɪnsiːd] *n* **l. oil** huile *f* de lin

lint [lɪnt] *n* (bandage) tissu *m* ouaté; (fluff) peluches *fpl*

lion ['laɪən] *n* lion *m*; **l. cub** lionceau *m*; **l. tamer** dompteur, -euse *mf* de lions ▪ **lioness** *n* lionne *f*

lip [lɪp] *n* (of person, wound) lèvre *f*; (of cup) bord *m*; Fam (impudence) culot *m*; **to pay l. service to sth** faire semblant de s'intéresser à qch; **l. balm, l. salve** baume *m* pour les lèvres; **l. gloss** brillant *m* à lèvres ▪ **lip-read** (*pt & pp* **-read** [-red]) *vi* lire sur les lèvres ▪ **lipstick** *n* rouge *m* à lèvres

liquefy ['lɪkwɪfaɪ] (*pt & pp* **-ied**) **1** *vt* liquéfier **2** *vi* se liquéfier

liqueur [Br lɪ'kjʊə(r), Am lɪ'kɜːr] *n* liqueur *f*

liquid ['lɪkwɪd] *n & adj* liquide (*m*)

liquidate ['lɪkwɪdeɪt] *vt* (debt, firm) & Fam (kill) liquider ▪ **liqui'dation** *n* liquidation *f*

liquidizer ['lɪkwɪdaɪzə(r)] *n Br* (for fruit juices, purées) mixeur *m* ▪ **liquidize** *vt Br* passer au mixer

liquor ['lɪkə(r)] *n Am* alcool *m*; **l. store** magasin *m* de vins et de spiritueux

liquorice ['lɪkərɪʃ, 'lɪkərɪs] *n Br* réglisse *f*

lira ['lɪərə] (*pl* **lire** ['lɪəreɪ]) *n* lire *f*

lisp [lɪsp] **1** *n* **to have a l.** zézayer **2** *vi* zézayer

list [lɪst] **1** *n* liste *f* **2** *vt* (things) faire la liste de; (names) mettre sur la liste; (name one by one) énumérer; Br **listed building** monument *m* classé

listen ['lɪsən] *vi* écouter; **to l. to sb/sth** écouter qn/qch; **to l. (out) for** (telephone, person) guetter; **to l. in (to)** (on radio) écouter ▪ **listener** *n* (to radio) auditeur, -trice *mf*; **to be a good l.** (pay attention) savoir écouter ▪ **listening** *n* écoute *f* (**to** de)

listless ['lɪstləs] *adj* apathique ▪ **listlessness** *n* apathie *f*

lit [lɪt] *pt & pp of* **light¹**

litany ['lɪtənɪ] (*pl* **-ies**) *n* litanie *f*

liter ['liːtə(r)] *Am* = **litre**

literal ['lɪtərəl] *adj* littéral; (not exaggerated) réel (*f* réelle) ▪ **literally** *adv* littéralement; (really) réellement; **he took it l.** il l'a pris au pied de la lettre

literary ['lɪtərərɪ] *adj* littéraire

literate ['lɪtərət] *adj* qui sait lire et écrire; **highly l.** (person) très instruit ▪ **literacy** *n* (of country) degré *m* d'alphabétisation; (of person) capacité *f* de lire et d'écrire

literature ['lɪtərətʃə(r)] *n* littérature *f*; (pamphlets) documentation *f*

lithe [laɪð] *adj* agile

Lithuania [lɪθjʊ'eɪnɪə] *n* Lituanie *f* ▪ **Lithuanian 1** *adj* lituanien, -ienne **2** (person) Lituanien, -ienne *mf*; (language) lituanien *m*

litigation [lɪtɪ'geɪʃən] *n Law* litige *m* ▪ **litigant 1** *n* plaideur, -euse *mf* **2** *adj* (party) plaidant ▪ **litigious** *adj* litigieux, -euse

litre ['liːtə(r)] (*Am* **liter**) *n* litre *m*

litter ['lɪtə(r)] **1** *n* (rubbish) détritus *mpl*; (papers) papiers *mpl*; (young animals) portée *f*; (for cat) litière *f*, Fig (jumble, confusion) fouillis *m*; Br **l. basket** *or* **bin** boîte *f* à ordures **2** *vt Br* **to be littered with sth** être jonché de qch ▪ **litterbug** *n Fam* = personne qui jette des détritus n'importe où

little ['lɪtəl] **1** *n* peu *m*; **I've l. left** il m'en reste peu; **she eats l.** elle mange peu; **to have l. to say** avoir peu de choses à dire; **I have a l.** j'en ai un peu; **the l. that I have** le peu que j'ai **2** *adj* (**a**) (small) petit; **the l. ones** les petits; **a l. bit** un (petit) peu (**b**) (not much) peu de; **l. time/money** peu de temps/d'argent; **a l. time/money** un peu de temps/d'argent **3** *adv* (somewhat, rather) peu; **l. by l.** peu à peu; **as l. as possible** le moins possible; **a l. heavy** un peu lourd; **to work a l.** travailler un peu; **it's a l. better** c'est un peu mieux; **it's a l. better** (not much) ce n'est guère mieux

liturgy ['lɪtədʒɪ] (*pl* **-ies**) *n* liturgie *f*

live¹ [laɪv] **1** *adj* (**a**) (electric wire) sous tension; (switch) mal isolé; (plugged in) (appliance) branché; (ammunition) réel (*f* réelle), de combat; (bomb) non explosé; (coal) ardent (**b**) (alive) (animal) vivant; **a real l. king** un roi en chair et en os **2** *adj & adv* Radio & TV en direct; **a l. broadcast** une émission en direct; **l. audience** public *m*; **a l. recording** un enregistrement public

live² [lɪv] **1** *vt* (life) mener, vivre; (one's faith) vivre pleinement; Fam **to l. it up** mener la grande vie **2** *vi* vivre; **where do you l.?** où habitez-vous?; **to l. in Paris** habiter (à) Paris

▸ **live down** *vt sep* faire oublier

▸ **live off, live on** *vt insep* (eat) vivre de; (sponge off) vivre aux crochets de

▸ **live on** *vi* (of memory) survivre

▸ **live through** *vt insep* (experience) vivre; **to l. through the winter** passer l'hiver

▸ **live up to** *vt insep* (one's principles) vivre selon; (sb's expectations) se montrer à la hauteur de

livelihood [ˈlaɪvlɪhʊd] *n* moyens *mpl* de subsistance; **my l.** mon gagne-pain; **to earn one's** *or* **a l.** gagner sa vie

lively [ˈlaɪvlɪ] (**-ier, -iest**) *adj* (*person, style*) plein de vie; (*street, story*) vivant; (*mind, colour*) vif (*f* vive); (*discussion, conversation*) animé; (*protest, campaign*) vigoureux, -euse ▪**liveliness** *n* vivacité *f*

liven [ˈlaɪvən] 1 *vt* **to l. up** (*person*) égayer; (*party*) animer 2 *vi* **to l. up** (*of person, party*) s'animer

liver [ˈlɪvə(r)] *n* foie *m*

livery [ˈlɪvərɪ] *n* (*uniform*) livrée *f*; **in l.** en livrée

livestock [ˈlaɪvstɒk] *n* bétail *m*

livid [ˈlɪvɪd] *adj* (*angry*) furieux, -ieuse; (*pale*) livide; **l. with cold** blême de froid

living [ˈlɪvɪŋ] 1 *adj* (*alive*) vivant; **not a l. soul** (*nobody*) pas âme qui vive; **within l. memory** de mémoire d'homme; **l. or dead** mort ou vif (*f* morte ou vive); **the l.** les vivants *mpl* 2 *n* (*livelihood*) vie *f*; **to make** *or* **earn a** *or* **one's l.** gagner sa vie; **to work for a l.** travailler pour vivre; **l. conditions** conditions *fpl* de vie; **a l. wage** un salaire qui permet de vivre ▪**living room** *n* salle *f* de séjour

lizard [ˈlɪzəd] *n* lézard *m*

llama [ˈlɑːmə] *n* lama *m*

load [ləʊd] 1 *n* (*object carried, burden*) charge *f*; (*freight*) chargement *m*; (*strain, weight*) poids *m*; *Fam* **l. of, loads of** (*people, money*) un tas de; **to take a l. off sb's mind** ôter un grand poids à qn 2 *vt* (*truck, gun*) charger (**with** de); **to l. sb down with** (*presents*) charger qn de; **to l. up** (*car, ship*) charger (**with** de) 3 *vi* **to l. (up)** prendre un chargement

loaded [ˈləʊdɪd] *adj* (*gun, vehicle*) chargé; *Fam* (*rich*) plein aux as; **a l. question** une question piège; **the dice are l.** les dés sont pipés; **l. (down) with** (*debts*) accablé de

loaf [ləʊf] 1 (*pl* **loaves**) *n* pain *m* 2 *vi* **to l. (about)** fainéanter ▪**loafer** *n* (**a**) (*person*) fainéant, -éante *mf* (**b**) (*shoes*) mocassin *m*

loam [ləʊm] *n* terreau *m*

loan [ləʊn] 1 *n* (*money lent*) prêt *m*; (*money borrowed*) emprunt *m*; **on l. from** prêté par; (**out**) **on l.** (*book*) sorti; **may I have the l. of...?** puis-je emprunter...? 2 *vt* (*lend*) prêter (**to** à)

loath [ləʊθ] *adj* **to be l. to do sth** répugner à faire qch

loathe [ləʊð] *vt* détester (**doing** faire) ▪**loathing** *n* dégoût *m* ▪**loathsome** *adj* répugnant

lobby [ˈlɒbɪ] 1 (*pl* **-ies**) *n* (**a**) (*of hotel*) hall *m*; (*of theatre*) foyer *m* (**b**) (*in politics*) groupe *m* de pression 2 *vt* (*pt & pp* **-ied**) *vt* faire pression sur 3 *vi* **to l. for sth** faire pression pour obtenir qch

lobe [ləʊb] *n* lobe *m*

lobster [ˈlɒbstə(r)] *n* homard *m*; (*spiny*) langouste *f*

local [ˈləʊkəl] 1 *adj* local; (*regional*) régional; (*of the neighbourhood*) du quartier; **are you l.?** êtes-vous du coin?; **the doctor is l.** le médecin est tout près d'ici; **a l. phone call** (*within town*) une communication urbaine 2 *n* *Br Fam* (*pub*) bistrot *m* du coin; **she's a l.** elle est du coin; **the locals** (*people*) les gens *mpl* du coin

locality [ləʊˈkælɪtɪ] (*pl* **-ies**) *n* (*neighbourhood*) environs *mpl*

localize [ˈləʊkəlaɪz] *vt* localiser ▪**localization** *n* localisation *f*

locally [ˈləʊkəlɪ] *adv* dans le quartier

locate [ləʊˈkeɪt] *vt* (*find*) repérer; (*pain, noise, leak*) localiser; (*situate*) situer; **to be located in Paris** être situé à Paris ▪**location** *n* (*site*) emplacement *m*; (*act*) repérage *m*; (*of pain*) localisation *f*; **on l.** (*shoot a film*) en extérieur

> Note that the French word **location** is a false friend and is never a translation for the English word **location**. It means **renting** or **rented accommodation** depending on the context.

lock¹ [lɒk] *n* (*of hair*) mèche *f*

lock² [lɒk] 1 *n* (**a**) (*on door, chest*) serrure *f*; (*of gun*) cran *m* de sûreté; (*anti-theft*) **l.** (*on vehicle*) antivol *m*; **under l. and key** (*object*) sous clef (**b**) (*on canal*) écluse *f* 2 *vt* (*door, car*) fermer à clef; **to l. the wheels** (*of vehicle*) bloquer les roues 3 *vi* fermer à clef

▸**lock away** *vt sep* (*prisoner*) enfermer; (*jewels*) mettre sous clef

▸**lock in** *vt sep* (*person*) enfermer; **to l. sb in sth** enfermer qn dans qch

▸**lock out** *vt sep* (*person*) enfermer dehors

▸**lock up** 1 *vt sep* (*house, car*) fermer à clef; (*prisoner*) enfermer; (*jewels*) mettre sous clef, enfermer 2 *vi* fermer à clef

locker [ˈlɒkə(r)] *n* (*in school*) casier *m*; (*for luggage*) (*at station, airport*) casier *m* de consigne automatique; (*for clothes*) vestiaire *m* (*métallique*); *Am Sport* **l. room** vestiaire *m*

locket [ˈlɒkɪt] *n* médaillon *m*

lock-out [ˈlɒkaʊt] *n* (*industrial*) lock-out *m inv*

locksmith [ˈlɒksmɪθ] *n* serrurier *m*

lockup [ˈlɒkʌp] *n Br* (*garage*) garage *m*

loco [ˈləʊkəʊ] *adj Am Fam* (*crazy*) cinglé

locomotive [ləʊkəˈməʊtɪv] *n* locomotive *f* ▪**locomotion** [-ˈməʊʃən] *n* locomotion *f*

locum [ˈləʊkəm] *n Br* (*doctor*) remplaçant, -ante *mf*

locust [ˈləʊkəst] *n* sauterelle *f*

lodge [lɒdʒ] 1 *n* (*house*) pavillon *m*; (*of porter*) loge *f* 2 *vt* (*person*) loger; **to l. a complaint** porter plainte 3 *vi* (*of bullet*) se loger (**in** dans); **to be lodging** (*accommodated*) être logé (**with** chez)

lodger [ˈlɒdʒə(r)] *n* (*room and meals*) pensionnaire *mf*; (*room only*) locataire *mf*

lodging ['lɒdʒɪŋ] n (accommodation) logement m; **lodgings** (flat) logement m; (room) chambre f; **in lodgings** en meublé

loft [lɒft] n grenier m

lofty ['lɒftɪ] (**-ier, -iest**) adj (high, noble) élevé; (haughty, superior) hautain

log [lɒg] **1** n (tree trunk) tronc m d'arbre; (for fire) bûche f; **l. cabin** hutte f en rondin; **l. fire** feu m de bois **2** (pt & pp **-gg-**) vt (facts) noter; **to l. (up)** (distance) couvrir **3** vi Comptr **to l. in/out** entrer/sortir **logbook** n (on ship) journal m de bord; (on plane) carnet m de vol; Br (of vehicle) ≃ carte f grise

loggerheads ['lɒgəhedz] n **at l.** en désaccord (with avec)

logic ['lɒdʒɪk] n logique f **logical** adj logique **logically** adv logiquement

logistics [lə'dʒɪstɪks] n logistique f

logo ['ləʊgəʊ] (pl **-os**) n logo m

loin [lɔɪn] n (meat) filet m; **l. chop** côtes fpl premières

loincloth ['lɔɪnklɒθ] n pagne m

loins [lɔɪnz] npl (of person) reins mpl

loiter ['lɔɪtə(r)] vi traîner

loll [lɒl] vi (in armchair) se prélasser

lollipop ['lɒlɪpɒp] n sucette f; Br **l. man/lady** = contractuel qui aide les écoliers à traverser la rue **lolly** (pl **-ies**) n (**a**) Fam sucette f; (ice) l. glace f à l'eau (**b**) Br Fam (money) fric m

London ['lʌndən] **1** n Londres m ou f **2** adj (taxi) londonien, -ienne **Londoner** n Londonien, -ienne mf

lone [ləʊn] adj solitaire; Fig **l. wolf** solitaire mf **loner** n solitaire mf

loneliness ['ləʊnlɪnəs] n solitude f **lonely** (**-ier, -iest**) adj (road, house, life) solitaire; (person) seul

lonesome ['ləʊnsəm] adj solitaire

long[1] [lɒŋ] **1** (**-er, -est**) adj long (f longue); **to be 10 m l.** avoir 10 m de long; **to be six weeks l.** durer six semaines; **how l. is...?** quelle est la longueur de...?; (time) quelle est la durée de...?; **a l. time** longtemps; **in the l. run** à la longue; **a l. face** une grimace; **a l. memory** une bonne mémoire; Sport **l. jump** saut m en longueur

2 adv (a long time) longtemps; **l. before/after** longtemps avant/après; **has he been here l.?** il y a longtemps qu'il est ici?; **how l.?** (in time) combien de temps?; **how l. ago?** il y a combien de temps?; **not l.** peu de temps; **before l.** sous peu; **no longer** ne... plus; **she no longer swims** elle ne nage plus; **a bit longer** (wait) encore un peu; **I won't be l.** je n'en ai pas pour longtemps; **don't be l.** dépêche-toi; **at the longest** (tout) au plus; **all summer/winter l.** tout l'été/l'hiver; **l. live the queen!** vive la reine!; **as l. as, so l. as** (provided that) pourvu que (+ subjunctive); **as l. as I live** tant

que je vivrai **long-awaited** adj tant attendu **long-'distance** adj (race) de fond; (phone call) interurbain; (flight) long-courrier **long-drawn-out** adj interminable **'long'haired** adj aux cheveux longs **long-'life** adj (battery) longue durée inv; (milk) longue conservation **long-playing** adj **l. record** 33 tours m inv **'long-'range** adj (forecast) à long terme **long'sighted** adj (person) presbyte **long'standing** adj de longue date **long'suffering** adj très patient **long-term** adj à long terme **'long'winded** adj (speech, speaker) verbeux, -euse

long[2] [lɒŋ] vi **to l. for sth** avoir très envie de qch; **to l. for sb** languir après qn; **to l. to do sth** avoir très envie de faire qch **longing** n désir m

longevity [lɒn'dʒevɪtɪ] n longévité f

longitude ['lɒndʒɪtjuːd] n longitude f

longways ['lɒŋweɪz] adv en longueur

loo [luː] (pl **loos**) n Br Fam **the l.** le petit coin

look [lʊk] **1** n (glance) regard m; (appearance) air m, allure f; **good looks** beauté f; **to have a l. (at sth)** jeter un coup d'œil (à qch); **to have a l. (for sth)** chercher (qch); **to have a l. (a)round** regarder; (walk) faire un tour; **let me have a l.** fais voir; **I like the l. of him** il me plaît

2 vt **to l. sb in the face** regarder qn dans les yeux; **to l. sb up and down** toiser qn

3 vi regarder; **to l. tired/happy** (seem) avoir l'air fatigué/heureux; **to l. pretty/ugly** (be) être joli/laid; **to l. one's age** faire son âge; **l. here!** dites donc!; **you l. like** or **as if** or **as though you're tired** tu as l'air fatigué; **it looks like** or **as if** or **as though she won't leave** elle n'a pas l'air de vouloir partir; **it looks like it** c'est probable; **to l. like a child** avoir l'air d'un enfant; **to l. like an apple** avoir l'air d'être une pomme; **you l. like my brother** (resemble) tu ressembles à mon frère; **it looks like rain (to me)** on dirait qu'il va pleuvoir; **what does he l. like?** (describe him) comment est-il?; **to l. well** or **good** (of person) avoir bonne mine; **you l. good in that hat** ce chapeau te va très bien; **that looks bad** (action) ça fait mauvais effet

▶ **look after** vt insep (take care of) s'occuper de; (keep safely) garder (**for sb** pour qn); **to l. after oneself** (keep healthy) faire bien attention à soi; (manage, cope) se débrouiller

▶ **look around 1** vt insep (town, shops) faire un tour dans **2** vi (have a look) regarder; (walk round) faire un tour

▶ **look at** vt insep regarder; (consider) considérer; (check) vérifier

▶ **look away** vi détourner les yeux

▶ **look back** vi regarder derrière soi; (in time) regarder en arrière

▶ **look down** vi baisser les yeux; (from a height) regarder en bas; **to l. down on** (consider scornfully) regarder de haut

▶**look for** *vt insep (seek)* chercher

▶**look forward to** *vt insep (event)* attendre avec impatience; **to l. forward to doing sth** avoir hâte de faire qch

▶**look in** *vi* regarder à l'intérieur; **to l. in on sb** passer voir qn

▶**look into** *vt insep (examine)* examiner; *(find out about)* se renseigner sur

▶**look on** 1 *vt insep (consider)* considérer (**as** comme) 2 *vi (watch)* regarder

▶**look out** *vi (be careful)* faire attention; **to l. out for sb/sth** *(seek)* chercher qn/qch; *(watch)* guetter qn/qch; **to l. (out) on to** *(of window, house)* donner sur

▶**look over** *vt insep (examine fully)* examiner; *(briefly)* parcourir; *(region, town)* parcourir, visiter

▶**look round** 1 *vt insep (visit)* visiter 2 *vi (have a look)* regarder; *(walk round)* faire un tour; *(look back)* se retourner; **to l. round for sb/sth** *(seek)* chercher qn/qch

▶**look through** *vt insep (inspect)* passer en revue; **to l. straight through sb** *(not see)* regarder qn sans le voir; *(deliberately)* ignorer qn

▶**look up** 1 *vt sep (word)* chercher; **to l. sb up** *(visit)* passer voir qn 2 *vi (of person)* lever les yeux; *(into the air or sky)* regarder en l'air; *(improve) (of situation)* s'améliorer; *Fig* **to l. up to sb** respecter qn

-looking [ˈlʊkɪŋ] *suff* **pleasant-/tired-l.** à l'air agréable/fatigué

looking-glass [ˈlʊkɪŋglɑːs] *n* miroir *m*

lookout [ˈlʊkaʊt] *n (in law)* guetteur *m*; *(sailor)* vigie *f*; **l. (post)** observatoire *m*; *(on ship)* vigie; **to be on the l.** faire le guet; **to be on the l. for sb/sth** guetter qn/qch; *Fam* **that's your l.!** c'est ton problème!

loom [luːm] 1 *n (weaving machine)* métier *m* à tisser 2 *vi* **to l. (up)** *(of mountain)* apparaître indistinctement; *(of event)* paraître imminent

loony [ˈluːnɪ] *(pl -ies)* *n & adj Fam* dingue *(mf)*

loop [luːp] 1 *n* boucle *f* 2 *vt* **to l. the loop** *(in plane)* faire un looping

loophole [ˈluːphəʊl] *n (in law)* vide *m* juridique

loose [luːs] 1 (**-er, -est**) *adj (screw, belt, knot)* desserré; *(tooth, stone)* qui bouge; *(page)* détaché; *(clothes)* flottant; *(hair)* dénoué; *(flesh)* flasque; *(wording, translation, link)* vague; *(discipline)* relâché; *(articles for sale)* en vrac; *Br (cheese, tea)* au poids; *Pej (woman)* facile; **there's an animal/prisoner l.** *(having escaped)* il y a un animal échappé/un prisonnier évadé; **l. change** petite monnaie *f*; **l. connection** *(in appliance)* mauvais contact *m*; *Br* **l. covers** housses *fpl*; **l. living** vie *f* dissolue; **to come** or **get l.** *(of knot, screw)* se desserrer; *(of page)* se détacher; *(of tooth)* se mettre à bouger; **to get l.** *(of dog)* se détacher;

to set or **turn l.** *(dog)* lâcher; *Br* **he's at a l. end** il ne sait pas trop quoi faire 2 *n* **on the l.** *(prisoner)* en cavale; *(animal)* en liberté

loosely [ˈluːslɪ] *adv (hang)* lâchement; *(hold, tie)* sans serrer; *(translate)* de façon approximative; *(link)* vaguement

loosen [ˈluːsən] 1 *vt (knot, belt, screw)* desserrer; *(rope)* détendre; **to l. one's grip** relâcher son étreinte 2 *vi Sport* **to l. up** faire des exercices d'assouplissement

loot [luːt] 1 *n* butin *m*; *Fam (money)* fric *m* 2 *vt* piller ▪**looter** *n* pillard, -arde *mf* ▪**looting** *n* pillage *m*

lop [lɒp] *(pt & pp -pp-)* *vt* **to l. (off)** couper

lop-sided [lɒpˈsaɪdɪd] *adj (crooked)* de travers

loquacious [ləˈkweɪʃəs] *adj* loquace

lord [lɔːd] 1 *n* seigneur *m*; *(British title)* lord *m*; **the L.** *(God)* le Seigneur; **L. knows if...** Dieu sait si...; *Fam* **oh L.!, good L.!** mon Dieu!; *Br* **my l.** *(to judge)* Monsieur le juge 2 *vt Fam* **to l. it over sb** traiter qn de haut

lordly [ˈlɔːdlɪ] *adj* digne d'un grand seigneur; *(arrogant)* hautain

lordship [ˈlɔːdʃɪp] *n Br* **Your L.** *(to judge)* Monsieur le juge

lore [lɔː(r)] *n* traditions *fpl*

lorry [ˈlɒrɪ] *(pl -ies)* *n Br* camion *m*; *(heavy)* poids *m* lourd; **l. driver** camionneur *m*; **(long-distance) l. driver** routier *m*

lose [luːz] *(pt & pp lost)* 1 *vt* perdre; **to l. interest in sth** se désintéresser de qch; **to l. one's life** trouver la mort (**in** dans); **to have nothing to l.** n'avoir rien à perdre; **to be lost at sea** périr en mer; **to l. one's way, to get lost** *(of person)* se perdre; **the ticket got lost** on a perdu le billet; *Fam* **get lost!** fous le camp!; **that lost us the war/our jobs** cela nous a coûté la guerre/notre travail; **I've lost my bearings** je suis désorienté; *Fig* **you've lost me** je ne vous suis plus; **the clock loses six minutes a day** la pendule retarde de six minutes par jour; *Fam* **to l. it** *(go mad)* perdre la boule; *(lose one's temper)* péter les plombs; *Br Fam* **to l. the plot** perdre la boule

2 *vi* perdre; **to l. out** être perdant; **to l. to sb** *(in contest)* être battu par qn ▪**loser** *n (in contest)* perdant, -ante *mf*; *Fam (failure in life)* minable *mf*; **to be a good l.** être beau joueur ▪**losing** *adj (number, team, horse)* perdant; **to fight a l. battle** être battu d'avance

loss [lɒs] *n* perte *f*; **at a l.** *(confused)* perplexe; **to sell sth at a l.** vendre qch à perte; **at a l. to do sth** *(unable)* incapable de faire qch; **to be at a l. (to know) what to say** ne savoir que dire; **to make a l.** *(financially)* perdre de l'argent

lost [lɒst] 1 *pt & pp of* **lose** 2 *adj* perdu; *Br* **l. property**, *Am* **l. and found** objets *mpl* trouvés

lot[1] [lɒt] *n (destiny)* sort *m*; *(batch)* lot *m*; *(plot of land)* terrain *m*; **to draw lots** tirer au sort

lot² [lɒt] *n* **the l.** (*everything*) (le) tout; **the l. of you** vous tous; **a l. of, lots of** beaucoup de; **a l.** beaucoup; **quite a l.** pas mal (**of** de); **such a l.** tellement (**of** de); **what a l. of flowers/water!** regarde toutes ces fleurs/toute cette eau!; **what a l. of flowers you have!** que vous avez de fleurs!; *Br Fam* **a bad l.** (*person*) un sale type; *Fam* **listen, you l.!** écoutez, vous tous!

lotion [ˈləʊʃən] *n* lotion *f*

lottery [ˈlɒtərɪ] (*pl* **-ies**) *n* loterie *f*; **l. ticket** billet *m* de loterie

lotto [ˈlɒtəʊ] *n* loto *m*

loud [laʊd] (**-er, -est**) *adj* (*voice, music*) fort; (*noise, cry*) grand; (*laugh*) gros (*f* grosse); (*gaudy*) voyant; **the radio is too l.** la radio est trop forte **2** *adv* (*shout*) fort; **out l.** tout haut ▪**loudly** *adv* (*speak, laugh, shout*) fort ▪**loudmouth** *n Fam* (*person*) grande gueule *f* ▪**loudness** *n* (*of noise, music, voice*) volume *m* ▪**loud'speaker** *n* haut-parleur *m*; (*for speaking to crowd*) porte-voix *m inv*; (*of stereo system*) enceinte *f*

lounge [laʊndʒ] **1** *n* (*in house, hotel*) salon *m*; **airport l.** salle *f* d'aéroport; *Br* **l. suit** complet-veston *m* ▪ *vi* (*loll in armchair*) se prélasser; **to l. about** (*idle*) paresser; (*stroll*) flâner

louse [laʊs] *n* (**a**) (*pl* **lice**) (*insect*) pou *m* (**b**) (*pl* **louses**) *Fam* (*person*) salaud *m* **2** *vt Fam* **to l. sth up** (*spoil*) foutre qch en l'air

lousy [ˈlaʊzɪ] (**-ier, -iest**) *adj Fam* (*bad*) nul (*f* nulle); (*food, weather*) dégueulasse; **to feel l.** être mal fichu

lout [laʊt] *n* voyou *m* (*pl* **-ous**) ▪**loutish** *adj* (*attitude*) de voyou

lovable [ˈlʌvəbəl] *adj* attachant

love [lʌv] **1** *n* (**a**) (*feeling*) amour *m*; **in l.** amoureux, -euse (**with** de); **they're in l.** ils s'aiment; **art is their l.** l'art est leur passion; **yes, my l.** oui mon amour; *Fam* **yes, l.!** oui monsieur/madame!; **give him/her my l.** (*greeting*) dis-lui bien des choses de ma part; **l. affair** liaison *f*; **l. life** vie *f* sentimentale (**b**) *Tennis* rien *m*; **15 l.** 15 à rien **2** *vt* (*person*) aimer; (*thing, activity*) adorer (**to do** or **doing** faire) ▪**loving** *adj* affectueux, -euse

lovely [ˈlʌvlɪ] (**-ier, -iest**) *adj* (*idea, smell*) très bon (*f* bonne); (*weather*) beau (*f* belle); (*pretty*) joli; (*charming*) charmant; (*kind*) gentil, -ille; **the weather's l.** il fait beau; **l. to see you!** je suis ravi de te voir!; **l. and warm/dry** bien chaud/sec (*f* sèche)

lover [ˈlʌvə(r)] *n* (*man*) amant *m*; (*woman*) maîtresse *f*; **a l. of music/art** un amateur de musique/d'art; **a nature l.** un amoureux de la nature

lovesick [ˈlʌvsɪk] *adj* amoureux, -euse

low¹ [ləʊ] **1** (**-er, -est**) *adj* bas (*f* basse); (*speed, income, intelligence*) faible; (*opinion, quality*) mauvais; **she's l. on** (*money*) elle n'a plus beaucoup de; **to feel l.** (*depressed*) être déprimé; **in a l. voice** à voix basse; **lower middle class** la petite bourgeoisie **2** (**-er, -est**) *adv* bas; **to turn (down) l.** mettre plus bas; **to run l.** (*of supplies*) s'épuiser **3** *n Met* dépression *f*; *Fig* **to reach a new l.** or an **all-time l.** (*of prices*) atteindre leur niveau le plus bas ▪**low 'beams** *npl Am* (*of vehicle*) codes *mpl* ▪**'low-'calorie** *adj* (*diet*) (à) faible teneur en calories ▪**'low-'cost** *adj* bon marché *inv* ▪**'low-'cut** *adj* décolleté ▪**'lowdown** *n Fam* (*facts*) tuyaux *mpl* ▪**low-down** *adj* méprisable ▪**'low-'fat** *adj* (*milk*) écrémé; (*cheese*) allégé ▪**'low-'key** *adj* (*discreet*) discret, -ète ▪**'lowland(s)** *n* basses terres *fpl* ▪**'low-'level** *adj* bas (*f* basse) ▪**'low-'lying** *adj* (*region*) bas (*f* basse) ▪**'low-'paid** *adj* mal payé ▪**'low-'salt** *adj* (*food*) à faible teneur en sel

low² [ləʊ] *vi* (*of cattle*) meugler

lower [ˈləʊə(r)] *vt* baisser; **to l. sb/sth** (*by rope*) descendre qn/qch; *Fig* **to l. oneself** s'abaisser ▪**lowering** *n* (*drop*) baisse *f*

lowly [ˈləʊlɪ] (**-ier, -iest**) *adj* humble

lox [lɒks] *n Am* saumon *m* fumé

loyal [ˈlɔɪəl] *adj* loyal (**to** envers) ▪**loyalty** *n* loyauté *f*; **l. card** (*for shop*) carte *f* de fidélité

lozenge [ˈlɒzɪndʒ] *n* (*tablet*) pastille *f*; (*shape*) losange *m*

LP [el'pi:] (*abbr* **long-playing record**) *n* 33 tours *m inv*

Ltd (*abbr* **Limited**) *Br Com* ≃ SARL

lubricate [ˈluːbrɪkeɪt] *vt* lubrifier; (*machine, car wheels*) graisser ▪**lubricant** *n* lubrifiant *m* ▪**lubri'cation** *n* (*of machine*) graissage *m*

lucid [ˈluːsɪd] *adj* lucide

luck [lʌk] *n* (*chance*) chance *f*; (*good fortune*) (bonne) chance, bonheur *m*; **to be out of l.** ne pas avoir de la chance; **to be out of l.** ne pas avoir de chance; **to wish sb l.** souhaiter bonne chance à qn; **to try one's l.** tenter sa chance; **bad l.** malchance *f*; **hard l.!, tough l.!** pas de chance!; **just my l.!** c'est bien ma chance!; **worse l.** (*unfortunately*) malheureusement

luckily [ˈlʌkɪlɪ] *adv* heureusement

lucky [ˈlʌkɪ] (**-ier, -iest**) *adj* (*person*) chanceux, -euse; **to be l.** (*of person*) avoir de la chance; **to make a l. guess** tomber juste; **to strike it l.** décrocher le gros lot; **it's l. that...** c'est une chance que... (+ *subjunctive*); **I've had a l. day** j'ai eu de la chance aujourd'hui; **l. charm** porte-bonheur *m inv*; **l. number** chiffre *m* porte-bonheur; *Fam* **l. devil** veinard, -arde *mf*; **how l.!** quelle chance!

lucrative [ˈluːkrətɪv] *adj* lucratif, -ive

ludicrous [ˈluːdɪkrəs] *adj* ridicule

lug [lʌg] (*pt & pp* **-gg-**) *vt Fam* **to l. sth (around)** trimbaler qch

luggage [ˈlʌgɪdʒ] *n* bagages *mpl*; **a piece of l.**

un bagage; **hand l.** bagages à main; **l. compartment** compartiment *m* à bagages; *Br* **l. van** *(on train)* fourgon *m*

lugubrious [luːˈɡuːbrɪəs] *adj* lugubre

lukewarm [ˈluːkwɔːm] *adj* tiède

lull [lʌl] **1** *n* arrêt *m*; *(in storm)* accalmie *f* **2** *vt* apaiser; **to l. sb to sleep** endormir qn en le/la berçant; **to l. sb into a false sense of security** endormir la méfiance de qn

lullaby [ˈlʌləbaɪ] *(pl* **-ies)** *n* berceuse *f*

lumbago [lʌmˈbeɪɡəʊ] *n* lumbago *m*

lumber[1] [ˈlʌmbə(r)] *n (timber)* bois *m* de charpente; *Br (junk)* bric-à-brac *m inv* ▪ **lumberjack** *n* bûcheron *m* ▪ **lumber-room** *n Br* débarras *m*

lumber[2] [ˈlʌmbə(r)] *vt Br Fam* **to l. sb with sb/ sth** coller qn/qch à qn; **he got lumbered with the job** il s'est appuyé la corvée

luminous [ˈluːmɪnəs] *adj (colour, paper, ink)* fluorescent; *(dial, clock)* lumineux, -euse

lump [lʌmp] **1** *n* morceau *m*; *(in soup)* grumeau *m*; *(bump)* bosse *f*; *(swelling)* grosseur *f*; **l. sum** somme *f* forfaitaire **2** *vt* **to l. together** réunir; *Fig & Pej* mettre dans le même sac ▪ **lumpy** **(-ier, -iest)** *adj (soup)* grumeleux, -euse; *(surface)* bosselé

lunacy [ˈluːnəsɪ] *n* folie *f*; **it's (sheer) l.** c'est de la folie

lunar [ˈluːnə(r)] *adj* lunaire; **l. eclipse** éclipse *f* de lune; **l. module** module *m* lunaire

lunatic [ˈluːnətɪk] **1** *adj* fou *(f* folle) **2** *n* fou *m*, folle *f*

Note that the French word **lunatique** is a false friend and is never a translation for the English word **lunatic**. It means **moody**.

lunch [lʌntʃ] **1** *n* déjeuner *m*; **to have l.** déjeuner; **l. break, l. hour, l. time** heure *f* du déjeuner **2** *vi* déjeuner **(on** *or* **off** de) ▪ **lunchbox** *n* = boîte dans laquelle on transporte son déjeuner

luncheon [ˈlʌnʃən] *n* déjeuner *m*; **l. meat** = tranches de viande à base de porc; *Br* **l. voucher** ticket-repas *m*, ticket-restaurant *m*

lung [lʌŋ] *n* poumon *m*; **l. cancer** cancer *m* du poumon

lunge [lʌndʒ] **1** *n* mouvement *m* brusque en avant **2** *vi* **to l. at sb** se ruer sur qn

lurch [lɜːtʃ] **1** *n Fam* **to leave sb in the l.** laisser qn dans le pétrin **2** *vi (of person)* tituber; *(of ship, car)* faire une embardée

lure [lʊə(r)] **1** *n (attraction)* attrait *m* **2** *vt* attirer (par la ruse) **(into** dans)

lurid [ˈlʊərɪd] *adj (story, description)* cru; *(gaudy)* voyant

lurk [lɜːk] *vi (hide)* être tapi **(in** dans); *(prowl)* rôder; *(of suspicion, fear)* subsister

luscious [ˈlʌʃəs] *adj (food)* appétissant

lush [lʌʃ] **1** *adj (vegetation)* luxuriant; *(wealthy) (surroundings)* luxueux, -ueuse **2** *n Fam (drunkard)* poivrot, -ote *mf*

lust [lʌst] **1** *n (for person)* désir *m*; *(for object)* convoitise *f* **(for** de); *(for power, knowledge)* soif *f* **(for** de) **2** *vi* **to l. after** *(object, person)* convoiter; *(power, knowledge)* avoir soif de

lustre [ˈlʌstə(r)] *(Am* **luster)** *n (gloss)* lustre *m*

lusty [ˈlʌstɪ] **(-ier, -iest)** *adj* vigoureux, -euse

lute [luːt] *n* luth *m*

Luxembourg [ˈlʌksəmbɜːɡ] *n* le Luxembourg ▪ **Luxembourgish** **1** *adj* luxembourgeois **2** *n (language)* luxembourgeois ▪ **Luxembourger** *n* Luxembourgeois, -oise *mf*

luxuriant [lʌɡˈzʊərɪənt] *adj* luxuriant

luxuriate [lʌɡˈzʊərɪeɪt] *vi (laze about)* paresser

luxury [ˈlʌkʃərɪ] **1** *n* luxe *m* **2** *adj (goods, car, home)* de luxe ▪ **luxurious** [lʌɡˈzʊərɪəs] *adj* luxueux, -ueuse

Note that the French word **luxure** is a false friend and is never a translation for the English word **luxury**. It means **lust**.

lychee [ˈlaɪtʃiː] *n* litchi *m*

lying [ˈlaɪɪŋ] **1** *pres p of* **lie**[1,2] **2** *n* mensonges *mpl* **3** *adj (person)* menteur, -euse

lynch [lɪntʃ] *vt* lyncher ▪ **lynching** *n* lynchage *m*

lynx [lɪŋks] *n* lynx *m*

lyre [ˈlaɪə(r)] *n* lyre *f*

lyric [ˈlɪrɪk] *adj* lyrique ▪ **lyrical** *adj (person) (effusive)* lyrique ▪ **lyricism** *n* lyrisme *m* ▪ **lyrics** *npl (of song)* paroles *fpl*

M, m [em] *n (letter)* M, m *m inv*

m *n* (**a**) *(abbr* **metre)** mètre *m* (**b**) *(abbr* **mile)**
mile *m*

MA *(abbr* **Master of Arts)** *n Univ* **to have an MA
in French** ≃ avoir une maîtrise de français;
John Smith MA John Smith, titulaire d'une
maîtrise *(en lettres, anglais, droit etc)*

ma'am [mæm] *n* madame *f*

mac [mæk] *(abbr* **mackintosh)** *n Br Fam (rain-coat)* imper *m*

macabre [mə'kɑ:brə] *adj* macabre

macaroni [mækə'rəʊnɪ] *n* macaronis *mpl; Br* **m.
cheese,** *Am* **m. and cheese** macaronis au gratin

macaroon [mækə'ru:n] *n* macaron *m*

Mace® [meɪs] *n (gas)* gaz *m* lacrymogène

mace [meɪs] *n Culin (spice)* macis *m*

machinations [mækɪ'neɪʃənz] *npl* machinations *fpl*

machine [mə'ʃi:n] *n (apparatus, car, system)*
machine *f;* **change/cash m.** distributeur *m* de
monnaie/billets; *Comptr* **m. code** code *m*
machine; **m. gun** mitrailleuse *f*

machine-gun [mə'ʃi:ngʌn] *(pt & pp* **-nn-)** *vt*
mitrailler

machinery [mə'ʃi:nərɪ] *n (machines)* machines
fpl; (works) mécanisme *m; Fig (of organization)*
rouages *mpl*

machinist [mə'ʃi:nɪst] *n (in factory)* opérateur,
-trice *mf; (on sewing machine)* mécanicien,
-ienne *mf*

macho ['mætʃəʊ] *(pl* **-os)** *adj & n* macho *(m) inv*

mackerel ['mækrəl] *n* maquereau *m*

mackintosh ['mækɪntɒʃ] *n Br* imperméable *m*

macro ['mækrəʊ] *(pl* **-os)** *n Comptr* macro-
commande *f*

macrobiotic [mækrəʊbaɪ'ɒtɪk] *adj (diet, food)*
macrobiotique

mad [mæd] (**madder, maddest)** *adj (f* folle) fou;
to go m. devenir fou; **to be m. at sb** *(angry)* être
furieux, -ieuse contre qn; *Fam* **to be m. about**
or **m. keen on sb/sth** être fou de qn/qch; **to
drive sb m.** rendre qn fou; *Fam* **to run/work
like m.** courir/travailler comme un fou; **m.
cow disease** maladie *f* de la vache folle; **m.
dog** chien *m* enragé ▪ **madhouse** *n Fam*
maison *f* de fous ▪ **madly** *adv (insanely,
desperately)* comme un fou/une folle; *Fam
(exciting, interested, jealous)* follement ▪ **madman** *(pl* **-men)** *n* fou *m* ▪ **madness** *n* folie *f*
▪ **madwoman** *(pl* **-women)** *n* folle *f*

Madagascar [mædə'gæskə(r)] *n* Madagascar *f*

madam ['mædəm] *n (married)* madame *f;
(unmarried)* mademoiselle *f*

maddening ['mædənɪŋ] *adj* exaspérant

made [meɪd] *pt & pp of* **make** ▪ '**made-to-
'measure** *adj Br (garment)* (fait) sur mesure

Madeira [mə'dɪərə] *n (island)* Madère *f; (wine)*
madère *m*

madonna [mə'dɒnə] *n Rel* madone *f*

maestro ['maɪstrəʊ] *(pl* **-os)** *n* maestro *m*

Mafia ['mæfɪə] *n* **the M.** la Mafia

magazine [mægə'zi:n] *n* (**a**) *(periodical, TV/
radio broadcast)* magazine *m* (**b**) *(of gun, slide
projector)* magasin *m*

maggot ['mægət] *n* asticot *m*

magic ['mædʒɪk] **1** *adj* magique; **m. spell** sort
m; **the m. word** la formule magique **2** *n* magie
f; **as if by m.** comme par enchantement ▪
magical *adj* magique ▪ **magician** [mə'dʒɪ-
ʃən] *n* magicien, -ienne *mf*

magistrate ['mædʒɪstreɪt] *n* magistrat *m*

magnanimous [mæg'nænɪməs] *adj* magnanime

magnate ['mægneɪt] *n* magnat *m*

magnesium [mæg'ni:zɪəm] *n Chem* magnésium
m

magnet ['mægnɪt] *n* aimant *m* ▪ **magnetic** [-
'netɪk] *adj* magnétique; **m. tape** bande *f*
magnétique ▪ **magnetism** *n* magnétisme *m*
▪ **magnetize** *vt* magnétiser

magnificent [mæg'nɪfɪsənt] *adj* magnifique
▪ **magnificence** *n* magnificence *f* ▪ **magnificently** *adv* magnifiquement

magnify ['mægnɪfaɪ] *(pt & pp* **-ied)** *vt (image)*
grossir; *(sound)* amplifier; *Fig (exaggerate)*
exagérer; **magnifying glass** loupe *f* ▪ **magnification** [-fɪ'keɪʃən] *n* grossissement *m; (of
sound)* amplification *f*

magnitude ['mægnɪtju:d] *n* ampleur *f*

magnolia [mæg'nəʊlɪə] *n (tree)* magnolia *m*

magpie ['mægpaɪ] *n* pie *f*

mahogany [mə'hɒgənɪ] *n (wood, colour)* acajou *m*

maid [meɪd] *n (servant)* bonne *f; Am* **m. of honor**
(at wedding) première demoiselle *f* d'honneur

maiden ['meɪdən] **1** *n Old-fashioned* jeune fille *f*
2 *adj (flight, voyage)* inaugural; **m. name** nom
m de jeune fille; **m. speech** *(of MP)* premier
discours *m*

mail [meɪl] **1** *n (system)* poste *f; (letters)* courrier *m; (e-mails)* méls *mpl*, courrier *m* électronique **2** *adj (bag, train)* postal; **m. order** vente *f* par correspondance; *Br* **m. van** *(vehicle)* camion *m* des postes; *(in train)* fourgon *m* postal **3** *vt* poster; **mailing list** liste *f* d'adresses ∎**mailbox** *n Am & Comptr* boîte *f* aux lettres ∎**mailman** *(pl* **-men)** *n Am* facteur *m*

maim [meɪm] *vt* mutiler

main¹ [meɪn] *adj* principal; **the m. thing is to…** l'essentiel est de…; **in the m.** *(generally)* en gros; **m. course** plat *m* de résistance; *Rail* **m. line** grande ligne *f*; **m. road** grande route *f*; *Fam* **m. squeeze** petit ami *m*, petite amie *f* ∎**mainframe** *n* **m. (computer)** ordinateur *m* central ∎**mainland** *n* continent *m* ∎**mainly** *adv* principalement; **they were m.** Spanish la plupart étaient espagnols ∎**mainstream** *n* tendance *f* dominante

main² [meɪn] *n* **water/gas m.** conduite *f* d'eau/ de gaz; **the mains** *(electricity)* le secteur

mainstay ['meɪnsteɪ] *n (of family)* soutien *m*; *(of organization, policy)* pilier *m*

maintain [meɪn'teɪn] *vt (continue)* maintenir; *(machine, road)* entretenir; *(family)* subvenir aux besoins de; *(silence)* garder; **to m. law and order** faire respecter l'ordre public; **to m. that…** affirmer que… ∎**maintenance** ['meɪntənəns] *n (of vehicle, road)* entretien *m*; *(of tradition, prices, position)* maintien *m*; *Law (alimony)* pension *f* alimentaire

maisonette [meɪzə'net] *n Br* duplex *m*

maître d' [metrə'diː] *n Am (in restaurant)* maître *m* d'hôtel

maize [meɪz] *n Br* maïs *m*

majesty ['mædʒəstɪ] *n* majesté *f*; **Your M.** Votre Majesté ∎**majestic** [mə'dʒestɪk] *adj* majestueux, -ueuse

major ['meɪdʒə(r)] **1** *adj (main, great)* & *Mus* majeur; *(accident)* très grave; **a m. road** une grande route **2** *n* **(a)** *Mil (officer)* commandant *m* **(b)** *Am Univ (subject of study)* dominante *f* **3** *vi Am Univ* **to m. in** se spécialiser en

Majorca [mə'jɔːkə] *n* Majorque *f*

majorette [meɪdʒə'ret] *n* **(drum) m.** majorette *f*

majority [mə'dʒɒrɪtɪ] **1** *(pl* **-ies)** *n* majorité *f* **(of** de); **to be in the** *or* **a m.** être majoritaire; **the m. of people** la plupart des gens **2** *adj (vote)* majoritaire

make [meɪk] **1** *(pt & pp* **made)** *vt* faire; *(tool, vehicle)* fabriquer; **to m. a decision** prendre une décision; **to m. sb happy/sad** rendre qn heureux/triste; **to m. sb tired** fatiguer qn; **to m. sth ready** préparer qch; **to m. sth yellow** jaunir qch; **to m. sb do sth** faire faire qch à qn; **to m. oneself heard** se faire entendre; **she made him her husband** elle en a fait son mari; **he'll m. a good doctor** il fera un bon médecin; *Fam* **to m. it** *(succeed)* réussir; **sorry I can't m. it to the meeting** désolé, je ne pourrai pas

assister à la réunion; **what time do you m. it?** quelle heure avez-vous?; **I m. it five o'clock** j'ai cinq heures; **what do you m. of it?** qu'en penses-tu?; **I can't m. anything of it** je n'y comprends rien; **m. my day!** fais-moi plaisir!; *Fam* **she made the train** *(did not miss)* elle a eu le train; **he made 10 euros on it** ça lui a rapporté 10 euros; **to m. good** réussir; **to m. good a loss** compenser une perte; **to m. good the damage** réparer les dégâts; **to m. light of sth** prendre qch à la légère; **to be made of wood** être en bois; **made in France** fabriqué en France

2 *vi* **to m. sure** *or* **certain of sth** s'assurer de qch; **to m. do** *(manage)* se débrouiller **(with** avec); **to m. do with sb/sth** *(be satisfied with)* se contenter de qn/qch; **to m. as if to do sth** *(appear to)* faire mine de faire qch; **to m. believe** *(pretend)* faire semblant; **to m. believe that one is…** faire semblant d'être…

3 *n (brand)* marque *f*; **of French m.** de fabrication française ∎**make-believe** *n* **it's m.** *(story)* c'est pure invention; **to live in a world of m.** se bercer d'illusions ∎**makeover** *n (of person)* changement *m* de look; *(of building)* transformation *f* ∎**make-up** *n (for face)* maquillage *m*; *(of team, group)* constitution *f*; *(of person)* caractère *m*; **to put on one's m.** se maquiller; **to wear m.** se maquiller; **m. artist** maquilleur, -euse *mf*; **m. bag** trousse *f* de maquillage

▸ **make for** *vt insep (go towards)* aller vers

▸ **make off** *vi Fam (leave)* filer

▸ **make out 1** *vt sep (see, hear)* distinguer; *(understand)* comprendre; *(decipher)* déchiffrer; *(cheque, list)* faire; *Fam* **to m. out that…** *(claim)* prétendre que…; **you made me out to be stupid** tu m'as fait passer pour un idiot **2** *vi Fam (manage)* se débrouiller

▸ **make over** *vt sep (transfer)* céder **(to** à); *(change, convert)* transformer **(into** en)

▸ **make up 1** *vt sep (story)* inventer; *(put together)* *(list, collection, bed)* faire; *(prepare)* préparer; *(form)* former, composer; *(loss)* compenser; *(quantity)* compléter; *(quarrel)* régler; **to m. oneself up** se maquiller **2** *vi (of friends)* se réconcilier; **to m. up for** *(loss, damage, fault)* compenser; *(lost time, mistake)* rattraper

maker ['meɪkə(r)] *n (of product)* fabricant, -ante *mf*

makeshift ['meɪkʃɪft] *adj (arrangement, building)* de fortune

making ['meɪkɪŋ] *n (manufacture)* fabrication *f*; *(of dress)* confection *f*; **history in the m.** l'histoire en train de se faire; **the film was three years in the m.** le tournage du film a duré trois ans; **she has the makings of a pianist** elle a tout ce qu'il faut pour devenir pianiste

maladjusted [mælə'dʒʌstɪd] *adj* inadapté

malaise [mæ'leɪz] *n* malaise *m*

malaria [mə'leərɪə] *n Med* malaria *f*

Malaysia [mə'leɪzɪə] *n* la Malaisie

male [meɪl] **1** *adj (child, animal, hormone)* mâle; *(clothes, sex)* masculin; **m. nurse** infirmier *m* **2** *n (person)* homme *m*; *(animal)* mâle *m*

malevolent [mə'levələnt] *adj* malveillant ▪ **malevolence** *n* malveillance *f*

malfunction [mæl'fʌŋkʃən] **1** *n* mauvais fonctionnement *m* **2** *vi* fonctionner mal

malice ['mælɪs] *n* méchanceté *f*; **to bear sb m.** vouloir du mal à qn ▪ **malicious** [mə'lɪʃəs] *adj* malveillant; *Law* **m. damage** dommage *m* causé avec intention de nuire ▪ **maliciously** [mə'lɪʃəslɪ] *adv* avec malveillance

> Note that the French words **malice** and **malicieux** are false friends and are never translations for the English words **malice** and **malicious**. They mean respectively **mischief** and **mischievous**.

malign [mə'laɪn] *vt* calomnier; **much maligned** très dénigré

malignant [mə'lɪgnənt] *adj (person)* malveillant; **m. tumour** *or* **growth** tumeur *f* maligne

malingerer [mə'lɪŋgərə(r)] *n* simulateur, -trice *mf*

mall [mɔːl] *n Am* **(shopping) m.** centre *m* commercial

malleable ['mælɪəbəl] *adj* malléable

mallet ['mælɪt] *n* maillet *m*

malnutrition [mælnjuː'trɪʃən] *n (poor diet)* malnutrition *f*; *(lack of food)* sous-alimentation *f* ▪ **malnourished** *adj* sous-alimenté

malpractice [mæl'præktɪs] *n* faute *f* professionnelle

malt [mɔːlt] *n* malt *m*; **m. vinegar** vinaigre *m* de malt

Malta ['mɔːltə] *n* Malte *f* ▪ **Mal'tese 1** *adj* maltais **2** *n (person)* Maltais, -aise *mf*; *(language)* maltais *m*

mammal ['mæməl] *n* mammifère *m*

mammoth ['mæməθ] **1** *n (animal)* mammouth *m* **2** *adj (huge)* gigantesque

man [mæn] **1** *(pl* **men)** *n (adult male)* homme *m*; *(player in sports team)* joueur *m*; *(humanity)* l'homme; *Chess* pièce *f*; **the m. in the street** l'homme de la rue; **a m.'s jacket** une veste d'homme; **a m. of God** un homme d'église; **a m. of the world** un homme d'expérience; **he's a Bristol m.** *(by birth)* il est de Bristol; **to be m. and wife** être mari et femme; **he took it like a m.** il a pris ça courageusement; *Fam* **my old m.** *(father)* mon père; *(husband)* mon homme **2** *(pt & pp* **-nn-)** *vt (be on duty at)* être de service à; *(machine)* assurer le fonctionnement de; *(plane, ship)* être membre de l'équipage de; *(guns)* servir; **manned spacecraft** engin *m*

spatial habité ▪ **manfully** *adv* vaillamment ▪ **manhood** *n (period)* âge *m* d'homme ▪ **manhunt** *n* chasse *f* à l'homme ▪ **manly** **(-ier, -iest)** *adj* viril ▪ **'man-'made** *adj (lake, beach)* artificiel, -ielle; *(fibre)* synthétique ▪ **'man-to-'man** *adj & adv (discussion, discuss)* d'homme à homme

manacles ['mænɪkəlz] *npl* menottes *fpl*

manage ['mænɪdʒ] **1** *vt (company, project)* diriger; *(shop, hotel)* être le gérant de; *(economy, money, time, situation)* gérer; **to m. to do sth** *(succeed)* réussir *ou* arriver à faire qch; *(by being smart)* se débrouiller pour faire qch; **I'll m. it** j'y arriverai; **I can't m. three suitcases** je ne peux pas porter trois valises **2** *vi (succeed)* y arriver; *(make do)* se débrouiller (**with** avec); **to m. without sb/sth** se passer de qn/qch; **managing director** directeur *m* général ▪ **manageable** *adj (parcel, car)* maniable; *(hair)* facile à coiffer; *(task)* faisable ▪ **management** *n (running, managers)* direction *f*; *(of property, economy)* gestion *f*; *(executive staff)* cadres *mpl*; **business m.** gestion *f* des affaires; **m. consultant** conseiller, -ère *mf* en *ou* de gestion

manager ['mænɪdʒə(r)] *n (of shop, company)* directeur, -trice *mf*; *(of shop, café)* gérant *m*; *(of singer, boxer)* manager *m*

managerial [mænə'dʒɪərɪəl] *adj* directorial; **m. position** poste *m* de direction; **the m. staff** les cadres *mpl*

mandarin ['mændərɪn] **1** *adj & n* **m. (orange)** mandarine *(f)* **2** *n Br (official)* mandarin *m*; **M. (Chinese)** *(language)* mandarin *m*

mandate ['mændeɪt] *n* mandat *m*

mandatory ['mændətərɪ] *adj* obligatoire

mane [meɪn] *n* crinière *f*

maneuver [mə'nuːvər] *n & vti Am* = **manoeuvre**

mangle ['mæŋgəl] **1** *n (for clothes)* essoreuse *f* **2** *vt (body)* mutiler

mango ['mæŋgəʊ] *(pl* **-oes** *or* **-os)** *n* mangue *f*

mangy ['meɪndʒɪ] *adj (animal)* galeux, -euse

manhandle [mæn'hændəl] *vt (person)* malmener

manhole ['mænhəʊl] *n* bouche *f* d'égout; **m. cover** plaque *f* d'égout

mania ['meɪnɪə] *n (liking)* passion *f*; *(psychological)* manie *f*

maniac ['meɪnɪæk] *n* fou *m*, folle *f*

manic ['mænɪk] *adj Fig (person)* stressé; *(activity)* frénétique

manicure ['mænɪkjʊə(r)] **1** *n* manucure *f* **2** *vt* **to m. one's nails** se faire les ongles

manifest ['mænɪfest] **1** *adj (plain)* manifeste **2** *vt (show)* manifester

manifesto [mænɪ'festəʊ] *(pl* **-os** *or* **-oes)** *n Pol* manifeste *m*

manifold ['mænɪfəʊld] *adj Literary* multiple

manipulate [mə'nɪpjʊleɪt] *vt* manipuler ▪ **manipu'lation** *n* manipulation *f*

mankind [mæn'kaɪnd] *n* l'humanité *f*

manner ['mænə(r)] *n (way)* manière *f*; *(behaviour)* comportement *m*; **manners** *(social habits)* manières *fpl*; **it's bad manners to stare** il est mal élevé de dévisager les gens; **in this m.** *(like this)* de cette manière; **all m. of people/things** toutes sortes de gens/choses; **to have good/bad manners** être bien/mal élevé

mannered ['mænəd] *adj* maniéré

mannerism ['mænərɪzəm] *n Pej* tic *m*

manoeuvre [mə'nuːvə(r)] *(Am* **maneuver)** **1** *n* manœuvre *f*; **2** *vti* manœuvrer ▪**manoeuvra'bility** *(Am* **maneuvra'bility)** *n (of vehicle)* maniabilité *f*

manor ['mænə(r)] *n Br* **m. (house)** manoir *m*

manpower ['mænpaʊə(r)] *n (labour)* main-d'œuvre *f*

mansion ['mænʃən] *n (in town)* hôtel *m* particulier; *(in country)* manoir *m*

manslaughter ['mænslɔːtə(r)] *n Law* homicide *m* involontaire

mantelpiece ['mæntəlpiːs] *n* dessus *m* de cheminée; **on the m.** sur la cheminée

manual ['mænjʊəl] **1** *adj (work, worker)* manuel, -uelle **2** *n (book)* manuel *m*

manufacture [mænjʊ'fæktʃə(r)] **1** *n* fabrication *f*, *(of cars)* construction *f* **2** *vt* fabriquer; *(cars)* construire ▪**manufacturer** *n* fabricant, -ante *mf*; *(of cars)* constructeur *m*

manure [mə'njʊə(r)] *n* fumier *m*

manuscript ['mænjʊskrɪpt] *n* manuscrit *m*

many ['menɪ] **1** *adj* beaucoup de; **m. people/things** beaucoup de gens/choses; **very m., a good** *or* **great m.** un très grand nombre de; **(a good** *or* **great) m. of,** **(very) m. of** un (très) grand nombre de; **m. times** bien des fois; **m. kinds** toutes sortes **(of** de); **how m.?** combien (de)?; **too m.** trop de; **there were so m. people that...** il y avait tant de monde que...; **as m. books as you like** autant de livres que tu veux **2** *pron* beaucoup; **m. came** beaucoup sont venus; **not m.** pas beaucoup; **too m.** trop; *Fam* **he's had one too m.** il a bu un coup de trop; **m. of them** beaucoup d'entre eux; **there are too m. of them** ils sont trop nombreux; **m. a time** bien des fois; **as m. as fifty** *(up to)* jusqu'à cinquante

map [mæp] **1** *n* carte *f*; *(plan of town, underground)* plan *m* **2** *(pt & pp* **-pp-)** *vt (country, town)* dresser une carte de; **to m. out** *(road)* tracer; *Fig (plan, programme)* élaborer

maple ['meɪpəl] *n (tree, wood)* érable *m*; **m. syrup** sirop *m* d'érable

mar [mɑː(r)] *(pt & pp* **-rr-)** *vt* gâcher

marathon ['mærəθən] *n* marathon *m*

maraud [mə'rɔːd] *vi* piller ▪**marauder** *n* maraudeur, -euse *mf* ▪**marauding** *adj* en maraude

marble ['mɑːbəl] *n (substance)* marbre *m*; *(toy ball)* bille *f*

March [mɑːtʃ] *n* mars *m*

march [mɑːtʃ] **1** *n* marche *f* **2** *vt* **to m. sb off to prison** emmener qn en prison **3** *vi (of soldiers, demonstrators)* défiler; *(walk in step)* marcher au pas; **to m. past (sb/sth)** défiler (devant qn/qch); *Fig* **to m. in/out** entrer/sortir d'un pas décidé ▪**march past** *n Br* défilé *m*

mare [meə(r)] *n* jument *f*

margarine [mɑːdʒə'riːn] *n* margarine *f* ▪**marge** *n Br Fam* margarine *f*

margin ['mɑːdʒɪn] *n (on page)* marge *f*; *Com* **marge bénéficiaire; to win by a narrow m.** gagner de justesse; **m. of error** marge d'erreur ▪**marginal** *adj* marginal; *(unimportant)* négligeable; *Br Pol* **m. seat** siège *m* à majorité précaire ▪**marginally** *adv* très légèrement

marigold ['mærɪɡəʊld] *n* souci *m*

marijuana [mærɪ'wɑːnə] *n* marijuana *f*

marina [mə'riːnə] *n* marina *f*

marinade ['mærɪneɪd] *Culin* **1** *n* marinade *f* **2** *vti* (faire) mariner ▪**marinate** *vti* (faire) mariner

marine [mə'riːn] **1** *adj (life, flora)* marin **2** *n (soldier)* fusilier *m* marin; *Am* marine *m*

marionette [mærɪə'net] *n* marionnette *f*

marital ['mærɪtəl] *adj* conjugal; **m. status** situation *f* de famille

maritime ['mærɪtaɪm] *adj* maritime

marjoram ['mɑːdʒərəm] *n* marjolaine *f*

mark¹ [mɑːk] **1** *n (symbol)* marque *f*; *(stain, trace)* tache *f*, marque; *(token, sign)* signe *m*; *(in test, exam)* note *f*; *(target)* but *m*; *(model of machine, aircraft)* série *f*; **as a m. of respect** en signe de respect; *Fig* **to make one's m.** *(succeed)* faire ses preuves; **she isn't up to the m.** elle n'est pas à la hauteur; **on your marks! get set! go!** à vos marques! prêts! partez! **2** *vt* marquer; *(exam)* noter; **to m. time** *(of soldier)* marquer le pas; *Fig (wait)* piétiner; **m. my words** notez bien ce que je vais dire; **to m. a price down** baisser un prix; **to m. sth off** *(separate)* délimiter qch; *(on list)* cocher qch; **to m. sb out** distinguer qn; **to m. sb out for promotion** désigner qn pour obtenir une promotion; **to m. a price up** augmenter un prix ▪**marked** *adj (noticeable)* marqué ▪**markedly** *adv* visiblement

mark² [mɑːk] *n Formerly (currency)* mark *m*

marker ['mɑːkə(r)] *n (pen)* marqueur *m*; *(flag)* balise *f*; *(bookmark)* signet *m*; *(person)* correcteur, -trice *mf*

market ['mɑːkɪt] **1** *n* marché *m*; **to put sth on the m.** mettre qch en vente; **on the open m.** en vente libre; **on the black m.** au marché noir; **(free) m. economy** économie *f* de marché; *Br* **m. garden** jardin *m* maraîcher; *Br* **m. gardener** maraîcher, -ère *mf*; **m. price** prix *m* courant; **m. share** part *f* de marché; **m. survey** étude *f* de marché; **m. value** valeur *f* marchande **2** *vt* commercialiser ▪ **marketable** *adj* commercialisable ▪ **marketing** *n* marketing *m*, mercatique *f* ▪ **marketplace** *n* (*in village, town*) place *f* du marché; *Econ* marché *m*; **in the m.** sur le marché

markings ['mɑːkɪŋz] *npl* (*on animal*) taches *fpl*; (*on road*) signalisation *f* horizontale

marksman ['mɑːksmən] (*pl* **-men**) *n* tireur *m* d'élite

marmalade ['mɑːməleɪd] *n* confiture *f* d'oranges

maroon [mə'ruːn] *adj* (*colour*) bordeaux *inv*

> Note that the French word **marron** is a false friend. When referring to a colour, it means **brown**.

marooned [mə'ruːnd] *adj* abandonné; (*in snowstorm*) bloqué (**by** par)

marquee [mɑː'kiː] *n* grande *f* tente; (*at circus*) chapiteau *m*; *Am* (*awning*) marquise *f*

marquis ['mɑːkwɪs] *n* marquis *m*

marriage ['mærɪdʒ] *n* mariage *m*; **to be related by m. to sb** être parent par alliance de qn; **m. bureau** agence *f* matrimoniale; **m. certificate** extrait *m* d'acte de mariage

marrow ['mærəʊ] *n* (**a**) (*of bone*) moelle *f* (**b**) *Br* (*vegetable*) courge *f*

marry ['mærɪ] **1** (*pt & pp* **-ied**) *vt* épouser, se marier avec; **to m. sb (off)** (*of priest*) marier qn **2** *vi* se marier ▪ **married** *adj* marié; **to get m.** se marier; **m. life** vie *f* maritale; **m. name** nom *m* de femme mariée

marsh [mɑːʃ] *n* marais *m*, marécage *m* ▪ **marshland** *n* marécages *mpl*

marshal ['mɑːʃəl] **1** *n* (*army officer*) maréchal *m*; *Br* (*at public event*) membre *m* du service d'ordre **2** (*Br* **-ll-**, *Am* **-l-**) *vt* (*troops, vehicles*) rassembler; (*crowd*) canaliser

marshmallow [mɑːʃ'mæləʊ] *n* guimauve *f*

martial ['mɑːʃəl] *adj* martial; **m. arts** arts *mpl* martiaux; **m. law** loi *f* martiale

Martian ['mɑːʃən] *n & adj* martien, -ienne (*mf*)

martyr ['mɑːtə(r)] **1** *n* martyr, -yre *mf* **2** *vt* martyriser ▪ **martyrdom** *n* martyre *m*

marvel ['mɑːvəl] **1** *n* (*wonder*) merveille *f*; **it's a m. they survived** c'est un miracle qu'ils aient survécu **2** (*Br* **-ll-**, *Am* **-l-**) *vi* s'émerveiller (**at** de)

marvellous ['mɑːvələs] (*Am* **marvelous**) *adj* merveilleux, -euse

Marxism ['mɑːksɪzəm] *n* marxisme *m* ▪ **Marxist** *adj & n* marxiste (*mf*)

marzipan ['mɑːzɪpæn] *n* pâte *f* d'amandes

mascara [mæ'skɑːrə] *n* mascara *m*

mascot ['mæskɒt] *n* mascotte *f*

masculine ['mæskjʊlɪn] *adj* masculin ▪ **masculinity** *n* masculinité *f*

mash [mæʃ] **1** *n Br* (*potatoes*) purée *f* (de pommes de terre); (*for poultry, pigs*) pâtée *f* **2** *vt* **to m. (up)** (*vegetables*) écraser (en purée); **mashed potatoes** purée *f* de pommes de terre

mask [mɑːsk] **1** *n* masque *m* **2** *vt* (*cover, hide*) masquer (**from** à)

masochism ['mæsəkɪzəm] *n* masochisme *m* ▪ **masochist** *n* masochiste *mf* ▪ **maso'chistic** *adj* masochiste

mason ['meɪsən] *n* (*stonemason, Freemason*) maçon *m* ▪ **masonry** *n* maçonnerie *f*

masquerade [mɑːskə'reɪd] **1** *n* (*gathering, disguise*) mascarade *f* **2** *vi* **to m. as sb** se faire passer pour qn

mass¹ [mæs] **1** *n Phys & (shapeless substance)* masse *f*; **a m. of** (*many*) une multitude de; *Fam* **I've got masses of things to do** j'ai des tas de choses à faire; *Fam* **there's masses of room** il y a plein de place; *Pol* **the masses** le peuple **2** *adj* (*demonstration, culture*) de masse; (*protests, departure*) en masse; (*unemployment, destruction*) massif, -ive; **m. grave** charnier *m*; **m. hysteria** hystérie *f* collective; **m. media** media *mpl*; **m. murderer** tueur *m* fou; **m. production** production *f* en série **3** *vi* (*of troops, people*) se masser ▪ **mass-pro'duce** *vt* fabriquer en série

mass² [mæs] *n* (*church service*) messe *f*

massacre ['mæsəkə(r)] **1** *n* massacre *m* **2** *vt* massacrer

massage ['mæsɑːʒ] **1** *n* massage *m*; *Br* **m. parlour**, *Am* **m. parlor** salon *m* de massage **2** *vt* masser; *Fig* **to m. the figures** manipuler les chiffres ▪ **masseur** [-'sɜː(r)] *n* masseur *m* ▪ **masseuse** [-'sɜːz] *n* masseuse *f*

massive ['mæsɪv] *adj* (*increase, dose, vote*) massif, -ive; (*amount, building*) énorme; (*heart attack*) foudroyant ▪ **massively** *adv* (*increase, reduce*) considérablement

mast [mɑːst] *n* (*of ship*) mât *m*; (*for TV, radio*) pylône *m*

master ['mɑːstə(r)] **1** *n* maître *m*; *Br* (*teacher*) professeur *m*; **old m.** (*painting*) tableau *m* de maître; **I'm my own m.** je ne dépends que de moi; *Univ* **m.'s (degree)** maîtrise *f* (**in** de); **M. of Arts/Science** (*qualification*) ≃ maîtrise ès lettres/sciences; (*person*) ≃ maître *mf* ès lettres/sciences; **m. of ceremonies** (*presenter*) animateur, -trice *mf*; **m. card** carte *f* maîtresse; **m. copy** original *m*; **m. key** passe-partout *m inv*; **m. plan** plan *m* d'action **2** *vt* maîtriser; (*subject, situation*) dominer ▪ **masterly** *adj* magistral ▪ **mastery** *n* maîtrise *f* (**of** de)

mastermind ['mɑːstəmaɪnd] **1** *n* (*person*) cerveau *m* **2** *vt* organiser

masterpiece ['mɑːstəpiːs] *n* chef-d'œuvre *m*

masterstroke ['mɑːstəstrəʊk] *n* coup *m* de maître

mastic ['mæstɪk] *n* (*filler, seal*) mastic *m*

masturbate ['mæstəbeɪt] *vi* se masturber
∎ **mastur'bation** *n* masturbation *f*

mat [mæt] *n* tapis *m*; *(of straw)* natte *f*; *(at door)* paillasson *m*; **(table) m.** *(for plates)* set *m* de table; *(for dishes)* dessous-de-plat *m inv*

match¹ [mætʃ] *n (for lighting fire, cigarette)* allumette *f* ∎ **matchbox** *n* boîte *f* d'allumettes ∎ **matchstick** *n* allumette *f*

match² [mætʃ] *n (in sport)* match *m*; **m. point** *(in tennis)* balle *f* de match

match³ [mætʃ] **1** *n (equal)* égal, -ale *mf*; *(marriage)* mariage *m*; **to be a good m.** *(of colours, people)* aller bien ensemble; **he's a good m.** *(man to marry)* c'est un bon parti; **to meet one's m.** trouver son maître **2** *vt (of clothes, colour)* être assorti à; *(coordinate)* assortir; *(equal)* égaler; **to m. up** *(colours, clothes, plates)* assortir; **to m. (up to)** *(equal)* égaler; **to m. up to sb's expectations** répondre à l'attente de qn **3** *vi (of colours, clothes)* être assortis, -ies ∎ **matching** *adj* assorti

mate¹ [meɪt] **1** *n (of animal)* mâle *m*/femelle *f*; *Br (friend)* copain *m*, copine *f*; *Br* **builder's/ electrician's m.** aide-maçon/-électricien *m* **2** *vi (of animals)* s'accoupler **(with** avec)

mate² [meɪt] *Chess* **1** *n* mat *m* **2** *vt* mettre mat

material [mə'tɪərɪəl] **1** *adj (needs, world)* matériel, -ielle; *(important)* essentiel, -ielle **2** *n (substance)* matière *f*; *(cloth)* tissu *m*; *(for book)* matériaux *mpl*; **material(s)** *(equipment)* matériel *m*; **building materials** matériaux de construction; **reading m.** de quoi lire ∎ **materialism** *n* matérialisme *m* ∎ **materialist** *n* matérialiste *mf* ∎ **materia'listic** *adj* matérialiste ∎ **materially** *adv* matériellement

materialize [mə'tɪərɪəlaɪz] *vi* se matérialiser; *(of hope, threat)* se réaliser; *(of event)* avoir lieu

maternal [mə'tɜːnəl] *adj* maternel, -elle

maternity [mə'tɜːnɪtɪ] *n* maternité *f*; *Br* **m. allowance** *or* **benefit** allocation *f* de maternité; **m. dress** robe *f* de grossesse; **m. hospital, m. unit** maternité; **m. leave** congé *m* de maternité

mathematical [mæθə'mætɪkəl] *adj* mathématique

mathematician [mæθəmə'tɪʃən] *n* mathématicien, -ienne *mf*

mathematics [mæθə'mætɪks] *n (subject)* mathématiques *fpl*; *(calculations)* calculs *mpl* ∎ **maths** *(Am* **math)** *n Fam* maths *fpl*

matinée ['mætɪneɪ] *n (of play, film)* matinée *f*

matriculate [mə'trɪkjʊleɪt] *vi Univ* s'inscrire ∎ **matricu'lation** *n Univ* inscription *f*

matrimony ['mætrɪmənɪ] *n* mariage *m* ∎ **matrimonial** [-'məʊnɪəl] *adj* matrimonial

matrix ['meɪtrɪks] *(pl* **-ices** [-ɪsiːz]) *n Math & Tech* matrice *f*

matron ['meɪtrən] *n Br (nurse)* infirmière *f* en

chef; *Br (in boarding school)* infirmière *f*; *(older woman)* matrone *f*

matt [mæt] *adj (paint, paper)* mat

matted ['mætɪd] *adj (hair)* emmêlé

matter¹ ['mætə(r)] **1** *n (substance)* matière *f*; *(issue, affair)* question *f*; **that's a m. of taste** c'est une question de goût; **and to make matters worse...** et pour aggraver les choses...; **as a m. of fact** en fait; **no m.!** peu importe!; **no m. what she does** quoi qu'elle fasse; **no m. where you go** où que tu ailles; **no m. who you are** qui que vous soyez; **no m. when** quel que soit le moment; **what's the m.?** qu'est-ce qu'il y a?; **what's the m. with you?** qu'est-ce que tu as?; **there's something the m.** il y a quelque chose qui ne va pas; **there's something the m. with my leg** j'ai quelque chose à la jambe; **there's nothing the m. with him** il n'a rien **2** *vi (be important)* importer **(to** à); **it doesn't m. if/when/who...** peu importe si/quand/qui...; **it doesn't m.** ça ne fait rien; **it doesn't m. to me** ça m'est égal

matter² ['mætə(r)] *n Med* pus *m*

matter-of-fact [mætərəv'fækt] *adj (person, manner)* terre à terre *inv*; *(voice)* neutre

matting ['mætɪŋ] *n (material)* nattage *m*; **a piece of m., some m.** une natte

mattress ['mætrəs] *n* matelas *m*

mature [mə'tʃʊə(r)] **1** *adj (person, fruit)* mûr; *(cheese)* fort; *Univ* **m. student** = adulte qui reprend des études **2** *vi (person, fruit)* mûrir; *(of cheese)* se faire; *Fin (of interest)* arriver à échéance ∎ **maturity** *n* maturité *f*

maul [mɔːl] *vt (of animal)* mutiler; *Fig (of person)* malmener

Mauritius [mə'rɪʃəs] *n* l'île *f* Maurice

mausoleum [mɔːsə'lɪəm] *n* mausolée *m*

mauve [məʊv] *adj & n (colour)* mauve *(m)*

maverick ['mævərɪk] *n* non-conformiste *mf*

mawkish ['mɔːkɪʃ] *adj Pej* mièvre

maxim ['mæksɪm] *n* maxime *f*

maximize ['mæksɪmaɪz] *vt* maximaliser

maximum ['mæksɪməm] **1** *(pl* **-ima** [-ɪmə] *or* **-imums)** *n* maximum *m* **2** *adj* maximal

May [meɪ] *n* mai *m*; **M. Day** le Premier Mai

may [meɪ] *(pt* **might** [maɪt]) *v aux*

May et might peuvent s'utiliser indifféremment ou presque dans les expressions de la catégorie **(a)**.

(a) *(expressing possibility)* **he m. come** il se peut qu'il vienne; **I m.** *or* **might be wrong** je me trompe peut-être; **he m.** *or* **might have lost it** il se peut qu'il l'ait perdu; **I m.** *or* **might have forgotten it** je l'ai peut-être oublié; **we m.** *or* **might as well go** autant y aller; **she's afraid I m.** *or* **might get lost** elle a peur que je ne me perde **(b)** *Formal (for asking permission)* **m. I stay?** puis-je rester?; **m. I?** vous permettez?; **you m. go** tu peux partir **(c)** *Formal (expressing* *wish)* m. **you be happy** sois heureux; **m. the best man win!** que le meilleur gagne!

maybe ['meɪbi:] *adv* peut-être

mayday ['meɪdeɪ] *n (distress signal)* mayday m, SOS m

mayhem ['meɪhem] *n (chaos)* pagaille f

mayonnaise [meɪə'neɪz] *n* mayonnaise f

mayor [meə(r)] *n* maire m ▪ **mayoress** ['meərɪs] *n* mairesse f; *(mayor's wife)* femme f du maire

maze [meɪz] *n* labyrinthe m

MB [em'bi:] *(abbr* **megabyte)** *n Comptr* Mo m

MC [em'si:] *abbr* = **master of ceremonies**

MD [em'di:] *n* **(a)** *Br (abbr* **managing director)** directeur, -trice mf général, -e **(b)** *(abbr* **Doctor of Medicine)** docteur m en médecine

me [mi:] *pron* me, m'; *(after prep, 'than', 'it is')* moi; **(to) me** *(indirect)* me, m'; **she knows me** elle me connaît; **he helps me** il m'aide; **he gave it to me** il me l'a donné; **with me** avec moi

meadow ['medəʊ] *n* pré m, prairie f

meagre ['mi:gə(r)] *(Am* **meager)** *adj* maigre

meal¹ [mi:l] *n (food)* repas m; *Am* **m. ticket** ticket-repas m, ticket-restaurant m

meal² [mi:l] *n (flour)* farine f

mealy-mouthed [mi:lɪ'maʊðd] *adj Pej* mielleux, -euse

mean¹ [mi:n] *(pt & pp* **meant)** *vt (of word, event)* signifier; *(of person)* vouloir dire; *(result in)* entraîner; *(represent)* représenter; **to m. to do sth** avoir l'intention de faire qch; **I know what you m.** je comprends; **I m. it, I m. what I say** je parle sérieusement; **it means a lot to me** c'est très important pour moi; **it means something to me** *(name, face)* ça me dit quelque chose; **I didn't m. to!** je ne l'ai pas fait exprès!; **you were meant to come** vous étiez censé venir; **it's meant to be a good film** il paraît que c'est un bon film; **it was meant for you** ça t'était destiné; **it was meant as a joke** c'était une plaisanterie

mean² [mi:n] **(-er, -est)** *adj (miserly)* avare; *(petty)* mesquin; *(nasty)* méchant; *(shabby)* misérable; **she's no m. dancer** c'est une excellente danseuse ▪ **meanness** *n (greed)* avarice f; *(nastiness)* méchanceté f

mean³ [mi:n] **1** *adj (average)* moyen, -enne **2** *n (middle position)* milieu m; *Math (average, midpoint)* moyenne f

meander [mɪ'ændə(r)] *vi (of river)* faire des méandres

meaning ['mi:nɪŋ] *n* sens m, signification f ▪ **meaningful** *adj* significatif, -ive ▪ **meaningless** *adj* vide de sens; *Fig (absurd)* insensé

means [mi:nz] **1** *n (method)* moyen m **(to do** *or* **of doing** de faire); **by m. of...** au moyen de...; **by m. of hard work** à force de travail; **by all m.!** *(certainly)* je vous en prie!; **by no m.** nullement; **m. of communication/transport** moyen de communication/transport **2** *npl (wealth)*

moyens *mpl*; **to have independent** *or* **private m.** avoir une fortune personnelle; **to live beyond one's m.** vivre au-dessus de ses moyens

meant [ment] *pt & pp of* **mean¹**

meantime ['mi:ntaɪm] *adv & n* **(in the) m.** *(at the same time)* pendant ce temps; *(between two events)* entre-temps

meanwhile ['mi:nwaɪl] *adv (at the same time)* pendant ce temps; *(between two events)* entre-temps

measles ['mi:zəlz] *n Med* rougeole f

measly ['mi:zlɪ] *adj Fam* minable

measure ['meʒə(r)] **1** *n* mesure f; *(ruler)* règle f; *Br* **made to m.** fait sur mesure **2** *vt* mesurer; **to m. sth out** *(ingredient)* mesurer qch; **to m. sth up** *(plank)* mesurer qch **3** *vi* **to m. up to** *(task)* être à la hauteur de ▪ **measured** *adj (careful)* mesuré ▪ **measuring** *adj* **m. jug** verre m gradué; **m. tape** mètre m ruban

measurement ['meʒəmənt] *n* mesure f; **hip/waist measurement(s)** tour m de hanches/de taille

meat [mi:t] *n* viande f; *(of crab, lobster)* chair f; *Fig* substance f; **m. diet** régime m carné; **m. pie** pâté m en croûte ▪ **meatball** *n* boulette f de viande ▪ **meaty** **(-ier, -iest)** *adj (fleshy)* charnu; *(flavour)* de viande; *Fig (book, film)* substantiel, -ielle

Mecca ['mekə] *n* La Mecque; *Fig* **a M. for antique-lovers** un paradis pour les passionnés d'objets anciens

mechanic [mɪ'kænɪk] *n* mécanicien, -ienne mf ▪ **mechanical** *adj* mécanique; *Fig (reply, gesture)* machinal ▪ **mechanics** *n (science)* mécanique f; **the m.** *(working parts)* le mécanisme

Note that the French word **mécanique** is a false friend and is never a translation for the English word **mechanic**. It means **mechanics**.

mechanism ['mekənɪzəm] *n* mécanisme m

mechanize ['mekənaɪz] *vt* mécaniser

medal ['medəl] *n* médaille f

medallion [mə'dæljən] *n* médaillon m

medallist ['medəlɪst] *(Am* **medalist)** *n* médaillé, -ée mf; **to be a gold/silver m.** être médaille d'or/d'argent

meddle ['medəl] *vi (interfere)* se mêler **(in** de); *(tamper)* toucher **(with** à) ▪ **meddlesome** *adj* qui se mêle de tout

media ['mi:dɪə] **1** *npl* **the (mass) m.** les médias *mpl*; **m. circus** cirque m médiatique; **m. event** événement m médiatique; **m. studies** = études en communication et journalisme **2** *pl of* **medium**

mediaeval, medieval [medɪ'i:vəl] *adj* médiéval

median ['mi:dɪən] **1** adj médian **2** n Math médiane m; Am **m. (strip)** (on highway) bande f médiane

mediate ['mi:dɪeɪt] vi servir d'intermédiaire (**between** entre) ▪ **medi'ation** n médiation f ▪ **mediator** n médiateur, -trice mf

Medicaid ['medɪkeɪd] n Am = assistance médicale aux défavorisés

medical ['medɪkəl] **1** adj médical; (school, studies) de médecine; (student) en médecine; **to seek m. advice** demander conseil à un médecin; **m. examination** examen m médical; **m. insurance** assurance f maladie **2** n (in school, army) visite f médicale; (private) examen m médical

Medicare ['medɪkeə(r)] n Am ≃ assistance f médicale aux personnes âgées

medicated ['medɪkeɪtɪd] adj **m. shampoo** shampooing m traitant

medication [medɪ'keɪʃən] n médicaments mpl; **to take one's m.** prendre ses médicaments; **to be on m.** être en traitement

medicine ['medəsən] n (substance) médicament m; (science) médecine f; **m. cabinet, m. chest** (armoire f à) pharmacie f ▪ **medicinal** [mə'dɪsənəl] adj médicinal

Note that the French word **médecine** never means **remedy**.

medieval [medɪ'i:vəl] adj médiéval

mediocre [mi:dɪ'əʊkə(r)] adj médiocre ▪ **mediocrity** [-'ɒkrɪtɪ] n médiocrité f

meditate ['medɪteɪt] vi méditer (**on** sur) ▪ **medi'tation** n méditation f

Mediterranean [medɪtə'reɪnɪən] **1** adj méditerranéen, -éenne **2** n **the M.** la Méditerranée

medium ['mi:dɪəm] **1** adj (average, middle) moyen, -enne **2** n (**a**) (pl **media** ['mi:dɪə]) (of thought) véhicule m; Biol milieu m; (for conveying data or publicity) support m; **through the m. of sb/sth** par l'intermédiaire de qn/qch; **to find a happy m.** trouver le juste milieu (**b**) (pl **mediums**) (person) médium m ▪ **'medium-sized** adj de taille moyenne

medley ['medlɪ] (pl **-eys**) n mélange m; (of songs, tunes) pot-pourri m

meek [mi:k] (**-er, -est**) adj docile

meet [mi:t] **1** vt (pt & pp **met**) (person, team) rencontrer; (by arrangement) retrouver; (pass in street, road) croiser; (fetch) aller chercher; (wait for) attendre; (debt, enemy, danger) faire face à; (need) combler; **to arrange to m. sb** donner rendez-vous à qn; **have you met my husband?** connaissez-vous mon mari? **2** vi (of people, teams, looks) se rencontrer; (by arrangement) se retrouver; (of club, society) se réunir; (of rivers) se rejoindre; (of trains, vehicles) se croiser; **we've never met** nous ne nous connaissons pas **3** n Am Sport réunion f

▸ **meet up** vi (of people) se rencontrer; (by arrangement) se retrouver; **to m. up with sb** rencontrer qn; (by arrangement) retrouver qn

▸ **meet with** vt insep (problem, refusal) se heurter à; (loss) essuyer; (danger) affronter; (accident) avoir; Am **to m. with sb** rencontrer qn; (as arranged) retrouver qn

meeting ['mi:tɪŋ] n (for business) réunion f; (large) assemblée f; (by accident) rencontre f; (by arrangement) rendez-vous m inv; **to be in a m.** être en réunion; **m. place** lieu m de rendez-vous

megabyte ['megəbaɪt] n Comptr mégaoctet m

megalomania [megələʊ'meɪnɪə] n mégalomanie f ▪ **megalomaniac** n mégalomane mf

megaphone ['megəfəʊn] n porte-voix m inv

melancholy ['melənkəlɪ] **1** adj mélancolique **2** n mélancolie f

mellow ['meləʊ] **1** (**-er, -est**) adj (fruit) mûr; (wine) moelleux, -euse; (flavour) suave; (colour, voice) chaud; (person) détendu, serein **2** vi (of person) s'adoucir

melodrama ['melədrɑːmə] n mélodrame m ▪ **melodramatic** [-drə'mætɪk] adj mélodramatique

melody ['melədɪ] (pl **-ies**) n mélodie f ▪ **melodic** [mə'lɒdɪk] adj mélodique ▪ **melodious** [mə'ləʊdɪəs] adj mélodieux, -ieuse

melon ['melən] n melon m

melt [melt] **1** vt faire fondre; **to m. down** (metal object) fondre; **melting point** point m de fusion; Fig **melting pot** creuset m **2** vi fondre; **to m. away** (of snow) fondre complètement; **the green melts into the blue** le vert se fond dans le bleu ▪ **meltdown** n Phys fusion f

member ['membə(r)] n membre m; Br **M. of Parliament,** Am **M. of Congress** ≃ député m; **she's a m. of the family** elle fait partie de la famille; **m. state** État m membre ▪ **membership** n (state) adhésion f (**of** à); (members) membres mpl; (number) nombre m de membres; **m. card** carte f de membre; **m. fee** cotisation f

membrane ['membreɪn] n membrane f

memento [mə'mentəʊ] (pl **-os** or **-oes**) n souvenir m

memo ['meməʊ] (pl **-os**) n note f de service; **m. pad** bloc-notes m ▪ **memorandum** [memə-'rændəm] n (in office) note f de service; Pol & Com mémorandum m

memoir ['memwɑː(r)] n (essay) mémoire m ▪ **memoirs** npl (autobiography) mémoires mpl

memorabilia [memərə'bɪlɪə] npl souvenirs mpl

memorable ['memərəbəl] adj mémorable

memorial [mə'mɔːrɪəl] **1** adj commémoratif, -ive; **m. service** commémoration f **2** n mémorial m

memorize ['meməraɪz] vt mémoriser

memory ['memərɪ] (pl **-ies**) n (faculty) & Comptr

mémoire f; *(recollection)* souvenir m; **from m.** de mémoire; **to the** or **in m. of...** à la mémoire de...

men [men] *pl of* **man** *Am* **the men's room** les toilettes *fpl* pour hommes

menace ['menɪs] **1** n *(danger)* danger m; *(threat)* menace f; *Fam (nuisance)* plaie f **2** vt menacer ▪ **menacing** adj menaçant ▪ **menacingly** adv *(say)* d'un ton menaçant; *(do)* d'une manière menaçante

menagerie [mɪ'nædʒərɪ] n ménagerie f

mend [mend] **1** n *(in clothes)* raccommodage m; **to be on the m.** *(of patient)* aller mieux **2** vt *(repair)* réparer; *(clothes)* raccommoder; **to m. one's ways** s'amender

menial ['miːnɪəl] *adj (work)* subalterne

meningitis [menɪn'dʒaɪtɪs] n *Med* méningite f

menopause ['menəpɔːz] n ménopause f

menstruate ['menstrʊeɪt] vi avoir ses règles ▪ **menstru'ation** n menstruation f

menswear ['menzweə(r)] n vêtements mpl pour hommes

mental ['mentəl] *adj* mental; *Br Fam (mad)* dingue; *Br Fam* **to go m.** *(lose one's temper)* péter les plombs; **m. arithmetic** calcul m mental; **m. block** blocage m; **m. breakdown** dépression f nerveuse; **m. hospital** hôpital m psychiatrique ▪ **mentally** adv mentalement; **he's m. handicapped** c'est un handicapé mental; **she's m. ill** c'est une malade mentale

mentality [men'tælətɪ] *(pl -ies)* n mentalité f

mention ['menʃən] **1** n mention f **2** vt mentionner; **not to m...** sans parler de...; **don't m. it!** il n'y a pas de quoi!; **she has no savings worth mentioning** elle n'a pratiquement pas d'économies

mentor ['mentɔː(r)] **1** n mentor m **2** vt **to m. sb** assumer le rôle de mentor auprès de qn

menu ['menjuː] n *(in restaurant) (list)* carte f; *(for set meal)* menu m; *Comptr* menu; *Comptr* **m. bar** barre f de sélection

MEP [emiː'piː] *(abbr* **Member of the European Parliament)** n député m du Parlement européen

mercantile ['mɜːkəntaɪl] *adj (activity, law)* commercial; *(nation)* commerçant

mercenary ['mɜːsɪnərɪ] **1** *adj* intéressé **2** *(pl -ies)* n mercenaire m

merchandise ['mɜːtʃəndaɪz] n marchandises fpl

merchant ['mɜːtʃənt] **1** n *(trader)* négociant, -iante mf; *(retailer)* commerçant, -ante mf; **wine m.** négociant, -iante en vins; *(retail)* marchand m de vins **2** adj *(navy)* marchand; *(seaman)* de la marine marchande; *Br* **m. bank** banque f d'affaires; **m. vessel** navire m marchand

merciful ['mɜːsɪfəl] *adj* miséricordieux, -ieuse **(to** pour) ▪ **mercifully** adv *(fortunately)* heureusement

merciless ['mɜːsɪləs] *adj* impitoyable

mercury ['mɜːkjʊrɪ] n *(metal)* mercure m

mercy ['mɜːsɪ] *(pl -ies)* n pitié f; *(of God)* miséricorde f; **to beg for m.** demander grâce; **at the m. of** à la merci de; **it's a m. that...** *(stroke of luck)* c'est une chance que...; **m. killing** acte m d'euthanasie

mere [mɪə(r)] *adj* simple; **she's a m. child** ce n'est qu'une enfant; **by m. chance** par pur hasard; **the m. sight of them...** leur seule vue... ▪ **merely** adv simplement

merge [mɜːdʒ] **1** vt *(companies)* & *Comptr* fusionner **2** vi *(blend)* se mêler **(with** à); *(of roads)* se rejoindre; *(of companies, banks)* fusionner ▪ **merger** n *Com* fusion f

meridian [mə'rɪdɪən] n méridien m

meringue [mə'ræŋ] n meringue f

merit ['merɪt] **1** n mérite m; **to judge sth on its merits** juger qch objectivement **2** vt mériter

mermaid ['mɜːmeɪd] n sirène f

merrily ['merɪlɪ] adv gaiement ▪ **merriment** n gaieté f

merry ['merɪ] *(-ier, -iest) adj (happy, drunk)* gai; **M. Christmas!** Joyeux Noël! ▪ **merry-go-round** n manège m ▪ **merrymaking** n réjouissances fpl

mesh [meʃ] n *(of net, sieve)* mailles fpl; *(fabric)* tissu m à mailles

mesmerize ['mezməraɪz] vt hypnotiser

mess¹ [mes] n *(confusion)* désordre m; *(muddle)* gâchis m; *(dirt)* saletés fpl; **in a m.** en désordre; *(in trouble)* dans le pétrin; *(in a sorry state)* dans un triste état; **my life's a m.** ma vie est un désastre; **to make a m. of sth** *(do sth badly, get sth dirty)* saloper qch ▪ **mess-up** n *Br Fam (disorder)* gâchis m

▸ **mess about, mess around** *Fam* **1** vt sep **to m. sb about** or **around** *(bother, treat badly)* embêter qn **2** vi *(waste time)* traîner; *(play the fool)* faire l'imbécile; **to m. about** or **around with sth** *(fiddle with)* tripoter qch

▸ **mess up** vt sep *Fam* **to m. sth up** *(plans)* ficher qch en l'air; *(hair, room, papers)* mettre qch en désordre

mess² [mes] n *Mil (room)* mess m

message ['mesɪdʒ] n message m; *(noticeboard)* & *Comptr* **m. board** tableau m d'affichage ▪ **messaging** n *Comptr* messagerie f électronique

messenger ['mesɪndʒə(r)] n messager, -ère mf; *(in office, hotel)* coursier, -ière mf

Messiah [mɪ'saɪə] n *Rel* Messie m

messy ['mesɪ] *(-ier, -iest) adj (untidy)* en désordre; *(dirty)* sale; *(job)* salissant; *(handwriting)* peu soigné; *Fig (situation, solution)* confus

met [met] *pt & pp of* **meet**

metal ['metəl] n métal m; **m. detector** détecteur m de métaux; **m. ladder** échelle f métallique

■ **metallic** [mə'tælɪk] *adj (sound)* métallique; *(paint)* métallisé; **a m. green car** une voiture vert métallisé ■ **metalwork** *n (study, craft)* travail *m* des métaux; *(objects)* ferronnerie *f*

metamorphosis [metə'mɔ:fəsɪs] *(pl* **-oses** [-əsi:z]) *n* métamorphose *f*

metaphor ['metəfə(r)] *n* métaphore *f* ■ **metaphorical** [-'fɒrɪkəl] *adj* métaphorique

metaphysical [metə'fɪzɪkəl] *adj* métaphysique ■ **metaphysics** *n* métaphysique *f*

mete [mi:t] *vt* **to m. out** *(punishment)* infliger (**to** à); **to m. out justice** rendre la justice

meteor ['mi:tɪə(r)] *n* météore *m* ■ **meteoric** [-tɪ'ɒrɪk] *adj* **m. rise** *(of politician, film star)* ascension *f* fulgurante ■ **meteorite** *n* météorite *f*

meteorology [mi:tɪə'rɒlədʒɪ] *n* météorologie *f* ■ **meteorological** [-rə'lɒdʒɪkəl] *adj* météorologique

meter[1] ['mi:tə(r)] *n (device)* compteur *m*; *(parking)* **m.** parcmètre *m*; *Am* **m. maid** *(for traffic)* contractuelle *f*; *Am* **m. man** contractuel *m*

meter[2] ['mi:tə(r)] *n Am* = **metre**

method ['meθəd] *n* méthode *f* ■ **methodical** [mɪ'θɒdɪkəl] *adj* méthodique

Methodist ['meθədɪst] *adj & n Rel* méthodiste *(mf)*

methylated ['meθɪleɪtɪd] *adj Br* **m. spirit(s)** alcool *m* à brûler ■ **meths** *n Br Fam* alcool *m* à brûler

meticulous [mɪ'tɪkjʊləs] *adj* méticuleux, -euse

Met Office ['metɒfɪs] *n Br* ≃ Météo France

metre ['mi:tə(r)] *(Am* **meter)** *n* mètre *m* ■ **metric** ['metrɪk] *adj* métrique

metropolis [mə'trɒpəlɪs] *n (chief city)* métropole *f* ■ **metropolitan** [metrə'pɒlɪtən] *adj* métropolitain; **the M. Police** la police de Londres

mettle ['metəl] *n* courage *m*

mew [mju:] *vi (of cat)* miauler

mews [mju:z] *n Br (street)* ruelle *f*; *Br* **m. flat** = appartement chic aménagé dans une ancienne écurie

Mexico ['meksɪkəʊ] *n* le Mexique ■ **Mexican** 1 *adj* mexicain 2 *n* Mexicain, -aine *mf*

mezzanine ['mezəni:n] *n* **m. (floor)** mezzanine *f*

miaow [mi:'aʊ] 1 *n* miaulement *m* 2 *exclam* miaou ! 3 *vi* miauler

mice [maɪs] *pl of* **mouse**

mickey ['mɪkɪ] *n Br Fam* **to take the m. out of sb** charrier qn

microbe ['maɪkrəʊb] *n* microbe *m*

microchip ['maɪkrəʊtʃɪp] *n Comptr* microprocesseur *m*

microcosm ['maɪkrəʊkɒzəm] *n* microcosme *m*

microfiche ['maɪkrəʊfiːʃ] *n* microfiche *f*

microfilm ['maɪkrəʊfɪlm] *n* microfilm *m*

microlight ['maɪkrəʊlaɪt] *n (plane)* ULM *m*

microphone ['maɪkrəfəʊn] *n* micro *m*

microprocessor [maɪkrəʊ'prəʊsesə(r)] *n* microprocesseur *m*

microscope ['maɪkrəskəʊp] *n* microscope *m* ■ **microscopic** [-'skɒpɪk] *adj* microscopique

microwave ['maɪkrəʊweɪv] 1 *n* micro-onde *f*; **m. (oven)** (four *m* à) micro-ondes *m inv* 2 *vt* faire cuire au micro-ondes

mid [mɪd] *adj* **(in) m.** June (à) la mi-juin; **in m. air** en plein ciel; **to be in one's m.-twenties** avoir environ vingt-cinq ans

midday [mɪd'deɪ] 1 *n* midi *m*; **at m.** à midi 2 *adj (sun, meal)* de midi

middle ['mɪdəl] 1 *n* milieu *m*; *Fam (waist)* taille *f*; **(right) in the m. of sth** au (beau) milieu de qch; **I was in the m. of saying…** j'étais en train de dire… 2 *adj (central)* du milieu; **the M. Ages** le Moyen Âge; **the Middle E.** le Moyen-Orient; **in m. age** vers la cinquantaine; **the m. class(es)** les classes moyennes; **the m. ear** l'oreille moyenne; **m. name** deuxième prénom *m* ■ **'middle-'aged** *adj* d'âge mûr ■ **'middle-'class** *adj* bourgeois ■ **'middleman** *n* intermédiaire *mf* ■ **'middle-of-the-'road** *adj (politics, views)* modéré; *(music)* grand public *inv*

middling ['mɪdlɪŋ] *adj (fairly good)* moyen, -enne; *(mediocre)* médiocre

midge [mɪdʒ] *n* moucheron *m*

midget ['mɪdʒɪt] 1 *adj (tiny)* minuscule 2 *n (small person)* nain *m*, naine *f*

Midlands ['mɪdləndz] *npl* **the M.** les Midlands *fpl*

midnight ['mɪdnaɪt] *n* minuit *m*

midmorning [mɪd'mɔ:nɪŋ] *n* milieu *m* de matinée

midpoint ['mɪdpɔɪnt] *n* milieu *m*

midriff ['mɪdrɪf] *n (belly)* ventre *m*

midst [mɪdst] *n* **in the m. of** *(middle)* au milieu de; **in our/their m.** parmi nous/eux

midsummer [mɪd'sʌmə(r)] *n* milieu *m* de l'été; *(solstice)* solstice *m* d'été; **M.'s Day** la Saint-Jean

midterm ['mɪdtɜ:m] *adj Br Sch & Univ* **m. holidays** vacances *fpl* de milieu de trimestre

midway [mɪd'weɪ] *adj & adv* à mi-chemin

midweek [mɪd'wi:k] *adv* en milieu de semaine

Midwest [mɪd'west] *n Am* **the M.** le Midwest

midwife ['mɪdwaɪf] *(pl* **-wives)** *n* sage-femme *f*

midwinter [mɪd'wɪntə(r)] *n* milieu *m* de l'hiver; *(solstice)* solstice *m* d'hiver

miffed [mɪft] *adj Fam (offended)* vexé (**at** de)

might[1] [maɪt] *v aux see* **may**

La forme négative **mightn't** s'écrit **might not** dans un style plus soutenu.

might[2] [maɪt] *n (strength)* force *f* ■ **mighty** (**-ier, -iest**) 1 *adj* puissant; *(ocean)* vaste; *Fam (very great)* sacré 2 *adv Am Fam (very)* rudement

migraine ['mi:greɪn, 'maɪgreɪn] *n* migraine *f*

migrate [maɪ'greɪt] *vi (of people)* émigrer; *(of birds)* migrer ■ **migrant** ['maɪgrənt] *adj & n.*

(worker) (travailleur *m*) immigré *m*, (travailleuse *f*) immigrée *f* ■ **migration** *n* (*of birds*) migration *f*; (*of people*) émigration *f*

mike [maɪk] (*abbr* **microphone**) *n Fam* micro *m*

mild [maɪld] (**-er, -est**) *adj* (*weather, cheese, soap, person*) doux (*f* douce); (*punishment*) léger, -ère; (*curry*) peu épicé ■ **mildly** *adv* (*say*) doucement; (*moderately*) légèrement; **to put it m.** pour ne pas dire plus ■ **mildness** *n* (*of weather*) douceur *f*

mildew ['mɪldjuː] *n* moisissure *f*

mile [maɪl] *n* mile *m* (= 1,6 km); **to see for miles** voir à des kilomètres; **to walk for miles** marcher pendant des kilomètres; **he lives miles away** il habite très loin d'ici; *Br Fam* **miles better** vachement mieux ■ **mileage** *n* (*distance*) ≃ kilométrage *m*; (*rate of fuel consumption*) consommation *f* ■ **mileometer** [maɪ'lɒmɪtə(r)] *n Br* ≃ compteur *m* kilométrique ■ **milestone** *n* ≃ borne *f* kilométrique; *Fig* (*in history, career*) étape *f* importante

militant ['mɪlɪtənt] *adj & n* militant, -ante (*mf*)

military ['mɪlɪtərɪ] **1** *adj* militaire; **m. service** service *m* militaire **2** *n* **the m.** les militaires *mpl*

militate ['mɪlɪteɪt] *vi* **to m. against/in favour of** (*of facts, arguments*) militer contre/pour

militia [mə'lɪʃə] *n* milice *f* ■ **militiaman** (*pl* **-men**) *n* milicien *m*

milk [mɪlk] **1** *n* lait *m*; **m. bottle** bouteille *f* de lait; **m. chocolate** chocolat *m* au lait; **m. diet** régime *m* lacté; *Br* **m. float** camionnette *f* de laitier; *Br* **m. round** tournée *f* du laitier; **m. shake** milk-shake *m* **2** *vt* (*cow*) traire; *Fig* (*exploit*) *Fig* **to m. sb of sth** soutirer qch à qn ■ **milking** *n* traite *f* ■ **milkman** (*pl* **-men**) *n* laitier *m* ■ **milky** (**-ier, -iest**) *adj* (*diet*) lacté; (*coffee, tea*) au lait; (*colour*) laiteux, -euse; **the M. Way** la Voie lactée

mill [mɪl] **1** *n* (*for flour*) moulin *m*; (*textile factory*) filature *f* **2** *vt* (*grind*) moudre ■ **miller** *n* meunier, -ière *mf*

▶ **mill around** *vi* (*of crowd*) grouiller

millennium [mɪ'lenɪəm] (*pl* **-nia** [-nɪə]) *n* millénaire *m*

millet ['mɪlɪt] *n* millet *m*

milligram(me) ['mɪlɪɡræm] *n* milligramme *m*

millimetre ['mɪlɪmiːtə(r)] (*Am* **millimeter**) *n* millimètre *m*

million ['mɪljən] *n* million *m*; **a m. men** un million d'hommes; **two m.** deux millions; *Fam* **she's one in a m.** elle est unique ■ **millio'naire** *n* millionnaire *mf* ■ **millionth** *adj & n* millionième (*mf*)

millstone ['mɪlstəʊn] *n* meule *f*; *Fig* **it's a m. around my neck** c'est un boulet que je traîne

milometer [maɪ'lɒmɪtə(r)] *n Br* ≃ compteur *m* kilométrique

mime [maɪm] **1** *n* (*actor*) mime *mf*; (*art*) mime *m* **2** *vti* mimer; (*of singer*) chanter en play-back

mimic ['mɪmɪk] **1** *n* imitateur, -trice *mf* **2** (*pt & pp* **-ck-**) *vt* imiter ■ **mimicry** [-krɪ] *n* imitation *f*

minaret [mɪnə'ret] *n* minaret *m*

mince [mɪns] **1** *n* (*meat*) viande *f* hachée; **m. pie** *Br* (*containing meat*) tourte *f* à la viande; (*containing fruit*) = tartelette fourrée aux fruits secs et aux épices **2** *vt* hacher; **not to m. matters** *or* **one's words** ne pas mâcher ses mots ■ **mincemeat** *n Br* (*meat*) viande *f* hachée; (*dried fruit*) = mélange de fruits secs et d'épices utilisé en pâtisserie ■ **mincer** *n* (*machine*) hachoir *m*

mind[1] [maɪnd] *n* esprit *m*; (*sanity*) raison *f*; *Br* **to my m.** à mon avis; **to change one's m.** changer d'avis; **to speak one's m.** dire ce que l'on pense; *Br* **to be in two minds** (*undecided*) hésiter; **to bear** *or* **keep sth in m.** garder qch à l'esprit; **to have sb/sth in m.** avoir qn/qch en vue; **to make up one's m.** se décider; *Fam* **to be out of one's m.** avoir perdu la tête; **to be bored out of one's m.** s'ennuyer à mourir; **to bring sth to m.** rappeler qch; **I couldn't get it off my m.** je ne pouvais pas m'empêcher d'y penser; **it's on my m.** cela me préoccupe; **my m. isn't on the job** je n'ai pas la tête à ce que je fais; **her m. is going** elle perd la raison; *Br* **to have a good m. to do sth** avoir bien envie de faire qch

mind[2] [maɪnd] **1** *vt Br* (*pay attention to*) faire attention à; (*look after*) garder; **to m. one's language** surveiller son langage; *Fam* **to m. one's p's and q's** bien se tenir; *Br* **m. you don't fall** fais attention à ne pas tomber; *Br* **m. you do it** n'oublie pas de le faire; **I don't m. the cold/noise** le froid/bruit ne me gêne pas; **I don't m. trying** je veux bien essayer; **I wouldn't m. a cup of tea** je prendrais bien une tasse de thé; **I m. that...** ça me gêne que...; **if you don't m. my asking...** si je peux me permettre...; **never m. the car** peu importe la voiture; *Br* **m. you...** remarquez...; **m. your own business!** occupe-toi de tes affaires! **2** *vi* **I don't m.** ça m'est égal; **do you m. if I smoke?** ça vous gêne si je fume?; **never m.!** ça ne fait rien!, tant pis!; *Br* **m. (out)!** (*watch out*) attention!

mind-boggling ['maɪndbɒɡlɪŋ] *adj* stupéfiant

-minded ['maɪndɪd] *suff* **fair-m.** impartial; **like-m.** de même opinion

minder ['maɪndə(r)] *n Fam* (*bodyguard*) gorille *m*

mindful ['maɪndfəl] *adj* **m. of sth/doing** attentif, -ive à qch/à faire

mindless ['maɪndləs] *adj* (*job, destruction*) stupide

mine[1] [maɪn] *possessive pron* le mien, la mienne, *pl* les mien(ne)s; **this hat is m.** ce chapeau est à moi *ou* est le mien; **a friend of m.** un ami à moi, un de mes amis

mine[2] [maɪn] **1** *n* (**a**) (*for coal, gold*) *& Fig* mine *f* (**b**) *(explosive)* mine *f* **2** *vt* (**a**) *(coal, gold)* extraire (**b**) *(beach, bridge)* miner **3** *vi* **to m. for coal** extraire du charbon ▪ **minefield** *n Mil* champ *m* de mines; *Fig* terrain *m* miné ▪ **miner** *n* mineur *m* ▪ **minesweeper** *n* dragueur *m* de mines ▪ **mining 1** *n* exploitation *f* minière **2** *adj (industry, region)* minier, -ière

mineral ['mɪnərəl] *adj & n* minéral *(m)*; **m. water** eau *f* minérale

minestrone [mɪnɪ'strəʊnɪ] *n* minestrone *m*

minging ['mɪŋɪŋ] *adj Br very Fam (unattractive)* moche; *(disgusting)* dégueulasse ▪ **minger** *n Br Fam* mocheté *f*

mingle ['mɪŋɡl] *vi (of things)* se mêler (**with** à); *(of people)* parler un peu à tout le monde; **to m. with the crowd** se mêler à la foule

mingy ['mɪndʒɪ] (**-ier, -iest**) *adj Br Fam* radin

miniature ['mɪnɪtʃə(r)] **1** *adj (tiny)* minuscule; *(train, model)* miniature *inv* **2** *n* miniature *f*; **in m.** en miniature

minibus ['mɪnɪbʌs] *n* minibus *m*

minicab ['mɪnɪkæb] *n Br* radio-taxi *m*

Minidisc® ['mɪnɪdɪsk] *n* Minidisc® *m*; **M. player** lecteur *m* (de) Minidisc®

minigolf ['mɪnɪɡɒlf] *n* minigolf *m*

minim ['mɪnɪm] *n Br Mus* blanche *f*

minima [mɪnɪmə] *pl of* **minimum**

minimal ['mɪnɪməl] *adj* minimal

minimize ['mɪnɪmaɪz] *vt* minimiser

minimum ['mɪnɪməm] **1** (*pl* **-ima** [-ɪmə] *or* **-imums**) *n* minimum *m* **2** *adj* minimal; **m. wage** salaire *m* minimum

mining ['maɪnɪŋ] *n see* **mine²**

miniskirt ['mɪnɪskɜːt] *n* minijupe *f*

minister¹ ['mɪnɪstə(r)] *n Br (politician)* ministre *m*; *(of religion)* pasteur *m* ▪ **ministerial** [-'stɪərɪəl] *adj Br Pol* ministériel, -ielle ▪ **ministry** (*pl* **-ies**) *n Br Pol* ministère *m*; *Rel* **to enter** *or* **join the m.** devenir pasteur

minister² ['mɪnɪstə(r)] *vi* **to m. to sb's needs** subvenir aux besoins de qn

mink [mɪŋk] *n* vison *m*

minor ['maɪnə(r)] **1** *adj (unimportant) & Mus* mineur; *(operation)* bénin, -igne; *(road)* secondaire **2** *n Law (child)* mineur, -eure *mf*; **to be a m.** être mineur(e)

Minorca [mɪ'nɔːkə] *n* Minorque *f*

minority [maɪ'nɒrɪtɪ] **1** (*pl* **-ies**) *n* minorité *f*; **to be in the** *or* **a m.** être minoritaire **2** *adj* minoritaire

mint¹ [mɪnt] **1** *n* **the (Royal) M.** ≃ l'hôtel *m* de la Monnaie; *Fam* **to make a m.** *(of money)* faire une petite fortune **2** *adj* **m. stamp** timbre *m* neuf; **in m. condition** à l'état neuf **3** *vt (coins)* frapper

mint² [mɪnt] *n (herb)* menthe *f*; *(sweet)* bonbon *m* à la menthe; **m. sauce** sauce *f* à la menthe; **m. tea** infusion *f* de menthe

minus ['maɪnəs] **1** *adj & n* **m. (sign)** (signe *m*) moins *m* **2** *prep (with numbers)* moins; *Fam*

(without) sans; **it's m. 10 (degrees)** il fait moins 10

minute¹ ['mɪnɪt] *n (of time)* minute *f*; **this (very) m.** *(now)* tout de suite; **any m. (now)** d'une minute à l'autre; **m. hand** *(of clock)* grande aiguille *f* ▪ **minutes** *npl (of meeting)* procès-verbal *m*

minute² [maɪ'njuːt] *adj (tiny)* minuscule; *(detailed)* minutieux, -ieuse

miracle ['mɪrəkəl] *n* miracle *m*; **to work miracles** faire des miracles; **by some m.** par miracle ▪ **miraculous** [mɪ'rækjʊləs] *adj* miraculeux, -euse

mirage ['mɪrɑːʒ] *n* mirage *m*

mire [maɪə(r)] *n Literary* fange *f*; *Fig (difficult situation)* bourbier *m*

mirror ['mɪrə(r)] **1** *n* miroir *m*, glace *f*; *Fig (representation)* miroir; **(rear view) m.** *(of vehicle)* rétroviseur *m* **2** *vt (reflect)* refléter

mirth [mɜːθ] *n Literary* gaieté *f*

misadventure [mɪsəd'ventʃə(r)] *n* mésaventure *f*; *Law* **death by m.** mort *f* accidentelle

misanthropist [mɪ'zænθrəpɪst] *n* misanthrope *mf*

misapprehension [mɪsæprɪ'henʃən] *n* malentendu *m*; **to be under a m.** se méprendre

misappropriate [mɪsə'prəʊprɪeɪt] *vt (money)* détourner ▪ **misappropriation** *n (of money)* détournement

misbehave [mɪsbɪ'heɪv] *vi* se conduire mal

miscalculate [mɪs'kælkjʊleɪt] **1** *vt* mal calculer **2** *vi* faire une erreur de calcul; *Fig* faire un mauvais calcul ▪ **miscalcu'lation** *n* erreur *f* de calcul

miscarriage [mɪs'kærɪdʒ] *n Med* fausse couche *f*; **to have a m.** faire une fausse couche; *Law* **m. of justice** erreur *f* judiciaire ▪ **miscarry** (*pt & pp* **-ied**) *vi (of woman)* faire une fausse couche; *Fig (of plan)* avorter

miscellaneous [mɪsə'leɪnɪəs] *adj* divers

mischief ['mɪstʃɪf] *n* espièglerie *f*; **to get into m.** faire des bêtises; **to make m. for sb** créer des ennuis à qn; *Br* **to do oneself a m.** *(harm oneself)* se faire mal

mischievous ['mɪstʃɪvəs] *adj (naughty)* espiègle; *(malicious)* méchant

misconception [mɪskən'sepʃən] *n* idée *f* fausse

misconduct [mɪs'kɒndʌkt] *n (bad behaviour)* inconduite *f*; *Com (bad management)* mauvaise gestion *f*; **(professional) m.** faute *f* professionnelle

misconstrue [mɪskən'struː] *vt* mal interpréter

misdemeanour [mɪsdɪ'miːnə(r)] (*Am* **misdemeanor**) *n* écart *m* de conduite; *Am Law* délit *m*

miser ['maɪzə(r)] *n* avare *mf* ▪ **miserly** *adj* avare

miserable ['mɪzərəbəl] *adj (wretched)* misérable; *(unhappy)* malheureux, -euse; *(awful)* affreux, -euse; *(derisory) (salary)* dérisoire ■**miserably** adv (wretchedly) misérablement; (fail) lamentablement

---
Note that the French adjective **misérable** never means **unhappy**. Its most common meaning is **destitute** or **wretched**.
---

misery ['mɪzərɪ] (pl -ies) n (suffering) malheur m; (sadness) détresse f; Fam (sad person) grincheux, -euse mf; **his life is a m.** il est malheureux; **to put an animal out of its m.** achever un animal

---
Note that the French word **misère** is a false friend and is never a translation for the English word **misery**. It means **extreme poverty**.
---

misfire [mɪs'faɪə(r)] vi (of gun) faire long feu; (of engine) avoir des ratés; Fig (of plan) rater

misfit ['mɪsfɪt] n Pej inadapté, -ée mf

misfortune [mɪs'fɔːtʃuːn] n malheur m

misgivings [mɪs'gɪvɪŋz] npl (doubts) doutes mpl (**about** sur); (fears) craintes fpl (**about** à propos de)

misguided [mɪs'gaɪdɪd] adj (attempt) malencontreux, -euse; (decision) peu judicieux, -ieuse; **to be m.** (of person) se tromper

mishandle [mɪs'hændəl] vt (device) mal utiliser; (situation) mal gérer; (person) malmener

mishap ['mɪshæp] n incident m; **without m.** sans encombre

misinform [mɪsɪn'fɔːm] vt mal renseigner

misinterpret [mɪsɪn'tɜːprɪt] vt mal interpréter

misjudge [mɪs'dʒʌdʒ] vt (person, distance) mal juger

mislay [mɪs'leɪ] (pt & pp -laid) vt égarer

mislead [mɪs'liːd] (pt & pp -led) vt tromper ■**misleading** adj trompeur, -euse

mismanage [mɪs'mænɪdʒ] vt mal gérer ■**mismanagement** n mauvaise gestion f

misnomer [mɪs'nəʊmə(r)] n terme m impropre

miso ['miːsəʊ] n Culin miso m

misogynist [mɪ'sɒdʒɪnɪst] n misogyne mf ■**misogynistic** adj misogyne

misplace [mɪs'pleɪs] vt (lose) égarer; (trust) mal placer ■**misplaced** adj (remark) déplacé; **m. accent** accent m mal placé

misprint ['mɪsprɪnt] n faute f d'impression, coquille f

mspronounce [mɪsprə'naʊns] vt mal prononcer

misquote [mɪs'kwəʊt] vt citer incorrectement

misrepresent [mɪsreprɪ'zent] vt (theory) dénaturer; (person) présenter sous un faux jour

Miss [mɪs] n Mademoiselle f; **M. World** Miss Monde

miss [mɪs] 1 n coup m raté; **that was** or **we had a near m.** on l'a échappé belle; Fam **I'll give it a m.** (not go) je n'y irai pas; (not take or drink or eat) je n'en prendrai pas 2 vt (train, target, opportunity) manquer, rater; (not see) ne pas voir; (not understand) ne pas comprendre; (feel

the lack of) regretter; **he misses Paris** Paris lui manque; **I m. you** tu me manques; **we'll be missed** on nous regrettera; **I'm missing my wallet!** je n'ai plus mon portefeuille!; **the table is missing a leg** il manque un pied à la table; **don't m. seeing this play** il faut absolument que tu voies cette pièce; **to m. sth out** (accidentally) oublier qch; (intentionally) omettre qch 3 vi manquer ou rater son coup; **to m. out** (lose a chance) rater l'occasion; **to m. out on sth** rater qch

misshapen [mɪs'ʃeɪpən] adj difforme

missile [Br 'mɪsaɪl, Am 'mɪsəl] n (rocket) missile m; (object thrown) projectile m

missing ['mɪsɪŋ] adj (absent) absent; (in war, after disaster) disparu; (object) manquant; **there are two cups/students m.** il manque deux tasses/deux étudiants; **nothing is m.** il ne manque rien; **to go m.** disparaître; Mil **m. in action** porté disparu

mission ['mɪʃən] n mission f

missionary ['mɪʃənərɪ] (pl -ies) n Rel missionnaire m

misspell [mɪs'spel] (pt & pp -ed or -spelt) vt mal écrire

mist [mɪst] 1 n (fog) brume f; (on glass) buée f 2 vi **to m. over** or **up** s'embuer

mistake [mɪ'steɪk] 1 n erreur f, faute f; **to make a m.** faire une erreur; **by m.** par erreur 2 (pt -took, pp -taken) vt (meaning, intention) se tromper sur; **to m. the date/place** se tromper de date/de lieu; **there's no mistaking his face** il est impossible de ne pas reconnaître son visage; **to m. sb for** prendre qn pour ■**mistaken** adj (belief, impression) erroné; **to be m.** (of person) se tromper (**about** sur) ■**mistakenly** adv par erreur

Mister ['mɪstə(r)] n Monsieur m

mistletoe ['mɪsəltəʊ] n gui m

mistreat [mɪs'triːt] vt maltraiter

mistress ['mɪstrɪs] n maîtresse f; Br (in secondary school) professeur m

mistrust [mɪs'trʌst] 1 n méfiance f 2 vt se méfier de ■**mistrustful** adj méfiant

misty ['mɪstɪ] (-ier, -iest) adj (foggy) brumeux, -euse; (outline) flou

misunderstand [mɪsʌndə'stænd] (pt & pp -stood) vti mal comprendre ■**misunderstanding** n (disagreement) mésentente f; (misconception) malentendu m ■**misunderstood** adj (person) incompris

misuse 1 [mɪs'juːs] n (of equipment, resources) mauvais emploi m; (of funds) détournement m; (of power) abus m 2 [mɪs'juːz] vt (equipment, resources) mal employer; (funds) détourner; (power) abuser de

mite [maɪt] n (a) (bug) acarien m (b) Fam (poor) **little m.** (child) pauvre petit, -ite mf (c) Fam **a m. tired** un tantinet fatigué

mitigate ['mɪtɪgeɪt] *vt* atténuer; *Law* **mitigating circumstances** circonstances *fpl* atténuantes

mitt(en) [mɪt, 'mɪtən] *n* (*glove*) moufle *f*; **baseball mitt** gant *m* de baseball

mix [mɪks] **1** *n* (*mixture*) mélange *m* **2** *vt* mélanger; (*cement, drink, cake*) préparer; (*salad*) remuer **3** *vi* (*blend*) se mélanger; (*of colours*) aller ensemble; **to m. with sb** (*socially*) fréquenter qn; **she doesn't m.** elle n'est pas sociable

▸ **mix up** *vt inv* (*drinks, papers*) mélanger; (*mistake*) confondre (**with** avec); **I'm getting all mixed up** je ne sais plus où j'en suis; **to be mixed up in sth** être mêlé à qch

mixed [mɪkst] *adj* (*school, marriage*) mixte; (*results*) divers; (*nuts, chocolates*) assortis; **m. grill** assortiment *m* de grillades; **m. feelings** sentiments *mpl* mitigés; **to be (all) m. up** (*of person*) être désorienté; (*of facts, account*) être confus; **in m. company** en présence de personnes des deux sexes

mixer ['mɪksə(r)] *n* (**a**) (*for cooking*) mixeur *m*; *Br* **m. tap** (robinet *m*) mélangeur *m* (**b**) **to be a good m.** (*of person*) être sociable

mixture ['mɪkstʃə(r)] *n* mélange *m*

mix-up ['mɪksʌp] *n* confusion *f*

mm (*abbr* **millimetre**) mm

moan [məʊn] **1** *n* (*sound*) gémissement *m*; (*complaint*) plainte *f* **2** *vi* (*make sound*) gémir; (*complain*) se plaindre (**to** à; **about** de; **that** que)

moat [məʊt] *n* douve *f*

mob [mɒb] **1** *n* (*crowd*) foule *f*; *Am Fam* **the M.** la Mafia **2** (*pt & pp* **-bb-**) *vt* prendre d'assaut ▪ **mobster** *n Am Fam* gangster *m*

mobile [*Br* 'məʊbaɪl, *Am* 'məʊbəl] **1** *adj* mobile; *Fam* **to be m.** être motorisé; **m. home** mobile home *m*; **m. library** bibliobus *m*; **m. phone** téléphone *m* portable **2** *n* (**a**) (*Am* ['məʊbiːl]) (*ornament*) mobile *m* (**b**) (*phone*) portable *m* ▪ **mobility** *n* mobilité *f*

mobilize ['məʊbɪlaɪz] *vti* mobiliser ▪ **mobili'zation** *n* mobilisation *f*

moccasin ['mɒkəsɪn] *n* mocassin *m*

mocha [*Br* 'mɒkə, *Am* 'məʊkə] *n* moka *m*

mock [mɒk] **1** *adj* (*false*) simulé; *Br Sch* **m. exam** examen *m* blanc **2** *vt* se moquer de; (*mimic*) singer ▪ **mocking** *n* moquerie *f* ▪ **mockery** *n* (*act*) moqueries *fpl*; (*farce, parody*) parodie *f*; **to make a m. of sth** tourner qch en ridicule

mock-up ['mɒkʌp] *n* maquette *f*

mod cons [mɒd'kɒnz] *npl Fam* **with all m.** (*house*) tout confort *inv*

mode [məʊd] *n* (*manner, way*) & *Comptr* mode *m*; **m. of transport** mode de transport

model ['mɒdəl] **1** *n* (*example, person*) modèle *m*; (*small version*) maquette *f*; (**fashion**) **m.** mannequin *m*; (**scale**) **m.** modèle réduit **2** *adj*

(*behaviour, factory, student*) modèle; (*car, plane*) modèle réduit *inv* **3** (*Br* **-ll-**, *Am* **-l-**) *vt* (*clay*) modeler; (*hats, dresses*) présenter; *Comptr* modéliser; **to m. sth on** modeler qch sur; **to m. oneself on sb** prendre exemple sur qn **4** *vi* (*for fashion*) être mannequin; (*pose for artist*) poser ▪ **modelling** (*Am* **modeling**) *n* (*of statues, in clay*) modelage *m*; **to make a career in m.** faire une carrière de mannequin; **m. clay** pâte *f* à modeler

modem ['məʊdəm] *n Comptr* modem *m*

moderate¹ ['mɒdərət] **1** *adj* modéré **2** *n Pol* modéré, -ée *mf* ▪ **moderately** *adv* (*in moderation*) modérément; (*averagely*) moyennement

moderate² ['mɒdəreɪt] **1** *vt* (*diminish, tone down*) modérer **2** *vi* (*of wind*) se calmer ▪ **moder'ation** *n* modération *f*; **in m.** avec modération

modern ['mɒdən] *adj* moderne; **m. languages** langues *fpl* vivantes ▪ **modernism** *n* modernisme *m*

modernize ['mɒdənaɪz] **1** *vt* moderniser **2** *vi* se moderniser ▪ **moderni'zation** *n* modernisation *f*

modest ['mɒdɪst] *adj* (*unassuming, moderate*) modeste; (*chaste*) pudique ▪ **modesty** *n* (*of person*) modestie *f*

modicum ['mɒdɪkəm] *n* **a m. of** un minimum de

modify ['mɒdɪfaɪ] (*pt & pp* **-ied**) *vt* modifier ▪ **modification** [-fɪ'keɪʃən] *n* modification *f* (**to** à)

modulate ['mɒdjʊleɪt] *vt* moduler ▪ **modu'lation** *n* modulation *f*

module ['mɒdjuːl] *n* module *m*

mogul¹ ['məʊgəl] *n* (*magnate*) magnat *m*

mogul² ['məʊgəl] *n* (*in skiing*) bosse *f*

mohair ['məʊheə(r)] *n* mohair *m*; **m. sweater** pull *m* en mohair

moist [mɔɪst] (**-er, -est**) *adj* humide; (*skin, hand*) moite ▪ **moisten** ['mɔɪsən] *vt* humecter

moisture ['mɔɪstʃə(r)] *n* humidité *f*; (*on glass*) buée *f*

moisturize ['mɔɪstʃəraɪz] *vt* hydrater ▪ **moisturizer** *n* crème *f* hydratante

molar ['məʊlə(r)] *n* molaire *f*

molasses [mə'læsɪz] *n Am* (*treacle*) mélasse *f*

mold [məʊld] *n* & *vt Am* = **mould**

mole [məʊl] *n* (**a**) (*on skin*) grain *m* de beauté (**b**) (*animal, spy*) taupe *f*

molecule ['mɒlɪkjuːl] *n* molécule *f*

molest [mə'lest] *vt* (*annoy*) importuner; *Law* (*child, woman*) agresser (sexuellement)

mollusc ['mɒləsk] *n* mollusque *m*

molt [məʊlt] *vi Am* = **moult**

molten ['məʊltən] *adj* (*metal, rock*) en fusion

mom [mɒm] *n Am Fam* maman *f* ▪ **mommy** *n Am Fam* maman *f*

moment ['məʊmənt] *n* moment *m*, instant *m*; **at**

the m. en ce moment; **for the m.** pour le moment; **in a m.** dans un instant; **the m. she leaves** dès qu'elle partira; **any m. (now)** d'un instant à l'autre

momentary ['məʊməntərɪ] adj momentané **momentarily** [-'terɪlɪ] adv (temporarily) momentanément; Am (soon) tout de suite

momentous [məʊ'mentəs] adj capital

momentum [məʊ'mentəm] n (speed) élan m; **to gather** or **gain m.** (of ideas) gagner du terrain; (of campaign) prendre de l'ampleur

Monaco ['mɒnəkəʊ] n Monaco m

monarch ['mɒnək] n monarque m **monarchy** (pl -ies) n monarchie f

monastery ['mɒnəstərɪ] (pl -ies) n monastère m

Monday ['mʌndeɪ] n lundi m

monetary ['mʌnɪtərɪ] adj monétaire

money ['mʌnɪ] n argent m; **to make m.** (of person) gagner de l'argent; (of business) rapporter de l'argent; **to get one's m.'s worth** en avoir pour son argent; **he gets** or **earns good m.** il gagne bien sa vie; Fam **to be in the m.** rouler sur l'or; **m. order** mandat m **moneybox** n tirelire f **moneychanger** n Am (machine) changeur m ou distributeur m de monnaie **moneylender** n prêteur, -euse mf **moneymaking** adj lucratif, -ive **money-spinner** n Fam (project) mine f d'or

Note that the French word **monnaie** is a false friend and is rarely a translation for the English word **money**. It means **change** or **currency** depending on the context.

Mongolia [mɒn'gəʊlɪə] n n Mongolie f **Mongolian 1** adj mongol **2** n (person) Mongol, -ole mf; (language) mongol m

mongrel ['mʌngrəl] n bâtard m

monitor ['mɒnɪtə(r)] **1** n Comptr, TV & Tech (screen, device) moniteur m **2** vt (broadcast, conversation) écouter; (check) surveiller

monk [mʌŋk] n moine m

monkey ['mʌŋkɪ] (pl -eys) n singe m; Fam **little m.** (child) polisson, -onne mf; Fam **m. business** (mischief) singeries fpl; (dishonest behaviour) magouilles fpl; Br **m. nut** cacah(o)uète f; **m. wrench** clef f anglaise

▶ **monkey about, monkey around** vi Fam faire l'imbécile

mono ['mɒnəʊ] **1** adj (record) mono inv **2** n **in m.** en monophonie

monochrome ['mɒnəkrəʊm] adj & n monochrome (m)

monocle ['mɒnəkəl] n monocle m

monogamous [mə'nɒɡəməs] adj monogame **monogamy** n monogamie f

monogram ['mɒnəɡræm] n monogramme m

monolingual [mɒnəʊ'lɪŋɡwəl] adj monolingue

monologue ['mɒnəlɒɡ] n monologue m

mononucleosis [mɒnəʊnjuːklɪ'əʊsɪs] n Am Med mononucléose f infectieuse

monopoly [mə'nɒpəlɪ] n monopole m **monopolize** vt monopoliser

monosyllable ['mɒnəsɪləbəl] n monosyllabe m **monosyllabic** [-'læbɪk] adj monosyllabique

monotone ['mɒnətəʊn] n **in a m.** sur un ton monocorde

monotony [mə'nɒtənɪ] n monotonie f **monotonous** adj monotone

monsoon [mɒn'suːn] n mousson f

monster ['mɒnstə(r)] n monstre m

monstrous ['mɒnstrəs] adj monstrueux, -ueuse **monstrosisty** (pl -ies) n monstruosité f

month [mʌnθ] n mois m

monthly ['mʌnθlɪ] **1** adj mensuel, -uelle; **m. payment** mensualité f **2** (pl -ies) n (periodical) mensuel m **3** adv tous les mois

Montreal [mɒntrɪ'ɔːl] n Montréal m ou f

monument ['mɒnjʊmənt] n monument m **monumental** adj monumental

moo [muː] **1** (pl moos) n meuglement m **2** exclam meuh! **3** (pt & pp mooed) vi meugler

mooch [muːtʃ] Fam **1** vi **to m. around** flâner **2** vt Am **to m. sth off sb** (cadge) taper qch à qn

mood [muːd] n (of person) humeur f; (of country) état m d'esprit; Grammar mode m; **in a good/ bad m.** de bonne/mauvaise humeur; **to be in the m. to do** or **for doing sth** être d'humeur à faire qch

moody ['muːdɪ] (-ier, -iest) adj (bad-tempered) maussade; (changeable) lunatique

moon [muːn] n lune f; **full m.** pleine lune; **once in a blue m.** (rarely) tous les trente-six du mois; Br Fam **over the m.** aux anges (**about** de) **moonlight 1** n clair m de lune; **by m.** au clair de lune **2** vi Fam travailler au noir **moonlit** adj (landscape) éclairé par la lune

moor [mʊə(r)] **1** n (heath) lande f **2** vt (ship) amarrer **3** vi (of ship) mouiller **moorings** npl Naut (ropes) amarres fpl; (place) mouillage m

moose [muːs] n inv (animal) élan m; (Canadian) orignal m

moot [muːt] adj **it's a m. point** c'est discutable

mop [mɒp] **1** n (for floor) balai m à franges; (with sponge) balai-éponge m; **dish m.** lavette f; Fam **m. of hair** tignasse f **2** (pt & pp -pp-) vt **to m. one's brow** s'essuyer le front; **to m. (up) the floor** laver par terre; **to m. sth up** (liquid) éponger qch

mope [məʊp] vi **to m. about** broyer du noir

moped ['məʊped] n Mobylette® f

moral ['mɒrəl] **1** adj moral **2** n (of story) morale f; **morals** (principles) moralité f **morale** [mə'ræl, Br mɒ'rɑːl] n moral m **morality** [mə'rælɪtɪ] n moralité f **moralize** vi moraliser **morally** adv moralement; **m. wrong** immoral

morass [məˈræs] n (land) marais m; Fig (mess, situation) bourbier m

moratorium [mɒrəˈtɔːrɪəm] n moratoire m (**on** sur)

morbid [ˈmɔːbɪd] adj morbide ▪ **morbidly** adv de façon morbide

more [mɔː(r)] 1 adj plus de; **m. cars** plus de voitures; **m. water** plus d'eau; **he has m. books than you** il a plus de livres que toi; **a few m. months** quelques mois de plus; **(some) m. tea** encore du thé; **(some) m. details** d'autres détails; **m. than a kilo/ten** plus d'un kilo/de dix 2 adv (to form comparative of adjectives and adverbs) plus (**than** que); **m. interesting** plus intéressant; **m. easily** plus facilement; **m. and m.** de plus en plus; **m. or less** plus ou moins 3 pron plus; **have some m.** reprenez-en; **she knows m. than you** elle en sait plus que toi; **she doesn't have any m.** elle n'en a plus; **the m. he shouts, the m. hoarse he gets** plus il crie, plus il s'enroue; **what's m.** qui plus est

moreish [ˈmɔːrɪʃ] adj Br Fam qui a un goût de revenez-y

moreover [mɔːˈrəʊvə(r)] adv de plus

mores [ˈmɔːreɪz] npl Formal mœurs fpl

morgue [mɔːg] n morgue f

morning [ˈmɔːnɪŋ] 1 n matin m; (referring to duration) matinée f; **in the m.** le matin; (during the course of the morning) pendant la matinée; (tomorrow) demain matin; **tomorrow/yesterday m.** demain/hier matin; **at seven in the m.** à sept heures du matin; **every Tuesday m.** tous les mardis matin; **in the early m.** au petit matin; **good m.!**, Fam **m.!** bonjour! 2 adj (newspaper) du matin; **m. sickness** (of pregnant woman) nausées fpl matinales ▪ **mornings** adv Am le matin

Morocco [məˈrɒkəʊ] n le Maroc ▪ **Moroccan** 1 adj marocain 2 n Marocain, -aine mf

moron [ˈmɔːrɒn] n Fam crétin, -ine mf ▪ **moronic** adj Fam idiot

morose [məˈrəʊs] adj morose

morphine [ˈmɔːfiːn] n morphine f

Morse [mɔːs] n & adj **M. (code)** morse m

morsel [ˈmɔːsəl] n morceau m

mortal [ˈmɔːtəl] adj & n mortel, -elle (mf) ▪ **mortality** [-ˈtælɪtɪ] n mortalité f

mortar [ˈmɔːtə(r)] n mortier m

mortgage [ˈmɔːgɪdʒ] 1 n (from lender's viewpoint) prêt m immobilier; (from borrower's viewpoint) emprunt m immobilier; **m. rate** taux m de crédit immobilier 2 vt (house, one's future) hypothéquer

mortician [mɔːˈtɪʃən] n Am entrepreneur m de pompes funèbres

mortify [ˈmɔːtɪfaɪ] (pt & pp -ied) vt mortifier; **I was mortified!** j'étais vexé!

mortuary [ˈmɔːtʃʊərɪ] n (pl -ies) morgue f

mosaic [məʊˈzeɪɪk] n mosaïque f

Moscow [Br ˈmɒskəʊ, Am ˈmɒskaʊ] n Moscou ou f

Moses [ˈməʊzɪz] adj **M. basket** couffin m

Moslem [ˈmɒzlɪm] adj & n = **Muslim**

mosque [mɒsk] n mosquée f

mosquito [mɒˈskiːtəʊ] (pl -oes or -os) n moustique m; **m. net** moustiquaire f

moss [mɒs] n mousse f ▪ **mossy** adj moussu

most [məʊst] 1 adj (a) (the majority of) la plupart de; **m. women** la plupart des femmes (b) (greatest amount of) **the m.** le plus de; **I have the m. books** j'ai le plus de livres 2 adv (a) (to form superlative of adjectives and adverbs) plus; **the m. beautiful** le plus beau (f la plus belle) (**in/of** de); to take (**the) m.** parler le plus; **what I want m.** ce que je veux par-dessus tout; **m. of all** (especially) surtout (b) (very) extrêmement; **it was m. interesting** c'était extrêmement intéressant 3 pron (a) (the majority) la plupart; **m. of the people** la plupart des gens; **m. of the time** la plupart du temps; **m. of the cake** la plus grande partie du gâteau; **m. of them** la plupart d'entre eux (b) (greatest amount) le plus; **he earns the m.** c'est lui qui gagne le plus; **to make the m. of sth** (situation, talent) tirer le meilleur parti de qch; (holiday) profiter au maximum de qch; **at (the very) m.** tout au plus ▪ **mostly** adv (in the main) surtout; (most often) le plus souvent

MOT [eməʊˈtiː] (abbr Ministry of Transport) n Br = contrôle obligatoire des véhicules de plus de trois ans

motel [məʊˈtel] n motel m

moth [mɒθ] n papillon m de nuit; (clothes) **m.** mite f ▪ **mothball** n boule f de naphtaline ▪ **moth-eaten** adj mité

mother [ˈmʌðə(r)] 1 n mère f; **M.'s Day** la fête des Mères; **m. tongue** langue f maternelle 2 vt materner ▪ **motherhood** n maternité f ▪ **mother-in-law** (pl mothers-in-law) n belle-mère f ▪ **motherly** adj maternel, -elle ▪ **mother-of-'pearl** n nacre f ▪ **mother-to-'be** (pl mothers-to-be) n future mère f

motion [ˈməʊʃən] 1 n (of arm) mouvement m; (in meeting) motion f; **to set sth in m.** mettre qch en mouvement; **m. picture** film m 2 vti to **m. (to) sb to do sth** faire signe à qn de faire qch ▪ **motionless** adj immobile

motivate [ˈməʊtɪveɪt] vt (person, decision) motiver ▪ **motivated** adj motivé ▪ **moti'vation** n motivation f

motive [ˈməʊtɪv] n motif m (**for** de); Law mobile m (**for** de)

motley [ˈmɒtlɪ] adj (collection) hétéroclite; (coloured) bigarré

motor [ˈməʊtə(r)] 1 n (engine) moteur m; Br Fam (car) auto f 2 adj (industry, vehicle, insurance) automobile; *(accident)* d'auto; *Br* **m. mechanic** mécanicien-auto *m*; **m. racing** courses *fpl* automobiles; **m. show** salon *m* de l'automobile **3** *vi Br (drive)* voyager en auto ▪ **motorbike** *n* moto *f* ▪ **motorboat** *n* canot *m* à moteur ▪ **motorcade** *n* cortège *m* de voitures ▪ **motorcar** *n Br* automobile *f* ▪ **motorcycle** *n* moto *f*, motocyclette *f* ▪ **motorcyclist** *n* motocycliste *mf* ▪ **motoring** *n Br* conduite *f* ▪ **motorist** *n Br* automobiliste *mf* ▪ **motorized** *adj* motorisé ▪ **motorway** *n Br* autoroute *f*

mottled ['mɒtəld] *adj* tacheté

motto ['mɒtəʊ] *(pl* **-oes** *or* **-os***)* *n* devise *f*

mould¹ [məʊld] *(Am* **mold***)* **1** *n (shape)* moule *m* **2** *vt (clay, person's character)* modeler

mould² [məʊld] *(Am* **mold***)* *n (fungus)* moisissure *f* ▪ **mouldy** *(Am* **moldy***)* **(-ier, -iest***)* *adj* moisi; **to go m.** moisir

moult [məʊlt] *(Am* **molt***)* *vi* muer

mound [maʊnd] *n (of earth)* tertre *m*; *Fig (untidy pile)* tas *m*

Mount [maʊnt] *n* M. Everest l'Everest; M. Vesuvius le Vésuve

mount [maʊnt] **1** *n (frame for photo or slide)* cadre *m*; *(horse)* monture *f* **2** *vt (horse, hill, jewel, photo, demonstration)* monter; *(ladder, tree)* monter à **3** *vi* **(a)** **m. (up)** *(on horse)* se mettre en selle **(b)** *(increase, rise)* monter; **to m. up** *(add up)* chiffrer **(to** à*)*; *(accumulate) (of debts, bills)* s'accumuler

mountain ['maʊntɪn] **1** *n* montagne *f* **2** *adj (plant, shoes)* de montagne; **m. bike** vélo *m* tout terrain; **m. range** chaîne *f* de montagnes; **m. rescue team** équipe *f* de secours en montagne ▪ **mountai'neer** *n* alpiniste *mf* ▪ **mountaineering** *n* alpinisme *m* ▪ **mountainous** *adj* montagneux, -euse

mourn [mɔːn] *vti* **to m. (for) sb, to m. the loss of sb** pleurer qn; **she's mourning** elle est en deuil ▪ **mourner** *n* = personne assistant aux obsèques ▪ **mournful** *adj* triste ▪ **mourning** *n* deuil *m*; **in m.** en deuil

mouse [maʊs] *(pl* **mice** [maɪs]*)* *n (animal) & Comptr* souris *f*; *Comptr* **m. button** bouton *m* de souris; *Comptr* **m. mat** *or* **pad** tapis *m* de souris ▪ **mousetrap** *n* souricière *f*

mousse [muːs] *n* mousse *f*; **chocolate m.** mousse au chocolat

moustache [məˈstɑːʃ] *(Am* **mustache** ['mʌstæʃ]*)* *n* moustache *f*

mousy ['maʊsɪ] *(***-ier, -iest***)* *adj Br Pej (hair)* châtain terne; *Fig (shy)* timide

mouth **1** [maʊθ] *(pl* **-s** [maʊðz]*)* *n (of person, horse)* bouche *f*; *(of other animals)* gueule *f*; *(of river)* embouchure *f*; *(of cave, harbour)* entrée *f* **2** [maʊð] *vt Pej* débiter ▪ **mouthful** *n (of food)* bouchée *f*; *(of liquid)* gorgée *f* ▪ **mouthorgan** *n* harmonica *m* ▪ **mouthpiece** *n (of musical instrument)* embouchure *f*;

(spokesperson) porte-parole *m inv* ▪ **mouthwash** *n* bain *m* de bouche ▪ **mouth-watering** *adj* appétissant

movable ['muːvəbəl] *adj* mobile

move [muːv] **1** *n* mouvement *m*; *(change of house)* déménagement *m*; *(change of job)* changement *m* d'emploi; *(transfer of employee)* mutation *f*; *(in game)* coup *m*; *(step)* pas *m*; **to make a m.** *(leave)* se préparer à partir; *(act)* passer à l'action; **to make a m. towards sb/ sth** se diriger vers qn/qch; **to make the first m.** faire le premier pas; **it's your m.** *(turn)* c'est à toi de jouer; *Fam* **to get a m. on** se grouiller; **on the m.** en marche

2 *vt* déplacer; *(arm, leg)* remuer; *(employee)* muter; *(piece in game)* jouer; *(propose in debate)* proposer **(that** que*)*; **to m. sb** *(emotionally)* émouvoir qn; *(transfer in job)* muter qn; **to m. sb to tears** émouvoir qn jusqu'aux larmes; **to m. house** déménager

3 *vi* bouger; *(change position)* se déplacer **(to** à*)*; *(leave)* partir; *(act)* agir; *(play)* jouer; *(change house)* déménager; **to m. to Paris** aller habiter Paris; **to m. into a house** emménager dans une maison; **to get things moving** faire avancer les choses

▸ **move about, move around** *vi* se déplacer; *(fidget)* remuer

▸ **move along** *vi* avancer

▸ **move away** *vi (go away)* s'éloigner; *(move house)* déménager

▸ **move back 1** *vt sep (chair)* reculer; *(to its original position)* remettre en place **2** *vi (withdraw)* reculer; *(return)* retourner **(to** à*)*

▸ **move down 1** *vt sep (take down)* descendre **2** *vi (come down)* descendre

▸ **move forward** *vt sep & vi* avancer

▸ **move in** *vi (into house)* emménager

▸ **move off** *vi (go away)* s'éloigner; *(of vehicle)* démarrer

▸ **move out** *vi (out of house)* déménager

▸ **move over 1** *vt sep* pousser **2** *vi (make room)* se pousser

▸ **move up** *vi (on seats)* se pousser

moveable ['muːvəbəl] *adj* mobile; *Law* **m. goods, moveables** biens *mpl* meubles

movement ['muːvmənt] *n* mouvement *m*

movie ['muːvɪ] *n* film *m*; **the movies** *(cinema)* le cinéma; **m. camera** caméra *f*; **m. star** vedette *f* de cinéma; *Am* **m. theater** cinéma *m* ▪ **moviegoer** *n* cinéphile *mf*

moving ['muːvɪŋ] *adj* en mouvement; *(vehicle)* en marche; *(touching)* émouvant; **m. part** *(of machine)* pièce *f* mobile

mow [məʊ] *(pp* **mown** [məʊn] *or* **mowed***)* *vt (field, wheat)* faucher; **to m. the lawn** tondre le gazon; *Fig* **to m. down** *(kill)* faucher ▪ **mower** *n* **(lawn) m.** tondeuse *f* (à gazon)

Mozambique [məʊzæmˈbiːk] *n* le Mozambique

MP [em'pi:] (abbr **Member of Parliament**) n Br député m

mph [empi:'eɪtʃ] (abbr **miles per hour**) ≃ km/h

MP3 [empi:'θri:] n Comptr MP3 m inv; **M. file** fichier m MP3; **M. player** lecteur m (de) MP3

Mr ['mɪstə(r)] n **Mr Brown** M. Brown

Mrs ['mɪsɪz] n **Mrs Brown** Mme Brown

Ms [mɪz] n **Ms Brown** ≃ Mme Brown (ne renseigne pas sur le statut de famille)

MS [em'es] (**a**) (abbr **multiple sclerosis**) Med sclérose f en plaques (**b**) (abbr **Master of Science**) Am Univ = **MSc**

MSc [emes'si:] (abbr **Master of Science**) n Univ **to have an M. in chemistry** avoir une maîtrise de chimie; **John Smith M.** John Smith, titulaire d'une maîtrise (en sciences, chimie etc)

MSP [emes'pi:] (abbr **Member of the Scottish Parliament**) n député m du parlement écossais

much [mʌtʃ] 1 adj

Hormis dans la langue soutenue et dans certaines expressions, ne s'utilise que dans des structures négatives ou interrogatives.

beaucoup de; **not m. time/money** pas beaucoup de temps/d'argent; **how m. sugar do you want?** combien de sucre voulez-vous?; **as m. wine as** autant de vin que; **twice as m. traffic** deux fois plus de circulation; **too m. work** trop de travail; **so m. time** tant ou tellement de temps; **this m. wine** ça va de vin

2 adv beaucoup; **very m.** beaucoup; **not (very) m.** pas beaucoup; **m. better** bien meilleur; **m. more difficult** beaucoup plus difficile; **I love him so m.** je l'aime tellement; **she doesn't say very m.** elle ne dit pas grand-chose; **everything had stayed m. the same** rien n'avait vraiment changé

3 pron beaucoup; **not m.** pas beaucoup; **there isn't m. left** il n'en reste pas beaucoup; **it's not m. of a garden** ce n'est pas terrible comme jardin; **twice as m.** deux fois plus; **as m. as possible** autant que possible; **as m. as you like** autant que tu veux; **he knows as m. as you do** il en sait autant que toi; **so m. so that...** à tel point que...; **he had drunk so m. that...** il avait tellement bu que...; Fam **that's a bit m.!** c'est un peu fort!

muck [mʌk] n (manure) fumier m; Fig (filth) saleté f ▪ **mucky** (-ier, -iest) adj Fam sale

▸ **muck about, muck around** Br Fam 1 vt sep **to m. sb about** or **around** faire perdre son temps à qn 2 vi (waste time) traîner; (play the fool) faire l'imbécile; Br Fam **to m. about** or **around with sth** (fiddle with) tripoter qch

▸ **muck in** vi Br Fam (help) s'y mettre

▸ **muck up** vt sep Br Fam (task) bâcler; (plans) chambouler

mucus ['mju:kəs] n mucosités fpl

mud [mʌd] n boue f ▪ **muddy** (-ier, -iest) adj (water, road) boueux (f boueuse); (hands)

couvert de boue ▪ **mudguard** n garde-boue m inv

muddle ['mʌdəl] 1 n confusion f; **to be in a m.** (person) ne plus s'y retrouver; (of things) être en désordre 2 vt (person, facts) mélanger; **to get muddled** s'embrouiller

▸ **muddle through** vi Fam se débrouiller

▸ **muddle up** vt sep (person, facts) mélanger; **to get muddled up** s'embrouiller

muff [mʌf] n (for hands) manchon m

muffin ['mʌfɪn] n Br (teacake) = petite galette servie chaude et beurrée; Am (cake) muffin m

muffle ['mʌfəl] vt (noise) assourdir ▪ **muffled** adj (noise) sourd ▪ **muffler** n Am (on vehicle) silencieux m

mug¹ [mʌg] n (**a**) (for tea, coffee) grande tasse f; (beer) chope f (**b**) Fam (face) gueule f; **m. shot** photo f d'identité judiciaire (**c**) Br Fam (fool) poire f

mug² [mʌg] (pt & pp **-gg-**) vt (attack in street) agresser ▪ **mugger** n agresseur m ▪ **mugging** n agression f

muggy ['mʌgɪ] (-ier, -iest) adj (weather) lourd

mulberry ['mʌlbərɪ] (pl -ies) n (fruit) mûre f

mule [mju:l] n (male) mulet m; (female) mule f

▸ **mull over** vt sep (think over) ruminer

mulled wine ['mʌld'waɪn] n vin m chaud épicé

mullet ['mʌlɪt] n (fish) mulet m; Fam (hairstyle) = coupe f de cheveux longue sur la nuque, courte sur les côtés et en brosse longue sur le dessus; **red m.** rouget m

multicoloured (Am **multicolored**) ['mʌltɪkʌləd] adj multicolore

multicultural [mʌltɪ'kʌltʃər(ə)l] adj multiculturel, -elle

multilingual [mʌltɪ'lɪŋgwəl] adj (person) polyglotte; (country) plurilingue

multimedia [mʌltɪ'mi:dɪə] adj multimédia

multimillionaire [mʌltɪmɪljə'neə(r)] n multimillionnaire mf

multinational [mʌltɪ'næʃənəl] n & adj **m. (company)** multinationale (f)

multiple ['mʌltɪpəl] 1 adj multiple; Med **m. sclerosis** sclérose f en plaques 2 n Math multiple m

multiple-choice ['mʌltɪpəl'tʃɔɪs] adj à choix multiple

multiplex ['mʌltɪpleks] n (cinema) multiplexe m

multiply ['mʌltɪplaɪ] (pt & pp -ied) 1 vt multiplier 2 vi (of animals, insects) se multiplier ▪ **multiplication** [-plɪ'keɪʃən] n multiplication f

multiracial [mʌltɪ'reɪʃəl] adj multiracial

multistorey [mʌltɪ'stɔ:rɪ] (Am **multistoried**) adj (car park) à plusieurs niveaux

multitude ['mʌltɪtju:d] n multitude f

mum [mʌm] Fam 1 n Br maman f 2 adj **to keep m. (about sth)** ne pas souffler mot (de qch) ▪ **mummy¹** (pl -ies) n Br Fam maman f

mumble ['mʌmbəl] vti marmotter

mumbo jumbo ['mʌmbəʊ'dʒʌmbəʊ] *n (nonsense)* âneries *fpl*

mummy² ['mʌmɪ] *(pl* **-ies)** *n (embalmed body)* momie *f*

mumps [mʌmps] *n Med* oreillons *mpl*

munch [mʌntʃ] *vti (chew)* mâcher

mundane [mʌn'deɪn] *adj* banal *(mpl* -als)

Note that the French word **mondain** is a false friend and is never a translation for the English word **mundane**. It refers to people and events in high society.

---

municipal [mju:'nɪsɪpəl] *adj* municipal ▪ **municipality** [-'pælɪtɪ] *(pl* **-ies)** *n* municipalité *f*

munitions [mju:'nɪʃənz] *npl* munitions *fpl*

mural ['mjʊərəl] **1** *adj* mural **2** *n* peinture *f* murale

murder ['mɜ:də(r)] **1** *n* meurtre *m; Fam* **it's m.** *(dreadful)* c'est affreux **2** *vt (kill)* assassiner; *Fig (spoil)* massacrer ▪ **murderer** *n* meurtrier, -ière *mf*, assassin *m* ▪ **murderous** *adj* meurtrier, -ière

murky ['mɜ:kɪ] **(-ier, -iest)** *adj (water, business, past)* trouble; *(weather)* nuageux, -euse

murmur ['mɜ:mə(r)] **1** *n* murmure *m; (of traffic, conversation)* bourdonnement *m;* **(heart) m.** souffle *m* au cœur **2** *vti* murmurer

muscle ['mʌsəl] **1** *n* muscle *m* **2** *vi* **to m. in** intervenir **(on** dans) ▪ **muscular** ['mʌskjʊlə(r)] *adj (person, arm)* musclé; *(tissue, pain)* musculaire

muse [mju:z] *vi* songer **(on** à)

museum [mju:'zɪəm] *n* musée *m*

mush [mʌʃ] *n (pulp)* bouillie *f; Fig (sentimentality)* mièvrerie *f* ▪ **mushy (-ier, -iest)** *adj (food)* en bouillie; *Fig (sentimental)* mièvre

mushroom ['mʌʃrʊm] **1** *n* champignon *m* **2** *vi (of buildings, towns)* pousser comme des champignons; *(of problems)* se multiplier

music ['mju:zɪk] *n* musique *f;* **m. centre** chaîne *f* stéréo compacte; **m. critic** critique *m* musical; **m. hall** music-hall *m;* **m. lover** mélomane *mf;* **canned** *or* **piped m.** musique *f* (de fond) enregistrée ▪ **musical 1** *adj* musical; **m. instrument** instrument *m* de musique; **to be (very) m.** être (très) musicien **2** *n (film, play)* comédie *f* musicale ▪ **musician** [-'zɪʃən] *n* musicien, -ienne *mf*

musk [mʌsk] *n* musc *m*

Muslim ['mʊzlɪm], **Moslem** ['mɒzlɪm] *adj & n* musulman, -ane *(mf)*

muslin ['mʌzlɪn] *n* mousseline *f*

mussel ['mʌsəl] *n* moule *f*

must [mʌst] **1** *n* **this is a m.** c'est indispensable;

this film is a m. il faut absolument voir ce film **2** *v aux* **(a)** *(expressing necessity)* **you m. obey** tu dois obéir, il faut que tu obéisses **(b)** *(expressing probability)* **she m. be clever** elle doit être intelligente; **I m. have seen it** j'ai dû le voir; **you m. be joking!** tu veux rire!; **m. you be so silly?** qu'est-ce que tu peux être bête!

mustache ['mʌstæʃ] *n Am* = **moustache**

mustard ['mʌstəd] *n* moutarde *f*

muster ['mʌstə(r)] **1** *vt (gather)* rassembler; *(sum)* réunir **2** *vi* se rassembler

mustn't ['mʌsənt] = **must not**

musty ['mʌstɪ] **(-ier, -iest)** *adj (smell, taste)* de moisi; **it smells m., it's m.** ça sent le moisi

mutant ['mju:tənt] *n & adj Biol* mutant *m* ▪ **mu'tation** *n Biol* mutation *f*

mute [mju:t] **1** *adj (silent) & Ling* muet *(f* muette) **2** *vt (sound)* assourdir ▪ **muted** *adj (criticism)* voilé; *(colour)* sourd

mutilate ['mju:tɪleɪt] *vt* mutiler ▪ **muti'lation** *n* mutilation *f*

mutiny ['mju:tɪnɪ] **1** *(pl* **-ies)** *n* mutinerie *f* **2** *(pt & pp* **-ied)** *vi* se mutiner ▪ **mutinous** *adj (troops)* rebelle

mutter ['mʌtə(r)] *vti* marmonner

mutton ['mʌtən] *n (meat)* mouton *m;* **leg of m.** gigot *m*

mutual ['mju:tʃʊəl] *adj (help, love)* mutuel, -uelle; *(friend)* commun; *Am Fin* **m. fund** fonds *m* commun de placement ▪ **mutually** *adv* mutuellement

muzzle ['mʌzəl] **1** *n (device for dog)* muselière *f; (snout)* museau *m; (of gun)* gueule *f* **2** *vt (animal, the press)* museler

my [maɪ] *possessive adj* mon, ma, *pl* mes

myself [maɪ'self] *pron* moi-même; *(reflexive)* me, m'; *(after prep)* moi; **I did it m.** je l'ai fait moi-même; **I wash m.** je me lave; **I think of m.** je pense à moi

mystery ['mɪstərɪ] *(pl* **-ies)** *n* mystère *m* ▪ **mysterious** [mɪ'stɪərɪəs] *adj* mystérieux, -ieuse

mystic ['mɪstɪk] *adj & n* mystique *(mf)* ▪ **mystical** *adj* mystique ▪ **mysticism** [-tɪsɪzəm] *n* mysticisme *m* ▪ **mystique** [mɪ'sti:k] *n (mystery, power)* mystique *f* **(of** de)

mystify ['mɪstɪfaɪ] *(pt & pp* **-ied)** *vt (bewilder)* déconcerter; *(fool)* mystifier

---

Note that the French verb **mystifier** is a false friend. It means **to fool, to take in.**

---

myth [mɪθ] *n* mythe *m* ▪ **mythical** *adj* mythique ▪ **mytho'logical** *adj* mythologique ▪ **my'thology** *(pl* **-ies)** *n* mythologie *f*

N, n [ɛn] *n* (letter) N, n *m inv*; **the nth time** la énième fois

nab [næb] (*pt & pp* **-bb-**) *vt Fam* (catch, arrest) coffrer

naff [næf] *adj Br Fam* (unfashionable) ringard

nag [næg] (*pt & pp* **-gg-**) *vti* **to n. (at) sb** (of person) être sur le dos de qn ▪ **nagging 1** *adj* (doubt, headache) tenace **2** *n* plaintes *fpl* continuelles

nail [neɪl] **1** *n* (**a**) (of finger, toe) ongle *m*; **n. brush** brosse *f* à ongles; **n. file** lime *f* à ongles; **n. polish,** *Br* **n. varnish** vernis *m* à ongles (**b**) (metal) clou *m* **2** *vt* clouer; *Fam* **to n. sb** épingler qn; **to n. sth down** (lid) clouer qch

naïve [naɪˈiːv] *adj* naïf (*f* naïve)

naked [ˈneɪkɪd] *adj* (person) nu; **to see sth with the n. eye** voir qch à l'œil nu; **n. flame** flamme *f* nue ▪ **nakedness** *n* nudité *f*

name [neɪm] **1** *n* nom *m*; (reputation) réputation *f*; **my n. is…** je m'appelle…; **in the n. of** au nom de; **to put one's n. down for** (school, course) s'inscrire à; **to call sb names** insulter qn; **first n., given n.** prénom *m*; *Fig* **to have a good/bad n.** avoir une bonne/mauvaise réputation **2** *vt* nommer; (ship, street) baptiser; (date, price) fixer; **to n. sb to do sth** nommer qn pour faire qch; **he was named** *Br* **after** *or Am* **for…** on lui a donné le nom de… ▪ **nameless** *adj* anonyme ▪ **nameplate** *n* plaque *f*

namely [ˈneɪmlɪ] *adv* à savoir

namesake [ˈneɪmseɪk] *n* homonyme *mf*

nanny [ˈnænɪ] (*pl* **-ies**) *n* nurse *f*; *Fam* (grandmother) mamie *f*; **n. goat** chèvre *f*

nap [næp] **1** *n* (sleep) petit somme *m*; **to have or take a n.** faire un petit somme **2** (*pt & pp* **-pp-**) *vi* faire un somme; *Fig* **to catch sb napping** prendre qn au dépourvu

nape [neɪp] *n* **n. (of the neck)** nuque *f*

napkin [ˈnæpkɪn] *n* (at table) serviette *f* ▪ **nappy** (*pl* **-ies**) *n Br* (for baby) couche *f*; **n. rash** érythème *m* fessier ▪ **nappy-liner** *n Br* protège-couche *m*

narcotic [nɑːˈkɒtɪk] *adj & n* narcotique (*m*), stupéfiant (*m*); *Am* **narcotics (branch)** (of police force) brigade *f* des stupéfiants

narrate [nəˈreɪt] *vt* raconter ▪ **narrative** [ˈnærətɪv] *n* récit *m* ▪ **narrator** *n* narrateur, -trice *mf*

narrow [ˈnærəʊ] **1** (**-er, -est**) *adj* étroit; (majority) faible **2** *vt* **to n. (down)** (choice, meaning) limiter **3** *vi* (of path) se rétrécir ▪ **narrowly** *adv* (only just) de peu; (strictly) strictement; **he n. escaped** *or* **missed being killed** il a bien failli être tué ▪ **narrowness** *n* étroitesse *f*

narrow-minded [nærəʊˈmaɪndɪd] *adj* borné

nasal [ˈneɪzəl] *adj* nasal; (voice) nasillard

nasty [ˈnɑːstɪ] (**-ier, -iest**) *adj* (bad) mauvais; (spiteful) méchant (**to** *or* **towards** avec) ▪ **nastily** *adv* (behave) méchamment ▪ **nastiness** *n* (malice) méchanceté *f*

nation [ˈneɪʃən] *n* nation *f* ▪ **nation'wide** *adj & adv* dans tout le pays

national [ˈnæʃənəl] **1** *adj* national; **n. anthem** hymne *m* national; *Br* **N. Health Service** ≃ Sécurité *f* sociale; *Br* **n. insurance contributions** *fpl* sociales **2** *n* (citizen) ressortissant, -ante *mf* ▪ **nationalist** *n* nationaliste *mf* ▪ **nationa'listic** *adj Pej* nationaliste ▪ **nationally** *adv* dans tout le pays

nationality (*pl* **-ies**) [næʃəˈnælɪt] *n* nationalité *f*

nationalize [ˈnæʃənəlaɪz] *vt* nationaliser ▪ **nationali'zation** *n* nationalisation *f*

native [ˈneɪtɪv] **1** *adj* (country) natal (*mpl* -als); (tribe, plant) indigène; **n. language** langue *f* maternelle; **to be an English n. speaker** avoir l'anglais comme langue maternelle **2** *n* (person) indigène *mf*; **to be a n. of** être originaire de

Nativity [nəˈtɪvɪtɪ] *n Rel* **the N.** la Nativité; **N. play** = pièce jouée par des enfants et représentant l'histoire de la Nativité; **N. scene** crèche *f*

NATO [ˈneɪtəʊ] (*abbr* **North Atlantic Treaty Organization**) *n Mil* OTAN *f*

natter [ˈnætə(r)] *Br Fam* **1** *n* **to have a n.** bavarder **2** *vi* bavarder

natural [ˈnætʃərəl] **1** *adj* naturel, -elle; (talent) inné **2** *n Fam* **to be a n. for sth** être fait pour qch; **he's a n.** (as actor) c'est un acteur né ▪ **naturalist** *n* naturaliste *mf* ▪ **naturally** *adv* (unaffectedly, of course) naturellement; (by nature) de nature

naturalize [ˈnætʃərəlaɪz] *vt* (person) naturaliser; **to become naturalized** se faire naturaliser ▪ **naturali'zation** *n* naturalisation *f*

nature [ˈneɪtʃə(r)] *n* (world, character) nature *f*;

by n. de nature; **problems of this n.** des problèmes de cette nature; **n. reserve** réserve *f* naturelle; **n. study** sciences *fpl* naturelles

naturist ['neɪtʃərɪst] *n* naturiste *mf* ▪ **naturism** *n* naturisme *m*

naught [nɔːt] *n Br Math* zéro *m*

naughty ['nɔːtɪ] (**-ier, -iest**) *adj (child)* vilain; *(joke, story)* coquin ▪ **naughtily** *adv (behave)* mal; *(say)* avec malice

nausea [*Br* 'nɔːzɪə, *Am* 'nɔːʃə] *n* nausée *f* ▪ **nauseate** [-zɪeɪt] *vt* écœurer ▪ **nauseating** [-zɪeɪtɪŋ] *adj* écœurant ▪ **nauseous** [*Br* 'nɔːzɪəs, *Am* 'nɔːʃəs] *adj (smell)* nauséabond; *Am* **to feel n.** *(sick)* avoir envie de vomir

nautical ['nɔːtɪkəl] *adj* nautique

naval ['neɪvəl] *adj* naval (*mpl* -als); *(hospital, power)* maritime; *(officer)* de marine

navel ['neɪvəl] *n* nombril *m*

navigate ['nævɪgeɪt] **1** *vt (boat)* piloter; *(river)* naviguer sur; *Comptr* naviguer sur; **to n. the Net** naviguer sur l'Internet **2** *vi* naviguer ▪ **navi'gation** *n* navigation *f* ▪ **navigator** *n (on aircraft, boat)* navigateur *m*

navvy ['nævɪ] (*pl* -ies) *n Br (labourer)* terrassier *m*

navy ['neɪvɪ] **1** (*pl* -ies) *n* marine *f* **2** *adj n.* **(blue)** bleu marine *inv*

Nazi ['nɑːtsɪ] *adj & n Pol & Hist* nazi, -ie *(mf)* ▪ **Nazism** *n* nazisme *m*

NB [en'biː] *(abbr nota bene)* NB

near [nɪə(r)] **1** (**-er, -est**) *prep* **n. (to)** près de; **n. the bed** près du lit; **to be n. (to) victory/death** frôler la victoire/la mort; **n. (to) the end** vers la fin; **to come n. to sb** s'approcher de qn **2** (**-er, -est**) *adv* près; **quite n., n. at hand** tout près; **n. to sth** près de qch; **to come n. to being killed** manquer d'être tué; **n. enough** *(more or less)* plus ou moins **3** (**-er, -est**) *adj* proche; **the nearest hospital** l'hôpital le plus proche; **the nearest way** la route la plus directe; **in the n. future** dans un avenir proche; **to the nearest euro** *(calculate)* à un euro près; *Aut* **n. side** côté *m* gauche, *Am* côté *m* droit; **the N. East** le Proche-Orient **4** *vt (approach)* approcher de; **nearing completion** presque terminé

nearby 1 [nɪə'baɪ] *adv* tout près **2** ['nɪəbaɪ] *adj* proche

nearly ['nɪəlɪ] *adv* presque; **she (very) n. fell** elle a failli tomber; **not n. as clever as** loin d'être aussi intelligent que

near-sighted [nɪə'saɪtɪd] *adj* myope

neat [niːt] (**-er, -est**) *adj (clothes, work)* soigné; *(room)* bien rangé; *(style)* élégant; *Am Fam (good)* super *inv*; **to drink one's whisky n.** boire son whisky sec ▪ **neatly** *adv (carefully)* avec soin; *(skilfully)* habilement

nebulous ['nebjʊləs] *adj (vague)* flou

necessary ['nesɪsərɪ] **1** *adj* nécessaire; **it's n.**

to do it il faut le faire; **to make it n. for sb to do sth** mettre qn dans la nécessité de faire qch; **to do what's n.** faire le nécessaire (**for** pour) **2** *n Fam* **to do the n.** faire le nécessaire ▪ **necessarily** [-'serəlɪ] *adv* **not n.** pas forcément

necessity [nɪ'sesɪtɪ] (*pl* -ies) *n (obligation, need)* nécessité *f*; **out of n.** par nécessité; **to be a n.** être indispensable; **the necessities** *(things needed)* le nécessaire ▪ **necessitate** *vt* nécessiter

neck [nek] *n* cou *m*; *(of dress)* encolure *f*; *(of bottle)* goulot *m*; **low n.** *(of dress)* décolleté *m*; **to finish n. and n.** *(in race)* finir au coude à coude ▪ **necklace** *n* collier *m* ▪ **neckline** *n* encolure *f* ▪ **necktie** *n Am* cravate *f*

nectarine ['nektəriːn] *n (fruit)* nectarine *f*, brugnon *m*

née [neɪ] *adv* **n. Dupont** née Dupont

need [niːd] **1** *n* besoin *m*; **in n.** dans le besoin; **to be in n. of sth** avoir besoin de qch; **there's no n. (for you) to do that** tu n'as pas besoin de faire cela; **if n. be** si besoin est **2** *vt* avoir besoin de; **you n. it** tu en as besoin; **it needs an army** *or* **an army is needed to do that** il faut une armée pour faire cela; **this sport needs patience** ce sport demande de la patience; **her hair needs cutting** il faut qu'elle se fasse couper les cheveux **3** *v aux*

La forme modale de **need** est la même à toutes les personnes, et s'utilise sans **do/does** (**he need only worry about himself**; **need she go?**; **it needn't matter**).

n. I say more? ai-je besoin d'en dire plus?; **I needn't have rushed** ce n'était pas la peine de me presser; **you needn't worry** inutile de t'inquiéter ▪ **needy (-ier, -iest)** *adj* nécessiteux, -euse

needle ['niːdəl] **1** *n* aiguille *f*; *(of record player)* saphir *m* **2** *vt Fam (irritate)* agacer ▪ **needlework** *n* couture *f*; *(object)* ouvrage *m*

needless ['niːdləs] *adj* inutile ▪ **needlessly** *adv* inutilement

negate [nɪ'geɪt] *vt (nullify)* annuler; *(deny)* nier ▪ **ne'gation** *n (denial) & Grammar* négation *f*

negative ['negətɪv] **1** *adj* négatif, -ive **2** *n (of photo)* négatif *m*; *(word, word group)* négation *f*; *(grammatical form)* forme *f* négative; **to answer in the n.** répondre par la négative

neglect [nɪ'glekt] **1** *n (of person)* négligence *f*; *(of duty)* manquement *m* (**of** à); **in a state of n.** *(garden, house)* mal tenu **2** *vt (person, health, work)* négliger; *(garden, car)* ne pas s'occuper de; *(duty)* manquer à; **to n. to do sth** négliger de faire qch ▪ **neglected** *adj (appearance, person)* négligé; *(garden, house)* mal tenu; **to feel n.** se sentir abandonné

negligent ['neglɪdʒənt] *adj* négligent ▪ **negligence** *n* négligence *f* ▪ **negligently** *adv* négligemment

negligible ['nɛglɪdʒəbəl] *adj* négligeable

negotiate [nɪ'gəʊʃ ɪeɪt] **1** *vti (discuss)* négocier **2** *vt (fence, obstacle)* franchir; *(bend) (in vehicle)* négocier, **▪negotiable** *adj* négociable **▪negoti'ation** *n* négociation *f*; **in n. with** en pourparlers avec **▪negotiator** *n* négociateur, -trice *mf*

neigh [neɪ] **1** *n* hennissement *m* **2** *vi* hennir

neighbour ['neɪbə(r)] *(Am* **neighbor)** *n* voisin, -ine *mf* **▪neighbourhood** *(Am* **neighborhood)** *n (district)* quartier *m*, voisinage *m*; *(neighbours)* voisinage; **in the n. of** S10/ **kilos** dans les 10 dollars/kilos **▪neighbouring** *(Am* **neighboring)** *adj* voisin **▪neighbourly** *(Am* **neighborly)** *adj (feeling)* de bon voisinage; **they're n. (people)** ils sont bons voisins

neither ['naɪðə(r), 'niːðə(r)] **1** *conj* **n.... nor...** ni... ni...; **n. you nor me** ni toi ni moi; **he n. sings nor dances** il ne chante ni ne danse **2** *adv* **n. will I go** je n'y irai pas non plus; **n. do I/ n. can I** (ni) moi non plus **3** *adj* **n. boy came** aucun des deux garçons n'est venu; **on n. side** ni d'un côté ni de l'autre **4** *pron* **n. (of them)** aucun(e) (des deux)

neon ['niːɒn] *n* néon *m*; **n. lighting/sign** éclairage *m*/enseigne *f* au néon

nephew ['nevjuː, 'nefjuː] *n* neveu *m*

nepotism ['nepətɪzəm] *n* népotisme *m*

nerd [nɜːd] *n Fam (stupid person)* crétin, -ine *mf*

nerve [nɜːv] *n* nerf *m*; *(courage)* courage *m*; *Fam (impudence)* culot *m*; *Fam* **he gets on my nerves** il me tape sur les nerfs; **to have an attack of nerves** *(fear, anxiety)* avoir le trac; *Fam* **she's a bundle or mass or bag of nerves** c'est un paquet de nerfs; **n. centre** centre *m* nerveux **▪nerve-racking** *adj* éprouvant **▪nervy (-ier, -iest)** *adj Fam (anxious)* nerveux, -euse

nervous ['nɜːvəs] *adj (apprehensive)* nerveux, -euse; **to be n. about sth/doing sth** être nerveux à l'idée de qch/de faire qch; **to have a n. breakdown** faire une dépression nerveuse **▪nervously** *adv* nerveusement **▪nervousness** *n* nervosité *f*

nest [nest] **1** *n* nid *m*; *Fig* **n. egg** pécule *m*; **n. of tables** tables *fpl* gigognes **2** *vi (of bird)* nicher

nestle ['nesəl] *vi se* pelotonner **(up to** contre); **a village nestling in** *(forest, valley)* un village niché dans

Net [net] *n Comptr* **the N.** le Net; **N. user** internaute *mf*

net¹ [net] **1** *n* filet *m*; **n. curtain** voilage *m* **2** *(pt & pp* **-tt-)** *vt (fish)* prendre au filet **▪netting** *n (nets)* filets *mpl*; *(mesh)* mailles *fpl*

net² [net] **1** *adj (profit, weight, value)* net *(f* nette) **2** *(pt & pp* **-tt-)** *vt (of person, company)* gagner net; **this venture netted them...** cette entreprise leur a rapporté...

Netherlands ['neðələndz] *npl* **the N.** les Pays-Bas *mpl*

netiquette ['netɪket] *n Comptr* netiquette *f*

nettle ['netəl] *n* ortie *f*

network ['netwɜːk] **1** *n* réseau *m* **2** *vi (make contacts)* établir un réseau de contacts

neurotic [njʊ'rɒtɪk] *adj & n* névrosé, -ée *(mf)*

neuter ['njuːtə(r)] **1** *adj & n Grammar* neutre *(m)* **2** *vt (cat)* châtrer

neutral ['njuːtrəl] **1** *adj* neutre; *(policy)* de neutralité **2** *n (electrical wire)* neutre *m*; **in n.** *(gear) (vehicle)* au point mort **▪neutrality** [-'trælɪtɪ] *n* neutralité *f* **▪neutralize** *vt* neutraliser

never ['nevə(r)] *adv (not ever)* (ne) jamais; **she n. lies** elle ne ment jamais; **n. in (all) my life** jamais de ma vie; **n. again** plus jamais; *Fam* **I n. did it** je ne l'ai pas fait; *Fam* **I n. expected this** je ne m'attendais vraiment pas à ça; *Fam* **well I n.!** ça alors! **▪'never-'ending** *adj* interminable

nevertheless [nevəðə'les] *adv* néanmoins

new [njuː] *adj* **(a) (-er, -est)** nouveau *(f* nouvelle); *(brand-new)* neuf *(f* neuve); **to be n. to** *(job)* être nouveau dans; *(city)* être nouveau-venu *(f* nouvelle-venue) dans; **a n. boy** *(in school)* un nouveau; **a n. girl** une nouvelle; **n. look** *(of person)* nouveau look *m*; *(of company)* nouvelle image *f*; **it's as good as n.** c'est comme neuf; *Fam* **what's n.?** quoi de neuf? **(b)** *(different)* **a n. glass/pen** un autre verre/stylo **▪newborn** *adj* **a n. baby** un nouveau-né, une nouveau-née **▪newcomer** [-'kʌmə(r)] *n* nouveau-venu *m*, nouvelle-venue *f* **(to** dans) **▪new-found** *adj* nouveau *(f* nouvelle) **▪newly** *adv* nouvellement **▪newlyweds** *n* jeunes mariés *mpl*

news [njuːz] *n* nouvelles *fpl*; *(in the media)* informations *fpl*; **a piece of n.** une nouvelle; **sports n.** *(newspaper column)* rubrique *f* sportive; **n. agency** agence *f* de presse; **n. stand** kiosque *m* à journaux **▪newsagent** *n Br* marchand, -ande *mf* de journaux **▪newscaster** *n Am* présentateur, -trice *mf* de journal **▪newsdealer** *n Am* marchand, -ande *mf* de journaux **▪newsflash** *n* flash *m* d'informations **▪newsletter** *n (of club, group)* bulletin *m* **▪newspaper** *n* journal *m* **▪newsprint** *n* papier *m* journal **▪newsreader** *n Br* présentateur, -trice *mf* de journal **▪newsreel** *n* actualités *fpl* **▪newsworthy** *adj* d'intérêt médiatique

newt [njuːt] *n* triton *m*

New Zealand [njuː'ziːlənd] **1** *n* la Nouvelle-Zélande **2** *adj* néo-zélandais **▪New Zealander** *n* Néo-Zélandais, -aise *mf*

next [nekst] **1** *adj* prochain; *(room, house)* d'à côté; *(following)* suivant; **n. month** *(in the future)* le mois prochain; **he returned the n.**

month il revint le mois suivant; **the n. day** le
lendemain; **the n. morning** le lendemain
matin; **within the n. ten days** d'ici dix jours;
who's n.? c'est à qui?; **you're n.** c'est ton tour;
n. (please)! au suivant!; **the n. size up** la taille
au-dessus; **to live n. door** habiter à côté (**to**
de); **n.-door neighbour/room** voisin *m*/pièce
f d'à côté **2** *n (in series)* suivant, -ante *mf*; **from
one year to the n.** d'une année sur l'autre **3**
adv (afterwards) ensuite, après; *(now)*
maintenant; **when you come n.** la prochaine
fois que tu viendras; **the n. best solution is...**
à défaut, il y a une autre solution qui est...;
n. to *(beside)* à côté de; **n. to nothing** presque
rien

NGO [endʒiːˈəʊ] *(abbr* **non-governmental
organization)** *n* ONG *f*

NHS [eneɪtʃˈes] *(abbr* **National Health Service)**
n Br ≃ Sécurité *f* sociale

nib [nɪb] *n (of pen)* plume *f*

nibble [ˈnɪbəl] **1** *n* **to have a n. of sth** grignoter
qch; *Fam* **nibbles** amuse-gueules *mpl* **2** *vti*
grignoter

Nicaragua [nɪkəˈrægjʊə] *n* le Nicaragua

nice [naɪs] **(-er, -est)** *adj (pleasant)* agréable;
(tasty) bon (*f* bonne); *(physically attractive)*
beau (*f* belle); *(kind)* gentil, -ille (**to** avec); **n.
and warm** bien chaud; **n. and easy** très facile;
have a n. day! bonne journée! **■nice-looking**
adj beau (*f* belle) **■nicely** *adv (kindly)*
gentiment; *(well)* bien

niceties [ˈnaɪsətɪz] *npl* subtilités *fpl*

niche [*Br* niːʃ, *Am* nɪtʃ] *n (recess)* niche *f*; **to
make a n. for oneself** faire son trou; **(market)
n.** créneau *m*

nick [nɪk] **1** *n* **(a)** *(on skin, wood)* entaille *f*; *(in
blade, crockery)* brèche *f*; **in the n. of time** juste
à temps; *Br Fam* **in good n.** en bon état **(b)** *Br
Fam (prison)* taule *f* **2** *vt Br Fam (steal)* piquer;
(arrest) pincer

nickel [ˈnɪkəl] *n (metal)* nickel *m*; *Am (coin)*
pièce *f* de 5 cents

nickname [ˈnɪkneɪm] **1** *n (informal)* surnom *m*;
(short form) diminutif *m* **2** *vt* surnommer

nicotine [ˈnɪkətiːn] *n* nicotine *f*; **n. patch** patch
m anti-tabac

niece [niːs] *n* nièce *f*

nifty [ˈnɪftɪ] **(-ier, -iest)** *adj Fam (idea, device)*
génial; *(agile)* vif (*f* vive)

Nigeria [naɪˈdʒɪərɪə] *n* le Nigéria **■Nigerian 1**
adj nigérian **2** *n* Nigérian, -iane *mf*

niggling [ˈnɪɡlɪŋ] *adj (trifling)* insignifiant;
(irksome) irritant; *(doubt)* persistant

night [naɪt] **1** *n* nuit *f*; *(evening)* soir *m*; **at n.** la
nuit; **by n.** de nuit; **last n.** *(evening)* hier soir;
(night) cette nuit; **to have an early/a late n.** se
coucher tôt/tard; **to have a good n.'s sleep**
bien dormir; **first n.** *(of play)* première *f*; **the
last n.** *(of play)* la dernière **2** *adj (work, flight)*

de nuit; **n. school** cours *mpl* du soir; **n. shift**
(job) poste *m* de nuit; *(workers)* équipe *f* de
nuit; **n. watchman** veilleur *m* de nuit
■nightcap *n (drink)* = boisson alcoolisée ou
chaude prise avant de se coucher **■nightclub**
n boîte *f* de nuit **■nightdress, nightgown,** *Br
Fam* **nightie** *n* chemise *f* de nuit **■nightfall** *n*
at n. à la tombée de la nuit **■nightlife** *n* vie *f*
nocturne **■nightlight** *n* veilleuse *f* **■night-
time** *n* nuit *f*

nightingale [ˈnaɪtɪŋɡeɪl] *n* rossignol *m*

nightly [ˈnaɪtlɪ] **1** *adv* chaque nuit/soir **2** *adj*
de chaque nuit/soir

nightmare [ˈnaɪtmeə(r)] *n* cauchemar *m*

nil [nɪl] *n (nothing) & Br Sport* zéro *m*; **two n.**
deux à zéro; **the risk is n.** le risque est nul

Nile [naɪl] *n* **the N.** le Nil

nimble [ˈnɪmbəl] **(-er, -est)** *adj (person)* souple

nine [naɪn] *adj & n* neuf *(m)*

nineteen [naɪnˈtiːn] *adj & n* dix-neuf *(m)*
■nineteenth *adj & n* dix-neuvième *(mf)*

ninety [ˈnaɪntɪ] *adj & n* quatre-vingt-dix *(m)*
■ninetieth *adj & n* quatre-vingt-dixième *(mf)*

ninth [naɪnθ] *adj & n* neuvième *(mf)*; **a n.** un
neuvième

nip [nɪp] **1** *n* pinçon *m*; **there's a n. in the air** il
fait frisquet **2** *(pt & pp* **-pp-)** *vt (pinch)* pincer; **to
n. sth in the bud** étouffer qch dans l'œuf **3** *vi Br
Fam* **to n. round to sb's house** faire un saut
chez qn; **to n. out** sortir un instant

nipper [ˈnɪpə(r)] *n Br Fam (child)* gosse *mf*

nipple [ˈnɪpəl] *n* mamelon *m*; *Am (on baby's
bottle)* tétine *f*

nippy [ˈnɪpɪ] **(-ier, -iest)** *adj Fam* **(a)** *(chilly)*
frais (*f* fraîche); **it's n.** ça pince **(b)** *Br* **to be n.
(about it)** faire vite

nit [nɪt] *n (louse)* lente *f*

nitrogen [ˈnaɪtrədʒən] *n* azote *m*

nitty-gritty [ˈnɪtɪˈɡrɪtɪ] *n Fam* **to get down to
the n.** entrer dans le vif du sujet

nitwit [ˈnɪtwɪt] *n Fam* idiot, -iote *mf*

no [nəʊ] **1** *(pl* **noes** or **nos)** *n* non *m inv*; **she
won't take no for an answer** elle n'accepte
pas qu'on lui dise non; **the noes** *(in voting)* les
non **2** *adj (not any)* aucun; **there's no bread** il
n'y a pas de pain; **I have no idea** je n'ai aucune
idée; **I have no time to play** je n'ai pas le temps
de jouer; **no child came** aucun enfant n'est
venu; **of no importance** sans importance;
with no gloves/hat on sans gants/chapeau;
there's no knowing... impossible de savoir...;
'no smoking' 'défense de fumer'; *Fam* **no way!**
pas question! **3** *adv (interjection)* non; **no more
time** plus de temps; **no more/less than ten** pas
plus/moins de dix; **no more/less than you** pas
plus/moins que vous; **you can do no better** tu
ne peux pas faire mieux

noble [ˈnəʊbəl] **(-er, -est)** *adj* noble; *(building)*
majestueux, -ueuse **■nobility** *n* noblesse *f*

▪**nobleman** (*pl* **-men**) *n* noble *m*
▪**noblewoman** (*pl* **-women**) *n* noble *f*

nobody ['nəʊbɒdɪ] **1** *pron* (ne) personne; **n. came** personne n'est venu; **he knows n.** il ne connaît personne; **n.!** personne! **2** *n* **a n.** une nullité

no-brainer [nəʊ'breɪnə(r)] *n Fam (person)* crétin, -ine *mf*; *(question)* jeu *m* d'enfant

nocturnal [nɒk'tɜːnəl] *adj* nocturne

nod [nɒd] **1** *n* signe *m* de tête **2** *(pt & pp* **-dd-)** *vti* **to n. (one's head)** faire un signe de tête **3** *vi Fam* **to n. off** s'assoupir

no-fly zone [nəʊ'flaɪzəʊn] *n* zone *f* d'exclusion aérienne

noise [nɔɪz] *n* bruit *m*; **to make a n.** faire du bruit ▪**noiselessly** *adv* sans bruit

noisy ['nɔɪzɪ] **(-ier, -iest)** *adj (person, street)* bruyant ▪**noisily** *adv* bruyamment

nomad ['nəʊmæd] *n* nomade *mf* ▪**no'madic** *adj* nomade

nominal ['nɒmɪnəl] *adj* nominal; *(rent, salary)* symbolique

nominate ['nɒmɪneɪt] *vt (appoint)* nommer; *(propose)* proposer (**for** comme candidat à) ▪**nomi'nation** *n (appointment)* nomination *f*; *(proposal)* candidature *f* ▪**nomi'nee** *n (candidate)* candidat *m*

non-aligned [nɒnə'laɪnd] *adj (country)* non-aligné

nonchalant ['nɒnʃələnt] *adj* désinvolte

non-committal [nɒnkə'mɪtəl] *adj (answer)* de Normand; **to be n.** ne pas s'engager

nonconformist [nɒnkən'fɔːmɪst] *adj & n* non-conformiste *(mf)*

nondescript ['nɒndɪskrɪpt] *adj* très ordinaire

none [nʌn] **1** *pron* aucun(e) *mf*; *(in filling out a form)* néant; **n. of them** aucun d'eux; **she has n. (at all)** elle n'en a pas (du tout); **n. came** pas un(e) seul(e) n'est venu(e); **n. can tell** personne ne peut le dire; **n. of it** *or* **this** rien (de ceci) **2** *adv* **n. too hot** pas très chaud; **he's n. the wiser (for it)** il n'est pas plus avancé ▪**nonethe'less** *adv* néanmoins

nonentity [nɒ'nentɪtɪ] **(***pl* **-ies)** *n (person)* nullité *f*

nonexistent [nɒnɪg'zɪstənt] *adj* inexistant

non-fiction [nɒn'fɪkʃən] *n* ouvrages *mpl* généraux

nonflammable [nɒn'flæməbəl] *adj* ininflammable

non-iron [nɒn'aɪən] *adj* qui ne se repasse pas

no-nonsense [nəʊ'nɒnsəns] *adj* direct

nonplus [nɒn'plʌs] *(pt & pp* **-ss-)** *vt* dérouter

non-profit-making [nɒn'prɒfɪtmeɪkɪŋ] *(Am* **non-profit** [nɒn'prɒfɪt]) *adj (organization)* à but non lucratif

nonsense ['nɒnsəns] *n* bêtises *fpl*; **that's n.** c'est absurde ▪**nonsensical** [-'sensɪkəl] *adj* absurde

non-smoker [nɒn'sməʊkə(r)] *n (person)* non-fumeur, -euse *mf* ▪**non-smoking** *adj (area)* non-fumeurs

nonstick ['nɒn'stɪk] *adj (pan)* qui n'attache pas

non-stop ['nɒn'stɒp] **1** *adj* sans arrêt; *(train, flight)* sans escale **2** *adv (work)* sans arrêt; *(fly)* sans escale

noodles ['nuːdəlz] *npl* nouilles *fpl*; *(in soup)* vermicelles *mpl*

nook [nʊk] *n* coin *m*; **in every n. and cranny** dans le moindre recoin

noon [nuːn] **1** *n* midi *m*; **at n.** à midi **2** *adj (sun)* de midi

no-one ['nəʊwʌn] *pron* = **nobody**

noose [nuːs] *n* nœud *m* coulant

nor [nɔː(r)] *conj* ni; **neither you n. me** ni toi ni moi; **she neither drinks n. smokes** elle ne fume ni ne boit; **n. do I/n. can I/***etc* (ni) moi non plus; **n. will I (go)** je n'y irai pas non plus

norm [nɔːm] *n* norme *f*

normal ['nɔːməl] **1** *adj* normal **2** *n* **above/ below n.** au-dessus/au-dessous de la normale ▪**normality** [-'mælɪtɪ] *n* normalité *f* ▪**normalize** *vt* normaliser ▪**normally** *adv* normalement

Norman ['nɔːmən] *adj* normand ▪**Normandy** *n* la Normandie

north [nɔːθ] **1** *n* nord *m*; **(to the) n. of** au nord de **2** *adj (coast)* nord *inv*; *(wind)* du nord; **N. America/Africa** Amérique *f*/Afrique *f* du Nord; **N. American** *adj* nord-américain; *n* Nord-Américain, -aine *mf* **3** *adv* au nord; *(travel)* vers le nord ▪**northbound** *adj (traffic)* en direction du nord; *Br (carriageway)* nord *inv* ▪**'north-'east** *n & adj* nord-est *(m)* ▪**northerly** ['nɔːðəlɪ] *adj (point)* nord *inv*; *(direction, wind)* du nord ▪**northern** ['nɔːðən] *adj (coast)* nord *inv*; *(town)* du nord; **n. France** le nord de la France; **n. Europe** l'Europe *f* du Nord; **N. Ireland** l'Irlande *f* du Nord ▪**northerner** ['nɔːðənə(r)] *n* habitant, -ante *mf* du Nord ▪**northward(s)** *adj & adv* vers le nord ▪**north-'west** *n & adj* nord-ouest *(m)*

Norway ['nɔːweɪ] *n* la Norvège ▪**Norwegian** [-'wiːdʒən] **1** *adj* norvégien, -ienne **2** *n (person)* Norvégien, -ienne *mf*; *(language)* norvégien *m*

nose [nəʊz] **1** *n* nez *m*; **her n. is bleeding** elle saigne du nez; *Fig* **to turn one's n. up** faire le dégoûté (**at** devant) **2** *vi Fam* **to n. about** fouiner ▪**nosebleed** *n* saignement *m* de nez; **to have a n.** saigner du nez ▪**nose-dive** *n (of aircraft)* piqué *m*; *(in prices)* chute *f*

nosey ['nəʊzɪ] **(-ier, -iest)** *adj Fam* indiscret, -ète

nosh [nɒʃ] *Br Fam* **1** *n (light meal)* en-cas *m*; *(food)* bouffe *f* **2** *vi (have a light meal)* grignoter; *(eat)* bouffer

no-smoking [nəʊ'sməʊkɪŋ] *adj (carriage, area)* non-fumeurs

nostalgia [nɒ'stældʒɪə] n nostalgie f ▪**nostalgic** adj nostalgique
nostril ['nɒstrəl] n narine f
nosy ['nəʊzɪ] adj = **nosey**
not [nɒt] adv

À l'oral, et à l'écrit dans un style familier, on utilise généralement **not** à la forme contractée lorsqu'il suit un modal ou un auxiliaire (**don't go!; she wasn't there; he couldn't see me**).

(**a**) (ne) pas; **he's n. there, he isn't there** il n'est pas là; **n. yet** pas encore; **why n.?** pourquoi pas?; **n. one reply** pas une seule réponse; **n. at all** pas du tout; (after 'thank you') je vous en prie (**b**) non; **I think/hope n.** je pense/j'espère que non; **n. guilty** non coupable; **isn't she?/ don't you?**/etc non?
notable ['nəʊtəbəl] adj & n notable (m) ▪**notably** adv (noticeably) notablement; (particularly) notamment
notary ['nəʊtərɪ] (pl -**ies**) n Law notaire m
notation [nəʊ'teɪʃən] n notation f
notch [nɒtʃ] **1** n (in wood) encoche f; (in belt, wheel) cran m **2** vt **to n. up** (points) marquer; (victory) remporter
note [nəʊt] **1** n (information, reminder) & Mus note f; Br (banknote) billet m; (letter) mot m; **to take (a). n. of sth, to make a n. of sth** prendre note de qch; **actor of n.** acteur m remarquable **2** vt (notice) remarquer, noter; **to n. sth down** (word, remark) noter qch ▪**notebook** n carnet m; (for school) cahier m; (pad) bloc-notes m ▪**notepad** n bloc-notes m ▪**notepaper** n papier m à lettres
noted ['nəʊtɪd] adj éminent; **to be n. for one's beauty** être connu pour sa beauté
noteworthy ['nəʊtwɜːðɪ] adj remarquable
nothing ['nʌθɪŋ] **1** pron (ne) rien; **he knows n.** il ne sait rien; **n. happened** il ne s'est rien passé; **n. at all** rien du tout; **n. big** rien de grand; **n. much** pas grand-chose; **n. but problems** rien que des problèmes; **to have n. to do** n'avoir rien à faire; **I've got n. to do with it** je n'y suis pour rien; **I can do n. about it** je n'y peux rien; **there's n. like it** il n'y a rien de tel; **for n.** (in vain, free of charge) pour rien; **to have n. on** être tout nu **2** adv **to look n. like sb** ne ressembler nullement à qn; **n. like as large** loin d'être aussi grand **3** n a (mere) n. (person) une nullité; (thing) un rien; **to come to n.** être anéanti
notice ['nəʊtɪs] **1** n (notification) avis m; (in newspaper) annonce f; (sign) pancarte f, écriteau m; (poster) affiche f; (review of film) critique f; (advance) n. préavis m; **to give sb (advance) n.** (inform) avertir qn (of de); (to quit), n. (of dismissal) congé m; **to give (in) one's n.** (resign) donner sa démission; **to take n.** faire attention (of à); **to bring sth to sb's n.** porter qch à la connaissance de qn; **until**

further n. jusqu'à nouvel ordre; **at short n.** au dernier moment **2** vt remarquer (**that** que); **to get noticed** se faire remarquer **3** vi remarquer ▪**noticeboard** n Br tableau m d'affichage

Note that the French word **notice** is a false friend and is never a translation for the English word **notice**. Its most common meaning is **directions for use.**

noticeable ['nəʊtɪsəbəl] adj perceptible
notify ['nəʊtɪfaɪ] (pt & pp -**ied**) vt (inform) avertir (**sb of sth** qn de qch); (announce) notifier (**to** à) ▪**notification** [-fɪ'keɪʃən] n avis m
notion ['nəʊʃən] n notion f; **to have some n. of sth** avoir quelques notions de qch; **to have a n. that…** avoir dans l'idée que… ▪**notions** npl Am (sewing articles) mercerie f
notorious [nəʊ'tɔːrɪəs] adj tristement célèbre; (stupidity, criminal) notoire ▪**notoriety** [-tə-'raɪətɪ] n triste notoriété f
notwithstanding [nɒtwɪð'stændɪŋ] Formal **1** prep en dépit de **2** adv néanmoins
nougat ['nuːgɑː] n nougat m
nought [nɔːt] n Br Math zéro m; Br **noughts and crosses** (game) ≃ morpion m
noun [naʊn] n Grammar nom m
nourish ['nʌrɪʃ] vt nourrir ▪**nourishing** adj nourrissant ▪**nourishment** n nourriture f
novel ['nɒvəl] **1** n roman m **2** adj (new) nouveau (f nouvelle), original ▪**novelist** n romancier m, -ière mf ▪**novelty** n nouveauté f

Note that the French noun **nouvelle** is a false friend. It means **short story.**

November [nəʊ'vembə(r)] n novembre m
novice ['nɒvɪs] n (beginner) débutant, -ante mf (**at** en)
now [naʊ] **1** adv maintenant; **right n.** en ce moment; **for n.** pour le moment; **even n.** encore maintenant; **from n. on** désormais; **until n., up to n.** jusqu'ici, jusqu'à maintenant; **before n.** avant; **n. and then** de temps à autre; **n. hot, n. cold** tantôt chaud, tantôt froid; **she ought to be here by n.** elle devrait déjà être ici; **n. n.!** allons, allons! **2** conj **n. (that)…** maintenant que…
nowadays ['naʊədeɪz] adv de nos jours
nowhere ['nəʊweə(r)] adv nulle part; **n. else** nulle part ailleurs; **it's n. I know** ce n'est pas un endroit que je connais; **n. near the house** loin de la maison; **n. near enough** loin d'être assez
nozzle ['nɒzəl] n embout m; (of hose) jet m; (of petrol pump) pistolet m
NSPCC [enespiː'siː'siː] (abbr **National Society for the Prevention of Cruelty to Children**) n Br = association britannique de protection de l'enfance
nuance ['njuːɑːns] n nuance f

nub [nʌb] *n (of problem)* cœur *m*

nuclear ['njuːklɪə(r)] *adj* nucléaire; **n. bomb** bombe *f* atomique; **n. power** (énergie *f*) nucléaire *f*; *Br* **n. power station**, *Am* **n. power plant** centrale *f* nucléaire; **n. scientist** chercheur, -euse *mf* en physique nucléaire

nucleus ['njuːklɪəs] (*pl* **-clei** [-klɪaɪ]) *n* noyau *m* (*pl* -aux)

nude [njuːd] **1** *adj* nu **2** *n* nu *m*; **in the n.** tout nu (*f* toute nue)

nudge [nʌdʒ] **1** *n* coup *m* de coude **2** *vt* pousser du coude

nudism ['njuːdɪzəm] *n* nudisme *m* ▪**nudist** *n* nudiste *mf*; **n. camp** camp *m* de nudistes

nudity ['njuːdɪtɪ] *n* nudité *f*

nugget ['nʌgɪt] *n (of gold)* pépite *f*

nuisance ['njuːsəns] *n* **to be a n.** être embêtant; **to make a n. of oneself** embêter le monde

null [nʌl] *adj* **n. (and void)** nul (et non avenu) (*f* nulle (et non avenue))

numb [nʌm] **1** *adj (stiff) (hand)* engourdi; *Fig (with fear)* paralysé; *(with shock, horror)* hébété; **n. with cold** engourdi par le froid **2** *vt* engourdir; *Fig (of fear)* paralyser; *(of shock)* hébéter ▪**numbness** *n (of hand)* engourdissement *m*

number ['nʌmbə(r)] **1** *n* nombre *m*; *(of page, house, telephone)* numéro *m*; *(song)* chanson *f*; **a/any n. of** un certain/grand nombre de **2** *vt (assign number to)* numéroter; *(count)* compter; **they n. eight** ils sont au nombre de huit ▪**numbering** *n* numérotage *m* ▪**number-plate** *n Br* plaque *f* d'immatriculation

numeral ['njuːmərəl] **1** *n* chiffre *m* **2** *adj* numéral

numerate ['njuːmərət] *adj* **to be n.** savoir compter

numerical [njuːˈmerɪkəl] *adj* numérique

numerous ['njuːmərəs] *adj* nombreux, -euse

nun [nʌn] *n* religieuse *f*

nurse [nɜːs] **1** *n* infirmière *f*; *(for children)* nurse *f* **2** *vt (look after)* soigner; *(suckle)* allaiter; *(cradle)* bercer; *Fig (feeling)* nourrir ▪**nursing 1** *adj* **the n. staff** le personnel soignant **2** *n (care)* soins *mpl*; *(job)* profession *f* d'infirmière; *Br* **n. home** *(for old people)* maison *f* de retraite

nursery ['nɜːsərɪ] (*pl* **-ies**) *n (children's room)* chambre *f* d'enfants; *(for plants, trees)* pépinière *f*; **(day) n.** *(school)* garderie *f*; *Br* **n. education** enseignement *m* en maternelle; **n. nurse** puéricultrice *f*; **n. rhyme** comptine *f*; **n. school** école *f* maternelle

nurture ['nɜːtʃə(r)] *vt (educate)* éduquer

nut¹ [nʌt] *n (fruit)* = noix, noisette ou autre fruit sec de cette nature; **Brazil n.** noix *f* du Brésil ▪**nutcrackers** *npl* casse-noix *m inv* ▪**nutshell** *n* coquille *f* de noix; *Fig* **in a n.** en un mot

nut² [nʌt] *n (for bolt)* écrou *m*; *Fam (head)* caboche *f*

nut³ [nʌt] *n Fam (crazy person)* cinglé, -ée *mf* ▪**nutcase** *n Fam* cinglé, -ée *mf* ▪**nuts** *adj Fam (crazy)* cinglé ▪**nutter** *n Br Fam (crazy person)* cinglé, -eé *mf*

nutmeg ['nʌtmeg] *n* muscade *f*

nutrient ['njuːtrɪənt] *n* élément *m* nutritif

nutrition [njuːˈtrɪʃən] *n* nutrition *f* ▪**nutritional** *adj* nutritionnel, -elle

nutritious [njuːˈtrɪʃəs] *adj* nutritif, -ive

nylon ['naɪlɒn] *n* Nylon® *m*; **n. shirt** chemise *f* en Nylon®

nymph [nɪmf] *n* nymphe *f* ▪**nymphomaniac** [nɪmfəˈmeɪnɪæk] *n* nymphomane *f*

O, o [əʊ] *n (letter)* O, o *m inv*; *Br Sch Formerly* **O-level** = diplôme de fin de premier cycle de l'enseignement secondaire sanctionnant une matière particulière

oaf [əʊf] *n* balourd *m* ▪ **oafish** *adj* lourdaud

oak [əʊk] *n (tree, wood)* chêne *m*; **o. table** table *f* en chêne

OAP [əʊeɪ'piː] *(abbr* old age pensioner) *n Br* retraité, -ée *mf*

oar [ɔː(r)] *n* aviron *m*, rame *f*

oasis [əʊ'eɪsɪs] *(pl* oases [əʊ'eɪsiːz]) *n* oasis *f*

oath [əʊθ] *(pl* -s [əʊðz]) *n (promise)* serment *m*; *(profanity)* juron *m*; **to take an o. to do sth** faire le serment de faire qch

oatmeal ['əʊtmiːl] *n Br (flour)* farine *f* d'avoine; *Am (porridge)* bouillie *f* d'avoine

oats [əʊts] *npl* avoine *f*, **(porridge) o.** flocons *mpl* d'avoine

obedient [ə'biːdɪənt] *adj* obéissant ▪ **obedience** *n* obéissance *f* **(to** à) ▪ **obediently** *adv* docilement

obelisk ['ɒbəlɪsk] *n* obélisque *m*

obese [əʊ'biːs] *adj* obèse ▪ **obesity** *n* obésité *f*

obey [ə'beɪ] **1** *vt* obéir à; **to be obeyed** être obéi **2** *vi* obéir

obituary [ə'bɪtʃʊərɪ] *(pl* -ies) *n* nécrologie *f*

object¹ ['ɒbdʒɪkt] *n (thing)* objet *m*; *(aim)* but *m*, objet; *Grammar* complément *m* d'objet; **money is no o.** le prix importe peu

object² [əb'dʒekt] **1** *vt* **to o. that...** objecter que... **2** *vi* émettre une objection; **to o. to sth/to doing sth** ne pas être d'accord avec qch/pour faire qch; **I o.!** je proteste!; **she didn't o. when...** elle n'a fait aucune objection quand...

objection [əb'dʒekʃən] *n* objection *f*; **I've got no o.** je n'y vois pas d'objection

objectionable [əb'dʒekʃənəbəl] *adj* déplaisant

objective [əb'dʒektɪv] **1** *adj (impartial)* objectif, -ive **2** *n (aim, target)* objectif *m* ▪ **objectively** *adv* objectivement ▪ **objectivity** [ɒbdʒek'tɪvɪtɪ] *n* objectivité *f*

objector [əb'dʒektə(r)] *n* opposant, -ante *mf* **(to** à)

obligation [ɒblɪ'geɪʃən] *n* obligation *f*; **to be under an o. to do sth** être dans l'obligation de faire qch; **to be under an o. to sb** avoir une dette envers qn ▪ **obligatory** *adj* obligatoire

oblige [ə'blaɪdʒ] *vt (a) (compel)* obliger; **to o. sb to do sth** obliger qn à faire qch (**b**) *(help)* rendre service à; **to be obliged to sb** être reconnaissant à qn (**for** de); **much obliged!** merci infiniment! ▪ **obliging** *adj* serviable ▪ **obligingly** *adv* obligeamment

oblique [ə'bliːk] *adj (line, angle, look)* oblique; *(reference, route)* indirect

obliterate [ə'blɪtəreɪt] *vt* effacer

oblivion [ə'blɪvɪən] *n* oubli *m* ▪ **oblivious** *adj* inconscient (**to** or **of** de)

oblong ['ɒblɒŋ] **1** *adj (elongated)* oblong (*f* oblongue); *(rectangular)* rectangulaire **2** *n* rectangle *m*

obnoxious [əb'nɒkʃəs] *adj (person, behaviour)* odieux, -ieuse; *(smell)* nauséabond

oboe ['əʊbəʊ] *n* hautbois *m*

obscene [əb'siːn] *adj* obscène ▪ **obscenity** [əb'senətɪ] *(pl* -ies) *n* obscénité *f*

obscure [əb'skjʊə(r)] **1** *adj* obscur **2** *vt (hide)* cacher; *(confuse)* obscurcir ▪ **obscurely** *adv* obscurément ▪ **obscurity** *n* obscurité *f*

obsequious [əb'siːkwɪəs] *adj* obséquieux, -ieuse

observance [əb'zɜːvəns] *n (of rule, custom)* observation *f*

observation [ɒbzə'veɪʃən] *n (observing, remark)* observation *f*; *(by police)* surveillance *f*; **under o.** *(hospital patient)* en observation ▪ **observant** *adj* observateur, -trice

observatory [əb'zɜːvətərɪ] *(pl* -ies) *n* observatoire *m*

observe [əb'zɜːv] *vt* observer; **to o. the speed limit** respecter la limitation de vitesse ▪ **observer** *n* observateur, -trice *mf*

obsess [əb'ses] *vt* obséder ▪ **obsession** *n* obsession *f*; **to have an o. with** or **about sth** avoir l'obsession de qch; **to have an o. with sb** être obsédé par qn ▪ **obsessive** *adj (memory, idea)* obsédant; *(person)* obsessionnel, -elle; **to be o. about sth** être obsédé par qch

obsolete ['ɒbsəliːt] *adj* obsolète; *(design, model)* dépassé ▪ **obsolescence** [-'lesəns] *n* obsolescence *f*; **built-in o.** *(of car, computer)* obsolescence *f* programmée

obstacle ['ɒbstəkəl] *n* obstacle *m*; **o. course** parcours *m* d'obstacles; *Fig* parcours du combattant

obstetrician [ɒbstə'trɪʃən] *n Med* obstétricien, -ienne *mf* ▪ **ob'stetrics** [ɒb'stetrɪks] *n Med* obstétrique *f*

obstinate ['ɒbstɪnət] *adj* obstiné; **to be o. about doing sth** s'obstiner à vouloir faire qch ▪ **obstinacy** *n* obstination *f* ▪ **obstinately** *adv* obstinément

obstreperous [əb'strepərəs] *adj* tapageur, -euse

obstruct [əb'strʌkt] *vt* (*block*) (*road, pipe*) obstruer; (*view*) cacher; (*hinder*) gêner ▪ **obstruction** *n* (*action*) & *Med, Pol & Sport* obstruction *f*; (*obstacle*) obstacle *m*; (*in pipe*) bouchon *m*; (*traffic jam*) encombrement *m* ▪ **obstructive** *adj* **to be o.** faire de l'obstruction

obtain [əb'teɪn] **1** *vt* obtenir **2** *vi Formal* (*of practice*) avoir cours ▪ **obtainable** *adj* (*available*) disponible; (*on sale*) en vente

obtrusive [əb'truːsɪv] *adj* (*person*) importun; (*building*) trop en voyant

obtuse [əb'tjuːs] *adj* (*angle, mind*) obtus

obvious ['ɒbvɪəs] *adj* évident (**that** que); **the o. thing to do is...** la seule chose à faire, c'est de... ▪ **obviously** *adv* (*of course*) évidemment; (*conspicuously*) manifestement

occasion [ə'keɪʒən] **1** *n* (**a**) (*time, opportunity*) occasion *f*; (*event*) événement *m*; **on the o. of...** à l'occasion de...; **on o.** parfois; **on one o.** une fois; **on several occasions** à plusieurs reprises (**b**) *Formal* (*cause*) raison *f* **2** *vt Formal* occasionner

occasional [ə'keɪʒənəl] *adj* occasionnel, -elle; (*showers*) intermittent; **she drinks the o. whisky** elle boit un whisky de temps en temps ▪ **occasionally** *adv* de temps en temps; **very o.** de temps en temps

occult [ə'kʌlt] **1** *adj* occulte **2** *n* **the o.** l'occulte *m*

occupant ['ɒkjʊpənt] *n* (*of house, car*) occupant, -ante *mf*; (*of bus, plane*) passager, -ère *mf*

occupation [ɒkjʊ'peɪʃən] *n* (**a**) (*pastime*) occupation *f*; (*profession*) métier *m* (**b**) (*of house, land*) occupation *f*; **fit for o.** habitable ▪ **occupational** *adj* **o. hazard** risque *m* du métier; **o. disease** maladie *f* professionnelle; **o. therapy** ergothérapie *f*

occupier ['ɒkjʊpaɪə(r)] *n* (*of house*) occupant, -ante *mf*; (*of country*) occupant *m*

occupy ['ɒkjʊpaɪ] (*pt & pp* **-ied**) *vt* (*space, time, attention*) occuper; **to keep oneself occupied** s'occuper (**doing** à faire)

occur [ə'kɜː(r)] (*pt & pp* **-rr-**) *vi* (*happen*) avoir lieu; (*of opportunity*) se présenter; (*be found*) se trouver; **it occurs to me that...** il me vient à l'esprit que...; **the idea occurred to her to...** l'idée lui est venue de...

occurrence [ə'kʌrəns] *n* (**a**) (*event*) événement *m* (**b**) (*of disease*) incidence *f*; *Ling* (*of word*) occurrence *f*

ocean ['əʊʃən] *n* océan *m*; *Am* **the o.** la mer ▪ **oceanic** [əʊʃɪ'ænɪk] *adj* océanique

o'clock [ə'klɒk] *adv* (**it's**) **three o.** (il est) trois heures

octagon ['ɒktəgən] *n* octogone *m* ▪ **oc'tagonal** *adj* octogonal

octave ['ɒktɪv, 'ɒkteɪv] *n Mus* octave *f*

October [ɒk'təʊbə(r)] *n* octobre *m*

octogenarian [ɒktəʊdʒɪ'neərɪən] *n* octogénaire *mf*

octopus ['ɒktəpəs] *n* pieuvre *f*

OD [əʊ'diː] *vi Fam* faire une overdose (**on** de)

odd [ɒd] *adj* (**a**) (*strange*) bizarre, curieux, -ieuse (**b**) (*number*) impair (**c**) (*left over*) **I have an o. penny** il me reste un penny; **to be the o. man out** être à part; **an o. glove/sock** un gant/ une chaussette dépareillé(e); **sixty o.** soixante et quelques (**d**) (*occasional*) **to find the o. mistake** trouver de temps en temps une erreur; **I smoke the o. cigarette** je fume une cigarette de temps en temps; **at o. moments** de temps en temps; **o. jobs** petits travaux *mpl*; *Br* **o. job man** homme *m* à tout faire ▪ **oddly** *adv* bizarrement; **o. enough, he was elected** chose curieuse, il a été élu

oddity ['ɒdɪtɪ] (*pl* **-ies**) *n* (*person*) excentrique *mf*; (*object*) curiosité *f*; **oddities** (*of language, situation*) bizarreries *fpl*

oddment ['ɒdmənt] *n Br Com* fin *f* de série

odds [ɒdz] *npl* (**a**) (*in betting*) cote *f*; (*chances*) chances *fpl*; **we have heavy o. against us** nous avons très peu de chances de réussir; *Fam* **it makes no o.** ça n'a pas d'importance (**b**) (*expressions*) **to be at o.** (**with sb**) être en désaccord (avec qn); *Fam* **o. and ends** des bricoles *fpl*

ode [əʊd] *n* ode *f*

odious ['əʊdɪəs] *adj* odieux, -ieuse

odour [əʊd] (*Am* **odor**) *n* odeur *f* ▪ **odourless** (*Am* **odorless**) *adj* inodore

of [əv, *stressed* ɒv] *prep* de, d'; **of the table** de la table; **of the boy** du garçon; **of the boys** des garçons; **of a book** d'un livre; **of wood/paper** de ou en bois/papier; **she has a lot of it/of them** elle en a beaucoup; **I have ten of them** j'en ai dix; **there are ten of us** nous sommes dix; **a friend of his** un ami à lui, un de ses amis; **that's nice of you** c'est gentil de ta part; **of no value/interest** sans valeur/intérêt; **a man of fifty** un homme de cinquante ans; *Br* **the fifth of June** le cinq juin

off [ɒf] **1** *adj* (*light, gas, radio*) éteint; (*tap*) fermé; (*switched off at mains*) coupé; (*gone away*) parti; (*removed*) enlevé; (*cancelled*) annulé; (*not fit to eat or drink*) mauvais; (*milk, meat*) tourné; **the strike's o.** la grève est annulée; **I'm o. today** j'ai congé aujourd'hui **2** *adv* **to be o.** (*leave*) partir; **where are you o. to?** où vas-tu?; **with my/his/etc gloves o.** sans gants; **a day o.** (*holiday*) un jour de congé; **time o.** du temps libre; **I have today o.** j'ai congé aujourd'hui; **5 percent o.** une réduction de 5 pour cent; **hands o.!** pas touche!; **on and o.,**

o. and on (*sometimes*) de temps à autre
3 *prep* (*from*) de; (*distant*) éloigné de; **to fall o.
the wall/ladder** tomber du mur/de l'échelle; **to
get o. the bus** descendre du bus; **to take sth o.
the table** prendre qch sur la table; **to eat o. a
plate** manger dans une assiette; **to keep** *or*
stay o. the grass ne pas marcher sur la
pelouse; **she's o. her food** elle ne mange plus
rien; **o. Dover** (*ship*) au large de Douvres; **it's o.
limits** c'est interdit ▪ **offbeat** *adj Fam* original
▪ **offchance** *n* **on the o.** à tout hasard ▪ **off-
'colour** (*Am* **off-color**) *adj Br* (*ill*) patraque;
Am (*indecent*) d'un goût douteux ▪ **'off-'duty**
adj qui n'est pas de service ▪ **'off'hand 1** *adj*
(*immediately*) désinvolte **2** *adv* (*immediately*) au pied levé
▪ **off-licence** *n Br* ≃ magasin *m* de vins et de
spiritueux ▪ **'off-'line** *adj Comptr* (*computer*)
autonome; (*printer*) déconnecté ▪ **off-'load** *vt*
(*vehicle*) décharger; **to o. sth onto sb** (*task*) se
décharger de qch sur qn ▪ **off-'peak** *adj*
(*traffic*) aux heures creuses; (*rate, price*) heures
creuses *inv*; **o. hours** heures *fpl* creuses ▪ **'off-
'putting** *adj Br Fam* peu engageant ▪ **offshore**
adj (*waters*) proche de la côte; *Fin* (*account,
investment*) offshore ▪ **off'side** *adj Football* **to
be o.** être hors jeu ▪ **offspring** *n* progéniture *f*
▪ **'off'stage** *adj & adv* dans les coulisses ▪ **'off-
the-'cuff 1** *adj* impromptu **2** *adv* au pied levé
▪ **'off-the-'record** *adj* officieux, -ieuse ▪ **'off-
the-'wall** *adj Fam* loufoque ▪ **'off-'white** *adj*
blanc cassé *inv*

offal ['ɒfəl] *n* abats *mpl*

offence [ə'fens] (*Am* **offense**) *n Law* infraction
f; (*more serious*) délit *m*; **to take o.** s'offenser (**at**
de); **to give o.** (**to sb**) offenser (qn)

offend [ə'fend] *vt* offenser; **to o. the eye/ear**
choquer la vue/l'oreille; **to be offended** (**at
sth**) s'offenser (de qch) ▪ **offender** *n Law*
(*criminal*) délinquant, -ante *mf* ▪ **offending**
adj (*object, remark*) incriminé

offense [ə'fens] *n Am* = **offence**

offensive [ə'fensɪv] **1** *adj* choquant; (*smell*)
repoussant; **to be o. to sb** se montrer blessant
envers qn; *Law* **o. weapon** arme *f* offensive **2** *n*
offensive *f*; **to be on the o.** être passé à
l'offensive

offer ['ɒfə(r)] **1** *n* offre *f*; **to make sb an o.**
faire une offre à qn; **on** (*special*) **o.** en
promotion; **o. of marriage** demande *f* en
mariage **2** *vt* offrir; (*explanation*) donner;
(*apologies*) présenter; **to o. sb sth, to o. sth to
sb** offrir qch à qn; **to o. to do sth** proposer *ou*
offrir de faire qch ▪ **offering** *n* (*gift*) offrande *f*;
(*act*) offre *f*

office ['ɒfɪs] *n* (**a**) (*room*) bureau *m*; *Am* (*of
doctor*) cabinet *m*; (*of lawyer*) étude *f*; **o. block**
or **building** immeuble *m* de bureaux; **o. hours**
heures *fpl* de bureau; **o. manager** chef *m* de
bureau; **o. worker** employé, -ée *mf* de bureau

(**b**) (*position*) fonctions *fpl*; **to be in o.** être au
pouvoir

officer ['ɒfɪsə(r)] *n* (*in the army, navy*) officier *m*;
(**police**) **o.** agent *m* de police

official [ə'fɪʃəl] **1** *adj* officiel, -ielle **2** *n*
responsable *mf*; (*civil servant*) fonctionnaire *mf*
▪ **officially** *adv* officiellement

officiate [ə'fɪʃɪeɪt] *vi* (*preside*) présider; (*of
priest*) officier; **to o. at a wedding** célébrer un
mariage

officious [ə'fɪʃəs] *adj Pej* trop zélé

offing ['ɒfɪŋ] *n* **in the o.** en perspective

offset ['ɒfset, ɒf'set] (*pt & pp* **offset,** *pres p*
offsetting) *vt* (*compensate for*) compenser

offshoot ['ɒfʃuːt] *n* (*of organization*) ramification *f*; (*of family*) branche *f*

often ['ɒf(t)ən] *adv* souvent; **how o.?** combien de
fois?; **how o. do they run?** (*trains, buses*) il y en a
tous les combien?; **every so o.** de temps en temps

ogle ['əʊɡəl] *vt Pej* reluquer

ogre ['əʊɡə(r)] *n* ogre *m*

oh [əʊ] *exclam* oh!, ah!; (*in pain*) aïe!; **oh yes!**
mais oui!; **oh yes?** ah oui?, ah bon?

OHP [əʊeɪtʃ'piː] *n* (*abbr* **overhead projector**) *n*
rétroprojecteur *m*

oil [ɔɪl] **1** *n* (*for machine, cooking*) huile *f*;
(*petroleum*) pétrole *m*; (*fuel*) mazout *m*; **to
paint in oils** faire de la peinture à l'huile **2** *adj*
(*industry, product*) pétrolier, -ière; (*painting,
paint*) à l'huile; **o. change** (*in vehicle*) vidange *f*;
o. lamp lampe *f* à pétrole; **o. refinery** raffinerie
f de pétrole; **o. slick** (*on sea*) nappe *f* de pétrole;
(*on beach*) marée *f* noire; **o. tanker** (*ship*)
pétrolier *m*; (*lorry*) camion-citerne *m* **3** *vt*
(*machine*) huiler ▪ **oilcan** *n* burette *f* ▪ **oilfield**
n gisement *m* de pétrole ▪ **oil-fired** *adj* (*central
heating*) au mazout ▪ **oil-producing** *adj*
producteur, -trice de pétrole ▪ **oily** (*compar* **-ier,** *superl* **-iest**)
adj (*hands, rag*) graisseux, -euse; (*skin, hair*)
gras (*f* grasse); (*food*) huileux, -euse

ointment ['ɔɪntmənt] *n* pommade *f*

OK, okay [əʊ'keɪ] **1** *adj & adv* = **all right 2** (*pt
& pp* **OKed, okayed,** *pres p* **OKing, okaying**) *vt*
donner le feu vert à

old [əʊld] **1** (**-er, -est**) *adj* vieux (*f* vieille);
(*former*) ancien, -ienne; **how o. is he?** quel
âge a-t-il?; **he's ten years o.** il a dix ans; **he's
older than me** il est plus âgé que moi; **an
older son** un fils aîné; **the oldest son** le fils
aîné; **o. enough to do sth** assez grand pour
faire qch; **o. enough to marry/vote** en âge de
se marier/de voter; **to get** *or* **grow old(er)**
vieillir; **o. age** vieillesse *f*; *Pej* **o. maid** vieille
fille *f*; **o. man** vieillard *m*, vieil homme *m*; **o.
people** les personnes *fpl* âgées; **o. people's
home** maison *f* de retraite; **o. woman** vieille
femme *f*; **the O. World** l'Ancien Monde; *Fam*
any o. how n'importe comment **2** *npl* **the o.**
les personnes *fpl* âgées

olden ['əʊldən] adj **in the o. days** jadis

old-fashioned [əʊld'fæʃənd] adj (out-of-date) démodé; (person) vieux jeu inv; (traditional) d'autrefois

old-timer [əʊld'taɪmə(r)] n Fam (old man) ancien m

olive ['ɒlɪv] 1 n (fruit) olive f 2 adj **o. (green)** vert olive inv; **o. oil** huile f d'olive; **o. tree** olivier m

Olympic [ə'lɪmpɪk] adj **the O. Games** les jeux mpl Olympiques

ombudsman ['ɒmbʊdzmən] (pl -men) n ≃ médiateur m de la République

omelet(te) ['ɒmlɪt] n omelette f; **cheese o.** omelette au fromage

omen ['əʊmən] n augure m

ominous ['ɒmɪnəs] adj inquiétant; (event) de mauvais augure; (tone, sky) menaçant; (noise) sinistre

omit [əʊ'mɪt] (pt & pp -tt-) vt omettre (**to do** de faire) ▪ **omission** n omission f

omnipotent [ɒm'nɪpətənt] adj omnipotent

omniscient [ɒm'nɪsɪənt] adj omniscient

on [ɒn] 1 prep (a) (expressing position) sur; **on the chair** sur la chaise; **on page 4** à la page 4; **on the right/left** à droite/gauche; **to put on (to) sth** mettre sur qch; **to look out on to sth** donner sur qch (b) (about) sur; **an article on sth** un article sur qch (c) (expressing manner or means) **on foot** à pied; **on the blackboard** au tableau; **on the radio** à la radio; **on the train/ plane** dans le train/l'avion; **to be on** (course) suivre; (project) travailler à; (salary) toucher; (team, committee) faire partie de; **to keep** or **stay on** (road, path) suivre; Fam **it's on me!** (I'll pay) c'est moi pour moi! (d) (with time) **on Monday** lundi; **on Mondays** le lundi; **on May 3rd** le 3 mai; **on the evening of May 3rd** le 3 mai au soir; **on my arrival** à mon arrivée (e) (+ present participle) en; **on learning that...** en apprenant que...; **on seeing this** en voyant ceci

2 adv (ahead) en avant; (in progress) en cours; (lid, brake) mis; (light, radio) allumé; (gas, tap) ouvert; (machine) en marche; **she has her hat on** elle a mis son chapeau; **he has something/nothing on** il est habillé/tout nu; **I've got something on** (I'm busy) je suis pris; **the strike is on** la grève aura lieu; **what's on?** (on TV) qu'est-ce qu'il y a à la télé?; (in theatre, cinema) qu'est-ce qu'on joue?; **is the meeting still on?** la réunion doit-elle toujours avoir lieu?; **to play on** continuer à jouer; **he went on and on about it** il n'en finissait pas; Fam **that's just not on!** c'est inadmissible!; **I've been on to him** (on phone) je l'ai eu au bout du fil; **to be on to sb** (of police) être sur la piste de qn; **to be on at sb** s'en prendre à qn (**to do** pour qu'il fasse); **I've been on at them for months to get it fixed**

ça fait des mois que je suis sur leur dos pour qu'ils le fassent réparer ▪ **on-coming** adj (vehicle) qui vient en sens inverse ▪ **'on'going** adj (project, discussion) en cours

once [wʌns] 1 adv (on one occasion) une fois; (formerly) autrefois; **o. a month** une fois par mois; **o. again, o. more** encore une fois; **o. and for all** une fois pour toutes; **o. upon a time** il était une fois; **at o.** (immediately) tout de suite; **all at o.** (suddenly) tout à coup; (at the same time) à la fois 2 conj une fois que; **o. he reached home,** he collapsed une fois arrivé chez lui, il s'effondra 2 n Fam **to give sth the o.** jeter un coup d'œil à qch

one [wʌn] 1 adj (a) un, une; **o. man** un homme; **o. woman** une femme; **page o.** la page un; **twenty-o.** vingt et un (b) (only) seul; **my o. (and only) aim** mon seul (et unique) but (c) (same) le même (f la même); **in the o. bus** dans le même bus

2 pron (a) un, une; **do you want o.?** en veux-tu (un)?; **he's o. of us** il est des nôtres; **o. of them** l'un d'eux, l'une d'elles; **a big/small o.** un grand/petit; **this book is o. that I've read** ce livre est parmi ceux que j'ai lus; **I'm a teacher and she's o. too** je suis professeur et elle aussi; **this o.** celui-ci, celle-ci; **that o.** celui-là, celle-là; **the o. who/which...** celui/celle qui...; Br Fam **it's Paul's o.** c'est celui de Paul; Br Fam **it's my o.** c'est le mien/la mienne; **another o.** un(e) autre; **I for o.** pour ma part (b) (impersonal) on; **o. knows** on sait; **it helps o.** ça vous aide; **o.'s family** sa famille ▪ **'one-'armed** adj (person) manchot ▪ **'one-'eyed** adj borgne ▪ **one-legged** ['wʌnlegɪd] adj unijambiste ▪ **one-man** adj (business, office) pour un seul homme; **o.-show** one-man m inv ▪ **one-night stand** n Fam (sexual encounter) rencontre m sans lendemain ▪ **'one-'off** (Am **'one-of-a-'kind**) adj Fam unique ▪ **one-parent 'family** n famille f monoparentale ▪ **'one-'sided** adj (biased) partial; (contest) inégal; (decision) unilatéral ▪ **one-time** adj (former) ancien, -ienne ▪ **'one-to-'one** (Am **'one-on-'one**) adj (discussion) en tête-à-tête ▪ **one-track 'mind** n **to have a o.** avoir une idée fixe ▪ **one-'upmanship** n Fam = tendance à s'affirmer supérieur aux autres ▪ **one-way** adj (street) à sens unique; (traffic) en sens unique; **o. ticket** billet m simple

onerous ['əʊnərəs] adj (task) difficile; (taxes) lourd

> Note that the French word **onéreux** is a false friend and is never a translation for the English word **onerous**. It means **expensive**.

oneself [wʌn'self] pron soi-même; (reflexive) se, s'; **to cut o.** se couper; **to do sth all by o.** faire qch tout seul

onion [ˈʌnjən] *n* oignon *m*

online, on-line [ˈɒnˈlaɪn] *adj Comptr* en ligne; **to go o.** se connecter; **o. banking** banque *f* par Internet; **o. forum** forum *m* de discussion; **o. shopping** achats *mpl* sur Internet

onlooker [ˈɒnlʊkə(r)] *n* spectateur, -trice *mf*

only [ˈəʊnlɪ] **1** *adj* seul; **the o. house** la seule maison; **the o. one** le seul, la seule; **an o. son** un fils unique **2** *adv* seulement, ne… que; **I o. have ten, I have ten o.** je n'en ai que dix, j'en ai dix seulement; **if o.** si seulement; **not o.** non seulement; **I have o. just seen it** je viens tout juste de le voir; **o. he knows** lui seul le sait **3** *conj Fam (but)* mais

onset [ˈɒnset] *n (of disease, winter)* début *m*; *(of old age)* approche *f*

onslaught [ˈɒnslɔːt] *n* attaque *f* (**on** contre)

onto [ˈɒntuː, *unstressed* ˈɒntə] *prep* = **on to**

onus [ˈəʊnəs] *n inv* **the o. is on you to…** c'est à vous qu'il incombe de…

onward(s) [ˈɒnwəd(z)] *adv* en avant; **from that day o.** à partir de ce jour-là

onyx [ˈɒnɪks] *n* onyx *m*

ooze [uːz] **1** *vt* laisser suinter **2** *vi* **to o. (out)** suinter

opal [ˈəʊpəl] *n* opale *f*

opaque [əʊˈpeɪk] *adj* opaque; *Fig (unclear)* obscur

open [ˈəʊpən] **1** *adj* ouvert; *(site, view, road)* dégagé; *(meeting)* public, -ique; *(competition)* ouvert à tous; *(post, job)* vacant; *(attempt, envy)* manifeste; *(airline ticket)* open *inv*; **in the o. air** au grand air; **in (the) o. country** en rase campagne; **o. spaces** *(parks)* espaces *mpl* verts; **it's o. to doubt** c'est douteux; **to be o. to** *(criticism, attack)* exposé à; *(ideas, suggestions)* ouvert à; **I've got an o. mind on it** je n'ai pas d'opinion arrêtée là-dessus; **to leave sth o.** *(date)* ne pas préciser qch

2 *n* (out) in the o. *(outside)* dehors; **to sleep (out) in the o.** dormir à la belle étoile; **to bring sth (out) into the o.** *(reveal)* divulguer qch

3 *vt* ouvrir; *(conversation)* entamer; *(arms, legs)* écarter; **to o. sth out** *(paper, map)* ouvrir qch; **to o. sth up** *(door, shop)* ouvrir qch

4 *vi* *(of flower, door, eyes)* s'ouvrir; *(of shop, office, person)* ouvrir; *(of play)* débuter; *(of film)* sortir; **to o. on to sth** *(of window)* donner sur qch; **to o. out** *(of flower)* s'ouvrir; *(widen)* s'élargir; **to o. up** *(of flower, person)* s'ouvrir; *(of shopkeeper, shop)* ouvrir ▪ **open-'air** *adj (pool)* en plein air ▪ **'open-'heart** *adj (operation)* à cœur ouvert ▪ **'open-'minded** *adj* à l'esprit ouvert ▪ **'open-'necked** *adj (shirt)* sans cravate ▪ **'open-'plan** *adj (office)* paysager, -ère

opening [ˈəʊpənɪŋ] **1** *n* ouverture *f*; *(of flower)* éclosion *f*; *(job, trade outlet)* débouché *m*; *(opportunity)* occasion *f* favorable; **late-night o.** *(of shops)* nocturne *f* **2** *adj (time, hours,*

speech) d'ouverture; **o. night** *(of play, musical)* première *f*

openly [ˈəʊpənlɪ] *adv* ouvertement ▪ **openness** *n (frankness)* franchise *f*

opera [ˈɒprə] *n* opéra *m*; **o. glasses** jumelles *fpl* de théâtre; **o. house** opéra *m*

operate [ˈɒpəreɪt] **1** *vt (machine)* faire fonctionner; *(service)* assurer **2** *vi* (**a**) **to o. on sb** *(of surgeon)* opérer qn (**de** qch); **to be operated on** se faire opérer (**b**) *(of machine)* fonctionner; *(of company)* opérer ▪ **operating** *adj* **o. costs** frais *mpl* d'exploitation; *Br* **o. theatre**, *Am* **o. room** salle *f* d'opération; *Comptr* **o. system** système *m* d'exploitation

operation [ɒpəˈreɪʃən] *n Med, Mil & Math* opération *f*; *(of machine)* fonctionnement *m*; **in o.** *(machine)* en service; *(plan)* en vigueur; **to have an o.** se faire opérer (**on** *or* **for** de) ▪ **operational** *adj* opérationnel, -elle

operative [ˈɒpərətɪv] **1** *adj (scheme, measure, law)* en vigueur; *Med* opératoire **2** *n (worker)* ouvrier, -ière *mf*

operator [ˈɒpəreɪtə(r)] *n (on phone, machine)* opérateur, -trice *mf*

opinion [əˈpɪnjən] *n* opinion *f*; **to form an o.** se faire une opinion; **in my o.** à mon avis ▪ **opinionated** *adj* dogmatique

opium [ˈəʊpɪəm] *n* opium *m*

opponent [əˈpəʊnənt] *n* adversaire *mf*

opportune [ˈɒpətjuːn] *adj* opportun

opportunism [ɒpətjuːˈnɪzəm, -ˈtjuːnɪzəm] *n* opportunisme *m*

opportunity [ɒpəˈtjuːnɪtɪ] *(pl* **-ies**) *n* occasion *f* (**to do** *or* **of doing** de faire); **to take the o. to do sth** profiter de l'occasion pour faire qch; **opportunities** *(prospects)* perspectives *fpl*; **equal opportunities** égalité *f* des chances; **to take the o. to do sth** profiter de l'occasion pour faire qch

oppose [əˈpəʊz] *vt* s'opposer à ▪ **opposed** *adj* opposé (**to** à); **as o. to…** par opposition à… ▪ **opposing** *adj (characters, viewpoints)* opposé; *(team)* adverse

opposite [ˈɒpəzɪt] **1** *adj (side)* opposé; *(house, page)* d'en face; **in the o. direction** en sens inverse; **o. number** homologue *mf* **2** *adv* en face; **the house o.** la maison d'en face **3** *prep* **o. (to)** en face de **4** *n* the **o.** le contraire

opposition [ɒpəˈzɪʃən] *n* opposition *f* (**to** à); **the o.** *(rival camp)* l'adversaire *m*; *(in business)* la concurrence; **he put up no/considerable o.** il n'a opposé aucune résistance/a fait preuve d'une résistance acharnée

oppress [əˈpres] *vt (treat cruelly)* opprimer; *(of heat, anguish)* oppresser ▪ **oppressed** *npl* **the o.** les opprimés *mpl* ▪ **oppression** *n* oppression *f* ▪ **oppressive** *adj (heat)* accablant, étouffant; *(weather)* étouffant; *(ruler, regime)* oppressif, -ive ▪ **oppressor** *n* oppresseur *m*

opt [ɒpt] *vi* **to o. for sth** opter pour qch; **to o. to do sth** choisir de faire qch; **to o. out** se désengager (**of** de)

optical ['ɒptɪkəl] *adj* optique; *(instrument, illusion)* d'optique; *Comptr* **o. character reader** lecteur *m* optique de caractères

optician [ɒp'tɪʃən] *n (dispensing)* opticien, -ienne *mf*

optimism ['ɒptɪmɪzəm] *n* optimisme *m* **optimist** *n* optimiste *mf* **opti'mistic** *adj* optimiste (**about** quant à) **opti'mistically** *adv* avec optimisme

optimum ['ɒptɪməm] *adj & n* optimum (*m*) **optimal** *adj* optimal **optimize** *vt* optimiser

option ['ɒpʃən] *n (choice)* choix *m*; *(school subject)* matière *f* à option; **she has no o.** elle n'a pas le choix **optional** *adj* facultatif, -ive; **o. extra** *(on car)* option *f*

opulent ['ɒpjʊlənt] *adj* opulent **opulence** *n* opulence *f*

or [ɔː(r)] *conj* ou; **one or two** un ou deux; **he doesn't drink or smoke** il ne boit ni ne fume; **ten or so** environ dix

oracle ['ɒrəkəl] *n* oracle *m*

oral ['ɔːrəl] 1 *adj* oral 2 *n (exam)* oral *m* **orally** *adv* oralement; *Med* par voie orale

orange ['ɒrɪndʒ] 1 *n (fruit)* orange *f*; **o. drink** boisson *f* à l'orange; **o. juice** jus *m* d'orange; **o. tree** oranger *m* 2 *adj & n (colour)* orange (*m*) *inv*

orang-outang [ɔːræŋuː'tæŋ], **orang-utan** [ɔːræŋuː'tæn] *n* orang-outan(g) *m*

oration [ɔː'reɪʃən] *n* **funeral o.** oraison *f* funèbre

orator ['ɒrətə(r)] *n* orateur *m* **oratory** (*pl* -ies) *n* art *m* oratoire

orbit ['ɔːbɪt] 1 *n (of planet, sphere of influence)* orbite *f* 2 *vt* être en orbite autour de

orchard ['ɔːtʃəd] *n* verger *m*

orchestra ['ɔːkɪstrə] *n* orchestre *m*; *Am* **the o.** *(in theatre)* l'orchestre *m* **orchestral** [ɔː'kestrəl] *adj (music)* orchestral; *(concert)* symphonique **orchestrate** *vt (organize) & Mus* orchestrer

orchid ['ɔːkɪd] *n* orchidée *f*

ordain [ɔː'deɪn] *vt (priest)* ordonner; *Formal* **to o. that...** décréter que...

ordeal [ɔː'diːl] *n* épreuve *f*

order ['ɔːdə(r)] 1 *n (instruction, arrangement) & Rel* ordre *m*; *(purchase)* commande *f*; **in o.** *(passport)* en règle; *(drawer, room)* en ordre; **in numerical o.** en ordre numérique; **in working o.** en état de marche; **in o. of age** par ordre d'âge; **in o. to do sth** afin de faire qch; **in o. that...** afin que... (+ *subjunctive*); **out of o.** *(machine)* en panne; *(telephone)* en dérangement; *Com* **to make** *or* **place an o.** (**with sb**) passer une commande (à qn); **on o.** *(goods)* commandé; **o. form** bon *m* de commande 2 *vt (meal, goods)* commander; *(taxi)* appe-

ler; **to o. sb to do sth** ordonner à qn de faire qch; **to o. sb around** commander qn 3 *vi (in café)* commander; **are you ready to o.?** avez-vous choisi?

orderly ['ɔːdəlɪ] 1 *adj (tidy) (room, life)* ordonné; *(mind)* méthodique; *(crowd)* discipliné; **in an o. fashion** calmement 2 *(pl* -ies) *n (soldier)* planton *m*; *(in hospital)* aide-soignant, -ante *mf*

ordinal ['ɔːdɪnəl] *adj* ordinal

ordinary ['ɔːdənrɪ] *adj* ordinaire; **in o. use** d'usage courant; **in the o. course of events** en temps normal; **in the o. way** normalement; **it's out of the o.** ça sort de l'ordinaire; **she was just an o. tourist** c'était une touriste comme une autre

ordination [ɔːdɪ'neɪʃən] *n Rel* ordination *f*

ordnance ['ɔːdnəns] *n Mil (guns)* artillerie *f*; *Br* **O. Survey** ≃ Institut *m* géographique national

ore [ɔː(r)] *n* minerai *m*

oregano [ɒrɪ'gɑːnəʊ] *n* origan *m*

organ ['ɔːgən] *n* (**a**) *(part of body, newspaper)* organe *m* (**b**) *(musical instrument)* orgue *m*

organic [ɔː'gænɪk] *adj* organique; *(vegetables, farming)* biologique

organism ['ɔːgənɪzəm] *n* organisme *m*

organization [ɔːgənaɪ'zeɪʃən] *n* organisation *f*

organize ['ɔːgənaɪz] *vt* organiser **organizer** *n (person)* organisateur, -trice *mf*; **(personal) o.** *(diary)* agenda *m*; *(electronic)* agenda électronique

orgasm ['ɔːgæzəm] *n* orgasme *m*

orgy ['ɔːdʒɪ] (*pl* -ies) *n* orgie *f*

Orient ['ɔːrɪənt] *n* **the O.** l'Orient *m* **oriental** [ɔːrɪ'entəl] 1 *adj* oriental 2 *n* Oriental, -ale *mf*

orientate ['ɔːrɪənteɪt] (*Am* **orient** ['ɔːrɪənt]) *vt* orienter

orifice ['ɒrɪfɪs] *n* orifice *m*

origin ['ɒrɪdʒɪn] *n* origine *f*

original [ə'rɪdʒɪnəl] 1 *adj (novel, innovative)* original; *(first)* d'origine 2 *n (document, painting)* original *m* **originality** [-'nælɪtɪ] *n* originalité *f* **originally** *adv (at first)* à l'origine; *(in an innovative way)* de façon originale; **where do you come from o.?** d'où êtes-vous originaire?

originate [ə'rɪdʒɪneɪt] 1 *vt* être à l'origine de 2 *vi (begin)* prendre naissance (**in** dans); **to o. from** *(of idea)* émaner de; *(of person)* être originaire de

Orkneys ['ɔːknɪz] *npl* **the O.** les Orcades *fpl*

ornament ['ɔːnəmənt] *n* ornement *m* **ornamental** [-'mentəl] *adj* ornemental **ornamentation** [-men'teɪʃən] *n* ornementation *f*

ornate [ɔː'neɪt] *adj* très orné **ornately** *adv* de façon très orné; **o. decorated** richement décoré

orphan ['ɔːfən] *n* orphelin, -ine *mf*

▪**orphanage** n orphelinat m ▪**orphaned** adj
to be o. devenir orphelin
orthodox [ˈɔːθədɒks] adj orthodoxe
▪**orthodoxy** n orthodoxie f
orthopaedic (Am **orthopedic**) [ɔːθəˈpiːdɪk]
adj orthopédique ▪**orthopaedics** (Am
orthopedics) n orthopédie f
Oscar [ˈɒskə(r)] n Cin oscar m; **the Oscars**
(ceremony) les oscars mpl
oscillate [ˈɒsɪleɪt] vi osciller
ostensibly [ɒˈstensɪblɪ] adv soi-disant
ostentation [ɒstenˈteɪʃən] n ostentation f
▪**ostentatious** [ɒstenˈteɪʃəs] adj prétentieux, -ieuse
osteopath [ˈɒstɪəpæθ] n ostéopathe mf
▪**osteopathy** [-ˈɒpəθɪ] n ostéopathie f
ostracism [ˈɒstrəsɪzəm] n ostracisme m
▪**ostracize** vt frapper d'ostracisme
ostrich [ˈɒstrɪtʃ] n autruche f
other [ˈʌðə(r)] 1 adj autre; **o. doctors** d'autres
médecins; **the o. one** l'autre mf; **I have no o.
gloves than these** je n'ai pas d'autres gants
que ceux-ci 2 pron **the o.** l'autre mf; **(some)
others** d'autres; **some do, others don't** les
uns le font, les autres ne le font pas; **none o.
than, no o. than** nul autre que 3 adv **o. than**
autrement que; **the colour's odd, but o. than
that, it's fine** la couleur est bizarre, mais à
part ça, ça va ▪**otherwise** 1 adv & conj
autrement 2 adj (different) autre
OTT [əʊtiːˈtiː] (abbr **over the top**) adj Br Fam trop
inv
otter [ˈɒtə(r)] n loutre f
ouch [aʊtʃ] exclam aïe!
ought [ɔːt] v aux

La forme négative **ought not** s'écrit **oughtn't**
en forme contractée.

(**a**) (expressing obligation, desirability) **you o. to
leave** tu devrais partir; **I o. to have done it**
j'aurais dû le faire; **he said he o. to stay** il a dit
qu'il devait rester (**b**) (expressing probability) **it
o. to be ready** ça devrait être prêt
ounce [aʊns] n (unit of weight) = 28,35 g, once f;
Fig (bit) once f (**of** de)
our [aʊə(r)] possessive adj notre, pl nos
ours [aʊəz] possessive pron le nôtre, la nôtre, pl
les nôtres; **this book is o.** ce livre est à nous ou
est le nôtre; **a friend of o.** un de nos amis
ourselves [aʊəˈselvz] pron nous-mêmes;
(reflexive and after prep) nous; **we wash o.** nous
nous lavons; **we told you o.** nous vous l'avons
dit nous-mêmes
oust [aʊst] vt évincer (**from** de)
out [aʊt] 1 adv (outside) dehors; (not at home)
sorti; (light, fire) éteint; (flower) ouvert; (book)
publié; (not in fashion) passé de mode; **to go o.**
a lot sortir beaucoup; **to have a day o.** sortir
pour la journée; **5 km o.** (from the shore) à 5
km du rivage; **the sun's o.** il fait soleil; **the
tide's o.** la marée est basse; **the secret is o.**

on a révélé le secret; **you're o.** (wrong) tu t'es
trompé; (in game) tu es éliminé (of de); **I was
£10 o.** (over) j'avais 10 livres de trop; (under) il
me manquait 10 livres; **before the week is o.**
avant la fin de la semaine; **to be o.** to do sth
chercher à faire qch; **the journey o.** l'aller m;
o. here ici; **o. there** là-bas; Tennis **o.!** faute!
2 prep **o. of** (outside) hors de; **5 km o. of** (away
from) à 5 km de; **to be o. of the country** être à
l'étranger; **she's o. of town** elle n'est pas en
ville; **to look/jump o. of the window**
regarder/sauter par la fenêtre; **to drink/take/
copy o. of sth** boire/prendre/copier dans qch;
to feel o. of place ne pas se sentir à sa place;
Fam **to feel o. of it** se sentir hors du coup;
made o. of wood fait en bois; **to make sth o.
of a box/rag** faire qch avec une boîte/un
chiffon; **o. of danger** hors de danger; **o. of
pity/love** par pitié/amour; **four o. of five**
quatre sur cinq ▪**'out-and-'out** adj (cheat,
liar) achevé; (failure) total ▪**out-of-date** adj
(expired) périmé; (old-fashioned) démodé
▪**out-of-'doors** adv dehors ▪**out-of-the-
'way** adj (place) isolé
outbid [aʊtˈbɪd] (pt & pp **-bid**, pres p
outbidding) vt **to o. sb** enchérir avec succès
sur qn
outboard [ˈaʊtbɔːd] adj **o. motor** moteur m
hors-bord inv
outbreak [ˈaʊtbreɪk] n (of war, epidemic) début
m; (of violence) flambée f; (of hostilities)
déclenchement m; (of fever) accès m
outburst [ˈaʊtbɜːst] n (of anger, joy) explosion f;
(of violence) flambée f; (of laughter) éclat m
outcast [ˈaʊtkɑːst] n (social) o. paria m
outcome [ˈaʊtkʌm] n résultat m, issue f
outcry [ˈaʊtkraɪ] (pl **-ies**) n tollé m
outdated [aʊtˈdeɪtɪd] adj démodé
outdo [aʊtˈduː] (pt **-did**, pp **-done**) vt surpasser
(**in** en)
outdoor [ˈaʊtdɔː(r)] adj (life) au grand air;
(game) de plein air; (pool, market) découvert
▪**out'doors** 1 adv dehors 2 n **the great o.** les
grands espaces mpl
outer [ˈaʊtə(r)] adj extérieur; **O. London** la
grande banlieue de Londres; **o. space** l'espace
m intersidéral
outfit [ˈaʊtfɪt] n (clothes) ensemble m; Fam
(group, gang) bande f; Fam (company) boîte f;
sports/ski o. tenue f de sport/de ski
outgoing [ˈaʊtɡəʊɪŋ] adj (**a**) (minister) sortant;
(mail, ship) en partance; **o. calls** (on phone)
appels mpl vers l'extérieur (**b**) (sociable)
sociable ▪**outgoings** npl (expenses) dépenses
fpl
outgrow [aʊtˈɡrəʊ] (pt **-grew**, pp **-grown**) vt
(habit) passer l'âge de; **to o. sb** grandir plus
vite que qn; **she's outgrown her jacket** sa
veste est devenue trop petite pour elle

outhouse ['aʊthaʊs] *n Br (of mansion, farm)* dépendance *f*; *Am (lavatory)* cabinets *mpl* extérieurs

outing ['aʊtɪŋ] *n (excursion)* sortie *f*

outlandish [aʊt'lændɪʃ] *adj (weird)* bizarre; *(barbaric)* barbare

outlast [aʊt'lɑːst] *vt (object)* durer plus longtemps que; *(person)* survivre à

outlaw ['aʊtlɔː] **1** *n* hors-la-loi *m inv* **2** *vt (ban)* proscrire; *(person)* mettre hors la loi

outlay ['aʊtleɪ] *n (expense)* dépenses *fpl*

outlet ['aʊtlet] *n (shop)* point *m* de vente; *(market for goods)* débouché *m*; *(for liquid, of tunnel)* sortie *f*; *(electrical)* prise *f* de courant; *(for feelings, energy)* exutoire *m*; **factory o.** magasin d'usine; **retail o.** point de vente, magasin *m*;

outline ['aʊtlaɪn] **1** *n (shape)* contour *m*; *(of play, novel)* résumé *m*; **rough o.** *(of article, plan)* esquisse *f*; **the broad** *or* **general** *or* **main o.** *(of plan, policy)* les grandes lignes **2** *vt (plan, situation)* esquisser; *(book, speech)* résumer; **to be outlined against sth** se profiler sur qch

outlive [aʊt'lɪv] *vt* survivre à

outlook ['aʊtlʊk] *n inv (for future)* perspectives *fpl*; *(point of view)* façon *f* de voir les choses; *(of weather)* prévisions *fpl*

outlying ['aʊtlaɪɪŋ] *adj (remote)* isolé

outmoded [aʊt'məʊdɪd] *adj* démodé

outnumber [aʊt'nʌmbə(r)] *vt* l'emporter en nombre sur

outpatient ['aʊtpeɪʃənt] *n Br* malade *mf* en consultation externe

outpost ['aʊtpəʊst] *n Mil* avant-poste *m*

output ['aʊtpʊt] **1** *n (of goods)* production *f*; *(computer data)* données *fpl* de sortie; *(computer process)* sortie *f* **2** *(pt & pp* **-put)** *vt* produire; *(data, information)* sortir

outrage ['aʊtreɪdʒ] **1** *n (scandal)* scandale *m*; *(anger)* indignation *f* (**at** face à); *(crime)* atrocité *f* **2** *vt (make indignant)* scandaliser

outrageous [aʊt'reɪdʒəs] *adj (shocking)* scandaleux, -euse; *(atrocious)* atroce; *(dress, hat)* grotesque

outright 1 [aʊt'raɪt] *adv (say, tell)* franchement; *(refuse)* catégoriquement; *(be killed)* sur le coup; **to buy sth o.** acheter qch au comptant **2** ['aʊtraɪt] *adj (failure)* total; *(refusal)* catégorique; *(folly)* pur; *(winner)* incontesté

outset ['aʊtset] *n* **at the o.** au début; **from the o.** dès le départ

outside 1 [aʊt'saɪd] **1** *adv* dehors, à l'extérieur; **to go o.** sortir **2** *prep* à l'extérieur de, en dehors de; *(in front of)* devant; *(apart from)* en dehors de; **o. my room** *or* **door** à la porte de ma chambre; **o. office hours** en dehors des heures de bureau **3** *n* extérieur *m* **4** ['aʊtsaɪd] *adj* extérieur *m*; *(bus or train seat)* côté couloir *inv*; *Br* **the o. lane** *(on road)* la voie de droite, *Am* la

voie de gauche; **an o. chance** une petite chance

outsider [aʊt'saɪdə(r)] *n (stranger)* étranger, -ère *mf*; *(horse in race)* outsider *m*

outskirts ['aʊtskɜːts] *npl* banlieue *f*

outsmart [aʊt'smɑːt] *vt* être plus malin, -igne que

outspoken [aʊt'spəʊkən] *adj (frank)* franc *(f* franche)

outstanding [aʊt'stændɪŋ] *adj* exceptionnel, -elle; *(problem, business)* en suspens; *(debt)* impayé

outstay [aʊt'steɪ] *vt* **to o. one's welcome** abuser de l'hospitalité de son hôte

outstretched [aʊt'stretʃt] *adj (arm)* tendu; *(wings)* déployé

outstrip [aʊt'strɪp] *(pt & pp* **-pp-)** *vt* dépasser

out-tray ['aʊttreɪ] *n (in office)* corbeille *f* (du courrier) 'départ'

outward ['aʊtwəd] *adj (sign, appearance)* extérieur; *(movement, look)* vers l'extérieur; **o. journey** *or* **trip** aller *m* ▪ **outward(s)** *adv* vers l'extérieur

outweigh [aʊt'weɪ] *vt (be more important than)* l'emporter sur

outwit [aʊt'wɪt] *(pt & pp* **-tt-)** *vt* être plus malin, -igne que

oval ['əʊvəl] *adj & n* ovale *(m)*; *Am Pol* **the O. Office** = le bureau du Président des États-Unis

ovary ['əʊvərɪ] *(pl* **-ies)** *n Anat* ovaire *m* ▪ **ovarian** [əʊ'veəriən] *adj* ovarien, -ienne

ovation [əʊ'veɪʃən] *n* ovation *f*; **to give sb a standing o.** se lever pour applaudir qn

oven ['ʌvən] *n* four *m*; *Fig (hot place)* fournaise *f*; *Br* **o. glove,** *Am* **o. mitt** gant *m* isolant ▪ **ovenproof** *adj (dish)* allant au four ▪ **oven-ready** *adj (meal)* prêt à mettre au four

over ['əʊvə(r)] **1** *prep (on)* sur; *(above)* au-dessus de; *(on the other side of)* par-dessus; **the bridge o. the river** le pont qui traverse le fleuve; **to jump/look o. sth** sauter/regarder par-dessus qch; **to fall o. the balcony** tomber du balcon; **o. it** *(on)* dessus; *(above)* au-dessus; **to jump o. it** sauter par-dessus; **to fight o. sth** se battre pour qch; **o. the phone** au téléphone; *Br* **o. the holidays** pendant les vacances; **o. ten days** *(more than)* plus de dix jours; **men o. sixty** les hommes de plus de soixante ans; **o. and above** en plus de; **he's o. his flu** il est remis de sa grippe

2 *adv (above)* par-dessus; **jump o.!** sautez par-dessus!; **o. here** ici; **o. there** là-bas; **he's o. in Italy** il est en Italie; **she's o. from Paris** elle est venue de Paris; **to ask sb o.** inviter qn; **to be (all) o.** être terminé; **to start all o. (again)** recommencer à zéro; **a kilo or o.** *(more)* un kilo ou plus; **I have ten o.** *(left)* il m'en reste dix; **there's some bread o.** il reste du pain; **o. and o. (again)** *(often)* à plusieurs reprises; **to**

do sth all o. again refaire qch; **three times o.** trois fois; **famous the world o.** célèbre dans le monde entier; **children of five and o.** les enfants de cinq ans et plus ■ **overde'veloped** *adj* trop développé ■ **over-fa'miliar** *adj* trop familier, -ière ■ **overin'dulge** *vt (desires, whims)* céder trop facilement à; *(person)* trop gâter ■ **over-sub'scribed** *adj (course)* ayant trop d'inscrits

overall ['əʊvərɔːl] **1** *adj (measurement, length)* total; *(result, effort)* global **2** [əʊvər'ɔːl] *adv* dans l'ensemble **3** *n (protective coat)* blouse *f*; *Am (boiler suit)* bleu *m* de travail ■ **overalls** *npl Br (boiler suit)* bleu *m* de travail; *Am (dungarees)* salopette *f*

overawe ['əʊvər'ɔː] *vt* intimider

overbalance [əʊvə'bæləns] *vi (of person)* perdre l'équilibre; *(of pile, load)* se renverser

overbearing [əʊvə'beərɪŋ] *adj* autoritaire

overboard [əʊvə'bɔːd] *adv* par-dessus bord; **man o.!** un homme à la mer!

overbook [əʊvə'bʊk] *vt* surbooker

overburden [əʊvə'bɜːdən] *vt* surcharger

overcast [əʊvə'kɑːst] *adj (sky)* nuageux, -euse

overcharge [əʊvə'tʃɑːdʒ] *vt* **to o. sb for sth** faire payer qch trop cher à qn

overcoat ['əʊvəkəʊt] *n* pardessus *m*

overcome [əʊvə'kʌm] *(pt* **-came,** *pp* **-come)** *vt (problem, disgust)* surmonter; *(shyness, fear, enemy)* vaincre; **to be o. by grief** être accablé de chagrin; **he was o. by emotion** l'émotion eut raison de lui

overcook [əʊvə'kʊk] *vt* faire cuire trop

overcrowded [əʊvə'kraʊdɪd] *adj (house, country)* surpeuplé; *(bus, train)* bondé ■ **overcrowding** *n* surpeuplement *m*

overdo [əʊvə'duː] *(pt* **-did,** *pp* **-done)** *vt* exagérer; *(overcook)* faire cuire trop; **to o. it** se surmener

overdose ['əʊvədəʊs] **1** *n* overdose *f* **2** *vi* faire une overdose **(on** qch); *Fam* **to o. on chocolate** exagérer avec du chocolat

overdraft ['əʊvədrɑːft] *n Fin* découvert *m* ■ **over'drawn** *adj (account)* à découvert

overdress [əʊvə'dres] *vi* s'habiller avec trop de recherche

overdue [əʊvə'djuː] *adj (train, bus)* en retard; *(bill)* impayé; *(book)* qui n'a pas été rendu

overeat [əʊvər'iːt] *(pt* **-ate,** *pp* **-eaten)** *vi* manger trop

overestimate [əʊvər'estɪmeɪt] *vt* surestimer

overexcited [əʊvərɪk'saɪtɪd] *adj* surexcité

overfeed [əʊvə'fiːd] *(pt & pp* **-fed)** *vt* suralimenter

overflow **1** ['əʊvəfləʊ] *n (outlet)* trop-plein *m*; *Fig (of people, objects)* excédent *m* **2** [əʊvə'fləʊ] *vi (of river, bath)* déborder; **to be overflowing with sth** *(of town, shop, house)* regorger de qch

overgrown [əʊvə'grəʊn] *adj* envahi par la végétation; **o. with weeds** envahi par les mauvaises herbes; *Fig & Pej* **you're an o. schoolgirl** tu as la mentalité d'une écolière

overhang [əʊvə'hæŋ] *(pt & pp* **-hung)** **1** *vt* surplomber **2** *vi* faire saillie

overhaul 1 ['əʊvəhɔːl] *n* révision *f* **2** [əʊvə'hɔːl] *vt (vehicle, schedule, text)* réviser

overhead ['əʊvəhed] **1** [əʊvə'hed] *adv* au-dessus **2** *adj (cable)* aérien, -ienne **3** *n Am =* **overheads** ■ **overheads** *npl Br (expenses)* frais *mpl* généraux

overhear [əʊvə'hɪə(r)] *(pt & pp* **-heard)** *vt (conversation)* surprendre; *(person)* entendre

overheat [əʊvə'hiːt] **1** *vt* surchauffer **2** *vi (of engine)* chauffer

overjoyed [əʊvə'dʒɔɪd] *adj* fou *(f* folle) de joie

overland ['əʊvəlænd] *adj & adv* par voie de terre

overlap [əʊvə'læp] **1** ['əʊvəlæp] *n* chevauchement *m* **2** *(pt & pp* **-pp-)** *vt* chevaucher **3** *vi* se chevaucher

overleaf [əʊvə'liːf] *adv* au verso

overload [əʊvə'ləʊd] *vt* surcharger

overlook [əʊvə'lʊk] *vt* **(a)** *(not notice)* ne pas remarquer; *(forget)* oublier; *(disregard)* fermer les yeux sur **(b)** *(of window, house)* donner sur; *(of tower, fort)* dominer

overly ['əʊvəlɪ] *adv* excessivement

overnight 1 [əʊvə'naɪt] *adv (during the night)* pendant la nuit; *Fig (suddenly)* du jour au lendemain; **to stay o.** passer la nuit **2** ['əʊvənaɪt] *adj (train, flight)* de nuit; *(stay)* d'une nuit; *(clothes)* pour une nuit; **o. bag** *(petit)* sac *m* de voyage

overpass ['əʊvəpɑːs] *n Am (bridge)* Toboggan® *m*

overpopulated [əʊvə'pɒpjʊleɪtɪd] *adj* surpeuplé

overpower [əʊvə'paʊə(r)] *vt* maîtriser ■ **overpowering** *adj (heat, smell)* suffocant; *(charm, desire)* irrésistible

overpriced [əʊvə'praɪst] *adj* trop cher *(f* trop chère)

overrated [əʊvə'reɪtɪd] *adj* surfait

overreach [əʊvə'riːtʃ] *vt* **to o. oneself** trop présumer de ses forces

overreact [əʊvərɪ'ækt] *vi* réagir excessivement

override [əʊvə'raɪd] *(pt* **-rode,** *pp* **-ridden)** *vt (be more important than)* l'emporter sur; *(invalidate)* annuler; *(take no notice of)* passer outre à ■ **over'riding** *adj (importance)* capital; *(factor)* prédominant

overrule [əʊvə'ruːl] *vt (decision)* annuler; *(argument, objection)* rejeter

overrun [əʊvə'rʌn] *(pt* **-ran,** *pp* **-run,** *pres p* **-running)** *vt (invade)* envahir; *(go beyond)* dépasser

overseas 1 ['əʊvəsiːz] *adj* d'outre-mer; *(trade, debt)* extérieur **2** [əʊvə'siːz] *adv* à l'étranger

oversee [əʊvə'si:] (*pt* -**saw**, *pp* -**seen**) *vt (work)* superviser ▪**overseer** ['əʊvəsɪə(r)] *n (foreman)* contremaître *m*

overshadow [əʊvə'ʃædəʊ] *vt (make less important)* éclipser; *(make gloomy)* assombrir

overshoot [əʊvə'ʃuːt] (*pt & pp* -**shot**) *vt* dépasser

oversight ['əʊvəsaɪt] *n* oubli *m*, omission *f*

oversimplify [əʊvə'sɪmplɪfaɪ] (*pt & pp* -**ied**) *vti* trop simplifier

oversize(d) ['əʊvəsaɪz(d)] *adj* trop grand

oversleep [əʊvə'sliːp] (*pt & pp* -**slept**) *vi* ne pas se réveiller à temps

overspend [əʊvə'spend] (*pt & pp* -**spent**) *vi* dépenser trop

overstaffing [əʊvə'staːfɪŋ] *n* sureffectifs *mpl*

overstate [əʊvə'steɪt] *vt* exagérer

overstay [əʊvə'steɪ] *vt* to o. one's welcome abuser de l'hospitalité de son hôte

overstep [əʊvə'step] (*pt & pp* -**pp-**) *vt* outrepasser; *Fig* to o. the mark dépasser les bornes

overt ['əʊvɜːt] *adj* manifeste

overtake [əʊvə'teɪk] (*pt* -**took**, *pp* -**taken**) 1 *vt* dépasser; **overtaken by nightfall** surpris par la nuit 2 *vi (in vehicle)* doubler, dépasser

overtax [əʊvə'tæks] *vt* (**a**) to o. one's brain se fatiguer la cervelle; to o. one's strength abuser de ses forces (**b**) *(person)* surimposer; *(goods)* surtaxer

overthrow 1 ['əʊvəθrəʊ] *n* renversement *m* 2 [əʊvə'θrəʊ] (*pt* -**threw**, *pp* -**thrown**) *vt* renverser

overtime ['əʊvətaɪm] 1 *n* heures *fpl* supplémentaires 2 *adv* to work o. faire des heures supplémentaires

overtones ['əʊvətəʊnz] *npl* nuance *f* (of de)

overture ['əʊvətjʊə(r)] *n Mus* ouverture *f*; *Fig* to make overtures to sb faire des avances à qn

overturn [əʊvə'tɜːn] 1 *vt (chair, table, car)* renverser; *(boat)* faire chavirer; *Fig (decision)* annuler 2 *vi (of car)* capoter; *(of boat)* chavirer

overweight [əʊvə'weɪt] *adj* trop gros (*f* trop grosse)

overwhelm [əʊvə'welm] *vt (of feelings, heat)* accabler; *(enemy, opponent)* écraser; *(amaze)* bouleverser ▪**overwhelmed** *adj (overjoyed)* ravi (**by** or **with** de); **o. with** *(work, offers)* submergé de; **o. with grief** accablé par le chagrin; **o. by** *(kindness, gift)* vivement touché par ▪**overwhelming** *adj (heat, grief)* accablant; *(majority, defeat)* écrasant; *(desire)* irrésis-

tible; *(impression)* dominant; the o. majority of people l'écrasante majorité des gens ▪**overwhelmingly** *adv (vote, reject)* en masse; *(utterly)* carrément

overwork [əʊvə'wɜːk] 1 *n* surmenage *m* 2 *vt (person)* surcharger de travail 3 *vi* se surmener

overwrite [əʊvə'raɪt] (*pt* -**wrote**, *pp* -**written**) *Comptr* 1 *n* **o. mode** mode *m* de superposition 2 *vt (file)* écraser

owe [əʊ] *vt* devoir; to o. sb sth, to o. sth to sb devoir qch à qn; I'll o. it to you je te le devrai; to o. it to oneself to do sth se devoir de faire qch ▪**owing** 1 *adj* the money o. to me l'argent que l'on me doit 2 *prep* o. to à cause de

owl [aʊl] *n* hibou *m (pl* -**oux**)

own [əʊn] 1 *adj* propre; my o. house ma propre maison 2 *pron* my o. le mien, la mienne; a house of his o. sa propre maison, sa maison à lui; it's my (very) o. c'est à moi (tout seul); to do sth on one's o. faire qch tout seul; to be (all) on one's o. être tout seul; to get one's o. back (on sb) se venger (de qn); to come into one's o. montrer ce dont on est capable 3 *vt (possess)* posséder; who owns this ball? à qui appartient cette balle? 4 *vi* to o. up *(confess)* avouer; to o. up to sth avouer qch

own-brand ['əʊnbrænd] *adj Com* vendu sous la marque du distributeur

owner ['əʊnə(r)] *n* propriétaire *mf* ▪**ownership** *n* possession *f*; to encourage home o. encourager l'accession à la propriété; *Econ* to be in public o. appartenir au secteur public

ox [ɒks] (*pl* **oxen** ['ɒksən]) *n* bœuf *m* ▪**oxtail** *n Culin* queue *f* de bœuf

Oxfam ['ɒksfæm] *n Br* = œuvre de bienfaisance travaillant pour le Tiers Monde; O. shop = magasin où l'œuvre de bienfaisance Oxfam vend des articles d'occasion et d'artisanat au profit du tiers-monde

oxide ['ɒksaɪd] *n Chem* oxyde *m* ▪**oxidize** ['ɒksɪdaɪz] *Chem* 1 *vt* oxyder 2 *vi* s'oxyder

oxygen ['ɒksɪdʒən] *n* oxygène *m*; o. mask/tent masque *m*/tente *f* à oxygène

oyster ['ɔɪstə(r)] *n* huître *f*

Oz [ɒz] *n Fam* Australie *f* ▪**Ozzie** *n Fam* Australien, -ienne *mf*

oz *(abbr* **ounce**) once *f*

ozone ['əʊzəʊn] *n Chem* ozone *m*; o. friendly *(product)* qui préserve la couche d'ozone; o. layer couche *f* d'ozone

P, p¹ [pi:] *n (letter)* P, p *m inv*

p² [pi:] *(abbr* **penny, pence)** *Br* penny *m*/pence *mpl*

PA [pi:'eɪ] *n* (**a**) *(abbr* **personal assistant)** secrétaire *mf* de direction (**b**) *(abbr* **public address) PA (system)** système *m* de sonorisation

pace [peɪs] **1** *n (speed)* allure *f*, *(step, measure)* pas *m*; **to set the p.** donner l'allure; **to keep p. with sb** *(follow)* suivre qn; *(in quality of work)* se maintenir à la hauteur de qn **2** *vi* **to p. up and down** faire les cent pas **3** *vt (room)* arpenter

pacemaker ['peɪsmeɪkə(r)] *n (for heart)* stimulateur *m* cardiaque

Pacific [pə'sɪfɪk] *adj (coast)* pacifique; **the P. (Ocean)** le Pacifique, l'océan *m* Pacifique

pacifist ['pæsɪfɪst] *n & adj* pacifiste *(mf)*

pacify ['pæsɪfaɪ] *(pt & pp* **-ied)** *vt (country)* pacifier; *(crowd, person)* calmer ▪ **pacifier** *n Am (of baby)* tétine *f*

pack [pæk] **1** *n* (**a**) *(of cigarettes, washing powder)* paquet *m*; *(of beer, milk)* & *Rugby* pack *m*; *(of cards)* jeu *m*; *(of hounds, wolves)* meute *f*; *(of runners, cyclists)* peloton *m*; *(of thieves)* bande *f*; **a p. of lies** un tissu de mensonges; **p. animal** animal *m* de bât; **p. ice** banquise *f* (**b**) *(rucksack)* sac *m* à dos; *(of soldier)* paquetage *m* **2** *vt (fill)* remplir *(with* de); *(excessively)* bourrer; *(object into box, suitcase)* mettre; *(make into package)* empaqueter; *(crush, compress)* tasser; **to p. one's bags** faire ses valises **3** *vi (fill one's bags)* faire sa valise/ses valises ▪ **packed** *adj (bus, room)* bondé; *Br* **p. lunch** = déjeuner que l'on emporte à l'école ou au bureau; *Br Fam* **p. out** *(crowded)* bourré ▪ **packing** *n (material, action)* emballage *m*; **to do one's p.** faire sa valise/ses valises

▶ **pack away** *vt sep (tidy away)* ranger

▶ **pack down** *vt sep (crush, compress)* tasser

▶ **pack in** *vt sep Br Fam (stop)* arrêter; *(give up)* laisser tomber; **p. it in!** laisse tomber!

▶ **pack into** *vt sep (cram)* entasser dans; *(put)* mettre dans **2** *vt insep (crowd into)* s'entasser dans

▶ **pack off** *vt sep Fam (person)* expédier

▶ **pack up 1** *vt sep (put into box)* emballer; *(put into suitcase)* mettre dans sa valise; *Fam (give up)* laisser tomber **2** *vi* faire sa valise/ses valises; *Fam (stop)* s'arrêter; *(of machine, vehicle)* tomber en panne

package ['pækɪdʒ] **1** *n* paquet *m*; *(contract)* contrat *m* global; *Br* **p. deal** or **holiday** forfait *m (comprenant au moins transport et logement)*; **p. tourism** tourisme *m* organisé **2** *vt* emballer ▪ **packaging** *n (material, action)* emballage *m*

packet ['pækɪt] *n* paquet *m*; *Fam* **to cost a p.** coûter les yeux de la tête; *Fam* **to make a p.** se faire un fric fou

pact [pækt] *n* pacte *m*

pad [pæd] **1** *n (of cotton wool)* tampon *m*; *(for writing)* bloc *m*; *Fam (home)* piaule *f*; **ink p.** tampon encreur; **shin p.** jambière *f*; **shoulder p.** *(in jacket)* épaulette *f* **2** *(pt & pp* **-dd-)** *vt (furniture)* capitonner *(with* avec); *(clothes)* matelasser; **to p. out** *(speech, essay)* étoffer ▪ **padded** *adj (armchair)* capitonné; *(jacket)* matelassé ▪ **padding** *n (material)* rembourrage *m*; *(in speech, essay)* remplissage *m*

paddle ['pædəl] **1** *n (for canoe)* pagaie *f*; **p. boat** bateau *m* à aubes; **p. steamer** bateau à aubes; **to p. a canoe** pagayer **3** *vi (in canoe)* pagayer; *(walk in water)* patauger ▪ **paddling pool** *n Br (inflatable)* piscine *f* gonflable; *(in park)* pataugeoire *f*

paddock ['pædək] *n* enclos *m*; *(at racecourse)* paddock *m*

paddy ['pædɪ] *(pl* **-ies)** *n* **p. (field)** rizière *f*

padlock ['pædlɒk] **1** *n* cadenas *m* **2** *vt* cadenasser

paediatrician [pi:dɪə'trɪʃən] *(Am* **pediatrician)** *n* pédiatre *mf* ▪ **paediatrics** [-dɪ'ætrɪks] *(Am* **pediatrics)** *n* pédiatrie *f*

paedophile ['pi:dəfaɪl] *(Am* **pedophile)** *n* pédophile *mf* ▪ **paedophilia** [-'fɪlɪə] *(Am* **pedophilia)** *n* pédophilie *f*

pagan ['peɪgən] *adj & n* païen, -enne *(mf)* ▪ **paganism** *n* paganisme *m*

page¹ [peɪdʒ] *n (of book)* page *f*; **on p. 6** à la page 6

page² [peɪdʒ] *n Hist (at court)* page *m*; **p. (boy)** *(in hotel)* groom *m*; *(at wedding)* garçon *m* d'honneur

page³ [peɪdʒ] *vt* **to p. sb** faire appeler qn; *(by electronic device)* biper qn ▪ **pager** *n* récepteur *m* d'appel

pageant ['pædʒənt] *n* grand spectacle *m* ▪ **pageantry** *n* pompe *f*

pagoda [pə'gəʊdə] *n* pagode *f*

paid [peɪd] **1** *pt & pp of* **pay 2** *adj (person, work)* rémunéré; Br **to put p. to sb's hopes** anéantir les espoirs de qn; Br **to put p. to sb** (ruin) couler qn

pail [peɪl] n seau m

pain [peɪn] **1** n (physical) douleur f; (emotional) peine f; **to have a p. in one's arm** avoir une douleur au bras; **to be in p.** souffrir; **to go to** or **take (great) pains to do sth** se donner du mal pour faire qch; **to go to** or **take (great) pains not to do sth** prendre bien soin de ne pas faire qch; Fam **to be a p. (in the neck)** être casse-pieds **2** vt peiner ▪ **painful** adj (physically) douloureux, -euse; (emotionally) pénible; Fam (bad) nul (f nulle) ▪ **painfully** adv (walk) avec difficulté; Fig **p. shy** d'une timidité maladive; Fig **p. boring** ennuyeux, -euse à mourir; **painless** adj (not painful) indolore; Fam (easy) facile ▪ **painlessly** adv sans douleur; (easily) sans effort

painkiller ['peɪnkɪlə(r)] n calmant m; **on painkillers** sous calmants

painstaking ['peɪnzteɪkɪŋ] adj minutieux, -ieuse ▪ **painstakingly** adv avec un soin minutieux

paint [peɪnt] **1** n peinture f; **'wet p.'** (on sign) 'peinture fraîche'; **p. stripper** décapant m **2** vt peindre; **to p. sth blue** peindre qch en bleu **3** vi peindre ▪ **painter** n peintre m; Br **p. and decorator**, Am **(house) p.** peintre-tapissier m ▪ **painting** n (activity) la peinture; (picture) tableau m, peinture f

paintball ['peɪntbɔːl] n paintball m ▪ **paintballing** n **to go p.** faire du paintball

paintbrush ['peɪntbrʌʃ] n pinceau m

paintwork ['peɪntwɜːk] n (of building, vehicle) peinture f

pair [peə(r)] **1** n paire f; **a p. of shorts** un short **2** vt **to p. sb with sb** mettre qn avec qn **3** vi **to p. off** (of people) se mettre deux par deux

pajama(s) [pəˈdʒɑːmə(z)] adj & npl Am = **pyjama(s)**

Pakistan [pɑːkɪˈstɑːn] n le Pakistan ▪ **Pakistani 1** adj pakistanais **2** n Pakistanais, -aise mf

pal [pæl] n Fam copain m, copine f ▪ **pally** (-ier, -iest) adj Fam **to be p. with sb** être copain (f copine) avec qn

palace ['pælɪs] n palais m ▪ **palatial** [pəˈleɪʃəl] adj grandiose

Note that the French word **palace** is a false friend and is never a translation for the English word **palace**. It means **luxury hotel**.

palatable ['pælətəbəl] adj (food) agréable au palais; Fig (idea, fact) acceptable

palate ['pælɪt] n (in mouth) palais m

palaver [pəˈlɑːvə(r)] n Br Fam (fuss) histoire f

pale [peɪl] **1** (-er, -est) adj pâle; Br **p. ale** = bière blonde **2** vi pâlir ▪ **paleness** n pâleur f

Palestine ['pæləstaɪn] n la Palestine ▪ **Pal-**

estinian [-ˈstɪnɪən] **1** adj palestinien, -ienne **2** n Palestinien, -ienne mf

palette ['pælɪt] n (of artist) palette f

palings ['peɪlɪŋz] n (fence) palissade f

pall¹ [pɔːl] n (of smoke) voile m

pall² [pɔːl] vi (become uninteresting) perdre son attrait

pallbearer ['pɔːlbeərə(r)] n = personne qui aide à porter un cercueil

pallid ['pælɪd] adj pâle ▪ **pallor** n pâleur f

palm¹ [pɑːm] **1** n (of hand) paume f **2** vt Fam **to p. sth off on sb** refiler qch à qn

palm² [pɑːm] n (symbol) palme f; **p. (tree)** palmier m; **p. (leaf)** palme; **P. Sunday** le Dimanche des Rameaux

palmist ['pɑːmɪst] n chiromancien, -ienne mf

palpable ['pælpəbəl] adj (obvious) manifeste

palpitate ['pælpɪteɪt] vi palpiter ▪ **palpi'tation** n palpitation f; **to have** or **get palpitations** avoir des palpitations

paltry ['pɔːltrɪ] (-ier, -iest) adj (sum) dérisoire; (excuse) piètre

pamper ['pæmpə(r)] vt dorloter; **to p. oneself** se dorloter

pamphlet ['pæmflɪt] n brochure f; (political) pamphlet m

Note that the French word **pamphlet** can be a false friend. It always refers to a satirical tract.

pan [pæn] **1** n (saucepan) casserole f; (for frying) poêle f; Br (of lavatory) cuvette f; Fam **to go down the p.** (work, plans) s'en aller en fumée **2** (pt & pp -nn-) vt Fam (criticize) descendre en flammes **3** vi Fam **to p. out** (turn out) marcher

panacea [pænəˈsɪə] n panacée f

panache [pəˈnæʃ] n panache m

Panama ['pænəmɑː] n le Panama; **the P. Canal** le canal de Panama

pancake ['pænkeɪk] n crêpe f; Br **P. Day** mardi m gras

pancreas ['pæŋkrɪəs] n Anat pancréas m

panda ['pændə] n panda m

pandemonium [pændɪˈməʊnɪəm] n (confusion) chaos m; (uproar) vacarme m

pander ['pændə(r)] vi **to p. to sb/sth** flatter qn/qch

pane [peɪn] n vitre f

panel ['pænəl] n (a) (of door) panneau m; (instrument) **p.** (in aircraft, vehicle) tableau m de bord (b) (of judges) jury m; (of experts) comité m; (of TV or radio guests) invités mpl; **p. game** (on TV) jeu m télévisé; (on radio) jeu radiodiffusé

panelled ['pænəld] (Am **paneled**) adj (room) lambrissé ▪ **panelling** (Am **paneling**) n lambris m

panellist ['pænəlɪst] (Am **panelist**) n (on radio, TV) invité, -ée mf

pangs [pæŋz] *npl* **p. of conscience** remords *mpl*; **p. of hunger** tiraillements *mpl* d'estomac; **p. of jealousy** affres *fpl* de la jalousie

panic ['pænɪk] **1** *n* panique *f*; **to get into a p.** paniquer **2** (*pt & pp* **-ck-**) *vi* paniquer ▪ **panicky** *adj Fam* **to get p.** paniquer ▪ **panic-stricken** *adj* pris de panique

panorama [pænə'rɑːmə] *n* panorama *m* ▪ **panoramic** [-'ræmɪk] *adj* panoramique

pansy ['pænzɪ] (*pl* **-ies**) *n* (**a**) (*flower*) pensée *f* (**b**) *Pej* (*effeminate man*) tante *f*

pant [pænt] *vi* haleter

panther ['pænθə(r)] *n* panthère *f*

panties ['pæntɪz] *npl* petite culotte *f*

pantomime ['pæntəmaɪm] *n Br* (*show*) = spectacle de Noël

> Note that the French word **pantomime** is a false friend and is never a translation for the English word **pantomime**. It means **mime**.

pantry ['pæntrɪ] (*pl* **-ies**) *n* (*larder*) garde-manger *m inv*; (*storeroom in hotel, ship*) office *m*

pants [pænts] *npl Br* (*underwear*) slip *m*; *Am* (*trousers*) pantalon *m* **2** *adj Br Fam* nul (*f* nulle) **3** *exclam Br Fam* **oh, p.!** mince!

pantyhose ['pæntɪhəʊz] *n Am* (*tights*) collant *m*

papacy ['peɪpəsɪ] *n* papauté *f* ▪ **papal** *adj* papal

paparazzi [pæpə'rætsɪ] *npl* paparazzi *mpl*

papaya [pə'paɪə] *n* (*fruit*) papaye *f*; (*tree*) papayer *m*

paper ['peɪpə(r)] **1** *n* papier *m*; (*newspaper*) journal *m*; (*wallpaper*) papier peint; (*exam*) épreuve *f* écrite; (*student's exercise*) copie *f*; (*scholarly study, report*) article *m*; **a piece of p.** un bout de papier; **to put sth down on p.** mettre qch par écrit; **brown p.** papier d'emballage; **papers** (*documents*) papiers *mpl*
2 *adj* (*bag*) en papier; (*cup, plate*) en carton; **p. mill** papeterie *f*; **p. money** papier-monnaie *m*; **p. round** tournée *f* de distribution des journaux; *Br* **p. shop** marchand *m* de journaux; **p. towel** essuie-tout *m inv*; *Comptr* **p. tray** chariot *m* d'alimentation en papier
3 *vt* (*room, wall*) tapisser ▪ **paperback** *n* livre *m* de poche ▪ **paperboy** *n* (*delivering papers*) livreur *m* de journaux ▪ **paperclip** *n* trombone *m* ▪ **paperknife** (*pl* **-knives**) *n* coupe-papier *m* ▪ **paperweight** *n* presse-papiers *m inv* ▪ **paperwork** *n* (*in office*) écritures *fpl*; *Pej* (*red tape*) paperasserie *f*

paprika ['pæprɪkə, pə'priːkə] *n* paprika *m*

par [pɑː(r)] *n Golf* par *m*; **to be under/over p.** être en dessous/au-dessus du par; *Fam* **that's p. for the course** c'est ce à quoi il faut s'attendre; *Fig* **on a p.** au même niveau (**with** que); *Fam* **to feel under p.** ne pas être dans son assiette

parable ['pærəbəl] *n* (*story*) parabole *f*

paracetamol [pærə'siːtəmɒl] *n* paracétamol *m*; **take two p.** prenez deux cachets de paracétamol

parachute ['pærəʃuːt] **1** *n* parachute *m*; **p. jump** saut *m* en parachute **2** *vt* parachuter **3** *vi* sauter en parachute ▪ **parachutist** *n* parachutiste *mf*

parade [pə'reɪd] **1** *n* (**a**) (*procession*) défilé *m*; **to make a p. of sth** faire étalage de qch; *Mil* **p. ground** terrain *m* de manœuvres (**b**) *Br* (*street*) avenue *f*; **a p. of shops** une rangée de magasins **2** *vt* (*troops*) faire défiler; *Fig* (*wealth, knowledge*) faire étalage de **3** *vi* (*of troops*) défiler; **to p. about** (*of person*) se pavaner

paradise ['pærədaɪs] *n* paradis *m*

paradox ['pærədɒks] *n* paradoxe *m* ▪ **paradoxically** *adv* paradoxalement

paraffin ['pærəfɪn] *n Br* pétrole *m* lampant; *Am* (*wax*) paraffine *f*; *Br* **p. lamp** lampe *f* à pétrole

paragliding ['pærəglaɪdɪŋ] *n* parapente *m*; **to go p.** faire du parapente

paragon ['pærəgən] *n* **p. of virtue** modèle *m* de vertu

paragraph ['pærəgrɑːf] *n* paragraphe *m*; **'new p.'** (*in dictation*) 'à la ligne'

Paraguay ['pærəgwaɪ] *n* le Paraguay

parakeet ['pærəkiːt] *n* perruche *f*

parallel ['pærəlel] **1** *adj Math* parallèle (**with** *or* **to** à); *Fig* (*comparable*) semblable (**with** *or* **to** à); **to run p. to** *or* **with sth** être parallèle à qch **2** *n Math* (*line*) parallèle *f*; *Fig* (*comparison*) & *Geog* parallèle *m* **3** *vt* être semblable à

paralyse (*Am* **paralyze**) ['pærəlaɪz] *vt* paralyser ▪ **paralysis** [pə'ræləsɪs] (*pl* **-yses** [-əsiːz]) *n* paralysie *f* ▪ **paralytic** [pærə'lɪtɪk] **1** *adj* n paralytique (*mf*) **2** *adj Br Fam* (*very drunk*) ivre mort

paramedic [pærə'medɪk] *n* auxiliaire *mf* médical(e)

parameter [pə'ræmɪtə(r)] *n* paramètre *m*

paramilitary [pærə'mɪlɪtrɪ] *adj & n* paramilitaire (*mf*)

paramount ['pærəmaʊnt] *adj* **of p. importance** de la plus haute importance

paranoia [pærə'nɔɪə] *n* paranoïa *f* ▪ **paranoid** *adj & n* paranoïaque (*mf*)

parapet ['pærəpɪt] *n* parapet *m*

paraphernalia [pærəfə'neɪlɪə] *n* attirail *m*

paraphrase ['pærəfreɪz] **1** *n* paraphrase *f* **2** *vt* paraphraser

paraplegic [pærə'pliːdʒɪk] *n* paraplégique *mf*

parascending ['pærəsendɪŋ] *n* parachute *m* ascensionnel

parasite ['pærəsaɪt] *n* (*person, organism*) parasite *m*

parasol ['pærəsɒl] *n* (*over table, on beach*) parasol *m*; (*lady's umbrella*) ombrelle *f*

paratrooper ['pærətruːpə(r)] *n* parachutiste *m*

parboil ['pɑːbɔɪl] *vt Culin* faire cuire à demi

parcel ['pɑːsəl] **1** *n* colis *m*, paquet *m*; **to be part and p. of sth** faire partie intégrante de qch; **p. bomb** colis piégé **2** (*Br* **-ll-,** *Am* **-l-**) *vt* **to p. sth out** répartir; **to p. sth up** empaqueter

parch [pɑːtʃ] *vt* dessécher; **to be parched** (*of person*) être assoiffé; **to make sb parched** donner très soif à qn

parchment ['pɑːtʃmənt] *n* parchemin *m*

pardon ['pɑːdən] **1** *n* (*forgiveness*) pardon *m*; *Law* grâce *f*; **I beg your p.** (*apologizing*) je vous prie de m'excuser; **p.?** (*not hearing*) pardon? **2** *vt Law* gracier; **to p. sb (for sth)** pardonner (qch) à qn; **p. (me)!** (*sorry*) pardon!

pare [peə(r)] *vt* (*trim*) rogner; (*peel*) éplucher; *Fig* **to p. sth down** réduire qch

parent ['peərənt] *n* père *m*/mère *f*; **parents** parents *mpl*; **p. company,** *Br* **p. firm** maison *f* mère ▪**parental** [pə'rentəl] *adj* parental ▪**parenthood** *n* paternité *f*/maternité *f*, parentalité *f*

parenthesis [pə'renθəsɪs] (*pl* **-eses** [-əsiːz]) *n* parenthèse *f*

Paris ['pærɪs] *n* Paris *m* ou *f* ▪**Parisian** [*Br* pə'rɪzɪən, *Am* pə'riːʒən] **1** *adj* parisien, -ienne **2** *n* Parisien, -ienne *mf*

parish ['pærɪʃ] **1** *n* (*religious*) paroisse *f*; (*civil*) ≃ commune *f* **2** *adj* (*church, register, hall*) paroissial; **p. council** conseil *m* municipal ▪**parishioner** [pə'rɪʃənə(r)] *n* paroissien, -ienne *mf*

parity ['pærɪtɪ] *n* égalité *f* (**with** avec; **between** entre)

park[1] [pɑːk] *n* (*garden*) parc *m*; **p. keeper** gardien, -ienne *mf* de parc; **business/science p.** zone *f* commerciale/scientifique; **national p.** parc national

park[2] [pɑːk] **1** *vt* (*vehicle*) garer **2** *vi* (*of vehicle*) se garer; (*remain parked*) stationner ▪**parking** *n* stationnement *m*; **'no p.'** 'défense de stationner'; **p. bay** place *f* de parking; *Br* **p. lights** (*on car*) feux *mpl* de position; *Am* **p. lot** parking *m*; **p. meter** parcmètre *m*; **p. place** *or* **space** place *f* de parking; **p. ticket** contravention *f*

parka ['pɑːkə] *n* parka *f* ou *m*

parkland ['pɑːklænd] *n* espace *m* vert

parkway ['pɑːkweɪ] *n Am* avenue *f*

parliament ['pɑːləmənt] *n* parlement *m*; ▪**parliamentary** [-'mentərɪ] *adj* parlementaire

parlour ['pɑːlə(r)] (*Am* **parlor**) *n* (*in mansion*) salon *m*; **p. game** jeu *m* de société

parochial [pə'rəʊkɪəl] *adj Rel* paroissial; *Pej* (*mentality, quarrel*) de clocher; *Pej* (*person*) provincial; *Am* **p. school** école *f* catholique

parody ['pærədɪ] **1** (*pl* **-ies**) *n* parodie *f* **2** (*pt & pp* **-ied**) *vt* parodier

parole [pə'rəʊl] *n Law* **to be (out) on p.** être en liberté conditionnelle

parquet ['pɑːkeɪ] *n* **p. (floor)** parquet *m*

parrot ['pærət] *n* perroquet *m*; *Pej* **p. fashion** comme un perroquet

parry ['pærɪ] **1** (*pl* **-ies**) *n* (*in fencing, boxing*) parade *f* **2** (*pt & pp* **-ied**) *vt* (*blow*) parer; (*question*) éluder

parsley ['pɑːslɪ] *n* persil *m*

parsnip ['pɑːsnɪp] *n* panais *m*

parson ['pɑːsən] *n* pasteur *m*

part[1] [pɑːt] **1** *n* partie *f*; (*quantity in mixture*) mesure *f*; (*of machine*) pièce *f*; (*of serial*) épisode *m*; (*role in play, film*) rôle *m*; *Am* (*in hair*) raie *f*; **to take p.** participer (**in** à); **to take sb's p.** (*side*) prendre parti pour qn; **to be a p. of sth** faire partie de qch; **in p.** en partie; **for the most p.** dans l'ensemble; **on the p. of...** de la part de...; **for my p.** pour ma part; **in these parts** dans ces parages; **p. exchange** reprise *f*, **to take sth in p. exchange** reprendre qch; **p. owner** copropriétaire *mf*; **p. payment** paiement *m* partiel **2** *adv* (*partly*) en partie; **p. silk, p. cotton** soie et coton

part[2] [pɑːt] **1** *vt* (*separate*) séparer; (*crowd*) écarter; **to p. one's hair** se faire une raie; **to p. company with sb** (*leave sb*) quitter qn **2** *vi* (*of friends*) se quitter; (*of married couple*) se séparer; **to p. with sth** se défaire de qch ▪**parting** *n* (*separation*) séparation *f*; *Br* (*in hair*) raie *f*

partake [pɑː'teɪk] (*pt* **-took,** *pp* **-taken**) *vi Formal* **to p. in sth** prendre part à qch; **to p. of a meal** prendre un repas

partial ['pɑːʃəl] *adj* (*not total*) partiel, -ielle; (*biased*) partial (**towards** envers); **to be p. to sth** avoir un faible pour qch ▪**partiality** [-ʃɪ'ælɪtɪ] (*pl* **-ies**) *n* (*bias*) partialité *f*; (*liking*) faible *m*

participate [pɑː'tɪsɪpeɪt] *vi* participer (**in** à) ▪**participant** *n* participant, -ante *mf* ▪**partici'pation** *n* participation *f*

participle [pɑː'tɪsɪpəl] *n Grammar* participe *m*

particle ['pɑːtɪkəl] *n* (*of atom, dust, name*) particule *f*; (*of truth*) grain *m*

particular [pə'tɪkjʊlə(r)] **1** *adj* (*specific, special*) particulier, -ière; (*exacting*) méticuleux, -euse; **this p. book** ce livre en particulier; **to be p. about sth** faire très attention à qch **2** *n* **in p.** en particulier ▪**particularly** *adv* particulièrement ▪**particulars** *npl* (*details*) détails *mpl*; **to go into p.** entrer dans les détails; **to take down sb's p.** noter les coordonnées de qn

partisan [*Br* pɑːtɪ'zæn, *Am* 'pɑːtɪzən] *n* partisan *m*

partition [pɑː'tɪʃən] **1** *n* (*of room*) cloison *f*; *Pol* (*of country*) partition *f* **2** *vt* (*country*) partager; **to p. sth off** cloisonner qch

partly ['pɑːtlɪ] *adv* en partie

partner ['pɑːtnə(r)] n (in game) partenaire mf; (in business) associé, -iée mf; (of racing driver) coéquipier, -ière mf; (in relationship) compagnon m, compagne f; **(dancing) p.** cavalier, -ière mf ▪ **partnership** n association f; **to take sb into p.** prendre qn comme associé(e); **in p. with** en association avec

partridge ['pɑːtrɪdʒ] n perdrix f

part-time ['pɑːt'taɪm] adj & adv à temps partiel

party ['pɑːtɪ] (pl -ies) n (a) (gathering) fête f; **to have** or **throw a p.** donner une fête (b) (group) groupe m; (political) parti m; Law (in contract, lawsuit) partie f; **to be (a) p. to sth** être complice de qch; **p. line** (telephone line) ligne f commune (à plusieurs abonnés); Pol ligne du parti

pass¹ [pɑːs] n (over mountains) col m

pass² [pɑːs] n (entry permit) laissez-passer m inv; (for travel) carte f d'abonnement; (in sport) passe f; Fam **to get a p.** (in exam) avoir la moyenne; **p. mark** (in exam) moyenne f

pass³ [pɑːs] 1 vt (move, give) passer (**to** à); (go past) passer devant; (vehicle, runner) dépasser; (exam) être reçu à; (bill, law) voter; **to p. sb** (in street) croiser qn; **to p. the time** passer le temps; **to p. judgement on sb** porter un jugement sur qn; Law **to p. sentence** prononcer le verdict 2 vi (go past, go away) passer (**to** à; **through** par); (overtake in vehicle) dépasser; (in exam) avoir la moyenne; (of time) passer; **he can p. for thirty** on lui donnerait trente ans

▸ **pass along** vi passer
▸ **pass away** vi décéder
▸ **pass by** 1 vt insep (building) passer devant; **to p. by sb** (in street) croiser qn 2 vi passer à côté
▸ **pass off** vt sep **to p. oneself off as sb** se faire passer pour qn
▸ **pass on** 1 vt sep (message, illness, title) transmettre (**to** à) 2 vi **to p. on to sth** (move on to) passer à qch
▸ **pass out** 1 vt sep (hand out) distribuer 2 vi (faint) s'évanouir
▸ **pass over** vt insep (ignore) passer sur
▸ **pass round** vt sep (cakes, document) faire passer; (hand out) distribuer
▸ **pass through** vi passer
▸ **pass up** vt sep (opportunity) laisser passer

passable ['pɑːsəbəl] adj (not bad) passable; (road) praticable; (river) franchissable

passage ['pæsɪdʒ] n (a) (act of passing, way through) passage m; (corridor) couloir m; (by boat) traversée f; **with the p. of time** avec le temps (b) (of text) passage m ▪ **passageway** n (corridor) couloir m; (alleyway, way through) passage m

passbook ['pɑːsbʊk] n livret m de caisse d'épargne

passenger ['pæsɪndʒə(r)] n passager, -ère mf; (on train) voyageur, -euse mf

passer-by [pɑːsə'baɪ] (pl **passers-by**) n passant, -ante mf

passing ['pɑːsɪŋ] 1 adj (vehicle) qui passe; (beauty) passager, -ère; **p. place** (on road) aire f de croisement 2 n (of vehicle, visitor) passage m; (of time) écoulement m; (death) disparition f; **in p.** en passant

passion ['pæʃən] n passion f; **to have a p. for sth** adorer qch; **p. fruit** fruit m de la passion ▪ **passionate** adj passionné ▪ **passionately** adv passionnément

passive ['pæsɪv] 1 adj passif, -ive; **p. smoking** tabagisme m passif 2 n Grammar passif m; **in the p.** au passif

Passover ['pɑːsəʊvə(r)] n Rel la Pâque juive

passport ['pɑːspɔːt] n passeport m; **p. control** contrôle m des passeports; **p. photo** photo f d'identité

password ['pɑːswɜːd] n mot m de passe

past [pɑːst] 1 n passé m; **in the p.** autrefois; **it's a thing of the p.** ça n'existe plus 2 adj (gone by) passé; (former) ancien, -ienne; **these p. months** ces derniers mois; **that's all p.** c'est du passé; **to be p. master at sth** être passé maître dans l'art de qch; Grammar **in the p. tense** au passé 3 prep (in front of) devant; (after) après; (beyond) au-delà de; **it's p. four o'clock** il est quatre heures passées; **to be p. fifty** avoir cinquante ans passés; Fam **to be p. it** avoir fait son temps; Fam **I wouldn't put it p. him** il en est bien capable 4 adv devant; **to go p.** passer; **to run p.** passer en courant

pasta ['pæstə] n pâtes fpl

paste [peɪst] 1 n (a) (mixture) pâte f; (of meat, fish) pâté m (b) (glue) colle f 2 vt coller; **to p. sth up** coller qch

pastel [Br 'pæstəl, Am pæ'stel] 1 n pastel m 2 adj (drawing) au pastel; **p. shade** ton m pastel inv

pasteurized ['pæstʃəraɪzd] adj **p. milk** lait m pasteurisé

pastiche [pæ'stiːʃ] n pastiche m

pastille [Br 'pæstɪl, Am pæ'stiːl] n pastille f

pastime ['pɑːstaɪm] n passe-temps m inv

pastor ['pɑːstə(r)] n Rel pasteur m ▪ **pastoral** adj pastoral; Sch **p. care** ≃ tutorat m

pastry ['peɪstrɪ] (pl -ies) n (dough) pâte f; (cake) pâtisserie f ▪ **pastrychef, pastrycook** n pâtissier, -ière mf

pasture ['pɑːstʃə(r)] n pré m, pâture f

pasty¹ ['pæstɪ] (pl -ies) n (pie) feuilleté m

pasty² ['peɪstɪ] (-ier, -iest) adj (complexion) terreux, -euse

pat [pæt] 1 n (tap) petite tape f; (of animal) caresse f 2 adv **to answer p.** avoir la réponse toute prête; **to know sth off p.** savoir qch sur le bout du doigt 3 (pt & pp -tt-) vt (tap) tapoter; (animal) caresser

patch [pætʃ] **1** n (for clothes) pièce f; (over eye) bandeau m; (tyre) Rustine® f; (of colour) tache f; (of fog) nappe f; (of ice) plaque f; **a cabbage p.** un carré de choux; **a p. of blue sky** un coin de ciel bleu; Fig **to be going through a bad p.** traverser une mauvaise passe; Fam **not to be a p. on** (not as good as) (of person) ne pas arriver à la cheville de; (of thing) n'être rien à côté de **2** vt **to p. (up)** (clothing) rapiécer; **to p. sth up** (marriage, friendship) raccommoder; **to p. things up** (after argument) se raccommoder
patchwork ['pætʃwɜːk] n patchwork m; **p. quilt** couverture f en patchwork
patchy ['pætʃɪ] (**-ier, -iest**) adj inégal
patent 1 ['peɪtənt] adj manifeste; **p. leather** cuir m verni **2** ['peɪtənt, 'pætənt] n brevet m d'invention **3** vt (faire) breveter ■**patently** adv manifestement; **it's p. obvious** c'est absolument évident
paternal [pə'tɜːnəl] adj paternel, -elle ■**paternity** n paternité f; **p. leave** congé m de paternité; **p. test** test m de paternité
path [pɑːθ] (pl **-s** [pɑːðz]) n chemin m; (narrow) sentier m; (in park) allée f; (of river) cours m; (of bullet, rocket, planet) trajectoire f; **the storm destroyed everything in its p.** la tempête a tout détruit sur son passage
pathetic [pə'θetɪk] adj (useless) lamentable

Note that the French word **pathétique** is never used to mean **useless**. It only means moving.

pathology [pə'θɒlədʒɪ] n pathologie f ■**pathological** [pæθə'lɒdʒɪkəl] adj pathologique
pathos ['peɪθɒs] n pathétique m
pathway ['pɑːθweɪ] n sentier m
patience ['peɪʃəns] n (**a**) (quality) patience f; **to lose p.** perdre patience (**with sb** avec qn); **I have no p. with him** il m'énerve (**b**) Br (card game) réussite f; **to play p.** faire une réussite
patient ['peɪʃənt] **1** adj patient **2** n patient, -iente mf ■**patiently** adv patiemment
patio ['pætɪəʊ] (pl **-os**) n patio m; Br **p. doors** portes f vitrées (donnant sur un patio)
patriot ['pætrɪət, 'peɪtrɪət] n patriote mf ■**patriotic** [-rɪ'ɒtɪk] adj (views, speech) patriotique; (person) patriote ■**patriotism** n patriotisme m
patrol [pə'trəʊl] **1** n patrouille f; **to be on p.** être de patrouille; **p. boat** patrouilleur m; **p. car** voiture f de police **2** (pt & pp **-ll-**) vt patrouiller dans **3** vi patrouiller ■**patrolman** (pl **-men**) n Am (policeman) agent m de police
patron ['peɪtrən] n (of arts) protecteur, -trice mf; (of charity) patron, -onne mf; (customer) client, -iente mf; (of theatre) spectateur, -trice mf; Rel **p. saint** patron, -onne mf ■**patronage** ['pætrənɪdʒ] n (of arts, charity) patronage m

Note that the French word **patron** is a false friend and is rarely a translation for the English word **patron**. Its most common meaning is **boss**.

patronize [Br 'pætrənaɪz, Am 'peɪtrənaɪz] vt (**a**) (be condescending towards) traiter avec condescendance (**b**) (store, hotel) fréquenter; (arts) protéger ■**patronizing** [Br 'pætrənaɪzɪŋ, Am 'peɪtrənaɪzɪŋ] adj condescendant
patter¹ ['pætə(r)] **1** n (of footsteps) petit bruit m; (of rain, hail) crépitement m **2** vi (of rain, hail) crépiter
patter² ['pætə(r)] n Fam (of salesman) baratin m
pattern ['pætən] n (design) dessin m, motif m; (in sewing) patron m; (in knitting) & Fig (norm) modèle m; (tendency) tendance f; Fig **to set a p.** créer un modèle; **p. book** catalogue m d'échantillons ■**patterned** adj (fabric) à motifs
paunch [pɔːntʃ] n ventre m
pauper ['pɔːpə(r)] n indigent, -ente mf
pause [pɔːz] **1** n pause f; (in conversation) silence m **2** vi (stop) faire une pause; (hesitate) hésiter
pave [peɪv] vt (road) paver (**with** de); Fig **to p. the way for sth** ouvrir la voie à qch ■**paved** adj pavé ■**paving** n (with tiles) carrelage m; (with slabs) dallage m; **p. stone** pavé m
pavement ['peɪvmənt] n Br (beside road) trottoir m; Am (roadway) chaussée f
pavilion [pə'vɪljən] n pavillon m
paw [pɔː] **1** n (of animal) & Fam (of person) patte f; Fam **keep your paws off!** bas les pattes! **2** vt (of animal) donner un coup/des coups de patte à; Fam (of person) tripoter
pawn¹ [pɔːn] n Chess pion m
pawn² [pɔːn] **1** n **in p.** en gage **2** vt mettre en gages ■**pawnbroker** n prêteur, -euse mf sur gages ■**pawnshop** n mont-de-piété m
pay [peɪ] **1** n paie f, salaire m; (of soldier) solde f; Br **p. cheque** chèque m de paie; **p. packet** enveloppe f de paie; **p. rise** augmentation f de salaire; Br **p. slip**, Am **p. stub** fiche f de paie **2** (pt & pp **paid**) vt (person, money, bill) payer; (sum, deposit) verser; (yield) (of investment) rapporter; **I paid £5 for it** je l'ai payé 5 livres; **to p. sb to do sth** or **for doing sth** payer qn pour qu'il fasse qch; **to p. sb for sth** payer qch à qn; **to p. money into your account** or **the bank** verser de l'argent sur son compte; **to p. attention** faire attention (**to** à); **to p. sb a visit** rendre visite à qn; **to p. sb a compliment** faire un compliment à qn; **to p. homage** or **tribute to sb** rendre hommage à qn **3** vi payer; **to p. a lot** payer cher; **it pays to be cautious** on a intérêt à être prudent ■**payable** adj (due) payable; **to make a cheque p. to sb** libeller un chèque à l'ordre de qn ■**pay-as-you-earn** n Br prélèvement m de l'impôt à la source ■**pay-**

as-you-go n Br Tel (for mobile phone) paiement m par carte prépayée; Comptr (for Internet acces) facturation f à la durée ▪ **paycheck** n Am chèque m de paie ▪ **payday** n jour m de paie ▪ **paying** adj (guest) payant; (profitable) rentable ▪ **payment** n paiement m; (of deposit) versement m; (reward) récompense f; **on p. of 20 euros** moyennant 20 euros ▪ **payoff** n Fam (reward) récompense f; (bribe) pot-de-vin m ▪ **pay-per-'view** TV **1** n système m de télévision à péage **2** adj à péage ▪ **payphone** n téléphone m public ▪ **payroll** n to be on the p. faire partie du personnel; **to have twenty workers on the p.** employer vingt ouvriers

▸ **pay back** vt sep (person, loan) rembourser; Fig **I'll p. you back for this!** tu me le paieras!

▸ **pay for** vt insep payer

▸ **pay in** vt sep (cheque, money) verser sur un compte

▸ **pay off 1** vt sep (debt, person) rembourser; (in instalments) rembourser par acomptes; (staff, worker) licencier **2** vi (of work, effort) porter ses fruits

▸ **pay out** vt sep (spend) dépenser

▸ **pay up** vi payer

PAYE [pi:eɪwaɪ'i:] n Br prélèvement m de l'impôt à la source

PC [pi:'si:] **1** (abbr **personal computer**) n PC m **2** (abbr **politically correct**) adj politiquement correct

PE [pi:'i:] (abbr **physical education**) n Br EPS f

pea [pi:] n pois m; **peas, Br garden** or **green peas** petits pois mpl

peace [pi:s] n paix f; **p. of mind** tranquillité f d'esprit; **in p.** en paix; **at p.** en paix (**with** avec); **to hold one's p.** garder le silence; Law **to disturb the p.** troubler l'ordre public; **I'd like to have some p. and quiet** j'aimerais un peu de silence; **p. talks** pourparlers mpl de paix; **p. treaty** traité m de paix ▪ **peace-keeping** adj (force) de maintien de la paix; (measure) de pacification ▪ **peace-loving** adj pacifique ▪ **peacetime** n temps m de paix

peaceable ['pi:səbəl] adj pacifique

peaceful ['pi:sfəl] adj (calm) paisible; (non-violent) pacifique ▪ **peacefully** adv paisiblement ▪ **peacefulness** n paix f

peach [pi:tʃ] **1** n (fruit) pêche f; **p. (tree)** pêcher m **2** adj (colour) pêche inv

peacock ['pi:kɒk] n paon m

peak [pi:k] **1** n (mountain top) sommet m; (mountain) pic m; (of cap) visière f; Fig (of fame, success) apogée m; **the traffic has reached** or **is at its p.** la circulation est à son maximum **2** adj (hours, period) de pointe; (demand, production) maximum **3** vi culminer à

peaked [pi:kt] adj **p. cap** casquette f

peaky ['pi:kɪ] (**-ier, -iest**) adj Br Fam (ill) patraque

peal [pi:l] **1** n (of bells) sonnerie f; (of thunder) coup m; **peals of laughter** éclats mpl de rire **2** vi **to p. (out)** (of bells) sonner à toute volée

peanut ['pi:nʌt] n cacah(o)uète f; Fam **to earn peanuts** gagner des clopinettes; **p. butter** beurre m de cacah(o)uètes; **p. oil** huile f d'arachide

pear [peə(r)] n poire f; **p. tree** poirier m

pearl [pɜ:l] n perle f; **p. necklace** collier m de perles ▪ **pearly** (**-ier, -iest**) adj (colour) nacré

peasant ['pezənt] n & adj paysan, -anne (mf)

peashooter ['pi:ʃu:tə(r)] n sarbacane f

peat [pi:t] n tourbe f; **p. bog** tourbière f

pebble ['pebəl] n (stone) caillou m (pl -oux); (on beach) galet m ▪ **pebbly** adj (beach) de galets

pecan ['pi:kən] n (nut) noix f de pécan

peck [pek] **1** n coup m de bec; (kiss) bise f **2** vti **to p. (at)** (bird) picorer; (person) donner un coup de bec à; Fig **the pecking order** la hiérarchie

peckish ['pekɪʃ] adj Br Fam **to be p.** avoir un petit creux

peculiar [pɪ'kju:lɪə(r)] adj (strange) bizarre; (special, characteristic) particulier, -ière (**to** à) ▪ **peculiarity** [-lɪ'ærɪtɪ] (pl **-ies**) n (feature) particularité f; (oddity) bizarrerie f ▪ **peculiarly** adv bizarrement; (specially) particulièrement

pedal ['pedəl] **1** n pédale f; **p. bin** poubelle f à pédale; **p. boat** Pédalo® m; **p. pushers** (trousers) corsaire m **2** (Br **-ll-,** Am **-l-**) vt **to p. a bicycle** être à bicyclette **3** vi pédaler

pedant ['pedənt] n pédant, -ante mf ▪ **pedantic** [pɪ'dæntɪk] adj pédant

peddle ['pedəl] vt (goods, ideas, theories) colporter; (drugs) faire du trafic de ▪ **peddler** n (door-to-door) colporteur, -euse mf; (in street) camelot m; (**drug**) **p.** trafiquant, -ante mf de drogue

pedestal ['pedɪstəl] n piédestal m; Fig **to put sb on a p.** mettre qn sur un piédestal

pedestrian [pə'destrɪən] **1** n piéton m; Br **p. crossing** passage m pour piétons; Br **p. precinct** zone f piétonnière **2** adj (speech, style) prosaïque ▪ **pedestrianize** vt (street) rendre piétonnier; **pedestrianized street** rue f piétonne ou piétonnière

pediatrician [pi:dɪə'trɪʃən] n Am = **paedi-atrician** ▪ **pediatrics** [-dɪ'ætrɪks] n Am = **paedi-atrics**

pedicure ['pedɪkjʊə(r)] n soins mpl des pieds

pedigree ['pedɪgri:] **1** n (of animal) pedigree m; (of person) ascendance f **2** adj (animal) de race

pedlar ['pedlə(r)] n (door-to-door) colporteur, -euse mf; (in street) camelot m

pedometer [pɪ'dɒmɪtə(r)] n podomètre m

pedophile ['pi:dəfaɪl] n Am = **paedophile** ▪ **pedophilia** [-də'fɪlɪə] n Am = **paedophile**

pee [pi:] Fam **1** n **to have a p.** faire pipi **2** vi faire pipi

peek [pi:k] **1** *n* **to have a p. (at)** jeter un coup d'œil furtif (à) **2** *vi* jeter un coup d'œil furtif (**at** à)

peel [pi:l] **1** *n (of vegetable, fruit)* peau *f; (of orange, lemon)* écorce *f* **2** *vt (vegetable)* éplucher; *(fruit)* peler; **to keep one's eyes peeled** ouvrir l'œil; **to p. sth off** *(label)* décoller qch **3** *vi (of skin, person)* peler; *(of paint)* s'écailler; **to p. easily** *(of fruit)* se peler facilement ▪**peeler** *n* **(potato) p.** épluche-légumes *m inv* ▪**peelings** *npl* épluchures *fpl*

peep [pi:p] **1** *n* **to have a p. (at)** jeter un coup d'œil furtif à **2** *vi* jeter un coup d'œil furtif (**at** à); **to p. out** se montrer **3** *vi (of bird)* pépier ▪**peephole** *n* judas *m* ▪**Peeping 'Tom** *n Fam* voyeur *m*

peer [pɪə(r)] **1** *n (equal)* & *Br (nobleman)* pair *m;* **p. pressure** influence *f* du groupe **2** *vi* **to p. at sb/sth** scruter qn/qch du regard; **to p. into the darkness** scruter l'obscurité ▪**peerage** ['pɪər-ɪdʒ] *n Br (rank)* pairie *f*

peeved [pi:vd] *adj* en rogne

peevish [pi:vɪʃ] *adj* irritable

peg [peg] **1** *n (for coat, hat)* patère *f; (for clothes)* pince *f* à linge; *(for tent)* piquet *m; (wooden)* cheville *f; (metal)* fiche *f; Br* **to buy sth off the p.** acheter qch en prêt-à-porter **2** *(pt & pp -gg-) vt (clothes)* accrocher; *(prices)* stabiliser ▸**peg out** *vt sep* **to p. out washing on the line** accrocher du linge sur la corde

pejorative [pɪ'dʒɒrətɪv] *adj* péjoratif, -ive

pekinese [pi:kɪ'ni:z] *n (dog)* pékinois *m*

Peking [pi:'kɪŋ] *n* Pékin *m ou f; Culin* **p. duck** canard *m* laqué

pekingese [pi:kɪ'ni:z] *n (dog)* pékinois *m*

pelican ['pelɪkən] *n* pélican *m; Br* **p. crossing** feux *mpl* à commande manuelle

pellet ['pelɪt] *n (of paper, bread)* boulette *f; (for gun)* plomb *m*

pelmet ['pelmɪt] *n (fabric, wood)* cantonnière *f*

pelt [pelt] **1** *n (skin)* peau *f; (fur)* fourrure *f* **2** *vt* bombarder (**with** de) **3** *vi Fam* (**a**) **it's pelting down** il pleut à verse (**b**) *(go fast)* aller à toute allure

pelvis ['pelvɪs] *n Anat* pelvis *m*

pen¹ [pen] **1** *n (for writing)* stylo *m;* **to live by one's p.** vivre de sa plume; **p. friend** *or* **pal** correspondant, -ante *mf;* **p. name** nom *m* de plume; *Pej* **p. pusher** gratte-papier *m inv* **2** *(pt & pp -nn-) vt* écrire

pen² [pen] *n (for sheep, cattle)* parc *m*

penal ['pi:nəl] *adj (code, law)* pénal; *(colony)* pénitentiaire ▪**penalize** *vt* pénaliser

penalty ['penəltɪ] *(pl -ies) n (prison sentence)* peine *f; (fine)* amende *mf; Football* penalty *m; Rugby* pénalité *f; Fig* **to pay the p. for sth** subir les conséquences de qch

penance ['penəns] *n* pénitence *f*

pence [pens] *Br pl of* **penny**

pencil ['pensəl] **1** *n* crayon *m;* **in p.** au crayon; **p. case** trousse *f;* **p. sharpener** taille-crayon *m* (*Br* **-ll-,** *Am* **-l-**) *vt (draw)* dessiner au crayon; *(write)* écrire au crayon; *Fig* **to p. sth in** fixer qch provisoirement

pendant ['pendənt] *n (around neck)* pendentif *m*

pending ['pendɪŋ] **1** *adj (matter, business)* en attente; *(trial)* en instance **2** *prep (until)* en attendant

pendulum ['pendjʊləm] *n* pendule *m*

penetrate ['penɪtreɪt] **1** *vt (substance)* pénétrer; *(secret, plan)* découvrir; *(mystery)* percer **2** *vti* **to p. (into)** *(forest)* pénétrer dans; *(group)* s'infiltrer dans ▪**penetrating** *adj (mind, cold)* pénétrant ▪**pene'tration** *n* pénétration *f*

penguin ['peŋgwɪn] *n* manchot *m*

penicillin [penɪ'sɪlɪn] *n* pénicilline *f;* **to be on p.** prendre de la pénicilline

peninsula [pə'nɪnsjʊlə] *n* presqu'île *f; (larger)* péninsule *f*

penis ['pi:nɪs] *n* pénis *m*

penitent ['penɪtənt] *adj* pénitent ▪**penitence** *n* pénitence *f*

penitentiary [penɪ'tenʃərɪ] *(pl -ies) n Am* prison *f* centrale

penknife ['pennaɪf] *(pl -knives) n* canif *m*

pennant ['penənt] *n* flamme *f*

penniless ['penɪləs] *adj* sans le sou

penny ['penɪ] *n* (**a**) *(pl -ies) Br (coin)* penny *m; Am & Can (cent)* cent *m; Fig* **I don't have a p.** je n'ai pas un sou; **you won't get a p.** tu n'auras pas un sou; **it was worth every p.** ça valait vraiment le coup (**b**) *(pl pence) Br (value, currency)* penny *m;* **a ten/fifty pence piece** une pièce de dix/cinquante pence

pension ['penʃən] **1** *n* pension *f;* **(retirement) p.** retraite *f; Br* **old age p.** pension de vieillesse; **to retire on a p.** toucher une retraite; **p. fund** fonds *m* de retraite; *Br* **p. scheme** plan *m* de retraite **2** *vt* **to p. sb off** mettre qn à la retraite ▪**pensionable** *adj (age)* de la retraite; *(job)* qui donne droit à une retraite ▪**pensioner** *n* retraité, -ée *mf; Br* **old age p.** retraité, -ée *mf*

pensive ['pensɪv] *adj* pensif, -ive

Pentagon ['pentəgən] *n Am Pol* **the P.** le Pentagone

pentathlon [pen'tæθlən] *n Sport* pentathlon *m*

penthouse ['penthaʊs] *n* = appartement de luxe au dernier étage d'un immeuble

pent-up ['pent'ʌp] *adj (energy, feelings)* refoulé

penultimate [pɪ'nʌltɪmət] *adj* avant-dernier, -ière

peony ['pi:ənɪ] *(pl -ies) n (plant)* pivoine *f*

people ['pi:pəl] **1** *n (nation)* peuple *m* **2** *npl (as group)* gens *mpl; (as individuals)* personnes *fpl;* **the p.** *(citizens)* le peuple; **two p.** deux personnes; **English p.** les Anglais *mpl;* **a lot of**

p. beaucoup de gens; **p. think that...** les gens pensent que... **3** *vt* peupler (**with** de)

pep [pep] *Fam* **1** *n* entrain *m*; **p. talk** petit discours *m* d'encouragement **2** (*pt & pp* **-pp-**) *vt* **to p. sb up** ragaillardir qn

pepper ['pepə(r)] **1** *n* poivre *m*; (*vegetable*) poivron *m*; **p. mill** moulin *m* à poivre; **p. pot** poivrière *f* **2** *vt* poivrer ▪ **peppercorn** *n* grain *m* de poivre ▪ **peppermint** *n* (*flavour*) menthe *f*; (*sweet*) bonbon *m* à la menthe ▪ **peppery** *adj* poivré

per [pɜː(r)] *prep* par; **p. annum** par an; **p. head, p. person** par personne; **50 pence p. kilo** 50 pence le kilo; **40 km p. hour** 40 km à l'heure; *Formal* **as p. your instructions** conformément à vos instructions

perceive [pə'siːv] *vt* (*see, hear*) percevoir; (*notice*) remarquer (**that** que)

percentage [pə'sentɪdʒ] *n* pourcentage *m* ▪ **percent** *adv* pour cent

perception [pə'sepʃən] *n* perception *f* (**of** de) ▪ **perceptible** *adj* perceptible ▪ **perceptive** *adj* (*person*) perspicace; (*study, remark*) pertinent

perch¹ [pɜːtʃ] **1** *n* (*for bird*) perchoir *m* **2** *vi* se percher

perch² [pɜːtʃ] *n* (*fish*) perche *f*

percolate ['pɜːkəleɪt] **1** *vt* (*coffee*) passer; **percolated coffee** = café préparé dans une cafetière à pression **2** *vi* (*of liquid*) passer (**through** par) ▪ **percolator** *n* cafetière *f* à pression; (*in café, restaurant*) percolateur *m*

percussion [pə'kʌʃən] *n Mus* percussion *f*

peremptory [pə'remptərɪ] *adj* péremptoire; (*refusal*) absolu

perennial [pə'renɪəl] **1** *adj* (*plant*) vivace; (*worry*) perpétuel, -uelle; (*beauty*) éternel, -elle **2** *n* plante *f* vivace

perfect **1** ['pɜːfɪkt] *adj* parfait **2** *adj & n Grammar* **p. (tense)** parfait *m* **3** [pə'fekt] *vt* parfaire; (*one's French*) parfaire ses connaissances en ▪ **perfectly** *adv* parfaitement

perfection [pə'fekʃən] *n* (*quality*) perfection *f*; (*of technique*) mise *f* au point (**of** de); **to p.** à la perfection ▪ **perfectionist** *n* perfectionniste *mf*

perforate ['pɜːfəreɪt] *vt* perforer ▪ **perfo-'ration** *n* perforation *f*

perform [pə'fɔːm] **1** *vt* (*task, miracle*) accomplir; (*duty, function*) remplir; (*play, piece of music*) jouer; **to p. an operation on sb** opérer qn **2** *vi* (*act, play*) jouer; (*sing*) chanter; (*dance*) danser; (*of machine, vehicle*) marcher; **to p. well/badly** (*in job*) bien/mal s'en tirer; **how does she p. under pressure?** comment réagit-elle lorsqu'elle est sous pression? ▪ **performing** **1** *adj* (*dog, seal*) savant; **p. arts** arts *mpl* du spectacle **2** *n* (*of play, piece of music*) représentation *f*

performance [pə'fɔːməns] *n* (**a**) . (*of play*) représentation *f* (**b**) (*of actor, musician*) interprétation *f*; (*of athlete*) performance *f*; (*of machine*) performances *fpl*; (*of company*) résultats *mpl*; *Fam* **to make a p.** faire toute une histoire; **p. art** performance *f*

performer [pə'fɔːmə(r)] *n* (*entertainer*) artiste *mf*; (*in play, of music*) interprète *mf* (**of** de)

perfume **1** ['pɜːfjuːm] *n* parfum *m* **2** [pə'fjuːm] *vt* parfumer

perfunctory [pə'fʌŋktərɪ] *adj* (*examination, glance*) rapide; (*smile*) mécanique; (*letter*) sommaire

perhaps [pə'hæps] *adv* peut-être; **p. not/so** peut-être que non/que oui; **p. she'll come** peut-être qu'elle viendra, elle viendra peut-être

peril ['perɪl] *n* péril *m*, danger *m*; **at your p.** à vos risques et périls ▪ **perilous** *adj* périlleux, -euse

perimeter [pə'rɪmɪtə(r)] *n* périmètre *m*

period ['pɪərɪəd] **1** *n* (**a**) (*stretch of time*) période *f*; (*historical*) époque *f*; (*school lesson*) heure *f* de cours; **in the p. of a month** en l'espace d'un mois; (*menstruation*) règles *fpl*; **to have one's p.** avoir ses règles (**b**) *Am* (*full stop*) point *m*; **I refuse, p.!** je refuse, un point c'est tout! **2** *adj* (*furniture, costume*) d'époque; *TV*, **p. drama** drame *m* historique ▪ **periodic** [-rɪ'ɒdɪk] *adj* périodique ▪ **periodical** [-rɪ'ɒdɪkəl] *n* (*magazine*) périodique *m* ▪ **periodically** [-rɪ'ɒdɪkəlɪ] *adv* périodiquement

periphery [pə'rɪfərɪ] (*pl* **-ies**) *n* périphérie *f* ▪ **peripheral** *adj* (*area, vision*) & *Comptr* périphérique; (*question*) sans rapport direct (**to** avec); (*issue, importance*) accessoire ▪ **peripherals** *npl Comptr* périphériques *mpl*

periscope ['perɪskəʊp] *n* périscope *m*

perish ['perɪʃ] *vi* (*of person*) périr; (*of rubber, leather*) se détériorer; (*of food*) s'avarier; **p. the thought!** loin de moi cette pensée! ▪ **perishing** *adj Fam* (*cold, weather*) glacial

perishable ['perɪʃəbəl] *adj* (*food*) périssable ▪ **perishables** *npl* denrées *fpl* périssables

perjure ['pɜːdʒə(r)] *vt Law* **to p. oneself** faire un faux témoignage ▪ **perjurer** *n Law* faux témoin *m* ▪ **perjury** *n Law* faux témoignage *m*; **to commit p.** faire un faux témoignage

perk [pɜːk] **1** *n BrFam* (*in job*) avantage *m* **2** *vt* **to p. sb up** (*revive*) ragaillardir qn; (*cheer up*) remonter le moral à qn **3** *vi* **to p. up** reprendre du poil de la bête ▪ **perky** (**-ier, -iest**) *adj Fam* (*lively*) plein d'entrain; (*cheerful*) guilleret, -ette

perm [pɜːm] **1** *n* permanente *f* **2** *vt* **to have one's hair permed** se faire faire une permanente

permanent ['pɜːmənənt] *adj* permanent; (*address*) fixe; (*ink*) indélébile; **she's p. here** (*of worker*) elle est ici à titre permanent ▪ **permanently** *adv* à titre permanent

permeable ['pɜːmɪəbəl] *adj* perméable
permeate ['pɜːmɪeɪt] *vt (of ideas)* se répandre dans; **to p. (through) sth** *(of liquid)* pénétrer qch
permissible [pə'mɪsəbəl] *adj* permis
permission [pə'mɪʃən] *n* permission *f*, autorisation *f* (**to do** de faire); **to ask for p. (to do sth)** demander la permission (de faire qch); **to give sb p. (to do sth)** donner la permission à qn (de faire qch)
permissive [pə'mɪsɪv] *adj* permissif, -ive
permit [pə'mɪt] **1** ['pɜːmɪt] *n* permis *m* **2** (*pt & pp* **-tt-**) *vt* permettre (**sb to do** à qn de faire) **3** *vi* **weather permitting** si le temps le permet
permutation [pɜːmjʊ'teɪʃən] *n* permutation *f*
pernicious [pə'nɪʃəs] *adj* pernicieux, -ieuse
pernickety [pə'nɪkətɪ] *adj Br Fam (person)* pointilleux, -euse; *(task)* délicat
peroxide [pə'rɒksaɪd] **1** *n Chem* peroxyde *m* **2** *adj (hair)* oxygéné; **p. blonde** blonde *f* décolorée
perpendicular [pɜːpən'dɪkjʊlə(r)] *adj & n* perpendiculaire (*f*)
perpetrate ['pɜːpɪtreɪt] *vt (crime)* perpétrer ▪ **perpetrator** *n* auteur *m*
perpetual [pə'petʃʊəl] *adj* perpétuel, -uelle ▪ **perpetually** *adv* perpétuellement ▪ **perpetuate** [-ʊeɪt] *vt* perpétuer ▪ **perpetuity** [pɜːpɪ'tjuːɪtɪ] *n* perpétuité *f*
perplex [pə'pleks] *vt* rendre perplexe ▪ **perplexed** *adj* perplexe ▪ **perplexing** *adj* déroutant
persecute ['pɜːsɪkjuːt] *vt* persécuter ▪ **perse'cution** *n* persécution *f*
persevere [pɜːsɪ'vɪə(r)] *vi* persévérer (**with** dans) ▪ **perseverance** *n* persévérance *f*
Persian ['pɜːʃən, 'pɜːʒən] **1** *adj (language, cat)* persan; **P. carpet** tapis *m* persan; **the P. Gulf** le golfe Persique **2** *n (language)* persan *m*
persist [pə'sɪst] *vi* persister (**in doing** à faire; **in sth** dans qch); **to p. in one's belief that...** persister à croire que... ▪ **persistence** *n (of person)* ténacité *f*, *(of fog, belief)* persistance *f* ▪ **persistent** *adj (person)* tenace; *(fever, smell, rumours)* persistant; *(noise, attempts)* continuel, -uelle; *Law* **p. offender** récidiviste *mf* ▪ **persistently** *adv (stubbornly)* obstinément; *(continually)* continuellement
person ['pɜːsən] *n* personne *f*; **in p.** en personne; **a p. to p. call** *(on telephone)* une communication avec préavis
personable [pɜːsənəbəl] *adj* charmant
personal ['pɜːsənəl] *adj* personnel, -elle; *(friend)* intime; *(life)* privé; *(indiscreet)* indiscret, -ète; **to make a p. appearance** venir en personne; **p. ad** petite annonce *f*; **p. assistant**, **p. secretary** secrétaire *m* particulier, secrétaire *f* particulière; **the p. column** les petites annonces *fpl*; **p. computer**

ordinateur *m* individuel; **p. hygiene** hygiène *f*; **p. organizer** agenda *m*; **p. stereo** baladeur *m*; **p. trainer** entraîneur, -euse *mf* personnel(elle)
personality [pɜːsə'nælɪtɪ] (*pl* **-ies**) *n (character, famous person)* personnalité *f*; **a television p.** une vedette de la télévision; **p. disorder** trouble *m* de la personnalité; **p. test** test *m* de personnalité
personalize ['pɜːsənəlaɪz] *vt* personnaliser
personally ['pɜːsənəlɪ] *adv* personnellement; *(in person)* en personne; **don't take it p.** n'en faites pas une affaire personnelle
personify [pə'sɒnɪfaɪ] (*pt & pp* **-ied**) *vt* personnifier ▪ **personification** [-fɪ'keɪʃən] *n* personnification *f*
personnel [pɜːsə'nel] *n (staff)* personnel *m*; **p. department** service *m* du personnel; **p. management** direction *f* du personnel
perspective [pə'spektɪv] *n* perspective *f*; *Fig* **in (its true) p.** sous son vrai jour
Perspex® ['pɜːspeks] *n Br* Plexiglas® *m*
perspire [pə'spaɪə(r)] *vi* transpirer ▪ **perspiration** [pɜːspə'reɪʃən] *n* transpiration *f*
persuade [pə'sweɪd] *vt* persuader (**sb to do** qn de faire) ▪ **persuasion** *n* persuasion *f*; *(religious beliefs)* religion *f*; *(political beliefs)* opinions *fpl* politiques ▪ **persuasive** *adj (person, argument)* persuasif, -ive ▪ **persuasively** *adv* de façon persuasive
pert [pɜːt] *adj* **(a)** *(nose, breasts)* pointu; *(bottom)* petit et ferme **(b)** *(cheeky)* espiègle ▪ **pertly** *adv* avec impertinence
pertain [pə'teɪn] *vi Formal* **to p. to** *(relate)* se rapporter à; *(belong)* appartenir à
pertinent ['pɜːtɪnənt] *adj* pertinent ▪ **pertinently** *adv* pertinemment
perturb [pə'tɜːb] *vt* troubler
Peru [pə'ruː] *n* le Pérou ▪ **Peruvian 1** *adj* péruvien, -ienne **2** *n* Péruvien, -ienne *mf*
peruse [pə'ruːz] *vt Formal (read carefully)* lire attentivement; *(skim through)* parcourir ▪ **perusal** *n Formal* lecture *f*
pervade [pə'veɪd] *vt* imprégner ▪ **pervasive** *adj (feeling)* général; *(smell)* envahissant; *(influence)* omniprésent
perverse [pə'vɜːs] *adj (awkward)* contrariant; *(sexually deviant)* pervers ▪ **perversion** [*Br* -ʃən, *Am* -ʒən] *n (sexual)* perversion *f*; *(of justice, truth)* travestissement *m* ▪ **perversity** (*pl* **-ies**) *n* esprit *m* de contradiction; *(sexual deviance)* perversité *f*
pervert 1 ['pɜːvɜːt] *n (sexual deviant)* pervers, -erse *mf* **2** [pə'vɜːt] *vt* pervertir; *(mind)* corrompre; *Law* **to p. the course of justice** entraver le bon fonctionnement de la justice
pesky ['peskɪ] (**-ier**, **-iest**) *adj Am Fam (troublesome)* embêtant
pessimism ['pesɪmɪzəm] *n* pessimisme *m* ▪ **pessimist** *n* pessimiste *mf* ▪ **pessi'mistic** *adj*

pessimiste ▪ **pessi'mistically** adv avec pessimisme

pest [pest] n (animal) animal m nuisible; (insect) insecte m nuisible; Fam (person) plaie f

pester ['pestə(r)] vt tourmenter; **to p. sb to do sth** harceler qn pour qu'il fasse qch; **to p. sb for sth** harceler qn jusqu'à ce qu'il donne qch

pesticide ['pestɪsaɪd] n pesticide m

pet [pet] n 1 animal m domestique; (favourite person) chouchou, -oute mf; (term of address) petit chou m; **to have** or **keep a p.** avoir un animal chez soi 2 adj (dog, cat) domestique; (tiger) apprivoisé; (favourite) favori, -ite; Br **p. hate** bête f noire; **p. name** petit nom m; **p. shop** animalerie f; **p. subject** dada m 3 (pt & pp **-tt-**) vt (fondle) caresser 4 vi Fam se peloter

petal ['petəl] n pétale m

peter ['piːtə(r)] vi **to p. out** (of conversation, enthusiasm) tarir; (of scheme) n'aboutir à rien; (of path, stream) disparaître

petite [pə'tiːt] adj (woman) menu

petition [pə'tɪʃən] n 1 n (signatures) pétition f; (request to court of law) requête f; Law **p. for divorce** demande f en divorce 2 vt adresser une pétition/une requête à (**for sth** pour demander qch) 3 vi **to p. for sth** faire une pétition pour qch; Law **to p. for divorce** faire une demande de divorce

petrify ['petrɪfaɪ] (pt & pp **-ied**) vt pétrifier

petrol ['petrəl] n Br essence f; **I've run out of p.** je suis tombé en panne d'essence; **p. can** bidon m d'essence; **p. station** station-service f; **p. tank** réservoir m d'essence

> Note that the French word **pétrole** is a false friend and is never a translation for the English word **petrol**. It means oil.

petroleum [pə'trəʊlɪəm] n pétrole m; **p. jelly** vaseline f

petticoat ['petɪkəʊt] n jupon m

petty ['petɪ] (**-ier, -iest**) adj (trivial) insignifiant; (mean) mesquin; **p. cash** petite caisse f; **p. criminal** petit délinquant m; **p. officer** (on ship) second maître m ▪ **pettiness** n (triviality) insignifiance f; (meanness) mesquinerie f

petulant ['petjʊlənt] adj irritable ▪ **petulance** n irritabilité f

> Note that the French word **pétulant** is a false friend and is never a translation for the English word **petulant**. It means exuberant.

petunia [pɪ'tjuːnɪə] n pétunia m

pew [pjuː] n banc m d'église; Fam **take a p.!** assieds-toi!

pewter ['pjuːtə(r)] n étain m

PGCE [piːdʒiːsiː'iː] (abbr **Postgraduate Certificate in Education**) n Br Univ = diplôme d'enseignement

phallic ['fælɪk] adj phallique

phantom ['fæntəm] n fantôme m

pharmacy ['fɑːməsɪ] (pl **-ies**) n pharmacie f ▪ **pharmaceutical** [-'sjuːtɪkəl] adj pharmaceutique ▪ **pharmaceuticals** [-'sjuːtɪkəl] npl produits mpl pharmaceutiques ▪ **pharmacist** n pharmacien, -ienne mf

pharynx ['færɪŋks] n Anat pharynx m ▪ **pharyngitis** [-rɪn'dʒaɪtəs] n Med pharyngite f

phase [feɪz] n phase f; **it's just a p.** ça lui passera ▪ **phased** adj progressif, -ive

▸ **phase in** vt sep introduire progressivement

▸ **phase out** vt sep supprimer progressivement

PhD [piːeɪtʃ'diː] (abbr **Doctor of Philosophy**) n (degree) doctorat m (**in** de); (person) docteur m

pheasant ['fezənt] n faisan m

phenomenon [fɪ'nɒmɪnən] (pl **-ena** [-ɪnə]) n phénomène m ▪ **phenomenal** adj phénoménal

phew [fjuː] exclam (in relief) ouf!; (when hot) pfff!

philanthropist [fɪ'lænθrəpɪst] n philanthrope mf ▪ **philanthropic** [fɪlən'θrɒpɪk] adj philanthropique

philately [fɪ'lætəlɪ] n philatélie f ▪ **philatelist** n philatéliste m

philharmonic [fɪlə'mɒnɪk] adj & n philharmonique (m)

Philippines ['fɪlɪpiːnz] npl **the P.** les Philippines fpl

philistine ['fɪlɪstaɪn] n béotien, -ienne mf, philistin m

philosophy [fɪ'lɒsəfɪ] (pl **-ies**) n philosophie f ▪ **philosopher** n philosophe mf ▪ **philosophical** [fɪlə'sɒfɪkəl] adj philosophique; Fig (stoical, resigned) philosophe ▪ **philosophically** [fɪlə'sɒfɪklɪ] adv (say) avec philosophie ▪ **philosophize** vi philosopher (**on** sur)

phlegm [flem] n (in throat) glaires fpl; Fig (calmness) flegme m ▪ **phlegmatic** [fleg'mætɪk] adj flegmatique

phobia ['fəʊbɪə] n phobie f

phone [fəʊn] n 1 n téléphone m; **to be on the p.** (be talking) être au téléphone; (have a telephone) avoir le téléphone; **p. call** coup m de téléphone; **to make a p. call** téléphoner (**to** à); **p. book** annuaire m; **p. box**, Br **p. booth** cabine f téléphonique; **p. number** numéro m de téléphone 2 vt téléphoner (**to** à); **to p. sb (up)** téléphoner à qn; **to p. sb back** rappeler qn 3 vi **to p. (up)** téléphoner; **to p. back** rappeler ▪ **phonecard** n Br carte f de téléphone ▪ **phone-in** n = émission au cours de laquelle les auditeurs ou les téléspectateurs peuvent intervenir par téléphone

phonetic [fə'netɪk] adj phonétique; **p. alphabet** alphabet m phonétique ▪ **phonetics** 1 n (science) phonétique f 2 npl (words) transcription f phonétique

phoney ['fəʊnɪ] Fam 1 (**-ier, -iest**) adj (jewels, writer) faux (f fausse); (company, excuse) bidon *inv; (attitude)* de faux jeton **2** *n (impostor)* imposteur *m; (insincere person)* faux jeton *m;* **it's a p.** *(jewel, coin)* c'est du faux

phosphate ['fɒsfeɪt] *n Chem* phosphate *m*

phosphorus ['fɒsfərəs] *n Chem* phosphore *m*

photo ['fəʊtəʊ] *(pl* **-os)** *n* photo *f;* **to take sb's p.** prendre qn en photo; **to have one's p. taken** se faire prendre en photo; **p. album** album *m* de photos

photocopy ['fəʊtəʊkɒpɪ] **1** *(pl* **-ies)** *n* photocopie *f* **2** *(pt & pp* **-ied)** *vt* photocopier **•photocopier** *n* photocopieuse *f*

photogenic [fəʊtəʊ'dʒenɪk] *adj* photogénique

photograph ['fəʊtəgrɑːf] **1** *n* photographie *f* **2** *vt* photographier **3** *vi* **to p. well** être photogénique **•photographer** [fə'tɒɡrəfə(r)] *n* photographe *mf* **•photographic** [-'ɡræfɪk] *adj* photographique **•photography** [fə'tɒɡrəfɪ] *n (activity)* photographie *f*

Note that the French word **photographe** is a false friend and is never a translation for the English word **photograph**. It means **photographer**.

phrase [freɪz] **1** *n (saying)* expression *f; (idiom)* & Grammar locution *f;* **p. book** manuel *m* de conversation **2** *vt (verbally)* exprimer; *(in writing)* rédiger

Note that the French noun **phrase** is a false friend. It means **sentence**.

Phys Ed [fɪz'ed] *(abbr* **physical education)** *n Am* EPS *f*

physical ['fɪzɪkəl] **1** *adj* physique; **p. education** éducation *f* physique; **p. examination** visite *f* médicale **2** *n (examination)* visite *f* médicale **•physically** *adv* physiquement; **it's p. impossible** c'est matériellement impossible

physician [fɪ'zɪʃən] *n* médecin *m*

Note that the French word **physicien** is a false friend and is never a translation for the English word **physician**. It means **physicist**.

physics ['fɪzɪks] *n (science)* physique *f* **•physicist** ['fɪzɪsɪst] *n* physicien, -ienne *mf*

physiology [fɪzɪ'ɒlədʒɪ] *n* physiologie *f* **•physiological** [fɪzɪə'lɒdʒɪkəl] *adj* physiologique

physiotherapy [fɪzɪəʊ'θerəpɪ] *n* kinésithérapie *f* **•physiotherapist** *n* kinésithérapeute *mf*

physique [fɪ'ziːk] *n* physique *m*

piano [pɪ'ænəʊ] *(pl* **-os)** *n* piano *m* **•pianist** ['pɪənɪst] *n* pianiste *mf*

piazza [pɪ'ætsə] *n (square)* place *f*

pick¹ [pɪk] **1** *n (choice)* choix *m;* **to take one's p.**

choisir; **the p. of the bunch** le meilleur/la meilleure du lot **2** *vt (choose)* choisir; *(flower, fruit)* cueillir; *(hole)* faire (**in** dans); *(pimple)* tripoter; *(lock)* crocheter; **to p. one's nose** se mettre les doigts dans le nez; **to p. one's teeth** se curer les dents; **to p. a fight** chercher la bagarre (**with** avec); *Fig* **to p. holes in sth** relever les failles dans qch **3** *vi* **to p. and choose** se permettre de choisir

▶ **pick at** *vt insep* **to p. at one's food** picorer

▶ **pick off** *vt sep (remove)* enlever

▶ **pick on** *vt insep (nag, blame)* s'en prendre à

▶ **pick out** *vt sep (choose)* choisir; *(identify)* repérer

▶ **pick up 1** *vt sep (lift up)* ramasser; *(to upright position)* relever; *(person into air, weight)* soulever; *(baby)* prendre dans ses bras; *(cold)* attraper; *(habit, accent, speed)* prendre; *(fetch, collect)* passer prendre; *(radio programme)* capter; *(survivor)* recueillir; *(arrest)* arrêter; *(learn)* apprendre; **to p. up the phone** décrocher le téléphone **2** *vi (improve)* s'améliorer; *(of business)* reprendre; *(of patient)* se remettre; **let's p. up where we left off** reprenons (là où nous en étions restés)

pick² [pɪk] *n (tool)* pic *m;* **ice p.** pic à glace

pickaxe ['pɪkæks] *(Am* **pickax)** *n* pioche *f*

picket ['pɪkɪt] **1** *n* **(a)** *(stake)* piquet *m* **(b)** *(in strike)* **p. (line)** piquet *m* de grève **2** *vt (factory)* installer un piquet de grève aux portes de

pickings ['pɪkɪŋz] *npl (leftovers)* restes *mpl; (profits)* bénéfices *mpl;* **rich p.** gros bénéfices

pickle ['pɪkəl] **1** *n* = condiment à base de légumes conservés dans du vinaigre; **pickles** *(vegetables) Br* conserves *fpl* (au vinaigre); *Am* concombres *mpl,* cornichons *mpl; Fam* **to be in a p.** être dans le pétrin **2** *vt* conserver dans du vinaigre; **pickled onion** oignon *m* au vinaigre

pick-me-up ['pɪkmiːʌp] *n Fam* remontant *m*

pickpocket ['pɪkpɒkɪt] *n* pickpocket *m*

pick-up ['pɪkʌp] *n* **p. (truck)** pick-up *m inv (petite camionnette à plateau);* **p. point** *(for goods, passengers)* point *m* de ramassage

picky ['pɪkɪ] **(-ier, -iest)** *adj Fam (choosy)* difficile (**about** sur)

picnic ['pɪknɪk] **1** *n* pique-nique *m; Br* **p. basket, p. hamper** panier *m* à pique-nique **2** *(pt & pp* **-ck-)** *vi* pique-niquer

pictorial [pɪk'tɔːrɪəl] *adj (representation)* en images; *(periodical)* illustré

picture ['pɪktʃə(r)] **1** *n* image *f; (painting)* tableau *m; (drawing)* dessin *m; (photo)* photo *f; Fig (situation)* situation *f; Br Fam (film)* film *m; Br Fam* **the pictures** le cinéma; **to be the p. of health** respirer la santé; *Fig* **to put sb in the p.** mettre qn au courant; **p. frame** cadre *m; Tel* **p. message** message *m* image **2** *vt (in painting, photo)* représenter; *Fig (in words)* décrire; **to p. sth** s'imaginer qch; **to p. sb doing sth** s'imaginer qn en train de faire qch

picturesque [pɪktʃəˈresk] *adj* pittoresque

pidgin [ˈpɪdʒɪn] *n* pidgin *m*; **p. English/French** ≃ petit nègre *m*

pie [paɪ] *n* (*open*) tarte *f*; (*with pastry on top*) tourte *f*; **p. chart** camembert *m*

piece [piːs] **1** *n* morceau *m*; (*smaller*) bout *m*; (*in chess, puzzle*) pièce *f*; **in pieces** en morceaux; **to smash sth to pieces** briser qch en morceaux; **to take sth to pieces** démonter qch; **to come to pieces** se démonter; *Fig* **to go to pieces** (*of person*) s'effondrer (complètement); **a p. of news/advice/luck** une nouvelle/un conseil/une chance; **in one p.** (*object*) intact; (*person*) indemne **2** *vt* **to p. together** (*facts*) reconstituer; (*one's life*) refaire

piecemeal [ˈpiːsmiːl] **1** *adv* petit à petit **2** *adj* (*unsystematic*) peu méthodique

pier [pɪə(r)] *n* (*for walking, with entertainments*) jetée *f*; (*for landing*) embarcadère *m*

pierce [pɪəs] *vt* percer; (*of cold, bullet, sword*) transpercer; **to have one's ears/nose pierced** se faire percer les oreilles/le nez ■ **piercing 1** *adj* (*voice, sound*) perçant; (*wind*) vif (*f* vive) **2** *n* (**body**) **p.** piercing *m*

piety [ˈpaɪətɪ] *n* piété *f*

pig [pɪg] **1** *n* (*animal*) cochon *m*, porc *m*; *Fam* (*greedy person*) goinfre *m*; *Fam* (*unpleasant man*) salaud *m* **2** (*pt & pp* **-gg-**) *vi Fam* **to p. out** (*overeat*) se goinfrer (**on** de) ■ **piggish** *adj* (*dirty*) sale; (*greedy*) goinfre ■ **piggy** *adj Fam* (*greedy*) goinfre; **p. eyes** des yeux de cochon ■ **piggy bank** *n* tirelire *f* (*en forme de cochon*) ■ **pig-ˈheaded** *adj* têtu

pigeon [ˈpɪdʒɪn] *n* pigeon *m*

pigeonhole [ˈpɪdʒɪnhəʊl] **1** *n* casier *m* **2** *vt* (*classify, label*) classer; (*person*) étiqueter; (*shelve*) mettre en suspens

piggyback [ˈpɪgɪbæk] *n* **to give sb a p.** porter qn sur son dos

pigment [ˈpɪgmənt] *n* pigment *m* ■ **pigmenˈtation** *n* pigmentation *f*

pigsty [ˈpɪgstaɪ] (*pl* **-ies**) *n* porcherie *f*

pigtail [ˈpɪgteɪl] *n* (*hair*) natte *f*

pike [paɪk] *n* (*fish*) brochet *m*

pilchard [ˈpɪltʃəd] *n* pilchard *m*

pile¹ [paɪl] **1** *n* (*heap*) tas *m*; (*stack*) pile *f*; *Fam* **to have piles of** *or* **a p. of things to do** avoir un tas de choses à faire; *Fam* **to have piles** *or* **a p. of work to do** avoir des tonnes de travail à faire; *Fam* **to make one's p.** faire fortune **2** *vt* entasser; (*stack*) empiler **3** *vi Fam* **to p. into a car** s'entasser dans une voiture
► **pile up 1** *vt sep* entasser; (*stack*) empiler **2** *vi* (*accumulate*) s'accumuler

pile² [paɪl] *n* (*of carpet*) poils *mpl*

piles [paɪlz] *npl* (*illness*) hémorroïdes *fpl*

pile-up [ˈpaɪlʌp] *n Fam* (*on road*) carambolage *m*

pilfer [ˈpɪlfə(r)] *vti* chaparder ■ **pilfering** *n* chapardage *m*

pilgrim [ˈpɪlgrɪm] *n* pèlerin *m*; **the P. fathers** les Pères Pèlerins *mpl* ■ **pilgrimage** *n* pèlerinage *m*

pill [pɪl] *n* pilule *f*; **to be on the p.** (*for contraception*) prendre la pilule; **to come off the p.** arrêter la pilule

pillage [ˈpɪlɪdʒ] **1** *n* pillage *m* **2** *vti* piller

pillar [ˈpɪlə(r)] *n* pilier *m*; *Br* **p. box** boîte *f* aux lettres

pillion [ˈpɪljən] *adv* **to ride p.** (*on motorbike*) monter derrière

pillow [ˈpɪləʊ] *n* oreiller *m* ■ **pillowcase, pillowslip** *n* taie *f* d'oreiller

pilot [ˈpaɪlət] **1** *n* (*of plane, ship*) pilote *m* **2** *adj* **p. light** veilleuse *f*; **p. scheme** projet-pilote *m* **3** *vt* (*plane, ship*) piloter

pimento [pɪˈmentəʊ] (*pl* **-os**) *n* piment *m*

pimp [pɪmp] *n* proxénète *m*

pimple [ˈpɪmpəl] *n* bouton *m* ■ **pimply** (**-ier, -iest**) *adj* boutonneux, -euse

PIN [pɪn] (*abbr* **personal identification number**) *n Br* **P. (number)** code *m* confidentiel

pin [pɪn] **1** *n* épingle *f*; (*for surgery*) broche *f*; *Br* (*drawing pin*) punaise *f*; (*in machine, grenade*) goupille *f*; **to have pins and needles** avoir des fourmis (**in** dans); **p. money** argent *m* de poche **2** (*pt & pp* **-nn-**) *vt* (*attach*) épingler (**to** à); (*to wall*) punaiser (**to** *or* **on** à); **to p. one's hopes on sb/sth** mettre tous ses espoirs en qn/qch; **to p. the blame on sb** rejeter la responsabilité sur qn; **to p. down** (*immobilize*) immobiliser; (*fix*) fixer; (*trap*) coincer; *Fig* **to p. sb down** forcer qn à s'engager; **to p. sth up** (*notice*) fixer qch au mur ■ **pincushion** *n* pelote *f* à épingles

pinafore [ˈpɪnəfɔː(r)] *n Br* (*apron*) tablier *m*; (*dress*) robe *f* chasuble

pinball [ˈpɪnbɔːl] *n* flipper *m*; **p. machine** flipper *m*

pincers [ˈpɪnsəz] *npl* (*tool*) tenailles *fpl*

pinch [pɪntʃ] **1** *n* (*action*) pincement *m*; (*of salt*) pincée *f*; **to give sb a p.** pincer qn; *Br* **at a p.,** *Am* **in a p.** à la rigueur; *Fig* **to feel the p.** être gêné **2** *vt* pincer; *Br Fam* (*steal*) piquer (**from** à); *Fam* (*arrest*) pincer **3** *vi* (*of shoes*) serrer

pine [paɪn] **1** *n* (*tree, wood*) pin *m*; **p. forest** pinède *f*; **p. nut** pignon *m* **2** *vi* **to p. for sb/sth** se languir de qn/qch; **to p. away** languir

pineapple [ˈpaɪnæpəl] *n* ananas *m*

ping [pɪŋ] *n* tintement *m*

ping-pong [ˈpɪŋpɒŋ] *n* ping-pong *m*; **p. table** table *f* de ping-pong

pink [pɪŋk] *adj & n* (*colour*) rose (*m*)

pinkie [ˈpɪŋkɪ] *n Am & Scot* petit doigt *m*

pinnacle [ˈpɪnəkəl] *n Fig* (*of fame, career*) apogée *m*

pinpoint [ˈpɪnpɔɪnt] *vt* (*locate*) repérer; (*identify*) identifier

pinstripe [ˈpɪnstraɪp] *adj* (*suit*) rayé

pint [paɪnt] *n* pinte *f* (*Br = 0,57 l, Am = 0,47 l*); **a p. (of beer)** ≃ un demi

pin-up ['pɪnʌp] *n Fam (girl)* pin-up *f inv*

pioneer [paɪə'nɪə(r)] **1** *n* pionnier, -ière *mf* **2** *vt* **to p. sth** être le premier/la première à mettre au point qch

pious ['paɪəs] *adj (person, deed)* pieux (*f* pieuse)

pip [pɪp] *n Br (of fruit)* pépin *m*; *Br* **the pips** *(on radio)* les bips *mpl* sonores

pipe [paɪp] **1** *n* tuyau *m*; *(for smoking)* pipe *f*; *(musical instrument)* pipeau *m*; **the pipes** *(bagpipes)* la cornemuse; **to smoke a p.** fumer la pipe; **p. cleaner** cure-pipes *m inv*; **p. dream** chimère *f* **2** *vt (water, oil)* transporter par canalisation; **piped music** musiquette *f* **3** *vi Fam* **to p. down** *(shut up)* se taire ■**piping 1** *n (pipes)* canalisations *fpl*; **length of p.** tuyau *m* **2** *adv* **p. hot** très chaud

pipeline ['paɪplaɪn] *n (for oil)* pipeline *m*; *Fig* **to be in the p.** être en préparation

pique [piːk] *n* dépit *m*

pirate ['paɪərət] **1** *n* pirate *m* **2** *adj (radio, ship)* pirate ■**piracy** *n (of ships)* piraterie *f*; *(of videos, software)* piratage *m* ■**pirated** *adj (book, video, CD)* pirate

Pisces ['paɪsiːz] *n (sign)* les Poissons *mpl*; **to be (a) P.** être Poissons

piss [pɪs] *very Fam* **1** *n* pisse *f*; **to have a p.** pisser; **to take the p. out of sb** se foutre (de la gueule) de qn **2** *vi* pisser; **it's pissing down or with rain** il pleut comme vache qui pisse ■**pissed** *adj Br Fam (drunk)* bourré; *Am Fam (angry)* en rogne

▶**piss off** *very Fam* **1** *vt sep (annoy)* faire chier; **to be pissed off with sb/sth** en avoir ras le bol de qn/qch; **to be pissed off at sb/about sth** être en pétard contre qn/à cause de qch **2** *vi (go away)* se casser; **p. off!** fous le camp!

pistachio [pɪ'stæʃɪəʊ] *(pl* -os*) n (nut, flavour)* pistache *f*

pistol ['pɪstəl] *n* pistolet *m*

piston ['pɪstən] *n (of engine)* piston *m*

pit[1] [pɪt] *n (hole)* fosse *f*; *(mine)* mine *f*; *(of stomach)* creux *m*; *Br (in theatre)* parterre *m*; **the pits** *(in motor racing)* les stands *mpl* de ravitaillement; *Fam* **it's the pits** c'est complètement nul

pit[2] [pɪt] *n Am (stone of fruit)* noyau *m (pl* -aux*); (smaller)* pépin *m*

pit[3] [pɪt] *(pt & pp* -tt-*) vt* **to p. oneself against sb** se mesurer à qn

pitch[1] [pɪtʃ] **1** *n* (**a**) *Football* terrain *m*; *(in market)* place *f* (**b**) *(degree)* degré *m*; *(of voice)* hauteur *f*; *(musical)* ton *m* **2** *vt (tent)* dresser; *(camp)* établir; *(ball)* lancer; **a pitched battle** *(between armies)* une bataille rangée; *Fig* une belle bagarre **3** *vi (of ship)* tanguer **4** *vi Fam* **to p. in** *(cooperate)* mettre du sien; **to p. into sb** attaquer qn

pitch[2] [pɪtʃ] *n (tar)* poix *f* ■**pitch-'black, pitch-'dark** *adj* noir comme dans un four

pitcher[1] ['pɪtʃə(r)] *n* pichet *m*

pitcher[2] ['pɪtʃə(r)] *n Sport (in baseball)* lanceur *m*

pitchfork ['pɪtʃfɔːk] *n* fourche *f*

pitfall ['pɪtfɔːl] *n (trap)* piège *m*

pith [pɪθ] *n (of orange)* peau *f* blanche; *Fig (essence)* moelle *f* ■**pithy** *(-ier, -iest) adj* concis

pitiful ['pɪtɪfəl] *adj* pitoyable ■**pitiless** *adj* impitoyable

pitta ['pɪtə] *adj & n* **p. (bread)** pita *m*

pittance ['pɪtəns] *n (income)* salaire *m* de misère; *(sum)* somme *f* dérisoire

Note that the French word **pitance** is a false friend and is never a translation for the English word **pittance**. It means **sustenance**.

pitted ['pɪtɪd] *adj* (**a**) *(face)* grêlé; **p. with rust** piqué de rouille (**b**) *Am (fruit)* dénoyauté

pitter-patter ['pɪtəpætə(r)] *n* = **patter**[1]

pity ['pɪtɪ] **1** *n* pitié *f*; **to take** *or* **have p. on sb** avoir pitié de qn; **what a p.!** quel dommage!; **it's a p. that...** c'est dommage que... *(+ subjunctive)* **2** *(pt & pp* -ied*) vt* plaindre

pivot ['pɪvət] **1** *n* pivot *m* **2** *vi* pivoter (**on** sur)

pixie ['pɪksɪ] *n (fairy)* lutin *m*

pizza ['piːtsə] *n* pizza *f*; *Br* **p. parlour,** *Am* **p. parlor** pizzeria *f* ■**pizzeria** [piːtsə'riːə] *n* pizzeria *f*

placard ['plækɑːd] *n (on wall)* affiche *f*; *(hand-held)* pancarte *f*

Note that the French word **placard** is a false friend and is never a translation for the English word **placard**. Its most common meaning is **cupboard**.

placate [*Br* plə'keɪt, *Am* 'pleɪkeɪt] *vt* calmer

place [pleɪs] **1** *n* endroit *m*, lieu *m*; *(in street name)* rue *f*; *(seat, position, rank)* place *f*; *Fam* **my p.** chez moi; *Fam* **my parents' p.** chez mes parents; **to lose one's p.** *(in queue)* perdre sa place; *(in book)* perdre sa page; **to change** *or* **swap** *or* **trade places** changer de place; **to take the p. of sb/sth** remplacer qn/qch; **to take p.** *(happen)* avoir lieu; *Br* **to set** *or* **lay three places** *(at the table)* mettre trois couverts; *Am* **some p.** *(somewhere)* quelque part; *Am* **no p.** *(nowhere)* nulle part; **all over the p.** un peu partout; **in the first p.** *(firstly)* en premier lieu; **in p. of** à la place de; **out of p.** *(remark)* déplacé; *(object)* pas à sa place; **p. of work** lieu *m* de travail; **p. mat** set *m* de table; **p. setting** couvert *m* **2** *vt (put, situate, invest)* & *Sport* placer; **to be placed third** se classer troisième; **to p. an order with sb** passer une commande à qn; **to p. sb** *(remember, identify)* remettre qn

placement ['pleɪsmənt] *n* stage *m*

placid ['plæsɪd] *adj* placide

plagiarize ['pleɪdʒəraɪz] *vt* plagier ■**plagiarism** *n* plagiat *m*

plague [pleɪg] **1** n (disease) peste f; (of insects) invasion f; **to avoid sb/sth like the p.** éviter qn/qch comme la peste **2** vt (of person) harceler (**with** de)

plaice [pleɪs] n (fish) carrelet m

plaid [plæd] n (fabric) tissu m écossais

plain¹ [pleɪn] **1** (**-er, -est**) adj (clear, obvious) clair; (simple) simple; (without a pattern) uni; (not beautiful) quelconque; **in p. English** clairement; **in p. clothes** en civil; **to make it p. to sb that…** faire comprendre à qn que…; **I'll be quite p. with you** je vais être franc/franche avec vous; Fam **that's p. madness** c'est de la pure folie; **p. chocolate** chocolat m noir; **p. flour** farine f (sans levure); **p. speaking** franc-parler m **2** adv Fam (utterly) complètement ▪ **plainly** adv (clearly) clairement; (frankly) franchement

plain² [pleɪn] n (land) plaine f

plaintiff [ˈpleɪntɪf] n Law plaignant, -ante mf

plaintive [ˈpleɪntɪv] adj plaintif, -ive

plait [plæt] **1** n tresse f, natte f **2** vt tresser, natter

plan [plæn] **1** n (proposal, intention) projet m; (of building, town, essay) plan m; **the best p. would be to…** le mieux serait de…; **to go according to p.** se passer comme prévu; **to have no plans** (be free) n'avoir rien de prévu; **to change one's plans** (decide differently) changer d'idée **2** (pt & pp **-nn-**) vt (arrange) projeter; (crime) comploter; (building, town) faire le plan de; (economy) planifier; **to p. to do** or **on doing sth** (intend) projeter de faire qch; **as planned** comme prévu **3** vi faire des projets; **to p. for the future** faire des projets d'avenir

plane¹ [pleɪn] n (aircraft) avion m

plane² [pleɪn] **1** n (tool) rabot m **2** vt raboter

plane³ [pleɪn] n **p. (tree)** platane m

plane⁴ [pleɪn] n (level, surface) & Fig plan m

planet [ˈplænɪt] n planète f ▪ **planetarium** [-ˈteərɪəm] n planétarium m ▪ **planetary** [-tərɪ] adj planétaire

plank [plæŋk] n planche f

planner [ˈplænə(r)] n planificateur, -trice mf; (town) **p.** urbaniste mf

planning [ˈplænɪŋ] n conception f; **family p.** planning m familial; **p. permission** permis m de construire

plant [plɑːnt] **1** n (**a**) (living thing) plante f (**b**) (factory) usine f; (machinery) matériel m **2** vt (tree, flower) planter; (crops, field) semer (**with** en); (bomb) poser; **to p. sth on sb** (hide) cacher qch dans les affaires de qn (pour le compromettre) ▪ **plan'tation** n (trees, land) plantation f

plaque [plæk] n (sign) plaque f; (on teeth) plaque f dentaire

plasma [ˈplæzmə] n plasma m; Comptr **p. screen** écran m plasma

plaster [ˈplɑːstə(r)] **1** n (**a**) (on wall) plâtre m; **p.**

of Paris plâtre de Paris; **to put sb's leg in p.** mettre la jambe de qn dans le plâtre; **p. cast** (for broken bone) plâtre (**b**) Br (sticking) **p.** pansement m adhésif **2** vt (wall) plâtrer; **to p. sth with** (cover) couvrir qch de ▪ **plastered** adj Br Fam (drunk) bourré ▪ **plasterer** n plâtrier m

plastic [ˈplæstɪk] **1** adj (object) en plastique; (bullet) de plastique; **p. bag** sac m en plastique; **p. explosive** plastic m; **p. surgery** (cosmetic) chirurgie f esthétique; (to repair damage) chirurgie plastique **2** n plastique m; Fam **do they take p.?** est-ce qu'ils acceptent les cartes de crédit?

Plasticine® [ˈplæstɪsiːn] n Br pâte f à modeler

plate [pleɪt] **1** n (dish) assiette f; (metal sheet) plaque f; (book illustration) gravure f; Fam **to have a lot on one's p.** avoir du pain sur la planche; **p. glass** vitrage m très épais **2** vt (with gold) plaquer en or; (with silver) plaquer en argent ▪ **plateful** n assiettée f

plateau [ˈplætəʊ] (pl **-eaus** [-əʊz] or **-eaux**) n (flat land) plateau m

platform [ˈplætfɔːm] n (raised surface) plate-forme f; (in train station) quai m; (for speaker) estrade f; (political programme) programme m; **p. shoes** = chaussures à grosses semelles et à talons hauts, typiques des années 70

platinum [ˈplætɪnəm] **1** n (metal) platine m **2** adj **p. (blond(e)) hair** cheveux mpl blond platine

platitude [ˈplætɪtjuːd] n platitude f

platonic [pləˈtɒnɪk] adj platonique

platoon [pləˈtuːn] n Mil section f

platter [ˈplætə(r)] n (dish) plat m

plaudits [ˈplɔːdɪts] npl Literary (commendation) applaudissements mpl

plausible [ˈplɔːzəbəl] adj (argument, excuse) plausible; (person) convaincant

play [pleɪ] **1** n (drama) pièce f (de théâtre); (amusement, looseness) jeu m; **to come into p.** entrer en jeu; **a p. on words** un jeu de mots **2** vt (part, tune, card) jouer; (game) jouer à; (instrument) jouer de; (match) disputer (**with** avec); (team, opponent) jouer contre; (record, compact disc) passer; (radio, tape recorder) faire marcher; Fig **to p. the fool** faire l'idiot; Fig **to p. a part in doing/in sth** contribuer à faire/à qch; Fig **to p. ball with** coopérer avec; Fam **to p. it cool** garder son sang-froid **3** vi jouer (**with** avec; **at** à); (of record player, tape recorder) marcher; Fam **what are you playing at?** à quoi tu joues? ▪ **play-act** vi jouer la comédie ▪ **playboy** n play-boy m ▪ **playground** n Br (in school) cour f de récréation; (in park) terrain m de jeux ▪ **playgroup** n garderie f ▪ **playmate** n camarade mf de jeu ▪ **playpen** n parc m (pour bébé) ▪ **playroom** n (in house) salle f de jeux ▪ **playschool** n garderie f ▪ **plaything** n (toy, person) jouet m ▪ **playtime** n (in school)

récréation f ▪ **playwright** n dramaturge mf
▸ **play about, play around** vi jouer, s'amuser
▸ **play back** vt sep (tape) réécouter
▸ **play down** vt sep minimiser
▸ **play on** vt insep (feelings, fears) jouer sur
▸ **play out** vt sep (scene, fantasy) jouer; Fam **to be played out** (of idea, method) être périmé ou vieux jeu inv
▸ **play up** Fam **1** vi (of child, machine) faire des siennes; **to p. up to sb** faire de la lèche à qn **2** vt sep **to p. sb up** (of child) faire enrager qn

player ['pleɪə(r)] n (in game, of instrument) joueur m, joueuse f; (in theatre) acteur m, actrice f; **clarinet p.** joueur/joueuse f de clarinette

playful ['pleɪfəl] adj (mood, tone) enjoué; (child, animal) joueur (f joueuse) ▪ **playfully** adv (say) en badinant ▪ **playfulness** n enjouement m

playing ['pleɪɪŋ] n jeu m; **p. card** carte f à jouer; **p. field** terrain m de jeux

plc [piːel'siː] (abbr public limited company) n Br Com ≃ SARL f

plea [pliː] n (request) appel m; (excuse) excuse f; Law **to enter a p. of guilty** plaider coupable

plead [pliːd] vt (argue) plaider; (as excuse) alléguer; Law **to p. sb's case** plaider la cause de qn **2** vi (in court) plaider; **to p. with sb** (to do sth) implorer qn (de faire qch); Law **to p. guilty** plaider coupable

pleasant ['plezənt] adj agréable (**to** avec) ▪ **pleasantly** adv (smile, behave) aimablement; (surprised) agréablement

pleasantries ['plezəntrɪz] npl (jokes) plaisanteries fpl; **to exchange p.** (polite remarks) échanger des politesses

please [pliːz] **1** adv s'il te/vous plaît; **p. sit down** asseyez-vous, je vous prie; **p. do!** bien sûr!, je vous en prie!; **'no smoking p.'** (on sign) 'prière de ne pas fumer' **2** vt **to p. sb** faire plaisir à qn; (satisfy) contenter qn; **easy/hard to p.** facile/difficile (à contenter); **p. yourself!** comme tu veux! **3** vi plaire; **to be eager to p.** vouloir plaire; **do as you p.** fais comme tu veux; **as much/as many as you p.** autant qu'il vous plaira ▪ **pleased** adj content (**with** de); **to be p. to do sth** faire qch avec plaisir; **p. to meet you!** enchanté!; **I'd be p. to!** avec plaisir!; **I'm p. to say that…** je suis heureux/heureuse de vous dire que… ▪ **pleasing** adj agréable, plaisant

pleasure ['pleʒə(r)] n plaisir m; **p. boat** bateau m de plaisance ▪ **pleasurable** adj très agréable

pleat [pliːt] **1** n pli m **2** vt plisser ▪ **pleated** adj plissé

plebiscite ['plebɪsaɪt] n plébiscite m

pledge [pledʒ] **1** n (promise) promesse f (**to do** de faire); (object) gage m **2** vt promettre (**to do** de faire); (as security, pawn) engager

plenty ['plentɪ] n abondance f; **p. of** beaucoup de; **that's p.** (of food) merci, j'en ai assez ▪ **plentiful** adj abondant

plethora ['pleθərə] n pléthore f

pliable ['plaɪəbəl] adj souple

pliers ['plaɪəz] npl pince f

plight [plaɪt] n (crisis) situation f critique; **to be in a sorry p.** être dans une situation désespérée

plimsolls ['plɪmsəʊlz] npl Br tennis mpl

plinth [plɪnθ] n socle m

plod [plɒd] (pt & pp -dd-) vi **to p. (along)** (walk) avancer laborieusement; (work) travailler laborieusement; **to p. through a book** se forcer à lire un livre ▪ **plodding** adj (slow) lent; (step) pesant

plonk¹ [plɒŋk] **1** exclam (thud) vlan!; (splash) plouf! **2** vt Fam **to p. sth (down)** (drop) poser qch

plonk² [plɒŋk] n Br Fam (wine) pinard m

plot [plɒt] **1** n (conspiracy) complot m; (of novel, film) intrigue f; **p. (of land)** parcelle f de terrain; (vegetable) **p.** potager m **2** (pt & pp -tt-) vti comploter (**to do** de faire) **3** vt **to p. (out)** (route) déterminer; (diagram, graph) tracer; (one's position) relever

plough [plaʊ] (Am **plow**) **1** n charrue f; **the P.** (constellation) le Grand Chariot **2** vt (field) labourer; Fig (money) réinvestir; **to p. money back into sth** réinvestir de l'argent dans qch **3** vi labourer; Fig **to p. into sth** (crash into) percuter qch; Fig **to p. through sth** (snow, work) avancer péniblement dans qch ▪ **ploughman** (pl -men) n laboureur m; Br **p.'s lunch** = assiette de fromage ou jambon avec du pain, de la salade et des condiments

ploy [plɔɪ] n stratagème m

pluck [plʌk] **1** n courage m **2** vt (hair, feathers) arracher; (flower) cueillir; (fowl) plumer; (eyebrows) épiler; (string of guitar) pincer; **to p. up the courage to do sth** trouver le courage de faire qch ▪ **plucky** (-ier, -iest) adj courageux, -euse

plug [plʌg] **1** n (a) (of cotton wool, wood) tampon m; (for sink, bath) bonde f; (wall) **p.** (for screw) cheville f (b) (electrical) (on device) fiche f; (socket) prise f (de courant); Aut (spark) **p.** bougie f (c) Fam (publicity) pub f **2** (pt & pp -gg-) vt (a) **to p. (up)** (gap, hole) boucher; **to p. sth in** (appliance) brancher qch (b) Fam (promote) faire de la pub pour; **to p. away** s'acharner (**at** sur) ▪ **plughole** n trou m d'écoulement

plum [plʌm] n prune f; Fam **a p. job** un boulot en or

plumage ['pluːmɪdʒ] n plumage m

plumb [plʌm] **1** vt Fig **to p. the depths** toucher le fond **2** adv Am Fam (crazy) complètement; **p. in the middle** en plein centre

▶ **plumb in** *vt sep (washing machine)* brancher

plumber ['plʌmə(r)] *n* plombier *m* ▪ **plumbing** *n (job, system)* plomberie *f*

plume [pluːm] *n (feather)* plume *f*; *(on hat)* aigrette *f*; **a p. of smoke** une volute de fumée

plummet ['plʌmɪt] *vi (of prices)* s'effondrer; *(of aircraft)* plonger

plump [plʌmp] **1** (*-er, -est*) *adj (person, arm)* potelé; *(chicken)* dodu; *(cushion, cheek)* rebondi **2** *vi Fam* **to p. for sth** se décider pour qch

plunder ['plʌndə(r)] **1** *(act)* pillage *m*; *(goods)* butin *m* **2** *vt* piller

plunge [plʌndʒ] **1** *n (dive)* plongeon *m*; *Fig (decrease)* chute *f*; *Fam* **to take the p.** *(take on difficult task)* se jeter à l'eau; *Fam (get married)* se marier **2** *vt (thrust)* plonger (**into** dans) **3** *vi (dive)* plonger (**into** dans); *Fig (decrease)* chuter ▪ **plunger** *n (for clearing sink)* ventouse *f*

plural ['plʊərəl] **1** *adj (form)* pluriel, -ielle; *(noun)* au pluriel **2** *n* pluriel *m*; **in the p.** au pluriel

plus [plʌs] **1** *prep* plus; *(as well as)* en plus de; **two p. two** deux plus deux **2** *adj (factor, quantity)* & *El* positif, -ive; **twenty p.** plus de vingt **3** *(pl* plusses ['plʌsɪz]*) n* **p. (sign)** (signe *m)* plus *m*; **that's a p.** c'est un plus

plush [plʌʃ] (*-er, -est*) *adj Fam* luxueux, -ueuse

plutonium [pluː'təʊnɪəm] *n Chem* plutonium *m*

ply [plaɪ] *(pt & pp* plied*) vt (trade)* exercer; **to p. sb with drink** ne pas arrêter de verser à boire à qn; **to p. sb with questions** bombarder qn de questions

plywood ['plaɪwʊd] *n* contreplaqué *m*

PM [piː'em] *(abbr* **Prime Minister**) *n* Premier ministre *m*

p.m. [piː'em] *adv (afternoon)* de l'après-midi; *(evening)* du soir

PMS [piːe'mes] *(abbr* **premenstrual syndrome**) *n* syndrome *m* prémenstruel

PMT [piːem'tiː] *(abbr* **premenstrual tension**) *n Br* syndrome *m* prémenstruel

pneumatic [njuː'mætɪk] *adj* **p. drill** marteau-piqueur *m*

pneumonia [njuː'məʊnɪə] *n* pneumonie *f*

poach [pəʊtʃ] **1** *vt (egg)* pocher; *(employee)* débaucher **2** *vi (hunt)* braconner ▪ **poacher** *n (person)* braconnier *m* ▪ **poaching** *n* braconnage *m*

PO Box [piː'əʊbɒks] *(abbr* **Post Office Box**) *n* boîte *f* postale, BP *f*

pocket ['pɒkɪt] **1** *n* poche *f*; **to be out of p.** en être de sa poche; **p. calculator** calculette *f*; **p. money** argent *m* de poche **2** *vt (put in pocket)* empocher; *Fam (steal)* rafler ▪ **pocketbook** *n (notebook)* carnet *m*; *Am (handbag)* sac *m* à main ▪ **pocketful** *n* a p. une pleine poche de

pockmarked ['pɒkmɑːkt] *adj* grêlé

pod [pɒd] *n* gousse *f*

podgy ['pɒdʒɪ] (*-ier, -iest*) *adj* grassouillet, -ette

podiatrist [pə'daɪətrɪst] *n Am* pédicure *mf*

podium ['pəʊdɪəm] *n* podium *m*

poem ['pəʊɪm] *n* poème *m* ▪ **poet** *n* poète *m* ▪ **poetic** [pəʊ'etɪk] *adj* poétique ▪ **poetry** *n* poésie *f*

po-faced ['pəʊfeɪst] *adj Pej (expression, person)* pincé

poignant ['pɔɪnjənt] *adj* poignant

point [pɔɪnt] **1** *n* (**a**) *(of knife, needle)* pointe *f*; *Br* **points** *(for train)* aiguillage *m*; *Br* **(power) p.** prise *f* (de courant) (**b**) *(dot, score, degree, argument)* point *m*; *(location)* endroit *m*; *(importance)* intérêt *m*; **the highest p.** le point le plus haut; **to make a p.** faire une remarque; **to make a p. of doing sth** mettre un point d'honneur à faire qch; **I take your p.** je comprends ce que tu veux dire; **you have a p.** tu as raison; **what's the p.?** à quoi bon?; **there's no p. (in) staying** ça ne sert à rien de rester; **that's not the p.** il ne s'agit pas de ça; **that's beside the p.** ça n'a rien à voir; **to the p.** *(relevant)* pertinent; **to get to the p.** en arriver au fait; **at this p. in time** en ce moment; **at this p., the phone rang** à ce moment-là, le téléphone sonna; **to be on the p. of doing sth** être sur le point de faire qch; **his good points** ses qualités *fpl*; **his bad points** ses défauts *mpl*; **p. of sale** point de vente; **p. of view** point de vue (**c**) *Math* **three p. five** trois virgule cinq

2 *vt (aim)* diriger; *(camera, gun)* braquer (**at** sur); **to p. the way** montrer le chemin (**to** à); *Fig* montrer la voie (**to** à); **to p. one's finger at sb** montrer qn du doigt; **to p. sth out** *(show)* montrer qch; *(error, fact)* signaler qch

3 *vi* **to p. at or to sb/sth** *(with finger)* montrer qn/qch du doigt; **to p. north** *(of arrow, compass)* indiquer le nord; **to be pointing at sb/sth** *(of gun)* être braqué sur qn/qch; **to be pointing towards sth** *(of car, chair)* être face à qch; **everything points to suicide** tout laisse penser à un suicide

point-blank [pɔɪnt'blæŋk] **1** *adj (refusal)* catégorique; **at p. range** à bout portant **2** *adv (fire)* à bout portant; *(refuse)* (tout) net; *(request)* de but en blanc

pointed ['pɔɪntɪd] *adj* pointu; *(beard)* en pointe; *Fig (remark, criticism)* pertinent; *(incisive)* mordant ▪ **pointedly** *adv (meaningfully)* de façon insistante; *(markedly)* de façon marquée *ou* prononcée

pointer ['pɔɪntə(r)] *n (on dial)* aiguille *f*; *(stick)* baguette *f*; *(clue)* indice *m*; *Fam (advice)* tuyau *m*

pointless ['pɔɪntləs] *adj* inutile ▪ **pointlessly** *adv* inutilement

poise [pɔɪz] **1** *n (composure)* assurance *f*; *(grace)* grâce *f*; *(balance)* équilibre *m* **2** *vt (balance)* tenir en équilibre ▪ **poised** *adj (composed)* calme; *(hanging)* suspendu; *(balanced)* en équilibre; **to be p. to do sth** *(ready)* être prêt à faire qch

poison ['pɔɪzən] 1 n poison m; (of snake) venin m; **p. gas** gaz m toxique 2 vt empoisonner; **to p. sb's mind** corrompre qn ▪**poisoning** n empoisonnement m ▪**poisonous** adj (fumes, substance) toxique; (snake) venimeux, -euse; (plant) vénéneux, -euse

poke [pəʊk] 1 n petit coup m 2 vt (person) donner un coup à; (object) tâter; (fire) attiser; **to p. sth into sth** enfoncer qch dans qch; **to p. sb in the eye** mettre le doigt dans l'œil à qn; **to p. one's finger at sb** pointer son doigt vers qn; Fig **to poke one's nose into sth** mettre son nez dans qch; **to p. a hole in sth** faire un trou dans qch; **to p. one's head out of the window** passer la tête par la fenêtre; **to p. sb's eye out** crever l'œil à qn 3 vi **to p. at sth** (with finger, stick) tâter qch; **to p. about** or **around in sth** fouiner dans qch

poker¹ ['pəʊkə(r)] n (for fire) tisonnier m

poker² ['pəʊkə(r)] n Cards poker m ▪**poker-faced** adj Fam au visage impassible

poky ['pəʊkɪ] (-ier, -iest) adj Br (small) (house, room) riquiqui inv; Am (slow) lent

Poland ['pəʊlənd] n la Pologne ▪**Pole** n Polonais, -aise mf ▪**Polish** ['pəʊlɪʃ] 1 adj polonais 2 n (language) polonais m

polarize ['pəʊləraɪz] vt (opinion, country) diviser

Polaroid® ['pəʊlərɔɪd] n (camera, photo) Polaroid® m

pole¹ [pəʊl] n (rod) perche f; (fixed) poteau m; (for flag) hampe f; Sport **p. vault(ing)** saut m à la perche

pole² [pəʊl] n Geog pôle m; **North/South P.** pôle Nord/Sud; **the P. Star** l'étoile f polaire ▪**polar** adj polaire; **p. bear** ours m blanc

polemic [pə'lemɪk] n polémique f ▪**polemical** adj polémique

police [pə'liːs] 1 n police f; **a hundred p.** cent policiers mpl 2 adj (inquiry, dog, State) policier, -ière; (protection, intervention) de la police; Br **p. cadet** agent m de police stagiaire; **p. car** voiture f de police; Am **p. chief, chief of p.** commissaire m de police; Am **the p. department** service m de police; **p. force** police; **p. officer** agent m de police (f femme agent de police); **p. station** poste m de police; Br **p. van** fourgon m cellulaire 3 vt (city, area) maintenir l'ordre dans; (frontier) contrôler ▪**policeman** (pl -men) n agent m de police ▪**policewoman** (pl -women) n femme f agent de police

policy ['pɒlɪsɪ] (pl -ies) n (a) (of government, organization) politique f; **it's a matter of p.** c'est une question de principe (b) (insurance) **p. police** f (d'assurance); **p. holder** assuré, -ée mf

polio ['pəʊlɪəʊ] n polio f; **p. victim** polio mf

polish ['pɒlɪʃ] 1 n (for shoes) cirage m; (for floor, furniture) cire f; (for nails) vernis m; Fig

raffinement m; **to give sth a p.** faire briller qch 2 vt (floor, table, shoes) cirer; (metal) astiquer; (rough surface) polir; Fig (manners) raffiner; Fig (style) polir; Fam **to p. off** (food) avaler; (drink) descendre; (work) expédier; **to p. up one's French** travailler son français

polite [pə'laɪt] (-er, -est) adj poli (**to** or **with** avec); **in p. society** chez les gens bien ▪**politely** adv poliment ▪**politeness** n politesse f

politic ['pɒlɪtɪk] adj Formal (wise) sage; **the body p.** le corps politique

political [pə'lɪtɪkəl] adj politique; **p. asylum** asile m politique; **p. correctness** le politiquement correct; **p. prisoner** prisonnier politique ▪**politically** adv politiquement; **p. correct** politiquement correct ▪**politicize** vt politiser

politician [pɒlɪ'tɪʃən] n homme m/femme f politique

politics ['pɒlɪtɪks] n politique f; **office p.** intrigues fpl de bureau

polka [Br 'pɒlkə, Am 'pəʊlkə] n polka f; **p. dot** pois m

poll [pəʊl] 1 n (voting) scrutin m; **to go to the polls** aller aux urnes; (opinion) **p.** sondage m (d'opinion) 2 vt (votes) obtenir; (people) sonder ▪**polling** n (election) élections fpl; **p. booth** isoloir m; Br **p. station**, Am **p. place** bureau m de vote

pollen ['pɒlən] n pollen m

pollute [pə'luːt] vt polluer ▪**pollutant** n polluant m ▪**pollution** n pollution f; **noise p.** pollution sonore

polo ['pəʊləʊ] n Sport polo m; **p. neck** (sweater, neckline) col m roulé; **p. shirt** polo m

polyester [pɒlɪ'estə(r)] n polyester m; **p. shirt** chemise f en polyester

Polynesia [pɒlɪ'niːʒə] n la Polynésie

polystyrene [pɒlɪ'staɪriːn] n polystyrène m

polytechnic [pɒlɪ'teknɪk] n Br Formerly établissement m d'enseignement supérieur

> Note that the French word **Polytechnique** is a false friend and is never a translation for the English word **polytechnic**. It is the name of one of the grandes écoles.

polythene ['pɒlɪθiːn] n Br polyéthylène m; **p. bag** sac m en plastique

polyunsaturated [pɒlɪʌn'sætʃʊreɪtɪd] adj polyinsaturé

pomegranate ['pɒmɪgrænɪt] n (fruit) grenade f

pomp [pɒmp] n pompe f; **p. and circumstance** (grand) apparat m

pompom ['pɒmpɒm] n pompon m

pompous ['pɒmpəs] adj pompeux, -euse

poncho ['pɒntʃəʊ] (pl -os) n poncho m

pond [pɒnd] n étang m; (smaller) mare f; (artificial) bassin m

ponder ['pɒndə(r)] **1** vt réfléchir à **2** vi **to p. (over sth)** réfléchir (à qch)

ponderous ['pɒndərəs] adj (movement, person) lourd; (progress) laborieux, -ieuse

pong [pɒŋ] Br Fam **1** n (smell) puanteur f **2** vi puer

pontificate [pɒn'tɪfɪkeɪt] vi pontifier (about sur)

pony ['pəʊnɪ] (pl -ies) n poney m ▪ **ponytail** n queue f de cheval

poo [puː] n Fam caca m; **to do** or Br **have a p.** faire caca

poodle ['puːdəl] n caniche m

poof [pʊf] n Br very Fam Pej pédé m, = terme injurieux désignant un homosexuel

pooh [puː] exclam bah!

pooh-pooh ['puː'puː] vt dédaigner

pool¹ [puːl] n (puddle) flaque f; (of blood) mare f; (pond) étang m; (for swimming) piscine f

pool² [puːl] **1** n (of money, helpers) réserve f; (of typists) pool m; Br the (football) pools = concours de pronostics des matchs de football **2** vt (share) mettre en commun

pool³ [puːl] n (game) billard m américain

pooped [puːpt] adj Am Fam vanné

poor [pʊə(r)] **1** (-er, -est) adj (not rich) pauvre; (bad) mauvais; (chances) maigre; (harvest, reward) faible; **to be in p. health** ne pas bien se porter; **p. thing!** le/la pauvre! **2** npl **the p.** les pauvres mpl ▪ **poorly 1** adv (clothed, furnished) pauvrement **2** adj Br Fam malade

pop¹ [pɒp] **1** exclam pan! **2** n (noise) bruit m sec; **to go p.** faire pan **3** (pt & pp -pp-) vt (a) (balloon) crever; (cork, button) faire sauter (b) Fam (put) mettre **4** vi (a) (burst) éclater; (of cork) sauter; (of ears) se déboucher (b) Br Fam **to p. in** passer; **to p. off** partir; **to p. out** sortir (un instant); **to p. over** or **round** or **to sb's house)** faire un saut (chez qn); **to p. up** surgir

pop² [pɒp] **1** n (music) pop f **2** adj (concert, singer, group) pop inv; **p. art** pop art m

pop³ [pɒp] n Am Fam (father) papa m

pop⁴ [pɒp] n (fizzy drink) soda m

popcorn ['pɒpkɔːn] n pop-corn m

pope [pəʊp] n pape m

pop-eyed [pɒp'aɪd] adj aux yeux écarquillés

poplar ['pɒplə(r)] n (tree, wood) peuplier m

popper ['pɒpə(r)] n Br (fastener) pression f

poppy ['pɒpɪ] (pl -ies) n (red, wild) coquelicot m; (cultivated) pavot m

Popsicle® ['pɒpsɪkəl] n Am (ice lolly) ≃ Esquimau® m

popular ['pɒpjʊlə(r)] adj populaire; (fashionable) à la mode; (restaurant) qui a beaucoup de succès; **to be p. with** plaire beaucoup à ▪ **popularity** [-'lærɪtɪ] n popularité f (with auprès de) ▪ **popularize** vt populariser; (science, knowledge) vulgariser ▪ **popularly** adv communément

populate ['pɒpjʊleɪt] vt peupler; **highly/sparsely populated** très/peu peuplé; **populated by** or **with** peuplé de

population [pɒpjʊ'leɪʃən] n population f

populous ['pɒpjʊləs] adj populeux, -euse

pop-up ['pɒpʌp] **1** n Comptr (advert) pop-up m **2** adj **p. book** livre m en relief; Comptr **p. menu** menu m local

porcelain ['pɔːsəlɪn] n porcelaine f

porch [pɔːtʃ] n porche m; Am (veranda) véranda f

porcupine ['pɔːkjʊpaɪn] n porc-épic m

pore [pɔː(r)] **1** n (of skin) pore m **2** vi **to p. over sth** (book, question) étudier qch de près ▪ **porous** adj poreux, -euse

pork [pɔːk] n (meat) porc m; **p. pie** ≃ pâté m en croûte

pornography [pɔː'nɒgrəfɪ] n pornographie f ▪ **porn** n & adj Fam porno (m) inv ▪ **pornographic** [-nə'græfɪk] adj pornographique

porpoise ['pɔːpəs] n marsouin m

porridge ['pɒrɪdʒ] n porridge m; **p. oats** flocons mpl d'avoine

port¹ [pɔːt] **1** n (harbour) port m; **p. of call** escale f **2** adj (authorities, installations) portuaire

port² [pɔːt] n Naut (left-hand side) bâbord m

port³ [pɔːt] n (wine) porto m

portable ['pɔːtəbəl] adj portable

portal ['pɔːtəl] n Comptr portail m

porter ['pɔːtə(r)] n (for luggage) porteur m; (door attendant) chasseur m; (in hospital) brancardier m

portfolio [pɔːt'fəʊlɪəʊ] (pl -os) n (for documents) porte-documents m inv; (of shares, government minister) portefeuille m

porthole ['pɔːthəʊl] n hublot m

portion ['pɔːʃən] **1** n partie f; (share, helping) portion f **2** vt **to p. sth out** partager qch

portly ['pɔːtlɪ] (-ier, -iest) adj corpulent

portrait ['pɔːtreɪt, 'pɔːtrɪt] n portrait m; **p. painter** portraitiste mf

portray [pɔː'treɪ] vt (describe) dépeindre; (of actor) interpréter ▪ **portrayal** n (description) tableau m; (by actor) interprétation f

Portugal ['pɔːtjʊgəl] n le Portugal ▪ **Portuguese** [-'giːz] **1** adj portugais **2** n (person) Portugais, -aise mf; (language) portugais m; **the P.** (people) les Portugais

pose [pəʊz] **1** n (position) pose f **2** vt (question) poser; (threat) représenter **3** vi poser (for pour); **to p. as a lawyer** se faire passer pour un avocat ▪ **poser** n Fam (person) poseur, -euse mf; (question) colle f ▪ **poseur** [-'zɜː(r)] n (show-off) poseur, -euse mf

posh [pɒʃ] adj Fam (smart) chic inv; (snobbish) snob inv

position [pə'zɪʃən] **1** n (place, posture, opinion) position f; (of building, town) emplacement m;

(job, circumstances) situation *f; (window in bank)* guichet *m;* **in a p. to do sth** en mesure de faire qch; **in a good p. to do sth** bien placé pour faire qch; **in p.** en place **2** *vt (put)* placer; *(troops)* poster

positive [ˈpɒzɪtɪv] *1 adj (person, answer, test)* positif, -ive; *(progress, change)* réel *(f* réelle*); (evidence)* formel, -elle; *(tone)* assuré; *(certain)* sûr, certain (**of** de; **that** que); *Fam* **a p. genius** un véritable génie ▪**positively** *adv (identify)* formellement; *(think, react)* de façon positive; *(for emphasis)* véritablement; **to reply p.** *(saying yes)* répondre par l'affirmative

possess [pəˈzes] *vt* posséder ▪**possession** *n (ownership)* possession *f; (thing possessed)* bien *m;* **to be in p. of sth** être en possession de qch; **to take p. of sth** prendre possession de qch ▪**possessor** *n* possesseur *m*

possessive [pəˈzesɪv] *1 adj* possessif, -ive **2** *adj & n* Grammar possessif (*m*)

possibility [pɒsɪˈbɪlɪtɪ] *(pl* -ies*)* n* possibilité *f;* **there is some p. of…** il y a quelques chances de…; **it's a distinct p.** c'est bien possible

possible [ˈpɒsəbəl] *1 adj;* possible; **it is p. (for us) to do it** il (nous) est possible de le faire; **it is p. that…** il est possible que… (+ *subjunctive); **as soon as p.** dès que possible; **as much/as many as p.** autant que possible; **if p.** si possible **2** *n Fam (person)* candidat *m* possible; *(thing)* option *f*

possibly [ˈpɒsɪblɪ] *adv* (**a**) *(perhaps)* peut-être (**b**) *(for emphasis)* **to do all one p. can** faire tout son possible (**to do** pour faire); **if you p. can** si cela t'est possible; **he cannot p. stay** il ne peut absolument pas rester

post¹ [pəʊst] *1 n Br (postal system)* poste *f; (letters)* courrier *m;* **by p.** par la poste; **to catch/miss the p.** avoir/manquer la levée; **p. office** (bureau *m* de) poste; **the P. Office** *(government department)* ≃ la Poste **2** *vt (letter)* poster; **to keep sb posted** tenir qn au courant ▪**postbag** *n Br* sac *m* postal ▪**postbox** *n Br* boîte *f* aux lettres ▪**postcard** *n* carte *f* postale ▪**postcode** *n Br* code *m* postal ▪**postman** *(pl* -men*) n Br* facteur *m* ▪**postmark 1** *n* cachet *m* de la poste **2** *vt* oblitérer

post² [pəʊst] *1 n (job, place)* poste *m* **2** *vt (sentry, guard)* poster; *Br (employee)* affecter (**to** à)

post³ [pəʊst] *1 n (pole)* poteau *m; (of door, bed)* montant *m;* **finishing** or **winning p.** *(in race)* poteau *m* d'arrivée **2** *vt* **to p. (up)** *(notice)* afficher

post- [pəʊst] *pref* post-; **post-1800** après 1800

postage [ˈpəʊstɪdʒ] *n* affranchissement *m* (**to** pour); **p. paid** port *m* payé; **p. stamp** timbre-poste *m*

postal [ˈpəʊstəl] *adj (services)* postal; *(inquiries)* par la poste; *(vote)* par correspondance; **p. district** secteur *m* postal; *Br* **p. order** mandat *m* postal; **p. worker** employé, -ée *mf* des postes

postdate [pəʊstˈdeɪt] *vt* postdater

poster [ˈpəʊstə(r)] *n* affiche *f; (for decoration)* poster *m*

posterior [pɒˈstɪərɪə(r)] *n Hum (buttocks)* postérieur *m*

posterity [pɒˈsterɪtɪ] *n* postérité *f*

postgraduate [pəʊstˈɡrædjʊət] **1** *adj* de troisième cycle **2** *n* étudiant, -iante *mf* de troisième cycle

posthumous [ˈpɒstjʊməs] *adj* posthume; **to receive a p. award** recevoir un prix à titre posthume ▪**posthumously** *adv* à titre posthume

postmortem [pəʊstˈmɔːtəm] *adj & n* **p. (examination)** autopsie *f* (**on** de)

postnatal [ˈpəʊstneɪtəl] *adj* postnatal *(mpl* -als*)*

postpone [pəʊsˈpəʊn] *vt* reporter ▪**postponement** *n* report *m*

postscript [ˈpəʊstskrɪpt] *n* post-scriptum *m inv*

postulate [ˈpɒstjʊleɪt] *vt* poser comme hypothèse

posture [ˈpɒstʃə(r)] *1 n (of body)* posture *f; Fig* attitude *f* **2** *vi Pej* prendre des poses

postwar [ˈpəʊstwɔː(r)] *adj* d'après-guerre

posy [ˈpəʊzɪ] *(pl* -ies*) n* petit bouquet *m*

pot¹ [pɒt] *1 n* pot *m; (for cooking)* casserole *f;* **pots and pans** casseroles *fpl;* **jam p.** pot à confiture; *Fam* **to go to p.** aller à la ruine; *Fam* **gone to p.** *(person, plans)* fichu **2** *(pt & pp* -tt-*) vt* mettre en pot ▪**pothole** [ˈpɒthəʊl] *n (in road)* nid-de-poule *m; (cave)* caverne *f* ▪**potholer** [ˈpɒthəʊlə(r)] *n Br* spéléologue *mf* ▪**potholing** [ˈpɒthəʊlɪŋ] *n Br* spéléologie *f* ▪**pot'luck** *n* **to take p.** prendre ce que l'on trouve ▪**potpourri** [pəʊˈpʊərɪ, -pəˈriː] *n* pot-pourri *m*

pot² [pɒt] *n Fam (drug)* hasch *m*

potassium [pəˈtæsɪəm] *n* potassium *m*

potato [pəˈteɪtəʊ] *(pl* -oes*) n* pomme *f* de terre; *Br* **p. crisps,** *Am* **p. chips** chips *fpl;* **p. peeler** éplucheur *m*

potbelly [ˈpɒtbelɪ] *(pl* -ies*) n* bedaine *f* ▪**'pot'bellied** *adj* bedonnant

potent [ˈpəʊtənt] *adj* puissant; *(drink)* fort ▪**potency** *n* puissance *f; (of man)* virilité *f*

potential [pəˈtenʃəl] *1 adj* potentiel, -ielle **2** *n* potentiel *m;* **to have p.** avoir du potentiel ▪**potentially** *adv* potentiellement

potion [ˈpəʊʃən] *n* potion *f*

potted [ˈpɒtɪd] *adj* (**a**) *(plant)* en pot; *(food)* en terrine (**b**) *Br (version)* abrégé

potter [ˈpɒtə(r)] *1 n (person)* potier, -ière *mf* **2** *vi Br* **to p. about** *(do odd jobs)* bricoler ▪**pottery** *n (art)* poterie *f; (objects)* poteries *fpl;* **a piece of p.** une poterie

potty¹ [ˈpɒtɪ] *n (for baby)* pot *m;* **p. training** apprentissage *m* de la propreté

potty² [ˈpɒtɪ] *(*-ier, -iest*) adj Br Fam (mad)* dingue

pouch [paʊtʃ] *n* bourse *f; (for tobacco)* blague *f; (of kangaroo)* poche *f*

pouf(fe) [puːf] *n* pouf *m*

poultice ['pəʊltɪs] *n* cataplasme *m*

poultry ['pəʊltrɪ] *n* volaille *f*

pounce [paʊns] *vi (of animal)* bondir (**on** sur); *(of person)* se précipiter (**on** sur)

pound¹ [paʊnd] *n* (**a**) *(weight)* livre *f* (= 453,6 g) (**b**) **p. (sterling)** livre *f* (sterling) (**c**) *Am Tel* **p. sign** *(on telephone)* dièse *m*

pound² [paʊnd] *n (for cars, dogs)* fourrière *f*

pound³ [paʊnd] **1** *vt (spices, nuts)* piler; *(meat)* attendrir; *(town)* pilonner **2** *vi (of heart)* battre à tout rompre; **to p. on the door** cogner à la porte

pour [pɔː(r)] **1** *vt* verser; **to p. sb a drink** verser à boire à qn; **to p. money into sth** investir beaucoup d'argent dans qch **2** *vi* **it's pouring (with rain)** il pleut à verse

▸ **pour down** *vi* **it's pouring down** il pleut à verse

▸ **pour in 1** *vt sep (liquid)* verser **2** *vi (of water, rain, sunshine)* entrer à flots; *Fig (of people, money)* affluer

▸ **pour off** *vt sep (liquid)* vider

▸ **pour out 1** *vt sep (liquid)* verser; *Fig (anger, grief)* déverser **2** *vi (of liquid)* se déverser; *Fig (of people)* sortir en masse (**from** de); *(of smoke)* s'échapper (**from** de)

pout [paʊt] **1** *n* moue *f* **2** *vi* faire la moue

poverty ['pɒvətɪ] *n* pauvreté *f*; **extreme p.** la misère; **p. line** seuil *m* de pauvreté ▪ **poverty-stricken** *adj (person)* indigent; *(neighbourhood, conditions)* misérable

powder ['paʊdə(r)] **1** *n* poudre *f*; *Fig* **p. keg** *(dangerous place)* poudrière *f*; **p. puff** houppette *f*; **p. room** toilettes *fpl* pour dames **2** *vt (body, skin)* poudrer; **to p. one's face** *or* **nose** se poudrer ▪ **powdered** *adj (milk, eggs)* en poudre ▪ **powdery** *adj (snow)* poudreux, -euse; *(face)* couvert de poudre

power ['paʊə(r)] **1** *n (ability, authority)* pouvoir *m*; *(strength, nation)* puissance *f*; *(energy)* énergie *f*; *(electric current)* courant *m*; **to be in p.** être au pouvoir; **to have sb in one's p.** tenir qn à sa merci; *Math* **three to the p. of ten** trois puissance dix; *Law* **p. of attorney** procuration *f*; **p. of speech** usage *m* de la parole; *Br* **p. failure** *or* **cut** coupure *f* de courant; **p. point** prise *f* de courant; *Br* **p. station**, *Am* **p. plant** centrale *f* électrique; *Aut* **p. steering** direction *f* assistée **2** *vt (provide with power)* actionner; **to be powered by two engines** être propulsé par deux moteurs

powerful ['paʊəfəl] *adj* puissant; *(drug)* fort ▪ **powerfully** *adv* puissamment ▪ **powerless** *adj* impuissant (**to do** à faire)

PR [piːˈɑː(r)] *(abbr* **public relations)** *n* RP *fpl*; **PR agency** agence *f* conseil en communication

practicable ['præktɪkəbəl] *adj* réalisable

practical ['præktɪkəl] *adj (tool, knowledge, solution)* pratique; **to be p.** *(of person)* avoir l'esprit pratique; **p. joke** farce *f* ▪ **practicality** [-'kælɪtɪ] *n (of person)* sens *m* pratique; **practicalities** *(of situation, scheme)* détails *mpl* pratiques

practically ['præktɪkəlɪ] *adv (almost)* pratiquement

practice ['præktɪs] **1** *n (action, exercise, custom)* pratique *f*; *(in sport)* entraînement *m*; *(of profession)* exercice *m* (**of** de); *(surgery)* centre *m* médical; **in p.** *(in reality)* dans la *ou* en pratique; **to put sth into p.** mettre qch en pratique; **to be out of p.** avoir perdu l'habitude; **to make a p. of doing sth** se faire une règle de faire qch; **to be good/bad p.** être conseillé/déconseillé **2** *vti Am* = **practise**

practise ['præktɪs] *(Am* **practice) 1** *vt (sport, language, art, religion)* pratiquer; *(medicine, law)* exercer; *(musical instrument)* travailler **2** *vi (of musician)* s'exercer; *(of sportsperson)* s'entraîner; *(of doctor, lawyer)* exercer ▪ **practised** *adj (experienced)* expérimenté; *(ear, eye)* exercé ▪ **practising** *adj (doctor, lawyer)* en exercice; *Rel* pratiquant

practitioner [præk'tɪʃənə(r)] *n* praticien, -ienne *mf*; **general p.** *(médecin m)* généraliste *m*

pragmatic [præg'mætɪk] *adj* pragmatique

prairie ['preərɪ] *n* prairie *f*; **the P.** *(in USA)* la Grande Prairie; *(in Canada)* les Prairies *fpl*

praise [preɪz] **1** *n* éloges *mpl* **2** *vt* faire l'éloge de; *(God)* louer; **to p. sb for doing** *or* **having done sth** louer qn d'avoir fait qch ▪ **praiseworthy** *adj* digne d'éloges

pram [præm] *n Br* landau *m* (*pl* -aus)

prance [prɑːns] *vi* **to prance (about)** *(of horse)* caracoler; *(of person)* sautiller; **to prance in/out** entrer/sortir en sautillant

prank [præŋk] *n* farce *f*

prat [præt] *n Br Fam* andouille *f*

prattle ['prætəl] *vi* papoter (**about** de)

prawn [prɔːn] *n* crevette *f* rose; **p. cocktail** cocktail *m* de crevettes; **p. cracker** beignet *m* de crevette

pray [preɪ] **1** *vt* **to p. that...** prier pour que... (*+ subjunctive)* **2** *vi* prier; **to p. to God** prier Dieu; *Fig* **to p. for good weather** prier pour qu'il fasse beau

prayer [preə(r)] *n* prière *f*

pre- [priː] *pref* **pre-1800** avant 1800

preach [priːtʃ] *vti* prêcher; **to p. to sb** prêcher qn; *Fig* **faire la morale à qn; to p. a sermon** faire un sermon ▪ **preacher** *n* prédicateur, -trice *mf* ▪ **preaching** *n* prédication *f*

preamble [priːˈæmbəl] *n* préambule *m*

prearrange [priːəˈreɪndʒ] *vt* arranger à l'avance

precarious [prɪˈkeərɪəs] *adj* précaire

precaution [prɪˈkɔːʃən] *n* précaution *f*; **as a p.** par précaution

264

precede [prɪ'siːd] *vti* précéder ▪ **preceding** *adj* précédent

precedence ['presɪdəns] *n (priority)* priorité *f*; *(in rank)* préséance *f*; **to take p. over sb** avoir la préséance sur qn; **to take p. over sth** passer avant qch

precedent ['presɪdənt] *n* précédent *m*; **to create** *or* **set a p.** créer un précédent

precept ['priːsept] *n* précept *m*

precinct ['priːsɪŋkt] *n (of convent, palace)* enceinte *f*; *(boundary)* limite *f*; *Br (for shopping)* zone *f* commerçante piétonnière; *Am (electoral district)* circonscription *f*; *Am (police district)* secteur *m*; *Am* **p. station** *(police station)* commissariat *m* de quartier

precious ['preʃəs] **1** *adj* précieux, -ieuse; *Ironic* **her p. little bike** son cher petit vélo **2** *adv* **p. little** très peu (de)

precipice ['presɪpɪs] *n* précipice *m*

precipitate [prɪ'sɪpɪteɪt] *vt (hasten, throw)* & *Chem* précipiter ▪ **precipi'tation** *n (haste)* & *Chem* précipitation *f*; *(rainfall)* précipitations *fpl*

précis ['preɪsiː, *pl* -iːz] *in inv* précis *m*

precise [prɪ'saɪs] *adj (exact)* précis; *(meticulous)* méticuleux, -euse ▪ **precisely** *adv* précisément; **at three o'clock p.** à trois heures précises ▪ **precision** [-'sɪʒən] *n* précision *f*

preclude [prɪ'kluːd] *vt (prevent)* empêcher (**from doing** de faire); *(possibility)* exclure

precocious [prɪ'kəʊʃəs] *adj* précoce

preconceived [priːkən'siːvd] *adj* préconçu ▪ **preconception** *n* idée *f* préconçue

precondition [priːkən'dɪʃən] *n* condition *f* préalable

precursor [priː'kɜːsə(r)] *n* précurseur *m*

predate [priː'deɪt] *vt (precede)* précéder; *(put earlier date on)* antidater

predator ['predətə(r)] *n* prédateur *m* ▪ **predatory** *adj* prédateur, -trice

predecessor ['priːdɪsesə(r)] *n* prédécesseur *m*

predicament [prɪ'dɪkəmənt] *n* situation *f* difficile

predicate ['predɪkət] *n Grammar* prédicat *m*

predict [prɪ'dɪkt] *vt* prédire ▪ **predictable** *adj* prévisible ▪ **prediction** *n* prédiction *f*

predispose [priːdɪs'pəʊz] *vt* prédisposer (**to do** à faire) ▪ **predisposition** [-pə'zɪʃən] *n* prédisposition *f*

predominant [prɪ'dɒmɪnənt] *adj* prédominant ▪ **predominance** *n* prédominance *f* ▪ **predominantly** *adv* en majorité

predominate [prɪ'dɒmɪneɪt] *vi* prédominer (**over** sur)

pre-eminent [priː'emɪnənt] *adj* prééminent

pre-empt [priː'empt] *vt* devancer

preen [priːn] *vt* **to p. itself** *(of bird)* se lisser les plumes; **to p. oneself** *(of person)* se faire beau (*f* belle)

prefab ['priːfæb] *n Br Fam* préfabriqué *m* ▪ **pre'fabricate** *vt* préfabriquer

preface ['prefɪs] **1** *n (of book)* préface *f* **2** *vt* commencer (**with** par)

prefect ['priːfekt] *n Br Sch* ≃ élève chargé de la surveillance

prefer [prɪ'fɜː(r)] *(pt & pp -rr-)* *vt* préférer (**to** à); **to p. to do sth** préférer faire qch; *Law* **to p. charges** porter plainte

preferable ['prefərəbəl] *adj* préférable (**to** à) ▪ **preferably** *adv* de préférence

preference ['prefərəns] *n* préférence *f* (**for** pour); **in p. to** plutôt que ▪ **preferential** [-'renʃəl] *adj (terms, price)* préférentiel, -ielle; **p. treatment** traitement *m* de faveur

prefix ['priːfɪks] *n Grammar* préfixe *m*

pregnant ['pregnənt] *adj (woman)* enceinte; *(animal)* pleine; **five months p.** enceinte de cinq mois ▪ **pregnancy** *(pl -ies)* *n* grossesse *f*; **p. test** test *m* de grossesse

prehistoric [priːhɪ'stɒrɪk] *adj* préhistorique

prejudge [priː'dʒʌdʒ] *vt (question)* préjuger de; *(person)* juger sans connaître

prejudice ['predʒədɪs] **1** *n (bias)* préjugé *m*; *Law* **without p. to** sans préjudice de **2** *vt (bias)* prévenir (**against/in favour of** contre/en faveur de); *(harm)* nuire à ▪ **prejudiced** *adj (idea)* partial; **to be p.** avoir des préjugés (**against/in favour of** contre/en faveur de) ▪ **preju'dicial** *adj Law* préjudiciable (**to** à)

preliminary [prɪ'lɪmɪnərɪ] *adj* préliminaire ▪ **preliminaries** *npl* préliminaires *mpl*

prelude ['preljuːd] *n* prélude *m* (**to** à)

premarital [priː'mærɪtəl] *adj* avant le mariage

premature [*Br* 'premətʃʊə(r), *Am* priːmə'tʃʊər] *adj* prématuré ▪ **prematurely** *adv* prématurément

premeditate [priː'medɪteɪt] *vt* préméditer ▪ **premedi'tation** *n* préméditation *f*

premenstrual [priː'menstruəl] *adj* prémenstruel, -elle; *Br* **p. tension**, *Am* **p. syndrome** syndrome *m* prémenstruel

premier [*Br* 'premɪə(r), *Am* prɪ'mɪər] **1** *adj* premier, -ière **2** *n* Premier ministre *m*

première [*Br* 'premɪeə(r), *Am* prɪ'mɪər] *n (of play, film)* première *f*

premise ['premɪs] *n Phil* prémisse *f*

premises ['premɪsɪz] *npl* locaux *mpl*; **on the p.** sur place; **off the p.** en dehors de l'établissement

> Note that the French word **prémices** is a false friend. It never refers to a location.

premium ['priːmɪəm] *n Fin (for insurance)* prime *f*; *(additional sum)* supplément *m*; **at a p.** au prix fort; *Br* **p. bonds** ≃ obligations *fpl* à lots ▪ **premium-rate** *adj Tel (number)* surtaxé

premonition [*Br* premə'nɪʃən, *Am* priːmə'nɪʃən] *n* prémonition *f*

prenatal [priː'neɪtəl] *adj Am* prénatal

prenuptial [priː'nʌpʃəl] *adj* prénuptial; **p.**

agreement contrat *m* de mariage ▪**prenup** *n Fam* contrat *m* de mariage

preoccupy [pri:'ɒkjʊpaɪ] (*pt & pp* **-ied**) *vt* préoccuper au plus haut point; **to be preoccupied** être préoccupé (**with** par) ▪**preoccu'pation** *n* préoccupation *f* (**with** pour); **to have a p. with sth** être préoccupé par qch

prep [prep] **1** *adj* **p. school** *Br* école *f* primaire privée; *Am* école secondaire privée **2** *n* (*homework*) devoirs *mpl*

pre-packed [pri:'pækt] *adj* (*meat, vegetables*) préemballé

prepaid [pri:'peɪd] *adj* prépayé

preparation [prepə'reɪʃən] *n* préparation *f*; **preparations** préparatifs *mpl* (**for** de)

preparatory [prə'pærətərɪ] *adj* préparatoire; **p. school** *Br* école *f* primaire privée; *Am* école secondaire privée

prepare [prɪ'peə(r)] **1** *vt* préparer (**sth for** qch pour; **sb for** qn à) **2** *vi* se préparer (**for** pour); **to p. to do sth** se préparer à faire qch ▪**prepared** *adj* (*made in advance*) préparé à l'avance; (*ready*) prêt (**to do** à faire); **to be p. for sth** s'attendre à qch

preposition [prepə'zɪʃən] *n* préposition *f*

prepossessing [pri:pə'zesɪŋ] *adj* avenant

preposterous [prɪ'pɒstərəs] *adj* ridicule

prequel ['pri:kwəl] *n Cin* = film qui reprend des thèmes et des personnages d'un film réalisé plus tôt, mais dont l'action se déroule antérieurement aux événements exposés dans le premier film

prerecorded [pri:rɪ'kɔ:dɪd] *adj* préenregistré

prerequisite [pri:'rekwɪzɪt] *n* (*condition f*) préalable *m*

prerogative [prɪ'rɒgətɪv] *n* prérogative *f*

Presbyterian [prezbɪ'tɪərɪən] *adj & n Rel* presbytérien, -ienne (*mf*) ▪**Presbyterianism** *n Rel* presbytérianisme *m*

preschool ['pri:sku:l] *adj* préscolaire

prescribe [prɪ'skraɪb] *vt* (*of doctor*) prescrire ▪**prescribed** *adj* (*textbook*) (inscrit) au programme ▪**prescription** *n* (*for medicine*) ordonnance *f*; (*order*) prescription *f*; **on p.** sur ordonnance; **p. charge** = prix payé sur un médicament prescrit sur ordonnance

presence ['prezəns] *n* présence *f*; **in the p. of** en présence de; **p. of mind** présence d'esprit

present¹ ['prezənt] **1** *adj* (**a**) (*in attendance*) présent (**at** à; **in** dans); **those p.** les personnes présentes (**b**) (*current*) actuel, -uelle; *Grammar* **the p. tense** le présent **2** *n* **the p.** (*time, tense*) le présent; **for the p.** pour l'instant; **at p.** en ce moment ▪**'present-'day** *adj* actuel, -uelle ▪**presently** *adv* (*soon*) bientôt; *Am* (*now*) actuellement

present² **1** ['prezənt] *n* (*gift*) cadeau *m* **2** [prɪ'zent] *vt* (*show, introduce*) présenter (**to** à);

(*concert, film*) donner; (*proof*) fournir; **to p. sb with** (*gift*) offrir à qn; (*prize*) remettre à qn ▪**presentable** [prɪ'zentəbəl] *adj* (*person, appearance*) présentable ▪**presenter** [prɪ-'zentə(r)] *n* présentateur, -trice *mf*

presentation [prezən'teɪʃən] *n* présentation *f*; (*of prize*) remise *f*

preservation [prezə'veɪʃən] *n* (*of building*) conservation *f*; (*of species*) protection *f*

preservative [prɪ'zɜ:vətɪv] *n* conservateur *m*

Note that the French word **préservatif** is a false friend and is never a translation for the English word **preservative**. It means **condom**.

preserve [prɪ'zɜ:v] **1** *n* (*jam*) confiture *f*; (*sphere*) domaine *m* **2** *vt* (*keep, maintain*) conserver; (*fruit*) mettre en conserve; **to p. from** (*protect*) préserver de

preside [prɪ'zaɪd] *vi* présider; **to p. over** *or* **at a meeting** présider une réunion

presidency ['prezɪdənsɪ] (*pl* **-ies**) *n* présidence *f*

president ['prezɪdənt] *n* (*of country*) président, -ente *mf* ▪**presidential** [-'denʃəl] *adj* présidentiel, -ielle

press¹ [pres] *n* (**a**) **the p.** la presse; **p. agency** agence *f* de presse; **p. campaign** campagne *f* de presse; **p. conference** conférence *f* de presse; **p. release** communiqué *m* de presse (**b**) (*machine*) presse *f*; (*for making wine*) pressoir *m*; (*printing*) **p.** presse *f*; **to go to p.** (*of newspaper*) partir à l'impression

press² [pres] **1** *n* pression *f*; **to give sth a p.** repasser qch; **p. stud** bouton-pression *m* **2** *vt* (*button, doorbell*) appuyer sur; (*tube, lemon*) presser; (*hand*) serrer; (*clothes*) repasser; (*pressurize*) faire pression sur; **to p. sb to do sth** presser qn de faire qch; *Law* **to p. charges** engager des poursuites (**against** contre) **3** *vi* (*push*) appuyer (**on** sur); (*of weight*) faire pression (**on** sur) ▪**press-gang** *vt* **to p. sb into doing sth** forcer qn à faire qch ▪**press-up** *n* (*exercise*) pompe *f*

▸ **press down** *vt insep* (*button*) appuyer sur

▸ **press for** *vt sep* (*demand*) exiger

▸ **press on** *vi* (*carry on*) continuer; **to p. on with one's work** continuer de travailler

pressed [prest] *adj* **to be hard p.** (*in difficulties*) être en difficultés; (*busy*) être débordé; **to be p. for time** être pressé par le temps

pressing ['presɪŋ] *adj* (*urgent*) pressant

pressure ['preʃə(r)] **1** *n* pression *f*; **the p. of work** le stress lié au travail; **to be under p.** être stressé; **to put p. on sb (to do sth)** faire pression sur qn (pour qu'il fasse qch); **p. cooker** Cocotte-Minute® *f*; **p. gauge** manomètre *m*; **p. group** groupe *m* de pression **2** *vt* **to p. sb to do sth** *or* **into doing sth** faire pression sur qn pour qu'il fasse qch

pressurize ['preʃəraɪz] vt (aircraft) pressuriser; **pressurized cabin** cabine f pressurisée; **to p. sb (into doing sth)** faire pression sur qn (pour qu'il fasse qch)

prestige [pre'stiːʒ] n prestige m ▪**prestigious** [Br pre'stɪdʒəs, Am -'stiːdʒəs] adj prestigieux, -ieuse

presume [prɪ'zjuːm] vt (suppose) présumer (that que); **to p. to do sth** se permettre de faire qch ▪**presumably** adv sans doute; **p. she'll come** je suppose qu'elle viendra ▪**presumption** [-'zʌmpʃən] n présomption f

presumptuous [prɪ'zʌmptʃʊəs] adj présomptueux, -ueuse

presuppose [priːsə'pəʊz] vt présupposer (that que)

pretence [prɪ'tens] (Am **pretense**) n (sham) simulation f; (claim, affectation) prétention f; **to make a p. of sth/of doing sth** faire semblant de qch/de faire qch; **on** or **under false pretences** sous des prétextes fallacieux

pretend [prɪ'tend] **1** vt (make believe) faire semblant (**to do** de faire); (claim, maintain) prétendre (**to do** faire; **that** que) **2** vi faire semblant; **to p. to sth** prétendre à qch

pretense [prɪ'tens] n Am = **pretence**

pretentious [prɪ'tenʃəs] adj prétentieux, -euse ▪**pretension** n prétention f

pretext ['priːtekst] n prétexte m; **on the p. of/ that** sous prétexte de/que

pretty ['prɪtɪ] **1** (-ier, -iest) adj joli **2** adv Fam (rather, quite) assez; **p. well, p. much, p. nearly** (almost) pratiquement

prevail [prɪ'veɪl] vi (predominate) prédominer; (be successful) l'emporter (**over** sur); **to p. (up)on sb to do sth** persuader qn de faire qch ▪**prevailing** adj prédominant; (wind) dominant

prevalent ['prevələnt] adj très répandu ▪**prevalence** n (predominance) prédominance f; (frequency) fréquence f

prevaricate [prɪ'værɪkeɪt] vi tergiverser

prevent [prɪ'vent] vt empêcher (**from doing** de faire) ▪**preventable** adj évitable ▪**prevention** n prévention f ▪**preventive** adj préventif, -ive

preview ['priːvjuː] n (of film, painting) avant-première f; Fig (overall view) aperçu m

previous ['priːvɪəs] **1** adj précédent; **to have p. experience** avoir une expérience préalable; **to have a p. engagement** être déjà pris **2** adv **p. to** avant ▪**previously** adv auparavant

pre-war ['priːwɔː(r)] adj d'avant-guerre

prey [preɪ] **1** n proie f, Fig **to be (a) p. to** être en proie à **2** vi **to p. on** (person) prendre pour cible; (fears, doubts) exploiter; **to p. on sb's mind** tourmenter qn

price [praɪs] **1** n prix m; **to pay a high p. for sth** payer cher qch; Fig payer chèrement qch; **he**

wouldn't do it at any p. il ne le ferait à aucun prix **2** adj (control, war, rise) des prix; **p. list** tarif m **3** vt mettre un prix à; **it's priced at £5** ça coûte 5 livres

priceless ['praɪsləs] adj (invaluable) qui n'a pas de prix; Fam (funny) impayable

pricey ['praɪsɪ] (-ier, -iest) adj Fam cher (f chère)

prick [prɪk] **1** n (of needle) piqûre f **2** vt (jab) piquer (**with** avec); (burst) crever; **to p. up one's ears** (of animal) dresser les oreilles; (of person) tendre l'oreille

prickle ['prɪkəl] n (of animal) piquant m; (of plant) épine f ▪**prickly** (-ier, -iest) adj (plant) à épines; (animal) couvert de piquants; (beard) piquant; Fig (subject) épineux, -euse; Fig (person) susceptible

pride [praɪd] **1** n (satisfaction) fierté f; (self-esteem) amour-propre m; Pej (vanity) orgueil m; **to take p. in sth** mettre toute sa fierté dans qch; **to take p. in doing sth** mettre toute sa fierté à faire qch; **to be sb's p. and joy** faire le bonheur de qn; **to have p. of place** trôner **2** vt **to p. oneself on sth/on doing sth** s'enorgueillir de qch/de faire qch

priest [priːst] n prêtre m ▪**priesthood** n prêtrise f; **to enter the p.** entrer dans les ordres ▪**priestly** adj sacerdotal

prig [prɪg] n prêcheur, -euse mf ▪**priggish** adj prêcheur, -euse

prim [prɪm] (**primmer, primmest**) adj **p. (and proper)** (person, expression) collet monté inv; (manner) guindé

primacy ['praɪməsɪ] n primauté f

primarily [Br 'praɪmərəlɪ, Am praɪ'merəlɪ] adv essentiellement

primary ['praɪmərɪ] **1** adj (main) principal; (initial) primaire; **of p. importance** de première importance; **p. education** enseignement m primaire; Br **p. school** école f primaire **2** (pl -ies) n Am (election) primaire f

primate ['praɪmeɪt] n (animal) primate m

prime [praɪm] **1** adj (principal) principal; (importance) capital; (excellent) excellent; **P. Minister** Premier ministre m; Math **p. number** nombre m premier; **p. quality** de premier choix **2** n **in the p. of life** dans la fleur de l'âge **3** vt (gun, pump) amorcer; (surface) apprêter ▪**primer** n (**a**) (book) manuel m élémentaire (**b**) (paint) apprêt m

primeval [praɪ'miːvəl] adj primitif, -ive

primitive ['prɪmɪtɪv] adj (original) primitif, -ive; (basic) de base

primrose ['prɪmrəʊz] n (plant) primevère f

prince [prɪns] n prince m; **the P. of Wales** prince de Galles ▪**princely** adj princier, -ière ▪**prin'cess** n princesse f

principal ['prɪnsɪpəl] **1** adj (main) principal **2** n (of school) proviseur m; (of university) ≃

président, -ente *mf* ▪ **principally** *adv* principalement

principality [prɪnsɪ'pælɪtɪ] (*pl* -ies) *n* principauté *f*

principle ['prɪnsɪpəl] *n* principe *m*; **in p.** en principe; **on p.** par principe

print [prɪnt] **1** *n* (*of finger, foot*) empreinte *f*; (*letters*) caractères *mpl*; (*engraving*) estampe *f*; (*photo*) épreuve *f*; (*fabric*) imprimé *m*; **in p.** (*book*) disponible en librairie; **out of p.** (*book*) épuisé **2** *vt* (*book, newspaper*) imprimer; (*photo*) tirer; (*write*) écrire en script; **to p. 5,000 copies of a book** tirer un livre à 5000 exemplaires; **to have a book printed** publier un livre; *Comptr* **to p. out** imprimer ▪ **printed** *adj* imprimé; **p. matter** imprimés *mpl* ▪ **printing** *n* (*technique, industry*) imprimerie *f*; (*action*) tirage *m*; **p. error** faute *f* d'impression ▪ **printout** *n Comptr* sortie *f* papier

printer ['prɪntə(r)] *n* (*person*) imprimeur *m*; (*machine*) imprimante *f*

prior ['praɪə(r)] **1** *adj* antérieur; (*experience*) préalable **2** *adv* **p. to sth** avant qch; **p. to doing sth** avant de faire qch

priority [praɪ'ɒrɪtɪ] (*pl* -ies) *n* priorité *f* (**over** sur)

priory ['praɪərɪ] (*pl* -ies) *n Rel* prieuré *m*

prise [praɪz] *vt Br* **to p. sth off/open** retirer/ouvrir qch en forçant

prism ['prɪzəm] *n* prisme *m*

prison ['prɪzən] **1** *n* prison *f*; **in p.** en prison **2** *adj* (*life, system*) pénitentiaire; (*camp*) de prisonniers; **p. officer** gardien, -ienne *mf* de prison ▪ **prisoner** *n* prisonnier, -ière *mf*; **to take sb p.** faire qn prisonnier; **p. of conscience** prisonnier d'opinion; **p. of war** prisonnier de guerre

prissy ['prɪsɪ] (-**ier**, -**iest**) *adj Fam* collet monté *inv*

pristine ['prɪstiːn] *adj* (*immaculate*) impeccable; **in p. condition** en parfait état

privacy ['praɪvəsɪ, *Br* 'prɪvəsɪ] *n* intimité *f*; **to give sb some p.** laisser qn seul

private ['praɪvɪt] **1** *adj* privé; (*lesson, car*) particulier, -ière; (*report, letter*) confidentiel, -ielle; (*personal*) personnel, -elle; (*dinner, wedding*) intime; **a p. citizen** un simple particulier; **p. detective, p. eye, p. investigator** détective *m* privé; *Fam* **p. parts** parties *fpl* (génitales); **p. property** propriété *f* privée; **p. secretary** secrétaire *m* particulier, secrétaire *f* particulière; **p. tutor** professeur *m* particulier; **to be a very p. person** aimer la solitude **2** *n* (**a**) **in p.** (*not publicly*) en privé; (*have dinner, get married*) dans l'intimité (**b**) (*soldier*) simple soldat *m*

privately ['praɪvɪtlɪ] *adv* (*in private*) en privé; (*in one's heart of hearts*) en son for intérieur; (*personally*) à titre personnel; **p. owned**

(*company*) privé; (*hotel*) familial; **to be p. educated** faire sa scolarité dans le privé; **to be treated p.** ≃ se faire soigner par un médecin non conventionné

privatize ['praɪvətaɪz] *vt* privatiser ▪ **privati'zation** *n* privatisation *f*

privet ['prɪvɪt] *n* troène *m*

privilege ['prɪvɪlɪdʒ] *n* privilège *m* ▪ **privileged** *adj* privilégié; **to be p. to do sth** avoir le privilège de faire qch

privy ['prɪvɪ] *adj Formal* **to be p. to sth** avoir connaissance de qch

prize[1] [praɪz] *n* prix *m*; (*in lottery*) lot *m*; **the first p.** (*in lottery*) le gros lot ▪ **prizegiving** *n* distribution *f* des prix ▪ **prizewinner** *n* (*in contest*) lauréat, -éate *mf*; (*in lottery*) gagnant, -ante *mf* ▪ **prizewinning** *adj* (*essay, animal*) primé; (*ticket*) gagnant

prize[2] [praɪz] *vt* (*value*) attacher de la valeur à; **my most prized possession** mon bien le plus précieux

prize[3] [praɪz] *vt Am* = **prise**

pro [prəʊ] (*pl* **pros**) *n Fam* (*professional*) pro *mf*

proactive [prəʊ'æktɪv] *adj* qui fait preuve d'initiative

probable ['prɒbəbəl] *adj* probable (**that** que) ▪ **proba'bility** (*pl* -ies) *n* probabilité *f*; **in all p.** selon toute probabilité ▪ **probably** *adv* probablement

probation [prə'beɪʃən] *n* **on p.** (*criminal*) en liberté surveillée; (*in job*) en période d'essai; **p. officer** agent *m* de probation ▪ **probationary** *adj* (*in job*) d'essai; (*of criminal*) de liberté surveillée

probe [prəʊb] **1** *n* (*device*) sonde *f*; (*inquiry*) enquête *f* (**into** dans) **2** *vt* (*prod*) sonder; (*inquire into*) enquêter sur **3** *vi* **to p. into sth** (*past, private life*) fouiller dans qch ▪ **probing** *adj* (*question*) perspicace

problem ['prɒbləm] *n* problème *m*; **he's got a drug/a drink p.** c'est un drogué/un alcoolique; *Fam* **no p.!** pas de problème!; **p. child** enfant *mf* à problèmes; **p. page** courrier *m* du cœur ▪ **proble'matic** *adj* problématique

procedure [prə'siːdʒə(r)] *n* procédure *f*

proceed [prə'siːd] *vi* (*go on*) se poursuivre; **to p. to sth** passer à qch; **to p. with sth** poursuivre qch; **to p. to do sth** se mettre à faire qch

proceedings [prə'siːdɪŋz] *npl* (*events*) opérations *fpl*; (*minutes of meeting*) actes *mpl*; **to take (legal) p.** intenter un procès (**against** contre)

proceeds ['prəʊsiːdz] *npl* recette *f*

process ['prəʊses] **1** *n* processus *m*; (*method*) procédé *m*; **by p. of elimination** par élimination; **in p.** (*work*) en cours; **in the p. of doing sth** en train de faire qch **2** *vt* (*food, data*) traiter; (*film*) développer; **processed**

food aliments *mpl* conditionnés ▪ **processing** *n* traitement *m*; *(of photo)* développement *m*

> Note that the French noun **procès** is a false friend. It only means **trial**.

procession [prəˈseʃən] *n* défilé *m*

processor [ˈprəʊsesə(r)] *n* Comptr processeur *m*; **food p.** robot *m* de cuisine

proclaim [prəˈkleɪm] *vt* proclamer (**that** que); **to p. sb king** proclamer qn roi ▪ **proclamation** [prɒkləˈmeɪʃən] *n* proclamation *f*

procrastinate [prəˈkræstɪneɪt] *vi* atermoyer ▪ **procrasti'nation** *n* atermoiements *mpl*

procreate [ˈprəʊkrɪeɪt] *vt* procréer ▪ **pro-cre'ation** *n* procréation *f*

procure [prəˈkjʊə(r)] *vt* **to p. sth (for oneself)** se procurer qch; **to p. sth for sb** procurer qch à qn

prod [prɒd] **1** *n* petit coup *m* **2** *(pt & pp* **-dd-)** *vti (poke)* donner un petit coup (dans); *Fig* **to p. sb into doing sth** pousser qn à faire qch

prodigal [ˈprɒdɪgəl] *adj* prodigue

prodigious [prəˈdɪdʒəs] *adj* prodigieux, -ieuse

prodigy [ˈprɒdɪdʒɪ] *(pl* **-ies**) *n* prodige *m*; **child p.** enfant *mf* prodige

produce¹ [prəˈdjuːs] *vt (create)* produire; *(machine)* fabriquer; *(passport, ticket)* présenter; *(documents, alibi)* fournir; *(from bag, pocket)* sortir; *(film, play, programme)* produire; *(reaction)* entraîner ▪ **producer** *n* producteur, -trice *m*

produce² [ˈprɒdjuːs] *n (products)* produits *mpl*

product [ˈprɒdʌkt] *n (article, creation) & Math* produit *m*

production [prəˈdʌkʃən] *n* production *f*; *(of play)* mise *f* en scène; *Radio* réalisation *f*; **to work on the p. line** travailler à la chaîne

productive [prəˈdʌktɪv] *adj* productif, -ive ▪ **productivity** [prɒdʌkˈtɪvɪtɪ] *n* productivité *f*

profane [prəˈfeɪn] **1** *adj (secular)* profane; *(language)* grossier **2** *vt* profaner

profess [prəˈfes] *vt (declare)* professer; **to p. to be** prétendre être ▪ **professed** *adj (self-declared)* avoué

profession [prəˈfeʃən] *n* profession *f*; **the medical p.** le corps médical; **by p.** de profession ▪ **professional 1** *adj* professionnel, -elle; *(man, woman)* qui exerce une profession libérale; *(army)* de métier; *(diplomat)* de carrière; *(piece of work)* de professionnel **2** *n* professionnel, -elle *mf* ▪ **professionalism** *n* professionnalisme *m* ▪ **professionally** *adv* professionnellement; *(perform, play)* en professionnel

professor [prəˈfesə(r)] *n Br* ≃ professeur *m* d'université; *Am* = enseignant d'université

proffer [ˈprɒfə(r)] *vt Formal (advice)* offrir

proficient [prəˈfɪʃənt] *adj* compétent (**in** en) ▪ **proficiency** *n* compétence *f* (**in** en)

profile [ˈprəʊfaɪl] *n (of person, object)* profil *m*; *(description)* portrait *m*; **in p.** de profil; *Fig* **to keep a low p.** garder un profil bas ▪ **profiled** *adj* **to be p. against** se profiler sur

profit [ˈprɒfɪt] **1** *n* profit *m*, bénéfice *m*; **to sell at a p.** vendre à profit; **p. margin** marge *f* bénéficiaire **2** *vi* **to p. by** or **from sth** tirer profit de qch ▪ **profit-making** *adj (aiming to make profit)* à but lucratif; *(profitable)* rentable; **non** or **not p.** à but non lucratif

profitable [ˈprɒfɪtəbəl] *adj (commercially)* rentable; *Fig (worthwhile)* profitable ▪ **profita'bility** *n* rentabilité *f* ▪ **profitably** *adv* à profit

profiteer [prɒfɪˈtɪə(r)] *Pej* **1** *n* profiteur, -euse *mf* **2** *vi* profiter d'une situation pour faire des bénéfices

profound [prəˈfaʊnd] *adj* profond ▪ **profoundly** *adv* profondément ▪ **profundity** [-ˈfʌndɪtɪ] *(pl* **-ies**) *n* profondeur *f*

profuse [prəˈfjuːs] *adj* abondant ▪ **profusely** *adv (bleed)* abondamment; *(flow)* à profusion; *(thank)* avec effusion; **to apologize p.** se confondre en excuses ▪ **profusion** *n* profusion *f*; **in p.** à profusion

progeny [ˈprɒdʒɪnɪ] *(pl* **-ies**) *n Formal* progéniture *f*

programme [ˈprəʊgræm] *(Am* **program**) **1** *n (for play, political party, computer)* programme *m*; *(on TV, radio)* émission *f* **2** *(pt & pp* **-mm-**) *vt (machine)* programmer ▪ **programmer** *n (computer)* **p.** programmeur, -euse *mf* ▪ **programming** *n (computer)* **p.** programmation *f*

progress 1 [ˈprəʊgres] *n* progrès *m*; **to make (good) p.** faire des progrès; **to make p. in sth** progresser dans qch; **in p.** en cours **2** [prəˈgres] *vi (advance, improve)* progresser; *(of story, meeting)* se dérouler

progression [prəˈgreʃən] *n* progression *f*

progressive [prəˈgresɪv] *adj (gradual)* progressif, -ive; *(company, ideas, political party)* progressiste ▪ **progressively** *adv* progressivement

prohibit [prəˈhɪbɪt] *vt* interdire (**sb from doing** à qn de faire); **we're prohibited from leaving** il nous est interdit de partir ▪ **prohibition** [prəʊhɪˈbɪʃən] *n* interdiction *f* ▪ **prohibitive** *adj* prohibitif, -ive

project [prəˈdʒekt] **1** [ˈprɒdʒekt] *n (plan, undertaking)* projet *m*; *(at school)* dossier *m*; *Am* **(housing)** **p.** ≃ cité *f* HLM **2** *vt (plan)* prévoir; *(propel, show)* projeter **3** *vi (protrude)* dépasser ▪ **projected** *adj (planned, forecast)* prévu

projection [prəˈdʒekʃən] *n* projection *f*; *(protruding part)* saillie *f* ▪ **projectionist** *n* projectionniste *mf* ▪ **projector** *n* projecteur *m*

proletarian [prəʊləˈteərɪən] **1** *adj (class)*

prolétarien, -ienne; *(outlook)* de prolétaire **2** *n* prolétaire *mf* ▪ **proletariat** *n* prolétariat *m*

proliferate [prə'lɪfəreɪt] *vi* proliférer ▪ **prolife'ration** *n* prolifération *f*

prolific [prə'lɪfɪk] *adj* prolifique

prologue ['prəʊlɒg] *n* prologue *m* (**to** de)

prolong [prə'lɒŋ] *vt* prolonger

prom [prɒm] *(abbr* **promenade***)* *n* (**a**) *Br (at seaside)* promenade *f* (**b**) *Am (dance)* bal *m* d'étudiants ▪ **proms** *npl Br Fam* **the p.** = festival de concerts-promenades

promenade [prɒmə'nɑːd] *n Br (at seaside)* front *m* de mer

prominent ['prɒmɪnənt] *adj (important)* important; *(nose, chin)* proéminent; *(tooth)* en avant; *(peak, landscape)* en saillie; **in a p. position** en évidence ▪ **prominence** *n (importance)* importance *f* ▪ **prominently** *adv* bien en vue

promiscuous [prə'mɪskjʊəs] *adj* qui a de multiples partenaires ▪ **promiscuity** [prɒmɪs-'kjuːɪtɪ] *n* promiscuité *f* sexuelle

promise ['prɒmɪs] **1** *n* promesse *f*; **to show p., to be full of p.** promettre **2** *vt* promettre (**to do** de faire); **to p. sth to sb, to p. sth** promettre qch à qn **3** *vi* **I p.!** je te le promets!; **p.?** promis? ▪ **promising** *adj* prometteur, -euse; **that looks p.** ça s'annonce bien

promote [prə'məʊt] *vt (raise in rank, encourage)* promouvoir; *(advertise)* faire la promotion de ▪ **promoter** *n (of theory)* défenseur, -euse *mf*; *(of boxing match, show)* organisateur, -trice *mf*; *Com* promoteur *m* ▪ **promotion** *n* promotion *f*

prompt¹ [prɒmpt] **1** *adj (speedy)* rapide; *(punctual)* ponctuel, -uelle; **p. to act** prompt à agir **2** *adv* **at eight o'clock p.** à huit heures précises ▪ **promptly** *adv (rapidly)* rapidement; *(punctually)* ponctuellement; *(immediately)* immédiatement ▪ **promptness** *n* rapidité *f*; *(readiness to act)* promptitude *f*; *(punctuality)* ponctualité *f*

prompt² [prɒmpt] **1** *vt* (**a**) *(cause)* provoquer; **to p. sb to do sth** pousser qn à faire qch (**b**) *(actor)* souffler à **2** *n Comptr* invite *f* ▪ **prompter** *n Theatre* souffleur, -euse *mf*

prone [prəʊn] *adj* (**a**) **to be p. to sth** être sujet, -ette à qch; **to be p. to do sth** avoir tendance à faire qch (**b**) *Formal (lying flat)* sur le ventre

prong [prɒŋ] *n (of fork)* dent *f*

pronoun ['prəʊnaʊn] *n Grammar* pronom *m* ▪ **pro'nominal** *adj* pronominal

pronounce [prə'naʊns] **1** *vt (say, articulate)* prononcer; **to p. that...** déclarer que...; **he was pronounced dead** on l'a déclaré mort **2** *vi (articulate)* prononcer; *(give judgement)* se prononcer (**on** sur) ▪ **pronouncement** *n Formal* déclaration *f* ▪ **pronunciation** [-nʌnsɪ'eɪʃən] *n* prononciation *f*

pronto ['prɒntəʊ] *adv Fam* illico

proof [pruːf] **1** *n (evidence)* preuve *f*; *(of book, photo)* épreuve *f*; *(of drink)* teneur *f* en alcool; **to give p. of sth** prouver qch; **p. of identity** pièce *f* d'identité **2** *adj* **to be p. against sth** être résistant à qch ▪ **proofreader** *n* correcteur, -trice *mf* ▪ **proofreading** *n* correction *f* d'épreuves

prop [prɒp] **1** *n* (**a**) *(physical support)* support *m*; *Fig (emotional support)* soutien *m*; (**b**) *Theatre* accessoire *m* **2** *(pt & pp* **-pp-***)* *vt* **to p. sth (up) against sth** appuyer qch contre qch; **to p. sth up** *(building, tunnel)* étayer qch; *Fig (economy, regime)* soutenir qch

propaganda [prɒpə'gændə] *n* propagande *f*

propagate ['prɒpəgeɪt] **1** *vt* propager **2** *vi* se propager

propel [prə'pel] *(pt & pp* **-ll-***)* *vt* propulser ▪ **propeller** *n* hélice *f*

propensity [prə'pensɪtɪ] *(pl* **-ies***)* *n* propension *f* (**for** à)

proper ['prɒpə(r)] *adj* (**a**) *(correct)* vrai; *(word)* correct; **the village p.** le village proprement dit; *Grammar* **p. noun** nom *m* propre (**b**) *(appropriate)* bon (*f* bonne); *(equipment)* adéquat; *(behaviour)* convenable; **in the p. way** comme il faut (**c**) **p. to sb/sth** *(characteristic of)* propre à qn/qch (**d**) *Br (downright)* véritable ▪ **properly** *adv (suitably)* convenablement; *(correctly)* correctement

property ['prɒpətɪ] **1** *(pl* **-ies***)* *n* (**a**) *(land, house)* propriété *f*; *(possessions)* biens *mpl* (**b**) *(quality)* propriété *f* **2** *adj (speculator)* immobilier, -ière; *(tax)* foncier, -ière; **p. developer** promoteur *m* immobilier; **p. market** marché *m* immobilier; **p. owner** propriétaire *m* foncier

prophecy ['prɒfɪsɪ] *(pl* **-ies***)* *n* prophétie *f* ▪ **prophesy** [-saɪ] *(pt & pp* **-ied***)* *vt* prédire

prophet ['prɒfɪt] *n* prophète *m* ▪ **prophetic** [prə'fetɪk] *adj* prophétique

proportion [prə'pɔːʃən] **1** *n (ratio, part)* proportion *f*; **proportions** *(size)* proportions *fpl*; **in p.** proportionné (**to** avec); **out of p.** disproportionné (**to** par rapport à) **2** *vt* proportionner (**to** à); **well** *or* **nicely proportioned** bien proportionné ▪ **proportional, proportionate** *adj* proportionnel, -elle (**to** à); *Pol* **proportional representation** proportionnelle *f*

proposal [prə'pəʊzəl] *n* proposition *f*; *(plan)* projet *m*; *(for marriage)* demande *f* en mariage ▪ **proposition** [prɒpə'zɪʃən] *n* proposition *f*

propose [prə'pəʊz] **1** *vt* proposer; **to p. to do sth, to p. doing sth** *(suggest)* proposer de faire qch; *(intend)* se proposer de faire qch **2** *vi* **to p. to sb** demander qn en mariage

proprietor [prə'praɪətə(r)] *n* propriétaire *mf* ▪ **proprietary** *adj (article, goods)* de marque déposée; **p. name** marque *f* déposée

propriety [prə'praɪətɪ] n (behaviour) bienséance f; (of conduct, remark) justesse f; **to observe the proprieties** observer les convenances

> Note that the French word **propriété** is a false friend and is never a translation for the English word **propriety**. It means **property**.

propulsion [prə'pʌlʃən] n propulsion f
pros [prəʊz] npl **the p. and cons** le pour et le contre
prosaic [prəʊ'zeɪɪk] adj prosaïque
proscribe [prəʊ'skraɪb] vt proscrire
prose [prəʊz] n prose f; Br Sch (translation) thème m; **French p. (translation)** thème m français
prosecute ['prɒsɪkjuːt] vt Law poursuivre (en justice) ▪ **prose'cution** n Law poursuites fpl judiciaires; **the p.** (lawyers) ≃ le ministère public ▪ **prosecutor** n Law **(public) p.** procureur m
prospect¹ ['prɒspekt] n (expectation, thought) perspective f; (chance, likelihood) perspectives fpl; (view) vue f; (future) **prospects** perspectives d'avenir ▪ **prospective** [prə'spektɪv] adj (potential) potentiel, -ielle; (future) futur
prospect² [prə'spekt] 1 vt (land) prospecter 2 vi **to p. for gold** chercher de l'or ▪ **prospector** n prospecteur, -trice m
prospectus [prə'spektəs] n (publicity leaflet) prospectus m; Br Univ guide m de l'étudiant
prosper ['prɒspə(r)] vi prospérer ▪ **prosperity** [-'sperɪtɪ] n prospérité f ▪ **prosperous** adj prospère
prostate ['prɒsteɪt] n Anat **p. (gland)** prostate f
prostitute ['prɒstɪtjuːt] 1 n (woman) prostituée f; **male p.** prostitué m 2 vt **to p. oneself** se prostituer ▪ **prosti'tution** n prostitution f
prostrate 1 ['prɒstreɪt] adj (prone) sur le ventre 2 [prɒ'streɪt] vt **to p. oneself** se prosterner (**before** devant)
protagonist [prəʊ'tægənɪst] n protagoniste mf
protect [prə'tekt] vt protéger (**from** or **against** de) ▪ **protection** n protection f ▪ **protective** adj (clothes, screen) de protection; (person, attitude) protecteur, -trice (**to** or **towards** envers); Econ (barrier) protecteur; **to be too** or **over p. towards** (child) surprotéger ▪ **protector** n protecteur, -trice mf
protein ['prəʊtiːn] n protéine f
protest [prə'test] 1 ['prəʊtest] n protestation f (**against** contre); **in p.** en signe de protestation (**at** contre); **under p.** contre son gré; **p. vote** vote m de protestation 2 vt protester contre; (one's innocence) protester de; **to p. that...** protester en disant que... 3 vi protester (**against** contre) ▪ **protester** [prə'testə(r)] n contestataire mf

Protestant ['prɒtɪstənt] adj & n protestant, -ante (mf) ▪ **Protestantism** n protestantisme m
protocol ['prəʊtəkɒl] n protocole m
proton ['prəʊtɒn] n Phys proton m
prototype ['prəʊtəʊtaɪp] n prototype m
protracted [prə'træktɪd] adj prolongé
protractor [prə'træktə(r)] n rapporteur m
protrude [prə'truːd] vi dépasser (**from** de); (of tooth) avancer; (of balcony, cliff) faire saillie ▪ **protruding** adj (chin, veins, eyes) saillant; (tooth) qui avance
proud [praʊd] (**-er, -est**) 1 adj (person) fier (f fière) (**of** de) 2 adv **to do sb p.** faire honneur à qn ▪ **proudly** adv fièrement
prove [pruːv] 1 vt prouver (**that** que); **to p. sb wrong** prouver que qn a tort; **to p. oneself** faire ses preuves 2 vi **to p. (to be) difficult** s'avérer difficile ▪ **proven** adj (method) éprouvé
proverb ['prɒvɜːb] n proverbe m ▪ **proverbial** [prə'vɜːbɪəl] adj proverbial
provide [prə'vaɪd] 1 vt (a) (supply) fournir; (service) offrir (**to** à); **to p. sb with sth** fournir qch à qn (b) (stipulate) stipuler 2 vi **to p. for sb** (sb's needs) pourvoir aux besoins de qn; (sb's future) assurer l'avenir de qn; **to p. for sth** (make allowance for) prévoir qch ▪ **provided** conj **p. (that)...** pourvu que... (+ subjunctive) ▪ **providing** conj **p. (that)...** pourvu que... (+ subjunctive)
providence ['prɒvɪdəns] n providence f
province ['prɒvɪns] n province f; Fig (field of knowledge) domaine m; **in the provinces** en province ▪ **provincial** [prə'vɪnʃəl] adj & n provincial, -iale (mf)
provision [prə'vɪʒən] n (clause) disposition f; **the p. of sth** (supplying) l'approvisionnement m en qch; **the provisions** (supplies) les provisions fpl; **to make p. for sth** prévoir qch
provisional [prə'vɪʒənəl] adj provisoire ▪ **provisionally** adv provisoirement
proviso [prə'vaɪzəʊ] (pl **-os**) n condition f
provocative [prə'vɒkətɪv] adj provocateur, -trice ▪ **provocation** n provocation f
provoke [prə'vəʊk] vt provoquer; **to p. sb into doing sth** pousser qn à faire qch ▪ **provoking** adj (annoying) agaçant
prow [praʊ] n (of ship) proue f
prowess ['praʊes] n (bravery) vaillance f; (skill) talent m
prowl [praʊl] 1 n **to be on the p.** rôder 2 vi **to p. (around)** rôder ▪ **prowler** n rôdeur, -euse mf
proximity [prɒk'sɪmɪtɪ] n proximité f
proxy ['prɒksɪ] (pl **-ies**) n procuration f; **by p.** par procuration
Prozac® ['prəʊzæk] n Med Prozac® m
prude [pruːd] n prude f ▪ **prudish** adj pudibond
prudent ['pruːdənt] adj prudent ▪ **prudence** n prudence f ▪ **prudently** adv prudemment
prune¹ [pruːn] n (dried plum) pruneau m

Note that the French word **prune** is a false friend and is never a translation for the English word **prune**. It means **plum**.

prune² [pru:n] *vt (tree, bush)* tailler; *Fig (article, speech)* élaguer **•pruning** *n (of tree)* taille *f*; **p. shears** sécateur *m*

pry [praɪ] **1** *(pt & pp pried) vt Am* **to p. open** forcer (avec un levier) **2** *vi* être indiscret, -ète; **to p. into sth** *(meddle)* mettre son nez dans qch; *(sb's reasons)* chercher à découvrir qch **•prying** *adj* indiscret, -ète; **safe from p. eyes** à l'abri des regards indiscrets

PS [pi:'es] *(abbr* postscript) *n* PS *m*

psalm [sɑ:m] *n* psaume *m*

pseudonym ['sju:dənɪm] *n* pseudonyme *m*

psyche ['saɪkɪ] *n* psychisme *m*

psychiatry [saɪ'kaɪətrɪ] *n* psychiatrie *f* **•psychiatric** [-kɪ'ætrɪk] *adj* psychiatrique **•psychiatrist** *n* psychiatre *mf*

psychic ['saɪkɪk] **1** *adj (paranormal)* paranormal; *Fam* **I'm not p.** je ne suis pas devin **2** *n* médium *m*

psycho ['saɪkəʊ] *n & n Fam* psychopathe *(mf)*

psycho- ['saɪkəʊ] *pref* psycho- **•psychoanalysis** [-ə'nælɪsɪs] *n* psychanalyse *f* **•psychoanalyst** [-'ænəlɪst] *n* psychanalyste *mf* **•psychobabble** *n Fam* jargon *m* de psy

psychology [saɪ'kɒlədʒɪ] *n* psychologie *f* **•psychological** [-kə'lɒdʒɪkəl] *adj* psychologique **•psychologist** *n* psychologue *mf*

psychopath ['saɪkəʊpæθ] *n* psychopathe *mf*

psychosis [saɪ'kəʊsɪs] *(pl* -oses [-əʊsi:z]) *n Med* psychose *f*

psychosomatic [saɪkəʊsə'mætɪk] *adj* psychosomatique

psychotherapy [saɪkəʊ'θerəpɪ] *n* psychothérapie *f* **•psychotherapist** *n* psychothérapeute *mf*

psychotic [saɪ'kɒtɪk] *n & adj* psychotique *(mf)*

PTO *(abbr* please turn over) TSVP

pub [pʌb] *n Br* pub *m*; **p. quiz** = jeu de culture générale dans un pub

puberty ['pju:bətɪ] *n* puberté *f*

pubic ['pju:bɪk] *adj* du pubis

public ['pʌblɪk] **1** *adj* public, -ique; *(library, swimming pool)* municipal; **to make sth p.** rendre qch public; **to go p. with sth** prévaler qch *(à la presse)*; **the company is going p.** la compagnie va être cotée en Bourse; **in the p. eye** très en vue; **p. building** édifice *m* public; **p. figure** personnalité *f* en vue; **p. holiday** jour *m* férié; *Br* **p. house** pub *m*; **p. opinion** l'opinion *f* publique; **p. relations** relations *fpl* publiques; *Br* **p. school** école *f* privée; *Am* école publique; *Am* **p. television** la télévision éducative; **p. transport** transports *mpl* en commun **2** *n* public *m*; **in p.** en public; **the sporting p.** les amateurs *mpl* de sport

publican ['pʌblɪkən] *n Br* patron, -onne *mf* d'un pub

publication [pʌblɪ'keɪʃən] *n* publication *f*

publicity [pʌ'blɪsɪtɪ] *n* publicité *f*

publicize ['pʌblɪsaɪz] *vt* faire connaître au public

publicly ['pʌblɪklɪ] *adv* publiquement; **p. owned** à capitaux publics

public-spirited [pʌblɪk'spɪrɪtɪd] *adj* **to be p.** avoir le sens civique

publish ['pʌblɪʃ] *vt* publier; **'published weekly'** *(of magazine)* 'paraît toutes les semaines' **•publisher** *n* éditeur, -trice *mf* **•publishing** *n* édition *f*; **the p. of** la publication de; **p. house** maison *f* d'édition

pucker ['pʌkə(r)] **1** *vt* **to p. (up)** *(brow)* froncer; *(lips)* pincer **2** *vi* **to p. (up)** *(face)* se rider; *(lips)* se plisser

pudding ['pʊdɪŋ] *n (dish)* pudding *m*; *Br (dessert)* dessert *m*

puddle ['pʌdəl] *n* flaque *f* (d'eau)

pudgy ['pʌdʒɪ] *(-ier, -iest) adj* rondelet, -ette

puerile [*Br* 'pjʊəraɪl, *Am* 'pjʊərəl] *adj* puéril

Puerto Rico [pwɜ:təʊ'ri:kəʊ] *n* Porto Rico *f*

puff [pʌf] **1** *n (of smoke)* bouffée *f*; *(of wind, air)* souffle *m*; *Fam* **to be out of p.** être essoufflé; **p. pastry,** *Am* **p. paste** pâte *f* feuilletée **2** *vt (smoke)* souffler *(into* dans); **to p. sth out** *(cheeks, chest)* gonfler qch **3** *vi (of person)* souffler; *(of steam engine)* lancer des bouffées de vapeur; **to p. at a cigar** tirer sur un cigare **•puffy (-ier, -iest)** *adj* gonflé

puke [pju:k] *vi Fam* dégueuler

pukka ['pʌkə] *adj Br Fam (genuine)* authentique; *(excellent)* génial, super *inv*

pull [pʊl] **1** *n (attraction)* attraction *f*; *(of water current)* force *f*; *Fam (influence)* influence *f*; **to give sth a p.** tirer qch **2** *vt* (**a**) *(draw, tug)* tirer; *(tooth)* arracher; *(stopper)* enlever; *(trigger)* appuyer sur; *(muscle)* se froisser; *Fig* **to p. sth apart** *or* **to bits** *or* **to pieces** démolir qch; **to p. a face** faire la grimace; *Fig* **to p. strings** se faire pistonner (par qn) (**b**) *Br Fam (sexual partner)* emballer **3** *vi* (**a**) *(tug)* tirer **(on** sur); **to p. into the station** *(of train)* entrer en gare; **to p. clear of sth** s'éloigner de qch (**b**) *Br Fam (find sexual partner)* faire une touche **•pull-up** *n (exercise on bars or rings)* traction *f*

▸**pull along** *vt sep (drag)* traîner (**to** jusqu'à)

▸**pull away 1** *vt sep (move)* éloigner; *(snatch)* arracher (**from** à) **2** *vi (in vehicle)* démarrer; **to p. away from** s'éloigner de

▸**pull back 1** *vt sep* retirer; *(curtains)* ouvrir **2** *vi (withdraw)* se retirer

▸**pull down** *vt sep (lower)* baisser; *(knock down)* faire tomber; *(demolish)* démolir

▸**pull in 1** *vt sep (drag into room)* faire entrer (de force); *(rope)* ramener; *(stomach)* rentrer; *(crowd)* attirer **2** *vi (arrive)* arriver; *(stop in vehicle)* s'arrêter

▸ **pull off** *vt sep (remove)* enlever; *Fig (plan, deal)* réaliser; **to p. it off** réussir son coup

▸ **pull on** *vt sep (boots, clothes)* mettre

▸ **pull out 1** *vt sep (tooth, hair)* arracher; *(cork, pin)* enlever (**from** de); *(from pocket, bag)* sortir (**from** de); *(troops)* retirer **2** *vi (of car)* déboîter; *(of train)* partir; *(withdraw)* se retirer (**from** de)

▸ **pull over 1** *vt sep (drag)* traîner (**to** jusqu'à); *(knock down)* faire tomber **2** *vi (in vehicle)* s'arrêter

▸ **pull round** *vi (recover)* se remettre

▸ **pull through** *vi (recover)* s'en tirer

▸ **pull together** *vt sep* **to p. oneself together** se ressaisir

▸ **pull up 1** *vt sep (socks, blinds)* remonter; *(haul up)* hisser; *(plant, tree)* arracher; *(stop)* arrêter; *Fig* **to p. one's socks up** se ressaisir **2** *vi (of car)* s'arrêter

pulley ['pʊlɪ] *(pl* -eys) *n* poulie *f*

pull-out ['pʊlaʊt] *n (in newspaper)* supplément *m* détachable

pullover ['pʊləʊvə(r)] *n* pull-over *m*

pulp [pʌlp] *n (of fruit)* pulpe *f*; **to reduce sth to a p.** écraser qch; **p. fiction** romans *mpl* de gare

pulpit ['pʊlpɪt] *n* chaire *f*

pulsate [pʌl'seɪt] *vi (beat)* palpiter; *(vibrate)* vibrer ▪ **pulsation** *n* pulsation *f*

pulse [pʌls] *n Med* pouls *m*; *(of light, sound)* vibration *f* ▪ **pulses** *npl (seeds)* légumineuses *fpl*

pulverize ['pʌlvəraɪz] *vt* pulvériser

pumice ['pʌmɪs] *n* **p. (stone)** pierre *f* ponce

pump¹ [pʌmp] **1** *n (machine)* pompe *f*; *Br* **petrol p.**, *Am* **gas p.** pompe *f* à essence; *Br* **(petrol) p. attendant** pompiste *mf* **2** *vt* pomper; *Fig (money, resources)* injecter (**into** dans); *Fam* **to p. sb for information** tirer les vers du nez à qn; *Fam* **to p. iron** faire de la gonflette; **to p. sth in** *(liquid)* refouler qch; **to p. sth out** *(liquid)* pomper qch (**of** de); **to p. air into sth**, **to p. sth up** *(mattress)* gonfler qch **3** *vi* pomper; *(of heart)* battre

pump² [pʌmp] *n (flat shoe)* escarpin *m*; *(for sports)* tennis *m* ou *f*

pumpkin ['pʌmpkɪn] *n* potiron *m*; *Am* **p. pie** tarte *f* au potiron

pun [pʌn] *n* jeu *m* de mots

Punch [pʌntʃ] *n* **P. and Judy show** ≃ guignol *m*

punch¹ [pʌntʃ] **1** *n (blow)* coup *m* de poing; *Fig (energy)* punch *m*; *Boxing & Fig* **to pack a p.** avoir du punch; **p. line** *(of joke, story)* chute *f* **2** *vt (person)* donner un coup de poing à; *(sb's nose)* donner un coup de poing sur; *(ball)* frapper du coup de poing ▪ **punch-up** *n Br Fam* bagarre *f*

punch² [pʌntʃ] **1** *n (for paper)* perforeuse *f*; *(tool)* poinçon *m*; *(for tickets)* poinçonneuse *f*; *Comptr* **p. card** carte *f* perforée **2** *vt (ticket)*

poinçonner; *(with date)* composter; *(paper, card)* perforer; **to p. a hole in sth** faire un trou dans qch

punch³ [pʌntʃ] *n (drink)* punch *m*

punctilious [pʌŋk'tɪlɪəs] *adj* pointilleux, -euse

punctual ['pʌŋktʃʊəl] *adj* ponctuel, -uelle ▪ **punctuality** [-tʃʊ'ælɪtɪ] *n* ponctualité *f* ▪ **punctually** *adv* à l'heure

punctuate ['pʌŋktʃʊeɪt] *vt* ponctuer (**with** de) ▪ **punctu'ation** *n* ponctuation *f*; **p. mark** signe *m* de ponctuation

puncture ['pʌŋktʃə(r)] **1** *n (in tyre)* crevaison *f*; **to have a p.** crever **2** *vt (tyre)* crever; *(metal)* perforer; *(blister)* percer **3** *vi (of tyre)* crever

pundit ['pʌndɪt] *n* expert *m*

pungent ['pʌndʒənt] *adj* âcre ▪ **pungency** *n* âcreté *f*

punish ['pʌnɪʃ] *vt* punir (**for** de); **to p. sb for doing sth** punir qn pour avoir fait qch ▪ **punishable** *adj* punissable (**by** de) ▪ **punishing** *adj (tiring)* éreintant

punishable ['pʌnɪʃəbəl] *adj* punissable (**by** de)

punishment ['pʌnɪʃmənt] *n* punition *f*; *Law* peine *f*; **as (a) p. for** en punition de; *Fig* **to take a lot of p.** être mis à rude épreuve

punitive ['pjuːnɪtɪv] *adj* punitif, -ive

punk [pʌŋk] **1** *n* **(a)** punk *mf*; **p. (rock)** le punk **(b)** *Am Fam (hoodlum)* voyou *m (pl* -ous) **2** *adj* punk *inv*

punnet ['pʌnɪt] *n Br* barquette *f*

punt¹ [pʌnt] **1** *n* barque *f* à fond plat **2** *vi* **to go punting** faire de la barque ▪ **punter** *n Br (gambler)* parieur, -ieuse *mf*; *Fam (customer)* client *m*, cliente *f* ▪ **punting** *n* canotage *m*

punt² [pʌnt] *n Formerly (currency)* livre *f* irlandaise

puny ['pjuːnɪ] *(-ier, -iest) adj* chétif, -ive

pup [pʌp] *n (dog)* chiot *m*

pupil¹ ['pjuːpəl] *n (student)* élève *mf*

pupil² ['pjuːpəl] *n (of eye)* pupille *f*

puppet ['pʌpɪt] **1** *n* marionnette *f*; **p. show** spectacle *m* de marionnettes **2** *adj (government, leader)* fantoche

puppy ['pʌpɪ] *(pl* -ies) *n (dog)* chiot *m*

purchase ['pɜːtʃɪs] **1** *n (action, thing bought)* achat *m* **2** *vt* acheter (**from** à qn); **purchasing power** pouvoir *m* d'achat ▪ **purchaser** *n* acheteur, -euse *mf*

> Note that the French word **pourchasser** is a false friend and is never a translation for the English word **purchase**. It means **to chase**.

pure [pjʊə(r)] *(-er, -est) adj* pur

purée ['pjʊəreɪ] *n* purée *f*

purely ['pjʊəlɪ] *adv* purement; **p. and simply** purement et simplement

purgatory ['pɜːgətrɪ] *n Rel* purgatoire *m*

purge [pɜːdʒ] **1** *n* purge *f* **2** *vt* purger (**of** de)

purify ['pjʊərɪfaɪ] (pt & pp **-ied**) vt purifier ▪**purification** [-fɪ'keɪʃən] n purification f ▪**purifier** n (for water) épurateur m; (for air) purificateur m

purist ['pjʊərɪst] n puriste mf

puritan ['pjʊərɪtən] n & adj puritain, -aine (mf) ▪**puritanical** [-'tænɪkəl] adj puritain

purity ['pjʊərɪtɪ] n pureté f

purl [pɜːl] n maille f à l'envers

purple ['pɜːpəl] 1 adj violet, -ette; **to go** or **turn p.** (of person) devenir cramoisi 2 n violet m

purport [pɜː'pɔːt] vt Formal **to p. to be sth** prétendre être qch

purpose ['pɜːpəs] n (a) (aim) but m; **on p.** exprès; **to no p.** inutilement; **to serve no p.** ne servir à rien; **for the purposes of** pour les besoins de (b) (determination) résolution f; **to have a sense of p.** savoir ce que l'on veut ▪**'purpose-'built** adj construit spécialement

purposeful ['pɜːpəsfəl] adj résolu ▪**purposefully** adv (for a reason) dans un but précis; (resolutely) résolument

purposely ['pɜːpəslɪ] adv exprès

purr [pɜː(r)] 1 n ronron m 2 vi ronronner

purse [pɜːs] 1 n (for coins) porte-monnaie m inv; Am (handbag) sac m à main 2 vt **to p. one's lips** pincer les lèvres

pursue [pə'sjuː] vt poursuivre; (fame, pleasure) rechercher; (profession) exercer ▪**pursuer** n poursuivant, -ante mf ▪**pursuit** n (of person) poursuite f; (of pleasure, glory) quête f; (activity) occupation f; **to go in p. of sb/sth** se lancer à la poursuite de qn/qch

purveyor [pə'veɪə(r)] n Formal fournisseur m

pus [pʌs] n pus m

push [pʊʃ] 1 n (act of pushing, attack) poussée f; **to give sb/sth a p.** pousser qn/qch; Br Fam **to give sb the p.** (of employer) virer qn; **at a p.** à la rigueur

2 vt pousser (**to** or **as far as** jusqu'à); (button) appuyer sur; (lever) abaisser; (product) faire la promotion de; (theory) promouvoir; Fam (drugs) vendre; **to p. sth into/between** enfoncer qch dans/entre; Fig **to p. sb into doing sth** pousser qn à faire qch; **to p. sth off the table** faire tomber qch de la table (en le poussant); **to p. sb off a cliff** pousser qn du haut d'une falaise; **to p. one's way through the crowd** se frayer un chemin à travers la foule; **to p. a door open** ouvrir une porte (en poussant); **to p. one's luck** y aller un peu fort; Fam **to be pushing forty** friser la quarantaine

3 vi pousser; (on button) appuyer (**on** sur) ▪**push-button** n bouton m; (of phone) touche f; **p. phone** téléphone m à touches; **p. controls** commandes fpl automatiques ▪**pushchair** n Br poussette f ▪**pushover** n Fam **to be a p.** (task) être un jeu d'enfant; (person) être un adversaire facile ▪**push-up** n Am (exercise) pompe f

▸**push about, push around** vt sep **to p. sb about** faire de qn ce que l'on veut

▸**push aside** vt sep écarter

▸**push away, push back** vt sep repousser

▸**push down** vt sep (button) appuyer sur; (lever) abaisser

▸**push for** vt insep faire pression pour obtenir

▸**push in** vi Br (in queue) resquiller

▸**push off** vi Fam ficher le camp

▸**push on** vi (go on) continuer; **to p. on with sth** continuer qch

▸**push over** vt sep faire tomber

▸**push through** vt sep (law) faire adopter

▸**push up** vt sep (lever, collar) relever; (sleeves) remonter; (increase) augmenter

pushed [pʊʃt] adj **to be p. for time** être très pressé

pusher ['pʊʃə(r)] n Fam (of drugs) dealer m

pushy ['pʊʃɪ] (**-ier, -iest**) adj Fam batailleur, -euse

puss, pussy ['pʊs, 'pʊsɪ] (pl **-ies**) n Fam (cat) minou m

put [pʊt] (pt & pp put, pres p **putting**) 1 vt mettre; (on flat surface) poser; (problem, argument) présenter (**to** à); (question) poser (**to** à); (say) dire; (estimate) évaluer (**at** à); **to p. pressure on sb/sth** faire pression sur qn/qch; **to p. a mark on sth** faire une marque sur qch; **to p. money on a horse** parier sur un cheval; **to p. a lot of work into sth** beaucoup travailler à qch; **to p. sth well** bien tourner qch; **to p. it bluntly** pour parler franc 2 vi **to p. to sea** prendre la mer ▪**put-up job** n Fam coup m monté

▸**put across** vt sep (message, idea) faire comprendre (**to** à)

▸**put aside** vt sep (money, object) mettre de côté

▸**put away** vt sep (tidy away) ranger; **to p. sb away** (criminal) mettre qn en prison; (insane person) enfermer qn

▸**put back** vt sep (replace, postpone) remettre; (telephone receiver) raccrocher; (clock, schedule) retarder

▸**put by** vt sep (money) mettre de côté

▸**put down** vt sep (on floor, table) poser; (deposit) verser; (revolt) réprimer; (write down) inscrire; (attribute) attribuer (**to** à); (kill) faire piquer; **to p. oneself down** se rabaisser

▸**put forward** vt sep (clock, meeting, argument) avancer; (opinion) exprimer; (candidate) proposer (**for** à)

▸**put in** 1 vt sep (into box) mettre dedans; (insert) introduire; (add) ajouter; (install) installer; (claim, application) soumettre; (time) passer (**doing** à faire) 2 vi **to p. in for sth** (new job, transfer) faire une demande de qch; **to p. in (at)** (of ship) faire escale (à)

▸ **put off** *vt sep (postpone)* remettre (à plus tard); *(dismay)* déconcerter; *(make wait)* faire attendre; **to p. off doing sth** retarder le moment de faire qch; **to p. sb off sth** dégoûter qn de qch; **to p. sb off doing sth** ôter à qn l'envie de faire qch

▸ **put on** *vt sep (clothes, shoe, record)* mettre; *(accent)* prendre; *(play, show)* monter; *(gas, radio)* allumer; *(clock)* avancer; **to p. on weight** prendre du poids; *Am* **to p. sb on** *(tease)* faire marcher qn; **she p. me on to you** elle m'a donné votre adresse; **p. me on to him!** *(on phone)* passez-le-moi!

▸ **put out** *vt sep (take outside)* sortir; *(arm, leg, hand)* tendre; *(gas, light)* éteindre; *(inconvenience)* déranger; *(upset)* vexer; *(report, statement)* publier; **to p. one's shoulder out** se démettre l'épaule

▸ **put through** *vt sep* **to p. sb through (to sb)** *(on phone)* passer qn (à qn)

▸ **put together** *vt sep (assemble)* assembler; *(meal, team)* composer; *(file, report)* préparer; *(collection)* rassembler; *Fig* **to p. two and two together** tirer ses conclusions

▸ **put up** *vt sep (lift)* lever; *(tent, fence)* monter; *(statue, ladder)* dresser; *(flag)* hisser; *(building)* construire; *(umbrella)* ouvrir; *(picture, poster)* mettre; *(price, sales, numbers)* augmenter; *(resistance, plea, suggestion)* offrir; *(candidate)* présenter (**for** à); *(guest)* loger; **to p. sth up for sale** mettre qch en vente

▸ **put up with** *vt insep* supporter

putrid ['pju:trɪd] *adj* putride ▪ **putrefy** [-trɪfaɪ] *(pt & pp* -**ied**) *vi* se putréfier

putt [pʌt] *n Golf* putt *m* ▪ **putting** *n Golf* putting *m*; **p. green** green *m*

putty ['pʌtɪ] *n* mastic *m*

puzzle ['pʌzəl] **1** *n (jigsaw)* puzzle *m*; *(game)* casse-tête *m inv*; *(mystery)* mystère *m* **2** *vt* laisser perplexe; **to p. out why/when...** essayer de comprendre pourquoi/quand... **3** *vi* **to p. over sth** essayer de comprendre qch ▪ **puzzled** *adj* perplexe ▪ **puzzling** *adj* bizarre

PVC [pi:vi:'si:] *n* PVC *m*; **P. belt** ceinture *f* en PVC

pygmy ['pɪgmɪ] *(pl* -**ies**) *n* pygmée *m*

pyjama [pɪ'dʒɑ:mə] *(Am* **pajama** [pə'dʒɑ:mə]*) adj (jacket)* de pyjama ▪ **pyjamas** *(Am* **pajamas**) *npl* pyjama *m*; **a pair of p.** un pyjama; **to be in (one's) p.** être en pyjama

pylon ['paɪlən] *n* pylône *m*

pyramid ['pɪrəmɪd] *n* pyramide *f*

Pyrenees [pɪrə'ni:z] *npl* **the P.** les Pyrénées *fpl*

Pyrex® ['paɪreks] *n* Pyrex® *m*; **P. dish** plat *m* en Pyrex®

python ['paɪθən] *n* python *m*

Q, q [kjuː] *n (letter)* Q, q *m inv*

QC [kjuːˈsiː] *(abbr Queen's Counsel) n Br Law* = membre haut placé du barreau

quack¹ [kwæk] *n (of duck)* coin-coin *m inv*

quack² [kwæk] *n Pej (doctor)* charlatan *m*

quadrangle [ˈkwɒdræŋgəl] *n Br (of college, school)* cour *f*

quadruple [kwɒˈdruːpəl] *vti* quadrupler

quadruplets [kwɒˈdruːplɪts] *(Fam* **quads** [kwɒdz]*) npl* quadruplés, -ées *mfpl*

quagmire [ˈkwægmaɪə(r)] *n* bourbier *m*

quail [kweɪl] *n inv (bird)* caille *f*

quaint [kweɪnt] *(-er, -est) adj (picturesque)* pittoresque; *(old-fashioned)* vieillot, -otte; *(odd)* bizarre

quake [kweɪk] **1** *n Fam* tremblement *m* de terre **2** *vi* trembler

Quaker [ˈkweɪkə(r)] *n Rel* quaker, -eresse *mf*

qualification [kwɒlɪfɪˈkeɪʃən] *n (diploma)* diplôme *m; (skill)* compétence *f; (modification)* précision *f; (for competition)* qualification *f;* **on q.** une fois le diplôme obtenu

qualify [ˈkwɒlɪfaɪ] *(pt & pp -ied)* **1** *vt* **(a)** *(make competent)* & *Sport* qualifier **(for sth** pour qch)**; to q. sb to do sth** donner à qn les compétences nécessaires pour faire qch **(b)** *(modify)* nuancer; *Grammar* qualifier **2** *vi Sport* se qualifier **(for** pour)**; to q. as a doctor** obtenir son diplôme de médecin; **to q. for sth** *(be eligible)* avoir droit à qch ▪ **qualified** *adj (competent)* compétent; *(having diploma)* diplômé; *(opinion)* nuancé; *(support)* mitigé; **to be q. to do sth** *(be competent)* avoir les compétences requises pour faire qch; *(have diploma)* avoir les diplômes requis pour faire qch; **a q. success** un demi-succès ▪ **qualifying** *adj* **q. exam** examen *m* d'entrée; *Sport* **q. round** épreuve *f* éliminatoire

quality [ˈkwɒlɪtɪ] *(pl -ies) n* qualité *f;* **q. product** produit *m* de qualité ▪ **qualitative** [-tətɪv] *adj* qualitatif, -ive

qualms [kwɑːmz] *npl* **to have no q. about doing sth** *(scruples)* n'avoir aucun scrupule à faire qch; *(doubts)* ne pas hésiter une seconde avant de faire qch

quandary [ˈkwɒndərɪ] *(pl -ies) n* dilemme *m;* **to be in a q.** être bien embarrassé

quantify [ˈkwɒntɪfaɪ] *(pt & pp -ied) vt* évaluer

quantity [ˈkwɒntɪtɪ] *(pl -ies) n* quantité *f;* **in q.** *(purchase)* en grande(s) quantité(s); **q. surveyor** métreur *m* vérificateur ▪ **quantitative** [-tətɪv] *adj* quantitatif, -ive

quarantine [ˈkwɒrəntiːn] **1** *n* quarantaine *f* **2** *vt* mettre en quarantaine

quarrel [ˈkwɒrəl] **1** *n* dispute *f*, querelle *f;* **to pick a q. with sb** chercher querelle à qn **2** *(Br -ll-, Am -l-) vi* se disputer **(with** avec**); to q. with sth** ne pas être d'accord avec qch ▪ **quarrelling** *(Am* **quarreling***) n* disputes *fpl* ▪ **quarrelsome** *adj* querelleur, -euse

quarry¹ [ˈkwɒrɪ] *(pl -ies) n (for stone)* carrière *f*

quarry² [ˈkwɒrɪ] *(pl -ies) n (prey)* proie *f*

quart [kwɔːt] *n (liquid measurement) Br* = 1,14 l, *Am* = 0,95 l

quarter¹ [ˈkwɔːtə(r)] **1** *n* quart *m; (of fruit, moon)* quartier *m; (division of year)* trimestre *m; Am & Can (money)* pièce *f* de 25 cents; **to divide sth into quarters** diviser qch en quatre; **q. (of a) pound** quart de livre; *Br* **a q. past nine,** *Am* **a q. after nine** neuf heures et quart; *Br* **a q. to nine,** *Am* **a q. of nine** neuf heures moins le quart **2** *vt* partager en quatre

quarter² [ˈkwɔːtə(r)] **1** *n (district)* quartier *m;* **quarters** *(circles)* milieux *mpl;* **(living) quarters** logements *mpl; (of soldier)* quartiers *mpl;* **from all quarters** de toutes parts **2** *vt (troops)* loger

quarterfinal [kwɔːtəˈfaɪnəl] *n Sport* quart *m* de finale

quarterly [ˈkwɔːtəlɪ] **1** *adj (magazine, payment)* trimestriel, -ielle **2** *adv* tous les trimestres **3** *(pl -ies) n* publication *f* trimestrielle

quartet(te) [kwɔːˈtet] *n (music, players)* quatuor *m; (jazz)* **q.** quartette *m*

quartz [kwɔːts] **1** *n* quartz *m* **2** *adj (watch)* à quartz

quash [kwɒʃ] *vt (rebellion)* réprimer; *Law (sentence)* annuler

quasi- [ˈkweɪzaɪ] *pref* quasi-

quaver [ˈkweɪvə(r)] **1** *n* **(a)** *Br (musical note)* croche *f* **(b)** *(in voice)* tremblement *m* **2** *vi (of voice)* trembler

quay [kiː] *n* quai *m* ▪ **quayside** *n* **on the q.** sur les quais

queasy [ˈkwiːzɪ] *(-ier, -iest) adj* **to feel** *or* **be q.** avoir mal au cœur ▪ **queasiness** *n* mal *m* au cœur

Quebec [kwɪˈbek] *n* le Québec

queen [kwi:n] *n* reine *f*; **the Q. Mother** la reine mère

queer ['kwɪə(r)] **1** (**-er, -est**) *adj* (**a**) (*strange*) bizarre (**b**) *Fam Pej* (*homosexual*) pédé **2** *n Fam Pej* (*homosexual*) pédé *m*, = terme injurieux désignant un homosexuel

quell [kwel] *vt* (*revolt*) réprimer

quench [kwentʃ] *vt* (*fire*) éteindre; (*thirst*) étancher

querulous ['kwerʊləs] *adj* (*complaining*) grognon, -onne

query ['kwɪərɪ] **1** (*pl* **-ies**) *n* question *f* **2** (*pt & pp* **-ied**) *vt* mettre en question

quest [kwest] *n* quête *f* (**for** de); **in q. of sth** en quête de qch

question ['kwestʃən] **1** *n* question *f*; **there is some q. of it** il en est question; **there's no q. of it, it's out of the q.** c'est hors de question; **without q.** incontestablement; **the matter/person in q.** l'affaire/la personne en question; **q. mark** point *m* d'interrogation; **q. master** (*on television, radio*) animateur, -trice *mf* **2** *vt* interroger (**about** sur); (*doubt*) mettre en question; **to q. whether...** douter que... (+ *subjunctive*) ▪**questioning 1** *adj* (*look*) interrogateur, -trice **2** *n* interrogation *f*

questionable ['kwestʃənəbəl] *adj* discutable

questionnaire [kwestʃə'neə(r)] *n* questionnaire *m*

queue [kju:] *Br* **1** *n* (*of people*) queue *f*; (*of cars*) file *f*; **to form a q., to stand in a q.** faire la queue **2** *vi* **to q. (up)** faire la queue

quibble ['kwɪbəl] *vi* chipoter (**over** à propos de) ▪**quibbling** *n* chipotage *m*

quiche [ki:ʃ] *n* quiche *f*

quick [kwɪk] **1** (**-er, -est**) *adj* (*rapid*) rapide; (*clever*) vif (*f* vive); **q. to react** prompt à réagir; **be q.!** fais vite!; **to have a q. shower/meal** se doucher/manger en vitesse; **to be a q. worker** travailler vite; **as q. as a flash** rapide comme l'éclair **2** (**-er, -est**) *adv Fam* vite **3** *n Fig* **to cut sb to the q.** piquer qn au vif ▪**'quick-'tempered** *adj* emporté ▪**'quick'witted** *adj* vif (*f* vive)

quicken ['kwɪkən] **1** *vt* accélérer **2** *vi* s'accélérer

quickie ['kwɪkɪ] *n Fam* **to have a q.** (*drink*) prendre un pot en vitesse

quickly ['kwɪklɪ] *adv* vite

quicksand ['kwɪksænd] *n* sables *mpl* mouvants

quid [kwɪd] *n inv Br Fam* (*pound*) livre *f*

quiet ['kwaɪət] **1** (**-er, -est**) *adj* (*silent, still, peaceful*) tranquille, calme; (*machine, vehicle*) silencieux, -ieuse; (*person, voice, music*) doux (*f* douce); **to be** *or* **keep q.** (*say nothing*) se taire; (*make no noise*) ne pas faire de bruit; **to keep q. about sth, to keep sth q.** ne rien dire au sujet de qch; **q.!** silence!; **a q. wedding** un mariage célébré dans l'intimité **2** *n Fam* **on the q.** (*secretly*) en cachette

quieten ['kwaɪətən] *Br* **1** *vt* **to q. (down)** calmer **2** *vi* **to q. down** se calmer

quietly ['kwaɪətlɪ] *adv* tranquillement; (*gently, not loudly*) doucement; (*silently*) silencieusement; (*secretly*) en cachette; (*discreetly*) discrètement ▪**quietness** *n* (*of person, place*) tranquillité *f*

quill [kwɪl] *n* (*pen*) plume *f* d'oie

quilt [kwɪlt] *n* (*cover*) édredon *m*; *Br* (*duvet*) couette *f*

quintessential [kwɪnte'senʃəl] *adj* quintessentiel, -ielle

quintet [kwɪn'tet] *n* quintette *m*

quintuplets [*Br* kwɪn'tju:plɪts, *Am* -'tʌplɪts] *npl* quintuplés, -ées *mfpl*

quip [kwɪp] **1** *n* boutade *f* **2** (*pt & pp* **-pp-**) *vti* plaisanter

quirk [kwɜ:k] *n* (*of character*) particularité *f*; (*of fate*) caprice *m* ▪**quirky** (**-ier, -iest**) *adj* bizarre

quit [kwɪt] (*pt & pp* **quit** *or* **quitted,** *pres p* **quitting**) **1** *vt* (*leave*) quitter; *Comptr* sortir de; **to q. doing sth** arrêter de faire qch **2** *vi* (*give up*) abandonner; (*resign*) démissionner; *Comptr* sortir

quite [kwaɪt] *adv* (*entirely*) tout à fait; (*really*) vraiment; (*fairly*) assez; **I q. understand** je comprends parfaitement; **q. enough** bien assez; **q. another matter** une tout autre affaire; **q. a genius** un véritable génie; **q. good** (*not bad*) pas mal du tout; **q. (so)!** exactement!; **q. a lot** pas mal (**of** de); **q. a long time ago** il y a pas mal de temps

quits [kwɪts] *adj* quitte (**with** envers); **to call it q.** en rester là

quiver ['kwɪvə(r)] *vi* (*of person*) frémir (**with** de); (*of voice*) trembler; (*of flame*) vaciller

quiz [kwɪz] **1** (*pl* **-zz-**) *n* (*on radio*) jeu *m* radiophonique; (*on TV*) jeu télévisé; (*in magazine*) questionnaire *m*; **q. show** (*on radio*) jeu radiophonique; (*on TV*) jeu télévisé **2** (*pt & pp* **-zz-**) *vt* interroger ▪**quizmaster** *n TV & Radio* animateur, -trice *mf*

quizzical ['kwɪzɪkəl] *adj* (*look, air*) interrogateur, -trice

quorum ['kwɔ:rəm] *n* quorum *m*

quota ['kwəʊtə] *n* quota *m*

quotation [kwəʊ'teɪʃən] *n* (*from author*) citation *f*; (*estimate*) devis *m*; (*on Stock Exchange*) cote *f*; **q. marks** guillemets *mpl*; **in q. marks** entre guillemets

quote [kwəʊt] **1** *n* (*from author*) citation *f*; (*estimate*) devis *m*; **in quotes** entre guillemets **2** *vt* (*author, passage*) citer; (*reference number*) rappeler; (*price*) indiquer; *Fin* **quoted company** société *f* cotée en Bourse **3** *vi* **to q. from** (*author, book*) citer

quotient ['kwəʊʃənt] *n Math* quotient *m*

R, r [ɑː(r)] *n (lettre)* R, r *m inv*
rabbi ['ræbaɪ] *n* rabbin *m*; **chief r.** grand rabbin
rabbit ['ræbɪt] *n* lapin *m*
rabble ['ræbəl] *n* foule *f* bruyante
rabies ['reɪbiːz] *n* rage *f* ▪ **rabid** ['ræbɪd] *adj (animal)* enragé; *Fig (communist)* fanatique
raccoon [rə'kuːn] *n* raton *m* laveur
race¹ [reɪs] **1** *n (contest)* course *f* **2** *vt (horse)* faire courir; **to r. (against** *or* **with) sb** faire une course avec qn **3** *vi (run)* courir; *(of engine)* s'emballer; *(of pulse)* battre la chamade ▪ **racecar** *n Am* voiture *f* de course ▪ **racecourse** *n* champ *m* de courses ▪ **racehorse** *n* cheval *m* de course ▪ **racetrack** *n Br (for cars, bicycles)* piste *f*; *Am (for horses)* champ *m* de courses ▪ **racing** *n* courses *fpl*; **r. car/bike** voiture *f*/vélo *m* de course; **r. driver** coureur *m* automobile
race² [reɪs] **1** *n (group)* race *f* **2** *adj (prejudice)* racial; **r. relations** relations *fpl* interraciales ▪ **racial** ['reɪʃəl] *adj* racial ▪ **racialism** ['reɪʃəlɪzəm] *n* racisme *m* ▪ **racism** *n* racisme *m* ▪ **racist** *adj & n* raciste *(mf)*
rack¹ [ræk] **1** *n* (**a**) *(for bottles, letters, records)* casier *m*; *(for plates)* égouttoir *m*; *(set of shelves)* étagère *f*; *(luggage)* **r.** porte-bagages *m inv*; *(roof)* **r.** galerie *f*; *(drying)* **r.** séchoir *m* à linge (**b**) *(expression)* **to go to r. and ruin** aller de mal en pis **2** *vt* **to r. one's brains** se creuser la cervelle
racket¹ ['rækɪt] *n (for tennis)* raquette *f*
racket² ['rækɪt] *n Fam* (**a**) *(din)* vacarme *m* (**b**) *(criminal activity)* racket *m* ▪ **racketeer** *n* racketteur *m* ▪ **racketeering** *n* racket *m*
racoon [rə'kuːn] *n* raton *m* laveur
racy ['reɪsɪ] *(***-ier, -iest***) adj (lively)* savoureux, -euse; *(risqué)* osé
radar ['reɪdɑː(r)] *n* radar *m*; **r. control** contrôle *m* radar *inv*; **r. operator** radariste *mf*
radiant ['reɪdɪənt] *adj (person, face)* resplendissant (**with** de); *(sun)* éclatant ▪ **radiance** *n* éclat *m* ▪ **radiantly** *adv (shine)* avec éclat; **r. happy** rayonnant de joie
radiate ['reɪdɪeɪt] **1** *vt (heat, light)* dégager; *Fig (joy, health)* être rayonnant de **2** *vi* rayonner (**from** de) ▪ **radiation** *n (of heat)* rayonnement *m* (**of** de); *(radioactivity)* radiation *f*; **r. sickness** mal *m* des rayons
radiator ['reɪdɪeɪtə(r)] *n (heater)* radiateur *m*

radical ['rædɪkəl] *adj & n* radical, -ale *(mf)*
radii ['reɪdɪaɪ] *pl of* **radius**
radio ['reɪdɪəʊ] **1** *(pl* **-os***) n* radio *f*; **on the r.** à la radio; **r. cassette (player)** radiocassette *m*; **r. operator** radio *m*; **r. wave** onde *f* hertzienne **2** *(pt & pp* **-oed***) vt (message)* transmettre par radio (**to** à); **to r. sb** contacter qn par radio ▪ **radio-controlled** *adj* radioguidé ▪ **radiographer** [-'ɒɡrəfə(r)] *n* radiologue *mf* ▪ **radiography** [-'ɒɡrəfɪ] *n* radiographie *f* ▪ **radiologist** [-'ɒlədʒɪst] *n* radiologue *mf* ▪ **radiology** [-'ɒlədʒɪ] *n* radiologie *f*
radioactive [reɪdɪəʊ'æktɪv] *adj* radioactif, -ive ▪ **radioactivity** *n* radioactivité *f*
radish ['rædɪʃ] *n* radis *m*
radius ['reɪdɪəs] *(pl* **-dii***) n* rayon *f*; **within a r. of 10 km** dans un rayon de 10 km
RAF [ɑːreɪ'ef] *(abbr* **Royal Air Force***) n* = armée de l'air britannique
raffia ['ræfɪə] *n* raphia *m*
raffle ['ræfəl] *n* tombola *f*
raft [rɑːft] *n* radeau *m*
rafter ['rɑːftə(r)] *n* chevron *m*
rag [ræɡ] *n* (**a**) *(piece of old clothing)* chiffon *m*; **in rags** *(clothes)* en loques; *(person)* en haillons (**b**) *Fam Pej (newspaper)* torchon *m* (**c**) *Br Univ* **r. week** = semaine de divertissements organisés par les étudiants au profit d'œuvres de charité
ragamuffin ['ræɡəmʌfɪn] *n* polisson, -onne *mf*
rage [reɪdʒ] **1** *n (of person)* rage *f*; *(of sea)* furie *f*; **to fly into a rage** entrer dans une rage folle; *Fam* **to be all the r.** *(of fashion)* faire fureur **2** *vi (be angry)* être furieux, -ieuse; *(of storm, battle)* faire rage ▪ **raging** *adj (storm, fever, fire)* violent; **in a r. temper** furieux, -ieuse
ragged ['ræɡɪd] *adj (clothes)* en loques; *(person)* en haillons; *(edge)* irrégulier, -ière
raid [reɪd] **1** *n (military)* raid *m*; *(by police)* descente *f*; *(by thieves)* hold-up *m inv*; **air r.** raid *m* aérien **2** *vt* faire un raid/une descente/un hold-up dans; *Hum* **to r. the fridge** faire la razzia dans le frigo ▪ **raider** *n (criminal)* malfaiteur *m*; **raiders** *(soldiers)* commando *m*
rail [reɪl] **1** *n* (**a**) *(for train)* rail *m*; **by r.** par le train; **to go off the rails** *(of train)* dérailler (**b**) *(rod on balcony)* balustrade *f*; *(on stairs, for spotlight)* rampe *f*; *(curtain rod)* tringle *f* **2** *adj (ticket)* de chemin de fer; *(network)* ferroviaire;

(strike) des cheminots ▪**railcard** *n* carte *f* d'abonnement de train

railings ['reɪlɪŋz] *npl* grille *f*

railroad ['reɪlrəʊd] *Am* 1 *n (system)* chemin *m* de fer; *(track)* voie *f* ferrée 2 *adj (ticket)* de chemin de fer; *(timetable, employee)* des chemins de fer; *(network, company)* ferroviaire; **r. car** voiture *f*; **r. line** ligne *f* de chemin de fer; **r. station** gare *f*

railway ['reɪlweɪ] *Br* 1 *n (system)* chemin *m* de fer; *(track)* voie *f* ferrée 2 *adj (ticket)* de chemin de fer; *(timetable, employee)* des chemins de fer; *(network, company)* ferroviaire; **r. carriage** voiture *f*; **r. line** ligne *f* de chemin de fer; **r. station** gare *f*

rain [reɪn] 1 *n* pluie *f*; **in the r.** sous la pluie 2 *vi* pleuvoir; **to r. (down)** *(of blows, bullets)* pleuvoir; **it's raining** il pleut ▪**rainbow** ['-bəʊ] *n* arc-en-ciel *m* ▪**raincheck** *n Am Fam* **I'll take a r.** *(for invitation)* ce sera pour une autre fois ▪**raincoat** *n* imperméable *m* ▪**raindrop** *n* goutte *f* de pluie ▪**rainfall** *n (amount)* précipitations *fpl* ▪**rainforest** *n* forêt *f* tropicale humide ▪**rainproof** *adj* imperméable ▪**rainstorm** *n* pluie *f* torrentielle ▪**rainwater** *n* eau *f* de pluie ▪**rainy** (**-ier, -iest**) *adj* pluvieux, -ieuse; *(day)* de pluie; **the r. season** la saison des pluies

raise [reɪz] 1 *vt (lift)* lever; *(child, family, voice, statue)* élever; *(crops)* cultiver; *(salary, price)* augmenter; *(temperature)* faire monter; *(question, protest)* soulever; *(taxes, blockade)* lever; **to r. a smile/a laugh** *(in others)* faire sourire/rire; **to r. sb's hopes** donner trop d'espoir à qn; **to r. money** réunir des fonds; **to r. the alarm** donner l'alarme 2 *n Am (pay rise)* augmentation *f* (de salaire)

raisin ['reɪzən] *n* raisin *m* sec

Note that the French word **raisin** is a false friend and is never a translation for the English word **raisin**. It means **grapes**.

rake [reɪk] 1 *n* râteau *m* 2 *vt (garden)* ratisser; **to r. (up)** *(leaves)* ratisser; *Fam* **to r. money in** ramasser l'argent à la pelle; **to r. through** *(drawers, papers)* fouiller dans; **to r. up sb's past** fouiller dans le passé de qn

rally ['rælɪ] 1 *(pl -ies) n (political)* rassemblement *m*; *(car race)* rallye *m*; *(in tennis)* échange *m* 2 *(pt & pp -ied) vt (unite, win over)* rallier (**to** à); **to r. support** rallier des partisans (**for** autour de); *Fig* **to r. one's strength** reprendre ses forces 3 *vi* se rallier (**to** à); *(recover)* reprendre ses forces; *(of share prices)* se redresser; **to r. round sb** venir en aide à qn; **rallying point** point *m* de ralliement

RAM [ræm] *(abbr* **random access memory)** *n Comptr* mémoire *f* vive

ram [ræm] 1 *n (animal)* bélier *m* 2 *(pt & pp -mm-)*
vt (vehicle) emboutir; *(ship)* aborder; **to r. sth into sth** enfoncer qch dans qch

ramble ['ræmbəl] 1 *n (hike)* randonnée *f* 2 *vi* faire une randonnée; **to r. on** divaguer ▪**rambler** *n* randonneur, -euse *mf*

rambling ['ræmblɪŋ] *adj* **(a)** *(house)* plein de coins et de recoins; *(spread out)* vaste; *(rose)* grimpant **(b)** *(speech)* décousu ▪**ramblings** *npl* divagations *fpl*

ramification [ræmɪfɪ'keɪʃən] *n* ramification *f*

ramp [ræmp] *n (for wheelchair)* rampe *f* d'accès; *(in garage)* pont *m* (de graissage); *(to plane)* passerelle *f*; *(on road)* petit dos *m* d'âne

rampage ['ræmpeɪdʒ] *n* **to go on the r.** *(lose control)* se déchaîner; *(loot)* tout saccager

rampant ['ræmpənt] *adj* endémique

rampart ['ræmpɑːt] *n* rempart *m*

ramshackle ['ræmʃækəl] *adj* délabré

ran [ræn] *pt of* **run**

ranch [rɑːntʃ] *n* ranch *m*

rancid ['rænsɪd] *adj* rance

rancour ['ræŋkə(r)] *(Am* **rancor)** *n* rancœur *f*

random ['rændəm] 1 *n* **at r.** au hasard 2 *adj (choice)* (fait) au hasard; *(sample)* prélevé au hasard; *(pattern)* irrégulier, -ière; *Comptr* **r. access memory** mémoire *f* vive; **r. check** *(by police)* contrôle-surprise *m*

randy ['rændɪ] *(-ier, -iest) adj Br Fam* excité

rang [ræŋ] *pt of* **ring²**

range [reɪndʒ] 1 *n* **(a)** *(of gun, voice)* portée *f*; *(of singer's voice)* registre *m*; *(of aircraft, ship)* rayon *m* d'action; *(of colours, prices, products)* gamme *f*; *(of sizes)* choix *m*; *(of temperature)* variations *fpl*; *Fig (sphere)* champ *m* **(b)** *(of mountains)* chaîne *f* **(c)** *(stove)* fourneau *m* **(d)** *(shooting)* **r.** champ *m* de tir 2 *vi (vary)* varier (**from** de; **to** à); *(extend)* s'étendre

ranger ['reɪndʒə(r)] *n* **(forest) r.** garde *m* forestier

rank¹ [ræŋk] 1 *n (position, class)* rang *m*; *(military grade)* grade *m*; *(row)* rangée *f*; *(for taxis)* station *f*; *Mil* **the ranks** les hommes *mpl* du rang 2 *vt* placer (**among** parmi) 3 *vi* compter (**among** parmi) ▪**rank-and-file** *n* **the r.** *(in army)* les hommes *mpl* du rang; *(in political party)* la base

rank² [ræŋk] *(-er, -est) adj* **(a)** *(foul-smelling)* fétide; *Br Fam (disgusting)* dégueulasse **(b)** *(absolute)* total; **he's a r. outsider** il n'est vraiment pas dans la course

rankle ['ræŋkəl] *vi* **it rankles with me** ça m'est resté sur l'estomac

ransack ['rænsæk] *vt (house)* mettre sens dessus dessous; *(shop, town)* piller

ransom ['rænsəm] 1 *n* rançon *f*; **to hold sb to r.** rançonner qn 2 *vt* rançonner

rant [rænt] *vi Fam* **to r. and rave** tempêter (**at** contre)

rap [ræp] 1 *n* **(a)** *(blow)* coup *m* sec **(b)** **r. (music)** rap *m* 2 *(pt & pp -pp-) vt (window,* *door*) frapper à; *Fig* **to r. sb over the knuckles** taper sur les doigts de qn **3** *vi* (**a**) (*hit*) frapper (**on** à) (**b**) (*sing*) faire du rap ▪ **rapper** *n* (*singer*) rappeur, -euse *mf*

rapacious [rə'peɪʃəs] *adj* rapace

rape [reɪp] **1** *n* viol *m* **2** *vt* violer ▪ **rapist** *n* violeur *m*

rapid ['ræpɪd] *adj* rapide ▪ **rapidity** [rə'pɪdɪtɪ] *n* rapidité *f* ▪ **rapidly** *adv* rapidement

rapids ['ræpɪdz] *npl* (*of river*) rapides *mpl*

rapport [ræ'pɔː(r)] *n* **to have a good r. with sb** avoir de bons rapports avec qn

rapt [ræpt] *adj* (*attention*) profond

rapture ['ræptʃə(r)] *n* extase *f*; **to go into raptures** s'extasier (**about** sur) ▪ **rapturous** *adj* (*welcome, applause*) enthousiaste

rare [reə(r)] *adj* (**a**) (**-er, -est**) rare; **it's r. for her to do it** il est rare qu'elle le fasse (**b**) (*meat*) bleu; (**medium**) **r.** saignant ▪ **rarely** *adv* rarement ▪ **rarity** (*pl* **-ies**) *n* (*quality, object*) rareté *f*

rarebit ['reəbɪt] *n Br* **Welsh r.** = toast au fromage

rarefied ['reərɪfaɪd] *adj* raréfié

raring ['reərɪŋ] *adj* **to do sth** impatient de faire qch

rascal ['rɑːskəl] *n* coquin, -ine *mf*

rash¹ [ræʃ] *n* (*on skin*) (*red patches*) rougeurs *fpl*; (*spots*) (éruption *f* de) boutons *mpl*; **to come out in a r.** faire une éruption de boutons

rash² [ræʃ] (**-er, -est**) *adj* (*imprudent*) irréfléchi ▪ **rashly** *adv* sans réfléchir

rasher ['ræʃə(r)] *n Br* tranche *f* (*de bacon*)

rasp [rɑːsp] *n* (*tool*) râpe *f*

raspberry ['rɑːzbərɪ] (*pl* **-ies**) *n* (*fruit*) framboise *f*; **r.** (**bush**) framboisier *m*

rasping ['rɑːspɪŋ] *adj* (*voice*) âpre; (*sound*) grinçant

Rastafarian [ræstə'feərɪən] *n & adj* rastafari (*mf*) *inv*

rat [ræt] **1** *n* rat *m*; **r. poison** mort-aux-rats *f*; *Fig* **r. race** foire *f* d'empoigne **2** (*pt & pp* **-tt-**) *vi Fam* **to r. on sb** (*denounce*) dénoncer qn

rate [reɪt] **1** *n* (*level, percentage*) taux *m*; (*speed*) rythme *m*; (*price*) tarif *m*; **exchange/interest r.** taux de change/d'intérêt; **at the r. of** au rythme de; (*amount*) à raison de; **at this r.** (*slow speed*) à ce train-là; **at any r.** en tout cas **2** *vt* (*regard*) considérer (**as** comme); (*deserve*) mériter; **to r. sb/sth highly** tenir qn/qch en haute estime

rather ['rɑːðə(r)] *adv* (*preferably, quite*) plutôt; **I'd r. stay** j'aimerais mieux rester (**than** que); **I'd r. you came** j'aimerais mieux que vous veniez; **r. than leave** plutôt que de partir; **r. more tired** un peu plus fatigué (**than** que); **I r. liked it** je l'ai bien aimé; **it's r. nice** c'est bien

ratify ['rætɪfaɪ] (*pt & pp* **-ied**) *vt* ratifier ▪ **ratification** [-fɪ'keɪʃən] *n* ratification *f*

rating ['reɪtɪŋ] *n* (*classification*) classement *m*; **the ratings** (*for TV, radio*) l'indice *m* d'écoute

ratio ['reɪʃɪəʊ] (*pl* **-os**) *n* rapport *m*

ration ['ræʃən] **1** *n* ration *f*; **rations** (*food*) vivres *mpl* **2** *vt* rationner ▪ **rationing** *n* rationnement *m*

rational ['ræʃənəl] *adj* (*sensible*) raisonnable; (*sane*) rationnel, -elle ▪ **rationalize** *vt* (*organize*) rationaliser; (*explain*) justifier ▪ **rationally** *adv* (*behave*) raisonnablement

rattle ['rætəl] **1** *n* (**a**) (*for baby*) hochet *m* (**b**) (*noise*) cliquetis *m*; (*of gunfire*) crépitement *m* **2** *vt* (*window*) faire vibrer; (*keys, chains*) faire cliqueter; *Fam* **to r. sb** (*make nervous*) démonter qn; *Fam* **to r. sth off** débiter qch **3** *vi* (*of window*) vibrer; (*of chains, keys*) cliqueter; (*of gunfire*) crépiter

rattlesnake ['rætəlsneɪk] *n* serpent *m* à sonnette

ratty ['rætɪ] (**-ier, -iest**) *adj Fam* (**a**) *Am* (*shabby*) minable (**b**) *Br* **to get r.** (*annoyed*) prendre la mouche

raucous ['rɔːkəs] *adj* (*noisy, rowdy*) bruyant

raunchy ['rɔːntʃɪ] (**-ier, -iest**) *adj Fam* (*lewd*) cochon, -onne; (*sexy*) sexy *inv*

ravage ['rævɪdʒ] *vt* ravager ▪ **ravages** *npl* (*of old age, time*) ravages *mpl*

rave [reɪv] **1** *adj* (*review*) dithyrambique **2** *n* rave *f* **3** *vi* (*talk nonsense*) délirer; **to r. about sb/sth** (*enthuse*) ne pas tarir d'éloges sur qn/ qch ▪ **raving** *adj* **to be r. mad** être complètement fou (*f* folle)

raven ['reɪvən] *n* corbeau *m*

ravenous ['rævənəs] *adj* **to be r.** avoir une faim de loup

ravine [rə'viːn] *n* ravin *m*

ravioli [rævɪ'əʊlɪ] *n* ravioli(s) *mpl*

ravishing ['rævɪʃɪŋ] *adj* (*beautiful*) ravissant ▪ **ravishingly** *adv* **r. beautiful** d'une beauté ravissante

raw [rɔː] (**-er, -est**) *adj* (*vegetable*) cru; (*sugar, data*) brut; (*skin*) écorché; (*wound*) à vif; (*immature*) inexpérimenté; (*weather*) rigoureux, -euse; **r. material** matière *f* première; *Fam* **to get a r. deal** être mal traité

Rawlplug® ['rɔːlplʌg] *n Br* cheville *f*

ray¹ [reɪ] *n* (*of light, sun*) rayon *m*; *Fig* (*of hope*) lueur *f*

ray² [reɪ] *n* (*fish*) raie *f*

rayon ['reɪɒn] **1** *n* rayonne *f* **2** *adj* en rayonne

raze [reɪz] *vt* **to r. sth to the ground** raser qch

razor ['reɪzə(r)] *n* rasoir *m*; **r. blade** lame *f* de rasoir

Rd (*abbr* **road**) rue *f*

re [riː] *prep Com* en référence à; **re your letter** suite à votre lettre

reach [riːtʃ] **1** *n* portée *f*; **within r. of** à portée de; (*near*) à proximité de; **within (easy) r.** (*object*) à portée de main; (*shops*) tout proche **2** *vt* (*place, aim, distant object*) atteindre, arriver à; (*decision*) prendre; (*agreement*) aboutir à;

(contact) joindre; **to r. a conclusion** arriver à une conclusion; **to r. out one's arm** tendre le bras **3** *vi (extend)* s'étendre (**to** jusqu'à); *(of voice)* porter; **to r. for sth** tendre le bras pour prendre qch; **to r. out** tendre le bras (**for** pour prendre)

react [rɪ'ækt] *vi* réagir (**against** contre; **to** à) ▪ **reaction** *n* réaction *f*

reactionary [rɪ'ækʃənərɪ] *(pl* **-ies***)* *adj & n* réactionnaire *(mf)*

reactor [rɪ'æktə(r)] *n* réacteur *m*

read [riːd] **1** *(pt & pp* **read** [red]*)* *vt* lire; *(meter)* relever; *(of instrument)* indiquer; *Br Univ (study)* étudier; **the sign reads...** sur le panneau, on peut lire... **2** *vi (of person)* lire (**about** sur); **to r. well** *(of text)* se lire bien; **to r. to sb** faire la lecture à qn **3** *n Fam* **to have a r.** lire; **to be a good r.** être agréable à lire ▪ **readable** *adj (handwriting)* lisible; *(book)* facile à lire ▪ **read-only** *adj Comptr (file)* (à) lecture seule; **r. memory** mémoire *f* morte

▸ **read back** *vt sep* relire

▸ **read for** *vt insep Br (university degree)* préparer

▸ **read out** *vt sep* lire (à haute voix)

▸ **read over** *vt sep* relire

▸ **read through** *vt sep (skim)* parcourir

▸ **read up (on)** *vt insep (study)* étudier

readdress [riːə'dres] *vt (letter)* faire suivre

reader ['riːdə(r)] *n* lecteur, -trice *mf*; *(book)* livre *m* de lecture ▪ **readership** *n* nombre *m* de lecteurs

readily ['redɪlɪ] *adv (willingly)* volontiers; *(easily)* facilement ▪ **readiness** *n* empressement *m* (**to do** à faire)

reading ['riːdɪŋ] *n* lecture *f*; *(of meter)* relevé *m*; **it's light/heavy r.** c'est facile/difficile à lire; **r. book/room** livre *m*/salle *f* de lecture; **r. glasses** lunettes *fpl* de lecture; **r. lamp** *(on desk)* lampe *f* de bureau; *(at bedside)* lampe de chevet; **r. matter** de quoi lire

readjust [riːə'dʒʌst] **1** *vt (instrument)* régler; *(salary)* réajuster **2** *vi (of person)* se réadapter (**to** à) ▪ **readjustment** *n* réglage *m*; *(of salary)* réajustement *m*; *(of person)* réadaptation *f*

ready ['redɪ] **1** *(-ier, -iest)* *adj* prêt (**to do** à faire; **for sth** pour qch); **to get sb/sth r.** préparer qn/qch; **to get r.** se préparer (**for sth** pour qch; **to do** à faire); **r.! steady! go!** à vos marques, prêts, partez!; **r. cash, r. money** argent *m* liquide **2** *n* **to be at the r.** être tout prêt (*f* toute prête) ▪ **'ready-'cooked** *adj* cuisiné ▪ **'ready-'made** *adj (food)* tout prêt (*f* toute prête); *(excuse)* tout fait (*f* toute faite); **r. clothes** le prêt-à-porter ▪ **'ready-to-'wear** *adj* **r. clothes** le prêt-à-porter

real [rɪəl] **1** *adj* vrai; *(leather)* véritable; *(world, fact, danger)* réel (*f* réelle); **in r. life** dans la réalité; **in r. terms** en termes réels; *Fam* **it's the**

r. thing c'est du vrai de vrai; *Am* **r. estate** immobilier *m* **2** *adv Fam* vraiment; **r. stupid** vraiment bête **3** *n Fam* **for r.** pour de vrai

realism ['rɪəlɪzəm] *n* réalisme *m* ▪ **realist** *n* réaliste *mf* ▪ **rea'listic** *adj* réaliste ▪ **rea-'listically** *adv* avec réalisme

reality [rɪ'ælətɪ] *(pl* **-ies***)* *n* réalité *f*; **in r.** en réalité; **r. television** télé-réalité *f*

realize ['rɪəlaɪz] *vt* **(a)** *(become aware of)* se rendre compte de; **to r. that...** se rendre compte que... **(b)** *(carry out, convert into cash)* réaliser ▪ **reali'zation** *n* **(a)** *(awareness)* prise *f* de conscience *f* **(b)** *(of dream, plan, assets)* réalisation *f*

really ['rɪəlɪ] *adv* vraiment; **is it r. true?** est-ce bien vrai?

realm [relm] *n (kingdom)* royaume *m*; *Fig (field)* domaine *m*

realtor ['rɪəltə(r)] *n Am* agent *m* immobilier

ream [riːm] *n (of paper)* rame *f*

reap [riːp] *vt (field, crop)* moissonner; *Fig (profits)* récolter

reappear [riːə'pɪə(r)] *vi* réapparaître

reappraise [riːə'preɪz] *vt* réévaluer

rear¹ [rɪə(r)] **1** *n (back part)* arrière *m*; *(of military column)* queue *f*; **in** or **at the r.** à l'arrière (**of** de); **from the r.** par derrière **2** *adj (entrance, legs)* de derrière; *(lights, window)* arrière *inv* ▪ **rearguard** *n Mil* arrière-garde *f* ▪ **rearview 'mirror** *n* rétroviseur *m*

rear² [rɪə(r)] **1** *vt (child, animals)* élever; *(one's head)* relever **2** *vi* **to r. (up)** *(of horse)* se cabrer

rearrange [riːə'reɪndʒ] *vt (hair, room)* réarranger; *(plans)* changer

reason ['riːzən] **1** *n (cause, sense)* raison *f*; **the r. for/why** la raison de/pour laquelle; **the r. that...** la raison pour laquelle...; **for no r.** sans raison; **it stands to r.** cela va de soi; **within r.** dans des limites raisonnables; **to have every r. to believe that...** avoir tout lieu de croire que... **2** *vt* **to r. that...** estimer que... **3** *vi* raisonner (**about** sur); **to r. with sb** raisonner qn ▪ **reasoning** *n* raisonnement *m*

reasonable ['riːzənəbəl] *adj (fair)* raisonnable; *(quite good)* passable ▪ **reasonably** *adv (behave, act)* raisonnablement; *(quite)* plutôt; **r. fit** en assez bonne forme

reassess [riːə'ses] *vt* reconsidérer

reassure [riːə'ʃʊə(r)] *vt* rassurer ▪ **reassurance** *n* réconfort *m* ▪ **reassuring** *adj* rassurant

reawaken [riːə'weɪkən] **1** *vt (interest, feeling)* faire renaître **2** *vi (of person)* se réveiller de nouveau ▪ **reawakening** *n* réveil *m*

rebate ['riːbeɪt] *n (discount)* rabais *m*; *(refund)* remboursement *m*

rebel ['rebəl] **1** *n* rebelle *mf* **2** *adj (camp, chief, attack)* des rebelles **3** [rɪ'bel] *(pt & pp* **-ll-***)* *vi* se rebeller (**against** contre) ▪ **rebellion** [rɪ'beljən] *n* rébellion *f* ▪ **rebellious** [rɪ'beljəs] *adj* rebelle

rebirth ['riːbɜːθ] *n* renaissance *f*

reboot [riː'buːt] *Comptr* **1** *vt* réamorcer **2** *vi* se réamorcer, redémarrer

rebound 1 ['riːbaʊnd] *n* (*of ball*) rebond *m*; *Fig* **to marry sb on the r.** épouser qn à la suite d'une déception sentimentale **2** [rɪ'baʊnd] *vi* (*of ball*) rebondir; *Fig* (*of lies, action*) se retourner (**on** contre)

rebuff [rɪ'bʌf] **1** *n* rebuffade *f* **2** *vt* repousser

rebuild [riː'bɪld] (*pt & pp* **-built**) *vt* reconstruire

rebuke [rɪ'bjuːk] **1** *n* réprimande *f* **2** *vt* réprimander

rebut [rɪ'bʌt] (*pt & pp* **-tt-**) *vt* réfuter

recalcitrant [rɪ'kælsɪtrənt] *adj* récalcitrant

recall [rɪ'kɔːl] **1** *n* (*calling back*) rappel *m*; **my powers of r.** (*memory*) ma mémoire **2** *vt* (*remember*) se rappeler (**that** que; **doing** avoir fait); (*call back*) rappeler; **to r. sth to sb** rappeler qch à qn

recant [rɪ'kænt] *vi* se rétracter

recap ['riːkæp] **1** *n* récapitulation *f* **2** (*pt & pp* **-pp-**) *vi* récapituler ▪ **recapitulate** [-kə'pɪtʃʊleɪt] *vti* récapituler ▪ **recapitulation** [-kəpɪtʃʊ'leɪʃən] *n* récapitulation *f*

recapture [riː'kæptʃə(r)] **1** *n* (*of prisoner*) capture *f* **2** *vt* (*prisoner*) capturer; (*town*) reprendre; (*recreate*) recréer

recede [rɪ'siːd] *vi* (*into the distance*) s'éloigner; (*of floods*) baisser ▪ **receding** *adj* (*forehead, chin*) fuyant; **his hairline is r.** son front se dégarnit

receipt [rɪ'siːt] *n* (*for payment, object*) reçu *m* (**for** de); (*in shop, bar*) ticket *m* de caisse; (*for letter, parcel*) récépissé *m*; **receipts** (*at box office*) recette *f*; **on r. of sth** dès réception de qch

receive [rɪ'siːv] *vt* recevoir; (*stolen goods*) receler ▪ **receiving** *n* (*of stolen goods*) recel *m*

receiver [rɪ'siːvə(r)] *n* (**a**) (*of phone*) combiné *m*; (*radio*) récepteur *m*; **to pick up** *or* **lift the r.** (*of phone*) décrocher (**b**) (*of stolen goods*) receleur, -euse *mf*; *Br Fin* (*in bankruptcy*) administrateur *m* judiciaire ▪ **receivership** *n Fin* **to go into r.** être placé sous règlement judiciaire

recent ['riːsənt] *adj* récent; (*development*) dernier, -ière; **in r. months** au cours des derniers mois ▪ **recently** *adv* récemment; **as r. as yesterday** pas plus tard qu'hier

receptacle [rɪ'septəkəl] *n* récipient *m*

reception [rɪ'sepʃən] *n* (*party, of radio*) réception *f*; (*welcome*) accueil *m*; **r. (desk)** réception *f* ▪ **receptionist** *n* réceptionniste *mf*

receptive [rɪ'septɪv] *adj* réceptif, -ive (**to** à)

recess [*Br* 'riːses, *Am* 'riːsəs] *n* (**a**) (*holiday*) vacances *fpl*; *Am* (*between classes*) récréation *f* (**b**) (*in wall*) renfoncement *m*; (*smaller*) & *Fig* recoin *m*

recession [rɪ'seʃən] *n* récession *f*

recharge [riː'tʃɑːdʒ] *vt* (*battery*) recharger ▪ **rechargeable** *adj* (*battery*) rechargeable

recipe ['resɪpɪ] *n* (*for food*) & *Fig* recette *f* (**for** sth de qch; **for doing** pour faire)

recipient [rɪ'sɪpɪənt] *n* (*of gift, letter*) destinataire *mf*; (*of award*) lauréat, -éate *mf*

> Note that the French word **récipient** is a false friend and is never a translation for the English word **recipient**. It means **container**.

reciprocal [rɪ'sɪprəkəl] *adj* réciproque

reciprocate [rɪ'sɪprəkeɪt] **1** *vt* retourner **2** *vi* rendre la pareille

recital [rɪ'saɪtəl] *n* (*of music*) récital *m* (*pl* -als)

recite [rɪ'saɪt] *vt* (*poem*) réciter; (*list*) énumérer ▪ **recitation** [resɪ'teɪʃən] *n* récitation *f*

reckless ['rekləs] *adj* (*rash*) imprudent; **r. driver** chauffard *m* ▪ **recklessly** *adv* imprudemment

reckon ['rekən] **1** *vt* (*calculate*) calculer; (*consider*) considérer; *Fam* (*think*) penser (**that** que) **2** *vi* calculer; compter; **to r. with** (*take into account*) compter avec; (*deal with*) avoir affaire à; **to r. on/without sb/sth** compter sur/ sans qn/qch; **to r. on doing sth** compter faire qch ▪ **reckoning** *n* calcul *m*

reclaim [rɪ'kleɪm] **1** *vt* (*lost property, waste material, luggage*) récupérer; (*expenses*) se faire rembourser; **to r. land from the sea** gagner du terrain sur la mer **2** *n* **'baggage r.'** (*in airport*) 'retrait des bagages'

> Note that the French word **réclamer** is a false friend and is never a translation for the English verb **to reclaim**. It means **to claim** or **to demand**.

recline [rɪ'klaɪn] **1** *vt* (*head*) appuyer (**on** sur) **2** *vi* (*of person*) être allongé ▪ **reclining 'seat** *n* siège *m* à dossier inclinable

recluse [rɪ'kluːs] *n* reclus, -use *mf*

recognition [rekəg'nɪʃən] *n* reconnaissance *f*; **to change** *or* **out of all r.** devenir méconnaissable; **to gain r.** être reconnu

recognize ['rekəgnaɪz] *vt* reconnaître ▪ **recognizable** *adj* reconnaissable

recoil [rɪ'kɔɪl] *vi* (*of gun*) reculer; (*of person*) avoir un mouvement de recul

recollect [rekə'lekt] *vt* se souvenir de ▪ **recollection** *n* souvenir *m*

recommend [rekə'mend] *vt* (*praise, support, advise*) recommander (**to** à; **for** pour); **to r. sb to do sth** recommander à qn de faire qch ▪ **recommen'dation** *n* recommandation *f*

recompense ['rekəmpens] **1** *n* récompense *f* **2** *vt* (*reward*) récompenser

reconcile ['rekənsaɪl] *vt* (*person*) réconcilier (**with** *or* **to** avec); (*opinions, facts*) concilier; **to**

r. oneself to sth se résigner à qch ■reconciliation [-sɪlɪ'eɪʃən] n réconciliation f
reconditioned [riːkən'dɪʃənd] adj (engine, machine) remis à neuf
reconnaissance [rɪ'kɒnɪsəns] n Mil reconnaissance f ■reconnoitre [rekə'nɔɪtə(r)] (Am reconnoiter [riːkə'nɔːtər]) vt (land, enemy troops) reconnaître
reconsider [riːkən'sɪdə(r)] 1 vt réexaminer 2 vi réfléchir
reconstruct [riːkən'strʌkt] vt reconstruire; (crime) reconstituer
record 1 [rek'ɔːd] n (a) (disc) disque m; r. company maison f de disques; r. library discothèque f; r. player électrophone m (b) Sport (best performance) record m (c) (report) rapport m; (background) antécédents mpl; (file) dossier m; to make or keep a r. of sth garder une trace écrite de qch; to have a good safety r. avoir une bonne réputation en matière de sécurité; on r. (fact, event) attesté; the highest figures on r. les chiffres les plus élevés jamais enregistrés; (police) r. casier m judiciaire; (public) records archives fpl
2 adj record inv; in r. time en un temps record; to be at a r. high/low être à son taux le plus haut/bas
3 [rɪ'kɔːd] vt (on tape, in register) enregistrer; (in diary) noter; (relate) rapporter (that que)
4 vi (on tape, of tape recorder) enregistrer ■record-holder n détenteur, -trice mf du record
recorded [rɪ'kɔːdɪd] adj enregistré; (fact) attesté; (TV broadcast) en différé; Br to send sth (by) r. delivery ≃ envoyer qch en recommandé avec accusé de réception
recorder [rɪ'kɔːdə(r)] n (musical instrument) flûte f à bec
recording [rɪ'kɔːdɪŋ] n enregistrement m; r. studio studio m d'enregistrement
recount [rɪ'kaʊnt] vt (relate) raconter
re-count ['riːkaʊnt] n (of votes) deuxième décompte m
recoup [rɪ'kuːp] vt récupérer
recourse [rɪ'kɔːs] n recours m; to have r. to avoir recours à
recover [rɪ'kʌvə(r)] 1 vt (get back) récupérer; (one's appetite, balance) retrouver 2 vi (from illness, shock, surprise) se remettre (from de); (of economy, country, stock market) se redresser; (of currency) remonter; (of sales) reprendre ■recovery (pl -ies) n (a) (from illness) rétablissement m; (of economy, stock market) redressement m; to make a r. se rétablir (b) (of goods) récupération f; Br r. vehicle dépanneuse f
re-create [riːkrɪ'eɪt] vt recréer
recreation [rekrɪ'eɪʃən] n Sch (break) récréation f; r. ground terrain m de jeux

■recreational adj (activity) de loisir; r. drug drogue f à usage récréatif; Am r. vehicle camping-car m
recrimination [rɪkrɪmɪ'neɪʃən] n récrimination f
recruit [rɪ'kruːt] 1 n recrue f 2 vt recruter ■recruitment n recrutement m; r. agency agence f de recrutement
rectangle ['rektæŋgəl] n rectangle m ■rectangular [-'tæŋɡʊlə(r)] adj rectangulaire
rectify ['rektɪfaɪ] (pt & pp -ied) vt rectifier ■rectification [-fɪ'keɪʃən] n rectification f
rector ['rektə(r)] n (priest) pasteur m anglican; Scot Sch ≃ proviseur m
rectum ['rektəm] n rectum m
recuperate [rɪ'kuːpəreɪt] vi (from illness) récupérer ■recupe'ration n (after illness) rétablissement m
recur [rɪ'kɜː(r)] (pt & pp -rr-) vi (of event, problem) se reproduire; (of illness) réapparaître; (of theme) revenir ■recurrence [-'kʌrəns] n récurrence f ■recurrent [-'kʌrənt] adj récurrent ■recurring adj (event, problem) récurrent; (illness) qui réapparaît; (theme, dream) qui revient souvent; six point six r. six virgule six à l'infini
recycle [riː'saɪkəl] vt recycler; recycled paper papier m recyclé; Comptr r. bin corbeille f ■recyclable adj recyclable ■recycling n recyclage m; r. facility installation f de recyclage; r. plant usine f de recyclage
red [red] 1 (redder, reddest) adj rouge; (hair) roux (f rousse); to turn or go r. rougir; Football r. card carton m rouge; the R. Cross la Croix-Rouge; r. light (traffic light) feu m rouge; the r. light district le quartier chaud; Fig r. tape paperasserie f; the R. Sea la mer Rouge 2 n (colour) rouge m; in the r. (in debt) dans le rouge ■redden ['redən] vti rougir ■reddish adj rougeâtre; (hair) légèrement roux (f rousse) ■'red-'faced adj rougeaud; Fig (with confusion) rouge ■'red-'handed adv to be caught r. être pris la main dans le sac ■redhead n roux m, rousse f ■'red-'hot adj brûlant ■redness n rougeur f; (of hair) rousseur f
redcurrant [red'kʌrənt] n groseille f
redecorate [riː'dekəreɪt] vt (repaint) refaire la peinture de
redeem [rɪ'diːm] vt (restore to favour, buy back, free) racheter; (debt, loan) rembourser; (gift token, coupon) échanger; his one redeeming feature is... la seule chose qui le rachète, c'est... ■redemption [-'dempʃən] n rachat m; (of debt, loan) remboursement m; Rel rédemption f
redeploy [riːdɪ'plɔɪ] vt (staff) réorganiser; (troops) redéployer
redial [riː'daɪəl] (Br -ll-, Am -l-) Tel 1 ['riːdaɪəl] n

rappel *m* du dernier numéro **2** *vt* recomposer **3** *vi* recomposer le numéro

redirect [riːdaɪˈrekt] *vt (mail)* faire suivre; *(plane, traffic)* dévier

redo [riːˈduː] *(pt* -**did,** *pp* -**done)** *vt* refaire

redolent [ˈredələnt] *adj* **to be r. of** *(smell of)* sentir; *(suggest)* avoir un parfum de

redress [rɪˈdres] *n* **to seek r.** demander réparation (**for** de)

reduce [rɪˈdjuːs] *vt* réduire (**to** à; **by** de); *(temperature, price)* baisser; **at a reduced price** à prix réduit; **to r. speed** ralentir; **to r. sb to silence** réduire qn au silence; **to r. sb to tears** faire pleurer qn; **to be reduced to doing sth** en être réduit à faire qch ▪ **reduction** [-ˈdʌkʃən] *n (of temperature, price)* baisse *f*; *(discount)* réduction *f* (**in/on** de/sur)

redundant [rɪˈdʌndənt] *adj (not needed)* superflu; *Br* **to make sb r.** licencier qn; **to be made r.** être licencié ▪ **redundancy** *(pl* -**ies)** *n Br (of worker)* licenciement *m*; **r. pay(ment)** prime *f* de licenciement

reed [riːd] *n* **(a)** *(plant)* roseau *m* **(b)** *(of musical instrument)* anche *f*

re-educate [riːˈedjʊkeɪt] *vt (criminal, limb)* rééduquer

reef [riːf] *n* récif *m*

reek [riːk] **1** *n* relent *m* **2** *vi* **to r. (of sth)** puer (qch)

reel [riːl] **1** *n (of thread, film)* bobine *f*; *(for fishing line)* moulinet *m* **2** *vt sep* **to r. off** *(names, statistics)* débiter **3** *vi (stagger)* chanceler; *Fig* **my head is reeling** la tête me tourne

re-elect [riːɪˈlekt] *vt* réélire

re-enact [riːɪˈnækt] *vt* reconstituer

re-entry [riːˈentrɪ] *n (of spacecraft)* rentrée *f*

re-establish [riːɪˈstæblɪʃ] *vt* rétablir

re-examine [riːɪgˈzæmɪn] *vt* réexaminer

ref [ref] *(abbr* **referee)** *n Fam Sport* arbitre *m*

refectory [rɪˈfektərɪ] *(pl* -**ies)** *n* réfectoire *m*

refer [rɪˈfɜː(r)] *(pt & pp* -**rr-)** **1** *vt* **to r. sth to sb** *(submit)* soumettre qch à qn; **to r. sb to a specialist** envoyer qn voir un spécialiste **2** *vt insep* **to r. to** *(allude to)* faire allusion à; *(mention)* parler de; *(apply to)* s'appliquer à; *(consult)* consulter

referee [refəˈriː] **1** *n Sport* arbitre *m*; **to give the names of two referees** *(for job)* fournir deux références **2** *vti* arbitrer

reference [ˈrefərəns] *n (source, consultation)* référence *f*; *(allusion)* allusion *f* (**to** à); *(mention)* mention *f* (**to** de); *(for employer)* lettre *f* de référence; **with** or **in r. to** concernant; *Com* **with** or **in r. to your letter** suite à votre lettre; **for future r.** à titre d'information; **r. book** ouvrage *m* de référence; **r. point** point *m* de repère

referendum [refəˈrendəm] *n* référendum *m*

refill 1 [ˈriːfɪl] *n (for notebook)* feuillets *mpl* de

rechange; *(for pen)* cartouche *f*; *(for lighter)* recharge *f*; **would you like a r.?** *(of drink)* je te ressers? **2** [riːˈfɪl] *vt (glass)* remplir à nouveau; *(lighter, pen)* recharger

refine [rɪˈfaɪn] **1** *vt (oil, sugar, manners)* raffiner; *(technique, machine)* perfectionner **2** *vi* **to r. upon sth** parfaire qch ▪ **refined** *adj (person, manners, sugar)* raffiné ▪ **refinement** *n (of person, manners)* raffinement *m*; *(of sugar, oil)* raffinage *m*; *(of technique)* perfectionnement *m*; **refinements** *(technical improvements)* améliorations *fpl* ▪ **refinery** *(pl* -**ies)** *n* raffinerie *f*

refit 1 [ˈriːfɪt] *n (of ship)* remise *f* en état **2** [riːˈfɪt] *(pt & pp* -**tt-)** *vt (ship)* remettre en état

reflate [riːˈfleɪt] *vt (economy)* relancer

reflect [rɪˈflekt] **1** *vt* **(a)** *(light, image)* refléter, réfléchir; *Fig (portray)* refléter; **to be reflected (in)** *(of light)* se refléter (dans) **(b) to r. that...** se dire que... **2** *vi* **(a) to r. on sb, to be reflected on sb** *(of prestige, honour)* rejaillir sur qn; **to r. badly on sb** faire du tort à qn; **to r. well on sb** faire honneur à qn **(b)** *(think)* réfléchir (**on** à)

reflection [rɪˈflekʃən] *n* **(a)** *(image) & Fig* reflet *m*; *Fig* **it is no r. on your own capabilities** cela ne remet pas en cause vos compétences **(b)** *(thought, criticism)* réflexion (**on** sur); **on r.** tout bien réfléchi

reflector [rɪˈflektə(r)] *n (on bicycle, vehicle)* catadioptre *m*

reflex [ˈriːfleks] *n & adj* réflexe *(m)*; **r. action** réflexe *m*

reflexion [rɪˈflekʃən] *n Br* = **reflection**

reflexive [rɪˈfleksɪv] *adj Grammar* réfléchi

reflexology [riːflekˈsɒlədʒɪ] *n* réflexologie *f* ▪ **reflexologist** *n* réflexologiste *mf*

refloat [riːˈfləʊt] *vt (ship, company)* renflouer

reform [rɪˈfɔːm] **1** *n* réforme *f*; *Am* **r. school** centre *m* d'éducation surveillée **2** *vt* réformer; *(person, conduct)* corriger **3** *vi (of person)* se réformer ▪ **reformer** *n* réformateur, -trice *mf*

reformatory [rɪˈfɔːmətərɪ] *(pl* -**ies)** *n Am* centre *m* d'éducation surveillée

refrain [rɪˈfreɪn] **1** *n (of song) & Fig* refrain *m* **2** *vi* s'abstenir (**from sth** de qch; **from doing** de faire)

refresh [rɪˈfreʃ] *vt (of drink)* rafraîchir; *(of bath)* revigorer; *(of sleep, rest)* reposer; **to r. oneself** *(drink)* se rafraîchir; **to r. one's memory** se rafraîchir la mémoire ▪ **refreshing** *adj (drink)* rafraîchissant; *(bath)* revigorant; *(sleep)* reposant; *(original)* nouveau *(f* nouvelle) ▪ **refreshments** *npl* rafraîchissements *mpl*

refresher course [rɪˈfreʃəkɔːs] *n* cours *m* de recyclage

refrigerate [rɪˈfrɪdʒəreɪt] *vt.* réfrigérer ▪ **refrigerator** *n (domestic)* réfrigérateur *m*

refuel [riːˈfjʊəl] **1** *(Br* -**ll-,** *Am* -**l-)** *vt (aircraft)* ravitailler en carburant **2** *vi (of aircraft)* se ravitailler en carburant

refuge ['refjuːdʒ] *n* refuge *m*; **to take r.** se réfugier (**in** dans)

refugee [refjuˈdʒiː] *n* réfugié, -iée *mf*; **r. camp** camp *m* de réfugiés

refund 1 ['riːfʌnd] *n* remboursement *m* **2** [riˈfʌnd] *vt* rembourser

refurbish [riːˈfɜːbɪʃ] *vt* rénover

refusal [riˈfjuːzəl] *n* refus *m*

refuse¹ [riˈfjuːz] **1** *vt* refuser; **to r. to do sth** refuser de faire qch; **to r. sb sth** refuser qch à qn **2** *vi* refuser

refuse² ['refjuːs] *n Br (rubbish)* ordures *fpl*; *(industrial waste materials)* déchets *mpl*; **r. collection** ramassage *m* des ordures; **r. dump** dépôt *m* d'ordures

refute [riˈfjuːt] *vt* réfuter

regain [riˈgeɪn] *vt (lost ground, favour)* regagner; *(health, sight)* retrouver; *(power)* reconquérir; **to r. one's strength** reprendre des forces; **to r. consciousness** reprendre connaissance; **to r. possession of sth** reprendre possession de qch

regal ['riːgəl] *adj* royal

regalia [riˈgeɪlɪə] *npl* insignes *mpl*

regard [riˈgɑːd] **1** *n (admiration)* respect *m*; *(consideration)* égard *m*; **to hold sb in high r.** tenir qn en haute estime; **with r. to** en ce qui concerne; **without r. to** sans tenir compte de; **to give** *or* **send one's regards to sb** transmettre son meilleur souvenir à qn **2** *vt (admire, respect)* estimer; **to r. sb/sth as…** considérer qn/qch comme…; **as regards…** en ce qui concerne… ▪**regarding** *prep* en ce qui concerne

Note that the French words **regard** and **regarder** are false friends and are never translations for the English words **regard** and **to regard**. They mean **look** and **to look at.**

regardless [riˈgɑːdləs] **1** *adj* **r. of…** *(without considering)* sans tenir compte de… **2** *adv (all the same)* quand même

regatta [riˈgætə] *n* régate *f*

regency ['riːdʒənsɪ] *(pl* **-ies)** *n* régence *f* ▪**regent** *n* régent, -ente *mf*

regenerate [riˈdʒenəreɪt] **1** *vt* régénérer **2** *vi* se régénérer

reggae ['regeɪ] **1** *n (music)* reggae *m* **2** *adj (group, musician)* reggae *inv*

régime [reɪˈʒiːm] *n* régime *m*

regiment 1 ['redʒɪmənt] *n* régiment *m* **2** ['redʒɪment] *vt* régimenter ▪**regimental** [-ˈmentəl] *adj* du régiment ▪**regimentation** [-menˈteɪʃən] *n* discipline *f* draconienne

region ['riːdʒən] *n* région *f*; *Fig* **in the r. of** *(about)* environ ▪**regional** *adj* régional

register ['redʒɪstə(r)] **1** *n* registre *m*; *(in school*

cahier *m* d'appel; **electoral r.** liste *f* électorale; **to take the r.** *(of teacher)* faire l'appel **2** *vt (birth, death)* déclarer; *(record, note, speed)* enregistrer; *(vehicle)* immatriculer; *(complaint)* déposer; *(astonishment, displeasure)* manifester; *Fam (realize)* réaliser **3** *vi (enrol)* s'inscrire (**for a course** à un cours); *(at hotel)* signer le registre; *(of voter)* s'inscrire sur les listes électorales; *Fam* **I told him but it didn't r.** je lui ai dit mais il n'a pas enregistré ▪**registered** *adj (member)* inscrit; *(letter, package)* recommandé; *(charity)* agréé; **to send sth by r. post** *or Am* **mail** envoyer qch en recommandé; **r. trademark** marque *f* déposée; *Br* **r. unemployed** inscrit au chômage

registrar [redʒɪˈstrɑː(r)] *n Br (record keeper)* officier *m* de l'état civil; *(in university)* responsable *m* des inscriptions; *(in hospital)* chef *m* de clinique

registration [redʒɪˈstreɪʃən] *n (enrolment)* inscription *f*; *(of complaint)* enregistrement *m*; *Br* **r. (number)** *(of vehicle)* numéro *m* d'immatriculation; *Br* **r. document** *(of vehicle)* ≃ carte *f* grise

registry ['redʒɪstrɪ] *adj & n Br* **r. (office)** bureau *m* de l'état civil; **to get married in a r. office** se marier à la mairie

regress [riˈgres] *vi* régresser ▪**regression** *n* régression *f*

regret [riˈgret] **1** *n* regret *m* **2** *(pt & pp* **-tt-)** *vt* regretter **(to do** de faire; **that** que (+ *subjunctive)*); **I r. to hear that…** j'ai le regret d'apprendre que…; **to r. doing sth** regretter d'avoir fait qch ▪**regretfully** *adv* **r., I…** à mon grand regret, je…

regrettable [riˈgretəbəl] *adj* regrettable **(that** que + *subjunctive)* ▪**regrettably** *adv* malheureusement; *(poor, ill)* fâcheusement

regroup [riːˈgruːp] **1** *vt* regrouper **2** *vi* se regrouper

regular ['regjʊlə(r)] **1** *adj* **(a)** *(steady, even) & Grammar* régulier, -ière; *(usual)* habituel, -uelle; *(price)* normal; *(size)* moyen, -enne; *(listener, reader)* fidèle; *(staff)* permanent; *Fam (for emphasis)* vrai; **on a r. basis** régulièrement; *Am Fam* **a r. guy** un type sympa **(b)** *(army, soldier)* régulier, -ière **2** *n (in bar)* habitué, -uée *mf* ▪**regularity** [-ˈlærɪtɪ] *n* régularité *f* ▪**regularly** *adv* régulièrement

regulate ['regjʊleɪt] *vt (adjust)* régler; *(control)* réglementer ▪**regu'lation 1** *n* **(a)** regulations *(rules)* règlement *m* **(b)** *(regulating)* réglage *m* **2** *adj (statutory)* réglementaire

rehabilitate [riːhəˈbɪlɪteɪt] *vt* réhabiliter ▪**rehabili'tation** *n* réadaptation *f*

rehash 1 ['riːhæʃ] *n* resucée *f* **2** [riːˈhæʃ] *vt (text, film)* remanier

rehearse [riˈhɜːs] *vti* répéter ▪**rehearsal** *n* répétition *f*

reign [reɪn] **1** *n* règne *m*; **in** *or* **during the r. of** sous le règne de **2** *vi* régner (**over** sur)

reimburse [riːɪmˈbɜːs] *vt* rembourser (**for** de) ▪ **reimbursement** *n* remboursement *m*

rein [reɪn] *n* **to give sb free r. to do sth** donner carte blanche à qn pour qu'il fasse qch

reincarnation [riːɪnkɑːˈneɪʃən] *n* réincarnation *f*

reindeer [ˈreɪndɪə(r)] *n inv* renne *m*

reinforce [riːɪnˈfɔːs] *vt* renforcer (**with** de); **reinforced concrete** béton *m* armé ▪ **reinforcement** *n* renforcement *m* (**of** de); **reinforcements** *(troops)* renforts *mpl*

reins [reɪnz] *npl (for horse)* rênes *fpl*; *(for baby)* bretelles *fpl* de sécurité

reinstate [riːɪnˈsteɪt] *vt* réintégrer ▪ **reinstatement** *n* réintégration *f*

reissue [riːˈɪʃjuː] *vt (book)* rééditer

reiterate [riːˈɪtəreɪt] *vt* réitérer

reject 1 [ˈriːdʒekt] *n (object)* rebus *m*; *Fam (person)* inadapté, -ée *mf*; **r. article** article *m* de deuxième choix; *Br* **r. shop** solderie *f* **2** [rɪˈdʒekt] *vt* rejeter; *(candidate, goods, offer)* refuser ▪ **rejection** [rɪˈdʒekʃən] *n* rejet *m*; *(of candidate, goods, offer)* refus *m*

rejoice [rɪˈdʒɔɪs] *vi* se réjouir (**over** *or* **at** de) ▪ **rejoicing** *n* réjouissance *f*

rejoin¹ [rɪˈdʒɔɪn] *vt* (**a**) *(join up with)* rejoindre (**b**) *(join again)* réintégrer

rejoin² [riːˈdʒɔɪn] *vt (retort)* répliquer

rejuvenate [rɪˈdʒuːvəneɪt] *vt* rajeunir

rekindle [riːˈkɪndəl] *vt* raviver

relapse 1 [ˈriːlæps] *n* rechute *f* **2** [rɪˈlæps] *vi* rechuter; *Fig* **to r. into** retomber dans

relate [rɪˈleɪt] **1** *vt* (**a**) *(narrate)* raconter (**that** que); *(report)* rapporter (**that** que) (**b**) *(connect)* mettre en rapport (**to** avec) **2** *vi* **to r. to** *(apply to)* avoir rapport à; *(person)* avoir des affinités avec ▪ **related** *adj (linked)* lié (**to** à); *(languages, styles)* apparenté; **to be r. to sb** *(by family)* être parent de qn

relation [rɪˈleɪʃən] *n* (**a**) *(relative)* parent, -ente *mf*; **what r. are you to him?** quel est ton lien de parenté avec lui? (**b**) *(relationship)* rapport *m*; **international relations** relations *fpl* internationales; **sexual relations** rapports *mpl* sexuels

relationship [rɪˈleɪʃənʃɪp] *n (within family)* lien *m* de parenté; *(between people)* relation *f*; *(between countries)* relations *fpl*; *(connection)* rapport *m*; **to have a good r. with sb** bien s'entendre avec qn

relative [ˈrelətɪv] **1** *n* parent, -ente *mf* **2** *adj (comparative)* relatif, -ive; *(respective)* respectif, -ive; **r. to** relativement à; **to be r. to** *(depend on)* être fonction de ▪ **relatively** *adv* relativement

Note that the French word **relatif** is a false friend. It is never used to refer to members of one's family.

relax [rɪˈlæks] **1** *vt (person, mind)* détendre; *(grip, pressure)* relâcher; *(law, control)* assouplir **2** *vi (of person)* se détendre; *(of muscle)* se relâcher; **r.!** *(calm down)* du calme! ▪ **relaxed** *adj* détendu ▪ **relaxing** *adj* délassant

relaxation [riːlækˈseɪʃən] *n* (**a**) *(of person)* détente *f*; *(of discipline)* relâchement *m*; *(of law, control)* assouplissement *m* (**b**) *(as therapy)* relaxation *f*

relay 1 [ˈriːleɪ] *n (of workers)* équipe *f* de relais; **to work in relays** se relayer; **r. (race)** *(course f de)* relais *m* **2** [riːˈleɪ] *vt* retransmettre; *(information)* transmettre (**to** à)

release [rɪˈliːs] **1** *n (of prisoner)* libération *f*; *(of film, book)* sortie *f* (**of** de); *(film)* nouveau film *m*; *(record)* nouveau disque *m*; *(emotional)* soulagement *m*; *Br* **to be on general r.** *(of film)* passer dans toutes les grandes salles **2** *vt (person)* libérer (**from** de); *(bomb)* lâcher; *(brake)* desserrer; *(smoke, funds)* dégager; *(film, record)* sortir; *(news, facts)* communiquer; **to r. sb's hand** lâcher la main de qn

relegate [ˈreləgeɪt] *vt* reléguer (**to** à); *Br Sport* **to be relegated** *(of team)* descendre en division inférieure

relent [rɪˈlent] *vi (of storm, wind)* se calmer; *(of person)* céder

relentless [rɪˈlentləs] *adj* implacable

relevant [ˈreləvənt] *adj* (**a**) *(apt)* pertinent; **to be r. to sth** avoir rapport à qch; **that's not r.** ça n'a rien à voir (**b**) *(appropriate)* *(chapter)* correspondant; *(authorities)* compétent; *(qualifications)* requis (**c**) *(topical)* d'actualité ▪ **relevance** *n* pertinence *f* (**to** à); *(connection)* rapport *m* (**to** avec)

reliable [rɪˈlaɪəbəl] *adj (person, machine)* fiable; *(information)* sûr ▪ **relia'bility** *n (of person)* sérieux *m*; *(of machine)* fiabilité *f* ▪ **reliably** *adv* **to be r. informed that...** tenir de source sûre que...

reliance [rɪˈlaɪəns] *n (dependence)* dépendance *f* (**on** vis-à-vis de); *(trust)* confiance *f* (**on** en) ▪ **reliant** *adj* **to be r. on** *(dependent)* dépendre de; *(trusting)* avoir confiance en

relic [ˈrelɪk] *n* relique *f*; *Fig* **relics** vestiges *mpl*

relief [rɪˈliːf] **1** *n (comfort)* soulagement *m*; *(help)* secours *m*; *(in art)* relief *m* **2** *adj (train, bus)* supplémentaire; *(work, troops)* de secours; **r. map** carte *f* en relief; *Br* **r. road** route *f* de délestage

relieve [rɪˈliːv] *vt (alleviate)* soulager; *(boredom)* tromper; *(replace)* remplacer; *(free)* libérer; **to r. sb of sth** débarrasser qn de qch; **to r. sb of his duties** relever qn de ses fonctions; **to r. congestion in** *(street)* décongestionner; *Hum* **to r. oneself** se soulager

religion [rɪˈlɪdʒən] *n* religion *f* ▪ **religious** *adj* religieux, -ieuse; *(war)* de religion ▪ **religiously** *adv* religieusement

relinquish [rɪ'lɪŋkwɪʃ] vt (hope, habit, thought) abandonner; (share, claim) renoncer à

relish ['relɪʃ] **1** n (pickle) condiments mpl; (liking) goût m (**for** pour); (pleasure) plaisir m; **to do sth with r.** faire qch avec délectation **2** vt savourer

reload [riː'ləʊd] vt (gun, camera) recharger

relocate [Br riːləʊ'keɪt, Am riː'ləʊkeɪt] vi (of company) être transféré; (of person) se déplacer

reluctant [rɪ'lʌktənt] adj (greeting, gift, promise) accordé à contrecœur; **to be r. (to do sth)** être réticent (à faire qch) **▪ reluctance** n réticence f (**to do** à faire) **▪ reluctantly** adv à contre-cœur

rely [rɪ'laɪ] (pt & pp **-ied**) vi **to r. (up)on** (count on) compter sur; (be dependent on) dépendre de

remain [rɪ'meɪn] vi (stay behind, continue to be) rester; (be left) subsister **▪ remaining** adj restant **▪ remains** npl restes mpl; **mortal r.** dépouille f mortelle

remainder [rɪ'meɪndə(r)] **1** n reste m; (book) invendu m soldé **2** vt (book) solder

remand [rɪ'mɑːnd] Law **1** n **on r.** en détention préventive; Br **r. centre** centre m de détention préventive **2** vt **to r. sb (in custody)** placer qn en détention préventive

remark [rɪ'mɑːk] **1** n remarque f **2** vt faire remarquer **3** vi **to r. on sth** (comment) faire un commentaire sur qch; (criticize) faire des remarques sur qch **▪ remarkable** adj remarquable **▪ remarkably** adv remarquablement

> Note that the French verb **remarquer** is a false friend and is never a translation for the English verb **to remark**. It means **to notice**.

remarry [riː'mærɪ] (pt & pp **-ied**) vi se remarier

remedial [rɪ'miːdɪəl] adj **to take r. measures** prendre des mesures; **r. class** cours m de rattrapage

remedy ['remɪdɪ] **1** (pl **-ies**) n remède m **2** (pt & pp **-ied**) vt remédier à

remember [rɪ'membə(r)] **1** vt se souvenir de, se rappeler; (commemorate) commémorer; **to r. that/doing** se rappeler que/d'avoir fait; **to r. to do sth** penser à faire qch; **to r. sb to sb** rappeler qn au bon souvenir de qn **2** vi se souvenir, se rappeler **▪ remembrance** n Formal (memory) souvenir m; **in r. of** en souvenir de; Br & Can **R. Day** or **Sunday** ≃ le 11 novembre (commémoration de la fin des deux guerres mondiales)

remind [rɪ'maɪnd] vt **to r. sb of sth** rappeler qch à qn; **to r. sb to do sth** rappeler à qn de faire qch; **that** or **which reminds me...** à propos... **▪ reminder** n (of event, letter) rappel m; **it's a r. (for him/her) that...** c'est pour lui rappeler que...

reminisce [remɪ'nɪs] vi évoquer des souvenirs;

to r. about sth évoquer qch **▪ reminiscent** adj **r. of** qui rappelle

remiss [rɪ'mɪs] adj négligent

remission [rɪ'mɪʃən] n Law remise f de peine; Med **to be in r.** être en rémission

remit [rɪ'mɪt] (pt & pp **-tt-**) vt (money) envoyer **▪ remittance** [rɪ'mɪtəns] n (sum) paiement m

remix 1 ['riːmɪks] n remix m **2** [riː'mɪks] vt remixer

remnant ['remnənt] n (remaining part) reste m; (of civilization, building) vestige m; (of fabric) coupon m; (oddment) fin f de série

remodel [riː'mɒdəl] (Br **-ll-**, Am **-l-**) vt remodeler (**on** sur)

remold ['riːməʊld] n Am = **remould**

remonstrate ['remənstreɪt] vi **to r. with sb** faire des remontrances à qn

remorse [rɪ'mɔːs] n remords m; **to feel r.** avoir du ou des remords **▪ remorseless** adj impitoyable **▪ remorselessly** adv impitoyablement

remote [rɪ'məʊt] (**-er, -est**) adj (a) (far-off) (in space) éloigné (**from** de); (in time) lointain (**from** de); Fig (aloof) distant; **r. control** télécommande f (b) (slight) vague; **not the remotest idea** pas la moindre idée **▪ remotely** adv (slightly) vaguement; **r. situated** isolé; **not r. aware** nullement conscient **▪ remoteness** n éloignement m; (isolation) isolement m; Fig (aloofness) attitude f distante

remould (Am **remold**) ['riːməʊld] n pneu m rechapé

removable [rɪ'muːvəbəl] adj (lining) amovible

removal [rɪ'muːvəl] n (a) (of control, threat) suppression f; (of politician) renvoi m (b) Br (moving house) déménagement m; Br **r. man** déménageur m; Br **r. van** camion m de déménagement

remove [rɪ'muːv] vt (clothes, stain, object) enlever (**from sb** à qn; **from sth** de qch); Br (furniture) déménager; (obstacle, threat, word) supprimer; (fear, doubt) dissiper; (politician) renvoyer; (far) **removed from** loin de

remover [rɪ'muːvə(r)] n (for nail polish) dissolvant m; (for paint) décapant m; (for stains) détachant m

remunerate [rɪ'mjuːnəreɪt] vt rémunérer **▪ remune'ration** n rémunération f

renaissance [rə'neɪsɒns] n renouveau m

rename [riː'neɪm] vt rebaptiser; Comptr (file) renommer

render ['rendə(r)] vt Formal (give, make) rendre; (piece of music) interpréter; **to r. assistance to sb** prêter main-forte à qn **▪ rendering** n (musical) interprétation f; (translation) traduction f

rendezvous ['rɒndɪvuː, pl -vuːz] n inv rendez-vous m inv

renegade ['renɪgeɪd] n renégat, -ate mf

renege [rɪ'niːg, *Br* rɪ'neɪg] *vi* **to r. on sth** revenir sur qch

renew [rɪ'njuː] *vt* renouveler; *(resume)* reprendre; *(library book)* renouveler le prêt de ▪ **renewed** *adj (efforts)* renouvelé; *(attempt)* nouveau (*f* nouvelle); **with r. vigour** avec un regain de vigueur

renewable [rɪ'njuːəbəl] *adj* renouvelable

renewal [rɪ'njuːəl] *n* renouvellement *m*; *(of activity, negotiations)* reprise *f*; *(of optimism, strength)* regain *m*

renounce [rɪ'naʊns] *vt (give up)* renoncer à; *(disown)* renier

renovate ['renəveɪt] *vt (house)* rénover; *(painting)* restaurer ▪ **reno'vation** *n* rénovation *f*; *(of painting)* restauration *f*

renown [rɪ'naʊn] *n* renommée *f* ▪ **renowned** *adj* renommé (**for** pour)

rent [rent] **1** *n (for house, flat)* loyer *m*; **for r.** à louer **2** *vt* louer; **to r. out** louer; **rented car** voiture *f* de location ▪ **rent-'free 1** *adv* sans payer de loyer **2** *adj* exempt de loyer

rental ['rentəl] *n (of television, car)* location *f*; *(of telephone)* abonnement *m*

reopen [riː'əʊpən] *vti* rouvrir ▪ **reopening** *n* réouverture *f*

reorder [riː'ɔːdə(r)] *vt (goods)* passer une nouvelle commande de

reorganize [riː'ɔːgənaɪz] *vt* réorganiser

rep [rep] *(abbr* **representative)** *n Fam (for large company)* représentant, -ante *mf*, VRP *m*; **sales r.** représentant de commerce, VRP

repair [rɪ'peə(r)] **1** *n* réparation *f*; **beyond r.** irréparable; **under r.** en travaux; **in good/bad r.** en bon/mauvais état **2** *vt* réparer ▪ **repairman** *(pl* **-men)** *n* réparateur *m*

reparation [repə'reɪʃən] *n Formal* réparation *f* (**for** de); **reparations** *(after war)* réparations *fpl*

repartee [repɑː'tiː] *n* repartie *f*

repatriate [riː'pætrɪeɪt] *vt* rapatrier (**to** vers)

repay [riː'peɪ] *(pt & pp* **-paid)** *vt (pay back)* rembourser; *(kindness)* payer de retour; *(reward)* remercier (**for** de) ▪ **repayment** *n* remboursement *m*

repeal [rɪ'piːl] *Law* **1** *n* abrogation *f* **2** *vt* abroger

repeat [rɪ'piːt] **1** *n (of event)* répétition *f*; *(on TV, radio)* rediffusion *f*; **r. performance** *(of play)* deuxième représentation *f* **2** *vt* répéter (**that** que); *(promise, threat)* réitérer; *(class)* redoubler; *(TV programme)* rediffuser; **to r. oneself** se répéter **3** *vi* répéter; **r. after me** répétez après moi; **I r., you're wrong** je le répète, vous avez tort; ▪ **repeated** *adj (attempts)* répété; *(efforts)* renouvelé ▪ **repeatedly** *adv* à maintes reprises

repel [rɪ'pel] *(pt & pp* **-ll-)** *vt* repousser ▪ **repellent 1** *adj (disgusting)* repoussant **2** *n* **insect r.** insecticide *m*

repent [rɪ'pent] *vi* se repentir (**of** de) ▪ **repentance** *n* repentir *m* ▪ **repentant** *adj* repentant

repercussions [riːpə'kʌʃənz] *npl* répercussions *fpl* (**on** sur)

repertoire ['repətwɑː(r)] *n Theatre & Fig* répertoire *m* ▪ **repertory** [-tərɪ] *(pl* **-ies)** *n Theatre & Fig* répertoire *m*; **r. (theatre)** théâtre *m* de répertoire

repetition [repɪ'tɪʃən] *n* répétition *f* ▪ **repetitive** [rɪ'petɪtɪv] *adj* répétitif, -ive

rephrase [riː'freɪz] *vt* reformuler

replace [rɪ'pleɪs] *vt (take the place of)* remplacer (**by** *or* **with** par); *(put back)* remettre (à sa place); **to r. the receiver** *(on phone)* raccrocher ▪ **replacement** *n (substitution)* remplacement *m* (**of** de); *(person)* remplaçant, -ante *mf*; *(machine part)* pièce *f* de rechange

replay 1 ['riːpleɪ] *n Sport* nouvelle rencontre *f*; **(instant** *or* **action) r.** *(on TV)* = répétition d'une séquence précédente **2** [riː'pleɪ] *vt (match)* rejouer

replenish [rɪ'plenɪʃ] *vt (refill)* remplir de nouveau) (**with** de); **to r. one's supplies** se réapprovisionner

replete [rɪ'pliːt] *adj Formal* **r. with** rempli de; **r. (with food)** rassasié

replica ['replɪkə] *n* réplique *f*

reply [rɪ'plaɪ] **1** *(pl* **-ies)** *n* réponse *f*; **in r.** en réponse (**to** à) **2** *(pt & pp* **-ied)** *vti* répondre (**to** à; **that** que)

report [rɪ'pɔːt] **1** *n* **(a)** *(analysis)* rapport *m*; *(account)* compte rendu *m*; *(in media)* reportage *m*; *Br* **(school) r.,** *Am* **r. card** bulletin *m* scolaire **(b)** *(of gun)* détonation *f* **2** *vt (information)* rapporter; *(accident, theft)* signaler (**to** à); **to r. sb missing** signaler la disparition de qn; **to r. sb to the police** dénoncer qn à la police; **to r. one's findings (to sb)** faire un rapport (à qn) **3** *vi (give account)* faire un rapport (**on** sur); *(of journalist)* faire un reportage (**on** sur); *(go)* se présenter (**to** à); **to r. to sb** *(be accountable)* rendre compte à qn ▪ **reported** *adj Grammar* **r. speech** discours *m* indirect; **it is r. that...** on dit que...; **to be r. missing** être porté disparu ▪ **reportedly** *adv* à ce qu'on dit ▪ **reporter** *n* reporter *m*

> Note that the French words **report** and **reporter** are false friends and are never translations for the English words **report** and **to report**. Their most common meanings are **postponement** and **to postpone**.

repose [rɪ'pəʊz] *n Literary* repos *m*

repository [rɪ'pɒzɪtərɪ] *(pl* **-ies)** *n* dépôt *m*

repossess [riːpə'zes] *vt* saisir

reprehensible [reprɪ'hensəbəl] *adj* répréhensible

represent [reprɪ'zent] *vt* représenter ▪**representation** *n* représentation *f*

representative [reprɪ'zentətɪv] **1** *adj* représentatif, -ive (**of** de) **2** *n* représentant, -ante *mf*; *Am Pol* ≃ député *m*

repress [rɪ'pres] *vt* réprimer; *(memory, feeling)* refouler; **to be repressed** *(of person)* être un(e) refoulé(e) ▪**repression** *n* répression *f* ▪**repressive** *adj (régime)* répressif, -ive; *(measures)* de répression

reprieve [rɪ'priːv] *Law* **1** *n (cancellation)* commutation *f* de la peine capitale; *(temporary)* & *Fig* sursis *m* **2** *vt* **to r. sb** *(cancel punishment of)* commuer la peine capitale de qn en réclusion à perpétuité; *(postpone punishment of)* accorder un sursis à qn

reprimand ['reprɪmɑːnd] **1** *n* réprimande *f* **2** *vt* réprimander

reprint 1 ['riːprɪnt] *n* réimpression *f* **2** [riː'prɪnt] *vt* réimprimer

reprisal [rɪ'praɪzəl] *n* représailles *fpl*; **as a r. for, in r. for** en représailles de

reproach [rɪ'prəʊtʃ] **1** *n (blame)* reproche *m*; **beyond r.** irréprochable **2** *vt* faire des reproches à; **to r. sb with sth** reprocher qch à qn ▪**reproachful** *adj* réprobateur, -trice ▪**reproachfully** *adv* d'un ton/air réprobateur

reprocess [riː'prəʊses] *vt* retraiter ▪**reprocessing** *n* retraitement *m*; **r. plant** usine *f* de retraitement

reproduce [riːprə'djuːs] **1** *vt* reproduire **2** *vi* se reproduire ▪**reproduction** [-'dʌkʃən] *n* reproduction *f* ▪**reproductive** [-'dʌktɪv] *adj* reproducteur, -trice

reproof [rɪ'pruːf] *n Literary* réprobation *f*

reptile ['reptaɪl] *n* reptile *m*

republic [rɪ'pʌblɪk] *n* république *f* ▪**republican** *adj* & *n* républicain, -aine *(mf)*

repudiate [rɪ'pjuːdɪeɪt] *vt Formal (behaviour, violence)* condamner; *(offer, accusation)* rejeter; *(idea)* renier; *(spouse)* répudier

repugnant [rɪ'pʌgnənt] *adj* répugnant; **he's r. to me** il me répugne ▪**repugnance** *n* répugnance *f* **(for** pour)

repulse [rɪ'pʌls] *vt* repousser ▪**repulsion** *n* répulsion *f* ▪**repulsive** *adj* repoussant

reputable ['repjʊtəbəl] *adj* de bonne réputation ▪**repute** [rɪ'pjuːt] *n* réputation *f*; **of r.** réputé ▪**reputed** [rɪ'pjuːtɪd] *adj* **she's r. to be wealthy** on la dit riche ▪**reputedly** [rɪ'pjuː-tɪdlɪ] *adv* à ce qu'on dit

reputation [repjʊ'teɪʃən] *n* réputation *f*; **to have a r. for being frank** *or* **for frankness** avoir la réputation d'être franc

request [rɪ'kwest] **1** *n* demande *f* **(for** de); **on r.** sur demande; **at sb's r.** à la demande de qn; **by popular r.** à la demande générale; *Br* **r. stop** *(for bus)* arrêt *m* facultatif **2** *vt* demander; **to r. sb to do sth** prier qn de faire qch

requiem ['rekwɪəm] *n* requiem *m inv*

require [rɪ'kwaɪə(r)] *vt (of task, problem, situation)* requérir; *(of person)* avoir besoin de; **to be required to do sth** être tenu de faire qch; **if required** si besoin est/était; **the required qualities** les qualités *fpl* requises ▪**requirement** *n (need)* exigence *f*; *(condition)* condition *f* (requise)

requisite [rekwɪzɪt] **1** *adj* requis **2** *n* élément *m* essentiel

requisition [rekwɪ'zɪʃən] **1** *n* réquisition *f* **2** *vt* réquisitionner

reroute [riː'ruːt] *vt* dérouter

rerun ['riːrʌn] *n (of film)* reprise *f*; *(of TV programme)* rediffusion *f*

resale ['riːseɪl] *n* revente *f*

reschedule [*Br* riː'ʃedjuːl, *Am* riː'skedʒʊəl] *vt* changer la date/l'heure de

rescind [rɪ'sɪnd] *vt Law* annuler; *(law)* abroger

rescue ['reskjuː] **1** *n (action)* sauvetage *m* **(of** de); *(help, troops)* secours *mpl*; **to go/come to sb's r.** aller/venir au secours de qn; **to the r.** à la rescousse **2** *vt (team, operation, attempt)* de sauvetage **3** *vt (save)* sauver; *(set free)* délivrer *(from* de) ▪**rescuer** *n* sauveteur *m*

research [rɪ'sɜːtʃ] **1** *n* recherches *fpl* **(on** *or* **into** sur); **some r.** des recherches; **to do r.** faire de la recherche; **to do r. into sth** faire des recherches sur qch **2** *vi* faire des recherches **(on** *or* **into** sur) ▪**researcher** *n* chercheur, -euse *mf*

resemble [rɪ'zembəl] *vt* ressembler à ▪**resemblance** *n* ressemblance *f* (**to** avec)

resent [rɪ'zent] *vt* ne pas aimer ▪**resentful** *adj* **to be r.** éprouver du ressentiment ▪**resentment** *n* ressentiment *m*

> Note that the French verb **ressentir** is a false friend. It means **to feel, to experience**.

reservation [rezə'veɪʃən] *n* **(a)** *(booking)* réservation *f*; **to make a r.** réserver; **do you have a r.?** avez-vous réservé? **(b)** *(doubt)* réserve *f* **(c)** *(land for Indians, animals)* réserve *f*

reserve [rɪ'zɜːv] **1** *n* **(a)** *(reticence)* réserve *f* **(b)** *(land, stock)* réserve *f*; *(player) (in team)* remplaçant, -ante *mf*; *Mil* **the reserves** les réservistes *mpl*; **in r.** en réserve; **r. tank** *(of vehicle, aircraft)* réservoir *m* de secours **2** *vt (room, decision)* réserver; *(right)* se réserver; **to r. one's strength** ménager ses forces ▪**reserved** *adj (person, room)* réservé

reservoir ['rezəvwɑː(r)] *n (of water)* réservoir *m*; *Fig* réserve *f*

reset [riː'set] *vt (clock, watch)* mettre à l'heure; *(counter)* remettre à zéro

reshape [riː'ʃeɪp] *vt* réorganiser

reshuffle [riː'ʃʌfəl] *n* réorganisation *f*; *Pol* **(cabinet) r.** remaniement *m* (ministériel)

reside [rɪ'zaɪd] *vi* résider

residence ['rezɪdəns] n (home) résidence f; (of students) foyer m; **to take up r.** s'installer; **in r.** (doctor) sur place; Br (students on campus) sur le campus; Br (in halls of residence) rentrés; Br **r. permit** permis m de séjour

resident ['rezɪdənt] **1** n (of country, street) habitant, -ante mf; (of hotel) pensionnaire mf; (foreigner) résident, -ente mf; Am (doctor) interne mf **2** adj résidant, qui habite sur place; (doctor, nurse) à demeure; **to be r. in London** résider à Londres

residential [rezɪ'denʃəl] adj (neighbourhood) résidentiel, -ielle

residue ['rezɪdjuː] n Chem résidu m; (remainder) reste m ▪ **residual** [rɪ'zɪdjʊəl] adj résiduel, -uelle; (pain, doubt) qui persiste

resign [rɪ'zaɪn] **1** vt (job) démissionner de; **to r. oneself to sth/to doing sth** se résigner à qch/à faire qch **2** vi démissionner (**from** de) ▪ **resigned** adj résigné

resignation [rezɪg'neɪʃən] n (from job) démission f; (attitude) résignation f

resilient [rɪ'zɪlɪənt] adj élastique; Fig (person) résistant ▪ **resilience** n élasticité f; Fig résistance f

resin ['rezɪn] n résine f

resist [rɪ'zɪst] **1** vt résister à; **to r. doing sth** s'empêcher de faire qch; **she can't r. cakes** elle ne peut pas résister devant les gâteaux **2** vi résister ▪ **resistance** n résistance f (**to** à); **r. fighter** résistant, -ante mf ▪ **resistant** adj résistant (**to** à); **to be r. to sth** résister à qch

resit Br Sch & Univ **1** ['riːsɪt] n **to do a r.** repasser un examen; **resits** session f de rattrapage **2** [riː'sɪt] vt (pt & pp -sat, pres p -sitting) (exam) repasser

resolute ['rezəluːt] adj résolu ▪ **resolutely** adv résolument ▪ **reso'lution** n résolution f

resolve [rɪ'zɒlv] **1** n résolution f **2** vt (problem) résoudre; **to r. to do sth** (of person) se résoudre de faire qch; (of committee) décider de faire qch

resonant ['rezənənt] adj qui résonne; **to be r. with** résonner de ▪ **resonance** n résonance f

resonate ['rezəneɪt] vi résonner

resort [rɪ'zɔːt] **1** n (**a**) (holiday place) lieu m de villégiature; Br **seaside r.**, Am **beach r.** station f balnéaire; **ski r.** station de ski (**b**) (recourse) recours m (**to** à); **as a last r., in the last r.** en dernier ressort; **without r. to** sans avoir recours à **2** vi **to r. to sth** avoir recours à qch; **to r. to doing sth** finir par faire qch

resound [rɪ'zaʊnd] vi résonner (**with** de); Fig Literary avoir du retentissement ▪ **resounding** adj (noise, failure) retentissant; (success) éclatant

resource [rɪ'sɔːs, rɪ'zɔːs] n ressource f ▪ **resourceful** adj ingénieux, -ieuse ▪ **resourcefulness** n ingéniosité f

respect [rɪ'spekt] **1** n respect m (**for** pour); (aspect) égard m; **in many respects** à bien des égards; **with r. to, in r. of** en ce qui concerne; **with all due r.** sans vouloir vous/te vexer **2** vt respecter

respectable [rɪ'spektəbəl] adj (decent, fairly large) respectable; (fairly good) honorable ▪ **respectability** n respectabilité f ▪ **respectably** adv (decently) de manière respectable; (dressed) convenablement; (fairly well) honorablement

respectful [rɪ'spektfəl] adj respectueux, -ueuse (**to** envers; **of** de) ▪ **respectfully** adv respectueusement

respective [rɪ'spektɪv] adj respectif, -ive ▪ **respectively** adv respectivement

respiration [respɪ'reɪʃən] n respiration f

respite ['respɪt, Br 'respaɪt] n répit m

resplendent [rɪ'splendənt] adj Literary resplendissant

respond [rɪ'spɒnd] vi (answer) répondre (**to** à); (react) réagir (**to** à); **to r. to treatment** bien réagir (au traitement) ▪ **response** n (answer) réponse f; (reaction) réaction f; **in r. to** en réponse à

responsible [rɪ'spɒnsəbəl] adj responsable (**for** de); (job) à responsabilités ▪ **responsi'bility** (pl -ies) responsabilité f (**for** de) ▪ **responsibly** adv de façon responsable

responsive [rɪ'spɒnsɪv] adj (reacting) qui réagit bien; (alert) éveillé; **r. to** (kindness) sensible à; (suggestion) réceptif, -ive à ▪ **responsiveness** n (bonne) réaction f

respray [riː'spreɪ] vt (vehicle) repeindre

rest¹ [rest] **1** n (relaxation) repos m; (support) support m; Mus (pause) silence m; **to have or take a r.** se reposer; **to set or put sb's mind at r.** tranquilliser qn; **to come to r.** (of ball, car) s'immobiliser; **r. home** maison f de repos; Am **r. room** toilettes fpl **2** vt (lean) poser (**on** sur); (base) fonder (**on** sur); (horse) laisser reposer; **to r. one's eyes** se reposer les yeux **3** vi (relax) se reposer; (be buried) reposer; (lean) être posé (**on** sur); **to r. on** (of argument, roof) reposer sur; **I won't r. till...** je n'aurai de cesse que... (+ subjunctive); **resting place** lieu m de repos

rest² [rest] **1** n (remainder) reste m (**of** de); **the r.** (others) les autres mfpl; **the r. of the men** le reste des hommes **2** vi (remain) **r. assured** soyez assuré (**that** que); **to r. with sb** (of decision, responsibility) incomber à qn

restaurant ['restərɒnt] n restaurant m; Br **r. car** (on train) wagon-restaurant m

restful ['restfəl] adj reposant

restitution [restɪ'tjuːʃən] n (compensation for damage) réparation f

restive ['restɪv] adj agité

restless ['restləs] adj agité ▪ **restlessly** adv avec agitation ▪ **restlessness** n agitation f

restore [rɪ'stɔː(r)] vt (give back) rendre (**to** à);

(order, peace, rights) rétablir; *(building, painting, monarchy)* restaurer; **to r. sb to health** redonner la santé à qn ▪**restoration** [restə'reɪʃən] *n (of order, peace)* rétablissement *m*; *(of building, painting, monarchy)* restauration *f*

restrain [rɪ'streɪn] *vt (person, dog)* maîtriser; *(crowd, anger)* contenir; *(passions)* refréner; **to r. sb from doing sth** retenir qn pour qu'il ne fasse pas qch; **to r. oneself (from doing sth)** se retenir (de faire qch) ▪**restrained** *adj (feelings)* contenu; *(tone)* mesuré; *(manner)* réservé ▪**restraint** *n (moderation)* mesure *f*; *(restriction)* restriction *f*

restrict [rɪ'strɪkt] *vt* restreindre; **to r. oneself to sth/doing sth** se limiter à qch/à faire qch ▪**restricted** *adj* restreint; **r. area** Mil zone *f* interdite; *(for parking)* ≃ zone bleue ▪**restriction** *n* restriction *f* **(on** à) ▪**restrictive** *adj* restrictif, -ive

result [rɪ'zʌlt] **1** *n (outcome, success)* résultat *m*; **as a r.** en conséquence; **as a r. of** à la suite de **2** *vi* résulter *(from* de); **to r. in sth** aboutir à qch

resume [rɪ'zju:m] *vti* reprendre; **to r. doing sth** se remettre à faire qch ▪**resumption** [-'zʌmpʃən] *n* reprise *f*

résumé ['rezjʊmeɪ] *n (summary)* résumé *m*; *Am* curriculum vitae *m inv*

resurface [ri:'sɜːfɪs] **1** *vt (road)* refaire le revêtement de **2** *vi* refaire surface

resurgence [rɪ'sɜːdʒəns] *n* réapparition *f*

resurrect [rezə'rekt] *vt Rel* ressusciter; *Fig (fashion)* remettre au goût du jour ▪**resurrection** *n Rel* résurrection *f*

resuscitate [rɪ'sʌsɪteɪt] *vt Med* ranimer ▪**resusci'tation** *n* réanimation *f*

Note that the French word **ressusciter** is a false friend and is never a translation for the English verb **to resuscitate**. It means **to resurrect**.

retail ['riːteɪl] **1** *n (vente f au)* détail *m* **2** *adj (price, shop)* de détail **3** *vt* vendre au détail **4** *vi* se vendre (au détail) **(at** à) ▪**retailer** *n* détaillant *m*

retain [rɪ'teɪn] *vt (keep)* conserver; *(hold in place)* retenir; *(remember)* maintenir ▪**retainer** *n (fee)* acompte *m*, avance *f*

retaliate [rɪ'tælɪeɪt] *vi* riposter ▪**retali'ation** *n* représailles *fpl*; **in r. for** en représailles à

retarded [rɪ'tɑːdɪd] *adj (mentally)* **r.** arriéré

retch [retʃ] *vi* avoir des haut-le-cœur

rethink [ri:'θɪŋk] *(pt & pp* **-thought)** *vt* repenser

reticent ['retɪsənt] *adj* peu communicatif, -ive ▪**reticence** *n* réticence *f*

Note that the French word **réticent** is a false friend and is never a translation for the English word **reticent**. It means **hesitant**.

retina ['retɪnə] *n Anat* rétine *f*

retire [rɪ'taɪə(r)] **1** *vt* mettre à la retraite **2** *vi* (a) *(from work)* prendre sa retraite (b) *(withdraw)* se retirer *(from* de; **to** à); *(go to bed)* aller se coucher ▪**retired** *adj (no longer working)* retraité ▪**retirement** *n* retraite *f*; **to take early r.** partir en retraite anticipée; **r. age** l'âge *m* de la retraite; **r. home** maison *f* de retraite ▪**retiring** *adj* (a) *(official, president)* sortant; **r. age** l'âge *m* de la retraite (b) *(reserved)* réservé

retort [rɪ'tɔːt] **1** *n* réplique *f* **2** *vti* rétorquer

retrace [ri:'treɪs] *vt (past event)* se remémorer; **to r. one's steps** revenir sur ses pas

retract [rɪ'trækt] **1** *vt* (a) *(statement)* revenir sur (b) *(claws, undercarriage)* rentrer **2** *vi (of person)* se rétracter ▪**retraction** *n (of statement)* rétractation *f*

retrain [ri:'treɪn] **1** *vt* recycler **2** *vi* se recycler ▪**retraining** *n* recyclage *m*

retread ['ri:tred] *n* pneu *m* rechapé

retreat [rɪ'triːt] **1** *n (withdrawal)* retraite *f*; *(place)* refuge *m* **2** *vi* se réfugier; *(of troops)* battre en retraite

retrial [ri:'traɪəl] *n Law* nouveau procès *m*

retribution [retrɪ'bju:ʃən] *n* châtiment *m*

Note that the French word **rétribution** is a false friend and is never a translation for the English word **retribution**. It means **reward**.

retrieve [rɪ'tri:v] *vt (recover)* récupérer; *Comptr (file)* ouvrir ▪**retrieval** *n* récupération *f* **(of** de) ▪**retriever** *n (dog)* retriever *m*

retroactive [retrəʊ'æktɪv] *adj (pay increase)* avec effet rétroactif

retrograde ['retrəgreɪd] *adj* rétrograde

retrospect ['retrəspekt] *n* **in r.** rétrospectivement

retrospective [retrə'spektɪv] **1** *adj* rétrospectif, -ive; *(law, effect)* à effet rétroactif **2** *n (exhibition)* rétrospective *f*

retune [ri:'tju:n] **1** *vt (radio, TV)* régler **2** *vi* **to r. to** *(radio station, wavelength)* régler la radio sur

return [rɪ'tɜːn] **1** *n* retour *m*; *(of goods)* renvoi *m*; *Fin (on investment)* rapport *m*; **returns** *(profits)* bénéfices *mpl*; *Br* **r. (ticket)** *(billet m)* aller et retour *m*; **many happy returns!** bon anniversaire!; **on my r.** à mon retour; **in r.** en échange *(for* de); **by r. of post** par retour du courrier

2 *adj (trip, flight)* (de) retour; **r. match** match *m* retour

3 *vt (give back)* rendre; *(put back)* remettre; *(bring back)* rapporter; *(send back)* renvoyer; *(greeting)* répondre à; *Fin (profit)* rapporter; **'r. to sender'** *(on letter)* 'retour à l'envoyeur'; **to r. sb's call** *(on phone)* rappeler qn; *Law* **to r. a verdict of guilty** déclarer l'accusé coupable

4 *vi (come back)* revenir; *(go back)* retourner;

(go back home) rentrer; **to r. to** *(subject)* revenir à ▪**returnable** *adj (bottle)* consigné

reunion [riːˈjuːnɪən] *n* réunion *f* ▪**reu'nite** *vt* réconcilier; **to be reunited with sb** retrouver qn; **they reunited him with his family** ils lui ont fait retrouver sa famille

reuse [riːˈjuːz] *vt* réutiliser

Rev [rev] *(abbr* **Reverend)** R. Gray le révérend Gray

rev [rev] *Fam* **1** *n (of car engine)* tour *m*; **r. counter** compte-tours *m inv* **2** *(pt & pp -vv-) vt* **to r. the engine (up)** faire monter le régime

revamp [riːˈvæmp] *vt Fam (image)* rajeunir; *(company)* restructurer

reveal [rɪˈviːl] *vt (make known)* révéler **(that** que); *(make visible)* laisser voir ▪**revealing** *adj (sign, comment)* révélateur, -trice; *(clothing)* qui ne cache pas grand-chose

revel [ˈrevəl] *(Br -ll-, Am -l-) vi* faire la fête; **to r. in sth** savourer qch ▪**reveller** *(Am* **reveler**) *n* noceur, -euse *mf* ▪**revelling** *(Am* **reveling**), ▪**revelry** *n* festivités *fpl*

revelation [revəˈleɪʃən] *n* révélation *f*

revenge [rɪˈvendʒ] **1** *n* vengeance *f*; *Sport* revanche *f*; **to have** *or* **get one's r. (on sb)** se venger (de qn); **in r.** pour se venger **2** *vt* venger

revenue [ˈrevənjuː] *n (income)* revenu *m*; *(from sales)* recettes *fpl*

reverberate [rɪˈvɜːbəreɪt] *vi (of sound)* se répercuter; *(of news)* se propager

revere [rɪˈvɪə(r)] *vt* révérer

reverence [ˈrevərəns] *n* révérence *f*

reverend [ˈrevərənd] **1** *adj Rel* **r. father** révérend père *m* **2** *n* **R. Smith** *(Anglican)* le révérend Smith; *(Catholic)* l'abbé *m* Smith; *(Jewish)* le rabbin Smith

reverent [ˈrevərənt] *adj* respectueux, -ueuse

reversal [rɪˈvɜːsəl] *n (of situation, roles)* renversement *m*; *(of policy, opinion)* revirement *m*; **r. (of fortune)** revers *m* (de fortune)

reverse [rɪˈvɜːs] **1** *adj (opposite)* contraire; *(image)* inverse; **in r. order** dans l'ordre inverse; **r. side** *(of coin)* revers *m*; *(of paper)* verso *m* **2** *n* contraire *m*; *(of coin)* revers *m*; *(of fabric)* envers *m*; *(paper)* verso *m*; *Fig (setback)* revers; **in r. (gear)** *(when driving)* en marche arrière **3** *vt (situation)* renverser; *(order, policy)* inverser; *(decision)* revenir sur; **to r. the car** faire marche arrière; *Br* **to r. the charges** *(when phoning)* téléphoner en PCV **4** *vi Br (in car)* faire marche arrière; **to r. in/out** rentrer/ sortir en marche arrière; **to r. into a tree** rentrer dans un arbre en faisant marche arrière

reversible [rɪˈvɜːsəbəl] *adj (fabric)* réversible

revert [rɪˈvɜːt] *vi* **to r.** revenir à

review [rɪˈvjuː] **1** *n* (**a**) *(of book, film)* critique *f*; *(of troops)* revue *f*; *(of salary, opinion)* révision *f*; **to be under r.** faire l'objet d'une révision (**b**) *(magazine)* revue *f* **2** *vt (book, film)* faire la critique de; *(troops)* passer en revue; *(situation)* faire le point sur; *(salary, opinion)* réviser ▪**reviewer** *n* critique *m*

revile [rɪˈvaɪl] *vt Formal* vilipender

revise [rɪˈvaɪz] **1** *vt (opinion, notes, text)* réviser **2** *vi (for exam)* réviser (**for** pour) ▪**revision** [-ˈvɪʒən] *n* révision *f*

revitalize [riːˈvaɪtəlaɪz] *vt (person)* revigorer

revival [rɪˈvaɪvəl] *n (of custom, business, play)* reprise *f*; *(of hopes)* renaissance *f*; *(of faith, fashion, arts)* renouveau *m*

revive [rɪˈvaɪv] **1** *vt (person, memory, conversation)* ranimer; *(custom, industry)* faire renaître; *(fashion)* relancer **2** *vi (of person)* reprendre connaissance; *(of industry)* connaître un renouveau; *(of hope, interest)* renaître

revoke [rɪˈvəʊk] *vt (law)* abroger; *(decision)* revenir sur; *(contract)* résilier

revolt [rɪˈvəʊlt] **1** *n* révolte *f* **2** *vt (disgust)* révolter **3** *vi (rebel)* se révolter (**against** contre) ▪**revolting** *adj* dégoûtant; *(injustice)* révoltant

revolution [revəˈluːʃən] *n* révolution *f* ▪**revolutionary** *(pl* **-ies)** *adj & n* révolutionnaire *(mf)* ▪**revolutionize** *vt* révolutionner

revolve [rɪˈvɒlv] *vi* tourner (**around** autour de) ▪**revolving** *adj* **r. chair** fauteuil *m* pivotant; **r. door(s)** porte *f* à tambour

revolver [rɪˈvɒlvə(r)] *n* revolver *m*

revue [rɪˈvjuː] *n (theatrical)* revue *f*

revulsion [rɪˈvʌlʃən] *n (disgust)* dégoût *m*

reward [rɪˈwɔːd] **1** *n* récompense *f* (**for** de) **2** *vt* récompenser (**for** de *ou* pour) ▪**rewarding** *adj* intéressant

rewind [riːˈwaɪnd] *(pt & pp -wound)* **1** *vt (tape, film)* rembobiner **2** *vi (of tape)* se rembobiner

rewire [riːˈwaɪə(r)] *vt (house)* refaire l'installation électrique de

rewrite [riːˈraɪt] *(pt* **-wrote,** *pp* **-written)** *vt* réécrire

rhapsody [ˈræpsədɪ] *(pl* **-ies)** *n* rhapsodie *f*

rhesus [ˈriːsəs] *n* rhésus *m*; **r. positive/negative** rhésus positif/négatif

rhetoric [ˈretərɪk] *n* rhétorique *f* ▪**rhetorical** [rɪˈtɒrɪkəl] *adj* **r. question** question *f* de pure forme

rheumatism [ˈruːmətɪzəm] *n* rhumatisme *m*; **to have r.** avoir des rhumatismes ▪**rheumatic** [-ˈmætɪk] *adj (pain)* rhumatismal; *(person)* rhumatisant

Rhine [raɪn] *n* **the R.** le Rhin

rhinoceros [raɪˈnɒsərəs] *n* rhinocéros *m* ▪**rhino** [ˈraɪnəʊ] *n Fam* rhinocéros *m*

rhododendron [rəʊdəˈdendrən] *n* rhododendron *m*

Rhône [rəʊn] *n* **the R.** le Rhône

rhubarb [ˈruːbɑːb] *n* rhubarbe *f*

rhyme [raɪm] **1** *n* rime *f*; *(poem)* vers *mpl* **2** *vi* rimer (**with** avec)

rhythm ['rɪðəm] n rythme m ■**rhythmic** ['rɪðmɪk] adj rythmé

rib [rɪb] n (bone) côte f; **to have a broken r.** avoir une côte cassée ■**ribbed** adj (fabric, jumper) à côtes

ribbon ['rɪbən] n ruban m; **to tear sth to ribbons** déchiqueter qch

rice [raɪs] n riz m; **white/brown/wild r.** riz blanc/complet/sauvage; **basmati r.** riz basmati; **r. pudding** riz au lait ■**ricefield** n rizière f

rich [rɪtʃ] 1 (-er, -est) adj (person, food) riche; **to be r. in sth** être riche en qch 2 npl **the r.** les riches mpl ■**riches** npl richesses fpl ■**richly** adv (illustrated, dressed) richement; **r. deserved** bien mérité ■**richness** n richesse f

rick [rɪk] vt **to r. one's back** se donner un tour de rein

rickets ['rɪkɪts] n Med rachitisme m

rickety ['rɪkɪtɪ] adj (furniture) branlant

rickshaw ['rɪkʃɔː] n pousse-pousse m inv

ricochet ['rɪkəʃeɪ] 1 n ricochet m 2 (pt & pp -tt-) vi ricocher (**off** sur)

rid [rɪd] (pt & pp **rid**, pres p **ridding**) vt débarrasser (**of** de); **to get r. of, to r. oneself of** se débarrasser de ■**riddance** ['rɪdəns] n Fam **good r.!** bon débarras!

ridden ['rɪdən] pp of **ride**

-ridden ['rɪdən] suff **debt-r.** criblé de dettes; **disease-r.** en proie à la maladie

riddle ['rɪdəl] 1 n (puzzle) devinette f; (mystery) énigme f 2 vt cribler (**with** de); **riddled with mistakes** truffé de fautes

ride [raɪd] 1 n (on horse) promenade f; (on bicycle, in car) tour m; (in taxi) course f; (on merry-go-round) tour; **to go for a r.** aller faire un tour; **to give sb a r.** (in car) emmener qn en voiture; **to have a r. on** (bicycle) monter sur; **it's only a short r. away** ce n'est pas très loin; Fam **to take sb for a r.** mener qn en bateau 2 (pt **rode**, pp **ridden**) vt (horse, bicycle) monter à; (a particular horse) monter; (bus, train) prendre; **to know how to r. a bicycle** savoir faire de la bicyclette; **to r. a bicycle to...** aller à bicyclette à...; Am Fam **to r. sb** (annoy) harceler qn 3 vi (on horse) faire du cheval; (on bicycle) faire de la bicyclette; **to go riding** (on horse) faire du cheval; **to be riding in a car** être en voiture; **to r. up** (of skirt) remonter

rider ['raɪdə(r)] n (**a**) (on horse) cavalier, -ière mf; (cyclist) cycliste mf (**b**) Law (to document) annexe f; (to bill) clause f additionnelle

ridge [rɪdʒ] n (of mountain) crête f

ridicule ['rɪdɪkjuːl] 1 n ridicule m; **to hold sb/sth up to r.** tourner qn/qch en ridicule; **object of r.** objet m de risée 2 vt tourner en ridicule, ridiculiser ■**ridiculous** adj ridicule

riding ['raɪdɪŋ] n (horse) r. équitation f; **r. boots** bottes fpl de cheval; **r. school** école f d'équitation

rife [raɪf] adj (widespread) répandu

riffraff ['rɪfræf] n racaille f

rifle ['raɪfəl] 1 n fusil m 2 vt **to r. (through)** sth fouiller dans qch

rift [rɪft] n (in political party) scission f; (disagreement) désaccord m; (crack in rock) fissure f

rig [rɪg] 1 n (oil) r. derrick m; (at sea) plate-forme f pétrolière 2 (pt & pp -gg-) vt Fam (result, election) truquer; **to r. up** (equipment) installer; Br Fam **to be rigged out in** être attifé de

rigging ['rɪgɪŋ] n (on ship) gréement m

right[1] [raɪt] 1 adj (**a**) (correct) bon (f bonne), exact; (word) juste; **to be r.** (of person) avoir raison (**to do** de faire); **it's the r. time** c'est l'heure exacte; **that's r.** c'est ça; **r.!** bon! (**b**) (appropriate) bon (f bonne); **the r. thing to do** la meilleure chose à faire; **he's the r. man** c'est l'homme qu'il faut (**c**) (morally good) bien inv; **to do the r. thing** faire ce qu'il faut (**d**) (mentally, physically well) **it doesn't look r.** il y a quelque chose qui ne va pas (**e**) Br Fam (for emphasis) véritable; **I felt a r. fool** je me suis vraiment senti stupide (**f**) Math **r. angle** angle m droit

2 adv (straight) (tout) droit; (completely) tout à fait; (correctly) correctement; **to put sth r.** (rectify) corriger qch; (fix) arranger qch; **to put things r.** arranger les choses; **to put sb r.** détromper qn; **to remember r.** bien se souvenir; **r. round** tout autour (**sth** de qch); **r. behind** juste derrière; **r. here** ici même; **r. away, r. now** tout de suite; **I'll be r. back** je reviens tout de suite; Br **the R. Honourable...** (to Member of Parliament) le Très Honorable...

3 n **to be in the r.** avoir raison; **r. and wrong** le bien et le mal

4 vt (error, wrong, boat, car) redresser

right[2] [raɪt] 1 adj (not left) (hand, side) droit 2 adv à droite 3 n droite f; **on** or **to the r.** à droite (**of** de) ■**right-'hand** adj de droite; **on the r. side** à droite (**of** de); **to be sb's r. man** être le bras droit de qn ■**right-'handed** adj (person) droitier, -ière ■**right-'wing** adj Pol de droite

right[3] [raɪt] n (entitlement) droit m (**to do** de faire); **to have a r. to sth** avoir droit à qch; **he's famous in his own r.** il est lui-même célèbre; **to have the r. of way** (on road) avoir la priorité

righteous ['raɪtʃəs] adj (person) vertueux, -ueuse; (cause, indignation) juste

rightful ['raɪtfəl] adj légitime ■**rightfully** adv légitimement

rightly ['raɪtlɪ] adv (correctly) bien; (justifiably) à juste titre; **r. or wrongly** à tort ou à raison

rigid ['rɪdʒɪd] adj rigide

rigmarole ['rɪgmərəʊl] n (process) procédure f compliquée

rigour ['rɪgə(r)] (Am **rigor**) n rigueur f ■**rigorous** adj rigoureux, -euse

rile [raɪl] *vt (annoy)* agacer

rim [rɪm] *n (of cup)* bord *m; (of wheel)* jante *f; (of spectacles)* monture *f*

rind [raɪnd] *n (of cheese)* croûte *f; (of bacon)* couenne *f; (of melon, lemon)* écorce *f*

ring¹ [rɪŋ] **1** *n (for finger, curtain)* anneau *m; (for finger, with stone)* bague *f; (for napkin)* rond *m; (on stove)* brûleur *m; (of people, chairs)* cercle *m; (of criminals)* bande *f; (at circus)* piste *f;* Boxing ring *m;* **to have rings under one's eyes** avoir les yeux cernés; *Gym* **the rings** les anneaux; *Br* **r. road** périphérique *m* **2** *vt* **to r. (round)** *(surround)* entourer (**with** de)

ring² [rɪŋ] **1** *n (sound)* sonnerie *f;* **there's a r. at the door** on sonne à la porte; *Fam* **to give sb a r.** passer un coup de fil à qn; **it has a r. of truth (about it)** cela a l'air vrai **2** *(pt* **rang,** *pp* **rung)** *vt (bell)* sonner; *(alarm)* déclencher; **to r. sb (on phone)** téléphoner à qn; **to r. the bell** sonner; **to r. the doorbell** sonner à la porte; *Fam* **that rings a bell** ça me dit quelque chose **3** *vi (of bell, phone, person)* sonner; *(of sound, words)* retentir; *(of ears)* bourdonner; *(make a phone call)* téléphoner; **to r. for sb** sonner qn ▪ **ringing 1** *adj Br* **r. tone** *(on phone)* sonnerie *f* **2** *n (of bell)* sonnerie *f;* **a r. in one's ears** un bourdonnement dans les oreilles

▸ **ring back** *vt sep* **to r. sb back** rappeler qn **2** *vi* rappeler

▸ **ring off** *vi (on phone)* raccrocher

▸ **ring out** *vi (of bell)* sonner; *(of voice, shout)* retentir

▸ **ring up** *vt sep* **to r. sb up** téléphoner à qn **2** *vi* téléphoner

ringleader ['rɪŋliːdə(r)] *n Pej (of gang)* chef *m* de bande; *(of rebellion, strike)* meneur, -euse *mf*

ringlet ['rɪŋlɪt] *n* anglaise *f*

rink [rɪŋk] *n (for ice-skating)* patinoire *f; (for roller-skating)* piste *f*

rinse [rɪns] **1** *n* rinçage *m;* **to give sth a r.** rincer qch **2** *vt* rincer; **to r. one's hands** se rincer les mains; **to r. out** rincer

riot ['raɪət] **1** *n (uprising)* émeute *f; Fig* **a r. of colour** une explosion de couleurs; **to run r.** se déchaîner; **the r. police** ≃ les CRS *mpl* **2** *(rise up)* faire une émeute; *(of prisoners)* se mutiner ▪ **rioter** *n* émeutier, -ière *mf; (vandal)* casseur *m* ▪ **rioting** *n* émeutes *fpl*

riotous ['raɪətəs] *adj (crowd, party)* tapageur, -euse; **r. living** vie *f* dissolue

rip [rɪp] **1** *n* déchirure *f* **2** *(pt & pp* **-pp-)** *vt* déchirer; **to r. sth off** arracher qch (**from** de); *Fam (steal)* faucher qch; *Fam* **to r. sb off** *(deceive)* rouler qn; **to r. sth up** déchirer qch **3** *vi (of fabric)* se déchirer; **the explosion ripped through the building** l'explosion souffla dans tout le bâtiment ▪ **rip-off** *n Fam* arnaque *f*

ripe [raɪp] *(-er, -est) adj (fruit)* mûr; *(cheese)* fait ▪ **ripen** *vti* mûrir

ripple ['rɪpəl] **1** *n (on water)* ride *f; Fig (of laughter)* cascade *f* **2** *vi (of water)* se rider

rise [raɪz] **1** *n (in price, pressure)* hausse *f (in* de); *(in river)* crue *f; (slope in ground)* montée *f; (hill)* éminence *f; (of leader, party)* ascension *f; (of technology, industry)* essor *m;* **his r. to power** son accession au pouvoir; *Br* **(pay) r.** augmentation *f* (de salaire); **to give r. to sth** donner lieu à qch **2** *(pt* **rose,** *pp* **risen** ['rɪzən]) *vi (of temperature, balloon, price)* monter; *(in society)* s'élever; *(of hope)* grandir; *(of sun, theatre curtain, wind)* se lever; *(of dough)* lever; *(get up from chair or bed)* se lever; **to r. to the surface** remonter à la surface; **the river rises in...** le fleuve prend sa source dans...; **to r. (up)** *(rebel)* se soulever (**against** contre); **to r. to power** accéder au pouvoir; **to r. from the dead** ressusciter; **to r. to the occasion** se montrer à la hauteur de la situation

riser ['raɪzə(r)] *n* **early r.** lève-tôt *mf inv;* **late r.** lève-tard *mf inv*

rising ['raɪzɪŋ] **1** *n (of curtain in theatre)* lever *m; (revolt)* soulèvement *m; (of river)* crue *f* **2** *adj (sun)* levant; *(tide)* montant; *(number)* croissant; *(prices)* en hausse; *(artist, politician)* qui monte

risk [rɪsk] **1** *n* risque *m;* **at r.** *(person)* en danger; *(job)* menacé; **at your own r.** à tes risques et périls; **to run the r. of doing sth** courir le risque de faire qch **2** *vt (life, reputation)* risquer; **I can't r. going** je ne peux pas prendre le risque d'y aller; **we can't r. it** nous ne pouvons pas prendre ce risque ▪ **risky** **(-ier, -iest)** *adj* risqué

rissole ['rɪsəʊl] *n Br Culin* croquette *f*

rite [raɪt] *n* rite *m; Rel* **the last rites** les derniers sacrements *mpl* ▪ **ritual** ['rɪtjʊəl] **1** *adj* rituel, -uelle **2** *n* rituel *m*

rival ['raɪvəl] **1** *adj* rival **2** *n* rival, -ale *mf* **3** *(Br* **-ll-,** *Am* **-l-)** *vt (compete with)* rivaliser avec (**in** de); *(equal)* égaler (**in** en) ▪ **rivalry** *(pl* **-ies)** *n* rivalité *f* (**between** entre)

river ['rɪvə(r)] **1** *n (small)* rivière *f; (flowing into sea)* fleuve *m; Fig (of lava, tears)* flot *m;* **the R. Thames** la Tamise **2** *adj (port, navigation)* fluvial; **r. bank** rive *f;* **r. bed** lit *m* de rivière/de fleuve ▪ **riverside 1** *n* bord *m* de l'eau **2** *adj* au bord de l'eau

rivet ['rɪvɪt] **1** *n* rivet *m* **2** *vt* riveter; *Fig (eyes)* fixer (**on** sur); **to be riveted to the TV set** être cloué devant la télé ▪ **riveting** *adj Fig* fascinant

Riviera [rɪvɪ'eərə] *n* **the (French) R.** la Côte d'Azur

roach [rəʊtʃ] *n Am (cockroach)* cafard *m*

road [rəʊd] **1** *n* route *f; (small)* chemin *m; (in town)* rue *f; (roadway)* chaussée *f;* **the Paris r.** la route de Paris; **by r.** par la route; **down/up the r.** un peu plus loin dans la rue; **to live**

across *or* **over the r.** habiter en face; **to be on the r. to recovery** être en voie de la guérison **2** *adj (map, safety)* routier, -ière; *(accident)* de la route; *Fam* **r. hog** chauffard *m*; **r. sign** panneau *m* de signalisation; *Br* **r. works,** *Am* **r. work** travaux *mpl* de voirie ▪ **roadblock** *n* barrage *m* routier ▪ **roadside 1** *n* bord *m* de la route **2** *adj* **r. bar** bar *m* situé en bord de route ▪ **roadway** *n* chaussée *f* ▪ **roadworthy** *adj (vehicle)* en état de rouler

roam [rəʊm] **1** *vt* parcourir **2** *vi* errer; **to r. (about) the streets** traîner dans les rues

roar [rɔː(r)] **1** *n (of lion)* rugissement *m*; *(of person)* hurlement *m*; *(of thunder)* grondement *m* **2** *vt* **to r. sth (out)** hurler qch **3** *vi (of lion, wind, engine)* rugir; *(of person, crowd)* hurler; *(of thunder)* gronder; **to r. with laughter** hurler de rire; **to r. past** *(of truck)* passer dans un bruit de tonnerre ▪ **roaring** *adj* **a r. fire** une belle flambée; **a r. success** un succès fou; **to do a r. trade** faire des affaires en or

roast [rəʊst] **1** *n (meat)* rôti *m* **2** *adj* rôti; **r. beef** rosbif *m* **3** *vt (meat, potatoes)* faire rôtir; *(coffee)* faire griller **4** *vi (of meat)* rôtir; *Fam* **it's roasting in here** on cuit ici

rob [rɒb] *(pt & pp* **-bb-)** *vt (person)* voler; *(shop, bank)* dévaliser; *(house)* cambrioler; **to r. sb of sth** voler qch à qn; *Fig (deprive)* priver qn de qch ▪ **robber** *n* voleur, -euse *mf* ▪ **robbery** *(pl* **-ies)** *n* vol *m*; **it's daylight r.!** c'est du vol pur et simple!; **armed r.** vol à main armée

robe [rəʊb] *n (dressing gown)* robe *f* de chambre; *(of priest, judge)* robe

robin ['rɒbɪn] *n (bird)* rouge-gorge *m*

robot ['rəʊbɒt] *n* robot *m* ▪ **ro'botic** *adj* robotique ▪ **ro'botics** *n* robotique *f*

robust [rəʊ'bʌst] *adj* robuste

rock[1] [rɒk] **1** *n (music)* rock *m* **2** *vt (boat)* balancer; *(building)* secouer; **to r. a baby to sleep** bercer un bébé pour qu'il s'endorme **3** *vi (sway)* se balancer; *(of building, ground)* trembler ▪ **rocking chair** *n* fauteuil *m* à bascule ▪ **rocking horse** *n* cheval *m* à bascule

rock[2] [rɒk] **1** *n (substance)* roche *f*; *(boulder, rock face)* rocher *m*; *Am (stone)* pierre *f*; *Br (sweet)* = sucrerie en forme de bâton parfumée à la menthe; **on the rocks** *(whisky)* avec des glaçons; *(marriage)* en pleine débâcle; **r. climbing** varappe *f*; **r. face** paroi *f* rocheuse ▪ **'rock-'bottom 1** *n* point le plus bas; **he has reached r.** il a touché le fond **2** *adj (prices)* les plus bas *(f* basses)

rockery ['rɒkərɪ] *(pl* **-ies)** *n* rocaille *f*

rocket ['rɒkɪt] **1** *n* **(a)** *(missile)* fusée *f* **(b)** *Culin* roquette *f* **2** *vi (of prices, unemployment)* monter en flèche

rocky ['rɒkɪ] *(-ier, -iest)* *adj (road)* rocailleux, -euse; *(hill)* rocheux, -euse; *Fig (relationship)* instable

rod [rɒd] *n (wooden)* baguette *f*; *(metal)* tige *f*; *(of curtain)* tringle *f*; *(for fishing)* canne *f* à pêche

rode [rəʊd] *pt of* **ride**

rodent ['rəʊdənt] *n* rongeur *m*

rodeo [*Br* 'rəʊdɪəʊ, *Am* rəʊ'deɪəʊ] *(pl* **-os)** *n Am* rodéo *m*

roe [rəʊ] *n* **(a)** *(eggs)* œufs *mpl* de poisson **(b)** **r. (deer)** chevreuil *m*

rogue [rəʊg] *n (dishonest)* crapule *f*; *(mischievous)* coquin, -ine *mf* ▪ **roguish** *adj (smile)* coquin

role [rəʊl] *n* rôle *m*; **r. model** modèle *m*

roll [rəʊl] **1** *n (of paper)* rouleau *m*; *(of fat, flesh)* bourrelet *m*; *(of drum, thunder)* roulement *m*; *(of ship)* roulis *m*; *(bread)* petit pain *m*; *(list)* liste *f*; **r. of film** pellicule *f*; **to call the r.** faire l'appel; **r. neck** col *m* roulé **2** *vt (cigarette)* rouler; *(ball)* faire rouler **3** *vi (of ball, ship)* rouler; *(of camera)* tourner; *(of thunder)* gronder; **to r. into a ball** *(of animal)* se rouler en boule; *Fam* **to be rolling in money, to be rolling in it** rouler sur l'or ▪ **rolling** *adj (hills)* ondulant; *(sea)* gros *(f* grosse); **r. pin** rouleau *m* à pâtisserie

▸ **roll down** *vt sep (car window)* baisser; *(sleeves)* redescendre

▸ **roll in** *vi Fam (flow in)* affluer; *(of person)* s'amener

▸ **roll on 1** *vt sep (paint)* appliquer au rouleau **2** *vi Fam* **r. on tonight!** vivement ce soir!

▸ **roll out** *vt sep (dough)* étaler

▸ **roll over 1** *vt sep* retourner **2** *vi (many times)* se rouler; *(once)* se retourner

▸ **roll up 1** *vt sep (map, cloth)* rouler; *(sleeve)* retrousser **2** *vi Fam (arrive)* s'amener

roller ['rəʊlə(r)] **1** *n (for hair, painting)* rouleau *m*; **r. coaster** montagnes *fpl* russes; **r. skate** patin *m* à roulettes ▪ **roller-skating** *n* patin *m* à roulettes; **to go r.** faire du patin à roulettes; ▪ **rollerblades** *npl* rollers *mpl* ▪ **rollerblading** *n* roller *m*; **to go r.** faire du roller

rollicking ['rɒlɪkɪŋ] **1** *adj* joyeux, -euse (et bruyant) **2** *n Br Fam* **to give sb a r.** engueuler qn

ROM [rɒm] *(abbr* **read only memory)** *n Comptr* mémoire *f* morte

Roman ['rəʊmən] **1** *adj* romain **2** *n* Romain, -aine *mf* **3** *adj & n* **R. Catholic** catholique *(mf)*

romance [rəʊ'mæns] **1** *n (love)* amour *m*; *(affair)* aventure *f* amoureuse; *(story)* histoire *f* d'amour; *(charm)* poésie *f* **2** *adj* **R. language** langue *f* romane

Romania [rəʊ'meɪnɪə] *n* la Roumanie ▪ **Romanian 1** *adj* roumain **2** *n (person)* Roumain, -aine *mf*; *(language)* roumain *m*

romantic [rəʊ'mæntɪk] **1** *adj (of love, tenderness)* romantique; *(fanciful, imaginary)* romanesque **2** *n* romantique *mf* ▪ **romantically** *adv* de façon romantique ▪ **romanticism** *n* romantisme *m*

romp [rɒmp] **1** n to have a r. chahuter **2** vi s'ébattre; **to r. through an exam** avoir un examen les doigts dans le nez

rompers ['rɒmpəz] npl (for baby) barboteuse f

roof [ru:f] n (of building, vehicle) toit m; (of tunnel, cave) plafond m; **r. of the mouth** voûte f du palais; **r. rack** (of car) galerie f ■**roofing** n toiture f ■**rooftop** n toit m

rook [rʊk] n (bird) freux m; Chess tour f

rookie ['rʊkɪ] n Am Fam (new recruit) bleu m

room [ru:m, rʊm] n (**a**) (in house) pièce f; (bedroom) chambre f; (large, public) salle f; Am **men's r., ladies' r.** toilettes fpl (**b**) (space) place f; **to make r.** faire de la place (**for** pour); **there's r. for doubt** le doute est permis; **no r. for doubt** aucun doute possible ■**roommate** n Br (sharing a room) camarade mf de chambre; Am (sharing a flat) colocataire mf ■**roomy** (**-ier, -iest**) adj spacieux, -ieuse; (clothes) ample

roost [ru:st] **1** n perchoir m **2** vi se percher

rooster ['ru:stə(r)] n coq m

root [ru:t] **1** n (of plant, tooth, hair) & Math racine f; Fig (origin) origine f; (cause) cause f; **to pull sth up by the root(s)** déraciner qch; (of plant, person) prendre racine; Fig **to find one's roots** retrouver ses racines; Fig **to put down (new) roots** (of person) s'intégrer; Am **r. beer** = boisson gazeuse aux extraits végétaux; **r. cause** cause f première **2** vt to r. sth out supprimer qch **3** vi (of plant cutting) s'enraciner; **to r. about** or **around for sth** fouiller pour trouver qch; Fam **to r. for sb** appuyer qn ■**rooted** adj **deeply r.** bien enraciné (**in** dans); **r. to the spot** (immobile) cloué sur place ■**rootless** adj sans racines

rope [rəʊp] **1** n corde f; (on ship) cordage m; Fam **to know the ropes** connaître son affaire **2** vt (tie) lier; Fam **to r. sb in** recruter qn; **to r. sth off** (of police) interdire l'accès à qch

rop(e)y ['rəʊpɪ] (**-ier, -iest**) adj Br Fam (thing) minable; (person) patraque

rosary ['rəʊzərɪ] (pl **-ies**) n Rel rosaire m

rose¹ [rəʊz] n (**a**) (flower) rose f; **r. bush** rosier m (**b**) (of watering can) pomme f ■**rosebud** n bouton m de rose

rose² [rəʊz] pt of **rise**

rosé ['rəʊzeɪ] n rosé m

rosemary ['rəʊzmərɪ] n (plant, herb) romarin m

rosette [rəʊ'zet] n rosette f

roster ['rɒstə(r)] n (duty) **r.** liste f de service

rostrum ['rɒstrəm] n tribune f; (for prizewinner) podium m

rosy ['rəʊzɪ] (**-ier, -iest**) adj (pink) rose; Fig (future) prometteur, -euse

rot [rɒt] **1** n pourriture f; Br Fam (nonsense) inepties fpl **2** (pt & pp **-tt-**) vti pourrir ■**rotting** adj (meat, fruit) qui pourrit

rota ['rəʊtə] n roulement m

rotary ['rəʊtərɪ] **1** adj rotatif, -ive **2** (pl **-ies**) n Am (for traffic) rond-point m ■**ro'tation** n rotation f; **in r.** à tour de rôle

rotate [rəʊ'teɪt] **1** vt faire tourner; (crops) alterner **2** vi tourner

rote [rəʊt] n **by r.** machinalement

rotten ['rɒtən] adj (fruit, egg, wood) pourri; Fam (bad) nul (f nulle); Fam (weather) pourri; Fam **to feel r.** (ill) être mal fichu

rouble ['ru:bəl] (Am **ruble**) n (currency) rouble m

rouge [ru:ʒ] n Old-fashioned rouge m (à joues)

rough¹ [rʌf] **1** (**-er, -est**) adj (surface) rugueux, -ueuse; (ground) accidenté; (manners) fruste; (climate, life, voice) rude; (wine) âpre; (neighbourhood) dur; (sea) agité; (diamond) brut; (brutal) brutal; (justice) sommaire; Fig **to feel r.** (ill) être mal fichu **2** adv Br **to sleep/live r.** coucher/vivre à la dure; **to play r.** jouer avec brutalité **3** vt Fam **to r. it** vivre à la dure; Fam **to r. sb up** tabasser qn; **to r. up sb's hair** ébouriffer les cheveux de qn ■**rough-and-'ready** adj (solution) rudimentaire; (meal, accommodation) sommaire ■**rough-and-'tumble** n bousculade f ■**roughen** vt rendre rugueux, -ueuse ■**roughly¹** adv (brutally) brutalement; (crudely) grossièrement ■**roughness** n (of surface) rugosité f; (of behaviour) rudesse f

rough² [rʌf] **1** (**-er, -est**) adj (approximate) approximatif, -ive; **I have a r. idea of what he wants** j'ai une petite idée de ce qu'il veut; **r. guess, r. estimate** approximation f; Br **r. book** cahier m de brouillon; **r. copy, r. draft** brouillon m; **r. paper** papier m brouillon **2** vt **to r. sth out** (plan) ébaucher ■**roughly²** adv (approximately) à peu près; **r. speaking** en gros

roughage ['rʌfɪdʒ] n fibres fpl (alimentaires)

roulette [ru:'let] n roulette f; **Russian r.** roulette f russe

round [raʊnd] **1** (**-er, -est**) adj rond; Am **r. trip** aller (et) retour m

2 adv autour; **all r., right r.** tout autour; **all year r.** toute l'année; **the long way r.** le chemin le plus long; **the wrong way r.** à l'envers; **the other way r.** dans l'autre sens; **to go r. to sb's** passer chez qn; **to ask sb r.** inviter qn chez soi

3 prep autour de; **r. here** par ici; **r. about** (approximately) environ; **r. (about) midday** vers midi; **to go r. the corner** tourner le coin; **it's just r. the corner** c'est juste au coin; **to go r. the world** parcourir le monde

4 n Br (slice) tranche f; Br (sandwich) sandwich m; (in competition) manche f; (of golf) partie f; Boxing round m; (of talks) série f; (of drinks, visits) tournée f; **to be on one's round(s), to do one's round(s)** (of milkman) faire sa tournée; (of doctor) faire ses visites; (of policeman) faire sa ronde; **r. of applause** salve f d'applaudissements; **r. of ammunition** cartouche f

5 *vt* **to r. a corner** *(in car)* prendre un virage; **to r. sth off** *(meal, speech)* terminer qch (**with** par); **to r. up** *(gather)* rassembler; *(price)* arrondir au chiffre supérieur ■**rounded** *adj* arrondi ■**roundness** *n* rondeur *m* ■**round-ʹshouldered** *adj* voûté

roundabout [ʹraʊndəbaʊt] **1** *adj (method, route)* indirect **2** *n Br (at funfair)* manège *m*; *(road junction)* rond-point *m*

rounders [ʹraʊndəz] *npl Br* = jeu similaire au base-ball

roundup [ʹraʊndʌp] *n (of criminals)* rafle *f*

rouse [raʊz] *vt (awaken)* éveiller; **roused (to anger)** en colère; **to r. sb to action** inciter qn à agir ■**rousing** *adj (welcome)* enthousiaste; *(speech)* vibrant; *(music)* allègre

rout [raʊt] **1** *n* déroute *f* **2** *vt* mettre en déroute

route[1] [ruːt] **1** *n* itinéraire *m*; *(of aircraft, ship)* route *f*; **bus r.** ligne *f* d'autobus **2** *vt (train)* fixer l'itinéraire de

route[2] [raʊt] *n Am (delivery round)* tournée *f*

routine [ruːʹtiːn] **1** *n (habit)* routine *f*; *(on stage)* numéro *m*; *Comptr* sous-programme *m*; **the daily r.** le train-train quotidien; **as a matter of r.** de façon systématique **2** *adj (inquiry, work)* de routine; *Pej* routinier, -ière

rove [raʊv] **1** *vt* parcourir **2** *vi* rôder ■**roving** *adj (life)* nomade; *(ambassador)* itinérant; **r. reporter** reporter *m (qui va sur le terrain)*

row[1] [raʊ] *n (line)* rangée *f*; **two days in a r.** deux jours d'affilée

row[2] [raʊ] **1** *n* **to go for a r.** canoter; *Am* **r. boat** bateau *m* à rames **2** *vt (boat)* faire aller à la rame; *(person)* transporter en canot **3** *vi (in boat)* ramer ■**rowing** *n* canotage *m*; *(as sport)* aviron *m*; *Br* **r. boat** bateau *m* à rames

row[3] [raʊ] **1** *n (noise)* vacarme *m*; *(quarrel)* dispute *f* **2** *vi* se disputer (**with** avec)

rowdy [ʹraʊdɪ] **1** (**-ier, -iest**) *adj* chahuteur, -euse **2** (*pl* **-ies**) *n* chahuteur, -euse *mf*

royal [ʹrɔɪəl] **1** *adj* royal; **the R. Air Force =** l'armée de l'air britannique **2** *npl Fam* **the royals** la famille royale ■**royalist** *adj & n* royaliste *(mf)* ■**royally** *adv (treat)* royalement ■**royalty** **1** *n (rank, position)* royauté *f*; *(person)* membre *m* de la famille royale **2** *npl* **royalties** *(from book)* droits *mpl* d'auteur; *(from invention, on oil)* royalties *fpl*

rpm [ɑːpiːʹem] *(abbr* **revolutions per minute)** *Aut* tours/minute

RSPCA [ɑːrespiːsiːʹeɪ] *(abbr* **Royal Society for the Prevention of Cruelty to Animals)** *n Br* ≃ SPA *f*

RSVP [ɑːresviːʹpiː] *(abbr* **répondez s'il vous plaît)** RSVP

Rt Hon *(abbr* **Right Honourable)** *see* **right**[1]

rub [rʌb] **1** *n (massage)* friction *f*; **to give sth a r.** frotter qch **2** *(pt & pp* **-bb-)** *vt* frotter; *Fig* **to r. shoulders with** côtoyer; *Fam* **to r. sb up the**

wrong way prendre qn à rebrousse-poil **3** *vi* frotter

► **rub away** *vt sep (mark)* effacer; *(tears)* essuyer

► **rub down** *vt sep (person)* frictionner; *(wood, with sandpaper)* poncer

► **rub in** *vt sep (cream)* faire pénétrer (en massant); *Fam* **to r. it in** retourner le couteau dans la plaie

► **rub off** **1** *vt sep (mark)* effacer **2** *vi (of mark)* partir; *Fig (of manners)* déteindre (**on** sur)

► **rub out** *vt sep (mark)* effacer

rubber [ʹrʌbə(r)] *n (substance)* caoutchouc *m*; *Br (eraser)* gomme *f*; *Am Fam (condom)* capote *f*; **r. band** élastique *m*; **r. stamp** tampon *m* ■**rubber-ʹstamp** *vt Pej* approuver (sans discuter) ■**rubbery** *adj* caoutchouteux, -euse

rubbing alcohol [ʹrʌbɪŋælkəhɒl] *n Am* alcool *m* à 90°

rubbish [ʹrʌbɪʃ] **1** *n Br (waste)* ordures *fpl*; *(industrial)* déchets *mpl*; *(junk)* cochonneries *fpl*; *Fig (nonsense)* idioties *fpl*; *Fam* **that's r.** *(absurd)* c'est absurde; *(worthless)* ça ne vaut rien; **r. bin** poubelle *f*; **r. dump** décharge *f* publique **2** *vt Fam* **to r. sb/sth** *(criticize)* dénigrer qn/qch ■**rubbishy** *adj Br Fam (book, film)* nul *(f* nulle); *(goods)* de mauvaise qualité

rubble [ʹrʌbəl] *n* décombres *mpl*

rubella [ruːʹbelə] *n Med* rubéole *f*

ruble [ʹruːbəl] *n Am =* **rouble**

ruby [ʹruːbɪ] *(pl* **-ies**) *n (gem)* rubis *m*

rucksack [ʹrʌksæk] *n* sac *m* à dos

rudder [ʹrʌdə(r)] *n* gouvernail *m*

ruddy [ʹrʌdɪ] **(-ier, -iest)** *adj (complexion)* rose; *Br Fam (bloody)* fichu

rude [ruːd] **(-er, -est)** *adj (impolite)* impoli (**to** envers); *(coarse, insolent)* grossier, -ière (**to** envers); *(indecent)* obscène; *(shock)* violent ■**rudely** *adv (impolitely)* impoliment; *(coarsely)* grossièrement ■**rudeness** *n (impoliteness)* impolitesse *f*; *(coarseness)* grossièreté *f*

> Note that the French word **rude** is a false friend and is never a translation for the English word **rude**. It means **harsh** or **rough**.

rudimentary [ruːdɪʹment(ə)rɪ] *adj* rudimentaire ■**rudiments** [ʹruːdɪmənts] *npl* rudiments *mpl*

rueful [ʹruːfəl] *adj Literary (voice, smile)* de regret

ruffian [ʹrʌfɪən] *n* voyou *m (pl* -ous)

ruffle [ʹrʌfəl] **1** *vt (hair)* ébouriffer; *(water)* troubler; **to r. sb, to r. sb's feathers** *(offend)* froisser qn **2** *n (frill)* ruche *f*

rug [rʌg] *n* tapis *m*; *(over knees)* plaid *m*; **(bedside) r.** descente *f* de lit

rugby [ʹrʌgbɪ] *n* rugby *m*; **r. league** rugby à treize; **r. player** rugbyman *m*; **r. union** rugby à quinze

rugged [ʹrʌgɪd] *adj (surface)* rugueux, -euse;

(terrain, coast) accidenté; *(features, manners)* rude; *Fig (determination)* farouche

rugger ['rʌgə(r)] *n Br Fam* rugby *m*

ruin ['ruːɪn] **1** *n (destruction, rubble, building)* ruine *f*; **in ruins** *(building)* en ruine **2** *vt (health, country, person)* ruiner; *(clothes)* abîmer; *(effect, meal, party)* gâcher ▪ **ruined** *adj (person, country)* ruiné; *(building)* en ruine ▪ **ruinous** *adj* ruineux, -euse

rule [ruːl] **1** *n* (**a**) *(principle)* règle *f*; *(regulation)* règlement *m*; *(government)* autorité *f*; *Br* **against the rules** *or Am* **r.** contraire au règlement; **as a r.** en règle générale; **it's the** *or* **a r. that...** il est de règle que... (+ *subjunctive*) (**b**) *(for measuring)* règle *f* **2** *vt (country)* gouverner; *(decide) (of judge, referee)* décider (**that** que); **to r. sth out** *(exclude)* exclure qch **3** *vi (of king)* régner (**over** sur); *(of judge)* statuer (**against** contre; **on** sur) ▪ **ruled** *adj (paper)* réglé ▪ **ruling** *1 adj (passion, fear)* dominant; **the r. class** la classe dirigeante; *Pol* **the r. party** le parti au pouvoir **2** *n (of judge, referee)* décision *f*

ruler ['ruːlə(r)] *n* (**a**) *(for measuring)* règle *f* (**b**) *(king, queen)* souverain, -aine *mf*; *(political leader)* dirigeant, -ante *mf*

rum [rʌm] *n* rhum *m*

Rumania [ruːˈmeɪnɪə] *n* = Romania

rumble ['rʌmbəl] **1** *n* grondement *m*; *(of stomach)* gargouillement *m* **2** *vi (of train, thunder, gun)* gronder; *(of stomach)* gargouiller

ruminate ['ruːmɪneɪt] *vi Formal* **to r. over sth** *(scheme)* ruminer qch

rummage ['rʌmɪdʒ] *vi* **to r. (about)** farfouiller ▪ **rummage sale** *n Am (used clothes)* vente *f* de charité

rumour ['ruːmə(r)] *(Am* **rumor)** *n* rumeur *f* ▪ **rumoured** *(Am* **rumored)** *adj* **it is r. that...** on dit que...

rump [rʌmp] *n (of horse)* croupe *f*; *(of fowl)* croupion *m*; **r. steak** romsteck *m*

rumple ['rʌmpəl] *vt (clothes)* chiffonner

run [rʌn] **1** *n (series)* série *f*; *(period)* période *f*; *(running)* course *f*; *(outing)* tour *m*; *(journey)* trajet *m*; *(rush)* ruée *f* (**on** sur); *(for skiing)* piste *f*; *(in cricket, baseball)* point *m*; *Cards* suite *f*; *(in stocking)* maille *f* filée; **to go for a r.** aller courir; **on the r.** *(prisoner)* en fuite; **to have the r. of** *(house)* avoir à sa disposition; **in the long/short r.** à long/court terme; *Fam* **to have the runs** avoir la courante

2 *(pt* **ran,** *pp* **run,** *pres p* **running)** *vt (distance, race)* courir; *(machine)* faire fonctionner; *(test)* effectuer; *(business, country)* diriger; *(courses, events)* organiser; *Comptr (program)* exécuter; *(newspaper article)* publier (**on** sur); *(bath)* faire couler; **to r. a temperature** avoir de la fièvre; **to r. one's hand over** passer la main sur; **to r. one's eye over sth** jeter un coup d'œil à qch;

to r. its course *(of illness)* suivre son cours; **to r. sb to the airport** conduire qn à l'aéroport; **to r. a car** avoir une voiture

3 *vi* courir; *(flee)* fuir; *(of river, nose, pen, tap)* couler; *(of colour in washing)* déteindre; *(of ink)* baver; *(melt)* fondre; *(function) (of machine)* marcher; *(idle) (of engine)* tourner; *(of stocking, tights)* filer; **to r. down/in/out** descendre/entrer/sortir en courant; **to go running** faire du jogging; *Am* **to r. for president** être candidat à la présidence; **to r. with blood** ruisseler de sang; **to r. between** *(of bus)* faire le service entre; **the road runs to...** la route va à...; **the river runs into the sea** le fleuve se jette dans la mer; **it runs in the family** ça tient de famille

▸ **run about, run around** *vi* courir çà et là

▸ **run across** *vt insep (meet)* tomber sur

▸ **run along** *vi* **r. along!** filez!

▸ **run away** *vi (flee)* s'enfuir (**from** de)

▸ **run back** *vt sep (person in vehicle)* ramener (**to** à)

▸ **run down** *vt sep (pedestrian)* renverser; *(knock over and kill)* écraser; *Fig (belittle)* dénigrer; *(restrict)* limiter peu à peu

▸ **run in** *vt sep Br (engine)* roder

▸ **run into** *vt insep (meet)* tomber sur; *(crash into) (of vehicle, train)* percuter; **to r. into debt** s'endetter

▸ **run off** **1** *vt sep (print)* tirer **2** *vi (flee)* s'enfuir (**with** avec)

▸ **run out** **1** *vt sep* **to r. sb out of** *(chase)* chasser qn de **2** *vi (of stocks)* s'épuiser; *(of lease)* expirer; *(of time)* manquer; **to r. out of time/money** manquer de temps/d'argent; **we've r. out of coffee** on n'a plus de café; **I ran out of petrol** *or Am* **gas** je suis tombé en panne d'essence

▸ **run over** **1** *vt sep (kill)* écraser; *(knock down)* renverser **2** *vt insep (notes, text)* revoir **3** *vi (of liquid)* déborder

▸ **run round** *vt insep (surround)* entourer

▸ **run through** *vt insep (recap)* revoir

▸ **run up** *vt sep (debts, bill)* laisser s'accumuler

runaway ['rʌnəweɪ] **1** *n* fugitif, -ive *mf* **2** *adj (car, horse)* fou *(f* folle); *(inflation)* galopant; *(victory)* remporté haut la main

run-down [rʌnˈdaʊn] *adj (weak, tired)* fatigué; *(district)* délabré

rung¹ [rʌŋ] *n (of ladder)* barreau *m*

rung² [rʌŋ] *pp of* **ring²**

runner ['rʌnə(r)] *n (athlete)* coureur *m*; *Br* **r. bean** haricot *m* d'Espagne

runner-up [rʌnərˈʌp] *n (in race)* second, -onde *mf*

running ['rʌnɪŋ] **1** *n* course *f*; *(of machine)* fonctionnement *m*; *(of business, country)* gestion *f*; **to be in/out of the r.** être/ne plus être dans la course **2** *adj* **six days r.** six jours de suite; **r. water** eau *f* courante; **a r. battle**

with *(cancer, landlord)* une lutte de tous les instants avec; **to give a r. commentary (on)** *(on TV)* faire un commentaire en direct (de); **r. costs** *(of factory)* frais *mpl* d'exploitation; *(of car)* dépenses *fpl* courantes

runny ['rʌnɪ] (**-ier, -iest**) *adj (cream, sauce)* liquide; *(nose)* qui coule; **r. omelet(te)** omelette *f* baveuse

run-of-the-mill [rʌnəvðə'mɪl] *adj* ordinaire

run-up ['rʌnʌp] *n* **in the r. to** *(elections, Christmas)* dans la période qui précède

runway ['rʌnweɪ] *n (for aircraft)* piste *f* (d'envol); *Am (for fashion show)* podium *m*

rupture ['rʌptʃə(r)] **1** *n (hernia)* hernie *f*; **the r. of** *(breaking)* la rupture de **2** *vt* rompre; **to r. oneself** se faire une hernie

rural ['rʊərəl] *adj* rural

ruse [ruːz] *n* ruse *f*

rush¹ [rʌʃ] **1** *n (demand)* ruée *f* (**for** vers; **on** sur); *(confusion)* bousculade *f*; **to be in a r.** être pressé (**to do** de faire); **to leave in a r.** partir en vitesse; **the gold r.** la ruée vers l'or; **r. hour** heures *fpl* de pointe; **a r. job** un travail urgent **2** *vt Mil (attack)* prendre d'assaut; **to r. sb** *(hurry)* bousculer qn; **to r. sb to hospital** *or Am* **the hospital** transporter qn d'urgence à l'hôpital; **to r. (through) sth** *(job)* faire qch en vitesse; *(decision)* prendre qch à la hâte; **to be**

rushed into a decision être forcé à prendre une décision à la hâte **3** *vi (move fast, throw oneself)* se ruer (**at** sur); *(of blood)* affluer (**to** à); *(hurry)* se dépêcher (**to do** de faire); *(of vehicle)* foncer; **to r. out** sortir précipitamment

rush² [rʌʃ] *n (plant)* jonc *m*

rusk [rʌsk] *n Br* biscotte *f*

Russia ['rʌʃə] *n* la Russie ▪ **Russian 1** *adj* russe **2** *n (person)* Russe *mf*; *(language)* russe *m*

russet ['rʌsɪt] *adj* brun roux *inv*

rust [rʌst] **1** *n* rouille *f* **2** *vi* rouiller ▪ **rustproof** *adj* inoxydable ▪ **rusty** (**-ier, -iest**) *adj* rouillé

rustic ['rʌstɪk] *adj* rustique

rustle¹ ['rʌsəl] **1** *n* bruissement *m* **2** *vt Fam* **to r. sth up** *(meal, snack)* improviser qch; **to r. up support** rassembler des partisans **3** *vi (of leaves)* bruire

rustle² ['rʌsəl] *vt Am (steal)* voler ▪ **rustler** *n Am (thief)* voleur *m* de bétail

rut [rʌt] *n* ornière *f*; *Fig* **to be (stuck) in a r.** être encroûté

rutabaga [ruːtə'beɪgə] *n Am (swede)* rutabaga *m*

ruthless ['ruːθləs] *adj* impitoyable ▪ **ruthlessly** *adv* impitoyablement ▪ **ruthlessness** *n* cruauté *f*

rye [raɪ] *n* seigle *m*; **r. bread** pain *m* de seigle

S, s [es] *n (letter)* S, s *m inv*

Sabbath ['sæbəθ] *n (Jewish)* sabbat *m; (Christian)* jour *m* du seigneur

sabbatical [sə'bætɪkəl] **1** *adj (university year, term)* sabbatique **2** *n* **to be on s.** être en congé sabbatique

sabotage ['sæbətɑːʒ] **1** *n* sabotage *m* **2** *vt* saboter ▪**saboteur** [-'tɜː(r)] *n* saboteur, -euse *mf*

sabre ['seɪbə(r)] *(Am* **saber)** *n* sabre *m*

saccharin ['sækərɪn] *n* saccharine *f*

sachet ['sæʃeɪ] *n* sachet *m*

sack [sæk] **1** *n (bag)* sac *m; Fam* **to get the s.** faire virer; *Fam* **to give sb the s.** virer qn; *Fam* **to hit the s.** se pieuter **2** *vt (town)* mettre à sac; *Fam (dismiss)* virer ▪**sacking** *n (cloth)* toile *f* à sac; *Fam (dismissal)* renvoi *m*

sacrament ['sækrəmənt] *n Rel* sacrement *m*

sacred ['seɪkrɪd] *adj* sacré

sacrifice ['sækrɪfaɪs] **1** *n* sacrifice *m* **2** *vt* sacrifier **(to** à)

sacrilege ['sækrɪlɪdʒ] *n* sacrilège *m* ▪**sacrilegious** [-'lɪdʒəs] *adj* sacrilège

sacrosanct ['sækrəʊsæŋkt] *adj Ironic* sacrosaint

sad [sæd] **(sadder, saddest)** *adj* triste ▪**sadden** *vt* attrister ▪**sadly** *adv (unhappily)* tristement; *(unfortunately)* malheureusement; **to be s. mistaken** se tromper lourdement ▪**sadness** *n* tristesse *f*

saddle ['sædəl] **1** *n* selle *f; Fig* **to be in the s.** *(in control)* être aux commandes **2** *vt (horse)* seller; *Fam* **to s. sb with sb/sth** refiler qn/qch à qn ▪**saddlebag** *n* sacoche *f*

sadism ['seɪdɪzəm] *n* sadisme *m* ▪**sadist** *n* sadique *mf* ▪**sadistic** [sə'dɪstɪk] *adj* sadique

sae [eseɪ'iː] *(abbr Br* **stamped addressed envelope,** *Am* **self-addressed envelope)** *n* enveloppe *f* timbrée *(libellée à ses noms et adresse)*

safari [sə'fɑːrɪ] *n* safari *m;* **to go on s.** faire un safari; **s. park** réserve *f* d'animaux sauvages

safe [seɪf] **1** **(-er, -est)** *adj (person)* en sécurité; *(equipment, animal)* sans danger; *(place, investment, method)* sûr; *(winner)* assuré; **s. (and sound)** sain et sauf *(f* saine et sauve); **in s. hands** entre de bonnes mains; **to be s. from** être à l'abri de; **... to be on the s. side** ... pour plus de sûreté; **to wish sb a s. journey** souhaiter bon voyage à qn; **it's s. to go out** on peut sortir sans danger; **the safest thing to do is...** le plus sûr est de...; **s. sex** rapports *mpl* sexuels protégés **2** *n (for money, valuables)* coffre-fort *m* ▪**safe-de'posit box** *n (in bank)* coffre *m* ▪**safeguard** **1** *n* garantie *f* **(against** contre) **2** *vt* sauvegarder **3** *vi* **to s. against sth** se protéger contre qch ▪**safe-'keeping** *n* **to give sb sth for s.** donner qch à la garde de qn

safely ['seɪflɪ] *adv (without risk)* en toute sécurité; *(drive)* prudemment; *(with certainty)* avec certitude; **to arrive s.** bien arriver

safety ['seɪftɪ] **1** *n* sécurité *f* **2** *adj (belt, device, screen, margin)* de sécurité; *(pin, chain, valve)* de sûreté; **s. curtain** *(in theatre)* rideau *m* de fer; **s. net** *(in circus)* filet *m; Fig (safeguard)* mesure *f* de sécurité

saffron ['sæfrən] *n* safran *m*

sag [sæg] *(pt & pp* **-gg-)** *vi (of roof, ground, bed)* s'affaisser; *(of breasts)* tomber; *(of flesh)* être flasque; *(of prices)* baisser

saga ['sɑːgə] *n* saga *f*

sage¹ [seɪdʒ] *n (plant, herb)* sauge *f*

sage² [seɪdʒ] *n (wise man)* sage *m*

Sagittarius [sædʒɪ'teərɪəs] *n (sign)* le Sagittaire; **to be (a) S.** être Sagittaire

Sahara [sə'hɑːrə] *n* **the S. (desert)** le Sahara

said [sed] *pt & pp of* **say**

sail [seɪl] **1** *n (on boat)* voile *f; (of mill)* aile *f;* **to set s.** prendre la mer **2** *vt (boat)* commander; *(seas)* parcourir **3** *vi (of person, ship)* naviguer; *(leave)* prendre la mer; *(do as sport)* faire de la voile; **to s. into port** entrer au port; **to s. round the world** faire le tour du monde en bateau; *Fam* **to s. through an exam** réussir un examen haut la main; **the clouds sailed by** les nuages passaient dans le ciel ▪**sailboard** *n* planche *f* à voile ▪**sailboat** *n Am* voilier *m* ▪**sailing** *n (sport)* voile *f; (departure)* appareillage *m;* **to go s.** faire de la voile; *Br* **s. boat** voilier *m*

sailor ['seɪlə(r)] *n* marin *m*

saint [seɪnt] *n* saint *m,* sainte *f;* **S. John** saint Jean; **All Saints' Day** la Toussaint ▪**saintly** **(-ier, -iest)** *adj (life)* de saint

sake [seɪk] *n* **for my/your/his s.** pour moi/toi/lui; **for heaven's** *or* **God's s.!** pour l'amour de Dieu!; **for your own s.** pour ton bien; **(just) for the s. of eating** simplement pour manger

salable [ˈseɪləbəl] *adj Am* vendable

salacious [səˈleɪʃəs] *adj* salace

salad [ˈsæləd] *n* salade *f*; **s. bowl** saladier *m*; *Br* **s. cream** = sorte de mayonnaise; **s. dressing** = sauce pour salade

salamander [ˈsæləmændə(r)] *n* salamandre *f*

salami [səˈlɑːmɪ] *n* salami *m*

salary [ˈsælərɪ] (*pl* -**ies**) *n* salaire *m* ▪ **salaried** *adj* salarié

sale [seɪl] *n* (*action, event*) vente *f*; (*at reduced price*) solde *m*; **the sales** les soldes; **on s.** en vente; **in the sales** en solde; (**up**) **for s.** à vendre; **to put sth up for s.** mettre qch en vente; **s. price** prix *m* de vente; *Br* **sales assistant** vendeur, -euse *mf*; **sales department** service *m* commercial; **sales pitch** arguments *mpl* de vente; *Am* **sales check** *or* **slip** reçu *m* ▪ **saleable** (*Am* **salable**) *adj* vendable ▪ **salesclerk** *n Am* vendeur, -euse *mf* ▪ **salesman** (*pl* -**men**) *n* (*in shop*) vendeur *m*; (*for company*) représentant *m* ▪ **saleswoman** (*pl* -**women**) *n* (*in shop*) vendeuse *f*; (*for company*) représentante *f*

salient [ˈseɪlɪənt] *adj* (*feature, fact*) marquant

saliva [səˈlaɪvə] *n* salive *f* ▪ **salivate** [ˈsælɪveɪt] *vi* saliver

sallow [ˈsæləʊ] (-**er**, -**est**) *adj* jaunâtre

salmon [ˈsæmən] *n inv* saumon *m*; **s. trout** truite *f* saumonée

salmonella [sælməˈnelə] *n* salmonelle *f*

salon [ˈsælɒn] *n* **beauty s.** institut *m* de beauté; **hairdressing s.** salon *m* de coiffure

saloon [səˈluːn] *n* (*room*) salle *f*; *Am* (*bar*) bar *m*; *Br* **s. car** berline *f*

salt [sɔːlt] **1** *n* sel *m*; **s. beef** bœuf *m* salé; **s. mine** mine *f* de sel; **s. water** eau *f* salée **2** *vt* saler ▪ **saltcellar** *n Br* salière *f* ▪ **'salt-'free** *adj* sans sel ▪ **saltshaker** *n Am* salière *f* ▪ **saltwater** *adj* (*lake*) (*fish*) de mer ▪ **salty** (-**ier**, -**iest**) *adj* salé

salubrious [səˈluːbrɪəs] *adj Formal* salubre

salute [səˈluːt] **1** *n* salut *m* **2** *vt* (*greet*) & *Mil* saluer **3** *vi* faire un salut

salvage [ˈsælvɪdʒ] **1** *n* (*of ship*) sauvetage *m*; (*of waste material*) récupération *f*; **s. operation** opération *f* de sauvetage **2** *vt* (*ship*) sauver; (*waste material*) récupérer

salvation [sælˈveɪʃən] *n* salut *m*; **the S. Army** l'Armée *f* du salut

same [seɪm] **1** *adj* même; **the** (**very**) **s. house as…** (exactement) la même maison que… **2** *pron* **the s.** le même, la même, *pl* les mêmes; **I would have done the s.** j'aurais fait la même chose; **it's all the s. to me** ça m'est égal **3** *adv* **to look the s.** (*of two things*) sembler pareils; **to taste the s.** avoir le même goût; **all the s.** (*nevertheless*) tout de même ▪ **sameness** *n* monotonie *f*

sample [ˈsɑːmpəl] **1** *n* échantillon *m*; (*of blood*)

prélèvement *m* **2** *vt* (*wine, cheese*) goûter; (*public opinion*) sonder; (*piece of music*) sampler

sanatorium [sænəˈtɔːrɪəm] (*pl* -**ria** [-rɪə]) *n Br* sanatorium *m*

sanctify [ˈsæŋktɪfaɪ] (*pt & pp* -**ied**) *vt* sanctifier

sanctimonious [sæŋktɪˈməʊnɪəs] *adj* moralisateur, -trice

sanction [ˈsæŋkʃən] **1** *n* (*penalty*) sanction *f*; *Formal* (*consent*) consentement *m* **2** *vt Formal* (*approve*) sanctionner

sanctity [ˈsæŋktɪtɪ] *n* sainteté *f*; (*of marriage*) caractère *m* sacré

sanctuary [*Br* ˈsæŋktʃʊərɪ, *Am* -erɪ] (*pl* -**ies**) *n Rel* sanctuaire *m*; (*for fugitive, refugee*) refuge *m*; (*for wildlife*) réserve *f*

sand [sænd] **1** *n* sable *m*; **s. castle** château *m* de sable; **s. dune** dune *f* **2** *vt* (*road*) sabler; **to s.** (**down**) (*wood*) poncer ▪ **sandbag** *n* sac *m* de sable ▪ **sandbank** *n* banc *m* de sable ▪ **sandbox** *n Am* bac *m* à sable ▪ **sander** *n* (*machine*) ponceuse *f* ▪ **sandpaper 1** *n* papier *m* de verre **2** *vt* (*wood*) poncer ▪ **sandpit** *n Br* bac *m* à sable ▪ **sandstone** *n* (*rock*) grès *m* ▪ **sandstorm** *n* tempête *f* de sable

sandal [ˈsændəl] *n* sandale *f*

sandwich [ˈsænwɪdʒ] **1** *n* sandwich *m*; **cheese s.** sandwich au fromage; *Br* **s. bar** snack *m* (*qui ne vend que des sandwichs*); *Br* **s. course** formation *f* professionnelle en alternance **2** *vt* **to be sandwiched between** (*of layer*) être intercalé entre; (*of person, building*) être coincé entre

sandy [ˈsændɪ] (-**ier**, -**iest**) *adj* (**a**) (*beach*) de sable; (*road, ground*) sablonneux, -euse; (*water*) sableux, -euse (**b**) (*hair*) blond roux *inv*

sane [seɪn] (-**er**, -**est**) *adj* (*person*) sain d'esprit; (*action, remark*) sensé

sang [sæŋ] *pt of* **sing**

sanguine [ˈsæŋgwɪn] *adj* optimiste

sanitarium [sænɪˈteərɪəm] *n Am* = **sanatorium**

sanitary [*Br* ˈsænɪtərɪ, *Am* -erɪ] *adj* (*fittings, conditions*) sanitaire; (*clean*) hygiénique; *Br* **s. towel**, *Am* **s. napkin** serviette *f* hygiénique

sanitation [sænɪˈteɪʃən] *n* hygiène *f* publique; (*plumbing*) installations *fpl* sanitaires; *Am* **s. department** service *m* de collecte des ordures ménagères

sanity [ˈsænɪtɪ] *n* santé *f* mentale

sank [sæŋk] *pt of* **sink²**

Santa Claus [ˈsæntəklɔːz] *n* le père Noël

sap [sæp] **1** *n* (*of tree, plant*) sève *f* **2** (*pt & pp* -**pp**-) *vt* (*weaken*) saper

sapphire [ˈsæfaɪə(r)] *n* (*jewel, needle*) saphir *m*

sarcasm [ˈsɑːkæzəm] *n* sarcasme *m* ▪ **sarcastic** *adj* sarcastique

sardine [sɑːˈdiːn] *n* sardine *f*

Sardinia [sɑːˈdɪnɪə] *n* la Sardaigne

sardonic [sɑːˈdɒnɪk] *adj* sardonique

sari [ˈsɑːrɪ] *n* sari *m*

sarong [sə'rɒŋ] *n* paréo *m*
SARS [sɑːz] (*abbr* **severe acute respiratory syndrome**) *n Med* SRAS *m*
SASE [eseɪes'iː] (*abbr* **self-addressed stamped envelope**) *n Am* enveloppe *f* timbrée (*libellée à ses noms et adresse*)
sash [sæʃ] *n* (*on dress*) ceinture *f*; (*of mayor*) écharpe *f*; **s. window** fenêtre *f* à guillotine
sat [sæt] *pt* & *pp* *of* **sit**
Satan ['seɪtən] *n* Satan *m* ■**satanic** [sə'tænɪk] *adj* satanique
satchel ['sætʃəl] *n* cartable *m*
satellite ['sætəlaɪt] *n* satellite *m*; **s. country** pays *m* satellite; **s. dish** antenne *f* parabolique, parabole *f*; **s. picture** (*for weather*) animation *f* satellite; **s. television** télévision *f* par satellite
satin ['sætɪn] *n* satin *m*; **s. dress** robe *f* de *ou* en satin
satire ['sætaɪə(r)] *n* satire *f* (**on** contre) ■**satirical** [sə'tɪrɪkəl] *adj* satirique ■**satirist** ['sætɪrɪst] *n* écrivain *m* satirique ■**satirize** ['sætɪraɪz] *vt* satiriser, faire la satire de
satisfaction [sætɪs'fækʃən] *n* satisfaction *f* ■**satisfactory** *adj* satisfaisant
satisfy ['sætɪsfaɪ] (*pt* & *pp* **-ied**) *vt* satisfaire; (*convince*) persuader (**that** que); (*condition*) remplir; **to s. oneself that...** s'assurer que...; **to be satisfied (with)** être satisfait (de) ■**satisfying** *adj* satisfaisant; (*meal, food*) substantiel, -ielle
satsuma [sæt'suːmə] *n Br* mandarine *f*
saturate ['sætʃəreɪt] *vt* saturer (**with** de) ■**satu'ration** *n* saturation *f*; **to reach s. point** arriver à saturation
Saturday ['sætədeɪ] *n* samedi *m*
sauce [sɔːs] *n* (**a**) sauce *f*; **mint s.** sauce à la menthe; **s. boat** saucière *f* (**b**) *Fam* (*impudence*) toupet *m* ■**saucy** (**-ier, -iest**) *adj Fam* (*impudent*) insolent; (*risqué*) coquin
saucepan ['sɔːspən] *n* casserole *f*
saucer ['sɔːsə(r)] *n* soucoupe *f*
Saudi Arabia [saʊdɪə'reɪbɪə] *n* l'Arabie *f* Saoudite
sauerkraut ['saʊəkraʊt] *n* choucroute *f*
sauna ['sɔːnə] *n* sauna *m*
saunter ['sɔːntə(r)] *vi* flâner
sausage ['sɒsɪdʒ] *n* saucisse *f*; *Br* **s. roll** feuilleté *m* à la viande
sauté ['saʊteɪ] **1** *adj* sauté **2** (*pt* & *pp* **-éed**) *vt* faire sauter
savage ['sævɪdʒ] **1** *adj* (*animal, person*) féroce; (*attack, criticism*) violent **2** *n Old-fashioned* sauvage *mf* **3** *vt* (*physically*) attaquer ■**savagery** *n* (*cruelty*) sauvagerie *f*
save [seɪv] *vt* (*rescue*) sauver (**from** de); (*keep*) garder; (*money*) économiser; (*time*) gagner; *Comptr* sauvegarder; **to s. energy** faire des économies d'énergie; **to s. sb's life**

sauver la vie de qn; **to s. sb from doing sth** empêcher qn de faire qch; **to s. sb sth** éviter qch à qn; **to s. up** mettre de l'argent de côté (**for** pour); **God s. the Queen!** vive la reine! **2** *vi* **to s. (up)** faire des économies (**for/on** pour/sur) **3** *n Football* arrêt *m* ■**saving** *n* (*of time, money*) économie *f*; **savings** (*money saved*) économies *fpl*; **savings account** compte *m* d'épargne; **savings bank** caisse *f* d'épargne
save² [seɪv] *prep Formal* (*except*) hormis
saviour ['seɪvjə(r)] (*Am* **savior**) *n* sauveur *m*
savour ['seɪvə(r)] (*Am* **savor**) **1** *n* saveur *f* **2** *vt* savourer ■**savoury** (*Am* **savory**) *adj* (*not sweet*) salé; *Fig* (*conduct*) honorable
saw¹ [sɔː] **1** *n* scie *f* **2** (*pt* **sawed**, *pp* **sawn** *or* **sawed**) *vt* scier; **to s. sth off** scier qch; *a Br* **sawn-off** *or Am* **sawed-off shotgun** un fusil à canon scié ■**sawdust** *n* sciure *f* ■**sawmill** *n* scierie *f*
saw² [sɔː] *pt of* **see¹**
sawn [sɔːn] *pp of* **saw¹**
saxophone ['sæksəfəʊn] *n* saxophone *m*
say [seɪ] **1** (*pt* & *pp* **said**) *vt* (*tell*) dire (**to** à; **that** que); (*of dial, watch*) indiquer; **to s. again** répéter; **it is said that...** on dit que...; **what do you s. to a walk?** que dirais-tu d'une promenade?; **let's s. tomorrow** disons demain; **to s. the least** c'est le moins que l'on puisse dire; **to s. nothing of...** sans parler de...; **that is to s.** c'est-à-dire **2** *vi* dire; *Fam* **you don't s.!** sans blague!; *Br Old-fashioned* **I s.!** dites donc!; *Am Fam* **s.!** dis donc!; **that goes without saying** ça va sans dire **3** *n* **to have one's s.** avoir son mot à dire; **to have no s.** ne pas avoir voix au chapitre (**in** concernant)
saying ['seɪɪŋ] *n* maxime *f*
scab [skæb] *n* (*of wound*) croûte *f*; *Fam* (*strikebreaker*) jaune *mf*
scaffold ['skæfəld] *n* (*gallows*) échafaud *m*; (*for construction work*) échafaudage *m* ■**scaffolding** *n* échafaudage *m*
scald [skɔːld] **1** *n* brûlure *f* **2** *vt* ébouillanter ■**scalding** *adj* brûlant
scale¹ [skeɪl] **1** *n* (*of instrument, map*) échelle *f*; (*of salaries*) barème *m*; *Fig* (*of problem*) étendue *f*; **on a small/large s.** sur une petite/grande échelle; **s. model** modèle *m* réduit **2** *vt* **to s. sth down** revoir qch à la baisse
scale² [skeɪl] **1** *n* (*on fish*) écaille *f*; (*in kettle*) dépôt *m* calcaire **2** *vt* (*fish*) écailler
scale³ [skeɪl] *vt* (*climb*) escalader
scales [skeɪlz] *npl* (*for weighing*) balance *f*; (*bathroom*) **s.** pèse-personne *m*; (*baby*) **s.** pèse-bébé *m*
scallion ['skæljən] *n Am* (*onion*) oignon *m* blanc
scallop ['skɒləp] *n* coquille *f* Saint-Jacques
scalp [skælp] *n* cuir *m* chevelu
scalpel ['skælpəl] *n* scalpel *m*
scam [skæm] *n Fam* arnaque *f*
scamp [skæmp] *n* coquin, -ine *mf*

scamper ['skæmpə(r)] *vi* **to s. off** *or* **away** détaler

scampi ['skæmpɪ] *n* scampi *mpl*

scan [skæn] **1** *n Med* **to have a s.** *(of pregnant woman)* passer une échographie **2** *(pt & pp* **-nn-)** *vt (read quickly)* parcourir; *(scrutinize)* scruter; *Comptr* passer au scanner ▪ **scanner** *n Med & Comptr* scanner *m*

scandal ['skændəl] *n (outrage)* scandale *m*; *(gossip)* ragots *mpl*; **to cause a s.** faire scandale ▪ **scandalize** *vt* scandaliser ▪ **scandalous** *adj* scandaleux, -euse

Scandinavia [skændɪ'neɪvɪə] *n* la Scandinavie ▪ **Scandinavian 1** *adj* scandinave **2** *n* Scandinave *mf*

scant [skænt] *adj* insuffisant ▪ **scantily** *adv* insuffisamment; **s. dressed** légèrement vêtu ▪ **scanty (-ier, -iest)** *adj* insuffisant

scapegoat ['skeɪpgəʊt] *n* bouc *m* émissaire

scar [skɑː(r)] **1** *n* cicatrice *f*; **s. tissue** tissu *m* cicatriciel **2** *(pt & pp* **-rr-)** *vt* marquer d'une cicatrice; *Fig (of experience)* marquer; *Fig* **to be scarred for life** être marqué à vie

scarce [skeəs] **(-er, -est)** *adj* rare; **to make oneself s.** filer ▪ **scarceness, scarcity** *n* pénurie *f*

scarcely ['skeəslɪ] *adv* à peine; **he could s. breathe** il pouvait à peine respirer; **s. anything** presque rien; **s. ever** presque jamais

scare [skeə(r)] **1** *n* frayeur *f*; **to give sb a s.** faire peur à qn **2** *vt* faire peur à; **to s. sb off** faire fuir qn ▪ **scared** *adj* effrayé; **to be s. of sb/sth** avoir peur de qn/qch; **to be s. stiff** être mort de peur ▪ **scary (-ier, -iest)** *adj Fam* effrayant; **it's s.** ça fait peur

scarecrow ['skeəkrəʊ] *n* épouvantail *m*

scaremonger ['skeəmʌŋgə(r)] *n* alarmiste *mf*

scarf [skɑːf] *(pl* **scarves)** *n (long)* écharpe *f*; *(square)* foulard *m*

scarlet ['skɑːlət] *adj* écarlate; **s. fever** scarlatine *f*

scathing ['skeɪðɪŋ] *adj (remark)* acerbe; **to be s. about sb/sth** faire des remarques acerbes sur qn/qch

scatter ['skætə(r)] **1** *vt (clouds, demonstrators)* disperser; *(corn, seed)* jeter à la volée; *(papers)* laisser traîner **2** *vi (of crowd)* se disperser

scatterbrain ['skætəbreɪn] *n* écervelé, -ée *mf*

scatty ['skætɪ] **(-ier, -iest)** *adj Br Fam* écervelé

scavenge ['skævɪndʒ] *vi* **to s. for sth** fouiller pour trouver qch ▪ **scavenger** *n (animal)* charognard *m*

scenario [sɪ'nɑːrɪəʊ] *(pl* **-os)** *n (of film)* scénario *m*

scene [siːn] *n (in book, film, play)* scène *f*; *(of event, crime, accident)* lieu *m*; *(fuss)* scandale *m*; *also Fig* **behind the scenes** dans les coulisses; **on the s.** sur les lieux; **a s. of devastation** un spectacle de dévastation; **to make a s.** faire un scandale

scenery ['siːnərɪ] *(pl* **-ies)** *n (landscape)* paysage *m*; *(in play, film)* décors *mpl*; *Fam* **I need a change of s.** j'ai besoin de changer d'air

scenic ['siːnɪk] *adj* pittoresque; **s. route** route *f* touristique

scent [sent] **1** *n (smell)* odeur *f*; *(perfume)* parfum *m*; *(in hunting)* fumet *m*; **she threw her pursuers off the s.** elle sema ses poursuivants **2** *vt (perfume)* parfumer **(with** de); *(smell)* flairer

scepter ['septər] *n Am* = **sceptre**

sceptic ['skeptɪk] *(Am* **skeptic)** *adj & n* sceptique *(mf)* ▪ **sceptical** *(Am* **skeptical)** *adj* sceptique ▪ **scepticism** *(Am* **skepticism)** *n* scepticisme *m*

sceptre ['septə(r)] *(Am* **scepter)** *n* sceptre *m*

schedule [*Br* 'ʃedjuːl, *Am* 'skedʒʊl] **1** *n (plan)* programme *m*; *(for trains, buses)* horaire *m*; *(list)* liste *f*; **to be on s.** *(train, bus)* être à l'heure; *(person)* être dans les temps; **to be ahead of s.** être en avance sur le programme; **to be behind s.** être en retard sur le programme; **according to s.** comme prévu **2** *vt* prévoir; *(event)* fixer la date/l'heure de ▪ **scheduled** *adj (planned)* prévu; *(service, flight, train)* régulier, -ière; **she's s. to leave at eight** son départ est prévu pour huit heures

scheme [skiːm] **1** *n (plan)* plan *m* **(to do** pour faire); *(plot)* complot *m*; *(arrangement)* arrangement *m*; *(housing)* **s.** lotissement *m* **2** *vi Pej* comploter ▪ **scheming** *Pej* **1** *adj* intrigant **2** *n* machinations *fpl*

schizophrenia [skɪtsəʊ'friːnɪə] *n* schizophrénie *f* ▪ **schizophrenic** [-'frenɪk] *adj & n* schizophrène *(mf)*

scholar ['skɒlə(r)] *n* érudit, -ite *mf* ▪ **scholarly** *adj* érudit ▪ **scholarship** *n (learning)* érudition *f*; *(grant)* bourse *f* d'études

school [skuːl] **1** *n (in) école *f*; *(within university)* département *m*; *Am Fam (college)* université *f*; **in** *or* **at s.** à l'école; *Br* **secondary s.,** *Am* **high s.** établissement *m* d'enseignement secondaire **2** *adj (year, book, equipment)* scolaire; **s. bag** cartable *m*; **s. bus** car *m* de ramassage scolaire; **s. fees** frais *mpl* de scolarité; **s. hours** les heures *fpl* de cours; **s. leaver** = jeune qui vient de terminer ses études secondaires; *Am* **s. yard** cour *f* de récréation ▪ **schoolboy** *n* écolier *m* ▪ **schoolchildren** *npl* écoliers *mpl* ▪ **schoolfriend** *n* camarade *mf* de classe ▪ **schoolgirl** *n* écolière *f* ▪ **schooling** *n* scolarité *f* ▪ **schoolmate** *n* camarade *mf* de classe ▪ **schoolroom** *n* salle *f* de classe ▪ **schoolteacher** *n (primary)* instituteur, -trice *mf*; *(secondary)* professeur *m*

schooner ['skuːnə(r)] *n (ship)* goélette *f*

sciatica [saɪ'ætɪkə] *n* sciatique *f*

science ['saɪəns] *n* science *f*; **to study s.** étudier les sciences; **s. teacher** professeur *m* de sciences; **s. fiction** science-fiction *f* ▪ **sci-**

en'tific *adj* scientifique ▪**scientist** *n* scientifique *mf*

sci-fi ['saɪfaɪ] *n Fam* SF *f*

Scilly Isles ['sɪlɪaɪlz] *npl* the S. les Sorlingues *fpl*

scintillating ['sɪntɪleɪtɪŋ] *adj* brillant

scissors ['sɪzəz] *npl* ciseaux *mpl*; **a pair of s.** une paire de ciseaux

sclerosis [sklɪ'rəʊsɪs] *n Med* sclérose *f*

scoff [skɒf] **1** *vt* **to s. at sb/sth** se moquer de qn/qch **2** *vti Br Fam (eat)* bouffer

scold [skəʊld] *vt* gronder (**for doing** pour avoir fait) ▪**scolding** *n* **to get a s.** se faire gronder

scone [skəʊn, skɒn] *n Br* scone *m*

scoop [sku:p] **1** *n (for flour, sugar)* pelle *f*; *(for ice cream)* cuillère *f*; *(in newspaper)* scoop *m*; **at one s.** d'un seul coup **2** *vt* **to s. sth out** évider qch; **to s. sth up** ramasser qch

scoot [sku:t] *vi Fam* filer

scooter ['sku:tə(r)] *n (for child)* trottinette *f*; *(motorcycle)* scooter *m*

scope [skəʊp] *n (range)* étendue *f*; *(of action)* possibilité *f*; **to give s. for...** *(interpretation)* laisser le champ libre à...

scorch [skɔ:tʃ] **1** *n* **s. (mark)** brûlure *f* **2** *vt* roussir ▪**scorcher** *n Br Fam* jour *m* de canicule ▪**scorching** *adj (day)* caniculaire; *(sun, sand)* brûlant

score¹ [skɔ:(r)] **1** *n (in sport)* score *m*; *(in music)* partition *f*; *(of film)* musique *f* **2** *vt (point, goal)* marquer; *(exam mark)* avoir; *(piece of music)* adapter (**for** pour) **3** *vi (score a goal)* marquer; *(count points)* marquer les points ▪**scoreboard** *n* tableau *m* d'affichage ▪**scorer** *n* marqueur *m*

score² [skɔ:(r)] *n* **a s.** *(twenty)* vingt; *Fam* **scores of** des tas de

score³ [skɔ:(r)] *vt (cut line in)* entailler; **to s. sth off** *or* **out** *(delete)* biffer

scorn [skɔ:n] **1** *n* mépris *m* **2** *vt* mépriser ▪**scornful** *adj* méprisant; **to be s. of sb/sth** considérer qn/qch avec mépris ▪**scornfully** *adv* avec mépris

Scorpio ['skɔ:pɪəʊ] *n (sign)* le Scorpion; **to be (a) S.** être Scorpion

scorpion ['skɔ:pɪən] *n* scorpion *m*

Scot [skɒt] *n* Écossais, -aise *mf* ▪**Scotland** *n* l'Écosse *f* ▪**Scotsman** *(pl* -men) *n* Écossais *m* ▪**Scotswoman** *(pl* -women) *n* Écossaise *f* ▪**Scottish** *adj* écossais

Scotch [skɒtʃ] *n (whisky)* scotch *m*

scotch¹ [skɒtʃ] *adj Am* **S. tape®** Scotch® *m*

scotch² [skɒtʃ] *vt (rumour)* étouffer

scot-free ['skɒt'fri:] *adv* sans être puni

scoundrel ['skaʊndrəl] *n* crapule *f*

scour ['skaʊə(r)] *vt (pan)* récurer; *Fig (streets, house)* ratisser (**for** à la recherche de) ▪**scourer** *n* tampon *m* à récurer

scourge [skɜ:dʒ] *n* fléau *m*

scout [skaʊt] **1** *n (soldier)* éclaireur *m*; **(boy) s.** scout *m*; Am *(girl)* **s.** éclaireuse *f* **2** *vi* **to s. round for sth** chercher qch; **to s. for talent** dénicher les talents

scowl [skaʊl] *vi* lancer des regards noirs (**at** à)

scrabble ['skræbəl] *vi* **to s. around for sth** chercher qch à tâtons

scraggy ['skrægɪ] *(*-ier, -iest) *adj (bony)* maigre

scram [skræm] *(pt & pp* -mm-) *vi Fam* se tirer

scramble ['skræmbəl] **1** *n (rush)* ruée *f* (**for** vers); *(struggle)* bousculade *f* (**for** pour) **2** *vt (signal)* brouiller; **scrambled eggs** œufs *mpl* brouillés **3** *vi* **to s. for sth** se ruer vers qch; **to s. up a hill** gravir une colline en s'aidant des mains

scrap¹ [skræp] **1** *n* (**a**) *(piece)* bout *m* (**of** de); *(of information)* bribe *f*; **scraps** *(food)* restes *mpl*; **not a s. of** *(truth, good sense)* pas une once de; **s. paper** papier *m* brouillon (**b**) **s. (metal)** ferraille *f*; **to sell sth for s.** vendre qch à la ferraille; **s. heap** tas *m* de ferraille; **s. dealer, s. merchant** ferrailleur *m*; **s. yard** casse *f* **2** *(pt & pp* -pp-) *vt (get rid of sth)* se débarrasser de; *(car)* envoyer à la casse; *Fig (plan, idea)* abandonner

scrap² [skræp] *n Fam (fight)* bagarre *f*; **to get into a s. with sb** en venir aux mains avec qn

scrapbook ['skræpbʊk] *n* album *m* *(de découpages)*

scrape [skreɪp] **1** *n (on skin)* éraflure *f*; *(sound)* raclement *m*; *Fam* **to get into a s.** se mettre dans le pétrin **2** *vt* gratter; *(skin)* érafler; **to s. a living** arriver tout juste à vivre **3** *vi* **to s. against sth** frotter contre qch ▪**scraper** *n* racloir *m* ▪**scraping** *n (of butter)* mince couche *f*

▸**scrape along** *vi (financially)* se débrouiller

▸**scrape away, scrape off** *vt sep* racler

▸**scrape through** *vt insep & vi* **to s. through (an exam)** passer de justesse (à un examen)

▸**scrape together** *vt sep (money, people)* parvenir à rassembler

scratch [skrætʃ] **1** *n (mark, injury)* éraflure *f*; *(on glass, wood)* rayure *f*; *Fam* **to start from s.** repartir de zéro; **it isn't up to s.** ce n'est pas au niveau; **he isn't up to s.** il n'est pas à la hauteur **2** *vt (to relieve itching)* gratter; *(by accident)* érafler; *(glass)* rayer; *(with claw)* griffer; *(write, draw)* griffonner (**on** sur) **3** *vi (of person)* se gratter; *(of pen, clothes)* gratter ▪**scratch-card** *n (lottery card)* carte *f* à gratter

scrawl [skrɔ:l] **1** *n* gribouillis *m* **2** *vt* gribouiller

scrawny ['skrɔ:nɪ] *(*-ier, -iest) *adj* maigrichon, -onne

scream [skri:m] **1** *n* hurlement *m* **2** *vt* hurler **3** *vi* hurler; **to s. at sb** crier après qn; **to s. with pain** hurler de douleur

screech [skri:tʃ] **1** *n* cri *m* strident **2** *vti* hurler

screen [skri:n] **1** *n (of TV set, computer)* écran *m*; **(folding) s.** paravent *m*; *Comptr* **on s.** à l'écran;

Comptr **s. saver** économiseur *m* d'écran; *Cin* **s. test** bout *m* d'essai **2** *vt (hide)* cacher (**from sb** à qn); *(protect)* protéger (**from** de); *(film)* projeter; *(visitors, calls)* filtrer; *(for disease)* faire subir un test de dépistage à; **to s. off** *(hide)* cacher ▪**screening** *n (of film)* projection *f*; *(selection)* tri *m*; *(for disease)* dépistage *m* ▪**screenplay** *n (of film)* scénario *m*

screw [skru:] **1** *n* vis *f*; *Fam* **to have a s. loose** avoir une case de moins **2** *vt* visser (**to** à); **to s. sth down** *or* **on** visser qch; **to s. sth off** dévisser qch; **to s. sth up** *(paper)* chiffonner qch; *very Fam (spoil)* foutre qch en l'air; **to s. up one's eyes** plisser les yeux; **to s. one's face up** faire la grimace ▪**screwball** *n & adj Am Fam* cinglé, -ée *(mf)* ▪**screwdriver** *n* tournevis *m*

scribble ['skrɪbəl] **1** *n* griffonnage *m* **2** *vti* griffonner

scribe [skraɪb] *n* scribe *m*

script [skrɪpt] *n* (a) *(of film)* script *m*; *(of play)* texte *m*; *(in exam)* copie *f* (b) *(handwriting)* script *m* ▪**scriptwriter** *n (for films)* scénariste *mf*; *(for TV or radio)* dialoguiste *mf*

Scripture(s) ['skrɪptʃə(z)] *n(pl) Rel* les saintes Écritures *fpl*

scroll [skrəʊl] **1** *n* rouleau *m*; *(book)* manuscrit *m* **2** *vi Comptr* défiler; **to s. down/up** défiler vers le bas/haut

scrooge [skru:dʒ] *n* avare *m*

scrounge [skraʊndʒ] **1** *vt (meal)* se faire payer (**off** *or* **from sb** par qn); *(steal)* taper (**off** *or* **from sb** à qn); **to s. money off** *or* **from sb** taper qn **2** *vi* vivre en parasite; *Pej* **to s. around for sth** essayer de mettre la main sur qch ▪**scrounger** *n Fam* parasite *m*

scrub [skrʌb] **1** *n* (a) **to give sth a s.** bien frotter qch; *Am* **s. brush** brosse *f* dure (b) *(land)* broussailles *fpl* **2** *(pt & pp -bb-) vt (surface)* frotter; *(pan)* récurer; *Fig (cancel)* annuler; **to s. sth off** *(remove)* enlever qch (à la brosse ou en frottant); *Fig* **to s. sth out** *(erase)* effacer qch ▪**scrubbing brush** *n Br* brosse *f* dure

scruff [skrʌf] *n Fam (person)* individu *m* peu soigné; **by the s. of the neck** par la peau du cou ▪**scruffy** (**-ier, -iest**) *adj (person)* peu soigné

scrum [skrʌm] *n Rugby* mêlée *f*

scrumptious ['skrʌmpʃəs] *adj Fam* fameux, -euse

scruple ['skru:pəl] *n* scrupule *m* ▪**scrupulous** [-pjʊləs] *adj* scrupuleux, -euse ▪**scrupulously** [-pjʊləslɪ] *adv* scrupuleusement

scrutinize ['skru:tɪnaɪz] *vt (document)* éplucher; *(votes)* vérifier ▪**scrutiny** *n* examen *m* minutieux; **to come under s.** être examiné

scuba ['sku:bə] *n* **s. diver** plongeur, -euse *mf*; **s. diving** la plongée sous-marine

scuff [skʌf] *vt* **to s. (up)** *(shoe)* érafler

scuffle ['skʌfəl] *n* bagarre *f*

scullery ['skʌlərɪ] *n Br* arrière-cuisine *f*

sculpt [skʌlpt] *vti* sculpter ▪**sculptor** *n* sculpteur, -trice *mf* ▪**sculpture 1** *n (art, object)* sculpture *f* **2** *vti* sculpter

scum [skʌm] *n* (a) *(of dirt)* crasse *f*; *(froth)* écume *f* (b) *Fam Pej (people)* racaille *f*; *(person)* ordure *f*; **the s. of the earth** le rebut de la société

scupper ['skʌpə(r)] *vt Br (ship, project)* couler

scurrilous ['skʌrɪləs] *adj* calomnieux, -ieuse

scurry ['skʌrɪ] *vi (rush)* courir; **to s. off** se sauver

scurvy ['skɜ:vɪ] *n Med* scorbut *m*

scuttle ['skʌtəl] **1** *vt (ship)* saborder **2** *vi* **to s. off** filer

scuzzy ['skʌzɪ] (**-ier, -iest**) *adj Am Fam (dirty)* cradingue, cracra *inv*

scythe [saɪð] *n* faux *f*

sea [si:] **1** *n* mer *f*; **(out) at s.** en mer; **by s.** par mer; **by** *or* **beside the s.** au bord de la mer; *Fig* **to be all at s.** nager complètement **2** *adj (level, breeze)* de la mer; *(water, fish, salt)* de mer; *(air)* marin; *(battle)* naval *(mpl* -als*); (route)* maritime; **s. bed, s. floor** fond *m* de la mer; **s. change** changement *m* radical; **s. horse** hippocampe *m*; **s. lion** otarie *f*; **s. urchin** oursin *m*; **s. voyage** voyage *m* en mer ▪**seaboard** *n* littoral *m* ▪**seafarer** *n* marin *m* ▪**seafood** *n* fruits *mpl* de mer ▪**seafront** *n Br* front *m* de mer ▪**seagull** *n* mouette *f* ▪**seaman** *(pl* -men*) n* marin *m* ▪**seaport** *n* port *m* maritime ▪**seashell** *n* coquillage *m* ▪**seashore** *n* rivage *m* ▪**seasick** *adj* **to be s.** avoir le mal de mer ▪**seasickness** *n* mal *m* de mer ▪**seaside** *n Br* bord *m* de la mer; **s. resort** station *f* balnéaire; **s. town** ville *f* au bord de la mer ▪**seaway** *n* route *f* maritime ▪**seaweed** *n* algues *fpl* ▪**seaworthy** *adj* en état de naviguer

seal¹ [si:l] *n (animal)* phoque *m*

seal² [si:l] **1** *n (stamp)* sceau *m*; *(device for sealing)* joint *m* d'étanchéité; *(on medicine bottle, food container)* = fermeture garantissant la fraîcheur d'un produit; **to give one's s. of approval to sth** donner son approbation à qch **2** *vt (document, container)* sceller; *(stick down)* cacheter; *(make airtight)* fermer hermétiquement; **to s. sb's fate** décider du sort de qn; **to s. off an area** boucler un quartier

seam [si:m] *n (in cloth)* couture *f*; *(of coal, quartz)* veine *f*

seamy ['si:mɪ] (**-ier, -iest**) *adj* **the s. side** le côté sordide (**of** de)

séance ['seɪɒns] *n* séance *f* de spiritisme

search [sɜ:tʃ] **1** *n* recherches *fpl* (**for** de); *(of place)* fouille *f*; **in s. of** à la recherche de; *Comptr* **to do a s. for sth** rechercher qch; *Comptr* **s. engine** moteur *m* de recherche; **s. party** équipe *f* de secours; *Law* **s. warrant**

mandat *m* de perquisition **2** *vt (person, place)* fouiller (**for** pour trouver); **to s. (through) one's papers for sth** chercher dans ses papiers; *Comptr* **to s. a file** rechercher dans un fichier; *Comptr* **to s. a file for sth** rechercher qch dans un fichier **3** *vi* chercher; **to s. for sth** chercher qch; *Comptr* **s. and replace** rechercher et remplacer ■ **searching** *adj (look)* pénétrant; *(examination)* minutieux, -ieuse ■ **searchlight** *n* projecteur *m*

season¹ ['si:zən] *n* saison *f*; *(of films)* cycle *m*; **in the peak s., in (the) high s.** en haute saison; **in the low** *or* **off s.** en basse saison; **'season's greetings'** *(on Christmas card)* 'meilleurs vœux de fin d'année'; **s. ticket** abonnement *m*

season² ['si:zən] *vt Culin (food)* assaisonner; *(with spice)* épicer ■ **seasoning** *n Culin* assaisonnement *m*

seasonable ['si:zənəbəl] *adj (weather)* de saison

seasonal ['si:zənəl] *adj (work, change)* saisonnier, -ière

seasoned ['si:zənd] *adj* **(a) a highly s. dish** un plat très relevé **(b)** *(person)* expérimenté; *(soldier)* aguerri

seat [si:t] **1** *n* siège *m*; *(of trousers)* fond *m*; **to take** *or* **have a s.** s'asseoir; *Fig* **to be in the hot s.** être sur la sellette; **s. belt** ceinture *f* de sécurité **2** *vt (at table)* placer; *(on one's lap)* asseoir; **the bus seats 50** il y a 50 places assises dans ce bus; **be seated!** asseyez-vous! ■ **seated** *adj (sitting)* assis ■ **seating** *n (seats)* places *fpl* assises; *(positioning)* placement *m*; **s. capacity** nombre *m* de places assises; **s. plan** plan *m* de table

-seater ['si:tə(r)] *suff* **two-seater (car)** voiture *f* à deux places

secateurs [sekə'tɜːz] *npl Br* sécateur *m*

secession [sɪ'seʃən] *n* sécession *f* ■ **secede** [-'si:d] *vi* faire sécession *f* (**from** de)

secluded [sɪ'klu:dɪd] *adj (remote)* isolé ■ **seclusion** *n* solitude *f*

second¹ ['sekənd] **1** *adj* deuxième, second; **every s. week** une semaine sur deux; *Aut* **in s. (gear)** en seconde; **s. to none** sans égal; **to be s. in command** commander en second **2** *adv (say)* deuxièmement; **to come s.** *(in competition)* se classer deuxième; **the s. biggest** le deuxième en ordre de grandeur; **my s. best (choice)** mon deuxième choix **3** *n (in series)* deuxième *mf*, second, -onde *mf*; *(in month)* deux *m*; **Louis the S.** Louis Deux; **seconds** *(goods)* articles *mpl* défectueux; **anyone for seconds?** *(at meal)* est-ce que quelqu'un veut du rab? **4** *vt (motion, proposal)* appuyer ■ **'second-'class** *adj (ticket on train)* de seconde (classe); *(mail)* non urgent; *(product)* de qualité inférieure ■ **secondly** *adv* deuxièmement ■ **'second-'rate** *adj* médiocre

second² ['sekənd] *n (part of minute)* seconde *f*; **s. hand** *(of clock, watch)* trotteuse *f*

second³ [sɪ'kɒnd] *vt Br (employee)* détacher (**to** à) ■ **secondment** *n Br* détachement *m*; **on s.** en détachement (**to** à)

secondary ['sekəndərɪ] *adj* secondaire; *Br* **s. school** établissement *m* secondaire

second-hand ['sekənd'hænd] **1** *adj & adv (not new)* d'occasion **2** *adj (report, news)* de seconde main

secrecy ['si:krəsɪ] *n (discretion, silence)* secret *m*; **in s.** en secret; **to swear sb to s.** faire jurer le silence à qn

secret ['si:krɪt] **1** *adj* secret, -ète; **s. agent** agent *m* secret; **s. service** services *mpl* secrets **2** *n* secret *m*; **in s.** en secret; **it's no s.** tout le monde le sait ■ **secretive** *adj (person)* secret, -ète; **to be s. about sth** faire des cachotteries à propos de qch ■ **secretly** *adv* secrètement

secretary [*Br* 'sekrətərɪ, *Am* -erɪ] *(pl* **-ies)** *n* secrétaire *mf*; *Br* **Foreign S.,** *Am* **S. of State** ≃ ministre *m* des Affaires étrangères ■ **secretarial** [-'teərɪəl] *adj (work)* administratif, -ive; *(job, course)* de secrétariat ■ **secretariat** [-'teərɪət] *n* secrétariat *m*

secrete [sɪ'kri:t] *vt (discharge)* sécréter ■ **secretion** *n* sécrétion *f*

sect [sekt] *n* secte *f* ■ **sectarian** [-'teərɪən] *adj & n* sectaire *(mf)*

section ['sekʃən] *n* partie *f*; *(of road)* tronçon *m*; *(of machine)* élément *m*; *(of organization)* département *m*; *(of soldiers)* section *f*; **the sports s.** *(of newspaper)* la rubrique sportive **2** *vt* sectionner

sector ['sektə(r)] *n* secteur *m*

secular ['sekjʊlə(r)] *adj (teaching)* laïque; *(music, art)* profane

secure [sɪ'kjʊə(r)] **1** *adj (person)* en sécurité; *(investment, place)* sûr; *(foothold)* solide; *(door, window)* bien fermé; *(nomination)* assuré; **I feel s. knowing that…** je suis tranquille car je sais que… **2** *vt (fasten)* attacher; *(window, door)* bien fermer; *(position, future)* assurer; *(support, promise)* procurer; **to s. sth against sth** protéger qch de qch; **to s. sth (for oneself)** se procurer qch ■ **securely** *adv (firmly)* solidement; *(safely)* en sûreté

security [sɪ'kjʊərətɪ] *(pl* **-ies)** *n* sécurité *f*; *Fin (for loan, bail)* garantie *f*; **job s.** sécurité de l'emploi; **to tighten s.** renforcer les mesures de sécurité; **to be a s. risk** être un danger pour la sécurité; **S. Council** Conseil de sécurité; **s. guard** garde *m*; **securities** *(stocks, bonds)* titres *mpl*

sedan [sɪ'dæn] *n Am (saloon)* berline *f*

sedate [sɪ'deɪt] **1** *adj* calme **2** *vt* mettre sous calmants ■ **sedation** *n* **under s.** sous calmants ■ **sedative** *n* calmant *m*

sedentary ['sedəntərɪ] *adj* sédentaire

sediment ['sedɪmənt] n sédiment m

sedition [sɪ'dɪʃən] n sédition f ▪ **seditious** adj séditieux, -ieuse

seduce [sɪ'djuːs] vt séduire ▪ **seducer** n séducteur, -trice mf ▪ **seduction** [-'dʌkʃən] n séduction f ▪ **seductive** [-'dʌktɪv] adj (person, offer) séduisant

see[1] [siː] (pt saw, pp seen) vti voir; **we'll s.** on verra; **I s. what you mean** je vois ce que tu veux dire; **I can s. a hill** je vois une colline; **I don't s. the point** je ne vois pas l'intérêt; **I'll go and s.** je vais voir; **I saw him run(ning)** je l'ai vu courir; **to s. reason** entendre raison; **to s. the joke** comprendre la plaisanterie; **s. you (later)!** à tout à l'heure!; **s. you (soon)!** à bientôt!; **to s. that...** (make sure that) faire en sorte que... (+ subjunctive); (check) s'assurer que... (+ indicative); **to s. sb to the door** accompagner qn jusqu'à la porte

▸ **see about** vt insep (deal with) s'occuper de; (consider) songer à

▸ **see in** vt sep **to s. in the New Year** fêter le Nouvel An

▸ **see off** vt sep (say goodbye to) dire au revoir à

▸ **see out** vt sep accompagner jusqu'à la porte

▸ **see through** 1 vt sep (task) mener à bien 2 vt insep **to s. through sb** percer qn à jour

▸ **see to** vt insep (deal with) s'occuper de; (mend) réparer; **to s. to it that...** (make sure that) faire en sorte que... (+ subjunctive); (check) s'assurer que... (+ indicative)

see[2] [siː] n Rel évêché m

seed [siːd] n graine f; (of fruit) pépin m; Fig (source) germe m; Tennis tête f de série; **to go to s.** (of plant) monter en graine ▪ **seeded** adj Tennis **s. players** têtes fpl de série ▪ **seedling** n plant m

seedy ['siːdɪ] (-ier, -iest) adj miteux, -euse

seeing ['siːɪŋ] conj **s. (that)** vu que

seek [siːk] (pt & pp sought) vt chercher (**to do** à faire); (ask for) demander (**from** à); **to s. (after)** rechercher; **to s. sb out** dénicher qn

seem [siːm] vi sembler (**to do** faire); **it seems that...** (impression) il semble que... (+ subjunctive); **it seems to me that...** il me semble que... (+ indicative); **we s. to know each other** il me semble qu'on se connaît; **I can't s. to do it** je n'arrive pas à le faire

seeming ['siːmɪŋ] adj apparent ▪ **seemingly** adv apparemment

seemly ['siːmlɪ] adj Formal bienséant

seen [siːn] pp of **see**[1]

seep [siːp] vi suinter; **to s. into sth** s'infiltrer dans qch ▪ **seepage** [-ɪdʒ] n (oozing) suintement m; (infiltration) infiltration f (**into** dans)

seesaw ['siːsɔː] n balançoire f à bascule

seethe [siːð] vi **to s. with anger** bouillir de colère; **to s. with people** (of street) grouiller de monde

see-through ['siːθruː] adj transparent

segment ['segmənt] n segment m; (of orange) quartier m

segregate ['segrɪgeɪt] vt séparer (**from** de) ▪ **segre'gation** n ségrégation f

Seine [seɪn] n **the S.** la Seine

seize [siːz] 1 vt saisir; (power, land) s'emparer de 2 vi **to s. (up)on** (offer) sauter sur; **to s. up** (of engine) se bloquer

seizure ['siːʒə(r)] n Law (of goods, property) saisie f; Med crise f; **s. of power** prise f de pouvoir

seldom ['seldəm] adv rarement

select [sɪ'lekt] 1 vt sélectionner 2 adj (exclusive) sélect ▪ **selection** n sélection f; **a wide s.** un grand choix ▪ **selective** adj sélectif, -ive

self [self] (pl **selves** [selvz]) n **the s.** le moi; Fam **he's back to his old s.** il est redevenu comme avant ▪ **self-addressed 'envelope** n Am enveloppe f timbrée (libellée à ses noms et adresse) ▪ **self-as'surance** n assurance f ▪ **self-as'sured** adj sûr de soi ▪ **self-'catering** adj Br (holiday) en appartement meublé; (accommodation) meublé ▪ **self-'centred** (Am **-centered**) adj égocentrique ▪ **self-'cleaning** adj (oven) autonettoyant ▪ **self-con'fessed** adj (liar) de son propre aveu ▪ **self-'confidence** n confiance f en soi ▪ **self-'confident** adj sûr de soi ▪ **self-'conscious** adj gêné ▪ **self-con'tained** adj (flat) indépendant ▪ **self-con'trol** n maîtrise f de soi ▪ **self-de'feating** adj qui va à l'encontre du but recherché ▪ **self-de'fence** (Am **-defense**) n Law légitime défense f; **in s.** en état de légitime défense ▪ **self-de'nial** n abnégation f ▪ **self-determi'nation** n auto-détermination f ▪ **self-'discipline** n autodiscipline f ▪ **self-em'ployed** adj indépendant ▪ **self-es'teem** n confiance f en soi ▪ **self-'evident** adj évident ▪ **self-ex'planatory** adj qui se passe d'explications ▪ **self-'governing** adj autonome ▪ **self-im'portant** adj suffisant ▪ **self-in'dulgent** adj complaisant ▪ **self-'interest** n intérêt m personnel ▪ **self-o'pinionated** adj entêté ▪ **self-'pity** n **to be full of s.** s'apitoyer sur son propre sort ▪ **self-'portrait** n autoportrait m ▪ **self-pos'sessed** adj qui a une grande maîtrise de soi ▪ **self-'raising flour** (Am **self-'rising flour**) n = farine contenant de la levure chimique ▪ **self-re'liant** adj indépendant ▪ **self-re'spect** n amour-propre m ▪ **self-re'specting** adj qui se respecte ▪ **self-'righteous** adj suffisant ▪ **self-'sacrifice** n abnégation f ▪ **self-'satisfied** adj content de soi ▪ **self-'service** n & adj libre-service (m inv) ▪ **self-'starter** n (person) personne f très motivée ▪ **self-'styled** adj soi-disant inv ▪ **self-suf'ficient**

adj indépendant ■**'self-sup'porting** *adj* (*business, person*) financièrement indépendant ■**'self-'tan** *n* (*cream*) autobronzant *m* ■**'self-'taught** *adj* autodidacte

selfish ['selfɪʃ] *adj* égoïste; (*motive*) intéressé ■**selfishness** *n* égoïsme *m* ■**selfless** *adj* désintéressé

sell [sel] **1** (*pt & pp* **sold**) *vt* vendre; *Fig* (*idea*) faire accepter; **to s. sb sth, to s. sth to sb** vendre qch à qn; **she sold it to me for £20** elle me l'a vendu 20 livres **2** *vi* (*of product*) se vendre; (*of person*) vendre ■**sell-by date** *n* date *f* limite de vente ■**seller** *n* vendeur, -euse *mf* ■**selling price** *n* prix *m* de vente ■**sellout** *n* (**a**) **it was a s.** (*of play, film*) tous les billets ont été vendus (**b**) (*betrayal*) trahison *f*

▸ **sell back** *vt sep* revendre

▸ **sell off** *vt sep* liquider

▸ **sell out** *vt insep* **to have** *or* **be sold out of sth** n'avoir plus de qch; **to be sold out** (*of book, item*) être épuisé; (*of show, concert*) afficher complet

▸ **sell up** *vi* (*sell home, business*) tout vendre

Sellotape® ['seləteɪp] *n Br* Scotch® *m*

semantic [sɪ'mæntɪk] *adj* sémantique ■**semantics** *n* sémantique *f*

semaphore ['seməfɔː(r)] *n* signaux *mpl* à bras

semblance ['sembləns] *n* semblant *m*

semen ['siːmən] *n* sperme *m*

semester [sɪ'mestə(r)] *n* semestre *m*

semi ['semɪ] *n Br Fam* (*house*) maison *f* jumelée

semi- ['semɪ] *pref* semi-, demi- ■**'semi-auto-'matic** *adj* semi-automatique ■**'semibreve** [-briːv] *n Br* (*musical note*) ronde *f* ■**'semicircle** *n* demi-cercle *m* ■**'semi'circular** *adj* semi-circulaire ■**semi'colon** *n* point-virgule *m* ■**'semi-'conscious** *adj* à demi conscient ■**'semi-de'tached** *adj Br* **s. house** maison *f* jumelée ■**'semi'final** *n* demi-finale *f* ■**'semi-'skilled** *adj* **s. worker** ouvrier *m* spécialisé ■**'semi-'skimmed** *adj* (*milk*) demi-écrémé ■**'semi (-'trailer)** *n Am* (*truck*) semi-remorque *f*

seminar ['semɪnɑː(r)] *n* séminaire *m*

semolina [semə'liːnə] *n* semoule *f*

senate ['senɪt] *n Am Pol* **the S.** le Sénat ■**senator** [-nətə(r)] *n Am Pol* sénateur *m*

send [send] (*pt & pp* **sent**) *vt* envoyer (**to** à); **to s. sth to sb, to s. sb sth** envoyer qch à qn; **to s. sb home** renvoyer qn chez soi; *Fam* **to s. sb packing** envoyer promener qn ■**sender** *n* expéditeur, -trice *mf* ■**send-off** *n Fam* **to give sb a good s.** faire des adieux en règle à qn ■**send-up** *n Br Fam* parodie *f*

▸ **send away 1** *vt sep* (*person*) renvoyer **2** *vi* **to s. away for sth** se faire envoyer qch

▸ **send back** *vt sep* renvoyer

▸ **send for** *vt insep* envoyer chercher; (*doctor*) faire venir

▸ **send in** *vt sep* (*form, invoice, troops*) envoyer; (*person*) faire entrer

▸ **send off 1** *vt sep* (*letter*) envoyer (**to** à); (*player*) expulser **2** *vi* **to s. off for sth** se faire envoyer qch

▸ **send on** *vt sep* (*letter*) faire suivre

▸ **send out 1** *vt sep* envoyer **2** *vi* **to s. out for sth** envoyer chercher qch

▸ **send up** *vt sep Br Fam* (*parody*) se moquer de

senile ['siːnaɪl] *adj* sénile ■**senility** [sɪ'nɪlɪtɪ] *n* sénilité *f*

senior ['siːnɪə(r)] **1** *adj* (*in age*) aîné; (*in position, rank*) supérieur; **to be sb's s., to be s. to sb** être l'aîné de qn; (*in rank, status*) être le supérieur de qn; **Brown s.** Brown père; **s. citizen** personne *f* âgée; **s. partner** associé *m* principal; *Am* **s. year** (*in school, college*) dernière année *f* **2** *n* aîné, -ée *mf*; *Am* (*in last year of school or college*) étudiant, -iante *mf* de dernière année; *Sport* senior *mf* ■**seniority** [-nɪ'ɒrɪtɪ] *n* (*in service*) ancienneté *f*; (*in rank*) supériorité *f*

sensation [sen'seɪʃən] *n* sensation *f* ■**sensational** *adj* sensationnel, -elle

sense [sens] **1** *n* (*faculty, awareness, meaning*) sens *m*; **s. of smell** l'odorat *m*; **s. of hearing** l'ouïe *f*; **a s. of shame** un sentiment de honte; **a s. of warmth/pleasure** une sensation de chaleur/plaisir; **s. of direction** sens de l'orientation; **a s. of time** la notion de l'heure; **to have a s. of humour** avoir le sens de l'humour; **to have (good) s.** avoir du bon sens; **to have the s. to do sth** avoir l'intelligence de faire qch; **to bring sb to his senses** ramener qn à la raison; **to make s.** être logique; **to make s. of sth** comprendre qch **2** *vt* sentir (**that** que); (*have a foreboding of*) pressentir

senseless ['sensləs] *adj* (*pointless*) absurde; (*unconscious*) sans connaissance

sensibility [sensɪ'bɪlɪtɪ] *n* sensibilité *f*; **sensibilities** (*touchiness*) susceptibilité *f*

sensible ['sensəbəl] *adj* (*wise*) sensé; (*clothes, shoes*) pratique

> Note that the French word **sensible** is a false friend and is almost never a translation for the English word **sensible**. It means **sensitive**.

sensitive ['sensɪtɪv] *adj* (*person*) sensible (**to** à); (*skin, question*) délicat; (*information*) confidentiel, -ielle ■**sensi'tivity** *n* sensibilité *f*; (*touchiness*) susceptibilité *f*

sensor ['sensə(r)] *n* détecteur *m*

sensory ['sensərɪ] *adj* sensoriel, -ielle

sensual ['senʃʊəl] *adj* sensuel, -uelle ■**sensuality** [-ʃʊ'ælɪtɪ] *n* sensualité *f* ■**sensuous** *adj* sensuel, -uelle

sent [sent] *pt & pp of* **send**

sentence ['sentəns] **1** *n* (**a**) (*words*) phrase *f* (**b**) (*in prison*) peine *f*; **to pass s.** prononcer la

sentence; **to serve a s.** purger une peine **2** *vt*
(criminal) condamner; **to s. sb to three years**
(in prison)/to death condamner qn à trois
ans de prison/à mort

sentiment ['sentɪmənt] *n* sentiment *m*
▪**sentimental** [-'mentəl] *adj* sentimental
▪**sentimentality** [-men'tælɪtɪ] *n* sentimentalité *f*

sentry ['sentrɪ] *(pl* **-ies)** *n* sentinelle *f*; **to be on**
s. duty être de garde; **s. box** guérite *f*

separate ['sepəreɪt] **1** ['sepərət] *adj (distinct)*
séparé; *(organization)* indépendant; *(occasion,
entrance)* différent; *(room)* à part; **they went**
their s. ways ils sont partis chacun de leur
côté **2** *vt* séparer **(from** de) **3** *vi* se séparer
(from de) ▪**separately** ['sepərətlɪ] *adv* séparément ▪**sepa'ration** *n* séparation *f*

separates ['sepərəts] *npl (clothes)* coordonnés
mpl

separatist ['sepərətɪst] *n* séparatiste *mf*

September [sep'tembə(r)] *n* septembre *m*

septic ['septɪk] *adj* septique; *(wound)* infecté;
to go s. s'infecter; **s. tank** fosse *f* septique

sequel ['si:kwəl] *n (book, film)* suite *f*

sequence ['si:kwəns] *n (order)* ordre *m*; *(series)*
succession *f*; *(in film)* & *Comptr, Mus* & *Cards*
séquence *f*; **in s.** dans l'ordre

sequin ['si:kwɪn] *n* paillette *f* ▪**sequined** *adj*
pailleté

Serb [sɜ:b] **1** *adj* serbe **2** *n* Serbe *mf* ▪**Serbia** *n*
la Serbie ▪**Serbo-Croat 1** *adj* serbo-croate **2**
n (person) Serbo-croate *mf*; *(language)* serbo-
croate *m*

serenade [serə'neɪd] **1** *n* sérénade *f* **2** *vt*
chanter la sérénade à

serene [sə'ri:n] *adj* serein ▪**serenity** [-'renɪtɪ]
n sérénité *f*

sergeant ['sɑ:dʒənt] *n Mil* sergent *m*; *(in police)*
brigadier *m*

serial ['sɪərɪəl] *n (story, film)* feuilleton *m*; **s.**
killer tueur *m* en série; **s. number** numéro *m*
de série ▪**serialize** *vt (in newspaper)* publier
en feuilleton; *(on television or radio)* adapter en
feuilleton

series ['sɪəri:z] *n inv* série *f*

serious ['sɪərɪəs] *adj (person)* sérieux, -ieuse;
(illness, mistake) grave; *(damage)* important; **to**
be s. about doing sth envisager sérieusement
de faire qch; *Fam* **s. money** un bon paquet
d'argent ▪**seriously** *adv* sérieusement; *(ill,
damaged)* gravement; **to take sb/sth s.**
prendre qn/qch au sérieux ▪**seriousness** *n*
sérieux *m*; *(of illness, situation)* gravité *f*; *(of
damage)* importance *f*; **in all s.** sérieusement

sermon ['sɜ:mən] *n* sermon *m*

serrated [sə'reɪtɪd] *adj* en dents de scie

serum ['sɪərəm] *n* sérum *m*

servant ['sɜ:vənt] *n* domestique *mf*

serve [sɜ:v] **1** *n Tennis* service *m* **2** *vt (country,*

cause, meal, customer) servir; *(be useful to)*
servir à; *(prison sentence)* purger; *(apprenticeship)* faire; **to s. a purpose** avoir une utilité;
Law **to s. a summons on sb** remettre une
assignation à qn; **it has served me well** ça m'a
fait de l'usage; *Fam* **(it) serves you right!** ça
t'apprendra!; **to s. up** *or* **out a meal** servir un
repas **3** *vi* servir **(as** de); **to s. on** *(committee,
jury)* être membre de ▪**server** *n Tennis*
serveur, -euse *mf*; *Comptr* serveur *m*; **network**
s. serveur de réseau

service ['sɜ:vɪs] **1** *n (with army, firm, in
restaurant)* & *Rel* & *Tennis* service *m*; *(of
machine)* entretien *m*; *(of car)* révision *f*; **to be**
at sb's s. être au service de qn; **to be of s. to**
sb être utile à qn; **the (armed) services** les
forces *fpl* armées; **s. charge** service; *Br* **s. area**
(on motorway) aire *f* de service; **s. station**
station-service *f* **2** *vt (machine)* entretenir;
(car) réviser

serviceable ['sɜ:vɪsəbəl] *adj (usable)* en état de
marche; *(durable)* résistant

serviceman ['sɜ:vɪsmən] *(pl* **-men)** *n* militaire
m

serviette [sɜ:vɪ'et] *n Br* serviette *f* de table

servile ['sɜ:vaɪl] *adj* servile

serving ['sɜ:vɪŋ] *n (of food)* portion *f*; **s. dish**
plat *m*

session ['seʃən] *n (meeting, period)* séance *f*;
(university term) trimestre *m*; *(university year)*
année *f* universitaire; **to be in s.** siéger; **the**
parliamentary s. la session parlementaire

set [set] **1** *n (of keys, needles, tools)* jeu *m*; *(of
stamps, numbers)* série *f*; *(of people)* groupe *m*;
(of facts, laws) & *Math* ensemble *m*; *(of books)*
collection *f*; *(of dishes)* service *m*; *(of tyres)*
train *m*; *(kit)* trousse *f*; *(in theatre)* décor *m*; *(for
film)* plateau *m*; *Tennis* set *m*; **s. of teeth**
dentition *f*; **chess s.** jeu d'échecs; **construction s.** jeu de construction; **film s.** plateau de tournage; **radio s.** poste *m* de radio;
tea s. service à thé; **television s., TV s.** téléviseur *m*

2 *adj (time, price)* fixe; *(lunch)* à prix fixe;
(school book) au programme; *(ideas, purpose)*
déterminé; **to be s. on doing sth** être résolu à
faire qch; **to be s. on sth** avoir fixé son choix
sur qch; **to be s. in one's ways** tenir à ses
habitudes; **to be dead s. against sth** être
formellement opposé à qch; **to be all s.** être
prêt **(to do** pour faire); **to be s. back from the**
road *(of house)* être en retrait de la route; **s.**
menu menu *m*; **s. phrase** expression *f* figée

3 *(pt & pp* **set,** *près p* **setting)** *vt (put)* mettre,
poser; *(date, limit, task)* fixer; *(homework)*
donner **(for sb** à qn); *(jewel)* sertir; *(watch)*
régler; *(alarm clock)* mettre **(for** pour); *(bone
fracture)* réduire; *(trap)* tendre **(for** à); **to s. a**
record établir un record; **to s. a precedent**

créer un précédent; **to have one's hair s.** se faire faire une mise en plis; **to s. sb thinking** faire réfléchir qn; **to s. sb free** libérer qn; **to s. sth on fire** mettre le feu à qch

4 *vi* (*of sun*) se coucher; (*of jelly*) prendre; (*of bone*) se ressouder ▪ **set-top box** *n TV* décodeur *m* numérique

▸ **set about** *vt insep* (*begin*) se mettre à; **to s. about doing sth** se mettre à faire qch

▸ **set back** *vt sep* (*in time*) retarder; *Fam* (*cost*) coûter

▸ **set down** *vt sep* (*object*) poser

▸ **set in** *vi* (*of winter*) s'installer; (*of fog*) tomber

▸ **set off 1** *vt sep* (*bomb*) faire exploser; (*mechanism*) déclencher; *Fig* (*beauty, complexion*) rehausser; **to s. sb off crying** faire pleurer qn **2** *vi* (*leave*) partir

▸ **set out 1** *vt sep* (*display, explain*) exposer; (*arrange*) disposer **2** *vi* (*leave*) partir; **to s. out to do sth** avoir l'intention de faire qch

▸ **set up 1** *vt sep* (*tent, statue*) dresser; (*roadblock*) mettre en place; (*company*) créer; (*meeting*) organiser; (*inquiry*) ouvrir; **to s. sb up in business (as)** installer qn (comme) **2** *vi* **to s. up in business (as)** s'installer (comme)

▸ **set upon** *vt insep* (*attack*) attaquer

setback ['setbæk] *n* revers *m*

set-square ['setskweə(r)] *n Br* équerre *f* (à dessin)

settee [se'ti:] *n* canapé *m*

setter ['setə(r)] *n* setter *m*

setting ['setɪŋ] *n* (*surroundings*) cadre *m*; (*of sun*) coucher *m*; (*on machine*) réglage *m*; *Comptr* **settings** paramètres *mpl*

settle ['setəl] **1** *vt* (*put in place*) installer; (*decide, arrange, pay*) régler; (*date, venue*) fixer; (*nerves*) calmer; (*land*) coloniser; **to s. a matter out of court** régler une affaire à l'amiable; **that settles it!** c'est décidé! **2** *vi* (*of person, family*) s'installer; (*of dust*) se déposer; (*of bird*) se poser; **to s. into an armchair** s'installer confortablement dans un fauteuil ▪ **s. into one's job** s'habituer à son travail ▪ **settled** *adj* (*weather, period*) stable; (*life*) rangé

▸ **settle down** *vi* (*in chair, house*) s'installer; (*become quieter*) s'assagir; (*of situation*) se calmer; **to s. down in one's job** s'habituer à son travail; **to s. down with sb** mener une vie stable avec qn; **to s. down to work** se mettre au travail

▸ **settle for** *vt insep* se contenter de

▸ **settle in** *vi* (*in new home*) s'installer; (*in new school*) s'adapter

▸ **settle up** *vi* (*pay*) régler; **to s. up with sb** régler qn

settlement ['setəlmənt] *n* (*agreement*) accord *m*; (*payment*) règlement *m*; (*colony*) colonie *f*

settler ['setlə(r)] *n* colon *m*

set-to [set'tu:] (*pl* **-os**) *n Br Fam* (*quarrel*) prise *f* de bec

setup ['setʌp] *n Fam* (*arrangement*) système *m*

seven ['sevən] *adj & n* sept (*m*) ▪ **seventh** *adj & n* septième *mf*

seventeen ['sevəntiːn] *adj & n* dix-sept (*m*) ▪ **seventeenth** *adj & n* dix-septième (*mf*)

seventy ['sevəntɪ] *adj & n* soixante-dix (*m*); **s.-one** soixante et onze ▪ **seventieth** *adj & n* soixante-dixième (*mf*)

sever ['sevə(r)] *vt* couper; *Fig* (*relations*) rompre ▪ **severance** *n* (*of relations*) rupture *f*; **s. pay** indemnité *f* de licenciement

several ['sevərəl] *adj & pron* plusieurs (**of** d'entre)

severe [sə'vɪə(r)] *adj* (*person, punishment, tone*) sévère; (*winter, training*) rigoureux, -euse; (*illness, injury*) grave; (*blow, pain*) violent; (*cold, frost*) intense; (*weather*) très mauvais; **to have a s. cold** avoir un gros rhume ▪ **severely** *adv* (*criticize, punish*) sévèrement; (*damaged, wounded*) gravement; **to be s. handicapped** or **disabled** être gravement handicapé ▪ **severity** [-'verɪtɪ] *n* sévérité *f*; (*of winter*) rigueur *f*; (*of injury*) gravité *f*; (*of blow*) violence *f*

sew [səʊ] (*pt* **sewed**, *pp* **sewn** or **sewed**) *vt* coudre; **to s. a button on a shirt** coudre un bouton à une chemise; **to s. sth up** recoudre qch ▪ **sewing** *n* couture *f*; **s. machine** machine *f* à coudre

sewage ['suːɪdʒ] *n* eaux *fpl* d'égout ▪ **sewer** ['suːə(r)] *n* égout *m*

sewn [səʊn] *pp of* **sew**

sex [seks] **1** *n* sexe *m*; **to have s. with sb** coucher avec qn **2** *adj* (*education, life, act*) sexuel, -uelle; **s. appeal** sex-appeal *m*; **s. maniac** obsédé *m* sexuel, obsédée *f* sexuelle; **s. symbol** sex-symbol *m* ▪ **sexism** *n* sexisme *m* ▪ **sexist** *adj & n* sexiste (*mf*) ▪ **sexy** (**-ier, -iest**) *adj Fam* sexy *inv*

sextet [sek'stet] *n* sextuor *m*

sexual ['sekʃʊəl] *adj* sexuel, -uelle; **s. assault** agression *f* sexuelle; **s. harassment** harcèlement *m* sexuel; (*of women*) sexuelle; **s. harassment** harcèlement *m* sexuel ▪ **sexuality** [-ʃʊ'ælɪtɪ] *n* sexualité *f* ▪ **sexually** *adv* sexuellement; **s. transmitted disease** or **infection** maladie *f* sexuellement transmissible

Seychelles [seɪ'ʃelz] *npl* **the S.** les Seychelles *fpl*

sh [ʃ] *exclam* chut!

shabby ['ʃæbɪ] (**-ier, -iest**) *adj* miteux, -euse; (*behaviour, treatment*) mesquin ▪ **shabbily** *adv* (*dressed*) pauvrement ▪ **shabbiness** *n* aspect *m* miteux; *Fig* (*meanness*) mesquinerie *f*

shack [ʃæk] **1** *n* cabane *f* **2** *vi Fam* **to s. up with sb** vivre à la colle avec qn

shackles ['ʃækəlz] *npl* chaînes *fpl*

shade [ʃeɪd] **1** *n* ombre *f*; (*of colour, meaning, opinion*) nuance *f*; **in the s.** à l'ombre; **a s. faster/taller** un rien plus vite/plus grand; *Fam* **shades** (*glasses*) lunettes *fpl* de soleil **2** *vt* (*of*

tree) ombrager; *(protect)* abriter (**from** de)
▪ **shady** (**-ier, -iest**) *adj (place)* ombragé; *Fig (person, business)* louche

shadow [ˈʃædəʊ] **1** *n* ombre *f*; **to cast a s.** projeter une ombre; *Fig* **to cast a s. over sth** jeter une ombre sur qch **2** *adj Br Pol* **s. cabinet** cabinet *m* fantôme; **the S. Education Secretary** = le porte-parole de l'opposition sur les questions de l'éducation **3** *vt* **to s. sb** *(follow)* filer qn ▪ **shadowy** (**-ier, -iest**) *adj (form)* vague

shaft [ʃɑːft] *n* (**a**) *(of tool)* manche *m*; **s. of light** rayon *m* de lumière (**b**) *(of mine)* puits *m*; *(of lift)* cage *f*

shaggy [ˈʃægɪ] (**-ier, -iest**) *adj (hairy)* hirsute

shake¹ [ʃeɪk] **1** *n* secousse *f*; **to give sth a s.** secouer qch; **with a s. of his head** en le secouant la tête; *Fam* **in two shakes** en un rien de temps **2** *(pt* **shook,** *pp* **shaken)** *vt (move up and down)* secouer; *(bottle, fist)* agiter; *(building)* faire trembler; *Fig (belief, resolution)* ébranler; **to s. one's head** faire non de la tête; **to s. hands with sb** serrer la main à qn; **we shook hands** nous nous sommes serré la main; **to s. off** *(dust)* secouer; *Fig (illness, pursuer)* se débarrasser de; **to s. up** *(reorganize)* réorganiser de fond en comble; **to s. sb up** secouer qn; **to s. sth out of sth** faire tomber qch de qch (en secouant) **3** *vi (of person, windows, voice)* trembler (**with** de)
▪ **shake-up** *n Fam (reorganization)* chambardement *m*

shake² [ʃeɪk] *n (milk shake)* milk-shake *m*

shaken [ˈʃeɪkən] *pp of* **shake¹**

shaky [ˈʃeɪkɪ] (**-ier, -iest**) *adj (voice)* tremblant; *(table, chair)* branlant; *(handwriting)* tremblé; *(health)* précaire

shall [ʃæl, *unstressed* ʃəl]

On trouve généralement **I/you/he**/*etc* shall sous leurs formes contractées **I'll/you'll/he'll**/ *etc.* La forme négative correspondante est **shan't**, que l'on écrira **shall not** dans des contextes formels.

v aux (**a**) *(expressing future tense)* **I s. come, I'll come** je viendrai; **we s. not come, we shan't come** nous ne viendrons pas (**b**) *(making suggestion)* **s. I leave?** veux-tu que je parte?; **let's go in, s. we?** entrons, tu veux bien? (**c**) *Formal (expressing order)* **he s. do it if I order it** il le fera si je l'ordonne

shallot [ʃəˈlɒt] *n Br* échalote *f*

shallow [ˈʃæləʊ] (**-er, -est**) **1** *adj (water, river)* peu profond; *Fig & Pej (argument, person)* superficiel, -ielle **2** *npl* **the shallows** *(of river)* le bas-fond

sham [ʃæm] **1** *n (pretence)* comédie *f*; *(person)* imposteur *m*; **to be a s.** *(of jewel)* être faux *(f* fausse); **it's a s.!** *(election promises)* c'est du bidon! **2** *adj (false)* faux *(f* fausse); *(illness,*

emotion) feint **3** *(pt & pp* **-mm-)** *vt* feindre **4** *vi* faire semblant

shambles [ˈʃæmbəlz] *n* pagaille *f*; **this place is a s.!** quelle pagaille!

shame [ʃeɪm] **1** *n (guilt, disgrace)* honte *f*; **it's a s.** c'est dommage *(***to do** de faire); **it's a s. (that)…** c'est dommage que… (*+ subjunctive)*; **s. on you!** tu devrais avoir honte!; **what a s.!** quel dommage!; **to put sb to s.** faire honte à qn **2** *vt (make ashamed)* faire honte à qn ▪ **'shame'faced** *adj (embarrassed)* honteux, -euse

shameful [ˈʃeɪmfəl] *adj* honteux, -euse ▪ **shamefully** *adv* honteusement

shameless [ˈʃeɪmləs] *adj* impudique; **to be s. about doing sth** n'avoir aucun scrupule à faire qch ▪ **shamelessly** *adv* sans la moindre honte

shammy [ˈʃæmɪ] *n Fam* **s. (leather)** peau *f* de chamois

shampoo [ʃæmˈpuː] **1** *n* shampooing *m* **2** *vt (carpet)* shampouiner; **to s. sb's hair** faire un shampooing à qn

shandy [ˈʃændɪ] *n Br* panaché *m*

shan't [ʃɑːnt] = **shall not**

shanty¹ [ˈʃæntɪ] *n (hut)* baraque *f*; **s. town** bidonville *m*

shanty² [ˈʃæntɪ] *n* **sea s.** chanson *f* de marins

shape [ʃeɪp] **1** *n* forme *f*; **what s. is it?** quelle forme cela a-t-il?; **in the s. of a pear/bell** en forme de poire/cloche; *Fig* **in any s. or form** quel qu'il soit *(f* quelle qu'elle soit); **to take s.** *(of plan)* prendre forme; **to be in good/bad s.** *(of person)* être en bonne/mauvaise forme; *(of business)* marcher bien/mal; **to keep in s.** garder la forme **2** *vt (clay)* modeler; *(wood)* façonner (**into** en); *Fig (events, future)* influencer **3** *vi* **to s. up** *(of person)* progresser; *(of teams, plans)* prendre forme ▪ **-shaped** *suff* **pearshaped** en forme de poire ▪ **shapeless** *adj* informe ▪ **shapely** (**-ier, -iest**) *adj* bien fait

share [ʃeə(r)] **1** *n* part *f* (**of** *or* **in** de); *Fin (in company)* action *f*; **to have a (fair) s. of sth** avoir sa part de qch; **to do one's (fair) s.** mettre la main à la pâte **2** *vt* partager; *(characteristic)* avoir en commun; **to s. sth out** partager qch **3** *vi* partager; **to s. in sth** avoir sa part de qch ▪ **shareholder** *n Fin* actionnaire *mf*

shark [ʃɑːk] *n (fish, crook)* requin *m*

sharp [ʃɑːp] **1** (**-er, -est**) *adj (knife)* bien aiguisé; *(pencil)* bien taillé; *(razor)* qui coupe bien; *(point)* aigu *(f* aiguë); *(claws)* acéré; *(rise, fall)* brusque; *(focus)* net *(f* nette); *(contrast)* marqué; *(eyesight, sound)* perçant; *(taste)* acide; *(intelligent)* vif *(f* vive) **2** *adv* **to stop s.** s'arrêter net; **five o'clock s.** cinq heures pile; **to turn s. right/left** tourner tout de suite à droite/à gauche; *Fam* **look s.!** grouille-toi! **3** *Mus* dièse *m* ▪ **'sharp-'eyed** *adj* observateur,

-trice ▪**sharply** adj (rise, fall, speak) brusquement; (contrast) nettement ▪**sharpness** n (of blade) tranchant m; (of picture) netteté f

sharpen ['ʃɑːpən] vt (pencil) tailler; (knife) aiguiser ▪**sharpener** n (for pencils) taille-crayon m; (for blades) aiguisoir m

sharpshooter ['ʃɑːpʃuːtə(r)] n tireur m d'élite

shatter ['ʃætə(r)] 1 vt (glass) faire voler en éclats; (career, health, hopes) briser 2 vi (of glass) voler en éclats ▪**shattered** adj Br Fam (exhausted) crevé ▪**shattering** adj (defeat) accablant; (news, experience) bouleversant

shave [ʃeɪv] 1 n to have a s. se raser; Fig that was a close s. c'était moins une 2 vt (person, head) raser; to s. one's legs se raser les jambes; to s. off one's beard se raser la barbe 3 vi se raser ▪**shaven** adj rasé (de près) ▪**shaver** n rasoir m électrique ▪**shaving** n (strip of wood) copeau m; s. brush blaireau m; s. cream, s. foam mousse f à raser

shawl [ʃɔːl] n châle m

she [ʃiː] 1 pron elle; s. wants elle veut; she's a happy woman c'est une femme heureuse; s. and I elle et moi 2 n Fam (female) femelle f; s.-bear ourse f; it's a s. (of baby) c'est une fille

sheaf [ʃiːf] (pl sheaves [ʃiːvz]) n (of corn) gerbe f; (of paper) liasse f

shear [ʃɪə(r)] 1 vt tondre 2 npl shears cisaille f

sheath [ʃiːθ] (pl -s [shiːðz]) n (for sword) fourreau m; (for electric cable) gaine f; (contraceptive) préservatif m

shed¹ [ʃed] n (in garden) abri m; (in factory) atelier m

shed² [ʃed] (pt & pp shed, pres p shedding) vt (leaves) perdre; (tears, blood) verser; to s. its skin (of snake) muer; Fig to s. light on sth éclairer qch

she'd [ʃiːd] = she had, she would

sheen [ʃiːn] n lustre m

sheep [ʃiːp] n inv mouton m ▪**sheepdog** n chien m de berger ▪**sheepskin** n peau f de mouton; s. jacket veste f en peau de mouton

sheepish ['ʃiːpɪʃ] adj penaud ▪**sheepishly** adv d'un air penaud

sheer [ʃɪə(r)] adj (pure) pur; (stockings) très fin; (cliff) à pic; by s. chance tout à fait par hasard

sheet [ʃiːt] n (on bed) drap m; (of paper) feuille f; (of glass, ice) plaque f; s. metal tôle f

sheikh [ʃeɪk] n cheik m

shelf [ʃelf] (pl shelves [ʃelvz]) n étagère f; (in shop) rayon m; (on cliff) rebord m; set of shelves étagères fpl; Com s. life durée f de conservation avant vente

shell [ʃel] 1 n (a) (of egg, snail, nut) coquille f; (of tortoise, lobster) carapace f; (on beach) coquillage m; (of peas) cosse f; (of building) carcasse f (b) (explosive) obus m 2 vt (a) (peas) écosser; (nut, shrimp) décortiquer (b) (town) bombarder (c) Fam to s. out a lot of

money sortir pas mal d'argent ▪**shelling** n bombardement m ▪**shell suit** n Br survêtement m (en synthétique brillant)

she'll [ʃiːl] = she will, she shall

shellfish ['ʃelfɪʃ] 1 n inv (crustacean) crustacé m; (mollusc) coquillage m 2 npl Culin (as food) fruits mpl de mer

shelter ['ʃeltə(r)] 1 n (place, protection) abri m; to take s. se mettre à l'abri (from de); to seek s. chercher un abri 2 vt abriter (from de); (criminal) accueillir 3 vi s'abriter (from de) ▪**sheltered** adj (place) abrité; she's had a s. life elle a eu une enfance très protégée

shelve [ʃelv] vt (postpone) mettre au placard

shelving ['ʃelvɪŋ] n rayonnages mpl

shepherd ['ʃepəd] 1 n berger m; Br s.'s pie ≃ hachis m Parmentier 2 vt to s. sb in faire entrer qn; to s. sb around piloter qn ▪**shepherdess** n bergère f

sherbet ['ʃɜːbət] n Br (powder) poudre f acidulée; Am (sorbet) sorbet m

sheriff ['ʃerɪf] n Am shérif m

sherry ['ʃerɪ] n sherry m, xérès m

Shetlands [ʃetləndz] npl the S. les Shetland fpl

shiatsu, shiatzu [ʃɪ'ætsuː] n shiatsu m

shield [ʃiːld] 1 n bouclier m; (police badge) badge m; human s. bouclier humain 2 vt protéger (from de)

shift [ʃɪft] 1 n (change) changement m (of or in de); (period of work) poste m; (workers) équipe f; s. key (on computer, typewriter) touche f des majuscules 2 vt (move) déplacer; (stain) enlever; (employee) muter (to à); to s. places changer de place; to s. the blame on to sb rejeter la responsabilité sur qn; Am to s. gear(s) (in vehicle) changer de vitesse 3 vi bouger; (of stain) partir ▪**shiftwork** n travail m posté

shiftless ['ʃɪftləs] adj fainéant

shifty ['ʃɪftɪ] (-ier, -iest) adj (person) louche; (look) fuyant

shilly-shally ['ʃɪlɪʃælɪ] (pt & pt -ied) vi hésiter

shimmer ['ʃɪmə(r)] 1 n (of silk) chatoiement m; (of water) miroitement m 2 vi (of silk) chatoyer; (of water) miroiter

shin [ʃɪn] n tibia m; s. pad (of hockey player) jambière f

shindig ['ʃɪndɪg] n Fam nouba f

shine [ʃaɪn] 1 n brillant m; (on metal) éclat m 2 (pt & pp shone) vt (polish) faire briller; (light, torch) braquer 3 vi briller; to s. with joy (of face) rayonner de joie; (of eyes) briller de joie ▪**shining** adj brillant; a s. example of un parfait exemple de ▪**shiny** (-ier, -iest) adj brillant

shingle ['ʃɪngəl] n (on beach) galets mpl; (on roof) bardeau m

shingles ['ʃɪngəlz] n Med zona m

ship [ʃɪp] 1 n navire m 2 (pt & pp -pp-) vt (send)

expédier; *(transport)* transporter; *(take on board)* embarquer (**on to** sur) ▪**shipbuilding** *n* construction *f* navale ▪**shipmate** *n* camarade *m* de bord ▪**shipment** *n* cargaison *f* ▪**shipping** *n (traffic)* navigation *f*; *(ships)* navires *mpl*; **s. agent** agent *m* maritime; **s. line** compagnie *f* de navigation ▪**shipshape** *adj & adv* en ordre ▪**shipwreck** *n* naufrage *m* ▪**shipwrecked** *adj* naufragé; **to be s.** faire naufrage ▪**shipyard** *n* chantier *m* naval

shire ['ʃaɪə(r)] *n Br* comté *m*; **s. horse** shire *m*

shirk [ʃɜːk] **1** *vt (duty)* se dérober à; *(work)* éviter de faire **2** *vi* tirer au flanc ▪**shirker** *n* tire-au-flanc *m inv*

shirt [ʃɜːt] *n* chemise *f*; *(of woman)* chemisier *m*; *(of sportsman)* maillot *m* ▪**shirtsleeves** *npl* **in (one's) s.** en bras de chemise

shiver ['ʃɪvə(r)] **1** *n* frisson *m*; **to send shivers down sb's spine** donner le frisson à qn **2** *vi* frissonner (**with** de) ▪**shivery** *adj* **to be s.** frissonner

shoal [ʃəʊl] *n (of fish)* banc *m*

shock [ʃɒk] *n (impact, emotional blow)* choc *m*; *(of earthquake)* secousse *f*; **(electric) s.** décharge *f* (électrique); **to be in s.** être en état de choc; **the news came as a s. to me** la nouvelle m'a stupéfié **2** *adj (wave, tactics, troops)* de choc; **s. absorber** amortisseur *m*; **s. therapy** électrochocs *mpl* **3** *vt (offend)* choquer; *(surprise)* stupéfier ▪**shocking** *adj (outrageous)* choquant; *(very bad)* atroce ▪**shockingly** *adv (extremely, badly)* atrocement ▪**shockproof** *adj* antichoc *inv*

shod [ʃɒd] *pt & pp of* **shoe**

shoddy ['ʃɒdɪ] (**-ier, -iest**) *adj (goods)* de mauvaise qualité ▪**shoddily** *adv (made, done)* mal

shoe [ʃuː] **1** *n* chaussure *f*; *(for horse)* fer *m* à cheval; **(brake) s.** *(in vehicle)* sabot *m* (de frein); *Fig* **I wouldn't like to be in your shoes** je n'aimerais pas être à ta place; **s. polish** cirage *m*; **s. repair shop** cordonnerie *f*; **s. shop** magasin *m* de chaussures **2** *(pt & pp* **shod**) *vt (horse)* ferrer ▪**shoehorn** *n* chausse-pied *m* ▪**shoelace** *n* lacet *m* ▪**shoemaker** *n* fabricant *m* de chaussures; *(cobbler)* cordonnier *m* ▪**shoestring** *n Fam* **on a s.** avec trois fois rien

shone [*Br* ʃɒn, *Am* ʃəʊn] *pt & pp of* **shine**

shoo [ʃuː] **1** *(pt & pp* **shooed**) *vt* **to s. (away)** chasser **2** *exclam* ouste!

shook [ʃʊk] *pt of* **shake**[1]

shoot [ʃuːt] **1** *n (of plant)* pousse *f* **2** *(pt & pp* **shot**) *vt (bullet)* tirer; *(arrow)* lancer; *(film, scene)* tourner; **to s. sb** *(kill)* tuer qn par balle; *(wound)* blesser qn par balle; *(execute)* fusiller qn **3** *vi (with gun)* tirer (**at** sur); *Football* shooter ▪**shooting 1** *n (shots)* coups *mpl* de feu; *(incident)* fusillade *f*; *(of film, scene)*

tournage *m* **2** *adj* **s. star** étoile *f* filante ▪**shoot-out** *n Fam* fusillade *f*

▸**shoot away** *vi (of vehicle, person)* partir à toute vitesse

▸**shoot back** *vi (return fire)* riposter

▸**shoot down** *vt sep (plane)* abattre

▸**shoot off** *vi (leave quickly)* filer

▸**shoot out** *vi (spurt out)* jaillir

▸**shoot up** *vi (of price)* monter en flèche; *(of plant, child)* pousser vite; *(spurt)* jaillir; *(of rocket)* s'élever; *Fam (inject drugs)* se shooter

shop [ʃɒp] **1** *n* magasin *m*; *(small)* boutique *f*; *(workshop)* atelier *m*; **at the baker's s.** à la boulangerie, chez le boulanger; *Br* **s. assistant** vendeur, -euse *mf*; *Br* **s. floor** *(workers)* ouvriers *mpl*; *Br* **s. front** devanture *f*; *Br* **s. steward** délégué, -ée *mf* syndical(e); **s. window** vitrine *f* **2** *(pt & pp* **-pp-**) *vt Br Fam* **to s. sb** balancer qn **3** *vi* faire ses courses (**at** chez); **to s. around** comparer les prix ▪**shopkeeper** *n* commerçant, -ante *mf* ▪**shoplifter** *n* voleur, -euse *mf* à l'étalage ▪**shoplifting** *n* vol *m* à l'étalage ▪**shopper** *n (customer)* client *m*, cliente *f*; *Br (bag)* sac *m* à provisions ▪**shopping 1** *n (goods)* achats *mpl*; **to go s.** faire des courses; **to do one's s.** faire ses courses **2** *adj (street, district)* commerçant; **s. bag/basket** sac *m*/panier *m* à provisions; **s. centre** centre *m* commercial; **s. list** liste *f* des commissions

shore [ʃɔː(r)] **1** *n (of sea)* rivage *m*; *(of lake)* bord *m*; **on s.** à terre **2** *vt* **to s. up** *(wall)* étayer; *Fig (company, economy)* consolider

shorn [ʃɔːn] *adj (head)* tondu; *Literary* **s. of** *(stripped of)* dénué de

short [ʃɔːt] **1** *(-er, -est)* *adj* court; *(person, distance)* petit; *(syllable)* bref *(f* brève); *(impatient, curt)* brusque; **to be s. of sth** être à court de qch; **we're s. of ten men** il nous manque dix hommes; **s. of a miracle, we won't...** à moins d'un miracle, nous ne...; **money/time is s.** l'argent/le temps manque; **in a s. time** *or* **while** dans un petit moment; **a s. time** *or* **while ago** il y a peu de temps; **I'll stay for a s. time** *or* **while** je reste un petit moment; **Tony is s. for Anthony** Tony est le diminutif d'Anthony; **he's not far s. of forty** il n'est pas loin de la quarantaine; **in s.** bref; *Br* **s. list** liste *f* de candidats retenus; **s. story** nouvelle *f*

2 *adv* **to cut s.** *(hair)* couper court; *(visit)* abréger; *(person)* couper la parole à; **to stop s. of doing sth** se retenir tout juste de faire qch; **to be running s. of sth** n'avoir presque plus de qch; **to fall s. of sth** ne pas atteindre qch

3 *n Fam El* court-circuit *m* ▪**shortbread** *n* sablé *m* ▪**'short-'change** *vt (buyer)* ne pas rendre assez de monnaie à ▪**'short-'circuit 1** *n* court-circuit *m* **2** *vt* court-circuiter **3** *vi* se mettre en court-circuit ▪**shortcoming** n défaut m ▪**short cut** n raccourci m ▪**shortfall** n manque m ▪**shorthand** n sténo f; **in s.** en sténo; **s. typist** sténodactylo f ▪**short-'handed** adj à court de personnel ▪**short-'lived** adj de courte durée ▪**short-'sighted** adj myope; Fig (in one's judgements) imprévoyant ▪**short-'sightedness** n myopie f; Fig imprévoyance f ▪**'short-'sleeved** adj à manches courtes ▪**short-'staffed** adj à court de personnel ▪**short-'tempered** adj irascible ▪**'short-'term** adj à court terme ▪**short-time 'working** n Br chômage m partiel

shortage ['ʃɔːtɪdʒ] n pénurie f; **to have no s. of sth** ne pas manquer de qch

shorten ['ʃɔːtən] vt raccourcir

shortening ['ʃɔːtənɪŋ] n Br Culin matière f grasse

shortly ['ʃɔːtlɪ] adv (soon) bientôt; **s. before/after** peu avant/après

shorts [ʃɔːts] npl (**a pair of**) **s.** un short; **boxer s.** caleçon m

shot [ʃɒt] 1 pt & pp of **shoot** 2 n (from gun) coup m; (with camera) prise f de vues; Football coup m de pied; Fam (injection) piqûre f; **to fire a s.** tirer; **to be a good s.** (of person) être bon tireur; **to have a s. at sth/doing sth** essayer qch/de faire qch; **it's a long s.** c'est un coup à tenter; Fig **like a s.** sans hésiter; Fam **to get s. of sb/sth** (get rid of) se débarrasser de qn/qch ▪**shotgun** n fusil m de chasse

should [ʃʊd, unstressed ʃəd]

> La forme négative **should not** s'écrit **shouldn't** en forme contractée.

v aux (**a**) (expressing obligation) **you s. do it** vous devriez le faire; **I s. have stayed** j'aurais dû rester (**b**) (expressing possibility) **the weather s. improve** le temps devrait s'améliorer; **she s. have arrived by now** elle devrait être arrivée à l'heure qu'il est (**c**) (expressing preferences) **I s. like to stay** j'aimerais bien rester; **I s. like to** j'aimerais bien; **I s. hope so** j'espère bien (**d**) (in subordinate clauses) **it's strange (that) she s. say no** il est étrange qu'elle dise non; **he insisted that she s. meet her parents** il a insisté pour qu'elle rencontre ses parents (**e**) (in conditional clauses) **if he s. come, s. he come** s'il vient (**f**) (in rhetorical questions) **why s. you suspect me?** pourquoi me soupçonnez-vous?; **who s. I meet but Martin!** et qui a-t-il fallu que je rencontre? Martin!

shoulder ['ʃəʊldə(r)] 1 n épaule f; **to have round shoulders** être voûté; Fig **to be looking over one's s.** être constamment sur ses gardes; **s.-length hair** cheveux mpl mi-longs; **s. bag** sac m besace; **s. blade** omoplate f; **s. pad** épaulette f; **s. strap** (of garment) bretelle f 2 vt (responsibility) endosser

shout [ʃaʊt] 1 n cri m; **to give sb a s.** appeler qn 2 vt **to s. sth (out)** crier qch; **to s. sb down** empêcher qn de parler 3 vi **to s. (out)** crier; **to s. to sb to do sth** crier à qn de faire qch; **to s. at sb** crier après qn ▪**shouting** n (shouts) cris mpl

shove [ʃʌv] 1 n poussée f; **to give sb/sth a s.** pousser qn/qch 2 vt pousser; Fam **to s. sth into sth** fourrer qch dans qch; Fam **to s. sb around** chahuter qn 3 vi pousser; Fam **to s. off** (leave) dégager; Fam **to s. over** (move over) se pousser

shovel ['ʃʌvəl] 1 n pelle f 2 (Br -ll-, Am -l-) vt pelleter; **to s. snow up** or **away** enlever la neige à la pelle; **to s. leaves up** ramasser des feuilles à la pelle; Fam **to s. sth into sth** fourrer qch dans qch

show [ʃəʊ] 1 n (concert, play) spectacle m; (on TV) émission f; Cin séance f; (exhibition) exposition f; (of force, friendship) démonstration f; (pretence) semblant m (**of** de); **to be on s.** être exposé; **to put sth on s.** exposer qch; Br **to give a good s.** (of sportsman, musician, actor) jouer bien; Br Old-fashioned **good s.!** bravo!; **it's (just) for s.** c'est pour épater la galerie; **to make a s. of one's wealth** faire étalage de ses richesses; **to make a s. of being angry** faire semblant d'être en colère; **s. business** le monde du spectacle; Br **s. flat** appartement m témoin; **s. girl** girl f; **s. jumping** jumping m 2 (pt **showed**, pp **shown**) vt montrer (**to** à; **that** que); (in exhibition) exposer; (film) passer; (indicate) indiquer; **to s. sb sth, to s. sth to sb** montrer qch à qn; **to s. sb to the door** reconduire qn; **to s. sb how to do sth** montrer à qn comment faire qch; **it (just) goes to s. that...** ça montre bien que...; Fam **I'll s. him!** je vais lui apprendre! 3 vi (be visible) se voir; (of film) passer; **'now showing'** (film) 'à l'affiche' ▪**showcase** n vitrine f ▪**showdown** n confrontation f ▪**showmanship** n sens m du spectacle ▪**show-off** n Pej crâneur, -euse mf ▪**showpiece** n joyau m ▪**showroom** n magasin m ▪**showy** (-ier, -iest) adj voyant

▸ **show around** vt sep **to s. sb around the town** faire visiter la ville à qn; **she was shown around the house** on lui a fait visiter la maison

▸ **show in** vt sep (visitor) faire entrer

▸ **show off** 1 vt sep Pej (display) étaler; (highlight) faire valoir 2 vi Pej crâner

▸ **show out** vt sep (visitor) reconduire

▸ **show round** vt sep = **show around**

▸ **show up 1** vt sep (embarrass) faire honte à; (reveal) faire ressortir 2 vi (stand out) ressortir (**against** contre); (of error) être visible; Fam (of person) se présenter

shower ['ʃaʊə(r)] 1 n (bathing, device) douche f; (of rain) averse f; (of blows) déluge m; Am (party) réception f (avec remise de cadeaux); **to have**

or **take a s.** prendre une douche; **s. curtain** rideau *m* de douche; **s. gel** gel *m* de douche; **s. head** pomme *f* de douche 2 *vt* **to s. sb with** *(gifts, abuse)* couvrir qn de ▪ **showery** *adj* pluvieux, -ieuse

showing ['ʃəʊɪŋ] *n (film show)* séance *f*; *(of team, player)* performance *f*

shown [ʃəʊn] *pp of* **show**

shrank [ʃræŋk] *pt of* **shrink**

shrapnel ['ʃræpnəl] *n* éclats *mpl* d'obus

shred [ʃred] 1 *n* lambeau *m*; **to tear sth to shreds** mettre qch en lambeaux; *Fig* **not a s. of truth** pas une once de vérité; *Fig* **not a s. of evidence** pas la moindre preuve 2 *(pt & pp -dd-)* *vt* mettre en lambeaux; *(documents)* déchiqueter; *(food)* couper grossièrement ▪ **shredder** *n (for paper)* déchiqueteuse *f*

shrew [ʃruː] *n (animal)* musaraigne *f*; *Pej (woman)* mégère *f*

shrewd [ʃruːd] *(-er, -est)* *adj (person, plan)* astucieux, -ieuse ▪ **shrewdly** *adv* astucieusement

shriek [ʃriːk] 1 *n* cri *m* strident 2 *vi* pousser un cri strident; **to s. with pain/laughter** hurler de douleur/de rire

shrift [ʃrɪft] *n* **to get short s.** être traité sans ménagement

shrill [ʃrɪl] *(-er, -est)* *adj* aigu *(f* aiguë)

shrimp [ʃrɪmp] *n* crevette *f*; *Pej (small person)* nabot, -ote *mf*

shrine [ʃraɪn] *n (place of worship)* lieu *m* saint; *(tomb)* tombeau *m*

shrink [ʃrɪŋk] 1 *n Am Fam (psychiatrist)* psy *mf* 2 *(pt* **shrank** *or Am* **shrunk,** *pp* **shrunk** *or* **shrunken)** *vt (clothes)* faire rétrécir 3 *vi* rétrécir; **to s. from doing sth** répugner à faire qch; **to s. from an obligation** se dérober devant une obligation ▪ **shrinkage** [-ɪdʒ] *n (of material)* rétrécissement *m*; *(in sales, profits)* diminution *f* ▪ **'shrink-'wrapped** *adj* emballé sous film plastique

shrivel ['ʃrɪvəl] *(Br -ll-, Am -l-)* 1 *vt* **to s. (up)** dessécher 2 *vi* **to s. (up)** se dessécher

shroud [ʃraʊd] 1 *n* linceul *m*; *Fig* **a s. of mystery** un voile de mystère 2 *vt* **to be shrouded in sth** être enveloppé de qch

Shrove Tuesday [ʃrəʊv'tjuːzdɪ] *n Br* Mardi *m* gras

shrub [ʃrʌb] *n* arbuste *m* ▪ **shrubbery** *(pl -ies)* *n* massif *m* d'arbustes

shrug [ʃrʌg] 1 *n* haussement *m* d'épaules 2 *(pt & pp -gg-)* *vt* **to s. one's shoulders** hausser les épaules; **to s. sth off** dédaigner qch

shrunk(en) ['ʃrʌŋk(ən)] *pp of* **shrink**

shudder ['ʃʌdə(r)] 1 *n* frémissement *m*; *(of machine)* vibration *f* 2 *vi (of person)* frémir **(with** de); *(of machine)* vibrer; **I s. to think of it** j'ai des frissons quand j'y pense

shuffle ['ʃʌfəl] 1 *vt (cards)* battre 2 *vti* **to s. (one's feet)** traîner les pieds

shun [ʃʌn] *(pt & pp -nn-)* *vt* fuir, éviter

shunt [ʃʌnt] *vt (train, conversation)* aiguiller *(on* to sur); *Fam* **we were shunted (to and fro)** on nous a baladés

shush [ʃʊʃ] *exclam* chut!

shut [ʃʌt] 1 *(pt & pp* **shut,** *pp* **shutting)** *vt* fermer; **to s. one's finger in a door** se prendre le doigt dans une porte 2 *vi (of door)* se fermer; *(of shop, museum)* fermer; **the door doesn't s.** la porte ne ferme pas ▪ **shutdown** *n (of factory)* fermeture *f*

▸ **shut away** *vt sep (lock away)* enfermer

▸ **shut down** 1 *vt sep* fermer (définitivement) 2 *vi* fermer (définitivement)

▸ **shut in** *vt sep (lock in)* enfermer

▸ **shut off** *vt sep (gas, electricity)* couper; *(engine)* arrêter; *(road)* fermer; *(isolate)* isoler

▸ **shut out** *vt sep (keep outside)* empêcher d'entrer; *(exclude)* exclure **(of** *or* **from** de); *(view)* boucher; **to s. sb out** enfermer qn dehors

▸ **shut up** 1 *vt sep (close)* fermer; *(confine)* enfermer; *Fam (silence)* faire taire 2 *vi Fam (be quiet)* se taire

shutter ['ʃʌtə(r)] *n (on window)* volet *m*; *(of shop)* store *m*; *(of camera)* obturateur *m*

shuttle ['ʃʌtəl] 1 *n (bus, train, plane)* navette *f*; **s. service** navette 2 *vt* transporter 3 *vi* faire la navette

shuttlecock ['ʃʌtəlkɒk] *n* volant *m*

shy [ʃaɪ] 1 *(-er, -est)* *adj* timide; **to be s. of doing sth** éviter de faire qch à tout prix 2 *vi* **to s. away from sb/from doing sth** éviter qch/de faire qch ▪ **shyly** *adj* timidement ▪ **shyness** *n* timidité *f*

Siamese [saɪə'miːz] *adj* **S. cat** chat *m* siamois; **S. twins** *(boys)* frères *mpl* siamois; *(girls)* sœurs *fpl* siamoises

sibling ['sɪblɪŋ] *n (brother)* frère *m*; *(sister)* sœur *f*

Sicily ['sɪsɪlɪ] *n* la Sicile ▪ **Si'cilian** 1 *adj* sicilien, -ienne 2 *n* Sicilien, -ienne *mf*

sick [sɪk] 1 *(-er, -est)* *adj (ill)* malade; *(humour)* de mauvais goût; **to be s.** *(be ill)* être malade; *(vomit)* vomir; **to feel s.** avoir mal au cœur; **to be off** *or* **away s.,** to be on s. leave être en congé de maladie; **to be s. of sb/sth** en avoir assez de qn/qch; **to be s. and tired of sb/sth** en avoir ras le bol de qn/qch; **to have a s. mind** avoir l'esprit dérangé; *Fig* **he makes me s.** il m'écœure; *Br* **s. note** mot *m* d'absence *(pour cause de maladie);* **s. pay** indemnité *f* de maladie 2 *n Br Fam (vomit)* vomi *m* 3 *npl* **the s.** *(sick people)* les malades *mpl* ▪ **sickbay** *n* infirmerie *f* ▪ **sickbed** *n* lit *m* de malade

sicken ['sɪkən] 1 *vt* écœurer 2 *vi Br* **to be sickening for something** couver quelque chose ▪ **sickening** *adj* écœurant

sickie ['sɪkɪ] *n Br Fam* **to take** *or* **pull a s.** se faire porter pâle *(lorsqu'on est bien portant)*

sickly ['sɪklɪ] (**-ier, -iest**) *adj* maladif, -ive; *(pale, faint)* pâle; *(taste)* écœurant

sickness ['sɪknɪs] *n (illness)* maladie *f*; *(vomiting)* vomissements *mpl*; *Br* **s. benefit** indemnité *f* journalière

side [saɪd] **1** *n* côté *m*; *(of hill, animal)* flanc *m*; *(of road, river)* bord *m*; *(of beef)* quartier *m*; *(of question, character)* aspect *m*; *(team)* équipe *f*; **the right s.** *(of fabric)* l'endroit *m*; **the wrong s.** *(of fabric)* l'envers *m*; **at** *or* **by the s. of** *(nearby)* à côté de; **at** *or* **by my s.** à côté de moi, à mes côtés; **s. by s.** l'un à côté de l'autre; **to move to one's. s'écarter; on this s.** de ce côté; **on the other s.** de l'autre côté; *Fam* **it's a bit on the big s.** c'est un peu grand; **to take sides with sb** se ranger du côté de qn; **she's on our s.** elle est de notre côté; **to change sides** changer de camp; **to do sth on the s.** *(as extra job)* faire qch pour arrondir ses fins de mois **2** *adj (lateral)* latéral; *(view, glance)* de côté; *(street)* transversal; *(effect, issue)* secondaire **3** *vi* **to s. with sb** se ranger du côté de qn ▪ **sideboard** *n* buffet *m* ▪ **sideboards** *npl Br (hair)* pattes *fpl* ▪ **sideburns** *npl (hair)* pattes *fpl* ▪ **sidecar** *n* side-car *m* ▪ **-sided** *suff* **ten-sided** à dix côtés ▪ **sidekick** *n Fam* acolyte *m* ▪ **sidelight** *n Br (on vehicle)* feu *m* de position ▪ **sideline** *n (activity)* activité *f* secondaire; *(around playing field)* ligne *f* de touche ▪ **side-saddle** *adv* **to ride s.** monter en amazone ▪ **sidestep** *(pt & pp* **-pp-**) *vt* éviter ▪ **sidetrack** *vt* distraire; **to get sidetracked** s'écarter du sujet ▪ **sidewalk** *n Am* trottoir *m* ▪ **sideways 1** *adv (look, walk)* de côté **2** *adj* **a s. look/move** un regard/mouvement de côté

siding ['saɪdɪŋ] *n Rail* voie *f* de garage

sidle ['saɪdəl] *vi* **to s. up to sb** se glisser vers qn

siege [siːdʒ] *n (by soldiers, police)* siège *m*; **to lay s. to a town** assiéger une ville; **under s.** assiégé

siesta [sɪ'estə] *n* sieste *f*; **to take** *or* **have a s.** faire la sieste

sieve [sɪv] **1** *n* tamis *m*; *(for liquids)* passoire *f*; *(for gravel, ore)* crible *m* **2** *vt* tamiser ▪ **sift 1** *vt (flour)* tamiser; *(stones)* cribler; *Fig* **to s. out the truth** dégager la vérité **2** *vi* **to s. through** *(papers)* examiner (à la loupe)

sigh [saɪ] **1** *n* soupir *m* **2** *vi* soupirer; **to s. with relief** pousser un soupir de soulagement **3** *vt* **'yes', she sighed** 'oui', soupira-t-elle

sight [saɪt] **1** *n (faculty)* vue *f*; *(thing seen)* spectacle *m*; *(on gun)* viseur *m*; **to lose s. of sb/sth** perdre qn/qch de vue; **to catch s. of sb/sth** apercevoir qn/qch; **to come into s.** apparaître; **at first s.** à première vue; **by s.** de vue; **on** *or* **at s.** à vue; **in s.** *(target, end, date)* en vue; **out of s.** *(hidden)* caché; *(no longer visible)* disparu; **to disappear out of s.** *or* **from s.** disparaître; **keep out of s.!** ne te montre pas!; **he hates the s. of me** il ne peut pas me voir; **it's**

a lovely s. c'est beau à voir; **the (tourist) sights** les attractions *fpl* touristiques; **to set one's sights on** *(job)* viser **2** *vt (land)* apercevoir ▪ **sighted** *adj* voyant ▪ **sighting** *n* **to make a s. of sb** apercevoir qn

sightseer ['saɪtsiːə(r)] *n* touriste *mf* ▪ **sight-seeing** *n* **to go s., to do some s.** faire du tourisme

sign [saɪn] **1** *n* signe *m*; *(notice)* panneau *m*; *(over shop, pub)* enseigne *f*; **no s. of** aucune trace de; **s. language** langage *m* des sourds-muets **2** *vt (put signature to)* signer; *(in sign language)* dire en langage des sourds-muets **3** *vi (write signature)* signer; *(use sign language)* communiquer dans le langage des sourds-muets
▸ **sign away** *vt sep (rights, property)* renoncer à qch
▸ **sign for** *vt insep (letter, delivery)* signer pour accuser réception de
▸ **sign in** *vi (in hotel)* signer le registre (à l'entrée); *(at work)* pointer (en arrivant)
▸ **sign off** *vi (say goodbye)* dire au revoir
▸ **sign on** *vi Br Fam (register for unemployment benefit)* s'inscrire au chômage
▸ **sign out** *vi (of hotel)* signer le registre (à la sortie); *(at work)* pointer (en sortant)
▸ **sign up** *vi (of soldier, worker)* s'engager; *(for course)* s'inscrire

signal ['sɪgnəl] **1** *n* signal *m*; *Rail Br* **s. box**, *Am* **s. tower** poste *m* d'aiguillage **2** *(Br* **-ll-**, *Am* **-l-**) *vt (be a sign of)* indiquer; *(make gesture to)* faire signe à **3** *vi (make gesture)* faire signe (**to** à); *(of driver)* mettre son clignotant; **to s. (to) sb to do sth** faire signe à qn de faire qch ▪ **signalman** *(pl* **-men**) *n Rail* aiguilleur *m*

signature ['sɪgnətʃə(r)] *n* signature *f*; *Comptr* **digital s.** signature électronique *ou* numérique; **s. tune** indicatif *m* ▪ **signatory** [-tərɪ] *(pl* **-ies**) *n* signataire *mf*

signet ring ['sɪgnɪtrɪŋ] *n* chevalière *f*

significant [sɪg'nɪfɪkənt] *adj (important, large)* important; *(meaningful)* significatif, -ive ▪ **significance** *n (meaning)* signification *f*; *(importance)* importance *f* ▪ **significantly** *adv (appreciably)* sensiblement; **s., he...** fait significatif, il...

signify ['sɪgnɪfaɪ] *(pt & pp* **-ied**) *vt (mean)* signifier (**that** que); *(make known)* signifier (**to** à)

signpost ['saɪnpəʊst] **1** *n* poteau *m* indicateur **2** *vt* signaliser

Sikh [siːk] *adj & n* sikh *(mf)*

silence ['saɪləns] **1** *n* silence *m*; **in s.** en silence **2** *vt* faire taire ▪ **silencer** *n (on gun, motorbike)* silencieux *m*

silent ['saɪlənt] *adj* silencieux, -ieuse; *(film, anger)* muet *(f* muette); **to keep** *or* **be s.** garder le silence (**about** sur) ▪ **silently** *adv* silencieusement

silhouette [sɪlu:'et] *n* silhouette *f* ▪**silhouetted** *adj* to be s. against se profiler contre
silicon ['sɪlɪkən] *n* silicium *m*; **s. chip** puce *f* électronique; **S. Valley** Silicon Valley *f* (centre de l'industrie électronique américaine, situé en Californie)
silicone ['sɪlɪkəʊn] *n* silicone *f*; **s. implant** implant *m* mammaire en silicone
silk [sɪlk] *n* soie *f*; **s. dress** robe *f* de *ou* en soie ▪**silky** (-**ier, -iest**) *adj* soyeux, -euse
sill [sɪl] *n* (of window) rebord *m*
silly ['sɪlɪ] **1** (-**ier, -iest**) *adj* bête, idiot; **to do something s.** faire une bêtise; **to look s.** avoir l'air ridicule; **to laugh oneself s.** mourir de rire **2** *adv* (act, behave) bêtement ▪**silliness** *n* bêtise *f*
silo ['saɪləʊ] (*pl* -**os**) *n* silo *m*
silt [sɪlt] *n* vase *f*
silver ['sɪlvə(r)] **1** *n* argent *m*; (plates) argenterie *f*; *Br* **£5 in s.** 5 livres en pièces d'argent **2** *adj* (spoon) en argent, d'argent; (hair, colour) argenté; **s. jubilee** vingt-cinquième anniversaire *m*; *Br* **s. paper** papier *m* d'argent; **s. plate** (articles) argenterie *f* ▪**'silver-'plated** *adj* plaqué argent ▪**silversmith** *n* orfèvre *m* ▪**silverware** *n* argenterie *f* ▪**silvery** *adj* (colour) argenté
similar ['sɪmɪlə(r)] *adj* semblable (**to** à) ▪**similarity** [-'lærɪtɪ] (*pl* -**ies**) *n* ressemblance *f* (**between** entre; **to** avec) ▪**similarly** *adv* de la même façon; (likewise) de même
simile ['sɪmɪlɪ] *n* comparaison *f*
simmer ['sɪmə(r)] **1** *vt* (vegetables) mijoter; (water) laisser frémir **2** *vi* (of vegetables) mijoter; (of water) frémir; *Fig* (of revolt, hatred) couver; **to s. with rage** bouillir de rage; *Fam* **to s. down** se calmer
simper ['sɪmpə(r)] *vi* minauder
simple ['sɪmpəl] (-**er, -est**) *adj* (easy) simple; (unintelligent) simplet, -ette ▪**'simple-'minded** *adj* simple d'esprit ▪**'simple-'mindedness** *n* simplicité *f* d'esprit ▪**simpleton** *n* simple *mf* d'esprit ▪**sim'plicity** *n* simplicité *f*
simplify ['sɪmplɪfaɪ] (*pt & pp* -**ied**) *vt* simplifier ▪**simplification** [-fɪ'keɪʃən] *n* simplification *f*
simplistic [sɪm'plɪstɪk] *adj* simpliste
simply ['sɪmplɪ] *adv* (plainly, merely) simplement; (absolutely) absolument
simulate ['sɪmjʊleɪt] *vt* simuler
simultaneous [*Br* sɪməl'teɪnɪəs, *Am* saɪməl'teɪnɪəs] *adj* simultané ▪**simultaneously** *adv* simultanément
sin [sɪn] **1** *n* péché *m* **2** (*pt & pp* -**nn-**) *vi* pécher ▪**sinful** *adj* (act) coupable; (waste) scandaleux, -euse; **that's s.** c'est un péché ▪**sinner** *n* pécheur, -eresse *mf*
since [sɪns] **1** *prep* (in time) depuis; **s. 2003/my departure** depuis 2003/mon départ; **s. then** depuis **2** *conj* (in time) depuis que; (because)

puisque; **s. she's been here** depuis qu'elle est ici; **it's a year s.** I saw him ça fait un an que je ne l'ai pas vu **3** *adv* (ever) depuis
sincere [sɪn'sɪə(r)] *adj* sincère ▪**sincerely** *adv* sincèrement; *Br* **yours s.**, *Am* **s.** (in letter) veuillez agréer, Madame/Monsieur, l'expression de mes salutations distinguées ▪**sincerity** [-'serɪtɪ] *n* sincérité *f*
sinew ['sɪnju:] *n* Anat tendon *m* ▪**sinewy** *adj* (arm, leg) musclé
sing [sɪŋ] (*pt* **sang**, *pp* **sung**) *vti* chanter; **to s. up** chanter plus fort ▪**singer** *n* chanteur, -euse *mf* ▪**singing** *n* (of bird, musical technique) chant *m*; (way of singing) façon *f* de chanter; **s. lesson/teacher** leçon *f*/professeur *m* de chant
Singapore [sɪŋgə'pɔ:(r)] *n* Singapour *m ou f*
singe [sɪndʒ] *vt* (cloth) roussir; (hair) brûler
single ['sɪŋgəl] **1** *adj* (only one) seul; (room, bed) pour une personne; (unmarried) célibataire; **not a s. book** pas un seul livre; **every s. day** tous les jours sans exception; *Br* **s. ticket** aller *m* simple; **s. parent** père *m*/mère *f* célibataire; **s.-parent family** famille *f* monoparentale; *Pol* **s. European market** marché *m* unique européen **2** *n Br* (ticket) aller *m* simple; (record) single *m*; *Tennis* **singles** simples *mpl*; **singles bar** bar *m* pour célibataires **3** *vt* **to s. sb out** sélectionner qn ▪**'single-'breasted** [-brestɪd] *adj* (jacket) droit ▪**single-'decker** *n* = autobus sans impériale ▪**'single-'handedly** *adv* tout seul (*f* toute seule) ▪**'single-'minded** *adj* (person) résolu; (determination) farouche ▪**'single-'mindedly** *adv* résolument ▪**single-sex 'school** *n Br* école *f* non mixte
singlet ['sɪŋglɪt] *n Br* maillot *m* de corps
singly ['sɪŋglɪ] *adv* (one by one) un à un
singsong ['sɪŋsɒŋ] **1** *n* **to get together for a s.** se réunir pour chanter **2** *adj* (voice, tone) chantant
singular ['sɪŋgjʊlə(r)] **1** *adj* Grammar singulier, -ière; (remarkable) remarquable **2** *n* singulier *m*; **in the s.** au singulier
sinister ['sɪnɪstə(r)] *adj* sinistre
sink¹ [sɪŋk] *n* (in kitchen) évier *m*; (in bathroom) lavabo *m*
sink² [sɪŋk] (*pt* **sank**, *pp* **sunk**) **1** *vt* (ship) couler; (well) creuser; **to s. a knife into sth** enfoncer un couteau dans qch; **to s. money into a company** investir de l'argent dans une société; **a sinking feeling** un serrement de cœur **2** *vi* (of ship, person) couler; (of water level, sun, price) baisser; (collapse) s'affaisser; **my heart sank** j'ai eu un pincement de cœur; **to s. (down) into** (mud) s'enfoncer dans; (armchair) s'affaler dans; **to s. in** (of ink, water) pénétrer; *Fam* (of fact, idea) être assimilé; *Fam* **it hasn't sunk in**

yet je n'ai/il n'a/*etc* pas encore digéré la nouvelle

sinuous ['sɪnjʊəs] *adj* sinueux, -ueuse

sinus [saɪnəs] *n Anat* sinus *m* ▪ **sinusitis** [-'saɪtəs] *n Med* sinusite *f*; **to have s.** avoir une sinusite

sip [sɪp] **1** *n* petite gorgée *f* **2** (*pt & pp* **-pp-**) *vt* siroter

siphon ['saɪfən] **1** *n* siphon *m* **2** *vt* **to s. sth off** (*liquid*) siphonner qch; (*money*) détourner qch

sir [sɜː(r)] *n* monsieur *m*; **S. Walter Raleigh** (*title*) sir Walter Raleigh

siren ['saɪərən] *n* sirène *f*

sirloin ['sɜːlɔɪn] *n* (*beef*) aloyau *m*

sissy ['sɪsɪ] *n Fam* (*boy, man*) femmelette *f*

sister ['sɪstə(r)] *n* sœur *f*; (*nurse*) infirmière-chef *f* ▪ **sister-in-law** (*pl* sisters-in-law) *n* belle-sœur *f* ▪ **sisterly** *adj* fraternel, -elle

sit [sɪt] (*pt & pp* **sat**, *pres p* **sitting**) **1** *vt* (*child on chair*) asseoir; *Br* (*exam*) se présenter à **2** *vi* (*of person*) s'asseoir; (*for artist*) poser (**for** pour); (*of assembly*) siéger; **to s. at home** rester chez soi; **to be sitting** (*of person, cat*) être assis; **to be sitting on its perch** (*of bird*) être sur son perchoir; **she was sitting reading, she sat reading** elle était assise à lire
▸ **sit around** *vi* rester assis à ne rien faire
▸ **sit back** *vi* (*in chair*) se caler; (*rest*) se détendre; (*do nothing*) ne rien faire
▸ **sit down 1** *vt* to s. sb down asseoir qn **2** *vi* s'asseoir; **to be sitting down** être assis
▸ **sit for** *vt insep Br* (*exam*) se présenter à
▸ **sit in on** *vt insep* (*lecture*) assister à
▸ **sit on** *vt insep* (*jury*) être membre de; *Fam* (*fact*) garder pour soi
▸ **sit out** *vt sep* (*event, dance*) ne pas prendre part à; (*film*) rester jusqu'au bout de
▸ **sit through** *vt insep* (*film*) rester jusqu'au bout de
▸ **sit up** *vi* to s. up (straight) s'asseoir (bien droit); (*straighten one's back*) se redresser; **to s. up waiting for sb** veiller jusqu'au retour de qn

sitcom ['sɪtkɒm] *n* sitcom *m*

sit-down ['sɪtdaʊn] *adj* s. meal repas *m* servi à table; **s. strike** grève *f* sur le tas

site [saɪt] **1** *n* (*position*) emplacement *m*; (*archaeological*) site *m*; (**building**) **s.** chantier *m* (de construction); *Comptr* (**web**) **s.** site *m* (Web) **2** *vt* (*building*) placer

sit-in ['sɪtɪn] *n* (*protest*) sit-in *m inv*

sitter ['sɪtə(r)] *n* (*for child*) baby-sitter *mf*

sitting ['sɪtɪŋ] **1** *n* séance *f*; (*in restaurant*) service *m* **2** *adj* (*committee*) en séance; *Fam* **s. duck** cible *f* facile; **s. tenant** locataire *mf* dans les lieux ▪ **sitting room** *n* salon *m*

situate ['sɪtjʊeɪt] *vt* situer; **to be situated** être situé ▪ **situ'ation** *n* situation *f*

six [sɪks] *adj & n* six (*m*) ▪ **sixth** *adj & n* sixième (*mf*); *Br Sch* (**lower**) **s. form** ≃ classe *f* de

première; *Br Sch* (**upper**) **s. form** ≃ classe *f* terminale; **a s.** (*fraction*) un sixième

sixteen [sɪk'stiːn] *adj & n* seize (*m*) ▪ **sixteenth** *adj & n* seizième (*mf*)

sixty ['sɪkstɪ] *adj & n* soixante (*m*) ▪ **sixtieth** *adj & n* soixantième (*mf*)

size [saɪz] **1** *n* (*of person, animal, clothes*) taille *f*; (*of shoes, gloves*) pointure *f*; (*of shirt*) encolure *f*; (*measurements*) dimensions *fpl*; (*of fruit, packet*) grosseur *f*; (*of book*) grandeur *f*; (*of town, damage, problem*) étendue *f*; (*of sum*) montant *m*; **hip/chest s.** tour *m* de hanches/de poitrine; **it's the s. of...** c'est grand comme... **2** *vt* to s. up (*person*) jauger; (*situation*) évaluer

sizeable ['saɪzəbəl] *adj* non négligeable

sizzle ['sɪzəl] *vi* grésiller ▪ **sizzling** *adj* s. (hot) brûlant

skate¹ [skeɪt] **1** *n* patin *m*; *Fam* **to get one's skates on** se dépêcher **2** *vi* (*on ice skates*) faire du patin à glace; (*on roller skates*) faire du roller ▪ **skateboard 1** *n* planche *f* à roulettes, skateboard *m* **2** *vi* faire du skate-board ▪ **skateboarder** *n* personne *f* pratiquant le skate-board ▪ **skater** *n* (*on skates*) patineur, -euse *mf*; (*on skateboard*) personne *f* pratiquant le skate-board ▪ **skating** *n* patinage *m*; **to go s.** faire du patinage; **s. rink** (*for ice-skating*) patinoire *f*; (*for roller-skating*) piste *f*

skate² [skeɪt] *n* (*fish*) raie *f*

skeleton ['skelɪtən] *n* squelette *m*; *Fig* **to have a s. in the closet** avoir un secret honteux; **s. key** passe-partout *m inv*; **s. staff** personnel *m* minimum

skeptic ['skeptɪk] *adj & n Am* sceptique (*mf*) ▪ **skeptical** *adj Am* sceptique ▪ **skepticism** *n Am* scepticisme *m*

sketch [sketʃ] **1** *n* (*drawing*) croquis *m*; (*comic play*) sketch *m*; **a rough s. of the situation** un résumé rapide de la situation **2** *vt* to s. (out) (*idea, view*) exposer brièvement; *Fig* **to s. in** esquisser **3** *vi* faire un/des croquis ▪ **sketchbook** *n* carnet *m* de croquis ▪ **sketchy** (-ier, -iest) *adj* vague

skew [skjuː] *n* on the s. de travers

skewer ['skjuːə(r)] **1** *n* (*for large piece of meat*) broche *f*; (*for kebab*) brochette *f* **2** *vt* (*large piece of meat*) embrocher; (*small pieces of meat, vegetables*) mettre sur une brochette

ski [skiː] **1** (*pl* skis) *n* ski *m*; **s. boot** chaussure *f* de ski; **s. jump** (*slope*) tremplin *m*; (*jump*) saut *m* à skis; **s. lift** remonte-pente *m*; **s. mask** cagoule *f*, passe-montagne *m*; **s. pants** fuseau *m*; **s. pass** forfait *m* de remonte-pente; **s. resort** station *f* de ski; **s. run** *or* slope piste *f* de ski; **s. tow** téléski *m*; **s. wax** fart *m* **2** (*pt* skied [skiːd], *pres p* skiing) *vi* skier, faire du ski ▪ **skier** *n* skieur, -ieuse *mf* ▪ **skiing 1** *n* (*sport*) ski *m* **2** *adj* (*school, clothes*) de ski; *Br* **s. holiday**, *Am* **s. vacation** vacances *fpl* de neige

skid [skɪd] **1** n dérapage m **2** adj Am Fam **to be on s. row** être à la rue **3** (pt & pp -**dd**-) vi déraper; **to s. into sth** déraper et heurter qch
skill [skɪl] n (ability) qualités fpl; (technique) compétence f ▪ **skilful** (Am **skillful**) adj habile (**at doing** à faire; **at sth** en qch) ▪ **skilled** adj habile (**at doing** à faire; **at sth** en qch); (worker) qualifié; (work) de spécialiste
skillet ['skɪlɪt] n Am poêle f (à frire)
skim [skɪm] (pt & pp -**mm**-) **1** vt (milk) écrémer; (soup) écumer; **to s. (over) sth** (surface) effleurer qch; **to s. stones** (on water) faire des ricochets **2** vt insep **to s. through** (book) parcourir **3** adj **s. milk** lait m écrémé ▪ **skimmed** adj **s. milk** lait m écrémé
skimp [skɪmp] vi (on food, fabric) lésiner (**on** sur) ▪ **skimpy** (-**ier**, -**iest**) adj (clothes) étriqué; (meal) maigre
skin [skɪn] **1** n peau f; Fig **he has thick s.** c'est un dur; **s. cancer** cancer m de la peau; **s. diving** plongée f sous-marine; **s. test** cuti-(réaction) f **2** (pt & pp -**nn**-) vt (fruit) peler; (animal) écorcher ▪ **'skin-'deep** adj superficiel, -ielle ▪ **'skin-'tight** adj moulant
skinflint ['skɪnflɪnt] n avare mf
skinhead ['skɪnhed] n Br skinhead mf
skinny ['skɪnɪ] (-**ier**, -**iest**) adj maigre
skint [skɪnt] adj Br Fam (penniless) fauché
skip¹ [skɪp] **1** n petit saut m **2** (pt & pp -**pp**-) vt (miss, omit) sauter; **to s. classes** sécher les cours vi (hop about) sautiller; Br (with rope) sauter à la corde; Fam **to s. off** filer; Br **skipping rope** corde f à sauter
skip² [skɪp] n Br (for rubbish) benne f
skipper ['skɪpə(r)] n (of ship, team) capitaine m
skirmish ['skɜːmɪʃ] n accrochage m
skirt [skɜːt] **1** n jupe f **2** vt **to s. round sth** (bypass, go round) contourner qch ▪ **skirting board** n Br plinthe f
skittish ['skɪtɪʃ] adj espiègle
skittle ['skɪtəl] n Br quille f; **skittles** (game) jeu m de quilles; **to play skittles** jouer aux quilles
skive [skaɪv] vi Br Fam tirer au flanc; **to s. off** (slip away) se défiler ▪ **skiver** n Br Fam tire-au-flanc m inv
skivvy ['skɪvɪ] (pl -**ies**) n Br Fam Pej bonne f à tout faire
skulk [skʌlk] vi **to s. (about)** rôder
skull [skʌl] n crâne m ▪ **skullcap** n calotte f
skunk [skʌŋk] n (animal) moufette f; Pej (person) mufle m
sky [skaɪ] n ciel m ▪ **'sky-'blue** adj bleu ciel inv ▪ **skydiving** n parachutisme m en chute libre ▪ **'sky-'high** adj (prices) exorbitant ▪ **skylark** n alouette f ▪ **skylight** n lucarne f ▪ **skyline** n (horizon) horizon m ▪ **skyrocket** vi Fam (of prices) monter en flèche ▪ **skyscraper** n gratte-ciel m inv
slab [slæb] n (of concrete) bloc m; (thin, flat)

plaque f; (of chocolate) tablette f; (of meat) tranche f épaisse; (paving stone) dalle f
slack [slæk] **1** (-**er**, -**est**) adj (not tight) mou (f molle); (careless) négligent; **to be s.** (of rope) avoir du mou; **trade is s.** le commerce va mal; **in s. periods** en périodes creuses **2** vi to **s. off** (in effort) se relâcher ▪ **slackness** n (negligence) négligence f; (laziness) fainéantise f; (of rope) mou m; (of trade) stagnation f
slacken ['slækən] **1** vt to **s. (off)** (rope) relâcher; (pace, effort) ralentir **2** vi to **s. (off)** (in effort) se relâcher; (of production, demand, speed, enthusiasm) diminuer
slacker ['slækə(r)] n Fam (person) flemmard, -arde mf
slacks [slæks] npl Am pantalon m
slag¹ [slæg] n (from mine) déchets mpl miniers; (from steelworks) crasse f; **s. heap** (near mine) terril m; (near steelworks) crassier m
slag² [slæg] n Br very Fam (woman) salope f **2** vt to **s. sb off** (criticize) débiner qn
slain [sleɪn] pp of slay
slalom ['slɑːləm] n (ski race) slalom m
slam [slæm] **1** n claquement m **2** (pt & pp -**mm**-) vt (door, lid) claquer; (hit) frapper violemment; Fam (criticize) éreinter; **to s. the door in sb's face** claquer la porte au nez de qn; **to s. sth (down)** (put down) poser qch violemment **3** vi (of door) claquer; **to s. on the brakes** écraser la pédale de frein
slander ['slɑːndə(r)] **1** n calomnie f **2** vt calomnier ▪ **slanderous** adj calomnieux, -ieuse
slang [slæŋ] **1** n argot m **2** adj (word) d'argot, argotique; **s. expression** expression f argotique ▪ **slanging match** n Br Fam échange m d'insultes
slant [slɑːnt] **1** n pente f; Fig (point of view) perspective f; Fig (bias) parti m pris; **on a s.** penché; (roof) en pente **2** vt (writing) incliner; Fig (news) présenter de façon partiale **3** vi (of roof, handwriting) être incliné ▪ **slanted, slanting** adj penché; (roof) en pente
slap [slæp] **1** n (with hand) claque f; **a s. in the face** une gifle **2** (pt & pp -**pp**-) vt (person) donner une claque à; **to s. sb's face** gifler qn; **to s. sb's bottom** donner une fessée à qn; **to s. some paint on sth** passer un coup de peinture sur qch; Fam **s. in the middle** en plein milieu **3** adv Fam **s. in the middle** en plein milieu
slapdash ['slæpdæʃ] **1** adj (person) négligent; (task) fait à la va-vite **2** adv (carelessly) à la va-vite
slapstick ['slæpstɪk] adj & n **s. (comedy)** grosse farce f
slap-up ['slæpʌp] adj Br Fam **s. meal** gueuleton m
slash [slæʃ] **1** n entaille f **2** vt (cut) taillader; (reduce) réduire considérablement; **prices slashed** prix mpl sacrifiés

slat [slæt] n latte f

slate [sleɪt] **1** n ardoise f **2** vt Br Fam (book) démolir

slaughter ['slɔːtə(r)] **1** n (of people) massacre m; (of animal) abattage m **2** vt (people) massacrer; (animal) abattre; Fam (defeat) massacrer ▪ **slaughterhouse** n abattoir m

Slav [slɑːv] **1** adj slave **2** n Slave mf ▪ **Slavic** adj slave m ▪ **Slavonic** [slə'vɒnɪk] adj (language) slave

slave [sleɪv] **1** n esclave mf; Hist **the s. trade** la traite des Noirs; Fig & Pej **s. driver** négrier m **2** vi **to s. (away) doing sth** s'escrimer à faire qch ▪ **slavery** n esclavage m ▪ **slavish** adj servile

slaver ['slævə(r)] vi (dribble) baver (**over** sur)

slay [sleɪ] (pt slew, pp slain) vt Literary tuer

sleazy ['sliːzɪ] (-ier, -iest) adj Fam sordide ▪ **sleaze** n Fam (in media) ragots mpl sordides; (in politics) corruption f

sledge [sledʒ] (Am **sled** [sled]) n Br luge f; (horse-drawn) traîneau m

sledgehammer ['sledʒhæmə(r)] n masse f

sleek [sliːk] (-er, -est) adj (smooth) lisse et brillant; Pej (manner) mielleux, -euse

sleep [sliːp] **1** n sommeil m; **to have a s., to get some s.** dormir; **to go to s.** (of person) s'endormir; Fam (of arm, foot, hand) s'engourdir; **to put sb to s.** endormir qn; **to put an animal to s.** (kill) faire piquer un animal; Fig **to send sb to s.** (bore) endormir qn **2** (pt & pp slept) vi dormir; **to s. rough** dormir à la dure; Euph **to s. with sb** coucher avec qn; **s. tight** or **well!** dors bien!; Fig **I'll s. on it** la nuit portera conseil **3** vt **this flat sleeps six** on peut dormir à six dans cet appartement; **I haven't slept a wink all night** je n'ai pas fermé l'œil de la nuit; Fam **to s. it off, to s. off a hangover** cuver son vin ▪ **sleeping** adj (asleep) endormi; **s. bag** sac m de couchage; **s. car** wagon-lit m; **s. pill** somnifère m ▪ **sleepover (party)** n = soirée entre copines, où les invitées restent dormir chez leur hôte

sleeper ['sliːpə(r)] n (a) **to be a light/sound s.** avoir le sommeil léger/lourd (**b**) Br Rail (on track) traverse f; (bed in train) couchette f; (train) train-couchettes m ▪ **sleepless** adj (night) d'insomnie; (hours) sans sommeil

sleepwalker ['sliːpwɔːkə(r)] n somnambule mf ▪ **sleepwalking** n somnambulisme m

sleepy ['sliːpɪ] (-ier, -iest) adj (town, voice) endormi; **to be s.** (of person) avoir sommeil ▪ **sleepiness** n torpeur f

sleet [sliːt] **1** n neige f fondue; Am (sheet of ice) verglas m **2** vi **it's sleeting** il tombe de la neige fondue

sleeve [sliːv] n (of shirt, jacket) manche f; (of record) pochette f; **long-/short-sleeved** à

manches longues/courtes; Fig **he still has something up his s.** il n'a pas dit son dernier mot

sleigh [sleɪ] n traîneau m; **s. bell** grelot m (de traîneau)

sleight [slaɪt] n **s. of hand** tour m de passe-passe

slender ['slendə(r)] adj (person) svelte; (neck, hand, waist) fin; Fig (small, feeble) faible

slept [slept] pt & pp of **sleep**

sleuth [sluːθ] n Hum (detective) limier m

slew [sluː] **1** n Am Fam **a s. of** un tas de **2** pt of **slay**

slice [slaɪs] **1** n tranche f; Fig (portion) part f **2** vt **to s. sth (up)** couper qch en tranches; **to s. sth off** couper qch ▪ **sliced 'bread** n pain m en tranches

slick [slɪk] **1** (-er, -est) adj (campaign) bien mené; (reply, person) habile; (surface, tyre) lisse **2** n (on beach) marée f noire

slide [slaɪd] **1** n (in playground) toboggan m; (for hair) barrette f; Phot diapositive f; (of microscope) lamelle f; (in prices, popularity) baisse f **2** (pt & pp slid [slɪd]) vt glisser (**into** dans); (table, chair) faire glisser; **s. the lid off** faites glisser le couvercle **3** vi glisser; **to s. into a room** se glisser dans une pièce ▪ **sliding** adj (door, panel) coulissant; **s. roof** toit m ouvrant; **s. scale** échelle f mobile

slight [slaɪt] **1** (-er, -est) adj (small, unimportant) léger, -ère; (chance) faible; (person) menu; **the slightest thing** la moindre chose; **not in the slightest** pas le moins du monde **2** n affront m (**on** à) **3** vt (offend) offenser; (ignore) bouder

slightly ['slaɪtlɪ] adv légèrement; **to know sb s.** connaître qn un peu; **s. built** fluet (f fluette)

slim [slɪm] **1** (slimmer, slimmest) adj mince **2** (pt & pp -mm-) vi Br suivre un régime ▪ **slimmer** n Br personne f qui suit un régime amaigrissant ▪ **slimming** adj Br **s. diet** régime m amaigrissant ▪ **slimness** n minceur f

slime [slaɪm] n vase f; (of snail) bave f ▪ **slimy** (-ier, -iest) adj (muddy) boueux (f boueuse); Fig (sticky, smarmy) visqueux, -euse

sling [slɪŋ] **1** n (weapon) fronde f; (for injured arm) écharpe f; **in a s.** en écharpe **2** (pt & pp slung) vt (throw) lancer; **to s. sth over one's shoulder** mettre qch sur son épaule; Fam **to s. away** or **out** (throw out) balancer ▪ **slingshot** n Am lance-pierres m inv

slip [slɪp] n (mistake) erreur f; (garment) combinaison f; (fall) chute f; **a s. of paper** un bout de papier; (printed) un bordereau; **a s. of the tongue** un lapsus; **a s. of a girl** un petit bout de femme; **to give sb the s.** fausser compagnie à qn; Br **s. road** bretelle f **2** (pt & pp -pp-) vt (slide) glisser (**to** à; **into** dans); **it slipped her notice** ça lui a échappé; **it**

slipped my mind ça m'est sorti de l'esprit; **to have a slipped disc** avoir une hernie discale 3 *vi* glisser; *Fam (of popularity, ratings)* baisser; **to let sth s.** *(chance, oath, secret)* laisser échapper qch

> Note that the French noun **slip** is a false friend and is never a translation for the English noun **slip**. It means **underpants**.

▸ **slip away** *vi (escape)* s'éclipser
▸ **slip back** *vi* retourner furtivement
▸ **slip in** *vi (enter)* entrer furtivement
▸ **slip into** *vt insep (room)* se glisser dans; *(bathrobe)* passer; *(habit)* prendre
▸ **slip off** *vt sep (coat)* enlever
▸ **slip on** *vt sep (coat)* mettre
▸ **slip out** *vi (leave)* sortir furtivement; *(for a moment)* sortir (un instant); *(of secret)* s'éventer
▸ **slip past** *vt insep (guard)* passer sans être vu de
▸ **slip through** 1 *vt insep* **to s. through the crowd** se faufiler parmi la foule 2 *vi (of error)* échapper à l'attention de
▸ **slip up** *vi Fam* se planter

slipcover ['slɪpkʌvə(r)] *n Am* housse *f*
slipper ['slɪpə(r)] *n* pantoufle *f*
slippery ['slɪpərɪ] *adj* glissant
slipshod ['slɪpʃɒd] *adj (negligent)* négligent; *(slovenly)* négligé
slip-up ['slɪpʌp] *n Fam* gaffe *f*
slit [slɪt] 1 *n* fente *f* 2 *(pt & pp* **slit**, *pres p* **slitting**) *vt (cut)* couper; *(tear)* déchirer; **to s. open** *(sack)* éventrer
slither ['slɪðə(r)] *vi* glisser; *(of snake)* se couler
sliver ['slɪvə(r)] *n (of wood)* éclat *m*; *(of cheese)* fine tranche *f*
slob [slɒb] *n Fam (lazy person)* gros fainéant *m*; *(dirty person)* porc *m*
slobber ['slɒbə(r)] 1 *n* bave *f* 2 *vi (of dog, baby)* baver
sloe [sləʊ] *n (fruit)* prunelle *f*; **s. gin** gin *m* à la prunelle
slog [slɒg] *Br Fam* 1 *n* **a (hard) s.** *(effort)* un gros effort; **it was a bit of a s.** ça a été dur 2 *(pt & pp* **-gg-)** *vt (ball, person)* donner un grand coup à 3 *vi* **to s. (away)** trimer
slogan ['sləʊgən] *n* slogan *m*
slop [slɒp] 1 *(pt & pp* **-pp-)** *vt* renverser 2 *vi* **to s. (over)** se renverser
slope [sləʊp] 1 *n* pente *f*; *(of mountain)* versant *m*; *(for skiing)* piste *f*; *(slant of handwriting, pipe)* inclinaison *f* 2 *vi (of ground, roof)* être en pente; *(of handwriting)* pencher; **to s. down** *(of path)* descendre en pente ▪ **sloping** *adj (roof)* en pente; *(handwriting)* penché
sloppy ['slɒpɪ] **(-ier, -iest)** *adj (work, appearance)* négligé; *(person)* négligent; *(sentimental)* sentimental
slosh [slɒʃ] *Fam* 1 *vt (pour, spill)* renverser,

répandre 2 *vi (of liquid)* clapoter; *(spill)* se renverser; **to s. about** *(walk in water, mud)* patauger; *(splash in bath)* barboter ▪ **sloshed** *adj Br Fam (drunk)* bourré
slot [slɒt] 1 *n (slit)* fente *f*; *(in schedule, list)* créneau *m*; **s. machine** *(for vending)* distributeur *m* automatique; *(for gambling)* machine *f* à sous 2 *(pt & pp* **-tt-)** *vt (insert)* insérer **(into** dans) 3 *vi* s'insérer **(into** dans)
sloth [sləʊθ] *n (animal)* paresseux *m*; *Literary (laziness)* paresse *f* ▪ **slothful** *adj* paresseux, -euse
slouch [slaʊtʃ] 1 *n* **to have a s.** avoir le dos voûté 2 *vi* ne pas se tenir droit; *(have a stoop)* avoir le dos voûté; *(in chair)* être avachi; **don't s.!** tenez-vous droit!; **he slouched out of the room** il est sorti de la pièce en traînant les pieds
Slovakia [sləʊˈvækɪə] *n* la Slovaquie ▪ **Slovak** 1 *adj* slovaque 2 *n (person)* Slovaque *mf*; *(language)* slovaque *m*
Slovenia [sləʊˈviːnɪə] *n* la Slovénie ▪ **Slovenian** 1 *adj* slovène 2 *n (person)* Slovène *mf*; *(language)* slovène *m*
slovenly ['slʌvənlɪ] *adj* négligé
slow [sləʊ] 1 **(-er, -est)** *adj* lent; **at (a) s. speed** à vitesse réduite; **in s. motion** au ralenti; **to be a s. walker** marcher lentement; **to be s.** *(of clock, watch)* retarder; **to be five minutes s.** retarder de cinq minutes; **to be s. to do sth** être lent à faire qch; **business is s.** les affaires tournent au ralenti 2 *adv* lentement 3 *vt* **to s. sth down** *or* **up** ralentir qch; *(delay)* retarder qch 4 *vi* **to s. down** *or* **up** ralentir ▪ **slowcoach** *n Br Fam* lambin, -ine *mf* ▪ **slow-down** *n* ralentissement *m*; *Am* **s. (strike)** grève *f* perlée ▪ **slowly** *adv* lentement; *(bit by bit)* peu à peu ▪ **'slow-'moving** *adj (vehicle)* lent ▪ **slowness** *n* lenteur *f* ▪ **slowpoke** *n Am Fam* lambin, -ine *mf*
sludge [slʌdʒ] *n* gadoue *f*
slue [sluː] *n Am Fam* = **slew**
slug [slʌg] 1 *n* **(a)** *(mollusc)* limace *f* **(b)** *Am Fam (bullet)* pruneau *m* 2 *(pt & pp* **-gg-)** *vt Am Fam (hit)* frapper
sluggish ['slʌgɪʃ] *adj (person)* amorphe; *(business)* au ralenti
sluice [sluːs] *n* **s. (gate)** vanne *f*
slum [slʌm] 1 *n (house)* taudis *m*; **the slums** les quartiers *mpl* délabrés 2 *(pt & pp* **-mm-)** *vt Fam* **to s. it** s'encanailler ▪ **slummy** **(-ier, -iest)** *adj* sordide
slumber ['slʌmbə(r)] *n Literary* sommeil *m*; *Am* **s. party** = soirée entre copines, où les invitées restent dormir chez leur hôte
slump [slʌmp] 1 *n* baisse *f* soudaine **(in** de); *(in prices)* effondrement *m*; *(economic depression)* crise *f* 2 *vi (of person, prices)* s'effondrer
slung [slʌŋ] *pt & pp of* **sling**

slur [slɜː(r)] **1** *n* (*insult*) insulte *f*; **to cast a s. on sb's reputation** entacher la réputation de qn; **to speak with a s.** manger ses mots **2** (*pt & pp* **-rr-**) *vt* mal articuler; **to s. one's words** manger ses mots ▪ **slurred** *adj* (*speech*) indistinct

slush [slʌʃ] *n* (*snow*) neige *f* fondue; (*mud*) gadoue *f*; *Fam* (*sentimentality*) sensiblerie *f*; *Fam Pol* **s. fund** caisse *f* noire ▪ **slushy** (**-ier, -iest**) *adj* (*road*) couvert de neige fondue; *Fam* (*novel, film*) guimauve

slut [slʌt] *n Fam Pej* (*immoral woman*) salope *f*

sly [slaɪ] **1** (**-er, -est**) *adj* (*deceitful*) sournois; (*cunning, crafty*) rusé **2** *n* **on the s.** en douce

smack [smæk] **1** *n* (*blow*) claque *f*; (*on bottom*) fessée *f* **2** *vt* (*person*) donner une claque à; **to s. sb's face** gifler qn; **to s. sb('s bottom)** donner une fessée à qn **3** *vi* **to s. of** (*be suggestive of*) avoir des relents de **4** *adv Fam* **s. in the middle** en plein milieu

small [smɔːl] **1** (**-er, -est**) *adj* petit; **in the s. hours** au petit matin; **s. change** petite monnaie *f*; **s. talk** banalités *fpl* **2** *adv* (*cut, chop*) menu; (*write*) petit **3** *n* **the s. of the back** la chute des reins ▪ **'small-'minded** *adj* à l'esprit étroit ▪ **'small-'mindedness** *n* étroitesse *f* d'esprit ▪ **smallness** *n* petitesse *f* ▪ **small-scale** *adj* (*model*) réduit; (*research*) à petite échelle ▪ **small-time** *adj Fam* (*crook, dealer*) petit

smallpox ['smɔːlpɒks] *n* variole *f*

smarmy ['smɑːmɪ] (**-ier, -iest**) *adj Fam Pej* obséquieux, -ieuse

smart[1] [smɑːt] (**-er, -est**) *adj* (*in appearance*) élégant; (*clever*) intelligent; (*astute*) astucieux, -ieuse; (*quick*) rapide; *Fam* **s. aleck** je-sais-tout *mf inv*; **s. card** carte *f* à puce ▪ **smartly** *adv* (*dressed*) avec élégance; (*cleverly*) avec intelligence; (*astutely*) astucieusement; (*quickly*) en vitesse

smart[2] [smɑːt] *vi* (*sting*) brûler

smarten ['smɑːtən] **1** *vt* **to s. sth up** égayer qch **2** *vti* **to s. (oneself) up** se faire beau (*f* belle)

smash [smæʃ] **1** *n* (*accident*) collision *f*; (*noise*) fracas *m*; (*blow*) coup *m*; *Tennis* smash *m*; *Fam* **s. hit** gros succès *m* **2** *vt* (*break*) briser; (*shatter*) fracasser; (*record*) pulvériser; (*enemy*) écraser; **to s. sth to pieces** fracasser qch; *Fam* **to s. sb's face (in)** casser la gueule à qn **3** *vi* **to s. into sth** s'écraser contre qch; **to s. into pieces** éclater en mille morceaux ▪ **smash-and-'grab raid** *n Br* pillage *m* de vitrines ▪ **smash-up** *n* collision *f*

▸ **smash down, smash in** *vt sep* (*door*) enfoncer

▸ **smash into** *vt insep* (*of vehicle*) entrer dans

▸ **smash up** *vt sep* (*vehicle*) esquinter; (*room*) saccager

smashing ['smæʃɪŋ] *adj* (*blow*) violent; *Br Fam* (*wonderful*) génial ▪ **smasher** *n Br* **to be a (real) s.** *Fam* être génial

smattering ['smætərɪŋ] *n* **a s. of French** quelques notions *fpl* de français

smear [smɪə(r)] **1** *n* (*mark*) trace *f*; (*stain*) tache *f*; *Med* **s. (test)** frottis *m* (vaginal); **a s. on sb's reputation** une atteinte à la réputation de qn; **s. campaign** campagne *f* de diffamation; **to use s. tactics** avoir recours à la diffamation **2** *vt* (*coat*) enduire (**with** de); (*stain*) tacher (**with** de); (*smudge*) faire une trace sur; **to s. sb** calomnier qn

smell [smel] **1** *n* odeur *f*; (**sense of**) **s.** odorat *m* **2** (*pt & pp* **smelled** *or* **smelt**) *vt* sentir; (*of animal*) flairer **3** *vi* (*stink*) sentir mauvais; (*have a smell*) sentir; **to s. of smoke** sentir la fumée; **smelling salts** sels *mpl* ▪ **smelly** (**-ier, -iest**) *adj* **to be s.** sentir mauvais

smelt[1] [smelt] *pt & pp of* **smell**

smelt[2] [smelt] *vt* (*ore*) fondre; **smelting works** fonderie *f*

smidgen ['smɪdʒən] *n Fam* **a s.** (*a little*) un brin (**of** de)

smile [smaɪl] **1** *n* sourire *m* **2** *vi* sourire (**at sb** à qn; **at sth** de qch) ▪ **smiling** *adj* souriant ▪ **smiley** **1** *adj* souriant **2** *n Comptr* sourient *m*, émoticon *m*

smirk [smɜːk] *n* (*smug*) sourire *m* suffisant; (*scornful*) sourire goguenard

smith [smɪθ] *n* forgeron *m*

smithereens [smɪðə'riːnz] *npl* **to smash sth to s.** briser qch en mille morceaux

smitten ['smɪtən] *adj Literary* **to be s. with terror** être terrorisé; **to be s. with remorse** être pris de remords; *Fam* **to be s.** (*in love*) être très épris (**with** de)

smock [smɒk] *n* blouse *f*

smog [smɒg] *n* smog *m*

smoke [sməʊk] **1** *n* fumée *f*; **to have a s.** fumer une cigarette; **s. alarm** *or* **detector** détecteur *m* de fumée; *Fig* **s. screen** rideau *m* de fumée **2** *vt* (*cigarette*) fumer; **to s. a room out** enfumer une pièce; **smoked salmon** saumon *m* fumé **3** *vi* fumer; **to s. like a chimney** (*of person*) fumer comme un pompier; **'no smoking'** 'défense de fumer'; **smoking compartment** (*on train*) compartiment *m* fumeurs ▪ **smokeless** *adj* **s. fuel** combustible *m* non polluant ▪ **smoker** *n* fumeur, -euse *mf*; (*train compartment*) compartiment *m* fumeurs ▪ **smokestack** *n* cheminée *f* d'usine ▪ **smoky** (**-ier, -iest**) *adj* (*room, air*) enfumé; (*ceiling, wall*) noirci par la fumée; **it's s. here** il y a de la fumée ici

smooth [smuːð] **1** (**-er, -est**) *adj* (*surface, skin*) lisse; (*cream, sauce*) onctueux, -ueuse; (*sea, flight*) calme; *Pej* (*person, manners*) doucereux, -euse; **the s. running of** (*machine, service, business*) la bonne marche de; **to be a s. operator** savoir y faire **2** *vt* **to s. sth down** (*hair, sheet, paper*) lisser qch; **to s. sth out** (*paper, sheet, dress*) lisser qch; *(crease)* faire disparaître qch; *Fig* **to s. difficulties out** *or* **over** aplanir des difficultés ▪ **smoothly** *adv* sans problèmes ▪ **smoothness** *n* aspect *m* lisse; *(of road)* surface *f* égale

smoothie ['smu:ðɪ] *n (drink)* = boisson à base de jus de fruit et de yaourt

smother ['smʌðə(r)] *vt (stifle)* étouffer; **to s. sth in sth** recouvrir qch de qch; *Fig* **to s. sb with kisses** couvrir qn de baisers

smoulder ['sməʊldə(r)] *(Am* **smolder)** *vi Fig (of fire, passion)* couver ▪ **smouldering** *(Am* **smoldering)** *adj Fig (fire, passion)* qui couve

smudge [smʌdʒ] **1** *n* tache *f* **2** *vt (paper)* faire des taches sur; *(ink)* étaler

smug [smʌg] **(smugger, smuggest)** *adj (smile)* béat; *(person)* content de soi

smuggle ['smʌgəl] *vt* passer en fraude; **smuggled goods** contrebande *f* ▪ **smuggler** *n* contrebandier, -ière *mf*; *(of drugs)* trafiquant *m* ▪ **smuggling** *n* contrebande *f*

smut [smʌt] *n inv (obscenity)* cochonneries *fpl* ▪ **smutty (-ier, -iest)** *adj (joke)* cochon, -onne

snack [snæk] **1** *n (meal)* casse-croûte *m inv*; **to eat a s.** *or* **snacks** grignoter quelque chose; **s. bar** snack-bar *m* **2** *vi* manager entre les repas; **to s. on sth** grignoter qch

snag [snæg] *n (hitch)* problème *m*; *(in cloth)* accroc *m*

snail [sneɪl] *n* escargot *m*; **at a s.'s pace** comme un escargot; *Fam* **s. mail** courrier *m* escargot, = courrier postal

snake [sneɪk] **1** *n* serpent *m*; **snakes and ladders** ≃ jeu *m* de l'oie **2** *vi (of river)* serpenter ▪ **snakebite** *n* morsure *f* de serpent

snap [snæp] **1** *n (sound)* craquement *m*; *Fam (photo)* photo *f*; **s. (fastener)** pression *f*; **cold s.** coup *m* de froid **2** *adj (judgement, decision)* hâtif, -ive **3** *(pt & pp* **-pp-)** *vt (break)* casser net; *(fingers, whip)* faire claquer; **to s. up a bargain** sauter sur une occasion **4** *vi* se casser net; *(of whip)* claquer; *Fig (of person)* parler sèchement **(at** à); **to s. at sb** *(of dog)* essayer de mordre qn; **to s. off** se casser net; *Fam* **s. out of it!** secoue-toi!

snappy ['snæpɪ] **(-ier, -iest)** *adj (pace)* vif *(f* vive*)*; *Fam* **make it s.!** dépêche-toi!; *Fam* **to be a s. dresser** s'habiller classe

snapshot ['snæpʃɒt] *n Fam* photo *f*

snare [sneə(r)] **1** *n* piège *m* **2** *vt* prendre au piège

snarl [snɑːl] **1** *n* grognement *m* **2** *vi* grogner (en montrant les dents) ▪ **snarl-up** *n Fam (traffic jam)* bouchon *m*; *(confusion)* pagaille *f*

snatch [snætʃ] *vt (grab)* saisir; *(steal)* arracher; **to s. sth from sb** arracher qch à qn; **to s. some sleep** dormir un peu

snatches ['snætʃɪz] *npl (bits)* fragments *mpl* **(of** de*)*

snazzy ['snæzɪ] **(-ier, -iest)** *adj Fam (smart)* chic; **she's a s. dresser** elle s'habille chic

sneak [sni:k] **1** *n Br Fam (telltale)* mouchard, -arde *mf*; **to get a s. preview of sth** voir qch en avant-première **2** *(pt & pp* **sneaked** *or Am* **snuck)** *vi Br Fam (tell tales)* rapporter; **to s. in/ out** entrer/sortir furtivement; **to s. off** s'esquiver ▪ **sneaky (-ier, -iest)** *adj Fam* sournois

sneaker ['sni:kə(r)] *n Am (shoe)* chaussure *f* de sport

sneer [snɪə(r)] **1** *n* ricanement *m* **2** *vi* ricaner; **to s. at sb/sth** se moquer de qn/qch

sneeze [sni:z] **1** *n* éternuement *m* **2** *vi* éternuer

snicker ['snɪkə(r)] *n & vi Am* = **snigger**

snide [snaɪd] *adj* méprisant

sniff [snɪf] **1** *n* **to give sth a s.** renifler qch; **to take a s. at sth** renifler qch **2** *vt* renifler; **to s. glue** sniffer de la colle; *Fam* **it's not to be sniffed at** il ne faut pas cracher dessus **3** *vi* renifler

sniffle ['snɪfəl] **1** *n Fam* **to have a s.** *or* **the sniffles** avoir un petit rhume **2** *vi* renifler

snigger ['snɪgə(r)] **1** *n (petit)* ricanement *m* **2** *vi* ricaner ▪ **sniggering** *n* ricanements *mpl*

snip [snɪp] **1** *n (cut)* petite entaille *f*; *(piece)* bout *m*; *Br Fam (bargain)* bonne affaire *f* **2** *(pt & pp* **-pp-)** *vt* **to s. sth (off)** couper qch

sniper ['snaɪpə(r)] *n Mil* tireur *m* embusqué *ou* isolé

snippet ['snɪpɪt] *n (of conversation)* bribe *f*

snivel ['snɪvəl] *(Br* **-ll-,** *Am* **-l-)** *vi* pleurnicher ▪ **snivelling** *(Am* **sniveling)** *adj* pleurnicheur, -euse

snob [snɒb] *n* snob *mf* ▪ **snobbery** *n* snobisme *m* ▪ **snobbish** *adj* snob *inv*

snog [snɒg] *Br Fam* **1** *n* **to have a s.** se bécoter *f* **2** *vt* bécoter **2** *vi* se bécoter

snooker ['snu:kə(r)] *n (game)* = billard qui se joue avec vingt-deux billes

snoop [snu:p] *vi* **to s. (around)** fourrer son nez partout; **to s. on sb** espionner qn

snooty ['snu:tɪ] **(-ier, -iest)** *adj Fam* prétentieux, -ieuse

snooze [snu:z] **1** *n* petit somme *m*; **to have a s.** faire un petit somme **2** *vi* faire un petit somme

snore [snɔ:(r)] **1** *n* ronflement *m* **2** *vi* ronfler ▪ **snoring** *n* ronflements *mpl*

snorkel ['snɔ:kəl] **1** *n* tuba *m* **2** *(Br* **-ll-,** *Am* **-l-)** *vi* nager sous l'eau avec un tuba ▪ **snorkelling** *n* plongée *f* avec un tuba; **to go s.** faire de la plongée avec un tuba

snort [snɔ:t] **1** *n (of person)* grognement *m*; *(of horse)* ébrouement *m* **2** *vi (of person)* grogner; *(of horse)* s'ébrouer

snot [snɒt] *n Fam* morve *f* ▪ **snotty (-ier, -iest)** *adj Fam (nose)* qui coule; *(handkerchief)* plein de morve; *(child)* morveux, -euse; *(arrogant)* arrogant ▪ **snotty-nosed, snot-nosed** *adj Fam* morveux, -euse

snout [snaʊt] *n* museau *m*

snow [snəʊ] **1** n neige f **2** vi neiger; **it's snowing** il neige **3** vt **to be snowed in** être bloqué par la neige; Fig **to be snowed under with work** être submergé de travail ▪ **snowball 1** n boule f de neige **2** vi (increase) faire boule de neige ▪ **snowbound** adj bloqué par la neige ▪ **snow-capped** adj couronné de neige ▪ **snowdrift** n congère f ▪ **snowdrop** n (flower) perce-neige m ou f inv ▪ **snowfall** n chute f de neige ▪ **snowflake** n flocon m de neige ▪ **snowman** (pl **-men**) n bonhomme m de neige ▪ **snowmobile** ['snəʊməʊbiːl] n motoneige f ▪ **snowplough** (Am **snowplow**) n chasse-neige m inv ▪ **snowshoe** n raquette f ▪ **snowstorm** n tempête f de neige ▪ **'Snow 'White** n Blanche-Neige f ▪ **snowy** (**-ier, -iest**) adj (weather, hills) neigeux, -euse; (day) de neige

snub [snʌb] **1** n rebuffade f **2** (pt & pp **-bb-**) vt (offer) rejeter; **to s. sb** snober qn ▪ **snub 'nose** n nez m retroussé

snuck [snʌk] Am pt & pp of **sneak**

snuff [snʌf] **1** n tabac m à priser **2** vt **to s. (out)** (candle) moucher

snuffle ['snʌfəl] n & vi = **sniffle**

snug [snʌg] (**snugger, snuggest**) adj (house) douillet, -ette; (garment) bien ajusté; **s. in bed** bien au chaud dans son lit

snuggle ['snʌgəl] vi **to s. up to sb** se blottir contre qn

so [səʊ] **1** adv (to such a degree) si, tellement (**that** que); (thus) ainsi, comme ça; **to work/ drink so much that...** travailler/boire tellement que...; **so much courage** tellement de courage (**that** que); **so many books** tant de livres (**that** que); **so very fast** tellement vite; **ten or so** environ dix; **and so on** et ainsi de suite; **I think so** je crois que oui; **do so!** faites-le!; **is that so?** c'est vrai?; **so am I** moi aussi; **you're late – so I am** tu es en retard – ah oui! tu as raison; **I told you so** je vous l'avais bien dit; Fam **so long!** au revoir! **2** conj (therefore) donc; (in that case) alors; **so what?** et alors?; **so that...** pour que... (+ subjunctive); **so as to do sth** pour faire qch ▪ **So-and-so** n Mr S. Monsieur Untel ▪ **so-called** adj soi-disant inv ▪ **so-so** adj & adv Fam comme ci comme ça

soak [səʊk] **1** n **to give sth a s.** faire tremper qch **2** vt (drench) tremper; (washing, food) faire tremper; **to be soaked through** or **to the skin** être trempé jusqu'aux os; **to s. sth up** absorber qch **3** vi (of washing) tremper; **to s. in** (of liquid) s'infiltrer ▪ **soaked** adj trempé ▪ **soaking 1** adj & adv **s. (wet)** trempé **2** n **to get a s.** se faire tremper; **to give sth a s.** faire tremper qch

soap [səʊp] **1** n savon m; **s. opera** feuilleton m populaire; **s. powder** lessive f **2** vt **to s. sth (down)** savonner qch ▪ **soapsuds** npl mousse f de savon ▪ **soapy** (**-ier, -iest**) adj savonneux, -euse

soar [sɔː(r)] vi (of bird) s'élever; (of price) monter en flèche

sob [sɒb] **1** n sanglot m; Fam Pej **s. story** histoire f à vous fondre le cœur **2** (pt & pp **-bb-**) vi sangloter ▪ **sobbing** n (sobs) sanglots mpl

sober ['səʊbə(r)] **1** adj (sensible) sobre; **he's s.** (not drunk) il n'est pas ivre **2** vti **to s. up** dessoûler ▪ **sobering** adj qui dégrise; **it's a s. thought** ça vous fait réfléchir

soccer ['sɒkə(r)] n esp Am football m

sociable ['səʊʃəbəl] adj (person) sociable; (evening) amical ▪ **sociably** adv (act, reply) aimablement

social ['səʊʃəl] **1** adj social; **to have a good s. life** sortir beaucoup; **s. class** classe f sociale; **s. evening** soirée f; **s. gathering** réunion f mondaine; **s. science(s)** sciences fpl humaines; S. Security ≃ la Sécurité sociale; **s. security** (aid) aide f sociale; Am (retirement pension) pension f de retraite; **the s. services** les services mpl sociaux; **s. worker** assistant, -ante mf social(e) **2** n (party) fête f

socialism ['səʊʃəlɪzəm] n socialisme m ▪ **socialist** adj & n socialiste (mf)

socialite ['səʊʃəlaɪt] n mondain, -aine mf

socialize ['səʊʃəlaɪz] vi fréquenter des gens; **to s. with sb** fréquenter qn

socially ['səʊʃəlɪ] adv socialement; (meet, behave) en société; **to see sb s.** fréquenter qn

society [sə'saɪətɪ] **1** (pl **-ies**) n (community, club, companionship) société f; (school/university club) club m; (high) s. haute société f **2** adj (wedding, news) mondain

sociology [səʊsɪ'ɒlədʒɪ] n sociologie f ▪ **sociological** [-sɪə'lɒdʒɪkəl] adj sociologique ▪ **sociologist** n sociologue mf

sock [sɒk] **1** n chaussette f **2** vt Fam (hit) donner un coup de poing à

socket ['sɒkɪt] n Br (of electric plug) prise f de courant; Br (of lamp) douille f; (of eye) orbite f

soda ['səʊdə] n Chem soude f; **baking s.** bicarbonate m de soude; Am s. (pop) boisson f gazeuse; **s. (water)** eau f de Seltz

sodden ['sɒdən] adj (ground) détrempé

sodium ['səʊdɪəm] n Chem sodium m

sofa ['səʊfə] n canapé m; **s. bed** canapé-lit m

soft [sɒft] (**-er, -est**) adj (gentle, not stiff) doux (f douce); (butter, ground, paste, snow) mou (f molle); (wood, heart, colour) tendre; (easy) facile; (indulgent) indulgent; Fam (cowardly) poltron, -onne; Fam (stupid) ramolli; **to have a s. spot for sb** avoir un faible pour qn; **s. cheese** fromage m frais; **s. drink** boisson f non alcoolisée; **s. drugs** drogues fpl douces; **s. toy** peluche f; **s. water** eau f douce ▪ **'soft-'boiled** adj (egg) à la coque ▪ **'soft-'hearted** adj qui se laisse facilement attendrir ▪ **'soft-'spoken** adj qui a une voix douce

soften ['sɒfən] **1** vt (object) ramollir; (colour, light, voice, skin) adoucir **2** vi ramollir; (of colour) s'adoucir ▪ **softener** n adoucissant m

softie ['sɒftɪ] n Fam (gentle person) bonne pâte f; (weakling) mauviette f

softly ['sɒftlɪ] adv doucement ▪ **softness** n douceur f; (of butter, ground, paste) mollesse f

software ['sɒftweə(r)] n inv Comptr logiciel m; **s. package** progiciel m

soggy ['sɒgɪ] (**-ier, -iest**) adj trempé

soil [sɔɪl] **1** n (earth) terre f **2** vt (dirty) salir **3** vi (of fabric) se salir

solar ['səʊlə(r)] adj solaire; **s. plexus** plexus m solaire; **s. power** énergie f solaire; **s. system** système m solaire

sold [səʊld] pt & pp of **sell**

solder ['sɒldə(r)] **1** n soudure f **2** vt souder

soldier ['səʊldʒə(r)] **1** n soldat m **2** vi **to s. on** persévérer

sole[1] [səʊl] **1** n (of shoe) semelle f; (of foot) plante f **2** vt (shoe) ressemeler

sole[2] [səʊl] adj (only) unique; (rights, representative, responsibility) exclusif, -ive ▪ **solely** adv uniquement; **you're s. to blame** tu es seul coupable

sole[3] [səʊl] n (fish) sole f; **lemon s.** limande f

solemn ['sɒləm] adj solennel, -elle ▪ **solemnity** [sə'lemnɪtɪ] n solennité f ▪ **solemnly** adv (promise) solennellement; (say) gravement

solicit [sə'lɪsɪt] **1** vt (seek) solliciter **2** vi (of prostitute) racoler

solicitor [sə'lɪsɪtə(r)] n Br notaire m

solid ['sɒlɪd] **1** adj (not liquid) solide; (not hollow) plein; (gold, silver) massif, -ive; **s. line** ligne f continue **2** adv frozen **s.** complètement gelé; **ten days s.** dix jours d'affilée **3** n solide m; **solids** (food) aliments mpl solides ▪ **solidify** [sə'lɪdɪfaɪ] (pt & pp **-ied**) vi se solidifier ▪ **solidity** [sə'lɪdɪtɪ] n solidité f ▪ **solidly** adv (built) solidement; (support, vote) en masse; (work) sans interruption

solidarity [sɒlɪ'dærətɪ] n solidarité f (**with** avec)

soliloquy [sə'lɪləkwɪ] (pl **-ies**) n monologue m

solitary ['sɒlɪtərɪ] adj (lonely, alone) solitaire; (only) seul; **s. confinement** isolement m cellulaire ▪ **solitude** n solitude f

solo ['səʊləʊ] **1** (pl **-os**) n Mus solo m **2** adj (guitar, violin) solo inv **3** adv (play, sing) en solo; (fly) en solitaire ▪ **soloist** n Mus soliste mf

solstice ['sɒlstɪs] n solstice m

soluble ['sɒljʊbəl] adj (substance, problem) soluble

solution [sə'lu:ʃən] n (**a**) (to problem) solution f (**to** de) (**b**) (liquid) solution f

solve [sɒlv] vt (problem) résoudre

solvent ['sɒlvənt] **1** adj (financially) solvable **2** n

Chem solvant m; **s. abuse** = usage de solvants comme stupéfiants ▪ **solvency** n (of company) solvabilité f

Somalia [sə'mɑ:lɪə] n la Somalie

somber adj Am = **sombre**

sombre ['sɒmbə(r)] (Am **somber**) adj sombre

some [sʌm] **1** adj (**a**) (a certain quantity of) du, de la, des; **s. wine** du vin; **s. glue** de la colle; **s. water** de l'eau; **s. dogs** des chiens; **s. pretty flowers** de jolies fleurs (**b**) (unspecified) un, une; **s. man (or other)** un homme (quelconque); **s. other way** un autre moyen; **for s. reason or other** pour une raison ou pour une autre; **I have been waiting s. time** ça fait un moment que j'attends; Fam **that's s. book!** ça, c'est un livre! (**c**) (a few) quelques; (in contrast to others) certains; **s. days ago** il y a quelques jours; **s. people think that...** certains pensent que...

2 pron (**a**) (a certain quantity) en; **I want s.** j'en veux; **do you have s.?** en as-tu?; **s. of my wine** un peu de mon vin; **s. of the time** une partie du temps (**b**) (as opposed to others) certain(e)s; **some say...** certains disent...; **s. of the guests** certains invités

3 adv (about) environ; **s. ten years** environ dix ans ▪ **somebody** pron = **someone** ▪ **someday** adv un jour ▪ **somehow** adv (in some way) d'une manière ou d'une autre; (for some reason) on ne sait pourquoi ▪ **someone** pron quelqu'un; **s. small** quelqu'un de petit ▪ **someplace** adv Am = **somewhere** ▪ **something** **1** pron quelque chose; **s. awful** quelque chose d'affreux; **he's s. of a liar** il est plutôt menteur **2** adv **she plays s. like...** elle joue un peu comme...; **it was s. awful** c'était vraiment affreux ▪ **sometime** **1** adv un jour; **s. in May** au mois de mai **2** adj (former) ancien, -ienne ▪ **sometimes** adv quelquefois, parfois ▪ **somewhat** adv quelque peu, assez ▪ **somewhere** adv quelque part; **s. about fifteen** (approximately) environ quinze

somersault ['sʌməsɔ:lt] **1** n (on ground) roulade f; (in air) saut m périlleux **2** vi faire une roulade; (in air) faire un saut périlleux

son [sʌn] n fils m ▪ **son-in-law** (pl **sons-in-law**) n gendre m

sonar ['səʊnɑ:(r)] n sonar m

sonata [sə'nɑ:tə] n sonate f

song [sɒŋ] n chanson f; (of bird) chant m ▪ **songbook** n recueil m de chansons

sonic ['sɒnɪk] adj **s. boom** bang m

sonnet ['sɒnɪt] n sonnet m

soon [su:n] (**-er, -est**) adv (in a short time) bientôt; (quickly) vite; (early) tôt; **he s. forgot about it** il l'oublia vite; **s. after** peu après; **as s. as...** aussitôt que...; **no sooner had he spoken than...** à peine avait-il parlé que...; **I'd sooner leave** je préférerais partir; **I'd just**

as s. leave j'aimerais autant partir; **sooner or later** tôt ou tard

soot [sʊt] n suie f ▪**sooty** (**-ier, -iest**) adj couvert de suie

soothe [suːð] vt calmer ▪**soothing** adj calmant

sophisticated [səˈfɪstɪkeɪtɪd] adj (person, taste) raffiné; (machine, method, technology) sophistiqué

sophomore [ˈsɒfəmɔː(r)] n Am Univ étudiant, -iante mf de deuxième année

soporific [sɒpəˈrɪfɪk] adj soporifique

sopping [ˈsɒpɪŋ] adj & adv **s. (wet)** trempé

soppy [ˈsɒpɪ] (**-ier, -iest**) adj Br Fam (sentimental) sentimental

soprano [səˈprɑːnəʊ] (pl -os) n (singer) soprano mf; (voice) soprano m

sorbet [ˈsɔːbeɪ] n sorbet m

sorcerer [ˈsɔːsərə(r)] n sorcier m ▪**sorcery** n sorcellerie f

sordid [ˈsɔːdɪd] adj sordide

sore [sɔː(r)] 1 (**-er, -est**) adj (painful) douloureux, -euse; Am (angry) fâché (**at** contre); **to have a s. throat** avoir mal à la gorge; **he's still s.** (in pain) il a encore mal; Am (angry) il est toujours fâché; Fig **it's a s. point** c'est un sujet délicat 2 n (wound) plaie f ▪**sorely** adv (tempted) très; (regretted) amèrement; **it's s. needed** on en a un grand besoin ▪**soreness** n (pain) douleur f

sorrow [ˈsɒrəʊ] n chagrin m ▪**sorrowful** adj triste

sorry [ˈsɒrɪ] (**-ier, -iest**) adj (sight, state) triste; **to be s.** (about sth) (regret) être désolé (de qch); **to feel** or **be s. for sb** plaindre qn; **I'm s. she can't come** je regrette qu'elle ne puisse pas venir; **s.!** pardon!; **s. to keep you waiting** désolé de vous faire attendre; **to say s.** demander pardon (**to** à)

sort¹ [sɔːt] n sorte f; **a s. of** une sorte de; **all sorts of** toutes sortes de; **what s. of drink is it?** qu'est-ce que c'est comme boisson?; Br Fam **he's a good s.** c'est un brave type; **s. of sad** (somewhat) plutôt triste

sort² [sɔːt] 1 vt (papers) trier; **to s. out** (classify, select) trier; (separate) séparer (**from** de); (organize) ranger; (problem) régler; Br Fam **to s. sb out** régler son compte à qn 2 vi **to s. through letters/magazines** trier des lettres/magazines; Br **sorting office** (for mail) centre m de tri ▪**sorted** adj Br Fam **to be s.** (psychologically) être bien dans ses baskets; (have everything one needs) être paré; **if I get that pay rise, I'll be s.** si j'obtiens cette augmentation plus à m'en faire

SOS [esəʊˈes] n SOS m

soufflé [ˈsuːfleɪ] n Culin soufflé m

sought [sɔːt] pt & pp of **seek**

soul [səʊl] n âme f; **not a living s.** pas âme qui vive; Fig **a good s.** un brave type; **s. mate** âme f sœur ▪**soul-destroying** adj abrutissant ▪**soul-searching** n examen m de conscience

sound¹ [saʊnd] 1 n son m; (noise) bruit m; **I don't like the s. of it** ça ne me plaît pas du tout; **s. archives** phonothèque f; **s. barrier** mur m du son; **s. bite** petite phrase f; **s. effects** bruitage m; **s. engineer** ingénieur m du son; **s. recording** enregistrement m sonore; **s. wave** onde f sonore 2 vt (bell, alarm) sonner; (bugle, horn) sonner de; (letter, syllable) prononcer; **to s. one's horn** (in vehicle) klaxonner 3 vi (of trumpet, bugle) sonner; (seem) sembler; **to s. like** sembler être; (resemble) ressembler à; **it sounds like** or **as if...** il semble que... (+ subjunctive or indicative); (it) sounds good! bonne idée!; Pej **to s. off (about sth)** (boast) se vanter (de qch); (complain) se plaindre (de qch)

sound² [saʊnd] 1 (**-er, -est**) adj (healthy) sain; (in good condition) en bon état; (basis) solide; (argument) valable; (advice) bon (f bonne); (investment) sûr; **a s. beating** une bonne correction 2 adv **s. asleep** profondément endormi ▪**soundly** adv (asleep, sleep) profondément; (reasoned) solidement; (beaten) complètement ▪**soundness** n (of mind) santé f; (of argument) solidité f

sound³ [saʊnd] vt (test, measure) sonder; **to s. sb out** sonder qn (**about** sur)

soundproof [ˈsaʊndpruːf] 1 adj insonorisé 2 vt insonoriser

soundtrack [ˈsaʊndtræk] n (of film) bande f sonore

soup [suːp] n soupe f, s. **dish** or **plate** assiette f creuse; **s. kitchen** soupe f populaire; Fam **to be in the s.** (in trouble) être dans le pétrin

sour [ˈsaʊə(r)] 1 (**-er, -est**) adj aigre; (milk) tourné; **to turn s.** (of wine) s'aigrir; (of milk) tourner; (of friendship) se détériorer; (of conversation) tourner au vinaigre; **s. cream** crème f aigre; Fig **s. grapes** dépit m 2 vi (of temper) s'aigrir

source [sɔːs] n (origin) source f; **s. of energy** source d'énergie

south [saʊθ] 1 n sud m; **(to the) s. of** au sud de 2 adj (coast) sud inv; (wind) du sud; **S. Africa/America** f l'Afrique/l'Amérique f du Sud; **S. African** adj sudafricain; n Sud-Africain, -aine mf; **S. American** adj sud-américain; n Sud-Américain, -aine mf 3 adv au sud; (travel) vers le sud ▪**southbound** adj (traffic) en direction du sud; Br (carriageway) sud inv ▪'**south-'east** n & adj sud-est (m) ▪**southerly** [ˈsʌðəlɪ] adj (point) sud inv; (direction, wind) du sud ▪**southern** [ˈsʌðən] adj (town) du sud; (coast) sud inv; **s. Italy** le sud de l'Italie; **S. Africa** l'Afrique f australe ▪**southerner** [ˈsʌðənə(r)] n habitant, -ante mf du sud ▪**southward(s)** adj &

adv vers le sud ▪**'south-'west** *n & adj* sud-ouest *(m)*

souvenir [suːvəˈnɪə(r)] *n* souvenir *m*

sovereign [ˈsɒvrɪn] **1** *n* souverain, -aine *mf* **2** *adj (State, authority)* souverain; *(rights)* de souveraineté ▪**sovereignty** [-rəntɪ] *n* souveraineté *f*

Soviet [ˈsəʊvɪət] *adj* soviétique; *Formerly* **the S. Union** *l'URSS f* soviétique

sow[1] [saʊ] *n (pig)* truie *f*

sow[2] [səʊ] *(pt* **sowed**, *pp* **sowed** *or* **sown** [səʊn]) *vt (seeds, doubt)* semer; *(land)* ensemencer *(with de)*

soya [ˈsɔɪə] *n Br* soja *m*; **s. bean** graine *f* de soja; **s. sauce, soy sauce** sauce *f* de soja ▪**soybean** *n Am* graine *f* de soja

sozzled [ˈsɒzəld] *adj Br Fam (drunk)* bourré

spa [spaː] *n (town)* station *f* thermale; *(spring)* source *f* thermale

space [speɪs] **1** *n (gap, emptiness, atmosphere)* espace *m*; *(for parking)* place *f*; **in the s. of two hours** en l'espace de deux heures; **to take up s.** prendre de la place; **blank s.** espace, blanc *m*; **s. bar** *(on keyboard)* barre *f* d'espacement; **s. heater** *(electric)* radiateur *m* **2** *adj (voyage, capsule)* spatial; **s. shuttle** navette *f* spatiale **3** *vt* espacer; **evenly spaced** régulièrement espacés ▪**spacecraft** *n inv* vaisseau *m* spatial ▪**spaceman** *(pl* **-men**) *n* astronaute *m* ▪**spaceship** *n* vaisseau *m* spatial ▪**spacesuit** *n* combinaison *f* spatiale ▪**spacing** *n Typ* **in double/single s.** à double/simple interligne

▸**space out** *vt sep* espacer; *Fam* **to be spaced out** *(dazed)* être dans le coaltar; *(after taking drugs)* planer

spacious [ˈspeɪʃəs] *adj* spacieux, -ieuse

spade [speɪd] *n* (**a**) *(for garden)* bêche *f*; *(of child)* pelle *f* (**b**) *Cards* **spade(s)** pique *m*

spaghetti [spəˈgetɪ] *n* spaghettis *mpl*; **s. bolognaise** spaghettis bolognaise

Spain [speɪn] *n* l'Espagne *f*

spam [spæm] *Comptr* **1** *n* messages *mpl* publicitaires, pourriels *mpl*; **a s. e-mail** un message publicitaire, un pourriel **2** *vt* spammer ▪**spammer** *n Comptr* = personne qui envoie des messages publicitaires en masse ▪**spamming** *n Comptr* spamming *m*

span [spæn] **1** *n (of arch)* portée *f*; *(of wings)* envergure *f*; *Fig (of life)* durée *f* **2** *(pt & pp* **-nn-**) *vt (of bridge)* enjamber; *Fig (in time)* couvrir

Spaniard [ˈspænjəd] *n* Espagnol, -ole *mf* ▪**Spanish** **1** *adj* espagnol **2** *n (language)* espagnol *m* ▪**Spanish-A'merican** **1** *adj* hispano-américain **2** *n* Hispano-Américain, -aine *mf*

spaniel [ˈspænjəl] *n* épagneul *m*

spank [spæŋk] **1** *n* **to give sb a s.** donner une fessée à qn **2** *vt* donner une fessée à ▪**spanking** *n* fessée *f*

spanner [ˈspænə(r)] *n Br (tool)* clef *f*; **adjustable s.** clef *f* à molette

spar [spaː(r)] *(pt & pp* **-rr-**) *vi (of boxer)* s'entraîner *(with* avec*)*

spare[1] [speə(r)] **1** *adj (extra, surplus)* de ou en trop; *(reserve)* de rechange; *(wheel)* de secours; *(available)* disponible; **s. room** chambre *f* d'ami; **s. time** loisirs *mpl* **2** *n* **s. (part)** *(for vehicle, machine)* pièce *f* détachée **3** *vt (do without)* se passer de; *(efforts, sb's feelings)* ménager; **to s. sb** *(not kill)* épargner qn; **to s. sb's life** épargner la vie de qn; **to s. sb sth** *(grief, details)* épargner qch à qn; *(time)* accorder qch à qn; **I can't s. the time** je n'ai pas le temps; **to s. no expense** ne pas regarder à la dépense; **five to s.** *(extra)* cinq de trop; **with five minutes to s.** avec cinq minutes d'avance

spare[2] [speə(r)] *adj (lean)* maigre

sparing [ˈspeərɪŋ] *adj* **her s. use of** l'usage modéré qu'elle fait de; **to be s. with the butter** utiliser le beurre avec modération ▪**sparingly** *adv* en petite quantité

spark [spaːk] **1** *n* étincelle *f*; **s. plug** *(for vehicle)* bougie *f* **2** *vt* **to s. off** *(cause)* provoquer

sparkle [ˈspaːkəl] **1** *n* éclat *m* **2** *vi* étinceler; *(of wine, water, eyes)* pétiller ▪**sparkler** *n (firework)* cierge *m* magique ▪**sparkling** *adj (diamond, metal)* étincelant; *(wine, water, eyes)* pétillant

sparrow [ˈspærəʊ] *n* moineau *m*

sparse [spaːs] *adj* clairsemé ▪**sparsely** *adv (populated, wooded)* peu; **s. furnished** à peine meublé

spartan [ˈspaːtən] *adj* spartiate

spasm [ˈspæzəm] *n (of muscle)* spasme *m*; *Fig (of coughing, jealousy)* accès *m* ▪**spas'modic** *adj (pain)* spasmodique; *Fig* intermittent

spat [spæt] *pt & pp of* **spit**

spate [speɪt] *n* **a s. of sth** *(of letters, calls)* une avalanche de qch; *(of crimes)* une vague de qch

spatter [ˈspætə(r)] **1** *vt (clothes, person)* éclabousser *(with* de*)* **2** *vi* **to s. over sb** *(of mud)* éclabousser qn

spatula [ˈspætjʊlə] *n* spatule *f*

spawn [spɔːn] **1** *n (of fish)* frai *m* **2** *vt Fig (bring about)* engendrer **3** *vi* frayer

speak [spiːk] **1** *(pt* **spoke**, *pp* **spoken**) *vt (language)* parler; *(say)* dire; **to s. one's mind** dire ce que l'on pense **2** *vi* parler (**about** *or* **of** de); *(formally, in assembly)* prendre la parole; **so to s.** pour ainsi dire; **that speaks for itself** c'est évident; **to s. well of sb/sth** dire du bien de qn/qch; **Bob speaking!** *(on telephone)* Bob à l'appareil!; **Mr Thomas? – yes, speaking** *(on telephone)* M. Thomas? – lui-même; **that's spoken for** c'est déjà pris; **to s. out** *or* **up** *(boldly)* parler (franchement); **to s. up** *(more loudly)* parler plus fort ▪**speaking 1** *n* public

s. l'art *m* oratoire **2** *adj (toy, robot)* parlant; **they're not on s. terms** ils ne se parlent plus; **English-/French-s.** anglophone/francophone
speaker ['spiːkə(r)] *n (at meeting)* intervenant, -ante *mf*; *(at conference)* conférencier, -ière *mf*; *(loudspeaker)* enceinte *f*; **to be a Spanish s.** parler espagnol
spear [spɪə(r)] *n* lance *f* ▪ **spearhead** *vt (attack, campaign)* être le fer de lance de
spearmint ['spɪəmɪnt] **1** *n (plant)* menthe *f* verte **2** *adj (sweet)* à la menthe; *(flavour)* de menthe; *(chewing gum)* mentholé
spec [spek] *n Br Fam* **on s.** à tout hasard
special ['speʃəl] **1** *adj* spécial; *(care, attention)* particulier, -ière; *(favourite)* préféré; *Pol (measures)* extraordinaire; *Br* **by s. delivery** en exprès; **s. effects** effets *mpl* spéciaux; **s. offer** offre *f* spéciale **2** *n* **today's s.** *(in restaurant)* le plat du jour

> Note that the French adjective **spécial** can be a false friend. It also means **peculiar, odd.**

specialist ['speʃəlɪst] **1** *n* spécialiste *mf* (**in** de) **2** *adj (dictionary, knowledge)* spécialisé; *(equipment)* de spécialiste ▪ **speciality** [speʃɪ'ælɪtɪ] *(Am* **specialty** ['speʃəltɪ]) *(pl* **-ies)** *n* spécialité *f*
specialize ['speʃəlaɪz] *vi* se spécialiser (**in** dans) ▪ **specialized** *adj* spécialisé
specially ['speʃəlɪ] *adv (specifically)* spécialement; *(particularly)* particulièrement
specialty ['speʃəltɪ] *(pl* **-ies)** *Am* = **speciality**
species ['spiːʃiːz] *n inv* espèce *f*
specific [spə'sɪfɪk] *adj* précis ▪ **specifically** *adv (explicitly)* expressément; *(exactly)* précisément; *(specially)* spécialement
specify ['spesɪfaɪ] *(pt & pp* **-ied)** *vt (state exactly)* préciser; *(stipulate)* stipuler ▪ **specification** [-fɪ'keɪʃən] *n* spécification *f*
specimen ['spesɪmɪn] *n (individual example)* spécimen *m*; *(of urine, blood)* échantillon *m*; **s. signature** spécimen de signature; **s. copy** *(of book)* spécimen
specious ['spiːʃəs] *adj* spécieux, -ieuse
speck [spek] *n (stain)* petite tache *f*; *(of dust)* grain *m*; *(dot)* point *m*
speckled ['spekəld] *adj* tacheté
specs [speks] *npl Br Fam* lunettes *fpl*
spectacle ['spektəkəl] *n (sight)* spectacle *m* ▪ **spectacles** *npl (glasses)* lunettes *fpl*
spectacular [spek'tækjʊlə(r)] *adj* spectaculaire ▪ **spectacularly** *adv* de façon spectaculaire
spectator [spek'teɪtə(r)] *n* spectateur, -trice *mf*
spectre ['spektə(r)] *n* spectre *m* (**of** de)
spectrum ['spektrəm] *(pl* **-tra** [-trə]) *n* spectre *m*; *Fig (range)* gamme *f*
speculate ['spekjʊleɪt] **1** *vt* **to s. that...** *(guess)* conjecturer que... **2** *vi Fin & Phil* spéculer; **to s.**

about *(make guesses)* faire des suppositions sur ▪ **specu'lation** *n* suppositions *fpl*; *Fin & Phil* spéculation *f* ▪ **speculative** [-lətɪv] *adj Fin & Phil* spéculatif, -ive ▪ **speculator** *n Fin* spéculateur, -trice *mf*
sped [sped] *pt & pp of* **speed**
speech [spiːtʃ] *n (talk, lecture)* discours *m* (**on** *or* **about** sur); *(faculty)* parole *f*; *(diction)* élocution *f*; *(spoken language of group)* langue *f*; **to make a s.** faire un discours; **part of s.** partie *f* du discours; *Grammar* **direct/indirect s.** discours *m* direct/indirect ▪ **speechless** *adj* muet *(f* muette) (**with** de)
speed [spiːd] **1** *n* (**a**) *(rapidity, gear)* vitesse *f*; **at top** *or* **full s.** à toute vitesse; **s. dating** speed dating *m*, = soirées de rencontre dont chaque participant dispose d'un temps limité pour s'entretenir avec tous les autres; *Tel* **s. dial** numérotation *f* abrégée; **s. limit** *(on road)* limitation *f* de vitesse; **s. skating** patinage *m* de vitesse (**b**) *Fam (amphetamines)* speed *m*, amphés *fpl* **2** *(pt & pp* **sped)** *vt* **to s. sth up** accélérer qch **3** *vi* (**a**) **to s. up** *(of person)* aller plus vite; *(of pace)* s'accélérer; **to s. past sth** passer à toute vitesse devant qch (**b**) *(pt & pp* **speeded)** *(exceed speed limit)* faire un excès de vitesse ▪ **speedboat** *n* vedette *f* ▪ **speeding** *n (in vehicle)* excès *m* de vitesse ▪ **speedometer** [spɪ'dɒmɪtə(r)] *n Br (in vehicle)* compteur *m* de vitesse ▪ **speedway** *n Sport* speedway *m*
speedy ['spiːdɪ] **(-ier, -iest)** *adj* rapide ▪ **speedily** *adv* rapidement
spell[1] [spel] *n (magic words)* formule *f* magique; **to cast a s. on sb** jeter un sort à qn; **to be under a s.** être envoûté ▪ **spellbound** *adj* fasciné
spell[2] [spel] *n (period)* période *f*; **cold s.** vague *f* de froid
spell[3] [spel] *(pt & pp* **spelled** *or* **spelt** [spelt]) *vt (write)* écrire; *(say aloud)* épeler; *(of letters)* former; *Fig (mean)* signifier; **to be able to s.** savoir l'orthographe; **how do you s. it?** comment ça s'écrit?; **to s. sth out** *(word)* épeler qch; *Fig (explain)* expliquer clairement qch ▪ **spell-checker** *n Comptr* correcteur *m* d'orthographe ▪ **spelling** *n* orthographe *f*; **s. mistake** faute *f* d'orthographe
spelunking [spɪ'lʌŋkɪŋ] *n Am* spéléologie *f* ▪ **spelunker** *n Am* spéléologue *mf*
spend [spend] *(pt & pp* **spent)** *vt (money)* dépenser (**on** pour/en); *(time)* passer (**on sth** sur qch; **doing** à faire); *(energy)* consacrer (**on sth** à qch; **doing** à faire) ▪ **spender** *n* **to be a big s.** dépenser beaucoup ▪ **spending** *n* dépenses *fpl*; **s. money** argent *m* de poche ▪ **spendthrift** *n* **to be a s.** être dépensier, -ière
spent [spent] **1** *pt & pp of* **spend 2** *adj (used)* utilisé; **to be a s. force** ne plus avoir d'influence
sperm [spɜːm] *n* sperme *m*; **s. bank** banque *f* de sperme; **s. donor** donneur *m* de sperme

spew [spju:] *vt Fam* vomir

sphere [sfɪə(r)] *n (of influence, action)* & *Math* & *Pol* sphère *f*; **it's outside my s.** ça n'est pas dans mes compétences; **s. of influence** sphère d'influence ▪**spherical** ['sferɪkəl] *adj* sphérique

sphinx [sfɪŋks] *n* sphinx *m*

spice [spaɪs] **1** *n* épice *f*; *Fig (interest)* piquant *m* **2** *vt (food)* épicer; **to s. sth (up)** *(add interest to)* ajouter du piquant à qch ▪**spicy** (**-ier, -iest**) *adj* épicé

spick-and-span [spɪkən'spæn] *adj (clean)* impeccable

spider ['spaɪdə(r)] *n* araignée *f*; **s.'s web** toile *f* d'araignée

spiel [ʃpiːl] *n Fam (of salesman, entertainer)* baratin *m*

spike [spaɪk] **1** *n (of metal)* pointe *f* **2** *vt (pierce)* transpercer ▪**spiky** (**-ier, -iest**) *adj (stem, stick)* garni de piquants; *(hair)* en épis

spill [spɪl] *(pt & pp spilled or spilt [spɪlt])* **1** *vt (liquid)* renverser; *Fam* **to s. the beans** vendre la mèche **2** *vi* se répandre
▸ **spill out** *vt sep (empty)* vider
▸ **spill over** *vi (of liquid)* déborder

spin [spɪn] **1** *n (motion)* tournoiement *m*; *(on ball)* effet *m*; *Fam* **to go for a s.** *(in car)* aller faire un tour; *Pol* **s. doctor** = spécialiste de la communication chargé de présenter l'information de façon à mettre en valeur un parti politique **2** *(pt & pp spun, pres p spinning)* *vt (wool, cotton)* filer; *(wheel, top)* faire tourner; *(spin-dry)* essorer; **to s. sth out** *(speech)* faire durer qch **3** *vi* tourner; **to s. round** *(of dancer, wheel, top, planet)* tourner; **my head's spinning** j'ai la tête qui tourne ▪**spinning** *n (by hand)* filage *m*; *Tech (process)* filature *f*; **s. top** toupie *f*; **s. wheel** rouet *m*

spinach ['spɪnɪdʒ] *n* épinards *mpl*

spindle ['spɪndəl] *n* fuseau *m*

spindly ['spɪndlɪ] (**-ier, -iest**) *adj (legs, arms)* grêle

spin-dry ['spɪn'draɪ] *vt* essorer ▪**spin-dryer** *n* essoreuse *f*

spine [spaɪn] *n (backbone)* colonne *f* vertébrale; *(of book)* dos *m*; *(of plant)* épine *f* ▪**spinal** *adj* **s. column** colonne *f* vertébrale; **s. cord** moelle *f* épinière; **s. injury** blessure *f* à la colonne vertébrale ▪**spineless** *adj Fig* mou *(f* molle)

spin-off ['spɪnɒf] *n (result)* retombée *f*; *(TV programme)* = feuilleton tiré d'un film ou d'un autre feuilleton

spinster ['spɪnstə(r)] *n* vieille fille *f*

spiral ['spaɪərəl] **1** *n* spirale *f* **2** *adj* en spirale; *(staircase)* en colimaçon **3** *(Br* **-ll-,** *Am* **-l-)** *vi (of prices)* s'envoler

spire ['spaɪə(r)] *n (of church)* flèche *f*

spirit ['spɪrɪt] **1** *n (soul, ghost, mood)* esprit *m*; *Fig (determination)* courage *m*; **spirits** *(drink)*

spiritueux *mpl*; **in good spirits** de bonne humeur; **to break sb's s.** entamer le courage de qn; *Fam* **that's the s.!** à la bonne heure! **2** *adj (lamp)* à alcool; **s. level** niveau *m* (à bulle) **3** *vt* **to s. away** *(person)* faire disparaître (mystérieusement); *Hum (steal)* subtiliser ▪**spirited** *adj (campaign, attack)* vigoureux, -euse; *(person, remark)* énergique

spiritual ['spɪrɪtʃʊəl] **1** *adj* spirituel, -uelle **2** *n Mus* **(Negro) s.** negro spiritual *m* ▪**spiritualism** [-ʊlɪzəm] *n* spiritisme *m* ▪**spiritualist** [-ʊlɪst] *n* spirite *mf*

spit¹ [spɪt] **1** *n (on ground)* crachat *m*; *(in mouth)* salive *f* **2** *(pt & pp spat* or **spit,** *pres p spitting) vt* cracher; **to s. sth out** cracher qch; **to be the spitting image of sb** être le portrait (tout craché) de qn **3** *vi* cracher; *(splutter) (of fat, fire)* crépiter

spit² [spɪt] *n (for meat)* broche *f*

spite [spaɪt] **1** *n (dislike)* dépit *m*; **in s. of sb/sth** malgré qn/qch; **in s. of the fact that...** bien que... (+ *subjunctive)* **2** *vt* vexer ▪**spiteful** *adj* vexant

spittle ['spɪtəl] *n* crachat *m*; *(in mouth)* salive *f*

splash [splæʃ] **1** *n (of liquid)* éclaboussure *f*; *(sound)* plouf *m*; *Fig (of colour)* tache *f*; *Fam* **to make a s.** faire sensation; *Comptr* **s. page** page *f* de garde **2** *vt (spatter)* éclabousser (**with** de); **to s. one's face with water** se passer le visage à l'eau **3** *vi (of mud, ink)* faire des éclaboussures; *(of waves)* clapoter; **to s. over sb/sth** éclabousser qn/qch; **to s. (about)** *(in river, mud)* patauger; *(in bath)* barboter; *Fam* **to s. out** *(spend money)* claquer des ronds

spleen [spliːn] *n Anat* rate *f*

splendid ['splendɪd] *adj* splendide ▪**splendour** *(Am* **splendor)** *n* splendeur *f*

splint [splɪnt] *n* attelle *f*

splinter ['splɪntə(r)] *n (of wood, glass)* éclat *m*; *(in finger)* écharde *f*; *Pol* **s. group** groupe *m* dissident

split [splɪt] **1** *n* fente *f*; *(tear)* déchirure *f*; *(of couple)* rupture *f*; *(in political party)* scission *f*; **to do the splits** faire le grand écart; *Fam* **one's s.** *(share)* sa part **2** *adj* **in a s. second** en une fraction de seconde; **s. ends** *(in hair)* fourches *fpl*; **s.-level apartment** duplex *m*; **s.-level house** maison *f* à deux niveaux; **s. personality** dédoublement *m* de la personnalité **3** *(pt & pp split, pres p splitting) vt (break apart)* fendre; *(tear)* déchirer; **to s. (up)** *(group)* diviser; *(money, work)* partager (**between** entre); **to s. one's head open** s'ouvrir la tête; *Fam* **to s. one's sides (laughing)** se tordre (de rire); **to s. hairs** *(make trivial distinctions)* couper les cheveux en quatre **4** *vi* se fendre; *(tear)* se déchirer; **to s. (up)** *(of group)* se diviser (**into** en); **to s. off**

(become loose) se détacher (**from** de); **to s. up** *(because of disagreement) (of couple, friends)* se séparer; *(of crowd)* se disperser; **to s. up with sb** rompre avec qn

splitting ['splitiŋ] *adj* **to have a s. headache** avoir un mal de tête épouvantable

splodge [splɒdʒ], **splotch** [splɒtʃ] *n (mark)* tache *f*

splurge [splɜːdʒ] *vi Fam (spend money)* claquer de l'argent

splutter ['splʌtə(r)] *vi (spit) (of person)* crachoter; *(of sparks, fat)* crépiter; *(stammer)* bredouiller

spoil [spɔil] *(pt & pp* spoilt *or* spoiled) *vt (ruin)* gâcher; *(indulge)* gâter; **to s. sb's appetite** couper l'appétit à qn; **to be spoilt for choice** avoir l'embarras du choix ▪ **spoilsport** *n* rabat-joie *m inv*

spoils [spɔilz] *npl (rewards)* butin *m*

spoilt [spɔilt] *pt & pp of* **spoil**

spoke[1] [spəʊk] *n (of wheel)* rayon *m*

spoke[2] [spəʊk] *pt of* **speak** ▪ **spoken 1** *pp of* **speak 2** *adj (language)* parlé; **to be softly s.** avoir la voix douce ▪ **spokesman** *(pl* -men), **spokesperson** *(pl* -people) *n* porte-parole *m inv* (**for** *or* of de) ▪ **spokeswoman** *(pl* -women) *n* porte-parole *f inv*

sponge [spʌndʒ] **1** *n* éponge *f*; *Br* **s. bag** trousse *f* de toilette; **s. cake** génoise *f* **2** *vt* **to s. sth down/off** laver/enlever qch avec une éponge; *Fam* **to s. sth off sb** taper qn de qch **3** *vi Fam* **to s. off** *or* **on sb** vivre aux crochets de qn ▪ **sponger** *n Fam* parasite *m* ▪ **spongy** *(-ier, -iest) adj* spongieux, -ieuse

sponsor ['spɒnsə(r)] **1** *n* sponsor *m*; *(for membership)* parrain *m*/marraine *f* **2** *vt* sponsoriser; *(student)* financer les études de; *(member)* parrainer ▪ **sponsored** *adj* **s. walk** marche *f* sponsorisée *(pour aider une œuvre de charité)* ▪ **sponsorship** *n* sponsoring *m*; *(of member)* parrainage *m*

spontaneous [spɒn'teinies] *adj* spontané ▪ **spontaneity** [-tə'neiəti] *n* spontanéité *f* ▪ **spontaneously** *adv* spontanément

spoof [spuːf] *n Fam (parody)* parodie *f* (**on** de)

spooky ['spuːki] *(-ier, -iest) adj Fam* qui donne le frisson ▪ **spook** *n (ghost)* fantôme *m*; *Fam (spy)* espion, -ionne

spool [spuːl] *n* bobine *f*

spoon [spuːn] *n* cuillère *f* ▪ **spoonfeed** *(pt & pp* -fed) *vt* faire manger à la cuillère; *Fig (help)* mâcher le travail à ▪ **spoonful** *n* cuillerée *f*

sporadic [spə'rædik] *adj* sporadique ▪ **sporadically** *adv* sporadiquement

sport[1] [spɔːt] *n* sport *m*; *Fam* **a (good) s.** *(man)* un chic type; *(woman)* une chic fille; **to do** *or* **play** *Br* **s.** *or Am* **sports** faire du sport; **sports club** club *m* de sport; **sports car/ground** voiture *f*/terrain *m* de sport; **sports jacket**

veste *f* sport ▪ **sporting** *adj (attitude, conduct, person)* sportif, -ive; *Fig* **that's s. of you** c'est chic de ta part ▪ **sportsman** *(pl* -men) *n* sportif *m* ▪ **sportsmanlike** *adj* sportif, -ive ▪ **sportsmanship** *n* sportivité *f* ▪ **sportswear** *n* vêtements *mpl* de sport ▪ **sportswoman** *(pl* -women) *n* sportive *f* ▪ **sporty** *(-ier, -iest) adj* sportif, -ive

sport[2] [spɔːt] *vt (wear)* arborer

spot[1] [spɒt] *n (stain, mark)* tache *f*; *(dot)* point *m*; *(polka dot)* pois *m*; *(drop)* goutte *f*; *(pimple)* bouton *m*; *(place)* endroit *m*; *(advertising)* spot *m* publicitaire; *Fam* **a s. of bother** de petits problèmes; **to have a soft s. for sb** avoir un faible pour qn; **on the s.** sur place; *(at once)* sur le coup; **to be in a tight s.** *(difficulty)* être dans le pétrin; *Br* **(accident) black s.** *(on road)* point *m* noir; **blind s.** *(in vehicle)* angle *m* mort; *Fig* **bright s.** point *m* positif; **s. check** contrôle *m* surprise

spot[2] [spɒt] *(pt & pp* -tt-) *vt (notice)* apercevoir; **well spotted!** bien vu!

spotless ['spɒtləs] *adj (clean)* impeccable ▪ **spotlessly** *adv* **s. clean** impeccable

spotlight ['spɒtlait] *n* projecteur *m*; *(for photography)* spot *m*; **to be in the s.** être sous le feu des projecteurs

spot-on ['spɒt'ɒn] *adj Br Fam* tout à fait exact

spotted ['spɒtid] *adj (fur)* tacheté; *(dress)* à pois; *(stained)* taché

spotty ['spɒti] *(-ier, -iest) adj (face, person)* boutonneux, -euse; *Am (patchy)* inégal

spouse [spaʊs, spaʊz] *n* époux *m*, épouse *f*

spout [spaʊt] **1** *n (of teapot, jug)* bec *m*; *Br Fam* **to be up the s.** être fichu **2** *vt Pej (say)* débiter **3** *vi* **to s. (out)** *(of liquid)* jaillir

sprain [sprein] *n* entorse *f*; **to s. one's ankle/ wrist** se fouler la cheville/le poignet

sprang [spræŋ] *pt of* **spring**[1]

sprawl [sprɔːl] **1** *n* **the urban s.** les banlieues *fpl* tentaculaires **2** *vi (of town, person)* s'étaler ▪ **sprawling** *adj (city)* tentaculaire; *(person)* affalé

spray [sprei] **1** *n* **(a)** *(can, device)* vaporisateur *m*; *(water drops)* gouttelettes *fpl*; *(from sea)* embruns *mpl* **(b)** *(of flowers)* petit bouquet *m* **2** *vt (liquid, surface)* vaporiser; *(plant, crops)* pulvériser; *(car)* peindre à la bombe

spread [spred] **1** *n (of idea, religion, language)* diffusion *f*; *(of disease)* propagation *f*; *Fam (meal)* festin *m*; **cheese/chocolate s.** fromage *m*/chocolat *m* à tartiner; **full-page s.** *(in newspaper)* double page *f* **2** *(pt & pp* spread) *vt (stretch, open out)* étendre; *(legs, fingers)* écarter; *(paint, payment, visits, cards)* étaler; *(sand, fear, knowledge)* répandre; *(news, germ, illness)* propager; **to s. out** *(map, payments, visits)* étaler; *(fingers)* écarter; **to be s. out** *(of city)* s'étendre **3** *vi (of town, fog)* s'étendre; *(of*

fire, epidemic, fear) se propager; *(of news, fear)* se répandre; *(of people)* se disperser
■ **spread-'eagled** *adj* bras et jambes écartés
■ **spreadsheet** *n Comptr* tableur *m*

spree [spriː] *n* **to go on a spending s.** faire des folies dans les magasins

sprig [sprɪg] *n (of parsley)* brin *m*; *(of holly)* branche *f*

sprightly ['spraɪtlɪ] **(-ier, -iest)** *adj* alerte

spring¹ [sprɪŋ] **1** *n (device)* ressort *m*; *(leap)* bond *m* **2** *(pt* **sprang,** *pp* **sprung)** *vt (news)* annoncer brusquement **(on** à*)*; *(surprise)* faire **(on** à*)*; **to s. a leak** *(of boat)* commencer à prendre l'eau **3** *vi (leap)* bondir; **to s. to mind** venir à l'esprit; **to s. into action** passer rapidement à l'action; **to s. from** *(stem from)* provenir de; **to s. up** *(appear)* surgir
■ **springboard** *n* tremplin *m* ■ **springy (-ier, -iest)** *adj* souple

spring² [sprɪŋ] *n (season)* printemps *m*; **in (the) s.** au printemps; *Br* **s. onion** oignon *m* nouveau
■ **spring-cleaning** *n* nettoyage *m* de printemps ■ **springlike** *adj (weather)* printanier, -ière ■ **springtime** *n* printemps *m*

spring³ [sprɪŋ] *n (of water)* source *f*; **s. water** eau *f* de source

sprinkle ['sprɪŋkəl] *vt (sand)* répandre **(on** or **over** sur); **to s. sth with water, to s. water on sth** arroser qch; **to s. sth with sth** *(sugar, salt, flour)* saupoudrer qch de qch ■ **sprinkler** *n (in garden)* arroseur *m* ■ **sprinkling** *n* **a s. of customers** *(a few)* quelques rares clients

sprint [sprɪnt] **1** *n (race)* sprint *m* **2** *vi (run)* sprinter ■ **sprinter** *n* sprinter *m*, sprinteuse *f*

sprout [spraʊt] **1** *n (Brussels)* **s.** chou *m* de Bruxelles **2** *vt (leaves)* pousser; *Fig (beard, whiskers)* se laisser pousser **3** *vi (of seed, bulb)* pousser; **to s. up** *(grow)* pousser vite; *(appear)* surgir

spruce¹ [spruːs] **1 (-er, -est)** *adj (neat)* impeccable **2** *vt* **to s. oneself up** se faire beau *(f* belle*)*

spruce² [spruːs] *n (tree)* épicéa *m*

sprung [sprʌŋ] **1** *pp of* **spring¹ 2** *adj (mattress, seat)* à ressorts

spry [spraɪ] **(spryer, spryest)** *adj* alerte

spud [spʌd] *n Fam (potato)* patate *f*

spun [spʌn] *pt & pp of* **spin**

spur [spɜː(r)] **1** *n (of horse rider)* éperon *m*; *Fig (stimulus)* aiguillon *m*; **to do sth on the s. of the moment** faire qch sur un coup de tête **2** *(pt & pp* **-rr-)** *vt* **to s. sb on** *(urge on)* aiguillonner qn

spurious ['spjʊərɪəs] *adj* faux *(f* fausse*)*

spurn [spɜːn] *vt* rejeter

spurt [spɜːt] **1** *n (of liquid)* giclée *f*; *(of energy)* regain *m*; **to put on a s.** foncer **2** *vi (of liquid)* gicler; *(of person)* foncer; **to s. out** *(of liquid)* gicler

spy [spaɪ] **1** *(pl* **-ies)** *n* espion, -ionne *mf* **2** *adj*

(story, film) d'espionnage; **s. hole** judas *m*; **s. ring** réseau *m* d'espionnage **3** *(pt & pp* **-ied)** *vt (notice)* repérer **4** *vi* espionner; **to s. on sb** espionner qn ■ **spying** *n* espionnage *m*

sq *(abbr* **square)** carré

squabble ['skwɒbəl] **1** *n* querelle *f* **2** *vi* se quereller **(over** à propos de*)* ■ **squabbling** *n* querelles *fpl*

squad [skwɒd] *n (of workmen, footballers)* équipe *f*; *(of soldiers)* section *f*; *(of police)* brigade *f*; *Br* **s. car** voiture *f* de police

squadron ['skwɒdrən] *n Mil* escadron *m*; *Naut & Av* escadrille *f*

squalid ['skwɒlɪd] *adj* sordide ■ **squalor** *n (poverty)* misère *f*

squall [skwɔːl] *n (of wind)* rafale *f*

squander ['skwɒndə(r)] *vt (money, resources)* gaspiller; *(time)* perdre

square ['skweə(r)] **1** *n* carré *m*; *(on chessboard, map)* case *f*; *(in town)* place *f*; *Br (drawing implement)* équerre *f*; *Fig* **to be back to s. one** être de retour à la case départ; *Fam (unfashionable person)* ringard, -arde *mf* être carré; *Fam (unfashionable)* ringard; **to be s. with sb** être honnête avec qn; *Fam* **we're (all) s.** nous sommes quittes; **s. corner** angle *m* droit; **s. deal** arrangement *m* équitable; **s. meal** bon repas *m*; *Math* **s. root** racine *f* carrée **3** *vt (settle)* régler; *Math (number)* élever au carré; **to s. sth with sb** arranger qch avec qn **4** *vi (tally)* cadrer **(with** avec*)*; **to s. up to sb/ sth** faire face à qn/qch ■ **squarely** *adv (honestly)* honnêtement; **to hit sb s. in the face** frapper qn en pleine figure

squash [skwɒʃ] **1** *n (game)* squash *m*; *Am (vegetable)* courge *f*; *Br* **lemon/orange s.** ≃ sirop *m* de citron/d'orange **2** *vt* écraser ■ **squashy (-ier, -iest)** *adj (fruit)* mou *(f* molle*)*

squat [skwɒt] **1** *n (dwelling)* squat *m* **2** *adj (person, object, building)* trapu **3** *(pt & pp* **-tt-)** *vi* squatter; **to s. (down)** s'accroupir; **to be squatting (down)** être accroupi ■ **squatter** *n* squatter *m*

squawk [skwɔːk] **1** *n* cri *m* rauque **2** *vi* pousser un cri rauque

squeak [skwiːk] **1** *n (of animal, person)* cri *m* aigu; *(of door)* grincement *m* **2** *vi (of person)* pousser un cri aigu; *(of door)* grincer ■ **squeaky (-ier, -iest)** *adj (door)* grinçant; *(shoe)* qui craque; **s. clean** impeccable

squeal [skwiːl] **1** *n* cri *m* perçant **2** *vi* pousser un cri perçant; *(of tyres)* crisser; *Fam* **to s. on sb** balancer qn

squeamish ['skwiːmɪʃ] *adj* de nature délicate

squeeze [skwiːz] **1** *n* **to give sth a s.** presser qch; **to give sb's hand/arm a s.** serrer la main/le bras à qn; **to give sb a s.** serrer qn dans ses bras; *Fam* **it's a tight s.** il n'y a pas beaucoup de place **2** *vt (press)* presser; **to s.**

sb's hand serrer la main à qn; **to s. sth into sth**
faire rentrer qch dans qch; **to s. the juice (out)**
faire sortir le jus (**of** de); **to s. sth out of sth**
(information, secret) arracher qch à qn **3** *vi* **to**
s. through/into sth *(force oneself)* se glisser
par/dans qch; **to s. in** trouver de la place; **to s.**
up se serrer (**against** contre) ▪**squeezer** *n*
lemon s. presse-citron *m inv*

squelch [skweltʃ] *vi* patauger

squid [skwɪd] *n inv* calmar *m*

squiggle ['skwɪgəl] *n* gribouillis *m*

squint [skwɪnt] **1** *n (eye defect)* strabisme *m*; **to**
have a s. loucher **2** *vi* loucher; *(in the sunlight)*
plisser les yeux

squirm [skwɜːm] *vi (wriggle)* se tortiller; **to s. in**
pain se tordre de douleur

squirrel [*Br* 'skwɪrəl, *Am* 'skwɜːrəl] *n* écureuil *m*

squirt [skwɜːt] **1** *n* giclée *f*; *Fam* **little s.** *(person)*
petit(e) morveux, -euse *mf* **2** *vt (liquid)* faire
gicler **3** *vi (of liquid)* gicler

Sri Lanka [sriː'læŋkə] *n* le Sri Lanka

St *n* (**a**) *(abbr* **Street**) rue *f* (**b**) *(abbr* **Saint**) St *m*
(f Ste)

stab [stæb] **1** *n* **s. (wound)** coup *m* de couteau **2**
(pt & pp **-bb-**) *vt (with knife)* poignarder; **to s. sb**
to death tuer qn d'un coup de couteau
▪**stabbing** *n* there has been a s. quelqu'un a
été poignardé; **a s. pain** une douleur
lancinante

stability [stə'bɪlɪtɪ] *n* stabilité *f*

stabilize ['steɪbəlaɪz] **1** *vt* stabiliser **2** *vi* se
stabiliser ▪**stabilizer** *n (on bicycle)* stabilisateur *m*

stable¹ ['steɪbəl] (**-er, -est**) *adj* stable

stable² ['steɪbəl] *n* écurie *f*

Note that the French word **étable** is a false
friend and is never a translation for the English word **stable**. It means **cowshed**.

stack [stæk] **1** *n* (**a**) *(heap)* tas *m*; *Fam* **stacks of**
(lots of) des tas de (**b**) **chimney s.** *(of factory)*
tuyau *m* de cheminée (**c**) *npl* **the stacks** *(in
library)* la réserve **3** *vt* **to s. (up)** entasser

stadium ['steɪdɪəm] *n* stade *m*

staff [stɑːf] **1** *n* personnel *m*; *(of school,
university)* professeurs *mpl*; *(of army)* état-
major *m*; *Literary (stick)* bâton *m*; **to be on the**
s. faire partie du personnel; **member of s., s.**
member *(in office)* employé, -ée *mf*; *(in school)*
professeur *m*; *Br* **s. meeting** *(in school,
university)* conseil *m* de classe; *Br* **s.**
room *(in school)* salle *f* des professeurs **2** *vt*
pourvoir en personnel; **the desk is staffed at**
all times il y a toujours quelqu'un au bureau

stag [stæg] *n* **1** cerf *m*; *Br* **s. party** *or* **night**
enterrement *m* de la vie de garçon; **to have a**
s. party *or* **night** enterrer sa vie de garçon

stage¹ [steɪdʒ] **1** *n (platform)* scène *f*; **the s.**
(profession) le théâtre; **on s.** sur scène; **s. door**

entrée *f* des artistes; **s. fright** trac *m* **2** *vt (play)*
monter; *Fig* organiser; **it was staged** *(not real)*
c'était un coup monté ▪**stagehand** *n* machiniste *m* ▪**stage-manager** *n* régisseur *m*

stage² [steɪdʒ] *n (phase)* stade *m*; **to do sth in**
(easy) stages faire qch par étapes; **at an early**
s. au début (**of** de); **at this s. in the work** à ce
stade des travaux; **at this s.** *(at this moment)* à
l'heure qu'il est

Note that the French word **stage** is a false
friend and is never a translation for the English word **stage**. It means **training course**.

stagecoach ['steɪdʒkəʊtʃ] *n Hist* diligence *f*

stagger ['stægə(r)] **1** *vt (holidays)* échelonner;
(astound) stupéfier **2** *vi (reel)* chanceler
▪**staggering** *adj* stupéfiant

stagnant ['stægnənt] *adj* stagnant ▪**stag'nate**
vi stagner ▪**stag'nation** *n* stagnation *f*

staid [steɪd] *adj* collet monté *inv*

stain [steɪn] **1** *n (mark)* tache *f*; *(dye)* teinture *f*;
s. remover détachant *m* **2** *vt (mark)* tacher
(**with** de); *(dye)* teinter; **stained-glass window**
vitrail *m (pl* vitraux) ▪**stainless 'steel** *n* Inox®
m; **s. knife** couteau *m* en Inox®

stair [steə(r)] *n* **a s.** *(step)* une marche; **the stairs**
(staircase) l'escalier *m* ▪**staircase, stairway** *n*
escalier *m* ▪**stairwell** *n* cage *f* d'escalier

stake [steɪk] **1** *n* (**a**) *(post)* pieu *m*; *(for plant)*
tuteur *m*; *Hist* **to be burned at the s.** périr sur
le bûcher (**b**) *(betting)* enjeu *m*; **to have a s. in**
sth *(share)* avoir des intérêts dans qch; **at s.** en
jeu; **there's a lot at s.** l'enjeu est considérable
2 *vt* (**a**) **to s. (out)** *(land)* délimiter; **to s. a claim**
to sth revendiquer qch (**b**) *(bet)* jouer (**on** sur)

stale [steɪl] (**-er, -est**) *adj (bread)* rassis; *(beer)*
éventé; *(air)* vicié; *(smell)* âcre; *(news)* vieux *(f*
vieille); *(joke)* éculé; *(person)* blasé

stalemate ['steɪlmeɪt] *n Chess* pat *m*; *Fig*
impasse *f*

stalk [stɔːk] **1** *n (of plant)* tige *f*; *(of fruit)* queue *f*
2 *vt (animal, criminal)* traquer; *(celebrity)* harceler **3** *vi* **to s. out** *(walk angrily)* sortir d'un air
furieux mais digne ▪**stalker** *n* = admirateur obsessionnel qui harcèle une célébrité ou une de
ses connaissances

stall [stɔːl] **1** *n (in market)* étal *m*; *Br (for
newspapers, flowers)* kiosque *m*; *(in stable)*
stalle *f*; *Br* **the stalls** *(in cinema, theatre)*
l'orchestre *m* **2** *vt (engine, car)* caler **3** *vi (of
car)* caler; **to s. (for time)** chercher à gagner
du temps

stallion ['stæljən] *n* étalon *m*

stalwart ['stɔːlwət] **1** *adj* résolu **2** *n* fidèle *mf*

stamina ['stæmɪnə] *n* résistance *f* physique

stammer ['stæmə(r)] **1** *n* bégaiement *m*; **to**
have a s. être bègue **2** *vi* bégayer **3** *vt* **to s.**
out an apology balbutier des excuses

stamp [stæmp] **1** *n (for letter)* timbre *m*; *(mark)* cachet *m*; *(device)* tampon *m*; *Fig* **to bear the s. of sth** porter l'empreinte de qch; **to be given the s. of approval** être approuvé; **s. album** album *m* de timbres; **s. collector** philatéliste *mf* **2** *vt (document)* tamponner; *(letter)* timbrer; *(metal)* estamper; **to s. one's foot** taper du pied; *Fig* **to s. sth out** *(rebellion, evil)* écraser qch; *(disease)* éradiquer qch; *Br* **stamped addressed envelope** enveloppe *f* timbrée *(libellée à ses noms et adresse)* **3** *vi* **to s. on sth** écraser qch; *Fam* **stamping ground** lieu *m* favori

stampede [stæm'piːd] **1** *n* débandade *f* **2** *vi* se ruer

stance [stɑːns] *n* position *f*

stand [stænd] **1** *n (opinion)* position *f*; *(support)* support *m*; *(stall)* étal *m*; *(at exhibition)* stand *m*; *(at sports ground)* tribune *f*; **to take a s.** prendre position **2** *(pt & pp* **stood)** *vt (pain, journey)* supporter; *(put straight)* mettre debout; **to s. a chance** avoir des chances; **to s. one's ground** tenir bon; **I can't s. him** je ne peux pas le supporter; **I can't s. it** je ne supporte pas ça; *Br* **to s. sb sth** *(pay for)* payer qch à qn **3** *vi (be upright)* se tenir debout; *(get up)* se mettre debout; *(remain)* rester debout; *(of building)* se trouver; *(of object)* être; **to s. still** se tenir immobile; **to leave sth to s.** *(liquid)* laisser qch reposer; **to s. to do sth** risquer de faire qch; **inflation stands at...** l'inflation s'élève à...; **the offer still stands** l'offre tient toujours

▸ **stand about, stand around** *vi (in street)* traîner

▸ **stand aside** *vi* s'écarter

▸ **stand back** *vi* reculer

▸ **stand by 1** *vt insep (opinion)* s'en tenir à; *(person)* soutenir **2** *vi (do nothing)* rester sans rien faire; *(be ready)* être prêt

▸ **stand down** *vi (withdraw)* se retirer

▸ **stand for** *vt insep (mean)* signifier; *(represent)* représenter; *Br (be candidate for)* être candidat à; *(tolerate)* supporter

▸ **stand in for** *vt insep (replace)* remplacer

▸ **stand out** *vi (be visible)* ressortir (**against** sur)

▸ **stand over** *vt insep (watch closely)* surveiller

▸ **stand up 1** *vt sep* mettre debout; *Fam* **to s. sb up** poser un lapin à qn **2** *vi (get up)* se lever

▸ **stand up for** *vt insep (defend)* défendre

▸ **stand up to** *vt insep (resist)* résister à; *(defend oneself against)* tenir tête à

standard ['stændəd] **1** *n (norm)* norme *f*; *(level)* niveau *m*; *(of weight, gold)* étalon *m*; **standards** principes *mpl* moraux; **to be** or **come up to s.** *(of person)* être à la hauteur; *(of work)* être au niveau; **s. of living, living standards** niveau de vie **2** *adj (average)* ordinaire; *(model, size)* standard *inv*; *(weight)* étalon *inv*; *(dictionary, book)* classique; **it's s. practice** c'est une

pratique courante; *Br* **s. lamp** lampadaire *m* ▪ **standardize** *vt* standardiser

stand-by ['stændbaɪ] **1** *(pl* **-bys)** *n* **on s.** *(troops, emergency services)* prêt à intervenir; **s. mode** *(of appliance)* mode *f* veille; **in s. mode** en veille **2** *adj (battery)* de réserve; *(plane ticket)* en stand-by

stand-in ['stændɪn] *n* remplaçant, -ante *mf* (**for** de); *(actor)* doublure *f* (**for** de)

standing ['stændɪŋ] **1** *adj (upright)* debout; *(permanent)* permanent; **I have a s. invitation** je peux y aller quand je veux; **s. joke** plaisanterie *f* classique; *Br* **s. order** virement *m* automatique **2** *n (reputation)* réputation *f*; *(social, professional)* rang *m*; **a friendship of six years' s.** une amitié de six ans; **of long s.** de longue date

stand-offish [stænd'ɒfɪʃ] *adj* distant

standpoint ['stændpɔɪnt] *n* point *m* de vue

standstill ['stændstɪl] *n* **to bring sth to a s.** immobiliser qch; **to come to a s.** s'immobiliser; **at a s.** immobile; *(negotiations, industry)* paralysé

stand-up ['stændʌp] **1** *n (comedy)* spectacle *m* comique; **to do s.** faire des spectacles comiques **2** *adj* **s. comic** or **comedian** comique *mf* de scène

stank [stæŋk] *pt of* **stink**

stanza ['stænzə] *n* strophe *f*

staple¹ ['steɪpəl] *adj (basic)* de base; **s. food** or **diet** nourriture *f* de base

staple² ['steɪpəl] **1** *n (for paper)* agrafe *f* **2** *vt* agrafer ▪ **stapler** *n (for paper)* agrafeuse *f*

star [stɑː(r)] **1** *n* étoile *f*; *(famous person)* star *f*; **the Stars and Stripes** *(flag)* la bannière étoilée; **the S.-Spangled Banner** *(flag)* la bannière étoilée; *(song)* l'hymne *m* national des États-Unis; *Br* **four-s.** *(petrol)* du super; **s. player** vedette *f*; **s. sign** signe *m* du zodiaque **2** *(pt & pp* **-rr-)** *vt (of film)* avoir pour vedette **3** *vi (of actor, actress)* être la vedette (**in** de)

starboard ['stɑːbəd] *n Naut* tribord *m*

starch [stɑːtʃ] **1** *n* amidon *m* **2** *vt* amidonner ▪ **starchy (-ier, -iest)** *adj Fam (manner, person)* guindé; **s. food(s)** féculents *mpl*

stardom ['stɑːdəm] *n* célébrité *f*

stare [steə(r)] **1** *n* regard *m* fixe **2** *vt* **to be staring sb in the face** *(be obvious)* crever les yeux à qn **3** *vi* **to s. at sb/sth** fixer qn/qch (du regard)

starfish ['stɑːfɪʃ] *n* étoile *f* de mer

stark [stɑːk] **1** **(-er, -est)** *adj (place)* désolé; *(fact, reality)* brutal; **to be in s. contrast to** contraster nettement avec; **the s. truth** la vérité toute nue **2** *adv* **s. naked** complètement nu ▪ **starkers** *adj Br Fam* à poil

starling ['stɑːlɪŋ] *n* étourneau *m*

starlit ['stɑːlɪt] *adj* étoilé

starry ['stɑːrɪ] **(-ier, -iest)** *adj* étoilé ▪ **starry-'eyed** *adj* naïf *(f* naïve)

start¹ [stɑːt] **1** *n* début *m*; *(of race)* départ *m*; **for a s.** pour commencer; **from the s.** dès le début; **to make a s.** commencer; **to give sb a 10 metre s.** donner 10 mètres d'avance à qn **2** *vt* commencer; *(packet, conversation)* entamer; *(fashion, campaign, offensive)* lancer; *(engine, vehicle)* mettre en marche; *(business)* fonder; **to s. a war** provoquer une guerre; **to s. a fire** *(deliberately)* *(in grate)* allumer un feu; *(accidentally)* provoquer un incendie; **to s. doing** *or* **to do sth** commencer à faire qch **3** *vi* commencer (**with sth** par qch; **by doing** par faire); *(of vehicle)* démarrer; *(leave)* partir (**for** pour); *(in job)* débuter; **to s. with** *(firstly)* pour commencer; **starting from now/10 euros** à partir de maintenant/10 euros **■ starting** *adj* *(point, line, salary)* de départ; **s. place** point *m* de départ; **s. post** *(in race)* ligne *f* de départ **■ start-up** *n* *(of computer)* démarrage *m*; *(of business)* ouverture *f*

▸ **start off 1** *vt sep* **to s. sb off** *(in business)* aider qn à démarrer **2** *vi* *(leave)* partir (**for** pour); *(in job)* débuter

▸ **start out** *vi* *(begin)* débuter; *(on journey)* se mettre en route

▸ **start up 1** *vt sep* *(engine, vehicle)* mettre en marche; *(business)* fonder **2** *vi* *(of engine, vehicle)* démarrer

start² [stɑːt] **1** *n* *(movement)* sursaut *m*; **to give sb a s.** faire sursauter qn **2** *vi* sursauter

starter ['stɑːtə(r)] *n* *(in vehicle)* démarreur *m*; *(in meal)* entrée *f*; *(runner)* partant, -ante *mf*; *(official in race)* starter *m*; *Fam* **for starters** *(firstly)* pour commencer

startle ['stɑːtəl] *vt* faire sursauter

starvation [stɑːˈveɪʃən] **1** *n* faim *f* **2** *adj* *(wage, ration)* de misère; **to be on a s. diet** *(to lose weight)* suivre un régime draconien

starve [stɑːv] **1** *vt* *(make suffer)* faire souffrir de la faim; *Fig* *(deprive)* priver (**of** de); **to s. sb to death** laisser qn mourir de faim **2** *vi* *(suffer)* souffrir de la faim; **to s. to death** mourir de faim; *Fam* **I'm starving!** je meurs de faim!

stash [stæʃ] *vt* *Fam* **s. away** *(hide)* cacher; *(save up)* mettre de côté

state¹ [steɪt] **1** *n* **(a)** *(condition)* état *m*; *(situation)* situation *f*; **not in a (fit) s. to...**, **in no (fit) s. to...** hors d'état de...; **in (quite) a s.** *(bad shape)* dans un drôle d'état; **to lie in s.** *(of body)* être exposé **(b)** **S.** *(nation)* État *m*; *Fam* **the States** les États-Unis *mpl* **2** *adj* *(secret, document)* d'État; *(security)* de l'État; *Br* *(school, education)* public, -ique; **s. visit** voyage *m* officiel; *Am* **S. Department** ≃ ministère *m* des Affaires étrangères **■ stateless** *adj* apatride; **s. person** apatride *mf* **■ 'state-'owned** *adj* étatisé

state² [steɪt] *vt* déclarer (**that** que); *(opinion)* formuler; *(problem)* exposer; *(time, date)* fixer

stately ['steɪtlɪ] (**-ier, -iest**) *adj* imposant; *Br* **s. home** ≃ château *m*

statement ['steɪtmənt] *n* déclaration *f*; *(in court)* déposition *f*; **(bank) s., s. of account** relevé *m* de compte

state-of-the-art ['steɪtəvðiːˈɑːt] *adj* *(technology)* de pointe; *(computer, television)* ultramoderne

statesman ['steɪtsmən] (*pl* **-men**) *n* homme *m* d'État

static ['stætɪk] **1** *adj* statique **2** *n* électricité *f* statique

station ['steɪʃən] **1** *n* *(for trains)* gare *f*; *(underground)* station *f*; *(position)* & *Mil* poste *m*; *(social)* rang *m*; **coach s.** gare *f* routière; **police s.** poste *m* de police; **space/radio s.** station *f* spatiale/de radio; *Am* **s. wagon** break *m* **2** *vt* *(position)* placer; **to be stationed at/in** *(of troops)* être en garnison à/en **■ station master** *n* *Rail* chef *m* de gare

stationary ['steɪʃənərɪ] *adj* *(vehicle)* à l'arrêt; *(person)* immobile

stationery ['steɪʃənərɪ] *n* *(articles)* articles *mpl* de bureau; *(paper)* papier *m* papetier, -ière *mf*; **s.'s (shop)** papeterie *f* **■ stationer** *n* papetier, -ière *mf*; **s.'s (shop)** papeterie *f*

statistic [stəˈtɪstɪk] *n* *(fact)* statistique *f*; **statistics** *(science)* la statistique **■ statistical** *adj* statistique

statue ['stætʃuː] *n* statue *f* **■ statuesque** [-tʃʊ-ˈesk] *adj* sculptural

stature ['stætʃə(r)] *n* *(height)* stature *f*; *Fig* *(importance)* envergure *f*

status ['steɪtəs] *n* *(position)* situation *f*; *(legal, official)* statut *m*; *(prestige)* prestige *m*; **s. symbol** marque *f* de prestige; **s. quo** statu quo *m inv*

statute ['stætʃuːt] *n* *(law)* loi *f*; **statutes** *(of institution, club)* statuts *mpl* **■ statutory** [-tʃʊ-tərɪ] *adj* *(right, duty)* statutaire; *Br* **s. holiday** fête *f* légale

staunch [stɔːntʃ] (**-er, -est**) *adj* *(resolute)* convaincu; *(supporter)* ardent **■ staunchly** *adv* résolument

stave [steɪv] **1** *n Mus* portée *f* **2** *vt* **to s. sth off** *(disaster, danger)* conjurer qch; **to s. off hunger** tromper la faim

stay [steɪ] **1** *n* *(visit)* séjour *m* **2** *vi* *(remain)* rester; *(reside)* loger; *(visit)* séjourner; **to s. put** ne pas bouger **■ staying power** *n* endurance *f*

▸ **stay away** *vi* ne pas s'approcher (**from** de); **to s. away from school** ne pas aller à l'école

▸ **stay behind** *vi* rester en arrière

▸ **stay in** *vi* *(at home)* rester à la maison; *(of nail, screw, tooth)* tenir

▸ **stay out** *vi* *(outside)* rester dehors; *(not come home)* ne pas rentrer; **to s. out of sth** *(not interfere in)* ne pas se mêler de qch; *(avoid)* éviter qch

▸**stay up** *vi (at night)* ne pas se coucher; *(of fence)* tenir; **to s. up late** se coucher tard

▸**stay with** *vt insep (plan, idea)* ne pas lâcher

St Bernard [*Br* sənt'bɜːnəd, *Am* seɪntbər'nɑːrd] *n (dog)* saint-bernard *m inv*

STD [esti:'di:] *(abbr* **sexually transmitted disease)** *n* MST *f*

stead [sted] *n* **to stand sb in good s.** être bien utile à qn; **in sb's s.** à la place de qn

steadfast ['stedfɑːst] *adj* dévoué; *(opponent)* constant

steady ['stedɪ] **1** (**-ier, -iest)** *adj (firm, stable)* stable; *(hand, voice)* assuré; *(progress, speed, demand)* constant; *(relationship)* durable; **to have a s. boyfriend** avoir un copain; **a s. flood** or **stream of insults** un flot ininterrompu d'insultes; **to be s. on one's feet** être solide sur ses jambes **2** *adv Fam* **to go s. with sb** sortir avec qn **3** *vt* faire tenir; **to s. one's nerves** se calmer; **to s. oneself** retrouver son équilibre ▪**steadily** *adv (gradually)* progressivement; *(regularly)* régulièrement; *(continuously)* sans arrêt; *(walk)* d'un pas assuré

steak [steɪk] *n (beef)* steak *m*; *Br* **s. and kidney pie** = tourte aux rognons et à la viande de bœuf ▪**steakhouse** *n (restaurant)* grill *m*

steal¹ [stiːl] *(pt* **stole**, *pp* **stolen)** *vti* voler *(from* **sb** à qn)

steal² [stiːl] *(pt* **stole**, *pp* **stolen)** *vi* **to s. in/out** entrer/sortir furtivement ▪**stealth** [stelθ] *n* **by s.** furtivement ▪**stealthy** ['stelθɪ] **(-ier, -iest)** *adj* furtif, -ive

steam [stiːm] **1** *n* vapeur *f*; *(on glass)* buée *f*; *Fam* **to let off s.** se défouler; **s. engine/iron** locomotive *f*/fer *m* à vapeur **2** *vt (food)* cuire à la vapeur; **to get steamed up** *(of glass)* se couvrir de buée; *Fam (of person)* s'énerver **3** *vi (give off steam)* fumer; **to s. up** *(of glass)* s'embuer ▪**steamer** *n* bateau *m* à vapeur; *(for food)* panier *m* pour cuisson à la vapeur

steamroller ['stiːmrəʊlə(r)] *n* rouleau *m* compresseur

steamship ['stiːmʃɪp] *n* bateau *m* à vapeur

steamy ['stiːmɪ] **(-ier, -iest)** *adj* plein de vapeur; *(window)* embué; *Fam (love affair, relationship)* torride

steel [stiːl] **1** *n* acier *m*; **s. industry** sidérurgie *f*; **s. mill** aciérie *f* **2** *vt* **to s. oneself** s'armer de courage; **to s. oneself against failure** s'endurcir contre l'échec ▪**steelworks** *n* aciérie *f*

steep [stiːp] **1** (**-er, -est)** *adj (stairs, slope)* raide; *(hill, path)* escarpé; *Fig (price)* excessif, -ive **2** *vt (soak)* tremper (**in** dans); *Fig* steeped in *(history, prejudice)* imprégné de ▪**steeply** *adv (rise)* en pente raide; *Fig (of prices)* excessivement

steeple ['stiːpəl] *n* clocher *m*

steeplechase ['stiːpəltʃeɪs] *n* steeple-chase *m*

steer [stɪə(r)] **1** *vt* diriger **2** *vi (of person)* conduire; *(of ship)* se diriger (**for** vers); **to s. towards** faire route vers; **to s. clear of sb/sth** éviter qn/qch ▪**steering** *n (in vehicle)* direction *f*; **s. wheel** volant *m*

stem [stem] **1** *n (of plant)* tige *f*; *(of glass)* pied *m*; *Biol* **s. cell** cellule *f* souche **2** *(pt & pp* **-mm-)** *vt (stop)* arrêter; **to s. the flow** or **tide of sth** endiguer le flot de qch **3** *vi (spread)* **to s. from sth** provenir de qch

stench [stentʃ] *n* puanteur *f*

stencil ['stensəl] **1** *n (device)* pochoir *m*; *(artwork)* peinture *f* au pochoir **2** *(Br* **-ll-**, *Am* **-l-)** *vti* peindre au pochoir

stenographer [stə'nɒɡrəfə(r)] *n Am* sténo-dactylo *f*

step [step] **1** *n (movement, sound)* pas *m*; *(of stairs)* marche *f*; *(on train, bus)* marchepied *m*; *(doorstep)* pas de la porte; *Fig (action)* mesure *f*; **(flight of) steps** *(indoors)* escalier *m*; *(outdoors)* perron *m*; *Br* **(pair of) steps** *(ladder)* escabeau *m*; **s. by s.** pas à pas; **to keep in s.** marcher au pas; *Fig* **to be in s. with** *(of opinions)* être en accord avec **2** *(pt & pp* **-pp-)** *vi (walk)* marcher *(on* sur**)**; **s. this way!** *(venez)* par ici! ▪**stepbrother** *n* demi-frère *m* ▪**stepdaughter** *n* belle-fille *f* ▪**stepfather** *n* beau-père *m* ▪**stepmother** *n* belle-mère *f* ▪**stepsister** *n* demi-sœur *f* ▪**stepson** *n* beau-fils *m*

▸**step aside** *vi* s'écarter

▸**step back** *vi* reculer

▸**step down** *vi* descendre (**from** de); *Fig (withdraw)* se retirer

▸**step forward** *vi* faire un pas en avant

▸**step in** *vi (enter)* entrer; *(into car)* monter; *Fig (intervene)* intervenir

▸**step into** *vt insep (car)* monter dans

▸**step off** *vt insep (chair)* descendre de

▸**step out** *vi (of car)* descendre (**of** de)

▸**step over** *vt insep (obstacle)* enjamber

▸**step up** *vt sep (increase)* augmenter; *(speed up)* accélérer

stepladder ['steplædə(r)] *n* escabeau *m*

stepping-stone ['stepɪŋstəʊn] *n (in river)* pierre *f*; *Fig (in career)* tremplin *m*

stereo ['sterɪəʊ] **1** *(pl* **-os)** *n (hi-fi, record player)* chaîne *f* stéréo; *(sound)* stéréo *f*; **in s.** en stéréo **2** *adj (record)* stéréo *inv*; *(broadcast)* en stéréo ▪**stereophonic** [-rɪə'fɒnɪk] *adj* stéréophonique

stereotype ['sterɪətaɪp] **1** *n* stéréotype *m* **2** *vt* stéréotyper

sterile [*Br* 'steraɪl, *Am* 'sterəl] *adj* stérile ▪**sterility** [stə'rɪlɪtɪ] *n* stérilité *f*

sterilize ['sterəlaɪz] *vt* stériliser ▪**sterili'zation** *n* stérilisation *f*

sterling ['stɜːlɪŋ] **1** *n Br (currency)* livre *f* sterling **2** *adj (silver)* fin; *Fig (quality, person)* sûr

stern¹ [stɜːn] (**-er, -est**) *adj* sévère

stern² [stɜːn] *n (of ship)* arrière *m*

steroid ['stɪərɔɪd] *n* stéroïde *m*

stethoscope ['steθəskəʊp] *n* stéthoscope *m*

Stetson ['stetsən] *n* chapeau *m* à larges bords

stew [stjuː] **1** *n* ragoût *m*; *Fig* **to be in a s.** être dans le pétrin **2** *vt (meat)* faire cuire en ragoût; *(fruit)* faire de la compote de; **stewed fruit** compote *f* **3** *vi (meat)* cuire en ragoût; **stewing** *adj (pears, apples)* à cuire; **s. steak** bœuf *m* à braiser

steward ['stjuːəd] *n (on plane, ship)* steward *m* ▪ **stewardess** *n (on plane)* hôtesse *f*

STI [estiː'aɪ] (*abbr* **sexually transmitted infection**) *n* MST *f*

stick¹ [stɪk] *n (piece of wood, chalk, dynamite)* bâton *m*; *(for walking)* canne *f*; *Fam* **the sticks** *(countryside)* la cambrousse; *Br Fam* **to give sb s.** *(criticize)* taper sur les doigts de qn; *(laugh at)* se payer la tête de qn; *Br Fam* **to get** *or* **take a lot of s.** *(be criticized)* se faire taper sur les doigts; *(be mocked)* se faire mettre en boîte

stick² [stɪk] **1** (*pt & pp* **stuck**) *vt (glue)* coller; *Fam (put)* fourrer; *Fam (tolerate)* supporter; **to s. sth into sth** fourrer qch dans qch; *Fig* **to s. to one's guns** ne pas en démordre **2** *vi* coller (**to** à); *(of food in pan)* attacher (**to** dans); *(of drawer)* se coincer; **to s. to the facts** s'en tenir aux faits; **to s. to one's principles** rester fidèle à ses principes ▪ **sticking plaster** *n Br* sparadrap *m*

▸ **stick around** *vi Fam (hang around)* rester dans les parages

▸ **stick by** *vt insep* rester fidèle à

▸ **stick down** *vt sep (envelope, stamp)* coller; *Fam (put down)* poser

▸ **stick on** *vt sep (stamp, label)* coller

▸ **stick out 1** *vt sep (tongue)* tirer; *Fam (head or arm from window)* sortir; *Fam* **to s. it out** *(resist)* tenir bon **2** *vi (of shirt)* dépasser; *(of tooth)* avancer

▸ **stick up** *vt sep (notice)* coller; *Fam (hand)* lever

▸ **stick up for** *vt insep* défendre

sticker ['stɪkə(r)] *n* autocollant *m*

stickler ['stɪklə(r)] *n* **to be a s. for sth** être à cheval sur qch

stick-on ['stɪkɒn] *adj* autocollant

stick-up ['stɪkʌp] *n Fam* braquage *m*

sticky ['stɪkɪ] (**-ier, -iest**) *adj* collant; *(label)* adhésif, -ive; *Fig (problem, matter)* délicat

stiff [stɪf] (**-er, -est**) *adj* raide; *(joint)* ankylosé; *(brush, paste)* dur; *Fig (person)* guindé; *(difficult)* difficile; *(price)* élevé; *(whisky)* bien tassé; **to have a s. neck** avoir un torticolis; **to feel s.** être courbaturé; *Fam* **to be bored s.** s'ennuyer à mourir; *Fam* **frozen s.** complètement gelé

stiffen ['stɪfən] **1** *vt* raidir **2** *vi* se raidir

stiffly ['stɪflɪ] *adv Fig (coldly)* froidement ▪ **stiffness** *n* raideur *f*; *(hardness)* dureté *f*

stifle ['staɪfəl] **1** *vt (feeling, person)* étouffer **2** *vi* **it's stifling** on étouffe

stigma ['stɪgmə] *n (moral stain)* flétrissure *f*; **there's no s. attached to...** il n'y a aucune honte à... ▪ **stigmatize** *vt* stigmatiser

stile [staɪl] *n* échalier *m*

stiletto [stɪ'letəʊ] *Br* **1** (*pl* **-os** *or* **-oes**) *n (shoe)* talon *m* aiguille **2** *adj* **s. heels** talons *mpl* aiguille

still¹ [stɪl] *adv* encore, toujours; *(even)* encore; *(nevertheless)* tout de même; **better s., s. better** encore mieux

still² [stɪl] **1** (**-er, -est**) *adj (not moving)* immobile; *(calm)* calme; *Br (drink)* non gazeux, -euse; **to stand s.** rester tranquille; **s. life** nature *f* morte **2** *n (photo of film)* photo *f (tirée d'un film)*; **in the s. of the night** dans le silence de la nuit ▪ **stillborn** *adj (baby)* mort-né *(f* mort-née*)* ▪ **stillness** *n* immobilité *f*; *(calm)* calme *m*

still³ [stɪl] *n (distilling equipment)* alambic *m*

stilt [stɪlt] *n (for walking)* échasse *f*

stilted ['stɪltɪd] *adj (speech, person)* guindé

stimulate ['stɪmjʊleɪt] *vt* stimuler ▪ **stimulant** *n* stimulant *m* ▪ **stimu'lation** *n* stimulation *f* ▪ **stimulus** (*pl* **-li** [-laɪ]) *n (encouragement)* stimulant *m*; *(physiological)* stimulus *m inv*

sting [stɪŋ] **1** *n* piqûre *f*; *(insect's organ)* dard *m* **2** (*pt & pp* **stung**) *vt (of insect, ointment, wind)* piquer; *Fig (of remark)* blesser **3** *vi* piquer ▪ **stinging** *adj (pain)* cuisant; *(remark)* cinglant

stingy ['stɪndʒɪ] (**-ier, -iest**) *adj* avare; **to be s. with** *(money, praise)* être avare de; *(food, wine)* lésiner sur ▪ **stinginess** *n* avarice *f*

stink [stɪŋk] **1** *n* puanteur *f*; *Fam* **to cause** *or* **make a s.** *(trouble)* faire tout un foin **2** (*pt & pp* **stank** *or* **stunk**, *pp* **stunk**) *vi* puer; *Fam (of book, film)* être infect; **to s. of smoke** empester la fumée **3** *vt* **to s. out** *(room)* empester ▪ **stinker** *n Fam (person)* peau *f* de vache; *(question, task)* vacherie *f* ▪ **stinking** *adj Fam* puant

stint [stɪnt] **1** *n (period)* période *f* de travail; *(share)* part *f* de travail **2** *vi* **to s. on sth** lésiner sur qch

stipend ['staɪpend] *n* traitement *m*

stipulate ['stɪpjʊleɪt] *vt* stipuler (**that** que) ▪ **stipu'lation** *n* stipulation *f*

stir [stɜː(r)] **1** *n* agitation *f*; **to give sth a s.** remuer qch; *Fig* **to cause a s.** faire du bruit **2** (*pt & pp* **-rr-**) *vt (coffee, leaves)* remuer; *Fig (excite)* exciter; *(incite)* inciter (**sb to do** qn à faire); **to s. oneself** se secouer; **to s. sth up** *(leaves)* remuer qch; *(rebellion)* attiser qch; **to s. up trouble** semer la zizanie; **to s. up trouble for sb** attirer des ennuis à qn; **to s. things up** envenimer les choses **3** *vi (move)* remuer, bouger ▪ **stirring** *adj (speech)* émouvant

stirrup ['stɪrəp] *n* étrier *m*

stitch [stɪtʃ] 1 *n* point *m*; *(in knitting)* maille *f*; *(in wound)* point de suture; *(sharp pain)* point de côté; *Fam* **to be in stitches** être plié (de rire) 2 *vt* **to s. (up)** *(sew up)* coudre; *Med* recoudre; *Fam* **to s. sb up** *(incriminate)* faire porter le chapeau à qn

stoat [stəʊt] *n* hermine *f*

stock [stɒk] 1 *n* *(supply)* provisions *fpl*; *Com* stock *m*; *Fin* valeurs *fpl*; *(soup)* bouillon *m*; *(cattle)* bétail *m*; *Fin* **stocks and shares** valeurs mobilières; *Hist* **the stocks** le pilori; **in s.** *(goods)* en stock; **out of s.** *(goods)* épuisé; **to be of German s.** être de souche allemande; *Fig* **to take s.** faire le point (**of** de); **s. reply/size** réponse *f*/taille *f* classique; **s. phrase** expression *f* toute faite; **the S. Exchange** or **Market** la Bourse 2 *vt* *(sell)* vendre; *(keep in store)* stocker; **to s. (up)** *(shop)* approvisionner; *(fridge, cupboard)* remplir; **well-stocked** *(shop)* bien approvisionné; *(fridge)* bien rempli 3 *vi* **to s. up** s'approvisionner (**with** en) ▪ **stockbroker** ['stɒkbrəʊkə(r)] *n* agent *m* de change ▪ **stockcar** *n* stock-car *m* ▪ **stockholder** *n* *Fin* actionnaire *mf* ▪ **stockist** *n* stockiste *m* ▪ **stockpile** *vt* faire des réserves de ▪ **stockroom** *n* réserve *f*, magasin *m* ▪ **stock-taking** *n Br Com* inventaire *m*

stockade [stɒ'keɪd] *n* palissade *f*

stocking ['stɒkɪŋ] *n* *(garment)* bas *m*

stocky ['stɒkɪ] (**-ier, -iest**) *adj* trapu

stodge [stɒdʒ] *n Fam (food)* étouffe-chrétien *m inv* ▪ **stodgy** (**-ier, -iest**) *adj Fam (food)* bourratif, -ive; *Fig (book)* indigeste

stoic ['stəʊɪk] *adj & n* stoïque (*mf*) ▪ **stoical** *adj* stoïque ▪ **stoicism** [-ɪsɪzəm] *n* stoïcisme *m*

stoke [stəʊk] *vt (fire)* entretenir; *(furnace)* alimenter; *(engine)* chauffer

stole¹ [stəʊl] *n (shawl)* étole *f*

stole² [stəʊl] *pt of* **steal**¹,²

stolen ['stəʊlən] *pp of* **steal**¹,²

stolid ['stɒlɪd] *adj* impassible

stomach ['stʌmək] 1 *n* ventre *m*; *(organ)* estomac *m* 2 *vt (put up with)* supporter ▪ **stomach-ache** *n* mal *m* de ventre; **to have (a) s.** avoir mal au ventre

stone [stəʊn] 1 *n* pierre *f*; *(pebble)* caillou *m*; *(in fruit)* noyau *m*; *(in kidney)* calcul *m*; *Br (unit of weight)* = 6,348 kg; *Fig* **it's a stone's throw away** c'est à deux pas d'ici 2 *vt (person)* lapider; *(fruit)* dénoyauter ▪ **stonemason** *n* maçon *m*

stone- [stəʊn] *pref* complètement ▪ **'stone-'cold** *adj* glacé ▪ **'stone-'dead** *adj* raide mort ▪ **'stone-'deaf** *adj* sourd comme un pot

stoned [stəʊnd] *adj Fam (on drugs)* défoncé

stony ['stəʊnɪ] (**-ier, -iest**) *adj (path)* caillouteux, -euse; *Br Fam* **s. broke** fauché

stood [stʊd] *pt & pp of* **stand**

stooge [stuːdʒ] *n (actor)* comparse *mf*; *Pej (flunkey)* larbin *m*; *Pej (dupe)* pigeon *m*

stool [stuːl] *n* tabouret *m*

stoop¹ [stuːp] *n Am (in front of house)* perron *m*; **to have a s.** être voûté

stoop² [stuːp] *vi* se baisser; *Fig* **to s. to doing/to sth** s'abaisser à faire/à qch

stop [stɒp] 1 *n (place, halt)* arrêt *m*; *(for plane, ship)* escale *f*; **to put a s. to sth** mettre fin à qch; **to make a s.** *(of vehicle)* s'arrêter; *(of plane)* faire escale; **to bring a car to a s.** arrêter une voiture; **to come to a s.** s'arrêter; **without a s.** sans arrêt; *Br* **s. light** *(on vehicle)* stop *m*; **s. sign** *(on road)* stop 2 *(pt & pp* **-pp-***)* *vt* arrêter; *(end)* mettre fin à; *(cheque)* faire opposition à; **to s. sb/sth from doing sth** empêcher qn/qch de faire qch 3 *vi* s'arrêter; *(of pain, bleeding)* cesser; *(stay)* rester; **to s. eating** s'arrêter de manger; **to s. snowing** cesser de neiger ▪ **stopgap** 1 *n* bouche-trou *m* 2 *adj (solution)* intérimaire ▪ **stopoff** *n* halte *f*; *(in plane journey)* escale *f* ▪ **stopover** *n* arrêt *m*; *(in plane journey)* escale *f*; **to make a s.** faire halte; *(of plane)* faire escale ▪ **stop-press** *adj* de dernière minute ▪ **stopwatch** *n* chronomètre *m*

▸ **stop by** *vi (visit)* passer (**sb's** chez qn)

▸ **stop off, stop over** *vi (on journey)* s'arrêter

▸ **stop up** *vt sep (sink, pipe, leak)* boucher

stoppage ['stɒpɪdʒ] *n (of flow, traffic)* arrêt *m*; *(strike)* débrayage *m*; *Br (in pay)* retenue *f*; *(blockage)* obstruction *f*; *Sport* **s. time** arrêts *mpl* de jeu

stopper ['stɒpə(r)] *n* bouchon *m*

store [stɔː(r)] 1 *n (supply)* provision *f*; *Fig (of knowledge)* fonds *m*; *(warehouse)* entrepôt *m*; *Br (shop)* grand magasin *m*, *Am* magasin *m*; **to have sth in s. for sb** réserver qch à qn; **to keep sth in s.** garder qch en réserve; **to set great s. by sth** faire grand cas de qch 2 *vt (in warehouse)* stocker; *(furniture)* entreposer; *(food)* ranger; *(heat)* emmagasiner; *Comptr (in memory)* mettre en mémoire ▪ **storage** [-rɪdʒ] *n* emmagasinage *m*; **s. space** espace *m* de rangement; *Comptr* **s. capacity** capacité *f* de mémoire

▸ **store away** *vt sep (put away, file away)* ranger; *(furniture)* entreposer

▸ **store up** *vt sep* accumuler

storekeeper ['stɔːkiːpə(r)] *n Am (shopkeeper)* commerçant, -ante *mf*; *Br (warehouseman)* magasinier *m*

storeroom ['stɔːruːm] *n (in house)* débarras *m*; *(in office, shop)* réserve *f*

storey ['stɔːrɪ] *(pl* **-eys***)* *n Br (of building)* étage *m*

stork [stɔːk] *n* cigogne *f*

storm [stɔːm] 1 *n (bad weather)* tempête *f*; *(thunderstorm)* orage *m*; **s. cloud** nuée *f* d'orage; *Fig* **a s. of protest** une tempête de protestations; *Mil* **to take sth by s.** prendre qch d'assaut; *Fig* **she took London by s.** elle a eu un succès foudroyant à Londres; *Fam* **to go down a s.** faire un tabac **2** *vt (of soldiers, police)* prendre d'assaut **3** *vi* **to s. out** *(angrily)* sortir comme une furie ▪ **stormy (-ier, -iest)** *adj (weather, meeting)* orageux, -euse; *(wind)* d'orage

story¹ ['stɔːrɪ] *(pl -ies) n* histoire *f; (newspaper article)* article *m;* **s. line** *(plot)* intrigue *f* ▪ **storybook** *n* livre *m* d'histoires ▪ **storyteller** *n* conteur, -euse *mf*

story² ['stɔːrɪ] *(pl -ies) n Am* = **storey**

stout [staʊt] **1** **(-er, -est)** *adj (person)* corpulent; *(resistance)* acharné; *(shoes)* solide **2** *n Br (beer)* bière *f* brune ▪ **stoutness** *n* corpulence *f*

stove [stəʊv] *n (for cooking)* cuisinière *f; (for heating)* poêle *m*

stow [stəʊ] **1** *vt (cargo)* arrimer; **to s. sth away** *(put away)* ranger qch **2** *vi* **to s. away** *(on ship)* voyager clandestinement ▪ **stowaway** *n (on ship)* passager, -ère *mf* clandestin(e)

straddle ['strædəl] *vt (chair, fence)* se mettre à califourchon sur; *(step over, span)* enjamber

straggle ['strægəl] *vi* **(a)** *(of hair)* pendouiller **(b)** *(lag behind)* être à la traîne; **to s. in** entrer par petits groupes ▪ **straggler** *n* retardataire *mf*

straight [streɪt] **1** **(-er, -est)** *adj* droit; *(hair)* raide; *(honest)* honnête; *(answer)* clair; *(consecutive)* consécutif, -ive; *(conventional)* conformiste; *Fam (heterosexual)* hétéro; **let's get this s.** comprenons-nous bien; **to keep a s. face** garder son sérieux; **to be s. with sb** jouer franc jeu avec qn **2** *n* **the s.** *(on racetrack)* la ligne droite **3** *adv (in straight line)* droit; *(directly)* directement; *(immediately)* tout de suite; **s. away** *(at once)* tout de suite; **s. out, s. off** sans hésiter; **s. opposite** juste en face; *Br* **s. ahead** *or* **on** *(walk)* tout droit; **to look s. ahead** regarder droit devant soi; **to drink whisky s.** boire son whisky sec

straightaway [streɪtə'weɪ] *adv* tout de suite

straighten ['streɪtən] *vt* **to s. (out)** *(wire)* redresser; **to s. (up)** *(tie, hair, room)* arranger; **to s. things out** arranger les choses

straight-faced ['streɪt'feɪst] *adj* impassible

straightforward [streɪt'fɔːwəd] *adj (easy, clear)* simple; *(frank)* franc *(f* franche)

strain¹ [streɪn] **1** *n* tension *f; (mental stress)* stress *m; (on ankle)* foulure *f* **2** *vt* **(a)** *(rope, wire)* tendre excessivement; *(muscle)* se froisser; *(ankle, wrist)* se fouler; *(eyes)* fatiguer; *(voice)* forcer; *Fig (patience, friendship)* mettre à l'épreuve; **to s. one's ears** tendre l'oreille; **to s. one's back** se faire mal au dos; **to s. oneself** *(hurt oneself)* se faire mal; *(tire oneself)* se

fatiguer **(b)** *(soup)* passer; *(vegetables)* égoutter **3** *vi* faire un effort **(to do** pour faire); **to s. at a rope** tirer sur une corde

strain² [streɪn] *n (of plant)* variété *f; (of virus)* souche *f; (streak)* tendance *f*

strained [streɪnd] *adj (muscle)* froissé; *(ankle, wrist)* foulé; *(relations)* tendu; *(laugh)* forcé

strainer ['streɪnə(r)] *n* passoire *f*

strait [streɪt] *n Geog* **strait(s)** détroit *m;* **in financial straits** dans l'embarras

straitjacket ['streɪtdʒækɪt] *n* camisole *f* de force

straitlaced ['streɪt'leɪst] *adj* collet monté *inv*

strand [strænd] *n (of wool)* brin *m; (of hair)* mèche *f; Fig (of story)* fil *m*

stranded ['strændɪd] *adj (person, vehicle)* en rade

strange [streɪndʒ] **(-er, -est)** *adj (odd)* bizarre; *(unknown)* inconnu ▪ **strangely** *adv* étrangement; **s. (enough), she...** chose étrange, elle... ▪ **strangeness** *n* étrangeté *f*

stranger ['streɪndʒə(r)] *n (unknown)* inconnu, -ue *mf; (outsider)* étranger, -ère *mf;* **he's a s. here** il n'est pas d'ici; **she's a s. to me** elle m'est inconnue

strangle ['stræŋgəl] *vt* étrangler ▪ **strangler** *n* étrangleur, -euse *mf*

stranglehold ['stræŋgəlhəʊld] *n* **to have a s. on sth** avoir la mainmise sur qch

strap [stræp] **1** *n* sangle *f; (on dress)* bretelle *f; (on watch)* bracelet *m; (on sandal)* lanière *f* **2** *(pt & pp* **-pp-)** *vt* **to s. (down** *or* **in)** attacher *(avec une sangle)*

▸ **strap in** *vt sep* attacher avec une ceinture de sécurité

strapping ['stræpɪŋ] *adj* robuste

stratagem ['strætədʒəm] *n* stratagème *m*

strategy ['strætədʒɪ] *n (pl -ies)* stratégie *f* ▪ **strategic** [strə'tiːdʒɪk] *adj* stratégique

stratum ['strɑːtəm] *(pl -ta* [-tə]*) n* couche *f*

straw [strɔː] *n (from wheat, for drinking)* paille *f;* **that's the last s.!** c'est le comble!

strawberry ['strɔːbərɪ] **1** *(pl -ies) n* fraise *f* **2** *adj (flavour, ice cream)* à la fraise; *(jam)* de fraises; *(tart)* aux fraises

stray [streɪ] **1** *adj (animal, bullet)* perdu; **a few s. cars** quelques rares voitures; **s. dog** chien *m* errant; *(cat)* chat *m* errant **2** *n (dog)* chien *m* égaré **3** *vi* s'égarer; **to s. from** *(subject, path)* s'écarter de; **don't s. too far** ne t'éloigne pas

streak [striːk] *n (of paint, dirt)* traînée *f; (of light)* rai *m; (in hair)* mèche *f;* **to have a mad s.** avoir une tendance à la folie; **to be on a winning s.** être dans une période de chance; **s. of lightning** éclair *m* ▪ **streaked** *adj (marked)* strié; *(stained)* taché **(with** de) ▪ **streaker** *n Fam* = personne qui court nu(e) en public ▪ **streaky (-ier, -iest)** *adj* strié; *Br* **s. bacon** bacon *m* entrelardé

stream [striːm] **1** *n (brook)* ruisseau *m*; *(current)* courant *m*; *(of light, blood)* jet *m*; *(of tears)* torrent *m*; *(of people)* flot *m* **2** *vt* **to s. blood** ruisseler de sang; *Br Sch* **to s. pupils** répartir des élèves par niveaux **3** *vi* ruisseler (**with** de); **to s. in** *(of sunlight, people)* entrer à flots

streamer ['striːmə(r)] *n (banner)* banderole *f*; *(for parties)* serpentin *m*

streamline ['striːmlaɪn] *vt (work, method)* rationaliser ▪ **streamlined** *adj (shape)* aérodynamique; *(industry, production)* rationalisé

street [striːt] *n* rue *f*; *Br Fam* **that's (right) up my s.** c'est mon rayon; *Br Fam* **to be streets ahead** dépasser tout le monde; *Fam* **s. cred** look *m* branché; **s. door** porte *f* d'entrée; **s. lamp, s. light** lampadaire *m*; **s. map** plan *m* des rues ▪ **streetcar** *n Am (tram)* tramway *m* ▪ **streetwise** *adj Fam* dégourdi

strength [streŋθ] *n* force *f*; *(of wood, fabric)* solidité *f*; *Fig* **on the s. of** sur la base de; **in** or **at full s.** *(of troops)* au (grand) complet ▪ **strengthen** *vt (building, position)* renforcer; *(body, soul, limb)* fortifier

strenuous ['strenjʊəs] *adj (effort, exercise)* vigoureux, -euse; *(work)* fatigant; *(denial)* énergique ▪ **strenuously** *adv* énergiquement

strep [strep] *adj Am* **s. throat** forte angine *f*

stress [stres] **1** *n (physical)* tension *f*; *(mental)* stress *m*; *(emphasis)* & *Grammar* accent *m*; **under s.** *(person)* stressé, sous pression; *(relationship)* tendu **2** *vt* insister sur; *(word)* accentuer; **to s. that...** souligner que... ▪ **stressed** *adj Fam* **to be s. (out)** être stressé **3** *vt Fam* stresser ▪ **stressful** *adj* stressant ▪ **stress-related** *adj* **to be s.** être dû (*f* due) au stress

stretch [stretʃ] **1** *n (area, duration)* étendue *f*; *(period of time)* période *f*; *(of road)* tronçon *m*; **ten hours at a s.** dix heures d'affilée; **for a long s. of time** (pendant) longtemps; *Fam* **to do a three-year s.** *(in prison)* faire trois ans de prison **2** *vt (rope, neck)* tendre; *(shoe, rubber)* étirer; *Fig (meaning)* forcer; *(income, supplies)* faire durer; **to s. (out)** *(arm, leg)* tendre; *Fig* **to s. one's legs** se dégourdir les jambes; *Fig* **to s. sb** pousser qn à son maximum; **we're fully stretched at the moment** nous sommes au maximum de nos capacités en ce moment **3** *vi (of person, elastic)* s'étirer; *(of influence)* s'étendre; **to s. (out)** *(of rope, plain)* s'étendre ▪ **stretch marks** *npl* vergetures *fpl*

stretcher ['stretʃə(r)] *n* brancard *m*

strew [struː] *(pt* strewed, *pp* strewed or strewn [struːn]) *vt (scatter)* éparpiller; **strewn with** *(covered)* jonché de

stricken ['strɪkən] *adj (town, region)* sinistré; **s. with grief** accablé par le chagrin; **s. with illness** atteint de maladie

strict [strɪkt] *(-er, -est) adj (severe, absolute)* strict ▪ **strictly** *adv* strictement; **s. forbidden** formellement interdit ▪ **strictness** *n* sévérité *f*

stride [straɪd] **1** *n* pas *m*; *Fig* **to make great strides** faire de grands progrès **2** *(pt* strode) *vi* **to s. across** or **over** enjamber; **to s. along/out** avancer/sortir à grands pas; **to s. up and down a room** arpenter une pièce

strident ['straɪdənt] *adj* strident

strife [straɪf] *n inv* conflits *mpl*

strike [straɪk] **1** *n (of workers)* grève *f*; *(of ore, oil)* découverte *f*; *Mil* raid *m*; **to go (out) on s.** se mettre en grève **2** *(pt & pp* struck) *vt (hit, impress)* frapper; *(collide with)* heurter; *(gold, oil)* trouver; *(coin)* frapper; *(match)* craquer; **to s. the time** *(of clock)* sonner l'heure; **to s. a blow** donner un coup; **to s. a balance** trouver un équilibre; **to s. oil** trouver du pétrole; *Fam* **to s. it rich** faire fortune; **it strikes me that...** il me semble que... (+ *indicative*); **how did it s. you?** quelle impression ça t'a fait? **3** *vi (of workers)* faire grève; *(attack)* attaquer; *Fig* **to s. home** faire mouche

▸ **strike at** *vt insep (attack)* attaquer

▸ **strike back** *vi (retaliate)* riposter

▸ **strike down** *vt sep (of illness)* terrasser; *(bullet)* abattre

▸ **strike off** *vt sep (from list)* rayer (**from** de); **to be struck off** *(of doctor)* être radié

▸ **strike out** *vi* **to s. out at sb** essayer de frapper qn

▸ **strike up** *vt sep* **to s. up a friendship** se lier d'amitié (**with sb** avec qn)

striker ['straɪkə(r)] *n (worker)* gréviste *mf*; *Football* buteur *m*

striking ['straɪkɪŋ] *adj (impressive)* frappant ▪ **strikingly** *adv (beautiful, intelligent)* extraordinairement

string [strɪŋ] **1** *n (of apron)* ficelle *f*; *(of apron)* cordon *m*; *(of violin, racket)* corde *f*; *(of onions)* chapelet *m*; *(of questions)* série *f*; **s. of pearls** collier *m* de perles; **s. of beads** collier; *(for praying)* chapelet; *Fig* **to pull strings** faire jouer ses relations; *Fig* **to pull strings for sb** pistonner qn **2** *adj (instrument, quartet)* à cordes; **s. bean** haricot *m* vert **3** *(pt & pp* strung) *vt (beads)* enfiler **4** *vi Fam* **to s. along** *(follow)* suivre ▪ **stringed** *adj (musical instrument)* à cordes ▪ **stringy** *(-ier, -iest) adj (meat, vegetables)* filandreux, -euse

stringent ['strɪndʒənt] *adj* rigoureux, -euse ▪ **stringency** *n* rigueur *f*

strip [strɪp] **1** *n (piece)* bande *f*; *(of metal)* lame *f*; *(of sports team)* tenue *f*; **landing s.** piste *f* d'atterrissage; **s. cartoon** bande dessinée; **s. club** boîte *f* de strip-tease; *Br* **s. lighting** éclairage *m* au néon **2** *(pt & pp* **-pp-**) *vt (undress)* déshabiller; *(bed)* défaire; *(deprive)* dépouiller (**of** de); **stripped to the waist** torse nu; **to s. (down)** *(machine)* démonter; **to s. off**

(remove) enlever **3** *vi* **to s. (off)** *(get undressed)* se déshabiller ▪**stripper** *n (woman)* strip-teaseuse *f; (male)* strip-teaseur *m; (paint)* décapant *m* ▪**strip-search 1** *n* fouille *f* d'une personne dévêtue **2** *vi to* **s. sb** faire déshabiller qn pour le/la fouiller ▪**striptease** *n* strip-tease *m*

stripe [straɪp] *n* rayure *f; (indicating rank)* galon *m* ▪**striped** *adj* rayé **(with** de) ▪**stripy** *adj (fabric, pattern)* rayé

strive [straɪv] *(pt* **strove**, *pp* **striven** ['strɪvən]) *vi* s'efforcer **(to do** de faire; **for** d'obtenir)

strobe [strəʊb] *adj* **s. lighting** éclairage *m* stroboscopique

strode [strəʊd] *pt of* **stride**

stroke [strəʊk] **1** *n (movement)* coup *m; (of pen)* trait *m; (of brush)* touche *f; (caress)* caresse *f; Med (illness)* attaque *f;* **(swimming) s.** nage *f;* **at a s.** d'un coup; **on the s. of nine** à neuf heures sonnantes; **s. of luck** coup de chance; **s. of genius** coup de génie; **you haven't done a s. of work** tu n'as rien fait; **four-s. engine** moteur *m* à quatre temps **2** *vt (caress)* caresser

stroll [strəʊl] **1** *n* promenade *f* **2** *vi* se promener; **to s. in** entrer sans se presser ▪**strolling** *adj (musician)* ambulant

stroller ['strəʊlə(r)] *n Am (for baby)* poussette *f*

strong [strɒŋ] **1** *(-er, -est) adj* fort; *(shoes, chair, nerves)* solide; *(interest)* vif *(f* vive); *(measures)* énergique; *(supporter)* ardent; **they were sixty s.** ils étaient au nombre de soixante **2** *adv* **to be going s.** aller toujours bien ▪**strong-arm** *adj* **s. tactics** la manière forte ▪**strong-box** *n* coffre-fort *m* ▪**stronghold** *n* bastion *m* ▪**strongly** *adv (protest, defend)* énergiquement; *(advise, remind, desire)* fortement; **s. built** solide; **to feel s. about sth** être convaincu de qch ▪**'strong-'willed** *adj* résolu

strove [strəʊv] *pt of* **strive**

struck [strʌk] *pt & pp of* **strike**

structure ['strʌktʃə(r)] *n* structure *f; (building)* édifice *m* ▪**structural** *adj* structural; *(building defect)* de construction; **s. damage** *(to building)* dégâts *mpl* de structure; **s. engineer** ingénieur *m* civil

struggle ['strʌgəl] **1** *n (fight)* lutte *f* **(to do** pour faire); **to put up a s.** résister; **to have a s. doing** *or* **to do sth** avoir du mal à faire qch **2** *vi (fight)* lutter **(with** avec); **to be struggling** *(financially)* avoir du mal; **to s. to do sth** s'efforcer de faire qch; **to s. out of** sortir péniblement de; **to s. into** entrer péniblement dans; **to s. along** *or* **on** se débrouiller

strum [strʌm] *(pt & pp* **-mm-)** *vt (guitar)* gratter

strung [strʌŋ] *pt & pp of* **string**

strut¹ [strʌt] *(pt & pp* **-tt-)** *vi* **to s. (about** *or* **around)** se pavaner

strut² [strʌt] *n (for frame)* étai *m*

stub [stʌb] **1** *n (of pencil, cigarette)* bout *m; (of*

cheque) talon *m* **2** *(pt & pp* **-bb-)** *vt* **to s. one's toe** se cogner l'orteil **(on** *or* **against** contre); **to s. out** *(cigarette)* écraser

stubble ['stʌbəl] *n (on face)* barbe *f* de plusieurs jours

stubborn ['stʌbən] *adj (person)* têtu; *(determination)* farouche; *(stain)* rebelle ▪**stubbornness** *n (of person)* entêtement *m; (of determination)* inflexibilité *f*

stubby ['stʌbɪ] *(-ier, -iest) adj (finger)* court et boudiné; *(person)* trapu

stucco ['stʌkəʊ] *(pl* **-os** *or* **-oes)** *n* stuc *m*

stuck [stʌk] *pt & pp of* **stick² 2** *adj (caught, jammed)* coincé; **s. in bed/indoors** cloué au lit/chez soi; **to get s.** être coincé; **I'm s. for an answer** je ne sais que répondre; **to be s. with sb/sth** se farcir qn/qch

stuck-up [stʌ'kʌp] *adj Fam* snob *inv*

stud¹ [stʌd] *n (on football boot)* crampon *m; (earring)* clou *m* d'oreille; **(collar) s.** bouton *m* de col ▪**studded** *adj (boots, tyres)* clouté; *Fig* **s. with** *(covered)* constellé de

stud² [stʌd] *n (farm)* haras *m; (stallion)* étalon *m; Fam (virile man)* mâle *m*

student ['stjuːdənt] **1** *n (at university)* étudiant, -iante *mf; (at school)* élève *mf;* **music s.** étudiant, -iante en musique **2** *adj (life, protest)* étudiant; *(restaurant, residence, grant)* universitaire

studied ['stʌdɪd] *adj (deliberate)* étudié

studio ['stjuːdɪəʊ] *(pl* **-os)** *n* studio *m; (of artist)* atelier *m;* **s. audience** public *m* présent lors de l'enregistrement; *Br* **s. flat**, *Am* **s. apartment** studio

studious ['stjuːdɪəs] *adj (person)* studieux, -ieuse ▪**studiously** *adv (carefully)* avec soin

study ['stʌdɪ] **1** *(pl* **-ies)** *n* étude *f; (office)* bureau *m* **2** *(pp & pp* **-ied)** *vt (learn, observe)* étudier **3** *vi* étudier; **to s. to be a doctor** faire des études de médecine; **to s. for an exam** préparer un examen

stuff [stʌf] **1** *n (possessions)* affaires *fpl; (cloth)* étoffe *f; Fam* **some s.** *(substance)* un truc; *Fam* **he knows his s.** il connaît son affaire; *Fam* **this s.'s good, it's good s.** c'est bien **2** *vt (pocket)* remplir **(with** de); *(cushion)* rembourrer **(with** avec); *(animal)* empailler; *(chicken, tomatoes)* farcir; **to s. sth into sth** fourrer qch dans qch; **to s. (up)** *(hole)* colmater; **my nose is stuffed (up)** j'ai le nez bouché ▪**stuffing** *n (padding)* bourre *f; (for chicken, tomatoes)* farce *f*

stuffy ['stʌfɪ] *(-ier, -iest) adj (room)* qui sent le renfermé; *(person)* vieux jeu *inv*

stumble ['stʌmbəl] *vi* trébucher; **to s. across** *or* **on** *(find)* tomber sur; **stumbling block** pierre *f* d'achoppement

stump [stʌmp] *n (of tree)* souche *f; (of limb)* moignon *m; (of pencil)* bout *m; (in cricket)* piquet *m*

stumped ['stʌmpt] *adj* **to be s. by sth** *(baffled)* ne savoir que penser de qch

stun [stʌn] *(pt & pp* **-nn-**) *vt (make unconscious)* assommer; *Fig (amaze)* stupéfier ▪**stunned** *adj (amazed)* stupéfait (**by** par) ▪**stunning** *adj (news)* stupéfiant; *Fam (excellent)* excellent; *Fam (beautiful)* superbe

stung [stʌŋ] *pt & pp of* **sting**

stunk [stʌŋk] *pt & pp of* **stink**

stunt¹ [stʌnt] *n (in film)* cascade *f*; *(for publicity)* coup *m* de pub; **s. man** cascadeur *m*; **s. woman** cascadeuse *f*

stunt² [stʌnt] *vt (growth)* retarder ▪**stunted** *adj (person)* rabougri

stupefy ['stjuːpɪfaɪ] *(pt & pp* **-ied**) *vt (of drink)* abrutir; *Fig (amaze)* stupéfier

stupendous [stjuː'pendəs] *adj* fantastique

stupid ['stjuːpɪd] *adj* stupide; **to do/say a s. thing** faire/dire une stupidité ▪**stu'pidity** *n* stupidité *f* ▪**stupidly** *adv* bêtement

stupor ['stjuːpə(r)] *n (daze)* stupeur *f*

sturdy ['stɜːdɪ] (**-ier, -iest**) *adj (person, shoe)* robuste ▪**sturdiness** *n* robustesse *f*

sturgeon ['stɜːdʒən] *n* esturgeon *m*

stutter ['stʌtə(r)] **1** *n* bégaiement *m*; **to have a s.** être bègue **2** *vi* bégayer

sty¹ [staɪ] *n (for pigs)* porcherie *f*

sty², **stye** [staɪ] *n (on eye)* orgelet *m*

style [staɪl] **1** *n* style *m*; *(sophistication)* classe *f*; **to have s.** avoir de la classe; **to live in s.** mener grand train **2** *vt (design)* créer; **to s. sb's hair** coiffer qn ▪**styling** *n (of hair)* coupe *f* ▪**stylist** *n (for fashion)* styliste *mf*; **(hair) s.** coiffeur, -euse *mf*

stylish ['staɪlɪʃ] *adj* chic *inv* ▪**stylishly** *adv* élégamment

stylistic [staɪ'lɪstɪk] *adj* stylistique

stylized ['staɪlaɪzd] *adj* stylisé

stylus ['staɪləs] *n (of record player)* pointe *f* de lecture

suave [swɑːv] (**-er, -est**) *adj* courtois; *Pej* doucereux, -euse

> Note that the French word **suave** is a false friend and is almost never a translation for the English word **suave**. It means **sweet**.

sub- [sʌb] *pref* sous-, sub-

subconscious [sʌb'kɒnʃəs] *adj & n* subconscient *(m)* ▪**subconsciously** *adv* inconsciemment

subcontract [sʌbkən'trækt] *vt* sous-traiter ▪**subcontractor** *n* sous-traitant *m*

subdivide [sʌbdɪ'vaɪd] *vt* subdiviser (**into** en) ▪**subdivision** [-'vɪʒən] *n* subdivision *f*

subdue [səb'djuː] *vt (country, people)* soumettre; *(feelings)* maîtriser ▪**subdued** *adj (light)* tamisé; *(voice, tone)* bas *(f* basse); *(person)* inhabituellement calme

subheading ['sʌbhedɪŋ] *n* sous-titre *m*

subject¹ ['sʌbdʒɪkt] *n* (**a**) *(matter) & Grammar* sujet *m*; *(at school, university)* matière *f*; **s. matter** *(topic)* sujet; *(content)* contenu *m* (**b**) *(of monarch)* sujet, -ette *mf*; *(in experiment)* sujet *m*

subject² **1** ['sʌbdʒɪkt] *adj* **to be s. to depression/jealousy** avoir tendance à la dépression/à la jalousie; **it's s. to my agreement** c'est sous réserve de mon accord; **prices are s. to change** les prix peuvent être modifiés **2** [səb'dʒɪkt] *vt* soumettre (**to** à) ▪**subjection** [səb'dʒekʃən] *n* soumission *f* (**to** à)

subjective [səb'dʒektɪv] *adj* subjectif, -ive ▪**subjectively** *adv* subjectivement ▪**subjectivity** [sʌbdʒek'tɪvɪtɪ] *n* subjectivité *f*

subjugate ['sʌbdʒʊgeɪt] *vt* subjuguer

subjunctive [səb'dʒʌŋktɪv] *n Grammar* subjonctif *m*

sublet [sʌb'let] *(pt & pp* **-let,** *pres p* **-letting**) *vt* sous-louer

sublimate ['sʌblɪmeɪt] *vt* sublimer

sublime [sə'blaɪm] **1** *adj* sublime; *(utter)* suprême **2** *n* sublime *m*; **to go from the s. to the ridiculous** passer du sublime au grotesque

sub-machine gun [sʌbmə'ʃiːngʌn] *n* mitraillette *f*

submarine ['sʌbməriːn] *n* sous-marin *m*

submerge [səb'mɜːdʒ] **1** *vt (flood, overwhelm)* submerger; *(immerse)* immerger (**in** dans) **2** *vi (of submarine)* s'immerger

submit [səb'mɪt] **1** *(pt & pp* **-tt-**) *vt* soumettre (**to** à) **2** *vi* se soumettre (**to** à) ▪**submission** *n* soumission *f* (**to** à) ▪**submissive** *adj (person)* soumis; *(attitude)* de soumission ▪**submissively** *adv* avec soumission

subnormal [sʌb'nɔːməl] *adj (temperature)* au-dessous de la normale; *Pej (person, behaviour)* arriéré

subordinate [sə'bɔːdɪnət] **1** *adj* subalterne; **s. to** subordonné à; *Grammar* **s. clause** proposition *f* subordonnée **2** *n* subordonné, -ée *mf* **3** [sə'bɔːdɪneɪt] *vt* subordonner (**to** à) ▪**subordi'nation** *n* subordination *f* (**to** à)

subpoena [səb'piːnə] *Law* **1** *n (summons)* citation *f* à comparaître **2** *(pt & pp* **-aed**) *vt (witness)* citer à comparaître

subscribe [səb'skraɪb] **1** *vt (money)* donner (**to** à) **2** *vi (pay money)* cotiser (**to** à); **to s. to a newspaper** s'abonner à un journal; **to s. to an opinion** souscrire à une opinion ▪**subscriber** *n (to newspaper, telephone)* abonné, -ée *mf* ▪**subscription** [-'skrɪpʃən] *n (to newspaper)* abonnement *m*; *(to club)* cotisation *f*

subsequent ['sʌbsɪkwənt] *adj* ultérieur (**to** à); **our s. problems** les problèmes que nous avons eus par la suite; **s. to** *(as a result of)* consécutif, -ive à ▪**subsequently** *adv* par la suite

subservient [səb'sɜːvɪənt] *adj* servile

subside [səb'saɪd] *vi (of ground, building)* s'affaisser; *(of wind, flood, fever)* baisser; *(of threat, danger)* se dissiper **▪subsidence** *n (of ground)* affaissement *m*

subsidiary [*Br* səb'sɪdɪərɪ, *Am* -dɪerɪ] **1** *adj* subsidiaire **2** *(pl* **-ies)** *n (company)* filiale *f*

subsidize ['sʌbsɪdaɪz] *vt* subventionner **▪subsidy** *(pl* **-ies)** *n* subvention *f*

subsist [səb'sɪst] *vi (of doubts)* subsister; **to s. on sth** vivre de qch **▪subsistence** *n* subsistance *f*

substance ['sʌbstəns] *n* substance *f*; *(solidity, worth)* fondement *m*; **s. abuse** usage *m* de stupéfiants

substandard [sʌb'stændəd] *adj* de qualité inférieure

substantial [səb'stænʃəl] *adj* important; *(meal)* substantiel, -ielle **▪substantially** *adv* considérablement; **s. true** *(to a great extent)* en grande partie vrai; **s. different** très différent

substantiate [səb'stænʃɪeɪt] *vt (statement)* corroborer; *(claim)* justifier

substitute ['sʌbstɪtjuːt] **1** *n (thing)* produit *m* de remplacement; *(person)* remplaçant, -ante *mf* (**for** de); **s. teacher** suppléant, -éante *mf*; **there's no s. for...** rien ne peut remplacer... **2** *vt* **to s. sb/sth for** substituer qn/qch à **3** *vi* **to s. for sb** remplacer qn **▪substi'tution** *n* substitution *f*

subterranean [sʌbtə'reɪnɪən] *adj* souterrain

subtitle ['sʌbtaɪtəl] **1** *n (of film)* sous-titre *m* **2** *vt (film)* sous-titrer

subtle ['sʌtəl] **(-er, -est)** *adj* subtil **▪subtlety** *n* subtilité *f* **▪subtly** *adv* subtilement

subtotal [sʌb'təʊtəl] *n* sous-total *m*

subtract [səb'trækt] *vt* soustraire (**from** de) **▪subtraction** *n* soustraction *f*

subtropical [sʌb'trɒpɪkəl] *adj* subtropical

suburb ['sʌbɜːb] *n* banlieue *f*; **the suburbs** la banlieue; **in the suburbs** en banlieue **▪suburban** [sə'bɜːbən] *adj (train, house)* de banlieue; *(accent)* de la banlieue **▪suburbia** [sə'bɜːbɪə] *n* la banlieue; **in s.** en banlieue

subversive [səb'vɜːsɪv] *adj* subversif, -ive **▪subversion** [*Br* -ʃən, *Am* -ʒən] *n* subversion *f* **▪subvert** *vt (system)* bouleverser; *(person)* corrompre

subway ['sʌbweɪ] *n Br (under road)* passage *m* souterrain; *Am (railroad)* métro *m*

succeed [sək'siːd] **1** *vt* **to s. sb** succéder à qn **2** *vi* réussir (**in doing** à faire; **in sth** dans qch); **to s. to the throne** monter sur le trône **▪succeeding** *adj (in past)* suivant; *(in future)* futur; *(consecutive)* consécutif, -ive

success [sək'ses] *n* succès *m*, réussite *f*; **to make a s. of sth** mener qch à bien; **he was a s.** il a eu du succès; **it was a s.** c'était réussi; **her s. in the exam** sa réussite à l'examen; **s. story** réussite

successful [sək'sesfəl] *adj (effort, venture)* couronné de succès; *(outcome)* heureux, -euse; *(company, businessman)* prospère; *(candidate in exam)* admis, reçu; *(candidate in election)* élu; *(writer, film)* à succès; **to be s.** réussir; **to be s. in doing sth** réussir à faire qch **▪successfully** *adv* avec succès

succession [sək'seʃən] *n* succession *f*; **in s.** successivement; **ten days in s.** dix jours consécutifs; **in rapid s.** coup sur coup **▪successive** *adj* successif, -ive; **ten s. days** dix jours consécutifs **▪successor** *n* successeur *m* (**to sb**)

succinct [sək'sɪŋkt] *adj* succinct

succulent ['sʌkjʊlənt] *adj* succulent

succumb [sə'kʌm] *vi* succomber (**to** à)

such [sʌtʃ] **1** *adj (of this or that kind)* tel *(f* telle); **s. a car** une telle voiture; **s. happiness/noise** tant de bonheur/bruit; **there's no s. thing** ça n'existe pas; **I said no s. thing** je n'ai rien dit de tel; **s. as** comme, tel que; **s. and s. a/an** tel ou tel **2** *adv (so very)* si; *(in comparisons)* aussi; **s. long trips** de si longs voyages; **s. a large helping** une si grosse portion; **s. a kind woman as you** une femme aussi gentille que vous **3** *pron* **happiness as s.** le bonheur en tant que tel; **s. was my idea** telle était mon idée **▪suchlike** *pron & adj* **...and s. ...**et autres

suck [sʌk] **1** *vt* sucer; *(of baby)* téter; **to s. (up) (with straw, pump)** aspirer; **to s. up** or **in (absorb)** absorber **2** *vi (of baby)* téter; **to s. at** *(pencil)* sucer; **to s. at its mother's breast** *(of baby)* téter sa mère; *very Fam* **this city sucks** cette ville est merdique

► **suck up to** *vt insep* lécher les bottes à

sucker ['sʌkə(r)] *n (rubber pad)* ventouse *f*; *Fam (fool)* pigeon *m*, dupe *f*; **to be a s. for sth** ne pas savoir résister à qch

suckle ['sʌkəl] **1** *vt (of woman)* allaiter **2** *vi (of baby)* téter

suction ['sʌkʃən] *n* succion *f*

Sudan [suːˈdɑːn, -ˈdæn] *n* **(the) S.** le Soudan **▪Sudanese 1** *adj* soudanais, soudanien, -ienne **2** *n* Soudanais, -aise, Soudanien, -ienne

sudden ['sʌdən] *adj* soudain; **all of a s.** tout à coup **▪suddenly** *adv* tout à coup, soudain; *(die)* subitement **▪suddenness** *n* soudaineté *f*

suds [sʌdz] *npl* mousse *f* de savon

sue [suː] **1** *vt* poursuivre (en justice) **2** *vi* engager des poursuites judiciaires

suede [sweɪd] *n* daim *m*; **s. coat/shoes** manteau *m*/chaussures *fpl* de daim

suet ['suːɪt] *n* graisse *f* de rognon

suffer ['sʌfə(r)] **1** *vt (loss, damage, defeat)* subir; *(pain)* ressentir; *(tolerate)* supporter **2** *vi* souffrir (**from** de); **your work will s.** ton travail s'en ressentira **▪sufferer** *n (from misfortune)* victime *f*; **AIDS s.** malade *mf* du SIDA; **asthma s.** asthmatique *mf* **▪suffering** *n* souffrance *f*

suffice [sə'faɪs] *vi* suffire

sufficient [sə'fɪʃənt] *adj* suffisant; **s. money** *(enough)* suffisamment d'argent; **to be s.** suffire ▪**sufficiently** *adv* suffisamment

suffix ['sʌfɪks] *n Grammar* suffixe *m*

suffocate ['sʌfəkeɪt] **1** *vt* étouffer **2** *vi* suffoquer ▪**suffo'cation** *n* étouffement *m*; **to die of s.** mourir asphyxié

suffrage ['sʌfrɪdʒ] *n* droit *m* de vote; **universal s.** le suffrage universel

suffused [sə'fju:zd] *adj* **s. with light/tears** baigné de lumière/larmes

sugar ['ʃʊgə(r)] **1** *n* sucre *m*; **s. beet/cane/ tongs** betterave *f*/canne *f*/pince *f* à sucre; **s. bowl** sucrier *m*; **s. lump** morceau *m* de sucre **2** *vt (tea)* sucrer ▪**sugar-free** *adj* sans sucre ▪**sugary** *adj (taste, tone)* sucré

suggest [sə'dʒest] *vt (propose)* suggérer; *(imply)* indiquer ▪**suggestion** *n* suggestion *f* ▪**suggestive** *adj* suggestif, -ive; **to be s. of** évoquer

suicide ['su:ɪsaɪd] *n* suicide *m*; **to commit s.** se suicider; **s. bomber** terroriste *mf* suicidaire ▪**sui'cidal** *adj* suicidaire

suit¹ [su:t] *n* **(a)** *(man's)* costume *m*; *(woman's)* tailleur *m*; **flying/diving/ski s.** combinaison *f* de vol/plongée/ski **(b)** *Cards* couleur *f*; *Fig* **to follow s.** faire de même **(c)** *(lawsuit)* procès *m*

suit² [su:t] *vt (please, be acceptable to)* convenir à; *(of dress, colour)* aller (bien) à; *(adapt)* adapter **(to** à); **it suits me to stay** ça m'arrange de rester; **s. yourself!** comme tu voudras!; **suited to** *(job, activity)* fait pour; *(appropriate to)* qui convient à; **they are well suited** *(of couple)* ils sont faits l'un pour l'autre

suitability [su:tə'bɪlətɪ] *n (of remark)* àpropos *m*; *(of person)* aptitude *f* (**for** pour)

suitable ['su:təbəl] *adj* convenable (**for** à); *(candidate, date)* adéquat; *(example)* approprié; **this film is not s. for children** ce film n'est pas pour les enfants ▪**suitably** *adv (dress, behave)* convenablement

suitcase ['su:tkeɪs] *n* valise *f*

suite [swi:t] *n (rooms)* suite *f*; **bedroom s.** *(furniture)* chambre *f* à coucher

suitor ['su:tə(r)] *n* soupirant *m*

sulfur ['sʌlfə(r)] *n Am* = **sulphur**

sulk [sʌlk] *vi* bouder ▪**sulky** (**-ier, -iest**) *adj* boudeur, -euse

sullen ['sʌlən] *adj* maussade ▪**sullenly** *adv* d'un air maussade

sully ['sʌlɪ] *(pt & pp -ied) vt Literary* souiller

sulphur ['sʌlfə(r)] *(Am* **sulfur**) *n Chem* soufre *m*

sultan ['sʌltən] *n* sultan *m*

sultana [sʌl'tɑ:nə] *n* raisin *m* de Smyrne

sultry ['sʌltrɪ] (**-ier, -iest**) *adj (heat)* étouffant; *Fig* sensuel, -uelle

sum [sʌm] **1** *n (amount of money)* somme *f*; *(mathematical problem)* problème *m*; **to do sums** *(arithmetic)* faire du calcul; **s. total**

somme totale **2** *(pt & pp* **-mm-**) *vt* **to s. up** *(summarize)* résumer; *(assess)* évaluer **3** *vi* **to s. up** résumer ▪**summing-'up** *(pl* **summings-up**) *n* résumé *m*

summarize ['sʌmǝraɪz] *vt* résumer ▪**summary** **1** *(pl* **-ies**) *n* résumé *m* **2** *adj (brief)* sommaire

summer ['sʌmǝ(r)] **1** *n* été *m*; **in (the) s.** en été; **Indian s.** été indien **2** *adj* d'été; *Am* **s. camp** colonie *f* de vacances; **s. school** cours *mpl* d'été; *Br* **s. holidays,** *Am* **s. vacation** grandes vacances *fpl* ▪**summerhouse** *n* pavillon *m* ▪**summertime** *n* été *m*; **in (the) s.** en été ▪**summery** *adj (weather, temperature)* estival; *(dress, day)* d'été

summit ['sʌmɪt] *n* sommet *m*

summon ['sʌmǝn] *vt (call)* appeler; *(meeting, person)* convoquer (**to** à); **to s. sb to do sth** sommer qn de faire qch; **to s. up courage/ strength** rassembler son courage/ses forces

summons ['sʌmǝnz] *Law* **1** *n* assignation *f* à comparaître **2** *vt* assigner à comparaître

sump [sʌmp] *n Br (in engine)* carter *m* à huile

sumptuous ['sʌmptʃʊəs] *adj* somptueux, -ueuse ▪**sumptuousness** *n* somptuosité *f*

sun [sʌn] **1** *n* soleil *m*; **in the s.** au soleil; **the s. is shining** il fait soleil **2** *(pt & pp* **-nn-**) *vt* **to s. oneself** prendre le soleil ▪**sunbaked** *adj* brûlé par le soleil ▪**sunbathe** *vi* prendre un bain de soleil ▪**sunbeam** *n* rayon *m* de soleil ▪**sunbed** *n* lit *m* à ultraviolets ▪**sunblock** *n (cream)* écran *m* total ▪**sunburn** *n* coup *m* de soleil ▪**sunburnt** *adj* brûlé par le soleil ▪**suncream** *n* crème *f* solaire ▪**sundial** *n* cadran *m* solaire ▪**sundown** *n* coucher *m* du soleil ▪**sundrenched** *adj (beach)* brûlé par le soleil ▪**sunflower** *n* tournesol *m* ▪**sunglasses** *npl* lunettes *fpl* de soleil ▪**sunhat** *n* chapeau *m* de soleil ▪**sunlamp** *n* lampe *f* à bronzer ▪**sunlight** *n* lumière *f* du soleil ▪**sunlit** *adj* ensoleillé ▪**sun lounge** *n (in house)* véranda *f* ▪**sunrise** *n* lever *m* du soleil ▪**sunroof** *n (in car)* toit *m* ouvrant ▪**sunscreen** *n* crème *f* solaire ▪**sunset** *n* coucher *m* du soleil ▪**sunshade** *n (on table)* parasol *m*; *(portable)* ombrelle *f* ▪**sunshine** *n* soleil *m* ▪**sunspot** *n Br (resort)* lieu *m* de vacances au soleil ▪**sunstroke** *n* insolation *f* ▪**suntan** *n* bronzage *m*; **s. lotion/oil** crème *f*/huile *f* solaire ▪**suntanned** *adj* bronzé ▪**sun-up** *n Am* lever *m* du soleil

sundae ['sʌndeɪ] *n* coupe *f* glacée

Sunday ['sʌndeɪ] *n* dimanche *m*; **S. school** ≃ catéchisme *m*; **in one's S. best** dans ses habits du dimanche

sundry ['sʌndrɪ] **1** *adj* divers **2** *n* **all and s.** tout le monde ▪**sundries** *npl Com* articles *mpl* divers

sung [sʌŋ] *pp of* **sing**

sunk [sʌŋk] **1** *pp of* **sink**² **2** *adj Fam* **I'm s.** je suis fichu ■**sunken** *adj (rock, treasure)* submergé; *(eyes)* cave

sunny ['sʌnɪ] **(-ier, -iest)** *adj (day)* ensoleillé; **it's s.** il fait soleil; **s. periods** *or* **intervals** éclaircies *fpl*

super ['su:pə(r)] *adj Fam* super *inv*

super- ['su:pə(r)] *pref* super-

superb [su:'pɜ:b] *adj* superbe

supercilious [su:pə'sɪlɪəs] *adj* hautain

superficial [su:pə'fɪʃəl] *adj* superficiel, -ielle ■**superficially** *adv* superficiellement

superfluous [su:'pɜ:flʊəs] *adj* superflu

superglue ['su:pəglu:] *n* colle *f* extra-forte

superhuman [su:pə'hju:mən] *adj* surhumain

superimpose [su:pərɪm'pəʊz] *vt* superposer (**on** à)

superintendent [su:pərɪn'tendənt] *n (in police force)* commissaire *m; (manager)* directeur, -trice *mf*

superior [su:'pɪərɪə(r)] **1** *adj* supérieur (**to** à); *(goods)* de qualité supérieure **2** *n (person)* supérieur, -ieure *mf* ■**superiority** [-rɪ'ɒrɪtɪ] *n* supériorité *f*

superlative [su:'pɜ:lətɪv] **1** *adj* sans pareil **2** *adj & n Grammar* superlatif *(m)*

superman ['su:pəmæn] *(pl -men) n* surhomme *m*

supermarket ['su:pəmɑ:kɪt] *n* supermarché *m*

supermodel ['su:pəmɒdəl] *n* supermodel *m*

supernatural [su:pə'nætʃərəl] *adj & n* surnaturel, -elle *(m)*

superpower ['su:pəpaʊə(r)] *n Pol* superpuissance *f*

supersede [su:pə'si:d] *vt* supplanter

supersonic [su:pə'sɒnɪk] *adj* supersonique

superstar ['su:pəstɑ:(r)] *n (in films)* superstar *f*

superstition [su:pə'stɪʃən] *n* superstition *f* ■**superstitious** *adj* superstitieux, -ieuse

superstore ['su:pəstɔ:r] *n* hypermarché *m*

supertanker ['su:pətæŋkə(r)] *n* pétrolier *m* géant

supervise ['su:pəvaɪz] *vt (person, work)* surveiller; *(office, research)* superviser ■**supervision** [-'vɪʒən] *n (of person)* surveillance *f; (of office)* supervision *f* ■**supervisor** *n* surveillant, -ante *mf; (in office)* chef *m* de service; *(in store)* chef de rayon; *Br (in university)* directeur, -trice *mf* de thèse ■**supervisory** *adj (post)* de supervision

supine [su:'paɪn] *adj Literary* étendu sur le dos

supper ['sʌpə(r)] *n (meal)* dîner *m; (snack)* = casse-croûte pris avant d'aller se coucher

supple ['sʌpəl] *adj* souple ■**suppleness** *n* souplesse *f*

supplement 1 ['sʌplɪmənt] *n* supplément *m* (**to** à) **2** ['sʌplɪment] *vt* compléter; **to s. one's income** arrondir ses fins de mois ■**supplementary** [-'mentərɪ] *adj* supplémentaire

supplier [sə'plaɪə(r)] *n Com* fournisseur *m;* **'obtainable from your usual s.'** 'disponible chez votre fournisseur habituel'

Note that the French word **supplier** is a false friend and is never a translation for the English word **supplier**. It means **to beg**.

supply [sə'plaɪ] **1** *(pl -ies) n (stock)* provision *f;* **the s. of** *(act)* la fourniture de; **the s. of gas/ electricity/water to...** l'alimentation *f* en gaz/ électricité/eau de...; **to be in short s.** manquer; *(food)* **supplies** vivres *mpl;* **(office) supplies** fournitures *fpl* de bureau; **s. and demand** l'offre *f* et la demande; **s. ship/train** navire *m*/train *m* ravitailleur; *Br* **s. teacher** suppléant, -éante *mf* **2** *(pt & pp -ied) vt (provide)* fournir; *(with gas, electricity, water)* alimenter (**with** en); *(equip)* équiper (**with** de); **to s. a need** subvenir à un besoin; **to s. sb with sth, to s. sth to sb** fournir qch à qn

support [sə'pɔ:t] **1** *n (backing, person supporting)* soutien *m; (thing supporting)* support *m;* **in s. of** *(person)* en faveur de; *(evidence, theory)* à l'appui de; **s. tights** bas *mpl* de contention **2** *vt (bear weight of)* supporter; *(help, encourage)* soutenir; *(theory, idea)* appuyer; *(family, wife, husband)* subvenir aux besoins de ■**supporting** *adj (film)* qui passe en première partie; **s. cast** seconds rôles *mpl*

supporter [sə'pɔ:tə(r)] *n* partisan *m; Football* supporter *m*

supportive [sə'pɔ:tɪv] *adj* **to be s. of sb** être d'un grand soutien à qn

suppose [sə'pəʊz] *vti* supposer **(that** que); **I'm supposed to be working** je suis censé travailler; **he's supposed to be rich** on le dit riche; **I s. (so)** je pense; **I don't s. so, I s. not** je ne pense pas; **you're tired, I s.** vous êtes fatigué, je suppose; **s.** *or* **supposing we go** *(suggestion)* et si nous partions; **s.** *or* **supposing you're right** supposons que tu aies raison ■**supposed** *adj* prétendu ■**supposedly** [-ɪdlɪ] *adv* soi-disant; **he went away, s. to get help** il est parti, soi-disant pour chercher de l'aide ■**supposition** [sʌpə'zɪʃən] *n* supposition *f*

suppository [*Br* sə'pɒzɪtərɪ, *Am* -ɔ:rɪ] *(pl -ies) n Med* suppositoire *m*

suppress [sə'pres] *vt (revolt, feelings, smile)* réprimer; *(fact, evidence)* faire disparaître ■**suppression** *n (of revolt, feelings)* répression *f; (of fact)* dissimulation *f*

Note that the French verb **supprimer** is a false friend and is almost never a translation for the English verb **to suppress**. Its most common meaning is **to cancel**.

supreme [su:'pri:m] *adj* suprême ■**supremacy** [sə'preməsɪ] *n* suprématie *f* (**over** sur)

supremo [su:'pri:məʊ] (*pl* **-os**) *n Br Fam* grand chef *m*

surcharge ['sɜ:tʃɑ:dʒ] *n (extra charge)* supplément *m*; *(on stamp)* surcharge *f*; *(tax)* surtaxe *f*

sure [ʃʊə(r)] (**-er**, **-est**) *adj* sûr (**of** de; **that** que); **she's s.** to accept c'est sûr qu'elle acceptera; **it's s.** to snow il va sûrement neiger; **to make s.** of sth s'assurer de qch; **for s.** à coup sûr; *Fam* **s.!**, **s. thing!** bien sûr!; **s. enough** *(in effect)* en effet; *Am* **it s. is cold** il fait vraiment froid; **be s. to do it!** ne manquez pas de le faire! ▪ **surely** *adv (certainly)* sûrement; **s. he didn't refuse?** il n'a quand même pas refusé?

surety ['ʃʊərətɪ] *n Law* caution *f*

surf [sɜ:f] **1** *n (waves)* ressac *m* **2** *vt Comptr* **to s. the Net** naviguer sur l'Internet **3** *vi Sport* faire du surf ▪ **surfboard** *n Sport* planche *f* de surf ▪ **surfer** *n Sport* surfeur, -euse *mf*; *Comptr* **(Internet) s.** internaute *mf*, surfeur, -euse ▪ **surfing** *n Sport* surf *m*; **to go s.** faire du surf

surface ['sɜ:fɪs] **1** *n* surface *f*; **s. area** superficie *f*; **s. mail** courrier *m* par voie(s) de terre; **on the s.** *(of water)* à la surface; *Fig (to all appearances)* en apparence **2** *vt (road)* revêtir **3** *vi (of swimmer)* remonter à la surface; *Fam (of person, thing)* réapparaître

surfeit ['sɜ:fɪt] *n (excess)* excès *m* (**of** de)

surge ['sɜ:dʒ] **1** *n (of enthusiasm)* vague *f*, *(of anger, pride)* bouffée *f*, *(rise) (of prices)* montée *f*; *(in electrical current)* surtension *f* **2** *vi (of crowd, hatred)* déferler; *(of prices)* monter (soudainement); **to s. forward** *(of person)* se lancer en avant

surgeon ['sɜ:dʒən] *n* chirurgien *m* ▪ **surgery** [-dʒərɪ] *n Br (doctor's office)* cabinet *m*; *(period, sitting)* consultation *f*; *(science)* chirurgie *f*; **to have heart s.** se faire opérer du cœur ▪ **surgical** *adj* chirurgical; **s. appliance** appareil *m* orthopédique; *Br* **s. spirit** alcool *m* à 90°

surly ['sɜ:lɪ] (**-ier**, **-iest**) *adj* revêche

surmise [sə'maɪz] *vt* conjecturer (**that** que)

surmount [sə'maʊnt] *vt* surmonter

surname ['sɜ:neɪm] *n* nom *m* de famille

Note that the French word **surnom** is a false friend and is never a translation for the English word **surname**. It means **nickname**.

surpass [sə'pɑ:s] *vt* surpasser (**in** en)

surplus ['sɜ:pləs] **1** *n* surplus *m* **2** *adj (goods)* en surplus; **some s. material** *(left over)* un surplus de tissu; **s. stock** surplus *mpl*

surprise [sə'praɪz] **1** *n* surprise *f*; **to give sb a s.** faire une surprise à qn; **to take sb by s.** prendre qn au dépourvu; **s. visit/result** visite *f*/résultat *m* inattendu(e) **2** *vt* étonner, surprendre ▪ **surprised** *adj* surpris (**that** que + *subjunctive*, **at sth** de qch; **at seeing** de voir);

I'm s. at his stupidity sa bêtise m'étonne; **I'm s. to see you** je suis surpris de te voir ▪ **surprising** *adj* surprenant ▪ **surprisingly** *adv* étonnamment; **s. (enough), he...** chose étonnante, il...

surreal [sə'rɪəl] *adj (surrealist)* surréaliste; *Fam (strange)* délirant ▪ **surrealism** *n* surréalisme *m* ▪ **surrealist** *adj & n* surréaliste *(mf)*

surrender [sə'rendə(r)] **1** *n (of soldiers)* reddition *f* **2** *vt (town)* livrer; *(right, claim)* renoncer à **3** *vi (give oneself up)* se rendre (**to** à)

surreptitious [sʌrəp'tɪʃəs] *adj* furtif, -ive

surrogate ['sʌrəgət] *n* substitut *m*; **s. mother** mère *f* porteuse ▪ **surrogacy** *n* maternité *f* de substitution

surround [sə'raʊnd] *vt* entourer (**with** de); *(of army, police)* cerner; **surrounded by** entouré de; **s. sound** son *m* 3D ▪ **surrounding** *adj* environnant ▪ **surroundings** *npl (of town)* environs *mpl*; *(setting)* cadre *m*

surveillance [sɜ:'veɪləns] *n* surveillance *f*

survey 1 ['sɜ:veɪ] *n (investigation)* enquête *f*; *(of opinion)* sondage *m*; *(of house)* inspection *f*; **a (general) s.** of une étude générale de **2** [sə'veɪ] *vt (look at)* regarder; *(review)* passer en revue; *(house)* inspecter; *(land)* faire un relevé de ▪ **surveying** [sə'veɪɪŋ] *n (of land)* relevé *m* ▪ **surveyor** [sə'veɪə(r)] *n (of land)* géomètre *m*; *(of house)* expert *m*

Note that the French verb **surveiller** is a false friend and is never a translation for the English verb **to survey**. Its most common meaning is **to supervise**.

survive [sə'vaɪv] **1** *vt* survivre à **2** *vi* survivre ▪ **survival** *n (act)* survie *f*; *(relic)* vestige *m* ▪ **survivor** *n* survivant, -ante *mf*

susceptible [sə'septəbəl] *adj (sensitive)* sensible (**to** à); **s. to colds** prédisposé aux rhumes ▪ **suscepti'bility** *n* sensibilité *f*; *(to colds)* prédisposition *f*

suspect 1 ['sʌspekt] *n & adj* suspect, -ecte *(mf)* **2** [sə'spekt] *vt* soupçonner (**sb of sth** qn de qch; **sb of doing** qn d'avoir fait); *(have intuition of)* se douter de; **I suspected as much** je m'en doutais

suspend [sə'spend] *vt* **(a)** *(hang)* suspendre (**from** à) **(b)** *(service, employee, player)* suspendre; *(pupil)* renvoyer temporairement; *Law* **suspended sentence** condamnation *f* avec sursis

suspender [sə'spendə(r)] *n Br (for stocking)* jarretelle *f*; *Am* **suspenders** *(for trousers)* bretelles *fpl*; *Br* **s. belt** porte-jarretelles *m inv*

suspense [sə'spens] *n (uncertainty)* incertitude *f*, *(in film, book)* suspense *m*; **to keep sb in s.** tenir qn en haleine

suspension [sə'spenʃən] *n* **(a)** *(of car)* suspension *f*; **s. bridge** pont *m* suspendu **(b)**

(of service, employee, player) suspension f; *(of pupil)* renvoi m

suspicion [sə'spɪʃən] n soupçon m; **to arouse s.** éveiller les soupçons; **to be under s.** être soupçonné

suspicious [sə'spɪʃəs] adj *(person)* soupçonneux, -euse; *(behaviour)* suspect; **s.-looking** suspect; **to be s. of** or **about sth** se méfier de qch ▪**suspiciously** adv *(behave)* de manière suspecte; *(consider)* avec méfiance

suss [sʌs] vt Br Fam **to s. out** piger

sustain [sə'steɪn] vt *(effort, theory)* soutenir; *(weight)* supporter; *(life)* maintenir; *(damage, loss, attack)* subir; **to s. an injury** être blessé; **a proper breakfast will s. you until lunchtime** un bon petit déjeuner vous permettra de tenir jusqu'à midi ▪**sustainable** adj *(growth)* durable

sustenance ['sʌstənəns] n *(means)* subsistance f; *(nourishment)* valeur f nutritive

swab [swɒb] n *(pad)* tampon m; *(specimen)* prélèvement m

swagger ['swægə(r)] **1** n démarche f de fanfaron **2** vi *(walk)* se pavaner

swallow[1] ['swɒləʊ] **1** vt avaler; **to s. sth down** or **up** avaler qch; Fig **to s. a country up** engloutir un pays **2** vi avaler

swallow[2] ['swɒləʊ] n *(bird)* hirondelle f

swam [swæm] pt of **swim**

swamp [swɒmp] **1** n marais m **2** vt *(flood, overwhelm)* submerger *(with* de) ▪**swampy** *(-ier, -iest)* adj marécageux, -euse

swan [swɒn] n cygne m

swank [swæŋk] vi Fam *(show off)* frimer ▪**swanky** adj Fam *(person)* prétentieux, -ieuse; *(restaurant, dinner, hotel)* hyperchic

swap [swɒp] **1** n échange m **2** *(pt & pp* **-pp-)** vt échanger *(for* contre); **to s. seats** or **places** changer de place vi échanger

swarm [swɔːm] **1** n *(of bees, people)* essaim m **2** vi *(of streets, insects, people)* fourmiller *(with* de); **to s. in** *(of people)* accourir en masse

swarthy ['swɔːðɪ] *(-ier, -iest)* adj basané

swastika ['swɒstɪkə] n croix f gammée

swat [swɒt] *(pt & pp* **-tt-)** vt écraser

sway [sweɪ] **1** n balancement m; Fig influence f **2** vt balancer; Fig *(person, public opinion)* influencer **3** vi se balancer

swear [sweə(r)] **1** *(pt* **swore**, pp **sworn)** vt *(promise)* jurer *(to do* de faire; *that* que); **to s. an oath** prêter serment; **to s. sb to secrecy** faire jurer le silence à qn; **sworn enemies** ennemis mpl jurés **2** vi *(take an oath)* jurer *(to sth* de qch); **to s. at sb** injurier qn; **she swears by this lotion** elle ne jure que par cette lotion ▪**swearword** n juron m
▸ **swear in** vt sep Law **to s. sb in** *(jury, witness)* faire prêter serment à qn

sweat [swet] **1** n sueur f; Fam **no s.!** pas de

problème! **2** vi suer ▪**sweatshirt** n sweatshirt m ▪**sweatshop** n = atelier de confection où les ouvriers sont exploités ▪**sweaty** *(-ier, -iest)* adj *(person)* en sueur; *(clothing)* plein de sueur
▸ **sweat out** vt sep **to s. out a cold** se débarrasser d'un rhume *(en transpirant)*

sweater ['swetə(r)] n pull m

Swede [swiːd] n Suédois, -oise mf ▪**Sweden** n la Suède ▪**Swedish 1** adj suédois **2** n *(language)* suédois m

swede [swiːd] n Br *(vegetable)* rutabaga m

sweep [swiːp] **1** n *(with broom)* coup m de balai; *(movement)* geste m large; *(of road, river)* courbe f; Fig **at one s.** d'un seul coup; **to make a clean s.** *(win everything)* tout gagner **2** *(pt & pp* **swept)** vt *(with broom)* balayer; *(chimney)* ramoner; *(river)* draguer **3** vi balayer
▸ **sweep along** vt sep *(carry off)* emporter
▸ **sweep aside** vt sep *(opposition, criticism)* écarter
▸ **sweep away** vt sep *(leaves)* balayer; *(carry off)* emporter
▸ **sweep off** vt sep **to s. sb off** *(take away)* emmener qn *(to* à); **to s. sb off their feet** faire perdre la tête à qn
▸ **sweep out** vt sep *(room)* balayer
▸ **sweep through** vt insep *(of fear)* saisir; *(of disease)* ravager
▸ **sweep up** vt sep & vi balayer

sweeping ['swiːpɪŋ] adj *(gesture)* large; *(change)* radical; *(statement)* trop général

sweepstake ['swiːpsteɪk] n sweepstake m

sweet [swiːt] **1** *(-er, -est)* adj doux *(f* douce); *(tea, coffee, cake)* sucré; *(smell)* agréable; *(pretty, kind)* adorable; **to have a s. tooth** aimer les sucreries; **s. pea** pois m de senteur; **s. potato** patate f douce; Fam **s. talk** cajoleries fpl, douceurs fpl **2** n Br *(piece of confectionery)* bonbon m; Br *(dessert)* dessert m; **my s.!** *(darling)* mon ange!; Br **s. shop** confiserie f ▪**'sweet-and-'sour** adj aigre-doux, -douce ▪**sweetcorn** n Br maïs m ▪**'sweet-'smelling** adj **to be s.** sentir bon

sweetbreads ['swiːtbredz] npl ris m *(de veau, d'agneau)*

sweeten ['swiːtən] vt *(food)* sucrer; Fig *(offer, task)* rendre plus alléchant; *(person)* amadouer ▪**sweetener** n *(in food)* édulcorant m

sweetheart ['swiːthɑːt] n petit(e) ami(e) mf; *(darling)* chéri, -ie mf

sweetie ['swiːtɪ] n Fam *(darling)* chou m

sweetly ['swiːtlɪ] adv *(smile, answer)* gentiment; *(sing)* d'une voix douce ▪**sweetness** n douceur f

swell[1] [swel] **1** *(pt* **swelled**, pp **swollen** or **swelled)** vt *(river, numbers)* grossir **2** vi *(of hand, leg)* enfler; *(of wood)* gonfler; *(of sails)* se gonfler; *(of river, numbers)* grossir; **to s. up** *(of* *body part)* enfler ▪**swelling** n *(on body)* enflure f

swell² [swel] **1** n *(of sea)* houle f **2** adj Am Fam *(excellent)* super inv

swelter ['sweltə(r)] vi étouffer ▪**sweltering** adj étouffant; **it's s.** on étouffe

swept [swept] pt & pp of **sweep**

swerve [swɜːv] vi *(of vehicle)* faire une embardée; *(of player)* faire un écart

swift [swɪft] **1** (-er, -est) adj rapide; **to be s. to act** être prompt à agir **2** n *(bird)* martinet m ▪**swiftly** adv rapidement ▪**swiftness** n rapidité f

swig [swɪg] n Fam lampée f; **to take a s.** avaler une lampée

swill [swɪl] vt Fam *(drink)* écluser; **to s. (out or down)** rincer à grande eau

swim [swɪm] **1** n **to go for a s.** aller nager **2** *(pt* swam, pp swum, pres p swimming) vt *(river)* traverser à la nage; *(length, crawl)* nager **3** vi nager; *(as sport)* faire de la natation; **to go swimming** aller nager; **to s. away** s'éloigner à la nage ▪**swimmer** n nageur, -euse mf ▪**swimming** n natation f; **s. cap** or hat bonnet m de bain; Br **s. costume** maillot m de bain; Br **s. pool** piscine f; **s. trunks** slip m de bain ▪**swimsuit** n maillot m de bain

swindle ['swɪndəl] **1** n escroquerie f **2** vt escroquer; **to s. sb out of money** escroquer de l'argent à qn ▪**swindler** n escroc m

swine [swaɪn] n inv Pej *(person)* salaud m

swing [swɪŋ] **1** n *(in playground)* balançoire f; *(movement)* balancement m; *(of pendulum)* oscillation f; *(in opinion)* revirement m; Golf swing m; **to be in full s.** *(of party)* battre son plein; Fam **to get into the s. of things** se mettre dans le bain; Br **s. door** porte f battante **2** *(pt & pp swung)* vt *(arms, legs)* balancer; *(axe)* brandir; Fam *(influence)* influencer; **to s. round** *(car)* faire tourner **3** vi *(sway)* se balancer; *(of pendulum)* osciller; *(turn)* virer; **to s. round** *(turn suddenly)* se retourner; **to s. into action** passer à l'action

swingeing ['swɪndʒɪŋ] adj Br énorme

swipe [swaɪp] **1** n grand coup m **2** vt *(card)* passer dans un lecteur de cartes; Fam **to s. sth** *(steal)* faucher qch (**from sb** à qn) **3** vi **to s. at sth** essayer de frapper qch

swirl [swɜːl] **1** n tourbillon m **2** vi tourbillonner

swish [swɪʃ] **1** n *(of whip)* sifflement m; *(of fabric)* froufrou m **2** adj Fam *(posh)* chic inv **3** vi *(of whip)* siffler; *(of fabric)* froufrouter

Swiss [swɪs] **1** adj suisse; Br Culin **S. roll** roulé m; **S. army knife** couteau m suisse **2** n inv Suisse m, Suissesse f; **the S.** les Suisses mpl

switch [swɪtʃ] **1** n *(electrical)* interrupteur m; *(change)* changement m (**in** de); *(reversal)* revirement m (**in** de) **2** vt *(money, employee)* transférer (**to** à); *(support, affection)* reporter

(**to** sur); *(exchange)* échanger (**for** contre); **to s. buses** changer de bus; **to s. places** or **seats** changer de place **3** vi **to s. to** *(change to)* passer à ▪**switchback** n route f en lacets ▪**switchblade** n Am couteau m à cran d'arrêt ▪**switchboard** n Tel standard m; **s. operator** standardiste mf

▸ **switch off 1** vt sep *(lamp, gas, radio)* éteindre; *(engine)* arrêter; *(electricity)* couper; **to s. itself off** *(of heating)* s'éteindre tout seul **2** vi *(of appliance)* s'éteindre

▸ **switch on 1** vt sep *(lamp, gas, radio)* allumer; *(engine)* mettre en marche **2** vi *(of appliance)* s'allumer

▸ **switch over** vi *(change TV channels)* changer de chaîne; **to s. over to** *(change to)* passer à

Switzerland ['swɪtsələnd] n la Suisse

swivel ['swɪvəl] **1** (Br -ll-, Am -l-) vi **to s. (round)** *(of chair)* pivoter **2** adj **s. chair** chaise f pivotante

swollen ['swəʊlən] **1** pp of **swell¹ 2** adj *(leg)* enflé; *(stomach)* gonflé

swoon [swuːn] vi Literary se pâmer

swoop [swuːp] **1** n *(of police)* descente f **2** vi faire une descente (**on** dans); **to s. (down) on** *(of bird)* fondre sur

swop [swɒp] n & vti = **swap**

sword [sɔːd] n épée f ▪**swordfish** n espadon m

swore [swɔː(r)] pt of **swear**

sworn [swɔːn] pp of **swear**

swot [swɒt] Br Fam Pej **1** n bûcheur, -euse mf **2** *(pt & pp -tt-)* vti *(for exam)* bûcher; **to s. (up) for an exam** bûcher un examen; **to s. up on sth** bûcher qch

swum [swʌm] pp of **swim**

swung [swʌŋ] pt & pp of **swing**

sycamore ['sɪkəmɔː(r)] n *(maple)* sycomore m; Am *(plane tree)* platane m

sycophant ['sɪkəfænt] n Literary flagorneur, -euse mf ▪**sycophantic** adj flagorneur, -euse

syllable ['sɪləbəl] n syllabe f

syllabus ['sɪləbəs] n programme m

symbol ['sɪmbəl] n symbole m ▪**symbolic** [-'bɒlɪk] adj symbolique ▪**symbolism** n symbolisme m ▪**symbolize** vt symboliser

symmetry ['sɪmətrɪ] n symétrie f ▪**symmetrical** [-'metrɪkəl] adj symétrique

sympathetic [sɪmpə'θetɪk] adj *(showing pity)* compatissant; *(understanding)* compréhensif, -ive; **s. to sb/sth** *(favourable)* bien disposé à l'égard de qn/qch

> Note that the French adjective **sympathique** is a false friend and is never a translation for the English adjective **sympathetic**. It means **friendly**.

sympathize ['sɪmpəθaɪz] vi **I s. with you** *(pity)* je suis désolé (pour vous); *(understanding)* je vous comprends ▪**sympathizer** n Pol sympathisant, -ante mf

Note that the French verb **sympathiser avec** is a false friend and is almost never a translation for the English verb **to sympathize with**. It means **to be friendly with**.

sympathy ['sɪmpəθɪ] *n (pity)* compassion *f; (understanding)* compréhension *f;* **to have s. for sb** éprouver de la compassion pour qn; **to be in s. with sb's opinion** être en accord avec les opinions de qn

Note that the French noun **sympathie** is a false friend and is rarely a translation for the English noun **sympathy**. It is usually used to convey the idea of liking somebody.

symphony ['sɪmfənɪ] **1** *(pl* **-ies)** *n* symphonie *f* **2** *adj (orchestra, concert)* symphonique ▪ **symphonic** [-'fɒnɪk] *adj* symphonique
symposium [sɪm'pəʊzɪəm] *(pl* **-sia** [-zɪə]) *n* symposium *m*
symptom ['sɪmptəm] *n Med & Fig* symptôme *m* ▪ **sympto'matic** *adj* symptomatique (**of** de)
synagogue ['sɪnəgɒg] *n* synagogue *f*
synchronize ['sɪŋkrənaɪz] *vt* synchroniser
syndicate ['sɪndɪkət] *n* syndicat *m*
syndrome ['sɪndrəʊm] *n Med & Fig* syndrome *m*
synonym ['sɪnənɪm] *n* synonyme *m*

▪ **synonymous** [-'nɒnɪməs] *adj* synonyme (**with** de)
synopsis [sɪ'nɒpsɪs] *(pl* **-opses** [-ɒpsiːz]) *n* résumé *m; (of film)* synopsis *m*
syntax ['sɪntæks] *n* syntaxe *f*
synthesis ['sɪnθəsɪs] *(pl* **-theses** [-θəsiːz]) *n* synthèse *f*
synthesizer ['sɪnθəsaɪzə(r)] *n* synthétiseur *m*
synthetic [sɪn'θetɪk] *adj* synthétique
syphilis ['sɪfɪlɪs] *n Med* syphilis *f*
syphon ['saɪfən] *n & vt =* **siphon**
Syria ['sɪrɪə] *n* la Syrie ▪ **Syrian 1** *adj* syrien, -ienne **2** *n* Syrien, -ienne *mf*
syringe [sə'rɪndʒ] *n* seringue *f*
syrup ['sɪrəp] *n* sirop *m; Br* **(golden) s.** mélasse *f* raffinée ▪ **syrupy** *adj* sirupeux, -euse
system ['sɪstəm] *n (structure)* & *Comptr* système *m; (human body)* organisme *m; (method)* méthode *f; Fam* **to get sth out of one's s.** se sortir qch de la tête; **the digestive s.** l'appareil *m* digestif; *Comptr* **s. disk** disque *m* système; *Comptr* **s. software** logiciel *m* système *ou* d'exploitation; **systems analyst** analyste *m* programmeur
systematic [sɪstə'mætɪk] *adj* systématique ▪ **systematically** *adv* systématiquement

T, t [tiː] *n (letter)* T, t *m inv*

ta [taː] *exclam Br Fam* merci!

tab [tæb] *n* (**a**) *(label)* étiquette *f*; *(on file, dictionary)* onglet *m*; *Fam* **to keep tabs on sb** avoir qn à l'œil (**b**) *Am Fam (bill)* addition *f*; **to pick up the t.** payer l'addition (**c**) *(on computer, typewriter)* tabulateur *m*; **t. key** touche *f* de tabulation

tabbouleh ['tæbʊleɪ] *n Culin* taboulé *m*

tabby ['tæbɪ] *adj* **t. cat** chat *m* tigré

table¹ ['teɪbəl] *n* (**a**) *(furniture)* table *f*; **card/operating t.** table de jeu/d'opération; *Br* **to set** *or* **lay/clear the t.** mettre/débarrasser la table; **(sitting) at the t.** à table; **t. tennis** tennis *m* de table; **t. top** dessus *m* de table; **t. wine** vin *m* de table (**b**) *(list)* table *f*; **t. of contents** table des matières ▪ **tablecloth** *n* nappe *f* ▪ **table mat** *n* set *m* de table ▪ **tablespoon** *n* ≃ cuillère *f* à soupe ▪ **tablespoonful** *n* ≃ cuillerée *f* à soupe

table² ['teɪbəl] *vt Br (motion)* présenter; *Am (postpone)* ajourner

tablet ['tæblɪt] *n* (**a**) *(pill)* comprimé *m* (**b**) *(inscribed stone)* tablette *f*

tabloid ['tæblɔɪd] *n (newspaper)* tabloïd *m*; *Pej* **the t. press** = la presse populaire à scandales

taboo [tə'buː] *(pl -oos) adj & n* tabou (*m*)

tabulate ['tæbjʊleɪt] *vt* présenter sous forme de tableau

tacit ['tæsɪt] *adj* tacite ▪ **tacitly** *adv* tacitement

taciturn ['tæsɪtɜːn] *adj* taciturne

tack [tæk] **1** *n (nail)* clou *m*; *Am (thumbtack)* punaise *f*; *Naut (course)* bordée *f*; *Fig* **to change t.** changer de tactique; *Fig* **to get down to brass tacks** en venir aux faits **2** *vt* **to t. (down)** clouer; *Fig* **to t. sth on** rajouter qch **3** *vi Naut* louvoyer

tackle ['tækəl] **1** *n (gear)* matériel *m*; *Rugby* placage *m*; *Football* tacle *m* **2** *vt (task, problem)* s'attaquer à; *(subject)* aborder; *Rugby* plaquer; *Football* tacler

tacky ['tækɪ] **(-ier, -iest)** *adj (sticky)* collant; *Fam (person)* vulgaire; *(remark)* de mauvais goût

taco ['tækəʊ] **(pl -os)** *n* crêpe *f* de maïs farcie

tact [tækt] *n* tact *m* ▪ **tactful** *adj (remark)* diplomatique; **to be t.** *(of person)* avoir du tact ▪ **tactfully** *adv* avec tact ▪ **tactless** *adj (person, remark)* qui manque de tact ▪ **tactlessly** *adv* sans tact

tactic ['tæktɪk] *n* **a t.** une tactique; **tactics** la tactique ▪ **tactical** *adj* tactique

tactile ['tæktaɪl] *adj* tactile

tadpole ['tædpəʊl] *n* têtard *m*

tag [tæg] **1** *n (label)* étiquette *f*; **electronic t.** *(for offender)* bracelet *m* électronique *ou* de cheville **2** *(pt & pp -gg-) vt (label)* étiqueter; *(offender)* mettre un bracelet électronique *ou* de cheville à; *Fam* **to t. sth on** *(add)* rajouter qch (**to** à) **3** *vi* **to t. along with sb** venir avec qn

Tahiti [təˈhiːtɪ] *n* Tahiti *f*

tai chi [taɪˈtʃiː] *n* tai-chi *m*

tail [teɪl] **1** *n (of animal)* queue *f*; *(of shirt)* pan *m*; **tails, t. coat** queue-de-pie *f*; **the t. end** *(of film)* la fin (**of** de); *(of cloth, string)* le bout (**of** de) **2** *vt Fam (follow)* filer **3** *vi* **to t. off** *(lessen)* diminuer; *Fam* **the traffic is tailing back (for miles)** ça bouchonne (sur des kilomètres) ▪ **tailback** *n Br (of traffic)* bouchon *m* ▪ **tailgate 1** *n Br (of car)* hayon *m* **2** *vt Am* **to t. sb** *(in vehicle)* coller au pare-chocs de qn ▪ **taillight** *n Am (of vehicle)* feu *m* arrière *inv*

tailor ['teɪlə(r)] **1** *n (person)* tailleur *m* **2** *vt (garment)* faire; *Fig (adjust)* adapter (**to** à) ▪ **tailored** *adj* ajusté ▪ **'tailor-'made** *adj* fait sur mesure

tainted ['teɪntɪd] *adj (air)* pollué; *(food)* gâté; *Fig (reputation, system)* souillé

Taiwan [taɪˈwɑːn] *n* Taïwan *m ou f* ▪ **Taiwanese 1** *adj* taïwanais **2** *n* Taïwanais, -aise *mf*

take [teɪk] **1** *n (recording of film)* prise *f*

2 *(pt* **took**, *pp* **taken)** *vt* prendre; *(bring)* amener (**to** à); *(by car)* conduire (**to** à); *(escort)* accompagner (**to** à); *(lead away)* emmener (**to** à); *(of road)* mener (**to** à); *(prize)* remporter; *(exam)* passer; *(credit card)* accepter; *(contain)* avoir une capacité de; *(tolerate)* supporter; *Math (subtract)* soustraire (**from** de); **to t. sth to sb** apporter qch à qn; **to t. sb (out) to the theatre** emmener qn au théâtre; **to t. sth with one** emporter qch; **to t. sb home** ramener qn; **it takes an army/courage** il faut une armée/du courage (**to do** pour faire); **I took an hour to do it** *or* **over it** j'ai mis une heure à le faire; **I t. it that…** je présume que…

3 *vi (of vaccination, fire)* prendre ▪ **takeaway** *Br* **1** *adj (meal)* à emporter **2** *n (shop)* restaurant *m* qui fait des plats à emporter; *(meal)* plat *m* à emporter ▪ **takeoff** *n (of plane)*

décollage *m* ▪**take-out** *adj & n Am* = **takeaway**
▪**takeover** *n (of company)* rachat *m*; *(of government, country)* prise *f* de pouvoir; **t. bid** offre *f* publique d'achat, OPA *f*
▸**take after** *vt insep* **to t. after sb** ressembler à qn
▸**take along** *vt sep (object)* emporter; *(person)* emmener
▸**take apart** *vt sep (machine)* démonter
▸**take away** *vt sep (thing)* emporter; *(person)* emmener; *(remove)* enlever (**from** à); *Math (subtract)* soustraire (**from** de)
▸**take back** *vt sep* reprendre; *(return)* rapporter; *(statement)* retirer; *(accompany)* ramener (**to** à)
▸**take down** *vt sep (object)* descendre; *(notes)* prendre
▸**take in** *vt sep (chair, car)* rentrer; *(orphan)* recueillir; *(skirt)* reprendre; *(distance)* couvrir; *(include)* inclure; *(understand)* saisir; *Fam (deceive)* rouler
▸**take off** **1** *vt sep (remove)* enlever; *(train, bus)* supprimer; *(lead away)* emmener; *(mimic)* imiter; *Math (deduct)* déduire (**from** de) **2** *vi (of aircraft)* décoller
▸**take on** *vt sep (work, staff, passenger, shape)* prendre
▸**take out** *vt sep (from pocket)* sortir; *(stain)* enlever; *(tooth)* arracher; *(insurance policy, patent)* prendre; **to t. sb out to the theatre** emmener qn au théâtre; *Fam* **to t. it out on sb** passer sa colère sur qn
▸**take over** **1** *vt sep (become responsible for)* reprendre; *(buy out)* racheter; *(overrun)* envahir; **to t. over sb's job** remplacer qn **2** *vi (relieve)* prendre la relève (**from** de); *(succeed)* prendre la succession (**from** de); *(of dictator, general)* prendre le pouvoir
▸**take round** *vt sep (bring)* apporter (**to** à); *(distribute)* distribuer; *(visitor)* faire visiter
▸**take to** *vt insep* **to t. to doing sth** se mettre à faire qch; **I didn't t. to him/it** il/ça ne m'a pas plu
▸**take up** **1** *vt sep (carry up)* monter; *(continue)* reprendre; *(space, time)* prendre; *(offer)* accepter; *(hobby)* se mettre à; *(hem)* raccourcir **2** *vi* **to t. up with sb** se lier avec qn
taken ['teɪkən] *adj (seat)* pris; *(impressed)* impressionné (**with** *or* **by** par); **to be t. ill** tomber malade
taking ['teɪkɪŋ] *n (capture of town)* prise *f*; **takings** *(money)* recette *f*; **it's yours for the t.** tu n'as plus qu'à accepter
talc [tælk], **talcum powder** ['tælkəmpaʊdə(r)] *n* talc *m*
tale [teɪl] *n (story)* histoire *f*; *(legend)* conte *m*; *(lie)* salades *fpl*; **to tell tales** rapporter (**on sb** sur qn)
talent ['tælənt] *n* talent *m*; **to have a t. for** avoir

du talent pour ▪**talented** *adj* talentueux, -ueuse
talisman ['tælɪzmən] *(pl* **-mans**) *n* talisman *m*
talk [tɔːk] **1** *n (conversation)* conversation *f* (**about** à propos de); *(lecture)* exposé *m* (**on** sur); **talks** *(negotiations)* pourparlers *mpl*; **to have a t. with sb** parler avec qn; **to do the talking** parler; **there's t. of...** on parle de...; **t. show** talk-show *m* **2** *vt (nonsense)* dire; **to t. politics** parler politique; **to t. sb into doing/out of doing sth** persuader qn de faire/de ne pas faire qch; **to t. sth over** discuter (de) qch; **to t. sb round** persuader qn **3** *vi* parler (**to/about** à/de); *(gossip)* jaser; **to t. down to sb** parler à qn sur un ton de supériorité ▪**talkative** *adj* bavard ▪**talking-to** *n* **to give sb a t.** passer un savon à qn
talker ['tɔːkə(r)] *n* causeur, -euse *mf*; **she's a good t.** elle parle bien
tall [tɔːl] (**-er, -est**) *adj (person)* grand; *(tree, house)* haut; **how t. are you?** combien mesures-tu?; *Fig* **a t. story** une histoire invraisemblable ▪**tallness** *n (of person)* grande taille *f*; *(of building)* hauteur *f*
tallboy ['tɔːlbɔɪ] *n Br* grande commode *f*
tally ['tælɪ] *(pt & pp* **-ied**) *vi* correspondre (**with** à)
talon ['tælən] *n* serre *f*
tambourine [tæmbə'riːn] *n* tambourin *m*
tame [teɪm] **1** (**-er, -est**) *adj (animal)* apprivoisé; *Fig (person)* docile; *(book, play)* fade **2** *vt (animal)* apprivoiser; *Fig (emotions)* maîtriser
tamper ['tæmpə(r)] *vt insep* **to t. with** *(lock, car)* essayer de forcer; *(machine)* toucher à; *(documents)* trafiquer ▪**tamper-proof** *adj (lock)* inviolable; *(jar)* à fermeture de sécurité; **t. seal** fermeture *f* de sécurité
tampon ['tæmpɒn] *n* tampon *m* (hygiénique)
tan [tæn] **1** *n (suntan)* bronzage *m* **2** *adj (colour)* marron clair *inv* **3** *(pt & pp* **-nn-**) *vt (skin)* hâler; *(leather)* tanner **4** *vi (of person, skin)* bronzer
tandem ['tændəm] *n (bicycle)* tandem *m*; **in t.** en tandem; **in t. with sth** parallèlement à qch
tang [tæŋ] *n (taste)* saveur *f* acidulée; *(smell)* odeur *f* acidulée ▪**tangy** (**-ier, -iest**) *adj* acidulé
tangent ['tændʒənt] *n Math* tangente *f*; **to go off at a t.** changer de sujet
tangerine [tændʒə'riːn] *n* mandarine *f*
tangible ['tændʒəbəl] *adj* tangible
tangle ['tæŋgəl] *n* enchevêtrement *m*; **to get into a t.** *(of rope)* s'enchevêtrer; *(of hair)* s'emmêler; *Fig (of person)* s'embrouiller ▪**tangled** *adj* enchevêtré; *(hair)* emmêlé
tango ['tæŋgəʊ] *(pl* **-os**) *n* tango *m*
tank [tæŋk] *n (container)* réservoir *m*; *(military vehicle)* tank *m*
tankard ['tæŋkəd] *n Br* chope *f*

tanker ['tæŋkə(r)] n (lorry) camion-citerne m; (oil) t. (ship) pétrolier m

Tannoy® ['tænɔɪ] n Br **over the T.** au haut-parleur

tantalizing ['tæntəlaɪzɪŋ] adj alléchant

tantamount ['tæntəmaʊnt] adj **it's t. to...** cela équivaut à...

tantrum ['tæntrəm] n caprice m; **to have** or **throw a t.** faire un caprice

Tanzania [tænzə'nɪə] n la Tanzanie

tap¹ [tæp] **1** n Br (for water) robinet m; Fig **on t.** disponible; **t. water** eau f du robinet **2** (pt & pp **-pp-**) vt (resources) puiser dans; (phone) placer sur écoute

tap² [tæp] **1** n (blow) petit coup m; **t. dancing** claquettes fpl **2** (pt & pp **-pp-**) vt (hit) tapoter

tape [teɪp] **1** n (**a**) (ribbon) ruban m; (**sticky** or **adhesive**) **t.** ruban adhésif; **t. measure** mètre m (à) ruban (**b**) (for recording) bande f; (cassette) cassette f; **t. deck** platine f cassette; **t. recorder** magnétophone m **2** vt (**a**) (stick) scotcher (**b**) (record) enregistrer

taper ['teɪpə(r)] n (candle) bougie f filée **2** vi s'effiler; Fig **to t. off** diminuer **■ tapered** adj (trousers) en fuseau

tapestry ['tæpəstrɪ] n tapisserie f

tapeworm ['teɪpwɜːm] n ver m solitaire

tapioca [tæpɪ'əʊkə] n tapioca m

tar [tɑː(r)] **1** n goudron m **2** (pt & pp **-rr-**) vt goudronner

ta-ra [tæ'rɑː] exclam Br Fam **t.!** au revoir!

tarantula [tə'ræntjʊlə] (pl **-as**) n tarentule f

tardy ['tɑːdɪ] (**-ier, -iest**) adj (belated) tardif, -ive; (slow) lent

target ['tɑːgɪt] **1** n cible f; (objective) objectif m; **t. audience** audience f cible **2** vt (campaign, product) destiner (**at** à); (age group) viser

tariff ['tærɪf] n (tax) tarif m douanier; Br (price list) tarif

tarmac ['tɑːmæk] n Br (on road) macadam m; (runway) piste f

tarnish ['tɑːnɪʃ] vt ternir

tarpaulin [tɑː'pɔːlɪn] n bâche f

tarragon ['tærəgən] n estragon m

tart [tɑːt] **1** (**-er, -est**) adj (sour) aigre **2** n (**a**) (pie) (large) tarte f; (small) tartelette f (**b**) Br Fam Pej (prostitute) pute f **3** vt Br Fam Pej **to t. up** (decorate) retaper **■ tarty** (**-ier, -iest**) adj Br Fam Pej (clothes etc) vulgaire; **to look t.** avoir l'air d'une pute

tartan ['tɑːtən] **1** n tartan m **2** adj (skirt, tie) écossais

tartar¹ ['tɑːtə(r)] adj **t. sauce** sauce f tartare

tartar² ['tɑːtə(r)] n (on teeth) tartre m

task [tɑːsk] n tâche f; **to take sb to t. for sth** reprocher qch à qn **■ taskforce** n Mil corps m expéditionnaire; Pol commission f spéciale

tassel ['tæsəl] n gland m

taste [teɪst] **1** n goût m; **in good/bad t.** de bon/mauvais goût; **to have a t. of sth** goûter à qch; **to get a t. for sth** prendre goût à qch; **t. bud** papille f gustative **2** vt (detect flavour of) sentir; (sample) goûter; Fig (experience) goûter à **3** vi **to t. of** or **like sth** avoir un goût de qch; **to t. good** être bon (f bonne) **■ tasty** (**-ier, -iest**) adj savoureux, -euse

tasteful ['teɪstfəl] adj de bon goût **■ tastefully** adv avec goût **■ tasteless** adj (food) insipide; Fig (joke) de mauvais goût

tat¹ [tæt] see **tit¹**

tat² [tæt] n Br Fam (junk) camelote f **■ tatty** (**-ier, -iest**) adj Br Fam miteux, -euse

ta-ta [tæ'tɑː] exclam Br Fam = **ta-ra**

tattered ['tætəd] adj (clothes) en lambeaux; (person) déguenillé **■ tatters** npl **in t.** (clothes) en lambeaux

tattoo¹ [tæ'tuː] **1** (pl **-oos**) n (design) tatouage m; **to get a t.** se faire tatouer **2** (pt & pp **-ooed**) vt tatouer

tattoo² [tæ'tuː] (pl **-oos**) n Mil spectacle m militaire

taught [tɔːt] pt & pp of **teach**

taunt [tɔːnt] **1** n raillerie f **2** vt railler

Taurus ['tɔːrəs] n (sign) le Taureau; **to be (a) T.** être Taureau

taut [tɔːt] adj tendu

tavern ['tævən] n taverne f

tawdry ['tɔːdrɪ] (**-ier, -iest**) adj Pej tape-à-l'œil inv

tawny ['tɔːnɪ] adj (colour) fauve; **t. owl** (chouette f) hulotte f

tax¹ [tæks] **1** n (on goods) taxe f, impôt m; Br **road t.** ≃ vignette f automobile **2** adj fiscal; **t. collector** percepteur m; **t. relief** dégrèvement m fiscal; **t. return** déclaration f d'impôt; Br **(road) t. disc** ≃ vignette f automobile **3** vt (person) imposer; (goods) taxer **■ taxable** adj imposable **■ tax'ation** n (taxes) impôts mpl; (act) imposition f; **the burden of t.** le poids de l'impôt **■ 'tax-'free** adj exempt d'impôts **■ taxman** (pl **-men**) n Br Fam percepteur m **■ taxpayer** n contribuable mf

tax² [tæks] vt (put under strain) mettre à l'épreuve **■ taxing** adj (journey) éprouvant

taxi ['tæksɪ] **1** n taxi m; **t. cab** taxi; Br **t. rank,** Am **t. stand** station f de taxis **2** vi (of aircraft) rouler

TB [tiː'biː] (abbr **tuberculosis**) n tuberculose f

tea [tiː] n (plant, drink) thé m; Br (snack) goûter m; Br (evening meal) repas m du soir; Br **high t.** dîner m (pris tôt dans la soirée); **to have t.** prendre le thé; Br **t. break** ≃ pause-café f; **t. cloth** torchon m; **t. party** thé m; **t. set** service m à thé; **t. strainer** passoire f à thé; **t. towel** torchon m **■ teabag** n sachet m de thé **■ teacup** n tasse f à thé **■ tea leaves** npl feuilles fpl de thé **■ teapot** n théière f **■ tearoom** n salon m de thé **■ teashop** n Br

salon *m* de thé ▪**teaspoon** *n* petite cuillère *f*
▪**teaspoonful** *n* cuillerée *f* à café ▪**teatime** *n*
l'heure *f* du thé

teach [tiːtʃ] **1** (*pt & pp* **taught**) *vt* apprendre (**sb
sth** qch à qn; **that** que); (*in school, at university*)
enseigner (**sb sth** qch à qn); **to t. sb** (**how) to
do sth** apprendre à qn à faire qch; **to t. oneself
sth** apprendre qch tout seul; *Am* **to t. school**
enseigner **2** *vi* enseigner ▪**teaching 1** *n*
enseignement *m* **2** *adj* (*staff*) enseignant;
(*method, material*) pédagogique; *Br* **t. hospital**
centre *m* hospitalo-universitaire; **the t.
profession** l'enseignement *m*; (*teachers*) le
corps enseignant; **t. qualification** diplôme *m*
permettant d'enseigner; **the t. staff** le
personnel enseignant

teacher [ˈtiːtʃə(r)] *n* professeur *m*; (*in primary
school*) instituteur, -trice *mf*; *Br* **t. training
college** ≃ IUFM *m*

teak [tiːk] *n* teck *m*; **a t. sideboard** un buffet en
teck

team [tiːm] **1** *n* équipe *f*; (*of horses, oxen*)
attelage *m*; **to be a t. player** avoir l'esprit
d'équipe; **t. mate** coéquipier, -ière *mf* **2** *vi* **to t.
up** faire équipe (**with sb** avec qn) ▪**teamwork**
n travail *m* d'équipe

tear¹ [teə(r)] **1** *n* déchirure *f* **2** (*pt* **tore**, *pp* **torn**)
vt (*rip*) déchirer; (*snatch*) arracher (**from** à); *Fig*
torn between tiraillé entre; **to t. sb away from
sth** arracher qn à qch; **to t. down** (*house*)
démolir; **to t. off** *or* **out** arracher; **to t. up**
déchirer **3** *vi* (*of cloth*) se déchirer; **to t. along/
past/away** aller/passer/partir à toute vitesse

tear² [tɪə(r)] *n* larme *f*; **in tears** en larmes; **close
to** *or* **near (to) tears** au bord des larmes
▪**tearful** *adj* (*eyes*) larmoyant; (*person*) en
larmes; **in a t. voice** avec des larmes dans la
voix ▪**tearfully** *adv* en pleurant ▪**tear gas** *n*
gaz *m* lacrymogène

tearaway [ˈteərəweɪ] *n Br Fam* casse-cou *m inv*

tease [tiːz] **1** *n* (*person*) taquin, -ine *mf* **2** *vt*
taquiner ▪**teaser** *n* (*person*) taquin, -ine *mf*;
Fam (*question*) colle *f* ▪**teasing** *adj* (*remark*)
taquin

teat [tiːt] *n Br* (*of animal*) trayon *m*; (*of baby's
bottle*) tétine *f*

technical [ˈteknɪkəl] *adj* technique; *Br* **t.
college** ≃ institut *m* universitaire; **t. drawing**
dessin *m* industriel ▪**technicality** [-ˈkælɪtɪ] *n*
(*detail*) détail *m* technique ▪**technically** *adv*
techniquement

technician [tekˈnɪʃən] *n* technicien, -ienne *mf*

technique [tekˈniːk] *n* technique *f*

techno [ˈteknəʊ] *n* (*music*) techno *f*

technocrat [ˈteknəkræt] *n* technocrate *m*

technology [tekˈnɒlədʒɪ] (*pl* **-ies**) *n* technologie *f* ▪**technological** [-nəˈlɒdʒɪkəl] *adj*
technologique

teddy [ˈtedɪ] *n* **t. (bear)** ours *m* en peluche

tedious [ˈtiːdɪəs] *adj* fastidieux, -ieuse ▪**te-
diousness, tedium** *n* ennui *m*

teem [tiːm] *vi* (*swarm*) grouiller (**with** de); **to t.
(with rain)** pleuvoir à torrents ▪**teeming** *adj*
grouillant; **t. rain** pluie *f* torrentielle

teenage [ˈtiːneɪdʒ] *adj* (*boy, girl, behaviour*)
adolescent; (*fashion, magazine*) pour ado-
lescents ▪**teenager** *n* adolescent, -ente *mf*
▪**teens** *npl* **to be in one's t.** être adolescent

teeny(-weeny) [ˈtiːnɪ(ˈwiːnɪ)] *adj Fam* (*tiny*)
minuscule

tee-shirt [ˈtiːʃɜːt] *n* tee-shirt *m*

teeter [ˈtiːtə(r)] *vi* (*be unsteady*) chanceler; *Fig*
to t. on the brink of sth être au bord de qch

teeth [tiːθ] *pl of* **tooth**

teethe [tiːð] *vi* faire ses dents ▪**teething** *n*
poussée *f* dentaire; *Fig* **t. troubles** difficultés
fpl de mise en route

teetotal [tiːˈtəʊtəl] *adj* **to be t.** ne jamais boire
d'alcool ▪**teetotaller** (*Am* **teetotaler**) *n* personne *f* qui ne boit jamais d'alcool

TEFL [ˈtefəl] (*abbr* **Teaching English as a
Foreign Language**) *n* enseignement *m* de
l'anglais langue étrangère

tele- [telɪ] *pref* télé-

telecommunications [telɪkəmjuːnɪˈkeɪʃənz]
npl télécommunications *fpl*

telegram [ˈtelɪgræm] *n* télégramme *m*

telegraph [ˈtelɪgrɑːf] *adj* **t. pole/wire** poteau
m/fil *m* télégraphique

telepathy [təˈlepəθɪ] *n* télépathie *f* ▪**telepathic** *adj* télépathique

telephone [ˈtelɪfəʊn] **1** *n* téléphone *m*; **to be
on the t.** (*speaking*) être au téléphone **2** *adj*
(*call, line, message*) téléphonique; *Br* **t. booth,
t. box** cabine *f* téléphonique; **t. directory**
annuaire *m* du téléphone; **t. number** numéro
m de téléphone **3** *vt* (*message*) téléphoner (**to**
à); **to t. sb** téléphoner à qn **4** *vi* téléphoner

telephoto [ˈtelɪfəʊtəʊ] *adj Phot* **t. lens**
téléobjectif *m*

teleprinter [ˈtelɪprɪntə(r)] *n Br* téléimprimeur
m

telesales [ˈtelɪseɪlz] *n* télévente *f*

telescope [ˈtelɪskəʊp] *n* télescope *m* ▪**telescopic** [-ˈskɒpɪk] *adj* télescopique

teleshopping [ˈtelɪʃɒpɪŋ] *n* téléachat *m*

teletext [ˈtelɪtekst] *n* télétexte *m*

television [telɪˈvɪʒən] **1** *n* télévision *f*; **on (the)
t.** à la télévision; **to watch (the) t.** regarder la
télévision **2** *adj* (*programme, screen*) de
télévision; (*interview, report*) télévisé; **t. set**
téléviseur *m* ▪**televise** *vt* téléviser

teleworking [ˈtelɪwɜːkɪŋ] *n* télétravail *m*
▪**teleworker** *n* télétravailleur, -euse *mf*

telex [ˈteleks] **1** *n* (*service, message*) télex *m* **2** *vt*
(*message*) télexer

tell [tel] **1** (*pt & pp* **told**) *vt* dire (**sb sth** qch à qn;
that que); (*story*) raconter; (*distinguish*)

distinguer (**from** de); **to t. sb to do sth** dire à qn de faire qch; **to know how to t. the time** savoir lire l'heure; **to t. the difference** voir la différence (**between** entre); **I could t. she was lying** je savais qu'elle mentait; *Fam* **to t. sb off** disputer qn **2** *vi* dire; *(have an effect)* se faire sentir; **to t. of** *or* **about sb/sth** parler de qn/qch; **it's hard to t.** c'est difficile à dire; **you can never t.** on ne sait jamais; *Fam* **to t. on sb** dénoncer qn

teller ['telə(r)] *n (in bank)* guichetier, -ière *mf*

telling ['telɪŋ] *adj (revealing)* révélateur, -trice; *(decisive)* qui porte

telltale ['telteɪl] **1** *adj* révélateur, -trice **2** *n* rapporteur, -euse *mf*

telly ['telɪ] *n Br Fam* télé *f*; **on (the) t.** à la télé

temerity [tə'merɪtɪ] *n* témérité *f*

temp [temp] *Br Fam* **1** *n* intérimaire *mf* **2** *vi* faire de l'intérim

temper ['tempə(r)] **1** *n (mood, nature)* humeur *f*; *(bad mood)* mauvaise humeur; **in a bad t.** de mauvaise humeur; **to have a (bad) t.** avoir un caractère de cochon; **to lose one's t.** se mettre en colère **2** *vt (moderate)* tempérer; *(steel)* tremper

temperament ['temp(ə)rəmənt] *n* tempérament *m* ▪ **temperamental** [-'mentəl] *adj (person, machine)* capricieux, -ieuse; *(inborn)* inné

temperance ['temp(ə)rəns] *n (in drink)* tempérance *f*

temperate ['temp(ə)rət] *adj (climate)* tempéré

temperature ['temp(ə)rətʃə(r)] *n* température *f*; *Br* **to have a t.** avoir de la température

tempest ['tempɪst] *n Literary* tempête *f* ▪ **tempestuous** [-'pestjʊəs] *adj (meeting, relationship)* orageux, -euse

template ['templət, -pleɪt] *n* gabarit *m*; *Comptr* modèle *m*

temple¹ ['tempəl] *n (religious building)* temple *m*

temple² ['tempəl] *n Anat* tempe *f*

tempo ['tempəʊ] *(pl* **-os)** *n (of life, work)* rythme *m*; *Mus* tempo *m*

temporal ['temp(ə)rəl] *adj* temporel, -elle

temporary [*Br* 'temp(ə)rərɪ, *Am* -erɪ] *adj* temporaire; *(secretary)* intérimaire ▪ **temporarily** [*Br* 'temp(ə)rərɪlɪ, *Am* tempə'reərɪlɪ] *adv* temporairement

tempt [tempt] *vt* tenter; **tempted to do sth** tenté de faire qch; **to t. sb to do sth** inciter qn à faire qch ▪ **temp'tation** *n* tentation *f* ▪ **tempting** *adj* tentant

ten [ten] *adj & n* dix *(m)*

tenable ['tenəbəl] *adj* défendable; **the post is t. for three years** ce poste peut être occupé pendant trois ans

tenacious [tə'neɪʃəs] *adj* tenace ▪ **tenacity** [-'næsɪtɪ] *n* ténacité *f*

tenant ['tenənt] *n* locataire *mf* ▪ **tenancy** *n (lease)* location *f*; *(period)* occupation *f*

tend¹ [tend] *vi* **to t. to do sth** avoir tendance à faire qch; **to t. towards** incliner vers ▪ **tendency** *(pl* **-ies)** *n* tendance *f* **(to do** à faire)

tend² [tend] *vt (look after)* s'occuper de

tendentious [ten'denʃəs] *adj Pej* tendancieux, -ieuse

tender¹ ['tendə(r)] *adj (soft, delicate, loving)* tendre; *(painful)* sensible ▪ **tenderly** *adv* tendrement ▪ **tenderness** *n* tendresse *f*; *(pain)* (petite) douleur *f*; *(of meat)* tendreté *f*

tender² ['tendə(r)] **1** *n Com (bid)* soumission *f* (**for** pour); **to be legal t.** *(of money)* avoir cours **2** *vt (offer)* offrir; **to t. one's resignation** donner sa démission

tendon ['tendən] *n Anat* tendon *m*

tenement ['tenəmənt] *n* immeuble *m* d'habitation

tenet ['tenɪt] *n* principe *m*

tenfold ['tenfəʊld] **1** *adj* décuple **2** *adv* **to increase t.** être multiplié par dix

tenner ['tenə(r)] *n Br Fam* billet *m* de 10 livres

tennis ['tenɪs] *n* tennis *m*; **t. court** court *m* de tennis

tenor ['tenə(r)] *n* **(a)** *Formal (sense, course)* teneur *f* **(b)** *Mus* ténor *m*

tenpin ['tenpɪn] *adj Br* **t. bowling** bowling *m*

tense¹ [tens] **1** **(-er, -est)** *adj (person, muscle, situation)* tendu **2** *vt* tendre; *(muscle)* contracter **3** *vi* **to t. (up)** *(of person, face)* se crisper ▪ **tension** *n* tension *f*

tense² [tens] *n Grammar* temps *m*; **in the future t.** au futur

tent [tent] *n* tente *f*; *Br* **t. peg,** *Am* **t. stake** piquet *m* de tente; **t. pole** mât *m* de tente

tentacle ['tentəkəl] *n* tentacule *m*

tentative ['tentətɪv] *adj (not definite)* provisoire; *(hesitant)* timide ▪ **tentatively** *adv* provisoirement; *(hesitantly)* timidement

tenterhooks ['tentəhʊks] *npl* **to be on t.** être sur des charbons ardents

tenth [tenθ] *adj & n* dixième *(mf)*; **a t.** un dixième

tenuous ['tenjʊəs] *adj (link, suspicion)* ténu

tepid ['tepɪd] *adj (liquid) & Fig* tiède

term [tɜːm] **1** *n (word)* terme *m*; *(period)* période *f*; *Br (of school or university year)* trimestre *m*; *Am (semester)* semestre *m*; *Pol* **t. (of office)** mandat *m*; **terms** *(conditions)* conditions *fpl*; *(of contract)* termes *mpl*; **terms of reference** *(of commission)* attributions *fpl*; **to be on good/ bad terms** être en bons/mauvais termes **(with sb** avec qn); **to buy sth on easy terms** acheter qch avec facilités de paiement; **in terms of** *(speaking of)* sur le plan de; **in real terms** dans la pratique; **to come to terms with sth** se résigner à qch; **in the long/short/ medium t.** à long/court/moyen terme; **at (full) t.** *(baby)* à terme **2** *vt* appeler

terminal ['tɜːmɪnəl] **1** *n (electronic) & Comptr*

terminal m; (of battery) borne f; **(air) t.** aérogare f; **(oil) t.** terminal pétrolier 2 adj (patient, illness) en phase terminale; **in its t. stage** (illness) en phase terminale ▪ **terminally** adv **t. ill** (patient) en phase terminale

terminate ['tɜːmɪneɪt] 1 vt mettre fin à; (contract) résilier; (pregnancy) interrompre 2 vi se terminer ▪ **termi'nation** n fin f; (of contract) résiliation f; (of pregnancy) interruption f

terminology [tɜːmɪ'nɒlədʒɪ] (pl **-ies**) n terminologie f

terminus ['tɜːmɪnəs] n terminus m

termite ['tɜːmaɪt] n (insect) termite m

terrace ['terɪs] n (next to house, on hill) terrasse f; Br (houses) = rangée de maisons attenantes; Br **the terraces** (at football ground) les gradins mpl ▪ **terrace house, terraced house** n Br = maison située dans une rangée d'habitations attenantes

terracotta [terə'kɒtə] n (substance) terre f cuite; (colour) ocre m foncé

terrain [tə'reɪn] n Mil & Geol terrain m

terrestrial [tə'restrɪəl] adj terrestre; **t. television, t. broadcasting** diffusion f hertzienne ou terrestre

terrible ['terəbəl] adj terrible ▪ **terribly** adv (badly) affreusement mal; (injured) très gravement

terrier ['terɪə(r)] n (dog) terrier m

terrific [tə'rɪfɪk] adj Fam (excellent) super inv ▪ **terrifically** adv Fam (extremely) terriblement; (extremely well) terriblement bien

terrify ['terɪfaɪ] (pt & pp **-ied**) vt terrifier; **to be terrified of sb/sth** avoir une peur bleue de qn/qch ▪ **terrifying** adj terrifiant

territory ['terɪtərɪ] (pl **-ies**) n territoire m ▪ **territorial** [-'tɔːrɪəl] adj territorial; Br **the T. Army** = armée de réserve, constituée de volontaires

terror ['terə(r)] n terreur f; Fam **that child is a t.** cet enfant est une vraie terreur ▪ **terrorism** n terrorisme m ▪ **terrorist** n & adj terroriste (mf) ▪ **terrorize** vt terroriser

terse [tɜːs] adj laconique

tertiary ['tɜːʃərɪ] adj tertiaire; **t. education** enseignement m supérieur

test [test] 1 n (trial) essai m; (of product) test m; Sch & Univ interrogation f; (by doctor) examen m; (of blood) analyse f; **to put sb to the t.** mettre qn à l'épreuve; **eye t.** examen de la vue; **driving t.** examen du permis de conduire 2 adj **t. pilot/flight** pilote m/vol m d'essai; **t. drive** or **run** essai m sur route; Law **t. case** précédent m; Cricket **t. match** match m international; **t. tube** éprouvette f; **t. tube baby** bébé-éprouvette m 3 vt (try) essayer; (product, machine) tester; (pupil) interroger; (of doctor) examiner; (blood) analyser; Fig (try out) mettre à l'épreuve; **to t. sb for AIDS** faire subir à

qn un test de dépistage du SIDA 4 vi **to t. positive** (for drugs) être positif, -ive

testament ['testəmənt] n (will) testament m; (tribute) preuve f; Rel **the Old/New T.** l'Ancien/le Nouveau Testament

testicle ['testɪkəl] n Anat testicule m

testify ['testɪfaɪ] (pt & pp **-ied**) Law 1 vt **to t. that...** témoigner que... 2 vi témoigner (**against** contre); **to t. to sth** (be proof of) témoigner de qch ▪ **testimonial** [-'məʊnɪəl] n références fpl ▪ **testimony** ['testɪmənɪ] (pl **-ies**) n témoignage m

testy ['testɪ] (**-ier, -iest**) adj irritable

tetanus ['tetənəs] n Med tétanos m

tetchy ['tetʃɪ] (**-ier, -iest**) adj irritable

tête-à-tête [teɪtɑː'teɪt] n tête-à-tête m inv

tether ['teðə(r)] 1 n **at the end of one's t.** à bout 2 vt (animal) attacher

text [tekst] 1 n texte m; Tel **t. (message)** texto m, SMS m 2 vt **to t. sb** envoyer un texto ou un SMS à qn ▪ **textbook** n manuel m

textile ['tekstaɪl] adj & n textile (m)

texture ['tekstʃə(r)] n (of fabric, cake) texture f; (of paper, wood) grain m

Thai [taɪ] 1 adj thaïlandais 2 n Thaïlandais, -aise mf ▪ **Thailand** n la Thaïlande

Thames [temz] n **the T.** la Tamise

than [ðən, stressed ðæn] conj que; **happier t. me** plus heureux que moi; **less happy t. you** moins heureux que toi; **he has more/less t. you** il en a plus/moins que toi; **she has fewer oranges t. plums** elle a moins d'oranges que de prunes; **more t. six** plus de six

thank [θæŋk] vt remercier (**for sth** de qch; **for doing** d'avoir fait); **t. you** merci; **no, t. you** (non) merci; **t. God!, t. heavens!, t. goodness!** Dieu merci! ▪ **thanks** npl remerciements mpl; **(many) t.!** merci (beaucoup)!; **t. to** (because of) grâce à

thankful ['θæŋkfəl] adj reconnaissant (**for** de); **to be t. that...** être heureux que... (+ subjunctive) ▪ **thankfully** adv (gratefully) avec reconnaissance; (fortunately) heureusement ▪ **thankless** adj ingrat

thanksgiving [θæŋks'gɪvɪŋ] n action f de grâce; Am **T. (Day)** = 4ème jeudi de novembre, commémorant la première action de grâce des colons anglais

that [ðət, stressed ðæt] 1 conj (souvent omise) que; **she said (t.) she would come** elle a dit qu'elle viendrait

2 relative pron

On peut omettre le pronom relatif **that** sauf s'il est en position sujet.

(subject) qui; (object) que; (with preposition) lequel, laquelle, pl lesquel(le)s; **the boy t. left** le garçon qui est parti; **the book (t.) I read** le livre que j'ai lu; **the carpet (t.) I put it on** le tapis sur lequel je l'ai mis; **the house (t.) she** told me about la maison dont elle m'a parlé; **the day/morning (t.) she arrived** le jour/ matin où elle est arrivée

3 (*pl* **those**) *demonstrative adj* ce, cet (*before vowel or mute h*), cette; (*opposed to 'this'*) ce…- là (*f* cette…-là); **t. woman** cette femme(-là); **t. day** ce jour-là; **t. one** celui-là *m*, celle-là *f*

4 (*pl* **those**) *demonstrative pron* cela, *Fam* ça; **give me t.** donne-moi ça; **before t.** avant cela; **t.'s right** c'est exact; **who's t.?** qui est-ce?; **t.'s the house** voilà la maison; **what do you mean by t.?** qu'entends-tu par là?; **t. is (to say)…** c'est-à-dire…

5 *adv Fam* (*so*) si; **not t. good** pas si bon que ça; **t. high** (*pointing*) haut comme ça; **it cost t. much** ça a coûté tant que ça

thatch [θætʃ] *n* chaume *m* ■ **thatched** *adj* (*roof*) de chaume; **t. cottage** chaumière *f*

thaw [θɔː] **1** *n* dégel *m* **2** *vt* (*snow, ice*) faire fondre; **to t. (out)** (*food*) se décongeler **3** *vi* dégeler; (*of snow, ice*) fondre; (*of food*) décongeler; *Fig* **to t. (out)** (*of person*) se dérider

the [ðə, *before vowel* ði, *stressed* ðiː] *definite article* le, l', la, *pl* les; **t. roof** le toit; **t. man** l'homme; **t. moon** la lune; **t. orange** l'orange; **t. boxes** les boîtes; **t. smallest** le plus petit (*f* la plus petite); **of t., from t.** du, de l', de la, *pl* des; **to t., at t.** au, à l', à la, *pl* aux; **Elizabeth t. Second** Élisabeth Deux

theatre [ˈθɪətə(r)] (*Am* **theater**) *n* (*place, art*) théâtre *m*; *Br* (*operating*) **t.** (*in hospital*) salle *f* d'opération; *Mil* **t. of operations** théâtre des opérations ■ **theatregoer** *n* amateur *m* de théâtre ■ **theatrical** [θɪˈætrɪkəl] *adj* théâtral; **t. company** troupe *f* de théâtre

theft [θeft] *n* vol *m*

their [ðeə(r)] *possessive adj* leur, *pl* leurs; **t. house** leur maison *f* ■ **theirs** *possessive pron* le leur, la leur, *pl* les leurs; **this book is t.** ce livre est à eux *ou* est le leur; **a friend of t.** un ami à eux

them [ðəm, *stressed* ðem] *pron* les; (*after prep, 'than', 'it is'*) eux *mpl*, elles *fpl*; **(to) t.** (*indirect*) leur; **I see t.** je les vois; **I gave it to t.** je le leur ai donné; **with t.** avec eux/elles; **ten of t.** dix d'entre eux/elles; **all of t. came** tous sont venus, toutes sont venues; **I like all of t.** je les aime tous/toutes

theme [θiːm] *n* thème *m*; **t. song** *or* **tune** chanson *f* de générique; **t. park** parc *m* à thème

themselves [ðəmˈselvz, *stressed* ðemˈselvz] *pron* eux-mêmes *mpl*, elles-mêmes *fpl*; (*reflexive*) se, s'; (*after prep*) eux *mpl*, elles *fpl*; **they did it t.** ils/elles l'ont fait eux-mêmes/ elles-mêmes; **they cut t.** ils/elles se sont coupé(e)s; **they wash t.** ils/elles se lavent; **they think of t.** ils/elles pensent à eux/elles pensent à elles

then [ðen] **1** *adv* (*at that time*) à cette époque-là;

alors; (*just a moment ago*) à ce moment-là; (*next*) ensuite, puis; (*therefore*) donc, alors; **from t. on** dès lors; **before t.** avant cela; **until t.** jusque-là, jusqu'alors **2** *adj* **the t. mayor** le maire d'alors

theology [θɪˈɒlədʒɪ] *n* théologie *f* ■ **theological** [θɪəˈlɒdʒɪkəl] *adj* théologique

theorem [ˈθɪərəm] *n* théorème *m*

theory [ˈθɪərɪ] (*pl* **-ies**) *n* théorie *f*; **in t.** en théorie ■ **theo'retical** *adj* théorique ■ **theo- 'retically** *adv* théoriquement ■ **theorist** *n* théoricien, -ienne *mf* ■ **theorize** *vi* théoriser (**about** sur)

therapy [ˈθerəpɪ] (*pl* **-ies**) *n* thérapeutique *f*; (*psychological*) psychothérapie *f*; **to be in t.** faire une psychothérapie; **speech t.** orthophonie *f* ■ **therapeutic** [-ˈpjuːtɪk] *adj* thérapeutique ■ **therapist** *n* thérapeute *mf*; (*psychological*) psychothérapeute *mf*; **speech t.** orthophoniste *mf*

there [ðeə(r)] *adv* là; (*down or over*) **t.** là-bas; **on t.** là-dessus; **she'll be t.** elle y sera; **t. is, t. are** il y a; (*pointing*) voilà; **t. he is** le voilà; **t. she is** la voilà; **t. they are** les voilà; **that man t.** cet homme-là; **t. (you are)!** (*take this*) tenez!; **(t.,) don't cry!** allons, allons, ne pleure pas! ■ **therea'bouts** *adv* dans les environs; (*in amount*) à peu près ■ **there'after** *adv Formal* après cela ■ **thereby** *adv Formal* ainsi ■ **therefore** *adv* donc ■ **thereu'pon** *adv Formal* sur ce

thermal [ˈθɜːməl] *adj* (*underwear*) en Thermo- lactyl®; (*energy, unit*) thermique

thermometer [θəˈmɒmɪtə(r)] *n* thermomètre *m*

thermonuclear [θɜːməʊˈnjuːklɪə(r)] *adj* thermo- nucléaire

Thermos® [ˈθɜːməs] (*pl* **-moses** [-məsəz]) *n* **T. (flask)** Thermos® *m ou f*

thermostat [ˈθɜːməstæt] *n* thermostat *m*

thesaurus [θɪˈsɔːrəs] *n* dictionnaire *m* de synonymes

these [ðiːz] (*sing* **this**) **1** *demonstrative adj* ces; (*opposed to 'those'*) ces…-ci; **t. men** ces hommes(-ci); **t. ones** ceux-ci *mpl*, celles-ci *fpl* **2** *demonstrative pron* ceux-ci *mpl*, celles-ci *fpl*; **t. are my friends** ce sont mes amis

thesis [ˈθiːsɪs] (*pl* **theses** [ˈθiːsiːz]) *n* thèse *f*

they [ðeɪ] *pron* (**a**) (*subject*) ils *mpl*, elles *fpl*; (*stressed*) eux *mpl*, elles *fpl*; **t. go** ils/elles vont; **t. are doctors** ce sont des médecins (**b**) (*people in general*) on; **t. say** on dit ■ **they'd** = **they had, they would** ■ **they'll** = **they will**

thick [θɪk] **1** (**-er, -est**) *adj* épais (*f* épaisse); *Br Fam* (*stupid*) lourd **2** *adv* (*spread*) en couche épaisse; (*grow*) dru **3** *n* **in t. of battle** au cœur de la bataille ■ **thickly** *adv* (*spread*) en couche épaisse; (*grow*) dru; **t. populated/ wooded** très peuplé/boisé

thicken [ˈθɪkən] **1** *vt* épaissir **2** *vi* (*of fog*) s'épaissir; *(of cream, sauce)* épaissir ▪**thick-ness** *n* épaisseur *f*

thicket ['θɪkɪt] *n* fourré *m*

thickset [θɪk'set] *adj (person)* trapu ▪'**thick-'skinned** *adj (person)* peu susceptible

thief [θiːf] *(pl* **thieves)** *n* voleur, -euse *mf*; **stop t.!** au voleur! ▪**thieve** *vti* voler ▪**thieving 1** *adj* voleur, -euse **2** *n* vol *m*

thigh [θaɪ] *n* cuisse *f* ▪**thighbone** *n* fémur *m*

thimble ['θɪmbəl] *n* dé *m* à coudre

thin [θɪn] **1** (**thinner, thinnest**) *adj (person, slice, paper)* mince; *(soup)* peu épais *(f* peu épaisse); *(crowd, hair)* clairsemé; *(powder)* fin; *Fig (excuse, profit)* maigre **2** *adv (spread)* en couche mince; *(cut)* en tranches minces **3** *(pt & pp* **-nn-)** *vt* **to t. (down)** *(paint)* diluer **4** *vi* **to t. out** *(of crowd, mist)* s'éclaircir ▪**thinly** *adv (spread)* en couche mince; *(cut)* en tranches minces; **t. disguised** à peine déguisé; **t. populated/wooded** peu peuplé/boisé ▪**thin-ness** *n* minceur *f*

thing [θɪŋ] *n* chose *f*; **one's things** *(belongings, clothes)* ses affaires *fpl*; **it's a funny t.** c'est drôle; **poor little t.!** pauvre petit!; **that's just the t.** voilà exactement ce qu'il faut; **how are things?,** *Fam* **how's things?** comment ça va?; **I'll think things over** j'y réfléchirai; **for one t.... and for another t....** d'abord... et ensuite ...; *Br* **the tea things** *(set)* le service à thé; *(dishes)* la vaisselle ▪**thingamabob** ['θɪŋəmə-bɒb] *(Br* **thingummy** ['θɪŋəmɪ], **thingy** [θɪŋɪ]) *n Fam* truc *m*, machin *m*

think [θɪŋk] *(pt & pp* **thought)** *vt* penser (**that** que); **I t. so** je pense *ou* crois que oui; **what do you t. of him?** que penses-tu de lui?; **I thought it difficult** j'ai trouvé ça difficile; **to t. out** *(plan, method)* élaborer; *(reply)* réfléchir sérieuse-ment à; **to t. sth over** réfléchir à qch; **to t. sth through** réfléchir à qch sous tous les angles; **to t. sth up** *(invent)* inventer qch **2** *vi* penser (**about/of** à); **to t. (carefully)** réfléchir (**about/of** à); **to t. of doing sth** penser à faire qch; **to t. highly of sb** penser beaucoup de bien de qn; **she doesn't t. much of it** ça ne lui dit pas grand-chose; **to t. better of it** se raviser; **I can't t. of it** je n'arrive pas à m'en souvenir **3** *n Fam* **to have a t.** réfléchir (**about** à); **t.-tank** comité *m* d'experts ▪**thinker** *n* penseur, -euse *mf* ▪**thinking 1** *adj* **t. person** personne *f* intelligente **2** *n (opinion)* opinion *f*; **to my t.** à mon avis

thinner ['θɪnə(r)] *n* diluant *m*

thin-skinned [θɪn'skɪnd] *adj Fig* susceptible

third [θɜːd] **1** *adj* troisième; **t. party** *or* **person** tiers *m*; **t.-party insurance** assurance *f* au tiers; **the T. World** le tiers-monde **2** *n* troisième *mf*; **a t.** *(fraction)* un tiers **3** *adv* **to come t.** *(in race)* se classer troisième ▪**thirdly** *adv* troisièmement

third-class ['θɜːd'klɑːs] *adj* de troisième classe; *Br* **t. degree** ≃ licence *f* avec mention passable ▪'**third-'rate** *adj* très inférieur

thirst [θɜːst] *n* soif *f* (**for** de) ▪**thirsty** (**-ier, -iest)** *adj* **to be** *or* **feel t.** avoir soif; **to make sb t.** donner soif à qn; *Fig* **to be t. for power** être assoiffé de pouvoir

thirteen [θɜː'tiːn] *adj & n* treize *(m)* ▪**thir-teenth** *adj & n* treizième *(mf)*

thirty ['θɜːtɪ] *adj & n* trente *(m)* ▪**thirtieth** *adj & n* trentième *(mf)*

this [ðɪs] **1** *(pl* **these)** *demonstrative adj* ce, cet *(before vowel or mute h)*, cette; *(opposed to 'that')* ce...-ci; **t. book** ce livre(-ci); **t. man** cet homme(-ci); **t. photo** cette photo(-ci); **t. one** celui-ci *m*, celle-ci *f* **2** *(pl* **these)** *demonstrative pron (subject)* ce, ceci; *(object)* ceci; **give me t.** donne-moi ceci; **I prefer t.** je préfère celui-ci; **before t.** avant ceci; **who's t.?** qui est-ce?; **t. is Paul** c'est Paul; *(pointing)* voici Paul **3** *adv (so)* **t. high** *(pointing)* haut comme ceci; **t. far** *(until now)* jusqu'ici

thistle ['θɪsəl] *n* chardon *m*

thong ['θɒŋ] *n (strip of leather)* lanière *f*; *(underwear)* string *m*; *Am* **thongs** *(sandals)* tongs *mpl*

thorax ['θɔːræks] *n Anat* thorax *m*

thorn [θɔːn] *n* épine *f* ▪**thorny** (**-ier, -iest)** *adj (bush, problem)* épineux, -euse

thorough ['θʌrə] *adj (search, cleaning, pre-paration)* minutieux, -ieuse; *(knowledge, exam-ination)* approfondi; **to give sth a t. wash** laver qch à fond ▪**thoroughly** *adv (completely)* tout à fait; *(carefully)* avec minutie; *(know, clean, wash)* à fond ▪**thoroughness** *n* minutie *f*

thoroughbred ['θʌrəbred] *n (horse)* pur-sang *m inv*

thoroughfare ['θʌrəfeə(r)] *n* voie *f* de communication; *Br* '**no t.'** 'passage interdit'

those [ðəʊz] **1** *(sing* **that)** *demonstrative adj* ces; *(opposed to 'these')* ces-là; **t. men** ces hommes(-là); **t. ones** ceux-là *mpl*, celles-là *fpl* **2** *(sing* **that)** *demonstrative pron* ceux-là *mpl*, celles-là *fpl*; **t. are my friends** ce sont mes amis

though [ðəʊ] **1** *conj* bien que (+ *subjunctive)*; **(even) t.** même si; **as t.** comme si; **strange t. it may seem** si étrange que cela puisse paraître **2** *adv (however)* pourtant

thought [θɔːt] **1** *pt & pp of* **think 2** *n* pensée *f*; *(careful)* t. réflexion *f*; **to have second thoughts** changer d'avis; *Br* **on second thoughts,** *Am* **on second t.** à la réflexion; **I didn't give it another t.** je n'y ai plus pensé

thoughtful ['θɔːtfəl] *adj (considerate, kind)* atten-tionné; *(pensive)* pensif, -ive ▪**thoughtfully** *adv (considerately)* gentiment; *(pensively)* pensivement ▪**thoughtfulness** *n (consideration)* gentillesse *f*; *(pensiveness)* méditation

thoughtless ['θɔːtləs] *adj (ill-considered)* irréfléchi; *(inconsiderate)* **t. of others** qui

manque d'égards pour les autres
■**thoughtlessly** *adv (without thinking)* sans
réfléchir; *(inconsiderately)* sans aucun égard
■**thoughtlessness** *n (lack of forethought)*
irréflexion *f*; *(lack of consideration)* manque *f*
d'égards

thousand ['θaʊzənd] *adj & n* mille *(m) inv*; **a t.
pages** mille pages; **two t. pages** deux mille
pages; **thousands of** des milliers de; **they
came in their thousands** ils sont venus par
milliers

thrash [θræʃ] **1** *vt* **to t. sb** donner une
correction à qn; *(defeat)* écraser qn; **to t. out**
(plan) discuter de **2** *vi* **to t. around** *or* **about**
(struggle) se débattre ■**thrashing** *n (beating)*
correction *f*

thread [θred] **1** *n (yarn) & Fig* fil *m*; *(of screw)*
filetage *m* **2** *vt (needle, beads)* enfiler; **to t.
one's way between...** se faufiler entre...
■**threadbare** *adj* élimé

threat [θret] *n* menace *f* ■**threaten 1** *vt*
menacer (**to do** de faire; **with sth** de qch) **2** *vi*
menacer ■**threatening** *adj* menaçant
■**threateningly** *adv (say)* d'un ton menaçant

three [θriː] *adj & n* trois *(m)*; *Br* **t.-piece suite**
canapé *m* et deux fauteuils assortis ■**three-
'D** *adj (film)* en 3-D ■**three-di'mensional** *adj*
à trois dimensions ■**threefold 1** *adj* triple **2**
adv **to increase t.** tripler ■**three-point 'turn**
n Aut demi-tour *m* en trois manœuvres
■**'three-'quarters 1** *n* **t. (of)** les trois quarts
mpl (de) **2** *adv* **it's t. full** c'est aux trois quarts
plein ■**threesome** *n* groupe *m* de trois
personnes ■**three-way** *adj (division)* en trois;
(conversation) à trois ■**three-'wheeler** *n*
(tricycle) tricycle *m*; *(car)* voiture *f* à trois roues

thresh [θreʃ] *vt* battre

threshold ['θreʃhəʊld] *n* seuil *m*; **pain t.** seuil de
résistance à la douleur

threw [θruː] *pt of* **throw**

thrift [θrɪft] *n* économie *f*; *Am* **t. store** =
magasin vendant des articles d'occasion au
profit d'œuvres charitables ■**thrifty** (**-ier,
-iest**) *adj* économe

thrill [θrɪl] **1** *n* frisson *m*; **to get a t. out of doing
sth** prendre plaisir à faire qch **2** *vt (delight)*
réjouir; *(excite)* faire frissonner ■**thrilled** *adj*
ravi (**with sth** de qch; **to do** de faire) ■**thriller**
n thriller *m* ■**thrilling** *adj* passionnant

thrive [θraɪv] *vi (of business, person, plant)*
prospérer; **to t. on sth** avoir besoin de qch
pour s'épanouir ■**thriving** *adj (business)*
prospère

throat [θrəʊt] *n* gorge *f*; **to clear one's t.** se
racler la gorge ■**throaty** *adj (voice)* rauque;
(person) à la voix rauque

throb [θrɒb] **1** *n (of heart)* battement *m*; *(of
engine)* vibration *f*; *(of pain)* élancement *m* **2**
(pt & pp **-bb-)** *vi (of heart)* palpiter; *(of engine)*

vibrer; **my head is throbbing** j'ai une douleur
lancinante dans la tête

throes [θrəʊz] *npl* **in the t. of** au milieu de;
(illness, crisis) en proie à; **in the t. of doing sth**
en train de faire qch; **death t.** les affres *fpl* de la
mort

thrombosis [θrɒm'bəʊsɪs] *n Med* thrombose *f*;
deep vein t. thrombose veineuse profonde

throne [θrəʊn] *n* trône *m*

throng [θrɒŋ] **1** *n Literary* foule *f* **2** *vt (station,
street)* se presser dans; **it was thronged with
people** c'était noir de monde **3** *vi (rush)* affluer

throttle ['θrɒtəl] **1** *n (valve)* papillon *m* des gaz;
(accelerator) manette *f* des gaz **2** *vt (strangle)*
étrangler

through [θruː] **1** *prep (place)* à travers; *(by
means of)* par; *(because of)* à cause de; **t. the
window/door** par la fenêtre/porte; **t.
ignorance** par ignorance; **all t. his life** toute sa
vie; **halfway t. the book** à la moitié du livre; **to
go** *or* **get t.** *(forest)* traverser; *(hole)* passer par;
(wall) passer à travers; **to speak t. one's nose**
parler du nez; *Am* **Tuesday t. Saturday** de
mardi à samedi **2** *adv* à travers; **to go t.** *(of
bullet, nail)* traverser; **to let sb t.** laisser passer
qn; *Am* **to be t. with sb/sth** *(finished)* en avoir
fini avec qn/qch; *Am* **I'm t. with the book** je
n'ai plus besoin du livre; **to sleep all night t.**
dormir toute la nuit; **t. to** *or* **till** jusqu'à; *French*
t. and t. français jusqu'au bout des ongles; **I'll
put you t. (to him)** *(on telephone)* je vous le
passe **3** *adj (train, ticket)* direct; *Br* **'no t. road'**
(no exit) 'voie sans issue'

throughout [θruː'aʊt] **1** *prep* **t. the
neighbourhood** dans tout le quartier; **t. the
day** pendant toute la journée **2** *adv
(everywhere)* partout; *(all the time)* tout le temps

throw [θrəʊ] **1** *n (of stone)* jet *m*; *Sport* lancer *m*;
(of dice) coup *m* **2** *(pt* **threw,** *pp* **thrown)** *vt* jeter
(**to/at** à); *(javelin, discus)* lancer; *(image,
shadow)* projeter; *(of horse)* désarçonner;
(party) donner; *Fam (baffle)* déconcerter
▸ **throw away** *vt sep (discard)* jeter; *Fig (life,
chance)* gâcher
▸ **throw back** *vt sep (ball)* renvoyer (**to** à);
(one's head) rejeter en arrière
▸ **throw in** *vt sep Fam (include as extra)* donner
en prime
▸ **throw off** *vt sep (get rid of)* se débarrasser de
▸ **throw out** *vt sep (unwanted object)* jeter;
(suggestion) repousser; *(expel)* mettre à la porte
▸ **throw over** *vt sep (abandon)* abandonner
▸ **throw up** *vi Fam (vomit)* vomir

throwaway ['θrəʊəweɪ] *adj (disposable)* jetable

thrown [θrəʊn] *pp of* **throw**

thrush¹ [θrʌʃ] *n (bird)* grive *f*

thrush² [θrʌʃ] *n Med* muguet *m*

thrust [θrʌst] **1** *n (movement)* mouvement *m* en
avant; *(of argument)* idée *f* principale; *(of*

engine) poussée f **2** *(pt & pp* **thrust)** *vt* **to t. sth into sth** enfoncer qch dans qch; **to t. sb/sth aside** écarter qn/qch; *Fig* **to t. sth (up)on sb** imposer qch à qn

thruway ['θru:weɪ] *n Am* autoroute f

thud [θʌd] *n* bruit *m* sourd

thug [θʌg] *n* voyou *m (pl*-ous)

thumb [θʌm] **1** *n* pouce *m;* **with a t. index** *(book)* à onglets **2** *vt Fam* **to t. a lift** *or* **a ride** faire du stop **3** *vi* **to t. through a book** feuilleter un livre ▪**thumbtack** *n Am* punaise f

thump [θʌmp] **1** *n (blow)* coup *m; (noise)* bruit *m* sourd **2** *vt (hit)* frapper; *(put down heavily)* poser lourdement; **to t. one's head** se cogner la tête (**on** contre) **3** *vi* frapper, cogner (**on** sur); *(of heart)* battre la chamade ▪**thumping** *adj Fam (huge, great)* énorme

thunder ['θʌndə(r)] **1** *n* tonnerre *m* **2** *vi* tonner; **to t. past** *(of train, truck)* passer dans un bruit de tonnerre ▪**thunderbolt** *n* éclair *m* suivi d'un coup de tonnerre ▪**thunderclap** *n* coup *m* de tonnerre ▪**thunderstorm** *n* orage *m* ▪**thunderstruck** *adj* abasourdi

Thursday ['θɜ:zdeɪ] *n* jeudi *m*

thus [ðʌs] *adv* ainsi

thwart [θwɔ:t] *vt* contrecarrer

thyme [taɪm] *n* thym *m*

thyroid ['θaɪrɔɪd] *adj & n Anat* thyroïde *(f)*

tiara [tɪ'ɑ:rə] *n (jewellery)* diadème *m*

Tibet [tɪ'bet] *n* le Tibet

tic [tɪk] *n* tic *m*

tick¹ [tɪk] **1** *n (of clock)* tic-tac *m inv; (mark)* ≃ croix f; *Fam (moment)* instant *m* **2** *vt* **to t. sth (off)** *(on list)* cocher qch; *Fam* **to t. sb off** passer un savon à qn **3** *vi* faire tic-tac; *Br* **to t. over** *(of engine, factory)* tourner au ralenti ▪**ticking** *n (of clock)* tic-tac *m inv* ▪**ticking-off** *n Br Fam* **to give sb a t.** passer un savon à qn

tick² [tɪk] *n (insect)* tique f

tick³ [tɪk] *adv Br Fam* **on t.** à crédit

ticket ['tɪkɪt] *n* billet *m; (for bus, metro)* ticket *m; Fam (for parking, speeding)* contravention f; *Am Pol (list of candidates)* liste f électorale; **(price) t.** étiquette f; **t. collector** contrôleur, -euse *mf;* **t. holder** personne f munie d'un billet; **t. office** guichet *m; Am* **t. scalper,** *Br* **t. tout** revendeur, -euse *mf* (en fraude)

tickle ['tɪkəl] **1** *n* chatouillement *m* **2** *vt* chatouiller; *Fig (amuse)* amuser ▪**ticklish** *adj (person)* chatouilleux, -euse; *Fig (problem)* délicat

tick-tack-toe [tɪktæk'təʊ] *n Am* morpion *m*

tidal ['taɪdəl] *adj (river)* régi par les marées; **t. wave** raz de marée *m inv*

tidbit ['tɪdbɪt] *n Am* = **titbit**

tiddlywinks ['tɪdlɪwɪŋks] *n* jeu *m* de puce

tide [taɪd] **1** *n* marée f; *Fig* **against the t.** à contre-courant; **the rising t. of discontent** le mécontentement grandissant **2** *vt* **to t. sb**

over dépanner qn ▪**tidemark** *n Br Fig & Hum (on neck, in bath)* ligne f de crasse

tidy ['taɪdɪ] **1** (**-ier, -iest)** *adj (place, toys)* bien rangé; *(clothes, hair)* soigné; *(person) (methodical)* ordonné; *(in appearance)* soigné; *Fam* **a t. sum** *or* **amount** une jolie somme; **to make sth t.** ranger qch **2** *vt* **to t. sth (up** *or* **away)** ranger qch; **to t. sth out** mettre de l'ordre dans qch; **to t. oneself up** s'arranger **3** *vi* **to t. up** ranger ▪**tidily** *adv (put away)* soigneusement, avec soin ▪**tidiness** *n (of drawer, desk)* ordre *m; (of appearance)* soin *m*

tie [taɪ] **1** *n (garment)* cravate f; *(link)* lien *m; Am (on railroad track)* traverse f; *Sport* égalité f; *(drawn match)* match *m* nul **2** *vt (fasten)* attacher (**to** à); *(knot)* faire (**in** à); *(shoe)* lacer **3** *vi Sport* être à égalité; *Football* faire match nul; *(in race)* être ex aequo

▸ **tie down** *vt sep* attacher; **to t. sb down to a date** obliger qn à accepter une date

▸ **tie in** *vi (of facts)* concorder

▸ **tie up** *vt sep (animal)* attacher; *(parcel)* ficeler; *(deal)* conclure; *(money)* immobiliser; *Fig* **to be tied up** *(busy)* être occupé

tier [tɪə(r)] *n (of seats)* gradin *m; (of cake)* étage *m*

tiff [tɪf] *n Fam* petite querelle f

tiger ['taɪgə(r)] *n* tigre *m*

tight [taɪt] **1 (-er, -est)** *adj (clothes, knot, race, bend)* serré; *(control)* strict; *Fam (mean)* radin; *Fam (drunk)* bourré; *Fam* **a t. spot** *or* **corner** une mauvaise passe; **it's a t. squeeze** il y a juste la place **2** *adv (hold, shut)* bien; *(squeeze)* fort; **to sit t.** ne pas bouger; **sleep t.!** dors bien! ▪**'tight'fisted** *adj Fam* radin ▪**'tight-'fitting** *adj (garment)* ajusté ▪**'tight'knit** *adj (community)* uni ▪**tightly** *adv (hold)* bien; *(squeeze)* fort ▪**tightness** *n (of garment)* étroitesse f; *(of control)* rigueur f; *(of rope)* tension f ▪**tightrope** *n* corde f raide ▪**tightwad** *n Am Fam (miser)* grippe-sou *m*

tighten ['taɪtən] **1** *vt* **to t. (up)** *(bolt)* serrer; *(rope)* tendre; *Fig (security)* renforcer **2** *vi* **to t. up on sth** se montrer plus strict à l'égard de qch

tights [taɪts] *npl Br (garment)* collant *m*

tile [taɪl] **1** *n (on roof)* tuile f; *(on wall, floor)* carreau *m* **2** *vt (wall, floor)* carreler ▪**tiled** *adj (roof)* de tuiles; *(wall, floor)* carrelé ▪**tiler** *n* carreleur *m*

till¹ [tɪl] *prep & conj* = **until**

till² [tɪl] *n Br (for money)* caisse f enregistreuse

till³ [tɪl] *vt (land)* labourer

tiller ['tɪlə(r)] *n (of boat)* barre f

tilt [tɪlt] **1** *n* inclinaison f; **(at) full t.** à toute vitesse **2** *vti* pencher

timber ['tɪmbə(r)] **1** *n Br (wood)* bois *m* (de construction) **2** *adj Br (house)* de bois ▪**timberyard** *n Br* entrepôt *m* de bois

time [taɪm] **1** *n* temps *m; (period, moment)*

moment *m*; *(age)* époque *f*; *(on clock)* heure *f*; *(occasion)* fois *f*; *Mus* mesure *f*; **in t., with t.** avec le temps; **it's t. to do sth** il est temps de faire qch; **I have no t. to play** je n'ai pas le temps de jouer; **I have no t. to waste** je n'ai pas de temps à perdre; **some of the t.** *(not always)* une partie du temps; **most of the t.** la plupart du temps; **all (of) the t.** tout le temps; **in a year's t.** dans un an; **a long t.** longtemps; **a short t.** peu de temps; **to have a good** *or* **a nice t.** s'amuser (bien); **to have a hard t. doing sth** avoir du mal à faire qch; **to have t. off** avoir du temps libre; **in no t. (at all)** en un rien de temps; **(just) in t.** *(arrive)* à temps (**for sth** pour qch; **to do** pour faire); **in my t.** *(formerly)* de mon temps; **from t. to t.** de temps en temps; **what t. is it?** quelle heure est-il?; **the right** *or* **exact t.** l'heure *f* exacte; **on t.** à l'heure; **at the same t.** en même temps (**as** que); *(simultaneously)* à la fois; **for the t. being** pour le moment; **at the** *or* **that t.** à ce moment-là; **at the present t.** à l'heure actuelle; **at times** parfois; **at one t.** à un moment donné; **this t. tomorrow** demain à cette heure-ci; **(the) next t. you come** la prochaine fois que tu viendras; **(the) last t.** la dernière fois; **one at a t.** un à un; **t. and (t.) again,** **t. after t.** encore et encore; **ten times ten** dix fois dix; **t. bomb** bombe *f* à retardement; **t. difference** décalage *m* horaire; **t. lag** *(between events)* décalage *m*; **t. limit** délai *m*; **t. switch** minuterie *f*; **t. zone** fuseau *m* horaire **2** *vt (sportsman, worker)* chronométrer; *(activity, programme)* minuter; *(choose the time of)* choisir le moment de; *(plan)* prévoir ▪**time-consuming** *adj* qui prend du temps ▪**time-honoured** *(Am* **time-honored)** *adj* consacré (par l'usage) ▪**time-share** *n* multipropriété *f*

timeless ['taɪmləs] *adj* intemporel, -elle

timely ['taɪmlɪ] *adj* à propos ▪**timeliness** *n* à-propos *m*

timer ['taɪmə(r)] *n (device)* minuteur *m*; *(sand-filled)* sablier *m*; *(built into appliance)* programmateur *m*; *(plugged into socket)* prise *f* programmable

timescale ['taɪmskeɪl] *n* période *f*

timetable ['taɪmteɪbəl] *n* horaire *m*; *(in school)* emploi *m* du temps

timid ['tɪmɪd] *adj* timide ▪**timidly** *adv* timidement

timing ['taɪmɪŋ] *n (of sportsman)* chronométrage *m*; *(of election)* moment *m* choisi; *(of musician)* sens *m* du rythme; **what (good) t.!** quelle synchronisation!

tin [tɪn] *n (metal)* étain *m*; *Br (can)* boîte *f*; **cake t.** moule *m* à gâteaux; **t. opener** ouvre-boîtes *m inv*; **t. plate** fer-blanc *m*; **t. soldier** soldat *m* de plomb ▪**tinfoil** *n* papier *m* aluminium

tinge [tɪndʒ] *n* pointe *f* ▪**tinged** *adj* **t. with sth** teinté de qch

tingle ['tɪŋgəl] *vi* picoter; **it's tingling** ça me picote ▪**tingly** *adj* **t. feeling** sensation *f* de picotement

tinker ['tɪŋkə(r)] *vi* **to t. (about** *or* **around) with sth** bricoler qch

tinkle ['tɪŋkəl] **1** *n* tintement *m*; *Br Fam* **to give sb a t.** *(phone sb)* passer un coup de fil à qn **2** *vi* tinter

tinned [tɪnd] *adj Br* **t. pears/salmon** poires *fpl*/saumon *m* en boîte; **t. food** conserves *fpl*

tinny ['tɪnɪ] (**-ier, -iest**) *adj (sound)* métallique

tinsel ['tɪnsəl] *n* guirlandes *fpl* de Noël

tint [tɪnt] *n* teinte *f*; *(for hair)* rinçage *m* ▪**tinted** *adj (paper, glass)* teinté

tiny ['taɪnɪ] (**-ier, -iest**) *adj* minuscule

tip¹ [tɪp] *n (end)* bout *m*; *(pointed)* pointe *f*; *Fig* **the t. of the iceberg** la partie visible de l'iceberg

tip² [tɪp] **1** *n Br (rubbish dump)* décharge *f*; *Fam* **this room is a real t.** cette pièce est un vrai dépotoir **2** *(pt & pp* **-pp-)** *vt (pour)* déverser; **to t. sth up** *or* **over** renverser qch; **to t. sth out** *(liquid, load)* déverser qch (**into** dans) **3** *vi* **to t. (up** *or* **over)** *(tilt)* se renverser; *(overturn)* basculer

tip³ [tɪp] **1** *n (money)* pourboire *m*; *(advice)* conseil *m*; *(information)* tuyau *m* **2** *(pt & pp* **-pp-)** *vt (waiter)* donner un pourboire à; **to t. a horse** donner un cheval gagnant; **to t. off** *(police)* prévenir

tip-off ['tɪpɒf] *n* **to get a t.** se faire tuyauter

tipple ['tɪpəl] *Fam* **1** *n (drink)* **what's your t.?** qu'est-ce que vous prenez habituellement? **2** *vi (drink)* picoler

tipsy ['tɪpsɪ] (**-ier, -iest**) *adj (drunk)* éméché, gai

tiptoe ['tɪptəʊ] **1** *n* **on t.** sur la pointe des pieds **2** *vi* marcher sur la pointe des pieds; **to t. into/out of a room** entrer dans une pièce/sortir d'une pièce sur la pointe des pieds

tiptop ['tɪptɒp] *adj Fam* excellent

tirade [taɪ'reɪd] *n* diatribe *f*

tire¹ ['taɪə(r)] **1** *vt* fatiguer; **to t. sb out** épuiser qn **2** *vi* se fatiguer ▪**tired** *adj* fatigué; **to be t. of sth/doing** en avoir assez de qch/de faire; **to get t. of doing sth** se lasser de faire qch ▪**tiredness** *n* fatigue *f* ▪**tireless** *adj* infatigable ▪**tiresome** *adj* ennuyeux, -euse ▪**tiring** *adj* fatigant

tire² ['taɪə(r)] *n Am* = **tyre**

tissue ['tɪʃuː] *n (handkerchief)* mouchoir *m* en papier; *Biol* tissu *m*; **t. paper** papier *m* de soie

tit¹ [tɪt] *n* **to give t. for tat** rendre coup pour coup

tit² [tɪt] *n (bird)* mésange *f*

tit³ [tɪt] *n Br very Fam (breast)* nichon *m*; *(idiot)* imbécile *mf*

titbit ['tɪtbɪt] n Br (food) bon morceau m

titillate ['tɪtɪleɪt] vt exciter

title ['taɪtəl] 1 n (name, claim) & Sport titre m; **t. deeds** titres mpl de propriété; **t. role** (in film, play) rôle-titre m 2 vt intituler ▪ **titled** adj (person) titré ▪ **titleholder** n Sport tenant, -ante mf du titre

titter ['tɪtə(r)] vi rire bêtement

tittle-tattle ['tɪtəltætəl] n Fam cancans mpl

T-junction ['tiːdʒʌŋkʃən] n Br (of roads) intersection f en T

to [tə, stressed tuː] 1 prep (a) (towards) à; (until) jusqu'à; **give it to him/her** donne-le-lui; **to go to town** aller en ville; **to go to France/Portugal** aller en France/au Portugal; **to go to the butcher's** aller chez le boucher; **the road to London** la route de Londres; **the train to Paris** le train pour Paris; **kind/cruel to sb** gentil/cruel envers qn; **to my surprise** à ma grande surprise; **from bad to worse** de mal en pis; **it's ten (minutes) to one** il est une heure moins dix; **ten to one** (proportion) dix contre un; **one person to a room** une personne par chambre (b) (with infinitive) **to say/jump** dire/sauter; (in order) **to do sth** pour faire qch; **she tried to** elle a essayé; **wife-to-be** future femme f (c) (with adjective) **I'd be happy to do it** je serais heureux de le faire; **it's easy to do** c'est facile à faire 2 adv **to push the door to** fermer la porte; **to go or walk to and fro** aller et venir

toad [təʊd] n crapaud m

toadstool ['təʊdstuːl] n champignon m vénéneux

toast¹ [təʊst] 1 n (bread) pain m grillé; **piece or slice of t.** tranche f de pain grillé 2 vt (bread) faire griller ▪ **toaster** n grille-pain m inv

toast² [təʊst] 1 n (drink) toast m 2 vt (person) porter un toast à; (success, event) arroser

tobacco [tə'bækəʊ] (pl -os) n tabac m; Am **t. store** (bureau m de) tabac ▪ **tobacconist** [-kənɪst] n buraliste mf; Br **t.'s (shop)** (bureau m de) tabac m

toboggan [tə'bɒgən] n luge f

> Note that the French word **toboggan** is a false friend. Its most common meaning is **slide** (in a playground).

today [tə'deɪ] adv aujourd'hui; **t.'s date** la date d'aujourd'hui

toddle ['tɒdəl] vi Br Fam **to t. off** ficher le camp

toddler ['tɒdlə(r)] n enfant mf (en bas âge)

toddy ['tɒdɪ] n (hot) **t.** grog m

to-do [tə'duː] n Fam (fuss) histoire f

toe [təʊ] 1 n orteil m; Fig **on one's toes** vigilant 2 vt **to t. the line** bien se tenir; **to t. the party line** respecter la ligne du parti ▪ **toenail** n ongle m de pied

toffee ['tɒfɪ] n Br caramel m (dur); **t. apple** pomme f d'amour

together [tə'geðə(r)] adv ensemble; (at the same time) en même temps; **t. with** ainsi que ▪ **togetherness** n harmonie f

togs [tɒgz] npl Fam (clothes) fringues fpl

toil [tɔɪl] 1 n labeur m 2 vi travailler dur

toilet ['tɔɪlɪt] n Br (room) toilettes fpl; (bowl, seat) cuvette f des toilettes; Br **to go to the t.** aller aux toilettes; **t. flush** chasse f d'eau; **t. paper** papier m hygiénique; **t. roll** rouleau m de papier hygiénique; **t. soap** savon m de toilette ▪ **toiletries** npl articles mpl de toilette ▪ **toilet-trained** adj (child) propre

token ['təʊkən] 1 n (for vending machine) jeton m; (symbol) signe m; **as a t. of respect** en signe de respect; **by the same t.** de même; Br **book t.** chèque-livre m 2 adj symbolique

told [təʊld] 1 pt & pp of **tell** 2 adv **all t.** (taken together) en tout

tolerable ['tɒlərəbəl] adj (bearable) tolérable; (fairly good) acceptable ▪ **tolerably** adv (fairly, fairly well) passablement

tolerant ['tɒlərənt] adj tolérant (**of** à l'égard de) ▪ **tolerance** n tolérance f ▪ **tolerantly** adv avec tolérance

tolerate ['tɒləreɪt] vt tolérer

toll [təʊl] 1 n (a) (fee) péage m; **t. road/bridge** route f/pont m à péage (b) **the death t.** le nombre de morts; Fig **to take its t.** faire des dégâts 2 vi (of bell) sonner ▪ **'toll-'free** Am 1 adj **t. number** ≃ numéro m vert 2 adv (call) gratuitement

tomato [Br tə'mɑːtəʊ, Am tə'meɪtəʊ] (pl -oes) n tomate f; **t. sauce** sauce f tomate

tomb [tuːm] n tombeau m ▪ **tombstone** n pierre f tombale

tomboy ['tɒmbɔɪ] n garçon m manqué

tomcat ['tɒmkæt] n matou m

tome [təʊm] n Formal gros volume m

tomfoolery [tɒm'fuːlərɪ] n bêtises fpl

tomorrow [tə'mɒrəʊ] adv & n demain (m); **t. morning/evening** demain matin/soir; **the day after t.** après-demain; **a week from t.,** Br **a week t.** demain en huit

ton [tʌn] n tonne f; **metric t.** tonne; Fam **tons of** (lots of) des tonnes de

tone [təʊn] 1 n ton m; (of telephone, radio) tonalité f; (of answering machine) signal m sonore; Br **the engaged t.** (on telephone) la sonnerie 'occupé'; **to set the t.** donner le ton; **she's t.-deaf** elle n'a pas d'oreille 2 vt **to t. sth down** atténuer qch; **to t. up** (muscles, skin) tonifier 3 vi **to t. in** (blend in) s'harmoniser (**with** avec)

tongs [tɒŋz] npl pinces fpl; **curling t.** fer m à friser; **sugar t.** pince f à sucre

tongue [tʌŋ] n (in mouth, language) langue f; **to say sth t. in cheek** dire qch en plaisantant; **t. twister** = mot ou phrase imprononçable ▪ **tongue-tied** adj muet (f muette)

tonic ['tɒnɪk] n (medicine) fortifiant m; **t. (water)** Schweppes® m; **gin and t.** gin-tonic m

tonight [təˈnaɪt] adv & n (this evening) ce soir (m); (during the night) cette nuit (f)

tonne [tʌn] n (metric) tonne f ■**tonnage** [ˈtʌnɪdʒ] n tonnage m

tonsil [ˈtɒnsəl] n amygdale f ■**tonsillitis** [-ˈlaɪtəs] n **to have t.** avoir une angine

too [tuː] adv (a) (excessively) trop; **t. tired to play** trop fatigué pour jouer; **t. much, t. many** trop; **t. much salt** trop de sel; **t. many people** trop de gens; **one t. many** un de trop; Fam **t. right!** et comment! (b) (also) aussi; (moreover) en plus

took [tʊk] pt of **take**

tool [tuːl] n outil m; **t. bag, t. kit** trousse f à outils; **t. shed** remise f ■**toolbar** n Comptr barre f d'outils

toot [tuːt] vti Aut **to t. (the horn)** klaxonner

tooth [tuːθ] (pl **teeth**) n dent f; **front t.** dent de devant; **back t.** molaire f; **milk/wisdom t.** dent de lait/de sagesse; **t. decay** carie f dentaire; **to have a sweet t.** aimer les sucreries; Hum **long in the t.** (old) chenu, vieux (f vieille) ■**toothache** n mal m de dents; **to have t.** avoir mal aux dents ■**toothbrush** n brosse f à dents ■**toothpaste** n dentifrice m ■**toothpick** n cure-dents m inv

top¹ [tɒp] **1** n (of mountain, tower, tree) sommet m; (of wall, ladder, page) haut m; (of table, box, surface) dessus m; (of list) tête f; (of bottle, tube) bouchon m; (bottle cap) capsule f; (of pen) capuchon m; **pyjama t.** veste f de pyjama; **(at the) t. of the class** le premier/la première de la classe; **on t.** dessus; (in bus) en haut; **on t. of** sur; Fig (in addition to) en plus de; **from t. to bottom** de fond en comble; Fam **over the t.** (excessive) exagéré

2 adj (drawer, shelf) du haut; (step, layer) dernier, -ière; (upper) supérieur; (in rank, exam) premier, -ière; (chief) principal; (best) meilleur; **on the t. floor** au dernier étage; **in t. gear** (vehicle) en quatrième vitesse; **at t. speed** à toute vitesse; **t. hat** haut-de-forme m ■**top-ˈheavy** adj trop lourd du haut ■**top-ˈlevel** adj (talks) au sommet ■**top-ˈnotch** adj Fam excellent ■**top-ˈranking** adj (official) haut placé ■**top-ˈsecret** adj top secret inv

top² [tɒp] (pt & pp -**pp**-) vt (exceed) dépasser; Br **to t. up** (glass) remplir (de nouveau); (mobile phone) recharger le compte de; **and to t. it all…** et pour comble…; **topped with cream** nappé de crème; **topped with cherries** décoré de cerises ■**topping** n (of pizza) garniture f; **with a t. of cream** nappé de crème

top³ [tɒp] n (spinning) **t.** toupie f

top-up [ˈtɒpʌp] n Br (for mobile phone) rechargement m; **would you like a t.?** (when serving drinks) vous en reprendrez bien un

peu?; Br Tel **t. card** (for mobile phone) carte f de recharge; Br Univ **t. fees** = frais de scolarité complémentaires déterminés par chaque université, venant s'ajouter aux frais fixes payés par tous les étudiants britanniques

topaz [ˈtəʊpæz] n topaze f

topic [ˈtɒpɪk] n sujet m ■**topical** adj d'actualité ■**topicality** [-ˈkælɪtɪ] n actualité f

topless [ˈtɒpləs] adj (woman) aux seins nus

topography [təˈpɒgrəfɪ] n topographie f

topple [ˈtɒpəl] **1** vt **to t. sth (over)** faire tomber qch **2** vi **to t. (over)** tomber

topside [ˈtɒpsaɪd] n Br (of beef) gîte m

topsy-turvy [tɒpsɪˈtɜːvɪ] adj & adv sens dessus dessous

torch [tɔːtʃ] n Br (electric) lampe f de poche; (flame) torche f ■**torchlight** **1** n **by t.** à la lumière d'une lampe de poche **2** adj **t. procession** retraite f aux flambeaux

tore [tɔː(r)] pt of **tear¹**

torment 1 [ˈtɔːment] n supplice m **2** [tɔːˈment] vt tourmenter

torn [tɔːn] pp of **tear¹**

tornado [tɔːˈneɪdəʊ] (pl -**oes**) n tornade f

torpedo [tɔːˈpiːdəʊ] **1** (pl -**oes**) n torpille f; **t. boat** torpilleur m **2** vt torpiller

torrent [ˈtɒrənt] n torrent m ■**torrential** [təˈrenʃəl] adj **t. rain** pluie f torrentielle

torrid [ˈtɒrɪd] adj (weather, love affair) torride

torso [ˈtɔːsəʊ] (pl -**os**) n torse m

tortoise [ˈtɔːtəs] n tortue f ■**tortoiseshell** adj (comb) en écaille; (spectacles) à monture d'écaille

tortuous [ˈtɔːtʃʊəs] adj tortueux, -ueuse

torture [ˈtɔːtʃə(r)] **1** n torture f; Fig **it's (sheer) t.!** quel supplice! **2** vt torturer ■**torturer** n tortionnaire mf

Tory [ˈtɔːrɪ] Br Pol **1** n tory m **2** adj tory inv

toss [tɒs] **1** n **with a t. of the head** d'un mouvement brusque de la tête; Br very Fam **I don't give a t.** je m'en fous **2** vt (throw) lancer (**to** à); (pancake) faire sauter; **to t. sb (about)** (of boat, vehicle) ballotter qn; **to t. a coin** jouer à pile ou face; **to t. back one's head** rejeter la tête en arrière **3** vi **to t. (about), to t. and turn** (in bed) se tourner et se retourner; **let's t. up, let's t. (up) for it** jouons-le à pile ou face ■**toss-up** n Fam **it's a t. whether she leaves or stays** on ne sait vraiment pas si elle va partir

tot [tɒt] **1** n (tiny) **t.** tout-petit m; Br **a t. of whisky** une goutte de whisky **2** (pt & pp -**tt**-) vt Fam **to t. up** (total) additionner

total [ˈtəʊtəl] **1** adj total; **the t. sales** le total des ventes **2** n total m; **in t.** au total **3** (Br -**ll**-, Am -**l**-) vt (of sum) s'élever à; Am Fam (car) bousiller; **to t. (up)** (find the total of) totaliser; **that totals $9** ça fait 9 dollars en tout ■**totally** adv totalement

totalitarian [təʊtælɪˈteərɪən] adj Pol totalitaire

tote [təʊt] **1** n Br Fam Sport pari m mutuel **2** vt Fam (carry) trimballer ■ **tote bag** n Am fourre-tout m inv

totter ['tɒtə(r)] vi chanceler

touch [tʌtʃ] **1** n (contact) contact m; (sense) toucher m; (of painter) & Football & Rugby touche f; **a t. of** (small amount) une pointe de; **to have a t. of flu** être un peu grippé; **to be/get in t. with sb** être/se mettre en contact avec qn; **to stay in/lose t. with sb** rester en/perdre contact avec qn; **it's t. and go whether he'll live** on n'est pas sûr du tout qu'il survivra **2** vt toucher; (interfere with, eat) toucher à; **I don't t. the stuff** (I hate it) je n'en bois/mange jamais; Fig **there's nothing to t. it** c'est sans égal **3** vi (of lines, hands, ends) se toucher; **don't t.!** ne touche pas! ■ **touchdown** n (of aircraft) atterrissage m; American Football but m ■ **touched** adj (emotionally) touché (**by** de); Fam (crazy) cinglé ■ **touching** adj touchant ■ **touchline** n ligne f de touche ■ **touch-type** vi taper au toucher ■ **touch-typing** n dactylographie f au toucher

► **touch down** vi (of plane) atterrir

► **touch on** vt insep aborder

► **touch up** vt sep (photo) retoucher

touchy ['tʌtʃɪ] (**-ier, -iest**) adj (sensitive) susceptible (**about** à propos de)

tough [tʌf] **1** (**-er, -est**) adj (strict, hard) dur; (sturdy) solide; **t. guy** dur m à cuire; Fam **t. luck!** pas de chance! **2** n dur m ■ **toughen** vt (body, person) endurcir; (conditions) durcir ■ **toughness** n (hardness) dureté f; (sturdiness) solidité f; (strength) force f

toupee ['tuːpeɪ] n postiche m

tour [tʊə(r)] **1** n (journey) voyage m; (visit) visite f; (by artist) tournée f; (on bicycle, on foot) randonnée f; **to be on a t.** (of tourist) faire un voyage organisé; **to go on t.** (of artist) être en tournée; (**package**) **t.** voyage organisé; **t. guide** guide mf; **t. operator** voyagiste m **2** vt visiter; (of artist) être en tournée en/dans

tourism ['tʊərɪzəm] n tourisme m ■ **tourist 1** n touriste mf **2** adj (region) touristique; Av **t. class** classe f touriste; **t. office** syndicat m d'initiative ■ **touristy** adj Fam (trop) touristique

tournament ['tʊənəmənt] n Sport & Hist tournoi m

tousled ['taʊzəld] adj (hair) ébouriffé

tout [taʊt] **1** n racoleur, -euse mf **2** vi **to t. for trade** racoler des clients

tow [təʊ] **1** n Br **'on t.'**, Am **'in t.'** 'en remorque'; Am **t. truck** dépanneuse f **2** vt remorquer; **to t. a car away** (of police) mettre une voiture à la fourrière ■ **towpath** n chemin m de halage ■ **towrope** n câble m de remorque

toward(s) [tə'wɔːd(z)] prep vers; (of feelings) envers; **cruel t. sb** cruel envers qn; **the money is going t. a new car** l'argent servira à l'achat d'une nouvelle voiture

towel ['taʊəl] n serviette f (de toilette); Br **t. rail**, Am **t. rack** porte-serviettes m inv ■ **towelling** (Am **toweling**) n tissu-éponge m; Am (**kitchen**) **t.** essuie-tout m inv

tower ['taʊə(r)] **1** n tour f; Br **t. block** tour f; Fig **ivory t.** tour d'ivoire **2** vi **to t. over sb/sth** dominer qn/qch ■ **towering** adj immense

town [taʊn] n ville f; **to go into t.** aller en ville; **country t.** bourg m; **t. centre** centre-ville m; Br **t. clerk** secrétaire mf de mairie; Br **t. council** conseil m municipal; Br **t. hall** mairie f; Br **t. planner** urbaniste mf; Br **t. planning** urbanisme m ■ **township** n (in South Africa) township f

toxic ['tɒksɪk] adj toxique ■ **toxin** n toxine f

toy [tɔɪ] **1** n jouet m **2** adj (gun) d'enfant; (house, car, train) miniature **3** vi **to t. with an idea** caresser une idée ■ **toy shop** n magasin m de jouets

trace [treɪs] **1** n trace f; **without t.** sans laisser de traces; Chem **t. element** oligoélément m **2** vt (diagram, picture) tracer; (person) retrouver la trace de; (history) retracer; **to t. sth back to…** faire remonter qch à… ■ **tracing** n (drawing) calque m; **t. paper** papier-calque m

track [træk] **1** n (mark) trace f; (trail) piste f; (path) chemin m, piste; (for trains) voie f; (of rocket) trajectoire f; (of record) morceau m; Am Sch classe f (de niveau); Am (racetrack) champ m de courses; **to keep t. of sth** surveiller qch; **to lose t. of** (friend) perdre de vue; (argument) perdre le fil de; **to be on the right t.** être sur la bonne voie; **off the beaten t.** (remote) loin des sentiers battus; Fam **to make tracks** filer; Sport **t. event** épreuve f sur piste; Fig **t. record** passé m **2** vt **to t. (down)** (find) retrouver ■ **tracker dog** n chien m policier ■ **tracking shot** n Cin travelling m ■ **track shoes** npl Am chaussures fpl d'athlétisme ■ **tracksuit** n survêtement m

tract [trækt] n (stretch of land) étendue f

traction ['trækʃən] n Tech traction f

tractor ['træktə(r)] n tracteur m

trade [treɪd] **1** n commerce m; (job) métier m; (exchange) échange m **2** adj (fair, balance, route) commercial; (price) de (demi-)gros; (secret) de fabrication; (barrier) douanier, -ière; Br **t. union** syndicat m; Br **t. unionist** syndicaliste mf **3** vt (exchange) échanger (**for** contre); **to t. sth in** (old article) faire reprendre qch **4** vi faire du commerce (**with** avec); **to t. in** (sugar) faire le commerce de ■ **trade-in** n Com reprise f ■ **trademark** n marque f de fabrique ■ **trade-off** n (compromise) compromis m ■ **trader** n Br (shopkeeper) commerçant, -ante mf; (on Stock Exchange) opérateur, -trice mf; Br **street t.** vendeur, -euse mf de rue ■ **tradesman** (pl **-men**) n Br commerçant m

trading ['treɪdɪŋ] **1** n commerce m **2** adj (port, debts, activity) commercial; (nation) commerçant; Br **t. estate** zone f industrielle

tradition [trə'dɪʃən] n tradition f ▪**traditional** adj traditionnel, -elle ▪**traditionalist** n traditionaliste mf ▪**traditionally** adv traditionnellement

traffic ['træfɪk] 1 n (a) (on road) circulation f; (air, sea, rail) trafic m; Am **t. circle** rond-point m; Br **t. cone** cône m de signalisation; **t. island** refuge m (pour piétons); **t. jam** embouteillage m; **t. lights** feux mpl (de signalisation); **t. warden** contractuel, -uelle mf (b) Pej (trade) trafic m (**in** de); **drug t.** trafic m de la drogue 2 (pt & pp **-ck-**) vi trafiquer (**in** de) ▪**trafficker** n Pej trafiquant, -ante mf

tragedy ['trædʒədɪ] (pl **-ies**) n tragédie f ▪**tragic** adj tragique ▪**tragically** adv tragiquement

trail [treɪl] 1 n (of smoke, blood, powder) traînée f; (path) piste f, sentier m; **in its t.** (wake) dans son sillage 2 vt (drag) traîner; (caravan) tracter; (follow) suivre 3 vi (drag) traîner; (of plant) ramper; (move slowly) se traîner; Sport **to be trailing (behind)** être mené ▪**trailer** n (a) (for car) remorque f; Am (caravan) caravane f; Am (camper) camping-car m (b) (advertisement for film) bande f annonce

train [treɪn] 1 n (a) (engine, transport) train m; (underground) rame f; **t. set** (toy) petit train m (b) (procession) file f; (of events) suite f; (of dress) traîne f; **my t. of thought** le fil de ma pensée 2 vt (person) former (**to do** à faire); Sport entraîner; (animal) dresser (**to do** à faire); (ear) exercer; **to t. oneself to do sth** s'entraîner à faire qch; **to t. sth on sb/sth** braquer qch sur qn/qch 3 vi Sport s'entraîner; **to t. as a nurse** faire une formation d'infirmière ▪**trained** adj (skilled) qualifié; (nurse, engineer) diplômé; (animal) dressé; (ear) exercé ▪**training** n formation f; Sport entraînement m; (of animal) dressage m; Sport **to be in t.** s'entraîner

trainee [treɪ'niː] n & adj stagiaire (mf)

trainer ['treɪnə(r)] n (of athlete, racehorse) entraîneur m; (of animals) dresseur m; Br **trainers** (shoes) chaussures fpl de sport

traipse [treɪps] vi Fam **to t. around** (tiredly) traîner les pieds; (wander) se balader; **to t. in** se pointer, se ramener

trait [treɪt] n trait m (de caractère)

traitor ['treɪtə(r)] n traître m, traîtresse f

trajectory [trə'dʒektərɪ] (pl **-ies**) n trajectoire f

tram [træm] n tram(way) m

tramp [træmp] 1 n Br (vagrant) clochard, -arde mf; Fam Pej (woman) traînée f; (sound) pas mpl lourds 2 vt (country) parcourir 3 vi marcher d'un pas lourd

trample ['træmpəl] vti **to t. sth (underfoot), to t. on sth** piétiner qch

trampoline [træmpə'liːn] n trampoline m

trance [trɑːns] n **to be in a t.** être en transe; **to go into a t.** entrer en transe

tranquil ['træŋkwɪl] adj tranquille ▪**tran-'quillity** (Am **tran'quility**) n tranquillité f ▪**tran-quillizer** (Am **tranquilizer**) n tranquillisant m

transaction [træn'zækʃən] n opération f, transaction f

transatlantic [trænzət'læntɪk] adj transatlantique

transcend [træn'send] vt transcender ▪**transcen'dental** adj transcendantal

transcribe [træn'skraɪb] vt transcrire ▪**'transcript** n transcription f ▪**tran'scription** n transcription f

transept ['trænsept] n transept m

transfer 1 [træns'fɜː(r)] [' trænsfɜː(r)] n transfert m (**to** à); (of political power) passation f; Br (picture, design) décalcomanie f; **credit t.** virement m bancaire 2 (pt & pp **-rr-**) vt transférer (**to** à); (political power) faire passer (**to** à); Br **to t. the charges** téléphoner en PCV 3 vi être transféré (**to** à) ▪**trans'ferable** adj **'not t.'** (on ticket) 'titre de transport nominal'

transform [træns'fɔːm] vt transformer (**into** en) ▪**transformation** [-fə'meɪʃən] n transformation f ▪**transformer** n El transformateur m

transfusion [træns'fjuːʒən] n (**blood**) **t.** transfusion f (sanguine)

transgenic [trænz'dʒenɪk] adj transgénique

transgress [trænz'gres] vt Formal (law) transgresser ▪**transgression** n transgression f

transient ['trænzɪənt] adj éphémère

transistor [træn'zɪstə(r)] n (device) transistor m; **t. (radio)** transistor

transit ['trænzɪt] n transit m; **in t.** en transit; Br **t. lounge** (in airport) salle f de transit

transition [træn'zɪʃən] n transition f ▪**transitional** adj de transition

transitive ['trænsɪtɪv] adj Grammar transitif

transitory ['trænzɪtərɪ] adj transitoire

translate [træns'leɪt] vt traduire (**from** de; **into** en) ▪**translation** n traduction f ▪**translator** n traducteur, -trice mf

transmit [trænz'mɪt] 1 (pt & pp **-tt-**) vt transmettre 2 vti (broadcast) émettre ▪**transmission** n transmission f; (broadcast) émission f ▪**transmitter** n Radio & TV émetteur m

transparent [træn'spærənt] adj transparent ▪**transparency** n transparence f; Br (photographic slide) diapositive f

transpire [træn'spaɪə(r)] vi (of secret) s'ébruiter; Fam (happen) arriver; **it transpired that...** il s'est avéré que...

> Note that the French word **transpirer** is a false friend. Its most common meaning is **to sweat**.

transplant 1 ['trænsplɑːnt] n (surgical) greffe f, transplantation f 2 [træns'plɑːnt] vt transplanter

transport 1 ['trænspɔːt] *n* transport *m* (**of** de); **do you have t.?** es-tu motorisé?; *Br* **t. café** routier *m* (*restaurant*) **2** [træn'spɔːt] *vt* transporter ▪ **transpor'tation** *n* transport *m*

transpose [træn'spəʊz] *vt* transposer ▪ **transposition** [-pə'zɪʃən] *n* transposition *f*

transsexual [træn(z)'seksjʊəl] *adj & n* transsexuel, -uelle (*mf*)

transvestite [trænz'vestaɪt] *n* travesti *m*

trap [træp] **1** *n* piège *m*; *Fam* (*mouth*) gueule *f* **2** (*pt & pp* **-pp-**) *vt* prendre au piège; **to t. one's finger** se coincer le doigt (**in** dans); **to t. sb into doing sth** faire faire qch à qn en usant de ruse ▪ **trapdoor** *n* trappe *f* ▪ **trapper** *n* (*hunter*) trappeur *m*

trapeze [trə'piːz] *n* trapèze *m*; **t. artist** trapéziste *mf*

trappings ['træpɪŋz] *npl* signes *mpl* extérieurs

trash [træʃ] *n* (*nonsense*) bêtises *fpl*; (*junk*) bric-à-brac *m inv*; *Am* (*waste*) ordures *fpl*; *Am* (*riffraff*) racaille *f* ▪ **trash can** *n Am* poubelle *f* ▪ **trashy** (**-ier, -iest**) *adj Fam* de pacotille; (*magazine, novel*) de bas étage

trauma ['trɔːmə, 'traʊmə] *n* traumatisme *m* ▪ **traumatic** [-'mætɪk] *adj* traumatisant ▪ **traumatize** *vt* traumatiser

travel ['trævəl] **1** *n* voyage *m*; **on my travels** au cours de mes voyages; **t. agency/agent** agence *f*/agent *m* de voyages; **t. book** récit *m* de voyages; **t. documents** titre *m* de transport; **t. insurance** assurance *f* voyage; **t. sickness** (*in car*) mal *m* de la route; (*in aircraft*) mal de l'air **2** (*Br* **-ll-**, *Am* **-l-**) *vt* (*country, distance, road*) parcourir **3** *vi* (*of person*) voyager; (*of vehicle, light, sound*) se déplacer ▪ **travelled** (*Am* **traveled**) *adj* **to be well** *or* **widely t.** avoir beaucoup voyagé ▪ **traveller** (*Am* **traveler**) *n* voyageur, -euse *mf*; *Br* **t.'s cheque**, *Am* **t.'s check** chèque *m* de voyage ▪ **travelling** (*Am* **traveling**) **1** *n* voyages *mpl* **2** *adj* (*bag, clothes*) de voyage; (*expenses*) de déplacement; (*musician, circus*) ambulant

travelogue ['trævəlɒg] (*Am* **travelog**) *n* (*book*) récit *m* de voyages

travesty ['trævəstɪ] (*pl* **-ies**) *n* parodie *f*; **a t. of justice** un simulacre de justice

trawler ['trɔːlə(r)] *n* (*ship*) chalutier *m*

tray [treɪ] *n* plateau *m*; (*in office*) corbeille *f*; **baking t.** plaque *f* de four

treacherous ['tretʃərəs] *adj* (*road, conditions*) très dangereux, -euse; (*journey*) parsemé d'embûches; (*person, action*) traître ▪ **treacherously** *adv* (*act*) traîtreusement; (*dangerously*) dangereusement ▪ **treachery** (*pl* **-ies**) *n* traîtrise *f*

treacle ['triːkəl] *n Br* mélasse *f*

tread [tred] **1** *n* (*footstep*) pas *m*; (*step of stairs*) marche *f*; (*of tyre*) chape *f* **2** (*pt* **trod**, *pp* **trodden**) *vt* marcher sur; **to t. sth into a** carpet étaler qch sur un tapis (avec ses chaussures); **to t. sth underfoot** fouler qch au pied **3** *vi* (*walk*) marcher (**on** sur)

treadmill ['tredmɪl] *n* tapis *m* roulant de jogging; *Pej & Fig* trahison *f*

treason ['triːzən] *n* trahison *f*

treasure ['treʒə(r)] **1** *n* trésor *m*; **t. hunt** chasse *f* au trésor **2** *vt* (*value*) tenir beaucoup à ▪ **treasurer** *n* trésorier, -ière *mf* ▪ **Treasury** *n Br Pol* **the T.** ≃ le ministère des Finances

treat [triːt] **1** *n* (*pleasure*) plaisir *m*; (*gift*) cadeau *m*; **to give sb a t.** faire plaisir à qn; **it's my t.** c'est moi qui régale; **to work a t.** marcher à merveille **2** *vt* (*person, illness, product*) traiter; **to t. sb/sth with care** prendre soin de qn/qch; **to t. sb like a child** traiter qn comme un enfant; **to t. sb to sth** offrir qch à qn

treatise ['triːtɪz] *n* traité *m* (**on** de)

treatment ['triːtmənt] *n* traitement *m*; **his t. of her** la façon dont il la traite/traitait

treaty ['triːtɪ] (*pl* **-ies**) *n* (*international*) traité *m*

treble ['trebəl] **1** *adj* triple; *Mus* **t. clef** clef *f* de sol; *Mus* **t. voice** voix *f* de soprano **2** *n* triple; **it's t. the price** c'est le triple du prix **3** *vti* tripler

tree [triː] *n* arbre *m* ▪ **tree-lined** *adj* bordé d'arbres ▪ **treetop** *n* cime *f* (d'un arbre) ▪ **tree trunk** *n* tronc *m* d'arbre

trek [trek] **1** *n* (*long walk*) randonnée *f*; *Fig* **it's quite a t. to the shops** ça fait loin à pied jusqu'aux magasins **2** (*pt & pp* **-kk-**) *vi* faire de la randonnée; *Fig* **to t. to the shops** se taper le chemin à pied jusqu'aux magasins

trellis ['trelɪs] *n* treillage *m*, treillis *m*

tremble ['trembəl] *vi* trembler (**with** de) ▪ **tremor** *n* tremblement *m*

tremendous [trə'mendəs] *adj* (*huge*) énorme; (*excellent*) formidable ▪ **tremendously** *adv* (*very*) extrêmement

trench [trentʃ] *n Mil* tranchée *f* ▪ **trench coat** *n* trench-coat *m*

trend [trend] *n* tendance *f* (**towards** à); (*fashion*) mode *f*; **to set a** *or* **the t.** lancer une mode ▪ **trendy** (**-ier, -iest**) *adj Br Fam* branché

trepidation [trepɪ'deɪʃən] *n Formal* inquiétude *f*

trespass ['trespəs] *vi* s'introduire illégalement dans une propriété privée; **'no trespassing'** 'entrée interdite'

> Note that the French verb **trépasser** is a false friend and is never a translation for the English verb **to trespass**. It means **to die**.

tresses ['tresɪz] *npl Literary* chevelure *f*

trestle ['tresəl] *n* tréteau *m*

trial ['traɪəl] **1** *n Law* procès *m*; (*test*) essai *m*; (*ordeal*) épreuve *f*; **to go** *or* **be on t., to stand t.** passer en jugement; **to put sb on t.** juger qn; **to be on t.** (*of product*) être à l'essai; **by t.**

and error par tâtonnements **2** *adj (period, flight, offer)* d'essai; **t. run** essai *m*

triangle ['traɪæŋgəl] *n* triangle *m*; *Am (set-square)* équerre *f* ▪**triangular** [-'æŋgjʊlə(r)] *adj* triangulaire

tribe [traɪb] *n* tribu *f* ▪**tribal** *adj* tribal

tribulations [trɪbjʊ'leɪʃənz] *npl* trials and t. tribulations *fpl*

tribunal [traɪ'bjuːnəl] *n* tribunal *m*

tributary [*Br* 'trɪbjʊtəri, *Am* -eri] (*pl* -ies) *n* affluent *m*

tribute ['trɪbjuːt] *n* hommage *m*; **to pay t. to** rendre hommage à

trick [trɪk] **1** *n (joke, deception, of conjurer)* tour *m*; *(clever method)* astuce *f*; *(in card game)* pli *m*; **card t.** tour de cartes; **the tricks of the trade** les ficelles *fpl* du métier; **to play a t. on sb** jouer un tour à qn; *Fam* **to do the t.** marcher; **t. photo** photo *f* truquée; **t. question** question *f* piège **2** *vt (deceive)* duper; **to t. sb into doing sth** amener qn à faire qch par la ruse ▪**trickery** *n* ruse *f*

trickle ['trɪkəl] **1** *n (of liquid)* filet *m*; *Fig* **a t. of** *(letters, people)* un petit nombre de **2** *vi (of liquid)* couler goutte à goutte; *Fig* **to t. in** *(of letters, people)* arriver en petit nombre

tricky ['trɪkɪ] (-**ier**, -**iest**) *adj (problem)* délicat

tricycle ['traɪsɪkəl] *n* tricycle *m*

trier ['traɪə(r)] *n Fam* **to be a t.** être persévérant

trifle ['traɪfəl] **1** *n (insignificant thing)* bagatelle *f*; *Br (dessert)* = dessert où alternent génoise, fruits en gelée et crème anglaise **2** *adv* **a t. wide** un tantinet trop large **3** *vi* **to t. with** plaisanter avec ▪**trifling** *adj* insignifiant

trigger ['trɪgə(r)] **1** *n (of gun)* détente *f* **2** *vt* **to t. sth (off)** déclencher qch ▪**trigger-happy** *adj (person)* qui a la gâchette facile

trilby ['trɪlbɪ] *n Br* **t. (hat)** chapeau *m* en feutre

trilingual [traɪ'lɪŋgwəl] *adj* trilingue

trilogy ['trɪlədʒɪ] (*pl* -ies) *n* trilogie *f*

trim [trɪm] **1** (**trimmer**, **trimmest**) *adj (neat)* soigné; *(slim)* svelte **2** *n* **to give sb's hair a t.** faire une coupe d'entretien à qn; **to keep in t.** garder la forme **3** (*pt & pp* -**mm**-) *vt* couper (un peu); **to t. sth with** sth orner qch de qch ▪**trimmings** *npl (on clothes)* garniture *f*; *(of meal)* accompagnements *mpl* traditionnels

Trinity ['trɪnɪtɪ] *n Rel* **the T.** la Trinité

trinket ['trɪŋkɪt] *n* babiole *f*

trio ['triːəʊ] (*pl* -os) *n* trio *m*

trip [trɪp] **1** *n (journey)* voyage *m*; *(outing)* excursion *f*; *(stumble)* faux pas *m*; **to take a t. to the shops** aller dans les magasins **2** (*pt & pp* -**pp**-) *vt* **to t. sb up** faire trébucher qn **3** *vi (walk gently)* marcher d'un pas léger; **to t. (over or up)** trébucher; **to t. over sth** trébucher sur qch

tripe [traɪp] *n (food)* tripes *fpl*; *Fam (nonsense)* bêtises *fpl*

triple ['trɪpəl] **1** *adj* triple **2** *vti* tripler ▪**triplets** *npl (children)* triplés, -ées *mfpl*

triplicate ['trɪplɪkət] *n* **in t.** en trois exemplaires

tripod ['traɪpɒd] *n* trépied *m*

tripper ['trɪpə(r)] *n Br* **day t.** excursionniste *mf*

trite [traɪt] *adj* banal (*mpl* -als) ▪**triteness** *n* banalité *f*

triumph ['traɪəmf] **1** *n* triomphe *m* (**over** sur) **2** *vi* triompher (**over** de) ▪**triumphal** [traɪ'ʌmfəl] *adj* triomphal ▪**triumphant** [traɪ'ʌmfənt] *adj* triomphant; *(success, welcome, return)* triomphal ▪**triumphantly** [traɪ'ʌmfəntlɪ] *adv* triomphalement

trivia ['trɪvɪə] *npl* vétilles *fpl* ▪**trivial** *adj (unimportant)* insignifiant; *(trite)* banal (*mpl* -als) ▪**triviality** [-vɪ'ælɪtɪ] *n* insignifiance *f*; *(triteness)* banalité *f* ▪**trivialize** *vt* banaliser

---

Note that the French word **trivial** is a false friend. It means **vulgar**.

---

trod [trɒd] *pt of* **tread**

trodden ['trɒdən] *pp of* **tread**

trolley ['trɒlɪ] (*pl* -eys) *n Br* chariot *m*; *Br* **(tea) t.** table *f* roulante; *Am* **t. (car)** tramway *m* ▪**trolleybus** *n Am* trolley *m*

trombone [trɒm'bəʊn] *n* trombone *m*

troop [truːp] **1** *n* bande *f*; *(of soldiers)* troupe *f*; **the troops** *(soldiers)* les troupes *fpl* **2** *vi* **to t. in/out** entrer/sortir en groupe ▪**trooper** *n Am (state)* **t.** membre *m* de la police montée ▪**trooping** *n Br* **t. the colour** salut *m* au drapeau

trophy ['trəʊfɪ] (*pl* -ies) *n* trophée *m*

tropic ['trɒpɪk] *n* tropique *m*; **in the tropics** sous les tropiques ▪**tropical** *adj* tropical

trot [trɒt] **1** *n* trot *m*; *Fam* **on the t.** *(consecutively)* de suite **2** (*pt & pp* -**tt**-) *vt Fam* **to t. sth out** débiter qch **3** *vi* trotter; *Br Fam Hum* **to t. off or along** *(leave)* se sauver

trouble ['trʌbəl] **1** *n (difficulty)* ennui *m*; *(inconvenience)* problème *m*; *(social unrest, illness)* trouble *m*; **to be in t.** avoir des ennuis; **to get into t.** s'attirer des ennuis; **to have t. with sb/sth** avoir des problèmes avec qn/qch; **to have t. doing sth** avoir du mal à faire qch; **to go to the t. of doing sth** se donner la peine de faire qch; **the t. with you is...** l'ennui avec toi, c'est que...; **it's not t.** pas de problème; *Br* **a spot of t.** un petit problème; **t. spot** point *m* chaud **2** *vt (inconvenience)* déranger; *(worry)* inquiéter; **to t. to do sth** se donner la peine de faire qch; **to t. oneself** se déranger ▪**troubled** *adj (person)* inquiet, -iète; *(period, region)* agité ▪**'trouble-'free** *adj* sans souci ▪**troublesome** *adj* pénible

troublemaker ['trʌbəlmeɪkə(r)] *n (in school)* élément *m* perturbateur; *(political)* fauteur *m* de troubles

troubleshooter ['trʌbəlʃuːtə(r)] *n Tech* dépanneur *m*; *Pol* conciliateur, -trice *mf*; *(for firm)* expert *m*

trough [trɒf] *n (for drinking)* abreuvoir *m*; *(for feeding)* auge *f*; **t. of low pressure** *(in weather front)* dépression *f*

trounce [traʊns] *vt (defeat)* écraser

troupe [truːp] *n (of actors)* troupe *f*

trousers ['traʊzəz] *npl Br* pantalon *m*; **a pair of t., some t.** un pantalon; **short t.** culottes *fpl* courtes ▪ **trouser suit** *n Br* tailleur-pantalon *m*

trousseau ['truːsəʊ] *(pl* **-eaux** *or* **-eaus** [-əʊz]*) n* trousseau *m*

trout [traʊt] *n inv* truite *f*

trowel ['traʊəl] *n (for cement or plaster)* truelle *f*; *(for plants)* déplantoir *m*

truant ['truːənt] *n (pupil)* élève *mf* qui fait l'école buissonnière; **to play t.** faire l'école buissonnière ▪ **truancy** *n* absentéisme *m* scolaire

> Note that the French word **truand** is a false friend. It means **crook**.

truce [truːs] *n Mil* trêve *f*

truck [trʌk] *n (lorry)* camion *m*; *Br Rail* wagon *m*; **t. driver** camionneur *m*; *Am* **t. farmer** maraîcher, -ère *mf*; *Am* **t. stop** *(restaurant)* routier *m* ▪ **trucker** *n Am* camionneur *m*

truculent ['trʌkjʊlənt] *adj* agressif, -ive

> Note that the French word **truculent** is a false friend. It means **colourful** or **vivid**.

trudge [trʌdʒ] *vi* marcher péniblement

true [truː] **(-er, -est)** *adj* vrai; *(genuine)* véritable; *(accurate)* exact; *(faithful)* fidèle **(to** à); **t. to life** conforme à la réalité; **to come t.** se réaliser; **to hold t.** être vrai **(for** de); *Fam* **too t.!** ah, ça oui!; **t. love** grand amour *m* ▪ **truly** *adv* vraiment; **well and t.** bel et bien; **yours t.** *(in letter)* je vous prie, Madame/Monsieur, d'agréer l'expression de mes sentiments distingués; *Fam Hum* mézigue

truffle ['trʌfəl] *n* truffe *f*

truism ['truːɪzəm] *n* truisme *m*

trump [trʌmp] **1** *n Cards & Fig* atout *m*; **spades are trumps** atout pique **2** *vt* **to t. sth up** inventer qch de toutes pièces

trumpet ['trʌmpɪt] *n* trompette *f*; **t. player** trompettiste *mf*

truncate [trʌŋ'keɪt] *vt* tronquer

truncheon ['trʌntʃən] *n Br* matraque *f*

trundle ['trʌndəl] *vti* **to t. along** rouler bruyamment

trunk [trʌŋk] *n (of tree, body)* tronc *m*; *(of elephant)* trompe *f*; *(case)* malle *f*; *Am (of vehicle)* coffre *m*; **trunks** *(for swimming)* slip *m* de bain; *Br* **t. road** route *f* nationale

truss [trʌs] **1** *n (belt, bandage)* bandage *m* herniaire **2** *vt* **to t. sb (up)** ligoter qn

trust [trʌst] **1** *n (faith)* confiance *f* **(in** en); *Fin* trust *m*; *Law* fidéicommis *m*; **to take sth on t.**

accepter qch de confiance **2** *vt (believe in)* faire confiance à; **to t. sb with sth, to t. sth to sb** confier qch à qn; **to t. sb to do sth** laisser à qn le soin de faire qch; **I t. that...** j'espère que...; *Fam* **t. him to say that!** c'est bien de lui! **3** *vi* **to t. in sb** faire confiance à qn; **to t. to luck** s'en remettre au hasard ▪ **trusted** *adj (method)* éprouvé; **he is a t. friend** c'est un ami en qui j'ai une confiance totale ▪ **trusting** *adj* qui fait confiance aux gens

trustee [trʌs'tiː] *n (of school, charity)* administrateur, -trice *mf*; *Law* fidéicommissaire *m*

trustworthy ['trʌstwɜːðɪ] *adj* digne de confiance

truth [truːθ] *(pl* **-s** [truːðz]*) n* vérité *f*; **to tell the t.** dire la vérité; **there's some t. in...** il y a du vrai dans... ▪ **truthful** *adj (story)* véridique; *(person)* sincère ▪ **truthfully** *adv* sincèrement

try [traɪ] **1** *(pl* **-ies)** *n (attempt) & Rugby* essai *m*; **to have a t. at sth/doing sth** essayer qch/de faire qch; **at (the) first t.** du premier coup; **it's worth a t.** ça vaut la peine d'essayer **2** *(pt & pp* **-ied)** *vt (attempt, sample)* essayer; *(food, drink)* goûter à; *Law (person)* juger **(for** pour); **to t. doing** *or* **to do sth** essayer de faire qch; **to t. one's hand at** s'essayer à; **to t. sb's patience** mettre à l'épreuve la patience de qn **3** *vi* essayer; **to t. hard** faire un gros effort; **t. and come!** essaie de venir! ▪ **trying** *adj* difficile

▸ **try on** *vt sep (clothes, shoes)* essayer

▸ **try out** *vt sep (car, method, recipe)* essayer; *(person)* mettre à l'essai

tsar [zɑː(r)] *n* tsar *m*

T-shirt ['tiːʃɜːt] *n* tee-shirt *m*

tub [tʌb] *n (basin)* baquet *m*; *esp Am (bath)* baignoire *f*; *Br (for ice cream)* pot *m*; *Br (for flower, bush)* bac *m*

tuba ['tjuːbə] *n* tuba *m*

tubby ['tʌbɪ] **(-ier, -iest)** *adj Fam* grassouillet, -ette

tube [tjuːb] *n* tube *m*; *(of tyre)* chambre *f* à air; *Br Fam* **the t.** *(underground railway)* le métro; **to go down the tubes** *(of money)* être foutu en l'air ▪ **tubing** *n* tuyaux *mpl* ▪ **tubular** *adj* tubulaire

tuberculosis [tjuːbɜːkjʊ'ləʊsɪs] *n Med* tuberculose *f*

TUC [tiːjuː'siː] *(abbr* **Trades Union Congress)** *n Br* = confédération des syndicats britanniques

tuck [tʌk] **1** *n (in garment)* pli *m*; *Br* **t. shop** *(in school)* boutique *f* de friandises **2** *vt (put)* mettre; **to t. sth away** *(put)* ranger qch; *(hide)* cacher qch; **to t. in** *(shirt, blanket)* rentrer; *(child)* border; **to t. one's sleeves up** remonter ses manches **3** *vi Br Fam* **to t. in** *(start eating)* attaquer; **to t. into a meal** attaquer un repas

Tuesday ['tjuːzdeɪ] *n* mardi *m*

tuft [tʌft] *n* touffe *f*

tug [tʌg] **1** *n* **to give sth a t.** tirer sur qch **2** *(pt & pp* **-gg-)** *vt (pull)* tirer sur **3** *vi* tirer **(at** *or* **on** sur) ▪ **tug(boat)** *n* remorqueur *m*

tuition [tjuː'ɪʃən] n (lessons) cours mpl; (fee) frais mpl de scolarité

tulip ['tjuːlɪp] n tulipe f

tumble ['tʌmbəl] 1 n (fall) chute f; **to take a t.** faire une chute; Fig (of prices) chuter 2 vi (of person) faire une chute; Fig (of prices) chuter; **to t. down** s'écrouler ▪**tumble-dry** vt Br (clothes) faire sécher au sèche-linge ▪**tumble-'dryer, tumble-'drier** n Br sèche-linge m inv

tumbledown ['tʌmbəldaʊn] adj délabré

tumbler ['tʌmblə(r)] n verre m droit

tummy ['tʌmɪ] n Fam ventre m; **to have a t. ache** avoir mal au ventre

tumour ['tjuːmə(r)] (Am **tumor**) n tumeur f

tumult ['tjuːmʌlt] n tumulte m ▪**tumultuous** [-'mʌltjʊəs] adj tumultueux, -ueuse

tuna ['tjuːnə] n **t. (fish)** thon m

tune [tjuːn] 1 n (melody) air m; **in t.** (instrument) accordé; **out of t.** (instrument) désaccordé; **to be** or **sing in t./out of t.** chanter juste/faux; Fig **to be in t. with sb/sth** être en harmonie avec qn/qch; **to the t. of £50** d'un montant de 50 livres 2 vt **to t. (up)** (instrument) accorder; (engine) régler 3 vi **to t. in** brancher son poste (**to** sur) ▪**tuning** n (of engine) réglage m; Mus **t. fork** diapason m

tuneful ['tjuːnfəl] adj mélodieux, -ieuse

tuner ['tjuːnə(r)] n (on TV, radio) tuner m

tunic ['tjuːnɪk] n tunique f

Tunisia [tjuː'nɪzɪə] n la Tunisie ▪**Tunisian** 1 adj tunisien, -ienne 2 n Tunisien, -ienne mf

tunnel ['tʌnəl] 1 n tunnel m; (in mine) galerie f 2 (Br **-ll-**, Am **-l-**) vi creuser un tunnel (**into** dans)

turban ['tɜːbən] n turban m

turbine [Br 'tɜːbaɪn, Am 'tɜːrbɪn] n turbine f

turbulence ['tɜːbjʊləns] n (of crowd) agitation; (when flying) turbulence f ▪**turbulent** adj (crowd) agité; (flight) turbulent

tureen [Br tjʊ'riːn, Am tə'riːn] n (soup) **t.** soupière f

turf [tɜːf] 1 n (grass) gazon m; **the t.** (horseracing) le turf; Br **t. accountant** bookmaker m 2 vt Br Fam **to t. sb out** (get rid of) jeter qn dehors

turgid ['tɜːdʒɪd] adj (style) ampoulé

Turkey ['tɜːkɪ] n la Turquie ▪**Turk** n Turc m, Turque f ▪**Turkish** 1 adj turc (f turque); **T. bath/coffee** bain m/café m turc; **T. delight** loukoum m 2 n (language) turc m

turkey ['tɜːkɪ] (pl **-eys**) n (bird) dinde f

turmoil ['tɜːmɔɪl] n (of person) émoi m; (of country) agitation f; **to be in t.** (of person) être dans tous ses états; (of country) être en ébullition

turn [tɜːn] 1 n (of wheel, in game, queue) tour m; (in road) tournant m; (of events, mind) tournure f; (performance) numéro m; Br Fam (fit) crise f; **to take turns** se relayer; **to take it in turns to do sth** se relayer pour faire qch; **in t.** à tour de rôle; **in one's t.** à son tour; **by turns** tour à tour; **it's**

your t. (to play) c'est à toi (de jouer); **to do sb a good t.** rendre service à qn; **the t. of the century** le tournant du siècle; **t. of phrase** tournure de phrase

2 vt tourner; (mechanically) faire tourner; (mattress, pancake) retourner; **to t. sb/sth into sb/sth** changer qn/qch en qn/qch; **to t. sth red/black** rougir/noircir qch; **to t. sth on sb** (aim) braquer qch sur qn; **she has turned twenty** elle a vingt ans passés; **it has turned seven** il est sept heures passées; **it turns my stomach** cela me soulève le cœur

3 vi (of wheel, driver) tourner; (of person) se retourner; **to t. red/black** rougir/noircir; **to t. nasty** (of person) devenir méchant; (of situation) mal tourner; **to t. to sb** se tourner vers qn; **to t. into sb/sth** devenir qn/qch; **to t. against sb** se retourner contre qn ▪**turn-off** n (on road) sortie f; Fam **to be a t.** être rébarbatif, -ive; (sexually) couper l'envie ▪**turn-on** n Fam **it's a real t.** (sexually) c'est excitant ▪**turnout** n (people) assistance f; (at polls) participation f ▪**turnover** n Com (sales) chiffre m d'affaires; (of stock) rotation f; (of staff) renouvellement m; Br **apple t.** chausson m aux pommes ▪**turn-up** n Br (on trousers) revers m

▸ **turn around** vi (of person) se retourner; (in vehicle) faire demi-tour

▸ **turn away** 1 vt sep (eyes) détourner (**from** de); (person) refuser 2 vi se détourner

▸ **turn back** 1 vt sep (sheets) rabattre; (person) refouler; (clock) retarder 2 vi (return) faire demi-tour

▸ **turn down** vt sep (gas, radio) baisser; (fold down) rabattre; (refuse) rejeter

▸ **turn in** 1 vt sep (lost property) rapporter à la police; (person) livrer à la police 2 vi Fam (go to bed) aller au pieu

▸ **turn off** 1 vt sep (light, radio) éteindre; (tap) fermer; (machine) arrêter; Fam **to t. sb off** dégoûter qn 2 vi (leave road) sortir

▸ **turn on** 1 vt sep (light, radio) allumer; (tap) ouvrir; (machine) mettre en marche; Fam **to t. sb on** (sexually) exciter qn 2 vi **to t. on sb** (attack) attaquer qn

▸ **turn out** 1 vt sep (light) éteindre; (pocket, box) vider; (produce) produire 2 vi (appear, attend) se déplacer; **it turns out that...** il s'avère que...; **she turned out to be...** elle s'est révélée être...

▸ **turn over** 1 vt sep (page) tourner 2 vi (of vehicle, person) se retourner; (of car) faire un tonneau

▸ **turn round** 1 vt sep (head) tourner; (object) retourner; (situation) renverser 2 vi (of person) se retourner; (in vehicle) faire demi-tour

▸ **turn up** 1 vt sep (radio, heat) mettre plus fort; (collar) remonter 2 vi (arrive) arriver; (be found) être retrouvé

turncoat ['tɜːnkəʊt] n renégat, -ate mf

turning ['tɜːnɪŋ] n Br (street) petite rue f; (bend in road) tournant m; Br Aut **t. circle** rayon m de braquage; Fig **t. point** tournant m

turnip ['tɜːnɪp] n navet m

turnpike ['tɜːnpaɪk] n Am autoroute f à péage

turnstile ['tɜːnstaɪl] n tourniquet m

turntable ['tɜːnteɪbəl] n platine f

turpentine ['tɜːpəntaɪn] n térébenthine f ▪**turps** n Br Fam térébenthine f

turquoise ['tɜːkwɔɪz] adj turquoise inv

turret ['tʌrɪt] n tourelle f

turtle ['tɜːtəl] n Br tortue f de mer; Am tortue f ▪**turtle dove** n tourterelle f ▪**turtleneck 1** adj (sweater) à col montant **2** n col m montant

tusk [tʌsk] n défense f

tussle ['tʌsəl] n bagarre f

tutor ['tjuːtə(r)] **1** n professeur m particulier; (in British university) directeur, -trice mf d'études; (in American university) assistant, -ante mf **2** vt donner des cours particuliers à ▪**tutorial** [-'tɔːrɪəl] n Univ ≃ travaux mpl dirigés

tuxedo [tʌk'siːdəʊ] (pl -os) n Am smoking m

TV [tiː'viː] n télé f; **on TV** à la télé

twaddle ['twɒdəl] n Fam fadaises fpl

twang [twæŋ] **1** n (sound) vibration f; (nasal voice) ton m nasillard **2** vi (of wire) vibrer

twee [twiː] adj Br Fam Pej cucul (la praline) inv

tweed [twiːd] n tweed m; **t. jacket** veste f en tweed

tweezers ['twiːzəz] npl pince f à épiler

twelve [twelv] adj & n douze (m) ▪**twelfth** adj & n douzième (mf)

twenty ['twentɪ] adj & n vingt (m) ▪**twentieth** adj & n vingtième (mf)

twerp [twɜːp] n Br Fam crétin, -ine mf

twice [twaɪs] adv deux fois; **t. as heavy (as…)** deux fois plus lourd (que…); **t. a month, t. monthly** deux fois par mois

twiddle ['twɪdəl] vti **to t. (with) sth** tripoter qch; **to t. one's thumbs** se tourner les pouces

twig¹ [twɪg] n (of branch) brindille f

twig² [twɪg] (pt & pp -gg-) vti Br Fam piger

twilight ['twaɪlaɪt] n crépuscule m

twin [twɪn] **1** n jumeau m, jumelle f; identical **t.** vrai jumeau, vraie jumelle; **t. beds** lits mpl jumeaux; **t. brother** frère m jumeau; **t. sister** sœur f jumelle; Br **t. town** ville f jumelée **2** (pt & pp -nn-) vt (town) jumeler

twine [twaɪn] **1** n (string) ficelle f **2** vi (twist) s'enrouler (**round** autour de)

twinge [twɪndʒ] n **a t. (of pain)** un élancement; **a t. of remorse** un peu de remords

twinkle ['twɪŋkəl] **1** n scintillement m; (in eye) pétillement m **2** vi (of star) scintiller; (of eye) pétiller

twirl [twɜːl] **1** vt faire tournoyer; (moustache) tortiller **2** vi tournoyer

twist [twɪst] **1** n (action) tour m; (bend)

tortillement m; (in road) tournant m; Fig (in story) tour inattendu; **t. of lemon** rondelle f de citron; **twists and turns** (of road) tours et détours mpl; (of events) rebondissements mpl **2** vt (wire, arm) tordre; (roll) enrouler (**round** autour de); (weave together) entortiller; **to t. one's ankle** se tordre la cheville; Fig **to t. sb's arm** forcer la main à qn; **to t. sth off** (lid) dévisser qch **3** vi (wind) s'entortiller (**round** sth autour de qch); (of road, river) serpenter ▪**twisted** adj (person, mind, logic) tordu ▪**twister** n Am (tornado) tornade f

twit [twɪt] n Br Fam andouille f

twitch [twɪtʃ] **1** n (jerk) secousse f; (nervous) tic m **2** vi (of person) avoir un tic; (of muscle) se contracter nerveusement

twitter ['twɪtə(r)] **1** n (of bird) pépiement m **2** vi pépier

two [tuː] adj & n deux (m) ▪**two-cycle** adj Am (engine) à deux temps ▪**two-di'mensional** adj à deux dimensions ▪**two-'faced** adj Fig hypocrite ▪**'two-'legged** [-legɪd] adj bipède ▪**two-piece** adj (suit, swimsuit) deux pièces ▪**two-'seater** n (car) voiture f à deux places ▪**two-way** adj **t. mirror** miroir m sans tain; **t. radio** émetteur-récepteur m; **t. traffic** circulation f dans les deux sens

twofold ['tuːfəʊld] **1** adj double **2** adv **to increase t.** doubler

twosome ['tuːsəm] n couple m

tycoon [taɪ'kuːn] n magnat m

type¹ [taɪp] n (**a**) (sort) genre m, type m; **blood t.** groupe m sanguin (**b**) (print) caractères mpl; **in large t.** en gros caractères ▪**typeface** n police f de caractères ▪**typeset** (pt & pp -set, pres p -setting) vt composer ▪**typesetter** n compositeur, -trice mf

type² [taɪp] **1** vti (write) taper (à la machine) **2** vt **to t. sth in** (on computer) entrer qch au clavier; **to t. sth out** (letter) taper qch ▪**typewriter** n machine f à écrire ▪**typewritten** adj dactylographié ▪**typing** n dactylographie f; **a page of t.** une page dactylographiée; **t. error** faute f de frappe ▪**typist** n dactylo f

typhoid ['taɪfɔɪd] n Med **t. (fever)** typhoïde f

typhoon [taɪ'fuːn] n typhon m

typical ['tɪpɪkəl] adj typique (**of** de); **that's t. (of him)!** c'est bien lui! ▪**typically** adv typiquement ▪**typify** (pt & pp -ied) vt caractériser

typo ['taɪpəʊ] (pl -os) n Fam (misprint) coquille f

tyranny ['tɪrənɪ] n tyrannie f ▪**tyrannical** [-'rænɪkəl] adj tyrannique ▪**tyrant** ['taɪərənt] n tyran m

tyre ['taɪə(r)] n Br pneu m; **t. pressure** pression f des pneus

U, u [juː] *n (letter)* U, u *m inv*

ubiquitous [juːˈbɪkwɪtəs] *adj* omniprésent

udder [ˈʌdə(r)] *n* pis *m*

UFO [juːefˈəʊ, ˈjuːfəʊ] *(pl* **UFOs**) *(abbr* **unidentified flying object**) *n* OVNI *m*

Uganda [juːˈɡændə] *n* l'Ouganda *m* ▪ **Ugandan 1** *adj* ougandais **2** *n* Ougandais, -aise

ugh [ʌχ] *exclam* berk!

ugly [ˈʌɡlɪ] (**-ier, -iest**) *adj* laid ▪ **ugliness** *n* laideur *f*

UK [juːˈkeɪ] *(abbr* **United Kingdom**) *n* RU *m*, Royaume-Uni *m*

Ukraine [juːˈkreɪn] *n* the U. l'Ukraine *f*

ulcer [ˈʌlsə(r)] *n* ulcère *m* ▪ **ulcerated** *adj* ulcéré

ulterior [ʌlˈtɪərɪə(r)] *adj* ultérieur; **u. motive** arrière-pensée *f*

ultimate [ˈʌltɪmət] *adj (last)* final; *(supreme, best)* absolu; **the u. holidays** les vacances *fpl* idéales ▪ **ultimately** *adv (finally)* finalement; *(basically)* en fin de compte

ultimatum [ʌltɪˈmeɪtəm] *n* ultimatum *m*; **to give sb an u.** lancer un ultimatum à qn

ultra- [ˈʌltrə] *pref* ultra-

ultramarine [ʌltrəməˈriːn] *adj & n* **u. (blue)** (bleu *(m)* d')outremer *(m)*

ultramodern [ʌltrəˈmɒdən] *adj* ultramoderne

ultrasound [ˈʌltrəsaʊnd] *n* ultrason *m*; *Fam* **to have an u.** passer une échographie

ultraviolet [ʌltrəˈvaɪələt] *adj* ultraviolet, -ette

umbilical [ʌmˈbɪlɪkəl] *adj* **u. cord** cordon *m* ombilical

umbrage [ˈʌmbrɪdʒ] *n Literary* **to take u.** prendre ombrage (**at** de)

umbrella [ʌmˈbrelə] *n* parapluie *m*; **u. stand** porte-parapluies *m inv*

> Note that the French word **ombrelle** is a false friend. It means **sunshade**.

umpire [ˈʌmpaɪə(r)] **1** *n* arbitre *m* **2** *vt* arbitrer

umpteen [ʌmpˈtiːn] *adj Fam* **u. times** je ne sais combien de fois ▪ **umpteenth** *adj Fam* énième

UN [juːˈen] *(abbr* **United Nations**) *n* ONU *f*

unabashed [ʌnəˈbæʃt] *adj* imperturbable

unabated [ʌnəˈbeɪtɪd] *adj* **to continue u.** continuer avec la même intensité

unable [ʌnˈeɪbəl] *adj* **to be u. to do sth** être incapable de faire qch; **he's u. to swim** il ne sait pas nager

unabridged [ʌnəˈbrɪdʒd] *adj* intégral

unacceptable [ʌnəkˈseptəbəl] *adj* inacceptable; **it's u. that...** il est inacceptable que... *(+ subjunctive)*

unaccompanied [ʌnəˈkʌmpənɪd] *adj (person)* non accompagné; *(singing)* sans accompagnement

unaccountable [ʌnəˈkaʊntəbəl] *adj* inexplicable ▪ **unaccountably** *adv* inexplicablement

unaccounted [ʌnəˈkaʊntɪd] *adj* **to be u. for** rester introuvable

unaccustomed [ʌnəˈkʌstəmd] *adj* inaccoutumé; **to be u. to sth/to doing sth** ne pas être habitué à qch/à faire qch

unadulterated [ʌnəˈdʌltəreɪtɪd] *adj* pur; *(food)* naturel, -elle

unaided [ʌnˈeɪdɪd] *adv* sans aide

unanimity [juːnəˈnɪmɪtɪ] *n* unanimité *f* ▪ **unanimous** [-ˈnænɪməs] *adj* unanime ▪ **unanimously** *adv* à l'unanimité

unannounced [ʌnəˈnaʊnst] **1** *adj* non annoncé **2** *adv* sans prévenir

unappetizing [ʌnˈæpɪtaɪzɪŋ] *adj* peu appétissant

unapproachable [ʌnəˈprəʊtʃəbəl] *adj* inaccessible

unarmed [ʌnˈɑːmd] *adj* non armé; **u. combat** combat *m* à mains nues

unashamed [ʌnəˈʃeɪmd] *adj (person)* sans honte; *(look, curiosity)* non dissimulé; **she's u. about it** elle n'en a pas honte ▪ **unashamedly** [-ɪdlɪ] *adv* sans aucune honte

unassailable [ʌnəˈseɪləbəl] *adj (castle)* imprenable; *(argument, reputation)* inattaquable

unassuming [ʌnəˈsjuːmɪŋ] *adj* sans prétention

unattached [ʌnəˈtætʃt] *adj (not connected)* détaché; *(without partner)* sans attaches

unattainable [ʌnəˈteɪnəbəl] *adj* inaccessible

unattended [ʌnəˈtendɪd] *adv* **to leave sb/sth u.** laisser qn/qch sans surveillance

unattractive [ʌnəˈtræktɪv] *adj* peu attrayant

unauthorized [ʌnˈɔːθəraɪzd] *adj* non autorisé

unavailable [ʌnəˈveɪləbəl] *adj* non disponible; **to be u.** ne pas être disponible

unavoidable [ʌnəˈvɔɪdəbəl] *adj* inévitable ▪ **unavoidably** *adv* inévitablement; **to be u. detained** être retardé pour des raisons indépendantes de sa volonté

unaware [ʌnəˈweə(r)] *adj* **to be u. of sth** ignorer qch; **to be u. that...** ignorer que... ▪ **unawares** *adv* **to catch sb u.** prendre qn au dépourvu

unbalanced [ʌnˈbælənst] *adj (mind, person)* instable

unbearable [ʌn'beərəbəl] *adj* insupportable
▪ **unbearably** *adv* insupportablement

unbeatable [ʌn'biːtəbəl] *adj* imbattable
▪ **unbeaten** *adj (player)* invaincu; *(record)* jamais battu

unbeknown [ʌnbɪ'nəʊn] *adj* **u. to sb** à l'insu de qn

unbelievable [ʌnbɪ'liːvəbəl] *adj* incroyable
▪ **unbelieving** *adj* incrédule

unbias(s)ed [ʌn'baɪəst] *adj* impartial

unblock [ʌn'blɒk] *vt (sink, pipe)* déboucher

unbolt [ʌn'bəʊlt] *vt (door)* déverrouiller

unborn ['ʌn'bɔːn] *adj* **u. child** enfant *mf* à naître

unbounded [ʌn'baʊndɪd] *adj* sans borne(s)

unbreakable [ʌn'breɪkəbəl] *adj* incassable
▪ **unbroken** *adj (intact)* intact; *(continuous)* continu; *(record)* jamais battu

unbridled [ʌn'braɪdəld] *adj* débridé

unburden [ʌn'bɜːdən] *vt* **to u. oneself** se confier (**to** à)

unbutton [ʌn'bʌtən] *vt* déboutonner

uncalled-for [ʌn'kɔːldfɔː(r)] *adj* déplacé

uncanny [ʌn'kænɪ] (**-ier, -iest**) *adj* étrange

unceasing [ʌn'siːsɪŋ] *adj* incessant ▪ **unceasingly** *adv* sans cesse

unceremoniously [ʌnserɪ'məʊnɪəslɪ] *adv (to treat sb)* sans ménagement; *(show sb out)* brusquement

uncertain [ʌn'sɜːtən] *adj* incertain; **to be u. about sth** ne pas être certain de qch; **it's u. whether** *or* **that...** il n'est pas certain que... *(+ subjunctive)*; **I'm u. whether to stay (or not)** je ne sais pas très bien si je dois rester (ou pas) ▪ **uncertainty** *(pl* **-ies)** *n* incertitude *f*

unchanged [ʌn'tʃeɪndʒd] *adj* inchangé ▪ **unchanging** *adj* immuable

uncharitable [ʌn'tʃærɪtəbəl] *adj* peu charitable

unchecked [ʌn'tʃekt] *adv* sans que rien ne soit fait

uncivil [ʌn'sɪvəl] *adj* impoli

uncivilized [ʌn'sɪvɪlaɪzd] *adj* non civilisé

unclaimed [ʌn'kleɪmd] *adj (luggage)* non réclamé

uncle ['ʌŋkəl] *n* oncle *m*

unclear [ʌn'klɪə(r)] *adj* vague; *(result)* incertain; **it's u. whether...** on ne sait pas très bien si...

uncomfortable [ʌn'kʌmftəbəl] *adj* inconfortable; *(heat, experience)* désagréable; *(silence)* gêné; **to feel u.** *(physically)* ne pas être à l'aise; *(ill at ease)* être mal à l'aise ▪ **uncomfortably** *adv* inconfortablement; *(unpleasantly)* désagréablement

uncommitted [ʌnkə'mɪtɪd] *adj* indécis

uncommon [ʌn'kɒmən] *adj* peu commun ▪ **uncommonly** *adv (very)* extraordinairement; **not u.** *(fairly often)* assez souvent

uncommunicative [ʌnkə'mjuːnɪkətɪv] *adj* peu communicatif, -ive

uncomplicated [ʌn'kɒmplɪkeɪtɪd] *adj* simple

uncompromising [ʌn'kɒmprəmaɪzɪŋ] *adj* intransigeant

unconcerned [ʌnkən'sɜːnd] *adj* indifférent

unconditional [ʌnkən'dɪʃənəl] *adj* sans condition

unconfirmed [ʌnkən'fɜːmd] *adj* non confirmé

unconnected [ʌnkə'nektɪd] *adj* sans lien

unconscious [ʌn'kɒnʃəs] **1** *adj (person)* sans connaissance; *(desire)* inconscient; **to be u. of sth** ne pas avoir conscience de qch **2** *n* **the u.** l'inconscient *m* ▪ **unconsciously** *adv* inconsciemment

uncontrollable [ʌnkən'trəʊləbəl] *adj* incontrôlable ▪ **uncontrollably** *adv (laugh, sob)* sans pouvoir s'arrêter

unconventional [ʌnkən'venʃənəl] *adj* non conformiste

unconvinced [ʌnkən'vɪnst] *adj* **to be** *or* **remain u.** ne pas être convaincu (**of** de) ▪ **unconvincing** *adj* peu convaincant

uncooked [ʌn'kʊkt] *adj* cru

uncooperative [ʌnkəʊ'ɒpərətɪv] *adj* peu coopératif, -ive

uncork [ʌn'kɔːk] *vt* déboucher

uncouth [ʌn'kuːθ] *adj* fruste

uncover [ʌn'kʌvə(r)] *vt* découvrir

unctuous ['ʌŋktjʊəs] *adj (insincere)* onctueux, -ueuse

uncut [ʌn'kʌt] *adj (film, play, version)* intégral; *(diamond)* brut

undamaged [ʌn'dæmɪdʒd] *adj* intact

undated [ʌn'deɪtɪd] *adj* non daté

undaunted [ʌn'dɔːntɪd] *adj* nullement impressionné

undecided [ʌndɪ'saɪdɪd] *adj (person)* indécis (**about** sur); **I'm u. whether to do it or not** je n'ai pas décidé si je le ferai ou non

undefeated [ʌndɪ'fiːtɪd] *adj* invaincu

undeniable [ʌndɪ'naɪəbəl] *adj* indéniable

under ['ʌndə(r)] **1** *prep* sous; *(less than)* moins de; **children u. nine** les enfants de moins de neuf ans; **u. there** là-dessous; **u. it** dessous; **u. (the command of) sb** sous les ordres de qn; **u. the terms of the agreement** selon l'accord; **u. the circumstances** dans ces circonstances; **to be u. age** être mineur; **to be u. discussion/repair** être en discussion/réparation; **to be u. way** *(in progress)* être en cours; *(on the way)* être en route; **to get u. way** *(of campaign)* démarrer; **to be u. the impression that...** avoir l'impression que... **2** *adv* au-dessous

undercarriage ['ʌndəkærɪdʒ] *n* train *m* d'atterrissage

undercharge [ʌndə'tʃɑːdʒ] *vt* se tromper dans l'addition de *(à l'avantage du client)*; **I undercharged him (for it)** je ne (le) lui ai pas fait payer assez

underclothes ['ʌndəkləʊðz] *npl* sous-vêtements *mpl*

undercoat ['ʌndəkəʊt] *n* sous-couche *f*

undercooked [ʌndə'kʊkt] *adj* pas assez cuit

undercover ['ʌndəkʌvə(r)] *adj* secret, -ète

undercurrent ['ʌndəkʌrənt] n (in sea) courant m sous-marin; **an u. of discontent** un mécontentement sous-jacent

undercut [ʌndə'kʌt] (pt & pp **-cut**, pres p **-cutting**) vt vendre moins cher que

underdeveloped [ʌndədɪ'veləpt] adj (country, region) sous-développé

underdog ['ʌndədɒg] n (politically, socially) opprimé, -ée mf; (likely loser) outsider m

underdone [ʌndə'dʌn] adj (food) pas assez cuit; (steak) saignant

underestimate [ʌndər'estimeɪt] vt sousestimer

underfed [ʌndə'fed] adj sous-alimenté

underfoot [ʌndə'fʊt] adv sous les pieds; **to trample sth u.** piétiner qch

undergo [ʌndə'gəʊ] (pt **-went**, pp **-gone**) vt subir; **to u. surgery** être opéré

undergraduate [ʌndə'grædʒʊət] n étudiant, -iante mf de licence

underground ['ʌndəgraʊnd] 1 adj souterrain; Fig (secret) clandestin 2 n Br (railway) métro m; Pol (organization) résistance f 3 [ʌndə'graʊnd] adv sous terre; Fig **to go u.** (of fugitive) passer dans la clandestinité

undergrowth ['ʌndəgrəʊθ] n brousailles fpl

underhand [ʌndə'hænd] adj sournois

underlie [ʌndə'laɪ] (pt **-lay**, pp **-lain**, pres p **-lying**) vt sous-tendre ■**underlying** adj sousjacent

underline [ʌndə'laɪn] vt souligner

underling ['ʌndəlɪŋ] n Pej subalterne mf

undermine [ʌndə'maɪn] vt (weaken) saper

underneath [ʌndə'ni:θ] 1 prep sous 2 adv (en) dessous; **the book u.** le livre d'en dessous 3 n **the u.** (of) le dessous (de)

undernourished [ʌndə'nʌrɪʃt] adj sous-alimenté

underpants ['ʌndəpænts] npl (male underwear) slip m

underpass ['ʌndəpɑ:s] n (for pedestrians) passage m souterrain; (for vehicles) passage inférieur

underpay [ʌndə'peɪ] vt sous-payer ■**underpaid** adj sous-payé

underprice [ʌndə'praɪs] vt vendre au-dessous de sa valeur

underprivileged [ʌndə'prɪvɪlɪdʒd] adj défavorisé

underrate [ʌndə'reɪt] vt sous-estimer

underscore [ʌndə'skɔ:(r)] vt souligner

undersecretary [ʌndə'sekrətərɪ] n Pol soussecrétaire mf

undershirt ['ʌndəʃɜ:t] n Am maillot m de corps

underside ['ʌndəsaɪd] n **the u.** (of) le dessous (de)

undersigned ['ʌndəsaɪnd] adj **I, the u.** je soussigné(e)

undersized [ʌndə'saɪzd] adj trop petit

underskirt ['ʌndəskɜ:t] n jupon m

understaffed [ʌndə'stɑ:ft] adj (office, organization) **to be u.** manquer de personnel

understand [ʌndə'stænd] (pt & pp **-stood**) vti comprendre; **I u. that...** je crois comprendre que...; **I've been given to u. that...** on m'a fait comprendre que...; **to make oneself understood** se faire comprendre ■**understanding 1** n (act, faculty) compréhension f; (agreement) accord m, entente f; (sympathy) entente; **on the u. that...** à condition que... (+ subjunctive) **2** adj (person) compréhensif, -ive ■**understood** adj (agreed) entendu; (implied) sous-entendu

understandable [ʌndə'stændəbəl] adj compréhensible ■**understandably** adv naturellement

understatement ['ʌndəsteɪtmənt] n euphémisme m

understudy ['ʌndəstʌdɪ] (pl **-ies**) n doublure f

undertake [ʌndə'teɪk] (pt **-took**, pp **-taken**) vt (task) entreprendre; (responsibility) assumer; **to u. to do sth** entreprendre de faire qch ■**undertaking** n (task) entreprise f; (promise) promesse f

undertaker ['ʌndəteɪkə(r)] n entrepreneur m de pompes funèbres

undertone ['ʌndətəʊn] n **in an u.** à mi-voix; Fig **an u. of** (criticism, sadness) une nuance de

undervalue [ʌndə'vælju:] vt sous-évaluer; **it's undervalued at £10** ça vaut plus que 10 livres

underwater 1 ['ʌndəwɔ:tə(r)] adj de plongée **2** [ʌndə'wɔ:tə(r)] adv sous l'eau

underwear ['ʌndəweə(r)] n sous-vêtements mpl

underweight [ʌndə'weɪt] adj (person) trop maigre

underworld ['ʌndəwɜ:ld] n **the u.** (criminals) la pègre

undeserved [ʌndɪ'zɜ:vd] adj immérité

undesirable [ʌndɪ'zaɪərəbəl] adj & n indésirable (mf)

undetected [ʌndɪ'tektɪd] adj (crime) non découvert; **to go u.** (of crime) ne pas être découvert; (of person) passer inaperçu

undies ['ʌndɪz] npl Fam dessous mpl

undignified [ʌn'dɪgnɪfaɪd] adj indigne

undisciplined [ʌn'dɪsɪplɪnd] adj indiscipliné

undiscovered [ʌndɪ'skʌvəd] adj **to remain u.** (of crime, body) ne pas être découvert

undisputed [ʌndɪ'spju:tɪd] adj incontesté

undistinguished [ʌndɪ'stɪŋgwɪʃt] adj médiocre

undisturbed [ʌndɪ'stɜ:bd] adj **to leave sb u.** ne pas déranger qn

undivided [ʌndɪ'vaɪdɪd] adj **my u. attention** toute mon attention

undo [ʌn'du:] (pt **-did**, pp **-done**) vt défaire; (bound person) détacher; (parcel) ouvrir; (mistake, damage) réparer; Comptr (command) annuler ■**undoing** n ruine f ■**undone** [ʌn'dʌn] adj **to come u.** (of knot) se défaire; **to leave sth u.** (work) ne pas faire qch

undoubted [ʌn'daʊtɪd] adj indubitable ■**undoubtedly** adv indubitablement

undreamt-of [ʌn'dremtɒv] adj inimaginable

undress [ʌn'dres] **1** *vt* déshabiller; **to get undressed** se déshabiller **2** *vi* se déshabiller

undrinkable [ʌn'drɪnkəbəl] *adj* imbuvable

undue [ʌn'djuː] *adj* excessif, -ive ▪ **unduly** *adv* excessivement

undulating ['ʌndjʊleɪtɪŋ] *adj (movement)* onduleux, -euse; *(countryside)* vallonné

undying [ʌn'daɪɪŋ] *adj (love)* éternel, -elle

unearned [ʌn'ɜːnd] *adj* **u. income** rentes *fpl*

unearth [ʌn'ɜːθ] *vt (from ground)* déterrer; *Fig (discover)* mettre à jour

unearthly [ʌn'ɜːθlɪ] *adj* mystérieux, -ieuse; *Fam* **at an u. hour** à une heure impossible

uneasy [ʌn'iːzɪ] *adj (person)* mal à l'aise; *(sleep)* agité; *(silence)* gêné

uneatable [ʌn'iːtəbəl] *adj (bad)* immangeable; *(poisonous)* non comestible

uneconomic(al) [ʌniːkəˈnɒmɪk(əl)] *adj* peu économique

uneducated [ʌn'edjʊkeɪtɪd] *adj (person)* sans éducation; *(accent)* populaire

unemotional [ʌnɪ'məʊʃənəl] *adj* impassible; *(speech)* sans passion

unemployed [ʌnɪm'plɔɪd] **1** *adj* au chômage **2** *npl* **the u.** les chômeurs *mpl* ▪ **unemployment** *n* chômage *m*; **u. rate** taux *m* de chômage

unending [ʌn'endɪŋ] *adj* interminable

unenthusiastic [ʌnɪnθjuːzɪ'æstɪk] *adj* peu enthousiaste

unenviable [ʌn'envɪəbəl] *adj* peu enviable

unequal [ʌn'iːkwəl] *adj* inégal; **to be u. to the task** ne pas être à la hauteur de la tâche ▪ **unequalled** *(Am* **unequaled)** *adj (incomparable)* inégalé

unequivocal [ʌnɪ'kwɪvəkəl] *adj* sans équivoque ▪ **unequivocally** *adv* sans équivoque

unerring [ʌn'ɜːrɪŋ] *adj* infaillible

unethical [ʌn'eθɪkəl] *adj* contraire à l'éthique

uneven [ʌn'iːvən] *adj* inégal ▪ **unevenly** *adv* inégalement

uneventful [ʌnɪ'ventfəl] *adj* sans histoires

unexceptionable [ʌnɪk'sepʃənəbəl] *adj* irréprochable

unexpected [ʌnɪk'spektɪd] *adj* inattendu ▪ **unexpectedly** *adv (arrive)* à l'improviste; *(fail, succeed)* contre toute attente

unexplained [ʌnɪk'spleɪnd] *adj* inexpliqué

unfailing [ʌn'feɪlɪŋ] *adj (optimism, courage)* à toute épreuve; *(supply)* inépuisable

unfair [ʌn'feə(r)] *adj* injuste (**to sb** envers qn); *(competition)* déloyal ▪ **unfairly** *adv* injustement ▪ **unfairness** *n* injustice *f*

unfaithful [ʌn'feɪθfəl] *adj* infidèle (**to** à)

unfamiliar [ʌnfə'mɪlɪə(r)] *adj* inconnu; **to be u. with sth** ne pas connaître qch

unfashionable [ʌn'fæʃənəbəl] *adj* démodé

unfasten [ʌn'fɑːsən] *vt* défaire

unfavourable [ʌn'feɪvərəbəl] *(Am* **unfavorable)** *adj* défavorable

unfeeling [ʌn'fiːlɪŋ] *adj* insensible

unfinished [ʌn'fɪnɪʃt] *adj* inachevé; **to have some u. business** avoir une affaire à régler

unfit [ʌn'fɪt] *adj (unsuitable)* inapte; *(in bad shape)* pas en forme; **to be u. to do sth** être incapable de faire qch; **u. for human consumption** impropre à la consommation; **u. mother** mère *f* indigne

unflagging [ʌn'flægɪŋ] *adj (optimism, zeal)* inépuisable; *(interest, attention)* sans faille

unflappable [ʌn'flæpəbəl] *adj Br Fam* imperturbable

unflattering [ʌn'flætərɪŋ] *adj* peu flatteur, -euse

unflinching [ʌn'flɪntʃɪŋ] *adj (courage)* inépuisable; *(resolve, loyalty, support)* à toute épreuve

unfold [ʌn'fəʊld] **1** *vt* déplier; *(wings)* déployer; *Fig (intentions, plan)* dévoiler **2** *vi (of story, view)* se dérouler

unforeseeable [ʌnfɔː'siːəbəl] *adj* imprévisible ▪ **unforeseen** *adj* imprévu

unforgettable [ʌnfə'getəbəl] *adj* inoubliable

unforgivable [ʌnfə'gɪvəbəl] *adj* impardonnable ▪ **unforgiving** *adj* impitoyable

unfortunate [ʌn'fɔːtʃənət] *adj* malchanceux, -euse; *(event)* fâcheux, -euse; **you were u.** tu n'as pas eu de chance ▪ **unfortunately** *adv* malheureusement

unfounded [ʌn'faʊndɪd] *adj (rumour, argument)* sans fondement

unfriendly [ʌn'frendlɪ] *adj* peu aimable (**to** avec) ▪ **unfriendliness** *n* froideur *f*

unfulfilled [ʌnfʊl'fɪld] *adj (desire)* insatisfait; *(plan, dream)* non réalisé; *(condition)* non rempli

unfurl [ʌn'fɜːl] *vt* déployer

unfurnished [ʌn'fɜːnɪʃt] *adj* non meublé

ungainly [ʌn'geɪnlɪ] *adj (clumsy)* gauche

unglued [ʌn'gluːd] *adj Am Fam* **to come u.** *(confused)* perdre les pédales, s'affoler

ungodly [ʌn'gɒdlɪ] *adj (sinful)* impie; *Fam* **at an u. hour** à une heure impossible

ungracious [ʌn'greɪʃəs] *adj* peu aimable

ungrammatical [ʌngrə'mætɪkəl] *adj* non grammatical

ungrateful [ʌn'greɪtfəl] *adj* ingrat

unguarded [ʌn'gɑːdɪd] *adj (place)* sans surveillance; **in an u. moment** dans un moment d'inattention

unhappy [ʌn'hæpɪ] (**-ier, -iest**) *adj (sad, unfortunate)* malheureux, -euse; *(not pleased)* mécontent; **to be u. about doing sth** ne pas vouloir faire qch ▪ **unhappily** *adv (unfortunately)* malheureusement ▪ **unhappiness** *n* tristesse *f*

unharmed [ʌn'hɑːmd] *adj* indemne

unhealthy [ʌn'helθɪ] (**-ier, -iest**) *adj (person)* maladif, -ive; *(climate, place, job)* malsain; *(lungs)* malade

unheard-of [ʌn'hɜːdɒv] *adj (unprecedented)* inouï

unheeded [ʌn'hiːdɪd] *adj* **it went u.** on n'en a pas tenu compte

unhelpful [ʌn'helpfəl] *adj* *(person)* peu serviable; *(advice)* peu utile

unhinged [ʌn'hɪndʒd] *adj* *(person, mind)* déséquilibré

unholy [ʌn'həʊlɪ] **(-ier, -iest)** *adj* impie; *Fam (noise)* de tous les diables

unhook [ʌn'hʊk] *vt (picture, curtain)* décrocher; *(dress)* dégrafer

unhoped-for [ʌn'həʊptfɔː(r)] *adj* inespéré

unhurried [ʌn'hʌrɪd] *adj (movement)* lent; *(stroll, journey)* fait sans hâte

unhurt [ʌn'hɜːt] *adj* indemne

unhygienic [ʌnhaɪ'dʒiːnɪk] *adj* contraire à l'hygiène

unicorn ['juːnɪkɔːn] *n* licorne *f*

unidentified [ʌnaɪ'dentɪfaɪd] *adj* **u. flying object** objet *m* volant non identifié

uniform ['juːnɪfɔːm] **1** *n* uniforme *m* **2** *adj (regular)* uniforme; *(temperature)* constant ▪ **uniformed** *adj (police officer)* en uniforme ▪ **uni'formity** *n* uniformité *f* ▪ **uniformly** *adv* uniformément

unify ['juːnɪfaɪ] *(pt & pp* **-ied)** *vt* unifier ▪ **unification** [-fɪ'keɪʃən] *n* unification *f*

unilateral [juːnɪ'lætərəl] *adj* unilatéral

unimaginable [ʌnɪ'mædʒɪnəbəl] *adj* inimaginable ▪ **unimaginative** *adj (person, plan)* qui manque d'imagination

unimpaired [ʌnɪm'peəd] *adj* intact

unimportant [ʌnɪm'pɔːtənt] *adj* sans importance

uninformative [ʌnɪn'fɔːmətɪv] *adj* peu instructif, -ive

uninhabitable [ʌnɪn'hæbɪtəbəl] *adj* inhabitable ▪ **uninhabited** *adj* inhabité

uninhibited [ʌnɪn'hɪbɪtɪd] *adj (person)* sans complexes

uninitiated [ʌnɪ'nɪʃɪeɪtɪd] *npl* **the u.** les non-initiés *mpl*

uninjured [ʌn'ɪndʒəd] *adj* indemne

uninspiring [ʌnɪn'spaɪərɪŋ] *adj (subject)* pas très inspirant

unintelligible [ʌnɪn'telɪdʒəbəl] *adj* inintelligible

unintended [ʌnɪn'tendɪd] *adj* involontaire

unintentional [ʌnɪn'tenʃənəl] *adj* involontaire

uninterested [ʌn'ɪntrɪstɪd] *adj* indifférent (**in** à) ▪ **uninteresting** *adj* inintéressant

uninterrupted [ʌnɪntə'rʌptɪd] *adj* ininterrompu

uninvited [ʌnɪn'vaɪtɪd] *adv (arrive)* sans invitation ▪ **uninviting** *adj* peu attrayant

union ['juːnɪən] **1** *n* union *f*; *(trade union)* syndicat *m* **2** *adj* syndical; **u. member** syndicaliste *mf*; **the U. Jack** = le drapeau britannique ▪ **unionist** *n* *Br* **trade u.,** *Am* **labor u.** syndicaliste *mf* ▪ **unionize** *vt* syndiquer

unique [juː'niːk] *adj* unique ▪ **uniquely** *adv (remarkably)* exceptionnellement

unisex ['juːnɪseks] *adj (clothing, hairdresser's)* unisexe

unison ['juːnɪsən] *n* **in u.** à l'unisson (**with** de)

unit ['juːnɪt] *n* unité *f*; *(of furniture)* élément *m*; *(system)* bloc *m*; *(group, team)* groupe *m*; **psychiatric/heart u.** *(of hospital)* service *m* de psychiatrie/cardiologie; **research u.** centre *m* de recherche; *Br Fin* **u. trust** fonds *m* commun de placement

unite [juː'naɪt] **1** *vt* unir; *(country, party)* unifier; **the United Kingdom** le Royaume-Uni; **the United Nations** les Nations *fpl* unies; **the United States (of America)** les États-Unis *mpl* (d'Amérique) **2** *vi* s'unir

unity ['juːnɪtɪ] *n (cohesion)* unité *f*; *Fig (harmony)* harmonie *f*

universal [juːnɪ'vɜːsəl] *adj* universel, -elle ▪ **universally** *adv* universellement

universe ['juːnɪvɜːs] *n* univers *m*

university [juːnɪ'vɜːsɪtɪ] **1** *(pl* **-ies)** *n* université *f*; **to go to u.** aller à l'université; *Br* **at u.** à l'université **2** *adj (teaching, town, restaurant)* universitaire; *(student, teacher)* d'université

unjust [ʌn'dʒʌst] *adj* injuste

unjustified [ʌn'dʒʌstɪfaɪd] *adj* injustifié

unkempt [ʌn'kempt] *adj* négligé

unkind [ʌn'kaɪnd] *adj* pas gentil (*f* pas gentille) (**to sb** avec qn) ▪ **unkindly** *adv* méchamment

unknowingly [ʌn'nəʊɪŋlɪ] *adv* inconsciemment

unknown [ʌn'nəʊn] **1** *adj* inconnu; **u. to me, he had left** il était parti, ce que j'ignorais **2** *n (person)* inconnu, -ue *mf*; *Phil* **the u.** l'inconnu *m*; *Math & Fig* **u.** (quantity) inconnue *f*

unlawful [ʌn'lɔːfəl] *adj* illégal

unleaded [ʌn'ledɪd] *adj* sans plomb

unleash [ʌn'liːʃ] *vt (dog)* détacher; *Fig (emotion)* susciter

unless [ʌn'les] *conj* à moins que (*+ subjunctive*); **u. she comes** à moins qu'elle ne vienne; **u. you work harder, you'll fail** à moins de travailler plus dur, vous échouerez

unlicensed [ʌn'laɪsənst] *adj Br* **u. premises** = établissement qui n'a pas de licence de débit de boissons

unlike [ʌn'laɪk] *prep* **to be u. sb/sth** ne pas être comme qn/qch; **u. her brother, she...** à la différence de son frère, elle...; **it's very u. him to...** ça ne lui ressemble pas du tout de...

unlikely [ʌn'laɪklɪ] *adj* improbable; *(unbelievable)* invraisemblable; **she's u. to win** il est peu probable qu'elle gagne; **in the u. event of an accident...** dans le cas fort peu probable d'un accident...

unlimited [ʌn'lɪmɪtɪd] *adj* illimité

unlisted [ʌn'lɪstɪd] *adj Am (phone number)* sur (la) liste rouge

unload [ʌn'ləʊd] *vti* décharger

unlock [ʌn'lɒk] *vt* ouvrir

unlucky [ʌn'lʌkɪ] (**-ier, -iest**) *adj (person)* malchanceux, -euse; *(number, colour)* qui porte malheur; **you're u.** tu n'as pas de chance ▪ **unluckily** *adv* malheureusement

unmade [ʌn'meɪd] *adj (bed)* défait

unmanageable [ʌn'mænɪdʒəbəl] *adj (child)* difficile; *(hair)* difficile à coiffer; *(package, large book, size)* peu maniable

unmanned [ʌn'mænd] *adj (spacecraft)* inhabité

unmarked [ʌn'mɑ:kt] *adj (grave)* sans inscription; *Br* **u. police car** voiture *f* banalisée

unmarried [ʌn'mærɪd] *adj* non marié

unmask [ʌn'mɑ:sk] *vt* démasquer

unmentionable [ʌn'menʃənəbəl] *adj* dont il ne faut pas parler

unmistakable [ʌnmɪ'steɪkəbəl] *adj (obvious)* indubitable; *(face, voice)* caractéristique

unmitigated [ʌn'mɪtɪgeɪtɪd] *adj (disaster)* absolu; *(folly)* pur

unmoved [ʌn'mu:vd] *adj* **to be u. by sth** rester insensible à qch

unnamed [ʌn'neɪmd] *adj (person)* anonyme; *(thing)* sans nom

unnatural [ʌn'nætʃərəl] *adj (abnormal)* anormal; *(love)* contre nature; *(affected)* affecté ▪ **unnaturally** *adv* **not u.** naturellement

unnecessary [ʌn'nesəsərɪ] *adj* inutile; *(superfluous)* superflu

unnerve [ʌn'nɜ:v] *vt* troubler

> Note that the French verb **énerver** is a false friend. It means **to irritate** or **to make nervous** depending on the context.

unnoticed [ʌn'nəʊtɪst] *adv* **to go u.** passer inaperçu

unobstructed [ʌnəb'strʌktɪd] *adj (road, view)* dégagé

unobtainable [ʌnəb'teɪnəbəl] *adj* impossible à obtenir

unobtrusive [ʌnəb'tru:sɪv] *adj* discret, -ète

unoccupied [ʌn'ɒkjʊpaɪd] *adj (house, person)* inoccupé; *(seat)* libre

unofficial [ʌnə'fɪʃəl] *adj* officieux, -ieuse; *(visit)* privé; *(strike)* sauvage ▪ **unofficially** *adv* officieusement

unorthodox [ʌn'ɔ:θədɒks] *adj* peu orthodoxe

unpack [ʌn'pæk] **1** *vt (suitcase)* défaire; *(contents)* déballer; *(box)* ouvrir **2** *vi* défaire sa valise

unpaid [ʌn'peɪd] *adj (bill, sum)* impayé; *(work, worker)* bénévole; *(leave)* non payé

unpalatable [ʌn'pælətəbəl] *adj (food)* qui n'est pas bon (*f* bonne) à manger; *Fig (truth)* désagréable à entendre

unparalleled [ʌn'pærəleld] *adj* sans égal

unperturbed [ʌnpə'tɜ:bd] *adj* nullement déconcerté

unplanned [ʌn'plænd] *adj* imprévu

unpleasant [ʌn'plezənt] *adj* désagréable (**to sb** avec qn)

unplug [ʌn'plʌg] (*pt & pp* **-gg-**) *vt (appliance)* débrancher; *(unblock)* déboucher

unpopular [ʌn'pɒpjʊlə(r)] *adj* impopulaire; **to be u. with sb** ne pas plaire à qn

unprecedented [ʌn'presɪdentɪd] *adj* sans précédent

unpredictable [ʌnprɪ'dɪktəbəl] *adj* imprévisible; *(weather)* indécis

unprepared [ʌnprɪ'peəd] *adj (meal, room)* non préparé; *(speech)* improvisé; **to be u. for sth** *(not expect)* ne pas s'attendre à qch

unprepossessing [ʌnpri:pə'zesɪŋ] *adj* peu avenant

unpretentious [ʌnprɪ'tenʃəs] *adj* sans prétentions

unprincipled [ʌn'prɪnsɪpəld] *adj* sans scrupules

unprofessional [ʌnprə'feʃənəl] *adj (person, behaviour)* pas très professionnel, -elle

unprovoked [ʌnprə'vəʊkt] *adj* gratuit

unpublished [ʌn'pʌblɪʃt] *adj (text, writer)* inédit

unpunished [ʌn'pʌnɪʃt] *adv* **to go u.** rester impuni

unqualified [ʌn'kwɒlɪfaɪd] *adj (teacher)* non diplômé; *(support)* sans réserve; *(success, liar)* parfait; **to be u. to do sth** ne pas être qualifié pour faire qch

unquestionable [ʌn'kwestʃənəbəl] *adj* incontestable ▪ **unquestionably** *adv* incontestablement

unravel [ʌn'rævəl] (*Br* **-ll-**, *Am* **-l-**) *vt (threads)* démêler; *Fig (mystery)* éclaircir

unreal [ʌn'rɪəl] *adj* irréel, -éelle

unrealistic [ʌn'rɪəlɪstɪk] *adj* irréaliste

unreasonable [ʌn'ri:zənəbəl] *adj (person, attitude)* déraisonnable; *(price)* excessif, -ive

unrecognizable [ʌn'rekəgnaɪzəbəl] *adj* méconnaissable

unrelated [ʌnrɪ'leɪtɪd] *adj (facts)* sans rapport (**to** avec); **we're u.** il n'y a aucun lien de parenté entre nous

unrelenting [ʌnrɪ'lentɪŋ] *adj* incessant; *(person)* tenace

unreliable [ʌnrɪ'laɪəbəl] *adj* peu fiable

unremarkable [ʌnrɪ'mɑ:kəbəl] *adj* quelconque

unrepentant [ʌnrɪ'pentənt] *adj* impénitent; **the murderer was u.** le meurtrier n'a manifesté aucun remords

unreservedly [ʌnrɪ'zɜ:vɪdlɪ] *adv* sans réserve

unrest [ʌn'rest] *n* agitation *f*, troubles *mpl*

unrestricted [ʌnrɪ'strɪktɪd] *adj* illimité; **u. access** libre accès *m* (**to** à)

unrewarding [ʌnrɪ'wɔ:dɪŋ] *adj* ingrat; *(financially)* peu rémunérateur, -trice

unripe [ʌn'raɪp] *adj (fruit)* qui n'est pas mûr

unrivalled [ʌn'raɪvəld] (*Am* **unrivaled**) *adj* hors pair *inv*

unroll [ʌn'rəʊl] **1** *vt* dérouler **2** *vi* se dérouler

unruffled [ʌn'rʌfəld] *adj* imperturbable

unruly [ʌn'ru:lɪ] (**-ier, -iest**) *adj* indiscipliné

unsafe [ʌn'seɪf] *adj (place, machine)*

dangereux, -euse; *(person)* en danger; **u. sex** rapports *mpl* sexuels non protégés

unsaid [ʌn'sed] *adj* **to leave sth u.** passer qch sous silence

unsaleable *(Am* **unsalable)** [ʌn'seɪləbəl] *adj* invendable

unsatisfactory [ʌnsætɪs'fæktərɪ] *adj* peu satisfaisant ▪ **un'satisfied** *adj* insatisfait; **u. with sb/sth** peu satisfait de qn/qch

unsavoury [ʌn'seɪvərɪ] *(Am* **unsavory)** *adj (person, place)* peu recommandable

unscathed [ʌn'skeɪðd] *adj* indemne

unscheduled *(Br* ʌn'ʃedju:ld, *Am* ʌn'skedjʊld) *adj* imprévu

unscrew [ʌn'skru:] *vt* dévisser

unscrupulous [ʌn'skru:pjʊləs] *adj (person)* peu scrupuleux, -euse; *(action)* malhonnête

unseemly [ʌn'si:mlɪ] *adj* inconvenant

unseen [ʌn'si:n] **1** *adj* invisible **2** *n Br Sch & Univ* traduction f à vue **3** *adv* **to do sth u.** faire qch sans qu'on vous voie

unselfish [ʌn'selfɪʃ] *adj (person, motive)* désintéressé

unsettle [ʌn'setəl] *vt (person)* troubler ▪ **unsettled** *adj (weather, situation)* instable; *(person)* troublé; *(in a job)* mal à l'aise

unshak(e)able [ʌn'ʃeɪkəbəl] *adj* inébranlable

unshaven [ʌn'ʃeɪvən] *adj* pas rasé

unsightly [ʌn'saɪtlɪ] *adj* laid

unskilled [ʌn'skɪld] *adj* non qualifié

unsociable [ʌn'səʊʃəbəl] *adj* peu sociable

unsocial [ʌn'səʊʃəl] *adj* **to work u. hours** travailler en dehors des heures de bureau

unsolved [ʌn'sɒlvd] *adj (mystery)* inexpliqué; *(crime)* dont l'auteur n'est pas connu

unsophisticated [ʌnsə'fɪstɪkeɪtɪd] *adj* simple

unsound [ʌn'saʊnd] *adj (construction)* peu solide; *(method)* peu sûr; *(decision)* peu judicieux, -ieuse; *Law* **to be of u. mind** ne pas jouir de toutes ses facultés mentales

unspeakable [ʌn'spi:kəbəl] *adj* indescriptible

unspecified [ʌn'spesɪfaɪd] *adj* non spécifié

unsporting [ʌn'spɔ:tɪŋ] *adj* qui n'est pas fair-play

unstable [ʌn'steɪbəl] *adj* instable

unsteady [ʌn'stedɪ] *adj (hand, voice, step)* mal assuré; *(table, ladder)* bancal *(mpl* -als) ▪ **unsteadily** *adv (walk)* d'un pas mal assuré

unstinting [ʌn'stɪntɪŋ] *adj (generosity)* sans bornes; *(praise)* sans réserve

unstoppable [ʌn'stɒpəbəl] *adj* qu'on ne peut arrêter

unstuck [ʌn'stʌk] *adj* **to come u.** *(of stamp)* se décoller; *Br Fam (of person, plan)* se casser la figure

unsuccessful [ʌnsək'sesfəl] *adj (attempt)* infructueux, -ueuse; *(outcome, candidate)* malheureux, -euse; *(application)* non retenu; **to be u.** ne pas réussir (**in doing** à faire); *(of*

book, film, artist) ne pas avoir de succès ▪ **unsuccessfully** *adv* en vain, sans succès

unsuitable [ʌn'su:təbəl] *adj* qui ne convient pas (**for** à); *(example)* peu approprié; *(manners, clothes)* peu convenable; **to be u. for sth** ne pas convenir à qch ▪ **unsuited** *adj* **to be u. to sth** ne pas être fait pour qch; **they're u. to each other** ils ne sont pas compatibles

unsupervised [ʌn'su:pəvaɪzd] *adv (play)* sans surveillance

unsure [ʌn'ʃʊə(r)] *adj* incertain *(**of** or **about** de)*

unsuspecting [ʌnsə'spektɪŋ] *adj* qui ne se doute de rien

unswerving [ʌn'swɜ:vɪŋ] *adj* à toute épreuve

unsympathetic [ʌnsɪmpə'θetɪk] *adj* peu compatissant (**to** à); **u. to a cause/request** insensible à une cause/requête

untangle [ʌn'tæŋɡəl] *vt (rope, hair)* démêler

untapped [ʌn'tæpt] *adj (resources)* inexploité

untenable [ʌn'tenəbəl] *adj (position, argument)* indéfendable

unthinkable [ʌn'θɪŋkəbəl] *adj* impensable, inconcevable

untidy [ʌn'taɪdɪ] *(-ier, -iest) adj (clothes, hair)* peu soigné; *(room)* en désordre; *(person)* désordonné ▪ **untidily** *adv* sans soin

untie [ʌn'taɪ] *vt (person, hands)* détacher; *(knot, parcel)* défaire

until [ʌn'tɪl] **1** *prep* jusqu'à; **u. now** jusqu'à présent; **u. then** jusque-là; **not u. tomorrow** pas avant demain; **I didn't see her u. Monday** c'est seulement lundi que je l'ai vue **2** *conj* jusqu'à ce que (+ *subjunctive*); **u. she comes** jusqu'à ce qu'elle vienne; **do nothing u. I come** ne fais rien avant que j'arrive

untimely [ʌn'taɪmlɪ] *adj (remark, question)* inopportun; *(death)* prématuré

untiring [ʌn'taɪərɪŋ] *adj* infatigable

untold [ʌn'təʊld] *adj (wealth, quantity)* incalculable; *(beauty)* immense

untoward [ʌntə'wɔ:d] *adj* fâcheux, -euse

untranslatable [ʌntræns'leɪtəbəl] *adj* intraduisible

untroubled [ʌn'trʌbəld] *adj (calm)* calme

untrue [ʌn'tru:] *adj* faux *(f* fausse) ▪ **'untruth** *n* mensonge *m* ▪ **un'truthful** *adj (person)* menteur, -euse; *(statement)* mensonger, -ère

unusable [ʌn'ju:zəbəl] *adj* inutilisable

unused¹ [ʌn'ju:zd] *adj (new)* neuf *(f* neuve); *(not in use)* inutilisé

unused² [ʌn'ju:st] *adj* **u. to sth/to doing** peu habitué à qch/à faire

unusual [ʌn'ju:ʒʊəl] *adj (not common)* inhabituel, -uelle; *(strange)* étrange ▪ **unusually** *adv* exceptionnellement

unveil [ʌn'veɪl] *vt* dévoiler ▪ **unveiling** *n (ceremony)* inauguration *f*

unwanted [ʌn'wɒntɪd] *adj* non désiré

unwarranted [ʌnˈwɒrəntɪd] adj injustifié

unwavering [ʌnˈweɪvərɪŋ] adj inébranlable

unwelcome [ʌnˈwelkəm] adj (news) fâcheux, -euse; (gift, visit) inopportun; (person) importun

unwell [ʌnˈwel] adj souffrant

unwieldy [ʌnˈwiːldɪ] adj (package) encombrant; (system) lourd

unwilling [ʌnˈwɪlɪŋ] adj to be u. to do sth être réticent à faire qch ▪ **unwillingly** adv à contrecœur

unwind [ʌnˈwaɪnd] (pt & pp -**wound**) 1 vt (thread) dérouler 2 vi se dérouler; Fam (relax) décompresser

unwise [ʌnˈwaɪz] adj imprudent ▪ **unwisely** adv imprudemment

unwitting [ʌnˈwɪtɪŋ] adj involontaire ▪ **unwittingly** adv involontairement

unworkable [ʌnˈwɜːkəbəl] adj (idea) impraticable

unworthy [ʌnˈwɜːðɪ] adj indigne (**of** de)

unwrap [ʌnˈræp] (pt & pp -**pp**-) vt déballer

unwritten [ʌnˈrɪtən] adj (agreement) verbal

unyielding [ʌnˈjiːldɪŋ] adj inflexible

unzip [ʌnˈzɪp] (pt & pp -**pp**-) vt (clothes) ouvrir (la fermeture Éclair® de); Comptr (file) dézipper, décompresser

up [ʌp] 1 adv en haut; **to come/go up** monter; **to walk up and down** marcher de long en large; **up there** là-haut; **up above** au-dessus; **up on the roof** sur le toit; **further** or **higher up** plus haut; **up to** (as far as) jusqu'à; **to be up to doing sth** (capable of) être de taille à faire qch; (in a position to) être à même de faire qch; **to be a goal up** avoir un but d'avance; **it's up to you to do it** c'est à toi de le faire; **it's up to you** (you decide) c'est à toi de décider; **where are you up to?** (in book) où en es-tu?; Fam **what are you up to?** que fais-tu?; Fam **to be well up in** (versed in) s'y connaître en; Fam **up (with) the workers!** vive(nt) les travailleurs!

2 prep **up a hill** en haut d'une colline; **up a tree** dans un arbre; **up a ladder** sur une échelle; **to go up the stairs** monter les escaliers; **to live up the street** habiter plus loin dans la rue; Fig **to be up against sth** avoir affaire à qch

3 adj (out of bed) levé; **we were up all night** nous sommes restés debout toute la nuit; **the two weeks were up** les deux semaines étaient terminées; **your time's up** c'est terminé; Fam **what's up?** qu'est-ce qu'il y a?; **to be up and running** être opérationnel, -elle

4 npl **ups and downs** des hauts et des bas mpl

5 (pt & pp -**pp**-) vt Fam (price, offer) augmenter ▪ **up-and-'coming** adj qui monte ▪ **'up'beat** adj Fam optimiste ▪ **upbringing** n éducation f ▪ **upcoming** adj Am imminent ▪ **update 1** [ˈʌpdeɪt] n mise f à jour **2** [ʌpˈdeɪt] vt mettre à jour ▪ **upgrade 1** [ˈʌpgreɪd] n (new model)

nouvelle version f; Comptr (hardware) augmentation f de puissance; (software) mise f à jour **2** [ʌpˈgreɪd] vt (improve) améliorer; (promote) promouvoir; Comptr (hardware) augmenter la puissance de; (software) mettre à jour **3** vi **to u. to a new model** (of car, computer, mobile phone) passer à un modèle supérieur ▪ **uphill 1** [ʌpˈhɪl] adv **to go u.** monter **2** [ˈʌphɪl] adj Fig (struggle, task) pénible ▪ **up'hold** (pt & pp -**held**) vt (decision) maintenir ▪ **upkeep** n entretien m ▪ **uplift 1** [ˈʌplɪft] n élévation f spirituelle **2** [ʌpˈlɪft] vt élever ▪ **up'lifting** adj édifiant ▪ **'up-'market** adj Br (car, product) haut de gamme inv; (area, place) chic inv ▪ **upright 1** adv (straight) droit **2** adj (vertical, honest) droit **3** n (post) montant m ▪ **uprising** n insurrection f ▪ **up'root** vt (plant, person) déraciner ▪ **upside 'down** adv à l'envers; **to turn sth u.** retourner qch; Fig **to turn sth u.** mettre qch sens dessus dessous ▪ **upstairs 1** [ʌpˈsteəz] adv en haut; **to go u.** monter **2** [ˈʌpsteəz] adj (people, room) du dessus ▪ **up'stream** adv en amont ▪ **upsurge** n (of interest) recrudescence f; (of anger) accès m ▪ **uptake** n Fam **to be quick on the u.** piger vite ▪ **'up'tight** adj Fam (tense) crispé; (inhibited) coincé ▪ **'up-to-'date** adj moderne; (information) à jour; (well-informed) au courant (**on** de) ▪ **'up-to-the-'minute** adj (news, information) de dernière minute; (style, fashion) dernier cri inv ▪ **upturn** n (improvement) amélioration f (**in** de) ▪ **upturned** adj (nose) retroussé ▪ **upward** adj (movement) ascendant; (path) qui monte; (trend) à la hausse ▪ **upwards** adv vers le haut; **from 5 euros u.** à partir de 5 euros; **u. of fifty** cinquante et plus

upheaval [ʌpˈhiːvəl] n bouleversement m

upholster [ʌpˈhəʊlstə(r)] vt (pad) rembourrer; (cover) recouvrir ▪ **upholsterer** n tapissier m ▪ **upholstery** n (padding) rembourrage m; (covering) revêtement m; (in car) sièges mpl

upon [əˈpɒn] prep sur

upper [ˈʌpə(r)] 1 adj supérieur; **u. class** aristocratie f; **to have/get the u. hand** avoir/prendre le dessus; Br Theatre **u. circle** deuxième balcon m **2** n (of shoe) empeigne f ▪ **'upper-'class** adj aristocratique ▪ **uppermost** adj le plus haut (f la plus haute); **it was u. in my mind** c'était la première de mes préoccupations

uppity [ˈʌpɪtɪ] adj Fam crâneur, -euse

uproar [ˈʌprɔː(r)] n tumulte m

upset [ʌpˈset] 1 (pt & pp -**set**, pres p -**setting**) vt (knock over, spill) renverser; (person, plans, schedule) bouleverser **2** adj (unhappy) bouleversé (**about** par); **to have an u. stomach** avoir l'estomac dérangé **3** [ˈʌpset] n (disturbance) bouleversement m; (surprise) défaite *f*; **to have a stomach u.** avoir l'estomac dérangé ▪ **upsetting** *adj* bouleversant

upshot ['ʌpʃɒt] *n* résultat *m*

upstart ['ʌpstɑːt] *n Pej* parvenu, -ue *mf*

upstate [ʌp'steɪt] *Am* **1** *adj* du nord *(d'un État)*; **u. New York** le nord de l'État de New York **2** *adv* **to go u.** aller vers le nord *(d'un État)*

uptight [ʌp'taɪt] *adj (nervous)* nerveux, -euse; *(inhibited)* coincé

uranium [jʊ'reɪnɪəm] *n* uranium *m*

urban ['ɜːbən] *adj* urbain

urbane [ɜː'beɪn] *adj* courtois

urchin ['ɜːtʃɪn] *n* polisson, -onne *mf*

urge [ɜːdʒ] **1** *n* forte envie *f*; **to have an u. to do sth** avoir très envie de faire qch **2** *vt* **to u. sb to do sth** presser qn de faire qch; **to u. sb on to do sth** encourager qn à faire qch

urgency ['ɜːdʒənsɪ] *n* urgence *f*; *(of tone, request)* insistance *f*; **it's a matter of u.** il y a urgence ▪ **urgent** *adj* urgent; **to be in u. need of sth** avoir un besoin urgent de qch ▪ **urgently** *adv* d'urgence

urinal [jʊ'raɪnəl] *n* urinoir *m*

urine ['jʊərɪn] *n* urine *f* ▪ **urinate** *vi* uriner

URL [juːɑː'rel] *(abbr* **uniform resource locator)** *n Comptr* (adresse *f*) URL *m*

urn [ɜːn] *n* urne *f*; *(for coffee or tea)* fontaine *f*

Uruguay ['jʊərəgwaɪ] *n* l'Uruguay *m*

US [juː'es] *(abbr* **United States)** *n* **the US** les USA *mpl*

us [əs, *stressed* ʌs] *pron* nous; **(to) us** *(indirect)* nous; **she sees us** elle nous voit; **she saw us** elle nous a vus; **he gave it to us** il nous l'a donné; **with us** avec nous; **all of us** nous tous; **let's** *or* **let us eat!** mangeons!

USA [juːes'eɪ] *(abbr* **United States of America)** *n* **the U.** les USA *mpl*

usage ['juːsɪdʒ] *n* usage *m*

use 1 [juːs] *n (utilization)* emploi *m*, usage *m*; *(ability, permission to use)* emploi; **to have the u. of sth** avoir l'usage de qch; **to make (good) u. of sth** faire (bon) usage de qch; **to be of u. to sb** être utile à qn; **in u.** en usage; **not in u., out of u.** hors d'usage; **ready for u.** prêt à l'emploi; **it's no u. crying** ça ne sert à rien de pleurer; **what's the u. of worrying?** à quoi bon s'inquiéter?; **I have no u. for it** je n'en ai pas l'usage; *Fam* **he's no u.** il est nul **2** [juːz] *vt (utilize)* utiliser, se servir de; *(force, diplomacy)* avoir recours à; *(electricity)* consommer; **it's used to do** *or* **for doing sth** ça sert à faire qch; **it's used as…** ça sert de…; **to u. sth up** *(food, fuel)* finir; *(money)* dépenser **3** *v aux* ▪ **used to** [juːstə] **I used to sing** avant, je chantais; **she u. to jog every Sunday** elle faisait du jogging tous les dimanches ▪ **use-by date** ['juːz-] *n* date *f* limite de consommation

used 1 [juːzd] *adj (second-hand)* d'occasion;

(stamp) oblitéré **2** [juːst] *adj* **to be u. to sth/to doing sth** être habitué à qch/à faire qch; **to get u. to sb/sth** s'habituer à qn/qch

useful ['juːsfəl] *adj* utile *(to* à*)*; **to come in u.** être utile; **to make oneself u.** se rendre utile ▪ **usefulness** *n* utilité *f* ▪ **useless** *adj* inutile; *(unusable)* inutilisable; *(person)* nul *(f* nulle*)* **(at** en*)*

user ['juːzə(r)] *n (of train, telephone)* usager *m*; *(of road, machine, dictionary)* utilisateur, -trice *mf*; **end u.** utilisateur final ▪ **'user-'friendly** *adj* convivial

> Note that the French verb **user** is a false friend. Its most common meaning is **to wear out.**

usher ['ʌʃə(r)] **1** *n (in church, theatre)* ouvreur *m*; *(in court)* huissier *m* **2** *vt* **to u. sb in** faire entrer qn

USSR [juːeses'ɑː(r)] *(abbr* **Union of Soviet Socialist Republics)** *n Formerly* URSS *f*

usual ['juːʒʊəl] **1** *adj* habituel, -uelle; **as u.** comme d'habitude; **you're not your u. self today** tu n'es pas aussi gai que d'habitude aujourd'hui **2** *n Fam* **the u.** *(food, excuse)* la même chose que d'habitude ▪ **usually** *adv* d'habitude

usurer ['juːʒərə(r)] *n* usurier, -ière *mf*

usurp [juː'zɜːp] *vt* usurper

utensil [juː'tensəl] *n* ustensile *m*; **kitchen u.** ustensile de cuisine

uterus ['juːtərəs] *n Anat* utérus *m*

utilitarian [juːtɪlɪ'teərɪən] *adj* utilitaire

utility [juː'tɪlətɪ] *n (usefulness)* utilité *f*; *(public)* **utilities** services *mpl* publics; *Am* **utilities** *(service charges)* charges *fpl*; *Comptr* **u. (program)** utilitaire *m*; **u. room** pièce *f* de rangement

utilize ['juːtɪlaɪz] *vt* utiliser ▪ **utili'zation** *n* utilisation *f*

utmost ['ʌtməʊst] **1** *adj* **the u. ease** *(greatest)* la plus grande facilité; **the u. danger/limit** *(extreme)* un danger/une limite extrême; **it is of the u. importance that…** il est de la plus haute importance que… *(+ subjunctive)* **2** *n* **to do one's u.** faire de son mieux **(to do** pour faire*)*

utopia [juː'təʊpɪə] *n* utopie *f* ▪ **utopian** *adj* utopique

utter[1] ['ʌtə(r)] *adj* total; *(folly, lie)* pur; **it's u. nonsense** c'est complètement absurde ▪ **utterly** *adv* complètement

utter[2] ['ʌtə(r)] *vt (cry, sigh)* pousser; *(word)* prononcer; *(threat)* proférer ▪ **utterance** *n (act)* énonciation *f*; *(words spoken)* déclaration *f*; *Ling* énoncé *m*

U-turn ['juːtɜːn] *n (in vehicle)* demi-tour *m*; *Fig (change of policy)* virage *m* à 180°

V, v [viː] *n (letter)* V, v *m inv*

vacant ['veɪkənt] *adj (room, seat)* libre; *(post)* vacant; *(look)* absent; *Br* **'situations v.'** *(in newspaper)* 'offres d'emploi' ▪ **vacancy** *(pl* -**ies**) *n (post)* poste *m* vacant; *(room)* chambre *f* libre; **'no vacancies'** *(in hotel)* 'complet' ▪ **vacantly** *adv* d'un air absent

> Note that the French word **vacances** is a false friend. It means **holiday**.

vacate [*Br* və'keɪt, *Am* 'veɪkeɪt] *vt* quitter

vacation [veɪ'keɪʃən] *n Am* vacances *fpl*; **to take a v.** prendre des vacances ▪ **vacationer** *n Am* vacancier, -ière *mf*

vaccinate ['væksɪneɪt] *vt* vacciner ▪ **vacci-'nation** *n* vaccination *f* ▪ **vaccine** [-'siːn] *n* vaccin *m*

vacillate ['væsɪleɪt] *vi* hésiter

vacuum ['vækjʊəm] **1** *n* vide *m*; **v. cleaner** aspirateur *m*; *Br* **v. flask** Thermos® *m* ou *f* **2** *vt (room)* passer l'aspirateur dans; *(carpet)* passer l'aspirateur sur ▪ **vacuum-packed** *adj* emballé sous vide

vagabond ['vægəbɒnd] *n* vagabond, -onde *mf*

vagary ['veɪgərɪ] *(pl* -**ies**) *n* caprice *m*

vagina [və'dʒaɪnə] *n Anat* vagin *m* ▪ **vaginal** *adj* vaginal

vagrant ['veɪgrənt] *n Law* vagabond, -onde *mf* ▪ **vagrancy** *n Law* vagabondage *m*

vague [veɪg] (**-er**, **-est**) *adj* vague; *(outline, photo)* flou; **I haven't got the vaguest idea** je n'en ai pas la moindre idée; **he was v. (about it)** il est resté vague ▪ **vaguely** *adv* vaguement

vain [veɪn] (**-er**, **-est**) *adj* **(a)** *(attempt, hope)* vain; **in v.** en vain; **her efforts were in v.** ses efforts ont été inutiles **(b)** *(conceited)* vaniteux, -euse

valentine ['væləntaɪn] *n (card)* carte *f* de la Saint-Valentin; **(Saint) V.'s Day** la Saint-Valentin

valet ['vælɪt, 'væleɪ] *n* valet *m* de chambre

valiant ['væljənt] *adj* vaillant ▪ **valour** *(Am* **valor)** *n* bravoure *f*

valid ['vælɪd] *adj* valable ▪ **validate** *vt* valider ▪ **validity** [və'lɪdɪtɪ] *n* validité *f*

valley ['vælɪ] *(pl* -**eys**) *n* vallée *f*

valuable ['væljʊəbəl] **1** *adj (object)* de valeur; *Fig (help, time)* précieux, -ieuse **2** *npl* **valuables** objets *mpl* de valeur

value ['væljuː] **1** *n* valeur *f*; **to be of v.** avoir de la valeur; **to be good v. (for money)** être d'un bon rapport qualité-prix; *Br* **v.-added tax** taxe *f* sur la valeur ajoutée **2** *vt (appreciate)* apprécier; *(assess)* évaluer ▪ **valuation** [-jʊ'eɪʃən] *n (assessment)* évaluation *f*; *(by expert)* expertise *f*

valve [vælv] *n (of machine, car)* soupape *f*; *(of pipe, tube)* valve *f*; *(of heart)* valvule *f*

vampire ['væmpaɪə(r)] *n* vampire *m*

van [væn] *n (vehicle)* camionnette *f*, fourgonnette *f*; *Br Rail* fourgon *m*

vandal ['vændəl] *n* vandale *mf* ▪ **vandalism** *n* vandalisme *m* ▪ **vandalize** *vt* saccager

vanguard ['vænɡɑːd] *n* **in the v. of** à l'avant-garde de

vanilla [və'nɪlə] **1** *n* vanille *f* **2** *adj (ice cream)* à la vanille; **v. flavour** parfum *m* vanille

vanish ['vænɪʃ] *vi* disparaître; **to v. into thin air** se volatiliser

vanity ['vænɪtɪ] *n* vanité *f*; **v. case** vanity-case *m*

vantage point ['vɑːntɪdʒpɔɪnt] *n* point *m* de vue; *Fig* position *f* objective

vapour ['veɪpə(r)] *(Am* **vapor)** *n* vapeur *f*

variable ['veərɪəbəl] *adj & n* variable *(f)*

variance ['veərɪəns] *n* **at v.** en désaccord (**with** avec)

variant ['veərɪənt] **1** *adj* différent **2** *n* variante *f*

variation [veərɪ'eɪʃən] *n* variation *f*

varicose ['værɪkəʊs] *adj* **v. veins** varices *fpl*

variety [və'raɪətɪ] *n* **(a)** *(diversity)* variété *f*; **a v. of toutes sortes de; v. of articles/products** toute une gamme d'articles/de produits **(b)** *(entertainment)* variétés *fpl*; **v. show** spectacle *m* de variétés

various ['veərɪəs] *adj* divers ▪ **variously** *adv* diversement

varnish ['vɑːnɪʃ] **1** *n* vernis *m* **2** *vt* vernir

vary ['veərɪ] *(pt & pp* -**ied**) *vti* varier (**in/with** en/selon) ▪ **varied** *adj* varié ▪ **varying** *adj* variable

vase [*Br* vɑːz, *Am* veɪs] *n* vase *m*

vasectomy [və'sektəmɪ] *n* vasectomie *f*

Vaseline® ['væsəliːn] *n* vaseline *f*

vast [vɑːst] *adj* immense ▪ **vastly** *adv* à l'extrême; *(superior)* infiniment ▪ **vastness** *n* immensité *f*

VAT [viːeɪ'tiː, væt] *(abbr* **value added tax)** *n Br* TVA *f*

vat [væt] *n* cuve *f*

Vatican ['vætɪkən] *n* **the V.** leVatican

vault¹ [vɔːlt] *n (roof)* voûte *f; (tomb)* caveau *m; (cellar)* cave *f; (in bank)* salle *f* des coffres

vault² [vɔːlt] *vti (jump)* sauter

VCR [viːsiːˈɑː(r)] *(abbr* **video cassette recorder)** *n* magnétoscope *m*

VD [viːˈdiː] *(abbr* **venereal disease)** *n* maladie *f* vénérienne

VDU [viːdiːˈjuː] *(abbr* **visual display unit)** *n Comptr* moniteur *m*

veal [viːl] *n* veau *m*

veer [vɪə(r)] *vi (of car)* virer; *(of wind)* tourner; *(of road)* décrire un virage; **to v. off the road** quitter la route

veg [vedʒ] *npl Br Fam* légumes *mpl*

vegan ['viːgən] *adj & n* végétalien, -ienne *(mf)*

vegeburger ['vedʒɪbɜːgə(r)] *n* hamburger *m* végétarien

vegetable ['vedʒtəbəl] *n* légume *m*; **v. fat** graisse *f* végétale; **v. garden** potager *m*; **v. kingdom** règne *m* végétal; **v. oil** huile *f* végétale ▪**vegetation** [vedʒɪˈteɪʃən] *n* végétation *f*

vegetate ['vedʒɪteɪt] *vi Pej (of person)* végéter

vegetarian [vedʒɪˈteərɪən] *adj & n* végétarien, -ienne *(mf)* ▪**veggie** ['vedʒɪ] *adj & n Br Fam* végétarien, -ienne *(mf)*

vehement ['viːəmənt] *adj* véhément ▪**vehemently** *adv* avec véhémence

vehicle ['viːɪkəl] *n* véhicule *m*

veil [veɪl] **1** *n (covering) & Fig* voile *m* **2** *vt* voiler ▪**veiled** *adj* voilé

vein [veɪn] *n (in body, rock)* veine *f; (in leaf)* nervure *f; Fig* **in a similar v.** de la même veine

Velcro® ['velkrəʊ] *n* Velcro® *m*

velocity [vəˈlɒsɪtɪ] *n* vélocité *f*

velvet ['velvɪt] **1** *n* velours *m* **2** *adj* de velours ▪**velvety** *adj* velouté

vendetta [venˈdetə] *n* vendetta *f*

vending machine ['vendɪŋməʃiːn] *n* distributeur *m* automatique

vendor ['vendə(r)] *n* vendeur, -euse *mf*

veneer [vəˈnɪə(r)] *n (wood)* placage *m; Fig (appearance)* vernis *m*

venerable ['venərəbəl] *adj* vénérable ▪**venerate** *vt* vénérer

venereal [vəˈnɪərɪəl] *adj* vénérien, -ienne

venetian [vəˈniːʃən] *adj* **v. blind** store *m* vénitien

Venezuela [venɪˈzweɪlə] *n* leVenezuela

vengeance ['vendʒəns] *n* vengeance *f;* **to take v. on sb** se venger de qn; *Fig* **with a v.** de plus belle

venison ['venɪsən] *n* venaison *f*

venom ['venəm] *n (poison) & Fig* venin *m* ▪**venomous** *adj (snake, speech)* venimeux, -euse

vent [vent] **1** *n* conduit *m; Fig* **to give v. to sth** donner libre cours à qch **2** *vt* **to v. one's anger on sb** décharger sa colère sur qn

ventilate ['ventɪleɪt] *vt* ventiler, aérer ▪**venti'lation** *n* ventilation *f*, aération *f* ▪**ventilator** *n* ventilateur *m; Med* respirateur *m; Med* **to be on a v.** être branché sur un respirateur

ventriloquist [venˈtrɪləkwɪst] *n* ventriloque *mf*

venture ['ventʃə(r)] **1** *n* entreprise *f* (hasardeuse); *Fin* **v. capital** capital-risque *m* **2** *vt* risquer; **to v. to do sth** se risquer à faire qch **3** *vi* s'aventurer *(into dans)*

venue ['venjuː] *n (for meeting, concert)* salle *f; (for football match)* stade *m*

> Note that the French word **venue** is a false friend and is never a translation for the English word **venue**. It means **arrival**.

veranda(h) [vəˈrændə] *n* véranda *f*

verb [vɜːb] *n* verbe *m* ▪**verbal** *adj* verbal

verbatim [vɜːˈbeɪtɪm] *adj & adv* mot pour mot

verbose [vɜːˈbəʊs] *adj* verbeux, -euse

verdict ['vɜːdɪkt] *n* verdict *m*

verge [vɜːdʒ] **1** *n Br (of road)* bord *m;* **on the v. of ruin/tears** au bord de la ruine/des larmes; **on the v. of a discovery** à la veille d'une découverte; **to be on the v. of doing sth** être sur le point de faire qch **2** *vi* **to v. on** friser; *(of colour)* tirer sur

verify ['verɪfaɪ] *(pt & pp* **-ied)** *vt* vérifier ▪**verification** [-fɪˈkeɪʃən] *n* vérification *f*

veritable ['verɪtəbəl] *adj Formal* véritable

vermin ['vɜːmɪn] *n (animals)* animaux *mpl* nuisibles; *(insects, people)* vermine *f*

vermouth ['vɜːməθ] *n* vermouth *m*

vernacular [vəˈnækjʊlə(r)] *n* langue *f* vernaculaire

versatile [*Br* 'vɜːsətaɪl, *Am* 'vɜːrsətəl] *adj* polyvalent ▪**versatility** [-'tɪlɪtɪ] *n* polyvalence *f*

> Note that the French word **versatile** is a false friend and is never a translation for the English word **versatile**. It means **changeable**.

verse [vɜːs] *n (poetry)* vers *mpl; (stanza)* strophe *f; (of Bible)* verset *m*

versed [vɜːst] *adj* **(well) v. in sth** versé dans qch

version [*Br* 'vɜːʃən, *Am* 'vɜːʒən] *n* version *f*

versus ['vɜːsəs] *prep (in sport, law)* contre; *(compared to)* comparé à

vertebra ['vɜːtɪbrə] *(pl* **-ae** *[-iː])* *n* vertèbre *f*

vertical ['vɜːtɪkəl] **1** *adj* vertical **2** *n* verticale *f* ▪**vertically** *adv* verticalement

vertigo ['vɜːtɪgəʊ] *n* vertige *m*

verve [vɜːv] *n* verve *f*

very ['verɪ] **1** *adv* très; **v. little** très peu; **v. much** beaucoup; **I'm v. hot** j'ai très chaud; **the v. first** le tout premier *(f* la toute première*);* **the v. next day** le lendemain même; **at the v. least/most** tout au moins/plus; **at the v. latest** au plus tard 2 *adj (emphatic use)* **this v. house** cette maison même; **at the v. end** tout à la fin; **to the v. end** jusqu'au bout; **those were her v. words** c'est ce qu'elle a dit mot pour mot

vespers ['vespəz] *npl (church service)* vêpres *fpl*

vessel ['vesəl] *n (ship)* vaisseau *m*; *(container)* récipient *m*

vest [vest] *n Br* maillot *m* de corps; *Am (waistcoat)* gilet *m*

> Note that the French word **veste** is a false friend and is never a translation for the English word **vest**. It means **jacket**.

vested ['vestɪd] *adj* **to have a v. interest in sth** avoir un intérêt personnel dans qch

vestige ['vestɪdʒ] *n* vestige *m*; **not a v. of truth** pas une once de vérité

vestry ['vestrɪ] *(pl -ies) n (in church)* sacristie *f*

vet¹ [vet] *n* vétérinaire *mf* ▪ **veterinarian** [vetərɪ'neərɪən] *n Am* vétérinaire *mf* ▪ **veterinary** ['vetərɪnərɪ] *adj* vétérinaire; *Br* **v. surgeon** vétérinaire *mf*

vet² [vet] *(pt & pp -tt-) vt Br* faire une enquête sur

vet³ [vet] *n Am Fam Mil* ancien combattant *m*

veteran ['vetərən] **1** *n Mil* ancien combattant *m*; *Fig* vétéran *m* **2** *adj* de longue date; **v. golfer** golfeur expérimenté

veto ['vi:təʊ] **1** *(pl -oes) n* veto *m inv*; **right or power of v.** droit *m* de veto **2** *(pt & pp -oed) vt* mettre son veto à

VHF [vi:eɪtʃ'ef] *(abbr very high frequency) n* **on V.** en VHF *f*

VHS [vi:eɪtʃ'es] *(abbr video home system) n* VHS *m*

via [Br 'vaɪə, Am 'vɪə] *prep* via, par

viable ['vaɪəbəl] *adj* viable ▪ **via'bility** *n* viabilité *f*

viaduct ['vaɪədʌkt] *n* viaduc *m*

Viagra® [vaɪ'ægrə] *n Med* Viagra® *m*

vibrant ['vaɪbrənt] *adj (person)* plein de vie; *(speech)* vibrant; *(colour)* vif (*f* vive)

vibrate [vaɪ'breɪt] *vi* vibrer ▪ **vibration** *n* vibration *f* ▪ **vibrator** *n* vibromasseur *m*

vicar ['vɪkə(r)] *n (in Church of England)* pasteur *m* ▪ **vicarage** [-rɪdʒ] *n* presbytère *m*

vicarious [vɪ'keərɪəs] *adj* indirect ▪ **vicariously** *adv* indirectement

vice¹ *(Am* **vise)** [vaɪs] *n (tool)* étau *m*

vice² [vaɪs] *n (depravity, fault)* vice *m*; **the v. squad** ≃ la brigade des mœurs

vice- [vaɪs] *pref* vice- ▪ **vice-'chancellor** *n (of British university)* président *m* ▪ **vice-'president** *n* vice-président, -ente *mf*

vice versa [vaɪs(ɪ)'vɜːsə] *adv* vice versa

vicinity [və'sɪnɪtɪ] *n* environs *mpl*; **in the v. of** aux environs de

vicious ['vɪʃəs] *adj (malicious)* méchant; *(violent)* brutal; **v. circle** cercle *m* vicieux ▪ **viciously** *adv (spitefully)* méchamment;

(violently) brutalement ▪ **viciousness** *n (spite)* méchanceté *f*; *(violence)* brutalité *f*

> Note that the French word **vicieux** is a false friend. It means **depraved** or **underhand** depending on the context.

vicissitudes [vɪ'sɪsɪtjuːdz] *npl* vicissitudes *fpl*

victim ['vɪktɪm] *n* victime *f*; **to be the v. of** être victime de; **to fall v. to a disease** contracter une maladie

victimize ['vɪktɪmaɪz] *vt* persécuter ▪ **victimi'zation** *n* persécution *f*

Victorian [vɪk'tɔːrɪən] **1** *adj* victorien, -ienne **2** *n* Victorien, -ienne *mf*

victory ['vɪktərɪ] *(pl -ies) n* victoire *f* ▪ **victor** *n Old-fashioned* vainqueur *m* ▪ **victorious** [-'tɔːrɪəs] *adj* victorieux, -ieuse

video ['vɪdɪəʊ] **1** *(pl -os) n (medium)* vidéo *f*; *(cassette)* cassette *f* vidéo; *(recorder)* magnétoscope *m*; **on v.** sur cassette vidéo; **to make a v. of** faire une cassette vidéo de **2** *adj (camera)* vidéo *inv*; **v. cassette** cassette *f* vidéo; **v. game** jeu *m* vidéo; **v. recorder** magnétoscope *m*; **v. shop** *(for renting videos)* vidéoclub *m* **3** *(pt & pp -oed) vt (on camcorder)* filmer en vidéo; *(on video recorder)* enregistrer (sur magnétoscope) ▪ **videodisc** *n* vidéodisque *m* ▪ **videotape 1** *n* bande *f* vidéo **2** *vt* enregistrer sur magnétoscope

vie [vaɪ] *(pres p vying) vi* **to v. with sb (for sth/ to do sth)** rivaliser avec qn (pour qch/pour faire qch)

Vienna [vɪ'enə] *n* Vienne *m ou f*

Vietnam [Br vjet'næm, Am -'nɑːm] *n* le Viêt Nam ▪ **Vietnamese** [-nə'miːz] **1** *adj* vietnamien, -ienne **2** *n* Vietnamien, -ienne *mf*

view [vjuː] **1** *n* vue *f*; *(opinion)* opinion *f*; **to come into v.** apparaître; **in full v. of everyone** à la vue de tous; **in my v.** *(opinion)* à mon avis; **in v. of** *(considering)* étant donné; **on v.** *(exhibit)* exposé; **with a v. to doing sth** dans l'intention de faire qch **2** *vt (regard)* considérer; *(look at)* voir; *(house)* visiter ▪ **viewer** *n* (**a**) *TV* téléspectateur, -trice *mf* (**b**) *(for slides)* visionneuse *f* ▪ **viewfinder** *n (in camera)* viseur *m* ▪ **viewpoint** *n* point *m* de vue

vigil ['vɪdʒɪl] *n* veillée *f*

> Note that the French word **vigile** is a false friend. Its most common meaning is **security guard**.

vigilant ['vɪdʒɪlənt] *adj* vigilant ▪ **vigilance** *n* vigilance *f*

vigilante [vɪdʒɪ'læntɪ] *n Pej* = membre d'une milice privée

vigour ['vɪgə(r)] *(Am* **vigor**) *n* vigueur *f* ▪ **vigorous** *adj* vigoureux, -euse

vile [vaɪl] *(-er, -est) adj (unpleasant)* abominable; *(food, drink)* infect

vilify ['vɪlɪfaɪ] (*pt & pp* **-ied**) *vt* calomnier
villa ['vɪlə] *n* villa *f*
village ['vɪlɪdʒ] *n* village *m* • **villager** *n* villageois, -oise *mf*
villain ['vɪlən] *n* (*scoundrel*) scélérat *m*; (*in story, play*) méchant *m* • **villainous** *adj* diabolique
vindicate ['vɪndɪkeɪt] *vt* justifier • **vindi-'cation** *n* justification *f*
vindictive [vɪn'dɪktɪv] *adj* vindicatif, -ive
vine [vaɪn] *n* vigne *f*; **v. grower** viticulteur, -trice *mf* • **vineyard** ['vɪnjəd] *n* vigne *f*
vinegar ['vɪnɪɡə(r)] *n* vinaigre *m*
vintage ['vɪntɪdʒ] **1** *n* (*year*) année *f*; (*wine*) cru *m* **2** *adj* (*wine*) de cru; (*car*) de collection (*datant généralement des années 1920*)
vinyl ['vaɪnəl] *n* vinyle *m*; **the album is available on v.** l'album existe sur vinyle; **v. seats** sièges *mpl* en vinyle
viola [vɪ'əʊlə] *n* alto *m*
violate ['vaɪəleɪt] *vt* (*agreement*) violer • **vio'lation** *n* violation *f*
violence ['vaɪələns] *n* violence *f* • **violent** *adj* violent; **to take a v. dislike to sb/sth** se prendre d'une aversion violente pour qn/qch • **violently** *adv* violemment; *Br* **to be v. sick** être pris de violents vomissements
violet ['vaɪələt] **1** *adj* (*colour*) violet, -ette **2** *n* (*colour*) violet *m*; (*plant*) violette *f*
violin [vaɪə'lɪn] *n* violon *m*; **v. concerto** concerto *m* pour violon • **violinist** *n* violoniste *mf*
VIP [viːaɪ'piː] (*abbr* **very important person**) *n* VIP *mf*
viper ['vaɪpə(r)] *n* vipère *f*
viral ['vaɪrəl] *adj* viral
virgin ['vɜːdʒɪn] **1** *n* vierge *f*; **to be a v.** être vierge **2** *adj* (*territory, forest*) vierge; **v. snow** neige *f* d'une blancheur virginale • **vir'ginity** *n* virginité *f*; **to lose one's v.** perdre sa virginité
Virgo ['vɜːɡəʊ] *n* (*sign*) la Vierge; **to be (a) V.** être Vierge
virile [*Br* 'vɪraɪl, *Am* 'vɪrəl] *adj* viril • **virility** [-'rɪlɪtɪ] *n* virilité *f*
virtual ['vɜːtʃʊəl] *adj* quasi; *Comptr* virtuel, -uelle; **v. reality** réalité *f* virtuelle • **virtually** *adv* (*in fact*) en fait; (*almost*) quasiment
virtue ['vɜːtʃuː] *n* (*goodness, chastity*) vertu *f*; (*advantage*) mérite *m*; **by v. of** en vertu de • **virtuous** *adj* vertueux, -ueuse
virtuoso [vɜːtʃʊ'əʊsəʊ] (*pl* **-si** [-siː]) *n* virtuose *mf* • **virtuosity** [-tʃʊ'ɒsɪtɪ] *n* virtuosité *f*
virulent ['vɪrʊlənt] *adj* virulent • **virulence** *n* virulence *f*
virus ['vaɪrəs] *n Med & Comptr* virus *m*
Visa® ['viːzə] *n* **V. (card)** carte *f* Visa®
visa ['viːzə] *n* visa *m*
vis-à-vis [viːzə'viː] *prep* vis-à-vis de
viscount ['vaɪkaʊnt] *n* vicomte *m* • **viscountess** *n* vicomtesse *f*

viscous ['vɪskəs] *adj* visqueux, -euse
vise [vaɪs] *n Am* = **vice¹**
visible ['vɪzəbəl] *adj* visible • **visi'bility** *n* visibilité *f* • **visibly** *adv* visiblement
vision ['vɪʒən] *n* (*eyesight*) vue *f*; (*foresight*) clairvoyance *f*; (*apparition*) vision *f*; *Fig* **a man of v.** un homme clairvoyant • **visionary** (*pl* **-ies**) *adj & n* visionnaire (*mf*)
visit ['vɪzɪt] **1** *n* visite *f*; **to pay sb a v.** rendre visite à qn **2** *vt* (*place*) visiter; (*person*) rendre visite à **3** *vi* **to be visiting** être de passage; **to go visiting** aller en visites; *Br* **v. hours/card** heures *fpl*/carte *f* de visite • **visitor** *n* visiteur, -euse *mf*; (*guest*) invité, -ée *f*
visor ['vaɪzə(r)] *n* visière *f*
vista ['vɪstə] *n* vue *f*; *Fig* (*of future*) perspective *f*
visual ['vɪʒʊəl] *adj* visuel, -uelle; **v. aid** support *m* visuel; *v.* **arts** arts *mpl* plastiques; *Comptr* **v. display unit** console *f* de visualisation • **visualize** *vt* (*imagine*) visualiser; (*foresee*) envisager
vital ['vaɪtəl] *adj* vital; **it's v. that...** il est vital que... (*+ subjunctive*); **of v. importance** d'une importance vitale; *Hum* **v. statistics** (*of woman*) mensurations *fpl* • **vitally** *adv* **v. important** d'une importance vitale
vitality [vaɪ'tælɪtɪ] *n* vitalité *f*
vitamin [*Br* 'vɪtəmɪn, *Am* 'vaɪtəmɪn] *n* vitamine *f*; **with added vitamins** vitaminé; **v. pill** comprimé *m* de vitamines
vitriol ['vɪtrɪəl] *n* (*acid, bitter speech*) vitriol *m* • **vitriolic** [-ɪ'ɒlɪk] *adj* au vitriol
viva ['vaɪvə] *n Br Univ* oral *m*
vivacious [vɪ'veɪʃəs] *adj* enjoué
vivid ['vɪvɪd] *adj* vif (*f* vive); (*description*) vivant; (*memory*) clair • **vividly** *adv* (*describe*) de façon vivante; **to remember sth v.** se souvenir clairement de qch
vivisection [vɪvɪ'sekʃən] *n* vivisection *f*
vixen ['vɪksən] *n* renarde *f*
V-neck [viː'nek] **1** *adj* à col en V **2** *n* col *m* en V
vocabulary [*Br* və'kæbjʊlərɪ, *Am* -erɪ] *n* vocabulaire *m*
vocal ['vəʊkəl] **1** *adj* (*cords, music*) vocal; (*outspoken*) franc (*f* franche); (*noisy, critical*) qui se fait entendre **2** *n* **on vocals** au chant • **vocalist** *n* chanteur, -euse *mf*
vocation [vəʊ'keɪʃən] *n* vocation *f* • **vocational** *adj* professionnel, -elle; **v. course** (*short*) stage *m* de formation professionnelle; (*longer*) enseignement *m* professionnel; **v. school** établissement *m* d'enseignement professionnel; **v. training** formation *f* professionnelle
vociferous [və'sɪfərəs] *adj* bruyant
vodka ['vɒdkə] *n* vodka *f*; **v. and orange** vodka orange
vogue [vəʊɡ] *n* vogue *f*; **in v.** en vogue
voice [vɔɪs] **1** *n* voix *f*; **at the top of one's v.** à

tue-tête; **I've lost my v.** je n'ai plus de voix **2** *vt* *(opinion, feelings)* exprimer ▪**voiceless** *adj Med* aphone ▪**voicemail** *n Tel (service)* messagerie *f* vocale; *(message)* message *m* vocal

void [vɔɪd] **1** *n* vide *m* **2** *adj Law (deed, contract)* nul *(f* nulle); *Literary* **v. of** dépourvu de

volatile [*Br* 'vɒlətaɪl, *Am* 'vɒlətəl] *adj (person)* inconstant; *(situation)* explosif, -ive

volcano [vɒl'keɪnəʊ] *(pl* **-oes)** *n* volcan *m* ▪**volcanic** [-'kænɪk] *adj* volcanique

volition [və'lɪʃən] *n Formal* **of one's own v.** de son propre gré

volley ['vɒlɪ] *n (of gunfire)* salve *f; (of blows)* volée *f; Fig (of insults)* bordée *f; Tennis* volée ▪**volleyball** *n Sport* volley(-ball) *m*

volt [vəʊlt] *n* volt *m* ▪**voltage** [-tɪdʒ] *n* voltage *m*

volume ['vɒlju:m] *n (book, capacity, loudness)* volume *m;* **at full v.** *(TV, radio)* à fond; **v. control** *(on TV, radio)* bouton *m* de réglage du volume ▪**voluminous** [və'lu:mɪnəs] *adj* volumineux, -euse

voluntary [*Br* 'vɒləntərɪ, *Am* -erɪ] *adj* volontaire; *(unpaid)* bénévole; **v. redundancy** départ *m* volontaire ▪**voluntarily** *adv* volontairement; *(on an unpaid basis)* bénévolement

volunteer [vɒlən'tɪə(r)] **1** *n* volontaire *mf; (for charity)* bénévole *mf* **2** *vt (information)* donner spontanément **3** *vi* se porter volontaire *(for sth* pour qch; **to do** pour faire); *(for the army)* s'engager *(for* dans)

voluptuous [və'lʌptʃʊəs] *adj* voluptueux, -ueuse

vomit ['vɒmɪt] **1** *n* vomi *m* **2** *vti* vomir

voracious [və'reɪʃəs] *adj* vorace

vote [vəʊt] **1** *n (choice)* vote *m; (election)* scrutin *m; (paper)* voix *f;* **to put sth to the v.** soumettre qch au vote; **to take a v. on sth** voter sur qch; **to have the v.** avoir le droit de vote; **they got 12 percent of the v.** ils ont obtenu 12 pour cent des voix; **v. of no confidence** motion *f* de censure; **v. of thanks** discours *m* de remerciement **2** *vt (funds, bill)* voter; *(person)* élire; **to v. sb in** élire qn; **to be voted president** être élu président **3** *vi* voter; **to v. Labour/Democrat** voter travailliste/démocrate ▪**voter** *n (elector)* électeur, -trice *mf* ▪**voting** *n (of funds)* vote *m (of* de); *(polling)* scrutin *m*

vouch [vaʊtʃ] *vi* **to v. for sb/sth** répondre de qn/qch

voucher ['vaʊtʃə(r)] *n Br* coupon *m,* bon *m;* **gift v.** chèque-cadeau *m*

vow [vaʊ] **1** *n* vœu *m* **2** *vt* jurer **(to à);** **to v. to do sth** jurer de faire qch

vowel ['vaʊəl] *n* voyelle *f*

voyage ['vɔɪɪdʒ] *n* voyage *m*

vulgar ['vʌlgə(r)] *adj* vulgaire ▪**vulgarity** [-'gærɪtɪ] *n* vulgarité *f*

vulnerable ['vʌlnərəbəl] *adj* vulnérable ▪**vulnera'bility** *n* vulnérabilité *f*

vulture ['vʌltʃə(r)] *n* vautour *m*

W, w [ˈdʌbəljuː] *n (letter)* W, w *m inv*

wacky [ˈwækɪ] **(-ier, -iest)** *adj Fam* farfelu

wad [wɒd] *n (of papers, banknotes)* liasse *f; (of cotton wool)* morceau *m*

waddle [ˈwɒdəl] *vi Fig (of duck, person)* se dandiner

wade [weɪd] *vi* **to w. through** *(mud, water)* patauger dans; *Fig (book)* venir péniblement à bout de ▪**wading pool** *n Am (inflatable)* piscine *f* gonflable; *(purpose-built)* pataugeoire *f*

wafer [ˈweɪfə(r)] *n (biscuit)* gaufrette *f; Rel* hostie *f;* **w.-thin** *(slice)* mince comme du papier à cigarette

waffle¹ [ˈwɒfəl] *n (cake)* gaufre *f*

waffle² [ˈwɒfəl] *Br Fam* **1** *n* remplissage *m* **2** *vi* faire du remplissage

waft [wɒft] *vi (of smell, sound)* parvenir

wag¹ [wæg] *(pt & pp -gg-)* **1** *vt* remuer, agiter; **to w. one's finger at sb** menacer qn du doigt **2** *vi* remuer; **its tail was wagging** *(of dog)* il remuait la queue; *Fam* **tongues are wagging** les langues vont bon train

wag² [wæg] *n Fam (joker)* farceur, -euse *mf*

wage [weɪdʒ] **1** *n* **wage(s)** salaire *m,* paie *f;* **a living w.** un salaire qui permet de vivre; **w. claim** revendication *f* salariale; **w. earner** salarié, -iée *mf;* **w. freeze** gel *m* des salaires; **w. increase** augmentation *f* de salaire; *Br* **w. packet** *(envelope)* enveloppe *f* de paie; *(money)* paie **2** *vt* **to w. war** faire la guerre (**on** à); **to w. a campaign against smoking** mener une campagne antitabac

wager [ˈweɪdʒə(r)] **1** *n* pari *m* **2** *vt* parier (**that** que)

waggle [ˈwægəl] *vti* remuer

wag(g)on [ˈwægən] *n Br (of train)* wagon *m* *(découvert); (horse-drawn)* charrette *f; Fam* **to be on the w.** *(no longer drinking)* être au régime sec; *Fam* **to fall off the w.** *(start drinking again)* se remettre à boire

waif [weɪf] *n (child)* enfant *mf* abandonné(e); *(very thin girl)* fille *f* excessivement maigre

wail [weɪl] **1** *n (of person)* gémissement *m; (of siren)* hurlement *m* **2** *vi (of person)* gémir; *(of siren)* hurler

waist [weɪst] *n* taille *f* ▪**waistband** *n* ceinture *f* ▪**waistcoat** *n Br* gilet *m* ▪**waistline** *n* taille *f*

wait [weɪt] **1** *n* attente *f;* **to lie in w. for sb** guetter qn **2** *vt* attendre; **to w. one's turn** attendre son tour **3** *vi* (**a**) attendre; **to w. for sb/sth** attendre qn/qch; **to keep sb waiting** faire attendre qn; **w. till** *or* **until I've gone, w. for me to go** attends que je sois parti; **w. and see!** tu verras bien!; **I can't w. to see her** j'ai vraiment hâte de la voir (**b**) **to w. at table** servir à table; **to w. on sb** servir qn ▪**waiting 1** *n* attente *f; Br* **'no w.'** *(on sign)* 'arrêt interdit' **2** *adj* **w. list/room** liste *f*/salle *f* d'attente ▪**waitlist** *vt Am* mettre sur la liste d'attente

▸ **wait about, wait around** *vi* attendre; **to w. about** *or* **around for sb/sth** attendre qn/qch

▸ **wait behind** *vi* rester

▸ **wait up** *vi* veiller; **to w. up for sb** attendre le retour de qn pour aller se coucher

waiter [ˈweɪtə(r)] *n* serveur *m* ▪**waitress** *n* serveuse *f*

waive [weɪv] *vt (renounce)* renoncer à; **to w. a requirement for sb** dispenser qn d'une condition requise

wake¹ [weɪk] *(pt* **woke,** *pp* **woken) 1** *vt* **to w. sb (up)** réveiller qn **2** *vi* **to w. (up)** se réveiller; **to w. up to sth** prendre conscience de qch ▪**waking** *adj* **to spend one's w. hours working** passer ses journées à travailler

wake² [weɪk] *n (of ship)* sillage *m; Fig* **in the w. of sth** à la suite de qch

wake³ [weɪk] *n (before funeral)* veillée *f* mortuaire

waken [ˈweɪkən] *vt* réveiller

Wales [weɪlz] *n* le pays de Galles

walk [wɔːk] **1** *n (short)* promenade *f; (long)* marche *f; (gait)* démarche *f; (pace)* pas *m; (path)* avenue *f;* **to go for a w., to take a w.** aller se promener; **to take sb for a w.** emmener qn se promener; **to take the dog for a w.** promener le chien; **five minutes' (away)** à cinq minutes à pied; *Fig* **from all walks of life** de tous les milieux **2** *vt* **to w. the dog** promener le chien; **to w. sb home** raccompagner qn; **to w. sb to** *(place)* accompagner qn à; **to w. the streets** battre le pavé; **I walked 3 miles** j'ai fait presque 5 km à pied **3** *vi* marcher; *(as opposed to cycling, driving)* aller à pied; *(for exercise, pleasure)* se promener; **to w. home** rentrer à pied; **w.!** *(don't run)* ne cours pas! ▪**walker** *n* marcheur, -euse *mf; (for pleasure)* promeneur, -euse *mf*

■ **walking 1** *n* marche *f* (à pied) **2** *adj Fig* **a w. corpse/dictionary** *(person)* un cadavre/ dictionnaire ambulant; **at a w. pace** au pas; **w. shoes** chaussures *fpl* de marche; **w. stick** canne *f* ■ **walkout** *n (strike)* grève *f* surprise; *(from meeting)* départ *m* en signe de protestation ■ **walkover** *n Fam* **it was a w.** c'était du gâteau ■ **walkway** *n* passage *m* couvert; **moving w.** trottoir *m* roulant

► **walk away** *vi* s'en aller (**from** de); *Fig* **to w. away with a prize** remporter un prix

► **walk in** *vi* entrer; **to w. into a tree** rentrer dans un arbre; **to w. into a trap** tomber dans un piège

► **walk off** *vi* s'en aller; **to w. off with sth** *(steal)* partir avec qch; *(win easily)* remporter qch

► **walk out** *vi (leave)* sortir; *Br (of workers)* se mettre en grève; **to w. out on sb** quitter qn

► **walk over 1** *vi* **to w. over to** *(go up to)* s'approcher de **2** *vt insep Fam* **to w. over sb** marcher sur les pieds de qn

walkie-talkie [wɔːkɪ ˈtɔːkɪ] *n* talkie-walkie *m*

Walkman® [ˈwɔːkmən] *(pl* **-mans)** *n* baladeur *m*

wall [wɔːl] **1** *n* mur *m*; *(of cabin, tunnel, stomach)* paroi *f*; *Fig* **a w. of smoke** un rideau de fumée; *Fig* **to go to the w.** faire faillite; *Fam* **I might as well talk to the w.** c'est comme si je parlais à un mur **2** *adj (map, hanging)* mural **3** *vt* **to w. a door up** murer une porte ■ **walled** *adj* **w. city** ville *f* fortifiée ■ **wallflower** *n (plant)* giroflée *f*; *Fig* **to be a w.** *(of person)* faire tapisserie ■ **wallpaper 1** *n* papier *m* peint **2** *vt* tapisser ■ **'wall-to-wall 'carpet(ing)** *n* moquette *f*

wallet [ˈwɒlɪt] *n* portefeuille *m*

wallop [ˈwɒləp] *Fam* **1** *n* beigne *f* **2** *vt* filer une beigne à

wallow [ˈwɒləʊ] *vi* se vautrer; *Fig* **to w. in self-pity** s'apitoyer sur son sort

wally [ˈwɒlɪ] *(pl* **-ies)** *n Br Fam (idiot)* andouille *f*

walnut [ˈwɔːlnʌt] *n (nut)* noix *f*; *(tree, wood)* noyer *m*

walrus [ˈwɔːlrəs] *(pl* **-ruses** [-rəsəz]*)* *n* morse *m*

waltz [*Br* wɔːls, *Am* wɒlts] **1** *n* valse *f* **2** *vi* valser

wan [wɒn] *adj* blême

wand [wɒnd] *n (magic)* **w.** baguette *f* magique

wander [ˈwɒndə(r)] **1** *vt* **to w. the streets** errer dans les rues **2** *vi (of thoughts)* vagabonder; *(of person)* errer, vagabonder; **to w. from** *(path, subject)* s'écarter de; **to w. around the town** se promener dans la ville; **to w. in/out** entrer/ sortir tranquillement; **my mind's wandering** je suis distrait ■ **wanderer** *n* vagabond, -onde *mf* ■ **wandering** *adj (life)* vagabond; *(tribe)* nomade

► **wander about, wander around** *vi (roam)* errer, vagabonder; *(stroll)* flâner

► **wander off** *vi (go away)* s'éloigner; **to w. off the path/the subject** s'écarter du chemin/du sujet

wane [weɪn] **1** *n* **to be on the w.** *(of moon)* décroître; *(of fame, enthusiasm, power)* décliner **2** *vi (of moon)* décroître; *(of fame, strength)* décliner

wangle [ˈwæŋgəl] *vt Br Fam (obtain)* se débrouiller pour avoir; *(through devious means)* carotter (**from** à)

want [wɒnt] **1** *n (lack)* manque *m* (**of** de); *(poverty)* besoin *m*; **for w. of** par manque de; **for w. of money/time** faute d'argent/de temps; **for w. of anything better** faute de mieux **2** *vt* vouloir (**to do** faire); *Fam (need)* avoir besoin de; **I w. him to go** je veux qu'il parte; **the lawn wants cutting** la pelouse a besoin d'être tondue; *Br* **you w. to try** *(should)* tu devrais essayer; **you're wanted on the phone** on vous demande au téléphone; *Br* **'situations wanted'** *(in newspaper)* 'demandes d'emploi' **3** *vi* **to w. for nothing** ne manquer de rien ■ **wanted** *adj (criminal, man)* recherché par la police; **to feel w.** sentir qu'on vous aime ■ **wanting** *adj* **to be w. in sth** manquer de qch; **to be found w.** *(of person)* se révéler incapable; *(of thing)* laisser à désirer

wanton [ˈwɒntən] *adj (gratuitous)* gratuit; *Old-fashioned (immoral)* impudique

WAP [wæp] *(abbr* **wireless applications protocol)** *n Tel* WAP *m*

war [wɔː(r)] **1** *n* guerre *f*; **at w.** en guerre (**with** avec); **to go to w.** entrer en guerre (**with** avec); **to declare w.** déclarer (**on** à); **the First/Second World W.** la Première/ Deuxième Guerre mondiale **2** *adj (wound, crime, criminal, correspondent)* de guerre; **w. memorial** monument *m* aux morts ■ **warfare** *n* guerre *f* ■ **warlike** *adj* guerrier, -ière ■ **warmonger** [-mʌŋgə(r)] *n* belliciste *mf* ■ **warring** *adj (countries)* en guerre ■ **wartime** *n* **in w.** en temps *m* de guerre

warble [ˈwɔːbəl] *vi* gazouiller

ward¹ [wɔːd] *n (in hospital)* salle *f*; *Br (electoral division)* circonscription *f* électorale; *Law* **w. of court** pupille *mf* sous tutelle judiciaire

ward² [wɔːd] *vt* **to w. off** *(blow, anger)* éviter; *(danger)* chasser

warden [ˈwɔːdən] *n (of institution, hostel)* drecteur, -trice *mf*; *Br (of park)* gardien, -ienne *mf*

warder [ˈwɔːdə(r)] *n Br* gardien *m* (de prison)

wardrobe [ˈwɔːdrəʊb] *n (cupboard)* penderie *f*; *(clothes)* garde-robe *f*

warehouse [ˈweəhaʊs] *(pl* **-ses** [-zɪz]*)* *n* entrepôt *m*

wares [weəz] *npl* marchandises *fpl*

warily [ˈweərɪlɪ] *adv* avec précaution

warm [wɔːm] **1** *(-er, -est) adj* chaud; *Fig (welcome, thanks)* chaleureux, -euse; **to be** *or* **feel w.** avoir chaud; **to get w.** *(of person, room)* se réchauffer; *(of food, water)* chauffer; **it's w.** *(of weather)* il fait chaud **2** *vt* (faire) chauffer;

to w. oneself by the fire se chauffer près du feu; **to w. some water** faire chauffer de l'eau 3 *vi Fig* **to w. to sb** se prendre de sympathie pour qn ▪**'warm-'hearted** *adj* chaleureux, -euse ▪**warmly** *adv* (dress) chaudement; *Fig* (welcome, thank) chaleureusement ▪**warmth** *n* chaleur *f* ▪**warm-up** *n* (of athlete) échauffement *m*

▸**warm up 1** *vt* (person, food) réchauffer; (engine) faire chauffer **2** *vi* (of person, room, engine) se réchauffer; (of athlete) s'échauffer; (of food, water) chauffer; (of weather) faire plus chaud

warn [wɔːn] *vt* avertir, prévenir (**that** que); **to w. sb against** *or* **of sth** mettre qn en garde contre qch; **to w. sb against doing sth** déconseiller à qn de faire qch ▪**warning** *n* (caution) avertissement *m*; (advance notice) avis *m*; **without w.** sans prévenir; **gale/storm w.** avis de coup de vent/de tempête; **a word** *or* **note of w.** une mise en garde; **w. light** (on appliance) voyant *m* lumineux; *Br* (hazard) **w. lights** feux *mpl* de détresse; **w. triangle** triangle *m* de présignalisation

warp [wɔːp] **1** *vt* (wood) gauchir; *Fig* (judgement, person) pervertir; **a warped mind** un esprit tordu **2** *vi* (of door) gauchir

warpath ['wɔːpɑːθ] *n Fam* **to be on the w.** en vouloir à tout le monde

warrant ['wɒrənt] **1** *n Law* mandat *m*; **I have a w. for your arrest** j'ai un mandat d'arrêt contre vous; **search w.** mandat de perquisition **2** *vt* (justify) justifier; **I w. you that...** je vous assure que... ▪**warranty** (pl **-ies**) *n Com* garantie *f*; **under w.** sous garantie

warren ['wɒrən] *n* (rabbit) **w.** garenne *f*

warrior ['wɒrɪə(r)] *n* guerrier, -ière *mf*

Warsaw ['wɔːsɔː] *n* Varsovie *m ou f*

warship ['wɔːʃɪp] *n* navire *m* de guerre

wart [wɔːt] *n* verrue *f*

wary ['weərɪ] (**-ier, -iest**) *adj* prudent; **to be w. of sb/sth** se méfier de qn/qch; **to be w. of doing sth** hésiter beaucoup à faire qch

was [wɒz, *stressed* wɒz] *pt of* **be**

wash [wɒʃ] **1** *n* (action) lavage *m*; (of ship) remous *m*; **to have a w.** se laver; **to give sth a w.** laver qch; **to be in the w.** être au lavage **2** *vt* laver; (of sea) baigner; **to w. one's hands** se laver les mains (**of sth** de qch); **to w. sb/sth ashore** rejeter qn/qch sur le rivage **3** *vi* (have a wash) se laver; *Fam* **that won't w.!** ça ne marche pas! ▪**washbasin** *n Br* lavabo *m* ▪**washcloth** *n Am* gant *m* de toilette ▪**washed-'out** *adj Fam* (tired) lessivé ▪**washed-'up** *adj Fam* **(all) w.** (person, plan) fichu ▪**washroom** *n Am* toilettes *fpl*

▸**wash away 1** *vt sep* (stain) faire partir (en lavant); **to w. sb/sth away** (of sea) emporter qn/qch **2** *vi* (of stain) partir (au lavage)

▸**wash down** *vt sep* (car, deck) laver à grande eau; (food) arroser (**with** de)

▸**wash off 1** *vt sep* enlever **2** *vi* partir

▸**wash out 1** *vt sep* (bowl, cup) rincer; (stain) faire partir (en lavant) **2** *vi* (of stain) partir (au lavage)

▸**wash up 1** *vt sep Br* (dishes, forks) laver **2** *vi Br* (do the dishes) faire la vaisselle; *Am* (have a wash) se débarbouiller

washable ['wɒʃəbəl] *adj* lavable

washer ['wɒʃə(r)] *n* (ring) joint *m*

washing ['wɒʃɪŋ] *n* (action) lavage *m*; (clothes) linge *m*; **to do the w.** faire la lessive; **w. line** corde *f* à linge; **w. machine** machine *f* à laver; *Br* **w. powder** lessive *f* ▪**washing-'up** *n Br* vaisselle *f*; **to do the w.** faire la vaisselle; **w. liquid** liquide *m* vaisselle

washout ['wɒʃaʊt] *n Fam* (event) bide *m*

wasp [wɒsp] *n* guêpe *f*

waste [weɪst] **1** *n* gaspillage *m*; (of time) perte *f*; (rubbish) déchets *mpl*; **wastes** (land) étendues *fpl* désertiques; *Br* **w. disposal unit** broyeur *m* d'ordures; *Br* **w. ground** (in town) terrain *m* vague; **w. land** (uncultivated) terres *fpl* incultes; (in town) terrain vague; **w. material** *or* **products** déchets *mpl*; **w. pipe** tuyau *m* d'évacuation **2** *vt* (money, food) gaspiller; (time) perdre; (opportunity) gâcher; **to w. no time doing sth** ne pas perdre de temps pour faire qch; **to w. one's life** gâcher sa vie **3** *vi* **to w. away** dépérir ▪**wastage** *n* gaspillage *m*; (losses) pertes *fpl* ▪**wasted** *adj* (effort) inutile; (body) émacié; *Fam* (drunk) bourré; *Fam* (drugged) défoncé

wastebin ['weɪstbɪn] *n* (in kitchen) poubelle *f*

wasteful ['weɪstfəl] *adj* (person) gaspilleur, -euse; (process) peu économique

wastepaper [weɪst'peɪpə(r)] *n* vieux papiers *mpl*; **w. basket** corbeille *f* à papier

watch [wɒtʃ] **1** *n* **(a)** (clock) montre *f* **(b)** (over suspect, baby) garde *f*; (guard) sentinelle *f*; (on ship) quart *m*; **to keep a close w. on sb/sth** surveiller qn/qch de près; **to keep w.** faire le guet; **to be on w.** monter la garde **2** *vt* regarder; (observe) observer; (suspect, baby, luggage) surveiller; (be careful of) faire attention à; **w. it!** attention! **3** *vi* regarder; **to w. out for sb/sth** guetter qn/qch; **to w. out** (take care) faire attention (**for** à); **w. out!** attention!; **to w. over** surveiller ▪**watchdog** *n* chien *m* de garde ▪**watchmaker** *n* horloger, -ère *mf* ▪**watchman** (pl **-men**) *n* gardien *m* ▪**watchstrap** *n* bracelet *m* de montre ▪**watchtower** *n* tour *f* de guet

watchful ['wɒtʃfəl] *adj* vigilant

water ['wɔːtə(r)] *n* eau *f*; **under w.** (road, field) inondé; (swim) sous l'eau; *Fig* **it doesn't hold w.** (of theory) ça ne tient pas debout; *Fig* **in hot w.** dans le pétrin; **w. cannon** canon *m* à eau; **w. chestnut** macre *f*; **w. heater** chauffe-eau *m* *inv*; *Br* **w. ice** sorbet *m*; **w. lily** nénuphar *m*; **w. main** conduite *f* d'eau; **w. pistol** pistolet *m* à eau; *Sport* **w. polo** water-polo *m*; **w. power** énergie *f* hydraulique; *Br* **w. rates** taxes *fpl* sur l'eau; **w. skiing** ski *m* nautique; **w. tank** réservoir *m* d'eau; **w. tower** château *m* d'eau; **w. wings** brassards *mpl* de natation

2 *vt (plant)* arroser; **to w. sth down** *(wine)* diluer qch; *(text)* édulcorer qch

3 *vi (of eyes)* larmoyer; **it makes my mouth w.** ça me met l'eau à la bouche ▪ **watercolour** *(Am* **-color)** *n* aquarelle *f* ▪ **watercress** *n* cresson *m* (de fontaine) ▪ **waterfall** *n* cascade *f* ▪ **waterfront** *n (by sea)* front *m* de mer; *(by river)* bord *m* de l'eau ▪ **watering** *n (of plant)* arrosage *m*; **w. can** arrosoir *m* ▪ **waterline** *n (on ship)* ligne *f* de flottaison ▪ **waterlogged** *adj (clothes)* trempé; *(land)* détrempé ▪ **watermark** *n* filigrane *m* ▪ **watermelon** *n* pastèque *f* ▪ **waterproof** *adj* imperméable; *(watch)* étanche ▪ **water-repellent** *adj* imperméable ▪ **watershed** *n Fig (turning point)* tournant *m*; *Br* TV **the (nine o'clock) w.** = l'heure après laquelle l'émission de programmes destinés aux adultes est autorisée ▪ **watertight** *adj (container)* étanche ▪ **waterway** *n* voie *f* navigable ▪ **waterworks** *n* station *f* hydraulique

watery ['wɔːtərɪ] *adj (soup)* trop liquide; *(coffee, tea)* insipide; *(colour)* délavé; *(eyes)* larmoyant

watt [wɒt] *n* watt *m*

wave [weɪv] **1** *n (of water, crime)* vague *f*; *(in hair)* ondulation *f*; *(sign)* signe *m* (de la main); *Radio & Phys* onde *f*; **Fig to make waves** faire des vagues **2** *vt (arm, flag)* agiter; *(stick)* brandir; **to w. goodbye to sb** faire au revoir de la main à qn; **to w. sb on** faire signe à qn d'avancer; **to w. sth aside** *(objection)* écarter qch **3** *vi (of person)* faire signe (de la main); *(of flag)* flotter; **to w. to sb** *(signal)* faire signe de la main à qn; *(greet)* saluer qn de la main ▪ **waveband** *n Radio* bande *f* de fréquences ▪ **wavelength** *n Radio* longueur *f* d'onde; *Fig* **on the same w.** sur la même longueur d'onde

waver ['weɪvə(r)] *vi (of person, flame)* vaciller

wavy ['weɪvɪ] **(-ier, -iest)** *adj (line)* qui ondule; *(hair)* ondulé

wax¹ [wæks] **1** *n* cire *f*; *(for ski)* fart *m* **2** *adj (candle, doll)* de cire; **w. crayon** crayon *m* (gras); *Am* **w. paper** *(for wrapping)* papier *m* paraffiné **3** *vt* cirer; *(ski)* farter; *(car)* lustrer; *(legs)* épiler ▪ **waxwork** *n (dummy)* moulage *m* de cire; **waxworks** musée *m* de cire

wax² [wæks] *vi (of moon)* croître; *Literary* **to w. lyrical** devenir lyrique

way [weɪ] **1** *n* **(a)** *(path, road)* chemin *m* **(to** de); *(direction)* sens *m*, direction *f*; *(street)* rue *f*; **the w. in** l'entrée *f*; **the w. out** la sortie; **the w. to the station** le chemin pour aller à la gare; **to ask sb the w.** demander son chemin à qn; **to show sb the w.** montrer le chemin à qn; **to lose one's w.** se perdre; **I'm on my w.** *(coming)* j'arrive; *(going)* je pars; **to stand in sb's w.** barrer le passage à qn; **to make one's w. towards** se diriger vers; **to make w. for sb** faire de la place à qn; **to be out of the w.** *(isolated)* isolé; **to get out of the w.** s'écarter; *Fig* **to go out of one's w. to help sb** se mettre en quatre pour aider qn; *Fig* **to find a w. out of a problem** trouver une solution à un problème; **to go part of the w.** faire un bout de chemin; **to go all the w.** aller jusqu'au bout; **we talked all the w.** nous avons parlé pendant tout le chemin; **to give w.** céder; *Br (in vehicle)* céder le passage **(to** à); **it's a long w. away** *or* **off** c'est très loin; **it's the wrong w. up** c'est dans le mauvais sens; **do it the other w. round** fais le contraire; **this w.** par ici; **that w.** par là; **which w.?** par où? **(b)** *(manner)* manière *f*; **in this w.** de cette manière; **in a w.** d'une certaine manière; **by w. of** *(via)* par; *Fig (as)* comme; *Fig* **by the w.** à propos; **to find a w. of doing sth** trouver une manière de faire qch; **to get one's w.** arriver à ses fins; **to be in a good/bad w.** aller bien/mal; *Fam* **no w.!** *(certainly not)* pas question!; *Am Fam* **w. to go!** c'est génial!; **w. of life** mode *m* de vie

2 *adv Fam* **w. behind** très en arrière; **w. ahead** très en avance (**of** sur)

waylay [weɪ'leɪ] *(pt & pp* **-laid)** *vt (attack)* agresser; *Fig (stop)* arrêter au passage

way-out [weɪ'aʊt] *adj Fam* excentrique

wayside ['weɪsaɪd] *n* **by the w.** au bord de la route

wayward ['weɪwəd] *adj* difficile

WC [dʌbəljuː'siː] *n* W.-C. *mpl*

we [wiː] *pron* nous; *(indefinite)* on; **we go** nous allons; **we teachers** nous autres professeurs; **WE are right, not you** *(stressed)* nous, nous avons raison, pas vous; **we all make mistakes** tout le monde peut se tromper

weak [wiːk] **(-er, -est)** *adj* faible; *(tea, coffee)* léger, -ère; **to have a w. heart** avoir le cœur fragile; **to be w. at sth** *(school subject)* être faible en qch ▪ **weakly** *adv* faiblement ▪ **weakness** *n* faiblesse *f*; *(of heart)* fragilité *f*; *(fault)* point *m* faible; **to have a w. for sb/sth** avoir un faible pour qn/qch

weaken ['wiːkən] **1** *vt* affaiblir **2** *vi* s'affaiblir

weakling ['wiːklɪŋ] *n (in body)* mauviette *f*; *(in character)* faible *mf*

weak-willed ['wiːk'wɪld] *adj* sans volonté

weal [wiːl] *n* trace *f* de coup

wealth [welθ] *n* richesse *f*; *Fig* **a w. of sth** une abondance de qch ▪ **wealthy 1 (-ier, -iest)** *adj* riche **2** *npl* **the w.** les riches *mpl*

wean [wiːn] *vt (baby)* sevrer

weapon ['wepən] *n* arme *f*; **weapons of mass destruction** armes *fpl* de destruction massive; **weapons inspector** inspecteur, -trice *mf* du désarmement ▪ **weaponry** *n* armes *fpl*

wear [weə(r)] **1** *n* (**a**) **men's w.** vêtements *mpl* pour hommes; **evening w.** tenue *f* de soirée (**b**) (*use*) usure *f*; **to get a lot of w. out of sth** porter qch longtemps; **w. and tear** usure naturelle **2** (*pt* **wore**, *pp* **worn**) *vt* (*garment, glasses*) porter; *Fig* (*patience*) user; **to w. black** porter du noir; **to have nothing to w.** n'avoir rien à se mettre **3** *vi* (*of clothing*) s'user; **to w. thin** s'user; *Fig* **that excuse is wearing thin** cette excuse ne prend plus; **to w. well** (*of clothing, film*) bien vieillir ▪ **wearing** *adj* lassant
▸ **wear away** **1** *vt sep* (*clothes, patience*) user **2** *vi* (*of material*) s'user; (*of colours, ink*) s'effacer
▸ **wear down** **1** *vt sep* user; *Fig* **to w. sb down** avoir qn à l'usure **2** *vi* s'user
▸ **wear off** *vi* (*of colour, pain*) disparaître
▸ **wear on** *vi* (*of time*) s'écouler
▸ **wear out** **1** *vt sep* (*clothes, patience*) user; **to w. sb out** épuiser qn **2** *vi* (*of clothes*) s'user; *Fig* (*of patience*) s'épuiser

weary ['wɪərɪ] **1** (**-ier, -iest**) *adj* las (*f* lasse) (*of doing* de faire) **2** *vi* se lasser (*of* de) ▪ **wearily** *adv* avec lassitude ▪ **weariness** *n* lassitude *f*

weasel ['wiːzəl] *n* belette *f*

weather ['weðə(r)] **1** *n* temps *m*; **what's the w. like?** quel temps fait-il?; **in hot/cold w.** par temps chaud/froid; **under the w.** (*ill*) patraque **2** *adj* **w. chart/conditions/station** carte *f*/conditions *fpl*/station *f* météorologique(s); **w. forecast** prévisions *fpl* météorologiques; **w. report** (*bulletin m*) météo *f* **3** *vt* (*storm, hurricane*) essuyer; *Fig* (*crisis*) surmonter ▪ **weatherbeaten** *adj* (*face, person*) hâlé ▪ **weathergirl** *n* (*on TV, radio*) présentatrice *f* météo ▪ **weatherman** (*pl* **-men**) *n* (*on TV, radio*) présentateur *m* météo ▪ **weathervane** *n* girouette *f*

weave [wiːv] **1** *n* (*style*) tissage *m* **2** (*pt* **wove**, *pp* **woven**) *vt* (*cloth, plot*) tisser; (*basket, garland*) tresser **3** *vi* tisser; *Fig* **to w. in and out of** (*crowd, cars*) se faufiler entre ▪ **weaver** *n* tisserand, -ande *mf* ▪ **weaving** *n* tissage *m*

web [web] *n* (*of spider*) toile *f*; *Fig* (*of lies*) tissu *m*; *Comptr* **the W.** le Web, la Toile; **w. designer** concepteur, -trice *mf* de sites Web; **w. page** page *f* Web; **w. site** site *m* Web ▪ **webbed** *adj* (*foot*) palmé ▪ **webbing** *n* (*in chair*) sangles *fpl* ▪ **webcam** *n Comptr* Webcam *m*, caméra *f* Internet ▪ **webcast** *Comptr* **1** *n* webcast *m* **2** *vt* diffuser sur Internet ▪ **weblog** *n Comptr* Weblog *m* ▪ **webmaster** *n Comptr* Webmestre *m* ▪ **webzine** *n Comptr* Webzine *m*

wed [wed] (*pt & pp* **-dd-**) **1** *vt* (*marry*) épouser; *Fig* (*qualities*) allier (**to** à) **2** *vi* se marier ▪ **wedded** *adj* (*bliss, life*) conjugal

we'd [wiːd] = we had, we would

wedding ['wedɪŋ] **1** *n* mariage *m*; **golden/ silver w.** noces *fpl* d'or/d'argent **2** *adj* (*anniversary, present, cake*) de mariage; (*dress*)

de mariée; (*night*) de noces; **his/her w. day** le jour de son mariage; *Br* **w. ring**, *Am* **w. band** alliance *f*

wedge [wedʒ] **1** *n* (*of wheel, table*) cale *f*; (*for splitting*) coin *m*; (*of cake*) part *f*; **w. heel** (*of shoe*) semelle *f* compensée **2** *vt* (*wheel, table*) caler; (*push*) enfoncer (**into** dans); **to w. a door open** maintenir une porte ouverte avec une cale; **wedged (in) between** coincé entre

wedlock ['wedlɒk] *n* **born out of w.** illégitime

Wednesday ['wenzdeɪ] *n* mercredi *m*

wee¹ [wiː] *adj Scot Fam* (*tiny*) tout petit (*f* toute petite)

wee² [wiː] *Br Fam* **1** *n* pipi *m*; **to do** *or* **have a w.** faire pipi **2** *vi* faire pipi

weed [wiːd] **1** *n* (*plant*) mauvaise herbe *f*; *Fam* (*weak person*) mauviette *f* **2** *vti* désherber; *Fig* **to w. sth out** éliminer qch (**from** de) ▪ **weedkiller** *n* désherbant *m* ▪ **weedy** (**-ier, -iest**) *adj Fam* (*person*) malingre

week [wiːk] *n* semaine *f*; **the w. before last** pas la semaine dernière, celle d'avant; **the w. after next** pas la semaine prochaine, celle d'après; **tomorrow w.** demain en huit ▪ **weekday** *n* jour *m* de semaine

weekend [wiːk'end] *n* week-end *m*; **at** *or* **over** *or Am* **on the w.** ce week-end; (*every weekend*) le week-end

weekly ['wiːklɪ] **1** *adj* hebdomadaire **2** *adv* toutes les semaines **3** *n* (*magazine*) hebdomadaire *m*

weep [wiːp] (*pt & pp* **wept**) *vti* pleurer; **to w. for sb** pleurer qn ▪ **weeping 'willow** *n* saule *m* pleureur

wee(-)wee ['wiːwiː] *n Br Fam* pipi *m*; **to do a w.** faire pipi

weft [weft] *n* trame *f*

weigh [weɪ] **1** *vt* peser; **to w. sb/sth down** (*with load*) surcharger qn/qch (**with** de); **to w. down a branch** (*of fruit*) faire plier une branche; **to be weighed down by** (*of branch*) plier sous le poids de; *Fig* **weighed down with worry** accablé de soucis; **to w. up** (*goods, chances*) peser **2** *vi* peser; **how much do you w.?** combien pèses-tu?; **it's weighing on my mind** ça me tracasse; **to w. down on sb** (*of worries*) accabler qn ▪ **weighing-machine** *n* balance *f*

weight [weɪt] **1** *n* poids *m*; **by w.** au poids; **to put on w.** grossir; **to lose w.** maigrir; *Fig* **to carry w.** (*of argument*) avoir du poids; *Fig* **to pull one's w.** faire sa part du travail **2** *vt* **to w. sth (down)** (*hold down*) faire tenir qch avec un poids; **to w. sb/sth down with sth** (*overload*) surcharger qn/qch de qch ▪ **weightlifter** *n* haltérophile *mf* ▪ **weightlifting** *n* haltérophilie *f*

weighting ['weɪtɪŋ] *n Fin* pondération *f*; **London w.** = indemnité de résidence à Londres

weightless ['weɪtləs] *adj (in space)* en apesanteur ▪**weightlessness** *n* apesanteur *f*

weighty ['weɪtɪ] (**-ier, -iest**) *adj (heavy)* lourd; *Fig (serious, important)* grave

weir [wɪə(r)] *n* barrage *m*

weird [wɪəd] (**-er, -est**) *adj* bizarre ▪**weirdo** ['wɪədəʊ] (*pl* **-os**) *n Fam* type *m* bizarre

welcome ['welkəm] **1** *adj (person, news, change)* bienvenu; **to make sb w.** faire un bon accueil à qn; **to feel w.** se sentir le/la bienvenu(e); **w.!** bienvenue!; **w. home!** ça fait plaisir de te revoir!; **you're always w.** vous êtes toujours le/la bienvenu(e); **you're w.!** *(after 'thank you')* il n'y a pas de quoi!; **you're w. to use my bike** mon vélo est à ta disposition **2** *n* accueil *m*; **to give sb a warm w.** faire un accueil chaleureux à qn **3** *vt (person)* souhaiter la bienvenue à; *(news, change)* accueillir favorablement ▪**welcoming** *adj* accueillant; *(speech, words)* de bienvenue

weld [weld] **1** *n* soudure *f* **2** *vt* souder ▪**welder** *n* soudeur, -euse *mf* ▪**welding** *n* soudure *f*

welfare ['welfeə(r)] *n (wellbeing)* bien-être *m*; *Am Fam* **to be on w.** recevoir l'aide sociale; *Br* **the W. State** l'État *m* providence; **w. work** assistance *f* sociale

well[1] [wel] **1** *n (for water, oil)* puits *m*; *(of stairs, lift)* cage *f* **2** *vi* **to w. up** *(tears)* monter

well[2] [wel] **1** *(better, best) adj* bien; **to be w.** aller bien; **to get w.** se remettre; **it's just as w....** heureusement que...; **all's w.** tout va bien; **that's all very w. but...** tout ça c'est très bien mais...

2 *adv* bien; **w. before/after** bien avant/après; **to speak w. of sb** dire du bien de qn; **you'd do w. to refuse** tu ferais bien de refuser; **she might (just) as w. have left** elle aurait mieux fait de partir; **to be w. aware of sth** avoir parfaitement conscience de qch; **it's w. worth the effort** ça vaut vraiment la peine; **w. done!** bravo!; **as w.** *(also)* aussi; **as w. as** aussi bien que; **as w. as two cats, he has...** en plus de deux chats, il a...

3 *exclam* eh bien!; **w., w.!** *(surprise)* tiens, tiens!; **huge, w. quite big** énorme, enfin, assez grand ▪**'well-be'haved** *adj* sage ▪**'well-'being** *n* bien-être *m* ▪**'well-'built** *adj (person, car)* solide ▪**'well-'dressed** *adj* bien habillé ▪**'well-'fed** *adj* bien nourri ▪**'well-'founded** *adj* fondé ▪**'well-'heeled** *adj Fam* cossu ▪**'well-in'formed** *adj* bien informé ▪**'well-'known** *adj (bien)* connu ▪**'well-'mannered** *adj* bien élevé ▪**'well-'matched** *adj* assorti ▪**'well-'meaning** *adj* bien intentionné ▪**'well-'off** *adj* riche ▪**'well-'paid** *adj* bien payé ▪**'well-'read** *adj* instruit ▪**'well-'spoken** *adj* qui parle bien ▪**'well-'thought-of** *adj* bien considéré ▪**'well-thought-'out** *adj* bien conçu ▪**'well-'timed** *adj* opportun ▪**'well-to-'do** *adj* aisé ▪**'well-'tried** *adj (method)* éprouvé ▪**'well-'trodden** *adj (path)* battu ▪**wellwisher** *n* sympathisant, -ante *mf* ▪**well-'woman clinic** *n Br* centre *m* de dépistage gynécologique ▪**'well-'worn** *adj (clothes, carpet)* très usé

we'll [wiːl] = **we will, we shall**

wellington ['welɪŋtən] *n Br* **w. (boot)** botte *f* de caoutchouc ▪**welly** (*pl* **-ies**) *n Br Fam* botte *f* de caoutchouc

Welsh [welʃ] **1** *adj* gallois; *Br* **W. rabbit** or **rarebit** = toast au fromage **2** *n (language)* gallois *m*; **the W.** *(people)* les Gallois *mpl* ▪**Welshman** (*pl* **-men**) *n* Gallois *m* ▪**Welshwoman** (*pl* **-women**) *n* Galloise *f*

welsh [welʃ] *vi* **to w. on** *(debt, promise)* ne pas honorer

wench [wentʃ] *n Old-fashioned & Hum* jeune fille *f*

wend [wend] *vt Literary* **to w. one's way** s'acheminer (**to** vers)

went [went] *pt of* **go**

wept [wept] *pt & pp of* **weep**

were [wə(r), *stressed* wɜː(r)] *pt of* **be**

we're [wɪə(r)] = **we are**

werewolf ['weəwʊlf] (*pl* **-wolves**) *n* loup-garou *m*

west [west] **1** *n* ouest *m*; **(to the) w. of** à l'ouest de; *Pol* **the W.** l'Occident *m* **2** *adj (coast)* ouest *inv*; *(wind)* d'ouest; **W. Africa** l'Afrique *f* occidentale; *Formerly* **W. Germany** l'Allemagne *f* de l'Ouest; **W. Indian** *adj* antillais; *n* Antillais, -aise *mf*; **the W. Indies** les Antilles *fpl*; *Br* **the W. Country** le sud-ouest de l'Angleterre **3** *adv* à l'ouest; *(travel)* vers l'ouest ▪**westbound** *adj (traffic)* en direction de l'ouest; *Br (carriageway)* ouest *inv* ▪**westerly** *adj (point)* ouest *inv*; *(direction)* de l'ouest; *(wind)* d'ouest ▪**western 1** *adj (coast)* ouest *inv*; *Pol (culture)* occidental; **W. Europe** l'Europe *f* de l'Ouest **2** *n (film)* western *m* ▪**westerner** *n* habitant, -ante *mf* de l'Ouest; *Pol* occidental, -ale *mf* ▪**westernize** *vt* occidentaliser ▪**westward** *adj & adv* vers l'ouest ▪**westwards** *adv* vers l'ouest

wet [wet] **1** (**wetter, wettest**) *adj* mouillé; *(weather)* pluvieux, -ieuse; *(day)* de pluie; *Fam (feeble)* minable; **to get w.** se mouiller; **to be w. through** être trempé; **it's w.** *(raining)* il pleut; **'w. paint'** *(on sign)* 'peinture fraîche'; **the ink is w.** l'encre est fraîche; *Fig* **w. blanket** rabat-joie *m inv*; **w. nurse** nourrice *f*; **w. suit** combinaison *f* de plongée **2** *n* **the w.** *(rain)* la pluie; *(damp)* l'humidité *f* **3** *(pt & pp* **-tt-**) *vt* mouiller

we've [wiːv] = **we have**

whack [wæk] *Fam* **1** *n (blow)* grand coup *m* **2** *vt* donner un grand coup à ▪**whacked** *adj Br Fam* **w. (out)** *(tired)* nase ▪**whacking** *adj Br Fam (big)* énorme

whale [weɪl] *n* baleine *f* ▪ **whaling** *n* pêche *f* à la baleine

wham [wæm] *exclam* vlan!

wharf [wɔːf] (*pl* **wharfs** *or* **wharves**) *n* (*for ships*) quai *m*

what [wɒt] **1** *adj* quel, quelle, *pl* quel(le)s; **w. book?** quel livre?; **w. a fool!** quel idiot!; **I know w. book it is** je sais quel livre c'est; **w. little she has** le peu qu'elle a **2** *pron* (**a**) (*in questions*) (*subject*) qu'est-ce qui; (*object*) (qu'est-ce) que; (*after prep*) quoi; **w.'s happening?** qu'est-ce qui se passe?; **w. does he do?** qu'est-ce qu'il fait?, que fait-il?; **w. is it?** qu'est-ce que c'est?; **w.'s that book?** c'est quoi, ce livre?; **w.!** (*surprise*) quoi!, comment!; **w.'s it called?** comment ça s'appelle?; **w. for?** pourquoi?; **w. about me?** et moi?; **w. about going out for lunch?** si on allait déjeuner? (**b**) (*in relative construction*) (*subject*) ce qui; (*object*) ce que; **I know w. will happen/w. she'll do** je sais ce qui arrivera/ce qu'elle fera; **w. happens is...** ce qui arrive, c'est que...; **w. I need...** ce dont j'ai besoin...

whatever [wɒt'evə(r)] **1** *adj* **w. (the) mistake** quelle que soit l'erreur; **of w. size** de n'importe quelle taille; **no chance w.** pas la moindre chance; **nothing w.** rien du tout **2** *pron* (*no matter what*) quoi que (+ *subjunctive*); **w. you do** quoi que tu fasses; **w. happens** quoi qu'il arrive; **do w. is important** fais tout ce qui est important; **do w. you want** fais tout ce que tu veux

whatsit ['wɒtsɪt] *n Fam* machin *m*

whatsoever [wɒtsəʊ'evə(r)] *adj* **for no reason w.** sans aucune raison; **none w.** aucun

wheat [wiːt] *n* blé *m* ▪ **wheatgerm** *n* germe *m* de blé

wheedle ['wiːdəl] *vt* **to w. sb** enjôler qn (**into doing** pour qu'il/elle fasse); **to w. sth out of sb** obtenir qch de qn par la flatterie

wheel [wiːl] **1** *n* roue *f*; **to be at the w.** être au volant **2** *vt* (*push*) pousser **3** *vi* (*turn*) tourner; (*of person*) se retourner brusquement; *Fam* **to w. and deal** faire des combines ▪ **wheelbarrow** *n* brouette *f* ▪ **wheelchair** *n* fauteuil *m* roulant ▪ **wheelclamp** *n* sabot *m* de Denver

wheeze [wiːz] **1** *n* (*noise*) respiration *f* sifflante; *Br Fam* (*trick*) combine *f* **2** *vi* respirer bruyamment ▪ **wheezy** (**-ier, -iest**) *adj* poussif, -ive

whelk [welk] *n* bulot *m*

when [wen] **1** *adv* quand **2** *conj* (*with time*) quand, lorsque; (*whereas*) alors que; **w. I came into the room** quand *ou* lorsque je suis entré dans la pièce; **w. I finish, w. I've finished** quand j'aurai fini; **the day/moment w.** le jour/moment où; *Fam* **say w.!** (*when pouring drink*) dis-moi stop!

whenever [wen'evə(r)] **1** *adv* n'importe quand

2 *conj* (*at whatever time*) quand; (*each time that*) chaque fois que

where [weə(r)] **1** *adv* où; **w. are you from?** d'où êtes-vous? **2** *conj* où; (*whereas*) alors que; **I found it w. she'd left it** je l'ai trouvé là où elle l'avait laissé; **the place/house w.** I live l'endroit/la maison où j'habite; **I went to w. he was** je suis allé à l'endroit où il était; **that's w. you'll find it** c'est là que tu le trouveras ▪ **whereabouts 1** [weərə'baʊts] *adv* où **2** ['weərəbaʊts] *n* **his w.** l'endroit *m* où il est ▪ **where'as** *conj* alors que ▪ **where'by** *adv Formal* par quoi ▪ **whereu'pon** *adv Literary* sur quoi ▪ **wherewithal** ['weəwɪðɔːl] *n* **to have the w. to do sth** avoir les moyens de faire qch

wherever [weər'evə(r)] **1** *adv* n'importe où **2** *conj* **w. you go** (*everywhere*) partout où tu iras, où que tu ailles; **I'll go w. you like** j'irai (là) où vous voudrez

whet [wet] (*pt & pp* **-tt-**) *vt* (*appetite, desire*) aiguiser

whether ['weðə(r)] *conj* si; **I don't know w. to leave** je ne sais pas si je dois partir; **w. she does it or not** qu'elle le fasse ou non; **w. now or tomorrow** que ce soit maintenant ou demain; **it's doubtful w....** il est douteux que... (+ *subjunctive*)

which [wɪtʃ] **1** *adj* (*in questions*) quel, quelle, *pl* quel(le)s; **w. hat?** quel chapeau?; **w. one?** lequel/laquelle?; **in w. case** auquel cas **2** *relative pron* (*subject*) qui; (*object*) que; (*after prep*) lequel, laquelle, *pl* lesquel(le)s; (*referring to a whole clause*) (*subject*) ce qui; (*object*) ce que; **the house w. is old...** la maison qui est vieille...; **the book w. I like...** le livre que j'aime...; **the table w. I put it on...** la table sur laquelle je l'ai mis...; **the film of w. she was speaking** le film dont *ou* duquel elle parlait; **she's ill, w. is sad** elle est malade, ce qui est triste; **he lies, w. I don't like** il ment, ce que je n'aime pas; **after w.** (*whereupon*) après quoi **3** *interrogative pron* (*in questions*) lequel, laquelle, *pl* lesquel(le)s; **w. of us?** lequel/laquelle d'entre nous?; **w. are the best of the books?** quels sont les meilleurs de ces livres? **4** *pron* **w. (one)** (*the one that*) (*subject*) celui qui, celle qui, *pl* ceux qui, celles qui; (*object*) celui que; **I know w. (ones) you want** je sais ceux/celles que vous désirez

whichever [wɪtʃ'evə(r)] **1** *adj* (*no matter which*) **take w. books interest you** prenez les livres qui vous intéressent; **take w. one you like** prends celui/celle que tu veux **2** *pron* (*no matter which*) quel que soit celui qui (*f* quelle que soit celle qui); **w. you choose...** quel que soit celui que tu choisiras...; **take w. you want** prends celui/celle que tu veux

whiff [wɪf] *n* odeur *f*

while [waɪl] **1** *conj* (*when*) pendant que;

(although) bien que *(+ subjunctive)*; *(as long as)* tant que; *(whereas)* tandis que; **w. eating** en mangeant **2** *n* **a** w. un moment; **all the w.** tout le temps; **it's not worth my w.** ça n'en vaut pas la peine **3** *vt* **to w. away the time** passer le temps (**doing** à faire) ▪ **whilst** [waɪlst] *conj Br* = while

whim [wɪm] *n* caprice *m*; **on a w.** sur un coup de tête

whimper ['wɪmpə(r)] **1** *n* gémissement *m*; **without a w.** sans broncher **2** *vi* gémir

whimsical ['wɪmzɪkəl] *adj (look, idea)* bizarre; *(person)* fantasque

whine [waɪn] **1** *n* gémissement *m* **2** *vi* gémir

whip [wɪp] **1** *n* fouet *m*; *Br Pol* chef *m* de file **2** *(pt & pp* **-pp-)** *vt* fouetter; *Fam (defeat)* battre à plates coutures; **whipped cream** crème *f* fouettée ▪ **whipround** *n Br Fam* collecte *f*
► **whip off** *vt sep Fam (clothes)* enlever rapidement
► **whip out** *vt sep Fam* sortir brusquement (**from** de)
► **whip round** *vi Fam (turn quickly)* se retourner brusquement
► **whip up** *vt sep (interest)* susciter; *(eggs)* fouetter; *Fam (meal)* préparer rapidement

whirl [wɜːl] **1** *n* tourbillon *m* **2** *vt* **to w. sb/sth (round)** faire tourbillonner qn/qch **3** *vi* **to w. (round)** tourbillonner ▪ **whirlpool** *n* tourbillon *m* ▪ **whirlwind** *n* tourbillon *m*

whirr [wɜː(r)] **1** *n* ronflement *m* **2** *vi* ronfler

whisk [wɪsk] **1** *n (for eggs)* fouet *m* **2** *vt* battre; **to w. away** *or* **off** *(object)* enlever rapidement; *(person)* emmener rapidement

whiskers ['wɪskəz] *npl (of animal)* moustaches *fpl*; *(of man)* favoris *mpl*

whisky ['wɪskɪ] *(Am* **whiskey)** *n* whisky *m*

whisper ['wɪspə(r)] **1** *n* chuchotement *m* **2** *vti* chuchoter; **to w. sth to sb** chuchoter qch à l'oreille de qn; **w. to me!** chuchote à mon oreille!

whist [wɪst] *n Br (card game)* whist *m*

whistle ['wɪsəl] **1** *n* sifflement *m*; *(object)* sifflet *m*; **to blow the** *or* **one's w.** siffler, donner un coup de sifflet; **to give a w.** siffler **2** *vti* siffler; **to w. for** *(dog, taxi)* siffler

Whit [wɪt] *adj Br* **W. Sunday** la Pentecôte

white [waɪt] **1** (**-er, -est**) *adj* blanc *(f* blanche); **to go** *or* **turn w.** blanchir; *Br* **w. coffee** café *m* au lait; *Fig* **w. elephant** = chose coûteuse et peu rentable; **w. lie** pieux mensonge *m*; **w. man** Blanc *m*; **w. woman** Blanche *f*; **w. spirit** white-spirit *m* **2** *n (colour, of egg, eye)* blanc *m*; *(person)* Blanc *m*, Blanche *f* ▪ **white-'collar worker** *n* col *m* blanc ▪ **whiten** *vti* blanchir ▪ **whiteness** *n* blancheur *f* ▪ **whitewash** *n* **1** *(paint)* badigeon *m* à la chaux; *Fig (of events, faults)* camouflage *m* **2** *vt (paint)* badigeonner à la chaux; *Fig (person)* blanchir; *Fig (events, faults)* camoufler

whiting ['waɪtɪŋ] *n inv (fish)* merlan *m*

Whitsun ['wɪtsən] *n Br* la Pentecôte

whittle ['wɪtəl] *vt* **to w. down** *(wood)* tailler (au couteau); *Fig (price)* réduire

whizz [wɪz] **1** *vi (rush)* aller à toute vitesse; **to w. past** *or* **by** passer à toute vitesse; **to w. through the air** *(of bullet, spear)* fendre l'air **2** *adj Fam* **w. kid** petit prodige *m*

WHO [dʌb(ə)lju:eɪtʃ'əʊ] *(abbr* **World Health Organization)** *n* OMS *f*

who [huː] *pron* qui; **w. did it?** qui (est-ce qui) a fait ça?; **the woman w. came** la femme qui est venue; **w. did you see?** qui as-tu vu?; **w. were you talking to?** à qui est-ce que tu parlais?

whodunit [huː'dʌnɪt] *n Fam* polar *m*

whoever [huː'evə(r)] *pron (no matter who) (subject)* qui que ce soit qui; *(object)* qui que ce soit que; **w. has seen** *(anyone who)* quiconque a vu cela; **w. you are** qui que vous soyez; **this man, w. he is** cet homme, quel qu'il soit; **w. did that?** qui donc a fait ça?

whole [həʊl] **1** *adj* entier, -ière; **the w. time** tout le temps; **the w. apple** toute la pomme, la pomme tout entière; **the w. truth** toute la vérité; **the w. world** le monde entier; **the w. lot** le tout; **to swallow sth w.** avaler qch sans le mâcher **2** *n* totalité *f*; **the w. of the village** le village tout entier, tout le village; **the w. of the night** toute la nuit; **on the w., as a w.** dans l'ensemble ▪ **wholefood** *n* aliment *m* complet ▪ **'whole-'hearted** *adj* sans réserve ▪ **whole-meal** *(Am* **wholewheat)** *adj (bread)* complet, -ète ▪ **wholesome** *adj (food, climate)* sain

wholesale ['həʊlseɪl] **1** *n* **to deal in w.** faire de la vente en gros **2** *adj (price)* de gros; *Fig (destruction)* en masse; **w. business** *or* **trade** commerce *m* de gros **3** *adv (buy or sell one article)* au prix de gros; *(in bulk)* en gros; *Fig (destroy)* en masse ▪ **wholesaler** *n* grossiste *mf*

wholly ['həʊlɪ] *adv* entièrement

whom [huːm] *pron Formal (object)* que; *(in questions and after prep)* qui; **w. did she see?** qui a-t-elle vu?; **the man w. you know** l'homme que tu connais; **with w.** avec qui; **the man of w. we were speaking** l'homme dont nous parlions

whooping cough ['huːpɪŋkɒf] *n* coqueluche *f*

whoops [wʊps] *exclam* houp-là!

whopping ['wɒpɪŋ] *adj Br Fam (big)* énorme ▪ **whopper** *n Br Fam* chose *f* énorme

whore [hɔː(r)] *n very Fam* putain *f*

whose [huːz] *possessive pron & adj* à qui, de qui; **w. book is this?, w. is this book?** à qui est ce livre?; **w. daughter are you?** de qui es-tu la fille?; **the woman w. book I have** la femme dont j'ai le livre; **the man w. mother I spoke to** l'homme à la mère de qui j'ai parlé

why [waɪ] **1** *adv* pourquoi; **w. not?** pourquoi pas? **2** *conj* **the reason w. they...** la raison pour laquelle ils… **3** *npl* **the whys and wherefores** le pourquoi et le comment **4** *exclam (surprise)* tiens!

wick [wɪk] *n (of candle, lighter, oil lamp)* mèche *f*; *Br Fam* **it/she gets on my w.** ça/elle me tape sur les nerfs

wicked ['wɪkɪd] *adj (evil)* méchant; *Fig (dreadful)* affreux, -euse; *Br Fam (excellent)* génial ▪ **wickedness** *n* méchanceté *f*

wicker ['wɪkə(r)] *n* osier *m*; **w. basket** panier *m* d'osier; **w. chair** fauteuil *m* en osier ▪ **wickerwork** *n (objects)* vannerie *f*

wicket ['wɪkɪt] *n (cricket stumps)* guichet *m*

wide [waɪd] **1** (**-er, -est**) *adj* large; *(ocean, desert)* vaste; *(choice, variety, knowledge)* grand; **to be 3 m w.** avoir 3 m de large **2** *adv (fall, shoot)* loin du but; **w. open** *(eyes, mouth, door)* grand ouvert; **w. awake** complètement réveillé ▪ **widely** *adv (travel)* beaucoup; *(broadcast, spread)* largement; **w. different** très différent; **it's w. thought that…** on pense généralement que… ▪ **widen 1** *vt* élargir **2** *vi* s'élargir

widespread ['waɪdspred] *adj* répandu

widow ['wɪdəʊ] *n* veuve *f* ▪ **widowed** *adj* **to be w.** *(of man)* devenir veuf; *(of woman)* devenir veuve; **her w. uncle** son oncle qui est veuf ▪ **widower** *n* veuf *m*

width [wɪdθ] *n* largeur *f*

wield [wiːld] *vt (brandish)* brandir; *(handle)* manier; *Fig* **to w. power** exercer le pouvoir

wife [waɪf] *(pl* **wives**) *n* femme *f*, épouse *f* ▪ **wife-to-'be** *n* future femme *f*

wig [wɪg] *n* perruque *f*

wiggle ['wɪgəl] **1** *vt* remuer **2** *vi (of worm)* se tortiller; *(of tail)* remuer

wild [waɪld] **1** (**-er, -est**) *adj (animal, flower, region)* sauvage; *(sea)* déchaîné; *(idea)* fou (*f* folle); *(enthusiasm)* délirant; **w. with joy/anger** fou de joie/colère; **to be w.** *(of person)* mener une vie agitée; **to be w. about sb** *(very fond of)* être dingue de qn; *Fam* **I'm not w. about it** ça ne m'emballe pas; *Am* **the W. West** le Far West **2** *adv* **to grow w.** *(of plant)* pousser à l'état sauvage; **to run w.** *(of animals)* courir en liberté; *(of crowd)* se déchaîner **3** *n* **in the w.** à l'état sauvage; **in the wilds** en pleine brousse ▪ **wildcard character** *n Comptr* caractère *m* joker ▪ **wildcat 'strike** *n* grève *f* sauvage ▪ **wild-'goose chase** *n* fausse piste *f* ▪ **wildlife** *n* nature *f*

wilderness ['wɪldənəs] *n* région *f* sauvage; *(overgrown garden)* jungle *f*

wildly ['waɪldlɪ] *adv (cheer)* frénétiquement; *(guess)* au hasard; *(for emphasis)* extrêmement

wilful ['wɪlfəl] *(Am* **willful**) *adj (intentional, obstinate)* volontaire ▪ **wilfully** *adv* volontairement

will¹ [wɪl]

v aux (expressing future tense) **he w. come, he'll come** il viendra; **you w. not come, you won't come** tu ne viendras pas; **w. you have some tea?** veux-tu du thé?; **w. you be quiet!** veux-tu te taire!; **yes I w.!** oui!; **it won't open** ça ne s'ouvre pas

will² [wɪl] **1** *n (resolve, determination)* volonté *f*; *(legal document)* testament *m*; **ill w.** mauvaise volonté; **free w.** libre arbitre *m*; **of one's own free w.** de son plein gré; **against one's w.** à contrecœur; **at w.** à volonté; *(cry)* à la demande **2** *vt Old-fashioned (intend, wish)* vouloir (**that** que + *subjunctive*); **to w. oneself to do sth** faire un effort de volonté pour faire qch

willing ['wɪlɪŋ] *adj (helper, worker)* plein de bonne volonté; *(help, advice)* spontané; **to be w. to do sth** bien vouloir faire qch; **to show w.** faire preuve de bonne volonté ▪ **willingly** *adv (with pleasure)* volontiers; *(voluntarily)* de son plein gré ▪ **willingness** *n* bonne volonté *f*; **her w. to do sth** *(enthusiasm)* son empressement *m* à faire qch

willow ['wɪləʊ] *n (tree, wood)* saule *m*

willowy ['wɪləʊɪ] *adj (person)* svelte

willpower ['wɪlpaʊə(r)] *n* volonté *f*

willy-nilly [wɪlɪ'nɪlɪ] *adv* bon gré mal gré

wilt [wɪlt] *vi (of plant)* dépérir; *Fig (of enthusiasm)* décliner

wily [waɪlɪ] (**-ier, -iest**) *adj* rusé

wimp [wɪmp] *n Fam (weakling)* mauviette *f* ▪ **wimpy** *adj Fam (physically)* malingre; *(mentally)* poule mouillée *inv*; **he's so w.!** quelle mauviette!

win [wɪn] **1** *n (victory)* victoire *f* **2** *(pt & pp* **won**, *pres p* **winning**) *vt (money, race, prize)* gagner; *(victory)* remporter; *(fame)* acquérir; *(friends)* se faire; *Br* **to w. sb over** or **round** gagner qn (**to** à) **3** *vi* gagner ▪ **winning 1** *adj (number, horse)* gagnant; *(team)* victorieux, -ieuse; *(goal)* décisif, -ive; *(smile)* engageant **2** *npl* **winnings** gains *mpl*

wince [wɪns] *vi* faire une grimace; **without wincing** sans sourciller

winch [wɪntʃ] **1** *n* treuil *m* **2** *vt* **to w. (up)** hisser

wind¹ [wɪnd] **1** *n* vent *m*; *(breath)* souffle *m*; **to have w.** *(in stomach)* avoir des gaz; **to get w. of sth** avoir vent de qch; *Mus* **w. instrument** instrument *m* à vent **2** *vt* **to w. sb** *(of blow)* couper le souffle à qn ▪ **windbreak** *n* brise-vent *m inv* ▪ **windcheater** *(Am* **windbreaker**) *n* coupe-vent *m inv* ▪ **windfall** *n (piece of fruit)* fruit *m* abattu par le vent; *Fig (unexpected money)* aubaine *f* ▪ **windmill** *n* moulin *m* à vent ▪ **windpipe** *n Anat* trachée *f* ▪ **windscreen** *(Am*

windshield) n (of vehicle) pare-brise m inv; **w. wiper** essuie-glace m ▪**windsurfer** n (person) véliplanchiste mf; (board) planche f à voile ▪**windsurfing** n **to go w.** faire de la planche à voile ▪**windswept** adj (street) balayé par le vent ▪**windy** (-ier, -iest) adj (weather) il y a du vent; **w. day** jour m de grand vent; **w. place** endroit m plein de vent

wind² [waɪnd] **1** (pt & pp **wound**) vt (roll) enrouler (**round** autour de); (clock) remonter; **to w. a cassette back** rembobiner une cassette **2** vi (of river, road) serpenter ▪**winding** adj (road) sinueux, -ueuse; (staircase) en colimaçon
▸**wind down 1** vt sep (car window) baisser **2** vi Fam (relax) se détendre
▸**wind up 1** vt sep (clock) remonter; (meeting, speech) terminer; Br Fam **to w. sb up** (tease) faire marcher qn; (irritate) foutre en rogne **2** vi (end up) finir (**doing** par faire); **to w. up with sb/ sth** se retrouver avec qn/qch

window ['wɪndəʊ] n fenêtre f; (pane) vitre f; (of shop) vitrine f; (counter) guichet m; **to go w.- shopping** faire du lèche-vitrines; **w. of opportunity** ouverture f; Br **French w.** porte-fenêtre f; **w. box** jardinière f; Br **w. cleaner**, Am **w. washer** laveur, -euse mf de vitres; **w. dresser** étalagiste mf; Br **w. ledge** rebord m de fenêtre; Am **w. shade** store m ▪**windowpane** n vitre f, carreau m ▪**windowsill** n rebord m de fenêtre

wind-up ['waɪndʌp] n Br Fam **is this a w.?** c'est une plaisanterie?

wine [waɪn] **1** n vin m; **w. bar/bottle** bar m/ bouteille f à vin; **w. cellar** cave f à vin; **w. grower** viticulteur, -trice mf; **w. list** carte f des vins; **w. taster** dégustateur, -trice mf; **w. tasting** dégustation f; **w. waiter** sommelier m **2** vt **to w. and dine sb** inviter qn dans de bons restaurants ▪**wineglass** n verre m à vin ▪**wine-growing** adj viticole

wing [wɪŋ] n aile f; **the wings** (in theatre) les coulisses fpl; Fig **to take sb under one's w.** prendre qn sous son aile ▪**winged** adj ailé ▪**winger** n Football ailier m ▪**wingspan** n envergure f

wink [wɪŋk] **1** n clin m d'œil **2** vi faire un clin d'œil (**at** à); (of light) clignoter

winkle ['wɪŋkəl] n bigorneau m

winner ['wɪnə(r)] n gagnant, -ante mf; Fam **that book is a w.** ce livre est assuré d'avoir du succès

winter ['wɪntə(r)] **1** n hiver m; **in (the) w.** en hiver; **a w.'s day** un jour d'hiver **2** adj d'hiver ▪**wintertime** n hiver m ▪**wintry** adj hivernal; **w. day** jour m d'hiver

wipe [waɪp] **1** n lingette f; **to give sth a w.** essuyer qch **2** vt essuyer; **to w. one's feet/ hands** s'essuyer les pieds/les mains; **to w. sth away** or **off** or **up** (liquid) essuyer qch; **to w.**

sth out (clean) essuyer qch; (destroy) anéantir qch; (erase) effacer qch **3** vi **to w. up** (dry the dishes) essuyer la vaisselle ▪**wiper** n essuie-glace m

wire ['waɪə(r)] **1** n fil m; **w. mesh** or **netting** toile f métallique **2** vt **to w. (up)** (house) faire l'installation électrique de; **to w. sth (up) to sth** (connect electrically) relier qch à qch; **to w. a hall (up) for sound** sonoriser une salle ▪**wiring** n (system) installation f électrique; (wires) fils mpl électriques

wirecutters ['waɪəkʌtəz] npl pince f coupante

wireless ['waɪələs] **1** n Old-fashioned (set) Br TSF f **2** adj Comptr sans fil

wiry ['waɪərɪ] (-ier, -iest) adj (person) petit et musclé

wisdom ['wɪzdəm] n sagesse f; **w. tooth** dent f de sagesse

wise [waɪz] (-er, -est) adj (in knowledge) sage; (advisable) prudent; (learned) savant; **to be none the wiser** ne pas être plus avancé; Fam **to be w. to** être au courant de; Fam **w. guy** gros malin m ▪**wisecrack** n Fam (joke) vanne f ▪**wisely** adv sagement

-wise [waɪz] suff (with regard to) health-w./ money-w. côté santé/argent

wish [wɪʃ] **1** n (specific) souhait m, vœu m; (general) désir m; **to make a w.** faire un vœu; **to do sth against sb's wishes** faire qch contre le souhait de qn; **best wishes, all good wishes** (on greetings card) meilleurs vœux; (in letter) amitiés fpl; **send him my best wishes** fais-lui mes amitiés **2** vt souhaiter (**to do** faire); **to w. sb well** souhaiter à qn que tout se passe bien; **I w. (that) you could help me** je voudrais que vous m'aidiez; **I w. she could come** j'aurais bien aimé qu'elle vienne; **I w. I hadn't done that** je regrette d'avoir fait ça; **if you w.** si tu veux; **I w. you (a) happy birthday/(good) luck** je vous souhaite bon anniversaire/bonne chance; **I w. I could** si seulement je pouvais **3** vi **to w. for sth** souhaiter qch; **I wished for him to recover quickly** j'ai souhaité qu'il se rétablisse vite; **as you w.** comme vous voudrez ▪**wishbone** n bréchet m ▪**wishful** adj **it's w. thinking** tu prends tes désirs pour des réalités

wishy-washy ['wɪʃɪwɒʃɪ] adj (taste, colour) délavé

wisp [wɪsp] n (of smoke) traînée f; (of hair) mèche f; (of straw) brin m; Hum **a (mere) w. of a girl** une fillette toute menue ▪**wispy** adj (hair) fin; (clouds) vaporeux, -euse

wisteria [wɪ'stɪərɪə] n glycine f

wistful ['wɪstfəl] adj nostalgique ▪**wistfully** adv avec nostalgie

wit [wɪt] n (humour) esprit m; (person) homme m/femme f d'esprit; **wits** (intelligence) intelligence f; **he didn't have the w. to do it** il n'a pas eu l'intelligence de le faire; **to be at**

one's wits' or w.'s end ne plus savoir que faire; to halt/keep one's wits about one avoir/conserver toute sa présence d'esprit

witch [wɪtʃ] n sorcière f; **w. doctor** sorcier m guérisseur (f sorcière guérisseuse) ▪**witchcraft** n sorcellerie f ▪**witch-hunt** n Pol chasse f aux sorcières

with [wɪð] prep (a) (expressing accompaniment) avec; **come w. me** viens avec moi; **w. no hat/gloves** sans chapeau/gants; **I'll be right w. you** je suis à vous dans une seconde; Fam **I'm w. you** (I understand) je te suis; Fam **to be w. it** (up-to-date) être dans le vent (b) (at the house, flat of) chez; **she's staying w. me** elle loge chez moi; Fig **it's a habit w. me** c'est une habitude chez moi (c) (expressing cause) de; **to tremble w. fear** trembler de peur; **to be ill w. measles** être malade de la rougeole (d) (expressing instrument, means) **to write w. a pen** écrire avec un stylo; **to walk w. a stick** marcher avec une canne; **to fill w. sth** remplir de qch; **satisfied w. sb/sth** satisfait de qn/qch; **w. my own eyes** de mes propres yeux; **w. two hands** à deux mains (e) (in description) à; **a woman w. blue eyes** une femme aux yeux bleus (f) (despite) malgré; **w. all his faults** malgré tous ses défauts

withdraw [wɪðˈdrɔː] 1 (pt -drew, pp -drawn) vt retirer (**from** de) 2 vi se retirer (**from** de) ▪**withdrawal** n retrait m; **to suffer from w. symptoms** (of drug addict) être en manque ▪**withdrawn** adj (person) renfermé

wither [ˈwɪðə(r)] vi (of plant) se flétrir ▪**withered** adj (plant) flétri; (limb) atrophié; (old man) desséché ▪**withering** adj (look) foudroyant; (remark) cinglant

withhold [wɪðˈhəʊld] (pt & pp -held) vt (permission, help) refuser (**from** à); (decision) différer; (money) retenir (**from** de); (information) cacher (**from** à)

within [wɪˈðɪn] 1 prep (inside) à l'intérieur de; **w. 10 km (of)** (less than) à moins de 10 km (de); (inside an area of) dans un rayon de 10 km (de); **w. a month** (return) avant un mois; (finish) en moins d'un mois; **it's w. my means** c'est dans mes moyens; **to live w. one's means** vivre selon ses moyens; **w. sight** en vue 2 adv à l'intérieur

without [wɪˈðaʊt] 1 prep sans; **w. a tie** sans cravate; **w. doing sth** sans faire qch; **to do w. sth** se passer de qch 2 adv **to do w.** se priver

withstand [wɪðˈstænd] (pt & pp -stood) vt résister à

witness [ˈwɪtnɪs] 1 n (person) témoin m; **to bear w. to sth** témoigner de qch; Br **w. box**, Am **w. stand** barre f des témoins 2 vt (accident) être témoin de; (document) signer (pour attester l'authenticité de)

witty [ˈwɪtɪ] (-ier, -iest) adj spirituel, -uelle ▪**witticism** n mot m d'esprit

wizard [ˈwɪzəd] n magicien m; Fig (genius) as m ▪**wizardry** n Fig génie m

wizened [ˈwɪzənd] adj ratatiné

WMD [dʌbəljuːemˈdiː] (abbr **weapons of mass destruction**) npl ADM fpl

wobble [ˈwɒbəl] vi (of chair) branler; (of jelly, leg) trembler; (of wheel) tourner de façon irrégulière; (of person) chanceler ▪**wobbly** adj (table, chair) branlant; (person) chancelant

woe [wəʊ] n malheur m ▪**woeful** adj affligé

wok [wɒk] n wok m

woke [wəʊk] pt of **wake**[1]

woken [ˈwəʊkən] pp of **wake**[1]

wolf [wʊlf] 1 (pl **wolves**) n loup m; **w. whistle** = sifflement admiratif au passage de quelqu'un 2 vt **to w. (down)** (food) engloutir

woman [ˈwʊmən] (pl **women**) n femme f; **young w.** jeune femme; **she's a London w.** c'est une Londonienne; **w. friend** amie f; **women's** (clothes, attitudes, magazine) féminin; **women's rights** droits mpl des femmes ▪**womanhood** n (quality) féminité f; **to reach w.** devenir une femme ▪**womanizer** n Pej coureur m de jupons ▪**womanly** adj féminin

womb [wuːm] n Anat utérus m

women [ˈwɪmɪn] pl of **woman**

won [wʌn] pt & pp of **win**

wonder [ˈwʌndə(r)] 1 n (marvel) merveille f; (feeling) émerveillement m; **to work wonders** (of medicine) faire merveille; **in w.** avec émerveillement; **it's no w.** ce n'est pas étonnant (**that** que + subjunctive); **it's a w. she wasn't killed** c'est un miracle qu'elle n'ait pas été tuée 2 vt (ask oneself) se demander (**if** si; **why** pourquoi); **I w. that...** je m'étonne que... (+ subjunctive) 3 vi (a) (ask oneself questions) s'interroger (**about** au sujet de ou sur); **I was just wondering** je réfléchissais (b) Literary (be amazed) s'étonner (**at** de)

wonderful [ˈwʌndəfəl] adj merveilleux, -euse ▪**wonderfully** adv (+ adj) merveilleusement; (+ verb) à merveille

wonky [ˈwɒŋkɪ] (-ier, -iest) adj Br Fam (table) déglingué; (hat, picture) de travers

won't [wəʊnt] = **will not**

woo [wuː] (pt & pp **wooed**) vt (woman) courtiser; (voters) chercher à plaire à

wood [wʊd] n (material, forest) bois m; Fig **we're not out of the woods yet** nous ne sommes pas encore tirés d'affaire ▪**woodcut** n gravure f sur bois ▪**wooded** adj boisé ▪**wooden** adj en bois; Fig (manner, dancer, actor) raide ▪**woodland** n région f boisée ▪**woodlouse** (pl -lice) n cloporte m ▪**woodpecker** n pic m ▪**woodwind** n the **w.** (musical instruments) les bois mpl ▪**woodwork** n (school subject) menuiserie f ▪**woodworm** n (larvae) ver m du bois; **it has w.** c'est vermoulu ▪**woody (-ier, -iest)** *adj* (hill) boisé; (stem) ligneux, -euse

wool [wʊl] *n* laine *f*; **w. cloth/garment** tissu *m*/vêtement *m* de laine ▪**woollen** (*Am* **woolen**) **1** *adj* (dress) en laine **2** *npl* **woollens** (*Am* **woolens**) (garments) lainages *mpl* ▪**woolly (-ier, -iest) 1** *adj* en laine; *Fig* (unclear) nébuleux, -euse **2** *n Br Fam* (garment) lainage *m*

word [wɜːd] **1** *n* mot *m*; (promise) parole *f*; **words** (of song) paroles *fpl*; **to have a w. with sb** parler à qn; **to keep one's w.** tenir sa promesse; **in other words** autrement dit; **w. for w.** (report) mot pour mot; (translate) mot à mot; **by w. of mouth** de bouche à oreille; **to receive w. from sb** avoir des nouvelles de qn; **to send w. that…** faire savoir que…; **to leave w. that…** faire dire que…; **the last w. in** (latest development) le dernier cri en matière de; **w. processing** traitement *m* de texte; **w. processor** machine *f* à traitement de texte **2** *vt* (express) formuler ▪**wording** *n* termes *mpl* ▪**wordy (-ier, -iest)** *adj* prolixe

wore [wɔː(r)] *pt of* **wear**

work [wɜːk] **1** *n* travail *m*; (literary, artistic) œuvre *f*; **works** (construction) travaux *mpl*; **to be at w.** travailler; **it's hard w. (doing that)** ça demande beaucoup de travail (de faire ça); **to be out of w.** être sans travail; **a day off w.** un jour de congé; **he's off w. today** il n'est pas allé travailler aujourd'hui; **'w. in progress'** (on sign) 'travaux'; **the works** (of clock) le mécanisme; **w. permit** permis *m* de travail; **w. station** poste *m* de travail; **w. of art** œuvre *f* d'art

2 *vt* (person) faire travailler; (machine) faire marcher; (mine) exploiter; (metal, wood) travailler

3 *vi* (of person) travailler; (of machine) marcher, fonctionner; (of drug) agir; **to w. loose** (of knot, screw) se desserrer; **to w. towards** (result, agreement, aim) travailler à ▪**workable** *adj* possible ▪**workaholic** [-əˈhɒlɪk] *n Fam* bourreau *m* de travail ▪**workbench** *n* établi *m* ▪**workday** *n Am* jour *m* ouvrable ▪**workforce** *n* main-d'œuvre *f* ▪**workload** *n* charge *f* de travail ▪**workman** (*pl* **-men**) *n* ouvrier *m* ▪**workmanship** *n* travail *m* ▪**workmate** *n Br* camarade *mf* de travail ▪**workout** *n Sport* séance *f* d'entraînement ▪**workshop** *n* (place, study course) atelier *m* ▪**workshy** [-ʃaɪ] *adj Br* peu enclin au travail ▪**'work-to-'rule** *n Br* grève *f* du zèle

▸ **work at** *vt insep* (improve) travailler

▸ **work off** *vt sep* (debt) payer en travaillant; (excess fat) se débarrasser de (par l'exercice); (anger) passer

▸ **work on 1** *vt insep* (book, problem) travailler à; (French) travailler **2** *vi* continuer à travailler

▸ **work out 1** *vt sep* (calculate) calculer; (problem) résoudre; (plan) préparer; (under-stand) comprendre **2** *vi* (succeed) marcher; (do exercises) s'entraîner; **it works out at 50 euros** ça fait 50 euros

▸ **work up 1** *vt sep* **to w. up enthusiasm** s'enthousiasmer (**for** pour); **I worked up an appetite** ça m'a ouvert l'appétit; **to w. one's way up** (rise socially) faire du chemin; **to get worked up** s'énerver **2** *vi* **to w. up to sth** se préparer à qch

worker [ˈwɜːkə(r)] *n* travailleur, -euse *mf*; (manual) ouvrier, -ière *mf*; (office) **w.** employé, -ée *mf* (de bureau); **blue-collar w.** col *m* bleu

working [ˈwɜːkɪŋ] **1** *adj* (day, clothes) de travail; *Br* **Monday is a w. day** on travaille le lundi; **in w. order** en état de marche; **a w. wife** une femme qui travaille; **w. class** classe *f* ouvrière; **w. conditions** conditions *fpl* de travail; **w. population** population *f* active **2** *npl* **the workings of** (clock) le mécanisme de ▪**'working-'class** *adj* ouvrier, -ière

world [wɜːld] **1** *n* monde *m*; **all over the w.** dans le monde entier; **the richest in the w.** le/la plus riche du monde; **to think the w. of sb** admirer énormément qn; **it did me the w. of good** ça m'a beaucoup fait du bien; **why in the w.…?** pourquoi diable…?; *Fam* **out of this w.** (wonderful) extra *inv* **2** *adj* (war, production) mondial; (champion, record) du monde; *Football* **the W. Cup** la Coupe du Monde; **W. Health Organization** Organisation *f* mondiale de la santé; **W. Trade Organization** Organisation mondiale du Commerce ▪**'world-'famous** *adj* de renommée mondiale ▪**worldly** *adj* (pleasures) de ce monde; (person) qui a l'expérience du monde ▪**'world'wide 1** *adj* mondial; **the W. Web** le Worldwide Web **2** *adv* dans le monde entier

worm [wɜːm] **1** *n & Comptr* ver *m* **2** *vt* **to w. one's way into** s'insinuer dans; **to w. sth out of sb** soutirer qch à qn ▪**wormeaten** *adj* (wood) vermoulu; (fruit) véreux, -euse

worn [wɔːn] **1** *pp of* **wear 2** *adj* (clothes, tyre) usé ▪**'worn-'out** *adj* (object) complètement usé; (person) épuisé

worry [ˈwʌrɪ] **1** (*pl* **-ies**) *n* souci *m*; **it's a w.** ça me cause du souci; *Fam* **no worries!** pas de problème! **2** (*pt & pp* **-ied**) *vt* inquiéter; **to w. oneself sick** se ronger les sangs **3** *vi* s'inquiéter (**about sth** de qch; **about sb** pour qn) ▪**worried** *adj* inquiet, -iète (**about** au sujet de); **to be w. sick** se ronger les sangs ▪**worrier** *n* anxieux, -ieuse *mf* ▪**worrying** *adj* inquiétant

worse [wɜːs] **1** *adj* pire (**than** que); **to get w.** se détériorer; **he's getting w.** (in health) il va de plus en plus mal; (in behaviour) se conduit de plus en plus mal **2** *adv* plus mal (**than** que); **to go from bad to w.** aller de mal en pis; **I could do w.** j'aurais pu tomber plus mal; **she's w. off**

(than before) sa situation est pire (qu'avant); *(financially)* elle est encore plus pauvre (qu'avant) **3** *n* **there's w. to come** le pire reste à venir; **a change for the w.** une détérioration

worsen ['wɜːsən] **1** *vt* aggraver **2** *vi* empirer

worship ['wɜːʃɪp] **1** *n* culte *m*; *Br* **his W. the Mayor** Monsieur le Maire **2** *(pt & pp* **-pp-)** *vt (person, god)* adorer; *Pej (money)* avoir le culte de **3** *vi (pray)* faire ses dévotions **(at** à) ▪ **worshipper** *n (in church)* fidèle *mf*; *(of person)* adorateur, -trice *mf*

worst [wɜːst] **1** *adj* pire; **the w. book I've ever read** le plus mauvais livre que j'aie jamais lu **2** *adv* **(the) w.** le plus mal; **to come off w.** *(in struggle)* avoir le dessous **3** *n* **the w. (one)** *(object, person)* le/la pire, le/la plus mauvais(e); **the w. (thing) is that…** le pire, c'est que…; **at (the) w.** au pire; **to be at its w.** *(of crisis)* avoir atteint son paroxysme; **the situation is at its w.** la situation est on ne peut plus mauvaise; **to get the w. of it** *(in struggle)* avoir le dessous; **the w. is yet to come** on n'a pas encore vu le pire

worth [wɜːθ] **1** *adj* **to be w. sth** valoir qch; **how much** *or* **what is it w.?** ça vaut combien?; **it's w. a great deal** *or* **a lot** avoir beaucoup de valeur; **the film's (well) w. seeing** le film vaut la peine d'être vu **2** *n* valeur *f*; **to buy 50 pence w. of chocolates** acheter pour 50 pence de chocolats; **to get one's money's w.** en avoir pour son argent ▪ **worthless** *adj* qui ne vaut rien

worthwhile ['wɜːθ'waɪl] *adj (book, film)* qui vaut la peine d'être lu/vu; *(activity)* qui vaut la peine; *(plan, contribution)* valable; *(cause)* louable; *(satisfying)* qui donne des satisfactions

worthy ['wɜːðɪ] **1** **(-ier, -iest)** *adj (person)* digne; *(cause, act)* louable; **to be w. of sb/sth** être digne de qn/qch **2** *n (person)* notable *m*

would [wʊd, *unstressed* wəd]

On trouve généralement **I/you/he/**etc **would** sous leurs formes contractées **I'd/you'd/he'd/** *etc*. La forme négative correspondante est **wouldn't**, que l'on écrira **would not** dans des contextes formels.

v aux **(a)** *(expressing conditional tense)* **I w. stay if I could** je resterais si je le pouvais; **he w. have done it** il l'aurait fait; **I said she'd come** j'ai dit qu'elle viendrait **(b)** *(willingness, ability)* **w. you help me, please?** veux-tu bien m'aider?; **she wouldn't help me** elle n'a pas voulu m'aider; **w. you like some tea?** prendrez-vous du thé?; **the car wouldn't start** la voiture ne démarrait pas **(c)** *(expressing past habit)* **I w. see her every day** je la voyais chaque jour ▪ **would-be** *adj (musician, actor)* en puissance

wound¹ [wuːnd] **1** *n* blessure *f* **2** *vt (hurt)* blesser; **the wounded** les blessés *mpl*

wound² [waʊnd] *pt & pp of* **wind²**

wove [wəʊv] *pt of* **weave**

woven ['wəʊvən] *pp of* **weave**

wow [waʊ] *exclam Fam* oh là là!

wrangle ['ræŋgəl] **1** *n* dispute *f* **2** *vi* se disputer

wrap [ræp] **1** *n (shawl)* châle *m*; *Am* **plastic w.** film *m* plastique **2** *(pt & pp* **-pp-)** *vt* **to w. (up)** envelopper; *(parcel)* emballer; *Fig* **wrapped up in** *(engrossed)* absorbé par **3** *vti* **to w. (oneself) up** *(dress warmly)* s'emmitoufler ▪ **wrapper** *n (of sweet)* papier *m* ▪ **wrapping** *n (action, material)* emballage *m*; **w. paper** papier *m* d'emballage

wrath [rɒθ] *n Literary* courroux *m*

wreak [riːk] *vt* **to w. vengeance on** se venger de; **to w. havoc** faire des ravages

wreath [riːθ] *(pl* **-s** [riːðz]*) n* couronne *f*

wreck [rek] **1** *n (ship)* épave *f*; *(sinking)* naufrage *m*; *(train)* train *m* accidenté; *(person)* épave *f* (humaine); **to be a nervous w.** être à bout de nerfs **2** *vt (break, destroy)* détruire; *(ship)* provoquer le naufrage de; *Fig (spoil)* gâcher; *Fig (career, hopes)* briser ▪ **wreckage** [-ɪdʒ] *n (of plane, train)* débris *mpl* ▪ **wrecker** *n Am (truck)* dépanneuse *f*

wren [ren] *n (bird)* roitelet *m*

wrench [rentʃ] **1** *n* faux mouvement *m*; *Fig (emotional)* déchirement *m*; *Am (tool)* clef *f* (à écrous); **(adjustable) w.** clef à molette **2** *vt (tug at)* tirer sur; **to w. sth from sb** arracher qch à qn; **to w. one's ankle** se tordre la cheville

wrest [rest] *vt* **to w. sth from sb** arracher qch à qn

wrestle ['resəl] *vi* lutter **(with sb** avec qn); *Fig* **to w. with a problem** se débattre avec un problème ▪ **wrestler** *n* lutteur, -euse *mf*; *(in all-in wrestling)* catcheur, -euse *mf* ▪ **wrestling** *n* lutte *f*; **(all-in) w.** *(with relaxed rules)* catch *m*

wretch [retʃ] *n (unfortunate person)* malheureux, -euse *mf*; *(rascal)* misérable *mf* ▪ **wretched** [-ɪd] *adj (poor, pitiful)* misérable; *(dreadful)* affreux, -euse; *Fam (annoying)* maudit

wriggle ['rɪgəl] **1** *vt (toes, fingers)* tortiller; **to w. one's way out of a situation** se sortir d'une situation **2** *vi* **to w. (about)** se tortiller; *(of fish)* frétiller; **to w. out of sth** couper à qch

wring [rɪŋ] *(pt & pp* **wrung)** *vt* **to w. (out)** *(clothes)* essorer; **to w. one's hands** se tordre les mains; *Fam* **I'll w. your neck** je vais te tordre le cou; *Fig* **to w. sth out of sb** arracher qch à qn; **to be wringing wet** être trempé

wrinkle ['rɪŋkəl] **1** *n (on skin)* ride *f*; *(in cloth, paper)* pli *m* **2** *vt (skin)* rider; *(cloth, paper)* plisser **3** *vi (of skin)* se rider; *(of cloth)* faire des plis ▪ **wrinkled** *adj (skin)* ridé; *(cloth)* froissé

wrist [rɪst] *n* poignet *m* ▪ **wristwatch** *n* montre-bracelet *f*

writ [rɪt] *n Law* ordre *m*; **to issue a w. against sb** assigner qn en justice

write [raɪt] (*pt* **wrote**, *pp* **written**) *vti* écrire; **to w. to sb** écrire à qn ▪**write-off** *n Br* **to be a (complete) w.** (*of vehicle*) être bon pour la casse ▪**'write-pro'tected** *adj Comptr* protégé en écriture ▪**write-up** *n* (*of play*) critique *f*
▸ **write away for** *vt insep* (*details*) écrire pour demander
▸ **write back** *vi* répondre
▸ **write down** *vt sep* noter
▸ **write in 1** *vt sep* (*insert*) inscrire **2** *vi* (*send letter*) écrire
▸ **write off** *vt sep* (*debt*) annuler
▸ **write out** *vt sep* (*list, recipe*) noter; (*cheque*) faire
▸ **write up** *vt sep* (*notes*) rédiger; (*diary*) tenir

writer ['raɪtə(r)] *n* auteur *m* (**of** de); (*literary*) écrivain *m*

writhe [raɪð] *vi* (*in pain*) se tordre (**in** de)

writing ['raɪtɪŋ] *n* (*handwriting, action, profession*) écriture *f*; **writings** (*of author*) écrits *mpl*; **to put sth (down) in w.** mettre qch par écrit; **w. desk** secrétaire *m*; **w. pad** bloc-notes *m*; **w. paper** papier *m* à lettres

written ['rɪtən] *pp* of **write**

wrong [rɒŋ] **1** *adj* (*sum, idea*) faux (*f* fausse); (*direction, time*) mauvais; (*unfair*) injuste; **to be w.** (*of person*) avoir tort (**to do** de faire); **it's w. to swear** (*morally*) c'est mal de jurer; **it's the w. road** ce n'est pas la bonne route; **you're the w. man for the job** tu n'es pas l'homme qu'il faut pour ce travail; **the clock's w.** la pendule n'est pas à l'heure; **something's w.** quelque chose ne va pas; **something's w. with the phone** le

téléphone ne marche pas bien; **something's w. with her leg** elle a quelque chose à la jambe; **nothing's w.** tout va bien; **what's w. with you?** qu'est-ce que tu as?; **the w. way round** *or* **up** à l'envers; *Fig* **to rub sb up the w. way** prendre qn à rebrousse-poil

2 *adv* mal; **to go w.** (*of plan*) mal tourner; (*of vehicle, machine*) tomber en panne; (*of clock, watch, camera*) se détraquer; (*of person*) se tromper; **to get the date w.** se tromper de date; **to get the w. number** (*on phone*) se tromper de numéro

3 *n* (*injustice*) injustice *f*; (*evil*) mal *m*; **to be in the w.** être dans son tort; **right and w.** le bien et le mal

4 *vt* faire du tort à ▪**wrongdoer** *n* (*criminal*) malfaiteur *m* ▪**wrongful** *adj* (*accusation*) injustifié; **w. arrest** arrestation *f* arbitraire ▪**wrongfully** *adv* à tort ▪**wrongly** *adv* (*inform, translate*) mal; (*accuse, condemn, claim*) à tort

wrote [rəʊt] *pt* of **write**

wrought [rɔːt] *adj* **w. iron** fer *m* forgé ▪**'wrought-'iron** *adj* en fer forgé

wrung [rʌŋ] *pt* & *pp* of **wring**

wry [raɪ] (**wryer, wryest**) *adj* ironique; **to pull a w. face** grimacer ▪**wryly** *adv* d'un air ironique

WTO [dʌb(ə)ljuːtiː'əʊ] (*abbr* **World Trade Organization**) *n* OMC *f*

WWW [dʌb(ə)ljuːdʌb(ə)ljuː'dʌb(ə)ljuː] (*abbr* **World Wide Web**) *n Comptr* WWW *m*

WYSIWYG [wɪziwɪg] (*abbr* **what you see is what you get**) *adj* & *n Comptr* wysiwyg (*m inv*)

X, x [eks] *n (letter)* X, x *m inv*
xenophobia [*Br* zenə'fəʊbɪə, *Am* ziːnəʊ-] *n* xénophobie *f* ▪ **xenophobic** *adj* xénophobe
Xerox® ['zɪərɒks] **1** *n (copy)* photocopie *f* **2** *vt* photocopier

Xmas ['krɪsməs] *n Fam* Noël *m*
X-ray ['eksreɪ] **1** *n (picture)* radio *f; (radiation)* rayon *m* X; **to have an X.** passer une radio **2** *vt* radiographier
xylophone ['zaɪləfəʊn] *n* xylophone *m*

Y, y [waɪ] *n (letter)* Y, y *m inv* ▪ **Y-fronts** slip *m* ouvert
yacht [jɒt] *n (sailing boat)* voilier *m; (large private boat)* yacht *m* ▪ **yachting** *n* voile *f*
Yank [jæŋk], **Yankee** ['jæŋkɪ] *n Fam* Ricain, -aine *mf*
yank [jæŋk] *Fam* **1** *n* coup *m* sec **2** *vt* tirer d'un coup sec; **to y. sth off** *or* **out** arracher qch
yap [jæp] *(pt & pp* **-pp-)** *vi (of dog)* japper; *Fam (of person)* jacasser
yard¹ [jɑːd] *n (of house, farm, school, prison)* cour *f; (for working)* chantier *m; (for storage)* dépôt *m* de marchandises; *Am (garden)* jardin *m; Br* **(builder's) y.** chantier de construction
yard² [jɑːd] *n (measure)* yard *m* (= 91,44 cm) ▪ **yardstick** *n (criterion)* critère *m*
yarn [jɑːn] *n (thread)* fil *m; Fam (tale)* histoire *f* à dormir debout
yawn [jɔːn] **1** *n* bâillement *m* **2** *vi* bâiller ▪ **yawning** *adj (gap)* béant
yeah [jeə] *adv Fam* ouais
year [jɪə(r)] *n* an *m*, année *f; (of wine)* année; **school/tax y.** année scolaire/fiscale; **this y.** cette année; **in the y. 2001** en (l'an) 2001; **y. in y. out** chaque année; **over the years** au fil des ans; **years ago** il y a des années; **he's ten years old** il a dix ans; **New Y.** Nouvel An; **New Y.'s Day** le jour de l'An; **New Y.'s Eve** la Saint-Sylvestre ▪ **yearbook** *n* almanach *m* ▪ **yearly 1** *adj* annuel, -uelle **2** *adv* annuellement; **twice a y.** deux fois par an
yearn [jɜːn] *vi* **to y. for sb** languir après qn; **to y. for sth** aspirer ardemment à qch; **to y. to do sth** brûler de faire qch ▪ **yearning** *n (desire)* désir *m* ardent; *(nostalgia)* nostalgie *f*
yeast [jiːst] *n* levure *f*

yell [jel] **1** *n* hurlement *m* **2** *vti* **to y. (out)** hurler; **to y. at sb** *(scold)* crier après qn
yellow ['jeləʊ] **1** *adj (in colour)* jaune; *Fam (cowardly)* trouillard; *Football* **y. card** carton *m* jaune; *Med* **y. fever** fièvre *f* jaune; **the Y. Pages®** les pages *fpl* jaunes **2** *n* jaune *m* **3** *vi* jaunir ▪ **yellowish** *adj* jaunâtre
yelp [jelp] **1** *n* jappement *m* **2** *vi* japper
Yemen ['jemən] *n* le Yémen
yen¹ [jen] *n* **to have a y. for sth/to do sth** avoir envie de qch/de faire qch
yen² [jen] *n (currency)* yen *m*
yes [jes] **1** *adv* oui; *(after negative question)* si; **aren't you coming? – y.(, I am)!** tu ne viens pas? – mais si! **2** *n* oui *m* inv
yesterday ['jestədeɪ] **1** *adv* hier **2** *n* hier *m;* **y. morning/evening** hier matin/soir; **the day before y.** avant-hier
yet [jet] **1** *adv* **(a)** *(still)* encore; *(already)* déjà; **she hasn't arrived (as) y.** elle n'est pas encore arrivée; **the best y.** le meilleur jusqu'ici; **y. more complicated** *(even more)* encore plus compliqué; **y. another mistake** encore une erreur; **not (just) y.** pas pour l'instant **(b)** *(in questions)* **has he come y.?** est-il arrivé? **2** *conj (nevertheless)* pourtant
yew [juː] *n (tree, wood)* if *m*
Yiddish ['jɪdɪʃ] *n & adj* yiddish *(m) inv*
yield [jiːld] **1** *n (of field, shares)* rendement *m; (of mine)* production *f* **2** *vt (result)* donner; *(interest)* rapporter; *(territory, right)* céder; **to y. a profit** rapporter **3** *vi (surrender)* se rendre; **to y. to force** céder devant la force; **to y. to temptation** céder à la tentation; *Am* **'y.'** *(road sign)* 'cédez le passage'

yippee [jɪˈpiː] *exclam* youpi!

YMCA [waɪemsiːˈeɪ] (*abbr* **Young Men's Christian Association**) *n* = association chrétienne proposant hébergement et activités sportives

yob [jɒb], **yobbo** [ˈjɒbəʊ] (*pl* **yob(bo)s**) *n Br Fam* loubard *m*

yoga [ˈjəʊɡə] *n* yoga *m*

yog(h)urt [*Br* ˈjɒɡət, *Am* ˈjəʊɡərt] *n* yaourt *m*

yoke [jəʊk] *n (for oxen) & Fig* joug *m*

yokel [ˈjəʊkəl] *n Pej* plouc *m*

yolk [jəʊk] *n* jaune *m* (d'œuf)

yonder [ˈjɒndə(r)] *adv Literary* là-bas

you [juː] *pron* (**a**) (*subject*) (*pl, polite form sing*) vous; (*familiar form sing*) tu; (*object*) vous; te, t'; *pl* vous; (*after prep, 'than', 'it is'*) vous; toi; *pl* vous; (**to**) **y.** (*indirect*) vous; te, t'; *pl* vous; **y. are** vous êtes/tu es; **I see y.** je vous/te vois; **I gave it to y.** je vous/te l'ai donné; **with y.** avec vous/toi; **y. teachers** vous autres professeurs; **y. idiot!** espèce d'imbécile! (**b**) (*indefinite*) on; (*object*) vous; te, t'; *pl* vous; **y. never know** on ne sait jamais; **it surprises y.** cela surprend ▪**you'd** = **you had, you would** ▪**you'll** = **you will, you shall**

young [jʌŋ] **1** (**-er, -est**) *adj* jeune; **she's two years younger than me** elle a deux ans de moins que moi; **my young(er) brother** mon (frère) cadet; **my young(er) sister** ma (sœur) cadette; **her youngest brother** le cadet de ses frères; **my youngest sister** la cadette de mes sœurs; **the youngest son/daughter** le cadet/la cadette; **to be y. at heart** être jeune d'esprit; **y. people** les jeunes *mpl* **2** *n* (*of animals*) petits *mpl*; **the y.** (*people*) les jeunes *mpl*; **she's my youngest** (*daughter*) c'est ma petite dernière ▪**young-looking** *adj* qui a l'air jeune ▪**youngster** *n* jeune *mf*

your [jɔː(r)] *possessive adj* (*polite form sing, polite and familiar form pl*) votre, *pl* vos; (*familiar form sing*) ton, ta, *pl* tes; (*one's*) son, sa, *pl* ses

yours [jɔːz] *possessive pron* le vôtre, la vôtre, *pl* les vôtres; (*familiar form sing*) le tien, la tienne, *pl* les tien(ne)s; **this book is y.** ce livre est à vous *ou* est le vôtre/ce livre est à toi *ou* est le tien; **a friend of y.** un ami à vous/toi

yourself [jɔːˈself] *pron* (*polite form*) vous-même; (*familiar form*) toi-même; (*reflexive*) vous; te, t'; (*after prep*) vous; toi; **you wash y.** tu te laves/vous vous lavez ▪**yourselves** *pron pl* vous-mêmes; (*reflexive and after prep*) vous; **did you cut y.?** est-ce que vous vous êtes coupés?

youth [juːθ] (*pl* **-s** [juːðz]) *n* (*age*) jeunesse *f*; (*young man*) jeune *m*; **y. club** centre *m* de loisirs pour les jeunes; **y. hostel** auberge *f* de jeunesse ▪**youthful** *adj* (*person*) jeune; (*quality, smile*) juvénile ▪**youthfulness** *n* jeunesse *f*

you've [juːv] = **you have**

yo-yo [ˈjəʊjəʊ] (*pl* **yo-yos**) *n* Yo-Yo® *m inv*

yuck [jʌk] *exclam Fam* berk! ▪**yucky** (**-ier, -iest**) *adj Fam* dégueulasse

yum-yum [jʌmˈjʌm] *exclam Fam* miam-miam! ▪**yummy** (**-ier, iest**) *adj Fam* super bon (*f* super bonne)

yuppie [ˈjʌpɪ] *n* yuppie *mf*; **y. area** quartier *m* riche et branché ▪**yuppify** *vt Fam* (*place*) rendre chic et branché

Z, z [*Br* zed, *Am* ziː] *n* (*letter*) Z, z *m inv*

zany [ˈzeɪnɪ] (**-ier, -iest**) *adj* loufoque

zap [zæp] (*pt & pp* **-pp-**) *vt Fam Comptr* effacer ▪**zapper** *n Fam* (*for TV channels*) télécommande *f*

zeal [ziːl] *n* zèle *m* ▪**zealous** [ˈzeləs] *adj* zélé; (*supporter*) ardent

zebra [ˈziːbrə, *Br* ˈzebrə] *n* zèbre *m*; *Br* **z. crossing** passage *m* pour piétons

Zen [zen] **1** *n* zen *m* **2** *adj* zen

zenith [ˈzenɪθ] *n* zénith *m*

zero [ˈzɪərəʊ] (*pl* **-os**) *n* zéro *m*; *Fig* **z. hour** (*for military operation*) l'heure *f* H; *Pol* **z. tolerance** tolérance *f* zéro

zest [zest] *n* (*enthusiasm*) enthousiasme *m*; (*of lemon, orange*) zeste *m*

zigzag [ˈzɪɡzæɡ] **1** *n* zigzag *m* **2** *adj & adv* en zigzag **3** (*pt & pp* **-gg-**) *vi* zigzaguer

Zimbabwe [zɪmˈbɑːbweɪ] *n* le Zimbabwe

zinc [zɪŋk] *n* zinc *m*

zip [zɪp] **1** *n* (**a**) *Br* **z. (fastener)** fermeture *f* Éclair®; **z. pocket** poche *f* à fermeture Éclair®; *Comptr* **z. drive** lecteur *m* Zip®; **z. file** fichier *m* zippé (**b**) *Fam* (*vigour*) punch *m* **2** *adj Am* **z. code** code *m* postal **3** (*pt & pp* **-pp-**) *vt* **to z. sth (up)** remonter la fermeture Éclair® de qch; *Comptr* **to z. a file** zipper *ou* compresser un fichier **4** *vi* **to z. past** (*of car*) passer en trombe; (*of bullet*) passer en sifflant; **to z. through a book** lire un livre à toute

vitesse ▪**zipper** n Am fermeture f Éclair®
▪**zippy** adj plein de punch
zit [zɪt] n Fam (pimple) bouton m
zodiac ['zəʊdɪæk] n zodiaque m
zombie ['zɒmbɪ] n Fam zombi m
zone [zəʊn] n zone f
zonked [zɒŋkt] adj Fam z. (out) (exhausted) cassé; (drugged) défoncé
zoo [zuː] (pl **zoos**) n zoo m ▪**zoological** [zuːə'lɒdʒɪkəl] adj zoologique ▪**zoologist** [zuː'ɒlədʒɪst] n zoologiste mf ▪**zoology** [zuː'ɒlədʒɪ] n zoologie f
zoom [zuːm] **1** n z. lens zoom m **2** vi to z. in (of camera) faire un zoom avant (on sur); Fam to z. past passer comme une flèche
zucchini [zuː'kiːnɪ] (pl **-ni** or **-nis**) n Am courgette f
zwieback ['zwiːbæk] n Am (rusk) biscotte f

FRENCH VERB CONJUGATIONS

Regular Verbs

	-ER verbs	-IR verbs	-RE verbs
Infinitive	*donn/er*	*fin/ir*	*vend/re*
1 Present	je donne	je finis	je vends
	tu donnes	tu finis	tu vends
	il donne	il finit	il vend
	nous donnons	nous finissons	nous vendons
	vous donnez	vous finissez	vous vendez
	ils donnent	ils finissent	ils vendent
2 Imperfect	je donnais	je finissais	je vendais
	tu donnais	tu finissais	tu vendais
	il donnait	il finissait	il vendait
	nous donnions	nous finissions	nous vendions
	vous donniez	vous finissiez	vous vendiez
	ils donnaient	ils finissaient	ils vendaient
3 Past historic	je donnai	je finis	je vendis
	tu donnas	tu finis	tu vendis
	il donna	il finit	il vendit
	nous donnâmes	nous finîmes	nous vendîmes
	vous donnâtes	vous finîtes	vous vendîtes
	ils donnèrent	ils finirent	ils vendirent
4 Future	je donnerai	je finirai	je vendrai
	tu donneras	tu finiras	tu vendras
	il donnera	il finira	il vendra
	nous donnerons	nous finirons	nous vendrons
	vous donnerez	vous finirez	vous vendrez
	ils donneront	ils finiront	ils vendront
5 Subjunctive	je donne	je finisse	je vende
	tu donnes	tu finisses	tu vendes
	il donne	il finisse	il vende
	nous donnions	nous finissions	nous vendions
	vous donniez	vous finissiez	vous vendiez
	ils donnent	ils finissent	ils vendent
6 Imperative	donne	finis	vends
	donnons	finissons	vendons
	donnez	finissez	vendez
7 Present participle	donnant	finissant	vendant
8 Past participle	donné	fini	vendu

Note The conditional is formed by adding the following endings to the infinitive: **-ais**, **-ais**, **-ait**, **-ions**, **-iez**, **-aient**. The final **e** is dropped in infinitives ending **-re**.

IRREGULAR FRENCH VERBS

Listed below are those verbs considered to be the most useful. Forms and tenses not given are fully derivable, such as the third person singular of the present tense which is normally formed by substituting 't' for the final 's' of the first person singular, eg 'crois' becomes 'croit', 'dis' becomes 'dit'. Note that the endings of the past historic fall into three categories, the 'a' and 'i' categories shown at *donner*, and at *finir* and *vendre*, and the 'u' category which has the following endings: -us, -ut, -ûmes, -ûtes, -urent. Most of the verbs listed below form their past historic with 'u'.

The imperfect may usually be formed by adding -ais, -ait, -ions, -iez, -aient to the stem of the first person plural of the present tense, eg 'je buvais' etc may be derived from 'nous buvons' (stem 'buv-' and ending '-ons'); similarly, the present participle may generally be formed by substituting -ant for -ons (eg buvant). The future may usually be formed by adding -ai, -as, -a, -ons, -ez, -ont to the infinitive or to an infinitive without final 'e' where the ending is -re (eg conduire). The imperative usually has the same forms as the second persons singular and plural and first person plural of the present tense.

1 = Present 2 = Imperfect 3 = Past historic 4 = Future
5 = Subjunctive 6 = Imperative 7 = Present participle
8 = Past participle n = nous v = vous † verbs conjugated with **être** only

abattre	*like*	**battre**
absoudre	1 j'absous, n absolvons 2 j'absolvais	
	3 j'absolus *(rarely used)* 5 j'absolve 7 absolvant	
	8 absous, absoute	
†s'abstenir	*like*	**tenir**
abstraire	1 j'abstrais, n abstrayons 2 j'abstrayais 3 none 5 j'abstraie	
	7 abstrayant 8 abstrait	
accourir	*like*	**courir**
accroître	*like*	**croître** *except* 8 accru
accueillir	*like*	**cueillir**
acquérir	1 j'acquiers, n acquérons 2 j'acquérais 3 j'acquis	
	4 j'acquerrai 5 j'acquière 7 acquérant 8 acquis	
adjoindre	*like*	**joindre**
admettre	*like*	**mettre**
advenir	*like*	**venir** *(third person only)*
†aller	1 je vais, tu vas, il va, n allons, v allez, ils vont 4 j'irai	
	5 j'aille, n allions, ils aillent 6 va, allons, allez *(but note* vas-y)	
apercevoir	*like*	**recevoir**
apparaître	*like*	**connaître**
appartenir	*like*	**tenir**
apprendre	*like*	**prendre**
asseoir	1 j'assieds, il assied, n asseyons, ils asseyent 2 j'asseyais	
	3 j'assis 4 j'assiérai 5 j'asseye 7 asseyant 8 assis	
astreindre	*like*	**atteindre**
atteindre	1 j'atteins, n atteignons, ils atteignent 2 j'atteignais	
	3 j'atteignis 4 j'atteindrai 5 j'atteigne 7 atteignant 8 atteint	
avoir	1 j'ai, tu as, il a, n avons, v avez, ils ont 2 j'avais 3 j'eus	
	4 j'aurai 5 j'aie, il ait, n ayons, ils aient 6 aie, ayons, ayez	
	7 ayant 8 eu	
battre	1 je bats, il bat, n battons 5 je batte	
boire	1 je bois, n buvons, ils boivent 2 je buvais 3 je bus	
	5 je boive, n buvions 7 buvant 8 bu	

bouillir		1 je bous, n bouillons, ils bouillent 2 je bouillais 3 je bouillis 5 je bouille 7 bouillant
braire		(*defective*) 1 il brait, ils braient 4 il braira, ils brairont
circonscrire	*like*	**écrire**
circonvenir	*like*	**tenir**
clore	*like*	**éclore**
combattre	*like*	**battre**
commettre	*like*	**mettre**
comparaître	*like*	**connaître**
complaire	*like*	**plaire**
comprendre	*like*	**prendre**
compromettre	*like*	**mettre**
concevoir	*like*	**recevoir**
conclure		1 je conclus, n concluons, ils concluent 5 je conclue
concourir	*like*	**courir**
conduire		1 je conduis, n conduisons 3 je conduisis 5 je conduise 8 conduit
confire	*like*	**suffire**
connaître		1 je connais, il connaît, n connaissons 3 je connus 5 je connaisse 7 connaissant 8 connu
conquérir	*like*	**acquérir**
consentir	*like*	**mentir**
construire	*like*	**conduire**
contenir	*like*	**tenir**
contraindre	*like*	**craindre**
contredire	*like*	**dire** *except* 1 v contredisez
convaincre	*like*	**vaincre**
convenir	*like*	**tenir**
corrompre	*like*	**rompre**
coudre		1 je couds, ils coud, n cousons, ils cousent 3 je cousis 5 je couse 7 cousant 8 cousu
courir		1 je cours, n courons 3 je courus 4 je courrai 5 je coure 8 couru
couvrir		1 je couvre, n couvrons 2 je couvrais 5 je couvre 8 couvert
craindre		1 je crains, n craignons, ils craignent 2 je craignais 3 je craignis 4 je craindrai 5 je craigne 7 craignant 8 craint
croire		1 je crois, n croyons, ils croient 2 je croyais 3 je crus 5 je croie, n croyions 7 croyant 8 cru
croître		1 je crois, il croît, n croissons 2 je croissais 3 je crûs 5 je croisse 7 croissant 8 crû, crue
cueillir		1 je cueille, n cueillons 2 je cueillais 4 je cueillerai 5 je cueille 7 cueillant
cuire		1 je cuis, n cuisons 2 je cuisais 3 je cuisis 5 je cuise 7 cuisant 8 cuit
débattre	*like*	**battre**
décevoir	*like*	**recevoir**
déchoir		(*defective*) 1 je déchois 2 *none* 3 je déchus 4 je déchoirai 6 *none* 7 *none* 8 déchu
découdre	*like*	**coudre**
découvrir	*like*	**couvrir**
décrire	*like*	**écrire**
décroître	*like*	**croître** *except* 8 décru
†se dédire	*like*	**dire**
déduire	*like*	**conduire**
défaillir		1 je défaille, n défaillons 2 je défaillais 3 je défaillis 5 je défaille 7 défaillant 8 défailli
défaire	*like*	**faire**
démentir	*like*	**mentir**

démettre	*like*	mettre
†**se départir**	*like*	mentir
dépeindre	*like*	atteindre
déplaire	*like*	plaire
déteindre	*like*	atteindre
détenir	*like*	tenir
détruire	*like*	conduire
†**devenir**	*like*	tenir
†**se dévêtir**	*like*	vêtir
devoir	1 je dois, n devons, ils doivent 2 je devais 3 je dus	
	4 je devrai 5 je doive, n devions 6 *not used* 7 devant	
	8 dû, due, *pl* dus, dues	
dire	1 je dis, n disons, v dites 2 je disais 3 je dis 5 je dise	
	7 disant 8 dit	
disconvenir	*like*	tenir
disjoindre	*like*	joindre
disparaître	*like*	connaître
dissoudre	*like*	absoudre
distraire	*like*	abstraire
dormir	*like*	mentir
†**échoir**	(*defective*) 1 il échoit 2 *none* 3 il échut, ils échurent	
	4 il échoira 6 *none* 7 échéant 8 échu	
éclore	1 il éclôt, ils éclosent 8 éclos	
éconduire	*like*	conduire
écrire	1 j'écris, n écrivons 2 j'écrivais 3 j'écrivis 5 j'écrive	
	7 écrivant 8 écrit	
élire	*like*	lire
émettre	*like*	mettre
émouvoir	*like*	mouvoir *except* 8 ému
enclore	*like*	éclore
encourir	*like*	courir
endormir	*like*	mentir
enduire	*like*	conduire
enfreindre	*like*	atteindre
†**s'enfuir**	*like*	fuir
enjoindre	*like*	joindre
†**s'enquérir**	*like*	acquérir
†**s'ensuivre**	*like*	suivre (*third person only*)
entreprendre	*like*	prendre
entretenir	*like*	tenir
entrevoir	*like*	voir
entrouvrir	*like*	couvrir
envoyer	4 j'enverrai	
†**s'éprendre**	*like*	prendre
équivaloir	*like*	valoir
éteindre	*like*	atteindre
être	1 je suis, tu es, il est, n sommes, v êtes, ils sont 2 j'étais	
	3 je fus 4 je serai 5 je sois, n soyons, ils soient	
	6 sois, soyons, soyez 7 étant 8 été	
étreindre	*like*	atteindre
exclure	*like*	conclure
extraire	*like*	abstraire
faillir	(*defective*) 3 je faillis 4 je faillirai 8 failli	
faire	1 je fais, n faisons, v faites, ils font 2 je faisais 3 je fis	
	4 je ferai 5 je fasse 7 faisant 8 fait	
falloir	(*impersonal*) 1 il faut 2 il fallait 3 il fallut 4 il faudra	
	5 il faille 6 *none* 7 *none* 8 fallu	
feindre	*like*	atteindre

foutre	1 je fous, n foutons 2 je foutais 3 *none* 5 je foute
	7 foutant 8 foutu
frire	(*defective*) 1 je fris, tu fris, il frit 4 je frirai 6 fris
	8 frit (*for other persons and tenses use* faire frire)
fuir	1 je fuis, n fuyons, ils fuient 2 je fuyais 3 je fuis 5 je fuie
	7 fuyant 8 fui
geindre	*like* **atteindre**
haïr	1 je hais, il hait, n haïssons
inclure	*like* **conclure**
induire	*like* **conduire**
inscrire	*like* **écrire**
instruire	*like* **conduire**
interdire	*like* **dire** *except* 1 v interdisez
interrompre	*like* **rompre**
intervenir	*like* **tenir**
introduire	*like* **conduire**
joindre	1 je joins, n joignons, ils joignent 2 je joignais 3 je joignis
	4 je joindrai 5 je joigne 7 joignant 8 joint
lire	1 je lis, n lisons 2 je lisais 3 je lus 5 je lise 7 lisant 8 lu
luire	*like* **nuire**
maintenir	*like* **tenir**
maudire	1 je maudis, n maudissons 2 je maudissais 3 je maudis
	4 je maudirai 5 je maudisse 7 maudissant 8 maudit
méconnaître	*like* **connaître**
médire	*like* **dire** *except* 1 v médisez
mentir	1 je mens, n mentons 2 je mentais 5 je mente 7 mentant
mettre	1 je mets, n mettons 2 je mettais 3 je mis 5 je mette
	7 mettant 8 mis
moudre	1 je mouds, il moud, n moulons 2 je moulais 3 je moulus
	5 je moule 7 moulant 8 moulu
†mourir	1 je meurs, n mourons, ils meurent 2 je mourais 3 je mourus
	4 je mourrai 5 je meure, n mourions 7 mourant 8 mort
mouvoir	1 je meus, n mouvons, ils meuvent 2 je mouvais 3 je mus
	4 je mouvrai 5 je meuve, n mouvions
	8 mû, mue, *pl* mus, mues
†naître	1 je nais, il naît, n naissons 2 je naissais 3 je naquis
	4 je naîtrai 5 je naisse 7 naissant 8 né
nuire	1 je nuis, n nuisons 2 je nuisais 3 je nuisis 5 je nuise
	7 nuisant 8 nui
obtenir	*like* **tenir**
offrir	*like* **couvrir**
omettre	*like* **mettre**
ouvrir	*like* **couvrir**
paître	(*defective*) 1 il paît 2 ils paissait 3 *none* 4 il paîtra
	5 il paisse 7 paissant 8 *none*
paraître	*like* **connaître**
parcourir	*like* **courir**
parfaire	*like* **faire** (*present tense, infinitive and past participle only*)
†partir	*like* **mentir**
†parvenir	*like* **tenir**
peindre	*like* **atteindre**
percevoir	*like* **recevoir**
permettre	*like* **mettre**
plaindre	*like* **craindre**
plaire	1 je plais, il plaît, n plaisons 2 je plaisais 3 je plus 5 je plaise
	7 plaisant 8 plu
pleuvoir	(*impersonal*) 1 il pleut 2 il pleuvait 3 il plut 4 il pleuvra
	5 il pleuve 6 *none* 7 pleuvant 8 plu
poindre	(*defective*) 1 il point 4 il poindra 8 point

poursuivre	*like*	**suivre**
pourvoir	*like*	**voir** *except* 3 je pourvus *and* 4 je pourvoirai
pouvoir	1 je peux *or* je puis, tu peux, il peut, n pouvons, ils peuvent
	2 je pouvais 3 je pus 4 je pourrai 5 je puisse 6 *not used*
	7 pouvant 8 pu
prédire	*like*	**dire** *except* v prédisez
prendre	1 je prends, il prend, n prenons, ils prennent 2 je prenais 3 je pris
	5 je prenne 7 prenant 8 pris
prescrire	*like*	**écrire**
pressentir	*like*	**mentir**
prévaloir	*like*	**valoir** *except* 5 je prévale
prévenir	*like*	**tenir**
prévoir	*like*	**voir** *except* 4 je prévoirai
produire	*like*	**conduire**
promettre	*like*	**mettre**
promouvoir	*like*	**mouvoir** *except* 8 promu
proscrire	*like*	**écrire**
†provenir	*like*	**tenir**
rabattre	*like*	**battre**
rasseoir	*like*	**asseoir**
réapparaître	*like*	**connaître**
recevoir	1 je reçois, n recevons, ils reçoivent 2 je recevais 3 je reçus
	4 je recevrai 5 je reçoive, n recevions, ils reçoivent 7 recevant
	8 reçu
reconduire	*like*	**conduire**
reconnaître	*like*	**connaître**
reconquérir	*like*	**acquérir**
reconstruire	*like*	**conduire**
recoudre	*like*	**coudre**
recourir	*like*	**courir**
recouvrir	*like*	**couvrir**
récrire	*like*	**écrire**
recueillir	*like*	**cueillir**
†redevenir	*like*	**tenir**
redire	*like*	**dire**
réduire	*like*	**conduire**
réécrire	*like*	**écrire**
réélire	*like*	**lire**
refaire	*like*	**faire**
rejoindre	*like*	**joindre**
relire	*like*	**lire**
reluire	*like*	**nuire**
remettre	*like*	**mettre**
†renaître	*like*	**naître**
rendormir	*like*	**mentir**
renvoyer	*like*	**envoyer**
†se repaître	*like*	**paître**
reparaître	*like*	**connaître**
†repartir	*like*	**mentir**
repeindre	*like*	**atteindre**
repentir	*like*	**mentir**
reprendre	*like*	**prendre**
reproduire	*like*	**conduire**
résoudre	1 je résous, n résolvons 2 je résolvais 3 je résolus
	5 je résolve 7 résolvant 8 résolu
ressentir	*like*	**mentir**
resservir	*like*	**mentir**
ressortir	*like*	**mentir**
restreindre	*like*	**atteindre**

retenir	*like*	**tenir**
retransmettre	*like*	**mettre**
†revenir	*like*	**tenir**
revêtir	*like*	**vêtir**
revivre	*like*	**vivre**
revoir	*like*	**voir**
rire	1 je ris, n rions 2 je riais 3 je ris 5 je rie, n riions 7 riant 8 ri
rompre	*regular except* 1 il rompt
rouvrir	*like* **couvrir**
satisfaire	*like* **faire**
savoir	1 je sais, n savons, il savent 2 je savais 3 je sus 4 je saurai 5 je sache 6 sache, sachons, sachez 7 sachant 8 su
séduire	*like* **conduire**
sentir	*like* **mentir**
servir	*like* **mentir**
sortir	*like* **mentir**
souffrir	*like* **couvrir**
soumettre	*like* **mettre**
sourire	*like* **rire**
souscrire	*like* **écrire**
soustraire	*like* **abstraire**
soutenir	*like* **tenir**
†se souvenir	*like* **tenir**
subvenir	*like* **tenir**
suffire	1 je suffis, n suffisons 2 je suffisais 3 je suffis 5 je suffise 7 suffisant 8 suffi
suivre	1 je suis, n suivons 2 je suivais 3 je suivis 5 je suive 7 suivant 8 suivi
surprendre	*like* **prendre**
†survenir	*like* **tenir**
survivre	*like* **vivre**
taire	1 je tais, n taisons 2 je taisais 3 je tus 5 je taise 7 taisant 8 tu
teindre	*like* **atteindre**
tenir	1 je tiens, ne tenons, ils tiennent 2 je tenais 3 je tins, tu tins, il tint, n tînmes, v tîntes, ils tinrent 4 je tiendrai 5 je tienne 7 tenant 8 tenu
traduire	*like* **conduire**
traire	*like* **abstraire**
transcrire	*like* **écrire**
transmettre	*like* **mettre**
transparaître	*like* **connaître**
tressaillir	*like* **défaillir**
vaincre	1 je vaincs, il vainc, n vainquons 2 je vainquais 3 je vainquis 5 je vainque 7 vainquant 8 vaincu
valoir	1 je vaux, il vaut, n valons 2 je valais 3 je valus 4 je vaudrai 5 je vaille 6 *not used* 7 valant 8 valu
†venir	*like* **tenir**
vêtir	1 je vêts, n vêtons 2 je vêtais 5 je vête 7 vêtant 8 vêtu
vivre	1 je vis, n vivons 2 je vivais 3 je vécus 5 je vive 7 vivant 8 vécu
voir	1 je vois, n voyons 2 je voyais 3 je vis 4 je verrai 5 je voie, n voyions 7 voyant 8 vu
vouloir	1 je veux, il veut, n voulons, ils veulent 2 je voulais 3 je voulus 4 je voudrai 5 je veuille 6 veuille, veuillons, veuillez 7 voulant 8 voulu

VERBES ANGLAIS IRRÉGULIERS

Infinitif	Prétérit	Participe passé
arise	arose	arisen
awake	awoke	awoken
awaken	awoke, awakened	awakened, awoken
be	were/was	been
bear	bore	borne
beat	beat	beaten
become	became	become
begin	began	begun
bend	bent	bent
beseech	besought, beseeched	besought, beseeched
bet	bet, betted	bet, betted
bid	bade, bid	bidden, bid
bind	bound	bound
bite	bit	bitten
bleed	bled	bled
blow	blew	blown
break	broke	broken
breed	bred	bred
bring	brought	brought
build	built	built
burn	burnt, burned	burnt, burned
burst	burst	burst
bust	bust, busted	bust, busted
buy	bought	bought
cast	cast	cast
catch	caught	caught
chide	chided, chid	chided, chidden
choose	chose	chosen
cleave	cleaved, cleft, clove	cleaved, cleft, cloven
cling	clung	clung
clothe	clad, clothed	clad, clothed
come	came	come
cost	cost	cost
creep	crept	crept
crow	crowed, crew	crowed
cut	cut	cut
deal	dealt	dealt
dig	dug	dug
dive	dived, *Am* dove	dived
do	did	done
draw	drew	drawn
dream	dreamt, dreamed	dreamt, dreamed
drink	drank	drunk
drive	drove	driven
dwell	dwelt	dwelt
eat	ate	eaten
fall	fell	fallen
feed	fed	fed
feel	felt	felt
fight	fought	fought
find	found	found
flee	fled	fled

Verbes anglais irréguliers

Infinitif	Prétérit	Participe passé
fling	flung	flung
fly	flew	flown
forget	forgot	forgotten
forgive	forgave	forgiven
forsake	forsook	forsaken
freeze	froze	frozen
get	got	got, *Am* gotten
gild	gilded, gilt	gilded, gilt
gird	girded, girt	girded, girt
give	gave	given
go	went	gone
grind	ground	ground
grow	grew	grown
hang	hung/hanged	hung/hanged
have	had	had
hear	heard	heard
hew	hewed	hewn, hewed
hide	hid	hidden
hit	hit	hit
hold	held	held
hurt	hurt	hurt
keep	kept	kept
kneel	knelt	knelt
knit	knitted, knit	knitted, knit
know	knew	known
lay	laid	laid
lead	led	led
lean	leant, leaned	leant, leaned
leap	leapt, leaped	leapt, leaped
learn	learnt, learned	learnt, learned
leave	left	left
lend	lent	lent
let	let	let
lie	lay	lain
light	lit	lit
lose	lost	lost
make	made	made
mean	meant	meant
meet	met	met
mow	mowed	mown
pay	paid	paid
plead	pleaded, *Am* pled	pleaded, *Am* pled
prove	proved	proved, proven
put	put	put
quit	quit	quit
read	read	read
rend	rent	rent
rid	rid	rid
ride	rode	ridden
ring	rang	rung
rise	rose	risen
run	ran	run
saw	sawed	sawn, sawed
say	said	said
see	saw	seen
seek	sought	sought
sell	sold	sold
send	sent	sent

Verbes anglais irréguliers

Infinitif	Prétérit	Participe passé
set	set	set
sew	sewed	sewn
shake	shook	shaken
shear	sheared	shorn, sheared
shed	shed	shed
shine	shone	shone
shit	shitted, shat	shitted, shat
shoe	shod	shod
shoot	shot	shot
show	showed	shown
shrink	shrank	shrunk
shut	shut	shut
sing	sang	sung
sink	sank	sunk
sit	sat	sat
slay	slew	slain
sleep	slept	slept
slide	slid	slid
sling	slung	slung
slink	slunk	slunk
slit	slit	slit
smell	smelled, smelt	smelled, smelt
smite	smote	smitten
sow	sowed	sown, sowed
speak	spoke	spoken
speed	sped, speeded	sped, speeded
spell	spelt, spelled	spelt, spelled
spend	spent	spent
spill	spilt, spilled	spilt, spilled
spin	span	spun
spit	spat, *Am* spit	spat, *Am* spit
split	split	split
spoil	spoilt, spoiled	spoilt, spoiled
spread	spread	spread
spring	sprang	sprung
stand	stood	stood
stave in	staved in, stove in	staved in, stove in
steal	stole	stolen
stick	stuck	stuck
sting	stung	stung
stink	stank, stunk	stunk
strew	strewed	strewed, strewn
stride	strode	stridden
strike	struck	struck
string	strung	strung
strive	strove	striven
swear	swore	sworn
sweep	swept	swept
swell	swelled	swollen, swelled
swim	swam	swum
swing	swung	swung
take	took	taken
teach	taught	taught
tear	tore	torn
tell	told	told
think	thought	thought
thrive	thrived, throve	thrived
throw	threw	thrown

Verbes anglais irréguliers

Infinitif	Prétérit	Participe passé
thrust	thrust	thrust
tread	trod	trodden
wake	woke	woken
wear	wore	worn
weave	wove, weaved	woven, weaved
weep	wept	wept
wet	wet, wetted	wet, wetted
win	won	won
wind	wound	wound
wring	wrung	wrung
write	wrote	written

A, a [ɑ] *nm inv* A, a; **connaître un sujet de A à Z** to know a subject inside out; **A1** *(autoroute)* Br ≃ M1, *Am* ≃ I1

a [a] *voir* **avoir**

à [a] *prép*

> à + le = **au** [o], à + les = **aux** [o]

(**a**) *(indique une direction)* to; **aller à Paris** to go to Paris; **partir au Venezuela** to leave for Venezuela; **au lit!** off to bed!

(**b**) *(indique la position)* at; **être au bureau/à la ferme/à Paris** to be at or in the office/on or at the farm/in Paris; **à la maison** at home; **à l'horizon** on the horizon

(**c**) *(dans l'expression du temps)* **à 8 heures** at 8 o'clock; **au vingt-et-unième siècle** in the twenty-first century; **à mon arrivée** on (my) arrival; **à lundi!** see you (on) Monday!

(**d**) *(dans les descriptions)* **l'homme à la barbe** the man with the beard; **verre à liqueur** liqueur glass

(**e**) *(introduit le complément d'objet indirect)* **donner qch à qn** to give sth to sb, to give sb sth; **penser à qn/qch** to think about or of sb/sth

(**f**) *(devant infinitif)* **apprendre à lire** to learn to read; **avoir du travail à faire** to have work to do; **maison à vendre** house for sale; **'à louer'** Br 'to let', Am 'to rent'; **prêt à partir** ready to leave

(**g**) *(indique l'appartenance)* **un ami à moi** a friend of mine; **c'est (son livre) à lui** it's his (book); **c'est à vous de...** *(il vous incombe de)* it's up to you to...; *(c'est votre tour)* it's your turn to...; **à toi!** your turn!

(**h**) *(indique le moyen, la manière)* **à bicyclette** by bicycle; **à la main** by hand; **à pied** on foot; **au galop** at a gallop; **au crayon** in pencil; **à la française** in the French style; **deux à deux** two by two

(**i**) *(indique la conséquence)* **laid à faire peur** hideously ugly; **c'était à mourir de rire** it was hilarious

(**j**) *(prix)* **pain à 1 euro** loaf for 1 euro

(**k**) *(poids)* **vendre au kilo** to sell by the kilo

(**l**) *(vitesse)* **100 km à l'heure** 100 km an or per hour

(**m**) *(pour appeler)* **au voleur!** (stop) thief!; **au feu!** (there's a) fire!

(**n**) *(avec de)* to; **de Paris à Lyon** from Paris to Lyons; **du lundi au vendredi** from Monday to Friday, *Am* Monday through Friday

abaisser [abese] **1** *vt (levier, pont-levis)* to lower; *(store)* to pull down; **a. qn** to humiliate sb **2** **s'abaisser** *vpr* (**a**) *(barrière)* to lower; **s'a. à faire qch** to stoop to doing sth (**b**) *(être en pente)* to slope down

abandon [abɑ̃dɔ̃] *nm (d'un enfant, d'un projet)* abandonment; *(d'un lieu)* neglect; *(de sportif)* withdrawal; *(nonchalance)* abandon; *Ordinat* abort; **à l'a.** in a neglected state; **a. de poste** desertion of one's post

abandonner [abɑ̃dɔne] **1** *vt (personne, animal, lieu)* to desert, to abandon; *(pouvoir, combat)* to give up; *(projet)* to abandon; *(cours)* to withdraw from; **a. ses études** to drop out (of school); **a. le navire** to abandon ship; **a. qch à qn** to give sb sth **2** *vi (renoncer)* to give up; *(sportif)* to withdraw **3** **s'abandonner** *vpr (se détendre)* to let oneself go; **s'a. au sommeil** to drift off to sleep

abasourdi, -ie [abazurdi] *adj* stunned

abat-jour [abaʒur] *nm inv* lampshade

abats [aba] *nmpl* offal; *(de volaille)* giblets

abattant [abatɑ̃] *nm (de table)* flap; *(des toilettes)* lid

abattis [abati] *nmpl* giblets

abattoir [abatwar] *nm* slaughterhouse

abattre* [abatr] **1** *vt (mur)* to knock down; *(arbre)* to cut down; *(personne, gros gibier)* to kill; *(animal de boucherie)* to slaughter; *(animal blessé ou malade)* to destroy; *(avion)* to shoot down; *Fig (déprimer)* to demoralize; *Fig (épuiser)* to exhaust **2** **s'abattre** *vpr (tomber)* to crash down *(sur* on); *(pluie)* to pour down *(sur* on); *(oiseau)* to swoop down *(sur* on) • **abattage** *nm (d'arbre)* felling; *(de vache)* slaughter(ing) • **abattement** *nm (faiblesse)* exhaustion; *(désespoir)* dejection; **a. fiscal** tax allowance

> Il faut noter que le nom anglais **abatement** est un faux ami. Il signifie **apaisement**.

abattu, -ue [abaty] *adj (triste)* dejected; *(faible)* exhausted

abbaye [abei] *nf* abbey

abbé [abe] *nm (d'abbaye)* abbot; *(prêtre)* priest

abcès [apsɛ] *nm* abscess

abdiquer [abdike] *vti* to abdicate • **abdication** *nf* abdication

abdomen [abdɔmɛn] *nm* abdomen • **abdominal, -e, -aux, -ales** *adj* abdominal • **abdominaux** *nmpl* abdominal muscles; **faire des a.** to do abdominal exercises

abeille [abεj] *nf* bee

aberrant, -ante [aberã, -ãt] *adj* absurd ■ **aberration** *nf* (*égarement*) aberration; (*idée*) ludicrous idea; **dire des aberrations** to talk utter nonsense

abhorrer [abɔre] *vt Littéraire* to abhor

abîme [abim] *nm* abyss; *Fig* **être au bord de l'a.** to be on the brink of disaster

abîmer [abime] **1** *vt* to spoil, to damage **2 s'abîmer** *vpr* (*object*) to get spoilt; (*fruit*) to go bad; **s'a. les yeux** to ruin one's eyesight; *Littéraire* **s'a. en mer** to be engulfed by the sea

abject, -e [abʒεkt] *adj* despicable

abjurer [abʒyre] *vti* to abjure

ablation [ablɑsjɔ̃] *nf* removal

ablutions [ablysjɔ̃] *nfpl Littéraire ou Hum* **faires ses a.** to perform one's ablutions

abnégation [abnegasjɔ̃] *nf* self-sacrifice, abnegation

abois [abwa] **aux abois** *adv* (*animal*) at bay

abolir [abɔlir] *vt* to abolish ■ **abolition** *nf* abolition

abominable [abɔminabl] *adj* appalling ■ **abominablement** [-əmɑ̃] *adv* appallingly; (*laid*) hideously

abondant, -ante [abɔ̃dɑ̃, -ɑ̃t] *adj* plentiful, abundant ■ **abondamment** *adv* abundantly; (*parler*) at length ■ **abondance** *nf* abundance (**de** of); **en a.** in abundance; **des années d'a.** years of plenty ■ **abonder** *vi* to be plentiful; **a. en qch** to abound in sth; **a. dans le sens de qn** to agree entirely with sb

abonné, -ée [abɔne] *nmf* (*d'un journal, du téléphone*) subscriber; (*de train, d'un théâtre*) & *Sport* season-ticket holder; (*du gaz*) consumer ■ **abonnement** *nm* (*de journal*) subscription; (*de téléphone*) line rental; (*de train, de théâtre*) season ticket ■ **s'abonner** *vpr* (*à un journal*) to subscribe (**à** to); *Rail & Théâtre* to buy a season ticket

abord [abɔr] *nm* (**a**) (*accès*) **d'un a. facile** easy to approach; **abords** (*d'un bâtiment*) surroundings; (*d'une ville*) outskirts; **aux abords de la ville** on the outskirts of the town (**b**) (*vue*) **au premier a., de prime a.** at first sight; **d'a., tout d'a.** (*pour commencer*) at first, to begin with; (*premièrement*) first (and foremost) ■ **abordable** *adj* (*prix, marchandises*) affordable; (*personne*) approachable

aborder [abɔrde] **1** *vt* (*personne, lieu, virage*) to approach; (*problème*) to tackle; (*navire*) (*attaquer*) to board; (*se mettre le long de*) to come alongside **2** *vi* to land ■ **abordage** *nm* (*d'un bateau*) (*assaut*) boarding; (*pour s'amarrer*) coming alongside

aborigène [abɔriʒεn] *nm* (*d'un pays*) native; **les Aborigènes d'Australie** the (Australian) Aborigines

abortif, -ive [abɔrtif, -iv] *adj voir* **pilule**

aboutir [abutir] *vi* (**a**) (*réussir*) to be successful; **nos efforts n'ont abouti à rien** our efforts came to nothing (**b**) **a. à qch** (*avoir pour résultat*) to result in sth; **a. à un endroit** to lead to a place ■ **aboutissants** *nmpl voir* **tenants** ■ **aboutissement** *nm* (*résultat*) outcome; (*succès*) success

aboyer [abwaje] *vi* to bark ■ **aboiement** *nm* bark; **aboiements** barking

abrasif, -ive [abrazif, -iv] *adj & nm* abrasive

abréger [abreʒe] *vt* (*récit*) to shorten; (*visite*) to cut short; (*mot*) to abbreviate ■ **abrégé** *nm* (*d'un texte*) summary; (*livre*) abstract; **en a.** (*mot*) in abbreviated form

abreuver [abrœve] **1** *vt* (*cheval*) to water **2 s'abreuver** *vpr* to drink ■ **abreuvoir** *nm* (*lieu*) watering place; (*récipient*) drinking trough

abréviation [abrevjɑsjɔ̃] *nf* abbreviation

abri [abri] *nm* shelter; **mettre qn/qch à l'a.** to shelter sb/sth; **se mettre à l'a.** to take shelter; **être à l'a. de qch** to be sheltered from sth; **être à l'a. du besoin** to have no financial worries; **sans a.** homeless; **a. de jardin** garden shed

Abribus® [abribys] *nm* bus shelter

abricot [abriko] *nm* apricot ■ **abricotier** *nm* apricot tree

abriter [abrite] **1** *vt* (*protéger*) to shelter (**de** from); (*loger*) to house **2 s'abriter** *vpr* to (take) shelter (**de** from); **s'a. du soleil** to shade oneself from the sun

abroger [abrɔʒe] *vtJur* to repeal ■ **abrogation** *nJur* repeal

abrupt, -e [abrypt] *adj* (*pente, rocher*) steep; *Fig* (*personne*) abrupt

abrutir [abrytir] *vt* (*hébéter*) to daze; **a. qn de travail** to work sb to the point of exhaustion ■ **abruti, -ie** **1** *adj Fam* (*bête*) idiotic; **a. par l'alcool** stupefied with drink **2** *nmf* idiot ■ **abrutissant, -ante** *adj* mind-numbing

absence [apsɑ̃s] *nf* (*d'une personne*) absence; (*manque*) lack ■ **absent, -ente** **1** *adj* (*personne*) absent (**de** from); (*chose*) missing; **avoir un air a.** to be miles away **2** *nmf* absentee ■ **absentéisme** *nm* absenteeism ■ **s'absenter** *vpr* to go away

absolu, -ue [apsɔly] *adj* absolute ■ **absolument** *adv* absolutely; **il faut a. y aller** you simply MUST go!

absolution [apsɔlysjɔ̃] *nf Rel* absolution

absorber [apsɔrbe] *vt* (*liquid*) to absorb; (*nourriture*) to eat; (*boisson*) to drink; (*médicament*) to take; **son travail l'absorbe** she is engrossed in her work ■ **absorbant, -ante** *adj* (*papier*) absorbent; (*travail, lecture*) absorbing ■ **absorption** *nf* (*de liquide*) absorption; (*de nourriture*) eating; (*de boisson*) drinking; (*de médicament*) taking

absoudre* [apsudr] *vt Rel ou Littéraire* **a. qn de qch** to forgive sb sth

abstenir* [apstənir] **s'abstenir** *vpr (ne pas voter)* to abstain; **s'a. de qch/de faire qch** to refrain from sth/from doing sth ▪**abstention** *nf Pol* abstention

abstinence [apstinɑ̃s] *nf* abstinence

abstrait, -aite [apstrɛ, -ɛt] *adj* abstract ▪**abstraction** *nf* abstraction; **faire a. de qch** to disregard sth

absurde [apsyrd] **1** *adj* absurd **2** *nm* **l'a. de cette situation** the absurdity of this situation ▪**absurdité** *nf* absurdity; **dire des absurdités** to talk nonsense

abus [aby] *nm (excès)* overindulgence (**de** in); *(pratique)* abuse (**de** of); **a. de pouvoir** abuse of power; **a. d'alcool** alcohol abuse; **a. de tabac** excessive smoking; **a. de confiance** breach of trust; *Fam* **il y a de l'a.** that's going too far! ▪**abuser 1** *vi* to go too far; **a. de** *(situation, personne)* to take unfair advantage of; *(autorité)* to abuse; *(nourriture)* to overindulge in; **a. du tabac** to smoke too much **2 s'abuser** *vpr* **si je ne m'abuse** if I am not mistaken

> Il faut noter que le verbe anglais **to abuse** est un faux ami. Il ne s'emploie jamais dans le sens d'**exagérer**.

abusif, -ive [abyzif, -iv] *adj* excessive; *(mère)* possessive; **emploi a.** *(d'un mot)* improper use

acabit [akabi] *nm Péj* **de cet a.** of that type

académie [akademi] *nf* academy; *(administration scolaire)* ≃ local education authority; **a. de musique** school of music; **l'A. française** = learned society responsible for promoting the French language and imposing standards ▪**académicien, -ienne** *nmf* = member of the Académie française ▪**académique** *adj Péj (style)* conventional

acajou [akaʒu] *nm* mahogany

acariâtre [akarjɑtr] *adj* cantankerous

acarien [akarjɛ̃] *nm* dust mite

accablement [akabləmɑ̃] *nm* dejection

accabler [akable] *vt* to overwhelm (**de** with); **a. qn de travail** to overload sb with work; **a. qn de reproches** to heap criticism on sb; **accablé de dettes** (over)burdened with debt; **accablé de chaleur** overcome by heat ▪**accablant, -ante** *adj (chaleur)* oppressive; *(témoignage)* damning

accalmie [akalmi] *nf* lull

accaparer [akapare] *vt (personne, conversation)* to monopolize

accéder [aksede] *vi* **a. à** *(lieu)* to reach; *(responsabilité, rang)* to gain; *(requête)* to comply with; *Ordinat (programme)* to access; **a. au trône** to accede to the throne

accélérer [akselere] **1** *vt (travaux)* to speed up; *(allure, pas)* to quicken; *Fig* **a. le mouvement** to get a move on **2** *vi (en voiture)* to accelerate **3 s'accélérer** *vpr* to speed up ▪**accélérateur** *nm (de voiture, d'ordinateur)* accelerator ▪**accélération** *nf* acceleration; *(de travaux)* speeding up

accent [aksɑ̃] *nm* accent; *(sur une syllabe)* stress; *Fig* **mettre l'a. sur qch** to stress sth; **a. aigu/circonflexe/grave** acute/circumflex/grave (accent); **a. tonique** stress ▪**accentuation** *nf (sur lettre)* accentuation; *(de phénomène)* intensification ▪**accentuer 1** *vt (syllabe)* to stress; *(lettre)* to put an accent on; *Fig (renforcer)* to emphasize **2 s'accentuer** *vpr* to become more pronounced

accepter [aksɛpte] *vt* to accept; **a. de faire qch** to agree to do sth ▪**acceptable** *adj (recevable)* acceptable ▪**acceptation** *nf* acceptance

acception [aksɛpsjɔ̃] *nf (de mot)* meaning; **sans a. de race** irrespective of race

accès [aksɛ] *nm* (**a**) *(approche)* & *Ordinat* access (**à** to); **être facile d'a.** to be easy to reach; **avoir a. à qch** to have access to sth; **'a. interdit'** 'no entry'; **'a. aux quais'** 'to the trains' (**b**) *Ordinat (à une page Web)* hit(**c**) *(de folie, colère)* fit; *(de fièvre)* bout; **a. de toux** coughing fit ▪**accessible** *adj (lieu, livre)* accessible; *(personne)* approachable ▪**accession** *nf* accession (**à** to); **a. à la propriété** home ownership

accessoire [akseswar] *adj* minor ▪**accessoires** *nmpl (de théâtre)* props; *(de mode, de voiture)* accessories; **a. de toilette** toiletries ▪**accessoirement** *adv* if necessary; *(en plus)* also

accident [aksidɑ̃] *nm* accident; **a. d'avion** plane crash; **a. de chemin de fer** train crash; **a. de la route** road accident; **a. du travail** industrial accident; **a. de parcours** hitch; **par a.** by accident, by chance ▪**accidenté, -ée 1** *adj (terrain)* uneven; *(voiture)* damaged **2** *nmf* accident victim ▪**accidentel, -elle** *adj* accidental ▪**accidentellement** *adv (par hasard)* accidentally

acclamer [aklame] *vt* to cheer ▪**acclamations** *nfpl* cheers

acclimater [aklimate] **1** *vt* to acclimatize, *Am* to acclimate (**à** to) **2 s'acclimater** *vpr* to become acclimatized *or Am* acclimated (**à** to) ▪**acclimatation** *nf* acclimatization, *Am* acclimation (**à** to)

accointances [akwɛ̃tɑ̃s] *nfpl* contacts

accolade [akɔlad] *nf (embrassade)* embrace; *(signe)* curly bracket

accoler [akɔle] *vt (mettre ensemble)* to put side by side

accommoder [akɔmɔde] **1** *vt (nourriture)* to prepare; *(restes)* to use up **2** *vi (œil)* to focus **3 s'accommoder** *vpr* **s'a. de qch** to put up with sth ▪**accommodant, -ante** *adj* accommodating

Il faut noter que le verbe anglais **to accommodate** est un faux ami. Il ne signifie jamais **accommoder**.

accompagner [akɔ̃paɲe] *vt (personne)* to accompany; **a. qn à la gare** *(en voiture)* to take sb to the station; **a. qn au piano** to accompany sb on the piano ▪ **accompagnateur, -trice** *nmf (musical)* accompanist; *(de touristes)* guide ▪ **accompagnement** [-ɔ̃mɑ̃] *nm Mus* accompaniment

accomplir [akɔ̃plir] *vt (tache)* to carry out; *(exploit)* to accomplish; *(terminer)* to complete ▪ **accompli, -ie** *adj* accomplished

accord [akɔr] *nm (traité, entente) & Grammaire* agreement; *(autorisation)* consent; *(musical)* chord; **arriver à un a.** to reach an agreement; **être d'a.** to agree (**avec** with); **d'a.!** all right!

accordéon [akɔrdeɔ̃] *nm* accordion; *Fig* **en a.** *(chaussette)* at half-mast

accorder [akɔrde] **1** *vt (instrument)* to tune; **a. qch à qn** *(faveur)* to grant sb sth; *(augmentation)* to award sb sth; *(prêt)* to authorize sth to sb; *Grammaire* **a. qch avec qch** to make sth agree with sth; **a. la plus grande importance à qch** to attach the utmost importance to sth; *Formel* **il est timide, je vous l'accorde** he is shy, I must admit **2** **s'accorder** *vpr (se mettre d'accord)* to agree (**avec** with, **sur** on); *Grammaire (mots)* to agree (**avec** with); **s'a. qch** to allow oneself sth; **on s'accorde à penser que...** there is a general belief that...

accoster [akɔste] **1** *vt (personne)* to approach **2** *vi Naut* to dock

accotement [akɔtmɑ̃] *nm (de route)* verge; *(de voie ferrée)* shoulder

accoucher [akuʃe] **1** *vt* **a. qn** to deliver sb's baby **2** *vi* to give birth (**de** to); *Fam* **accouche!** spit it out! ▪ **accouchement** [-ɔ̃mɑ̃] *nm* delivery ▪ **accoucheur** *nm (médecin)* **a.** obstetrician

accouder [akude] **s'accouder** *vpr* **s'a. à** ou **sur qch** to lean one's elbows on sth ▪ **accoudoir** *nm* armrest

accoupler [akuple] **s'accoupler** *vpr (animaux)* to mate ▪ **accouplement** [-ɔ̃mɑ̃] *nm (d'animaux)* mating

accourir* [akurir] *vi* to run up

accoutrement [akutrəmɑ̃] *nm Péj* rig-out

accoutumer [akutyme] **1** *vt* **a. qn à qch** to accustom sb to sth **2** **s'accoutumer** *vpr* to get accustomed (**à** to) ▪ **accoutumance** *nf (adaptation)* familiarization (**à** with); *Méd (dépendance)* addiction ▪ **accoutumé, -ée** *adj* usual; **comme à l'accoutumée** as usual

accréditer [akredite] *vt (ambassadeur)* to accredit; *(rumeur)* to lend credence to

accro [akro] *adj Fam (drogué)* addicted (**à** to)

accroc [akro] *nm (déchirure)* tear; *(difficulté)* hitch; **sans a.** without a hitch

accrocher [akrɔʃe] **1** *vt (déchirer)* to catch; *(fixer)* to hook (**à** onto); *(suspendre)* to hang up (**à** on); *(pare-chocs)* to clip **2** *vi (achopper)* to hit a stumbling block; *(se remarquer)* to grab one's attention **3** **s'accrocher** *vpr (se fixer)* to fasten; *Fam (persévérer)* to stick at it; *Fam (se disputer)* to clash; **s'a. à qn/qch** *(s'agripper)* to cling to sb/sth; *Fam* **accroche-toi, tu n'as pas tout entendu!** brace yourself, you haven't heard everything yet! ▪ **accrochage** *nm (de véhicules)* minor accident; *Fam (dispute)* clash ▪ **accrocheur, -euse** *adj (personne)* tenacious; *(titre, slogan)* catchy

accroître* [akrwatr] **1** *vt* to increase **2** **s'accroître** *vpr* to increase ▪ **accroissement** *nm* increase (**de** in)

accroupir [akrupir] **s'accroupir** *vpr* to squat (down) ▪ **accroupi, -ie** *adj* squatting

accueil [akœj] *nm* reception ▪ **accueillant, -ante** *adj* welcoming ▪ **accueillir*** *vt (personne, proposition)* to greet; *(sujet: hôtel)* to accommodate

acculer [akyle] *vt* **a. qn à qch** to drive sb to sth; **acculé à la faillite** forced into bankruptcy

accumuler [akymyle] *vt*, **s'accumuler** *vpr* to accumulate ▪ **accumulateur** *nm* battery ▪ **accumulation** *nf* accumulation

accuser [akyze] **1** *vt (dénoncer)* to accuse; *(tendance, baisse)* to show; *(faire ressortir)* to bring out; **a. qn de qch/de faire qch** to accuse sb of sth/of doing sth; **a. réception** to acknowledge receipt (**de** of); *Fig* **a. le coup** to be obviously shaken **2** **s'accuser** *vpr (se déclarer coupable)* to confess (**de** to) ▪ **accusateur, -trice** *adj (regard)* accusing **2** *nmf* accuser ▪ **accusation** *nf* accusation; **porter une a. contre qn** to make an accusation against sb ▪ **accusé, -ée 1** *adj (trait)* prominent **2** *nmf* **l'a.** the accused; *(au tribunal)* the defendant

acerbe [asɛrb] *adj* acerbic; **d'un ton a.** sharply

acéré, -ée [asere] *adj (lame)* sharp

acétone [asetɔn] *nf* acetone

achalandé, -ée [aʃalɑ̃de] *adj* **bien a.** *(magasin)* well-stocked

acharner [aʃarne] **s'acharner** *vpr* **s'a. sur** ou **contre qn** *(persécuter)* to be always after sb; **s'a. sur qn** *(sujet: meurtrier)* to savage sb; *(sujet: examinateur)* to give sb a hard time; **s'a. à faire qch** to try very hard to do sth ▪ **acharné, -ée** *adj (effort, travail)* relentless; *(combat)* fierce ▪ **acharnement** [-ɔ̃mɑ̃] *nm* relentlessness; *(dans un combat)* fury; **avec a.** relentlessly

achat [aʃa] *nm* purchase; **faire l'a. de qch** to buy sth; **achats** *(provisions, paquets)* shopping; **aller faire ses achats** to go shopping

acheminer [aʃəmine] **1** *vt (marchandises)* to ship (**vers** to); *(courrier)* to handle **2** **s'acheminer** *vpr* **s'a. vers qch** to make one's way towards sth

acheter [aʃte] **1** *vti* to buy; **a. qch à qn** *(faire une transaction)* to buy sth from sb; *(faire un cadeau)* to buy sth for sb **2** **s'acheter** *vpr* **je vais m'acheter une glace** I'm going to buy (myself) an ice cream ▪ **acheteur, -euse** *nmf* buyer; *(dans un magasin)* shopper

achever [aʃve] *vt* (**a**) *(finir)* to end; *(travail)* to complete; **a. de faire qch** to finish doing sth (**b**) *(tuer) (animal blessé ou malade)* to put out of its misery; **a. qn** to finish sb off **2** **s'achever** *vpr* to end ▪ **achèvement** [-ɛvmã] *nm* completion

> Il faut noter que les termes anglais **achievement** et **to achieve** sont des faux amis. Le premier signifie **réussite** et le second ne se traduit jamais par **achever**.

achoppement [aʃɔpmã] *nm voir* **pierre**

acide [asid] **1** *adj* acid(ic); *(au goût)* sour **2** *nm* acid ▪ **acidité** *nf* acidity; *(au goût)* sourness

acier [asje] *nm* steel; **a. inoxydable** stainless steel ▪ **aciérie** *nf* steelworks

acné [akne] *nf* acne

acolyte [akɔlit] *nm Péj* accomplice

acompte [akɔ̃t] *nm* down payment; **verser un a.** to make a down payment

à-côté [akote] *(pl* **à-côtés** *) nm (d'une question)* side issue; **à-côtés** *(gains)* little extras

à-coup [aku] *(pl* **à-coups** *) nm* jolt; **sans à-coups** smoothly; **par à-coups** *(avancer, travailler)* in fits and starts

acoustique [akustik] **1** *adj* acoustic **2** *nf (qualité)* acoustics *(pluriel)*

acquérir* [akerir] *vt (acheter)* to purchase; *(obtenir, prendre)* to acquire; **a. de la valeur** to increase in value; **tenir qch pour acquis** to take sth for granted ▪ **acquéreur** *nm* purchaser ▪ **acquis** *nm* experience; **les a. sociaux** social benefits ▪ **acquisition** *nf (action)* acquisition; *(bien acheté)* purchase

acquiescer [akjese] *vi* to acquiesce (**à** to)

acquit [aki] *nm* receipt; **'pour a.'** 'paid'; **par a. de conscience** to ease one's conscience

acquitter [akite] **1** *vt (accusé)* to acquit; *(dette)* to pay **2** **s'acquitter** *vpr* **s'a. d'un devoir** to fulfil a duty; **s'a. envers qn** to repay sb ▪ **acquittement** *nm (d'un accusé)* acquittal; *(d'une dette)* payment

âcre [akr] *adj (goût)* bitter; *(odeur)* acrid

acrobate [akrɔbat] *nmf* acrobat ▪ **acrobatie** [-basi] *nf* acrobatics *(sing)*; **acrobaties aériennes** aerobatics *(sing)* ▪ **acrobatique** *adj* acrobatic

acrylique [akrilik] *adj & nm* acrylic

acte [akt] *nm (action) & Théâtre* act; *Jur* deed; **faire a. de candidature à un emploi** to apply

for a job; **prendre a. de qch** to take note of sth; **a. terroriste** terrorist act; **a. unique européen** Single European Act; **actes** *(de procès)* proceedings; *Jur* **a. d'accusation** bill of indictment; **a. de mariage** marriage certificate; **a. de naissance** birth certificate; **a. de vente** bill of sale

acteur [aktœr] *nm* actor

actif, -ive [aktif, -iv] **1** *adj* active **2** *nm Grammaire* active; *Com (d'une entreprise)* assets; **avoir qch à son a.** to have sth to one's name

action [aksjɔ̃] *nf* action; *(en Bourse)* share; **bonne a.** good deed; **passer à l'a.** to take action ▪ **actionnaire** *nmf Fin* shareholder

actionner [aksjɔne] *vt (mettre en marche)* to start up; *(faire fonctionner)* to operate

activer [aktive] **1** *vt (accélérer)* to speed up; *(feu)* to stoke; *Ordinat (option)* to select **2** **s'activer** *vpr (être actif)* to be busy; *Fam (se dépêcher)* to get a move on

activiste [aktivist] *nmf* activist

activité [aktivite] *nf* activity; **en a.** *(personne)* working; *(volcan)* active

actrice [aktris] *nf* actress

actuaire [aktɥer] *nmf* actuary

actualisation [aktɥalizasjɔ̃] *nf (de texte)* updating

actualité [aktɥalite] *nf (d'un problème)* topicality; **l'a.** current affairs; **les actualités** *(à la radio, à la télévision)* the news; **d'a.** topical

actuel, -elle [aktɥel] *adj (présent)* present; *(d'actualité)* topical; **l'a. président** the President in office ▪ **actuellement** *adv* at present

> Il faut noter que les termes anglais **actual** et **actually** sont des faux amis. Le premier ne signifie jamais **actuel** et le second se traduit par **en fait**.

acuité [akɥite] *nf (de douleur)* acuteness; **a. visuelle** keenness of vision

acupuncture [akypɔ̃ktyr] *nf* acupuncture ▪ **acupuncteur, -trice** *nmf* acupuncturist

adage [adaʒ] *nm* adage

adapter [adapte] **1** *vt* to adapt (**à** to) **2** **s'adapter** *vpr (s'acclimater)* to adapt (**à** to); **s'a. à qn/qch** to get used to sb/sth ▪ **adaptable** *adj* adaptable ▪ **adaptateur, -trice** *nmf* adapter ▪ **adaptation** *nf* adaptation; **faculté d'a.** adaptability

additif [aditif] *nm (substance)* additive

addition [adisjɔ̃] *nf* addition (**à** to); *(au restaurant) Br* bill, *Am* check ▪ **additionner 1** *vt* to add (up) (**à** to) **2** **s'additionner** *vpr* to add up

adepte [adept] *nmf* follower; **faire des adeptes** to attract a following

adéquat, -ate [adekwa, -wat] *adj* appropriate; *(quantité)* adequate

adhérer [adere] *vi* **a. à qch** *(coller)* to stick to sth; *(s'inscrire)* to join sth; **a. à la route** *(pneus)* to grip the road ▪ **adhérence** *nf (de pneu)* grip ▪ **adhérent, -ente** *nmf* member

adhésif, -ive [adezif, -iv] **1** *adj* adhesive **2** *nm* adhesive ▪ **adhésion** *nf (inscription)* joining (**à** of); *(accord)* support (**à** for)

adieu, -x [adjø] *exclam & nm* farewell; **faire ses adieux** to say one's goodbyes

adipeux, -euse [adipø, -øz] *adj (tissu)* adipose; *(visage)* fat

adjacent, -ente [adʒasɑ̃, -ɑ̃t] *adj* adjacent (**à** to)

adjectif [adʒɛktif] *nm* adjective

adjoint, -ointe [adʒwɛ̃, -ɛ̃t] *adj & nmf* assistant; **a. au maire** deputy mayor

adjonction [adʒɔ̃ksjɔ̃] *n* **sans a. de sucre** no added sugar

adjudant [adʒydɑ̃] *nm* warrant officer

adjuger [adʒyʒe] **1** *vt* **a. qch à qn** *(prix, contrat)* to award sth to sb; *(aux enchères)* to knock sth down to sb **2** **s'adjuger** *vpr* **s'a. qch** to appropriate sth

adjurer [adʒyre] *vt Formel* to entreat

ADM [adeɛm] *(abrév* **armes de destruction massive***) nfpl* WMD

admettre* [admɛtr] *vt (accueillir, reconnaître)* to admit; *(autoriser)* to allow; **être admis à un examen** to pass an examination

administrer [administre] *vt (gérer)* to administer; *(pays)* to govern; *(justice)* to dispense ▪ **administrateur, -trice** *nmf (de société)* director ▪ **administratif, -ive** *adj* administrative ▪ **administration** *nf* administration; **l'A.** *(service public)* ≃ the Civil Service; *(fonctionnaires)* civil servants

admirer [admire] *vt* to admire ▪ **admirable** *adj* admirable ▪ **admirateur, -trice** *nmf* admirer ▪ **admiratif, -ive** *adj* admiring ▪ **admiration** *nf* admiration; **être en a. devant qn/qch** to be filled with admiration for sb/sth

admissible [admisibl] *adj (tolérable)* acceptable, admissible; *Scol & Univ* **candidats admissibles** = candidates who have qualified for the oral examination ▪ **admission** *nf* admission (**à/dans** to)

ADN [adeɛn] *(abrév* **acide désoxyribonucléique***) nm* DNA

adolescent, -ente [adolesɑ̃, -ɑ̃t] **1** *adj* teenage **2** *nmf* adolescent, teenager ▪ **adolescence** *nf* adolescence

adonner [adone] **s'adonner** *vpr* **s'a. à qch** to devote oneself to sth; **s'a. à la boisson** to be an alcoholic

adopter [adɔpte] *vt* to adopt ▪ **adoptif, -ive** *adj (enfant, patrie)* adopted; *(parents)* adoptive ▪ **adoption** *nf* adoption; **pays d'a.** adopted country

adorer [adɔre] **1** *vt (dieu)* to worship; *(chose,* *personne)* to adore; **a. faire qch** to adore doing sth **2** **s'adorer** *vpr* **ils s'adorent** they adore each other ▪ **adorable** *adj* adorable ▪ **adoration** *nf* adoration; **être en a. devant qn** to worship sb

adosser [adose] **1** *vt* **a. qch à qch** to lean sth against sth **2** **s'adosser** *vpr* **s'a. à qch** to lean (back) against sth

adoucir [adusir] **1** *vt (voix, traits, peau)* to soften; *(chagrin)* to ease **2** **s'adoucir** *vpr (temps)* to turn milder; *(voix)* to soften; *(caractère)* to mellow ▪ **adoucissement** *nm* **a. de la température** rise in temperature

adrénaline [adrenalin] *nf* adrenalin(e)

adresse [adrɛs] *nf* (**a**) *(domicile)* address; **a. électronique** e-mail address (**b**) *(habileté)* skill

adresser [adrese] **1** *vt (lettre, remarque)* to address (**à** to); **a. qch à qn** *(lettre)* to send sb sth; *(compliment)* to present sb with sth; **a. la parole à qn** to speak to sb; **on m'a adressé à vous** I have been referred to you **2** **s'adresser** *vpr* **s'a. à qn** *(parler)* to speak to sb; *(aller trouver)* to go and see sb; *(être destiné à)* to be aimed at sb

Adriatique [adriatik] *nf* **l'A.** the Adriatic

adroit, -oite [adrwa, -wat] *adj (habile)* skilful; *(réponse)* clever

ADSL [adeɛsɛl] *(abrév* **Asynchronous Digital Subscriber Line***) nf* ADSL

adulation [adylɑsjɔ̃] *nf* adulation

adulte [adylt] **1** *adj (personne, animal, attitude)* adult **2** *nmf* adult, grown-up

adultère [adyltɛr] *nm* adultery

advenir* [advənir] *(aux* **être***) v impersonnel* to happen; **a. de qn** *(devenir)* to become of sb; **advienne que pourra** come what may

adverbe [advɛrb] *nm* adverb ▪ **adverbial, -e, -aux, -ales** *adj* adverbial

adversaire [advɛrsɛr] *nmf* opponent ▪ **adverse** *adj* opposing

adversité [advɛrsite] *nf* adversity

aérer [aere] **1** *vt (pièce, lit, linge)* to air **2** **s'aérer** *vpr* to get some fresh air ▪ **aération** *nf* ventilation ▪ **aéré, -ée** *adj (pièce)* airy; *(texte)* nicely spaced

aérien, -ienne [aerjɛ̃, -jɛn] *adj (transport, attaque, défense)* air; *(photo)* aerial; *(câble)* overhead; *(léger)* airy

aéro- [aero] *préf* aero- ▪ **aerobic** *nf* aerobics *(sing)* ▪ **aéro-club** *(pl* **aéro-clubs***) nm* flying club ▪ **aérodrome** *nm* aerodrome ▪ **aérodynamique** *adj* streamlined ▪ **aérogare** *nf* air terminal ▪ **aéroglisseur** *nm* hovercraft ▪ **aéronautique** **1** *adj* aeronautic(al) **2** *nf* aeronautics *(sing)* ▪ **Aéronavale** *nf Br* ≃ Fleet Air Arm, *Am* ≃ Naval Air Service ▪ **aéroport** *nm* airport ▪ **aéroporté, -ée** *adj* airborne ▪ **aérosol** *nm* aerosol ▪ **aérospatial,**

-ale, -aux, -ales 1 *adj* aerospace **2** *nf* **aérospatiale** aerospace science

affable [afabl] *adj* affable

affaiblir [afeblir] *vt*, **s'affaiblir** *vpr* to weaken ▪ **affaiblissement** *nm* weakening

affaire [afɛr] *nf* (*question*) matter, affair; (*marché*) deal; (*firme*) concern, business; (*histoire, scandale*) affair; (*procès*) case; **affaires** (*commerce*) business (*sing*); (*effets personnels*) belongings; **les Affaires étrangères** *Br* ≃ the Foreign Office, *Am* ≃ the State Department; **avoir a. à qn/qch** to have to deal with sb/sth; **faire une bonne a.** to get a bargain; **tirer qn d'affaire** to get sb out of trouble; **c'est mon a.** that's my business; **ça fera l'a.** that will do nicely; **c'est toute une a.!** it's quite a business!; **a. de cœur** love affair

affairer [afere] **s'affairer** *vpr* to busy oneself; **s'a. autour de qn** to fuss around sb ▪ **affairé, -ée** *adj* busy

affaisser [afese] **s'affaisser** *vpr* (*personne, bâtiment*) to collapse; (*sol*) to subside ▪ **affaissement** [-esmɑ̃] *nm* (*du sol*) subsidence

affaler [afale] **s'affaler** *vpr* to collapse; **affalé dans un fauteuil** slumped in an armchair

affamé, -ée [afame] *adj* starving

affecter [afɛkte] *vt* (**a**) (*employé*) to appoint (**à** to); (*soldat*) to post (**à** to); (*fonds, crédits, locaux*) to assign (**à** to) (**b**) (*feindre, émouvoir, frapper*) to affect; **a. de faire qch** to pretend to do sth ▪ **affectation** *nf* (*d'employé*) appointment (**à** to); (*de soldat*) posting (**à** to); (*de fonds*) assignment (**à** to); *Péj* (*pose, simulacre*) affectation ▪ **affecté, -ée** *adj* *Péj* (*manières, personne*) affected

affectif, -ive [afɛktif, -iv] *adj* emotional

affection [afɛksjɔ̃] *nf* (*attachement*) affection; (*maladie*) ailment; **avoir de l'a. pour qn** to be fond of sb ▪ **affectionner** *vt* to be fond of

affectueux, -ueuse [afɛktɥø, -ɥøz] *adj* affectionate

affermir [afɛrmir] *vt* (*autorité*) to strengthen; (*muscles*) to tone up; (*voix*) to steady

affiche [afiʃ] *nf* notice; (*publicitaire*) poster; **être à l'a.** (*spectacle*) to be on ▪ **affichage** *nm* bill-posting; *Ordinat* display; **'a. interdit'** 'post no bills' ▪ **afficher** *vt* (*avis, affiche*) to put up; (*prix, horaire, résultat*) & *Ordinat* (*message*) to display; *Péj* (*sentiment*) to show; **a. complet** (*spectacle*) to be sold out

affilée [afile] **d'affilée** *adv* in a row

affiler [afile] *vt* to sharpen

affilier [afilje] **s'affilier** *vpr* **s'a. à qch** to join sth ▪ **affiliation** *nf* affiliation

affiner [afine] **1** *vt* (*métal, goût*) to refine **2** **s'affiner** *vpr* (*goût*) to become more refined; (*visage*) to get thinner

affinité [afinite] *nf* affinity

affirmatif, -ive [afirmatif, -iv] **1** *adj* (*réponse*) &

Grammaire affirmative; **il a été à. à ce sujet** he was quite positive about it **2** *nf* **répondre par l'affirmative** to answer yes

affirmer [afirme] **1** *vt* (*manifester*) to assert; (*soutenir*) to maintain **2** **s'affirmer** *vpr* (*personne*) to assert oneself; (*tendance*) to be confirmed ▪ **affirmation** *nf* assertion

affleurer [aflœre] *vi* to appear on the surface

affliger [afliʒe] *vt* (*peiner*) to distress; (*atteindre*) to afflict (**de** with)

affluence [aflyɑ̃s] *nf* (*de personnes*) crowd; (*de marchandises*) abundance

affluent [aflyɑ̃] *nm* tributary

affluer [aflye] *vi* (*sang*) to rush (**à** to); (*gens*) to flock (**vers** to)

afflux [afly] *nm* (*de sang*) rush; (*de visiteurs*) flood; (*de capitaux*) influx

affoler [afɔle] **1** *vt* to throw into a panic **2** **s'affoler** *vpr* to panic ▪ **affolant, -ante** *adj* terrifying ▪ **affolement** *nm* panic

affranchir [afrɑ̃ʃir] *vt* (*timbrer*) to put a stamp on; (*émanciper*) to free ▪ **affranchissement** *nm* (*tarif*) postage

affréter [afrete] *vt* to charter

affreux, -euse [afrø, -øz] *adj* (*laid*) hideous; (*atroce*) dreadful; *Fam* (*épouvantable*) awful ▪ **affreusement** *adv* horribly; (*en intensif*) awfully

affriolant, -ante [afriɔlɑ̃, -ɑ̃t] *adj* alluring

affront [afrɔ̃] *nm* insult; **faire un a. à qn** to insult sb

affronter [afrɔ̃te] **1** *vt* to confront; (*mauvais temps*) to brave; **a. la colère de qn** to brave the wrath of sb **2** **s'affronter** *vpr* (*ennemis, équipes*) to clash ▪ **affrontement** *nm* confrontation

affubler [afyble] *vt* *Péj* **a. qn de qch** to set sb up in sth

affût [afy] *nm* *Fig* **à l'a. de** on the lookout for

affûter [afyte] *vt* to sharpen

Afghanistan [afganistɑ̃] *nm* **l'A.** Afghanistan

afin [afɛ̃] **1** *prép* **a. de faire qch** in order to do sth **2** *conj* **a. que...** (+ *subjunctive*) so that...

Afrique [afrik] *nf* **l'A.** Africa ▪ **africain, -aine 1** *adj* African **2** *nmf* **A., Africaine** African

agacer [agase] *vt* (*personne*) to irritate ▪ **agaçant, -ante** *adj* irritating

âge [ɑʒ] *nm* age; **quel â. as-tu?** how old are you?; **avant l'â.** before one's time; **d'un certain â.** middle-aged; **d'un â. avancé** elderly; **l'â. adulte** adulthood ▪ **âgé, -ée** *adj* old; **être â. de six ans** to be six years old; **un enfant â. de six ans** a six-year-old child

agence [aʒɑ̃s] *nf* agency; (*de banque*) branch; **a. de recrutement** recruitment agency; **a. de voyage** travel agent's; **a. immobilière** *Br* estate agent's, *Am* real estate office; **a. matrimoniale** dating agency

agencer [aʒɑ̃se] *vt* to arrange; **bien agencé** (*maison, pièce*) well laid-out; (*phrase*) well put-together ■**agencement** nm (de maison) lay-out

agenda [aʒɛ̃da] nm Br diary, Am datebook; **a. électronique** electronic organizer

Il faut noter que le nom anglais **agenda** est un faux ami. Il signifie **ordre du jour**.

agenouiller [aʒnuje] **s'agenouiller** vpr to kneel (down); **être agenouillé** to be kneeling (down)

agent [aʒɑ̃] nm (employé, espion) agent; **a. (de police)** police officer; **a. de change** stockbroker; **a. immobilier** Br estate agent, Am real estate agent; **a. secret** secret agent

aggloméré [aglɔmere] nm chipboard

agglomérer [aglɔmere] **s'agglomérer** vpr to bind together ■**agglomération** nf (ville) built-up area, town; **l'a. parisienne** Paris and its suburbs

agglutiner [aglytine] **s'agglutiner** vpr (personnes) to congregate

aggraver [agrave] **1** vt (situation, maladie) to make worse; (difficultés) to increase **2 s'aggraver** vpr (situation, maladie) to get worse; (état de santé) to deteriorate; (difficultés) to increase ■**aggravation** nf (de maladie) aggravation; (de conflit) worsening

agile [aʒil] adj agile, nimble ■**agilité** nf agility, nimbleness

agir [aʒir] **1** vi to act; Jur **a. au nom de qn** to act on behalf of sb **2 s'agir** v impersonnel **de quoi s'agit-il?** what is it about?; **il s'agit d'argent** it's a question of money; **il s'agit de se dépêcher** we have to hurry ■**agissements** nmpl Péj dealings

agitation [aʒitasjɔ̃] nf (inquiétude) agitation; (bougeotte) restlessness; (troubles) unrest

agiter [aʒite] **1** vt (remuer) to stir; (secouer) to shake; (brandir) to wave; (troubler) to agitate **2 s'agiter** vpr (enfant) to fidget; **s'a. dans son sommeil** to toss and turn in one's sleep ■**agitateur, -trice** nmf agitator ■**agité, -ée** adj (mer) rough; (personne) restless; (enfant) fidgety; (period) unsettled

agneau, -x [aɲo] nm lamb

agonie [agɔni] nf death throes; **être à l'a.** to be at death's door ■**agoniser** vi to be dying

Il faut noter que les termes anglais **agony** et **to agonize** sont des faux amis. Le premier signifie **douleur atroce** ou **angoisse** selon le contexte, et le second se traduit par **se faire beaucoup de souci**.

agrafe [agraf] nf (pour vêtement) hook; (pour papiers) staple ■**agrafer** vt (vêtement) to fasten; (papiers) to staple ■**agrafeuse** nf stapler

agrandir [agrɑ̃dir] **1** vt (rendre plus grand) to enlarge; (grossir) to magnify; **ça agrandit la pièce** it makes the room look bigger **2**

s'agrandir vpr (entreprise) to expand; (ville) to grow ■**agrandissement** nm (d'entreprise) expansion; (de ville) growth; (de maison) extension; (de photo) enlargement

agréable [agreabl] adj pleasant ■**agréablement** [-əmɑ̃] adv pleasantly

agréer [agree] vt (fournisseur) to approve; **veuillez a. l'expression de mes salutations distinguées** (dans une lettre) Br yours faithfully, yours sincerely, Am faithfully yours, sincerely yours ■**agréé, -ée** adj (fournisseur, centre) approved

agrégation [agregasjɔ̃] nf = competitive examination for recruitment of lycée and university teachers ■**agreg** nf Fam = agrégation ■**agrégé, -ée** nmf = teacher who has passed the agrégation

agrément [agremɑ̃] nm (attrait) charm; (accord) assent; **voyage d'a.** pleasure trip ■**agrémenter** vt to adorn (**de** with); **a. un récit d'anecdotes** to pepper a story with anecdotes

Il faut noter que le nom anglais **agreement** est un faux ami. Il signifie **accord**.

agrès [agrɛ] nmpl (de voilier) tackle; (de gymnastique) Br apparatus, Am equipment

agresser [agrese] vt to attack; (peau) to damage; **se faire a.** to be attacked; (pour son argent) to be mugged ■**agresseur** nm attacker; (dans un conflit) aggressor ■**agression** nf attack; (pour de l'argent) mugging; (d'un État) aggression; **être victime d'une a.** to be attacked; (pour son argent) to be mugged; **a. sexuelle** sexual assault

agressif, -ive [agresif, -iv] adj aggressive ■**agressivité** nf aggressiveness

agricole [agrikɔl] adj agricultural; (ouvrier, machine) farm; (peuple) farming; **travaux agricoles** farm work

agriculteur [agrikyltœr] nm farmer ■**agriculture** nf farming, agriculture

agripper [agripe] **1** vt to clutch **2 s'agripper** vpr **s'a. à qn/qch** to cling on to sb/sth

agronomie [agrɔnɔmi] nf agronomics (sing)

agrume [agrym] nm citrus fruit

aguerri, -ie [ageri] adj seasoned, hardened

aguets [agɛ] **aux aguets** adv on the lookout

aguicher [agiʃe] vt to seduce ■**aguichant, -ante** adj seductive

ahurir [ayrir] vt (étonner) to astound; **avoir l'air ahuri** to look astounded ■**ahuri, -ie** nmf idiot

ai [ɛ] voir **avoir**

aide [ɛd] **1** nf help, assistance; **à l'a. de qch** with the aid of sth; **appeler à l'a.** to call for help; **venir en a. à qn** to help sb; **a. humanitaire** aid **2** nmf (personne) assistant; **a. familiale** Br home help, Am mother's helper; **a. de camp** aide-de-camp ■**aide-mémoire** nm inv notes ■**aide-soignante** (mpl aides-soignants, fpl aides-soignantes) *nf Br* nursing auxiliary, *Am* nurse's aid

aider [ede] **1** *vt* to help; **a. qn à faire qch** to help sb to do sth **2 s'aider** *vpr* **s'a. de qch** to use sth

aïe [aj] *exclam* ouch!

AIEA [aiɛa] (*abrév* **Agence internationale de l'énergie atomique**) *nf* IAEA

aie(s), aient [ɛ] *voir* **avoir**

aïeul, -e [ajœl] *nmf Littéraire* grandfather, *f* grandmother

aïeux [ajø] *nmpl Littéraire* forefathers

aigle [ɛgl] *nm* eagle

aiglefin [ɛgləfɛ̃] *nm* haddock

aigre [ɛgr] *adj* (*acide*) sour; (*parole*) cutting; **d'un ton a.** sharply ▪ **aigre-doux, -douce** (*mpl* **aigres-doux,** *fpl* **aigres-douces**) *adj* (*sauce*) sweet and sour ▪ **aigreur** *nf* (*de goût*) sourness; (*de ton*) sharpness; **aigreurs d'estomac** heartburn

aigrette [ɛgrɛt] *nf* (*d'oiseau*) crest; (*panache*) plume

aigrir [ɛgrir] **s'aigrir** *vpr* (*vin*) to turn sour; (*caractère*) to sour ▪ **aigri, -ie** *adj* (*personne*) embittered

aigu, -uë [egy] *adj* (*douleur, crise, accent*) acute; (*son*) high-pitched

aiguille [egɥij] *nf* (*à coudre*) needle; (*de montre*) hand; (*de balance*) pointer; **a. (rocheuse)** peak; **a. de pin** pine needle

aiguiller [egɥije] *vt* (*train*) *Br* to shunt, *Am* to switch; *Fig* (*personne*) to steer (**vers** towards) ▪ **aiguillage** *nm* (*appareil*) *Br* points, *Am* switches ▪ **aiguilleur** *nm* (*de trains*) signalman; **a. du ciel** air-traffic controller

aiguillon [egɥijɔ̃] *nm* (*dard*) sting; (*stimulant*) spur ▪ **aiguillonner** *vt* (*stimuler*) to spur on; (*curiosité*) to arouse

aiguiser [egize] *vt* (*outil*) to sharpen; *Fig* (*appétit*) to whet

ail [aj] *nm* garlic

aile [ɛl] *nf* wing; (*de moulin*) sail; (*de voiture*) *Br* wing, *Am* fender; *Fig* **battre de l'a.** to be struggling ▪ **ailé, -ée** [ele] *adj* winged ▪ **aileron** *nm* (*de requin*) fin; (*d'avion*) aileron; (*d'oiseau*) pinion ▪ **ailier** [elje] *nm Football* winger; *Rugby* wing

aille(s), aillent [aj] *voir* **aller¹**

ailleurs [ajœr] *adv* somewhere else, elsewhere; **partout a.** everywhere else; **d'a.** (*du reste*) besides, anyway; **par a.** (*en outre*) moreover; (*par d'autres côtés*) in other respects

aïoli [ajɔli] *nm* garlic mayonnaise

aimable [ɛmabl] *adj* (*gentil*) kind; **vous êtes bien a.** it's very kind of you ▪ **aimablement** [-əmɑ̃] *adv* kindly

aimant¹ [ɛmɑ̃] *nm* magnet ▪ **aimanter** *vt* to magnetize

aimant², -ante [ɛmɑ̃, -ɑ̃t] *adj* loving

aimer [eme] **1** *vt* to love; **a. bien qn/qch** to like

sb/sth; **a. faire qch** to like doing sth; **j'aimerais qu'il vienne** I would like him to come; **je préfère** to prefer; **j'aimerais mieux qu'elle reste** I'd rather she stayed **2 s'aimer** *vpr* **ils s'aiment** they're in love

aine [ɛn] *nf* groin

aîné, -ée 1 [ene] *adj* (*de deux enfants*) elder; (*de plus de deux*) eldest **2** *nmf* (*de deux enfants*) elder; (*de plus de deux*) eldest; **c'est mon a.** he's older than me

ainsi [ɛ̃si] *adv* (*de cette façon*) in this way; (*alors*) so; **a. que...** as well as...; **et a. de suite** and so on; **pour a. dire** so to speak; *Rel* **a. soit-il!** amen!

air [ɛr] *nm* (**a**) (*gaz, ciel*) air; **prendre l'a.** to get some fresh air; **au grand a.** in the fresh air; **en plein a.** outside; **en l'a.** (*jeter*) (up) in the air; (*paroles, menaces*) empty; **regarder en l'a.** to look up; *Fam* **ficher qch en l'a.** to mess sth up; **dans l'a.** (*grippe, idées*) about, around (**b**) (*expression*) look, appearance; **avoir l'a. fatigué/content** to look tired/happy; **avoir l'a. de s'ennuyer** to look bored; **avoir l'a. de dire la vérité** to look as if one is telling the truth; **a. de famille** family likeness (**c**) (*mélodie*) tune; **a. d'opéra** aria

Air Bag® [ɛrbag] *nm Aut* airbag

aire [ɛr] *nf* (*surface*) & *Math* area; (*d'oiseau*) eyrie; **a. d'atterrissage** landing strip; **a. de jeux** (*children's*) play area; **a. de lancement** launch pad; **a. de repos** (*sur autoroute*) rest area; **a. de stationnement** lay-by

airelle [ɛrɛl] *nf* (*rouge*) cranberry

aisance [ɛzɑ̃s] *nf* (*facilité*) ease; (*prospérité*) affluence

aise [ɛz] *nf* **à l'a.** (*dans un vêtement*) comfortable; (*dans une situation*) at ease; (*fortuné*) comfortably off; **aimer ses aises** to like one's comforts; **mal à l'a.** uncomfortable, ill at ease ▪ **aisé, -ée** [eze] *adj* (*fortuné*) comfortably off; (*facile*) easy ▪ **aisément** *adv* easily

aisselle [ɛsɛl] *nf* armpit

ait [ɛ] *voir* **avoir**

ajonc [aʒɔ̃] *nm* gorse

ajouré, -ée [aʒure] *adj* (*dentelle, architecture*) openwork

ajourner [aʒurne] *vt* to postpone; (*après le début de la séance*) to adjourn ▪ **ajournement** [-əmɑ̃] *nm* postponement

ajout [aʒu] *nm* addition (**à** to) ▪ **ajouter 1** *vti* to add (**à** to) **2 s'ajouter** *vpr* **s'a. à qch** to add to sth

ajuster [aʒyste] *vt* (*appareil, outil*) to adjust; (*coiffure*) to arrange; (*coup*) to aim; (*adapter*) to fit (**à** to); (*vêtement*) to alter ▪ **ajusté, -ée** *adj* (*vêtement*) close- or tight-fitting ▪ **ajusteur** *nm* (*ouvrier*) fitter

alaise [alɛz] *nf* (*waterproof*) undersheet

alambic [alɑ̃bik] *nm Chim, Ind* still

alambiqué, -ée [alãbike] *adj* convoluted

alangui [alãgi] *adj* languid

alarme [alarm] *nf* alarm; **sonner l'a.** to sound the alarm; **a. antivol/d'incendie** burglar/fire alarm ▪**alarmer 1** *vt* to alarm **2 s'alarmer** *vpr* **s'a. de qch** to become alarmed at sth

Albanie [albani] *nf* **l'A.** Albania ▪**albanais, -aise 1** *adj* Albanian **2** *nmf* **A., Albanaise** Albanian

albâtre [albɑtr] *nm* alabaster

albatros [albatros] *nm* albatross

albinos [albinos] *nmf & adj inv* albino

album [albɔm] *nm* album; **a. de photos** photo album

alcalin, -ine [alkalɛ̃, -in] *adj* Chim alkaline

alchimie [alʃimi] *nf* alchemy

alcool [alkɔl] *nm* Chim alcohol; *(spiritueux)* spirits; **a. à 90°** *Br* surgical spirit, *Am* rubbing alcohol; **a. à brûler** *Br* methylated spirits, *Am* wood alcohol; **a. de poire** pear brandy ▪**alcoolique** *adj & nmf* alcoholic ▪**alcoolisée** *adj f* **boisson a.** alcoholic drink; **boisson non a.** soft drink ▪**alcoolisme** *nm* alcoholism ▪**Alcootest®** *nm* breath test; *(appareil)* Breathalyzer ®

alcôve [alkov] *nf* alcove

aléas [alea] *nmpl* hazards ▪**aléatoire** *adj (résultat)* uncertain; *(sélection, nombre)* & *Ordinat* random

alentour [alãtur] *adv* round about, around; **les villages a.** the surrounding villages ▪**alentours** *nmpl* surroundings; **aux a. de la ville** in the vicinity of the town; **aux a. de midi** around midday

alerte [alɛrt] **1** *adj (leste)* sprightly; *(éveillé)* alert **2** *nf* alarm; **en état d'a.** on the alert; **donner l'a.** to give the alarm; **a. à la bombe** bomb scare; **fausse a.** false alarm ▪**alerter** *vt* to alert (**sur** to)

algèbre [alʒɛbr] *nf* algebra

Alger [alʒe] *nm ou f* Algiers

Algérie [alʒeri] *nf* **l'A.** Algeria ▪**algérien, -ienne** *adj* Algerian **2** *nmf* **A., Algérienne** Algerian

algues [alg] *nfpl* seaweed

alias [aljas] *adv* alias

alibi [alibi] *nm* alibi

aliéner [aljene] **1** *vt* to alienate **2 s'aliéner** *vpr* **s'a. qn** to alienate sb ▪**aliéné, -ée** *nmf* insane person

aligner [aliɲe] **1** *vt* to line up; *(politique)* to align (**sur** with) **2 s'aligner** *vpr (personnes)* to line up; *(pays)* to align oneself (**sur** with) ▪**alignement** [-əmã] *nm* alignment; **être dans l'a. de qch** to be in line with sth

aliment [alimã] *nm* food ▪**alimentaire** *adj (ration, industrie)* food; **produits alimentaires** foodstuffs ▪**alimentation** *nf (action)* feeding; *(en eau, électricité)* supply(ing); *(régime)* diet; *(nourriture)* food; **magasin d'a.** grocer's,

grocery store; **a. papier** *(d'imprimante)* paper feed ▪**alimenter** *vt (nourrir)* to feed; *(fournir)* to supply (**en** with); *(débat, feu)* to fuel

alinéa [alinea] *nm (texte)* paragraph

alité, -ée [alite] *adj* bedridden

allaiter [alete] *vt (femme)* to breast-feed; *(sujet: animal)* to suckle

allant [alã] *nm* energy

allécher [aleʃe] *vt* to tempt

allée [ale] *nf (de parc)* path; *(de ville)* avenue; *(de cinéma, de supermarché)* aisle; *(devant une maison)* driveway; **allées et venues** comings and goings

allégation [alegasjɔ̃] *nf* allegation

alléger [aleʒe] *vt (impôt)* to reduce; *(fardeau)* to lighten ▪**allégé, -ée** *adj (fromage)* low-fat

allégorie [alegɔri] *nf* allegory

allègre [alɛgr] *adj* lively, cheerful ▪**allégresse** *nf* joy

alléguer [alege] *vt (excuse)* to put forward

alléluia [aleluja] *nm* hallelujah

Allemagne [almaɲ] *nf* **l'A.** Germany ▪**allemand, -ande 1** *adj* German **2** *nmf* **A., Allemande** German **3** *nm (langue)* German

aller¹* [ale] **1** *(aux être)* *vi* to go; **a. à Paris** to go to Paris; **a. à la pêche** to go fishing; **a. faire qch** to go and do sth; **a. voir!** go and see!; **a. à qn** *(convenir à)* to suit sb; **a. avec** *(vêtement)* to go with; **a. bien/mieux** *(personne)* to be well/better; **comment vas-tu?, (comment) ça va?** how are you?; **ça va!** all right!, fine!; **allez-y** go ahead; **j'y vais** I'm coming; **allons (donc)!** come on!, come off it!; **allez! au lit!** go to bed!; **ça va de soi** that's obvious **2** *v aux (futur proche)* **a. faire qch** to be going to do sth; **il va venir** he'll come; **il va partir** he's about to leave **3 s'en aller** [sãnale] *vpr (personne)* to go away; *(tache)* to come out

aller² [ale] *nm* outward journey; **a. (simple)** *Br* single (ticket), *Am* one-way (ticket); **a. (et) retour** *Br* return (ticket), *Am* round-trip (ticket)

allergie [alɛrʒi] *nf* allergy ▪**allergique** *adj* allergic (**à** to).

alliage [aljaʒ] *nm* alloy

alliance [aljãs] *nf (anneau)* wedding ring; *(mariage)* marriage; *(de pays)* alliance

allier [alje] **1** *vt (associer)* to combine (**à** with); *(pays)* to ally (**à** with); *(famille)* to unite by marriage; **a. l'intelligence à la beauté** to combine intelligence and beauty **2 s'allier** *vpr (couleurs)* to combine; *(pays)* to become allied (**à** with); *(famille)* to become related by marriage; **s'a. contre qn/qch** to unite against sb/sth ▪**allié, -ée** *nmf* ally

alligator [aligatɔr] *nm* alligator

allô [alo] *exclam* hello!

allocation [alɔkasjɔ̃] *nf (somme)* allowance; **a. (de) chômage** unemployment benefit; **a. (de) logement** housing benefit; **allocations familiales** child benefit

allocution [alɔkysjɔ̃] nf address

allonger [alɔ̃ʒe] **1** vt (bras) to stretch out; (jupe) to lengthen; (sauce) to thin; **a. le pas** to quicken one's pace **2** vi (jours) to get longer **3** **s'allonger** vpr (jours) to get longer; (personne) to lie down ■ **allongé, -ée** adj (étiré) elongated; **être a.** to be lying down

allouer [alwe] vt **a. qch à qn** (ration) to allocate sb sth; (indemnité) to grant sb sth

allumer [alyme] **1** vt (feu, pipe) to light; (électricité, radio) to switch on; (incendie) to start; Fig (passion) to arouse; **laisser la cuisine allumée** to leave the light on in the kitchen **2** **s'allumer** vpr (lumière, lampe) to come on; **où est-ce que ça s'allume?** where does it switch on? ■ **allumage** nm (de feu) lighting; (de moteur) ignition ■ **allume-gaz** nm inv gas lighter ■ **allumeuse** nf Fam (femme) teaser

allumette [alymɛt] nf match

allure [alyr] nf (vitesse) speed; (démarche) gait, walk; (maintien) bearing; **à toute a.** at top speed; **avoir de l'a.** to look stylish; **avoir des allures de malfrat** to look like a crook

> Il faut noter que le nom anglais **allure** est un faux ami. Il signifie **attrait**.

allusion [alyzjɔ̃] nf allusion (**à** to); (voilée) hint; **faire a. à qch** to allude to sth; (en termes voilés) to hint at sth

almanach [almana] nm almanac

aloi [alwa] nm **de bon a.** (succès) deserved; (plaisanterie) in good taste

alors [alɔr] adv (donc) so; (à ce moment-là) then; (dans ce cas) in that case; **a. que...** (lorsque) when...; (tandis que) whereas...; **et a.?** so what?; **a., tu viens?** are you coming then?

alouette [alwɛt] nf (sky)lark

alourdir [alurdir] **1** vt (chose) to make heavier; Fig (phrase) to make cumbersome; (charges) to increase **2** **s'alourdir** vpr to get heavy

aloyau [alwajo] nm sirloin

alpage [alpaʒ] nm mountain pasture ■ **Alpes** nfpl **les A.** the Alps ■ **alpestre, alpin, -ine** adj alpine

alphabet [alfabɛ] nm alphabet; **a. phonetique** phonetic alphabet ■ **alphabétique** adj alphabetical ■ **alphabétisation** nf teaching of literacy

alphanumérique [alfanymerik] adj alphanumeric

alpinisme [alpinism] nm mountaineering; **faire de l'a.** to go mountaineering ■ **alpiniste** nmf mountaineer

altercation [altɛrkasjɔ̃] nf altercation

altérer [altere] **1** vt (a) (vin, viande, vin)-to spoil; (santé) to damage (**b**) (changer) to affect **2** **s'altérer** vpr (santé, relations) to deteriorate

alternatif, -ive [altɛrnatif, -iv] adj (successif) alternating; (de remplacement) alternative

■ **alternative** nf alternative ■ **alternative-ment** adv alternately

alterner [altɛrne] **1** vt (crops) to rotate **2** vi (se succéder) to alternate (**avec** with); (personnes) to take turns (**avec** with) ■ **alternance** nf alternation; **en a.** alternately

Altesse [altɛs] nf **son A. royale** His/Her Royal Highness

altier, -ière [altje, -jɛr] adj haughty

altitude [altityd] nf altitude; **en a.** at altitude; **prendre de l'a.** to climb

alto [alto] nm (instrument) viola

altruisme [altryism] nm altruism ■ **altruiste** adj altruistic

aluminium [alyminjɔm] nm Br aluminium, Am aluminum; **papier (d')a.** tinfoil

alunir [alynir] vi to land on the moon

alvéole [alveɔl] nf (de ruche) cell; (dentaire) socket ■ **alvéolé, -ée** adj honeycombed

amabilité [amabilite] nf kindness; **auriez-vous l'a. de...?** would you be so kind as to...?

amadouer [amadwe] vt to coax

amaigrir [amegrir] vt to make thin(ner); **régime amaigrissant** slimming or weight loss diet ■ **amaigri, -ie** adj thin(ner) ■ **amaigrisse-ment** nm (involontaire) weight loss; (volontaire) dieting, Br slimming

amalgame [amalgam] nm (mélange) combination ■ **amalgamer** vt (confondre) to lump together

amande [amɑ̃d] nf almond

amant [amɑ̃] nm lover

amarre [amar] nf (mooring) rope; **amarres** moorings ■ **amarrer** vt (bateau) to moor

amas [amɑ] nm heap, pile ■ **amasser 1** vt to amass **2** **s'amasser** vpr (preuves, foule) to build up; (neige) to pile up

amateur [amatœr] **1** nm (non professionnel) amateur; **a. de tennis** tennis enthusiast; **a. d'art** art lover; **faire de la photo en a.** to be an amateur photographer; Péj **c'est du travail d'a.** it's amateurish work **2** adj **une équipe a.** an amateur team; ■ **amateurisme** nm Sport amateurism

amazone [amazɔn] nf horsewoman; **monter en a.** to ride sidesaddle

ambages [ɑ̃baʒ] **sans ambages** adv without beating about the bush

ambassade [ɑ̃basad] nf embassy ■ **ambassa-deur, -drice** nmf ambassador; **l'a. de France au Japon** the French ambassador to Japan

ambiance [ɑ̃bjɑ̃s] nf atmosphere; Fam **mettre de l'a.** to liven things up ■ **ambiant, -ante** adj surrounding; (gaieté, enthousiasme) pervading; **température a.** room temperature

ambidextre [ɑ̃bidɛkstr] adj ambidextrous

ambigu, -uë [ɑ̃bigy] adj ambiguous ■ **ambi-guïté** [-gɥite] nf ambiguity

ambitieux, -ieuse [ɑ̃bisjø, -jøz] adj ambitious

- **ambition** *nf* ambition - **ambitionner** *vt* to aspire to; **il ambitionne de faire/d'être...** his ambition is to do/be...

ambre [ãbr] *nm (résine)* amber

ambulance [ãbylãs] *nf* ambulance - **ambulancier, -ière** *nmf* ambulance driver

ambulant, -ante [ãbylã, -ãt] *adj Br* travelling, *Am* traveling, itinerant; **marchand a.** (street) hawker

âme [am] *nf* soul; **de toute mon â.** with all my heart; **en mon â. et conscience** to the best of my knowledge and belief; **rendre l'â.** to give up the ghost; **avoir charge d'âmes** to be responsible for human life; **je n'ai rencontré â. qui vive** I didn't meet a (living) soul; **â. sœur** soul mate

améliorer [ameljore] *vt*, **s'améliorer** *vpr* to improve - **amélioration** *nf* improvement

amen [amɛn] *adv* amen

aménager [amenaʒe] *vt (changer)* to adjust, *(maison)* to convert (**en** into) - **aménagement** *nm (changement)* adjustment; *(de pièce)* conversion (**en** into); **a. du temps de travail** flexibility of working hours; **a. du territoire** regional development

amende [amãd] *nf* fine; **infliger une a. à qn** to impose a fine on sb; **faire a. honorable** to apologize

amender [amãde] **1** *vt (texte de loi)* to amend **2** **s'amender** *vpr* to mend one's ways

amener [amne] **1** *vt (apporter)* to bring; *(causer)* to bring about; *(tirer à soi)* to pull in; **a. qn à faire qch** *(sujet: personne)* to get sb to do sth; **ce qui nous amène à parler de...** which brings us to the issue of... **2** **s'amener** *vpr Fam* to turn up

amenuiser [amənɥize] **s'amenuiser** *vpr* to dwindle; *(écart)* to get smaller

amer, -ère [amɛr] *adj* bitter - **amèrement** *adv* bitterly

Amerindien, -ienne [amerãdjɛ̃, -jɛn] *nmf* American Indian

Amérique [amerik] *nf* l'A. America; **l'A. du Nord/du Sud** North/South America; **l'A. latine** Latin America - **américain, -aine 1** *adj* American **2** *nmf* **A., Américaine** American

amerrir [amerir] *vi* to make a sea landing

amertume [amɛrtym] *nf* bitterness

améthyste [ametist] *nf* amethyst

ameublement [amœbləmã] *nm (meubles)* furniture

ameuter [amøte] *vt (personnes)* to bring out; **elle va a. tout le quartier si elle continue à hurler comme ça!** she'll have the whole neighbourhood out if she carries on shouting like that!

ami, -ie [ami] **1** *nmf* friend; **petit a.** boyfriend; **petite amie** girlfriend **2** *adj* friendly; **être a. avec qn** to be friends with sb

amiable [amjabl] **à l'amiable 1** *adj* amicable **2** *adv* amicably

amiante [amjãt] *nm* asbestos

amical, -e, -aux, -ales [amikal, -o] *adj* friendly - **amicale** *nf* association - **amicalement** *adv* in a friendly manner

amidon [amidɔ̃] *nm* starch - **amidonner** *vt* to starch

amincir [amɛ̃sir] **1** *vt* to make thin(ner); **cette robe t'amincit** that dress makes you look thinner **2** **s'amincir** *vpr* to become thinner

amiral, -aux [amiral, -o] *nm* admiral

amitié [amitje] *nf* friendship; **prendre qn en a.** to befriend sb; **faites-moi l'a. de lui dire** would you be so kind as to tell him?; **mes amitiés à votre mère** best wishes to your mother

ammoniaque [amɔnjak] *nf (liquide)* ammonia

amnésie [amnezi] *nf* amnesia - **amnésique** *adj* amnesic

amniocentèse [amnjosɛ̃tɛz] *nf Méd* amniocentesis

amnistie [amnisti] *nf* amnesty

amocher [amɔʃe] *vt Fam (personne)* to beat up; **se faire a.** to get beaten up

amoindrir [amwɛ̃drir] *vt*, **s'amoindrir** *vpr* to diminish

amollir [amɔlir] *vt*, **s'amollir** *vpr* to soften

amonceler [amɔ̃sle] *vt*, **s'amonceler** *vpr* to pile up; *(preuves)* to accumulate - **amoncellement** [-sɛlmã] *nm* heap, pile

amont [amɔ̃] *adv* **en amont** upstream (**de** from)

amoral, -e, -aux, -ales [amɔral, -o] *adj* amoral

amorce [amɔrs] *nf (début)* start; *(de pêcheur)* bait; *(détonateur)* detonator; *(de pistolet d'enfant)* cap - **amorcer 1** *vt (commencer)* to start; *(hameçon)* to bait; *(bombe)* to arm; *Ordinat* to boot up **2** **s'amorcer** *vpr* to start

amorphe [amɔrf] *adj* listless, apathetic

amortir [amɔrtir] *vt (coup)* to absorb; *(bruit)* to deaden; *(chute)* to break; *(achat)* to recoup the costs of; *Fin (dette)* to pay off; *Football* to trap - **amortissement** *nm (d'un emprunt)* redemption - **amortisseur** *nm (de véhicule)* shock absorber

amour [amur] *nm (sentiment, liaison)* love; **avec a.** lovingly; **faire qch par a. pour qn** to do sth out of love for sb; **faire l'a. avec qn** to make love with sb; **pour l'a. du ciel!** for heaven's sake!; **mon a.** my darling, my love; **tu es un a.!** you're an angel!; **à tes amours!** *(quand on éternue)* bless you! - **s'amouracher** *vpr Péj* to become infatuated (**de** with) - **amoureux, -euse 1** *adj* **être a.** to be in love with sb; **tomber a. de qn** to fall in love with sb; **vie amoureuse** love life **2** *nm* boyfriend; **un couple d'a.** a pair of lovers - **amour-propre** *nm* self-respect

amovible [amɔvibl] *adj* removable, detachable

ampère [ɑ̃pɛr] *nm Él* ampere

amphétamine [ɑ̃fetamin] *nf* amphetamine

amphi [ɑ̃fi] *nm Fam Univ* lecture hall

amphibie [ɑ̃fibi] *adj* amphibious

amphithéâtre [ɑ̃fiteatr] *nm (romain)* amphitheatre; *(à l'université)* lecture hall *or Br* theatre

ample [ɑ̃pl] *adj (vêtement)* full; *(geste)* sweeping; **de plus amples renseignements** more detailed information; **jusqu'à plus a. informé** until further information is available ▪**amplement** [-əmɑ̃] *adv* amply, fully; **c'est a. suffisant** it is more than enough ▪**ampleur** *nf (de vêtement)* fullness; *(importance)* scale, extent; **prendre de l'a.** to grow in size

amplifier [ɑ̃plifje] **1** *vt (son)* to amplify; *(phénomène)* to intensify **2 s'amplifier** *upr (son)* to increase; *(phénomène)* to intensify ▪**amplificateur** *nm* amplifier ▪**amplification** *nf (de son)* amplification; *(de phénomène)* intensification

amplitude [ɑ̃plityd] *nf (de désastre)* magnitude; *(variation)* range

ampoule [ɑ̃pul] *nf (électrique)* (light) bulb; *(sur la peau)* blister; *(de médicament)* phial

ampoulé, -ée [ɑ̃pule] *adj (style)* bombastic

amputer [ɑ̃pyte] *vt (membre)* to amputate; *Fig* to slash; **a. qn de la jambe** to amputate sb's leg ▪**amputation** *nf (de membre)* amputation

amuse-gueule [amyzgœl] *nm inv* appetizer

amuser [amyze] **1** *vt* to amuse; **cette histoire l'a beaucoup amusé** he found the story very amusing **2 s'amuser** *upr* to amuse oneself; **s'a. avec qn/qch** to play with sb/sth; **s'a. à faire qch** to amuse oneself doing sth; **bien s'a.** to have a good time ▪**amusant, -ante** *adj* amusing ▪**amusement** *nm* amusement

amygdales [amidal] *nfpl* tonsils

an [ɑ̃] *nm* year; **il a dix ans** he's ten (years old); **par a.** per year; **en l'an 2000** in the year 2000; **bon a., mal a.** on average over the years

anabolisant [anabɔlizɑ̃] *nm* anabolic steroid

anachronisme [anakrɔnism] *nm* anachronism ▪**anachronique** *adj* anachronistic

anagramme [anagram] *nf* anagram

analogie [analɔʒi] *nf* analogy ▪**analogue** *adj* similar (**à** to)

analphabète [analfabɛt] *adj & nmf* illiterate ▪**analphabétisme** *nm* illiteracy

analyse [analiz] *nf* analysis; **a. grammaticale** parsing; **a. du sang/d'urine** blood/urine test; **être en a.** *(en traitement)* to be in analysis ▪**analyser** *vt* to analyse; *(phrase)* to parse ▪**analytique** *adj* analytical

ananas [anana(s)] *nm* pineapple

anarchie [anarʃi] *nf* anarchy ▪**anarchique** *adj* anarchic ▪**anarchiste 1** *adj* anarchistic **2** *nmf* anarchist

anathème [anatɛm] *nm (condamnation) & Rel* anathema

anatomie [anatɔmi] *nf* anatomy ▪**anatomique** *adj* anatomical

ancestral, -e, -aux, -ales [ɑ̃sɛstral, -o] *adj* ancestral

ancêtre [ɑ̃sɛtr] *nm* ancestor

anche [ɑ̃ʃ] *nf Mus* reed

anchois [ɑ̃ʃwa] *nm* anchovy

ancien, -ienne [ɑ̃sjɛ̃, -jɛn] **1** *adj (vieux)* old; *(meuble)* antique; *(qui n'est plus)* former, old; *(dans une fonction)* senior; **dans l'a. temps** in the old days; **a. élève** *Br* former pupil, *Am* alumnus; **a. combattant** *Br* ex-serviceman, *Am* veteran **2** *nmf (par l'âge)* elder; **c'est un a. de la maison** he's been in the firm for a long time ▪**anciennement** *adv* formerly ▪**ancienneté** *nf (âge)* age; *(expérience)* seniority

ancre [ɑ̃kr] *nf* anchor; **jeter l'a.** to (cast) anchor; **lever l'a.** to weigh anchor ▪**ancrer** *vt* (**a**) *(navire)* to anchor; **être ancré** to be at anchor (**b**) *Fig (idée, sentiment)* to become rooted; **ancré dans** rooted in

Andorre [ɑ̃dɔr] *nf* Andorra

andouille [ɑ̃duj] *nf* (**a**) *Culin* chitterlings sausage (**b**) *Fam (idiot)* twit

âne [ɑn] *nm (animal)* donkey; *Péj (personne)* ass

anéantir [aneɑ̃tir] *vt (ville)* to destroy; *(armée)* to crush; *(espoirs)* to shatter ▪**anéanti, -ie** *adj (épuisé)* exhausted; *(accablé)* overwhelmed; **a. par le chagrin** overcome by grief ▪**anéantissement** *nm (de ville)* destruction; *(d'espoir)* shattering; **dans un état d'a. total** utterly crushed

anecdote [anɛkdɔt] *nf* anecdote ▪**anecdotique** *adj* anecdotal

anémie [anemi] *nf* an(a)emia ▪**anémique** *adj* an(a)emic

anémone [anemɔn] *nf* anemone

ânerie [ɑnri] *nf (parole)* stupid remark; *(action)* stupid act

anesthésie [anɛstezi] *nf* an(a)esthesia; **être sous a.** to be under ana(e)sthetic; **a. générale/locale** general/local an(a)esthetic ▪**anesthésier** *vt* to an(a)esthetize ▪**anesthésiste** *nmf Br* an(a)esthetist, *Am* anesthesiologist

aneth [anɛt] *nm* dill

ange [ɑ̃ʒ] *nm* angel; **être aux anges** to be in seventh heaven; **a. gardien** guardian angel ▪**angélique 1** *adj* angelic **2** *nf Culin* angelica

angine [ɑ̃ʒin] *nf* sore throat; **a. de poitrine** angina (pectoris)

anglais, -aise [ɑ̃glɛ, -ɛz] **1** *adj* English **2** *nmf* **A., Anglaise** Englishman, Englishwoman; **les A.** the English **3** *nm (langue)* English **4** *nf Fam* **filer à l'anglaise** to slip away

angle [ɑ̃gl] *nm (point de vue) & Math* angle; *(coin de rue)* corner; **la maison qui fait l'a.** the house on the corner; *Aut* **a. mort** blind spot

Angleterre [ɑ̃glətɛr] *nf* **l'A.** England

anglican, -ane [ãglikã, -an] *adj & nmf* Anglican
anglicisme [ãglisism] *nm* Anglicism
anglo- [ãglɔ] *préf* Anglo- ■**anglo-normand, -ande** *adj* **les îles anglo-normandes** the Channel Islands ■**anglophile** *adj & nmf* anglophile ■**anglophone** 1 *adj* English-speaking 2 *nmf* English speaker ■**anglo-saxon, -onne** (*mpl* anglo-saxons, *fpl* anglo-saxonnes) *adj & nmf* Anglo-Saxon
angoisse [ãgwas] *nf* anguish; **une crise d'a.** an anxiety attack; *Fam* **c'est l'a.!** what a drag! ■**angoissant, -ante** *adj* (*nouvelle*) distressing; (*attente*) agonizing; (*livre*) frightening ■**angoissé, -ée** *adj* (*personne*) anxious; (*cri, regard*) anguished ■**angoisser** 1 *vt* **a. qn** to make sb anxious 2 *vi Fam* to get worked up 3 **s'angoisser** *upr* to get anxious
angora [ãgɔra] *nm* (*laine*) angora; **pull en a.** angora sweater
anguille [ãgij] *nf* eel
angulaire [ãgyler] *adj* **pierre a.** cornerstone ■**anguleux, -euse** *adj* (*visage*) angular
animal, -aux [animal, -o] 1 *nm* animal; **a. domestique** pet 2 *adj* (*règne, graisse*) animal
animateur, -trice [animatœr, -tris] *nmf* (*de télévision, de radio*) presenter; (*de club*) leader
animer [anime] 1 *vt* (*débat, groupe*) to lead; (*jeu télévisé*) to present; (*désir, ambition*) to drive; **la joie qui animait son visage** the joy which made his/her face light up 2 **s'animer** *upr* (*rue*) to come to life; (*visage*) to light up; (*conversation*) to get more lively ■**animation** *nf* (*vie*) life; (*divertissement*) event; *Cin* animation; **parler avec a.** to speak animatedly; **mettre de l'a. dans une soirée** to liven up a party ■**animé, -ée** *adj* (*personne, réunion, conversation*) lively; (*rue, quartier*) busy
animosité [animɔzite] *nf* animosity
anis [ani(s)] *nm* (*boisson, parfum*) aniseed; **boisson à l'a.** aniseed drink ■**anisette** *nf* anisette
ankylose [ãkiloz] *nf* stiffness ■**ankylosé, -ée** *adj* stiff ■**s'ankyloser** *upr* to stiffen up
annales [anal] *nfpl* annals; *Fig* **rester dans les a.** to go down in history
anneau, -x [ano] *nm* (*bague*) ring; (*de chaîne*) link; *Gym* **les anneaux** the rings
année [ane] *nf* year; **les années 90** the nineties; **bonne a.!** Happy New Year!
annexe [anɛks] 1 *nf* (*bâtiment*) annexe; (*de lettre*) enclosure; (*de livre*) appendix; **document en a.** enclosed document 2 *adj* (*pièces*) enclosed; (*revenus*) supplementary; **bâtiment a.** annex(e) ■**annexer** *vt* (*pays*) to annex; (*document*) to append
annihiler [aniile] *vt* (*ville, armée*) to annihilate
anniversaire [aniverser] 1 *nm* (*d'événement*) anniversary; (*de naissance*) birthday; **gâteau d'a.** birthday cake 2 *adj* **date a.** anniversary

annonce [anɔ̃s] *nf* (*déclaration*) announcement; (*publicitaire*) advertisement; (*indice*) sign; **passer une a. dans un journal** to put an advert in a newspaper; **petites annonces** classified advertisements, *Br* small ads, *Am* want ads ■**annoncer** 1 *vt* (*déclarer*) to announce; (*dans la presse*) (*soldes, exposition*) to advertise; (*indiquer*) to herald; **a. qn** (*visiteur*) to show sb in 2 **s'annoncer** *upr* **ça s'annonce bien/mal** things aren't looking too bad/good ■**annonceur** *nm* (*publicitaire*) advertiser ■**annonciateur, -trice** *adj* **signes annonciateurs de crise** signs that a crisis is on the way
Annonciation [anɔ̃sjasjɔ̃] *nf* **l'A.** Annunciation
annoter [anɔte] *vt* to annotate ■**annotation** *nf* annotation
annuaire [anɥer] *nm* (*d'organisme*) yearbook; (*liste d'adresses*) directory; **a. téléphonique** telephone directory; **a. électronique** electronic phone directory
annuel, -elle [anɥɛl] *adj* annual, yearly ■**annuellement** *adv* annually ■**annuité** *nf* (*d'emprunt*) annual repayment
annulaire [anɥler] *nm* ring finger
annuler [anɥle] 1 *vt* (*commande, rendez-vous*) & *Ordinat* to cancel; (*dette*) to write off; (*marriage*) to annul; (*jugement*) to quash; *Ordinat* (*opération*) to undo 2 **s'annuler** *upr* to cancel each other out ■**annulation** *nf* (*de commande, de rendez-vous*) cancellation; (*de dette*) writing off; (*de mariage*) annulment; (*de jugement*) quashing; *Ordinat* deletion
anoblir [anɔblir] *vt* to ennoble
anodin, -ine [anɔdɛ̃, -in] *adj* (*remarque*) harmless; (*personne*) insignificant; (*blessure*) slight
anomalie [anɔmali] *nf* (*bizarrerie*) anomaly; (*difformité*) abnormality
ânonner [anɔne] *vt* to stumble through
anonymat [anɔnima] *nm* anonymity; **garder l'a.** to remain anonymous ■**anonyme** *adj & nmf* anonymous
anorak [anɔrak] *nm* anorak
anorexie [anɔreksi] *nf Méd* anorexia ■**anorexique** *adj & nmf Méd* anorexic
anormal, -e, -aux, -ales [anɔrmal, -o] *adj* (*non conforme*) abnormal; (*mentalement*) mentally handicapped; (*injuste*) unfair
ANPE [aɛnpeø] (*abrév* agence nationale pour l'emploi) *nf* = French State employment agency
anse [ãs] *nf* (**a**) (*de tasse, de panier*) handle (**b**) (*baie*) cove
antagonisme [ãtagɔnism] *nm* antagonism ■**antagoniste** 1 *adj* antagonistic 2 *nmf* antagonist
antan [ãtã] **d'antan** *adj Littéraire* of yesteryear
antarctique [ãtarktik] 1 *adj* Antarctic 2 *nm* **l'A.** the Antarctic, Antarctica

antécédent [ātesedā] *nm Grammaire* antecedent; **antécédents** *(de personne)* past record; **antécédents médicaux** medical history

antenne [āten] *nf (de radio, de satellite)* aerial, antenna; *(d'insecte)* antenna, feeler; *(société)* branch; **être à l'a.** to be on the air; **rendre l'a.** to hand over; **hors a.** off the air; *Mil* **a. chirurgicale** field hospital; **a. parabolique** satellite dish

antérieur, -e [āterjœr] *adj (période)* former; *(année)* previous; *(date)* earlier; *(placé devant)* front; **membre a.** forelimb; **a. à qch** prior to sth ▪ **antérieurement** *adv* previously ▪ **antériorité** *nf* precedence

anthologie [ātɔlɔʒi] *nf* anthology

anthropologie [ātrɔpɔlɔʒi] *nf* anthropology

anthropophage [ātrɔpɔfaʒ] *nm* cannibal ▪ **anthropophagie** *nf* cannibalism

antiaérien, -ienne [ātiaerjē, -jen] *adj* **canon a.** anti-aircraft gun; **abri a.** air-raid shelter

antiatomique [ātiatɔmik] *adj* **abri a.** fallout shelter

antibiotique [ātibjɔtik] *nm* antibiotic; **sous antibiotiques** on antibiotics

antibrouillard [ātibrujar] *adj & nm* **(phare) a.** fog lamp

anticancéreux, -euse [ātikāserø, -øz] *adj* **centre a.** cancer hospital

antichambre [ātiʃābr] *nf* antechamber

antichoc [ātiʃɔk] *adj inv* shock-proof

anticiper [ātisipe] *vti* **a. (sur)** to anticipate ▪ **anticipation** *nf* anticipation; **par a.** in advance; **d'a.** *(roman, film)* science-fiction ▪ **anticipé, -ée** *adj (retraite, retour)* early; *(paiement)* advance; **avec mes remerciements anticipés** thanking you in advance

anticlérical, -e, -aux, -ales [ātiklerikal, -o] *adj* anticlerical

anticommuniste [ātikɔmynist] *adj* anticommunist

anticonformiste [ātikɔ̃fɔrmist] *adj & nmf* nonconformist

anticonstitutionnel, -elle [ātikɔ̃stitysjɔnel] *adj* unconstitutional

anticorps [ātikɔr] *nm* antibody

anticyclone [ātisiklon] *nm* anticyclone

antidémocratique [ātidemɔkratik] *adj* undemocratic

antidépresseur [ātidepresœr] *nm* antidepressant

antidérapant, -ante [ātiderapā, -āt] *adj (surface, pneu)* non-skid; *(semelle)* non-slip

antidopage [ātidɔpaʒ] *adj* **contrôle a.** drug test

antidote [ātidɔt] *nm* antidote

antigel [ātiʒel] *nm* antifreeze

antihistaminique [ātiistaminik] *adj Méd* antihistamine

anti-inflammatoire [ātiẽflamatwar] *adj Méd* anti-inflammatory

Antilles [ātij] *nfpl* **les A.** the West Indies ▪ **antillais, -aise 1** *adj* West Indian **2** *nmf* **A., Antillaise** West Indian

antilope [ātilɔp] *nf* antelope

antimite [ātimit] *nm* **de l'a.** mothballs

antimondialiste [ātimɔ̃djalist] *adj & nmf* antiglobalist ▪ **antimondialisme** *nm* antiglobalization

antinucléaire [ātinykleer] *adj* anti-nuclear

Antiope [ātjɔp] *n* = French Teletext system providing subtitles for the deaf

antioxydant, -ante [ātiɔksidā, -āt] *adj & nm* antioxydant

antipathie [ātipati] *nf* antipathy ▪ **antipathique** *adj* unpleasant; **elle m'est a.** I find her unpleasant

antipelliculaire [ātipelikyler] *adj* **shampooing a.** anti-dandruff shampoo

antipodes [ātipɔd] *nmpl* antipodes; **être aux a. de** to be on the other side of the world from; *Fig* to be the exact opposite of

antipoison [ātipwazɔ̃] *adj inv Méd* **centre a.** poisons unit

antique [ātik] *adj (de l'Antiquité)* ancient ▪ **antiquaire** *nmf* antique dealer ▪ **antiquité** *nf (objet ancien)* antique; **l'a. grecque/romaine** ancient Greece/Rome; **antiquités** *(dans un musée)* antiquities

antirabique [ātirabik] *adj Méd* anti-rabies

antireflet [ātirəflɛ] *adj inv* non-reflecting

antirides [ātirid] *adj inv* anti-wrinkle

antirouille [ātiruj] *adj inv* antirust

antisèche [ātisɛʃ] *nf Fam* crib sheet

antisémite [ātisemit] *adj* anti-Semitic ▪ **antisémitisme** *nm* anti-Semitism

antiseptique [ātiseptik] *adj & nm* antiseptic

antisocial, -e, -aux, -ales [ātisɔsjal, -o] *adj* antisocial

antitabac [ātitaba] *adj inv* **lutte a.** anti-smoking campaign

antiterroriste [ātiterɔrist] *adj* anti-terrorist

antithèse [ātitez] *nf* antithesis

antivariolique [ātivarjɔlik] *adj Méd* **vaccin a.** smallpox vaccine

antivol [ātivɔl] *nm* anti-theft device

antre [ātr] *nm (de lion)* den

anus [anys] *nm* anus

Anvers [āver(s)] *nm ou f* Antwerp

anxiété [āksjete] *nf* anxiety ▪ **anxieux, -ieuse 1** *adj* anxious **2** *nmf* worrier

août [u(t)] *nm* August ▪ **aoûtien, -ienne** [ausjē, -jen] *nmf* August *Br* holidaymaker *or Am* vacationer

apaiser [apeze] **1** *vt (personne)* to calm (down); *(douleur)* to soothe; *(craintes)* to allay **2** **s'apaiser** *vpr (personne, colère)* to calm down; *(tempête, douleur)* to subside ▪ **apaisant, -ante** *adj* soothing

apanage [apanaʒ] *nm* prerogative

aparté [aparte] nm Théâtre aside; (dans une réunion) private exchange; **en a.** in private

apartheid [aparted] nm apartheid

apathie [apati] nf apathy ▪**apathique** adj apathetic

apatride [apatrid] nmf stateless person

apercevoir* [apɛrsəvwar] 1 vt to see; (brièvement) to catch a glimpse of 2 **s'apercevoir** vpr **s'a. de qch** to realize sth; **s'a. que...** to realize that... ▪**aperçu** nm (idea) general idea; **donner à qn un a. de la situation** to give sb a general idea of the situation

apéritif [aperitif] nm aperitif; **prendre un a.** to have a drink before lunch/dinner ▪**apéro** nm Fam aperitif

apesanteur [apəzɑ̃tœr] nf weightlessness

à-peu-près [apøprɛ] nm inv rough approximation

apeuré, -ée [apœre] adj frightened, scared

aphone [afɔn] adj voiceless; **je suis a. aujourd'hui** I've lost my voice today

aphorisme [afɔrism] nm aphorism

aphrodisiaque [afrodizjak] nm & adj aphrodisiac

aphte [aft] nm mouth ulcer ▪**aphteuse** adj f **fièvre a.** foot-and-mouth disease

apiculture [apikyltyr] nf beekeeping ▪**apiculteur, -trice** nmf beekeeper

apitoyer [apitwaje] 1 vt **a. qn** to move sb to pity 2 **s'apitoyer** vpr **s'a. sur qn** to feel sorry for sb; **s'a. sur son sort** to feel sorry for oneself ▪**apitoiement** nm pity

aplanir [aplanir] vt (terrain, route) to level; (difficulté) to iron out

aplatir [aplatir] 1 vt to flatten 2 **s'aplatir** vpr (être plat) to be flat; (devenir plat) to go flat; **s'a. contre qch** to flatten oneself against sth; Fam **s'a. devant qn** to grovel to sb ▪**aplati, -ie** adj flat

aplomb [aplɔ̃] nm (assurance) self-confidence; Péj cheek; **mettre qch d'a.** to stand sth up straight; **je ne me sens pas d'a. aujourd'hui** I'm not feeling myself today

apnée [apne] nf **plonger en a.** to dive without breathing apparatus

apocalypse [apɔkalips] nf apocalypse; **d'a.** (vision) apocalyptic ▪**apocalyptique** adj apocalyptic

apogée [apɔʒe] nm (d'orbite) apogee; Fig **être à l'a. de sa carrière** to be at the height of one's career

apolitique [apɔlitik] adj apolitical

apollon [apɔlɔ̃] nm (bel homme) Adonis

apologie [apɔlɔʒi] nf (défense) apologia (de for); (éloge) eulogy; **faire l'a. de qch** to eulogize sth

> Il faut noter que le nom anglais **apology** est un faux ami. Il signifie **excuses**.

apoplexie [apɔplɛksi] nf apoplexy

apostolat [apɔstɔla] nm (mission) vocation

apostrophe [apɔstrɔf] nf (a) (signe) apostrophe (b) (interpellation) rude remark ▪**apostropher** vt (pour attirer l'attention) to shout at

apothéose [apɔteoz] nf (consécration) crowning glory; **finir en a.** to end spectacularly

apôtre [apotr] nm apostle

apparaître* [aparɛtr] (aux être) vi (se montrer, sembler) to appear; **il m'est apparu en rêve** he appeared to me in a dream; **il m'apparaît comme le seul capable d'y parvenir** he seems to me to be the only one capable of doing it

apparat [apara] nm pomp; **tenue d'a.** ceremonial dress

appareil [aparɛj] nm (instrument, machine) apparatus; (téléphone) telephone; (avion) aircraft; **l'a. de la justice** the legal system; Hum **dans le plus simple a.** in one's birthday suit; **qui est à l'a.?** (au téléphone) who's speaking?; **a. (dentaire)** (correctif) brace; Anat **a. digestif** digestive system; **a. photo** camera; **a. photo numérique** digital camera; **appareils ménagers** household appliances

apparence [aparɑ̃s] nf appearance; **en a.** outwardly; **sous l'a. de** under the guise of; **sauver les apparences** to keep up appearances ▪**apparemment** [-amɑ̃] adv apparently ▪**apparent, -ente** adj apparent

apparenter [aparɑ̃te] **s'apparenter** vpr (ressembler) to be akin (à to) ▪**apparenté, -ée** adj (allié) related; (semblable) similar

apparition [aparisjɔ̃] nf (manifestation) appearance; (fantôme) apparition; **faire son a.** (personne) to make one's appearance

appartement [apartəmɑ̃] nm Br flat, Am apartment

appartenir* [apartənir] 1 vi to belong (à to) 2 v impersonnel **il vous appartient de prendre la décision** it's up to you to decide ▪**appartenance** nf (de groupe) belonging (à to); (de parti) membership (à of)

appât [apɑ] nm (amorce) bait; Fig (attrait) lure; **l'a. du gain** the lure of money ▪**appâter** vt (hameçon) to bait; (animal) to lure; Fig (personne) to entice

appauvrir [apovrir] 1 vt to impoverish 2 **s'appauvrir** vpr to become impoverished ▪**appauvrissement** nm impoverishment

appel [apɛl] nm (cri, attrait) call; (invitation) & Jur appeal; Mil (recrutement) call-up; (pour sauter) take-off; **faire l'a.** (à l'école) to take the register; Mil to have a roll call; **faire a. à qn** to appeal to sb; (plombier, médecin) to send for sb; Jur **faire a. d'une décision** to appeal against a decision; Fig **la décision est sans a.** the decision is final; Com **lancer un a. d'offre** to invite bids; **a. au secours** call for help; **a. d'air**

draught; **a. gratuit** *Br* freefone call, *Am* toll-free call; **a. téléphonique** telephone call

appeler [aple] **1** *vt (personne, nom)* to call; *(en criant)* to call out to; *Mil (recruter)* to call up; *(nécessiter)* to call for; **a. qn à l'aide** to call sb for help; **a. qn au téléphone** to call sb; **a. un taxi** to call for a taxi; **a. qn à faire qch** *(inviter)* to call on sb to do sth; **être appelé à témoigner** to be called upon to give evidence; **il est appelé à de hautes fonctions** he is marked out for high office; **en a. à** to appeal to **2** **s'appeler** *vpr* to be called; **comment vous appelez-vous?** what's your name?; **je m'appelle David** my name is David ▪**appellation** [apelɑsjɔ̃] *nf (nom)* term; **a. contrôlée** *(de vin)* guaranteed vintage ▪**appelé** *nm Mil* conscript

> Il faut noter que le verbe anglais **to appeal** est un faux ami. Il ne signifie jamais **appeler**.

appendice [apɛ̃dis] *nm (du corps, de livre)* appendix; *(d'animal)* appendage ▪**appendicite** *nf* appendicitis

appesantir [apəzɑ̃tir] **s'appesantir** *vpr* to become heavier; **s'a. sur** *(sujet)* to dwell upon

appétit [apeti] *nm* appetite **(de** for); **mettre qn en a.** to whet sb's appetite; **couper l'a. à qn** to spoil sb's appetite; **manger de bon a.** to tuck in; **bon a.!** enjoy your meal! ▪**appétissant, -ante** *adj* appetizing

applaudir [aplodir] *vti* to applaud; **a. à qch** *(approuver)* to applaud sth ▪**applaudissements** *nmpl* applause

applicable [aplikabl] *adj* applicable **(à** to) ▪**application** *nf (action, soin)* application; *(de loi)* enforcement; **mettre une théorie en a.** to put a theory into practice; **mettre une loi en a.** to enforce a law; **entrer en a.** to come into force

applique [aplik] *nf* wall light

appliquer [aplike] **1** *vt* to apply **(à/sur** to); *(loi, décision)* to enforce **2** **s'appliquer** *vpr (se concentrer)* to apply oneself **(à** to); **s'a. à faire qch** to take pains to do sth; **cette décision s'applique à...** *(concerne)* this decision applies to... ▪**appliqué, -ée** *adj (personne)* hardworking; *(écriture)* careful; *(sciences)* applied

appoint [apwɛ̃] *nm* **(a) faire l'a.** to give the exact money **(b) radiateur d'a.** extra radiator; **salaire d'a.** extra income

appointements [apwɛ̃tmɑ̃] *nmpl* salary

> Il faut noter que le nom anglais **appointment** est un faux ami. Il signifie **rendezvous** ou **nomination** selon le contexte.

apport [apɔr] *nm* contribution **(à** to)

apporter [apɔrte] *vt* to bring **(à** to); *(preuve)* to provide; *(modification)* to bring about; **je te l'ai apporté** I brought it to you

apposer [apoze] *vt (sceau, signature)* to affix

(à to); *(affiche)* to put up ▪**apposition** *nf Grammaire* apposition

apprécier [apresje] *vt (aimer, percevoir)* to appreciate; *(évaluer)* to estimate; *Fam* **je n'ai pas apprécié** I wasn't too pleased ▪**appréciable** *adj* appreciable ▪**appréciation** *nf (opinion de professeur)* comment **(sur** on); *(évaluation)* valuation; *(augmentation de valeur)* appreciation; **laisser qch à l'a. de qn** to leave sth to sb's discretion

appréhender [apreɑ̃de] *vt (craindre)* to dread **(de faire** doing); *(arrêter)* to arrest; *(comprendre)* to grasp ▪**appréhension** *nf (crainte)* apprehension **(de** about)

apprendre* [aprɑ̃dr] *vti (étudier)* to learn; *(nouvelle)* to hear; *(mariage, mort)* to hear of; **a. à faire qch** to learn to do sth; **a. qch à qn** *(enseigner)* to teach sb sth; *(informer)* to tell sb sth; **a. à qn à faire qch** to teach sb to do sth; **a. que...** to learn that...; *(être informé)* to hear that...

apprenti, -ie [aprɑ̃ti] *nmf* apprentice ▪**apprentissage** *nm (professionnel)* training; *(chez un artisan)* apprenticeship; *(d'une langue)* learning **(de** of); *Fig* **faire l'a. de qch** to learn about sth

apprêter [aprete] **s'apprêter** *vpr* to get ready **(à faire** to do)

apprivoiser [aprivwaze] **1** *vt* to tame **2** **s'apprivoiser** *vpr* to become tame ▪**apprivoisé, -ée** *adj* tame

approbation [aprɔbasjɔ̃] *nf* approval ▪**approbateur, -trice** *adj* approving

approche [aprɔʃ] *nf* approach; **approches** *(de ville)* outskirts; **à l'a. de la vieillesse** as old age draws/drew nearer

approcher [aprɔʃe] **1** *vt (objet)* to bring up; *(personne)* to approach, to get close to; **a. qch de qn** to bring sth near to sb **2** *vi* to approach, to get closer; **a. de qn/qch** to approach sb/sth; **la nuit approchait** it was beginning to get dark; **approche, je vais te montrer** come here, I'll show you **3** **s'approcher** *vpr* to approach, to get closer; **s'a. de qn/qch** to approach sb/sth; **il s'est approché de moi** he came up to me ▪**approchant, -ante** *adj* similar

approfondir [aprɔfɔ̃dir] *vt (trou, puits)* to dig deeper; *(question, idée)* to go thoroughly into ▪**approfondi, -ie** *adj (étude, examen)* thorough

approprié, -ée [aprɔprije] *adj* appropriate **(à** for)

approprier [aprɔprije] **s'approprier** *vpr* **s'a. qch** to appropriate sth

approuver [apruve] *vt (facture, contrat)* to approve; *(décision, choix)* to approve of

approvisionner [aprɔvizjɔne] **1** *vt (ville, armée)* to supply **(en** with); *(magasin)* to stock **(en** with); *(compte bancaire)* to pay money into; **le compte n'est plus approvisionné** the account is no longer in credit **2 s'approvisionner** *vpr* to get supplies (**en** of) ▪ **approvisionnement** *nm* (*d'une ville, d'une armée*) supplying (**en** with); (*d'un magasin*) stocking (**en** with)

approximatif, -ive [aprɔksimatif, -iv] *adj* approximate ▪ **approximation** *nf* approximation ▪ **approximativement** *adv* approximately

appui [apɥi] *nm* support; **prendre a. sur qch** to lean on sth; **à l'a. de qch** in support of sth; **preuves à l'a.** with supporting evidence; **a. de fenêtre** window sill ▪ **appui-tête** (*pl* appuis-tête) *nm* headrest

appuyer [apɥije] **1** *vt* (*poser*) to lean, to rest; *Fig* (*candidat*) to support, to back; *Fig* (*proposition*) to second; **a. qch sur qch** (*poser*) to rest sth on sth; (*presser*) to press sth on sth **2** *vi* (*presser*) to press; **a. sur un bouton** to press a button; **a. sur la pédale de frein** to put one's foot on the brake, to apply the brake **3 s'appuyer** *vpr* **s'a. sur qch** to lean on sth, to rest on sth; *Fig* (*compter*) to rely on sth; *Fig* (*être basé sur*) to be based on sth; *Fam* **s'a. qch** (*corvée*) to be lumbered with ▪ **appuyé, -ée** *adj* (*plaisanterie*) *Br* laboured, *Am* labored; **lancer à qn des regards appuyés** to stare intently at sb

âpre [ɑpr] *adj* sour; *Fig* (*concurrence, lutte*) fierce; **être â. au gain** to be money-grabbing ▪ **âpreté** [-əte] *nf* sourness; *Fig* (*concurrence, lutte*) fierceness

après [aprɛ] **1** *prép* (*dans le temps*) after; (*dans l'espace*) beyond; **a. un an** after a year; **a. le pont** beyond the bridge; **a. coup** after the event; **a. tout** after all; **a. quoi** after which; **a. avoir mangé** after eating; **a. qu'il t'a vu** after he saw you; **jour a. jour** day after day; **d'a.** (*selon*) according to **2** *adv* after(wards); **l'année d'a.** the following year; **et a.?** (*et ensuite*) and then what?; (*et alors*) so what? ▪ **après-demain** *adv* the day after tomorrow ▪ **après-guerre** *nm* post-war period; **d'a.** post-war ▪ **après-midi** *nm ou f inv* afternoon; **trois heures de l'a.** three o'clock in the afternoon ▪ **après-rasage** (*pl* après-rasages) *nm* aftershave ▪ **après-shampooing** *nm inv* conditioner ▪ **après-ski** (*pl* après-skis) *nm* snowboot ▪ **après-vente** *adj inv* Com **service a.** aftersales service

> Il faut noter que le nom anglais **après-ski** est un faux ami. Il désigne les activités récréatives auxquelles on se livre après une séance de ski.

a priori [aprijɔri] *adv* in principle

à-propos [aprɔpo] *nm* aptness; **avoir l'esprit d'a.** to have presence of mind .

apte [apt] *adj* **a. à qch/à faire qch** fit for sth/for doing sth; *Mil* **a. au service** fit for military service ▪ **aptitude** *nf* aptitude (**à** ou **pour** for);

avoir des aptitudes pour qch to have an aptitude for sth

aquagym [akwaʒim] *nf* aquarobics (*sing*)

aquarelle [akwarɛl] *nf* Br watercolour, Am watercolor

aquarium [akwarjɔm] *nm* aquarium

aquatique [akwatik] *adj* aquatic

aqueduc [akədyk] *nm* aqueduct

aquilin [akilɛ̃] *adj m* **nez a.** aquiline nose

arabe [arab] **1** *adj* (*peuple, monde, littérature*) Arab; (*langue*) Arabic; **chiffres arabes** Arabic numerals **2** *nmf* **A.** Arab **3** *nm* (*langue*) Arabic ▪ **Arabie** *nf* **l'A.** Arabia; **l'A. Saoudite** Saudi Arabia

arabesque [arabɛsk] *nf* arabesque

arable [arabl] *adj* arable

arachide [araʃid] *nf* peanut, groundnut

araignée [arɛɲe] *nf* spider

arbalète [arbalɛt] *nf* crossbow

arbitraire [arbitrɛr] *adj* arbitrary

arbitre [arbitr] *nm* Football referee; Tennis umpire; Jur arbitrator; (*maître absolu*) arbiter; Phil **libre a.** free will ▪ **arbitrage** *nm* Football refereeing; Tennis umpiring; Jur arbitration ▪ **arbitrer** *vt* (*match de football*) to referee; (*partie de tennis*) to umpire; (*litige*) to arbitrate

arborer [arbɔre] *vt* (*insigne, vêtement*) to sport

arbre [arbr] *nm* (*végétal*) tree; Tech shaft; **a. fruitier** fruit tree; **a. à cames** camshaft; **a. de transmission** transmission shaft ▪ **arbrisseau, -x** *nm* shrub ▪ **arbuste** *nm* shrub

arc [ark] *nm* (*arme*) bow; (*voûte*) arch; (*de cercle*) arc ▪ **arcade** *nf* archway; **arcades** (*de place*) arcade; **l'a. sourcilière** the arch of the eyebrows

arc-boutant [arkbutɑ̃] (*pl* arcs-boutants) *nm* flying buttress ▪ **s'arc-bouter** *vpr* **s'a. contre qch** to brace oneself against sth

arceau, -x [arso] *nm* (*de voûte*) arch

arc-en-ciel [arkɑ̃sjɛl] (*pl* arcs-en-ciel) *nm* rainbow

archaïque [arkaik] *adj* archaic

archange [arkɑ̃ʒ] *nm* archangel

arche [arʃ] *nf* (*voûte*) arch; **l'a. de Noé** Noah's ark

archéologie [arkeɔlɔʒi] *nf* archaeology ▪ **archéologique** *adj* archaeological ▪ **archéologue** *nmf* archaeologist

archer [arʃe] *nm* archer

archet [arʃɛ] *nm* (*de violon*) bow

archétype [arketip] *nm* archetype

archevêque [arʃəvɛk] *nm* archbishop

archicomble [arʃikɔ̃bl] *adj Fam* jam-packed, Br chock-a-block

archi-connu [arʃikɔny] *adj Fam* very well-known

archiduc [arʃidyk] *nm* archduke ▪ **archiduchesse** *nf* archduchess

archipel [arʃipɛl] *nm* archipelago

archiplein, -pleine [aʀʃiplɛ̃, -plɛn] adj jam-packed, Br chock-a-block

architecte [aʀʃitɛkt] nm architect ▪ **architecture** nf architecture

archives [aʀʃiv] nfpl archives, records ▪ **archiviste** nmf archivist

arctique [aʀktik] 1 adj arctic 2 nm l'A. the Arctic

ardent, -ente [aʀdɑ̃, -ɑ̃t] adj (tempérament) fiery; (désir) burning; (soleil) scorching ▪ **ardemment** [-amɑ̃] adv fervently; **désirer a. qch** to yearn for sth ▪ **ardeur** nf (énergie) Br fervour, Am fervor; (du soleil) intense heat

ardoise [aʀdwaz] nf slate

ardu, -ue [aʀdy] adj arduous

are [aʀ] nm (mesure) ≃ 100 square Br metres or Am meters

arène [aʀɛn] nf (pour taureaux) bullring; (romaine) arena; **arènes** bullring; (romaines) amphitheatre; Fig **a. politique** political arena

arête [aʀɛt] nf (de poisson) bone; (de cube, dé) edge; (de montagne) ridge

argent [aʀʒɑ̃] 1 nm (métal) silver; (monnaie) money; **a. liquide** cash; **a. de poche** pocket money 2 adj (couleur) silver ▪ **argenté, -ée** adj (plaqué) silver-plated; (couleur) silvery ▪ **argenterie** nf silverware

Argentine [aʀʒɑ̃tin] nf l'A. Argentina ▪ **argentin, -ine** 1 adj Argentinian 2 nmf A., Argentine Argentinian

argile [aʀʒil] nf clay ▪ **argileux, -euse** adj clayey

argot [aʀgo] nm slang ▪ **argotique** adj (terme) slang; (texte) full of slang

arguer [aʀgɥe] vi Littéraire **a. de qch** to put forward sth as an argument ▪ **argumentation** nf arguments, argumentation ▪ **argumenter** vi to argue

argument [aʀgymɑ̃] nm argument

Argus [aʀgys] nm l'A. (de l'Automobile) = French car buyers' guide

aride [aʀid] adj (terre) arid, barren; (sujet) dry

aristocrate [aʀistɔkʀat] nmf aristocrat ▪ **aristocratie** [-asi] nf aristocracy ▪ **aristocratique** adj aristocratic

arithmétique [aʀitmetik] 1 adj arithmetical 2 nf arithmetic

arlequin [aʀləkɛ̃] nm Harlequin

armateur [aʀmatœʀ] nm shipowner

armature [aʀmatyʀ] nf (charpente) framework; (de lunettes, de tente) frame

arme [aʀm] nf weapon; **prendre les armes** to take up arms; **à armes égales** on equal terms; Fig **faire ses premières armes** to earn one's spurs; **a. à feu** firearm; **a. biologique** biological weapon; **a. blanche** knife; **armes de destruction massive** weapons of mass destruction; **a. nucléaire** nuclear weapon ▪ **armes** nfpl (blason) (coat of) arms

armée [aʀme] nf army; **être dans l'armée** to be

in the army; **être à l'a.** to be doing one's military service; **a. de l'air** air force; **a. de terre** army; **a. active/de métier** regular/professional army

armer [aʀme] 1 vt (personne) to arm (**de** with); (fusil) to cock; (appareil photo) to set; (navire) to commission 2 **s'armer** upr to arm oneself (**de** with); **s'a. de patience** to summon up one's patience ▪ **armements** [-əmɑ̃] nmpl (armes) armaments

armistice [aʀmistis] nm armistice

armoire [aʀmwaʀ] nf (penderie) Br wardrobe, Am closet; **a. à pharmacie** medicine cabinet

armoiries [aʀmwaʀi] nfpl (coat of) arms

armure [aʀmyʀ] nf Br armour, Am armor

armurier [aʀmyʀje] nm (vendeur) gun dealer

arnaque [aʀnak] nf Fam rip-off ▪ **arnaquer** vt Fam to rip off; **se faire a.** to get ripped off

aromathérapie [aʀɔmateʀapi] nf aromatherapy

arôme [aʀom] nm (goût) Br flavour, Am flavor; (odeur) aroma ▪ **aromate** nm (herbe) herbe; (épice) spice ▪ **aromatique** adj aromatic

arpenter [aʀpɑ̃te] vt (mesurer) to survey; (parcourir) to pace up and down ▪ **arpenteur** nm (land) surveyor

arqué, -ée [aʀke] adj (sourcil) arched; (nez) hooked; **jambes arquées** bow legs

arraché [aʀaʃe] nm **gagner à l'a.** to snatch victory

arrache-pied [aʀaʃpje] **d'arrache-pied** adv relentlessly

arracher [aʀaʃe] vt (plante, arbre) to uproot; (pommes de terre) to lift; (clou, dent, mauvaise herbe) to pull out; (page) to tear out; (vêtement, masque) to tear off; **a. qch à qn** (objet, enfant) to snatch sth from sb; (aveu, argent, promesse) to force sth out of sb; **a. un bras à qn** (obus) to blow sb's arm off; **a. qn de son lit** to drag sb out of bed; **se faire a. une dent** to have a tooth out ▪ **arrachage** nm (de plantes) uprooting; (de pommes de terre) lifting; (de clou, de dent) pulling up

arranger [aʀɑ̃ʒe] 1 vt (meuble, fleurs) to arrange; (maison) to put in order; (col) to straighten; (réparer) to repair; (organiser) to arrange, to organize; (différend) to settle; Fam **a. qn** (maltraiter) to give sb a going over; **je vais a. ça** I'll fix that; **ça m'arrange** that suits me (fine) 2 **s'arranger** upr (se mettre d'accord) to come to an agreement; (finir bien) to turn out fine; (s'organiser) to manage; **arrangez-vous pour être là** make sure you're there ▪ **arrangeant, -ante** adj accommodating ▪ **arrangement** nm (disposition) & Mus arrangement; (accord) agreement

arrestation [aʀɛstasjɔ̃] nf arrest

arrêt [aʀɛ] nm (halte, endroit) stop; (action) stopping; Jur judgement; **temps d'a.** pause; **à l'a.** stationary; **sans a.** continuously; **a. du cœur** cardiac arrest; Sport **a. de jeu** stoppage;

a. de mort death sentence; **a. de travail** *(grève)* stoppage; *(congé)* sick leave ▪ **arrêt-maladie** *nm* sick leave

arrêté¹ [arete] *nm (décret)* order, decree

arrêté², -ée [arete] *adj (idées, projet)* fixed; *(volonté)* firm

arrêter [arete] **1** *vt (personne, animal, véhicule)* to stop; *(criminel)* to arrest; *(moteur)* to turn off; *(date)* to fix; *(études)* to give up **2** *vi* to stop; **a. de faire qch** to stop doing sth; **il n'arrête pas de critiquer** he's always criticizing **3 s'arrêter** *vpr* to stop; **s'a. de faire qch** to stop doing sth

arrhes [ar] *nfpl (acompte)* deposit

arrière [arjɛr] **1** *nm (de maison)* back, rear; *(de bateau)* stern; *Football* full back; **à l'a.** in/at the back **2** *adj inv (siège)* back, rear; **feu a.** rear light **3** *adv* **en a.** *(marcher, tomber)* backwards; *(rester)* behind; *(regarder)* back, behind; **en a. de qn/qch** behind sb/sth ▪ **arrière-boutique** *(pl* **arrière-boutiques)** *nm* back room ▪ **arrière-garde** *(pl* **arrière-gardes)** *nf* rearguard ▪ **arrière-goût** *(pl* **arrière-goûts)** *nm* aftertaste ▪ **arrière-grand-mère** *(pl* **arrière-grands-mères)** *nf* great-grandmother ▪ **arrière-grand-père** *(pl* **arrière-grands-pères)** *nm* great-grandfather ▪ **arrière-pays** *nm inv* hinterland ▪ **arrière-pensée** *(pl* **arrière-pensées)** *nf* ulterior motive ▪ **arrière-plan** *nm* background; **à l'a.** in the background ▪ **arrière-saison** *(pl* **arrière-saisons)** *nf Br* late autumn, *Am* late fall ▪ **arrière-train** *(pl* **arrière-trains)** *nm (d'animal)* hindquarters; *Fam (de personne)* rump

arriéré, -ée [arjere] **1** *adj (dans ses idées, dans son développement)* backward; *(impayé) (loyer)* in arrears; *(dette)* outstanding **2** *nm (dette)* arrears ▪ **arriérer** *vt (paiement)* to defer

arrimer [arime] *vt (fixer)* to rope down; *Naut* to stow

arriver [arive] **1** *(aux être) vi (venir)* to arrive; **a. à** *(lieu)* to reach; *(résultat)* to achieve; **l'eau m'arrive aux chevilles** the water comes up to my ankles; **a. à faire qch** to manage to do sth; **en a. à faire qch** to get to the point of doing sth **2** *v impersonnel (survenir)* to happen; **a. à qn** to happen to sb; **il m'arrive d'oublier** I sometimes forget; **qu'est-ce qu'il t'arrive?** what's wrong with you? ▪ **arrivage** *nm* consignment ▪ **arrivant, -ante** *nmf* new arrival ▪ **arrivée** *nf* arrival; *(ligne, poteau)* winning post ▪ **arriviste** *nmf Péj* social climber

arrobas [arɔbas], **arrobase** [arɔbaz] *nf Ordinat (dans une adresse électronique)* at (sign)

arrogant, -ante [arɔgɑ̃, -ɑ̃t] *adj* arrogant ▪ **arrogance** *nf* arrogance

arroger [arɔʒe] **s'arroger** *vpr (droit)* to claim

arrondir [arɔ̃dir] *vt (somme, chiffre, angle, jupe)* to round off; **a. qch** to make sth round; **a. à l'euro supérieur/inférieur** to round up/down to the nearest euro; *Fam* **a. ses fins de mois** to supplement one's income ▪ **arrondi, -ie** *adj* round

arrondissement [arɔ̃dismɑ̃] *nm* = administrative subdivision of Paris, Lyons and Marseilles

arroser [aroze] *vt (terre, plante)* to water; *(pelouse)* to sprinkle; *(repas)* to wash down; *(succès)* to drink to ▪ **arrosage** *nm (de terre, de plante)* watering; *(de pelouse)* sprinkling ▪ **arrosoir** *nm* watering can

arsenal, -aux [arsənal, -o] *nm Mil* arsenal; *Fam (panoplie)* gear

arsenic [arsənik] *nm* arsenic

art [ar] *nm* art; **film/critique d'a.** art film/critic; **arts martiaux** martial arts; **arts ménagers** home economics; **arts plastiques** fine arts; **arts du spectacle** performing arts

Arte [arte] *n* = French-German TV channel showing cultural programmes

artère [artɛr] *nf (veine)* artery; *(rue)* main road

artichaut [artiʃo] *nm* artichoke; **fond d'a.** artichoke heart

article [artikl] *nm (de presse, de contrat, de traité)* & *Grammaire* article; *Com* item; **à l'a. de la mort** at death's door; **a. de fond** feature (article); **articles de toilette** toiletries; **articles de voyage** travel goods

articuler [artikyle] **1** *vt (mot)* to articulate **2 s'articuler** *vpr (membre)* to articulate; *(idées)* to connect; **s'a. autour de qch** *(théorie)* to centre on ▪ **articulation** *nf (de membre)* joint; *(pronociation)* articulation

artifice [artifis] *nm* trick

artificiel, -ielle [artifisjɛl] *adj* artificial ▪ **artificiellement** *adv* artificially

artillerie [artijri] *nf* artillery ▪ **artilleur** *nm* artilleryman

artisan [artizɑ̃] *nm* craftsman, artisan ▪ **artisanal, -e, -aux, -ales** *adj* métier a. craft; **objet a.** object made by craftsmen; **bombe artisanale** homemade bomb ▪ **artisanat** *nm* craft industry

artiste [artist] *nmf* artist; *(acteur, musicien)* performer ▪ **artistique** *adj* artistic

as [ɑs] *nm (carte, champion)* ace; **a. du volant/de la mécanique** crack driver/mechanic; *Fam* **être plein aux as** to be loaded

ascendant [asɑ̃dɑ̃] **1** *adj* ascending; *(mouvement)* upward **2** *nm (influence)* influence; **ascendants** ancestors ▪ **ascendance** *nf (ancêtres)* ancestry

ascenseur [asɑ̃sœr] *nm Br* lift, *Am* elevator

ascension [asɑ̃sjɔ̃] *nf (escalade)* ascent; *Rel* **l'A.** Ascension Day

ascète [asɛt] *nmf* ascetic ▪ **ascétique** *adj* ascetic

Asie [azi] *nf* **l'A.** Asia ▪ **asiatique 1** *adj* Asian **2** *nmf* **A.** Asian

asile [azil] *nm (abri)* refuge, shelter; *(pour*

vieillards) home; *Péj* **a. (d'aliénés)** (lunatic) asylum; **a. politique** (political) asylum; **a. de paix** haven of peace

aspect [aspɛ] *nm* (*air*) appearance; (*angle*) point of view; (*perspective*) & *Grammaire* aspect

asperger [aspɛrʒe] **1** *vt* (*par jeu ou accident*) to splash (**de** with); (*pour humecter*) to spray (**de** with); **se faire a.** to get splashed **2** **s'asperger** *vpr* **s'a. de parfum** to splash oneself with perfume

asperges [aspɛrʒ] *nfpl* asparagus

aspérité [asperite] *nf* (*de surface*) rough part

asphalte [asfalt] *nm* asphalt

asphyxie [asfiksi] *nf* asphyxiation ▪**asphyxier 1** *vt* to asphyxiate **2** **s'asphyxier** *vpr* to suffocate; (*volontairement*) to suffocate oneself

aspirant [aspirɑ̃] *nm* (*candidat*) candidate

aspirateur [aspiratœr] *nm* vacuum cleaner, *Br* Hoover®; **passer l'a. dans la maison** to vacuum *or Br* hoover the house

aspirer [aspire] **1** *vt* (*liquide*) to suck up; (*air, parfum*) to breathe in, to inhale **2** *vi* **a. à qch** (*bonheur, gloire*) to aspire to sth ▪**aspiration** *nf* (*inhalation*) inhalation; (*ambition*) aspiration (**à** for) ▪**aspiré, -ée** *adj* (*son, lettre*) aspirate(d)

aspirine [aspirin] *nf* aspirin

assagir [asaʒir] **s'assagir** *vpr* to settle down

assaillir [asajir] *vt* to attack; **a. qn de questions** to bombard sb with questions ▪**assaillant** *nm* attacker, assailant

assainir [asenir] *vt* (*purifier*) to clean up; (*marché, économie*) to stabilize

assaisonner [asɛzɔne] *vt* to season ▪**assaisonnement** *nm* seasoning

assassin [asasɛ̃] *nm* murderer; (*de politicien*) assassin ▪**assassinat** *nm* murder; (*de politicien*) assassination ▪**assassiner** *vt* to murder; (*politicien*) to assassinate

assaut [aso] *nm* attack, assault; *Mil* charge; **donner l'a. à** to storm; **prendre qch d'a.** *Mil* to take sth by storm; *Fig* (*buffet*) to make a run for sth

assécher [aseʃe] **1** *vt* to drain **2** **s'assécher** *vpr* to dry up

assemblée [asɑ̃ble] *nf* (*personnes réunies*) gathering; (*réunion*) meeting; **a. générale** (*de compagnie*) annual general meeting; **l'A. nationale** *Br* ≃ the House of Commons, *Am* ≃ the House of Representatives

assembler [asɑ̃ble] **1** *vt* to put together, to assemble **2** **s'assembler** *vpr* to gather ▪**assemblage** *nm* (*montage*) assembly; (*réunion d'objets*) collection

asséner [asene] *vt* **a. un coup à qn** to deliver a blow to sb

assentiment [asɑ̃timɑ̃] *nm* assent

asseoir* [aswar] **1** *vt* (*personne*) to seat (**sur** on); *Fig* (*autorité, réputation*) to establish **2** *vi* **faire a. qn** to ask sb to sit down **3** **s'asseoir** *vpr* to sit (down)

assermenté, -ée [asɛrmɑ̃te] *adj* sworn; (*témoin*) under oath

assertion [asɛrsjɔ̃] *nf* assertion

asservir [asɛrvir] *vt* to enslave

assez [ase] *adv* (**a**) (*suffisamment*) enough; **a. de pain/de gens** enough bread/people; **j'en ai a.** I've had enough (**de** of); **a. grand/intelligent** big/clever enough (**pour faire** to do) (**b**) (*plutôt*) quite, rather

assidu, -ue [asidy] *adj* (*toujours présent*) regular; (*appliqué*) diligent; **a. auprès de qn** attentive to sb ▪**assiduité** *nf* (*d'élève*) regularity; **poursuivre qn de ses assiduités** to force one's attention on sb ▪**assidûment** *adv* (*régulièrement*) regularly; (*avec application*) diligently

assiéger [asjeʒe] *vt* (*ville, magasin, guichet*) to besiege; (*personne*) to pester

assiette [asjɛt] *nf* (**a**) (*récipient*) plate; *Culin* **a. anglaise** *Br* (assorted) cold meats, *Am* cold cuts (**b**) (*à cheval*) seat; *Fam* **il n'est pas dans son a.** he's feeling out of sorts ▪**assiettée** *nf* plateful

assigner [asiɲe] *vt* (*attribuer*) to assign (**à** to); (*en justice*) to summon; **a. qn à résidence** to place sb under house arrest ▪**assignation** *nf Jur* summons

assimiler [asimile] **1** *vt* (*aliments, connaissances, immigrés*) to assimilate **2** **s'assimiler** *vpr* (*immigré*) to assimilate ▪**assimilation** *nf* assimilation

assis, -ise[1] [asi, -iz] (*pp de* **asseoir**) *adj* sitting (down), seated; (*situation*) secure; **rester a.** to remain seated; **place assise** seat

assise[2] [asiz] *nf* (*base*) foundation; **assises** (*d'un parti*) congress; *Jur* **les assises** Assize Court, *Br* ≃ crown court, *Am* ≃ circuit court

assistance [asistɑ̃s] *nf* (**a**) (*public*) audience (**b**) (*aide*) assistance; **être à l'A. publique** (*enfant*) to be in care

assister [asiste] **1** *vt* (*aider*) to assist **2** *vi* **a. à** (*réunion, cours*) to attend; (*accident*) to witness ▪**assistant, -ante** *nmf* assistant; **a. personnel** personal assistant; **a. social** social worker; **a. maternel** *Br* child minder, *Am* baby-sitter ▪**assisté, -ée** *adj* **a. par ordinateur** computer-assisted, computer-aided

> Il faut noter que le verbe anglais **to assist** est un faux ami. Il n'a jamais le sens de **être présent** (à un événement).

association [asɔsjasjɔ̃] *nf* association; *Com* partnership; **a. de parents d'élèves** parent-teacher association; **a. sportive** sports club

associer [asɔsje] **1** *vt* to associate (**à** with); **a. qn à** (*travaux, affaire*) to involve sb in; (*profits*) to give sb a share in **2** **s'associer** *vpr* to join forces (**à** *ou* **avec** with); *Com* **s'a. avec qn** to enter into partnership with sb; **s'a. à un projet**

to join in a project; **s'a. à la peine de qn** to share sb's grief **■associé, -ée 1** *nmf* partner, associate **2** *adj* **membre a.** associate member

assoiffé, -ée [aswafe] *adj* thirsty (**de** for)

assombrir [asɔ̃brir] **1** *vt (obscurcir)* to darken; *(attrister)* to cast a shadow over **2 s'assombrir** *vpr (ciel, visage)* to cloud over; *(personne)* to become gloomy

assommer [asɔme] *vt* **a. qn** to knock sb unconscious; *Fig (ennuyer)* to bore sb to death **■assommant, -ante** *adj* deadly boring

Assomption [asɔ̃psjɔ̃] *nf Rel* **l'A.** the Assumption

assortir [asɔrtir] *vt (harmoniser)* to match; *Com (magasin)* to stock **■assorti, -ie** *adj (objet semblable)* matching; *(bonbons)* assorted; **époux bien assortis** well-matched couple; **bien a.** *(magasin)* well-stocked; **a. de** accompanied by **■assortiment** *nm* assortment

assoupir [asupir] **s'assoupir** *vpr* to doze off

assouplir [asuplir] **1** *vt (cuir, chaussure, muscles)* to make supple; *Fig (réglementation)* to relax **2 s'assouplir** *vpr (personne, chaussure, cuir)* to get supple **■assouplissement** *nm* **exercices d'a.** stretching exercises

assourdir [asurdir] *vt (personne)* to deafen; *(son)* to muffle **■assourdissant, -ante** *adj* deafening

assouvir [asuvir] *vt* to satisfy

assujettir [asyʒetir] *vt (soumettre)* to subject (**à** to); *(peuple)* to subjugate; *(objet)* to fix (**à** to); **être assujetti à l'impôt** to be liable for tax

assumer [asyme] **1** *vt (tâche, rôle, responsabilité)* to assume, to take on; *(risque, conséquences)* to take **2** *vi Fam* **tu vas devoir a.** you'll have to live with it **3 s'assumer** *vpr* to come to terms with oneself

Il faut noter que le verbe anglais **to assume** est un faux ami. Il signifie le plus souvent **supposer**.

assurance [asyrɑ̃s] *nf (confiance)* (self-)assurance; *(promesse)* assurance; *(contrat)* insurance; **prendre une a.** to take out insurance; **a. au tiers/tous risques** third-party/comprehensive insurance; **a. maladie/ vie** health/life insurance

assurer [asyre] **1** *vt (garantir) Br* to ensure, *Am* to insure; *(par un contrat)* to insure; *(fixer)* to secure; **a. qn de qch, a. qch à qn** to assure sb of sth; **a. à qn que...** to assure sb that...; **a. les fonctions de directeur** to be manager; **un service régulier est assuré** there is a regular service **2 s'assurer** *vpr (par un contrat)* to insure oneself; **s'a. l'aide de qn** to secure sb's help; **s'a. de qch/que...** to make sure of sth/ that... **■assuré, -ée 1** *adj (succès)* guaranteed; *(pas, voix)* firm; *(air, personne)* confident **2** *nmf* policyholder **■assurément** *adv* certainly **■assureur** *nm* insurer

astérisque [asterisk] *nm* asterisk

asthme [asm] *nm* asthma; **crise d'a.** asthma attack **■asthmatique** *adj & nmf* asthmatic

asticot [astiko] *nm Br* maggot, *Am* worm

asticoter [astikɔte] *vt Fam* to bug

astiquer [astike] *vt* to polish

astre [astr] *nm* star

astreindre* [astrɛ̃dr] **1** *vt* **a. qn à faire qch** to compel sb to do sth **2 s'astreindre** *vpr* **s'a. à un régime sévère** to stick to a strict diet; **s'a. à faire qch** to force oneself to do sth **■astreignant, -ante** *adj* exacting **■astreinte** *nf* constraint

astrologie [astrɔlɔʒi] *nf* astrology **■astrologique** *adj* astrological **■astrologue** *nm* astrologer

astronaute [astrɔnot] *nmf* astronaut **■astronautique** *nf* space travel

astronomie [astrɔnɔmi] *nf* astronomy **■astronome** *nm* astronomer **■astronomique** *adj* astronomical

astuce [astys] *nf (truc)* trick; *(plaisanterie)* witticism; *(jeu de mots)* pun; *(finesse)* astuteness; **il y a une a.** there's a trick to it; **je ne saisis pas l'a.** I don't get it **■astucieux, -ieuse** *adj* clever

atelier [atəlje] *nm (d'ouvrier)* workshop; *(de peintre)* studio; *(personnel)* workshop staff; *(groupe de travail)* work-group; **a. de carrosserie** bodyshop; **a. de montage** assembly shop; **a. de réparation** repair shop

atermoyer [atermwaje] *vi* to procrastinate

athée [ate] **1** *adj* atheistic **2** *nmf* atheist **■athéisme** *nm* atheism

athénée [atene] *nm Belg Br* secondary school, *Am* high school

Athènes [atɛn] *nm ou f* Athens

athlète [atlɛt] *nmf* athlete **■athlétique** *adj* athletic **■athlétisme** *nm* athletics *(sing)*

atlantique [atlɑ̃tik] **1** *adj* Atlantic **2** *nm* **l'A.** the Atlantic

atlas [atlɑs] *nm* atlas

atmosphère [atmɔsfɛr] *nf* atmosphere **■atmosphérique** *adj* atmospheric

atome [atom] *nm* atom; *Fig* **avoir des atomes crochus avec qn** to hit it off with sb **■atomique** [atɔmik] *adj* atomic

atomiser [atɔmize] *vt (liquide)* to spray **■atomiseur** *nm* spray

atone [atɔn] *adj (inerte)* lifeless; *(regard)* vacant

atours [atur] *nmpl Littéraire* finery; **paré de ses plus beaux a.** in all her finery

atout [atu] *nm* trump; *Fig (avantage)* asset; **a. cœur** hearts are trumps; *Fig* **avoir tous les atouts dans son jeu** to hold all the winning cards

âtre [ɑtr] *nm (foyer)* hearth

atroce [atrɔs] *adj* atrocious; *(douleur)* excruciating; *(rêve)* dreadful **■atrocité** *nf (cruauté)* atrociousness; **les atrocités de la guerre** wartime atrocities

atrophie [atrɔfi] *nf* atrophy ▪**atrophié, -iée** *adj* atrophied

attabler [atable] **s'attabler** *vpr* to sit down at a/ the table ▪**attablé, -ée** *adj* (seated) at the table

attache [ataʃ] *nf (lien)* fastener; **attaches** *(amis)* links; **être sans attaches** to be unattached; **je n'avais plus aucune a. dans cette ville** there was nothing to keep me in this town

attaché-case [ataʃekɛz] *(pl* **attachés-cases)** *nm* attaché case

attachement [ataʃmɑ̃] *nm (affection)* attachment *(à* to)

attacher [ataʃe] **1** *vt* **a. qch à qch** to fasten sth to sth; *(avec de la ficelle)* to tie sth to sth; *(avec une chaîne)* to chain sth to sth; **a. ses lacets** to do one's shoelaces up; **a. de l'importance/de la valeur à qch** to attach great importance/ value to sth **2** *vi (en cuisant)* to stick to the pan **3** **s'attacher** *vpr (se fixer)* to be fastened; **s'a. à une tâche** to apply oneself to a task; **s'a. à qn** to get attached to sb; **je ne veux pas m'a.** *(sentimentalement)* I don't want to commit myself ▪**attachant, -ante** *adj* engaging ▪**attaché, -ée 1** *adj (fixé)* fastened; *(chien)* chained up; **être a. à qn** to be attached to sb; **les avantages attachés à une fonction** the benefits attached to a post **2** *nmf* attaché; **a. culturel/militaire** cultural/military attaché; **a. de presse** press officer

attaque [atak] *nf* attack; **passer à l'a.** to go on the offensive; *Fam* **d'a.** on top form; **a. aérienne** air raid; **a. à main armée** armed robbery

attaquer [atake] **1** *vt (physiquement, verbalement)* to attack; *(difficulté, sujet)* to tackle; *(morceau de musique)* to strike up; *Jur* **a. qn en justice** to bring an action against sb **2** *vi* to attack **3** **s'attaquer** *vpr* **s'a. à** *(adversaire)* to attack; *(problème)* to tackle ▪**attaquant, -ante** *nmf* attacker

attarder [atarde] **s'attarder** *vpr* to linger; **s'a. à des détails** to dwell over details; **ne nous attardons pas sur ce point** let's not dwell on that point ▪**attardé, -ée** *adj (enfant)* mentally retarded; **il ne restait plus que quelques passants attardés** there were only a few people still about

atteindre* [atɛ̃dr] **1** *vt (parvenir à)* to reach; *(cible)* to hit; *(idéal)* to achieve; **être atteint d'une maladie** to be suffering from a disease; **le poumon est atteint** the lung is affected; *Fig* **rien ne l'atteint** nothing affects him/her; *Fam* **il est très atteint** *(fou)* he's completely bonkers **2** *vi* **a. à la perfection** to be close to perfection

atteinte [atɛ̃t] *nf* attack *(à* on); **porter a. à** to undermine; **hors d'a.** *(objet, personne)* out of reach

atteler [atle] **1** *vt (bêtes)* to harness; **a. une voiture** to hitch up horses to a carriage **2** **s'atteler** *vpr* **s'a. à une tâche** to apply oneself to a task ▪**attelage** *nm (bêtes)* team

attelle [atɛl] *nf* splint

attenant, -ante [atnɑ̃, -ɑ̃t] *adj* **a. (à)** adjoining

attendre [atɑ̃dr] **1** *vt (personne, train)* to wait for, **a. son tour** to wait one's turn; **elle attend un bébé** she's expecting a baby; **le bonheur qui nous attend** the happiness that awaits us; **a. que qn fasse qch** to wait for sb to do sth; **a. qch de qn** to expect sth from sb; **se faire a.** *(personne)* to keep people waiting; *(réponse, personne)* to be a long time coming **2** *vi* to wait; **faire a. qn** to keep sb waiting; *Fam* **attends voir!** let me see!; **en attendant** meanwhile; **en attendant que...** *(+ subjunctive)* until... **3** **s'attendre** *vpr* **s'a. à qch/à faire qch** to expect sth/to do sth; **s'a. à ce que qn fasse qch** to expect sb to do sth; **je m'y attendais** I expected as much; **il fallait s'y a.** it was only to be expected ▪**attendu, -ue 1** *adj (prévu)* expected; *(avec joie)* eagerly-awaited **2** *prép Formel* considering; **a. que...** considering that...

attendrir [atɑ̃drir] **1** *vt (émouvoir)* to move; *(viande)* to tenderize **2** **s'attendrir** *vpr* to be moved *(sur* by) ▪**attendri, -ie** *adj* compassionate ▪**attendrissant, -ante** *adj* moving

attentat [atɑ̃ta] *nm* attack; **a. à la bombe** bombing; *Jur* **a. à la pudeur** indecent assault ▪**attenter** *vi* **a.** to make an attempt on; **a. à ses jours** to attempt suicide

attente [atɑ̃t] *nf (fait d'attendre)* waiting; *(période)* wait; **une a. prolongée** a long wait; **en a.** *(au téléphone)* on hold; **être dans l'a. de** to be waiting for; **dans l'a. de vous rencontrer** *(dans une lettre)* I look forward to meeting you; **contre toute a.** against all expectations; **répondre aux attentes de qn** to live up to sb's expectations

attentif, -ive [atɑ̃tif, -iv] *adj* attentive; **a. à qch** to pay attention to sth; **écouter d'une oreille attentive** to listen attentively ▪**attentive- ment** *adv* attentively

attention [atɑ̃sjɔ̃] *nf (soin, amabilité)* attention; **faire a. à qch** to pay attention to sth; **faire a. à sa santé** to look after one's health; **faire a. (à ce) que...** *(+ subjunctive)* to be careful that...; **a.!** watch out!; **a. à la voiture!** watch out for the car!; **à l'a. de qn** *(sur lettre)* for the attention of sb; **être plein d'attentions envers qn** to be very attentive towards sb ▪**attentionné, -ée** *adj* considerate

atténuer [atenɥe] **1** *vt (effet, douleur)* to reduce; *(lumière)* to dim **2** **s'atténuer** *vpr (douleur)* to ease; *(lumière)* to fade

atterrer [atere] *vt* to appal

atterrir [aterir] *vi* to land; **a. en catastrophe** to make an emergency landing; *Fam* **a. dans un**

bar to land up in a bar ■**atterrissage** *nm* landing; **a. forcé** forced landing

attester [ateste] *vt* to testify to; **a. que...** to testify that... ■**attestation** *nf (document)* certificate

attifer [atife] *vt Fam* to dress (**de** in)

attirail [atiraj] *nm* equipment; *Fam Péj* gear

attirance [atirɑ̃s] *nf* attraction (**pour** for)

attirer [atire] **1** *vt (sujet: aimant, planète, personne)* to attract; *(sujet: matière, pays)* to appeal to; **a. l'attention de qn** to catch sb's attention; **a. l'attention de qn sur qch** to draw sb's attention to sth; **a. les regards** to catch the eye; **a. des ennuis à qn** to cause trouble for sb; **a. qn dans un coin** to take sb into a corner; **a. qn dans un piège** to lure sb into a trap **2 s'attirer** *vpr (mutuellement)* to be attracted to each other; **s'a. des ennuis** to get oneself into trouble; **s'a. la colère de qn** to incur sb's anger ■**attirant, -ante** *adj* attractive

attiser [atize] *vt (feu)* to poke; *Fig (désir, colère)* to stir up

attitré, -ée [atitre] *adj (représentant)* appointed; *(marchand)* regular

attitude [atityd] *nf (conduite, position)* attitude; *(affectation)* pose

attraction [atraksjɔ̃] *nf (force, centre d'intérêt)* attraction

attrait [atrɛ] *nm* attraction

attrape [atrap] *nf (farce)* trick ■**attrape-nigaud** *(pl* **attrape-nigauds)** *nm (ruse)* trick

attraper [atrape] **1** *vt (ballon, maladie, voleur, train)* to catch; **a. froid** to catch cold; **se faire a.** to be caught; *Fam (gronder)* to get a good talking to; **se laisser a.** *(duper)* to get taken in **2 s'attraper** *vpr (maladie)* to be caught

attrayant, -ante [atrɛjɑ̃, -ɑ̃t] *adj* attractive

attribuer [atribɥe] **1** *vt (allouer)* to assign (**à** to); *(prix, bourse)* to award (**à** to); *(œuvre, crime)* to attribute (**à** to); **a. de l'importance à qch** to attach importance to sth **2 s'attribuer** *vpr* to claim ■**attribuable** *adj* attributable (**à** to) ■**attribution** *nf (allocation)* assigning (**à** to); *(de prix)* awarding (**à** to); *(d'une œuvre, d'un crime)* attribution (**à** to); **attributions** *(fonctions)* duties; **entrer dans les attributions de qn** to be part of sb's duties

attribut [atriby] *nm (adjectif)* predicate adjective; *(caractéristique)* attribute

attrister [atriste] *vt* to sadden

attrouper [atrupe] *vt,* **s'attrouper** *vpr* to gather ■**attroupement** *nm (de manifestants etc)* crowd

au [o] *voir* **à**

aubaine [oben] *nf* **(bonne) a.** godsend

aube [ob] *nf* dawn; **dès l'a.** at the crack of dawn

aubépine [obepin] *nf* hawthorn

auberge [oberʒ] *nf* inn; *Fam* **on n'est pas sorti de l'a.** we're not out of the woods yet; **a. de**

jeunesse youth hostel ■**aubergiste** *nmf* innkeeper

aubergine [oberʒin] *nf Br* aubergine, *Am* eggplant

aucun, -une [okœ̃, -yn] **1** *adj* no, not any; **il n'a a. talent** he has no talent; **a. professeur n'est venu** no teacher came **2** *pron* none; **il n'en a a.** he has none (at all); **a. d'entre nous** none of us; **a. des deux** neither of the two; *Littéraire* **d'aucuns** some (people) ■**aucunement** *adv* not at all

audace [odas] *nf (courage)* daring, boldness; *(impudence)* audacity; **audaces** *(de style)* daring innovations; **avoir toutes les audaces** to do the most daring things ■**audacieux, -ieuse** *adj (courageux)* daring, bold

au-dedans [odədɑ̃] *adv* inside

au-dehors [odəɔr] *adv* outside

au-delà [odəla] **1** *adv* beyond; **100 euros mais pas a.** 100 euros but no more **2** *prép* **a. de** beyond **3** *nm* **l'a.** the next world

au-dessous [odəsu] **1** *adv (à l'étage inférieur)* downstairs; *(moins, dessous)* below, under **2** *prép* **a. de** *(dans l'espace)* below, under, beneath; *(âge, prix)* under; *(température)* below; *Fig* **être a. de tout** to be beneath contempt

au-dessus [odəsy] **1** *adv* above; *(à l'étage supérieur)* upstairs **2** *prép* **a. de** above; *(âge, température, prix)* over; *(posé sur)* on top of; **vivre a. de ses moyens** to live beyond one's means

au-devant [odəvɑ̃] *prép* **aller a. de** *(personne)* to go to meet; *(danger)* to court; *(désirs de qn)* to anticipate

audible [odibl] *adj* audible

audience [odjɑ̃s] *nf (entretien)* audience; *(de tribunal)* hearing; *Jur* **l'a. est suspendue** the case is adjourned

audio [odjo] *adj inv (cassette)* audio ■**audiophone** *nm* hearing aid ■**audiovisuel, -elle 1** *adj (méthodes)* audiovisual; *(de la radio, de la télévision)* radio and television **2** *nm* **l'a.** radio and television

auditeur, -trice [oditœr, -tris] *nmf (de radio)* listener; *Univ* **a. libre** auditor *(student allowed to attend classes but not to sit examinations)*

audition [odisjɔ̃] *nf (ouïe)* hearing; *(d'acteurs)* audition; **passer une a.** to have an audition; *Jur* **a. des témoins** examination of the witnesses ■**auditionner** *vti* to audition ■**auditoire** *nm* audience ■**auditorium** *nm* concert hall; *(studio)* recording studio

auge [oʒ] *nf (feeding)* trough

augmenter [ɔgmɑ̃te] **1** *vt* to increase (**de** by); **a. qn** to give sb a *Br* raise *or Am* raise **2** *vi* to increase (**de** by); *(prix, population)* to rise ■**augmentation** *nf* increase (**de** in/of); **a. de salaire** *Br* (pay) rise, *Am* raise; **être en a.** to be on the increase

augure [ɔgyr] *nm (présage)* omen; *(devin)* augur; **être de bon/mauvais a.** to be a good/ bad omen ▪ **augurer** *vt* **a. bien/mal de qch** to augur well/ill for sth

aujourd'hui [oʒurdɥi] *adv* today; *(de nos jours)* nowadays, today; **a. en quinze** two weeks from today; **jusqu'à a.** to this very day; **les problèmes d'a.** today's problems

aumône [omon] *nf* alms; **faire l'a. à qn** to give alms to sb

aumônier [omonje] *nm* chaplain

auparavant [oparavɑ̃] *adv (avant)* before (-hand); *(d'abord)* first

auprès [oprɛ] **auprès de** *prép (assis, situé)* by, next to; *(en comparaison de)* compared to; **se renseigner a. de qn** to ask sb; **ambassadeur a. des Nations unies** ambassador to the United Nations

auquel [okɛl] *voir* **lequel**

aura, aurait [ora, orɛ] *voir* **avoir**

auréole [ɔreɔl] *nf (de saint)* halo; *(tache)* ring

auriculaire [ɔrikylɛr] *nm* little finger

aurore [ɔrɔr] *nf* dawn, daybreak; **à l'a.** at dawn; *Fam* **aux aurores** at the crack of dawn

ausculter [ɔskylte] *vt (malade, cœur)* to listen to

auspices [ɔspis] *nmpl* **sous les a. de** under the auspices of

aussi [osi] **1** *adv* **(a)** *(comparaison)* as; **a. lourd que...** as heavy as... **(b)** *(également)* too, as well; **moi a.** so do/can/am I; **a. bien que...** as well as... **(c)** *(tellement)* so; **un repas a. délicieux** such a delicious meal **(d)** *(quelque)* **a. bizarre que cela paraisse** however odd this may seem **2** *conj (donc)* therefore

aussitôt [osito] *adv* immediately, straight away; **a. que...** as soon as...; **a. habillé, il partit** as soon as he was dressed, he left; **a. dit, a. fait** no sooner said than done

austère [ɔstɛr] *adj (vie, style)* austere; *(vêtement)* severe ▪ **austérité** *nf (de vie, de style)* austerity; *(de vêtement)* severity; **mesure d'a.** austerity measures

austral, -e, -als, -ales [ɔstral] *adj* southern

Australie [ɔstrali] *nf* **l'A.** Australia ▪ **australien, -ienne** **1** *adj* Australian **2** *nmf* **A., Australienne** Australian

autant [otɑ̃] *adv* **(a)** **a. de... que** *(quantité)* as much... as; *(nombre)* as many... as; **il a d'argent/de pommes que vous** he has as much money/as many apples as you **(b)** **a. de** *(tant de)* so much; *(nombre)* so many; **je n'ai jamais vu a. d'argent/de pommes** I've never seen so much money/so many apples; **pourquoi manges-tu a.?** why are you eating so much? **(c)** **a. que** *(quantité)* as much; *(nombre)* as many as; **il lit a. que vous/que possible** he reads as much as you/as possible; **il n'a jamais souffert a.** he's never suffered as *or* so much; **a. que je sache** as far

as I know **(d)** *(expressions)* **d'a. (plus) que...** all the more (so) since...; **d'a. moins que...** even less since...; **a. dire que...** which amounts to saying...; **a. avouer** we/you might as well confess; **en faire a.** to do the same; **pour a.** *(malgré cela)* for all that; **j'aimerais a. aller au musée** I'd just as soon go to the museum

autel [otɛl] *nm* altar

auteur [otœr] *nm (de livre)* author, writer; *(de chanson)* composer; *(de tableau)* painter; *(de crime)* perpetrator; *(d'accident)* cause

authenticité [otɑ̃tisite] *nf* authenticity ▪ **authentifier** *vt* to authenticate ▪ **authentique** *adj* genuine, authentic

autiste [otist] *adj* autistic

autobiographie [otobjɔgrafi] *nf* autobiography ▪ **autobiographique** *adj* autobiographical

autobronzant, -e [otobrɔ̃zɑ̃, -ɑ̃t] **1** *adj* self-tanning **2** *nm (crème)* self-tan

autobus [otobys] *nm* bus

autocar [otokar] *nm* bus, *Br* coach

autochtone [otɔktɔn] *adj & nmf* native

autocollant, -ante [otokɔlɑ̃, -ɑ̃t] **1** *adj* self-adhesive; *(enveloppe, timbre)* self-seal **2** *nm* sticker

autocrate [otokrat] *nm* autocrat ▪ **autocratique** *adj* autocratic

autocuiseur [otokɥizœr] *nm* pressure cooker

autodéfense [otodefɑ̃s] *nf* self-defence

autodestruction [otodɛstryksjɔ̃] *nf* self-destruction ▪ **autodestructeur, -trice** *adj* self-destructive

autodidacte [otodidakt] *nmf* self-taught person

auto-école [otoekɔl] *(pl* **auto-écoles)** *nf* driving school

autofinancer [otofinɑ̃se] **s'autofinancer** *vpr* to be self-financing

autogestion [otoʒestjɔ̃] *nf* self-management

autographe [otograf] *nm* autograph

automate [otɔmat] *nm* automaton ▪ **automation, automatisation** *nf* automation ▪ **automatiser** *vt* to automate

automatique [otɔmatik] *adj* automatic ▪ **automatiquement** *adv* automatically

automatisme [otɔmatism] *nm (réflexe)* automatism; *(appareil)* automatic device; **agir par a.** to act automatically

automédication [otomedikasjɔ̃] *nf* self-medication

automitrailleuse [otomitrajøz] *nf Br* armoured *or Am* armored car

automne [otɔn] *nm* autumn, *Am* fall ▪ **automnal, -e, -aux, -ales** *adj* autumnal

automobile [otɔmɔbil] **1** *adj (véhicule)* self-propelling **2** *nf* car; **l'a.** *(industrie)* the car industry ▪ **automobiliste** *nmf* motorist

autonettoyant, -ante [otonetwajɑ̃, -ɑ̃t] *adj* **four a.** self-cleaning oven

autonome [otonom] *adj (région)* autonomous, self-governing; *Fig (personne)* self-sufficient; *Ordinat* **calculateur a.** stand-alone (computer) ▪ **autonomie** *nf (de région)* autonomy; *(de personne)* self-sufficiency; **a. de vol** *(d'avion)* range

autopsie [otopsi] *nf* autopsy, post-mortem

autoradio [otoradjo] *nm* car radio

autorail [otoraj] *nm* railcar

autoriser [otorize] *vt* **a. qn à faire qch** to authorize or permit sb to do sth; **ces découvertes nous autorisent à penser que...** these discoveries entitle us to believe that... ▪ **autorisation** *nf (permission)* permission, authorization; *(document)* authorization; **demander à qn l'a. de faire qch** to ask sb permission to do sth; **donner à qn l'a. de faire qch** to give sb permission to do sth; *Admin* **a. de sortie du territoire** = parental authorization for a minor to travel abroad; *Av* **a. de vol** flight clearance ▪ **autorisé, -ée** *adj (qualifié)* authoritative; *(permis)* permitted, allowed; **les milieux autorisés** official circles

autorité [otorite] *nf (fermeté, domination, personne)* authority; **faire qch d'a.** to do sth on one's own authority; **faire a. en qch** *(personne)* to be an authority on; **ce livre fait a.** this book is the authoritative work; **les autorités** the authorities ▪ **autoritaire** *adj* authoritarian

autoroute [otorut] *nf Br* motorway, *Am* highway, freeway; **a. à péage** *Br* toll motorway, *Am* turnpike (road); *Ordinat* **a. de l'information** information superhighway ▪ **autoroutier** *adj* **réseau a.** *Br* motorway or *Am* freeway system

autosatisfait, -e [otosatisfe] *adj* self-satisfied ▪ **autosatisfaction** *nf* self-satisfaction

auto-stop [otostop] *nm* hitchhiking; **faire de l'a.** to hitchhike ▪ **auto-stoppeur, -euse** *nmf* hitchhiker

autour [otur] **1** *adv* around; **tout a.** all around **2** *prép* **a. de** around, round; *(environ)* around, round about

autre [otr] *adj & pron* other; **un a. livre** another book; **un a.** another (one); **d'autres** others; **d'autres médecins/livres** other doctors/books; **as-tu d'autres questions?** have you any other *or* further questions?; **quelqu'un d'a.** somebody else; **personne/rien d'a.** no one/nothing else; **a. chose/part** something/somewhere else; **qui/quoi d'a.?** who/what else?; **l'un l'a., les uns les autres** each other; **l'un et l'a.** both (of them); **l'un ou l'a.** either (of them); **ni l'un ni l'a.** neither (of them); **les uns... les autres** some... others; **nous/vous autres Anglais** we/you English; **d'un moment à l'a.** any moment (now); **c'était un touriste comme un a.** he was just an ordinary tourist

autrefois [otrəfwa] *adv* in the past, once

autrement [otrəmɑ̃] *adv (différemment)* differently; *(sinon)* otherwise; *(plus)* far more (**que** than); **pas a. satisfait** not particularly satisfied

Autriche [otriʃ] *nf* **l'A.** Austria ▪ **autrichien, -ienne** **1** *adj* Austrian **2** *nmf* **A., Autrichienne** Austrian

autruche [otryʃ] *nf* ostrich

autrui [otrɥi] *pron* others, other people

auvent [ovɑ̃] *nm (toit)* porch roof; *(de tente, magasin)* awning, canopy

aux [o] *voir* **à**

auxiliaire [oksiljer] **1** *adj (verbe, machine, troupes)* auxiliary **2** *nm (verbe)* auxiliary **3** *nmf (aide)* assistant; *(dans les hôpitaux)* auxiliary; *(dans l'administration)* temporary worker

auxquels, -elles [okel] *voir* **lequel**

av. *(abrév* **avenue**) Ave

avachir [avaʃir] **s'avachir** *vpr (soulier, canapé)* to lose its shape; *(personne) (physiquement)* to get flabby; **s'a. dans un fauteuil** to flop into an armchair

avait [avɛ] *voir* **avoir**

aval [aval] *nm* downstream section; **en a.** downstream (**de** from); *Fig* **donner l'a. à un projet** to give one's support to a project

avalanche [avalɑ̃ʃ] *nf* avalanche; *Fig (de lettres)* flood

avaler [avale] **1** *vt* to swallow; *Fig (livre)* to devour; **a. la fumée** to inhale; *Fig* **a. ses mots** to mumble; *Fig* **a. les kilomètres** to eat up the miles **2** *vi* to swallow; **j'ai avalé de travers** it went down the wrong way

avance [avɑ̃s] *nf (progression, acompte)* advance; *(avantage)* lead; **faire une a. à qn** *(donner de l'argent)* to give sb an advance; **faire des avances à qn** *(chercher à séduire)* to make advances to sb; **avoir de l'a. sur qn** to be ahead of sb; **prendre de l'a. sur qn** to take the lead over sb; **à l'a., d'a., par a.** in advance; **en a.** *(arriver, partir)* early; *(avant l'horaire prévu)* ahead (of time); **être en a. pour son âge** to be advanced for one's age; **être en a. sur son temps** to be ahead of one's time; **avoir une heure d'a.** to be an hour early; **avoir un point d'a. sur qn** to be a point ahead of sb; *Scol* **avoir un an d'a.** to be a year ahead

avancé, -ée [avɑ̃se] *adj* advanced; **à un âge/stade a.** at an advanced age/stage; **à une heure avancée de la nuit** late at night; *Fig* **te voilà bien a.!** a lot of good that's done you!

avancée [avɑ̃se] *nf (saillie)* projection; *(progression, découverte)* advance

avancement [avɑ̃smɑ̃] *nm (de personne)* promotion; *(de travail)* progress

avancer [avɑ̃se] **1** *vt (dans le temps)* to bring forward; *(dans l'espace)* to move forward; *(pion, thèse)* to advance; *(montre)* to put forward; **a. de l'argent à qn** to lend sb money;

Formel ou Hum **l'automobile de Monsieur est avancée** Sir's carriage awaits **2** *vi (aller de l'avant)* to move forward; *(armée)* to advance; *(faire des progrès)* to progress; *(faire saillie)* to jut out (**sur** over); **a. d'un pas** to take a step forward; **a. (de cinq minutes)** *(montre)* to be (five minutes) fast; **j'avance de deux minutes** my watch is two minutes fast; **alors, ça avance?** how is it coming along?; **ça n'avance à rien de pleurer** crying won't help; **faire a. les choses** to get things moving **3 s'avancer** *upr* to move forward; **s'a. vers qch** to head towards sth

avant [avã] **1** *prép* before; **a. de faire qch** before doing sth; **je vous verrai a. de partir** I'll see you before I leave; **je vous verrai a. que vous (ne) partiez** I'll see you before you leave; **a. huit jours** within a week; **a. tout** above all; **a. toute chose** first and foremost; **la famille passe a. tout** family comes first

2 *adv (auparavant)* before; *(d'abord)* beforehand; **a. j'avais les cheveux longs** I used to have long hair; **il vaut mieux téléphoner a.** it's better to phone first; **en a.** *(mouvement)* forward; *(en tête)* ahead; **faire un pas en a.** to take a step forward; **en a. de** in front of; **la nuit d'a.** the night before

3 *nm (de navire, de voiture)* front; *Football (joueur)* forward; **à l'a.** in (the) front; **monter à l'a.** to go in (the) front; **aller de l'a.** to get on with it

4 *adj inv (pneu, roue)* front ▪ **avant-bras** *nm inv* forearm ▪ **avant-centre** (*pl* avants-centres) *nm Football* centre-forward ▪ **avant-coureur** (*pl* avant-coureurs) *adj m* precursory ▪ **avant-dernier, -ière** (*mpl* avant-derniers, *fpl* avant-dernières) *adj & nmf* last but one ▪ **avant-garde** (*pl* avant-gardes) *nf (d'armée)* advance guard; **d'a.** *(idée, film)* avant-garde ▪ **avant-goût** (*pl* avant-goûts) *nm* foretaste (**de** of) ▪ **avant-guerre** *nm ou f* pre-war period; **d'a.** pre-war ▪ **avant-hier** [avãtjɛr] *adv* the day before yesterday ▪ **avant-poste** (*pl* avant-postes) *nm Mil* outpost ▪ **avant-première** (*pl* avant-premières) *nf* preview ▪ **avant-propos** *nm inv* foreword ▪ **avant-veille** (*pl* avant-veilles) *nf* **l'a. (de)** two days before

avantage [avãtaʒ] *nm* advantage; **être/tourner à l'a. de qn** to be/turn to sb's advantage; **tirer a. de qch** to turn sth to one's advantage; **prendre/conserver l'a.** *(dans une course)* to gain/retain the advantage; **tu aurais a. à être poli** you'd do well to be polite; **avantages en nature** benefits in kind; **avantages sociaux** social security benefits ▪ **avantager** *vt* **a. qn** *(favoriser)* to give sb an advantage over; *(faire valoir)* to show sb off to advantage

avantageux, -euse [avãtaʒø, -øz] *adj (offre)* attractive; *(prix)* reasonable; *(ton)* superior

avare [avar] **1** *adj* miserly; *Fig* **il n'est pas a. de compliments** he's generous with his compliments **2** *nmf* miser ▪ **avarice** *nf* miserliness, avarice

avaries [avari] *nf* damage; **subir une a.** to be damaged ▪ **avarié, -iée** *adj (aliment)* rotten

avatar [avatar] *nm (mésaventure)* misadventure

avec [avɛk] **1** *prép* with; **méchant/aimable a. qn** nasty/kind to sb; **a. enthousiasme** with enthusiasm, enthusiastically; **être bien/mal a. qn** *(s'entendre bien/mal)* to get on well/badly with sb; **diminuer a. l'âge** to decrease with age; **cela viendra a. le temps** it will come in time; *Fam* **et a. ça?** *(dans un magasin)* anything else? **2** *adv Fam* **il est venu a.** *(son parapluie, ses gants)* he came with it/them

avenant, -ante [avnã, -ãt] **1** *adj (personne, manières)* pleasing **2** *nm* **à l'a.** in keeping (**de** with)

avènement [avɛnmã] *nm (d'une ère)* advent; *(d'un roi)* accession

avenir [avnir] *nm* future; **à l'a.** *(désormais)* in future; **d'a.** *(métier)* with good prospects; **assurer l'a. de qn** to make provision for sb

aventure [avãtyr] *nf* adventure; *(en amour)* affair; **partir à l'a.** to set off in search of adventure; *(sans préparation)* to set out without making plans; **dire la bonne a. à qn** to tell sb's fortune ▪ **s'aventurer** *upr* to venture (**dans** into) ▪ **aventureux, -euse** *adj (personne, vie)* adventurous; *(projet)* risky ▪ **aventurier, -ière** *nmf* adventurer

avenue [avny] *nf* avenue

avérer [avere] **s'avérer** *upr (se révéler)* to prove to be; **il s'avère que...** it turns out that... ▪ **avéré, -ée** *adj (fait)* established

averse [avɛrs] *nf* shower

aversion [avɛrsjɔ̃] *nf* aversion (**pour** to)

avertir [avɛrtir] *vt* **a. qn de qch** *(informer)* to inform sb of sth; *(danger)* to warn sb of sth ▪ **averti, -ie** *adj (public)* informed; **te voilà a.!** don't say I didn't warn you! ▪ **avertissement** *nm* warning; *(de livre)* foreword

> Il faut noter que les termes anglais **to advertise** et **advertisement** sont des faux amis. Le premier ne signifie jamais **avertir** et le second se traduit par **publicité** ou **annonce**.

aveu, -x [avø] *nm* confession; **passer aux aveux** to make a confession; **de l'a. de tout le monde...** it is commonly acknowledged that...

aveugle [avœgl] **1** *adj* blind; **devenir a.** to go blind; **avoir une confiance a.** to trust sb implicitly **2** *nmf* blind man, *f* blind woman; **les aveugles** the blind ▪ **aveuglément** [-emã] *adv* blindly

aveugler [avœgle] *vt (éblouir) & Fig* to blind;

aveuglé par la colère blind with rage ▪**aveuglement** [-əmɑ̃] *nm (moral, mental)* blindness

aveuglette [avœglɛt] **à l'aveuglette** *adv* blindly; **chercher qch à l'a.** to grope for sth

aviateur, -trice [avjatœr, -tris] *nmf* aviator ▪**aviation** *nf (secteur)* aviation; *(armée de l'air)* air force; **l'a.** *(activité)* flying

avide [avid] *adj (cupide)* greedy; *(passionné)* eager (**de** for); **a. de sang** bloodthirsty; **a. d'apprendre** eager to learn ▪**avidement** *adv (voracement)* greedily; *(avec passion)* eagerly ▪**avidité** *nf (voracité, cupidité)* greed; *(passion)* eagerness

avilir [avilir] *vt* to degrade

avion [avjɔ̃] *nm* plane, aircraft *inv, Br* aeroplane, *Am* airplane; **par a.** *(sur lettre)* airmail; **en a., par a.** *(voyager)* by plane, by air; **a. à réaction** jet; **a. de chasse** fighter (plane); **a. de tourisme** private plane ▪**avion-cargo** *(pl* **avions-cargos)** *nm* freight plane, cargo plane ▪**avion-suicide** *(pl* **avions-suicides)** *nm* suicide plane.

aviron [avirɔ̃] *nm* oar; **l'a.** *(sport)* rowing; **faire de l'a.** to row

avis [avi] *nm* opinion; *(communiqué)* notice; *(conseil)* advice; **à mon a.** in my opinion, to my mind; **être de l'a. de qn** to be of the same opinion as sb; **être d'a. de faire qch** to be of a mind to do sth; **changer d'a.** to change one's mind; **sauf a. contraire** unless I/you/*etc* hear to the contrary

aviser [avize] **1** *vt* **a. qn de qch/que...** to inform sb of sth/that... **2 s'aviser** *vpr* **s'a. de qch** to become aware of sth; **s'a. que...** to notice that...; **ne t'avise pas de recommencer!** don't you dare start again! ▪**avisé, -ée** *adj* wise (**de faire** to do); **bien/mal a.** well-/ill-advised

aviver [avive] *vt (couleur)* to brighten up; *(douleur)* to sharpen; *(querelle)* to stir up

avocat¹, -ate [avɔka, -at] *nmf Jur* lawyer; *Fig* advocate

avocat² [avɔka] *nm (fruit)* avocado (pear)

avoine [avwan] *nf* oats

avoir* [avwar] **1** *v aux* to have; **je l'ai vu** I have *or* I've seen him; **je l'avais vu** I had *or* I'd seen him **2** *vt (posséder)* to have; *(obtenir)* to get; *(porter)* to wear; *Fam (tromper)* to take for a ride; **il a une**

fille he has *or* he's got a daughter; **qu'est-ce que tu as?** what's the matter with you?; **j'ai à lui parler** I have to speak to her; **j'ai à faire** I have things to do; **il n'a qu'à essayer** he only has to try; **a. faim/chaud** to be *or* feel hungry/ hot; **a. cinq ans** to be five (years old); **a. du diabète** to be diabetic; **j'en ai pour dix minutes** this will take me ten minutes; *(ne bougez pas)* I'll be with you in ten minutes; **en a. pour son argent** to get one's money's worth; **j'en ai eu pour dix euros** it cost me ten euros; **en a. après** *ou* **contre qn** to have a grudge against sb; *Fam* **se faire a.** to be conned **3** *v impersonnel* **il y a** there is, *pl* there are; **il y a six ans** six years ago; **il n'y a pas de quoi!** *(en réponse à 'merci')* don't mention it!; **qu'est-ce qu'il y a?** what's the matter? **4** *nm* assets, property; *(d'un compte)* credit

avoisiner [avwazine] *vt (dans l'espace)* to border on; *(en valeur)* to be close to ▪**avoisinant, -ante** *adj Br* neighbouring, *Am* neighboring, nearby

avorter [avɔrte] *vi (subir une IVG)* to have an abortion; *(faire une fausse couche)* to miscarry; *Fig (projet)* to fall through; **(se faire) a.** *(femme)* to have an abortion ▪**avortement** [-əmɑ̃] *nm* abortion; *Fig (de projet)* failure

avouer [avwe] **1** *vt (crime)* to confess to; **il a fini par a.** he finally confessed; **il faut a. que...** it must be admitted that... **2 s'avouer** *vpr* **s'a. vaincu** to acknowledge defeat ▪**avoué, -ée 1** *adj (auteur, partisan)* confessed; *(but)* declared **2** *nm Br* ≃ solicitor, *Am* ≃ attorney

avril [avril] *nm* April

axe [aks] *nm (géométrique)* axis; *(essieu)* axle; **les grands axes** *(routes)* the main roads; *Fig* **les grands axes d'une politique** the main thrust of a policy ▪**axer** *vt* to *Br* centre *or Am* center (**sur** on)

axiome [aksjom] *nm* axiom

ayant [ɛjɑ̃], **ayez** [ɛje], **ayons** [ɛjɔ̃] *voir* **avoir**

azalée [azale] *nf* azalea

azimuts [azimyt] *nmpl Fam* **tous a.** *(guerre, publicité)* all-out

azote [azɔt] *nm* nitrogen

azur [azyr] *nm Littéraire (couleur)* azure; **l'a.** *(ciel)* the sky

azyme [azim] *adj* **pain a.** unleavened bread

B, b [be] *nm inv* B, b

baba¹ [baba] *n* **b. au rhum** rum baba

baba² [baba] *adj inv Fam* flabbergasted

baba cool [babakul] (*pl* **babas cool**) *nmf* hippie

babeurre [babœr] *nm* buttermilk

babillard [babijar] *nm Can Ordinat* bulletin board

babiller [babije] *vi* (*enfant*) to babble

babines [babin] *nfpl* (*lèvres*) chops

babiole [babjɔl] *nf* (*objet*) knick-knack; (*futilité*) trifle

bâbord [babɔr] *nm* port (side); **à b.** to port

babouin [babwɛ̃] *nm* baboon

baby-foot [babifut] *nm inv* table football

baby-sitting [babisitiŋ] *nm* baby-sitting; **faire du b.** to baby-sit ▪**baby-sitter** (*pl* **baby-sitters**) *n mf* baby-sitter

bac¹ [bak] *nm* (*bateau*) ferry(boat); (*cuve*) tank; **b. à glace** ice tray; **b. à légumes** salad drawer; **b. à sable** sandpit

bac² [bak] (*abrév* **baccalauréat**) *nm Fam* **passer le b.** to take *or Br* sit one's baccalauréat

baccalauréat [bakalɔrea] *nm* = secondary school examination qualifying for entry to university, *Br* ≃ A-levels, *Am* ≃ high school diploma

bâche [baʃ] *nf* (*de toile*) tarpaulin; (*de plastique*) plastic sheet ▪**bâcher** *vt* to cover (*with a tarpaulin or plastic sheet*)

bachelier, -ière [baʃəlje, -jɛr] *nmf* = student who has passed the "baccalauréat"

bachoter [baʃɔte] *vi Fam* to cram, *Br* to swot ▪**bachotage** *n Fam* cramming, *Br* swotting

bacille [basil] *nm* bacillus

bâcler [bakle] *vt Fam* to botch (up)

bactérie [bakteri] *nf* bacterium ▪**bactériologique** *adj* bacteriological; **la guerre b.** germ warfare

badaud, -aude [bado, -od] *nmf* (*promeneur*) stroller; (*curieux*) onlooker

badge [badʒ] *nm Br* badge, *Am* button

badigeonner [badiʒɔne] *vt* (*surface*) to daub (**de** with); (*mur*) to whitewash; *Culin* to brush (**de** with); (*plaie*) to paint (**de** with)

badin, -ine¹ [badɛ̃, -in] *adj* playful ▪**badinage** *nm* banter ▪**badiner** *vi* to jest; **il ne badine pas avec la ponctualité** he's very strict about punctuality

badine² [badin] *nf* switch (*small stick*)

baffe [baf] *nf Fam* clout

baffle [bafl] *nm* speaker

bafouer [bafwe] *vt* (*person*) to jeer at; (*autorité*) to flout

bafouiller [bafuje] *vti* to stammer

bâfrer [bafre] *vi très Fam* to stuff oneself

bagage [bagaʒ] *nm Fig* (*connaissances*) knowledge (**en** of); **bagages** (*sacs, valises*) luggage, baggage; **faire ses bagages** to pack (one's bags); **plier bagages** to pack one's bags; **b. à main** piece of hand luggage ▪**bagagiste** *nm* baggage handler

bagarre [bagar] *nf Fam* fight, brawl; **chercher la b.** to look for a fight; **des bagarres éclatèrent** fighting broke out ▪**se bagarrer** *vpr Fam* to fight ▪**bagarreur, -euse** *adj Fam* (*personne, caractère*) aggressive

bagatelle [bagatɛl] *nf* trifle; **pour la b. de 50 euros** for a mere 50 euros

bagnole [baɲɔl] *nf Fam* car

bagou(t) [bagu] *nm Fam* glibness; **avoir du b.** to have the gift of the gab

bague [bag] *nf* (*anneau*) ring; (*de cigare*) band; **passer à qn la b. au doigt** to marry sb; **b. de fiançailles** engagement ring ▪**baguer** *vt* (*oiseau, arbre*) to ring

baguette [bagɛt] *nf* (*canne*) stick; (*de chef d'orchestre*) baton; (*pain*) French stick; **baguettes** (*de tambour*) drumsticks; (*pour manger*) chopsticks; **mener qn à la b.** to rule sb with a rod of iron; **b. magique** magic wand

bahut [bay] *nm* (*coffre*) chest; (*buffet*) sideboard; *Fam* (*lycée*) school

baie¹ [bɛ] *nf Géog* bay

baie² [bɛ] *nf* (*fruit*) berry

baie³ [bɛ] *nf* **b. vitrée** picture window

baignade [bɛɲad] *nf* (*activité*) swimming, *Br* bathing; (*endroit*) bathing place; **'b. interdite'** (*sur panneau*) 'no swimming'

baigner [beɲe] **1** *vt* (*pied, blessure*) to bathe; (*enfant*) *Br* to bath, *Am* to bathe; (*sujet: mer*) to wash; **être baigné de sueur/lumière** to be bathed in sweat/light; **un visage baigné de larmes** a face streaming with tears **2** *vi* (*tremper*) to soak (**dans** in); **les légumes baignent dans la sauce** the vegetables are swimming in the sauce; **il baignait dans son sang** he was lying in a pool of blood; *Fam* **tout baigne (dans l'huile)** everything's hunky dory!

3 se baigner *vpr (nager)* to have a swim; *(se laver)* to have *or* take a bath ■**baigneur, -euse 1** *nmf* swimmer; *Br* bather **2** *nm (poupée)* baby doll ■**baignoire** *nf* bath (tub)

bail [baj] *(pl* **baux** [bo]) *nm* lease; *Fam* **ça fait un b. que je ne l'ai pas vu** I haven't seen him for ages ■**bailleur** *nm* **b. de fonds** financial backer

bâiller [baje] *vi* to yawn; *(col)* to gape; *(porte)* to be ajar; *Fam* **b. à se décrocher la mâchoire** to yawn one's head off ■**bâillement** *nm (de personne)* yawn

bâillon [bajɔ̃] *nm* gag; **mettre un b. à qn** to gag sb ■**bâillonner** *vt (victime, presse)* to gag

bain [bɛ̃] *nm* bath; *(de mer, de rivière)* swim, *Br* bathe; **prendre un b.** to have *or* take a bath; **prendre un b. de soleil** to sunbathe; *Fam* **être dans le b.** to be in the swing of things; **petit/ grand b.** *(de piscine)* small/large pool; **b. de bouche** mouthwash; **b. moussant** bubble bath; *Fig* **b. de sang** bloodbath; **b. de vapeur** steam bath ■**bain-marie** *(pl* **bains-marie)** *nm* bain-marie *(cooking pan set over a second pan of boiling water)*

baïonnette [bajɔnɛt] *nf* bayonet

baisemain [bɛzmɛ̃] *nm* **faire un b. à qn** to kiss sb's hand

baiser[1] [beze] *nm* kiss

baiser[2] [beze] **1** *vt* (a) *Littéraire* **b. qn au front/ sur la joue** to kiss sb on the forehead/cheek (b) *Vulg (duper, coucher avec)* to screw **2** *vi Vulg* to screw

baisse [bɛs] *nf* fall, drop *(de* in); **en b.** *(température)* falling; *(popularité)* declining

baisser [bese] **1** *vt (rideau, vitre, prix)* to lower; *(radio, chauffage)* to turn down; **b. la tête** to lower one's head; **b. les yeux** to look down; **b. la voix** to lower one's voice; *Fig* **b. les bras** to give in **2** *vi (prix, niveau, température)* to fall; *(marée)* to ebb; *(malade)* to get weaker; *(vue, mémoire)* to fail; *(popularité, qualité)* to decline; **le jour baisse** night is falling **3 se baisser** *vpr* to bend down; *(pour éviter qch)* to duck

baissier [besje] *adj m Fin* **marché b.** bear market

bajoues [baʒu] *nfpl (d'animal)* chops

bal [bal] *(pl* **bals)** *nm (élégant)* ball; *(populaire)* dance; **b. costumé, b. masqué** fancy dress ball; **b. musette** = dance to accordion music; **b. populaire** = dance, usually outdoors, open to the public

balade [balad] *nf Fam (à pied)* walk; *(en voiture)* drive; **faire une b.** *(à pied)* to go for a walk; *(en voiture)* to go for a drive ■**balader 1** *vt Fam (personne)* to take for a walk/drive; *(objet)* to drag around **2** *vi* **envoyer qn b.** to send sb packing **3 se balader** *vpr Fam (à pied)* to go for a walk; *(en voiture)* to go for a drive ■**baladeur** *nm* personal stereo ■**baladeuse** *nf* inspection lamp

balafre [balafr] *nf (cicatrice)* scar; *(coupure)* gash ■**balafrer** *vt* to gash; **visage balafré** scarred face

balai [bale] *nm* broom; **donner un coup de b.** to give the floor a sweep; *Fam* **avoir quarante balais** to be forty; *Fam* **du b.!** clear off!; **b. mécanique** carpet sweeper ■**balai-brosse** *(pl* **balais-brosses)** *nm* = long-handled scrubbing brush

balaise [balɛz] *adj* = **balèze**

balance [balɑ̃s] *nf* (a) *(instrument)* (pair of) scales; *Écon* balance; *Fig* **ça pèse dans la b.** it carries some weight; **b. commerciale** balance of trade (b) **la B.** *(signe)* Libra; **être B.** to be (a) Libra (c) *Fam (mouchard)* squealer

---

Il faut noter que le nom anglais **balance** est un faux ami. Il signifie le plus souvent **équilibre** et ne s'emploie jamais pour désigner un instrument de mesure.

---

balancer [balɑ̃se] **1** *vt (bras, jambe)* to swing; *(hanches)* to sway; *Fin (compte)* to balance; *Fam (lancer)* to chuck; *Fam (se débarrasser de)* to chuck out; *Fam (dénoncer)* to squeal on; *Fam* **elle a tout balancé** *(tout abandonné)* she's chucked it all in *or* given it all up **2 se balancer** *vpr (arbre, bateau)* to sway; *(sur une balançoire)* to rock; **se b. d'un pied sur l'autre** to rock from one foot to the other; *Fam* **je m'en balance!** I don't give *Br* a toss *or Am* a rat's ass! ■**balancé, -ée** *adj Fam* **être bien b.** *(personne)* to have a good figure ■**balancement** *nm* swaying

balancier [balɑ̃sje] *nm (d'horloge)* pendulum; *(de funambule)* balancing pole

balançoire [balɑ̃swar] *nf (suspendue)* swing; *(bascule)* seesaw

balayer [baleje] *vt (pièce)* to sweep; *(feuilles, saletés)* to sweep up; *Fig (objections)* to brush aside; *(sujet: projecteurs)* to sweep; **le vent a balayé les nuages** the wind swept the clouds away; *Fig* **b. devant sa porte** to put one's own house in order ■**balayage** *nm (nettoyage)* sweeping; *(coiffure)* highlighting ■**balayette** *nf* small brush ■**balayeur, -euse**[1] *nmf (personne)* road-sweeper ■**balayeuse**[2] *nf (véhicule)* road-sweeper

balbutier [balbysje] *vti* to stammer ■**balbutiement** *nm* **balbutiement(s)** stammering; **en être à ses premiers balbutiements** *(science)* to be in its infancy

balcon [balkɔ̃] *nm* balcony; *(de théâtre)* circle, *Am* mezzanine; **premier/deuxième b.** dress/ upper circle

baldaquin [baldakɛ̃] *nm* canopy

Baléares [balear] *nfpl* **les B.** the Balearic Islands

baleine [balɛn] *nf (animal)* whale; *(de corset)* whalebone; *(de parapluie)* rib ■**baleinier** *nm (navire)* whaler ■**baleinière** *nf* whaleboat

balèze [balɛz] *adj Fam (grand et fort)* hefty; *(intelligent)* brainy; **b. en maths** brilliant at maths

balise [baliz] *nf Naut* beacon; *Av* light; *(de piste de ski)* marker; *Ordinat* tag; *Naut* **b. flottante** buoy **▪ balisage** *nm (signaux) Naut* beacons; *Av* lights **▪ baliser** *vt (chenal)* to beacon; *(aéroport)* to equip with lights; *(route)* to mark out with beacons; *(piste de ski)* to mark out

balistique [balistik] *adj* ballistic

balivernes [balivɛrn] *nfpl* twaddle, nonsense

Balkans [balkã] *nmpl* **les B.** the Balkans

ballade [balad] *nf (chanson, poème long)* ballad; *(musicale, poème court)* ballade

ballant, -ante [balã, -ãt] *adj (bras, jambes)* dangling

ballast [balast] *nm (de route, de voie ferrée)* ballast

balle¹ [bal] *nf (pour jouer)* ball; *(d'arme)* bullet; *Anciennement Fam* **balles** *(francs)* francs; **jouer à la b.** to play ball; *Tennis* **faire des balles** to knock the ball about; *Fig* **saisir la b. au bond** to seize the opportunity; *Fig* **se renvoyer la b.** to pass the buck; **b. de tennis** tennis ball; **b. de break/match** break/match point; **b. à blanc** blank; **b. perdue** stray bullet

balle² [bal] *nf (de coton, de laine)* bale

ballet [balɛ] *nm* ballet **▪ ballerine** *nf (danseuse)* ballerina; *(chaussure)* pump

ballon [balõ] *nm (balle, dirigeable)* balloon; *(verre)* round glass wine; **jouer au b.** to play with a ball; **souffler dans le b.** *(pour l'Alcootest®)* to blow into the bag; *Fig* **être un b. d'oxygène pour qn** to be a lifesaver for sb; **b. d'essai** pilot balloon; **b. de football** *Br* football, *Am* soccer ball

ballonné [balɔne] *adj m (ventre, personne)* bloated

ballot [balo] *nm (paquet)* bundle; *Fam (imbécile)* idiot

ballottage [balɔtaʒ] *nm Pol* **il y a b.** there will be a second ballot

ballotter [balɔte] *vti (bateau)* to toss about; *(passagers)* to shake about; *Fig* **un enfant ballotté entre son père et sa mère** a child passed backwards and forwards between its mother and father

balluchon [balyʃõ] *nm Fam* **faire son b.** to pack one's bags

balnéaire [balneɛr] *adj* **station b.** *Br* seaside resort, *Am* beach resort

balourd, -ourde [balur, -urd] **1** *adj* oafish **2** *nmf* clumsy oaf

balte [balt] *adj* **les États baltes** the Baltic states

Baltique [baltik] *nf* **la (mer) B.** the Baltic (Sea)

baluchon [balyʃõ] *nm* = **balluchon**

balustrade [balystrad] *nf (clôture)* railing

bambin [bãbɛ̃] *nm Fam* toddler

bambou [bãbu] *nm* bamboo

ban [bã] *nm (applaudissements)* round of applause; **bans** *(de mariage)* banns; **être au b. de la société** to be an outcast from society; **un b. pour...** three cheers for...

banal, -e, -als, -ales [banal] *adj (objet, gens)* ordinary; *(accident)* common; *(idée, remarque)* trite, banal; **pas b.** unusual **▪ banalité** *nf (d'objet, de gens)* ordinariness; *(d'idée, de remarque)* triteness; *(d'accident)* commonness; **banalités** *(propos)* platitudes

banalisation [banalizaʒõ] *nf* **la b. de qch** the way sth is becoming more common **▪ banaliser** *vt (rendre commun)* to trivialize; **voiture banalisée** unmarked (police) car

banane [banan] *nf (fruit)* banana; *(petit sac) Br* bum bag, *Am* fanny pack; *(coiffure)* quiff **▪ bananier** *nm (arbre)* banana tree

banc [bã] *nm (siège)* bench; *(établi)* work(-bench); *(de poissons)* shoal; **b. des accusés** dock; **b. d'église** pew; **b. d'essai** *Ind* test bed; *Ordinat* benchtest; *Fig* testing ground; *Can* **b. de neige** snowbank; **b. de sable** sandbank

bancaire [bãkɛr] *adj (opération)* banking; *(chèque, compte)* bank

bancal, -e, -als, -ales [bãkal] *adj (meuble)* wobbly; *Fig (raisonnement)* unsound

bandage [bãdaʒ] *nm (pansement)* bandage

bandana [bãdana] *nm* bandana

bande [bãd] *nf* **(a)** *(de tissu, de papier, de terre)* strip; *(pansement)* bandage; *(motif)* stripe; *(pellicule)* film; *Radio* band; *Ordinat* **à large b.** broadband; **b. (magnétique)** tape; *Aut* **b. d'arrêt d'urgence** *Br* hard shoulder, *Am* shoulder; **b. dessinée** comic strip; *Aut* **b. médiane** central line; *Cin* **b. originale** original soundtrack; *Cin* **b. sonore** sound track **(b)** *(de personnes)* band, group; *(de voleurs)* gang; *(de loups)* pack; *(d'oiseaux)* flock; **b. d'imbéciles** a bunch of idiots; **faire b. à part** *(agir seul)* to do one's own thing **▪ bande-annonce** *(pl* bandes-annonces*)* *nf Cin* trailer *(de* for*)* **▪ bande-son** *(pl* bandes-son*)* *nf Cin* soundtrack

bandeau, -x [bãdo] *nm (pour les cheveux)* headband; *(pour les yeux)* blindfold

bander [bãde] *vt (blessure, main)* to bandage; *(ressort)* to tighten; *(arc)* to bend; **b. les yeux à qn** to blindfold sb

banderole [bãdrɔl] *nf (de manifestants)* banner; *(publicitaire)* streamer

bandit [bãdi] *nm (escroc)* crook; **b. de grand chemin** highwayman **▪ banditisme** *nm* crime; **le grand b.** organized crime

bandoulière [bãduljɛr] *nf (de sac)* shoulder strap; **en b.** slung across the shoulder

banjo [bãdʒo] *nm* banjo

banlieue [bãljø] *nf* suburbs; **la b. parisienne** the suburbs of Paris; **la grande/proche b.** the outer/inner suburbs; **en b.** in the suburbs; **de**

b. *(maison, magasin)* suburban; **train de b.** commuter train ▪ **banlieusard, -arde** *nmf (habitant)* suburbanite; *(voyageur)* commuter

bannière [banjɛr] *nf* banner; **la b. étoilée** the Star-spangled Banner

bannir [banir] *vt (personne, idée)* to banish (**de** from) ▪ **bannissement** *nm* banishment

banque [bɑ̃k] *nf (établissement)* bank; **la b.** *(activité)* banking; **employé de b.** bank clerk; **faire sauter la b.** *(au jeu)* to break the bank; *Ordinat* **b. de données** data bank; *Méd* **b. du sang/du sperme** blood/sperm bank

banqueroute [bɑ̃krut] *nf Jur* bankruptcy; **faire b.** to go bankrupt

banquet [bɑ̃kɛ] *nm* banquet

banquette [bɑ̃kɛt] *nf (siège)* (bench) seat; **b. arrière** *(d'une voiture)* back seat

banquier, -ière [bɑ̃kje, -jɛr] *nmf* banker

banquise [bɑ̃kiz] *nf* ice floe

baptême [batɛm] *nm Rel* christening, baptism; *Fig (de navire)* naming; **b. de l'air** first flight; **b. du feu** baptism of fire ▪ **baptiser** *vt Rel* to christen, to baptize; *Fig (appeler)* to name

baquet [bakɛ] *nm (cuve)* tub

bar¹ [bar] *nm (café, comptoir)* bar

bar² [bar] *nm (poisson)* bass

baragouiner [baragwine] *Fam* **1** *vt (langue)* to speak badly; **qu'est-ce qu'il baragouine?** what's he jabbering (on) about? **2** *vi* to jabber

baraque [barak] *nf (cabane)* hut, shack; *(de foire)* stall; *Fam (maison)* place ▪ **baraqué, -ée** *adj Fam* hefty ▪ **baraquement** *nm* shacks; *Mil* camp

> Il faut noter que le nom anglais **barracks** est un faux ami. Il signifie **caserne**.

baratin [baratɛ̃] *nm Fam (verbiage)* waffle; *(de séducteur)* sweet talk; *(de vendeur)* sales talk, spiel ▪ **baratiner** *vt Fam (pour essayer de séduire)* *Br* to chat up, *Am* to hit on

barbant, -ante [barbɑ̃, -ɑ̃t] *adj Fam* boring

barbare [barbar] **1** *adj (cruel, sauvage)* barbaric **2** *nmf* barbarian ▪ **barbarie** *nf (cruauté)* barbarity ▪ **barbarisme** *nm* barbarism

barbe [barb] *nf* beard; **b. de trois jours** stubble; **se faire la b.** to shave; *Fig* **à la b. de** right under sb's nose; **rire dans sa b.** to laugh up one's sleeve; *Fam* **quelle b.!** what a drag!; **b. à papa** *Br* candyfloss, *Am* cotton candy

barbecue [barbəkju] *nm* barbecue; **faire un b.** to have a barbecue

barbelé [barbəle] *adj m* **fil de fer b.** barbed wire ▪ **barbelés** *nmpl* barbed wire

barber [barbe] **1** *vt Fam* **b. qn** to bore sb stiff **2 se barber** *vpr* to be bored stiff

barbiche [barbiʃ] *nf* goatee (beard)

barbiturique [barbityrik] *nm* barbiturate

barboter [barbɔte] **1** *vi* to splash about **2** *vt*

Fam (voler) to pinch ▪ **barboteuse** *nf* romper-suit

barbouiller [barbuje] *vt (salir)* to smear (**de** with); *(peindre)* to daub; *Fam* **avoir l'estomac barbouillé** to feel queasy

barbu, -ue [barby] **1** *adj* bearded **2** *nm* bearded man

barda [barda] *nm Fam* gear; *Mil* kit

barder¹ [barde] *vt Culin* to bard; *Fig* **bardé de décorations** covered with decorations

barder² [barde] *v impersonnel Fam* **ça va b.!** there's going to be trouble!

barème [barɛm] *nm (de notes, de salaires, de prix)* scale; *(pour calculer)* ready reckoner

baril [baril] *nm (de pétrole, de vin)* barrel; *(de lessive)* drum; **b. de poudre** powder keg

bariolé, -ée [barjɔle] *adj Br* multicoloured, *Am* multicolored

barjo(t) [barʒo] **1** *adj inv Fam (fou)* crazy **2** *nmf Br* nutter; *Am* nut

barman [barman] *(pl* **-men** [-men] *ou* **-mans**) *nm Br* barman, *Am* bartender

baromètre [barɔmɛtr] *nm* barometer

baron [barɔ̃] *nm* baron; *Fig* **b. de la finance** financial tycoon ▪ **baronne** *nf* baroness

baroque [barɔk] **1** *adj (édifice, style, musique)* baroque; *(idée)* bizarre **2** *nm Archit & Mus* **le b.** the baroque

baroud [barud] *nm* **b. d'honneur** last stand ▪ **baroudeur** *nm Fam (combattant)* fighter; *(voyageur)* keen traveller

barouf(le) [baruf(l)] *nm Fam* din

barque [bark] *nf* (small) boat ▪ **barquette** *nf (de fruit)* punnet; *(de plat cuisiné)* container

barrage [baraʒ] *nm (sur un fleuve)* dam; **tir de feu** barrage fire; **b. de police** police roadblock; **b. routier** roadblock

barre [bar] *nf (de fer, de bois)* bar; *(de danse)* barre; *(trait)* line, stroke; *Naut (volant de bateau)* helm; **b. chocolatée** *ou* **de chocolat** bar of chocolate; *Mus* **b. de mesure** bar (line); *Jur* **b. des témoins** *Br* witness box, *Am* witness stand; *Jur* **être appelé à la b.** to be called to the witness box; **b. d'appui** *(de fenêtre)* rail; **b. d'espacement** *(de clavier)* space bar; *Ordinat* **b. d'outils** tool bar; *Ordinat* **b. de sélection** menu bar; *Sport* **b. fixe** horizontal bar; *Sport* **barres parallèles** parallel bars

barreau, -x [baro] *nm (de fenêtre, de cage)* bar; *(d'échelle)* rung; *Jur* **le b.** the bar; *Jur* **être reçu** *ou* **admis au b.** to be called to the bar; **être derrière les barreaux** *(en prison)* to be behind bars

barrer [bare] **1** *vt (route, passage, chemin)* to block off; *(porte, fenêtre)* to bar; *(chèque)* to cross; *(mot, phrase)* to cross out; *Naut (bateau)* to steer; **b. le passage** *ou* **la route à qn** to bar sb's way; **'route barrée'** *(sur panneau)* 'road closed'; *Fam* **on est mal barrés!** things don't look good! **2 se barrer** *vpr Fam* to beat it

barrette [baʀɛt] *nf (pour les cheveux) Br* (hair)slide, *Am* barrette

barreur [baʀœʀ] *nm Naut* helmsman; *(à l'aviron)* cox

barricade [baʀikad] *nf* barricade ▪ **barricader 1** *vt (rue, porte)* to barricade **2 se barricader** *vpr* to barricade oneself (**dans** in)

barrière [baʀjɛʀ] *nf (obstacle)* barrier; *(de passage à niveau)* gate; *(clôture)* fence; *Com* **barrières douanières** trade barriers

barrique [baʀik] *nf* (large) barrel

barrir [baʀiʀ] *vi (éléphant)* to trumpet

baryton [baʀitɔ̃] *nm Mus* baritone

bas¹, basse [bɑ, bɑs] **1** *adj (dans l'espace, en quantité, en intensité) & Mus* low; *(origine)* lowly; *Péj (acte)* mean, low; *(besogne)* menial; **à b. prix** cheaply; **au b. mot** at the very least; **enfant en b. âge** young child; **avoir la vue basse** to be short-sighted; *Péj* **le b. peuple** the hoi polloi; *Boxe & Fig* **coup b.** blow below the belt **2** *adv (dans l'espace)* low (down); *(dans une hiérarchie)* low; *(dans un bâtiment)* downstairs; *(parler)* quietly; **plus b.** further *or* lower down; **parle plus b.** lower your voice, speak more quietly; **voir plus b.** *(sur document)* see below; **en b.** at the bottom; **en b. de** at the bottom of; **mettre b.** *(sujet: animal)* to give birth; **à b. les dictateurs!** down with dictators!; *Fam* **b. les pattes!** hands off! **3** *nm (partie inférieure)* bottom; **l'étagère du b.** the bottom shelf; **au b. de** at the bottom of; **de b. en haut** upwards

bas² [bɑ] *nm (chaussette)* stocking; **b. de contention** elastic stockings

basané, -ée [bazane] *adj (bronzé)* tanned

bas-côté [bakote] *(pl* **bas-côtés)** *nm (de route)* verge; *(d'église)* (side)aisle

bascule [baskyl] *nf (balançoire)* seesaw; *(balance)* weighing machine; **cheval/fauteuil à b.** rocking horse/chair ▪ **basculer 1** *vt (chargement)* to tip over; *(benne)* to tip up **2** *vi (tomber)* to topple over; **faire b.** *(personne)* to knock over; *(chargement)* to tip over; **le pays a basculé dans l'anarchie** the country tipped over into anarchy

base [bɑz] *nf (partie inférieure) & Chim, Math, Mil* base; *(de parti politique)* rank and file; *(principe)* basis; **jeter les bases de qch** to lay the foundations for sth; **avoir de bonnes bases en anglais** to have a good grounding in English; **produit à b. de lait** milk-based product; **de b.** basic; **militant de b.** rank-and-file militant; **salaire de b.** basic pay; **b. de lancement** launch site; **b. de maquillage** foundation; *Ordinat* **b. de données** database ▪ **baser 1** *vt* to base *(sur* on) **2 se baser** *vpr* **se b. sur qch** to base oneself on sth; **sur quoi te bases-tu pour dire cela?** what basis do you have for saying that?

bas-fond [bafɔ̃] *(pl* **bas-fonds)** *nm (de mer, de*

rivière) shallow; *Péj* **les bas-fonds** *(de ville)* the rough areas

basic [bazik] *nm Ordinat* BASIC

basilic [bazilik] *nm (plante, aromate)* basil

basilique [bazilik] *nf* basilica

basket-ball [basketbol] *, Fam* **basket** [basket] *nm* basketball ▪ **basketteur, -euse** *nmf* basketball player

baskets [basket] *nmpl ou nfpl (chaussures)* baseball boots; *Fam* **bien dans ses b.** very together, *Br* sorted

basque¹ [bask] **1** *adj* Basque **2** *nmf* **B.** Basque

basque² [bask] *nfpl (de veste)* tail; *Fig* **être toujours pendu aux basques de qn** to always be at sb's heels

basse¹ [bɑs] *voir* **bas¹**

basse² [bɑs] *nf Mus (contrebasse)* (double) bass; *(guitare)* bass (guitar)

basse-cour [baskuʀ] *(pl* **basses-cours)** *nf (court) Br* farmyard, *Am* barnyard

bassement [bɑsmɑ̃] *adv* basely; **être b. intéressé** to have one's own interests at heart

bassesse [bɑsɛs] *nf (d'une action)* lowness; *(action)* low act

bassin [bɑsɛ̃] *nm* (a) *(pièce d'eau)* ornamental lake; *(de fontaine)* basin; *(de port)* dock; *(récipient)* bowl, basin; **petit b.** *(de piscine)* children's pool; **grand b.** *(de piscine)* large pool (b) *(du corps)* pelvis (c) *(région)* basin; **b. houiller** coal basin; **le b. parisien** the Paris Basin ▪ **bassine** *nf (en plastique)* bowl

bassiner [bɑsine] *vt Fam (ennuyer)* to bore stiff

basson [bɑsɔ̃] *nm (instrument)* bassoon; *(musicien)* bassoonist

basta [basta] *exclam Fam* that's enough!

bastingage [bastɛ̃gaʒ] *nm Naut* rail

bastion [bastjɔ̃] *nm aussi Fig* bastion

baston [bastɔ̃] *nm ou f Fam* punch-up

bastringue [bastʀɛ̃g] *nm Fam (affaires)* gear; **et tout le b.** and the whole caboodle

bas-ventre [bavɑ̃tʀ] *nm* lower abdomen

bat [ba] *voir* **battre**

bât [ba] *nm* saddle *(for packhorse); Fig* **c'est là que le b. blesse** there's the rub

bataclan [bataklɑ̃] *nm Fam (affaires)* gear; *Fam* **et tout le b.** and the whole caboodle

bataille [batɑj] *nf (lutte)* battle; *(jeu de cartes)* beggar-my-neighbour; **cheveux en b.** dishevelled hair ▪ **batailler** *vi Fam* **b. pour faire qch** to fight to do sth ▪ **batailleur, -euse** *adj* aggressive

bataillon [batajɔ̃] *nm Mil* batallion

bâtard, -arde [batar, -ard] **1** *adj (enfant)* illegitimate; *Péj* bastard; *(solution)* hybrid **2** *nmf (enfant)* illegitimate child; *Péj* bastard; *(chien)* mongrel; *(pain)* = small French stick

bateau, -x [bato] **1** *nm (embarcation)* boat; *(grand)* ship; **faire du b.** to go boating; **prendre le b.** to go/come by boat; *Fig* **mener qn en b.**

to wind sb up; **b. à moteur** motorboat; **b. à voiles** *Br* sailing boat; **b.** sailboat; **b. de pêche** fishing boat; **b. de plaisance** pleasure boat **2** *adj inv Fam (question, sujet)* hackneyed; **col b.** boat neck ▪ **bateau-mouche** (*pl* **bateaux-mouches**) *nm* river boat (*on the Seine*) ▪ **batelier** *nm* boatman

batifoler [batifɔle] *vi Fam* to lark about

bâtiment [batimɑ̃] *nm (édifice)* building; *(navire)* vessel; **le b., l'industrie du b.** the building trade; **b. de guerre** warship

bâtir [batir] *vt (construire)* to build; *Couture* to tack; **terrain à b.** building site ▪ **bâti, -ie 1** *adj* **bien b.** *(personne)* well-built **2** *nm (charpente)* frame; *Couture* tacking ▪ **bâtisse** *nf Péj* ugly building ▪ **bâtisseur, -euse** *nmf* builder (**de** of)

bâton [batɔ̃] *nm (canne)* stick; *(de maréchal)* baton; *(d'agent de police) Br* truncheon, *Am* nightstick; *(trait)* vertical line; **donner des coups de b. à qn** to beat sb (with a stick); *Fig* **parler à bâtons rompus** to talk about this and that; *Fig* **mettre des bâtons dans les roues à qn** to put a spoke in sb's wheel; **b. de rouge à lèvres** lipstick; **bâtons de ski** ski sticks *or* poles ▪ **bâtonnet** *nm* stick

battage [bataʒ] *nm (du blé)* threshing; *Fam (publicité)* hype

battant¹ [batɑ̃] *nm* (**a**) *(de cloche)* tongue; *(de porte, de volet)* leaf; **porte à deux battants** double door (**b**) *(personne)* fighter

battant², -ante [batɑ̃, -ɑ̃t] *adj* **pluie b.** driving rain; **porte b.** *Br* swing door, *Am* swinging door; **le cœur b.** with a pounding heart

battement [batmɑ̃] *nm* (**a**) *(de tambour)* beat(ing); *(de porte)* banging; *(de paupières)* blink(ing); *(d'ailes)* flapping; **j'entendais les battements de son cœur** I could hear his/her heart beating (**b**) *(délai)* gap; **une heure de b.** an hour gap

batterie [batri] *nf (d'orchestre)* drums; *(ensemble)* & *Mil, Él* battery; *(de tests, de questions)* series; **être à la b.** *(sujet: musicien)* to be on drums; **élevage en b.** battery farming; **b. de cuisine** kitchen utensils

batteur [batœr] *nm (musicien)* drummer; *(de cuisine)* mixer

battle-dress [batœldrɛs] *nm inv* (pair of) *Br* combat trousers *or Am* combat pants

battre* [batr] **1** *vt (frapper, vaincre)* to beat; *(œufs)* to whisk; *(beurre)* to churn; *(blé)* to thresh; *(record)* to break; *(cartes)* to shuffle; **b. pavillon britannique** to fly the British flag; **b. le tambour** to beat the drum; *Mus* **b. la mesure** to beat time; **b. la campagne** to scour the countryside; **b. des œufs en neige** to whisk eggs stiffly **2** *vi (cœur)* to beat; *(porte, volet)* to bang; **b. des mains** to clap one's hands; **b. des cils** to flutter one's eyelashes; **b. des ailes** to

flap its wings; **le vent fait b. la porte** the wind bangs the door; **j'ai le cœur qui bat** *(d'émotion)* my heart is pounding **3** **se battre** *vpr* to fight (**avec** with); **se b. au couteau** to fight with a knife

battu [baty] *adj (femme, enfant)* battered

battue [baty] *nf (à la chasse)* beat; *(pour retrouver qn)* search

baudet [bode] *nm* donkey

baudruche [bodryʃ] *nf* **ballon de b.** balloon

baume [bom] *nm aussi Fig* balm; *Fig* **mettre du b. au cœur de qn** to be a consolation for sb; **b. pour les lèvres** lip balm *or* salve

baux [bo] *voir* **bail**

bavard, -arde [bavar, -ard] **1** *adj (qui parle beaucoup)* chatty; *(indiscret)* indiscreet **2** *nmf (qui parle beaucoup)* chatterbox; *(indiscret)* gossip ▪ **bavardage** *nm (action)* chatting; *(commérage)* gossiping; **bavardages** *(paroles)* chats ▪ **bavarder** *vi (parler)* to chat; *(commérer)* to gossip

bave [bav] *nf (de personne)* dribble; *(de chien)* slaver; *(de chien enragé)* froth; *(de limace)* slime ▪ **baver 1** *vt Fam* **qu'est-ce que tu baves?** what are you rambling *or Br* wittering on about?; *Fam* **en b.** to have a rough time (of it) **2** *vi (personne)* to dribble; *(chien)* to slaver; *(chien enragé)* to foam at the mouth; *(stylo)* to leak

bavette [bavɛt] *nf (de bébé)* bib; *(de bœuf)* skirt (of beef); *Fam* **tailler une b.** to have a chat

baveux, -euse [bavø, -øz] *adj (bouche)* dribbling; *(omelette)* runny

bavoir [bavwar] *nm* bib

bavure [bavyr] *nf (tache)* smudge; *(erreur)* slipup; **sans b.** faultless; **b. policière** case of police misconduct

bayer [baje] *vi* **b. aux corneilles** to stare into space

bazar [bazar] *nm (marché)* bazaar; *(magasin)* general store; *Fam (désordre)* shambles *(sing)*; *Fam (affaires)* gear; *Fam* **mettre du b. dans qch** to make a mess of sth; *Fam* **quel b.!** what a shambles!

bazarder [bazarde] *vt Fam (se débarrasser de)* to get shot of; *(jeter)* to chuck out

bazooka [bazuka] *nm* bazooka

BCBG [besebeʒe] *(abrév* **bon chic bon genre***) adj inv Br* ≃ Sloany, *Am* ≃ preppy

BCG [beseʒe] *n Méd* BCG

BD [bede] *(abrév* **bande dessinée***) nf* comic strip; *(livre)* comic book

bd *abrév* **boulevard**

béant, -ante [beɑ̃, -ɑ̃t] *adj (plaie)* gaping; *(gouffre)* yawning

béat, -e [bea, -at] *adj Hum (heureux)* blissful; *Péj (niais)* inane; **être b. d'admiration** to be open-mouthed in admiration ▪ **béatement** *adv (sourire)* inanely ▪ **béatitude** *nf Hum* bliss

béatifier [beatifje] *vt Rel* to beatify

beau, belle [bo, bɛl] (*pl* **beaux, belles**)

bel is used before masculine singular nouns beginning with a vowel or h mute.

1 *adj* (**a**) (*femme, enfant, fleur, histoire*) beautiful; (*homme*) handsome, good-looking; (*spectacle, discours*) fine; (*maison, voyage, temps*) lovely; **une belle somme** a tidy sum; **avoir une belle situation** to have a good job; **se faire b.** to smarten oneself up; **ce n'est pas b. de mentir** it isn't nice to tell lies; **c'est trop b. pour être vrai** it's too good to be true; **c'est le plus b. jour de ma vie!** it's the best day of my life!; **j'ai eu une belle peur** I had an awful fright; **il en a fait de belles!** he got up to some real tricks; **très Fam un b. salaud** a real bastard (**b**) (*expressions*) **au b. milieu de** right in the middle of; **de plus belle** with a vengeance; **bel et bien** (*complètement*) well and truly; **je me suis bel et bien trompé** I have indeed made a mistake

2 *adv* **il fait b.** it's fine; **j'ai b. crier...** it's no use (my) shouting...; **j'ai b. le lui expliquer...** no matter how many times I explain it to him...

3 *nm* **le b.** (*la beauté*) beauty; **faire le b.** (*chien*) to sit up and beg; **le plus b. de l'histoire, c'est que...** the best part of the story is that...; **Fam Ironic c'est du b.!** that's great!

4 *nf* **belle** (*aux cartes*) decider; **Hum** (*amie*) lady friend; **Fam se faire la b.** to run away; (*de prison*) to escape ▪**beau-fils** (*pl* **beaux-fils**) *nm* (*gendre*) son-in-law; (*après remariage*) stepson ▪**beau-frère** (*pl* **beaux-frères**) *nm* brother-in-law ▪**beau-père** (*pl* **beaux-pères**) *nm* (*père du conjoint*) father-in-law; (*après remariage*) stepfather ▪**beaux-arts** *nmpl* fine arts; **école des b., les B.** art school ▪**beaux-parents** *nmpl* parents-in-law

beaucoup [boku] *adv* (*intensément, en grande quantité*) a lot; **aimer b. qch** to like sth very much; **s'intéresser b. à qch** to be very interested in sth; **ça te plaît? – pas b.** do you like it? – not much; **il reste encore b. à faire** there's still a lot to do; **b. d'entre nous** many of us; **b. pensent que...** a lot of people think that...; **b. de** (*quantité*) a lot of; (*nombre*) many, a lot of; **pas b. d'argent** not much money; **pas b. de gens** not many people; **avec b. de soin** with great care; **j'en ai b.** (*quantité*) I have a lot; (*nombre*) I have lots; **b. plus/moins** much more/ less, a lot more/less (**que** than); (*nombre*) many or a lot more/a lot fewer (**que** than); **b. trop** (*quantité*) much too much; (*nombre*) much too many; **beaucoup trop petit** much too small; **de b.** by far

beauf [bof] *nm Fam* (*beau-frère*) brother-in-law; *Péj* = stereotypical narrow-minded, average Frenchman

beauté [bote] *nf* (*qualité, femme*) beauty; **en b.** (*gagner, finir*) magnificently; **être en b.** to be

looking magnificent; **de toute b.** magnificent; **se refaire une b.** to put one's face on

bébé [bebe] *nm* baby; **faire le b.** to behave like a baby; **b. gazelle/lapin** baby gazelle/rabbit ▪**bébé-éprouvette** (*pl* **bébés-éprouvette**) *nm* test-tube baby

bébête [bebɛt] *adj Fam* silly

bec [bɛk] *nm* (*d'oiseau*) beak, bill; (*de pot*) lip; (*de flûte*) mouthpiece; *Fam* (*bouche*) mouth; **coup de b.** peck; *Fam* **tomber sur un b.** to come up against a serious snag; *Fam* **clouer le b. à qn** to shut sb up; *Fam* **rester le b. dans l'eau** to be left high and dry; **b. de gaz** gas lamp; **b. verseur** spout ▪**bec-de-lièvre** (*pl* **becs-de-lièvre**) *nm* harelip

bécane [bekan] *nf Fam* (*vélo*) bike

bécarre [bekar] *nm Mus* natural

bécasse [bekas] *nf* (*oiseau*) woodcock; *Fam* (*idiote*) silly thing

bêche [bɛʃ] *nf* spade ▪**bêcher** [beʃe] *vt* to dig

bêcheur, -euse [beʃœr, -øz] *nmf Fam* stuck-up person

bécot [beko] *nm Fam* snog ▪**bécoter** *vt*, **se bécoter** *vpr Fam* to snog

becquée [beke] *nf* beakful; **donner la b. à** (*oiseau*) to feed ▪**becqueter 1** *vt* (*sujet: oiseau*) to peck at **2** *vi très Fam* (*sujet: personne*) to eat

bedaine [bədɛn] *nf Fam* pot(-belly), paunch

bedon [bədɔ̃] *nm Fam* pot(-belly), paunch ▪**bedonnant, -ante** *adj Fam* pot-bellied, paunchy

bée [be] *adj f* **bouche b.** open-mouthed; **j'en suis resté bouche b.** I was speechless

beffroi [befrwa] *nm* belfry

bégayer [begeje] *vi* to stutter, to stammer ▪**bégaiement** *nm* stuttering, stammering

bégonia [begɔnja] *nm* begonia

bègue [bɛg] **1** *adj* **être b.** to stammer **2** *nmf* stutterer, stammerer

bégueule [begœl] *adj* prudish

béguin [begɛ̃] *nm Fam Vieilli* **avoir le b. pour qn** to have taken a fancy to sb

beige [bɛʒ] *adj & nm* beige

beigne [bɛɲ] *nf Fam* clout

beignet [bɛɲɛ] *nm Culin* fritter; (*à la confiture*) *Br* doughnut, *Am* donut; **b. aux pommes** apple fritter

Beijing [beidʒiŋ] *nm ou f* Beijing

bel [bɛl] *voir* **beau**

bêler [bɛle] *vi* to bleat ▪**bêlement** *nm* bleat; **bêlements** bleating

belette [bəlɛt] *nf* weasel; *Fam* (*jeune femme*) chick, *Br* bird

Belgique [bɛlʒik] *nf* **la B.** Belgium ▪**belge 1** *adj* Belgian **2** *nmf* **B.** Belgian

bélier [belje] *nm* (*animal, machine*) ram; **le B.** (*signe*) Aries; **être B.** to be (an) Aries

belle [bɛl] *voir* **beau** ▪**belle-famille** (*pl* **belles-familles**) *nf* in-laws ▪**belle-fille** (*pl* **belles-**

filles) *nf* (*épouse du fils*) daughter-in-law; (*après remariage*) stepdaughter ▪**belle-mère** (*pl* **belles-mères**) *nf* (*mère du conjoint*) mother-in-law; (*après remariage*) stepmother ▪**belle-sœur** (*pl* **belles-sœurs**) *nf* sister-in-law

belligérant, -ante [beliʒerɑ̃, -ɑ̃t] **1** *adj* belligerent **2** *nm* **les belligérants** the warring nations

belliqueux, -euse [belikø, -øz] *adj* (*peuple, pays*) warlike; (*personne, ton*) aggressive

belote [bəlɔt] *nf* = card game

belvédère [belveder] *nm* (*construction*) gazebo; (*sur site naturel*) viewpoint

bémol [bemɔl] *nm* *Mus* flat

ben [bɛ̃] *adv* *Fam* **b. oui!** well, yes!; **b. voilà, euh…** yeah, well, er…

bénédiction [benediksjɔ̃] *nf* *Rel & Fig* blessing

bénéfice [benefis] *nm* (*financier*) profit; (*avantage*) benefit; **accorder le b. du doute à qn** to give sb the benefit of the doubt; **au b. de** (*œuvre de charité*) in aid of

bénéficiaire [benefisjer] **1** *nmf* (*de chèque*) payee; *Jur* beneficiary **2** *adj* (*entreprise*) profit-making; (*compte*) in credit; **marge b.** profit margin

bénéficier [benefisje] *vi* **b. de qch** (*profiter de*) to benefit from sth; (*avoir*) to have sth; **b. de conditions idéales** to enjoy ideal conditions; **faire b. qn de son expérience** to give sb the benefit of one's experience

bénéfique [benefik] *adj* beneficial (**à** to)

Bénélux [benelyks] *nm* **le B.** the Benelux

benêt [bəne] **1** *adj* simple **2** *nm* simpleton

bénévole [benevɔl] **1** *adj* (*travail, infirmière*) voluntary **2** *nmf* volunteer, voluntary worker ▪**bénévolat** *nm* voluntary work

bénin, -igne [benɛ̃, -iɲ] *adj* (*accident, opération*) minor; (*tumeur*) benign

bénir [benir] *vt* to bless; **Dieu te bénisse!** (may) God bless you! ▪**bénit, -ite** *adj* **eau bénite** holy water; **pain b.** consecrated bread

benjamin, -ine [bɛ̃ʒamɛ̃, -in] *nmf* youngest child; *Sport* junior

benne [ben] *nf* (*de camion*) tipping body; (*de mine*) tub; (*de téléphérique*) cable car; **b. à ordures** dustbin lorry

béotien, -ienne [beɔsjɛ̃, -jɛn] *nmf* *Péj* philistine

BEP [beɑpe] (*abrév* **brevet d'études professionnelles**) *nm* *Scol* = vocational diploma taken at 18

BEPC [beɑpese] (*abrév* **brevet d'études du premier cycle**) *nm* *Scol* = school leaving certificate taken at 15

béquille [bekij] *nf* (*canne*) crutch; (*de moto*) stand; **marcher avec des béquilles** to be on crutches

bercail [berkaj] *nm* *Hum* **rentrer au b.** to return to the fold

berceau, -x [berso] *nm* (*de bébé*) cradle; *Fig* (*de civilisation*) birthplace

bercer [berse] **1** *vt* (*bébé*) to rock; *Fig* **b. qn de promesses** to delude sb with promises **2** **se bercer** *vpr* **se b. d'illusions** to delude oneself ▪**berceuse** *nf* lullaby

béret [bere] *nm* beret

berge¹ [berʒ] *nf* (*rive*) bank

berge² [berʒ] *nf* *Fam* **avoir trente berges** to be thirty

berger, -ère [berʒe] *nmf* shepherd; **b. allemand** German shepherd, *Br* Alsatian ▪**bergère** *nf* shepherdess ▪**bergerie** *nf* sheepfold

berk [berk] *exclam* yuck!

berline [berlin] *nf* (*voiture*) *Br* (four-door) saloon, *Am* sedan

berlingot [berlɛ̃go] *nm* (*bonbon*) *Br* boiled sweet, *Am* hard candy; (*de lait*) carton

berlue [berly] *nf* **avoir la b.** to be seeing things

bermuda [bermyda] *nm* Bermuda shorts

Bermudes [bermyd] *nfpl* **les B.** Bermuda

berne [bern] **en berne** *adv* *Naut* *Br* at half-mast, *Am* at half-staff; *Mil* furled

berner [berne] *vt* to fool

besace [bəzas] *nf* (*de mendiant*) bag; **sac b.** = large, soft bag

bésef [bezef] *adv* = **bézef**

besogne [bəzɔɲ] *nf* job, task; *Fig & Péj* **aller vite en b.** to jump the gun ▪**besogneux, -euse** *adj* *Péj* (*travailleur*) plodding

besoin [bəzwɛ̃] *nm* need; **avoir b. de qn/qch** to need sb/sth; **avoir b. de faire qch** to need to do sth; **éprouver le b. de faire qch** to feel the need to do sth; **au b., si b. est** if necessary, if need be; **en cas de b.** if need be; **être dans le b.** (*très pauvre*) to be in need; **faire ses besoins** (*personne*) to relieve oneself; (*animal*) to do its business

bestial, -e, -iaux, -iales [bestjal, -jo] *adj* bestial ▪**bestiaux** *nmpl* livestock

bestiole [bestjɔl] *nf* (*insecte*) *Br* creepycrawly, *Am* creepy-crawler

bêta, -asse [beta, -as] *adj* *Fam* silly

bétail [betaj] *nm* livestock

bête¹ [bet] *adj* stupid, silly; *Fam* **être b. comme ses pieds** to be as thick as two short planks; **ce n'est pas b.** (*suggestion*) it's not a bad idea; **c'est b., on a loupé le film!** what a shame, we've missed the film!; **c'est b. comme chou!** it's as easy as pie ▪**bêtement** *adv* stupidly; **tout b.** quite simply ▪**bêtise** [betiz] *nf* (*manque d'intelligence*) stupidity; (*action, parole*) stupid thing; (*bagatelle*) mere trifle; **faire/dire une b.** to do/say something stupid; **dire des bêtises** to talk nonsense

bête² [bet] *nf* animal; (*insecte*) bug; *Fig* **chercher la petite b.** to nit-pick; **elle m'a regardé comme une b. curieuse** she looked at me as if I was from another planet; *Péj* **b. à concours** *Br* swot, *Am* grind; **b. à bon dieu** *Br* ladybird, *Am* ladybug; **b. de somme** beast of burden; **b. féroce** wild animal; **b. noire** Br pet hate, Am pet peeve

béton [betɔ̃] nm (**a**) (matériau) concrete; **mur en b.** concrete wall; **alibi en b.** cast-iron alibi; **b. armé** reinforced concrete (**b**) Fam **laisse b.!** drop it!, forget it! ▪ **bétonner** vt to concrete; Fam (préparer avec soin) to work really hard on ▪ **bétonnière, bétonneuse** nf cement mixer

bette [bɛt] nf Swiss chard

betterave [bɛtrav] nf (plante) Br beetroot, Am beet; **b. sucrière** sugar beet

beugler [bøgle] vi (taureau) to bellow; (vache) to moo; Fig (radio) to blare

beur [bœr] nmf Fam = North African born in France of immigrant parents

beurre [bœr] nm butter; **au b.** (pâtisserie) made with butter; Fig **ça mettra du b. dans les épinards** that will make life a bit easier; Fig **il veut le b. et l'argent du b.** he wants to have his cake and eat it; Fam **ça compte pour du b.** that doesn't count; **b. d'anchois** anchovy paste ▪ **beurré** adj très Fam (ivre) plastered ▪ **beurrer** vt to butter ▪ **beurrier** nm butter dish'

beuverie [bøvri] nf drinking session

bévue [bevy] nf slip-up

bézef [bezɛf] adv Fam **il n'y en a pas b.** (pain, confiture) there isn't much of it; (légumes, livres) there aren't many of them

biais [bjɛ] nm (de mur) slant; (moyen) way; (aspect) angle; **regarder qn de b.** to look sideways at sb; **traverser en b.** to cross at an angle; **par le b. de** through

biaiser [bjɛze] vi (ruser) to dodge the issue

bibelot [biblo] nm curio, Br knick-knack

biberon [bibrɔ̃] nm (feeding) bottle; **nourrir un bébé au b.** to bottle-feed a child

bibi [bibi] pron Fam (moi) yours truly

bibine [bibin] nf Fam (boisson) dishwater

bible [bibl] nf bible; **la B.** the Bible ▪ **biblique** adj biblical

bibliobus [biblijɔbys] nm mobile library

bibliographie [biblijɔgrafi] nf bibliography

bibliothèque [biblijɔtɛk] nf (bâtiment, salle) library; (meuble) bookcase; **b. municipale** public library ▪ **bibliothécaire** nmf librarian

Bic® [bik] nm ballpoint (pen), Br biro®

bicarbonate [bikarbɔnat] nm Chim bicarbonate; **b. de soude** bicarbonate of soda

bicentenaire [bisɑ̃tnɛr] nm Br bicentenary, Am bicentennial

biceps [bisɛps] nm biceps; Fam **avoir des b.** to have muscles

biche [biʃ] nf (animal) female deer, doe; **ma b.** (ma chérie) darling

bichonner [biʃɔne] 1 vt (préparer) to doll up; (soigner) to pamper 2 **se bichonner** vpr to doll oneself up

bicolore [bikɔlɔr] adj Br two-coloured, Am two-colored

bicoque [bikɔk] nf Fam (maison) house

bicyclette [bisiklɛt] nf bicycle; **la b.** (sport) cycling; **faire de la b.** to go cycling; **aller en ville à b.** to cycle to town; **je ne sais pas faire de la b.** I can't ride a bicycle

bidasse [bidas] nm très Fam Br squaddie, Am G.I.

bide [bid] nm Fam (ventre) belly; **avoir/prendre du b.** to have/develop a belly; **faire un b.** (film, roman) to bomb, Br to flop

bidet [bidɛ] nm (cuvette) bidet

bidoche [bidɔʃ] nf très Fam meat

bidon [bidɔ̃] 1 nm (d'essence, d'huile) can; (de lait) churn; Fam (ventre) belly; Fam **c'est du b.** it's a load of tosh; **b. d'essence** petrol can, jerry can 2 adj inv Fam (simulé) phoney, fake

bidonner [bidɔne] **se bidonner** vpr Fam to laugh one's head off ▪ **bidonnant, ante** adj Fam hilarious

bidonville [bidɔ̃vil] nf shantytown

bidule [bidyl] nm Fam (chose) whatsit, thingummy; **B.** (personne) what's-his-name, f what's-her-name

bien [bjɛ̃] 1 adv (**a**) (convenablement) well; **il joue b.** he plays well; **je vais b.** I'm fine or well; **écoutez-moi b.!** listen carefully; Ironique **ça commence b.!** that's a good start! (**b**) (moralement) right; **b. se conduire** to behave (well); **vous avez b. fait** you did the right thing; **tu ferais b. de te méfier** you would be wise to behave (**c**) (très) very; **vous arrivez b. tard** you're very late (**d**) (beaucoup) a lot, a great deal; **b. plus/moins** much more/less; **b. des gens** a lot of people; **b. des fois** many times; **il faut b. du courage pour…** it takes a lot of courage to… ; **tu as b. de la chance** you're really lucky!; **merci b.!** thanks very much! (**e**) (en intensif) **regarder qn b. en face** to look sb right in the face; **je sais b.** I'm well aware of it; **je vous l'avais b. dit** I told you so!; **j'y suis b. obligé** I just have to; **nos verrons b.!** we'll see!; **c'est b. fait pour lui** it serves him right; **c'est b. ce que je pensais** that's what I thought; **c'est b. cela** that's right; **c'est b. compris?** is that quite understood?; **c'est b. toi?** is it really you? (**f**) (locutions) **b. entendu, b. sûr** of course; **b. sûr que non!** of course, not!; **b. sûr que je viendrai!** of course, I'll come!

2 adj inv (satisfaisant) good; (à l'aise) comfortable; (en forme) well; (moral) decent; (beau) attractive; **être b. avec qn** (en bons termes) to be on good terms with sb; **on est b. ici** it's nice here; **ce n'est pas b. de mentir** it's not nice to lie; **elle est b. sur cette photo** she looks good on this photo; Fam **nous voilà b.!** we're in a right mess!

3 exclam fine!, right!; **eh b.!** well!

4 nm Phil & Rel good; (chose, capital) possession; Jur asset; **le b. et le mal** good and

evil; *Jur* **biens** property; **faire le b.** to do good; **ça te fera du b.** it will do you good; **dire du b. de qn** to speak well of sb; **c'est pour ton b.** it's for your own good; **grand b. te fasse!** much good may it do you!; **biens de consommation** consumer goods; **biens immobiliers** real estate *or* property ▪ **bien-aimé, -ée** (*mpl* **bien-aimés**, *fpl* **bien-aimées**) *adj & nmf* beloved ▪ **bien-être** *nm* well-being ▪ **bien-fondé** *nm* validity ▪ **bien-pensant, -ante** (*mpl* **bien-pensants**, *fpl* **bien-pensantes**) *adj & nmf* conformist

bienfaisance [bjɛ̃fəzɑ̃s] *nf* **œuvre de b.** charity
bienfaisant, -ante [bjɛ̃fəzɑ̃, -ɑ̃t] *adj* (*remède*) beneficial; (*personne*) charitable
bienfait [bjɛ̃fɛ] *nm* (*acte*) kindness; (*avantage*) benefit
bienfaiteur, -trice [bjɛ̃fɛtœr, -tris] *nmf* benefactor
bienheureux, -euse [bjɛ̃nœrø, -øz] *adj* blissful; *Rel* blessed
biennal, -e, -aux, -ales [bjenal, -o] *adj* biennial
bienséant, -ante [bjɛ̃seɑ̃, -ɑ̃t] *adj* proper ▪ **bienséance** *nf* propriety
bientôt [bjɛ̃to] *adv* soon; **à b.!** see you soon!; **il est b. dix heures** it's nearly ten o'clock; *Fam* **tu n'as pas b. fini?** have you quite finished?
bienveillant, -ante [bjɛ̃vɛjɑ̃, -ɑ̃t] *adj* kind ▪ **bienveillance** *nf* kindness; **avec b.** kindly
bienvenu, -ue [bjɛ̃vny] **1** *adj* (*repos, explication*) welcome **2** *nmf* **soyez le b.!** welcome!; **tu seras toujours le b. chez nous** you'll always be welcome here ▪ **bienvenue** *nf* welcome; **souhaiter la b. à qn** to welcome sb
bière¹ [bjɛr] *nf* (*boisson*) beer; **b. blonde** lager; **b. brune** *Br* brown ale, *Am* dark beer; **b. pression** *Br* draught beer, *Am* draft beer
bière² [bjɛr] *nf* (*cercueil*) coffin
biffer [bife] *vt* to cross out
bifteck [biftɛk] *nm* steak; *Fam* **gagner son b.** to earn one's bread and butter; **b. haché** *Br* mince, *Am* mincemeat
bifurquer [bifyrke] *vi* (*route, chemin*) to fork; (*automobiliste*) to turn off ▪ **bifurcation** *nf* junction
bigame [bigam] *adj* bigamous ▪ **bigamie** *nf* bigamy
bigarré, -ée [bigare] *adj* (*étoffe*) *Br* multi-coloured, *Am* multicolored; (*foule*) motley
bigareau, -x [bigaro] *nm* = type of cherry
bigler [bigle] *vi Fam* (*loucher*) to have a squint; **b. sur qch** to have a good look at sth ▪ **bigleux, -euse** *adj Fam* (*qui louche*) cross-eyed; (*myope*) short-sighted
bigorneau, -x [bigorno] *nm* winkle
bigot, -ote [bigo, -ɔt] *Péj* **1** *adj* sanctimonious **2** *nmf* (*religious*) bigot

Il faut noter que le terme anglais **bigot** est un faux ami. Il se rapporte au sectarisme religieux et non à une attitude excessivement dévote.

bigoudi [bigudi] *nm* (hair) curler *or* roller
bigrement [bigrəmɑ̃] *adv Fam* (*très*) awfully; (*beaucoup*) a heck of a lot
bihebdomadaire [biɛbdɔmadɛr] *adj* twice-weekly
bijou, -x [biʒu] *nm* jewel; *Fig* gem ▪ **bijouterie** [-tri] *nf* (*boutique*) *Br* jeweller's shop, *Am* jewelry shop; (*commerce, fabrication*) jeweller's trade ▪ **bijoutier, -ière** *nmf Br* jeweller, *Am* jeweler
bikini® [bikini] *nm* bikini
bilan [bilɑ̃] *nm* (*de situation*) assessment; (*résultats*) results; (*d'un accident*) toll; **faire le b. de la situation** to take stock of the situation; *Com* **déposer son b.** to file one's petition for bankruptcy; **b. de santé** complete check-up; *Fin* **b. (comptable)** balance sheet
bilatéral, -e, -aux, -ales [bilateral, -o] *adj* bilateral
bile [bil] *nf* bile; *Fam* **se faire de la b. (pour qch)** to fret (about sth) ▪ **se biler** *vpr Fam* to fret
bilingue [bilɛ̃g] *adj* bilingual
billard [bijar] *nm* (*jeu*) billiards; (*table*) billiard table; *Fam* **passer sur le b.** to go under the knife; **b. américain** pool; **b. électrique** pinball
bille [bij] *nf* (*de verre*) marble; (*de billard*) billiard ball; **jouer aux billes** to play marbles; *Fam* **reprendre ses billes** to pull out
billet [bijɛ] *nm* ticket; **b. (de banque)** *Br* (bank)note, *Am* bill; **b. d'avion/de train** plane/train ticket; **b. électronique** e-ticket; **b. de première/seconde** first-class/second-class ticket; **b. aller retour** *Br* return ticket, *Am* round trip ticket; **b. simple** single ticket, *Am* one-way ticket; **b. doux** love letter
billetterie [bijɛtri] *nf* (*lieu*) ticket office; **b. automatique** (*de billet de transport*) ticket machine
billion [biljɔ̃] *nm* trillion
billot [bijo] *nm* block
bimensuel, -elle [bimɑ̃sɥɛl] *adj* bimonthly, *Br* fortnightly
bimoteur [bimɔtœr] *adj* twin-engined
binaire [binɛr] *adj Math* binary
biner [bine] *vt* to hoe ▪ **binette** *nf* hoe; *Fam* (*visage*) mug; *Can Ordinat* smiley
binocle [binɔkl] *nm* pince-nez
biochimie [bjoʃimi] *nf* biochemistry ▪ **biochimique** *adj* biochemical
biodégradable [bjodegradabl] *adj* biodegradable
biodiversité [bjodivɛrsite] *nf* biodiversity
biographie [bjɔgrafi] *nf* biography ▪ **biographe** *nmf* biographer ▪ **biographique** *adj* biographical

bio-industrie [bjoɛdystri] (*pl* **bio-industries**) *nf* biotechnology industry

biologie [bjɔlɔʒi] *nf* biology ▪ **biologique** *adj* biological; *(sans engrais chimiques)* organic ▪ **biologiste** *nm* biologist

biotechnologie [bjoteknɔlɔʒi] *nf* biotechnology

bioterrorisme [bjotɛrɔrism] *nm* bioterrorism ▪ **bioterroriste** *nmf* bioterrorist

bip [bip] *nm (son)* beep; *(appareil)* beeper; **faire b.** to beep

bipède [biped] *nm* biped

bique [bik] *nf Fam (chèvre)* nanny goat

biréacteur [bireaktœr] *nm* twin-engine jet

Birmanie [birmani] *nf* **la B.** Burma ▪ **birman, -ane** 1 *adj* Burmese 2 *nmf* **B., Birmane** Burmese

bis¹ [bis] *adv (au théâtre)* encore; *(en musique)* repeat; **4 bis** *(adresse)* ≃ 4A

bis², bise [bi, biz] *adj Br* greyish-brown, *Am* grayish-brown

bisbille [bisbij] *nf Fam* squabble; **en b. avec qn** at odds with sb

biscornu, -ue [biskɔrny] *adj (objet)* oddly shaped; *Fam (idée)* cranky

biscotte [biskɔt] *nf* rusk

biscuit [biskɥi] *nm (sucré)* Br biscuit, *Am* cookie; **biscuits salés** crackers

bise¹ [biz] *nf (vent)* north wind

bise² [biz] *nf Fam (baiser)* kiss; **faire la b. à qn** to give sb a kiss; **grosses bises** *(sur une lettre)* love and kisses

biseau, -x [bizo] *nm (outil, bord)* bevel; **en b.** bevel-edged

bisexuel, -uelle [bisɛksɥɛl] *adj* bisexual

bison [bizɔ̃] *nm* bison

bisou [bizu] *nm Fam* kiss; **bisous** *(sur une lettre)* love

bissextile [bisɛkstil] *adj f* **année b.** leap year

bistouri [bisturi] *nm* lancet

bistro(t) [bistro] *nm Fam* bar

bitume [bitym] *nm (revêtement)* asphalt

bivouac [bivwak] *nm* bivouac ▪ **bivouaquer** *vi* to bivouac

bizarre [bizar] *adj* odd ▪ **bizarrement** *adv* oddly ▪ **bizarroïde** *adj Fam* weird

bizutage [bizytaʒ] *nm Fam Univ* = playing practical jokes on first-year students, *Am* ≃ hazing ▪ **bizuter** *vt Fam Univ* = to play practical jokes on, *Am* ≃ to haze

blabla [blabla] *nm Fam* claptrap

blafard, -arde [blafar, -ard] *adj* pallid

blague [blag] *nf (plaisanterie)* joke; **faire une b. à qn** to play a joke on sb; **raconter des blagues** *(mensonges)* to tell lies; **sans b.?** no kidding? ▪ **blaguer** *vi Fam* to joke ▪ **blagueur, -euse** *nmf* joker

blaireau, -x [blɛro] *nm (animal)* badger; *(brosse)* shaving brush

blairer [blere] *vt Fam* **je ne peux pas le b.** I can't stand *or Br* stick him

blâme [blɑm] *nm (reproche)* blame; *(sanction)* reprimand ▪ **blâmer** *vt (désapprouver)* to blame; *(sanctionner)* to reprimand

blanc, blanche [blɑ̃, blɑ̃ʃ] 1 *adj* white; *(peau)* pale; *(page)* blank; **d'une voix blanche** in toneless voice 2 *nm (couleur)* white; *(espace, domino)* blank; *(vin)* white wine; **(article de) b.** *(linge)* linen; **en b.** *(chèque)* blank; **à b.** *(cartouche)* blank; **tirer à b.** to fire blanks; **chauffé à b.** white-hot; **regarder qn dans le b. de yeux** to look sb straight in the eye; **b. d'œuf** egg white; **b. de poulet** chicken breast; **b. cassé** off-white 3 *nf (note de musique)* Br minim, *Am* half-note 4 *nmf* **B.** *(personne)* White man, *f* White woman; **les B.** the Whites ▪ **blanchâtre** *adj* whitish ▪ **blancheur** *nf* whiteness

blanchiment [blɑ̃ʃimɑ̃] *nm (d'argent)* laundering

blanchir [blɑ̃ʃir] 1 *vt* to whiten; *(mur)* to whitewash; *(linge)* to launder; *Culin* to blanch; *Fig (argent)* to launder; **b. qn** *(disculper)* to clear sb 2 *vi* to turn white ▪ **blanchiment** *nm (d'argent)* laundering ▪ **blanchissage** *nm (de linge)* laundering ▪ **blanchisserie** *nf (lieu)* laundry

blanquette [blɑ̃kɛt] *nf* **b. de veau** = veal stew in white sauce; **b. de Limoux** = sparkling white wine from Limoux

blasé, -ée [blaze] *adj* blasé

blason [blazɔ̃] *nm* coat of arms

blasphème [blasfɛm] *nf* blasphemy ▪ **blasphématoire** *adj* blasphemous ▪ **blasphémer** *vi* to blaspheme

blatte [blat] *nf* cockroach

blazer [blazœr] *nm* blazer

bld *abrév* **boulevard**

blé [ble] *nm* wheat, *Br* corn; *Fam (argent)* dough

bled [blɛd] *nm Fam (lieu isolé)* dump; **dans un b. perdu** in the middle of nowhere

blême [blɛm] *adj* sickly pale; **b. de colère** livid with anger ▪ **blêmir** *vi* to turn pale

> Il faut noter que le verbe anglais **to blemish** est un faux ami. Il ne signifie jamais **devenir pâle**.

blesser [blese] 1 *vt (dans un accident)* to injure, to hurt; *(par arme)* to wound; *(offenser)* to hurt 2 **se blesser** *vpr (par accident)* to hurt *or* injure oneself; *(avec une arme)* to wound oneself; **se b. au bras** to hurt one's arm ▪ **blessant, -ante** *adj* hurtful ▪ **blessé, -ée** *nmf (victime d'accident)* injured person; *(victime d'aggression)* wounded person; **les blessés** the injured/wounded ▪ **blessure** *nf (dans un accident)* injury; *(par arme)* wound

blette [blɛt] *nf* = **bette**

bleu, -e [blø] *(mpl -s)* 1 *adj* blue; *(steak)* very

rare **2** *n (couleur)* blue; *(ecchymose)* bruise; *(fromage)* blue cheese; *Fam (novice)* novice; **b. de travail** *Br* overalls, *Am* overall; **se faire un b. au genou** to bruise one's knee; **b. ciel** sky blue; **b. marine** navy blue; **b. roi** royal blue ▪ **bleuâtre** *adj* bluish ▪ **bleuté, -ée** *adj* bluish

bleuet [blø ɛ] *nm (plante)* cornflower

blinder [blɛ̃de] *vt (véhicule)* to *Br* armour-plate *or Am* armor-plate ▪ **blindé, -ée 1** *adj Mil Br* armoured, armour-plated, *Am* armored, armor-plated; *(voiture)* bulletproof; **porte blindée** steel security door; *Fam* **je suis b.** I'm hardened to it **2** *nm Mil Br* armoured *or Am* armored vehicle

bloc [blɔk] *nm (de pierre, de bois)* block; *(de papier)* pad; *(de maison) & Pol* bloc; *(masse compacte)* unit; **faire b. contre qn** to join forces against sb; **en b.** *(démissionner)* all together; **tout refuser en b.** to reject everything in its entirety; **à b.** *(visser, serrer)* as tightly as possible; *très Fam* **être au b.** *(en prison)* to be in the clink; **b. opératoire** *Br* operating theatre, *Am* operating room ▪ **bloc-notes** *(pl* **blocs-notes**) *nm* notepad

blocage [blɔkaʒ] *nm (de mécanisme)* jamming; *(de freins, de roues)* locking; **b. des prix** price freeze; **faire un b. psychologique** to have a mental block

blocus [blɔkys] *nm* blockade; **lever le b.** to raise the blockade

blog [blɔg] *nm Ordinat* blog

blond, -onde [blɔ̃, -ɔ̃d] **1** *adj (cheveux, personne)* blond; *(sable)* golden **2** *nm (homme)* fair-haired man; *(couleur)* blond; **b. cendré** ash blond; **b. vénitien** strawberry blond **3** *nf (femme)* fair-haired woman, blonde ▪ **blondeur** *nf* fairness, blondness

blondinet, -ette [blɔ̃dinɛ, -ɛt] *adj* fairhaired

bloquer [blɔke] **1** *vt (route, ballon, compte)* to block; *(porte, mécanisme)* to jam; *(roue)* to lock; *(salaires, prix, crédits)* to freeze; *(grouper)* to group together; **b. le passage à qn** to block sb's way; **bloqué par la neige** snowbound; *Fam* **je suis bloqué à l'hôpital** I'm stuck in hospital **2** **se bloquer** *vpr (machine)* to get stuck

blottir [blɔtir] **se blottir** *vpr* to snuggle up; **se b. contre qn** to snuggle up to sb; **blottis les uns contre les autres** huddled up together

blouse [bluz] *nf (tablier)* overall; *(corsage)* blouse; **b. blanche** *(de médecin, de biologiste)* white coat ▪ **blouson** *nm* (lumber-)jacket; *(plus léger)* blouson; **b. en cuir** leather jacket; **b. d'aviateur** bomber jacket

bluff [blœf] *nm* bluff ▪ **bluffer** *vti (aux cartes) & Fam* to bluff

blush [blœʃ] *nm* blusher

boa [bɔa] *nm (serpent, tour de cou)* boa

bobard [bɔbar] *nm Fam* tall story

bobine [bɔbin] *nf (de ruban, de fil)* reel; *(de machine à coudre)* bobbin; *(de film, de papier)* roll; *(de machine à écrire)* spool; *Él* coil; *Fam (visage)* mug

bobo [bobo] *nm Fam (petite blessure)* cut; **ça fait b.** it hurts

bocage [bɔkaʒ] *nm* bocage *(countryside with many hedges, trees and small fields)*

bocal, -aux [bɔkal, -o] *nm* jar; *(aquarium)* bowl

bock [bɔk] *nm* beer glass

bœuf [bœf] *(pl* **-fs** [bø]*)* **1** *nm (animal)* bullock; *(de trait)* ox *(pl* oxen*)*; *(viande)* beef **2** *adj inv Fam* **faire un effet b.** to make a big impression

bof [bɔf] *exclam Fam* **ça te plaît? – b.! pas tellement** do you like it? – not really, no; **il est chouette, mon nouveau pull – b.** my new sweater's great – I suppose so

bogue [bɔg] *nm Ordinat* bug

bohème [bɔɛm] *adj & nmf* bohemian ▪ **bohémien, -ienne** *adj & nmf* gypsy

boire* [bwar] **1** *vt (sujet: personne)* to drink; *(sujet: plante)* to soak up; *Fig* **b. les paroles de qn** to drink in sb's every word **2** *vi (sujet: personne)* to drink; *(sujet: plante)* to soak in; **b. comme un trou** to drink like a fish; *Fam* **b. un coup** to have a drink; **b. à la bouteille** to drink from the bottle; **b. à petits coups** to sip; **b. au succès de qn** to drink to sb's success; **donner à b. à qn** to give sb a drink; **faire b. les chevaux** to water the horses **3** **se boire** *vpr* to be drunk **4** *nm* **le b. et le manger** food and drink

bois [bwa] *nm (matériau, forêt)* wood; *(de raquette)* frame; **en** *ou* **de b.** wooden; **les b.** *(d'un cerf)* the antlers; *(d'un orchestre)* woodwind instruments; *Fig* **ils vont voir de quel b. je me chauffe!** I'll show them!; **petit b.** kindling; **b. de chauffage** firewood; **b. de construction** timber; **b. de lit** bed frame; **mort b.** dead wood ▪ **boisé, -ée** *adj* wooded ▪ **boiseries** *nfpl Br* panelling, *Am* paneling

boisson [bwasɔ̃] *nf* drink

boit [bwa] *voir* **boire**

boîte [bwat] *nf* **(a)** *(récipient)* box; **b. d'allumettes** *(pleine)* box of matches; *(vide)* matchbox; **des haricots en b.** canned *or Br* tinned beans; *Fam* **mettre qn en b.** to pull sb's leg; **b. à bijoux** jewel box; **b. à gants** glove compartment; **b. à** *ou* **aux lettres** *Br* postbox, *Am* mailbox; **b. à musique** music box; **b. à outils** toolbox; **b. de conserve** can, *Br* tin; *Aut* **b. de vitesse** gearbox; *Av* **b. noire** black box; **b. postale** Post Office Box; *Ordinat* **b. de dialogue** dialog box; *Ordinat* **b. de réception** *(de messages électroniques)* inbox, mailbox; *Tél* **b. vocale** voice mail **(b)** *Fam (entreprise)* firm; *Péj* **b. à bac** crammer; **b. de jazz** jazz club; **b. de nuit** nightclub ▪ **boîtier** *nm (de montre)* case

boiter [bwate] *vi* to limp ▪ **boiteux, -euse** *adj (personne)* lame; *Fig (raisonnement)* shaky

boive [bwav] *subjonctif de* **boire**

bol [bɔl] *nm (récipient, contenu)* bowl; **prendre un b. d'air** to get a good breath of fresh air; *Fam* **avoir du b.** to be lucky; *Fam* **coup de b.** stroke of luck

bolide [bɔlid] *nm (voiture)* racing car

Bolivie [bɔlivi] *nf* **la B.** Bolivia ▪**bolivien, -ienne 1** *adj* Bolivian **2** *nmf* **B., Bolivienne** Bolivian

bombarder [bɔ̃barde] *vt (avec des bombes)* to bomb; *(avec des obus)* to shell; **b. de qn de questions** to bombard sb with questions ▪**bombardement** [-əmɑ̃] *nm (avec des bombes)* bombing; *(avec des obus)* shelling ▪**bombardier** *nm (avion)* bomber

bombe [bɔ̃b] *nf* **(a)** *(explosif)* bomb; *Fig* **faire l'effet d'une b.** to be a bombshell; **b. atomique** atom(ic) bomb; **b. à eau** water bomb; **b. à retardement** time bomb **(b)** *(atomiseur)* spray (can) **(c)** *(chapeau)* riding hat

bomber [bɔ̃be] **1** *vt* **b. le torse** to stick out one's chest **2** *vi (mur)* to bulge; *(planche)* to warp ▪**bombé, -ée** *adj* bulging

bon¹, bonne [bɔ̃, bɔn] **1** *adj* **(a)** *(satisfaisant)* good; **avoir de bons résultats** to get good results; **c'est b.** *(d'accord)* that's fine **(b)** *(agréable)* nice, good; **passer une bonne soirée** to spend a pleasant evening; **il fait b. se reposer** it's nice *or* good to rest; **b. anniversaire!** happy birthday!; **bonne année!** Happy New Year! **(c)** *(charitable)* kind, good *(avec qn* to sb*)* **(d)** *(correct)* right; **le b. choix/ moment/livre** the right choice/moment/book **(e)** *(apte)* fit; **b. à manger** fit to eat; *Mil* **b. pour le service** fit for duty; **elle n'est bonne à rien** she's useless **(f)** *(prudent)* wise, good; **juger b. de partir** to think it wise to leave **(g)** *(compétent)* good; **b. en français** good at French **(h)** *(profitable) (investissement, conseil, idée)* good; **c'est b. à savoir** it's worth knowing **(i)** *(valable)* valid; **ce billet est encore b.** this ticket is still valid; **le lait est-il encore b.?** is that milk still all right to drink? **(j)** *(en intensif)* **un b. rhume** a bad cold; **dix bonnes minutes** a good ten minutes; **j'ai mis un b. moment à comprendre** it took me a while to understand **(k)** *(locutions)* **à quoi b.?** what's the point?; **quand b. vous semble** whenever you like; **pour de b.** *(partir, revenir)* for good; **tenir b.** *(personne)* to hold out; **avoir qn à la bonne** to have a soft spot for sb; **elle est bien b.!** that's a good one!

2 *nm* **avoir du b.** to have some good points; **un b. à rien** a good-for-nothing; **les bons et les méchants** the goodies and the baddies

3 *adv* **sentir b.** to smell good; **il fait b.** it's nice and warm

4 *exclam* **b.! on y va?** right, shall we go?; **ah b.,**

je ne le savais pas really? I didn't know; **ah b.?** is that so?

bon² [bɔ̃] *nm (papier)* coupon, *Br* voucher; *Fin (titre)* bond; **b. d'achat** *Br* gift voucher, *Am* gift certificate; **b. de commande** order form; **b. de réduction** money-off coupon; *Fin* **b. du Trésor** treasury bond

bonasse [bɔnas] *adj* soft

bonbon [bɔ̃bɔ̃] *nm Br* sweet, *Am* candy; **b. à la menthe** mint ▪**bonbonnière** *nf Br* sweet box, *Am* candy box

bonbonne [bɔ̃bɔn] *nf (bouteille)* demijohn; *(de gaz)* cylinder

bond [bɔ̃] *nm* leap, jump; *(de balle)* bounce; **faire un b.** to leap up; *Fig (prix)* to shoot up; **se lever d'un b.** *(du lit)* to jump out of bed; *(d'une chaise)* to leap up; **faire faux b. à qn** to leave sb in the lurch

bonde [bɔ̃d] *nf (bouchon)* plug; *(trou)* plughole

bondé, -ée [bɔ̃de] *adj* packed, crammed

bondir [bɔ̃dir] *vi* to leap, to jump; **b. sur qn/qch** to pounce on sb/sth; *Fig* **ça me fait b.** it makes me hopping mad

bon enfant [bɔnɑ̃fɑ̃] *adj inv* easy-going

bonheur [bɔnœr] *nm (bien-être)* happiness; *(chance)* good fortune; **faire le b. de qn** to make sb happy; **porter b. à qn** to bring sb luck; **par b.** luckily; **au petit b.** at random

bonhomie [bɔnɔmi] *nf* good-naturedness

bonhomme [bɔnɔm] *(pl* **bonshommes** [bɔ̃zɔm]*)* *nm* fellow, guy; **aller son petit b. de chemin** to be jogging along nicely; **b. de neige** snowman

boniche [bɔniʃ] *nf Fam Péj* maid

boniment [bɔnimɑ̃] *nm (discours)* patter; *Fam (mensonge)* tall story

bonjour [bɔ̃ʒur] *nm & exclam (le matin)* good morning; *(l'après-midi)* good afternoon; **dire b. à qn** to say hello to sb; *Fam* **b. l'ambiance!** there was one hell of an atmosphere

bonne¹ [bɔn] *voir* **bon¹**

bonne² [bɔn] *nf (domestique)* maid; **b. d'enfants** nanny

bonnement [bɔnmɑ̃] *adv* **tout b.** simply

bonnet [bɔnε] *nm (coiffure)* hat; *(de soutien-gorge)* cup; *Fig* **c'est b. blanc blanc b.** it's six of one and half a dozen of the other; *Fam* **gros b.** bigshot; **b. d'âne** *Br* dunce's cap, *Am* dunce cap; **b. de bain** bathing cap ▪**bonneterie** [-εtri] *nf (bas)* hosiery

bonniche [bɔniʃ] *nf* = **boniche**

bonsoir [bɔ̃swar] *nm & exclam (en rencontrant qn)* good evening; *(en quittant qn)* goodbye; *(au coucher)* goodnight

bonté [bɔ̃te] *nf* kindness, goodness; **avoir la b. de faire qch** to be so kind as to do sth

bonus [bɔnys] *nm (de salaire)* bonus; *(d'assurance)* no-claims bonus

bon vivant [bɔ̃vivɑ̃] *adj m* **être b.** to enjoy life

boom [bum] *nm (économique)* boom

bord [bɔr] *nm (limite)* edge; *(de chapeau)* brim; *(de verre)* rim; **le b. du trottoir** *Br* the kerb, *Am* the curb; **au b. de la route** at the side of the road; **au b. de la rivière** beside the river; **au b. de la mer** at the seaside; **au b. de la ruine** on the brink *or* verge of ruin; **au b. des larmes** on the verge of tears; **à bord d'un bateau/d'un avion** on board a boat/a plane; **monter à b.** to go on board; **être le seul maître à b.** to be the one in charge; **par-dessus b.** overboard

bordeaux [bɔrdo] **1** *nm (vin)* Bordeaux (wine); *(rouge)* claret **2** *adj inv* maroon

bordée [bɔrde] *nf Naut (salve)* broadside; *Fig (d'injures)* torrent

bordel [bɔrdɛl] *nm très Fam (lieu)* brothel; *(désordre)* mess; **mettre le b. dans qch** to make a mess of sth ▪ **bordélique** *adj très Fam (organisation, pièce)* shambolic; **être b.** *(personne)* to be a slob

border [bɔrde] *vt (lit)* to tuck in; *(sujet: arbres)* to line; **b. qch de qch** to edge sth with sth; **b. qn dans son lit** to tuck sb in

bordereau, -x [bɔrdəro] *nm Fig & Com* note

bordure [bɔrdyr] *nf (bord)* edge; *(de vêtement)* border; **en b. de route** by the roadside

borgne [bɔrɲ] *adj (personne)* one-eyed; *(louche)* shady

borne [bɔrn] *nf (limite)* boundary marker; *(pierre)* boundary stone; *Él* terminal; *Fam (kilomètre)* kilometer; *Fig* **sans bornes** boundless; *Fig* **dépasser les bornes** to go too far; **b. kilométrique** ≃ milestone

borner [bɔrne] **1** *vt (terrrain)* to mark out **2** **se borner** *vpr* **se b. à qch/à faire qch** *(personne)* to restrict oneself to sth/to doing sth; **se b. à qch** *(chose)* to be limited to sth ▪ **borné, -ée** *adj (personne)* narrow-minded; *(esprit)* narrow

Bosnie [bɔzni] *nf* **la B.** Bosnia

bosquet [bɔskɛ] *nm* grove

bosse [bɔs] *nf (de bossu, de chameau)* hump; *(enflure)* bump, lump; *(de terrain)* bump; **faire une b.** to get a bump; *Fam* **avoir la b. du commerce** to have a good head for business; *Fam* **il a roulé sa b.** he's knocked about a bit

bosseler [bɔsle] *vt (déformer)* to dent

bosser [bɔse] *vi Fam* to work ▪ **bosseur, -euse** *Fam* **1** *adj* hard-working **2** *nmf* hard worker

bossu, -ue [bɔsy] **1** *adj (personne)* hunch-backed **2** *nmf* hunchback

bot [bo] *adj m* **pied b.** club foot

botanique [bɔtanik] **1** *adj* botanical **2** *nf* botany

botte [bɔt] *nf (chaussure)* boot; *(de fleurs, de radis)* bunch; *Fig* **b. secrète** secret weapon; *Fam* **en avoir plein les bottes** to be fed up to the back teeth; **bottes en caoutchouc** rubber boots ▪ **botter** *vt* **botté de cuir** wearing leather boots; *Fam* **b. le derrière à qn** to boot sb up the backside; *Fam* **ça me botte** I like it ▪ **bottillon** *nm*, ▪ **bottine** *nf* ankle boot

Bottin® [bɔtɛ̃] *nm* phone book; **B. mondain** ≃ Who's Who

bouc [buk] *nm (animal)* billy goat; *(barbe)* goatee; **b. émissaire** scapegoat

boucan [bukɑ̃] *nm Fam* din, row; **faire du b.** to kick up a row

bouche [buʃ] *nf* mouth; **de b. à oreille** by word of mouth; *Fig* **faire la fine b.** to be fussy; **b. d'égout** manhole; **b. d'incendie** *Br* fire hydrant, *Am* fireplug; **b. de métro** métro entrance ▪ **bouche-à-bouche** *nm* mouth-to-mouth resuscitation ▪ **bouchée** *nf* mouthful; *Fig* **mettre les bouchées doubles** to really get a move on

boucher¹ [buʃe] **1** *vt (fente, trou)* to fill in; *(conduite, fenêtre)* to block up; *(vue, rue, artère)* to block; *(bouteille)* to cork; *Fam* **ça m'en a bouché un coin** it took the wind out of my sails **2** **se boucher** *vpr (conduite)* to get blocked up; **se b. le nez** to hold one's nose ▪ **bouché, -ée** *adj (conduite)* blocked; *(temps)* overcast; *Fam (personne)* dense; **j'ai le nez b.** my nose is stuffed up ▪ **bouche-trou** *(pl* **bouche-trous)** *nm Fam* stopgap

boucher², -ère [buʃe, -ɛr] *nmf* butcher ▪ **boucherie** *nf* butcher's (shop); *Fig (carnage)* butchery

bouchon [buʃɔ̃] *nm* **(a)** *(à vis)* cap, top; *(de tonneau)* stopper; *(de liège)* cork; *(de canne à pêche)* float **(b)** *(embouteillage)* traffic jam ▪ **bouchonner** *vt Fam* **ça bouchonne** *(sur la route)* the traffic's bad

boucle [bukl] *nf (de ceinture)* buckle; *(de cheveu)* curl; *(méandre)* loop; **écouter un disque en b.** to listen to a record over and over again; **b. d'oreille** earring

boucler [bukle] **1** *vt (ceinture, valise)* to buckle; *(quartier)* to seal off; *(maison)* to lock up; *Fam (travail)* to finish off; *Fam (prisonnier)* to bang up; **b. ses valises** *(se préparer à partir)* to pack one's bags; **b. la boucle** *Av* to loop the loop; *Fig* to come full circle; *Fam* **boucle-la!** belt up! **2** *vi (cheveux)* to be curly ▪ **bouclé, -ée** *adj (cheveux)* curly

bouclier [buklije] *nm* shield; **b. humain** human shield

bouddhiste [budist] *adj & nmf* Buddhist ▪ **bouddhisme** *nm* Buddhism

bouder [bude] **1** *vi* to sulk **2** *vt (personne)* to refuse to talk to; **b. une élection** to refuse to vote ▪ **boudeur, -euse** *adj* sulky

boudin [budɛ̃] *nm* **b. noir** *Br* black pudding, *Am* blood sausage; **b. blanc** white pudding ▪ **boudiné, -ée** *adj (doigt)* podgy

boue [bu] *nf* mud ▪ **boueux, -euse 1** *adj* muddy **2** *nm Fam Br* dustman, *Am* garbage collector

bouée [bwe] *nf Naut* buoy; **b. de sauvetage** lifebelt; **b. (gonflable)** *(d'enfant)* (inflatable) rubber ring

bouffe [buf] *nf Fam (nourriture)* grub ▪ **bouffer¹** *vti Fam (manger)* to eat

bouffée [bufe] *nf (de fumée)* puff; *(de parfum)* whiff; *Fig (de colère)* outburst; **une b. d'air pur** a breath of fresh air; *Méd* **b. de chaleur** *Br* hot flush, *Am* hot flash

bouffer² [bufe] *vi (cheveux)* to have body; *(manche, jupe)* to puff out ▪ **bouffant, -ante** *adj (cheveux)* bouffant; *(vêtements)* baggy; **manche bouffante** puff(ed) sleeve ▪ **bouffi, -ie** *adj (yeux, visage)* puffy

bouffon, -onne [bufɔ̃, -ɔn] **1** *adj* farcical **2** *nm* buffoon ▪ **bouffonneries** *nfpl (actes)* clowning around

bouge [buʒ] *nm Péj (bar)* dive; *(taudis)* hovel

bougeoir [buʒwar] *nm* candlestick

bougeotte [buʒɔt] *nf Fam* **avoir la b.** to be fidgety

bouger [buʒe] **1** *vti* to move; **rester sans b.** to keep still **2 se bouger** *vpr Fam (se déplacer)* to move; *(s'activer)* to get a move on

bougie [buʒi] *nf (en cire)* candle; *(de moteur)* spark plug

bougon, -onne [bugɔ̃, -ɔn] *adj Fam* grumpy ▪ **bougonner** *vi Fam* to grumble

bougre [bugr] *nm Fam* **le pauvre b.** the poor devil ▪ **bougrement** [-əmɑ̃] *adv Fam* damned, *Br* bloody; **il fait b. froid** it's damn *or Br* bloody cold

bouillabaisse [bujabɛs] *nf* = provençal fish soup

bouille [buj] *nf Fam (visage)* mug; **il a une bonne b.** he looks a good sort

bouillie [buji] *nf (pour bébé)* baby food; *(à base de céréales)* baby cereal; **réduire qch en b.** to mash sth

bouillir* [bujir] *vi* to boil; **faire b. qch** to boil sth; **b. de colère** to seethe with anger ▪ **bouillant, -ante** *adj (qui bout)* boiling; *(très chaud, fiévreux)* boiling hot ▪ **bouilli, -ie** *adj* boiled

bouilloire [bujwar] *nf* kettle

bouillon [bujɔ̃] *nm (aliment)* stock; *(bulles)* bubbles; **bouillir à gros bouillons** to boil hard; **b. de culture** culture medium ▪ **bouillonner** *vi* to bubble

bouillotte [bujɔt] *nf* hot-water bottle

boulanger, -ère [bulɑ̃ʒe, -ɛr] *nmf* baker ▪ **boulangerie** *nf* baker's (shop)

boule [bul] *nf (sphère)* ball; **boules** *(jeu)* bowls; **se mettre en b.** *(chat)* to curl up into a ball; *Fam* **perdre la b.** to go off one's head; *Fam* **avoir la b. à zéro** to be a skinhead; *Fam* **avoir les boules** *(être énervé)* to be pissed off; *(avoir peur)* to be wetting oneself; **b. de neige** snowball; *Fig* **faire b. de neige** to snowball; **b. puante** stink bomb; **boules Quiès®** earplugs

bouleau, -x [bulo] *nm* (silver) birch; *(bois)* birch(wood)

bouledogue [buldɔg] *nm* bulldog

bouler [bule] *vi Fam* **envoyer qn b.** to send sb packing

boulet [bulɛ] *nm (de forçat)* ball and chain; **b. de canon** cannonball

boulette [bulɛt] *nf (de papier)* ball; *(de viande)* meatball; *Fam (gaffe)* *Br* boob, *Am* blooper

boulevard [bulvar] *nm* boulevard

bouleverser [bulvɛrse] *vt (émouvoir)* to move deeply; *(perturber)* to distress; *(projets, habitudes)* to disrupt; *(vie)* to turn upside down ▪ **bouleversant, -ante** *adj (émouvant)* deeply moving, *(perturbant)* distressing ▪ **bouleversement** [-əmɑ̃] *nm (de projets, d'habitudes)* disruption; *(de personne)* emotion; **bouleversements économiques** economic upheavals

boulimie [bulimi] *nf Méd* bulimia ▪ **boulimique** *adj* **être b.** to have bulimia

boulon [bulɔ̃] *nm* bolt

boulot¹ [bulo] *nm Fam (emploi)* job; *(travail)* work

boulot², -otte [bulo, -ɔt] *adj Fam* tubby

boum [bum] **1** *exclam & nm* bang **2** *nf Fam (fête)* party *(for teenagers)*

bouquet [bukɛ] *nm (fleurs)* bunch of flowers; *(d'arbres)* clump; *(de vin)* bouquet; *Fig* **c'est le b.!** that takes the *Br* biscuit *or Am* cake!; **b. final** *(de feu d'artifice)* grand finale

bouquin [bukɛ̃] *nm Fam* book ▪ **bouquiner** *vti Fam* to read ▪ **bouquiniste** *nmf* second-hand bookseller

bourbeux, -euse [burbø, -øz] *adj* muddy ▪ **bourbier** *nm (lieu, situation)* quagmire

bourde [burd] *nf Fam (gaffe)* blunder; **faire une b.** to put one's foot in it

bourdon [burdɔ̃] *nm (insecte)* bumblebee ▪ **bourdonnement** *nm (d'insecte)* buzz(ing); **avoir des bourdonnements d'oreilles** to have a buzzing in one's ears ▪ **bourdonner** *vi (insecte, oreilles)* to buzz

bourg [bur] *nm* market town ▪ **bourgade** *nf* village

bourge [burʒ] *adj Fam (bourgeois)* upper-class

bourgeois, -oise [burʒwa, -waz] **1** *adj* middle-class **2** *nmf* middle-class person ▪ **bourgeoisie** *nf* middle class

bourgeon [burʒɔ̃] *nm* bud ▪ **bourgeonner** *vi* to bud

bourgmestre [burgmɛstr] *nm (en Belgique, en Suisse)* burgomaster, town's chief magistrate

Bourgogne [burgɔɲ] **1** *nf (région)* Burgundy **2** *nm (vin de)* B. Burgundy (wine)

bourlinguer [burlɛ̃ge] *vi Fam (voyager)* to knock about

bourrade [burad] *nf* shove

bourrage [buraʒ] *nm Fam* **b. de crâne** brain-washing

bourrasque [burask] *nf* squall, gust of wind; **souffler en bourrasques** to gust

bourratif, -ive [buratif, -iv] *adj Fam* stodgy

bourre [bur] *nf (pour rembourrer)* stuffing; *Fam* **à la b.** in a rush

bourreau, -x [buro] *nm* executioner; *Hum* **b. des cœurs** ladykiller; **b. de travail** workaholic

bourrelet [burlɛ] *nm (contre les courants d'air)* weather strip; **b. de graisse** spare *Br* tyre or *Am* tire

bourrer [bure] **1** *vt (coussin)* to stuff (**de** with); *(sac)* to cram (**de** with); *(pipe)* to fill; **b. qn de qch** *(gaver)* to fill sb up with sth; **b. qn de coups** to beat sb up; *Fam* **b. le crâne à qn** *(élève)* to stuff sb's head with facts **2 se bourrer** *vpr* **se b. de qch** *(se gaver)* to stuff oneself up with; *très Fam* **se b. la gueule** to get *Br* pissed or *Am* wasted ▪ **bourré, -ée** *adj* (a) *(plein)* **b. à craquer** full to bursting; *Fam* **être b. de complexes** to be a mass of complexes (b) *très Fam (ivre) Br* pissed, *Am* wasted

bourricot [buriko] *nm* small donkey

bourrique [burik] *nf* she-ass; *Fam* **faire tourner qn en b.** to drive sb crazy

bourru, -ue [bury] *adj* surly

bourse [burs] *nf (sac)* purse; **sans b. délier** without spending a penny; *Scol & Univ* **b. (d'étude)** grant; **la B.** the Stock Exchange ▪ **boursier, -ière 1** *adj* **opération boursière** Stock Exchange transaction **2** *nmf (élève, étudiant)* grant holder

boursouflé, -ée [bursufle] *adj (visage, yeux)* puffy

bous [bu] *voir* **bouillir**

bousculer [buskyle] **1** *vt (pousser)* to jostle; *(presser)* to rush; *Fig (habitudes)* to disrupt **2 se bousculer** *(foule)* to push and shove; **les idées se bousculaient dans sa tête** his/her head was buzzing with ideas ▪ **bousculade** *nf (agitation)* pushing and shoving

bouse [buz] *nf* **de la b. de vache** cow dung

bousiller [buzije] *vt Fam* to wreck

boussole [busɔl] *nf* compass

bout¹ [bu] *voir* **bouillir**

bout² [bu] *nm (extrémité)* end; *(de langue, de doigt)* tip; *(morceau)* bit; **un b. de temps** a little while; **faire un b. de chemin** to go part of the way; **d'un b. à l'autre** from one end to the other; **au b. de la rue** at the end of the street; **au b. d'un moment** after a while; *Fam* **au b. du fil** *(au téléphone)* on the other end; **jusqu'au b.** *(lire, rester)* (right) to the end; **à b. de forces** exhausted; **à b. de souffle** out of breath; **à b. de bras** at arm's length; **pousser qn à b.** to push sb too far; **venir à b. de** *(travail)* to get through; *(adversaire)* to get the better of; **à b. portant** point-blank; **à tout b. de champ** at every possible opportunity; *Fig* **voir le b. du tunnel** to see the light at the end of the tunnel; *Fam* **je n'en vois pas le b.** I'm nowhere near the end of it; *Cin* **b. d'essai** screen test

boutade [butad] *nf (plaisanterie)* quip

boute-en-train [butɑ̃trɛ̃] *nm inv (personne)* live wire; **être le b. de la soirée** to be the life and soul of the party

bouteille [butɛj] *nf* bottle; *(de gaz)* cylinder

boutique [butik] *nf Br* shop, *Am* store; *(de couturier)* boutique; **fermer b.** to shut up shop ▪ **boutiquier, -ière** *nmf Br* shopkeeper, *Am* storekeeper

boutoir [butwar] *nm* **coup de b.** staggering blow

bouton [butɔ̃] *nm (bourgeon)* bud; *(au visage)* spot; *(de vêtement)* button; *(de porte, de télévision)* knob; **b. de manchette** cufflink; *Ordinat* **b. de souris** mouse button ▪ **bouton-d'or** *(pl* **boutons-d'or)** *nm* buttercup ▪ **bouton-pression** *(pl* **boutons-pression)** *nm Br* press-stud, *Am* snap fastener ▪ **boutonner**, **se boutonner** *vpr (vêtement)* to button (up) ▪ **boutonneux, -euse** *adj* spotty ▪ **boutonnière** *nf* buttonhole

bouture [butyr] *nf* cutting

bovin, -ine [bɔvɛ̃, -in] *adj* bovine ▪ **bovins** *nmpl* cattle

bowling [bolin] *nm (jeu) Br* tenpin bowling, *Am* tenpins; *(lieu)* bowling alley

box [bɔks] *(pl* **boxes)** *nm (d'écurie)* stall; *(de dortoir)* cubicle; *(garage)* lock-up garage; *Jur* **b. des accusés** dock

boxe [bɔks] *nf* boxing; **b. française** kick boxing ▪ **boxer** *vi* to box ▪ **boxeur** *nm* boxer

boyau, -x [bwajo] *nm (intestin)* gut; *(corde)* catgut; *(de vélo)* tubular *Br* tyre or *Am* tire; *(de mine)* narrow gallery

boycotter [bɔjkɔte] *vt* to boycott ▪ **boycottage** *nm* boycott

boys band [bɔjzbɑ̃d] *nm inv* boyband

BP [bepe] *(abrév* **boîte postale)** *nf* PO Box

bracelet [braslɛ] *nm (bijou)* bracelet; *(rigide)* bangle; *(de montre) Br* strap, *Am* band; **b. électronique** ou **de cheville** electronic tag *(for offenders)* ▪ **bracelet-montre** *(pl* **bracelets-montres)** *nm* wristwatch

braconner [brakɔne] *vi* to poach ▪ **braconnage** *nm* poaching ▪ **braconnier** *nm* poacher

brader [brade] *vt* to sell off cheaply ▪ **braderie** *nf* clearance sale

braguette [bragɛt] *nf (de pantalon)* fly, *Br* flies

braille [braj] *nm* Braille; **en b.** in Braille

brailler [braje] *vti* to yell

braire* [brɛr] *vi (âne)* to bray

braise(s) [brɛz] *nf(pl)* embers ▪ **braiser** [breze] *vt Culin* to braise

brancard [brɑ̃kar] *nm (civière)* stretcher; *(de charrette)* shaft ▪ **brancardier** *nm* stretcher-bearer

branche [brɑ̃ʃ] *nf (d'arbre, d'une science)* branch; *(de compas)* leg; *(de lunettes)* side piece ▪ **branchages** *nmpl (des arbres)* branches; *(coupés)* cut branches

branché, -ée [brɑ̃ʃe] *adj Fam (à la mode)* cool, hip

brancher [brɑ̃ʃe] **1** *vt (à une prise)* to plug in; *(à un réseau)* to connect; *Fam (plaire à)* **ça me branche** I'm really into it; *Fam* **on va en boîte ce soir, ça te branche?** fancy going clubbing tonight? **2 se brancher** *upr* **se b. sur** *(station de radio)* to tune in to ▪ **branchement** *nm (assemblage de fils)* connection

brandade [brɑ̃dad] *nf Culin* = salt cod puréed with garlic, oil and cream

brandir [brɑ̃dir] *vt* to brandish

branle [brɑ̃l] *nm* **mettre qch en b.** to set sth in motion ▪ **branlant, -ante** *adj (chaise, escalier)* rickety ▪ **branle-bas** *nm inv* **b. (de combat)** commotion ▪ **branler** *vi (chaise, escalier)* to be rickety

braquer [brake] **1** *vt (diriger)* to point (**sur** at); *(regard)* to fix (**sur** on); *Fam (banque)* to hold up; **b. qn contre qn/qch** to turn sb against sb/ sth **2** *vi Aut* to turn the steering wheel ▪ **braquage** *nm (de roues)* turning; *Fam (vol)* hold-up; **(angle de) b.** steering lock

braquet [brakɛ] *nm* gear ratio

bras [brɑ] *nm* arm; **donner le b. à qn** to give sb one's arm; **b. dessus b. dessous** arm in arm; **les b. croisés** with one's arms folded; **à b. ouverts** with open arms; **à tour de b.** with all one's might; **en b. de chemise** in one's shirtsleeves; *Fig* **avoir le b. long** to have a lot of influence; *Fig* **se retrouver avec qch sur les b.** to be left with sth on one's hands; *Fam* **faire un b. d'honneur à qn** ≃ to stick two fingers up at sb; **prendre qn à b.-le-corps** to seize sb round the waist; **b. de lecture** pickup arm; **b. de mer** arm of the sea; *Fig* **b. droit** *(assistant)* right-hand man

brasier [brazje] *nm* blaze, inferno

brassard [brasar] *nm* armband

brasse [bras] *nf (nage)* breaststroke; *(mouvement)* stroke; **b. papillon** butterfly stroke

brassée [brase] *nf* armful

brasser [brase] *vt (mélanger)* to mix; *(bière)* to brew ▪ **brassage** *nm (mélange)* mixing; *(de la bière)* brewing ▪ **brasserie** *nf (usine)* brewery; *(café)* brasserie

brassière [brasjɛr] *nf (de bébé)* *Br* vest, *Am* undershirt

bravade [bravad] *nf* **par b.** out of bravado

brave [brav] **1** *adj (courageux)* brave; *(bon)* good **2** *nm (héros)* brave man ▪ **bravement** *adv (courageusement)* bravely

braver [brave] *vt (personne, lois)* to defy; *(danger, mort)* to brave

bravo [bravo] **1** *exclam* bravo! **2** *nm* **bravos** cheers

bravoure [bravur] *nf* bravery

break [brek] *nm (voiture)* *Br* estate car, *Am* station wagon

brebis [brəbi] *nf* ewe; **lait/fromage de b.** ewe's

milk/ewe's-milk cheese; *Fig* **b. galeuse** black sheep

brèche [brɛʃ] *nf* gap; *(dans la coque d'un bateau)* hole; **battre qch en b.** to demolish sth

bredouille [brəduj] *adj* empty-handed

bredouiller [brəduje] *vti* to mumble

bref, brève [brɛf, brɛv] **1** *adj* brief, short **2** *adv* in short; **enfin b....** in a word...

breloque [brələk] *nf (de bracelet)* charm

Brésil [brezil] *nm* **le B.** Brazil ▪ **brésilien, -ienne** **1** *adj* Brazilian **2** *nmf* **B., Brésilienne** Brazilian

Bretagne [brətaɲ] *nf* **la B.** Brittany ▪ **breton, -onne** **1** *adj* Breton **2** *nmf* **B., Bretonne** Breton

bretelle [brətɛl] *nf* strap; **bretelles** *(de pantalon)* *Br* braces, *Am* suspenders; **b. (d'accès)** *(route)* access road

breuvage [brœvaʒ] *nm* potion

brève [brɛv] *voir* **bref**

brevet [brəvɛ] *nm (certificat)* certificate; *(diplôme)* diploma; *Scol* **b. des collèges** = general exam taken at 15; **b. (d'invention)** patent ▪ **breveter** *vt* to patent

bribes [brib] *nfpl* **b. de conversation** snatches of conversation

bric-à-brac [brikabrak] *nm inv (vieux objets)* bric-à-brac, odds and ends

bric et de broc [brikedəbrɔk] **de bric et de broc** *adv* haphazardly

bricole [brikɔl] *nf (objet, futilité)* trifle; *Fam* **il va lui arriver des bricoles** he's/she's going to get into a pickle

bricoler [brikɔle] **1** *vt (construire)* to put together; *(réparer)* to tinker with **2** *vi* to do do-it-yourself *or Br* DIY ▪ **bricolage** *nm (travail)* do-it-yourself, *Br* DIY; **faire du b.** to do some DIY ▪ **bricoleur, -euse** **1** *adj* **être b.** to be good with one's hands **2** *nmf* handyman, *f* handywoman

bride [brid] *nf (de cheval)* bridle; **aller à b. abattue** to ride full tilt ▪ **brider** *vt (cheval)* to bridle; *(personne, désir)* to curb; **avoir les yeux bridés** to have slanting eyes

bridge [bridʒ] *nm (jeu, prothèse)* bridge

brièvement [brijɛvmɑ̃] *adv* briefly ▪ **brièveté** *nf* brevity

brigade [brigad] *nf (de gendarmerie)* squad; *Mil* brigade; **b. anti-gang** organized crime squad; **b. des stupéfiants** *ou Fam* **des stups** drug squad ▪ **brigadier** *nm (de police)* police sergeant; *Mil* corporal

brigand [brigɑ̃] *nm (bandit)* brigand; *(personne malhonnête)* crook

briguer [brige] *vt (honneur, poste)* to sollicit

brillant, -ante [brijɑ̃, -ɑ̃t] **1** *adj (luisant)* shining; *(couleur)* bright; *(cheveux, cuir)* shiny; *Fig (remarquable)* brilliant **2** *nm* shine; *(diamant)* diamond; **b. à lèvres** lip gloss ▪ **brillamment** [-amɑ̃] *adv* brilliantly

briller [brije] *vi* to shine; **faire b.** *(chaussures)* to polish; **b. de colère** to shine with anger; **b. par son absence** to be conspicuous by one's absence; **b. de mille feux** to sparkle brilliantly

brimer [brime] *vt* to bully ▪ **brimade** *nf (d'élèves)* bullying; *Fig (humiliation)* vexation

brin [brɛ̃] *nm (d'herbe)* blade; *(de persil)* sprig; *(de muguet)* spray; *(de corde, de fil)* strand; *Fig* **un b. de qch** a bit of sth; **faire un b. de toilette** to have a quick wash

brindille [brɛ̃dij] *nf* twig

bringue[1] [brɛ̃g] *nf Fam* **faire la b.** to party

bringue[2] [brɛ̃g] *nf Fam* **grande b.** *(fille)* beanpole

bringuebaler [brɛ̃gbale] *vti Fam* to shake about

brio [brijo] *nm* brilliance; **avec b.** brilliantly

brioche [brijɔʃ] *nf* brioche; *Fam (ventre)* paunch ▪ **brioché** *adj* **pain b.** = milk bread

brique [brik] *nf* (**a**) *(de construction)* brick; **mur de briques** brick wall (**b**) *Anciennement Fam (10 000 francs)* 10,000 francs

briquer [brike] *vt (nettoyer)* to scrub down

briquet [brikɛ] *nm (cigarette)* lighter

bris [bri] *nm (de verre)* breaking; **b. de glaces** broken windows

brise [briz] *nf* breeze

briser [brize] **1** *vt* to break; *(opposition, résistance)* to crush; *(espoir, carrière)* to wreck; *(fatiguer)* to exhaust; **la voix brisée par l'émotion** his/her voice choked by emotion; **c'est à vous b. le cœur** it's heartbreaking **2 se briser** *vpr* to break ▪ **brisants** *nmpl* reefs ▪ **brise-glace** *nm inv (navire)* ice breaker ▪ **brise-lames** *nm inv* breakwater

britannique [britanik] **1** *adj* British **2** *nmf* **B.** Briton; **les Britanniques** the British

broc [bro] *nm* pitcher, jug

brocante [brokɑ̃t] *nf (commerce)* second-hand trade ▪ **brocanteur, -euse** *nmf* secondhand dealer

broche [brɔʃ] *nf (pour rôtir)* spit; *(bijou)* brooch; *(pour fracture)* pin; **faire cuire qch à la b.** to spit-roast sth ▪ **brochette** *nf (tige)* skewer; *(plat)* kebab

broché, -ée [brɔʃe] *adj* **livre b.** paperback

brochet [brɔʃɛ] *nm* pike

brochure [brɔʃyr] *nf* brochure, pamphlet

brocolis [brɔkɔli] *nmpl* broccoli

broder [brode] *vt* to embroider (**de** with) ▪ **broderie** *nf (activité)* embroidery; **faire de la b.** to embroider; **des broderies** embroidery

broncher [brɔ̃ʃe] *vi* **sans b.** without batting an eyelid; **il n'a pas bronché** he didn't bat an eyelid

bronches [brɔ̃ʃ] *nfpl* bronchial tubes ▪ **bronchite** *nf* bronchitis; **avoir une b.** to have bronchitis

bronze [brɔ̃z] *nm* bronze

bronzer [brɔ̃ze] *vi* to tan ▪ **bronzage** *nm (sun)* tan

brosse [brɔs] *nf* brush; **donner un coup de b. à qch** to give sth a brush; **cheveux en b.** crew cut; **b. à dents** toothbrush ▪ **brosser 1** *vt (tapis, cheveux)* to brush; **b. un tableau de qch** to give an outline of sth **2 se brosser** *vpr* **se b. les dents/les cheveux** to brush one's teeth/one's hair

brouette [bruɛt] *nf* wheelbarrow

brouhaha [bruaa] *nm* hubbub

brouillard [brujar] *nm* fog; **il y a du b.** it's foggy

brouille [bruj] *nf* disagreement, quarrel

brouiller [bruje] **1** *vt (idées)* to muddle up; *(vue)* to blur; *(émission radio)* to jam; **les yeux brouillés de larmes** eyes blurred with tears; *Fig* **b. les pistes** to cover one's tracks **2 se brouiller** *vpr (idées)* to get muddled up; *(vue)* to get blurred; *(se disputer)* to fall out (**avec** with); **le temps se brouille** it's clouding over ▪ **brouillé, -ée** *adj (teint)* blotchy; **être b. avec qn** to have fallen out with sb

brouillon, -onne [brujɔ̃, -ɔn] **1** *adj (mal organisé)* disorganized; *(mal présenté)* untidy **2** *nm* rough draft; **(papier) b.** *Br* scrap paper, *Am* scratch paper

broussailles [brusaj] *nfpl* scrub

brousse [brus] *nf* **la b.** the bush

brouter [brute] *vti* to graze

broutille [brutij] *nf* trifle

broyer [brwaje] *vt* to grind; *(doigt, bras)* to crush; *Fig* **b. du noir** to be down in the dumps

bru [bry] *nf* daughter-in-law

brugnon [brynɔ̃] *nm* nectarine

bruine [brɥin] *nf* drizzle ▪ **bruiner** *v impersonnel* to drizzle; **il bruine** it's drizzling

bruissement [brɥismɑ̃] *nm (de feuilles)* rustle, rustling

bruit [brɥi] *nm* noise; sound; *(nouvelle) Br* rumour, *Am* rumor; **faire du b.** to make a noise ▪ **bruitage** *nm Cin* sound effects ▪ **bruiteur, -euse** *nmf* sound effects engineer

brûlant, -ante [brylɑ̃, -ɑ̃t] *adj (objet, soupe)* burning hot; *(soleil)* scorching; *Fig (sujet)* burning

brûlé, -ée [bryle] *nm* **odeur de b.** burnt smell; **sentir le b.** to smell burnt

brûle-pourpoint [brylpurpwɛ̃] **à brûle-pourpoint** *adv* point-blank

brûler [bryle] **1** *vt (sujet: flamme, acide)* to burn; *(électricité, combustible)* to use; *(feu rouge)* to go through; **être brûlé vif** *(être supplicié)* to be burnt at the stake **2** *vi* to burn; *Fig* **b. d'envie de faire qch** to be dying to do sth; *Fig* **b. de désir** to be burning with desire; **attention, ça brûle!** careful, it's hot! **3 se brûler** *vpr* to burn oneself; **se b. la langue** to burn one's tongue ▪ **brûlure** *nf* burn; **brûlures d'estomac** heartburn

brume [brym] *nf* mist, haze ▪ **brumeux, -euse** *adj* misty, hazy; *Fig (obscur)* hazy

brun, brune [brœ̃, bryn] **1** *adj (cheveux)* dark,

brown; *(personne)* dark-haired **2** *nm (couleur)* brown **3** *nmf* dark-haired man, *f* dark-haired woman ■**brunette** *nf* brunette ■**brunir** *vi (personne, peau)* to tan; *(cheveux)* to darken

brushing® [brœʃiŋ] *nm* blow-dry; **faire un b. à qn** to blow-dry sb's hair

brusque [brysk] *adj* abrupt ■**brusquement** [-əmã] *adv* abruptly ■**brusquer** *vt (décision)* to rush ■**brusquerie** *nf* abruptness

brut, -e [bryt] *adj (pétrole)* crude; *(diamant)* rough; *(soie)* raw; *(poids, salaire)* gross; *(champagne)* extra-dry; **à l'état b.** in its raw state

brutal, -e, -aux, -ales [brytal, -o] *adj (personnes, manières, paroles)* brutal; *(choc)* violent; *(franchise, réponse)* crude, blunt; *(changement)* abrupt; **être b. avec qn** to be rough with sb ■**brutalement** *adv (violemment)* brutally; *(avec brusquerie)* roughly; *(soudainement)* abruptly ■**brutaliser** *vt* to ill-treat ■**brutalité** *nf (violence, acte)* brutality; *(soudaineté)* abruptness ■**brute** *nf* brute

Bruxelles [brysɛl] *nm ou f* Brussels

bruyant, -ante [bryijã, -ãt] *adj* noisy ■**bruyamment** [-amã] *adv* noisily

bruyère [bryjɛr] *nf (plante)* heather; *(terrain)* heath

BTS [beteɛs] *(abrév* **brevet de technicien supérieur)** *nm Scol* = advanced vocational training certificate

bu, -e [by] *pp de* **boire**

buanderie [bɥãdri] *nf (lieu)* laundry

bûche [byʃ] *nf* log; *Fam* **prendre une b.** *Br* to come a cropper, *Am* to take a spill; **b. de Noël** Yule log ■**bûcher¹** *nm (à bois)* woodshed; *(de supplice)* stake

bûcher² [byʃe] *Fam* **1** *vt (étudier)* to bone up on, *Br* to swot up **2** *vi Br* to swot, *Am* to grind ■**bûcheur, -euse** *nmf Fam Br* swot, *Am* grind

bûcheron [byʃrɔ̃] *nm* woodcutter, *Am* lumberjack

budget [bydʒɛ] *nm* budget ■**budgétaire** *adj* budgetary; *(année)* financial; **déficit b.** budget deficit

buée [bɥe] *nf (sur vitre)* condensation; *(sur miroir)* mist

buffet [byfɛ] *nm (meuble bas)* sideboard; *(meuble haut)* dresser; *(repas)* buffet

buffle [byfl] *nm* buffalo

buis [bɥi] *nm (arbre)* box; *(bois)* boxwood

buisson [bɥisɔ̃] *nm* bush

buissonnière [bɥisɔnjɛr] *adj f* **faire l'école b.** to play *Br* truant *or Am* hookey

bulbe [bylb] *nm* bulb

Bulgarie [bylgari] *nf* **la B.** Bulgaria ■**bulgare 1** *adj* Bulgarian **2** *nm B.* Bulgarian

bulldozer [byldozɛr] *nm* bulldozer

bulle [byl] *nf (d'air, de savon)* bubble; *(de bande dessinée)* balloon; *(décret du pape)* bull; **faire des bulles** to blow bubbles

buller [byle] *vi Fam* to laze about

bulletin [byltɛ̃] *nm (communiqué, revue)* bulletin; *(météo)* report; **b. d'informations** news bulletin; **b. de paie** *ou* **de salaire** *Br* pay slip, *Am* pay stub; **b. de santé** medical bulletin; **b. de vote** ballot paper; **b. météo** weather report; **b. scolaire** *Br* school report, *Am* report card

buraliste [byralist] *nmf (à la poste)* clerk; *(au tabac)* tobacconist

bureau, -x [byro] *nm (table)* desk; *(lieu)* office; *(comité)* committee; **b. de change** bureau de change; **b. de poste** post office; **b. de tabac** *Br* tobacconist's (shop), *Am* tobacco store

bureaucrate [byrokrat] *nmf* bureaucrat ■**bureaucratie** [-asi] *nf* bureaucracy ■**bureaucratique** *adj* bureaucratic

Bureautique® [byrotik] *nf* office automation

burette [byrɛt] *nf (pour huile)* oilcan; *(de chimiste)* burette

burin [byrɛ̃] *nm (de graveur)* burin; *(pour découper)* (cold) chisel

buriné, -ée [byrine] *adj (visage)* lined

burlesque [byrlɛsk] *adj (idée)* ludicrous; *(genre)* burlesque

bus¹ [bys] *nm* bus

bus² [by] *pt de* **boire**

busqué [byske] *adj m (nez)* hooked

buste [byst] *nm (torse)* chest; *(sculpture)* bust ■**bustier** *nm (corsage)* bustier

but¹ [by(t)] *nm (objectif)* aim, goal; *(intention)* purpose; *Football* goal; *Fig* **aller droit au b.** to go straight to the point; **dire qch de b. en blanc** to say sth straight out; **c'est le b. de l'opération** that's the point of the operation

but² [by] *pt de* **boire**

butane [bytan] *nm* butane

buter [byte] **1** *vt* (**a**) **b. qn** to put sb's back up (**b**) *très Fam (tuer)* to bump off **2** *vi* **b. contre qch** *(cogner)* to bump into sth; *(trébucher)* to stumble over sth; *Fig (difficulté)* to come up against sth **3 se buter** *vpr (s'entêter)* to dig one's heels in ■**buté, -ée** *adj* obstinate

butin [bytɛ̃] *nm (de voleur)* loot; *(de pillards)* spoils; *(d'armée)* booty

butiner [bytine] *vi (abeille)* to gather pollen and nectar

butoir [bytwar] *nm (pour train)* buffer; *(de porte)* stopper, *Br* stop

butte [byt] *nf* hillock; *Fig* **être en b. à qch** to be exposed to sth

buvable [byvabl] *adj* drinkable ■**buveur, -euse** *nmf* drinker; **un grand b.** a heavy drinker

buvard [byvar] *adj & nm* **(papier) b.** blotting paper

buvette [byvɛt] *nf* refreshment bar

buviez [byvje] *voir* **boire**

C, c [se] *nm inv* C, c

c' [s] *voir* **ce¹**

ça [sa] (*abrév* **cela**) *pron démonstratif* (*pour désigner*) that; (*plus près*) this; (*sujet indéfini*) it, that; **qu'est-ce que c'est que ça?** what (on earth) is that/this?; **c'est qui/quoi ça?** who's/ what's that?; **où/quand/comment ça?** where?/ when?/how?; **ça dépend** it depends; **ça m'ennuie** it annoys me; **ça m'amuse** I find it amusing; **ça va?** how are things?; **ça va!** fine!, OK!; **ça alors!** my goodness!; **ça y est, j'ai fini** that's it, I'm finished; **c'est ça** that's right

çà [sa] **çà et là** *adv* here and there

caban [kabã] *nm Naut* reefer (jacket)

cabane [kaban] *nf* (*baraque*) hut; (*en rondin*) cabin; (*de jardin*) shed; **c. à outils** tool shed; **c. à lapins** rabbit hutch

cabaret [kabarɛ] *nm* cabaret

cabas [kaba] *nm* shopping bag

cabillaud [kabijo] *nm* (fresh) cod

cabine [kabin] *nf* (*de bateau*) cabin; (*de camion*) cab; (*d'ascenseur*) *Br* cage, *Am* car; **c. de bain** (*de plage*) *Br* beach hut, *Am* cabana; (*de piscine*) cubicle; **c. d'essayage** fitting room; **c. de pilotage** cockpit; (*d'un grand avion*) flight deck; **c. téléphonique** phone box

cabinet [kabinɛ] *nm* (*de médecin*) *Br* surgery, *Am* office; (*de ministre*) departmental staff; **c. de toilette** (small) bathroom; **c. de travail** study; *Fam* **les cabinets** *Br* the loo, *Am* the john; **c. dentaire** dental surgery; **c. juridique** law firm

câble [kɑbl] *nm* cable; *TV* **le c.** cable ▪ **câblé** *adj Fam* (*à la page*) hip ▪ **câbler** *vt TV* (*ville, quartier*) to install cable television in

caboche [kabɔʃ] *nf Fam* (*tête*) nut

cabosser [kabɔse] *vt* (*métal, voiture*) to bash up

caboteur [kabɔtœr] *nm* (*bateau*) coaster

cabotin, -ine [kabɔtɛ̃, -in] *nmf* (*acteur*) ham actor; (*actrice*) ham actress; (*vantard*) show-off

cabrer [kabre] **se cabrer** *vpr* (*cheval*) to rear (up); *Fig* (*personne*) to recoil

cabri [kabri] *nm* (*chevreau*) kid

cabriole [kabrijɔl] *nf* (*saut*) caper; **faire des cabrioles** to caper about

cabriolet [kabrijɔlɛ] *nm* (*auto*) convertible

caca [kaka] *nm Fam* (*en langage enfantin*) *Br* poo, *Am* poop; **faire c.** to do a number two *or Br* a poo

cacah(o)uète [kakawɛt] *nf* peanut

cacao [kakao] *nm* (*boisson*) cocoa

cacatoès [kakatɔɛs] *nm* cockatoo

cachalot [kaʃalo] *nm* sperm whale

cache [kaʃ] *nf* hiding place; **c. d'armes** arms cache ▪ **cache-cache** *nm inv* **jouer à c.** to play hide and seek ▪ **cache-nez** *nm inv* scarf

cachemire [kaʃmir] *nm* (*laine*) cashmere

cacher [kaʃe] **1** *vt* to hide (**à** from); **c. la lumière à qn** to stand in sb's light; **il ne cache pas que...** he makes no secret of the fact that...; **je ne vous cache pas que j'ai été surpris** I won't pretend I wasn't surprised; **pour ne rien vous c.** to be completely open with you **2 se cacher** *vpr* to hide; **sans se c.** openly; **je ne m'en cache pas** I make no secret of it

cachet [kaʃɛ] *nm* (*sceau*) seal; (*de fabrication*) stamp; (*comprimé*) tablet; (*d'acteur*) fee; (*originalité*) distinctive character; **c. de la poste** postmark ▪ **cacheter** *vt* to seal

cachette [kaʃɛt] *nf* hiding place; **en c.** in secret; **en c. de qn** without sb knowing

cachot [kaʃo] *nm* dungeon

cachotteries [kaʃɔtri] *nfpl* **faire des cachotteries** to be secretive ▪ **cachottier, -ière** *adj* secretive

cachou [kaʃu] *nm* = liquorice sweet

cacophonie [kakɔfɔni] *nf* cacophony

cactus [kaktys] *nm* cactus

c.-à-d. (*abrév* **c'est-à-dire**) i.e.

cadavre [kadavr] *nm* corpse ▪ **cadavérique** *adj* (*teint*) deathly pale

caddie® [kadi] *nm Br* trolley, *Am* cart (*for shopping*)

cadeau, -x [kado] *nm* present, gift; **faire un c. à qn** to give sb a present; **faire c. de qch à qn** to make sb a present of sth

cadenas [kadnɑ] *nm* padlock ▪ **cadenasser** *vt* to padlock

cadence [kadɑ̃s] *nf* (*taux, vitesse*) rate; (*de chanson*) rhythm ▪ **cadencé, -ée** *adj* rhythmical

cadet, -ette [kade, -ɛt] **1** *adj* (*de deux*) younger; (*de plus de deux*) youngest **2** *nmf* (*de deux*) younger (one); (*de plus de deux*) youngest (one); *Sport* junior; **c'est le c. de mes soucis!** that's the least of my worries

cadran [kadrã] *nm* (*de téléphone*) dial; (*de montre*) face; **faire le tour du c.** to sleep round the clock; **c. solaire** sundial

cadre [kadr] *nm* (**a**) (*de photo, de vélo*) frame;

(décor) setting; *(d'imprimé)* box; **dans le c. de retraite** pension fund; **c. enregistreuse** cash within the framework of; **c. de vie** environment (**b**) *(d'entreprise)* executive, manager; **les cadres** the management; *Mil* the officers

cadrer [kɑdre] **1** *vt (photo)* to *Br* centre *or Am* center **2** *vi (correspondre)* to tally (**avec** with) ▪ **cadreur** *nm* cameraman

caduc, -uque [kadyk] *adj (feuille)* deciduous; *Jur (accord)* lapsed; *(loi)* null and void

cafard, -arde [kafar, -ard] *nm (insecte)* cockroach; *Fam* **avoir le c.** to feel low

café [kafe] *nm (produit, boisson)* coffee; *(bar)* café; **c. au lait, c. crème** *Br* white coffee, *Am* coffee with milk; **c. noir** black coffee; **c. soluble** *ou* **instantané** instant coffee; **c. tabac** = café-cum-tobacconist's; **c.-théâtre** *Br* ≃ pub theatre ▪ **caféine** *nf* caffeine ▪ **cafétéria** *nf* cafeteria ▪ **cafetier** *nm* café owner ▪ **cafetière** *nf (récipient)* coffeepot; *(électrique)* coffee machine; **c. à piston** cafetiere

cafouiller [kafuje] *vi Fam (personne)* to get into a muddle; *(moteur)* to misfire ▪ **cafouillage** *nm Fam (confusion)* muddle

cage [kaʒ] *nf (d'oiseau, de zoo)* cage; *(d'ascenseur)* shaft; *Football* goal; **c. d'escalier** stairwell; *Anat* **c. thoracique** rib cage

cageot [kaʒo] *nm* crate

cagibi [kaʒibi] *nm Fam* storage room

cagneux [kaɲø] *adj* **avoir les genous c.** to have knock-knees

cagnotte [kaɲɔt] *nf (caisse commune)* kitty; *(de jeux)* pool

cagoule [kagul] *nf (de bandit)* hood; *(d'enfant) Br* balaclava, *Am* ski mask

cahier [kaje] *nm* notebook; *(d'écolier)* exercise book; **c. de brouillon** *Br* rough book, *Am* ≃ scratch pad; *Scol* **c. d'appel** register

cahin-caha [kaɛ̃kaa] *adv Fam* **aller c.** *(se déplacer)* to struggle along

cahot [kao] *nm* jolt ▪ **cahoté, -ée** *adj* **être c.** to be jolted about ▪ **cahoter** *vi* to jolt along ▪ **cahoteux, -euse** *adj* bumpy

caïd [kaid] *nm Fam (chef de bande)* gang leader; **jouer les caïds** to act high and mighty

caille [kɑj] *nf (oiseau)* quail

cailler [kɑje] **1** *vi (lait)* to curdle; *Fam* **ça caille** it's freezing **2** **se cailler** *vpr Fam* **on se (les) caille** it's freezing ▪ **caillot** *nm (de sang)* clot

caillou, -x [kaju] *nm* stone; *(sur la plage)* pebble; *Fam* **il n'a plus un poil sur le c.** he's as bald as a coot ▪ **caillouteux, -euse** *adj (route)* stony

Caire [kɛr] *nm* **le C.** Cairo

caisse [kɛs] *nf* (**a**) *(boîte)* case; *(d'outils)* box; *(cageot)* crate; *(de véhicule)* body; *Fam (voiture)* car; *Mus* **la grosse c.** the bass drum; **c. de résonance** sound box (**b**) *(coffre)* cash box; *(de magasin)* cash desk; *(de supermarché)* checkout; *(argent)* cash (in hand); **faire sa c.** to do the till; **c. d'épargne** savings bank; **c. de** register; **c. noire** slush fund

caissier, -ière [kesje, -jer] *nmf* cashier; *(de supermarché)* checkout operator

cajoler [kaʒɔle] *vt* to cuddle ▪ **cajolerie** *nf* cuddle

cajou [kaʒu] *nm* **noix de c.** cashew nut

cake [kek] *nm* fruit cake

calamité [kalamite] *nf (fléau)* calamity; *(malheur)* great misfortune

calandre [kalɑ̃dr] *nf Aut* radiator grille

calcaire [kalker] **1** *adj (eau)* hard; *(terrain)* chalky **2** *nm Géol* limestone; *(dépôt)* fur

calciné, -ée [kalsine] *adj* burnt to a cinder

calcium [kalsjɔm] *nm* calcium

calcul [kalkyl] *nm* (**a**) *(opérations, estimation)* calculation; *Scol* **le c.** arithmetic; **faire un c.** to make a calculation; *Fig* **faire un mauvais c.** to miscalculate; **c. mental** mental arithmetic (**b**) *Méd* **c. rénal** kidney stone

calculateur [kalkylatœr] *nm Ordinat* calculator ▪ **calculatrice** *nf* **c. (de poche)** (pocket) calculator

calculer [kalkyle] *vt (prix, superficie)* to calculate; *(chances, conséquences)* to weigh (up) ▪ **calculé, -ée** *adj (risque)* calculated

calculette [kalkylɛt] *nf (pocket)* calculator

cale [kal] *nf* (**a**) *(de meuble, de porte)* wedge (**b**) *(de navire)* hold; **c. sèche** dry dock

calé, -ée [kale] *adj Fam (problème)* tough; **être c. en qch** to be well up in sth

calèche [kalɛʃ] *nf* barouche

caleçon [kalsɔ̃] *nm* boxer shorts; **c. long** long johns

calembour [kalɑ̃bur] *nm* pun, play on words

calendrier [kalɑ̃drije] *nm (mois et jours)* calendar; *(programme)* timetable

cale-pied [kalpje] *nm (pl* **cale-pieds***) nm* toe clip

calepin [kalpɛ̃] *nm* notebook

caler [kale] **1** *vt (meuble, porte)* to wedge; *(chargement)* to secure; *Fam* **ça cale (l'estomac)** it fills you up; *Fam* **je suis calé** I'm stuffed *or* full up **2** *vi (moteur)* to stall; *Fam (abandonner)* to give up **3** **se caler** *vpr (dans un fauteuil)* to settle oneself comfortably

calfeutrer [kalføtre] **1** *vt (brèches)* to block up **2** **se calfeutrer** *vpr* **se c. chez soi** to shut oneself away

calibre [kalibr] *nm (diamètre)* calibre; *(d'œuf, de fruit)* grade; *(outil)* gauge ▪ **calibrer** *vt (œufs, fruits)* to grade

calice [kalis] *nm Rel* chalice

Californie [kaliforni] *nf* **la C.** California

califourchon [kalifurʃɔ̃] **à califourchon** *adv* astride; **se mettre à c. sur qch** to sit astride sth

câlin, -ine [kɑlɛ̃, -in] **1** *adj* affectionate **2** *nm* cuddle; **faire un c. à qn** to give sb a cuddle ▪ **câliner** *vt* to cuddle

calleux, -euse [kalø, -øz] *adj* callous

calligraphie [kaligrafi] *nf* calligraphy

calmant [kalmɑ̃] *nm (pour les nerfs)* sedative; *(la douleur)* painkiller

calmar [kalmar] *nm* squid

calme [kalm] **1** *adj (flegmatique)* calm, cool; *(tranquille)* quiet; *(mer)* calm **2** *nm* calm(ness); **garder/perdre son c.** to keep/lose one's calm; **dans le c.** *(travailler, étudier)* in peace and quiet; **du c.!** *(taisez-vous)* keep quiet!; *(pas de panique)* keep calm!

calmer [kalme] **1** *vt (douleur)* to soothe; *(inquiétude)* to calm; *(fièvre)* to reduce; *(faim)* to appease; **c. qn** to calm sb down **2 se calmer** *vpr (personne)* to calm down; *(vent)* to die down; *(mer)* to become calm; *(douleur, fièvre)* to subside

calmos [kalmos] *exclam Fam* chill (out)!, take it .easy!

calomnie [kalɔmni] *nf (en paroles)* slander; *(par écrit)* libel **■ calomnier** *vt (en paroles)* to slander; *(par écrit)* to libel **■ calomnieux, -euse** *adj (paroles)* slanderous; *(écrits)* libellous

calorie [kalɔri] *nf* calorie **■ calorifique, calorique** *adj* calorific

calorifuge [kalɔrifyʒ] *adj* (heat-)insulating

calot [kalo] *nm (de soldat)* forage cap

calotte [kalɔt] *nf (chapeau rond)* skullcap; *Fam (gifle)* clout; *Géol* **c. glaciaire** ice cap

calque [kalk] *nm (copie)* tracing; *Fig (imitation)* exact copy; **(papier-)c.** tracing paper **■ calquer** *vt (reproduire)* to trace; *Fig (imiter)* to copy; **il calque sa conduite sur celle de son frère** he models his behaviour on his brother's

calumet [kalyme] *nm* **c. de la paix** peace pipe

calvaire [kalver] *nm Rel* calvary; *Fig* ordeal

calvitie [kalvisi] *nf* baldness

camarade [kamarad] *nmf* friend; *Pol* comrade; **c. de classe** classmate; **c. d'école** school friend; **c. de jeu** playmate **■ camaraderie** *nf* camaraderie

Cambodge [kɑ̃bɔdʒ] *nm* **le C.** Cambodia

cambouis [kɑ̃bwi] *nm* dirty oil, grease

cambrer [kɑ̃bre] **1** *vt* to arch; **c. les reins** to arch one's back **2 se cambrer** *vpr* to arch one's back **■ cambrure** *nf (du pied, du dos)* arch

cambrioler [kɑ̃brijɔle] *vt Br* to burgle, *Am* to burglarize **■ cambriolage** *nm* burglary **■ cambrioleur, -euse** *nmf* burglar

cambrousse [kɑ̃brus] *nf Fam* country; **en pleine c.** in the middle of nowhere

camée [kame] *nm* cameo

caméléon [kameleɔ̃] *nm* chameleon

camelot [kamlo] *nm* street peddler *or Br* hawker, *Am* huckster **■ camelote** *nf (pacotille)* junk; *(marchandise)* stuff

camembert [kamɑ̃ber] *nm (fromage)* Camembert (cheese)

camer [kame] **se camer** *vpr très Fam* to do drugs **■ came** *nf très Fam* dope, drugs **■ camé, -ée** *très Fam* **1** *adj* high **2** *nmf* junkie

caméra [kamera] *nf* TV *or* film *or* video camera; **c. Internet** webcam **■ cameraman** *(pl* **-mans** *ou* **-men)** *nm* cameraman

Caméscope® [kameskɔp] *nm* camcorder

camion [kamjɔ̃] *nm Br* lorry, *Am* truck; **c. de déménagement** *Br* removal van, *Am* moving van; **c. frigorifique** refrigerated lorry **■ camion-benne** *(pl* **camions-bennes)** *nm* dumper truck **■ camion-citerne** *(pl* **camions-citernes)** *nm Br* tanker, *Am* tank truck **■ camionnage** *nm Br* (road) haulage, *Am* trucking **■ camionnette** *nf* van **■ camionneur** *nm (conducteur) Br* lorry driver, *Am* truck driver; *(entrepreneur) Br* haulier, *Am* trucker

camisole [kamizɔl] *nf* **c. de force** straitjacket

camomille [kamɔmij] *nf (plante)* camomile; *(tisane)* camomile tea

camoufler [kamufle] *vt Mil* to camouflage; *Fig (vérité)* to disguise **■ camouflage** *nm Mil* camouflage; *Fig (de vérité)* disguising

camp [kɑ̃] *nm (campement)* camp; *(de parti, de jeu)* side; **lever le c.** to strike camp; **c. de concentration** concentration camp; **c. de prisonniers** prison camp; **c. de réfugiés** refugee camp

campagne [kɑ̃paɲ] *nf* **(a)** *(par opposition à la ville)* country; *(paysage)* countryside; **à la c.** in the country; **en pleine c.** deep in the countryside; **en rase c.** in the open country **(b)** *Mil, Com & Pol* campaign; *Pol* **entrer en c.** to go on the campaign trail; **c. de presse/publicité** press/publicity campaign **■ campagnard, -arde** *adj* country

camper [kɑ̃pe] **1** *vi* to camp **2** *vt (chapeau)* to plant; **c. un personnage** *(sujet: acteur)* to play a part effectively **3 se camper** *vpr* to plant oneself **(devant** in front of**) ■ campement** *nm* camp; **établir un c.** to pitch camp **■ campeur, -euse** *nmf* camper

camphre [kɑ̃fr] *nm* camphor

camping [kɑ̃piŋ] *nm (activité)* camping; *(terrain)* camp(ing) site; **faire du c.** to go camping; **c. sauvage** unauthorized camping **■ camping-car** *(pl* **camping-cars)** *nm* camper

campus [kɑ̃pys] *nm* campus

camus, -use [kamy] *adj (nez)* flat

Canada [kanada] *nm* **le C.** Canada **■ canadien, -ienne 1** *adj* Canadian **2** *nmf* **C., Canadienne** Canadian **■ canadienne** *nf* fur-lined jacket

canaille [kanɑj] **1** *nf* scoundrel **2** *adj (manière, accent)* vulgar

canal, -aux [kanal, -o] *nm (cours d'eau)* canal; *(conduite)* conduit; *Anat & Bot* duct; *Tél, Com & Fig* channel; *Fig* **par le c. de la poste** through the post

canaliser [kanalize] *vt (rivière, fleuve)* to canalize; *Fig (foule, énergie)* to channel **■ canalisation** *nf (conduite)* pipe

canapé [kanape] *nm* **(a)** *(siège)* sofa, couch **(b)**

(pour l'apéritif) canapé ▪**canapé-lit** *(pl canapés-lits) nm* sofa bed

canard [kanar] *nm* duck; *(mâle)* drake; *(fausse note)* false note; *Fam (journal)* rag; *Culin* **c. à l'orange** duck à l'orange

canarder [kanarde] *vt Fam* to snipe at

canari [kanari] *nm* canary

cancans [kãkã] *nmpl* gossip ▪**cancaner** *vi* to gossip ▪**cancanier, -ière** *adj* gossipy

cancer [kãser] *nm (maladie)* cancer; **avoir un c.** to have cancer; **c. de l'estomac/du poumon** stomach/lung cancer; **le C.** *(signe)* Cancer; **être C.** to be (a) Cancer ▪**cancéreux, -euse** 1 *adj* cancerous 2 *nmf* cancer patient ▪**cancérigène** *adj* carcinogenic ▪**cancérologue** *nmf* cancer specialist

cancre [kãkr] *nm Fam* dunce

cancrelat [kãkrəla] *nm* cockroach

candélabre [kãdelabr] *nm* candelabra

candeur [kãdœr] *nf* guilelessness ▪**candide** *adj* guileless

Il faut noter que les termes anglais **candour** et **candid** sont des faux amis. Ils signifient respectivement **franchise** et **franc**.

candidat, -ate [kãdida, -at] *nmf (d'examen)* candidate (**à** for); *(de poste)* applicant (**à** for); **être c. aux élections** to stand for election ▪**candidature** *nf (à un poste)* application (**à** for); *(aux élections)* candidacy (**à** for); **poser sa c.** to apply (**à** for); **c. spontanée** unsolicited *or* speculative application

cane [kan] *nf (female) duck* ▪**caneton** *nm* duckling

canette [kanɛt] *nf (bouteille)* bottle; *(boîte)* can; *(bobine)* spool

canevas [kanva] *nm (toile)* canvas; *(de film, de roman)* outline

caniche [kaniʃ] *nm* poodle

canicule [kanikyl] *nf* heatwave ▪**caniculaire** *adj (journée, temps)* scorching

canif [kanif] *nm* penknife

canine [kanin] 1 *adj f (espèce, race)* canine; **exposition c.** dog show 2 *nf (dent)* canine (tooth)

caniveau, -x [kanivo] *nm* gutter

cannabis [kanabis] *nm* cannabis

canne [kan] *nf (tige)* cane; *(pour marcher)* (walking) stick; **c. à pêche** fishing rod; **c. à sucre** sugar cane; **c. blanche** white stick

cannelle [kanɛl] *nf* cinnamon

cannelure [kanlyr] *nf* groove; *(de colonne)* fluting

cannette [kanɛt] *nf* = **canette**

cannibale [kanibal] 1 *nmf* cannibal 2 *adj (tribu)* cannibalistic ▪**cannibalisme** *nm* cannibalism

canoë-kayak [kanɔekajak] *nm* canoeing

canon¹ [kanɔ̃] *nm (arme)* gun; *(ancien, à boulets)* cannon; *(de fusil)* barrel ▪**canonnade** *nf* gunfire ▪**canonnier** *nm* gunner

canon² [kanɔ̃] 1 *nm Rel & Fig (règle)* canon; *Fam (personne)* stunner 2 *adj inv Fam (beau)* gorgeous ▪**canoniser** *vt Rel* to canonize

canot [kano] *nm* boat; **c. de sauvetage** lifeboat; **c. pneumatique** rubber dinghy ▪**canotage** *nm* boating ▪**canoter** *vi* to go boating

cantate [kãtat] *nf Mus* cantata

cantatrice [kãtatris] *nf* opera singer

cantine [kãtin] *nf* (a) *(réfectoire)* canteen; *(d'école)* dining hall; **manger à la c.** to have *Br* school dinners *or Am* school lunch (**b**) *(coffre)* trunk

cantique [kãtik] *nm Rel* hymn

canton [kãtɔ̃] *nm (en France)* canton *(division of a department)*; *(en Suisse)* canton *(semi-autonomous region)*

cantonade [kãtɔnad] **à la cantonade** *adv* to everyone present

cantonner [kãtɔne] 1 *vt (troupes)* to quarter; **c. qn dans/à** to confine sb to 2 **se cantonner** *vpr* **se c. dans/à** to confine oneself to

cantonnier [kãtɔnje] *nm* roadmender

canular [kanylar] *nm Fam* hoax

canyon [kajɔ̃] *nm* canyon

CAO [seao] *(abrév* **conception assistée par ordinateur)** *nf Ordinat* CAD

caoutchouc [kautʃu] *nm* rubber; *(élastique)* rubber band; *(plante)* rubber plant; **c. Mousse®** foam rubber ▪**caoutchouteux, -euse** *adj Péj* rubbery

CAP [seape] *(abrév* **certificat d'aptitude professionnelle)** *nm Scol* = vocational training certificate

cap [kap] *nm Géog* cape, headland; *Naut (direction)* course; **mettre le c. sur...** to set course for...; **changer de c.** to change course; **franchir** *ou* **doubler un c.** to round a cape; **franchir le c. de la trentaine** to turn thirty; **franchir le c. des mille employés** to pass the thousand-employee mark

capable [kapabl] *adj* capable, able; **c. de qch** capable of sth; **c. de faire qch** capable of doing sth; **elle est bien c. de les oublier!** she's quite capable of forgetting them! ▪**capacité** *nf* capacity; *(aptitude)* ability; **c. d'accueil** *(d'hôtel)* accommodation capacity; **c. de concentration** attention span

cape [kap] *nf* cape; *(grande)* cloak; **roman de c. et d'épée** swashbuckling novel

CAPES [kapɛs] *(abrév* **certificat d'aptitude professionnelle à l'enseignement secondaire)** *nm Univ* = postgraduate teaching certificate

capillaire [kapiler] *adj* **huile/lotion c.** hair oil/lotion

capitaine [kapiten] *nm* captain

capital, -e, -aux, -ales [kapital, -o] 1 *adj (essentiel)* major 2 *adj f* **lettre capitale** capital letter 3 *nm Fin* capital ▪**capitale** *nf (lettre, ville)* capital

capitaliser [kapitalize] **1** *vt (intérêts)* to capitalize **2** *vi* to save
capitalisme [kapitalism] *nm* capitalism ▪**capitaliste** *adj & nmf* capitalist
capiteux, -euse [kapitø, -øz] *adj (vin, parfum)* heady
capitonné, -ée [kapitɔne] *adj* padded
capituler [kapityle] *vi* to surrender ▪**capitulation** *nf* surrender
caporal, -aux [kapɔral, -o] *nm Mil* corporal
capot [kapo] *nm Aut Br* bonnet, *Am* hood
capote [kapɔt] *nf Aut (de décapotable) Br* hood, *Am* top; *(manteau de soldat)* greatcoat; *Fam (préservatif)* condom, *Am* rubber
capoter [kapɔte] *vi (véhicule)* to overturn; *Fam (échouer)* to fall through
cappuccino [kaputʃino] *nm* cappuccino
câpre [kɑpr] *nf* caper
caprice [kapris] *nm* whim; **faire un c.** to throw a tantrum ▪**capricieux, -euse** *adj (personne)* capricious; *(moteur)* temperamental
Capricorne [kaprikɔrn] *nm* **le C.** *(signe)* Capricorn; **être C.** to be (a) Capricorn
capsule [kapsyl] *nf (spatiale, de médicament)* capsule; *(de bouteille)* cap
capter [kapte] *vt (signal, radio)* to pick up; *(attention)* to capture; *(eaux)* to harness; *Fam (comprendre)* to get
captif, -ive [kaptif, -iv] *adj & nmf* captive ▪**captivité** *nf* captivity; **en c.** in captivity
captiver [kaptive] *vt* to captivate ▪**captivant, -ante** *adj* captivating
capture [kaptyr] *nf* capture ▪**capturer** *vt* to capture
capuche [kapyʃ] *nf* hood ▪**capuchon** *nm (de manteau)* hood; *(de moine)* cowl; *(de stylo, de tube)* cap, top
caquet [kakɛ] *nm (de poules)* cackle; *Fam* **rabattre le c. à qn** to shut sb up ▪**caqueter** *vi (poule)* to cackle
car¹ [kar] *conj* because, for
car² [kar] *nm* bus, *Br* coach; **c. de police** police van; **c. de ramassage scolaire** school bus

> Il faut noter que le nom anglais **car** est un faux ami. Il signifie **voiture**.

carabine [karabin] *nf* rifle; **c. à air comprimé** *Br* airgun, *Am* BB gun
carabiné, -ée [karabine] *adj Fam (grippe)* violent; *(rhume)* stinking; *(punition, amende)* very stiff
caracoler [karakɔle] *vi (cheval)* to caracole
caractère¹ [karaktɛr] *nm (lettre)* character; **en petits caractères** in small print; **en caractères gras** in bold characters; **caractères d'imprimerie** block letters
caractère² [karaktɛr] *nm (tempérament, nature)* character, nature; *(attribut)* characteristic; **avoir bon c.** to be good-natured; **avoir mauvais c.** to be bad-tempered

caractériel, -ielle [karakterjɛl] **1** *adj (troubles)* emotional; **enfant c.** problem child **2** *nmf* emotionally disturbed person
caractériser [karakterize] **1** *vt* to characterize **2 se caractériser** *vpr* **se c. par** to be characterized by
caractéristique [karakteristik] *adj & nf* characteristic
carafe [karaf] *nf (pour l'eau, le vin)* carafe; *(pour le whisky)* decanter
carambolage [karɑ̃bɔlaʒ] *nm* pile-up
caramel [karamɛl] *nm* caramel; **des caramels** *(mous)* fudge; *(durs) Br* toffee, *Am* taffy ▪**caraméliser** *vti* to caramelize
carapace [karapas] *nf (de tortue) & Fig* shell
carat [kara] *nm Br* carat, *Am* karat; **or à 18 carats** *Br* 18-carat *or Am* 18-karat gold
caravane [karavan] *nf (pour camper) Br* caravan, *Am* trailer; *(dans le désert)* caravan ▪**caravaning, caravanage** *nm* caravanning; **faire du c.** to go caravanning
carbone [karbɔn] *nm* carbon; **(papier) c.** carbon (paper) ▪**carbonique** *adj* **gaz c.** carbon dioxide; **neige c.** dry ice
carbonisé, -ée [karbɔnize] *adj (nourriture)* burnt to a cinder; **mourir carbonisé** to burn to death
carburant [karbyrɑ̃] *nm* fuel ▪**carburateur** *nm Aut Br* carburettor, *Am* carburetor
carburer [karbyre] *vi* **mal c.** to be badly tuned; *Fam* **il carbure au café** coffee keeps him going
carcan [karkɑ̃] *nm* yoke
carcasse [karkas] *nf (os)* carcass; *(d'immeuble)* shell; *Fam (de personne)* body
carcéral, -e, -aux, -ales [karseral, -o] *adj* prison
cardiaque [kardjak] **1** *adj (arrêt, massage)* cardiac; **être c.** to have a heart condition **2** *nmf* heart patient
cardigan [kardigɑ̃] *nm* cardigan
cardinal, -e, -aux, -ales [kardinal, -o] **1** *adj (nombre, point, vertu)* cardinal **2** *nm Rel* cardinal
cardiologie [kardjɔlɔʒi] *nf* cardiology ▪**cardiologue** *nmf* cardiologist; **chirurgien c.** heart surgeon
carême [karɛm] *nm Rel* **le c.** Lent
carence [karɑ̃s] *nf (manque)* deficiency; **c. alimentaire** nutritional deficiency
caresse [karɛs] *nf* caress; **faire des caresses à** *(personne)* to caress; *(animal)* to stroke
caresser [karese] *vt (personne)* to caress; *(animal)* to stroke; *Fig (espoir)* to cherish ▪**caressant, -ante** *adj* affectionate
cargaison [kargɛzɔ̃] *nf* cargo ▪**cargo** *nm Naut* freighter

> Il faut noter que le nom anglais **cargo** est un faux ami. Il signifie **cargaison**.

caricature [karikatyr] *nf* caricature ▪**caricatural, -e, -aux, -ales** *adj* caricatured ▪**caricaturer** *vt* to caricature

carie [kari] *nf* **c. (dentaire)** tooth decay; **avoir une c.** to have a cavity ▪**cariée** *adj f* **dent c.** decayed tooth

carillon [karijɔ̃] *nm* (*sonnerie*) chimes; (*horloge*) chiming clock; (*de porte*) door chime ▪**carillonner** *vi* (*cloches*) to chime

caritatif, -ive [karitatif, -iv] *adj* charitable

carlingue [karlɛ̃g] *nf* (*d'avion*) cabin

carnage [karnaʒ] *nm* carnage

carnassier, -ière [karnasje, -jɛr] **1** *adj* flesh-eating **2** *nm* carnivore

carnaval, -als [karnaval] *nm* carnival

carnet [karnɛ] *nm* notebook; (*de timbres, chèques, adresses*) book; (*de tickets de métro*) = book of ten tickets; **c. d'adresses** address book; **c. de notes** *Br* school report, *Am* report card; **c. de route** logbook; **c. de santé** health record

carnivore [karnivɔr] **1** *adj* carnivorous **2** *nm* carnivore

carotte [karɔt] **1** *nf* carrot; *Fam* **les carottes sont cuites** we've/he's/*etc* had it **2** *adj inv* **roux c.** (*cheveux*) carroty

carotter [karɔte] *vt Fam* (*objet*) to pinch, *Br* to nick

carpe [karp] *nf* carp

carpette [karpɛt] *nf* rug; *Fam Péj* **c'est une vraie c.** he's a doormat

> Il faut noter que le nom anglais **carpet** est un faux ami. Il signifie **moquette**.

carquois [karkwa] *nm* quiver

carré, -ée [kare] **1** *adj* square; (*épaules*) square, broad; **être c. en affaires** to be straightforward in one's business dealings; **mètre c. square metre 2** *nm Géom & Math* square; **avoir une coupe au c.** to have one's hair in a bob; *Culin* **c. d'agneau** rack of lamb; **c. de soie** silk scarf; *Cartes* **c. de valets** four jacks; *Naut* **c. des officiers** wardroom

carreau, -x [karo] *nm* (*motif*) square; (*sur tissu*) check; (*de céramique*) tile; (*vitre*) (window) pane; *Cartes* (*couleur*) diamonds; **tissu à carreaux** check(ed) material; *Fam* **se tenir à c.** to keep a low profile; *Fam* **rester sur le c.** to be killed; (*être blessé*) to be badly injured; (*être éliminé*) to be given the boot

carrefour [karfur] *nm* crossroads (*sing*); **c. giratoire** *Br* roundabout, *Am* traffic circle

carreler [karle] *vt* to tile ▪**carrelage** *nm* (*sol*) tiled floor; (*carreaux*) tiles

carrelet [karlɛ] *nm Br* plaice, *Am* flounder

carrément [karemɑ̃] *adv Fam* (*franchement*) straight out; (*très*) really

carrière [karjɛr] *nf* (**a**) (*lieu*) quarry (**b**) (*métier*) career; **faire c. dans** to make a career in

carriole [karjɔl] *nf* light cart

carrosse [karɔs] *nm Hist* (horse-drawn) carriage ▪**carrosserie** *nf* (*de véhicule*) bodywork

carrure [karyr] *nf* (*de personne*) build; (*de vêtement*) width across the shoulders

cartable [kartabl] *nm* school bag, satchel

carte [kart] *nf* (**a**) (*carton, document officiel, informatisé & Ordinat*) card; (*géographique*) map; (*marine, météo*) chart; *Fig* **avoir c. blanche** to have a free hand; **c. (à jouer)** (playing) card; **jouer aux cartes** to play cards; **c. à gratter** (*de loterie*) scratchcard; **c. à puce** smart card; **c. de crédit** credit card; **c. de fidélité** loyalty card; **c. d'identité** identity card; *Tél* **c. de recharge** (*pour téléphone portable*) *Br* top-up card, *Am* refill card; **c. de séjour** residence permit; *Tél* **c. de téléphone** phonecard; **c. de visite** *Br* business card, *Am* calling card; (*professionnelle*) business card; **c. de vœux** greetings card; *Aut* **c. grise** ≃ vehicle registration document; **C.Orange** ≃ combined monthly season ticket for the métro, bus and RER; **c. postale** postcard; *Tél* **c. prépayée** (*pour téléphone portable*) *Br* top-up card, *Am* refill card; **c. routière** road map (**b**) (*de restaurant*) menu; **manger à la c.** to eat à la carte; **c. des vins** wine list

cartel [kartɛl] *nm Écon* cartel

carter [kartɛr] *nm* (*de moteur*) crankcase; (*de bicyclette*) chain guard

cartilage [kartilaʒ] *nm* cartilage

carton [kartɔ̃] *nm* (*matière*) cardboard; (*boîte*) cardboard box; **faire un c.** (*au tir*) to have a shot; *Fam* (*à un examen*) to pass with flying colours; **c. à dessin** portfolio; *Football* **c. jaune/rouge** yellow/red card ▪**cartonner 1** *vt* (*livre*) to case; **livre cartonné** hardback **2** *vi Fam* (*à l'école*) to get excellent marks (**en** in)

cartouche [kartuʃ] *nf* cartridge; (*de cigarettes*) carton ▪**cartouchière** *nf* cartridge belt

cas [kɑ] *nm* case; **en tout c.** in any case; **en aucun c.** on no account; **en c. de besoin** if need be; **en c. d'accident** in the event of an accident; **en c. d'urgence** in an emergency; **au c. où elle tomberait** if she should fall; **pour le c. où il pleuvrait** in case it rains; **faire c. de/peu de c. de qn/qch** to set great/little store by sb/sth

casanier, -ière [kazanje, -jɛr] *adj* homeloving *Péj* stay-at-home

casaque [kazak] *nf* (*de jockey*) blouse

cascade [kaskad] *nf* (**a**) (*d'eau*) waterfall; **en c.** in succession (**b**) (*de cinéma*) stunt ▪**cascadeur, -euse** *nmf* stunt man, *f* stunt woman

case [kɑz] *nf* (**a**) (*de tiroir*) compartment; (*d'échiquier*) square; (*de formulaire*) box; *Fam* **il a une c. de vide** he's got a screw loose (**b**) (*hutte*) hut

caser [kaze] **1** *vt* (*placer*) to fit in; *Fam* **c. qn** (*établir*) to fix sb up with a job; (*marier*) to marry sb off **2 se caser** *vpr* (*se marier*) to get married and settle down

caserne [kazɛrn] *nf* barracks; **c. de pompiers** fire station

casier [kazje] *nm* compartment; (*pour le courrier*) pigeonhole; (*pour les vêtements etc*) locker; **c. à bouteilles** bottle/record rack; *Jur* **c. judiciaire** criminal or police record

casino [kazino] *nm* casino

casque [kask] *nm* helmet; (*de coiffeur*) hairdryer; **c. (à écouteurs)** headphones; **les Casques bleus** the Blue Berets

casquer [kaske] *vi Fam* to fork out

casquette [kaskɛt] *nf* cap

cassation [kasasjɔ̃] *nf Jur* annulment

casse¹ [kɑs] *nf* (**a**) (*objets cassés*) breakages; **aller à la c.** to go for scrap; *Fam* **il va y avoir de la c.** something will get broken (**b**) (*d'imprimerie*) case; **haut/bas de c.** upper/lower case

casse² [kɑs] *nm très Fam* (*cambriolage*) break-in

casser [kɑse] **1** *vt* (**a**) (*briser*) to break; (*noix*) to crack; (*voix*) to strain; *Fam* **c. les pieds à qn** (*agacer*) to get on sb's nerves; *Fam* **c. les oreilles à qn** to deafen sb; *Fam* **c. la figure à qn** to smash sb's face in; *Fam* **c. sa pipe** to kick the bucket; *Fam* **ça ne casse des briques** it's nothing to write home about; *Fam* **ça vaut 50 euros à tout c.** it's worth 50 euros at the very most (**b**) *Jur* (*verdict*) to quash; (*mariage*) to annul

2 *vi* to break

3 se casser *vpr* to break; *Fam* (*partir*) to clear off; **se c. la jambe** to break one's leg; *Fam* **se c. la figure** (*tomber*) to fall flat on one's face; *Fam* **se c. la tête** to rack one's brains; *Fam* **il ne s'est pas cassé** he didn't exhaust himself ▪ **cassant, -ante** *adj* (*fragile*) brittle; (*brusque*) curt, abrupt ▪ **casse-cou** *nm inv* (*personne*) daredevil ▪ **casse-croûte** *nm inv Fam* snack ▪ **casse-gueule** *adj inv très Fam* (*lieu*) dangerous; (*entreprise*) risky ▪ **casse-noisettes, casse-noix** *nm inv* nutcrackers ▪ **casse-pieds** *nmf inv Fam* (*personne*) pain in the neck ▪ **casse-tête** *nm inv* (*problème*) headache; (*jeu*) puzzle ▪ **casseur** *nm* (*manifestant*) rioter

casserole [kasrɔl] *nf* (*sauce*)pan

> Il faut noter que le nom anglais **casserole** est un faux ami. Il signifie **ragoût** ou **cocotte** selon le contexte.

cassette [kasɛt] *nf* (*magnétique*) cassette, tape; **enregistrer qch sur c.** to tape sth; **c. vidéo** video (cassette)

cassis [kasis] *nm* (*fruit*) blackcurrant; (*boisson*) blackcurrant liqueur

cassoulet [kasulɛ] *nm Culin* cassoulet, = stew of beans, pork and goose

cassure [kasyr] *nf* break; *Géol* fault

castagnettes [kastaɲɛt] *nfpl* castanets

caste [kast] *nf* caste

castor [kastɔr] *nm* beaver

castrer [kastre] *vt* to castrate; (*chat, chien*) to neuter

cataclysme [kataklism] *nm* cataclysm ▪ **cataclysmique** *adj* cataclysmic

catacombes [katakɔ̃b] *nfpl* catacombs

catalogue [katalɔg] *nm Br* catalogue, *Am* catalog ▪ **cataloguer** *vt Br* to catalogue, *Am* catalog; *Fig & Péj* to label

catalyseur [katalizœr] *nm Chim & Fig* catalyst

catalytique [katalitik] *adj Aut* **pot c.** catalytic converter

Cataphote® [katafɔt] *nm* (*de vélo*) reflector; (*sur la route*) cat's eye

cataplasme [kataplasm] *nm* poultice

catapulte [katapylt] *nf* catapult ▪ **catapulter** *vt* to catapult

cataracte [katarakt] *nf* (*maladie, cascade*) cataract

catastrophe [katastrɔf] *nf* disaster, catastrophe; **en c.** (*à toute vitesse*) in a panic ▪ **catastrophé, -ée** *adj Fam* stunned ▪ **catastrophique** *adj* disastrous, catastrophic

catch [katʃ] *nm* wrestling ▪ **catcheur, -euse** *nmf* wrestler

catéchisme [kateʃism] *nm Rel* catechism

catégorie [kategɔri] *nf* category; (*d'hôtel*) grade

catégorique [kategɔrik] *adj* categorical; **c'est lui, je suis c.** I'm positive it's him ▪ **catégoriquement** *adv* categorically .

cathédrale [katedral] *nf* cathedral

catholique [katɔlik] *adj & nmf* (Roman) Catholic; *Fam* **pas (très) c.** shady, *Br* dodgy ▪ **catholicisme** *nm* Catholicism

catimini [katimini] **en catimini** *adv* on the sly

cauchemar [koʃmar] *nm aussi Fig* nightmare; **faire un c.** to have a nightmare

cause [koz] *nf* (*origine*) cause; (*procès, parti*) case; **à c. de qn/qch** because of sb/sth; **pour c. de décès** due to bereavement; **et pour c.!** for a very good reason!; **être en c.** (*sujet à caution*) to be in question; **mettre qn en c.** (*impliquer*) to implicate sb; **mettre qn hors de c.** to clear sb; **faire c. commune avec qn** to join forces with sb; **en tout état de c.** in any case

causer¹ [koze] *vt* (*provoquer*) to cause

causer² [koze] *vi* (*bavarder*) to chat (**de** about); (*cancaner*) to talk; *Ironique* **cause toujours (, tu m'intéresses!**) riveting! ▪ **causant, -ante** *adj Fam* chatty ▪ **causerie** *nf* talk ▪ **causette** *nf Fam* **faire la c.** to have a little chat

caustique [kostik] *adj* (*substance, esprit*) caustic

cautériser [koterize] *vt Méd* to cauterize

caution [kosjɔ̃] *nf (d'appartement)* deposit; *Jur* bail; *(personne)* guarantor; *Fig (appui)* backing; *Jur* **sous c.** on bail; **sujet à c.** unconfirmed ▪ **cautionner** *vt Fig (approuver)* to back

> Il faut noter que le nom anglais **caution** est un faux ami. Il signifie **prudence**.

cavalcade [kavalkad] *nf Fam* stampede; *(défilé)* cavalcade

cavale [kaval] *nf Fam* **en c.** on the run ▪ **cavaler** *vi Fam (se démener)* to rush around; **c. après qn** to chase after sb

cavalerie [kavalri] *nf Mil* cavalry

cavalier, -ière [kavalje, -jɛr] **1** *nmf (à cheval)* rider; *Échecs* knight; *(de bal)* partner, escort; *Fig* **faire c. seul** to go it alone **2** *adj (manière, personne)* cavalier

cave¹ [kav] *nf* cellar ▪ **caveau, -x** *nm (sépulture)* burial vault

cave² [kav] *adj (yeux)* sunken, hollow

> Il faut noter que le nom anglais **cave** est un faux ami. Il signifie **grotte**.

caverne [kavɛrn] *nf* cave, cavern; **homme des cavernes** caveman

caverneux, -euse [kavɛrnø, -øz] *adj (voix)* deep

caviar [kavjar] *nm* caviar

cavité [kavite] *nf* hollow, cavity

CCP [sesepe] *(abrév* **compte chèque postal***) nm Br* ≃ PO Giro account, *Am* ≃ Post Office checking account

CD [sede] *(abrév* **disque compact***) nm inv* CD ▪ **CD-Rom** *nm inv Ordinat* CD-ROM

CDI [sedei] *(abrév* **centre de documentation et d'information***) nm inv* school library *(with special resources on how to find information)*

CE [seə] **1** *(abrév* **cours élémentaire***) nm Scol* **CE1** = second year of primary school; **CE2** = third year of primary school **2** *(abrév* **Communauté européenne***) nf Anciennement* EC

ce¹ [sə]

> **ce** becomes **c'** before a vowel.

pron démonstratif **(a)** *(pour désigner, pour qualifier)* it, that; **c'est facile** it's easy; **c'est exact** that's right; **c'est mon père** that's my father; *(au téléphone)* it's my father; **c'est un médecin** he's a doctor; **ce sont eux qui...** they are the people who...; **qui est-ce?** *(en général)* who is it?; *(en désignant)* who is that?; **c'est à elle de jouer** it's her turn to play; **est-ce que tu viens?** are you coming?; **ce faisant** in so doing; **sur ce** thereupon **(b)** *(après une proposition)* **ce que..., ce qui...** what...; **je sais ce qui est bon/ce que tu veux** I know what is good/what you want; **elle est malade,**
ce qui est triste/ce que je ne savais pas she's ill, which is sad/which I didn't know; **ce que c'est beau!** it's so beautiful!

ce², cette, ces [sə, sɛt, se]

> **cet** is used before a masculine singular adjective beginning with a vowel or mute h.

adj démonstratif this, that, *pl* these, those; **cet homme** this/that man; **cet homme-ci** this man; **cet homme-là** that man

ceci [səsi] *pron démonstratif* this; **c. étant dit** having said this

cécité [sesite] *nf* blindness

céder [sede] **1** *vt (donner)* to give up *(à* to); *(par testament)* to leave *(à* to); **c. sa place à qn** to give up one's seat to sb; **c. du terrain** to give ground; **'cédez le passage'** *(sur panneau) Br* 'give way', *Am* 'yield'; **'à céder'** 'for sale' **2** *vi (personne)* to give in *(à/devant* to); *(branche, chaise)* to give way

cédérom [sederɔm] *nm Ordinat* CD-ROM

cédille [sedij] *nf* cedilla

cèdre [sedr] *nm (arbre, bois)* cedar

CEE [seøø] *(abrév* **Communauté économique européenne***) nf Anciennement* EEC

CEI [seøi] *(abrév* **Communauté d'États Indépendants***) nf* CIS

ceinture [sɛtyr] *nf (accessoire)* belt; *(taille)* waist; **la petite C.** = circular bus route around the centre of Paris; **c. de sécurité** *(de véhicule)* seatbelt

ceinturer [sɛtyre] *vt* to grab around the waist

cela [s(ə)la] *pron démonstratif (pour désigner)* that; *(sujet indéfini)* it, that; **c. m'attriste que...** it saddens me that...; **quand/comment c.?** when?/how?; **c'est c.** that is so

célèbre [selebr] *adj* famous ▪ **célébrité** *nf* fame; *(personne)* celebrity

célébrer [selebre] *vt* to celebrate ▪ **célébration** *nf* celebration *(de* of)

céleri [sɛlri] *nm* celery ▪ **céleri-rave** *(pl* **céléris-raves***)* nm* celeriac

céleste [selɛst] *adj* celestial, heavenly

célibat [seliba] *nm (de prêtre)* celibacy ▪ **célibataire 1** *adj (non marié)* single, unmarried **2** *nmf* bachelor, *f* single woman

> Il faut noter que l'adjectif anglais **celibate** est un faux ami. Il signifie **chaste**.

celle *voir* **celui**

cellier [selje] *nm* storeroom

Cellophane® [selofan] *nf* cellophane®; **sous c.** cellophane-wrapped

cellule [selyl] *nf (de prison)* & *Biol* cell; **c. souche** stem cell ▪ **cellulaire** *adj Biol* cell; **téléphone c.** cellular phone

cellulite [selylit] *nf* cellulite

cellulose [selyloz] *nf* cellulose

celtique, celte [sɛltik, sɛlt] *adj* Celtic

celui, celle, ceux, celles [səlɥi, sɛl, sø, sɛl]

pron démonstratif the one, *pl* those, the ones; **c. de Jean** Jean's (one); **ceux de Jean** Jean's (ones), those of Jean; **c. qui appartient à Jean** the one that belongs to Jean; **c.-ci** this one; *(le dernier)* the latter; **c. -là** that one; *(le premier)* the former; **elle alla voir son amie, mais celle-ci était absente** she went to see her friend but she was out

cendre [sɑ̃dr] *nf* ash ▪ **cendrée** *nf (de stade)* cinder track

cendrier [sɑ̃drije] *nm* ashtray

Cendrillon [sɑ̃drijɔ̃] *nf* Cinderella

censé, -ée [sɑ̃se] *adj* **être c. faire qch** to be supposed to do sth

censeur [sɑ̃sœr] *nm (de films, de journaux)* censor; *(de lycée) Br* deputy head, *Am* assistant principal ▪ **censure** *nf (activité)* censorship; *(comité)* board of censors ▪ **censurer** *vt (film)* to censor

> Il faut noter que le verbe anglais **to censure** est un faux ami. Il signifie **critiquer**.

cent [sɑ̃] *adj & nm* a hundred; *(pièce)* cent; **c. pages** a *or* one hundred pages; **deux cents pages** two hundred pages; **deux c. trois pages** two hundred and three pages; **cinq pour c.** five per cent ▪ **centaine** *nf* **une c. (de)** about a hundred; **des centaines de** hundreds of; **plusieurs centaines de gens** several hundred people ▪ **centenaire 1** *adj* hundred-year-old; **être c.** to be a hundred **2** *nmf* centenarian **3** *nm (anniversaire)* centenary ▪ **centième** *adj & nmf* hundredth

centigrade [sɑ̃tigrad] *adj* centigrade

centime [sɑ̃tim] *nm* centime; *(d'euro)* cent

centimètre [sɑ̃timetr] *nm Br* centimetre, *Am* centimeter; *(ruban)* tape measure

central, -e, -aux, -ales [sɑ̃tral, -o] **1** *adj* central **2** *nm* **c. téléphonique** telephone exchange ▪ **centrale** *nf* **c. électrique** *Br* power station, *Am* power plant; **c. nucléaire** nuclear *Br* power station *or Am* power plant; **c. d'achat** purchasing group ▪ **centraliser** *vt* to centralize

centre [sɑ̃tr] *nm Br* centre, *Am* center; *Football (passe)* cross; **c. de loisirs** leisure centre; **c. de vacances** holiday centre; **c. aéré** outdoor activity centre; **c. commercial** shopping centre; **c. hospitalo-universitaire** ≃ teaching hospital ▪ **centre-ville** *(pl* centres-villes*) nm Br* town centre, *Am* downtown; *(de grande ville) Br* city centre, *Am* downtown ▪ **centrer** *vt* to *Br* centre *or Am* center

centrifuge [sɑ̃trifyʒ] *adj* centrifugal ▪ **centrifugeuse** *nf (pour fruits)* juice extractor, juicer

centuple [sɑ̃typl] *nm* **x est le c. de y** x is a hundred times y; **au c.** a hundredfold

cep [sɛp] *nm* vine-stock ▪ **cépage** *nm* vine

cependant [səpɑ̃dɑ̃] *conj* however, yet

céramique [seramik] *nf (matière)* ceramic; *(art)* ceramics *(sing)*; **de c.** ou **en c.** ceramic

cerceau, -x [sɛrso] *nm* hoop

cercle [sɛrkl] *nm (forme, groupe)* circle; **le c. polaire arctique** the Arctic Circle; **c. vicieux** vicious circle

cercueil [sɛrkœj] *nm* coffin

céréale [sereal] *nf* cereal

cérébral, -e, -aux, -ales [serebral, -o] *adj* cerebral

cérémonie [seremɔni] *nf* ceremony; **tenue de c.** ceremonial dress; **sans c.** *(inviter, manger)* informally; *Fam* **faire des cérémonies** to stand on ceremony ▪ **cérémonial** *(pl* -als*) nm* ceremonial ▪ **cérémonieux, -ieuse** *adj* ceremonious

cerf [sɛr] *nm* stag ▪ **cerf-volant** *(pl* cerfs-volants*) nm (jeu)* kite

cerise [səriz] *nf* cherry ▪ **cerisier** *nm* cherry tree

cerne [sɛrn] *nm* ring ▪ **cerner** *vt* to surround; *(problème)* to define; **avoir les yeux cernés** to have rings under one's eyes

certain, -aine [sɛrtɛ̃, -ɛn] **1** *adj (sûr)* certain; **il est c. que tu réussiras** you're certain to succeed; **je suis c. de réussir** I'm certain I'll be successful *or* of being successful; **être c. de qch** to be certain of sth **2** *adj indéfini (avant nom)* certain; **un c. temps** a while; **il a un c. charme** he has a certain charm **3** *pron indéfini* **certains pensent que...** some people think that...; **certains d'entre nous** some of us ▪ **certainement** *adv* most probably

> Il faut noter que l'adverbe anglais **certainly** est un faux ami. Il signifie **sans aucun doute**.

certes [sɛrt] *adv* of course, certainly; **c., tout espoir n'est pas perdu ...** we/I/*etc* haven't given up hope, of course, but ...;

certificat [sɛrtifika] *nm* certificate

certifier [sɛrtifje] *vt* to certify; **je vous certifie que...** I assure you that... ▪ **certifié, -ée** *adj (professeur)* qualified

certitude [sɛrtityd] *nf* certainty; **avoir la c. que...** to be certain that...

cerveau, -x [sɛrvo] *nm (organe)* brain; *(intelligence)* mind, brain(s); *Fam (de projet)* mastermind

cervelle [sɛrvɛl] *nf (substance)* brain; *(plat)* brains; **se faire sauter la c.** to blow one's brains out

CES [seəes] *(abrév* collège d'enseignement secondaire*) nm Anciennement* = secondary school for pupils aged 12 to 15

ces *voir* **ce²**

César [sezar] *nm Cin* = French cinema award

césarienne [sezarjɛn] *nf Br* Caesarean *or Am* Cesarian (section)

cesser [sese] *vti* to stop; **faire c. qch** to put a stop to sth; **c. de faire qch** to stop doing sth; **il ne cesse de parler** he doesn't stop talking; **cela a cessé d'exister** that has ceased to exist ▪**cessation** *nf* cessation; **c. de paiements** suspension of payments ▪**cesse** *nf* **sans c.** constantly, non-stop ▪**cessez-le-feu** *nm inv* cease-fire

cession [sesjɔ̃] *nf Jur* transfer

c'est-à-dire [setadir] *conj* that is (to say)

cet, cette *voir* ce[2]

ceux *voir* celui

chacal, -als [ʃakal] *nm* jackal

chacun, -e [ʃakœ̃, -yn] *pron indéfini* each (one), every one; *(tous le monde)* everyone; **(à) c. son tour!** wait your turn!

chagrin [ʃagrɛ̃] **1** *nm* grief, sorrow; **avoir du c.** to be upset; **faire du c. à qn** to distress sb **2** *adj Littéraire* woeful ▪**chagriner** *vt (peiner)* to grieve; *(contrarier)* to bother

chahut [ʃay] *nm Fam* racket ▪**chahuter** *Fam* **1** *vi* to make a racket **2** *vt (professeur)* to bait; **se faire c.** *(professeur)* to get baited

chai [ʃɛ] *nm* wine and spirits storehouse

chaîne [ʃɛn] *nf (attache, décoration, série)* chain; *(de montagnes)* chain, range; *(d'étoffe)* warp; **collision en c.** *(accident)* multiple collision; **réaction en c.** chain reaction; **travail à la c.** assembly line work; **travailler à la c.** to work on the assembly line; **faire la c.** to form a chain; *Aut* **chaînes** (snow) chains; **c. de montage** assembly line; **c. de télévision** television channel; **c. de vélo** bicycle chain; **c. alimentaire** food chain; **c. (hi-fi)** hi-fi (system) ▪**chaînette** *nf* (small) chain ▪**chaînon** *nm* link

chair [ʃɛr] *nf* flesh; **(couleur) c.** *Br* fleshcoloured, *Am* fleshcolored; **en c. et en os** in the flesh; **bien en c.** plump; **avoir la c. de poule** to have *Br* goose pimples *or Am* goose bumps; **c. à saucisses** sausagemeat

chaire [ʃɛr] *nf (d'université)* chair; *(d'église)* pulpit

chaise [ʃɛz] *nf* chair; **c. longue** deckchair; **c. d'enfant, c. haute** high chair; **c. roulante** wheelchair

chaland [ʃalɑ̃] *nm* barge

châle [ʃal] *nm* shawl

chalet [ʃalɛ] *nm* chalet

chaleur [ʃalœr] *nf* heat; *(de personne, de couleur, de voix)* warmth; **coup de c.** heatstroke; **les grandes chaleurs** the hot season; **c. humaine** human warmth ▪**chaleureux, -euse** *adj* warm ▪**chaleureusement** *adv* warmly

challenge [ʃalɑ̃ʒ] *nm Sport* tournament; *(défi)* challenge

chaloupe [ʃalup] *nf* launch

chalumeau, -x [ʃalymo] *nm* blowtorch

chalut [ʃaly] *nm* trawl; **pêcher au c.** to trawl ▪**chalutier** *nm* trawler

chamade [ʃamad] *nf* **mon cœur battait la c.** my heart was beating wildly

chamailler [ʃamaje] **se chamailler** *vpr* to squabble ▪**chamailleries** *nfpl* squabbling

chamarré, -ée [ʃamare] *adj* richly *Br* coloured *or Am* colored

chambarder [ʃɑ̃barde] *vt Fam* to turn upside down

chambouler [ʃɑ̃bule] *vt Fam* to turn upside down

chambre [ʃɑ̃br] *nf* bedroom; *(de tribunal)* division; **c. (d'hôtel)** (hotel) room; **garder la c.** to keep to one's room; **auriez-vous une c. libre?** do you have any vacancies?; **c. à coucher** *(pièce)* bedroom; *(mobilier)* bedroom suite; **c. d'ami** spare room; **c. d'hôte** ≃ guest house, bed and breakfast; *Jur* **c. d'accusation** Court of Criminal Appeal; **C. de commerce** Chamber of Commerce; *Pol* **C. des députés** = lower chamber of French Parliament; **c. à air** inner tube; **c. à gaz** gas chamber; **c. forte** strongroom; **c. froide** cold store; **c. noire** darkroom ▪**chambrée** *nf Mil* barrackroom ▪**chambrer** *vt (vin)* to bring to room temperature; *Fam* **c. qn** to pull sb's leg

chameau, -x [ʃamo] *nm* camel

chamois [ʃamwa] *nm (animal)* chamois; **peau de c.** chamois (leather)

champ [ʃɑ̃] *nm (étendue)* & *Él, Ordinat* field; *Fig (portée)* scope; **c. de blé** field of wheat, wheatfield; *Fig* **laisser le c. libre à qn** to leave the field free for sb; *Phot* **être dans le c.** to be in shot; **tombé au c. d'honneur** killed in action; **c. de bataille** battlefield; **c. de courses** *Br* racecourse, *Am* racetrack; **c. de foire** fairground; **c. de mines** minefield; **c. de tir** rifle range; **c. magnétique** magnetic field; **c. visuel** field of vision

champagne [ʃɑ̃paɲ] *nm* champagne

champêtre [ʃɑ̃pɛtr] *adj* rustic

champignon [ʃɑ̃piɲɔ̃] *nm (végétal)* mushroom; *Méd* fungus; *Fam* **appuyer sur le c.** *Br* to put one's foot down, *Am* to step on the gas; **c. atomique** mushroom cloud; **c. de Paris** button mushroom; **c. vénéneux** toadstool, poisonous mushroom

champion, -onne [ʃɑ̃pjɔ̃, -jɔn] **1** *nmf* champion **2** *adj* **l'équipe championne du monde** the world champions ▪**championnat** *nm* championship

chance [ʃɑ̃s] *nf (sort favorable)* luck; *(possibilité)* chance; **avoir de la c.** to be lucky; **ne pas avoir de c.** to be unlucky; **souhaiter bonne c. à qn** to wish sb luck; **tenter sa c.** to try one's luck; **avoir peu de chances de faire qch** to have little chance of doing sth; **il y a de fortes chances que…** there's every chance that…; **c'est une c. que je sois arrivé** it's lucky that I came; **avec un peu de c.** with a bit of luck; **quelle c.!**

what a stroke of luck!; **par c.** luckily
• **chanceux, -euse** *adj* lucky

> Il faut noter que le nom anglais **chance** ne
> signifie jamais **bonne fortune**.

chanceler [ʃɑ̃sle] *vi* to stagger; *Fig (courage, détermination)* to falter • **chancelant, -ante** *adj (pas)* unsteady; *(mémoire)* shaky; *(santé)* delicate

chancelier [ʃɑ̃səlje] *nm Pol* chancellor • **chancellerie** *nf (d'ambassade)* chancellery

chandail [ʃɑ̃daj] *nm* sweater

Chandeleur [ʃɑ̃dlœr] *nf Rel* **la C.** Candlemas

chandelier [ʃɑ̃dəlje] *nm (à une branche)* candlestick; *(à plusieurs branches)* candelabra

> Il faut noter que le nom anglais **chandelier**
> est un faux ami. Il signifie **lustre**.

chandelle [ʃɑ̃dɛl] *nf* candle; *Gym* shoulder stand; *Fig* **voir trente-six chandelles** to see stars

change [ʃɑ̃ʒ] *nm Fin* exchange; *Fig* **gagner au c.** to gain on the exchange; *Fig* **donner le c. à qn** to put sb off the scent

changer [ʃɑ̃ʒe] **1** *vt (modifier, remplacer, convertir)* to change; **c. un bébé** to change a baby; **c. qn/qch en qn/qch** to change sb/sth into sb/sth; **c. qch de place** to move sth; **ça lui changera les idées** that will take his mind off things; **ça va le c.!** it'll be a change for them!
2 *vi* to change; **c. de voiture/d'adresse** to change one's car/address; **c. de train/de côté** to change trains/sides; **c. de place avec qn** to change places with sb; **c. de vitesse/de couleur** to change gear/colour; **c. de sujet** to change the subject; *Ironique* **pour c.** for a change
3 se changer *vpr* to change (one's clothes); **se c. les idées** to take one's mind off things; **se c. en qch** to change into sth • **changeant, -ante** *adj (temps)* unsettled; **d'humeur changeante** moody • **changement** *nm* change; *Aut* **c. de vitesse** *(levier) Br* gear lever, *Am* gear shift • **changeur** *nm* **c. de monnaie** change machine

chanson [ʃɑ̃sɔ̃] *nf* song • **chant** *nm (art)* singing; *(chanson)* song; **c. de Noël** Christmas carol

chanter [ʃɑ̃te] **1** *vt (chanson)* to sing; *(exploits)* to sing of; *Fam* **qu'est-ce que vous me chantez là?** what are you on about? **2** *vi (personne, oiseau)* to sing; *(coq)* to crow; **faire c. qn** to blackmail sb; *Fam* **si ça te chante** if you feel like it • **chantage** *nm* blackmail • **chantant, -ante** *adj (air, voix)* melodious • **chanteur, -euse** *nmf* singer

> Il faut noter que le verbe anglais **to chant** est
> un faux ami. Il signifie **scander**.

chantier [ʃɑ̃tje] *nm (building)* site; *(sur route)* roadworks; **mettre qch en c.** to get sth under way; *Fam* **quel c.!** *(désordre)* what a mess!; **c. naval** shipyard

chantilly [ʃɑ̃tiji] *nf* whipped cream

chantonner [ʃɑ̃tɔne] *vti* to hum

chanvre [ʃɑ̃vr] *nm* hemp

chaos [kao] *nm* chaos • **chaotique** *adj* chaotic

chaparder [ʃaparde] *vt Fam (voler)* to pinch

chapeau, -x [ʃapo] *nm* hat; *(de champignon)* cap; *Fig* **tirer son c. à qn** to raise one's hat; **prendre un virage sur les chapeaux de roue** to take a corner at top speed; **c.!** well done!; **c. de paille** straw hat; **c. melon** bowler hat; **c. mou** *Br* trilby, *Am* fedora • **chapelier** *nm* hatter

chapeauter [ʃapote] *vt (contrôler)* to head

chapelet [ʃaplɛ] *nm* rosary; *Fig* **un c. d'injures** a stream of abuse

chapelle [ʃapɛl] *nf* chapel; **c. ardente** chapel of rest

chapelure [ʃaplyr] *nf Culin* breadcrumbs

chaperon [ʃaprɔ̃] *nm* chaperon • **chaperonner** *vt* to chaperon

chapiteau, -x [ʃapito] *nm (de cirque)* big top; *(pour expositions)* tent, *Br* marquee; *Archit (de colonne)* capital

chapitre [ʃapitr] *nm (de livre) & Rel* chapter; *Fig* **sur le c. de** on the subject of; *Fig* **avoir voix au c.** to have a say in the matter

chaque [ʃak] *adj* each, every; **c. chose en son temps** all in good time

char [ʃar] *nm (romain)* chariot; *(de carnaval)* float; *Can Fam (voiture)* car; *Fam* **arrête ton c.!** come off it!; *Mil* **c. (d'assaut)** tank; **c. à voile** sand yacht

charabia [ʃarabja] *nm Fam* gibberish

charade [ʃarad] *nf* riddle *(with verbal clues corresponding to each syllable of a word to be guessed)*

charbon [ʃarbɔ̃] *nm* coal; *(pour dessiner) & Méd* charcoal; **c. de bois** charcoal; *Fig* **sur des charbons ardents** on tenterhooks • **charbonnages** *nmpl (houillères)* collieries • **charbonnier, -ière 1** *adj* **industrie charbonnière** coal industry **2** *nm* coal merchant

charcuter [ʃarkyte] *vt Fam Péj (opérer)* to hack up

charcuterie [ʃarkytri] *nf (magasin)* pork butcher's shop; *(aliments)* cooked (pork) meats • **charcutier, -ière** *nmf* pork butcher

chardon [ʃardɔ̃] *nm (plante)* thistle

charge [ʃarʒ] *nf (poids)* load; *(responsabilité)* responsibility; *(d'une arme) & Él, Mil* charge; *(fonction)* office; **être en c. de qch** to be in charge of sth; **prendre qn/qch en c.** to take charge of sb/sth; **se prendre en c.** to be responsible for oneself; **être à la c. de qn** *(personne)* to be dependent on sb; *(frais)* to be payable by sb; **avoir un enfant à c.** a dependent child; *Fig* **revenir à la c.** to return to the attack; **charges (locatives)** maintenance charges; **charges sociales** *Br* national insurance contributions, *Am* Social Security contributions

charger [ʃarʒe] **1** *vt (véhicule, marchandises, arme)* & *Ordinat* to load; *(batterie)* & *Mil* to charge; **c. qn de qch** to entrust sb with; **c. qn de faire qch** to give sb the responsibility of doing sth **2** *vi Ordinat* to load up; *Mil* to charge **3 se charger** *vpr (s'encombrer)* to weigh oneself down; **se c. de qn/qch** to take care of sb/sth; **se c. de faire qch** to undertake to do sth ▪ **chargé, -ée 1** *adj (véhicule)* loaded (**de** with); *(arme)* loaded; *(journée, programme)* busy; **avoir la langue chargée** to have a furred tongue; **être c. de faire qch** to be responsible for doing sth; **être c. de famille** to have family responsibilities **2** *nmf Univ* **c. de cours** = part-time lecturer ▪ **chargement** [-əmɑ̃] *nm (action)* loading; *(marchandises)* load; *(de bateau)* cargo ▪ **chargeur** *nm (d'arme)* magazine; *Él* (battery) charger

chariot [ʃarjo] *nm (de supermarché) Br* trolley, *Am* cart; *(de ferme)* waggon; *(de machine à écrire)* carriage; **c. à bagages** luggage trolley

charisme [karism] *nm* charisma

charitable [ʃaritabl] *adj* charitable (**envers** towards)

charité [ʃarite] *nf (vertu)* charity; **faire la c.** to give to charity; **demander la c.** to ask for charity

charivari [ʃarivari] *nm Fam* hubbub, hullabaloo

charlatan [ʃarlatɑ̃] *nm Péj (escroc)* charlatan; *(médecin)* quack

charme [ʃarm] *nm (attrait)* charm; *(magie)* spell; **avoir du c.** to have charm; **faire du c. à qn** to turn on the charm with sb; **être sous le c.** to be under the spell; *Fig* **se porter comme un c.** to be as fit as a fiddle

charmer [ʃarme] *vt* to charm ▪ **charmant, -ante** *adj* charming ▪ **charmeur, -euse 1** *adj (sourire, air)* charming **2** *nmf* charmer; **c. de serpents** snake charmer

charnel, -elle [ʃarnɛl] *adj* carnal

charnier [ʃarnje] *nm* mass grave

charnière [ʃarnjɛr] *nf* hinge; *Fig* **à la c. de deux grandes époques** at the junction of two great eras; **époque c.** transitional period

charnu, -ue [ʃarny] *adj* fleshy

charogne [ʃarɔɲ] *nf* carrion

charpente [ʃarpɑ̃t] *nf* framework; *(de personne)* build ▪ **charpenté, -ée** *adj* **bien c.** solidly built ▪ **charpenterie** *nf* carpentry ▪ **charpentier, -ière** *nmf* carpenter

charpie [ʃarpi] *nf* **mettre qch en c.** to tear sth to shreds

charrette [ʃarɛt] *nf* cart ▪ **charrier 1** *vt (transporter)* to cart; *(rivière)* to carry along; *Fam*

(taquiner) to tease **2** *vi Fam* **faut pas c.!** come off it!

charrue [ʃary] *nf Br* plough, *Am* plow

charte [ʃart] *nf* charter

charter [ʃarter] *nm (vol)* charter (flight); *(avion)* charter plane

chas [ʃa] *nm (d'une aiguille)* eye

chasse¹ [ʃas] *nf (activité)* hunting; *(événement)* hunt; *(poursuite)* chase; **aller à la c.** to go hunting; **faire la c. à** to hunt for; **donner la c. à qn/qch** to give chase to sb/sth; **c. à courre** hunting; **c. à l'homme** manhunt; **c. au trésor** treasure hunt; *Pol* **c. aux sorcières** witch hunt; **c. gardée** private hunting ground

> Il faut noter que le nom anglais **chase** est un faux ami. Il signifie **poursuite**.

chasse² [ʃas] *nf* **c. d'eau** flush; **tirer la c.** to flush the toilet

chassé-croisé [ʃasekrwaze] *(pl* **chassés-croisés)** *nm (de personnes)* comings and goings

chasser [ʃase] **1** *vt (animal)* to hunt; *(faisan, perdrix)* to shoot; *(papillon)* to chase; **c. qn *(expulser)*** to chase sb away; *(employé)* to dismiss sb **2** *vi* to hunt; *Aut* to skid ▪ **chasse-neige** *nm inv Br* snowplough, *Am* snowplow ▪ **chasseur, -euse 1** *nmf* hunter; **c. de têtes** headhunter **2** *nm (d'hôtel) Br* pageboy, *Am* bellboy; *(avion)* fighter

> Il faut noter que le verbe anglais **to chase** est un faux ami. Il signifie **poursuivre**.

châssis [ʃasi] *nm* frame; *(d'automobile)* chassis

chaste [ʃast] *adj* chaste ▪ **chasteté** [-əte] *nf* chastity

chat¹ [ʃa] *nm* cat; *Fig* **avoir un c. dans la gorge** to have a frog in one's throat; *Fig* **avoir d'autres chats à fouetter** to have other fish to fry; *Fig* **il n'y avait pas un c.** there wasn't a soul (around); **c. de gouttière** alley cat; **c. perché** *(jeu)* tag; **c. sauvage** wildcat

chat² [tʃat] *nm Ordinat* chat

châtaigne [ʃatɛɲ] *nf* chestnut ▪ **châtaignier** *nm* chestnut tree ▪ **châtain** *adj (cheveux)* (chestnut) brown; *(personne)* brown-haired

château, -x [ʃato] *nm (forteresse)* castle; *(manoir)* mansion; *Fig* **bâtir des châteaux en Espagne** to build castles in the air or sky; *Fig* **c. de cartes** house of cards; **c. d'eau** water tower; **c. fort** fortified castle

châtelain, -aine [ʃatlɛ̃, -ɛn] *nmf Hist* lord of the manor, *f* lady of the manor

châtiment [ʃatimɑ̃] *nm* punishment; **c. corporel** corporal punishment

chaton [ʃatɔ̃] *nm* **(a)** *(chat)* kitten **(b)** *(d'arbre)* catkin

chatouilles [ʃatuj] *nfpl* **faire des c. à qn** to tickle sb ▪ **chatouiller** *vt* to tickle; *Fig (curiosité)* to arouse ▪ **chatouilleux, -euse**

adj ticklish; *Fig (pointilleux)* sensitive (**sur** about)

chatoyer [ʃatwaje] *vi* to shimmer; *(pierre)* to sparkle

châtrer [ʃɑtre] *vt* to castrate

chatte [ʃat] *nf* (she-)cat

chaud, -e [ʃo, ʃod] **1** *adj* (**a**) *(modérément)* warm; *(intensément)* hot (**b**) *Fig (couleur)* warm; *(voix)* sultry; *(discussion)* heated; *(partisan)* keen; **elle n'est pas chaude pour le projet** she's not keen on the plan **2** *adv* **j'aime manger c.** I like my food hot **3** *nm (modéré)* warmth; *(intense)* heat; **avoir c.** to be hot; *Fam (échapper de justesse)* to have a narrow escape; **garder qch au c.** to keep sth warm; **il fait c.** it's hot; *Fig* **ça ne me fait ni c. ni froid** it's all the same to me ▪ **chaudement** *adv (s'habiller, féliciter)* warmly

chaudière [ʃodjɛr] *nf* boiler

chauffage [ʃofaʒ] *nm* heating; *(de voiture)* heater

chauffard [ʃofar] *nm* reckless driver

chauffer [ʃofe] **1** *vt* to heat (up); *(moteur)* to warm up **2** *vi* to heat (up); *(s'échauffer) (moteur)* to overheat; **faire c. qch** to heat sth up; **ce radiateur chauffe bien** this radiator gives out a lot of heat; *Fam* **ça va c. s'il est en retard!** there'll be trouble if he's late! **3 se chauffer** *vpr* to warm oneself; **se c. au mazout** to have oil-fired heating ▪ **chauffant, -ante** *adj* **couverture chauffante** electric blanket; **plaque chauffante** hot plate ▪ **chauffé, -ée** *adj (piscine)* heated; **la chambre n'est pas chauffée** there's no heating in the bedroom ▪ **chauffe-eau** *nm inv* water heater; **c. électrique** immersion heater ▪ **chauffe-plat** *(pl* **chauffe-plats**) *nm* hotplate ▪ **chaufferie** *nf* boiler room

chauffeur [ʃofœr] *nm (de véhicule)* driver; *(employé)* chauffeur; **c. de taxi** taxi driver

chaume [ʃom] *nm (pour toits)* thatch; *(des céréales)* stubble; **toit de c.** thatched roof ▪ **chaumière** *nf (à toit de chaume)* thatched cottage; *(maison pauvre)* cottage

chaussée [ʃose] *nf* road(way)

chausser [ʃose] **1** *vt (chaussures, lunettes, skis)* to put on; *(aller à)* to fit; **c. qn** to put shoes on sb; **c. du 40** to take a size 40 shoe; **souliers qui chaussent bien** shoes that fit well **2 se chausser** *vpr* to put one's shoes on ▪ **chausse-pied** *(pl* **chausse-pieds**) *nm* shoehorn

chaussette [ʃosɛt] *nf* sock; **en chaussettes** in one's socks

chausson [ʃosɔ̃] *nm (pantoufle)* slipper; *(de danse)* ballet shoe; *(de bébé)* bootee; *Culin* **c. aux pommes** apple turnover

chaussure [ʃosyr] *nf* shoe; **(l'industrie de) la c.** the shoe industry; *Fig* **trouver c. à son pied** to

find the right man/woman; **chaussures à lacets** lace-up shoes; **chaussures à semelles compensées** platform shoes; **chaussures à talons** high-heeled shoes; **chaussures de marche** walking boots; **chaussures de ski** ski boots; **chaussures de sport** sports shoes

chauve [ʃov] **1** *adj* bald **2** *nm* bald(-headed) man

chauve-souris [ʃovsuri] *(pl* **chauves-souris**) *nf* bat

chauvin, -ine [ʃovɛ̃, -in] **1** *adj* chauvinistic **2** *nmf* chauvinist ▪ **chauvinisme** *nm* chauvinism

> Il faut noter que le nom anglais **chauvinism** est un faux ami. Il signifie le plus souvent **phallocratie**.

chaux [ʃo] *nf* lime; **blanchir qch à la c.** to whitewash sth; **c. vive** quick lime

chavirer [ʃavire] *vti (bateau)* to capsize; **faire c. un bateau** to capsize a boat

chef [ʃɛf] *nm* (**a**) *(de parti, de bande)* leader; *(de tribu)* chief; *Fam (patron)* boss; **rédacteur en c.** editor in chief; **le c. du gouvernement** the head of government; *Fam* **se débrouiller comme un c.** to do really well; **c. d'atelier** (shop) foreman; **c. de bureau** office manager; **c. d'entreprise** company head; **c. d'équipe** foreman; **c. d'État** head of state; **c. d'état-major** chief of staff; **c. de famille** head of the family; **c. de file** leader; **c. de gare** station-master; **c. d'orchestre** conductor; **c. de service** departmental head (**b**) *(cuisinier)* chef (**c**) *Jur* **c. d'accusation** charge (**d**) **de son propre c.** on one's own authority

chef-d'œuvre [ʃedœvr] *(pl* **chefs-d'œuvre**) *nm* masterpiece

chef-lieu [ʃefljø] *(pl* **chefs-lieux**) *nm =* administrative centre of a *département*

cheik(h) [ʃɛk] *nm* sheik(h)

chemin [ʃəmɛ̃] *nm (route étroite)* path, track; *(itinéraire)* way (**de** to); *Fig (de la gloire)* road; **à mi-c.** half-way; **en c.,** **c. faisant** on the way; **se mettre en c.** to set out; **avoir beaucoup de c. à faire** to have a long way to go; *Fig* **faire son c.** *(idée)* to gain ground; *Fig* **suivre le droit c.** to stay on the straight and narrow; *Fig* **ne pas y aller par quatre chemins** to get straight to the point; **c. de grande randonnée** hiking trail; **c. de terre** track; **c. de traverse** path across the fields ▪ **chemin de fer** *(pl* **chemins de fer**) *nm Br* railway, *Am* railroad

cheminée [ʃəmine] *nf (âtre)* fireplace; *(encadrement)* mantelpiece; *(sur le toit)* chimney; *(de navire)* funnel

> Il faut noter que le nom anglais **chimney** ne signifie jamais **âtre** ou **encadrement**.

cheminer [ʃəmine] *vi (personne)* to make one's way; *Fig (idée)* to gain ground ▪ **chemine-**

ment nm (de personnes) movement; Fig (de pensée) development

cheminot [ʃəmino] nm Br railwayman, Am railroader

chemise [ʃəmiz] nf (vêtement) shirt; (classeur) folder; Fig **changer de qch comme de c.** to change sth at the drop of a hat; **c. de nuit** (de femme) nightdress ▪**chemisette** nf short-sleeved shirt ▪**chemisier** nm (corsage) blouse

chenal, -aux [ʃənal, -o] nm channel

chenapan [ʃənapɑ̃] nm Hum scoundrel

chêne [ʃɛn] nm (arbre, bois) oak

chenil [ʃəni(l)] nm Br kennels, Am kennel

chenille [ʃənij] nf (insecte) caterpillar; (de char) caterpillar track

chenu, -e [ʃəny] adj Littéraire (personne) hoary; (arbre) leafless

cheptel [ʃɛptɛl] nm livestock

chèque [ʃɛk] nm Br cheque, Am check; **faire un c. à qn** to write sb a cheque; **payer qch par c.** to pay sth by cheque; Fam **c. en bois** rubber cheque; **c. sans provision** bad cheque; **c. de voyage** Br traveller's cheque, Am traveler's check ▪**chèque-cadeau** (pl chèques-cadeaux) nm Br gift voucher, Am gift certificate ▪**chèque-repas** (pl chèques-repas), **chèque-restaurant** (pl chèques-restaurant) nm Br luncheon voucher, Am meal ticket ▪**chéquier** nm Br cheque book, Am checkbook

cher, chère¹ [ʃer] **1** adj (**a**) (aimé) dear (à to); **il a retrouvé son c. bureau** he's back in his beloved office; **C. Monsieur** (dans une lettre) Dear Mr X; (officiel) Dear Sir (**b**) (coûteux) expensive, dear; Fam **pas c.** cheap; **la vie chère** the high cost of living **2** adv **coûter c.** to be expensive; **payer qch c.** to pay a high price for sth; Fig **payer c. une erreur** to pay dearly for a mistake; Fam **je l'ai eu pour pas c.** I got it cheap; Fig **je donnerais c. pour savoir ce qu'il a dit** I'd give anything to know what he said to them **3** nmf **mon c., ma chère** my dear ▪**chère²** nf Littéraire **aimer la bonne c.** to be a lover of good food ▪**chèrement** adv (à un prix élevé) dearly; Fig **il a payé c. sa liberté** his freedom cost him dearly ▪**cherté** nf high price; **la c. de la vie** the high cost of living

chercher [ʃerʃe] **1** vt to look for; (secours, paix) to seek; (dans ses souvenirs) to try to think of; (dans un dictionnaire) to look up; **c. qn du regard** to look around for sb; **c. ses mots** to search for words; **aller c. qn/qch** to (go and) fetch sb/sth; **venir c. qn/qch** to (come and) fetch sb/sth; **c. à faire qch** to try to do sth; **tu l'as bien cherché!** you asked for it!; Fam **ça va c. dans les 10 000 euros** you're talking about something like 10,000 euros; Fam **tu me cherches?** are you looking for a fight? **2 se chercher** upr (chercher son identité) to try to

find oneself ▪**chercheur, -euse** nmf (scientifique) researcher; **c. d'or** gold digger

chérir [ʃerir] vt to cherish ▪**chéri, -ie 1** adj dear **2** nmf darling

chérot [ʃero] adj inv Fam pricey

chétif, -ive [ʃetif, -iv] adj (personne) puny

cheval, -aux [ʃəval, -o] nm horse; **à c.** on horseback; **faire du c.** Br to go horse riding, Am to go horseback riding; **être à c. sur qch** to straddle sth; Fig **être à c. sur les principes** to be a stickler for principle; Fig **monter sur ses grands chevaux** to get on one's high horse; Sport **c. d'arçons** vaulting horse; **c. à bascule** rocking horse; **c. de bataille** hobby-horse; **chevaux de bois** merry-go-round; **c. de course** racehorse; **c. de trait** carthorse; Aut **c. (-vapeur)** horsepower

chevaleresque [ʃəvalrɛsk] adj chivalrous

chevalet [ʃəvalɛ] nm (de peintre) easel; (de menuisier) trestle

chevalier [ʃəvalje] nm knight

chevalière [ʃəvaljer] nf signet ring

chevaline [ʃəvalin] adj f **boucherie c.** horse butcher's (shop)

chevauchée [ʃəvoʃe] nf (horse) ride

chevaucher [ʃəvoʃe] **1** vt to straddle **2** vi **se chevaucher** upr to overlap

chevelu, -ue [ʃəvly] adj long-haired ▪**chevelure** nf (head of) hair

chevet [ʃəve] nm head of the bed; **rester au c. de qn** to stay at sb's bedside; **lampe de c.** bedside lamp; **table de c.** Br bedside table, Am nightstand

cheveu, -x [ʃəvø] nm **un c.** a hair; **cheveux** hair; **avoir les cheveux noirs** to have black hair; Fig **couper les cheveux en quatre** to split hairs; Fig **tiré par les cheveux** (argument) far-fetched

cheville [ʃəvij] nf (partie du corps) ankle; (pour accrocher) peg; (pour boucher un trou) plug; Fam **être en c. avec qn** to be in cahoots with sb; Fig **elle ne vous arrive pas à la c.** she can't hold a candle to you; Fig **c. ouvrière** mainspring

chèvre [ʃɛvr] **1** nf goat; Fam **rendre qn c.** to drive sb round the bend **2** nm goat's cheese ▪**chevreau, -x** nm kid

chèvrefeuille [ʃɛvrəfœj] nm honeysuckle

chevreuil [ʃəvrœj] nm roe deer; (viande) venison

chevron [ʃəvrɔ̃] nm (poutre) rafter; Mil stripe, chevron; **à chevrons** (tissu, veste) herringbone

chevronné, -ée [ʃəvrɔne] adj experienced

chevroter [ʃəvrɔte] vi (voix) to quaver

chewing-gum [ʃwiŋɡɔm] (pl chewing-gums) nm chewing gum; **un c.** a piece of chewing gum

chez [ʃe] prép **c. qn** at sb's place; **il n'est pas c. lui** he isn't at home; **elle est rentrée c. elle** she's gone home; **faites comme c. vous** make yourself at home; **c. les Suisses/les jeunes**

among the Swiss/the young; **c. Camus** in (the work of) Camus; **c. les mammifères** in mammals; **c'est devenu une habitude c. elle** it's become a habit with her; **c. Mme Dupont** *(adresse)* c/o Mme Dupont ▪**chez-soi** *nm inv* **son petit c.** one's own little home

chialer [ʃjale] *vi très Fam (pleurer)* to blubber

chiant, -ante [ʃjɑ̃, -ɑ̃t] *adj très Fam (énervant)* bloody annoying; *(ennuyeux)* deadly boring

chic [ʃik] **1** *adj inv* smart, stylish; *Fam (gentil)* decent **2** *nm (élégance)* style; **avoir le c. pour faire qch** to have the knack of doing sth

chicaner [ʃikane] *vi* **c. sur qch** to quibble over sth

chiche [ʃiʃ] *adj (repas)* scanty; *Fam* **tu n'es pas c. d'y aller!** I bet you don't go!; *Fam* **c.!** *(pour défier)* I dare you!; *(pour relever le défi)* you're on! ▪**chichement** *adv* meanly

chichis [ʃiʃi] *nmpl Fam* **faire des c.** *(compliquer les choses)* to make a lot of fuss; **sans c.** informal, unfussy

chicorée [ʃikɔre] *nf (en poudre)* chicory; **c. sauvage** chicory *inv*; **c. frisée** endive

chien, chienne [ʃjɛ̃, ʃjɛn] *nmf* dog, *f* bitch; *Fig* **se regarder en chiens de faïence** to stare at one another; *Fam* **quel temps de c.!** what foul weather!; *Fam* **une vie de c.** a dog's life; **entre c. et loup** at dusk; **c. d'arrêt** pointer; **c. d'aveugle** *Br* guide dog, *Am* seeing-eye dog; **c. de berger** sheepdog; **c. de chasse** retriever; **c. de garde** guard dog; **c. policier** police dog; **c. de traîneau** husky ▪**chien-loup** *(pl* **chiens-loups)** *nm* wolfhound

chiendent [ʃjɛ̃dɑ̃] *nm (plante)* couch grass; **brosse de c.** scrubbing brush

chiffe [ʃif] *nf Fam* **c'est une c. molle** he's a drip

chiffon [ʃifɔ̃] *nm* rag; **passer un coup de c. sur qch** to give sth a dust; **c. (de poussière)** *Br* duster, *Am* dustcloth ▪**chiffonner** *vt* to crumple; *Fig (ennuyer)* to bother ▪**chiffonnier** *nm* rag picker

chiffre [ʃifr] *nm (nombre)* figure, number; *(total)* total; **chiffres romains/arabes** Roman/Arabic numerals; **c. d'affaires** turnover ▪**chiffrer 1** *vt (montant)* to work out; *(réparations)* to assess; **message chiffré** coded message **2 se chiffrer** *vpr* **se c. à** to amount to

chignon [ʃiɲɔ̃] *nm* bun, chignon; **se faire un c.** to put one's hair in a bun

Chili [ʃili] *nm* **le C.** Chile ▪**chilien, -ienne 1** *adj* Chilean **2** *nmf* **C., Chilienne** Chilean

chili [ʃili] *nm Culin* chilli *(con carne)*

chimère [ʃimɛr] *nf Fig (rêve)* pipe dream

chimie [ʃimi] *nf* chemistry ▪**chimique** *adj* chemical ▪**chimiste** *nmf (research)* chemist

chimiothérapie [ʃimjɔterapi] *nf Méd* chemotherapy

chimpanzé [ʃɛ̃pɑ̃ze] *nm* chimpanzee

Chine [ʃin] *nf* **la C.** China ▪**chinois, -oise 1** *adj*

Chinese **2** *nmf* **C., Chinoise** Chinese; **les C.** the Chinese **3** *nm (langue)* Chinese ▪**chinoiserie** *nf (objet)* Chinese curio; *Fam* **chinoiseries** *(complications)* pointless complications

chiner [ʃine] *vi* to hunt for bargains

chiot [ʃjo] *nm* puppy, pup

chiper [ʃipe] *vt Fam* to swipe, *Br* to pinch *(à from)*

chipie [ʃipi] *nf Fam (femme)* bad-tempered woman; *(petite fille)* little minx; **vieille c.** old cow

chipoter [ʃipote] *vi (contester)* to quibble *(sur about)*; *(picorer)* to pick at one's food

chips [ʃips] *nf Br (potato)* crisp, *Am (potato)* chip

> Il faut noter que le nom anglais britannique **chips** est un faux ami. Il signifie **frites**.

chiqué [ʃike] *nm Fam* **faire du c.** to put on an act

chiquenaude [ʃiknod] *nf* flick *(of the finger)*

chirurgie [ʃiryrʒi] *nf* surgery; **c. esthétique** plastic surgery; **c. au laser** laser surgery ▪**chirurgical, -e, -aux, -ales** *adj* surgical ▪**chirurgien** *nm* surgeon ▪**chirurgien-dentiste** *(pl* **chirurgiens-dentistes)** *nm* dental surgeon

chlem [ʃlɛm] *nm Sport* **le grand c.** the grand slam

chlinguer [ʃlɛ̃ge] *vi très Fam* to stink

chlore [klɔr] *nm* chlorine ▪**chlorer** *vt* to chlorinate

chloroforme [klɔrɔfɔrm] *nm* chloroform

choc [ʃɔk] **1** *nm (coup)* impact; *(forte émotion)* *Méd* shock; *Fig (conflit)* clash; **faire un c. à qn** to give sb a shock; **être sous le c.** to be in shock; **troupes de c.** shock troops; *Méd* **c. opératoire** post-operative shock; **c. pétrolier** oil crisis **2** *adj* image-c. shocking image; **'prix-chocs'** *(dans un magasin)* 'drastic reductions'

chocolat [ʃɔkɔla] **1** *nm* chocolate; **gâteau au c.** chocolate cake; **c. à croquer** *Br* plain chocolate, *Am* bittersweet chocolate; **c. au lait** milk chocolate; **c. chaud** hot chocolate; **c. glacé** *Br* choc-ice, *Am (chocolate)* ice-cream bar **2** *adj inv Br* chocolate(-coloured), *Am* chocolate(-colored) ▪**chocolaté, -ée** *adj* chocolate

chœur [kœr] *nm Rel (chanteurs, nef)* choir; *(d'opéra)* & *Fig* chorus; **en c.** *(chanter, répéter)* in chorus

choir [ʃwar] *(aux* **être)** *vi Littéraire (tomber)* to fall; *Fam* **laisser c. qn** to drop sb

choisir [ʃwazir] *vt* to choose, to pick; **c. de faire qch** to choose to do sth ▪**choisi, -ie** *adj (œuvres)* selected; *(termes, langage)* careful

choix [ʃwa] *nm* choice; *(assortiment)* selection; **avoir le c.** to have a choice; **faire son c.** to take one's pick; **laisser le c. à qn** to let sb choose; **viande ou poisson au c.** *(sur menu)* choice of meat or fish; **de premier/second c.** top-/second-grade

choléra [kɔlera] *nm Méd* cholera

cholestérol [kɔlɛsterɔl] *nm Méd* cholesterol; *Fam* **avoir du c.** to have high cholesterol

chômer [ʃome] *vi* to be unemployed; *Fig* to do nothing; **vous n'avez pas chômé!** you've not been idle!; **jour chômé** (public) holiday ▪ **chômage** *nm* unemployment; **être au c.** to be unemployed; **être en c. technique** to have been laid off; **s'inscrire au c.** to sign on ▪ **chômeur, -euse** *nmf* unemployed person; **les chômeurs** the unemployed

chope [ʃɔp] *nf (verre)* beer mug; *Br* tankard; *(contenu)* pint

choquer [ʃɔke] *vt (scandaliser)* to shock; **c. qn** *(commotionner)* to shake sb badly ▪ **choquant, -ante** *adj* shocking

choral, -e, -aux *ou* **-als, -ales** [kɔral] *adj* choral ▪ **chorale** *nf (club)* choral society; *(chanteurs)* choir ▪ **choriste** *nmf* chorister

chorégraphe [kɔregraf] *nmf* choreographer ▪ **chorégraphie** *nf* choreography ▪ **chorégraphier** *vt* to choreograph

chose [ʃoz] **1** *nf* thing; **je vais te dire une c.** I'll tell you something; **dis bien des choses de ma part à...** remember me to...; **avant toute c.** first of all **2** *nm Fam* **monsieur C.** Mr What's-his-name **3** *adj inv Fam* **se sentir tout c.** to feel a bit funny

chou, -x [ʃu] *nm* cabbage; **choux de Bruxelles** Brussels sprouts; **mon petit c.!** my darling!; **c. à la crème** cream puff ▪ **chou-fleur** *(pl* **choux-fleurs)** *nm* cauliflower

chouchou, -oute [ʃuʃu, -ut] *nmf Fam (favori)* pet ▪ **chouchouter** *vt Fam* to pamper

choucroute [ʃukrut] *nf* sauerkraut

chouette [ʃwɛt] **1** *nf (oiseau)* owl **2** *adj Fam (chic)* great **3** *exclam* great!

choyer [ʃwaje] *vt* to pamper

chrétien, -ienne [kretjɛ̃, -jɛn] *adj & nmf* Christian ▪ **Christ** [krist] *nm* **le C.** Christ ▪ **christianisme** *nm* Christianity

chrome [krom] *nm* chromium; **chromes** *(de voitures)* chrome ▪ **chromé, -ée** *adj* chromium-plated

chromosome [krɔmozom] *nm* chromosome

chronique¹ [krɔnik] *adj (malade, chômage)* chronic

chronique² [krɔnik] *nf (de journal)* column; *(annales)* chronicle ▪ **chroniqueur** *nm (historien)* chronicler; *(journaliste)* columnist

chronologie [krɔnɔlɔʒi] *nf* chronology ▪ **chronologique** *adj* chronological

chronomètre [krɔnɔmɛtr] *nm* chronometer; *(pour le sport)* stopwatch ▪ **chronométrer** *vt Sport* to time

chrysanthème [krizɑ̃tɛm] *nm* chrysanthemum

CHU [seaʃy] *(abrév* **centre hospitalo-universitaire)** *nm inv* teaching hospital

chuchoter [ʃyʃɔte] *vti* to whisper ▪ **chuchotement** *nm* whisper; **des chuchotements** whispering

chuinter [ʃɥɛ̃te] *vi (siffler)* to hiss

chut [ʃyt] *exclam* sh!, shush!

chute [ʃyt] *nf* fall; *(d'histoire drôle)* punchline; *(de tissu)* scrap; **prévenir la c. des cheveux** to prevent hair loss; **c. d'eau** waterfall; **c. de neige** snowfall; **c. libre** free fall ▪ **chuter** *vi (diminuer)* to fall, to drop; *Fam (tomber)* to fall

Chypre [ʃipr] *nm ou f* Cyprus ▪ **chypriote 1** *adj* Cypriot **2** *nmf* **C.** Cypriot

ci [si] *pron dém* **comme ci comme ça** so so

-ci [si] *adv* **(a) par-ci, par-là** here and there **(b)** *voir* **ce², celui**

ci-après [siaprɛ] *adv* below; *Jur* hereinafter ▪ **ci-contre** *adv* opposite ▪ **ci-dessous** *adv* below ▪ **ci-dessus** *adv* above ▪ **ci-joint, -jointe** *(mpl* **ci-joints,** *fpl* **ci-jointes) 1** *adj* **le document c.** the enclosed document **2** *adv* **vous trouverez ci. copie de...** please find enclosed a copy of...

cible [sibl] *nf* target; **audience/marché c.** target audience/market ▪ **ciblé, -ée** *adj* well targeted ▪ **cibler** *vt* to target

ciboulette [sibulɛt] *nf* chives *(pluriel)*

cicatrice [sikatris] *nf* scar

cicatriser [sikatrize] *vti,* **se cicatriser** *vpr* to heal ▪ **cicatrisation** *nf* healing

cidre [sidr] *nm* cider; **c. doux/brut** sweet/dry cider

Cie *(abrév* **compagnie)** Co

ciel [sjɛl] *nm* **(a)** *(pl* **ciels)** sky; **à c. ouvert** open-air; **c. de lit** canopy **(b)** *(pl* **cieux** [sjø]) *(paradis)* heaven; **sous d'autres cieux** in other climes

cierge [sjɛrʒ] *nm* candle *(in church)*; **c. magique** sparkler

cigale [sigal] *nf* cicada

cigare [sigar] *nm* cigar ▪ **cigarette** *nf* cigarette

cigogne [sigɔɲ] *nf* stork

cil [sil] *nm* eyelash

cime [sim] *nf (d'arbre)* top; *(de montagne)* peak

ciment [simɑ̃] *nm* cement ▪ **cimenter** *vt* to cement

cimetière [simtjɛr] *nm* cemetery; *(d'église)* graveyard; **c. de voitures** scrapyard

ciné [sine] *nm Fam Br* pictures, *Am* movies ▪ **cinéaste** *nm* film maker ▪ **ciné-club** *(pl* **ciné-clubs)** *nm* film club ▪ **cinéphile** *nmf Br* film *orAm* movie enthusiast

cinéma [sinema] *nm (art, industrie) Br* cinema, *Am* movies; *(salle) Br* cinema, *Am* movie theater; **faire du c.** to be a film actor/actress; **aller au c.** to go to the *Br* cinema *orAm* movies; *Fam* **arrête ton c.!** stop making such a fuss!; **c. d'art et d'essai** art films; **c. muet** silent films ▪ **CinémaScope®** *nm* CinemaScope® ▪ **cinéma-**

thèque *nf* film library ▪ **cinématographique** *adj* film; **industrie c.** film industry ▪ **cinéma-vérité** *nm* cinéma vérité

cinglé, -ée [sɛgle] *adj Fam* crazy

cingler [sɛgle] *vt* to lash ▪ **cinglant, -ante** *adj* (*pluie*) lashing; (*vent, remarque*) cutting

cinoche [sinɔʃ] *nm Fam Br* cinema, *Am* movie theater

cinq [sɛk] **1** *adj inv* five **2** *nm inv* five; **recevoir qn c. sur c.** to receive sb loud and clear ▪ **cinquième** *adj & nmf* fifth; **un c.** a fifth

cinquante [sɛkɑ̃t] *adj & nm inv* fifty ▪ **cinquantaine** *nf* **une c. (de)** about fifty; **avoir la c.** to be about fifty ▪ **cinquantenaire** *nm* (*anniversaire*) fiftieth anniversary ▪ **cinquantième** *adj & nmf* fiftieth

cintre [sɛtr] *nm* coathanger ▪ **cintré, -ée** *adj* (*veste*) fitted

cirage [siraʒ] *nm* (shoe) polish; *Fam* **être dans le c.** to be feeling woozy

circoncire [sirkɔ̃sir] *vt* to circumcise ▪ **circoncis** *adj m* circumcised ▪ **circoncision** *nf* circumcision

circonférence [sirkɔ̃ferɑ̃s] *nf* circumference

circonflexe [sirkɔ̃flɛks] *adj voir* **accent**

circonscription [sirkɔ̃skripsjɔ̃] *nf* division, district; **c. (électorale)** *Br* constituency, *Am* district

circonscrire* [sirkɔ̃skrir] *vt* (*encercler*) to encircle; (*incendie*) to contain

circonspect, -ecte [sirkɔ̃spɛ, -ɛkt] *adj* cautious, circumspect ▪ **circonspection** *nf* caution

circonstance [sirkɔ̃stɑ̃s] *nf* circumstance; **pour/en la c.** for/on this occasion; **en pareilles circonstances** under such circumstances; **de c.** (*habit, parole*) appropriate; *Jur* **circonstances atténuantes** extenuating circumstances ▪ **circonstancié, -ée** *adj* detailed ▪ **circonstanciel, -ielle** *adj voir* **complément**

circuit [sirkɥi] *nm* (*électrique, sportif*) circuit; (*chemin*) way; **c. automobile** racing circuit; **c. de distribution** distribution network; **c. touristique** (organized) tour

circulaire [sirkyler] **1** *adj* circular **2** *nf* (*lettre*) circular

circulation [sirkylasjɔ̃] *nf* (*du sang, de l'information, de billets*) circulation; (*d'autos, d'avions*) traffic; **retirer un produit de la c.** to take a product off the market; **c. routière/aérienne** road/air traffic ▪ **circuler** *vi* (*sang, air, rumeur, lettre*) to circulate; (*voyageur*) to travel; (*train, bus*) to run; **on circule très mal dans Paris** it's very difficult to drive about in Paris; **circulez!** keep moving!

cire [sir] *nf* wax; (*pour meubles*) polish ▪ **cirer** *vt* to polish; *très Fam* **il n'en a rien à c.** he doesn't give a damn! ▪ **cireux, -euse** *adj* waxy

cirque [sirk] *nm* (*spectacle*) circus; *Fig* **c. médiatique** media circus

cirrhose [siroz] *nf* **c. (du foie)** cirrhosis (of the liver)

cisaille(s) [sizaj] *nf(pl)* (garden) shears ▪ **ciseau, -x** *nm* (*de menuisier*) chisel; (**une paire de) ciseaux** (a pair of) scissors ▪ **ciseler** *vt* to chisel; (*or, argent*) to chase

citadelle [sitadɛl] *nf* citadel ▪ **citadin, -ine 1** *adj* city; **vie citadine** city life **2** *nmf* city dweller

cité [site] *nf* (*ville*) city; (*immeubles*) *Br* housing estate, *Am* housing development; **c. universitaire** *Br* (students') halls of residence, *Am* university dormitory complex

citer [site] *vt* (*auteur, texte*) to quote; (*énumérer*) to name; *Jur* to summons; (*témoin*) to subpoena; *Mil* (*soldat*) to mention; **c. qn en exemple** to quote sb as an example ▪ **citation** *nf* quotation; *Jur* **c. à comparaître** (*d'accusé*) summons; (*de témoin*) subpoena

citerne [sitɛrn] *nf* tank

citoyen, -enne [sitwajɛ̃, -ɛn] *nmf* citizen ▪ **citoyenneté** *nf* citizenship

citron [sitrɔ̃] *nm* lemon; **c. pressé** = freshly squeezed lemon juice served with water and sugar; **c. vert** lime ▪ **citronnade** *nf Br* lemon squash, *Am* lemonade ▪ **citronnier** *n* lemon tree

citrouille [sitruj] *nf* pumpkin

civet [sive] *nm Culin* (*de gibier etc*) stew

civière [sivjɛr] *nf* stretcher

civil, -e [sivil] **1** *adj* (*guerre, mariage, droits*) civil; (*non militaire*) civilian; (*courtois*) civil; **année civile** calendar year **2** *nm* civilian; **dans le c.** in civilian life; **en c.** (*policier*) in plain clothes; (*soldat*) in civilian clothes ▪ **civilement** *adv* **se marier c.** to have a civil wedding ▪ **civilité** *nf* civility

civilisation [sivilizasjɔ̃] *nf* civilization ▪ **civilisé, -ée** *adj* civilized

civique [sivik] *adj* civic; *Scol* **instruction c.** *Br* ≃ citizenship, *Am* ≃ civics ▪ **civisme** *nm* good citizenship

clair, -e [klɛr] **1** *adj* (*net, limpide, évident*) clear; (*éclairé, pâle*) light; (*soupe*) thin; **bleu/vert c.** light blue/green; **robe bleu/vert c.** light-blue/-green dress; **par temps c.** on a clear day **2** *adv* (*voir*) clearly; **il fait c.** it's light **3** *nm* **passer le plus c. de son temps à faire qch** to spend the better part of one's time doing sth; **tirer qch au c.** to clarify sth; **en c.** in plain laguage; **émission en c.** non-crypted broadcast; **c. de lune** moonlight ▪ **clairement** *adv* clearly

clairière [klɛrjɛr] *nf* clearing

clairon [klɛrɔ̃] *nm* (*instrument*) bugle; (*soldat*) bugler ▪ **claironner** *vt* (*nouvelle*) to trumpet forth

clairsemé, -ée [klɛrsəme] *adj* (*cheveux, auditoire, population*) sparse

clairvoyant, -ante [klɛrvwajɑ̃, -ɑ̃t] *adj* perceptive

clamer [klame] *vt* to proclaim ▪ **clameur** *nf* Br clamour, *Am* clamor

clan [klɑ̃] *nm (tribu)* clan; *Péj (groupe)* clique

clandestin, -ine [klɑ̃dɛstɛ̃, -in] *adj (rencontre)* clandestine; *(journal, mouvement)* underground; *(travailleur)* illegal; **passager c.** stowaway ▪ **clandestinité** *nf* **entrer dans la c.** to go underground

clapet [klapɛ] *nm (de pompe)* valve

clapier [klapje] *nm (rabbit)* hutch

clapoter [klapɔte] *vi (vagues)* to lap ▪ **clapotement, clapotis** *nm (de vagues)* lapping

claque [klak] *nf* slap; **une paire de claques** a slap; *Fam* **j'en ai ma c.** I've had it up to here!

claquer [klake] **1** *vt (porte)* to slam; *Fam (dépenser)* to blow; **c. la langue** to click one's tongue **2** *vi (porte)* to slam; *(drapeau)* to flap; *(talons)* to click; *(coup de feu)* to ring out; *Fam (mourir)* to kick the bucket; **c. des doigts** to snap one's fingers; **c. des mains** to clap; **elle claque des dents** her teeth are chattering; **faire c. sa langue** to click one's tongue **3 se claquer** *vpr* **se c. un muscle** to pull a muscle ▪ **claquage** *nm (blessure)* pulled muscle; **se faire un c.** to pull a muscle ▪ **claqué, -ée** *adj Fam (fatiguée)* Br knackered, *Am* bushed ▪ **claquement** *nm (de porte)* slam(ming); *(de drapeau)* flap(ping)

claquettes [klakɛt] *nfpl* tap dancing; **faire des c.** to do tap dancing

clarifier [klarifje] *vt* to clarify ▪ **clarification** *nf* clarification

clarinette [klarinɛt] *nf* clarinet

clarté [klarte] *nf (lumière)* light; *(transparence)* clearness; *Fig (d'explications)* clarity; **avec c.** clearly

classe [klɑs] **1** *nf (catégorie, qualité, leçon, élèves)* class; **être en c. de sixième** Br to be in the first year, *Am* in fifth grade; **aller en c.** to go to school; *Mil* **faire ses classes** to undergo basic training; **avoir de la c.** *(personne)* to have class; **(salle de) c.** classroom; **c. de neige** = school study trip to the mountains; **c. verte** = school study trip to the countryside; **de première c.** *(billet, compartiment)* first-class; **c. affaire/économique** business/economy class; **c. ouvrière/moyenne** working/middle class; **c. sociale** social class **2** *adj inv Fam* classy

classer [klɑse] **1** *vt (photos, spécimens)* to classify; *(papiers)* to file; *(étudiants)* to grade; **c. une affaire** to consider a matter closed **2 se classer** *vpr* **se c. parmi les meilleurs** to rank among the best; *Sport* **se c. troisième** to be placed third ▪ **classé, -ée** *adj (monument)* listed ▪ **classement** *nm* classification; *(de papiers)* filing; *(rang)* place; *Football, Rugby* table ▪ **classeur** *nm (meuble)* filing cabinet; *(portefeuille)* ring binder

classifier [klasifje] *vt* to classify ▪ **classification** *nf* classification

classique [klasik] **1** *adj (période)* classical; *(typique, conventionnel)* classic **2** *nm (œuvre)* classic; *(auteur)* classical author ▪ **classicisme** *nm* classicism

clause [kloz] *nf Jur* clause

claustrophobie [klostrɔfɔbi] *nf* claustrophobia ▪ **claustrophobe** *adj* claustrophobic

clavecin [klavsɛ̃] *nm* harpsichord

clavicule [klavikyl] *nf* collarbone

clavier [klavje] *nm* keyboard

clé, clef [kle] **1** *nf (de porte)* key; *(outil)* Br spanner, *Am* wrench; **fermer qch à c.** to lock sth; **sous c.** under lock and key; **prix clés en main** *(de voiture)* on-the-road price; *(de maison)* all-inclusive price; **c. de contact** ignition key; *Mus* **c. de sol** treble clef; *Fig* **c. de voûte** cornerstone **2** *adj* key; **poste/industrie c.** key post/industry

clément, -ente [klemɑ̃, -ɑ̃t] *adj (juge)* clement; *(temps)* mild ▪ **clémence** *nf (de juge)* clemency; *(de temps)* mildness

clémentine [klemɑ̃tin] *nf* clementine

clerc [klɛr] *nm Rel* cleric; **c. de notaire** ≃ solicitor's clerk ▪ **clergé** *nm* clergy ▪ **clérical, -e, -aux, -ales** *adj* clerical

cliché [kliʃe] *nm (photo)* photo; *(negative)* negative; *(idée)* cliché

client, -ente [klijɑ̃, -ɑ̃t] *nmf (de magasin)* customer; *(d'avocat)* client; *(de médecin)* patient; *(d'hôtel)* guest; *(de taxi)* fare ▪ **clientèle** *nf (de magasin)* customers; *(d'avocat, de médecin)* practice; **accorder sa c. à** to give one's custom to

cligner [kliɲe] *vi* **c. des yeux** to blink; **c. de l'œil** to wink

clignoter [kliɲɔte] *vi (lumière, voyant)* to flash; *(étoile)* to twinkle ▪ **clignotant** *nm (de voiture)* Br indicator, *Am* flasher; **mettre son c.** to indicate

climat [klima] *nm (de région)* & *Fig* climate ▪ **climatique** *adj* climatic

climatisation [klimatizasjɔ̃] *nf* air conditioning ▪ **climatisé, -ée** *adj* air-conditioned ▪ **climatiser** *vt* to air-condition

clin d'œil [klɛ̃dœj] *(pl* clins d'œil*) nm* wink; **faire un c. d'œil à qn** to wink at sb; **en un c. d'œil** in a flash

clinique [klinik] **1** *adj* clinical **2** *nf (hôpital)* clinic

clinquant, -ante [klɛ̃kɑ̃, -ɑ̃t] *adj* flashy

clip [klip] *nm (vidéo)* (music) video; *(bijou)* clip

clipart [klipart] *nm Ordinat* clip-art

clique [klik] *nf Fam (gang)* clique

cliquer [klike] *vi Ordinat* to click; **c. sur qch** to click on sth; **c. deux fois** to double-click

cliqueter [klikte] *vi (monnaie, clefs)* to jingle; *(épées)* to clink; *(chaînes)* to rattle ▪ **cliquetis**

nm (de monnaie, de clefs) jingling; *(d'épées)* clinking; *(de chaînes)* rattling
clivage [klivaʒ] *nm (dans la société)* divide; *(dans un parti)* split
cloaque [klɔak] *nm* cesspool
clochard, -arde [klɔʃar, -ard] *nmf* tramp
cloche [klɔʃ] **1** *nf (d'église)* bell; *Fam (imbécile)* twit; **déménager à la c. de bois** to do a moonlight flit; **c. à fromage** covered cheese dish **2** *adj Fam* stupid ▪ **clocher¹** *nm (d'église)* bell tower, steeple **2** *vi Fam* **il y a quelque chose qui cloche** there's something wrong somewhere ▪ **clochette** *nf (cloche)* small bell
cloche-pied [klɔʃpje] **à cloche-pied** *adv* **sauter à c.** to hop
cloison [klwazɔ̃] *nf (entre pièces)* partition ▪ **cloisonner** *vt (pièce)* to partition; *Fig (activités)* to compartmentalize
cloître [klwatr] *nm (partie de monastère)* cloister; *(bâtiment pour moines)* monastery; *(pour religieuses)* convent
clonage [klɔnaʒ] *nm Biol* cloning; **c. humain** human cloning ▪ **clone** *nm Biol* clone ▪ **cloner** *vt Biol* to clone
clope [klɔp] *nf Fam Br* fag, *Am* smoke
clopin-clopant [klɔpɛ̃klɔpɑ̃] *adv* **aller c.** to hobble along
clopinettes [klɔpinɛt] *nfpl Fam* **des c.** *Br* sod all, *Am* zilch; **gagner des c.** to earn peanuts
cloque [klɔk] *nf (au pied)* blister
clore* [klɔr] *vt (réunion, lettre)* to conclude; *(débat)* to close; *Ordinat* **c. une session** to log off ▪ **clos, -e 1** *adj (porte, volets)* closed; **l'incident est c.** the matter is closed; **espace c.** enclosed space **2** *nm* enclosure
clôture [klotyr] *nf (barrière)* fence; *(de réunion)* conclusion; *(de débat)* closing; *(de Bourse)* close ▪ **clôturer** *vt (terrain)* to enclose; *(session, débats)* to close
clou [klu] *nm (pointe)* nail; *(de spectacle)* main attraction; **les clous** *(passage) Br* the pedestrian crossing, *Am* the crosswalk; *Fam* **des clous!** not a sausage!; **c. de girofle** clove ▪ **clouer** *vt (au mur)* to nail up; *(ensemble)* to nail together; *(caisse)* to nail down; **c. qn au sol** to pin sb down; **cloué au lit** confined to (one's) bed; **cloué sur place** rooted to the spot; *Fam* **le bec à qn** to shut sb up ▪ **clouté, -ée** *adj (chaussures)* studded
clown [klun] *nm* clown; **faire le c.** to clown around
club [klœb] *nm (association) & Golf* club
CM [seɛm] *(abrév* **cours moyen)** *nm Scol* **CM1** = fourth year of primary school; **CM2** = fifth year of primary school
cm *(abrév* **centimètre)** cm
coaguler [kɔagyle] *vti,* **se coaguler** *upr (sang)* to clot
coaliser [kɔalize] **se coaliser** *upr* to unite;

(partis) to form a coalition ▪ **coalition** *nf* coalition
coasser [kɔase] *vi (grenouille)* to croak
cobaye [kɔbaj] *nm (animal) & Fig* guinea pig
cobra [kɔbra] *nm* cobra
cocaïne [kɔkain] *nf* cocaine
cocarde [kɔkard] *nf* rosette
cocasse [kɔkas] *adj Fam* comical
coccinelle [kɔksinɛl] *nf (insecte) Br* ladybird, *Am* ladybug; *(voiture)* beetle
coche [kɔʃ] *nm Fam* **louper le c.** to miss the boat
cocher¹ [kɔʃe] *vt Br* to tick (off), *Am* to check
cocher² [kɔʃe] *nm* coachman
cochon, -onne [kɔʃɔ̃, -ɔn] **1** *nm (animal)* pig; *(viande)* pork; **c. d'Inde** guinea pig **2** *nmf (personne sale)* pig **3** *adj (histoire, film)* dirty ▪ **cochonnerie** *nf (chose sans valeur)* trash, rubbish; *(obscénité)* smutty remark; *(mauvaise nourriture)* muck; **faire des cochonneries** to make a mess ▪ **cochonnet** *nm (aux boules)* jack
cocktail [kɔktɛl] *nm (boisson)* cocktail; *(réunion)* cocktail party; **c. de fruits/de crevettes** fruit/prawn cocktail
coco [kɔko] *nm* (**a**) **noix de c.** coconut (**b**) *Fam* **un drôle de c.** a strange character ▪ **cocotier** *nm* coconut palm
cocon [kɔkɔ̃] *nm* cocoon
cocorico [kɔkɔriko] *exclam & nm* cock-a-doodle-doo; *Fam* **faire c.** to crow
cocotte [kɔkɔt] *nf (marmite)* casserole dish; **C. minute®** pressure cooker
cocu, -e [kɔky] **1** *adj* **il est c.** his wife's cheating on him **2** *nm* cuckold
code [kɔd] *nm (symboles, lois) & Ordinat* code; **passer le c.** *(examen du permis de conduire)* to sit the written part of one's driving test; **codes** *Br* dipped headlights, *Am* low beams; **se mettre en c.** *Br* to dip one's headlights, *Am* to switch on one's low beams; **le C. de la route** *Br* the Highway Code, *Am* the Rules of the Road; *Jur* **c. civil/pénal** civil/penal code; *Jur* **c. du travail** employment legislation; **c. confidentiel** security code; *(de carte bancaire)* PIN; *Biol* **c. génétique** genetic code; **c. postal** *Br* postcode, *Am* zip code ▪ **code-barres** *(pl* **codes-barres)** *nm* bar code ▪ **coder** *vt* to code ▪ **codifier** *vt* to codify
coefficient [kɔefisjɑ̃] *nm* coefficient
coéquipier, -ière [kɔekipje, -jɛr] *nmf* team-mate
cœur [kœr] *nm* heart; *Cartes (couleur)* hearts; **avoir mal au c.** to feel sick; **ça me soulève le c.** that turns my stomach; **avoir le c. gros** to have a heavy heart; **avoir bon c.** to be kind-hearted; **ça me tient à c.** that's close to my heart; **être opéré à c. ouvert** to have open-heart surgery; **au c. de la ville** in the heart of the town; **au c. de l'hiver** in the depths of winter; **par c.** (off) by heart; **de bon c.** *(volontiers)* willingly; *(rire)* heartily; **si le c.**

vous en dit if you so desire; **c. d'artichaut** artichoke heart

coexister [kɔεgziste] *vi* to coexist ▪ **coexistence** *nf* coexistence

coffre [kɔfr] *nm (meuble)* chest; *(pour objets de valeur)* safe; *(de voiture) Br* boot, *Am* trunk; **c. à bagages** *(d'avion)* baggage compartment; **c. à jouets** toy box ▪ **coffre-fort** *(pl* **coffres-forts)** *nm* safe ▪ **coffret** *nm (petit coffre)* box; **c. à bijoux** *Br* jewellery or *Am* jewelry box

cogiter [kɔʒite] *vi Hum* to cogitate

cognac [kɔɲak] *nm* cognac

cogner [kɔɲe] **1** *vt (heurter)* to knock; *Fam* **c. qn** *(battre)* to knock about **2** *vi (buter)* to bang *(sur/contre* on); **c. à une porte** to bang on a door **3** **se cogner** *upr* to bang oneself; **se c. la tête contre qch** to bang one's head on sth; **se c. à qch** to bang into sth

cohabiter [kɔabite] *vi* to live together; **c. avec qn** to live with sb ▪ **cohabitation** *nf* living together; *Pol* cohabitation

cohérent, -ente [kɔerã, -ãt] *adj (discours)* coherent; *(attitude)* consistent ▪ **cohérence** *nf (de discours)* coherence; *(d'attitude)* consistency ▪ **cohésion** *nf* cohesion

cohorte [kɔɔrt] *nf (de gens)* horde

cohue [kɔy] *nf* crowd; **dans la c.** amidst the general pushing and shoving

coiffe [kwaf] *nf* headdress

coiffer [kwafe] **1** *vt Fig (surmonter)* to cap; *(service)* to head; **c. qn** to do sb's hair; **c. qn de qch** to put sth on sb's head; **elle est bien coiffée** her hair is lovely **2** **se coiffer** *upr* to do one's hair; **se c. de qch** to put sth on ▪ **coiffeur, coiffeuse**[1] *nmf* hairdresser ▪ **coiffeuse**[2] *nf (meuble)* dressing table ▪ **coiffure** *nf (chapeau)* headgear; *(coupe de cheveux)* hairstyle; *(métier)* hairdressing

coin [kwɛ̃] *nm (angle)* corner; *(endroit)* spot; *(parcelle)* patch; *(cale)* wedge; **faire le c.** to be on the corner; *Fig* **rester dans son c.** to keep to oneself; **du c.** *(magasin, gens)* local; **dans le c.** in the (local) area; **au c. du feu** by the fireside; *Fam* **le petit c.** *(toilettes)* the smallest room in the house ▪ **coin-repas** *(pl* **coins-repas)** *nm* dining area

coincer [kwɛ̃se] **1** *vt (mécanisme, tiroir)* to jam; *(caler)* to wedge; *Fam* **c. qn** *(arrêter)* to nick sb **2** *vi (mécanisme, tiroir)* to jam **3** **se coincer** *upr (mécanisme)* to jam; **se c. le doigt dans la porte** to catch one's finger in the door ▪ **coincé, -ée** *adj (mécanisme, tiroir)* stuck, jammed; *Fam (inhibé)* hung up; *Fam* **être c.** *(dans un embouteillage)* to be stuck; *(être occupé)* to be tied up

coïncider [kɔɛ̃side] *vi* to coincide *(avec* with) ▪ **coïncidence** *nf* coincidence

coin-coin [kwɛ̃kwɛ̃] **1** *exclam* quack! quack! **2** *nm inv (de canard)* quacking

coing [kwɛ̃] *nm* quince

coke [kɔk] *nm (combustible)* coke

col [kɔl] *nm (de chemise)* collar; *(de bouteille)* neck; *Géog* col; **c. en V** V-neck; **c. roulé** *Br* polo neck, *Am* turtleneck; *Anat* **c. de l'utérus** cervix

colère [kɔlεr] *nf* anger; **être en c.** *(contre qn)* to be angry (with sb); **mettre qn en c.** to make sb angry; **se mettre en c.** to get angry *(contre* with); **elle est partie en c.** she left angrily; **faire une c.** *(enfant)* to throw a tantrum ▪ **coléreux, -euse, colérique** *adj (personne)* quick-tempered

colimaçon [kɔlimasɔ̃] *nm* **escalier en c.** spiral staircase

colin [kɔlɛ̃] *nm (merlu)* hake; *(lieu noir)* coley

colique [kɔlik] *nf (douleurs)* severe stomach pains; *(de bébé)* colic

colis [kɔli] *nm* parcel

collaborer [kɔlabɔre] *vi* collaborate *(avec* with); **c. à qch** *(projet)* to take part in sth; *(journal)* to contribute to sth ▪ **collaborateur, -trice** *nmf (aide)* assistant; *(de journal)* contributor ▪ **collaboration** *nf (aide)* collaboration; *(à un journal)* contribution

collage [kɔlaʒ] *nm (œuvre, jeu)* collage

collant, -ante [kɔlã, -ãt] **1** *adj (papier)* sticky; *(vêtement)* skin-tight; *Fam* **qu'est-ce qu'il est c.!** you just can't shake him off! **2** *nm Br* tights, *Am* pantihose

collation [kɔlasjɔ̃] *nf (repas)* snack

colle [kɔl] *nf (transparente)* glue; *(blanche)* paste; *Fam (question)* poser; *Fam (interrogation)* oral test; *Fam (retenue)* detention

collecte [kɔlεkt] *nf* collection ▪ **collecter** *vt* to collect

collectif, -ive [kɔlεktif, -iv] *adj* collective; **billet c.** group ticket; **hystérie/démission collective** mass hysteria/resignation ▪ **collectivement** *adv* collectively ▪ **collectivité** *nf (groupe)* community

collection [kɔlεksjɔ̃] *nf (de timbres, de vêtements)* collection; **faire la c. de qch** to collect sth ▪ **collectionner** *vt* to collect ▪ **collectionneur, -euse** *nmf* collector

collège [kɔlεʒ] *nm (école)* school; *Anciennement* **c. d'enseignement secondaire** = secondary school for pupils aged 12 to 15 ▪ **collégien, -ienne** *nmf* schoolboy, *f* schoolgirl

collègue [kɔlεg] *nmf* colleague

coller [kɔle] **1** *vt (timbre)* to stick; *(à la colle transparente)* to glue; *(à la colle blanche)* to paste; *(enveloppe)* to stick (down); *(deux objets)* to stick together; *(affiche)* to stick up; *(papier peint)* to hang; **c. son oreille contre qch** to press one's ear against sth; *Fam* **c. un élève** *(en punition)* to keep a pupil in; *Fam* **être collé** *(à un examen)* to fail **2** *vi Fam (coïncider)* to tally *(avec* with); **ça colle!** that's OK! **3** **se coller** *upr* **se c.**

contre un mur to flatten oneself against a wall ▪ **colleur, -euse** nmf c. **d'affiches** billposter

collet [kɔlɛ] nm (piège) snare; **prendre qn au c.** to grab sb by the scruff of the neck; **être c. monté** to be strait-laced

collier [kɔlje] nm (bijou) necklace; (de chien, de tuyau) collar; **c. (de barbe)** fringe of beard

colline [kɔlin] nf hill

collision [kɔlizjɔ̃] nf (de véhicules) collision; **entrer en c. avec qch** to collide with sth

colloque [kɔlɔk] nm (conférence) seminar

collusion [kɔlyzjɔ̃] nf collusion

colmater [kɔlmate] vt to fill in

colocataire [kɔlɔkatɛr] nmf Br flatmate, Am roommate

colombages [kɔlɔ̃baʒ] nmpl **maison à c.** half-timbered house

colombe [kɔlɔ̃b] nf dove

Colombie [kɔlɔ̃bi] nf **la C.** Columbia ▪ **colombien, -ienne 1** adj Columbian **2** nmf **C., Colombienne** Columbian

colon [kɔlɔ̃] nm (pionnier) settler, colonist; (enfant) child at camp

côlon [kolɔ̃] nm Anat colon

colonial, -e, -aux, -ales [kɔlɔnjal, -jo] adj colonial ▪ **colonialisme** nm colonialism

colonie [kɔlɔni] nf colony; **c. de vacances** Br (children's) holiday camp, Am summer camp

coloniser [kɔlɔnize] vt to colonize ▪ **colonisation** nf colonization

colonel [kɔlɔnɛl] nm (d'infanterie) colonel

colonne [kɔlɔn] nf column; **en c. par deux** in columns of two; Anat **c. vertébrale** spine ▪ **colonnade** nf colonnade

colorer [kɔlɔre] vt to Br colour or Am color; **c. qch en vert** to colour sth green ▪ **colorant, -ante 1** adj Br colouring, Am coloring **2** nm (pour teindre) colorant; (alimentaire) Br colouring, Am coloring ▪ **coloration** nf Br colouring, Am coloring ▪ **coloré, -ée** adj Br coloured, Am colored; (teint) ruddy; Fig (style) Br colourful, Am colorful ▪ **coloriage** nm (action) Br colouring, Am coloring; (dessin) drawing; **album de coloriages** Br colouring or Am coloring book ▪ **colorier** vt (dessin) to Br colour or Am color (in) ▪ **coloris** nm (nuance) shade

colosse [kɔlos] nm giant ▪ **colossal, -e, -aux, -ales** adj colossal

colporter [kɔlpɔrte] vt (marchandises) to hawk; (rumeur) to spread ▪ **colporteur** nm hawker

coltiner [kɔltine] **se coltiner** vpr Fam **se c. qn/qch** to get landed with sb/sth

colza [kɔlza] nm rape; **huile de c.** rapeseed oil

coma [kɔma] nm coma; **être dans le c.** to be in a coma

combat [kɔ̃ba] nm (bataille) & Fig fight; (activité) combat; **c. de boxe** boxing match ▪ **combatif, -ive** adj combative ▪ **combativité** nf combativeness

combattre* [kɔ̃batr] **1** vt (personne, incendie) to fight (against); (maladie, inflation) to fight **2** vi to fight ▪ **combattant, -ante 1** adj (unité, troupe) fighting **2** nmf combattant; **anciens combattants** veterans

combien [kɔ̃bjɛ̃] **1** adv (**a**) (en quantité) how much; (en nombre) how many; **c. de money** how much money; **c. de temps** how long; **c. de gens** how many people; **c. y a-t-il d'ici à…?** how far is it to…? (**b**) (comme) how; **tu verras c. il est bête** you'll see how silly he is; **tu sais c. je t'aime** you know how (much) I love you **2** nm inv Fam **le c. sommes-nous?** what's the date?; **tous les c.?** how often?

combinaison [kɔ̃binezɔ̃] nf (assemblage) combination; (vêtement de travail) Br boiler suit, Am coveralls; (vêtement de femme) catsuit; (sous-vêtement) slip; **c. de plongée/ski** wet/ski suit

combine [kɔ̃bin] nf Fam trick

combiner [kɔ̃bine] **1** vt (unir) to combine; Fam (plan) to concoct **2** **se combiner** vpr to combine ▪ **combiné** nm (de téléphone) receiver

comble [kɔ̃bl] **1** adj (salle, bus) packed; Théâtre **faire salle c.** to have a full house **2** nm **le c. du bonheur** the height of happiness; **au c. de la joie** overjoyed; **pour c. de malheur** to cap it all; **c'est un ou le c.!** that's the last straw! ▪ **combles** nmpl (mansarde) attic; **sous les c.** in the attic

combler [kɔ̃ble] vt (trou) to fill in; (perte) to make good; (découvert) to pay off; (lacune) to fill; (désir) to satisfy; **c. son retard** to make up for lost time; **c. qn de cadeaux** to shower sb with gifts; **c. qn de joie** to fill sb with joy; **je suis comblé** I have all I could wish for

combustible [kɔ̃bystibl] **1** adj combustible **2** nm fuel; **c. fossile** fossil fuel ▪ **combustion** nf combustion

comédie [kɔmedi] nf comedy; **jouer la c.** to act; Fig to put on an act; **pas de c.!** stop your nonsense!; **c. musicale** musical ▪ **comédien, -ienne** nmf actor, f actress

Il faut noter que le nom anglais **comedian** est un faux ami. Il signifie **comique**.

comestible [kɔmɛstibl] adj edible

comète [kɔmɛt] nf comet

comique [kɔmik] **1** adj (amusant) funny, comical; (acteur, rôle) comedy; **auteur c.** comedy writer **2** nm (genre) comedy; (acteur) comic actor; **c. de situation** situation comedy

comité [kɔmite] nm committee; **en petit c.** in a small group; **c. d'entreprise** works council

commandant [kɔmɑ̃dɑ̃] nm (de navire) captain; (grade) (dans l'infanterie) major; (dans l'aviation) squadron leader; Av **c. de bord** captain

commande [kɔmɑ̃d] nf (**a**) (achat) order; **sur c.** to order; **passer une c.** to place an order (**b**)

Tech (action, manette) control; *Ordinat* command; **les commandes** *(d'avion)* the controls; **prendre les commandes** to take over the controls; *Fig (de compagnie)* to take control; **c. à distance** remote control; **à c. vocale** voice-activated

commandement [kɔmɑ̃dmɑ̃] *nm (ordre, autorité)* command; *Rel* Commandment

commander [kɔmɑ̃de] **1** *vt (diriger, exiger)* to command; *(marchandises)* to order (**à** from); *(machine)* to control **2** *vi* **c. à qn de faire qch** to command sb to do sth; **qui est-ce qui commande ici?** who's in charge here?

commanditaire [kɔmɑ̃diter] *nm (de société) Br* sleeping partner, *Am* silent partner

commando [kɔmɑ̃do] *nm* commando

comme [kɔm] **1** *adv* (**a**) *(devant nom, pronom)* like; **c. moi/elle** like me/her; **c. cela** like that; **qu'as-tu c. diplômes?** what do you have in the way of certificates?; **je l'ai c. professeur** he's my teacher; **les femmes c. les hommes** men and women alike; *Fam* **joli c. tout** very pretty, *Br* ever so pretty; **P c. pomme** p as in pomme; **par hasard** as if by chance; **c. quoi** *(disant que)* to the effect that; *(ce qui prouve que)* so, which goes to show that (**b**) *(devant proposition)* as; **il écrit c. il parle** he writes as he speaks; **c. si** as if; **c. pour faire qch** as if to do sth **2** *adv (exclamatif)* **regarde c. il pleut!** look at the rain!; **c. c'est petit!** isn't it small! **3** *conj (cause)* as, since; **c. tu es mon ami...** as or since you're my friend...; **c. elle entrait** (just) as she was coming in

commémorer [kɔmemɔre] *vt* to commemorate ▪ **commémoratif, -ive** *adj* commemorative ▪ **commémoration** *nf* commemoration

commencer [kɔmɑ̃se] *vti* to begin, to start (**à faire** to do; **par qch** with sth; **par faire** by doing); **pour c.** to begin with ▪ **commencement** *nm* beginning, start; **au c.** at the beginning *or* start

comment [kɔmɑ̃] *adv* how; **c. le sais-tu?** how do you know?; **c. t'appelles-tu?** what's your name?; **c. est-il?** what is he like?; **c. va-t-il?** how is he?; **c. faire?** what's to be done?; **c.?** *(pour faire répéter)* I beg your pardon?; **c.!** *(indignation)* what!; **et c.!** you bet!

commentaire [kɔmɑ̃ter] *nm (remarque)* comment; *(de radio, de télévision)* commentary ▪ **commentateur, -trice** *nmf* commentator ▪ **commenter** *vt* to comment (up)on

commérages [kɔmeraʒ] *nmpl* gossip

commerçant, -ante [kɔmersɑ̃, -ɑ̃t] **1** *nmf* trader; *(de magasin)* shopkeeper **2** *adj* **rue/quartier commerçant(e)** shopping street/area

commerce [kɔmers] *nm (activité, secteur)* trade; *(affaires, magasin)* business; **faire du c. avec** to do business with; **ça se trouve dans le c.** you can buy it in the shops; **c. intérieur/extérieur** home/foreign trade; **c. de détail/gros** retail/wholesale trade; **c. de proximité** *Br* local shop, *Am* local store; *Ordinat* **c. électronique** e-commerce; **c. équitable** fair trade ▪ **commercial, -e, -iaux, -iales** *adj* commercial ▪ **commercialisation** *nf* marketing ▪ **commercialiser** *vt (produit)* to market; *(art)* to commercialize

commère [kɔmer] *nf* gossip

commettre* [kɔmetr] *vt (délit)* to commit; *(erreur)* to make

commis [kɔmi] *nm (de magasin)* shop assistant; *(de bureau)* clerk

commissaire [kɔmiser] *nmf (de course)* steward, *f* stewardess; **c. (de police)** *Br* ≃ police superintendent, *Am* ≃ police captain; **c. aux comptes** government auditor ▪ **commissaire-priseur, commissaire-priseuse** *(mpl commissaires-priseurs, fpl commissaires-priseuses)* *nmf* auctioneer ▪ **commissariat** *nm* **c. (de police)** (central) police station

commission [kɔmisjɔ̃] *nf (course)* errand; *(message)* message; *(comité)* commission, committee; *Com (pourcentage)* commission (**sur** on); **faire les commissions** to go shopping; **c. d'enquête** board of inquiry ▪ **commissionnaire** *nm* messenger; *(agent commercial)* agent

commode [kɔmɔd] **1** *adj (pratique)* handy; *(heure, lieu)* convenient; **pas c.** *(pas aimable)* awkward; *(difficile)* tricky **2** *nf Br* chest of drawers, *Am* dresser ▪ **commodément** *adv* comfortably ▪ **commodité** *nf* convenience; **pour plus de c.** for greater convenience

commotion [kɔmosjɔ̃] *nf* shock; *Méd* **c. cérébrale** concussion ▪ **commotionner** *vt* to shake up; *Méd* to concuss

commuer [kɔmɥe] *vt Jur (peine)* to commute (**en** to)

commun, -e [kɔmœ̃, -yn] **1** *adj (non exclusif, répandu, vulgaire)* common; *(frais, cuisine)* shared; *(démarche)* joint; **peu c.** uncommon; **ami c.** mutual friend; **en c.** in common; **mettre qch en c.** to share sth; **vivre/travailler en c.** to live/work together; **elle n'a rien de c. avec les autres** she has nothing in common with the others; **ils n'ont rien de c.** they have nothing in common **2** *nm* **le c. des mortels** ordinary mortals; **hors du c.** out of the ordinary ▪ **communs** *nmpl (bâtiments)* outbuildings ▪ **communément** [kɔmynemɑ̃] *adv* commonly

communauté [kɔmynote] *nf (collectivité)* community; **la C. économique européenne** the European Economic Community; **la C. d'États indépendants** the Commonwealth of Independent States ▪ **communautaire** *adj (de la CE)* Community; **vie c.** community life

commune [kɔmyn] *nf (municipalité)* commune ▪ **communal, -e, -aux, -ales** *adj Br* ≃

council, *Am* ≃ district; **école communale** ≃ local *Br* primary or *Am* grade school

communicatif, -ive [kɔmynikatif, -iv] *adj (personne)* communicative; *(rire)* infectious; **peu c.** uncommunicative

communication [kɔmynikasjɔ̃] *nf* communication; **c. téléphonique** telephone call; **je vous passe la c.** I'll put you through; **la c. est mauvaise** the line is bad

communier [kɔmynje] *vi Rel* to receive Communion ▪ **communion** *nf* communion; *Rel* (Holy) Communion

communiquer [kɔmynike] **1** *vt* to communicate (**à** to); *(maladie)* to pass on (**à** to) **2** *vi (personne, pièces)* to communicate (**avec** with) **3 se communiquer** *vpr* to spread (**à** to) ▪ **communiqué** *nm (avis)* communiqué; **c. de presse** press release

communisme [kɔmynism] *nm* communism ▪ **communiste** *adj & nmf* communist

commutateur [kɔmytatœr] *nm (bouton)* switch

compact, -e [kɔpakt] **1** *adj (foule, amas)* dense; *(appareil, véhicule)* compact **2** *nm (CD)* compact disc

compagne [kɔpaɲ] *nf (camarade)* companion; *(concubine)* partner

compagnie [kɔpaɲi] *nf (présence, société, soldats)* company; **tenir c. à qn** to keep sb company; **en c. de qn** in the company of sb

compagnon [kɔpaɲɔ̃] *nm* companion; *(concubin)* partner; **c. de jeu** playmate; **c. de route** travelling companion

comparaître* [kɔparɛtr] *vi (devant tribunal)* to appear (in court) (**devant** before)

comparer [kɔpare] *vt* to compare (**à** to, with) ▪ **comparable** *adj* comparable (**à** to, with) ▪ **comparaison** *nf* comparison (**avec** with); *(métaphore)* simile; **en c. de...** in comparison with... ▪ **comparatif, -ive 1** *adj* comparative **2** *nm Grammaire* comparative ▪ **comparé, -ée** *adj (littérature, grammaire)* comparative

comparse [kɔpars] *nmf Péj* associate

compartiment [kɔpartimɑ̃] *nm* compartment; **c. à bagages** *(de bus)* luggage compartment; **c. fumeurs** smoking compartment; **c. non-fumeurs** no-smoking compartment ▪ **compartimenter** *vt (diviser)* to partition

comparution [kɔparysjɔ̃] *nf Jur* appearance

compas [kɔpa] *nm Math Br* (pair of) compasses, *Am* compass; *Naut* compass

compassé, -ée [kɔpase] *adj (affecté)* starchy, stiff

compassion [kɔpasjɔ̃] *nf* compassion

compatible [kɔpatibl] *adj* compatible (**avec** with) ▪ **compatibilité** *nf* compatibility

compatir [kɔpatir] *vi* to sympathize; **c. à la douleur de qn** to share in sb's grief ▪ **compatissant, -ante** *adj* compassionate, sympathetic

compatriote [kɔpatrijɔt] *nmf* compatriot

compenser [kɔpɑ̃se] **1** *vt (perte, défaut)* to make up for, to compensate for **2** *vi* to compensate; **pour c.** to make up for it, to compensate ▪ **compensation** *nf (de perte)* compensation; **en c.** in compensation (**de** for)

compétent, -ente [kɔpetɑ̃, -ɑ̃t] *adj* competent ▪ **compétence** *nf* competence; **compétences** *(connaissances)* skills, abilities

compétition [kɔpetisjɔ̃] *nf (rivalité)* competition; *(épreuve sportive)* event; **être en c. avec qn** to compete with sb; **sport de c.** competitive sport ▪ **compétitif, -ive** *adj* competitive ▪ **compétitivité** *nf* competitiveness

compiler [kɔpile] *vt* to compile

complaire* [kɔplɛr] **se complaire** *vpr* **se c. dans qch/à faire qch** to delight in sth/in doing sth

complaisant, -ante [kɔplɛzɑ̃, -ɑ̃t] *adj (bienveillant)* kind, obliging; *(satisfait)* complacent ▪ **complaisance** *nf (bienveillance)* kindness; *(vanité)* complacency

complément [kɔplemɑ̃] *nm (reste)* rest; *Grammaire* complement; **un c. d'information** additional information; **c. circonstanciel** adverbial phrase; **c. d'agent** agent; **c. d'objet direct/indirect** direct/indirect object ▪ **complémentaire** *adj* complementary; *(détails)* additional

complet, -ète [kɔplɛ, -ɛt] **1** *adj (entier, absolu)* complete; *(train, hôtel, théâtre)* full; *(pain)* wholemeal **2** *nm (costume)* suit; **la famille au grand c.** the whole family ▪ **complètement** *adv* completely

compléter [kɔplete] **1** *vt (collection, formation)* to complete; *(formulaire)* to fill in; *(somme)* to make up **2 se compléter** *vpr* to complement each other

complexe [kɔplɛks] **1** *adj* complex **2** *nm (sentiment, construction)* complex; **avoir des complexes** to have a hang-up ▪ **complexé, -ée** *adj Fam* hung up (**par** about) ▪ **complexité** *nf* complexity

complication [kɔplikasjɔ̃] *nf (ennui) & Méd* complication; *(complexité)* complexity

complice [kɔplis] **1** *nm* accomplice **2** *adj (regard)* knowing; *(silence)* conniving; **être c. de qch** to be a party to sth ▪ **complicité** *nf* complicity

compliment [kɔplimɑ̃] *nm* compliment; **faire des compliments à qn** to pay sb compliments; **mes compliments!** congratulations! ▪ **complimenter** *vt* to compliment (**sur** on)

compliquer [kɔplike] **1** *vt* to complicate **2 se compliquer** *vpr (situation)* to get complicated; **se c. la vie** to make life complicated for oneself ▪ **compliqué, -ée** *adj* complicated

complot [kɔplo] *nm* conspiracy (**contre** against) ▪ **comploter** [kɔplɔte] *vti* to plot (**de faire** to do)

comporter [kɔ̃pɔrte] **1** *vt (contenir)* to contain; *(inconvénient)* to involve; *(être constitué de)* to consist of **2 se comporter** *vpr (personne)* to behave; *(voiture)* to handle ▪ **comportement** [-əmɑ̃] *nm Br* behaviour, *Am* behavior

composer [kɔ̃poze] **1** *vt (faire partie de)* to make up; *(musique, poème)* to compose; *(numéro de téléphone)* to dial; *Typ* to set; **être composé de qch** to be made up *or* composed of sth **2** *vi (étudiant)* to take a test; **c. avec** *(ennemi)* to compromise with **3 se composer** *vpr* **se c. de qch** to be made up *or* composed of sth ▪ **composant** *nm (chimique, électronique)* component ▪ **composante** *nf (d'une idée, d'un ensemble)* component ▪ **composé, -ée** *adj & nm* compound

compositeur, -trice [kɔ̃pozitœr, -tris] *nmf (musicien)* composer; *(typographe)* typesetter

composition [kɔ̃pozisjɔ̃] *nf (de musique, de poème)* composing; *Typ* typesetting; *(éléments)* composition; *(d'aliment)* ingredients; *(examen)* test; **être de bonne c.** to be good-natured

composter [kɔ̃pɔste] *vt (billet)* to cancel

compote [kɔ̃pɔt] *nf Br* stewed fruit, *Am* sauce; **c. de pommes** *Br* stewed apples, *Am* applesauce

compréhensible [kɔ̃preɑsibl] *adj (justifié)* understandable; *(clair)* comprehensible ▪ **compréhensif, -ive** *adj* understanding ▪ **compréhension** *nf* understanding

> Il faut noter que l'adjectif anglais **comprehensive** est un faux ami. Il signifie le plus souvent **complet**.

comprendre* [kɔ̃prɑ̃dr] **1** *vt (par l'esprit)* to understand; *(être composé de)* to consist of; *(comporter)* to include; **mal c. qch** to misunderstand sth; **je n'y comprends rien** I can't make head or tail of it; **se faire c.** to make oneself understood **2 se comprendre** *vpr* **ça se comprend** that's understandable

compresse [kɔ̃prɛs] *nf* compress

compresser [kɔ̃prese] *vt* to compress; *Ordinat (fichier)* to compress, to zip ▪ **compresseur** *nm* compressor; **rouleau c.** steamroller ▪ **compression** *nf (de gaz)* compression; *(réduction)* reduction; *Ordinat (de fichier)* zipping

comprimé [kɔ̃prime] *nm (médicament)* tablet

comprimer [kɔ̃prime] *vt (gaz, artère)* to compress; *(dépenses)* to reduce; *Ordinat (fichier)* to compress, to zip

compris, -ise [kɔ̃pri, -iz] **1** *pp voir* **comprendre 2** *adj (inclus)* included (**dans** in); **y c.** including; **c. entre** between

compromettre* [kɔ̃prɔmɛtr] *vt (personne)* to compromise; *(sécurité)* to jeopardize ▪ **compromis** *nm* compromise ▪ **compromission** *nf Péj* compromise

comptabiliser [kɔ̃tabilize] *vt (compter)* to count

comptable [kɔ̃tabl] *nmf* accountant ▪ **comptabilité** *nf (comptes)* accounts; *(science)* book-keeping, accounting; *(service)* accounts department

comptant [kɔ̃tɑ̃] **1** *adv* **payer c.** to pay (in) cash **2** *nm* **acheter au c.** to buy for cash

compte [kɔ̃t] *nm* (**a**) *(de banque, de commerçant)* account; *(calcul)* calculation; **avoir un c. en banque** to have a bank account; **faire ses comptes** to do one's accounts; **c. chèque** *Br* current account, *Am* checking account; **c. à rebours** countdown (**b**) *(expressions)* **pour le c. de** on behalf of; **en fin de c.** all things considered; **à bon c.** *(acheter)* cheap(ly); **s'en tirer à bon c.** to get off lightly; **demander des comptes à qn** to ask sb for an explanation; **avoir un c. à régler avec qn** to have a score to settle with sb; **tenir c. de qch** to take sth into account; **c. tenu de qch** considering sth; **entrer en ligne de c.** to be taken into account; **se rendre c. de qch** to realize sth; **rendre c. de qch** *(exposer)* to report on sth; *(justifier)* to account for sth; **travailler à son c.** to be self-employed; **s'installer à son c.** to start one's own business; *Fig* **être loin du c.** to be wide of the mark; *Fam* **avoir son c.** to have had enough ▪ **compte-gouttes** *nm inv* dropper; *Fig* **au c.** in dribs and drabs

compter [kɔ̃te] **1** *vt (calculer)* to count; *(prévoir)* to allow; *(inclure)* to include; **c. faire qch** *(espérer)* to expect to do sth; *(avoir l'intention de)* to intend to do sth; **c. qch à qn** *(facturer)* to charge sb for sth; **il compte deux ans de service** he has two years' service; **ses jours sont comptés** his/her days are numbered; **sans c....** *(sans parler de)* not to mention... **2** *vi (calculer, être important)* to count; **c. sur qn/qch** to count or rely on sb/sth; **c. avec qn/qch** to reckon with sb/sth; **c. parmi les meilleurs** to rank among the best; **à c. de demain** as from tomorrow; **j'y compte bien!** I should hope so! **3 se compter** *vpr* **ses membres se comptent par milliers** it has thousands of members ▪ **compteur** *nm* meter; **c. de gaz** gas meter; *Aut* **c. Geiger** Geiger counter; *Aut* **c. kilométrique** *Br* mileometer, *Am* odometer; *Aut* **c. de vitesse** speedometer

compte rendu [kɔ̃trɑ̃dy] *(pl* **comptes rendus**) *nm* report; *(de livre, de film)* review

comptoir [kɔ̃twar] *nm (de magasin)* counter; *(de café)* bar; *(dans un pays éloigné)* trading post; **c. de réception** reception desk

compulser [kɔ̃pylse] *vt (notes, archives)* to consult

comte [kɔ̃t] *nm (noble)* count; *(en Grande-Bretagne)* earl ▪ **comté** *nm (subdivision administrative)* county ▪ **comtesse** *nf* countess

con, conne [kɔ̃, kɔn] *très Fam* **1** *adj (idiot) Br* bloody stupid, *Am* goddamn stupid; **c'est pas**

c.! that's pretty smart! **2** *nmf* stupid bastard, *f* stupid cow

concave [kɔ̃kav] *adj* concave

concéder [kɔ̃sede] *vt (victoire, but)* to concede; **c. qch à qn** to grant sb sth

concentrer [kɔ̃sɑ̃tre] **1** *vt* to concentrate; *(attention, énergie)* to focus **2 se concentrer** *upr (réfléchir)* to concentrate ▪ **concentration** *nf* concentration ▪ **concentré, -ée 1** *adj (lait)* condensed; *(solution)* concentrated; *(attentif)* concentrating (hard) **2** *nm* **c. de tomates** tomato purée

concentrique [kɔ̃sɑ̃trik] *adj* concentric

concept [kɔ̃sɛpt] *nm* concept ▪ **conception** *nf (d'idée)* conception; *(création)* design; **c. assistée par ordinateur** computer-aided design; **c. graphique** graphic design; **c. de sites Web** web design ▪ **concepteur, -trice** *nmf* designer; **c. graphiste** graphic designer; *Ordinat* **c. de sites Web** web designer

concerner [kɔ̃sɛrne] *vt* to concern; **en ce qui me concerne** as far as I'm concerned ▪ **concernant** *prép* concerning

concert [kɔ̃sɛr] *nm (de musique)* concert; *Fig (de protestations)* chorus; **de c.** *(agir)* together

concerter [kɔ̃sɛrte] **1** *vt (projet)* to devise together **2 se concerter** *upr* to consult together ▪ **concertation** *nf* consultation ▪ **concerté, -ée** *adj (action)* concerted

concerto [kɔ̃sɛrto] *nm Mus* concerto

concession [kɔ̃sesjɔ̃] *nf (compromis)* concession (à to); *(terrain)* plot ▪ **concessionnaire** *nmf* dealer

concevoir* [kɔ̃svwar] **1** *vt (enfant, plan, idée)* to conceive; *(produit)* to design; *(comprendre)* to understand **2 se concevoir** *upr* **ça se conçoit** that's understandable ▪ **concevable** *adj* conceivable

concierge [kɔ̃sjɛrʒ] *nmf* caretaker, *Am* janitor

concile [kɔ̃sil] *nm Rel* council

concilier [kɔ̃silje] *vt (choses)* to reconcile **2 se concilier** *upr* **se c. la faveur de qn** to win sb's goodwill ▪ **conciliant, -ante** *adj* conciliatory ▪ **conciliation** *nf* conciliation

concis, -ise [kɔ̃si, -is] *adj* concise ▪ **concision** *nf* concision

concitoyen, -enne [kɔ̃sitwajɛ̃, -ɛn] *nmf* fellow citizen

conclure* [kɔ̃klyr] **1** *vt (terminer)* to conclude; *(accord)* to finalize; *(marché)* to clinch; **c. que...** *(déduire)* to conclude that... **2** *vi* **c. à la culpabilité de qn** to conclude that sb is guilty ▪ **concluant, -ante** *adj* conclusive ▪ **conclusion** *nf* conclusion; **tirer une c. de qch** to draw a conclusion from sth

concombre [kɔ̃kɔ̃br] *nm* cucumber

concordance [kɔ̃kɔrdɑ̃s] *nf (de preuves)* tallying; *Grammaire* **c. des temps** sequence of tenses

concorder [kɔ̃kɔrde] *vi (preuves, dates, témoignages)* to tally (**avec** with)

concourir* [kɔ̃kurir] *vi Sport* to compete (**pour** for); *(converger)* to converge; **c. à qch/faire qch** to contribute to sth/to do sth

concours [kɔ̃kur] *nm (examen)* competitive examination; *(jeu)* competition; *(aide)* assistance; **c. de beauté** beauty contest; **c. circonstances** combination of circumstances; **c. hippique** horse show

concret, -ète [kɔ̃krɛ, -ɛt] *adj* concrete ▪ **concrétiser 1** *vt (rêve)* to realize; *(projet)* to carry out **2 se concrétiser** *upr* to materialize

conçu, -ue [kɔ̃sy] **1** *pp de* **concevoir 2** *adj* **c. pour faire qch** designed to do sth; **bien c.** well designed

concubine [kɔ̃kybin] *nf Jur* cohabitant ▪ **concubinage** *nm* cohabitation; **vivre en c.** to cohabit

concurrent, -ente [kɔ̃kyrɑ̃, -ɑ̃t] *nmf* competitor ▪ **concurrence** *nf* competition; **faire c. à** to compete with; **jusqu'à c. de 100 euros** up to the amount of 100 euros ▪ **concurrencer** *vt* to compete with ▪ **concurrentiel, -ielle** *adj* competitive

condamnation [kɔ̃danɑsjɔ̃] *nf Jur (jugement)* conviction (**pour** for); *(peine)* sentence (à to); *(critique)* condemnation; **c. à mort** death sentence

condamner [kɔ̃dane] *vt (blâmer)* to condemn; *Jur* to sentence (à to); *(porte)* to block up; *(pièce)* to seal up; **c. qn à une amende** to fine sb; **c. qn à qch** *(forcer à)* to force sb into sth ▪ **condamné, -ée 1** *adj (malade)* terminally ill **2** *nmf* convicted person

condenser [kɔ̃dɑse] *vt, se condenser* *upr* to condense ▪ **condensation** *nf* condensation

condescendre [kɔ̃desɑ̃dr] *vi* to condescend (**à faire** to do) ▪ **condescendance** *nf* condescension ▪ **condescendant, -ante** *adj* condescending

condiment [kɔ̃dimɑ̃] *nm* condiment

condisciple [kɔ̃disipl] *nm (écolier)* schoolmate; *(étudiant)* fellow student

condition [kɔ̃disjɔ̃] *nf (état, stipulation, sort)* condition; *(classe sociale)* station; **conditions** *(circonstances)* conditions; *(d'accord, de vente)* terms; **être en bonne c. physique** to be in good shape; **à c. de faire qch, à c. que l'on fasse qch** providing *or* provided (that) one does sth; **sans c.** *(capitulation)* unconditional; *(se rendre)* unconditionally ▪ **conditionnel, -elle 1** *adj* conditional **2** *nm Grammaire* conditional

conditionner [kɔ̃disjɔne] *vt (être la condition de)* to govern; *(emballer)* to package; *(personne)* to condition ▪ **conditionnement** *nm (emballage)* packaging; *(de personne)* conditioning

condoléances [kɔ̃dɔleɑs] *nfpl* condolences;

présenter ses **c.** à qn to offer one's condolences to sb

conducteur, -trice [kɔ̃dyktœr, -tris] **1** nmf (de véhicule, de train) driver **2** adj & nm Él **(corps) c.** conductor; **(fil) c.** lead (wire)

> Il faut noter que le nom anglais **conductor** est un faux ami. Il signifie **chef d'orchestre** ou **contrôleur** selon le contexte.

conduire* [kɔ̃dɥir] **1** vt (troupeau) to lead; (voiture) to drive; (moto) to ride; (eau) to carry; (électricité) to conduct; **c.** qn à (accompagner) to take sb to; **c.** qn au suicide to drive sb to suicide **2** vi (en voiture) to drive; **c.** à (lieu) to lead to **3** se conduire upr to behave

conduit [kɔ̃dɥi] nm (tuyau) pipe

conduite [kɔ̃dɥit] nf (de véhicule) driving (de of); (d'entreprise, d'opération) management; (tuyau) pipe; (comportement) conduct, Br behaviour, Am behavior; **c.** à gauche/droite (volant) left-hand/right-hand drive; **sous la c.** de qn under the guidance of sb; **c.** de gaz main

cône [kon] nm cone

confection [kɔ̃fɛksjɔ̃] nf (de vêtement, de repas) making (de of); (industrie) clothing industry; **vêtements de c.** ready-to-wear clothes ▪ **confectionner** vt to make ▪ **confectionneur, -euse** nmf clothes manufacturer

> Il faut noter que le mot anglais **confectioner** est un faux ami. Il signifie **confiseur** ou **pâtissier**.

confédération [kɔ̃federasjɔ̃] nf confederation ▪ **confédéré, -ée** adj confederate

conférence [kɔ̃ferãs] nf (réunion) conference; (exposé) lecture; **c. de presse** press conference ▪ **conférencier, -ière** nmf lecturer

conférer [kɔ̃fere] vt (titre) to confer (à on)

confesser [kɔ̃fese] Rel **1** vt to confess **2** se confesser upr to confess (à to) ▪ **confession** nf confession ▪ **confessionnal, -aux** nm Rel confessional ▪ **confessionnel, -elle** adj (école) denominational

confettis [kɔ̃feti] nmpl confetti

confiance [kɔ̃fjãs] nf confidence; **faire c.** à qn, **avoir c.** en qn to trust sb; **de c.** (mission) of trust; (personne) trustworthy; **en toute c.** (acheter, dire) quite confidently; **c. en soi** self-confidence; **avoir c. en soi** to be self-confident ▪ **confiant, -ante** adj (qui fait confiance) trusting; (optimiste) confident; (qui a confiance en soi) self-confident

confidence [kɔ̃fidãs] nf confidence; **faire une c.** à qn to confide in sb ▪ **confident, -ente** nmf confidant, f confidante ▪ **confidentiel, -ielle** adj confidential

confier [kɔ̃fje] **1** vt **c.** qch à qn (laisser) to entrust sb with sth; (dire) to confide sth

to sb **2** se confier upr se **c.** à qn to confide in sb

configuration [kɔ̃figyrasjɔ̃] nf (disposition) layout; Ordinat configuration

confiner [kɔ̃fine] **1** vt to confine **2** vi **c.** à to border on **3** se confiner upr se **c.** chez soi to shut oneself up indoors ▪ **confiné, -ée** adj (atmosphère) enclosed

confins [kɔ̃fɛ̃] nmpl confines; **aux c.** de on the edge of

confirmer [kɔ̃firme] **1** vt to confirm (que that); **c.** qn dans son opinion to confirm sb in his/her opinion **2** se confirmer upr (nouvelle) to be confirmed; (tendance) to continue ▪ **confirmation** nf confirmation

confiserie [kɔ̃fizri] nf (magasin) Br sweetshop, Am candy store; **confiseries** (bonbons) Br sweets, Am candy ▪ **confiseur, -euse** nmf confectioner

confisquer [kɔ̃fiske] vt to confiscate (à qn from sb) ▪ **confiscation** nf confiscation

confit, -e [kɔ̃fi] **1** adj (fruits) candied **2** nm **c. d'oie** potted goose

confiture [kɔ̃fityr] nf jam; **c. de fraises** strawberry jam

conflit [kɔ̃fli] nm conflict; **conflits sociaux** industrial disputes ▪ **conflictuel, -elle** adj (intérêts) conflicting; **situation conflictuelle** situation of potential conflict

confluent [kɔ̃flyã] nm confluence

confondre [kɔ̃fɔ̃dr] **1** vt (choses, personnes) to mix up, to confuse; (consterner) to astound; (démasquer) to confound; **c.** qn/qch avec qn/qch to mistake sb/sth for sb/sth **2** se confondre upr (couleurs, intérêts) to merge; **se c. en excuses** to apologize profusely

conforme [kɔ̃fɔrm] adj **c.** à in accordance with; (modèle) true to; **copie c. à l'original** exact copy ▪ **conformément** adv **c.** à in accordance with

conformer [kɔ̃fɔrme] **1** vt to model **2** se conformer upr to conform (à to)

conformisme [kɔ̃fɔrmism] nm conformism ▪ **conformiste** adj & nmf conformist ▪ **conformité** nf conformity (à with)

confort [kɔ̃fɔr] nm comfort ▪ **confortable** adj comfortable

confrère [kɔ̃frɛr] nm (de profession) colleague

confronter [kɔ̃frɔ̃te] vt (personnes) to confront; (expériences, résultats) to compare; **confronté à** (difficulté) confronted with ▪ **confrontation** nf (face-à-face) confrontation; (comparaison) comparison

confus, -use [kɔ̃fy, -yz] adj (esprit, situation, explication) confused; (bruit) indistinct; (gêné) embarrassed ▪ **confusément** adv vaguely ▪ **confusion** nf (désordre, méprise) confusion; (gêne) embarrassment

> Il faut noter que l'adjectif anglais **confus** est un faux ami. Il signifie **désorienté**.

congé [kɔ̃ʒe] *nm (vacances) Br* holiday, *Am* vacation; *(arrêt de travail)* leave; *(avis de renvoi)* notice; **donner son c. à qn** *(employé, locataire)* to give notice to sb; **prendre c. de qn** to take one's leave of sb; **c. de maladie** sick leave; **c. de maternité** maternity leave; **c. de paternité** paternity leave; **congés payés** *Br* paid holidays, *Am* paid vacation

congédier [kɔ̃ʒedje] *vt* to dismiss

congeler [kɔ̃ʒle] *vt* to freeze ▪ **congélateur** *nm* freezer ▪ **congélation** *nf* freezing

congénital, -e, -aux, -ales [kɔ̃ʒenital, -o] *adj* congenital

congère [kɔ̃ʒer] *nf* snowdrift

congestion [kɔ̃ʒestjɔ̃] *nf* congestion; **c. cérébrale** stroke ▪ **congestionné, -ée** *adj (visage)* flushed

Congo [kɔ̃go] *nm* **le C.** Congo ▪ **congolais, -aise 1** *adj* Congolese **2** *nmf* **C., Congolaise** Congolese

congratuler [kɔ̃gratyle] *vt* to congratulate (**sur** on)

congrégation [kɔ̃gregasjɔ̃] *nf Rel* congregation

congrès [kɔ̃gre] *nm* conference; **le C.** *(aux États-Unis)* Congress ▪ **congressiste** *nmf* delegate

conifère [kɔnifer] *nm* conifer

conique [kɔnik] *adj* conical

conjecture [kɔ̃ʒektyr] *nf* conjecture ▪ **conjecturer** *vt* to conjecture

conjoint, -ointe [kɔ̃ʒwɛ̃, -wɛ̃t] **1** *adj*-joint **2** *nm* spouse; **conjoints** husband and wife ▪ **conjointement** *adv* jointly

conjonction [kɔ̃ʒɔ̃ksjɔ̃] *nf (union)* union; *Grammaire* conjunction

conjonctivite [kɔ̃ʒɔ̃ktivit] *nf Méd* conjunctivitis

conjoncture [kɔ̃ʒɔ̃ktyr] *nf* circumstances; **la c. économique** the economic situation

conjugal, -e, -aux, -ales [kɔ̃ʒygal, -o] *adj (bonheur)* marital; *(vie)* married; *(devoir)* conjugal

conjuguer [kɔ̃ʒyge] **1** *vt (verbe)* to conjugate; *(efforts)* to combine **2 se conjuguer** *vpr (verbe)* to be conjugated ▪ **conjugaison** *nf Grammaire* conjugation

conjurer [kɔ̃ʒyre] *vt (danger)* to avert; *(mauvais sort)* to ward off; **c. qn de faire qch** to beg sb to do sth ▪ **conjuration** *nf (complot)* conspiracy ▪ **conjuré, -ée** *nmf* conspirator

connaissance [kɔnesɑ̃s] *nf (savoir)* knowledge; *(personne)* acquaintance; **à ma c.** to my knowledge; **en c. de cause** with full knowledge of the facts; **avoir c. de qch** to be aware of sth; **avoir des connaissances en histoire** to have a good knowledge of history; **faire la c. de qn** to make sb's acquaintance; **faire c. avec qn** to get to know sb; **prendre c. de qch** to acquaint oneself with sth; **perdre/reprendre c.** to lose/regain consciousness; **sans c.** unconscious ▪ **connaisseur** *nm* connoisseur

connaître* [kɔnɛtr] **1** *vt (personne, endroit, faits, amour)* to know; *(rencontrer)* to meet; *(famine, guerre)* to experience; **faire c. qch** to make sth known; **faire c. qn** *(présenter)* to introduce sb; *(rendre célèbre)* to make sb known; **ne pas c. de limites** to know no bounds **2 se connaître** *vpr* **nous nous connaissons déjà** we've met before; **s'y c. en qch** to know all about sth

connecter [kɔnɛkte] **1** *vt (appareil électrique)* to connect; *Ordinat* **connecté** on line **2 se connecter** *vpr (appareils électriques)* to be connected; *Ordinat (internaute)* to go on line; **se c. à un système** to log on to a system ▪ **connexion** *nf* connection

connerie [kɔnri] *nf très Fam (bêtise)* (damn) stupidity; *(action)* (damn) stupid thing; **dire des conneries** to talk (a load of) crap

connivence [kɔnivɑ̃s] *nf* connivance

connotation [kɔnɔtasjɔ̃] *nf* connotation

connu, -ue [kɔny] **1** *pp de* **connaître 2** *adj (célèbre)* well-known

conquérir* [kɔ̃kerir] *vt (pays, sommet)* ˈto conquer; *(marché)* to capture; **conquis par son charme** won over by his/her charm ▪ **conquérant, -ante** *nmf* conqueror ▪ **conquête** *nf* conquest; **faire la c. de** *(pays)* to conquer

consacrer [kɔ̃sakre] **1** *vt (temps, vie)* to devote (**à** to); *(église)* to consecrate; *(entériner)* to establish **2 se consacrer** *vpr* **se c. à** to devote oneself to

consciemment [kɔ̃sjamɑ̃] *adv* consciously

conscience [kɔ̃sjɑ̃s] *nf* (**a**) *(esprit)* consciousness; **avoir/prendre c. de qch** to be/become aware of sth; **perdre c.** to lose consciousness (**b**) *(morale)* conscience; **avoir bonne/mauvaise c.** to have a clear/guilty conscience; **c. professionnelle** professional integrity ▪ **consciencieux, -euse** *adj* conscientious

conscient, -ente [kɔ̃sjɑ̃, -ɑ̃t] *adj (lucide)* conscious; **c. de qch** aware *or* conscious of sth

conscrit [kɔ̃skri] *nm Mil* conscript ▪ **conscription** *nf Mil* conscription, *Am* draft

consécration [kɔ̃sekrasjɔ̃] *nf (d'église)* consecration; *(aboutissement)* crowning moment

consécutif, -ive [kɔ̃sekytif, -iv] *adj* consecutive; **c. à** following upon ▪ **consécutivement** *adv* consecutively

conseil [kɔ̃sej] *nm* (**a**) *(recommandation)* a piece of advice; **des conseils** advice (**b**) *(assemblée)* council, committee; **c. d'administration** board of directors; *Scol* **c. de classe** = staff meeting with participation of class representatives; *Pol* **c. des ministres** cabinet meeting

conseiller¹ [kɔ̃seje] *vt (guider)* to advise; **c. qch**

à qn to recommend sth to sb; **c. à qn de faire qch** to advise sb to do sth

conseiller², -ère [kɔ̃seje, -jɛr] *nmf (expert)* consultant, adviser; **c. de gestion** management consultant; **c. d'orientation** careers adviser

consentir* [kɔ̃sɑ̃tir] **1** *vi* **c. à qch/à faire qch** to consent to sth/to do sth **2** *vt (prêt)* to grant (**à to**) ▪ **consentement** *nm* consent

conséquence [kɔ̃sekɑ̃s] *nf* consequence; **en c.** accordingly; **agir en c.** to take appropriate action; **sans c.** *(sans importance)* of no importance

conséquent, -ente [kɔ̃sekɑ̃, -ɑ̃t] *adj (cohérent)* consistent; *Fam (somme)* tidy; **par c.** consequently

conservateur, -trice [kɔ̃sɛrvatœr, -tris] **1** *adj & nmf Pol* Conservative **2** *nmf (de musée)* curator; *(de bibliothèque)* librarian **3** *nm (alimentaire)* preservative ▪ **conservatisme** *nm* conservatism

conservation [kɔ̃sɛrvasjɔ̃] *nf (d'aliments)* preserving

conservatoire [kɔ̃sɛrvatwar] *nm* school, academy

conserve [kɔ̃sɛrv] *nf* **conserves** canned or *Br* tinned food; **en c.** canned, *Br* tinned

conserver [kɔ̃sɛrve] **1** *vt* to keep; *(droits)* to retain; *(fruits, tradition)* to preserve; **c. son calme** to keep one's calm **2 se conserver** *vpr (aliment)* to keep

considérable [kɔ̃siderabl] *adj* considerable ▪ **considérablement** [-əmɑ̃] *adv* considerably

considérer [kɔ̃sidere] *vt* to consider (**que** that); **c. qn/qch comme...** to consider sb/sth as...; **tout bien considéré** all things considered ▪ **considération** *nf (respect)* regard, esteem; **considérations** *(remarques)* observations; **prendre qch en c.** to take sth into consideration

consigne [kɔ̃siɲ] *nf (instructions)* orders; *Mil (punition)* confinement to barracks; *(de bouteille)* deposit; **c. (à bagages)** *Br* left-luggage office, *Am* checkroom; **c. automatique** lockers ▪ **consigné, -ée** *adj (bouteille)* returnable ▪ **consigner** *vt (bouteille)* to charge a deposit on; *(bagages) Br* to deposit in the left-luggage office, *Am* to check; *(écrire)* to record; *(punir) (élève)* to keep in; *(soldat)* to confine to barracks

consistant, -ante [kɔ̃sistɑ̃, -ɑ̃t] *adj (sauce, bouillie)* thick; *(repas)* substantial ▪ **consistance** *nf (de corps)* consistency

Il faut noter que l'adjectif anglais **consistent** est un faux ami. Il signifie le plus souvent **cohérent**.

consister [kɔ̃siste] *vi* **c. en qch** to consist of sth; **c. à faire qch** to consist in doing sth

consœur [kɔ̃sœr] *nf* female colleague

console [kɔ̃sɔl] *nf (d'ordinateur, de jeux)* console

consoler [kɔ̃sɔle] **1** *vt* to comfort, to console **2 se consoler** *vpr* **se c. de qch** to get over sth ▪ **consolation** *nf* comfort, consolation

consolider [kɔ̃sɔlide] *vt (mur, position)* to strengthen ▪ **consolidation** *nf* strengthening

consommateur, -trice [kɔ̃sɔmatœr, -tris] *nmf* consumer; *(au café)* customer ▪ **consommation** *nf (de nourriture, d'électricité)* consumption; *(de voiture)* fuel consumption; *(boisson)* drink

consommé, -ée [kɔ̃sɔme] **1** *adj* consummate **2** *nm Culin* consommé

consommer [kɔ̃sɔme] **1** *vt (aliment, carburant)* to consume; *(mariage)* to consummate **2** *vi (au café)* to drink

consonne [kɔ̃sɔn] *nf* consonant ▪ **consonance** *nf* consonance

consortium [kɔ̃sɔrsjɔm] *nm (entreprises)* consortium

conspirer [kɔ̃spire] *vi (comploter)* to conspire (**contre** against); **c. à faire qch** *(concourir)* to conspire to do sth ▪ **conspirateur, -trice** *nmf* conspirator ▪ **conspiration** *nf* conspiracy

conspuer [kɔ̃spɥe] *vt* to boo

constant, -ante [kɔ̃stɑ̃, -ɑ̃t] **1** *adj* constant **2** *nf Math* **constante** constant ▪ **constamment** [-amɑ̃] *adv* constantly ▪ **constance** *nf (en amour)* constancy

constat [kɔ̃sta] *nm* (official) report; **faire un c. d'échec** to acknowledge failure

constater [kɔ̃state] **1** *vt (observer)* to note (**que** that); *Jur (enregistrer)* to record; *(décès)* to certify **2** *vi* **je ne fais que c.** I'm merely stating a fact ▪ **constatation** *nf (remarque)* observation

constellation [kɔ̃stelasjɔ̃] *nf* constellation ▪ **constellé, -ée** *adj* **c. d'étoiles** studded with stars

consterner [kɔ̃stɛrne] *vt* to dismay ▪ **consternation** *nf* dismay

constiper [kɔ̃stipe] *vt* to constipate ▪ **constipation** *nf* constipation ▪ **constipé, -ée** *adj* constipated; *Fam (gêné)* ill at ease

constituer [kɔ̃stitɥe] **1** *vt (composer)* to make up; *(équivaloir à)* to constitute; *(former)* to form; **constitué de** made up of **2 se constituer** *vpr* **se c. prisonnier** to give oneself up

constitutif, -ive [kɔ̃stitytif, -iv] *adj* constituent

constitution [kɔ̃stitysjɔ̃] *nf (santé, lois)* constitution; *(de gouvernement)* formation ▪ **constitutionnel, -elle** *adj* constitutional

constructeur [kɔ̃stryktœr] *nm (bâtisseur)* builder; *(fabricant)* maker (**de** of); **c. automobile** car manufacturer ▪ **constructif, -ive** *adj* constructive ▪ **construction** *nf (de pont, de route, de maison)* building, construction (**de** of); *(de phrase)* structure; *(édifice)* building; **en c.** under construction

construire* [kɔ̃strɥir] *vt (maison, route)* to build; *(phrase)* to construct

consul [kɔ̃syl] *nm* consul ▪**consulaire** *adj* consular ▪**consulat** *nm* consulate

consulter [kɔ̃sylte] **1** *vt* to consult **2** *vi (médecin)* to see patients **3 se consulter** *vpr* to consult each other ▪**consultatif, -ive** *adj* consultative ▪**consultation** *nf* consultation; **être en c.** *(médecin)* to be with a patient

consumer [kɔ̃syme] *vt (brûler)* to consume

contact [kɔ̃takt] *nm (relation, personne, toucher)* & *Él, Aut* contact; **être en c. avec qn** to be in contact with sb; **entrer en c. avec qn** to come into contact with sb; **prendre c.** to get in touch (**avec** with); *Aut* **mettre/couper le c.** to switch on/off ▪**contacter** *vt* to contact

contagieux, -euse [kɔ̃taʒjø, -øz] *adj (maladie, personne)* contagious; *(enthousiasme)* infectious ▪**contagion** *nf Méd* contagion

contaminer [kɔ̃tamine] *vt* to contaminate ▪**contamination** *nf* contamination

conte [kɔ̃t] *nm* tale; **c. de fées** fairy tale

contempler [kɔ̃tɑ̃ple] *vt* to gaze at, to contemplate ▪**contemplation** *nf* contemplation; **être en c. devant qch** to gaze at sth

contemporain, -aine [kɔ̃tɑ̃pɔrɛ̃, -ɛn] *adj & nmf* contemporary

contenance [kɔ̃tnɑ̃s] *nf* (**a**) *(de récipient)* capacity (**b**) *(allure)* bearing; **perdre c.** to lose one's composure

contenir* [kɔ̃tnir] **1** *vt (renfermer)* to contain; *(contrôler)* to hold back, to contain; **le théâtre contient mille places** the theatre seats a thousand **2 se contenir** *vpr* to contain oneself ▪**contenant** *nm* container ▪**conteneur** *nm* container

content, -ente [kɔ̃tɑ̃, -ɑ̃t] **1** *adj* pleased, happy (**de** with; **de faire** to do); **être c. de soi** to be pleased with oneself; **non c. de mentir...** not content with lying... **2** *nm* **avoir son c.** to have had one's fill (**de** of)

contenter [kɔ̃tɑ̃te] **1** *vt (satisfaire)* to satisfy; *(faire plaisir à)* to please **2 se contenter** *vpr* **se c. de qch** to content oneself with sth ▪**contentement** *nm* contentment, satisfaction

contentieux [kɔ̃tɑ̃sjø] *nm (querelles)* dispute; *Jur* litigation; *(service)* legal department

contenu [kɔ̃tny] *nm (de paquet, de bouteille)* contents; *(de lettre, de film)* content

conter [kɔ̃te] *vt* to tell (**à** to) ▪**conteur, -euse** *nmf* storyteller

contestable [kɔ̃tɛstabl] *adj* debatable

contestataire [kɔ̃tɛstater] **1** *adj Pol* anti-establishment; **étudiant c.** student protester **2** *nmf Pol* protester ▪**contestation** *nf* protest; **faire de la c.** to protest; **sans c. possible** beyond dispute

conteste [kɔ̃tɛst] **sans conteste** *adv* indisputably

contester [kɔ̃tɛste] **1** *vt* to dispute **2** *vi* **faire qch sans c.** to do sth without protest ▪**contesté, -ée** *adj (théorie, dirigeant)* controversial

contexte [kɔ̃tɛkst] *nm* context ▪**contextualiser** *vt* to contextualize

contigu, -uë [kɔ̃tigy] *adj (maisons)* adjoining; **c. à qch** adjoining sth ▪**contiguïté** *nf* close proximity

continent [kɔ̃tinɑ̃] *nm* continent; *(opposé à une île)* mainland ▪**continental, -e, -aux, -ales** *adj (climat, plateau)* continental

contingent [kɔ̃tɛ̃ʒɑ̃] *nm Mil* contingent; *(quota)* quota ▪**contingences** *nfpl* contingencies

continu, -ue [kɔ̃tiny] *adj* continuous ▪**continuel, -elle** *adj (ininterrompu)* continuous; *(qui se répète)* continual ▪**continuellement** *adv (de façon ininterrompue)* continuously; *(de façon répétitive)* continually

continuer [kɔ̃tinɥe] **1** *vt (études, efforts, politique)* to continue, to carry on with; **c. à** *ou* **de faire qch** to continue or carry on doing sth **2** *vi* to continue, to go on ▪**continuation** *nf* continuation; *Fam* **bonne c.!** all the best!, good luck with everything! ▪**continuité** *nf* continuity

contondant [kɔ̃tɔ̃dɑ̃] *adj m* blunt

contorsion [kɔ̃tɔrsjɔ̃] *nf* contortion ▪**se contorsionner** *vpr* to contort oneself ▪**contorsionniste** *nmf* contortionist

contour [kɔ̃tur] *nm* outline

contourner [kɔ̃turne] *vt* to go round; *Fig (difficulté, loi)* to get round

contraception [kɔ̃trasɛpsjɔ̃] *nf* contraception ▪**contraceptif, -ive** *adj & nm* contraceptive

contracter [kɔ̃trakte] **1** *vt (muscle, habitude, dette)* to contract **2 se contracter** *vpr (muscle)* to contract; *(personne)* to tense up ▪**contraction** *nf* contraction

contractuel, -elle [kɔ̃traktɥɛl] **1** *adj (politique)* contractual **2** *nmf Br* ≃ traffic warden, *Am* ≃ traffic policeman, *f* traffic policewoman

contradiction [kɔ̃tradiksjɔ̃] *nf* contradiction; **être en c. avec qch** to contradict sth; **avoir l'esprit de c.** to be contrary ▪**contradictoire** *adj* contradictory; **débat c.** debate

contraindre* [kɔ̃trɛ̃dr] **1** *vt* to compel, to force (**à faire** to do) **2 se contraindre** *vpr* to compel or force oneself (**à faire** to do) ▪**contraignant, -ante** *adj* restricting ▪**contrainte** *nf (obligation, limitation)* constraint; **sous la c.** under duress; **obtenir qch par la c.** to obtain sth by force

contraire [kɔ̃trɛr] **1** *adj (opposé)* conflicting; **c. à qch** contrary to sth; **en sens c.** in the opposite direction; **vent c.** headwind; **le sort nous est c.** fate is against us **2** *nm* opposite; **(bien) au c.** on the contrary ▪**contrairement** *adv* **c.** à contrary to; **c. à qn** unlike sb

contrarier [kɔ̃trarje] *vt (projet, action)* to thwart; *(personne)* to annoy ■**contrariant, -ante** *adj (situation)* annoying; *(personne)* contrary ■**contrariété** *nf* annoyance

contraste [kɔ̃trast] *nm* contrast ■**contraster** *vi* to contrast (**avec** with)

contrat [kɔ̃tra] *nm* contract; **passer un c.** to enter into an agreement; **c. emploi-solidarité** = short-term contract subsidized by the French government; **c. de mariage** prenuptial agreement

contravention [kɔ̃travɑ̃sjɔ̃] *nf (amende)* fine; *(pour stationnement interdit)* (parking) ticket

contre [kɔ̃tr] **1** *prép* against; *(en échange de)* (in exchange) for; **échanger qch c. qch** to exchange sth for sth; **fâché c. qn** angry with sb; **six voix c. deux** six votes to two; **Nîmes c. Arras** *(match)* Nîmes versus *or* against Arras; **sirop c. la toux** cough mixture; **par c.** on the other hand **2** *nm* (**a**) **le pour et le c.** the pros and cons (**b**) *(au volley, au basket)* block ■**contre-attaque** *(pl* **contre-attaques)** *nf* counter-attack ■**contre-attaquer** *vt* to counter-attack

contrebalancer [kɔ̃trəbalɑ̃se] *vt* to counterbalance; *Fig (compenser)* to offset

contrebande [kɔ̃trəbɑ̃d] *nf (activité)* smuggling; *(marchandises)* contraband; **tabac de c.** smuggled tobacco; **faire de la c.** to smuggle goods; **faire entrer qch en c.** to smuggle in sth ■**contrebandier, -ière** *nmf* smuggler

contrebas [kɔ̃trəba] **en contrebas** *adv* (down) below; **en c. de** below

contrebasse [kɔ̃trəbas] *nf (instrument)* double-bass

contrecarrer [kɔ̃trəkare] *vt* to thwart

contrecœur [kɔ̃trəkœr] **à contrecœur** *adv* reluctantly

contrecoup [kɔ̃trəku] *nm* repercussions

contre-courant [kɔ̃trəkurɑ̃] *(pl* **contre-courants)** **à contre-courant** *adv (nager)* against the current

contredire* [kɔ̃trədir] **1** *vt* to contradict **2 se contredire** *vpr (soi-même)* to contradict oneself; *(l'un l'autre)* to contradict each other

contrée [kɔ̃tre] *nf Littéraire (region)* region; *(pays)* land

contre-espionnage [kɔ̃trɛspjɔnaʒ] *nm* counter-espionage

contrefaçon [kɔ̃trəfasɔ̃] *nf (pratique)* counterfeiting; *(produit)* fake ■**contrefaire*** *vt (voix, écriture)* to disguise; *(pièce)* to counterfeit; *(signature)* to forge

contreforts [kɔ̃trəfɔr] *nmpl (montagnes)* foothills

contre-indication [kɔ̃trɛ̃dikasjɔ̃] *(pl* **contre-indications)** *nf* contraindication

contre-jour [kɔ̃trəʒur] *nm* **à c.** *(tableau, photo)* against the light; **un effet de c.** a backlit effect

contremaître [kɔ̃trəmɛtr] *nm* foreman

contre-offensive [kɔ̃trɔfɑ̃siv] *(pl* **contre-offensives)** *nf* counter-offensive

contrepartie [kɔ̃trəparti] *nf* compensation; **en c. (de)** in return (for)

contre-performance [kɔ̃trəpɛrfɔrmɑ̃s] *(pl* **contre-performances)** *nf* substandard performance

contre-pied [kɔ̃trəpje] *nm* **prendre le c. de qch** *(dire le contraire de)* to take the opposite view to sth; *Sport* **prendre son adversaire à c.** to wrongfoot one's opponent

contreplaqué [kɔ̃trəplake] *nm* plywood

contrepoids [kɔ̃trəpwa] *nm* counterbalance; **faire c. à qch** to counterbalance sth

contrepoison [kɔ̃trəpwazɔ̃] *nm* antidote

contrer [kɔ̃tre] *vt (personne, attaque)* to counter

contre-révolution [kɔ̃trərevɔlysjɔ̃] *(pl* **contre-révolutions)** *nf* counter-revolution

contresens [kɔ̃trəsɑ̃s] *nm* misinterpretation; *(en traduisant)* mistranslation; **à c.** *(en voiture)* the wrong way; **prendre une rue à c.** to go down/up a street the wrong way

contresigner [kɔ̃trəsiɲe] *vt* to countersign

contretemps [kɔ̃trətɑ̃] *nm* hitch, mishap; *Mus* offbeat; **à c.** off the beat; *Fig* at the wrong moment

contrevenir* [kɔ̃trəvnir] *vi* **c. à** to contravene

contrevérité [kɔ̃trəverite] *nf* untruth

contribuer [kɔ̃tribɥe] *vi* to contribute (**à** to); **c. à faire qch** to help (to) do sth ■**contribuable** *nmf* taxpayer ■**contribution** *nf* contribution (**à** to); *(impôt)* tax; **contributions** *(administration)* tax office; **mettre qn à c.** to use sb's services

contrit, -e [kɔ̃tri, -it] *adj* contrite ■**contrition** *nf* contrition

contrôle [kɔ̃trol] *nm (vérification)* checking (**de** of); *(surveillance)* monitoring; *(maîtrise)* control; *Scol* test; **avoir le c. de qch** to have control of sth; **perdre le c. de son véhicule** to lose control of one's vehicle; **le c. des naissances** birth control; **c. d'identité** identity check; **c. des passeports** passport control; **c. de soi** self-control; **c. fiscal** tax inspection

contrôler [kɔ̃trole] **1** *vt (vérifier)* to check; *(surveiller)* to monitor; *(maîtriser)* to control **2 se contrôler** *vpr* to control oneself ■**contrôleur, -euse** *nmf (de train, de bus)* ticket inspector; **c. aérien** air-traffic controller

contrordre [kɔ̃trɔrdr] *nm* **il y a c.** the orders have been changed

controverse [kɔ̃trɔvɛrs] *nf* controversy ■**controversé, -ée** *adj* controversial

contumace [kɔ̃tymas] *nf Jur* non-appearance in court; **par c.** in absentia

contusion [kɔ̃tyzjɔ̃] *nf* bruise ■**contusionné, -ée** *adj* bruised

convaincre* [kɔ̃vɛ̃kr] *vt* to convince (**de** of); **c.**

qn de faire qch to persuade sb to do sth ■**convaincant, -ante** *adj* convincing ■**convaincu, -e** *adj* convinced (**de** of; **que** that); *(partisan)* committed; **être c. de meurtre** to be found guilty of murder

convalescent, -ente [kɔ̃valesɑ̃, -ɑ̃t] *adj & nmf* convalescent ■**convalescence** *nf* convalescence; **être en c.** to be convalescing

convenable [kɔ̃vnabl] *adj (approprié)* suitable; *(acceptable, décent)* decent ■**convenablement** [-əmɑ̃] *adv (s'habiller, être payé)* decently

convenance [kɔ̃vnɑ̃s] *nf* **faire qch à sa c.** to do sth at one's own convenience; **pour c. personnelle** for personal reasons; **les convenances** *(usages)* the proprieties

convenir* [kɔ̃vnir] **1** *vi* **c. à** *(être fait pour)* to be suitable for; *(plaire à, aller à)* to suit; **c. de qch** *(lieu, prix)* to agree upon sth; *(erreur)* to admit sth; **c. de faire qch** to agree to do sth; **c. que...** to admit that... **2** *v impersonnel* **il convient de...** it is advisable to...; *(selon les usages)* it is proper to...; **il fut convenu que...** *(décidé)* it was agreed that... ■**convenu, -ue** *adj (décidé)* agreed; *Péj (peu original)* conventional; **comme c.** as agreed

convention [kɔ̃vɑ̃sjɔ̃] *nf (accord)* agreement; *(règle)* convention; *Pol (assemblée)* assembly; **c. collective** collective agreement; **de c.** *(sourire)* superficial

conventionné, -ée [kɔ̃vɑ̃sjone] *adj (médecin, clinique)* attached to the health system, *Br* ≃ NHS; **médecin non c.** private doctor

conventionnel, -elle [kɔ̃vɑ̃sjonel] *adj* conventional

convergent, -ente [kɔ̃verʒɑ̃, -ɑ̃t] *adj* convergent ■**convergence** *nf* convergence ■**converger** *vi* to converge (**vers** on)

conversation [kɔ̃versasjɔ̃] *nf* conversation; **engager la c.** to start a conversation ■**converser** *vi Formel* to converse (**avec** with)

conversion [kɔ̃versjɔ̃] *nf (changement)* conversion (**en** into); *(à une doctrine)* conversion (**à** to) ■**converti, -ie** *nmf Rel* convert ■**convertible** **1** *adj* convertible (**en** into) **2** *nm* sofa bed ■**convertir** **1** *vt (changer)* to convert (**en** into); *(à une doctrine)* to convert (**à** to) **2 se convertir** *vpr (à une doctrine)* to be converted (**à** to) ■**convertisseur** *nm Ordinat* **c. analogique numérique** digitizer

convexe [kɔ̃veks] *adj* convex

conviction [kɔ̃viksjɔ̃] *nf (certitude, croyance)* conviction; **avoir la c. que...** to be convinced that...

convier [kɔ̃vje] *vt Formel* to invite (**à** to; **à faire** to do)

convive [kɔ̃viv] *nmf* guest

convivial, -e, -aux, -ales [kɔ̃vivjal, -jo] *adj* convivial; *Ordinat* user-friendly

convoi [kɔ̃vwa] *nm (véhicules, personnes)* convoy; *(train)* train; **c. funèbre** funeral procession

convoiter [kɔ̃vwate] *vt (poste, richesses)* to covet

convoler [kɔ̃vole] *vi Hum* **c. en justes noces** to marry

convoquer [kɔ̃voke] *vt (témoin)* to summon; *(employé, postulant)* to call in; *(assemblée)* to convene; **c. qn à un examen** to notify sb of an examination ■**convocation** *nf (lettre)* notice to attend; *(d'assemblée)* convening; *Jur* summons; **c. à un examen** notification of an examination

convoyer [kɔ̃vwaje] *vt (troupes)* to convoy; *(fonds)* to transport under armed guard ■**convoyeur** *nm* **c. de fonds** security guard

convulser [kɔ̃vylse] *vt* to convulse ■**convulsif, -ive** *adj* convulsive ■**convulsion** *nf* convulsion

coopérer [koopere] *vi* to co-operate (**à** in, **avec** with) ■**coopératif, -ive** *adj & nf* cooperative ■**coopération** *nf* co-operation (**entre** between); *Pol* overseas development

coopter [koopte] *vt* to co-opt

coordonner [koordone] *vt* to co-ordinate (**à** ou **avec** with) ■**coordination** *nf* co-ordination ■**coordonnées** *nfpl (adresse, téléphone)* address and phone number; *Math* co-ordinates

copain [kopɛ̃] *nm Fam (camarade)* pal; *(petit ami)* boyfriend; **être c. avec qn** to be pals with sb

copeau, -x [kopo] *nm (de bois)* shaving

copie [kopi] *nf (manuscrit, double)* copy; *Scol (devoir, examen)* paper; **c. double** double sheet of paper ■**copier** *vt (texte, musique, document) & Scol (à un examen)* to copy (**sur** from); *Ordinat* **c. qch sur diskette** to copy sth to disk ■**copier-coller** *nm inv Ordinat* copy and paste; **faire un c. sur qch** to copy and paste sth ■**copieur, -euse** **1** *nmf (élève)* copier **2** *nm (machine)* photocopier

copieux, -euse [kopjø, -øz] *adj (repas)* copious; *(portion)* generous

copilote [kopilɔt] *nm Av* co-pilot

copine [kopin] *nf Fam (camarade)* pal; *(petite amie)* girlfriend; **être c. avec qn** to be pals with sb

copropriété [koproprijete] *nf* joint ownership; **(immeuble en) c.** *Br* block of flats in joint ownership, *Am* condominium

copulation [kopylasjɔ̃] *nf* copulation

coq [kɔk] *nm* cock, *Am* rooster; **c. au vin** coq au vin *(chicken cooked in red wine)*; **passer du c. à l'âne** to jump from one subject to another

coque [kɔk] *nf (de noix)* shell; *(de navire)* hull; *(fruit de mer)* cockle

coquelet [kɔklɛ] *nm* cockerel

coquelicot [kɔkliko] *nm* poppy

coqueluche [kɔklyʃ] *nf (maladie)* whooping cough; *Fig* **être la c. de** to be the darling of

coquet, -ette [kɔkɛ, -ɛt] *adj (intérieur)*

charming; *Fam (somme)* tidy; *(person)* conscious of one's appearance ▪**coquetterie** *nf (vestimentaire)* consciousness of one's appearance

coquetier [kɔktje] *nm* egg-cup

coquille [kɔkij] *nf* shell; *(faute d'imprimerie)* misprint; *Culin* **c. Saint-Jacques** scallop ▪**coquillage** *nm (mollusque)* shellfish *inv*; *(coquille)* shell

coquin, -e [kɔkɛ̃, -in] **1** *adj (sourire, air)* mischievous; *(sous-vêtements)* naughty **2** *nmf* rascal

cor [kɔr] *nm (instrument)* horn; *(durillon)* corn; **réclamer qch à c. et à cri** to clamour for sth

corail, -aux [kɔraj, -o] *nm* coral

Coran [kɔrɑ̃] *nm* **le C.** the Koran

corbeau, -x [kɔrbo] *nm (oiseau)* crow

corbeille [kɔrbɛj] *nf* (**a**) *(panier)* basket; *Ordinat* wastebasket, recycle bin, *Am* trash; *Ordinat* **c. d'arrivé** *(pour courrier électronique)* in-box; **c. de fruits** fruit basket; **c. à pain** breadbasket; **c. à papier** wastepaper basket (**b**) *(à la Bourse)* trading floor (**c**) *Théâtre* dress circle

corbillard [kɔrbijar] *nm* hearse

cordage [kɔrdaʒ] *nm (corde)* rope; *(de raquette)* stringing

corde [kɔrd] *nf (lien)* rope; *(de raquette, de violon)* string; **usé jusqu'à la c.** threadbare; **monter à la c.** to climb up a rope; **tenir la c.** *(coureur)* to be on the inside; *Fam* **ce n'est pas dans mes cordes** it's not in my line; **c. à linge** washing or clothes line; **c. à sauter** *Br* skipping rope, *Am* jump-rope; **c. raide** tightrope; **cordes vocales** vocal cords ▪**cordée** *nf (d'alpinistes)* roped party ▪**cordelette** *nf* cord ▪**corder** *vt (raquette)* to string

cordial, -e, -aux, -ales [kɔrdjal, -jo] **1** *adj (accueil, personne)* cordial **2** *nm (remontant)* tonic ▪**cordialité** *nf* cordiality

cordon [kɔrdɔ̃] *nm (de tablier, de sac)* string; *(de rideau)* cord; *(de policiers)* cordon; *Anat* **c. ombilical** umbilical cord ▪**cordon-bleu** *(pl cordons-bleus) nm Fam* first-class cook

cordonnier [kɔrdɔnje] *nm* shoe repairer ▪**cordonnerie** *nf (métier)* shoe-repairing; *(boutique)* shoe repairer's shop

Corée [kɔre] *nf* **la C.** Korea ▪**coréen, -enne 1** *adj* Korean **2** *nmf* **C., Coréenne** Korean

coriace [kɔrjas] *adj (viande, personne)* tough

corne [kɔrn] *nf (d'animal, matière, instrument)* horn; *(au pied, à la main)* hard skin; **faire une c. à une page** to turn down the corner of a page; **c. de brume** foghorn

cornée [kɔrne] *nf Anat* cornea

corneille [kɔrnɛj] *nf* crow

cornemuse [kɔrnəmyz] *nf* bagpipes

corner¹ [kɔrne] *vt (page)* to turn down the corner of; *(abîmer)* to make dog-eared

corner² [kɔrner] *nm Football* corner; **tirer un c.** to take a corner

cornet [kɔrnɛ] *nm (glace)* cone, *Br* cornet; **c. (de papier)** (paper) cone; *Mus* **c. (à pistons)** cornet

corniaud [kɔrnjo] *nm (chien)* mongrel; *Fam (imbécile)* twit

corniche [kɔrniʃ] *nf (de rocher)* ledge; *(route)* coast road; *(en haut d'un mur)* cornice

cornichon [kɔrniʃɔ̃] *nm* gherkin

cornu, -ue [kɔrny] *adj (diable, animal)* horned

corollaire [kɔrɔlɛr] *nm (suite)* consequence

corporation [kɔrpɔrasjɔ̃] *nf* corporate body

corporel, -elle [kɔrpɔrɛl] *adj (besoin)* bodily; *(hygiène)* personal

corps [kɔr] *nm (organisme, cadavre)* & *Chim* body; *(partie principale)* main part; **c. et âme** body and soul; **à son c. défendant** under protest; **lutter à c. à c.** to fight hand to hand; **prendre c.** *(projet)* to take shape; **donner c. à** *(rumeur, idée)* to give substance to; *Naut* **perdu c. et biens** lost with all hands; **c. d'armée/diplomatique** army/diplomatic corps; **c. électoral** electorate; **c. enseignant** teaching profession; **c. gras** fat

corpulent, -ente [kɔrpylɑ̃, -ɑ̃t] *adj* stout, corpulent ▪**corpulence** *nf* stoutness, corpulence

corpus [kɔrpys] *nm Jur & Ling* corpus

correct, -e [kɔrɛkt] *adj (exact, courtois)* correct; *Fam (acceptable)* reasonable ▪**correctement** [-əmɑ̃] *adv (sans faute de fautes, décemment)* correctly; *Fam (de façon acceptable)* reasonably; **gagner c. sa vie** to make a reasonable living

correcteur, -trice [kɔrɛktœr, -tris] **1** *adj* **verres correcteurs** corrective lenses **2** *nmf (d'examen)* examiner; *(en typographie)* proofreader **3** *nm Ordinat* **c. d'orthographe** spellchecker

correction [kɔrɛksjɔ̃] *nf (rectification)* correction; *(punition)* beating; *(décence, courtoisie)* correctness; *Scol (de devoirs, d'examens)* marking; **c. d'épreuves** proof-reading

correctionnel, -elle [kɔrɛksjɔnɛl] **1** *adj* **tribunal c.** criminal court **2** *nf* **correctionnelle** criminal court; **passer en c.** to go before a criminal court

corrélation [kɔrelasjɔ̃] *nf* correlation

correspondance [kɔrɛspɔ̃dɑ̃s] *nf (relation, lettres)* correspondence; *(de train, d'avion) Br* connection, *Am* transfer

correspondre [kɔrɛspɔ̃dr] *vi* **c. à qch** to correspond to sth; **c. avec qn** *(par lettres)* to correspond with sb ▪**correspondant, -ante 1** *adj* corresponding (**à** to) **2** *nmf (reporter)* correspondent; *(par lettres)* pen friend, pen pal; *(au téléphone)* caller; **c. de guerre** war correspondent

corrida [kɔrida] *nf* bullfight

corridor [kɔridɔr] *nm* corridor

corriger [kɔriʒe] **1** *vt (texte, erreur, myopie, injustice)* to correct; *(exercice, devoir)* to mark; **c. qn** to give sb a beating; **c. qn de qch** to cure sb of sth **2 se corriger** *vpr* to mend one's ways; **se c. de qch** to cure oneself of sth ■ **corrigé** *nm (d'exercice)* correct answers (**de** to)

corroborer [kɔrɔbɔre] *vt* to corroborate

corroder [kɔrɔde] *vt* to corrode ■ **corrosif, -ive** *adj* corrosive ■ **corrosion** *nf* corrosion

corrompre* [kɔrɔ̃pr] *vt (personne, goût)* to corrupt; *(soudoyer)* to bribe ■ **corrompu, -e** *adj* corrupt ■ **corruption** *nf (par l'argent)* bribery; *(vice)* corruption

corsage [kɔrsaʒ] *nm* blouse

corsaire [kɔrsɛr] *nm* (**a**) *Hist (marin)* corsair (**b**) *(pantalon)* pedal pushers

Corse [kɔrs] *nf* **la C.** Corsica ■ **corse 1** *adj* Corsican **2** *nmf* **C.** Corsican

corser [kɔrse] **1** *vt (plat)* to spice up; *Fig (récit)* to liven up **2 se corser** *vpr* **ça se corse** things getting complicated ■ **corsé, -ée** *adj (café) Br* full-flavoured, *Am* full-flavored; *(vin)* full-bodied; *Fig (histoire)* spicy

corset [kɔrsɛ] *nm* corset

cortège [kɔrtɛʒ] *nm (défilé)* procession; **c. funèbre** funeral cortège

corvée [kɔrve] *nf* chore; *Mil* fatigue duty

cosmétique [kɔsmetik] *adj & nm* cosmetic

cosmopolite [kɔsmɔpɔlit] *adj* cosmopolitan

cosmos [kɔsmɔs] *nm (univers)* cosmos; *(espace)* outer space ■ **cosmique** *adj* cosmic ■ **cosmonaute** *nmf* cosmonaut

cosse [kɔs] *nf (de pois)* pod

cossu, -e [kɔsy] *adj (personne)* well-to-do; *(maison, intérieur)* opulent

costard [kɔstar] *nm Fam* suit

costaud, -aude [kɔsto, -od] **1** *adj (personne)* sturdy; *(alcool, épice)* strong **2** *nm* sturdy man

costume [kɔstym] *nm (habit)* costume; *(complet)* suit

cotation [kɔtasjɔ̃] *nf* **c. (en Bourse)** quotation (on the Stock Exchange)

cote [kɔt] *nf (marque de classement)* classification mark; *(valeur)* quotation; *(liste)* share index; *(de cheval)* odds; *(altitude)* altitude; *Fam* **avoir la c.** to be popular; **c. d'alerte** danger level; **c. de popularité** popularity rating

côte [kot] *nf* (**a**) *(os)* rib; **à côtes** *(étoffe)* ribbed; **c. à c.** side by side; **se tenir les côtes (de rire)** to split one's sides (laughing); **c. d'agneau/de porc** lamb/pork chop; **c. de bœuf** rib of beef (**b**) *(de montagne)* slope (**c**) *(littoral)* coast; **la C. d'Azur** the French Riviera

côté [kote] *nm* side; **de l'autre c.** on the other side (**de** of); *(direction)* the other way; **de ce c.** *(passer)* this way; **du c. de** *(près de)* near; **à c.** close by, nearby; *(pièce)* in the other room; *(maison)* next door; **la maison d'à c.** the house

next door; **à c. de qn/qch** next to sb/sth; *(en comparaison de)* compared to sb/sth; **passer à c.** *(balle)* to fall wide (**de** of); **à mes côtés** by my side; **mettre qch de c.** to put sth aside; **venir de tous côtés** to come from all directions; **d'un c.... d'un autre c....** on the one hand... on the other hand...; **de mon c.** for my part; **le bon c. de qch** the bright side of sth; *Fam* **c. argent** moneywise

coteau, -x [kɔto] *nm* hill; *(versant)* hillside

côtelé, -ée [kotle] *adj* **velours c.** corduroy

côtelette [kotlɛt] *nf (d'agneau, de porc)* chop

coter [kɔte] *vt (prix, action)* to quote ■ **coté, -ée** *adj* **bien c.** highly rated; **c. en Bourse** quoted on the Stock Market

côtier, -ière [kotje, -jɛr] *adj* coastal; *(pêche)* inshore

cotiser [kɔtize] **1** *vi (à un cadeau, pour la retraite)* to contribute (**à** to; **pour** towards) **2 se cotiser** *vpr Br* to club together, *Am* to club in ■ **cotisation** *nf (de club)* dues, subscription; *(de retraite, de chômage)* contribution

coton [kɔtɔ̃] *nm* cotton; **c. hydrophile** *Br* cotton wool, *Am* absorbent cotton ■ **cotonnade** *nf* cotton fabric

côtoyer [kotwaje] *vt (personnes)* to mix with; *Fig (rivière, forêt)* to border on

cotte [kɔt] *nf* **c. de maille** coat of mail

cou [ku] *nm* neck; **sauter au c. de qn** to throw one's arms around sb; *Fam* **endetté jusqu'au c.** up to one's ears in debt

couche [kuʃ] *nf* (**a**) *(épaisseur)* layer; *(de peinture)* coat; **couches sociales** levels of society; **la c. d'ozone** the ozone layer; *Fam* **il en tient une c.!** he's really stupid (**b**) *(linge de bébé) Br* nappy, *Am* diaper ■ **couche-culotte** *(pl* **couches-culottes)** *nf Br* disposable nappy, *Am* disposable diaper

coucher [kuʃe] **1** *nm (moment)* bedtime; **l'heure du c.** bedtime; **au c.** at bedtime; **c. de soleil** sunset **2** *vt (allonger)* to lay down; **c. qn** to put sb to bed; **c. qn sur son testament** to mention sb in one's will **3** *vi* to sleep (**avec** with) **4 se coucher** *vpr (personne)* to go to bed; *(s'allonger)* to lie down; *(soleil)* to set; **aller se c.** to go to bed ■ **couchant 1** *adj m* **soleil c.** setting sun **2** *nm* **le c.** *(ouest)* the west ■ **couché, -ée** *adj* **être c.** to be in bed; *(étendu)* to be lying (down)

couchette [kuʃɛt] *nf (de train)* couchette; *(de bateau)* bunk

couci-couça [kusikusa] *adv Fam* so-so

coucou [kuku] **1** *nm (oiseau)* cuckoo; *(pendule)* cuckoo clock; *(fleur)* cowslip **2** *exclam (me voilà)* peek-a-boo!; *(pour dire bonjour)* cooee!

coude [kud] *nm (de personne)* elbow; *(tournant)* bend; **donner un coup de c. à qn** to nudge sb; **pousser qn du c.** to nudge sb; **être au c. à c.** to be neck and neck; *Fig* **se serrer les coudes** to stick together

cou-de-pied [kudpjɛ] (*pl* **cous-de-pied**) *nm* instep

coudre* [kudr] *vti* to sew

couenne [kwan] *nf (de lard)* rind

couette¹ [kwɛt] *nf (édredon)* duvet

couette² [kwɛt] *nf Fam (coiffure)* bunch; **se faire des couettes** to put one's hair in bunches

couffin [kufɛ̃] *nm (de bébé) Br* Moses basket, *Am* bassinet

couillon, -onne [kujɔ̃, -ɔn] *nmf très Fam* twat

couiner [kwine] *vi (animal)* to squeal; *(enfant)* to whine

coulée [kule] *nf* **c. de lave** lava flow; **c. de boue** mudslide

couler [kule] **1** *vt* (**a**) *(métal, statue)* to cast; *(liquide, ciment)* to pour; **c. des jours heureux** to lead a happy life (**b**) *(navire)* to sink; **Fam c. qn** to bring sb down **2** *vi* (**a**) *(eau, rivière)* to flow; *(nez, sueur)* to run; *(robinet)* to leak; *Fig* **faire c. un bain** to run a bath; **faire c. le sang** to cause bloodshed; *Fig* **c. de source** to be obvious (**b**) *(bateau, nageur)* to sink; **c. à pic** to sink to the bottom **3 se couler** *vpr* **se c. dans** *(passer)* to slip into; **Fam se la c. douce** to take things easy ■**coulant, -ante** *adj (fromage)* runny; *Fig (style)* flowing; *Fam (personne)* easy-going

couleur [kulœr] *nf (teinte) Br* colour, *Am* color; *(colorant)* paint; *(pour cheveux)* dye; *Cartes* suit; **couleurs** *(de drapeau, de club)* colours; **de quelle c. est...?** what colour is...?; **prendre des couleurs** to get some colour in one's cheeks; *Fam* **il nous en a fait voir de toutes les couleurs** he gave us a hard time; **homme de c.** coloured man; **boîte de couleurs** paintbox; **photo en couleurs** colour photo; **télévision c.** *ou* **en couleurs** colour television set

couleuvre [kulœvr] *nf* grass snake

coulis [kuli] *nm* **c. de tomates** tomato coulis

coulisse [kulis] *nf (de porte)* runner; **porte à c.** sliding door; *Théâtre* **les coulisses** the wings; *Théâtre & Fig* **dans les coulisses** behind the scenes ■**coulissant, -ante** *adj (porte, panneau)* sliding

couloir [kulwar] *nm (de maison, de train)* corridor; *(en natation, en athlétisme)* lane; **c. aérien** air corridor; **c. de bus** bus lane

coup [ku] *nm* (**a**) *(choc)* blow; *(essai)* attempt, go; *Échecs* move; **donner un c. à qn** to hit sb; **se donner un c. contre qch** to knock against sth; **donner un c. de bâton à qn** to hit sb with a stick; **donner un c. de couteau à qn** to knife sb; **c. de pied** kick; **donner un c. de pied à qn** to kick sb; **c. de poing** punch; **donner un c. de poing à qn** to punch sb; *Fig* **donner un c. de main à qn** to give sb a hand; **c. de tête** header; **mauvais c.** piece of mischief; *Fam* **sale c.** dirty trick; *Fam* **c. dur** nasty blow

(**b**) *(action soudaine, événement soudain)* **c. de vent** gust of wind; **donner un c. de frein** to brake; **prendre un c. de soleil** to get sunburned; *Fam* **avoir un c. de barre** to have the munchies; *Fig* **ça a été le c. de foudre** it was love at first sight; **c. de chance** stroke of luck; **c. d'État** coup; *Fam* **c. de pub** publicity stunt; **c. de théâtre** coup de théâtre

(**c**) *(bruit)* **c. de feu** shot; **c. de fusil** shot; **c. de sifflet** whistle; **c. de sonnette** ring; **c. de tonnerre** clap of thunder; **sur le c. de midi** on the stroke of twelve; **l'horloge sonna deux coups** the clock struck two

(**d**) *(expressions)* **après c.** after the event; **sur le c.** *(alors)* at the time; **tué sur le c.** killed outright; **à c. sûr** for certain; **c. sur c.** one after the other; **tout à c., tout d'un c.** suddenly; **d'un seul c.** *(avaler)* in one go; *(soudain)* all of a sudden; **du premier c.** at the first attempt; *Fam* **du c.** and so; **sous le c. de la colère** in a fit of anger; **faire les quatre cents coups** to sow one's wild oats; **tenir le c.** to hold out; **tomber sous le c. de la loi** to be an offence; *Fam* **tenter le c.** to have a go; *Fam* **réussir son c.** to be a great success; *Fam* **il est dans le c.** he's in the know; *Football & Rugby* **c. d'envoi** kickoff; **c. de maître** masterstroke; *Tennis* **c. droit** forehand; *Football* **c. franc** free kick; **c. monté** put-up job

coupable [kupabl] **1** *adj* guilty (**de** of); *(négligence)* culpable; **se sentir c.** to feel guilty **2** *nmf* culprit

coupe¹ [kup] *nf (trophée)* cup; *(récipient)* bowl; **la C. du monde** the World Cup; **c. à champagne** champagne glass

coupe² [kup] *nf (de vêtement)* cut; *(plan)* section; *Fig* **être sous la c. de qn** to be under sb's thumb; **c. de cheveux** haircut ■**coupe-faim** *nm inv* appetite suppressant ■**coupe-gorge** *nm inv* cut-throat alley ■**coupe-ongles** *nm inv* nail clippers ■**coupe-papier** *nm inv* paper knife, letter opener ■**coupe-vent** *nm inv (blouson) Br* windcheater, *Am* Windbreaker®

couper [kupe] **1** *vt (trancher, supprimer)* to cut; *(arbre)* to cut down; **c. le courant** *(pour réparation)* to switch off the current; *(pour non-paiement)* to cut off the power; **c. la parole à qn** to cut sb short; **c. l'appétit à qn** to spoil sb's appetite; **c. les cheveux à qn** to cut sb's hair; *Fig* **c. les cheveux en quatre** to split hairs; **être coupé du monde** to be cut off from the outside world; **nous avons été coupés** *(au téléphone)* we were cut off; *Fam* **j'en donnerais ma main** *ou* **ma tête à c.** I'd stake my life on it **2** *vi (être tranchant)* to be sharp; *(aux cartes)* to cut; *(prendre un raccourci)* to take a short cut; **c. à travers champs** to cut across country; **c. court à qn** to cut sth short; *Fam* **c. à qch** *(se dérober)* to get out of sth; **ne coupez pas!** *(au* *téléphone)* hold the line! **3 se couper** *vpr (routes)* to intersect; **se c. au doigt** to cut one's finger; **se c. les cheveux** to cut one's hair ▪**coupant, -ante** *adj* sharp ▪**coupé** *nm (voiture)* coupé ▪**couper-coller** *nm inv Ordinat* cut and paste; **faire un c. sur qch** to cut and paste sth

couperet [kuprɛ] *nm (de boucher)* cleaver; *(de guillotine)* blade

couperosé, -ée [kuproze] *adj (visage)* blotchy

couple [kupl] *nm* couple

couplet [kuplɛ] *nm* verse

coupole [kupɔl] *nf* dome

coupon [kupɔ̃] *nm (tissu)* remnant; **c. de réduction** money-off coupon; **c.-réponse** reply coupon

coupure [kupyr] *nf (blessure)* cut; **5 000 euros en petites coupures** 5,000 euros in small notes; **c. d'électricité** *ou* **de courant** blackout, *Br* power cut; **c. de presse** newspaper cutting

cour [kur] *nf* (**a**) *(de maison, de ferme)* yard; **c. de récréation** *Br* playground, *Am* schoolyard (**b**) *(de roi, tribunal)* court; **c. d'appel** Court of appeal; **c. d'assises** Assize Court, *Br* ≃ crown court, *Am* ≃ circuit court; **c. de cassation** ≃ Supreme Court of Appeal (**c**) **faire la c. à qn** to court sb

courage [kuraʒ] *nm* courage; **perdre c.** to lose heart; **s'armer de c.** to pluck up courage; **bon c.!** good luck! ▪**courageux, -euse** *adj (brave)* courageous; *(énergique)* spirited ▪**courageusement** *adv (bravely)* courageously

couramment [kuramɑ̃] *adv (parler)* fluently; *(généralement)* commonly

courant, -ante [kurɑ̃, -ɑ̃t] **1** *adj (commun)* common; *(en cours)* current; *Com* **le dix c.** the tenth of this month, *Br* the tenth inst. **2** *nm (de rivière)* current; **dans le c. du mois** during the course of the month; **être au c. de qch** to know about sth; **mettre qn au c. de qch** to tell sb about sth; **c. d'air** *Br* draught, *Am* draft; **c. électrique** electric current

> Il faut noter que l'adjectif anglais **current** est un faux ami. Il signifie **actuel**.

courbature [kurbatyr] *nf* ache; **avoir des courbatures** to be aching (all over) ▪**courbaturé, -ée** *adj* aching (all over)

courbe [kurb] **1** *adj* curved **2** *nf* curve; **c. de niveau** contour line ▪**courber** **1** *vti* to bend **2 se courber** *vpr (personne)* to bend down; **se c. en deux** to bend double

courge [kurʒ] *nf Br* marrow, *Am* squash ▪**courgette** *nf Br* courgette, *Am* zucchini

courir* [kurir] **1** *vi* to run; *(à une course automobile)* to race; **c. après qn/qch** to run after sb/sth; **c. à sa perte** to be heading for disaster; **descendre une colline en courant** to run down a hill; *Fam* **faire qch en courant** to do

sth in a rush; **faire c. un bruit** to spread a rumour; **le bruit court que...** rumour has it that...; **le voleur court toujours** the thief is still at large **2** *vt* **c. un risque** to run a risk; **c. le 100 mètres** to run the 100 *Br* metres *or Am* meters; **c. le monde** to roam the world; **c. les théâtres** to go to the theatre all the time; **c. les filles** to chase women ▪**coureur, -euse** *nmf (sportif)* runner; *(cycliste)* cyclist; **c. automobile** racing driver; **c. de jupons** womanizer

couronne [kurɔn] *nf (de roi, de reine)* crown; *(pour enterrement)* wreath; *(de dent)* crown ▪**couronnement** [-əmɑ̃] *nm (de roi)* coronation; *Fig (réussite)* crowning achievement ▪**couronner** *vt (roi)* to crown; *(auteur, ouvrage)* to award a prize to; **leurs efforts furent couronnés de succès** their efforts were crowned with success; **et pour c. le tout...** and to crown it all...

courriel [kuriɛl] *(abrév* **courrier électronique)** *nm Can Ordinat* e-mail

courrier [kurje] *nm (lettres)* mail, *Br* post; **j'ai du c. à faire** I have (some) letters to write; **par retour du c.** *Br* by return of post, *Am* by return mail; *Journ* **c. du cœur** problem page; **c. électronique** e-mail; *Fam* **c. escargot** snail mail

courroie [kurwa] *nf (attache)* strap

courroux [kuru] *nm Littéraire* wrath

cours [kur] *nm* (**a**) *(de rivière, d'astre)* course; *(de monnaie)* currency; *Fin (d'action)* price; **suivre son c.** to run its course; **suivre le c. de ses pensées** to follow one's train of thoughts; **donner libre c. à qch** to give free rein to sth; **avoir c.** *(monnaie)* to be legal tender; *(pratique)* to be current; **en c.** *(travail)* in progress; *(année)* current; *(affaires)* outstanding; **en c. de route** on the way; **au c. de qch** in the course of sth; **c. d'eau** river, stream (**b**) *(leçon)* class; *(série de leçons)* course; *(conférence)* lecture; *(établissement)* school; **faire c.** to teach; **aller en c.** to go to school; **suivre un c.** to take a course; **c. magistral** lecture; **c. particulier** private lesson; **c. du soir** evening class; *Scol* **c. moyen** = fourth and fifth years of primary school; *Scol* **c. préparatoire** = first year of primary school (**c**) *(allée)* avenue

course¹ [kurs] *nf (action de courir)* running; *Sport (épreuve)* race; *(discipline)* racing; *(trajet en taxi)* journey; *(de projectile, de planète)* course; **les courses de chevaux** the races; **faire la c. avec qn** to race sb; *Fam* **il n'est plus dans la c.** he's out of touch; **c. automobile** motor race; **c. cycliste** cycle race

course² [kurs] *nf (commission)* errand; **courses** *(achats)* shopping; **faire une c.** to get something from the shops; **faire des courses** to go shopping; **faire les courses** to do the shopping

coursier, -ière [kursje, -jɛr] *nmf* messenger, courier

court, -e [kur, kurt] **1** *adj* short; *Fam* **c'est un peu c.** that's not very much **2** *adv* short; **prendre qn de c.** *(en lui laissant peu de temps)* to give sb short notice; **pris de c.** caught unawares; **on l'appelle Charles tout c.** people just call him Charles; **à c. d'argent** short of money **3** *nm* **c. (de tennis)** tennis court ▪**court-bouillon** *(pl* **courts-bouillons)** *nm* court-bouillon ▪**court-circuit** *(pl* **courts-circuits)** *nm* short-circuit ▪**court-circuiter** *vt* to short-circuit; *Fig Fam* **c. la filière normale** to bypass the usual procedures

courtier, -ière [kurtje, -jɛr] *nmf* broker

courtisan [kurtizɑ̃] *nm Hist* courtier ▪**courtisane** *nf Littéraire* courtesan ▪**courtiser** *vt (femme)* to court

courtois, -oise [kurtwa, -waz] *adj* courteous ▪**courtoisie** *nf* courtesy

couru, -e [kury] *adj (spectacle, lieu)* popular; *Fam* **c'est c. d'avance** it's a sure thing

couscous [kuskus] *nm* couscous

cousin, -ine [kuzɛ̃, -in] **1** *nmf* cousin; **c. germain** first cousin **2** *nm (insecte)* mosquito

coussin [kusɛ̃] *nm* cushion; **c. d'air** air cushion

cousu, -e [kuzy] *adj* sewn; **c. main** hand-sewn

coût [ku] *nm* cost; **le c. de la vie** the cost of living ▪**coûter** *vti* to cost; **ça coûte combien?** how much is it?, how much does it cost?; *Fig* **ça coûte les yeux de la tête** it costs the earth *or* an arm and a leg; *Fig* **cette erreur va vous c. cher** that error will cost you dearly; **coûte que coûte** at all costs

couteau, -x [kuto] *nm* knife; *Fig* **être à couteaux tirés avec qn** to be at daggers drawn with sb; *Fig* **retourner le c. dans la plaie** to rub it in; **c. à pain** breadknife; ▪**-scie** serrated knife; **c. suisse** Swiss army knife

coûteux, -euse [kutø, -øz] *adj* costly, expensive

coutume [kutym] *nf (habitude, tradition)* custom; **avoir c. de faire qch** to be accustomed to doing sth; **comme de c.** as usual ▪**coutumier, -ière** *adj* customary

couture [kutyr] *nf (activité)* sewing, needlework; *(raccord)* seam; **faire de la c.** to sew ▪**couturier** *nm* fashion designer ▪**couturière** *nf* dressmaker

couvent [kuvɑ̃] *nm (de religieuses)* convent; *(de moines)* monastery; *(pensionnat)* convent school

couver [kuve] **1** *vt (œufs)* to sit on; *Fig (personne)* to mollycoddle; *(maladie)* to be coming down with **2** *vi (poule)* to brood; *(feu) Br* to smoulder, *Am* to smolder; *(mal, complot)* to be brewing ▪**couvée** *nf (petits oiseaux)* brood; *(œufs)* clutch ▪**couveuse** *nf (pour nouveaux-nés)* incubator

couvercle [kuvɛrkl] *nm* lid; *(vissé)* cap

couvert¹ [kuvɛr] *nm* **(a)** **mettre le c.** to set *or Br* lay the table; **table de cinq couverts** table set *or Br* laid for five; **couverts** *(ustensiles)* cutlery **(b)** **sous le c. de** *(sous l'apparence de)* under cover of; **se mettre à c.** to take cover

couvert², -e [kuvɛr, -ɛrt] **1** *pp de* **couvrir 2** *adj* covered *(de* with *or* in); *(ciel)* overcast; **être bien c.** *(habillé chaudement)* to be warmly dressed

couverture [kuvɛrtyr] *nf (de lit)* blanket; *(de livre, de magazine)* cover; *(de bâtiment)* roofing; *Journ* coverage; **c. chauffante** electric blanket; **c. sociale** social security cover

couvrir* [kuvrir] **1** *vt* to cover *(de* with); *(bruit)* to drown; **c. qn de cadeaux** to shower sb with gifts **2 se couvrir** *vpr (s'habiller)* to wrap up; *(se coiffer)* to cover one's head; *(ciel)* to cloud over; **se c. de ridicule** to cover oneself with ridicule ▪**couvre-chef** *(pl* **couvre-chefs)** *nm Hum* headgear ▪**couvre-feu** *(pl* **couvre-feux)** *nm* curfew ▪**couvre-lit** *(pl* **couvre-lits)** *nm* bedspread ▪**couvreur** *nm* roofer

covoiturage [kovwatyraʒ] *nm* car-pooling

cow-boy [kɔbɔj] *(pl* **cow-boys)** *nm* cowboy

CP [sepe] *(abrév* **cours préparatoire)** *nm Scol* = first year of primary school

CPE [sepeø] *(abrév* **conseiller principal d'éducation)** *nm inv Scol* school administrator

crabe [krab] *nm* crab

crac [krak] *exclam (objet qui casse)* snap!

cracher [krafe] **1** *vt* to spit out; **c. du sang** to spit blood **2** *vi (personne)* to spit; *(stylo)* to splutter; *(radio)* to crackle; *Fam* **c. dans la soupe** to bite the hand that feeds one ▪**crachat** *nm* gob of spit; **crachats** spit ▪**craché** *adj Fam* **c'est sa mère tout c.** he's the spitting image of his mother

crachin [krafɛ̃] *nm (fine)* drizzle

crack [krak] *nm Fam (champion)* ace; *(drogue)* crack

crade [krad], **cradingue** [kradɛ̃g] *adj Fam* filthy, *Br* grotty

craie [krɛ] *nf (matière)* chalk; *(bâton)* stick of chalk; **écrire qch à la c.** to write sth in chalk

craignos [krɛɲos] *adj Fam (louche)* shady, *Br* dodgy

craindre* [krɛ̃dr] **1** *vt (redouter)* to be afraid of, to fear; *(chaleur, froid)* to be sensitive to; **c. de faire qch** to be afraid of doing sth; **je crains qu'elle ne soit partie** I'm afraid she's left; **ne craignez rien** *(n'ayez pas peur)* don't be afraid; *(ne vous inquiétez pas)* don't worry **2** *vi Fam* **ça craint!** *(c'est ennuyeux)* what a pain!; *(c'est louche)* it's dodgy

crainte [krɛ̃t] *nf* fear; **de c. de faire qch** for fear of doing sth; **de c. qu'on ne l'entende** for fear of being overheard ▪**craintif, -ive** *adj* timid

cramoisi, -ie [kramwazi] *adj* crimson

crampe [krɑ̃p] nf cramp

crampon [krɑ̃pɔ̃] nm (de chaussure) stud; (pour l'alpinisme) crampon

cramponner [krɑ̃pɔne] **se cramponner** vpr to hold on; **se c. à qn/qch** to hold on to sb/sth

cran [krɑ̃] nm (a) (entaille) notch; (de ceinture) hole; Fig **avancer d'un c.** to go up a notch; **c. d'arrêt** ou **de sûreté** safety catch (b) Fam (courage) guts; **avoir du c.** to have guts (c) Fam **être à c.** (excédé) to be wound up

crâne [krɑn] nm skull; Fam **mets-toi ça dans le c.!** get that into your head! ■**crânien, -ienne** adj Anat cranial; **boîte crânienne** skull, cranium

crâner [krɑne] vi Fam to show off

crapaud [krapo] nm toad

crapule [krapyl] nf villain, scoundrel ■**crapuleux, -euse** adj (malhonnête) villainous; **crime c.** = crime committed for financial gain

> Il faut noter que l'adjectif anglais **crapulous** est un faux ami. Il signifie **intempérant**.

craqueler [krakle] vt, **se craqueler** vpr to crack

craquer [krake] 1 vt (allumette) to strike 2 vi (branche) to crack; (escalier) to creak; (se casser) to snap; (se déchirer) to rip; Fam (personne) to crack up ■**craquements** nmpl cracking/creaking

crasse [kras] 1 nf filth 2 adj (ignorance) crass ■**crasseux, -euse** adj filthy

cratère [krater] nm crater

cravache [kravaʃ] nf riding crop

cravate [kravat] nf tie

crawl [krol] nm crawl; **nager le c.** to do the crawl ■**crawlé** nm dos c. backstroke

crayeux, -euse [krɛjø, -jøz] adj chalky

crayon [krɛjɔ̃] nm (en bois) pencil; **c. de couleur** coloured pencil; (en cire) crayon; **c. à lèvres** lip pencil

créance [kreɑ̃s] nf debt ■**créancier, -ière** nmf creditor

créateur, -trice [kreatœr, -tris] 1 adj creative 2 nmf creator, designer ■**créatif, -ive** adj creative ■**création** nf creation; **1 000 créations d'emplois** 1,000 new jobs ■**créativité** nf creativity

créature [kreatyr] nf (être vivant) creature

crécelle [kresel] nf rattle; **quelle c.!** (bavard) what a chatterbox!

crèche [krɛʃ] nf (de Noël) manger, Br crib; (garderie) (day) nursery, Br crèche ■**crécher** vi Fam (habiter) to live; (passer la nuit) to crash

crédible [kredibl] adj credible ■**crédibilité** nf credibility

crédit [kredi] nm (prêt, influence) credit; **crédits** (somme d'argent) funds; **à c.** on credit; **faire c. à qn** to give sb credit ■**créditer** vt (compte) to credit (**de** with); Fig **c. qn de qch** to give sb credit for sth ■**créditeur, -trice** adj solde c. credit balance; **être c.** to be in credit

crédule [kredyl] adj credulous ■**crédulité** nf credulity

créer [kree] vt to create

crémaillère [kremajer] nf pendre la c. to have a housewarming (party)

crématoire [krematwar] adj four c. Br crematorium, Am crematory

crématorium [krematɔrjɔm] nm Br crematorium, Am crematory

crème [krɛm] 1 nf (de lait, dessert, cosmétique) cream; **c. anglaise** custard; **c. Chantilly** whipped cream; **c. glacée** ice cream; **c. à raser** shaving cream; **c. solaire** sun cream, suntan cream 2 adj inv Br cream(-coloured), Am cream(-colored) 3 nm Fam coffee with milk, Br white coffee ■**crémerie** nf (magasin) dairy ■**crémeux, -euse** adj creamy

créneau, -x [kreno] nm Com niche; TV, Radio slot; **créneaux** (de château) Br crenellations, Am crenelations; **faire un c.** (pour se garer) to reverse into a parking space

créole [kreɔl] 1 adj creole 2 nmf Creole 3 nm (langue) Creole

crêpe [krɛp] 1 nf pancake 2 nm (tissu) crepe; (caoutchouc) crepe (rubber) ■**crêperie** nf crêperie, pancake restaurant

crépi, -e [krepi] adj & nm roughcast

crépiter [krepite] vi (feu) to crackle ■**crépitement** nm (du feu) crackling

crépu, -e [krepy] adj (cheveux) frizzy

crépuscule [krepyskyl] nm twilight

crescendo [kreʃendo] adv & nm crescendo

cresson [kresɔ̃] nm cress; **c. de fontaine** watercress

Crète [krɛt] nf la C. Crete

crête [krɛt] nf (de montagne, d'oiseau, de vague) crest; **c. de coq** cockscomb

crétin, -e [kretɛ̃, -in] nmf Fam cretin

creuser [krøze] 1 vt (trou, puits) to dig; (évider) to hollow (out); Fig (idée) to look into; **c. la terre** to dig 2 vi to dig; Fam **ça creuse** it whets the appetite 3 **se creuser** vpr (joues) to become hollow; Fig (abîme) to form; Fam **se c. la tête** ou **la cervelle** to rack one's brains

creuset [krøze] nm (récipient) crucible; Fig (lieu) melting pot

creux, -euse [krø, -øz] 1 adj (tube, joues, arbre, paroles) hollow; (sans activité) slack; **assiette creuse** soup plate; Fam **avoir le ventre c.** to be hungry 2 nm hollow; (moment) slack period; **le c. des reins** the small of the back; Fig **être au c. de la vague** to have hit rock bottom

crevaison [krəvɛzɔ̃] nf (de pneu) flat, Br puncture

crevasse [krəvas] nf (trou) crack; (de glacier) crevasse; **avoir des crevasses aux mains** to have chapped hands

crève [krɛv] nf très Fam **avoir la c.** to have a stinking cold

crever [krəve] **1** *vt (ballon, bulle)* to burst; *Fam (épuiser)* to wear out; **ça crève le cœur** it's heartbreaking; *Fam* **ça crève les yeux** it sticks out a mile **2** *vi (bulle, ballon, pneu)* to burst; **c. de jalousie** to be bursting with jealousy; **c. d'ennui/de froid** to be bored/to freeze to death; *Fam* **c. de faim** to be starving; *Fam* **je crève de chaud** I'm boiling ■ **crevant, -ante** *adj Fam (fatigant)* exhausting ■ **crevé, -ée** *adj (ballon, pneu)* burst; *Fam (fatigué)* worn out; *Br* dead beat ■ **crève-cœur** *nm inv* heartbreak

crevette [krəvɛt] *nf (grise)* shrimp; *(rose)* prawn

cri [kri] *nm (de personne)* cry, shout; *(perçant)* scream; *(d'animal)* cry; **c. de guerre** war cry ■ **criard, -arde** *adj (son)* shrill; *(couleur)* loud

criant, -ante *adj (injustice, preuve)* glaring; **c. de vérité** *(témoignage)* obviously true

crible [kribl] *nm* sieve ■ **criblé, -ée** *adj* **c. de balles/dettes** riddled with bullets/debts

cric [krik] *nm* jack

cricket [krikɛt] *nm* cricket

crier [krije] **1** *vt (injure, ordre)* to shout (**à** to); **c. vengeance** to cry out for vengeance; **c. son innocence** to protest one's innocence **2** *vi (personne)* to shout, to cry out; *(fort)* to scream; *(parler très fort)* to shout; **c. au scandale** to protest; **c. au secours** to shout for help; *Fam* **c. après qn** to shout at sb

crime [krim] *nm* crime; *(assassinat)* murder; **crimes de guerre** war crimes ■ **criminalité** *nf* crime ■ **criminel, -elle 1** *adj* criminal **2** *nmf* criminal; *(assassin)* murderer

crin [krɛ̃] *nm* horsehair; *Fig* **à tous crins** out-and-out ■ **crinière** *nf* mane

crique [krik] *nf* creek

criquet [krikɛ] *nm* locust

crise [kriz] *nf* crisis; *(de maladie)* attack; **c. faire** *ou* **piquer une c.** to throw a fit; **c. de colère** fit of anger; **c. de conscience** *(moral)* dilemma; **c. de nerfs** fit of hysteria

crisper [krispe] **1** *vt (poing)* to clench; *(muscle)* to tense; *Fam* **c. qn** to irritate sb **2 se crisper** *upr (visage)* to tense; *(personne)* to get tense ■ **crispant, -ante** *adj Fam* irritating ■ **crispé, -ée** *adj (personne)* tense

crisser [krise] *vi (pneu, roue)* to squeal; *(neige)* to crunch

cristal, -aux [kristal, -o] *nm* crystal; **cristaux** *(objets)* crystal(ware); *(de sels)* crystals; *Tech* **cristaux liquides** liquid crystal ■ **cristallin, -ine** *adj (eau, son)* crystal-clear ■ **cristalliser** *vti, se* **cristalliser** *upr* to crystallize

critère [kritɛr] *nm* criterion

critérium [kriterjɔm] *nm (épreuve sportive)* heat

critique [kritik] **1** *adj (situation, phase)* critical **2** *nf (reproche)* criticism; *(de film, de livre)* review; **faire la c. de** *(film)* to review; **affronter la c.** to confront the critics **3** *nm* critic ■ **critiquer** *vt* to criticize

croasser [krɔase] *vi* to caw

Croatie [krɔasi] *nf* Croatia ■ **croate** [krɔat] **1** *adj* Croat, Croatian **2** *nmf* **C.** Croat, Croatian **3** *nm (langue)* Croat, Croatian

croc [kro] *nm (crochet)* hook; *(dent)* fang; *Fam* **avoir les crocs** to be starving

croc-en-jambe [krɔkɑ̃ʒɑ̃b] *(pl* **crocs-en-jambe)** *nm* trip; **faire un c. à qn** to trip sb up

croche [krɔʃ] *nf Mus Br* quaver, *Am* eighth (note)

croche-pied [krɔʃpje] *nm* trip; **faire un c. à qn** to trip sb up

crochet [krɔʃɛ] *nm (pour accrocher)* & *Boxe* hook; *(aiguille)* crochet hook; *(parenthèse)* square bracket; **faire du c.** to crochet; **faire un c.** *(détour)* to make a detour; *(route)* to make a sudden turn; *Fam* **vivre aux crochets de qn** to live off sb ■ **crocheter** *vt (serrure)* to pick

crochu, -e [krɔʃy] *adj (nez)* hooked; *(doigts)* claw-like

crocodile [krɔkɔdil] *nm* crocodile

crocus [krɔkys] *nm* crocus

croire* [krwar] **1** *vt* to believe; *(penser)* to think *(* **que** that); **j'ai cru la voir** I thought saw her; **je crois que oui** I think *or* believe so; **je n'en crois pas mes yeux** I can't believe my eyes; **à l'en c.** according to him/her **2** *vi (personne, talent, Dieu)* to believe (**à** *ou* **en** in) **3 se croire** *upr* **il se croit malin** he thinks he's smart

croisé¹ [krwaze] *nm Hist* crusader ■ **croisade** *nf Hist* crusade

croiser [krwaze] **1** *vt (passer)* to pass; *(ligne)* to cross; *(espèce)* to crossbreed; **c. les jambes** to cross one's legs; **c. les bras** to fold one's arms; **c. le regard de qn** to meet sb's gaze; *Fig* **c. les doigts** to keep one's fingers crossed **2** *vi (navire)* to cruise **3 se croiser** *upr (voitures)* to pass each other; *(lignes, routes)* to cross, to intersect; *(lettres)* to cross; *(regards)* to meet ■ **croisé², -ée** *adj (bras)* folded; *(veston)* double-breasted ■ **croisement** *nm (de routes)* crossroads *(sing)*, intersection; *(d'animaux)* crossing

croisière [krwazjer] *nf* cruise; **faire une c.** to go on a cruise; **navire de c.** cruise ship

croître* [krwatr] *vi (plante)* to grow; *(augmenter)* to grow, to increase (**de** by); *(lune)* to wax ■ **croissance** *nf* growth ■ **croissant, -ante 1** *adj (nombre)* growing **2** *nm (pâtisserie)* croissant

croix [krwa] *nf* cross; **la C.-Rouge** the Red Cross

croquer [krɔke] **1** *vt (manger)* to crunch; *(peindre)* to sketch; **joli à c.** pretty as a picture **2** *vi (fruit)* to be crunchy; **c. dans qch** to bite into sth ■ **croquant, -ante** *adj* crunchy ■ **croque-monsieur** *nm inv* = toasted cheese and ham sandwich ■ **croque-mort** *(pl* **croque-morts)** *nm Fam* undertaker ■ **croquette** *nf Culin* croquette

croquis [krɔki] *nm* sketch; **faire un c. de qch** to make a sketch of sth

crosse [krɔs] *nf (de fusil)* butt; *(de hockey)* stick; *(d'évêque)* crook

crotte [krɔt] *nf (de mouton, de lapin)* droppings; **c. de chien** dog dirt ▪**crotté, -ée** *adj* dirty, muddy ▪**crottin** *nm* dung; *(fromage)* small goat's-milk cheese

crouler [krule] *vi (édifice)* to crumble; **c. sous le poids de qch** to give way under the weight of sth; **c. sous le travail** to be snowed under with work ▪**croulant, -ante 1** *adj (mur)* crumbling **2** *nm Fam* **vieux** c. old wrinkly

croupe [krup] *nf* rump; **monter en c.** to ride behind ▪**croupion** *nm (de poulet)* Br parson's nose, Am pope's nose

croupier [krupje] *nm* croupier

croupir [krupir] *vi (eau)* to stagnate; **c. en prison** to rot in prison

croustiller [krustije] *vi* to be crunchy; *(pain)* to be crusty ▪**croustillant, -ante** *adj* crunchy; *(pain)* crusty; *Fig (histoire)* spicy

croûte [krut] *nf (de pain)* crust; *(de fromage)* rind; *(de plaie)* scab; *Fam* **casser la c.** to have a snack; *Fam* **gagner sa c.** to earn one's bread and butter ▪**croûton** *nm (de pain)* end; **croûtons** *(pour la soupe)* croûtons

croyable [krwajabl] *adj* credible, believable; **pas c.** unbelievable, incredible ▪**croyance** *nf* belief (**en** in) ▪**croyant, -ante 1** *adj* **être c.** to be a believer **2** *nmf* believer

CRS [seeres] *(abrév* **compagnie républicaine de sécurité)** *nm* = French riot policeman; **les CRS** = French riot police

cru¹, crue¹ [kry] *pp de* **croire**

cru², crue² [kry] **1** *adj (aliment)* raw; *(lait)* unpasteurized; *(lumière)* garish; *(propos)* crude; **monter à c.** to ride bareback **2** *nm (vignoble)* vineyard; **un grand c.** *(vin)* a vintage wine; **vin du c.** local wine

cruauté [kryote] *nf* cruelty (**envers** to)

cruche [kryʃ] *nf* pitcher, jug

crucial, -e, -aux, -ales [krysjal, -jo] *adj* crucial

crucifier [krysifje] *vt* to crucify ▪**crucifix** [krysifi] *nm* crucifix ▪**crucifixion** *nf* crucifixion

crudité [krydite] *nf (grossièreté)* crudeness ▪**crudités** *nfpl (légumes)* assorted raw vegetables

crue³ [kry] *nf (montée)* swelling; *(inondation)* flood; **en c.** *(rivière, fleuve)* in spate

cruel, -elle [kryɛl] *adj* cruel (**envers** ou **avec** to) ▪**cruellement** *adv* cruelly; **faire c. défaut** to be sadly lacking

crûment [krymã] *adv (sans détour)* bluntly; *(grossièrement)* crudely

crustacés [krystase] *nmpl Culin* shellfish *inv*

crypte [kript] *nf* crypt

crypté, -ée [kripte] *adj (message)* & *TV* coded

Cuba [kyba] *n* Cuba ▪**cubain, -aine 1** *adj* Cuban **2** *nmf* **C., Cubaine** Cuban

cube [kyb] **1** *nm* cube; *(de jeu)* building block **2** *adj* **mètre c.** cubic metre ▪**cubique** *adj* cubic

cueillir* [kœjir] *vt* to pick, to gather; *Fam* **c. qn** to arrest sb ▪**cueillette** *nf* picking, gathering; *(fruits)* harvest

cuiller, cuillère [kɥijer] *nf* spoon; *(mesure)* spoonful; **c. à café, petite c.** teaspoon; **c. à soupe** tablespoon ▪**cuillerée** *nf* spoonful; **c. à café** teaspoonful; **c. à soupe** tablespoonful

cuir [kɥir] *nm* leather; *(d'éléphant)* hide; **pantalon en c.** leather trousers; **c. chevelu** scalp

cuirasse [kɥiras] *nf Hist* breastplate ▪**cuirassé** *nm Naut* battleship

cuire* [kɥir] **1** *vt (aliment, plat)* to cook; **c. qch à l'eau** to boil sth; **c. qch au four** to bake sth; *(viande)* to roast sth **2** *vi (aliment)* to cook; **faire c. qch** to cook sth; **faire trop c. qch** to overcook sth; *Fam* **on cuit!** it's baking hot

cuisant, -ante [kɥizã, -ãt] *adj (douleur)* burning; *(affront, blessure)* stinging

cuisine [kɥizin] *nf (pièce)* kitchen; *(art)* cookery, cooking; *Fam (intrigues)* scheming; **faire la c.** to do the cooking; **faire de la bonne c.** to be a good cook ▪**cuisiner** *vti* to cook; *Fam* **c. qn** *(interroger)* to grill sb ▪**cuisinier, -ière¹** *nmf* cook ▪**cuisinière²** *nf (appareil)* stove, Br cooker

cuisse [kɥis] *nf* thigh; **c. de poulet** chicken leg; **cuisses de grenouilles** frogs' legs

cuisson [kɥisɔ̃] *nm (d'aliments)* cooking; *(de pain)* baking

cuissot [kɥiso] *nm (de venaison)* haunch

cuit, -e [kɥi, kɥit] **1** *pp de* **cuire 2** *adj* cooked; **bien c.** well done; **trop c.** overcooked; **pas assez c.** undercooked; *Fam* **nous sommes cuits** we're finished; *Fam* **c'est cuit!** we've had it!

cuite [kɥit] *nf Fam* **prendre une c.** to get Br pissed *or Am* wasted

cuivre [kɥivr] *nm (rouge)* copper; *(jaune)* brass; *Mus* **les cuivres** the brass ▪**cuivré, -ée** *adj Br* copper-coloured, Am copper-colored

cul [ky] *nm Fam (derrière)* Br arse, Am ass; *(de bouteille, de verre)* bottom; **rester sur le c.** to be flabbergasted; **c'est à se taper le c. par terre** it's an absolute scream; **avoir du c.** to be jammy ▪**cul-de-jatte** *(pl* **culs-de-jatte)** *nm* legless person ▪**cul-de-sac** *(pl* **culs-de-sac)** *nm* dead end, *Br* cul-de- sac

culasse [kylas] *nf (de moteur)* cylinder head; *(de fusil)* breech

culbute [kylbyt] *nf (saut)* somersault; *(chute)* tumble; **faire la c.** to tumble; *(acrobate)* to somersault ▪**culbuter** *vi (personne)* to take a tumble

culinaire [kyliner] *adj* culinary

culminer [kylmine] *vi (tension, crise)* to peak; **la montagne culmine à 3 000 mètres** the mountain is 3,000 metres at its highest point ▪**culminant** *adj* point c. *(de montagne)* highest point

culot [kylo] *nm (d'ampoule, de lampe)* base; *Fam (audace)* nerve, *Br* cheek ▪**culotté, -ée** *adj Fam Br* cheeky, *Am* sassy

culotte [kylɔt] *nf (de femme)* knickers, *Am* panties; *(d'enfant)* pants; **culottes courtes** *Br* short trousers, *Am* short pants; **c. de cheval** jodhpurs

culpabiliser [kylpabilize] **1** *vt* **c. qn** to make sb feel guilty **2 se culpabiliser** *vpr* to feel guilty ▪**culpabilité** *nf* guilt

culte [kylt] **1** *nm (de dieu)* worship; *(religion)* religion; *Fig* **vouer à qn un c.** to worship sb; **c. de la personnalité** personality cult **2** *adj* **film c.** cult film

cultiver [kyltive] **1** *vt (terre, amitié)* to cultivate; *(plantes)* to grow **2 se cultiver** *vpr* to improve one's mind ▪**cultivateur, -trice** *nmf* farmer ▪**cultivé, -ée** *adj (terre)* cultivated; *(esprit, personne)* cultured, cultivated

culture [kyltyr] *nf* **(a)** *(action)* farming, cultivation; *(de plantes)* growing; **cultures** *(terres)* fields under cultivation; *(plantes)* crops **(b)** *(éducation, civilisation)* & *Biol* culture; **c. générale** general knowledge; **c. physique** physical training ▪**culturel, -elle** *adj* cultural

culturisme [kyltyrism] *nm* body-building

cumin [kymɛ̃] *nm* cumin

cumul [kymyl] *nm* **c. des mandats** plurality of offices ▪**cumulatif, -ive** *adj* cumulative ▪**cumuler** *vt* **c. deux fonctions** to hold two offices

cupide [kypid] *adj* avaricious ▪**cupidité** *nf* cupidity

curable [kyrabl] *adj* curable

cure [kyr] *nf* **(a)** *(traitement)* (course of) treatment; **faire une c. de repos** to go/be on a rest cure; **c. d'amaigrissement** slimming treatment; **c. thermale** spa cure **(b)** *(fonction)* office of a parish priest ▪**curatif, -ive** *adj (traitement)* curative

curé [kyre] *nm* parish priest

curer [kyre] **1** *vt* to clean out **2 se curer** *vpr* **se c. les dents** to pick one's teeth; **se c. les ongles** to clean one's nails ▪**cure-dents** *nm inv* toothpick ▪**cure-ongles** *nm inv* nail cleaner

curieux, -euse [kyrjø, -jøz] **1** *adj (bizarre)* curious; *(indiscret)* inquisitive, curious *(de* about); **je serais c. de savoir** I'd be curious to know **2** *nmf* inquisitive person; *(badaud)* onlooker ▪**curieusement** *adv* curiously ▪**curiosité** *nf* curiosity; *(chose)* curio; **les curiosités d'une ville** the interesting sights of a town

curriculum vitae [kyrikylɔmvite] *nm inv Br* curriculum vitae, *Am* résumé

curseur [kyrsœr] *nm Ordinat* cursor

cutané, -ée [kytane] *adj* **maladie cutanée** skin condition ▪**cuti** *nf* skin test

cuve [kyv] *nf (réservoir)* & *Photo* tank; *(de fermentation)* vat ▪**cuvée** *nf (récolte)* vintage ▪**cuver** *vt Fam* **c. son vin** to sleep it off ▪**cuvette** *nf (récipient)* & *Géog* basin; *(des toilettes)* bowl

CV [seve] *(abrév* **curriculum vitae**) *nm Br* CV, *Am* résumé

cyanure [sjanyr] *nm* cyanide

cybercafé [siberkafe] *nm* cybercafé

cybernétique [sibernetik] *nf* cybernetics *(sing)*

cybersexe [siberseks] *nm Ordinat* cybersex

cycle [sikl] *nm* **(a)** *(série, mouvement)* cycle **(b)** **premier/second c.** *Scol* = lower/upper classes in secondary school; *Univ* = first/last two years of a degree course **(c)** *(bicyclette)* cycle ▪**cyclable** *adj* **piste c.** cycle path ▪**cyclique** *adj* cyclical

cyclisme [siklism] *nm* cycling ▪**cycliste 1** *nmf* cyclist **2** *adj* **course c.** cycle race; **champion c.** cycling champion; **coureur c.** racing cyclist

cyclomoteur [siklɔmɔtœr] *nm* moped

cyclone [siklon] *nm* cyclone

cyclotourisme [sikloturism] *nm* bicycle touring

cygne [siɲ] *nm* swan

cylindre [silɛ̃dr] *nm* cylinder; *(rouleau)* roller ▪**cylindrée** *nf* (cubic) capacity ▪**cylindrique** *adj* cylindrical

cymbale [sɛ̃bal] *nf* cymbal

cynique [sinik] **1** *adj* cynical **2** *nmf* cynic ▪**cynisme** *nm* cynicism

cyprès [sipre] *nm* cypress

cypriote [siprijɔt] **1** *adj* Cypriot **2** *nmf* **C.** Cypriot

D, d [de] *nm inv* (**a**) D, d (**b**) (*abrév* **route départementale**) = designation of a secondary road

dactylo [daktilo] *nf* (*personne*) typist; (*action*) typing ▪**dactylographie** *nf* typing ▪**dactylographier** *vt* to type

dada [dada] *nm Fam* (*manie*) hobby-horse

dadais [dade] *nm Fam* **grand d.** big oaf

dahlia [dalja] *nm* dahlia

daigner [deɲe] *vt* **d. faire qch** to deign to do sth

daim [dɛ̃] *nm* (*animal*) fallow deer; (*mâle*) buck; (*cuir*) suede

dalle [dal] *nf* (*de pierre*) paving stone; (*de marbre*) slab; *Fam* **que d.** (*rien*) zilch, *Br* sod all; *Fam* **crever la d.** to be starving ▪**dallage** *nm* (*action, surface*) paving ▪**daller** *vt* to pave

daltonien, -ienne [daltɔnjɛ̃, -jɛn] *adj Br* colour-blind, *Am* color-blind ▪**daltonisme** *nm Br* colour blindness, *Am* color blindness

dam [dam] *nm* **au grand d. de qn** to the great displeasure of sb

dame [dam] *nf* (*femme*) lady; *Échecs & Cartes* queen; (*au jeu de dames*) king; **dames** (*jeu*) *Br* draughts, *Am* checkers ▪**damer** *vt Fam* **d. le pion à qn** to put one over on sb ▪**damier** *nm Br* draughtboard, *Am* checkerboard

damner [dane] **1** *vt* to damn **2 se damner** *vpr* to damn oneself ▪**damnation** *nf* damnation

dandiner [dɑ̃dine] **se dandiner** *vpr* to waddle

dandy [dɑ̃di] *nm* dandy

Danemark [danmark] *nm* **le D.** Denmark ▪**danois, -oise 1** *adj* Danish **2** *nmf* **D., Danoise** Dane **3** *nm* (*langue*) Danish

danger [dɑ̃ʒe] *nm* danger; **en d.** in danger; **mettre qn en d.** to endanger sb; **en d. de mort** in mortal danger; **'d. de mort'** (*sur panneau*) 'danger'; **hors de d.** out of danger; *Fam* **pas de d.!** no way! ▪**dangereusement** *adv* dangerously ▪**dangereux, -euse** *adj* dangerous (**pour** to)

dans [dɑ̃] *prép* (**a**) in; (*changement de lieu*) into; (*à l'intérieur de*) inside; **le jardin/journal** in the garden/newspaper; **d. la boîte** in *or* inside the box; **d. Paris** in Paris (*itself*); **mettre qch d. qch** to put sth in(to) sth; **entrer d. une pièce** to go into a room; **d. un rayon de...** within (a radius of)...; **marcher d. les rues** to walk through *or* around the streets (**b**) (*provenance*) from, out of; **boire d. un verre** to drink out of a glass (**c**) (*exprime la temporalité*) in; **d. deux jours** in two days, in two days' time (**d**) (*exprime une approximation*) **d. les dix euros** about ten euros

danse [dɑ̃s] *nf* (*mouvement, musique*) dance; **d.** (*art*) dancing; **d. classique** ballet ▪**danser** *vti* to dance ▪**danseur, -euse** *nmf* dancer; **danseuse étoile** prima ballerina; **en danseuse** (*cycliste*) standing on the pedals

Danube [danyb] *nm* **le D.** the Danube

dard [dar] *nm* (*d'insecte*) sting ▪**darder** *vt* **le soleil darde ses rayons** the sun is beating down

dare-dare [dardar] *adv Fam* at the double

date [dat] *nf* date; **amitié de longue d.** long-standing friendship; **faire d.** to be a landmark; **en d. du...** dated the...; **d. d'expiration** *Br* expiry date, *Am* expiration date; **d. de naissance** date of birth; **d. limite** deadline; **d. limite de vente** sell-by date ▪**datation** *nf* dating ▪**dater 1** *vt* (*lettre*) to date **2** *vi* **à d. du 15** as from the 15th; **ça commence à d.** it's beginning to date ▪**dateur** *adj m* **tampon d.** date stamp

datte [dat] *nf* date ▪**dattier** *nm* date palm

daube [dob] *nf* **bœuf en d.** braised beef stew

dauphin [dofɛ̃] *nm* (*animal*) dolphin

daurade [dorad] *nf* sea bream

davantage [davɑ̃taʒ] *adv* more; **d. de temps/d'argent** more time/money; **nous ne resterons pas d.** we won't stay any longer

de¹ [də]

de becomes **d'** before vowel and h mute; de + le = **du**, de + les = **des**.

prép (**a**) (*complément d'un nom*) of; **les rayons du soleil** the rays of the sun, the sun's rays; **le livre de Paul** Paul's book; **la ville de Paris** the town of Paris; **un livre de Flaubert** a book by Flaubert; **un pont de fer** an iron bridge; **le train de Londres** the London train; **une augmentation de salaire** an increase in salary (**b**) (*complément d'un adjectif*) **digne de qn** worthy of sb; **content de qn/qch** pleased with sb/sth; **heureux de partir** happy to leave (**c**) (*complément d'un verbe*) **parler de qn/qch** to speak of sb/sth; **se souvenir de qn/qch** to remember sb/sth; **décider de faire qch** to decide to do sth; **empêcher qn de faire qch** to stop sb from doing sth; **traiter qn de lâche** to call sb a coward (**d**) *(indique la provenance)* from; **venir/dater de...** to come/date from...; **mes amis du village** my friends from the village, my village friends; **le train de Londres** the train from London; **sortir de qch** to come out of sth (**e**) *(introduit agent)* **accompagné de qn** accompanied by sb; **entouré de qch** surrounded by *or* with sth (**f**) *(introduit le moyen)* **armé de qch** armed with sth; **se nourrir de...** to live on... (**g**) *(introduit la manière)* **d'une voix douce** in a gentle voice (**h**) *(introduit la cause)* **puni de son impatience** punished for his/her impatience; **mourir de faim** to die of hunger; **sauter de joie** to jump for joy (**i**) *(introduit le temps)* **travailler de nuit/de jour** to work by night/by day; **six heures du matin** six o'clock in the morning (**j**) *(mesure)* **avoir six mètres de haut, être haut de six mètres** to be six metres high; **retarder qn/qch de deux heures** to delay sb/sth by two hours; **homme de trente ans** thirty-year-old man; **gagner vingt euros de l'heure** to earn twenty euros an hour

de² [də] *art partitif* some; **elle boit du vin** she drinks (some) wine; **il ne boit pas de vin** he doesn't drink (any) wine; **est-ce que vous buvez du vin?** do you drink (any) wine?; **elle achète des épinards** she buys (some) spinach; *Fam* **il y en a six de tués** there are six dead; **un(e) de trop** one too many

de³ [də] *art indéfini* **de, des** some; **des fleurs** (some) flowers; **de jolies fleurs** (some) pretty flowers; **d'agréables soirées** (some) pleasant evenings; **je n'ai plus de problème** I haven't got a problem any more

dé [de] *nm (à jouer)* dice; *(à coudre)* thimble; **jouer aux dés** to play dice; *Fig* **les dés sont jetés** the die is cast; **couper qch en dés** to dice sth

déambuler [deɑ̃byle] *vi* to stroll

débâcle [debɑkl] *nf (d'une armée)* rout; *(des glaces)* breaking up; *Fig (de monnaie)* collapse

déballer [debale] *vt* to unpack; *Fam (sentiments)* to pour out ▪ **déballage** *nm* unpacking; *Fam (aveu)* outpouring

débandade [debɑ̃dad] *nf* rout

débaptiser [debatize] *vt (rue, chien)* to rename

débarbouiller [debarbuje] **1** *vt* **d. qn** to wash sb's face **2 se débarbouiller** *vpr* to wash one's face

débarcadère [debarkader] *nm* landing stage; *(pour marchandises)* wharf

débardeur [debardœr] *nm (vêtement)* vest (top)

débarquer [debarke] **1** *vt (passagers)* to land; *(marchandises)* to unload **2** *vi (passagers)* to disembark; *Fam (être naïf)* to be not quite with it; *Fam* **d. chez qn** to turn up suddenly at sb's place ▪ **débarquement** [-əmɑ̃] *nm (de passagers, de troupes)* landing; *(de marchandises)* unloading

débarras [debara] *nm Br* lumber room, *Am* storeroom; *Fam* **bon d.!** good riddance! ▪ **débarrasser 1** *vt (chambre, table)* to clear (**de** of); **d. qn de qch** to relieve sb of sth **2 se débarrasser** *vpr* **se d. de qn/qch** to get rid of sb/sth

débat [deba] *nm* debate; *Pol* **débats (parlementaires)** (parliamentary) proceedings ▪ **débattre*** *vt* to discuss, to debate; **d. de qch** to discuss sth; **prix à d.** price negotiable **2 se débattre** *vpr* to struggle

débauche [deboʃ] *nf* debauchery; *Fig* **une d. de** a wealth *or* profusion of ▪ **débauché, -ée 1** *adj* debauched **2** *nmf* libertine, debauched person

débaucher [deboʃe] *vt* **d. qn** *(licencier)* to lay sb off; *(inciter à la débauche)* to corrupt sb

débile [debil] **1** *adj (faible)* weak; *Fam* stupid **2** *nmf Fam (imbécile)* moron ▪ **débilité** *nf (faiblesse)* debility; *Fam (niaiserie)* stupidity ▪ **débiliter** *vt* to debilitate

débiner [debine] *Fam* **1** *vt* to run down **2 se débiner** *vpr* to clear off

débit [debi] *nm Fin* debit; *(ventes)* turnover; *(de fleuve)* flow; *(d'orateur)* delivery; *Ordinat* rate; *Ordinat* **à haut d.** broadband; **d. de boissons** bar; **d. de tabac** *Br* tobacconist's (shop), *Am* tobacco store

débiter [debite] *vt (découper)* to cut up (**en** into); *(vendre)* to sell; *(fournir)* to produce; *(compte)* to debit; *Péj (dire)* to spout ▪ **débiteur, -trice 1** *nmf* debtor **2** *adj Fin* **solde d.** debit balance; **son compte est d.** his/her account is in debit

déblais [deblɛ] *nmpl (terre)* earth; *(décombres)* rubble ▪ **déblayer** [debleje] *vt (terrain, décombres)* to clear

débloquer [debloke] **1** *vt (mécanisme)* to unjam; *(compte, prix)* to unfreeze; *Fin* **d. des crédits** to release funds **2** *vi Fam (dire n'importe quoi)* to talk nonsense

déboires [debwar] *nmpl (déceptions)* disappointments

déboiser [debwaze] *vt (terrain)* to clear of trees

déboîter [debwate] **1** *vt (tuyau)* to disconnect **2** *vi (véhicule)* to pull out **3 se déboîter** *vpr* **se d. l'épaule** to dislocate one's shoulder ▪ **déboîtement** *nm (d'articulation)* dislocation

débonnaire [debɔnɛr] *adj* good-natured, easy-going

déborder [deborde] **1** *vi (fleuve, liquide)* to overflow; *(en bouillant)* to boil over; *(en coloriant)* to go over the edge; **l'eau déborde du vase** the vase is overflowing; *Fig* **d. de joie** to be overflowing with joy; **d. de vie** to be bursting with vitality **2** *vt (dépasser)* to go beyond; *(faire saillie)* to stick out from; **débordé de travail** snowed under with work ▪ **débordement** [-əmɑ̃] *nm* overflowing; *Fig (de joie)* outburst

débouché [debuʃe] *nm (carrière)* opening; *(marché pour produit)* outlet

déboucher [debuʃe] **1** *vt (bouteille)* to uncork; *(bouchon vissé)* to uncap; *(lavabo, tuyau)* to unblock **2** *vi (surgir)* to emerge (**de** from); **d. sur** *(rue)* to lead out onto/into; *Fig (aboutir à)* to lead to

débouler [debule] *vi Fam (arriver)* to turn up

déboulonner [debulɔne] *vt* to unbolt

débourser [deburse] *vt (argent)* to lay out; **sans rien d.** without spending a penny

debout [dəbu] *adv (personne)* standing; *(objet)* upright; **mettre qch d.** to stand sth up; **se mettre d.** to stand up; **se tenir** *ou* **rester d.** to stand; **cent ans plus tard, la maison est encore d.** the house is still standing a hundred years later; *Fig* **ça ne tient pas d.** *(théorie)* that doesn't make sense; **être d.** *(hors du lit)* to be up; **d.!** get up!

déboutonner [debutɔne] **1** *vt* to unbutton **2 se déboutonner** *vpr (personne)* to undo one's coat/jacket/*etc*

débraillé, -ée [debraje] *adj* slovenly

débrancher [debrɑ̃ʃe] *vt* to unplug

débrayer [debreje] *vi* (**a**) *Aut* to release the clutch (**b**) *(se mettre en grève)* to stop work ▪**débrayage** (**a**) *Aut* declutching (**b**) *(grève)* stoppage

débridé, -ée [debride] *adj (passion)* unbridled

débris [debri] *nmpl (de voiture, d'avion)* debris; *(de verre, de bois)* fragments

débrouiller [debruje] **1** *vt (fil, mystère)* to unravel **2 se débrouiller** *vpr Fam* to manage; *(en langues, en math)* to get by; **se d. pour faire qch** to manage (somehow) to do sth ▪**débrouillard, -arde** *adj Fam* resourceful ▪**débrouillardise** *nf Fam* resourcefulness

débroussailler [debrusaje] *vt (chemin)* to clear of undergrowth; *Fig (question)* to clarify

débusquer [debyske] *vt* to flush out

début [deby] *nm* beginning, start; **au d. (de)** at the beginning (of); **au tout d.** at the very beginning; **dès le d.** (right) from the start *or* beginning; *Théâtre* **faire ses débuts** to make one's debut

débuter [debyte] *vi* to start, to begin (**par** with); *(dans une carrière)* to start out; *Théâtre* to make one's debut ▪**débutant, -ante 1** *nmf* beginner **2** *adj* novice

deçà [dəsa] **1** *adv* **en deçà** (on) this side **2** *prép* **en d. de** (on) this side of; *Fig* **être en d. de la vérité** to be some way from the truth

décacheter [dekaʃte] *vt (lettre)* to unseal

décadent, -ente [dekadɑ̃, -ɑ̃t] *adj* decadent ▪**décadence** *nf (état)* decadence; *(processus)* decline

décaféiné, -ée [dekafeine] *adj* decaffeinated

décalcomanie [dekalkɔmani] *nf (image) Br* transfer, *Am* decal

décaler [dekale] **1** *vt (dans le temps)* to change the time of; *(dans l'espace)* to shift, to move **2 se décaler** *vpr* to move, to shift ▪**décalage** *nm (écart)* gap (**entre** between); *(entre des faits, des idées)* discrepancy; **d. horaire** time difference; **souffrir du d. horaire** to have jet lag

décalquer [dekalke] *vt* to trace

décamper [dekɑ̃pe] *vi Fam* to clear off

décanter [dekɑ̃te] **1** *vt (vin)* to decant **2 se décanter** *vpr (vin)* to settle; *Fig (situation)* to become clearer

décaper [dekape] *vt (avec un produit)* to strip; *(au papier de verre)* to sand (down); *(four)* to clean ▪**décapant** *nm (pour peinture)* paint stripper; *(pour four)* oven cleaner; *Fig (humour)* caustic

décapiter [dekapite] *vt (personne)* to decapitate

décapotable [dekapɔtabl] *adj & nf* convertible

décapsuler [dekapsyle] *vt* to take the top off ▪**décapsuleur** *nm* bottle opener

décarcasser [dekarkase] **se décarcasser** *vpr Fam* to sweat blood (**pour faire** to do)

décathlon [dekatlɔ̃] *nm Sport* decathlon

décéder [desede] *vi* to die ▪**décédé, -ée 1** *adj* deceased **2** *nmf* **le d., la décédée** the deceased

déceler [desle] *vt (trouver)* to detect; *(indiquer)* to indicate

décembre [desɑ̃br] *nm* December

décence [desɑ̃s] *nf (de comportement)* propriety; *(d'habillement)* decency; **avoir la d. de faire qch** to have the decency to do sth ▪**décemment** [-samɑ̃] *adv (se comporter)* properly; *(s'habiller)* decently ▪**décent, -ente** *adj (comportement)* proper; *(vêtements)* decent

décennie [deseni] *nf* decade

décentraliser [desɑ̃tralize] *vt* to decentralize ▪**décentralisation** *nf* decentralization

déception [desɛpsjɔ̃] *nf* disappointment

> Il faut noter que le nom anglais **deception** est un faux ami. Il signifie **tromperie**.

décerner [desɛrne] *vt (prix)* to award (**à** to)

décès [desɛ] *nm* death

décevoir* [desəvwar] *vt* to disappoint ▪**décevant, -ante** *adj* disappointing

> Il faut noter que le verbe anglais **to deceive** est un faux ami. Il signifie **tromper**.

déchaîner [deʃene] **1** *vt (colère, violence)* to unleash; **d. l'hilarité** to provoke laughter **2 se déchaîner** *vpr (tempête, vent)* to rage; *(personne)* to fly into a rage (**contre** with) ▪**déchaîné, -ée** *adj (mer, vent)* raging; *(personne)* wild ▪**déchaînement** [-ɛnmɑ̃] *nm (des éléments)* fury; *(de passions)* outburst

déchanter [deʃɑ̃te] *vi Fam* to become disillusioned

décharge [deʃarʒ] *nf Jur (d'accusé)* acquittal; **d.**

(électrique) (electric) shock; **d. (publique)** *Br* (rubbish) dump, *Am* (garbage) dump; *Fig* **à la d. de qn** in sb's *Br* defence *or Am* defense

décharger [deʃarʒe] **1** *vt (camion, navire, cargaison)* to unload; **d. qn de qch** *(tâche, responsabilité)* to relieve sb of; *Jur (d'accusation)* to acquit sb of sth; **d. son arme sur qn** to fire one's weapon at sb **2 se décharger** *vpr (batterie)* to go flat; **se d. sur qn d'une tâche** to offload a task onto sb ▪ **déchargement** [-əmã] *nm* unloading

décharné, -ée [deʃarne] *adj (visage, corps)* emaciated

déchausser [deʃose] **1** *vt* **d. qn** to take sb's shoes off **2 se déchausser** *vpr (personne)* to take one's shoes off; **avoir les dents qui se déchaussent** to have receding gums

dèche [dɛʃ] *nf Fam* **être dans la d.** to be stony broke

déchéance [deʃeãs] *nf (déclin)* decline

déchet [deʃɛ] *nm* **il y a du d.** there's some wastage; **déchets** scraps; **déchets radioactifs** radioactive waste

déchiffrer [deʃifre] *vt (message, écriture)* to decipher; *(signaux)* to interpret; *Mus* to sight-read

déchiqueter [deʃikte] *vt* to tear to shreds ▪ **déchiqueté, -ée** *adj (tissu)* torn to shreds; *(côte)* jagged

déchirer [deʃire] **1** *vt (accidentellement)* to tear; *(volontairement)* to tear up; *(enveloppe)* to tear open; *Fig (pays, groupe)* to tear apart; **un cri déchira le silence** a loud cry pierced the silence; **un bruit qui déchire le tympan** an ear-splitting noise **2 se déchirer** *vpr (tissu, papier)* to tear; *Fig (couple)* to tear each other apart; **se d.** un muscle to tear a muscle ▪ **déchirant, -ante** *adj (spectacle, dieux)* heartrending ▪ **déchirement** *nm (peine)* heartbreak ▪ **déchirure** *nf* tear; **d. musculaire** torn muscle

déchoir* [deʃwar] *vi (personne)* to demean oneself ▪ **déchu, -ue** *adj* **ange d.** fallen angel; **être d. de qch** to be stripped of sth

décibel [desibɛl] *nm* decibel

décidé, -ée [deside] *adj (personne, air)* determined; *(fixé)* settled; **d'un ton d.** in a decisive tone; **d. à faire qch** to be determined to do sth

décidément [desidemã] *adv* really

> Il faut noter que l'adverbe anglais **decidedly** est un faux ami. Il signifie le plus souvent **vraiment**.

décider [deside] **1** *vt* **d. quand/que...** to decide when/that...; **d. qn à faire qch** to persuade sb to do sth **2** *vi* **d. de qch** to decide on sth; **d. de faire qch** to decide to do sth; **cet événement décida de sa carrière** the event determined

his/her career **3 se décider** *vpr* **se d. (à faire qch)** to make up one's mind (to do sth); **se d. pour qch** to decide on sth ▪ **décideur, -euse** *nmf* decision-maker

décilitre [desilitr] *nm* decilitre

décimal, -e, -aux, -ales [desimal, -o] *adj* decimal ▪ **décimale** *nf* decimal

décimer [desime] *vt* to decimate

décimètre [desimɛtr] *nm Br* decimetre, *Am* decimeter; **double d.** ruler

décisif, -ive [desizif, -iv] *adj (bataille)* decisive; *(moment)* critical ▪ **décision** *nf* decision (**de faire** to do); *(fermeté)* determination; **prendre une d.** to make a decision; **avec d.** decisively

déclamer [deklame] *vt* to declaim; *Péj* to spout ▪ **déclamatoire** *adj Péj (style)* declamatory

déclaration [deklarasjõ] *nf (annonce)* statement; *(de naissance, de décès)* registration; *(à la police)* report; **faire sa d.** to declare one's love to sb; **d. d'amour** declaration of love; **d. d'impôts** *ou* **de revenus** income tax return; **d. de guerre** declaration of war

déclarer [deklare] **1** *vt (annoncer)* to declare (**que** that); *(naissance, décès, vol)* to register; *Jur* **d. qn coupable** to find sb guilty (**de** of); **d. la guerre** to declare war (**à** on); *Sport* **d. forfait** to scratch; **rien à d.** *(en douane)* nothing to declare **2 se déclarer** *vpr (incendie, maladie)* to break out; *(avouer son amour)* to declare one's love; **se d. pour/contre qch** to declare oneself in favour of/against sth; **se d. surpris** to declare oneself surprised

déclasser [deklase] *vt (livres)* to put out of order; *(hôtel)* to downgrade; *Sport* **d. qn** to relegate sb

déclencher [deklãʃe] **1** *vt (appareil)* to start; *(mécanisme)* to activate; *(sonnerie)* to set off; *(révolte, grève, conflit)* to trigger off; *Mil (attaque)* to launch **2 se déclencher** *vpr (alarme, sonnerie)* to go off; *(incendie)* to start ▪ **déclenchement** *nm (d'appareil)* starting; *(de mécanisme)* activation; *(de sonnerie)* setting off

déclic [deklik] *nm (bruit)* click; *Fig (prise de conscience)* **il s'est produit un d. et elle a trouvé la solution** something suddenly clicked and she found the answer

déclin [deklɛ̃] *nm* decline; *(du jour)* close; *(de la lune)* wane; **être en d.** to be in decline

déclinaison [deklinɛzõ] *nf Grammaire* declension

décliner [dekline] **1** *vi (forces)* to decline; *(jour)* to draw to a close **2** *vt Formel (refuser)* to decline; *(identité)* to state; **d. toute responsabilité** to accept no liability

décocher [dekɔʃe] *vt (flèche)* to shoot; *Fig (remarque)* to fire off (**à** at); *Fig (sourire)* to flash (**à** at)

décoder [dekɔde] *vt* to decode; *TV (chaîne)* to

decode, to unscramble ▪**décodeur** nm TV decoder; **d. numérique** set-top box

décoiffer [dekwafe] **1** vt **d. qn** to mess up sb's hair; **tu es tout décoiffé** your hair's (in) a mess **2 se décoiffer** vpr (se dépeigner) to mess up one's hair; (ôter son chapeau) to remove one's hat

décoincer [dekwɛ̃se] vt, **se décoincer** vpr (tiroir, mécanisme) to loosen; Fam (personne) to loosen up

décoller [dekɔle] **1** vt (timbre) to peel off **2** vi (avion, économie) to take off; Fam **je ne décollerai pas d'ici tant que...** I'm not budging until... **3 se décoller** vpr to peel off ▪**décollage** nm (d'avion) takeoff

décolleté, -ée [dekɔlte] **1** adj (robe) low-cut **2** nm (de robe) low neckline; (haut des seins) cleavage ▪**décolletage** nm neckline

décoloniser [dekɔlɔnize] vt to decolonize ▪**décolonisation** nf decolonization

décolorer [dekɔlɔre] **1** vt (tissu) to fade; (cheveux) to bleach **2 se décolorer** vpr (tissu) to fade; **se d. les cheveux** to bleach one's hair ▪**décolorant** nm bleaching agent, bleach ▪**décoloration** nf (de tissu) fading; (de cheveux) bleaching

décombres [dekɔ̃br] nmpl ruins, debris

décommander [dekɔmɑ̃de] **1** vt (marchandises, invitation) to cancel; (invité) to put off **2 se décommander** vpr to cancel

décomposer [dekɔ̃poze] **1** vt Chim to decompose; (phrase) to break down (**en** into); **il est arrivé complètement décomposé** (par l'émotion) he arrived quite distraught **2 se décomposer** vpr (pourrir) to decompose; Fig (visage) to become distorted ▪**décomposition** nf decomposition

décompresser [dekɔ̃prese] **1** vt to decompress; Ordinat (fichier) to unzip **2** vi Fam (se détendre) to unwind ▪**décompression** nf decompression

décompte [dekɔ̃t] nm (soustraction) deduction; (détail) breakdown ▪**décompter** vt to deduct (**de** from)

déconcentrer [dekɔ̃sɑ̃tre] **se déconcentrer** vpr to lose concentration

déconcerter [dekɔ̃serte] vt to disconcert

déconfit, -ite [dekɔ̃fi, -it] adj (personne, mine) crestfallen ▪**déconfiture** nf Fam (échec) defeat

décongeler [dekɔ̃ʒle] vt to thaw, to defrost

décongestionner [dekɔ̃ʒestjɔne] vt (rue, poumons) to relieve congestion in

déconnecter [dekɔnekte] vt (appareil, fil) to disconnect

déconner [dekɔne] vi très Fam (mal fonctionner) to play up; (dire des bêtises) to talk garbage; **faire qch pour d.** to do sth for a laugh; **sans d.!** (réponse) no kidding!

déconseiller [dekɔ̃seje] vt **d. qch à qn** to advise

sb against sth; **d. à qn de faire qch** to advise sb against doing sth; **il est déconseillé de...** it is not advisable to...

déconsidérer [dekɔ̃sidere] vt to discredit

décontaminer [dekɔ̃tamine] vt to decontaminate

décontenancer [dekɔ̃tnɑ̃se] **1** vt to disconcert **2 se décontenancer** vpr to become disconcerted

décontracter [dekɔ̃trakte] **1** vt (muscle) to relax **2 se décontracter** vpr to relax ▪**décontracté, -ée** adj (ambiance, personne) relaxed; (vêtement) casual ▪**décontraction** nf relaxation

déconvenue [dekɔ̃vny] nf Formel disappointment

décor [dekɔr] nm (de maison) decor; (paysage) surroundings; **décors** (de théâtre, de cinéma) scenery, set; Fam **aller dans le d.** (véhicule, automobiliste) to go off the road

décorer [dekɔre] vt (maison, soldat) to decorate (**de** with) ▪**décorateur, -trice** nmf (interior) decorator; Théâtre stage designer; Cin set designer ▪**décoratif, -ive** adj decorative ▪**décoration** nf (action, ornement, médaille) decoration

décortiquer [dekɔrtike] vt (riz, orge) to hull; (crevette, noisette) to shell; Fam (texte) to dissect

découcher [dekuʃe] vi to stay out all night

découdre* [dekudr] **1** vt (ourlet, vêtement) to unstitch; (bouton) to take off **2** vi Fam **en d. (avec qn)** to fight it out (with sb) **3 se découdre** vpr (ourlet, vêtement) to come unstitched; (bouton) to come off

découler [dekule] vi **d. de** to follow from; **il en découle que...** it follows that...

découper [dekupe] **1** vt (viande) to carve; (gâteau, papier) to cut up; **d. un article dans un journal** to cut an article out of a newspaper **2 se découper** vpr **se d. sur qch** to stand out against sth ▪**découpage** nm (de gâteau) cutting up; (de viande) carving; (image) cutout ▪**découpé, -ée** adj (irrégulier) jagged

décourager [dekuraʒe] **1** vt (dissuader) to discourage (**de faire** from doing); (démoraliser) to dishearten, to discourage **2 se décourager** vpr to get discouraged or disheartened ▪**découragement** nm discouragement

décousu, -ue [dekuzy] adj (ourlet, vêtement) unstitched; Fig (propos) disjointed

découvert, -erte [dekuver, -ert] **1** adj (terrain) open; (tête, épaule) bare **2** nm (de compte) overdraft; **être à d.** to be overdrawn; **compte à d.** overdrawn account; **agir à d.** to act openly

découverte [dekuvert] nf discovery; **partir** ou **aller à la d. de qch** to go off to explore sth; **faire une d.** to make a discovery

découvrir* [dekuvrir] **1** vt (trouver, apprendre à

connaître) to discover; (secret, vérité, statue) to uncover; (casserole) to take the lid off; (bras, épaule) to bare; (voir) to have a view of; **d. que...** to discover that...; **faire d. qch à qn** to introduce sb to sth **2 se découvrir** vpr (dans son lit) to push the bedcovers off; (enlever son chapeau) to take one's hat off; (ciel) to clear

décrasser [dekrase] vt (nettoyer) to clean; Fam **d. qn** to take the rough edges off sb

décrépit, -ite [dekrepi, -it] adj (personne, maison) decrepit ▪**décrépitude** nf decrepitude; (décadence) decay

décret [dekrɛ] nm decree ▪**décréter** vt Jur to decree

décrié, ée [dekrije] adj disparaged

décrire* [dekrir] vt (représenter) to describe

décrisper [dekrispe] **1** vt (atmosphere) to lighten; (personne) to relax **2 se décrisper** vpr to relax

décrocher [dekrɔʃe] **1** vt (détacher) to unhook; (tableau, rideau) to take down; Fam (prix, poste) to land; **d. (le téléphone)** (pour répondre) to pick up the phone; (pour ne pas être dérangé) to take the phone off the hook **2** vi Fam (ne plus se concentrer) to switch off **3 se décrocher** vpr (tableau, rideau) to come unhooked

décroître* [dekrwatr] vi (forces, nombre, mortalité) to decrease; (eaux) to subside; (jours) to get shorter; **aller en décroissant** to be decreasing

décrotter [dekrɔte] vt (chaussures) to clean the mud off

décrue [dekry] nf (de rivière) drop in level

décrypter [dekripte] vt to decipher; TV to decode, to unscramble

déçu, -ue [desy] **1** pp de **décevoir 2** adj disappointed

déculotter [dekylɔte] **se déculotter** vpr (enlever son pantalon) to take off one's Br trousers or Am pants ▪**déculottée** nf Fam thrashing

déculpabiliser [dekylpabilize] vt **d. qn** to stop sb feeling guilty

décupler [dekyple] vti to increase tenfold

dédaigner [dedeɲe] vt (offre, richesse) to scorn; (conseil, injure) to disregard ▪**dédaigneux, -euse** adj scornful, disdainful (**de** of)

dédain [dedɛ̃] nm scorn, disdain (**pour/de** for)

dédale [dedal] nm maze

dedans [dədɑ̃] **1** adv inside; **de d.** from (the) inside; **en d.** on the inside; **tomber d.** (trou) to fall in (it); Fam **tomber en plein d.** (être dupé) to fall right into the trap; Fam **je me suis fichu d.** I got it wrong; Fam **je me suis fait rentrer d.** (par un automobiliste) someone drove straight into me **2** nm **le d.** the inside

dédicace [dedikas] nf dedication ▪**dédicacer** vt (signer) to sign (**à** for); (chanson) to dedicate (**à** to)

dédier [dedje] vt to dedicate (**à** to)

dédire* [dedir] **se dédire** vpr **se d. d'une promesse** to go back on one's word

dédommager [dedɔmaʒe] vt to compensate (**de** for) ▪**dédommagement** nm compensation

dédouaner [dedwane] vt (marchandises) to clear through customs; (personne) to clear

dédoubler [deduble] **1** vt (partager) to split into two **2 se dédoubler** vpr Hum **je ne peux pas me d.** I can't be in two places at once ▪**dédoublement** [-əmɑ̃] nm **d. de la personnalité** split personality

dédramatiser [dedramatize] vt **d. qch** to make sth less dramatic

déduire* [dedɥir] vt (retirer) to deduct (**de** from); (conclure) to deduce (**de** from) ▪**déductible** adj deductible ▪**déduction** nf (raisonnement, décompte) deduction

déesse [deɛs] nf goddess

défaillir* [defajir] vi (s'évanouir) to faint; (forces, mémoire) to fail ▪**défaillance** nf (évanouissement) fainting fit; (faiblesse) weakness; (panne) failure; **avoir une d.** (s'évanouir) to faint; (faiblir) to feel weak; **d. cardiaque** heart failure ▪**défaillant, -ante** adj (forces, santé) failing; (cœur) weak

défaire* [defɛr] **1** vt (nœud) to undo; (valises) to unpack; (installation) to take down; (coiffure) to mess up **2 se défaire** vpr (nœud) to come undone; **se d. de qch** to get rid of sth ▪**défait, -aite** adj (lit) unmade; (cheveux) Br dishevelled, Am disheveled; (visage) haggard; (armée) defeated

défaite [defɛt] nf defeat ▪**défaitisme** nm defeatism

défalquer [defalke] vt to deduct (**de** from)

défaut [defo] nm (de personne) fault, shortcoming; (de machine) defect; (de diamant, de verre, de raisonnement) flaw; (désavantage) drawback; **faire d.** to be lacking; Jur to default; **l'argent lui fait d.** he/she is short of money; **à d. de qch** for lack of sth; **ou, à d....** or, failing that...; **prendre qn en d.** to catch sb out; Math **total approché par d.** total rounded down; Ordinat **police/lecteur par d.** default font/drive; **d. de fabrication** manufacturing fault; **d. de prononciation** speech impediment

défaveur [defavœr] nf **être en d. auprès de qn** to be in Br disfavour or Am disfavor with sb ▪**défavorable** adj Br unfavourable, Am unfavorable (**à** to) ▪**défavorisé, -ée** adj (milieu) underprivileged, disadvantaged ▪**défavoriser** vt to put at a disadvantage

défection [defɛksjɔ̃] nf (de soldat, d'espion) defection; (non-venue) failure; **faire d.** (ne pas venir) to fail to turn up

défectueux, -ueuse [defɛktɥø, -ɥøz] adj faulty, defective

défendre [defɑ̃dr] **1** vt (protéger, soutenir) to defend (**contre** against); **d. à qn de faire qch**

to forbid sb to do sth; **d. qch à qn** to forbid sb sth **2 se défendre** *vpr* to defend oneself; **se d. de faire qch** to refrain from doing sth; *Fam* **je me défends en anglais** I can get by in English **·défendable** *adj* defensible

défense¹ [defɑ̃s] *nf (protection) Br* defence, *Am* defense; **prendre la d. de qn** to come to sb's defence; *Jur* **assurer la d. de qn** to conduct the case for the defence; **en état de légitime d.** acting in self-defence; **sans d.** *Br* defenceless, *Am* defenseless; **'d. de fumer'** 'no smoking'; **'d. (absolue) d'entrer'** '(strictly) no entry'

défense² [defɑ̃s] *nf (d'éléphant)* tusk

défenseur [defɑ̃sœr] *nm* defender; *Jur* counsel for the defence

défensif, -ive [defɑ̃sif, -iv] **1** *adj* defensive **2** *nf* **sur la défensive** on the defensive

déférence [deferɑ̃s] *nf* deference

déférer [defere] *vt Jur* **d. qn à la justice** to hand sb over to the police

déferler [deferle] *vi (vagues)* to break; **les vacanciers déferlent sur les routes** *Br* holiday-makers *or Am* vacationers are taking to the roads in droves

défi [defi] *nm* challenge (**à** to); **lancer un d. à qn** to challenge sb; **mettre qn au d. de faire qch** to defy sb to do sth; **relever un d.** to take up a challenge

défiance [defjɑ̃s] *nf* mistrust

déficient, -ente [defisjɑ̃, -ɑ̃t] *adj* deficient **·déficience** *nf* deficiency

déficit [defisit] *nm* deficit; **être en d.** to be in deficit; **d. commercial** trade deficit **·déficitaire** *adj (budget)* in deficit; *(entreprise)* loss-making; *(compte)* in debit

défier [defje] **1** *vt (provoquer)* to challenge; *(danger, mort)* to defy; **d. qn à la course** to challenge sb to a race; **d. qn de faire qch** to defy sb to do sth; **des prix qui défient toute concurrence** unbeatable prices **2 se défier** *vpr* **se d. de** to mistrust **·défiance** *nf* mistrust **·défiant, -ante** *adj* mistrustful (**à l'égard de** of)

défigurer [defigyre] *vt (personne, paysage)* to disfigure; *Fig (vérité)* to distort **·défiguré, -ée** *adj (personne)* disfigured

défilé [defile] *nm (cortège)* procession; *(de manifestants)* march; *(de visiteurs)* stream; *Mil* parade; *Géog* pass; **d. de mode** fashion show

défiler¹ [defile] *vi (chars de carnaval)* to drive in procession; *(manifestants)* to march; *(touristes)* to stream; *(paysage, jours)* to pass by; *(images)* to flash by; *Mil* to parade; *Ordinat* **d. vers le bas/le haut** to scroll down/up; *Ordinat* **faire d. un document** to scroll through a document

défiler² [defile] **se défiler** *vpr Fam (se dérober)* to slope off

définir [definir] *vt* to define **·défini, -ie** *adj*

definite **·définition** *nf* definition; *(de mots croisés)* clue

définitif, -ive [definitif, -iv] **1** *adj (jugement, version)* final; *(séparation, fermeture)* permanent **2** *nf* **en définitive** in the final analysis **·définitivement** *adv (partir, exclure)* for good

déflagration [deflagrasjɔ̃] *nf* explosion

déflation [deflasjɔ̃] *nf Écon* deflation

déflorer [deflɔre] *vt (personne)* to deflower

défoncer [defɔ̃se] **1** *vt (porte, mur)* to smash in; *(trottoir, route)* to break up **2 se défoncer** *vpr Fam (faire un gros effort)* to sweat blood (**pour faire qch** to do sth); *(drogué)* to get high (**à** on) **·défoncé, -ée** *adj (route)* bumpy; *Fam (drogué)* high, stoned

déformation [defɔrmasjɔ̃] *nf (de membre)* deformation; *(de fait)* distortion; **d. professionnelle** habits acquired through the type of work one does

déformer [defɔrme] **1** *vt (membre)* to deform; *(vêtement, chaussures)* to put out of shape; *(faits, image)* to distort; *(propos)* to twist **2 se déformer** *vpr* to lose its shape **·déformé, -ée** *adj (objet)* misshapen; *(corps)* deformed

défouler [defule] **se défouler** *vpr Fam* to let off steam; **se d. sur qn** to take it out on sb

défraîchi, -ie [defreʃi] *adj (fleur, beauté)* faded; *(vêtement)* shabby

défrayer [defreje] *vt* **d. la chronique** to be the talk of the town

défricher [defriʃe] *vt (terrain)* to clear; *Fig (sujet)* to open up; *Fig* **d. le terrain** to prepare the ground

défriser [defrize] *vt (cheveux)* to straighten; *Fam (personne)* to bug **·défriseur** *nm* hair straighteners *(pluriel)*

défroisser [defrwase] *vt* to smooth out

défroqué, -ée [defrɔke] *adj (prêtre)* defrocked

défunt, -unte [defœ̃, -œ̃t] **1** *adj (mort)* departed; **son d. mari** her late husband **2** *nmf* **le d., la défunte** the deceased

dégager [degaʒe] **1** *vt (passage, voie)* to clear (**de** of); *(odeur, chaleur)* to emit; *(credit)* to release; *Fig (impression)* to give off; **d. qn de** *(décombres)* to free sb from; *(promesse)* to release sb from; *Football* **le ballon en touche** to kick the ball into touch; *Fam* **dégage!** clear off! **2 se dégager** *vpr (odeur, gaz)* to be given off; *(rue, ciel)* to clear; **se d. de** *(personne)* to free oneself from **·dégagé, -ée** *adj (ciel)* clear; *(allure, ton)* casual; *(vue)* open **·dégagement** *nm (action)* clearing; *(d'odeur, de chaleur)* emission; *Football* clearance

dégaine [degɛn] *nf Fam (apparence)* strange appearance

dégainer [degene] *vti* to draw

dégarnir [degarnir] **1** *vt* to empty **2 se dégarnir** *vpr (personne)* to go bald; *(salle)* to empty **·dégarni, -ie** *adj (personne)* balding; **avoir le front d.** to have a receding hairline

dégâts [dega] nmpl damage; Fig **limiter les d.** to limit the damage; **d. collatéraux** collateral damage

dégel [deʒɛl] nm thaw ▪ **dégeler 1** vt to thaw; (surgelé) to defrost; (crédits) to unfreeze **2** vi to thaw; **faire d. qch, mettre qch à d.** (surgelé) to defrost sth **3** v impersonnel to thaw; **il dégèle** it's thawing **4** se dégeler vpr Fig (atmosphère) to become less chilly

dégénérer [deʒenere] vi to degenerate (en into) ▪ **dégénéré, -ée** adj & nmf (dépravé) degenerate ▪ **dégénérescence** nf degeneration

dégingandé, -ée [deʒɛ̃gɑ̃de] adj gangling, lanky

dégivrer [deʒivre] vt (réfrigérateur) to defrost; (voiture, avion) to de-ice

déglinguer [deglɛ̃ge] se déglinguer vpr Fam to fall to bits; (appareil) to go wrong

dégobiller [degɔbije] vt très Fam to puke

dégonfler [degɔ̃fle] **1** vt (pneu) to let the air out of **2** se dégonfler vpr (pneu) to go flat; Fam (personne) to chicken out ▪ **dégonflé, -ée 1** adj (pneu) flat; Fam (lâche) chicken **2** nmf Fam chicken

dégorger [degɔrʒe] **1** vt (évacuer) to discharge; (tuyau) to unblock **2** vi **faire d. des concombres** = to remove water from cucumbers by sprinkling them with salt

dégot(t)er [degɔte] vt Fam to dig up

dégouliner [deguline] vi to trickle

dégourdir [degurdir] **1** vt (doigts) to take the numbness out of; Fig **d. qn** to teach sb a thing or two **2** se dégourdir vpr to learn a thing or two; **se d. les jambes** to stretch one's legs ▪ **dégourdi, -ie** adj (malin) smart

dégoût [degu] nm disgust; **le d. de la vie** world-weariness; **éprouver du d. pour qch** to be disgusted by sth

dégoûter [degute] vt (moralement) to disgust; (physiquement) to turn sb's stomach; **d. qn de qch** to put sb off sth ▪ **dégoûtant, -ante** adj disgusting ▪ **dégoûté, -ée 1** adj disgusted; **être d. de qch** to be sick of sth; Ironique **il n'est pas d.!** he's not too fussy **2** nm **faire le d.** to turn up one's nose

dégradation [degradɑsjɔ̃] nf (de monument) defacement; (de matériel) damage (**de** to); Fig (de santé, de situation) deterioration

dégrader [degrade] **1** vt (monument) to deface; (matériel) to damage; Mil to demote; Fig (avilir) to degrade **2** se dégrader vpr (édifice, santé, situation) to deteriorate; (maison) to fall into disrepair; Fig (s'avilir) to degrade onself ▪ **dégradant, -ante** adj degrading ▪ **dégradé** nm (de couleurs) gradation

dégrafer [degrafe] **1** vt (vêtement, bracelet) to undo **2** se dégrafer vpr (vêtement, bracelet) to come undone

dégraisser [degrese] vt (bœuf) to take the fat off; (bouillon) to skim; Fam (entreprise) to downsize

degré [dəgre] nm (d'angle, de température) degree; (d'alcool) proof; (niveau) stage; (d'escalier) step; (d'échelle) rung; **au plus haut d.** in the extreme

dégressif, -ive [degresif, -iv] adj **tarif d.** tapering rate

dégrèvement [degrevmɑ̃] nm **d. fiscal** tax relief

dégriffé [degrife] nm = reduced-price designer item with its label removed

dégringoler [degrɛ̃gɔle] Fam **1** vt (escalier) to rush down **2** vi (personne) to tumble (down); (prix) to slump ▪ **dégringolade** nf Fam (chute) tumble; (de prix) slump (**de** in)

dégriser [degrize] vt Fig **d. qn** to sober sb up

dégrossir [degrosir] vt (travail) to rough out; Fig **d. qn** to knock the rough edges off sb

déguerpir [degerpir] vi Fam to clear off

dégueulasse [degœlas] adj très Fam (crasseux) filthy; (mauvais, désagréable) disgusting ▪ **dégueulasser** vt très Fam to mess up

dégueuler [degœle] vi très Fam to puke

déguiser [degize] **1** vt (pour tromper) to disguise; **d. qn en** (costumer) to dress sb up as **2** se déguiser vpr (pour s'amuser) to dress up (**en** as); (pour tromper) to disguise oneself (**en** as) ▪ **déguisement** nm disguise; (de bal costumé) fancy dress

déguster [degyste] **1** vt (goûter) to taste; (savourer) to Br savour or Am savor **2** vi Fam **tu vas d.!** you're in for it! ▪ **dégustation** nf tasting

déhancher [deɑ̃ʃe] se déhancher vpr to swing one's hips

dehors [dəɔr] **1** adv outside; (pas chez soi) out; (en plein air) out of doors; **en d.** (s'ouvrir) outwards; **en d. de la maison** outside the house; **en d. de la ville** out of town; Fig **en d. de** (excepté) apart from; Fam **mettre qn d.** to throw sb out; (employé) to fire sb **2** nm (extérieur) outside; **au d.** on the outside; (se pencher) out; **sous des d. timides** beneath an outward appearance of shyness

déjà [deʒa] adv already; **est-il d. parti?** has he left yet or already?; **elle l'a d. vu** she's seen it before, she's already seen it; Fam **c'est d. pas mal** that's not bad at all; Fam **quand partez-vous, d.?** when did you say you're leaving?

déjanter [deʒɑ̃te] vi très Fam (être fou) to be off one's rocker ▪ **déjanté, -ée** adj très Fam completely mad

déjeuner [deʒœne] **1** nm lunch; **petit d.** breakfast; **prendre son d.** to have lunch/breakfast **2** vi (à midi) to have lunch; (le matin) to have breakfast

déjouer [deʒwe] vt (intrigue, plans) to foil

déjuger [deʒyʒe] se déjuger vpr to go back on one's decision

délabrer [delabre] **se délabrer** vpr (édifice) to fall into disrepair; (santé) to deteriorate ▪**délabré, -ée** adj (bâtiment) dilapidated ▪**délabrement** [-əmã] nm (de bâtiment) dilapidated state

délacer [delase] **1** vt (chaussure) to untie **2 se délacer** vpr (chaussure) to come untied

délai [delɛ] nm (laps de temps) time allowed; (sursis) extension; **respecter les délais** to meet the deadline; **dans un d. de dix jours** within ten days; **sans d.** without delay; **dans les plus brefs délais** as soon as possible; **dernier d.** final date

> Il faut noter que le nom anglais **delay** est un faux ami. Il signifie **retard**.

délaisser [delese] vt (négliger) to neglect; (abandonner) to abandon

délasser [delase] vt, **se délasser** vpr to relax ▪**délassement** nm relaxation

délateur, -trice [delatœr, -tris] nmf informer

délavé, -ée [delave] adj (tissu, jean) faded; (couleur, ciel) watery

délayer [deleje] vt (poudre) to add water to; (liquide) to water down; Fig (discours, texte) to pad out

délecter [delekte] **se délecter** vpr **se d. de qch/à faire qch** to take delight in sth/in doing sth ▪**délectable** adj delectable

déléguer [delege] vt to delegate (**à** to) ▪**délégation** nf delegation ▪**délégué, -ée** nmf delegate; Scol **d. de classe** = class representative at class meetings

délestage [delesta3] nm **itinéraire de d.** alternative route (to relieve congestion)

délester [deleste] vt (navire, ballon) to unballast; Hum **d. qn de qch** to relieve sb of sth

délibérer [delibere] vi (discuter) to deliberate (**de** about); (réfléchir) to deliberate (**sur** upon); Jur (jury) to consider its verdict ▪**délibération** nf deliberation ▪**délibéré, -ée** adj (intentionnel) deliberate; **de propos d.** deliberately ▪**délibérément** adv deliberately

délicat, -ate [delika, -at] adj (santé, travail) delicate; (question) tricky, delicate; (peau) sensitive; (geste) tactful; (exigeant) fussy; **des procédés peu délicats** unscrupulous methods ▪**délicatement** adv (légèrement) delicately; (avec tact) tactfully ▪**délicatesse** nf (de fleur, de couleur) delicacy; (tact) tact

délice [delis] nm delight ▪**délices** nfpl Littéraire delights ▪**délicieux, -euse** adj (mets, sensation) delicious; (endroit, parfum) delightful

délié, -ée [delje] **1** adj (taille) slim; (doigts) nimble **2** nm (de lettre) thin stroke

délier [delje] **1** vt (langue) to untie; Fig (langue) to loosen; **d. qn de qch** to release sb from sth **2 se délier** vpr **les langues se délient** people start talking

délimiter [delimite] vt (terrain) to mark off; (sujet) to define

délinquant, -ante [delɛ̃kɑ̃, -ɑ̃t] adj & nmf delinquent ▪**délinquance** nf delinquency

délire [delir] nm Méd delirium; (exaltation) frenzy; Fam **c'est du d.** it's utter madness ▪**délirant, -ante** adj (malade) delirious; (joie) frenzied; (déraisonnable) utterly absurd ▪**délirer** vi (patient) to be delirious; (dire n'importe quoi) to rave

délit [deli] nm Br offence, Am offense; **d. d'initié** insider trading or dealing

délivrer [delivre] vt (**a**) (captif) to rescue; (ville) to liberate; (peuple) to set free; **d. qn de qch** to rid sb of sth (**b**) (marchandises) to deliver; (passeport, billet) to issue (**à** to) ▪**délivrance** nf (soulagement) relief; (de passeport) issue

déloger [delɔʒe] vt (envahisseur) to drive out (**de** from); (locataire) to evict

déloyal, -e, -aux, -ales [delwajal, -jo] adj disloyal; (concurrence) unfair

delta [delta] nm (de fleuve) delta

deltaplane [deltaplan] nm hang-glider; **faire du d.** to go hang-gliding

déluge [dely3] nm flood; (de pluie) downpour; Fig (d'injures) flood, deluge; Fig (de coups) shower

déluré, -ée [delyre] adj (vif) smart, sharp; Péj (provocant) forward

démagogie [demagɔʒi] nf demagogy ▪**démagogue** nmf demagogue

demain [dəmɛ̃] adv tomorrow; **d. soir** tomorrow evening; **à d.!** see you tomorrow!; Fam **ce n'est pas d. la veille** that won't happen for a long time yet

demande [dəmɑ̃d] nf (requête) request (**de** for); Écon demand; **faire une d. de qch** (prêt, permis) to apply for sth; **à la d. générale** by popular demand; **sur d.** on request; **d. en mariage** proposal of marriage; **faire sa d. (en mariage)** to propose; **demandes d'emploi** (dans le journal) jobs wanted, Br situations wanted

> Il faut noter que le nom anglais **demand** est un faux ami. Il signifie le plus souvent **exigence**.

demander [dəmɑ̃de] **1** vt to ask for; (prix, raison) to ask; (exiger) to demand; (nécessiter) to require; **d. le chemin/l'heure** to ask the way/the time; **d. qch à qn** to ask sb for sth; **d. à qn de faire qch** to ask sb to do sth; **d. si/où...** to ask or inquire whether/where...; **ça demande du temps** it takes time; **je peux vous d. votre nom?** may I ask your name?; **d. qn en mariage** to propose (marriage) to sb; **elle est très demandée** she's in great demand; **on te demande!** you're wanted! **2 se demander** vpr to wonder, to ask oneself (**pourquoi** why, **si** if) ▪**demandeur, -euse** nmf **d. d'emploi** job seeker

Il faut noter que le verbe anglais **to demand** est un faux ami. Il signifie **exiger**.

démanger [demãʒe] *vti* to itch; **le bras me démange** my arm's itching; **ça me démange de lui dire...** *(j'ai très envie de)* I'm itching to tell him/her... ■**démangeaison** *nf* itch; **avoir des démangeaisons** to be itching; **j'ai une d. au bras** my arm's itching

démanteler [demãtle] *vt* to break up

démantibuler [demãtibyle] *vt Fam (meuble)* to break up

démaquiller [demakije] **se démaquiller** *vpr* to remove one's make-up ■**démaquillant** *nm* cleanser

démarcation [demarkasjɔ̃] *nf* demarcation

démarche [demarʃ] *nf (allure)* walk, gait; *(requête)* step; **faire les démarches nécessaires pour...** to take the necessary steps to...; **faire une d. auprès de qn** to approach sb; **d. intellectuelle** thought process

démarcheur, -euse [demarʃœr, -øz] *nmf (vendeur)* door-to-door salesperson

démarquer [demarke] **1** *vt (marchandises)* to mark down **2 se démarquer** *vpr Sport* to lose one's marker; *Fig* **se d. de qn** to distinguish from sb

démarrer [demare] **1** *vi (moteur)* to start; *(voiture)* to move off; *Fig (entreprise)* to get off the ground **2** *vt Fam (moteur, travaux)* to start; *Ordinat* to start up, to boot up ■**démarrage** *nm (de moteur)* starting; *(d'ordinateur)* start; **au d. when moving off; d. en côte** hill start

démasquer [demaske] *vt* to unmask

démêler [demele] *vt* to untangle; *Fig* **d. le vrai du faux** to disentangle the truth from the lies ■**démêlé** *nm (dispute)* disagreement; **avoir des démêlés avec la justice** to be in trouble with the law

démembrer [demãbre] *vt (empire)* to break up

déménager [demenaʒe] **1** *vi* to move; *Fam (musique)* to be mind-blowing **2** *vt (meubles)* to move ■**déménagement** *nm* move ■**déménageur** *nm Br* removal man, *Am* (furniture) mover

démener [demne] **se démener** *vpr (s'agiter)* to thrash about; **se d. pour faire qch** to spare no effort to do sth

dément, -ente [demã, -ãt] **1** *adj* insane; *Fam (formidable)* fantastic **2** *nmf* lunatic ■**démence** *nf* insanity ■**démentiel, -ielle** *adj* insane

démentir [demãtir] *vt (nouvelle, fait)* to deny; *(être en contradiction avec)* to belie ■**démenti** *nm* denial; **opposer un d. à qch** to make a formal denial of sth

démerder [demerde] **se démerder** *vpr très Fam* to get by; **se d. pour faire qch** to manage to do sth

démesure [demzyr] *nf* excess ■**démesuré, -ée** *adj* excessive

démettre* [demetr] **1** *vt* **d. qn de ses fonctions** to remove sb from his/her post **2 se démettre** *vpr* **se d. l'épaule** to dislocate one's shoulder; **se d. de ses fonctions** to resign from one's post

demeurant [dəmœrã] **au demeurant** *adv (malgré tout)* for all that; *(d'ailleurs)* after all

demeure [dəmœr] *nf (belle maison)* mansion; **à d.** permanently; **mettre qn en d. de faire qch** to instruct sb to do sth

demeuré, -ée *adj Fam Péj* halfwitted

demeurer [dəmœre] *vi* (**a**) *(aux être) (rester)* to remain; **en d. là** *(affaire)* to rest there (**b**) *(aux avoir) Formel (habiter)* to reside

demi, -ie [dəmi] **1** *adj* half; **une heure et demie** an hour and a half; *(à l'horloge)* half past one, one-thirty

2 *adv* (**à**) **d. plein** half-full; **à d. nu** half-naked; **dormir à d.** to be half asleep; **ouvrir qch à d.** to open sth halfway

3 *nmf (moitié)* half

4 *nm* **un d.** *(bière)* a beer, *Br* ≃ a half-pint; *Football* midfielder; *Rugby* **d. de mêlée** scrum half

5 **et à la demie** *(à l'horloge)* at half-past ■**demi-cercle** *(pl* **demi-cercles)** *nm* semicircle ■**demi-douzaine** *(pl* **demi-douzaines)** *nf* **une d. (de)** half a dozen ■**demi-écrémé** *adj (lait) Br* semi-skimmed, *Am* semi-skim ■**demi-finale** *(pl* **demi-finales)** *nf Sport* semifinal ■**demi-frère** *(pl* **demi-frères)** *nm* half brother ■**demi-heure** *(pl* **demi-heures)** *nf* **une d.** half an hour ■**demi-journée** *(pl* **demi-journées)** *nf* half-day ■**demi-mesure** *(pl* **demi-mesures)** *nf* half-measure ■**demi-mot** *nm* **comprendre à d.** to take the hint ■**demi-pension** *(pl* **demi-pensions)** *nf Br* half-board, *Am* breakfast and one meal ■**demi-pensionnaire** *(pl* **demi-pensionnaires)** *nmf Scol Br* day boarder, *Am* day student ■**demi-saison** *(pl* **demi-saisons)** *nf* **de d.** *(vêtement)* spring and autumn ■**demi-sel** *adj inv (beurre)* slightly salted; **fromage d.** slightly salted cream cheese ■**demi-sœur** *(pl* **demi-sœurs)** *nf* half sister ■**demi-tarif** *(pl* **demi-tarifs)** *nm* half-price ■**demi-tour** *(pl* **demi-tours)** *nm Br* about turn, *Am* about face; *(en voiture)* U-turn; **faire d.** *(à pied)* to turn back; *(en voiture)* to do a U-turn

déminéralisée [demineralize] *adj f* **eau d.** distilled water

démis, -ise [demi, -miz] *adj* **avoir l'épaule démise** to have a dislocated shoulder

démission [demisjɔ̃] *nf* resignation; **donner sa d.** to hand in one's resignation ■**démissionner** *vi* to resign

démobiliser [demɔbilize] *vt* to demobilize ■**démobilisation** *nf* demobilization

démocrate [demɔkrat] **1** *adj* democratic **2** *nmf* democrat ■**démocratie** [-asi] *nf* democracy ■**démocratique** *adj* democratic

démodé, -ée [demɔde] *adj* old-fashioned

démographie [demɔgrafi] *nf* demography ■ **démographique** *adj* demographic

demoiselle [dəmwazɛl] *nf (jeune fille)* young lady; *(célibataire)* single woman; **d. d'honneur** *(de mariée)* bridesmaid

démolir [demɔlir] *vt (maison)* to pull down, to demolish; *(jouet)* to wreck; *Fig (théorie, adversaire)* to demolish; *Fam* **d. le portrait à qn** to smash sb's face in ■ **démolition** *nf* demolition; **en d.** being demolished

démon [demɔ̃] *nm* demon; **le d.** the Devil ■ **démoniaque** *adj* demonic

démonstratif, -ive [demɔ̃stratif, -iv] 1 *adj* demonstrative 2 *nm Grammaire* demonstrative

démonstration [demɔ̃strasjɔ̃] *nf* demonstration; *Math* **faire la d. de qch** to demonstrate sth; **être en d.** *(appareil)* to be a display model; **d. de force** show of force

démonter [demɔ̃te] 1 *vt (mécanisme, tente)* to dismantle; *(pneu)* to remove; *Fam (déconcerter)* to throw; **une mer démontée** a raging sea 2 **se démonter** *upr (mécanisme)* to come apart; *Fam* **elle ne s'est pas démontée pour si peu** she wasn't so easily thrown

démontrer [demɔ̃tre] *vt* to demonstrate

démoraliser [demɔralize] 1 *vt* to demoralize 2 **se démoraliser** *upr* to become demoralized ■ **démoralisation** *nf* demoralization

démordre [demɔrdr] *vi* **ne pas d. de qch** to stick to sth

démouler [demule] *vt (gâteau)* to turn out

démuni, -e [demyni] *adj* penniless

démunir [demynir] 1 *vt* **d. qn de qch** to deprive sb of sth 2 **se démunir** *upr* **se d. de qch** to part with sth

démystifier [demistifje] *vt* to demystify

dénationaliser [denasjɔnalize] *vt* to denationalize

dénaturer [denatyre] *vt (propos, faits)* to distort; *(goût)* to alter ■ **dénaturé, -ée** *adj (parents, goût)* unnatural

dénégation [denegasjɔ̃] *nf* denial

déneiger [deneʒe] *vt* to clear the snow from

dénicher [deniʃe] *vt Fam (objet)* to unearth; *(personne)* to track down

dénier [denje] *vt (responsabilité, faute)* to deny; **d. qch à qn** to deny sth to sb

dénigrer [denigre] *vt* to denigrate ■ **dénigrement** [-əmɑ̃] *nm* denigration

dénivellation [denivɛlasjɔ̃] *nf* difference in level; **dénivellations** *(relief)* bumps

dénombrer [denɔ̃bre] *vt* to count

dénominateur [denɔminatœr] *nm Math* denominator; **plus petit d. commun** lowest common denominator

dénommer [denɔme] *vt* to name ■ **dénomination** *nf* designation ■ **dénommé, -ée** *nmf* **un d. Dupont** a man named Dupont

dénoncer [denɔ̃se] 1 *vt (injustice, abus, malfaiteur)* to denounce (**à** to); *(élève)* to tell on (**à** to) 2 **se dénoncer** *upr (malfaiteur)* to give oneself up (**à** to); *(élève)* to own up (**à** to) ■ **dénonciation** *nf* denunciation

dénoter [denɔte] *vt* to denote

dénouement [denumɑ̃] *nm (de livre)* ending; *(de pièce de théâtre)* dénouement; *(d'affaire)* outcome

dénouer [denwe] 1 *vt (nœud, corde)* to undo, to untie; *(cheveux)* to let down, to undo; *Fig (intrigue)* to unravel 2 **se dénouer** *upr (nœud)* to come undone; *(cheveux)* to come down

dénoyauter [denwajote] *vt Br* to stone, *Am* to pit

denrée [dɑ̃re] *nf* foodstuff; **denrées alimentaires** foodstuffs; **denrées périssables** perishable goods

dense [dɑ̃s] *adj* dense ■ **densité** *nf* density

dent [dɑ̃] *nf* tooth *(pl* teeth); *(de roue)* cog; *(de fourchette)* prong; *(de timbre-poste)* perforation; **d. de lait/sagesse** milk/wisdom tooth; **faire ses dents** *(enfant)* to be teething; **coup de d.** bite; **n'avoir rien à se mettre sous la d.** to have nothing to eat; **manger du bout des dents** to pick at one's food; **être sur les dents** *(énervé)* to be on edge; *(surmené)* to be exhausted; *Fam* **avoir une d. contre qn** to have a grudge against sb; **en dents de scie** serrated; *Fig (résultats)* uneven ■ **dentaire** *adj* dental ■ **dentée** *adj f* **roue d.** cogwheel

dentelé, -ée [dɑ̃tle] *adj (côte, feuille)* jagged

dentelle [dɑ̃tɛl] *nf* lace

dentier [dɑ̃tje] *nm (set of)* false teeth, dentures

dentifrice [dɑ̃tifris] *nm* toothpaste

dentiste [dɑ̃tist] *nmf* dentist ■ **dentition** *nf (dents)* (set of) teeth ■ **denture** *nf* set of teeth

Il faut noter que le nom anglais **dentures** est un faux ami. Il signifie **dentier**.

dénuder [denyde] *vt* to (lay) bare ■ **dénudé, -ée** *adj* bare

dénué, -ée [denɥe] *adj* **d. de sens/d'intérêt** devoid of sense/interest

dénuement [denymɑ̃] *nm* destitution; **dans le d.** poverty-stricken

déodorant [deɔdɔrɑ̃] *nm* deodorant ■ **déodoriser** *vt* to deodorize

dépanner [depane] *vt (machine)* to repair; *Fam* **d. qn** to help sb out ■ **dépannage** *nm* (emergency) repairs; **voiture/service de d.** breakdown vehicle/service ■ **dépanneur** *nm (de télévision)* repairman; *(de voiture)* breakdown mechanic ■ **dépanneuse** *nf (voiture) Br* breakdown lorry, *Am* wrecker

dépareillé, -ée [depareje] *adj (chaussure)* odd; *(collection)* incomplete

départ [depar] *nm* departure; *(de course)* start; **les grands départs** the great holiday exodus; **point/ligne de d.** starting point/post; **salaire**

de d. starting salary; **au d.** at the outset, at the start; **dès le d.** (right) from the start; **au d. de Paris** (excursion) leaving from Paris; **à mon d. de Paris** when I left Paris

départager [departaʒe] vt to decide between

département [departəmɑ̃] nm department (division of local government) ▪ **départemental, -e, -aux, -ales** adj departmental; **route départementale** secondary road, Br ≃ B road

départir* [departir] **se départir** vpr **il ne s'est jamais départi de son calme** his calm never deserted him

dépasser [depase] **1** vt (véhicule) Br to overtake, Am to pass; (endroit) to go past; (prévisions, vitesse) to exceed; **d. qn** (en hauteur) to be taller than sb; (surclasser) to be ahead of sb; Fig **ça me dépasse** that's beyond me **2** vi (jupon, clou) to stick out ▪ **dépassé, -ée** adj (démodé) outdated; (incapable) unable to cope ▪ **dépassement** nm (en voiture) Br overtaking, Am passing

dépayser [depeize] vt Br to disorientate, Am to disorient ▪ **dépaysement** nm disorientation

dépecer [depəse] vt (animal) to cut up

dépêche [depɛʃ] nf dispatch ▪ **dépêcher 1** vt to dispatch **2 se dépêcher** vpr to hurry (up); **se d. de faire qch** to hurry to do sth

dépeindre* [depɛ̃dr] vt to depict

dépenaillé, -ée [depənaje] adj (rideau) ragged, tattered; (personne) in rags, in tatters

dépendant, -ante [depɑ̃dɑ̃, -ɑ̃t] dependent (de on) ▪ **dépendance** nf dependence; **sous la d. de qn** under sb's domination ▪ **dépendances** nfpl (bâtiments) outbuildings

dépendre [depɑ̃dr] vi to depend (de on, upon); **d. de** (appartenir à) to belong to; (être soumis à) to be dependent on; **ça dépend de toi** that's up to you

dépens [depɑ̃] nmpl **aux d. de** at the expense of; **apprendre qch à ses d.** to learn sth to one's cost

dépense [depɑ̃s] nf (frais) expense, expenditure; **faire des dépenses** to spend money; **d. physique** physical exertion ▪ **dépenser 1** vt (argent) to spend; (électricité) to use; (forces) to exert **2 se dépenser** vpr to burn up energy

dépensier, -ière [depɑ̃sje, -jɛr] adj extravagant

déperdition [deperdisjɔ̃] nf (de chaleur) loss

dépérir [deperir] vi (personne) to waste away; (plante) to wither

dépêtrer [depetre] **se dépêtrer** vpr Fam to extricate oneself (de from)

dépeupler [depœple] **1** vt to depopulate **2 se dépeupler** vpr to become depopulated ▪ **dépeuplement** [-əmɑ̃] nm depopulation

dépilatoire [depilatwar] **1** adj **crème d.** hair-removing cream **2** nm hair-remover

dépister [depiste] vt (criminel) to track down; (maladie) to detect ▪ **dépistage** nm (de maladie) screening

dépit [depi] nm spite; **par d.** out of spite; **en d. de** in spite of; **en d. du bon sens** (mal) atrociously

dépité, -ée [depite] adj annoyed

déplacement [deplasmɑ̃] nm (voyage) trip; (d'ouragan, de troupes) movement; **être en d.** (homme d'affaires) to be on a business trip; **frais de d.** Br travelling or Am traveling expenses

déplacer [deplase] **1** vt (objet) to move; (fonctionnaire) to transfer **2 se déplacer** vpr (aiguille d'une montre) to move; (personne, animal) to move (about); (marcher) to walk (around); (voyager) to travel ▪ **déplacé, -ée** adj (mal à propos) out of place; **personne déplacée** (réfugié) displaced person

déplaire* [depler] **1** vi **d. à qn** to displease sb; **ça me déplaît** I don't like it; Ironique **n'en déplaise à…** with all due respect to… **2 se déplaire** vpr **il se déplaît à Paris** he doesn't like it in Paris ▪ **déplaisant, -ante** adj unpleasant ▪ **déplaisir** nm displeasure

déplier [deplije] vt to open out, to unfold ▪ **dépliant** nm (prospectus) leaflet

déplorer [deplɔre] vt (regretter) to deplore; **d. que…** (+ subjunctive) to deplore the fact that…; **d. la mort de qn** to mourn sb's death ▪ **déplorable** adj deplorable

déployer [deplwaje] **1** vt (ailes) to spread; (journal, carte) to unfold; (troupes) to deploy **2 se déployer** vpr (drapeau) to unfurl ▪ **déploiement** nm (démonstration) display; (d'une armée) deployment

déplumer [deplyme] **se déplumer** vpr (oiseau) to Br moult or Am molt; Fam (personne) to go bald ▪ **déplumé, -ée** adj (oiseau) featherless; Fam (personne) bald

dépoli, -ie [depɔli] adj **verre d.** frosted glass

déporter [depɔrte] vt **d. qn** to send sb to a concentration camp ▪ **déportation** nf internment ▪ **déporté, -ée** nmf internee

déposer [depoze] **1** vt (poser) to put down; (gerbe) to lay; (brevet) to register; (projet de loi) to introduce; (souverain) to depose; **d. qn** (en voiture) to drop sb off; **d. une lettre à la poste** to mail a letter; **d. de l'argent sur un compte** to deposit money in an account; **d. les armes** to lay down one's arms; **d. une plainte contre qn** to lodge a complaint against sb **2** vi Jur to testify; (liquide) to leave a deposit **3 se déposer** vpr (poussière, lie) to settle

dépositaire [depoziter] nmf (vendeur) agent; (de secret) custodian

déposition [depozisjɔ̃] nf Jur statement; (de souverain) deposing

déposséder [deposede] vt to deprive, to dispossess (de of)

dépôt [depo] *nm (de vin)* deposit, sediment; *(argent)* deposit; *(entrepôt)* depot; *(prison)* jail; **d. calcaire** *(de bouilloire)* fur; **mettre qch en d.** to put sth in storage; **d. de munitions** munitions depot; **d. d'ordures** *Br* rubbish dump, *Am* garbage dump; **d.-vente** = *Br* secondhand clothes shop; *Am* thrift store

dépotoir [depɔtwar] *nm* dump; *Fam (classe)* dumping ground

dépouille [depuj] *nf (d'animal)* hide, skin; **les dépouilles** *(butin)* the spoils; **d. (mortelle)** *(de défunt)* mortal remains

dépouiller [depuje] 1 *vt (animal)* to skin; *(analyser)* to go through; **d. qn de qch** to deprive sb of sth; **d. un scrutin** to count the votes 2 **se dépouiller** *vpr* **se d. de qch** to rid oneself of sth ▪ **dépouillé, -ée** *adj (arbre)* bare; *(style)* austere ▪ **dépouillement** *nm (de documents)* analysis; *(privation)* deprivation; *(sobriété)* austerity; **d. du scrutin** counting of the votes

dépourvu, -ue [depurvy] *adj* **d. de qch** devoid of sth; **prendre qn au d.** to catch sb off guard

dépoussiérer [depusjere] *vt* to dust

dépraver [deprave] *vt* to deprave ▪ **dépravation** *nf* depravity ▪ **dépravé, -ée** *adj* depraved

déprécier [depresje] 1 *vt* to undervalue 2 **se déprécier** *vpr (valeurs, marchandises)* to depreciate ▪ **dépréciation** *nf* depreciation

dépression [depresjɔ̃] *nf (creux, maladie)* depression; **zone de d. atmosphérique** trough of low pressure; **d. économique** slump; **d. nerveuse** nervous breakdown; **faire de la d.** to be suffering from depression ▪ **dépressif, -ive** *adj* depressive

déprime [deprim] *nf Fam* depression; **avoir un petit coup de d.** to feel a bit low ▪ **déprimé, -ée** *adj* depressed ▪ **déprimer** 1 *vt* to depress 2 *vi Fam* to be feeling low

depuis [dəpɥi] 1 *prép* since; **d. lundi/1990** since Monday/1990; **j'habite ici d. un mois** I've been living here for a month; **d. quand êtes-vous là?, d. combien de temps êtes-vous là?** how long have you been here?; **d. peu/longtemps** for a short/long time; **je la connais d. toujours** I've known her all my life; *Fam* **d. des siècles** for ages; **d. le temps que je le connais!** I've known him for ages!; **d. Paris jusqu'à Londres** from Paris to London 2 *adv* since (then), ever since 3 *conj* **d. que** since; **d. qu'elle est partie** since she left

député [depyte] *nm Pol* deputy, *Br* ≃ MP, *Am* ≃ representative; **d. du Parlement européen** Member of the European Parliament

déraciner [derasine] *vt (arbre, personne)* to uproot

dérailler [deraje] *vi (train)* to leave the rails; *Fam (personne)* to talk drivel; **faire d. un train** to derail a train ▪ **déraillement** *nm (de train)* derailment ▪ **dérailleur** *nm (de bicyclette)* derailleur (gears)

déraisonnable [derɛzɔnabl] *adj* unreasonable ▪ **déraisonner** *vi* to talk nonsense

déranger [derɑ̃ʒe] 1 *vt (affaires)* to disturb; *(projets)* to upset; *(vêtements)* to mess up; **je viendrai si ça ne te dérange pas** I'll come if that' all right with you; **ça vous dérange si je fume?** do you mind if I smoke?; **avoir l'estomac dérangé** to have an upset stomach; **il a l'esprit dérangé** he's deranged 2 **se déranger** *vpr* to put oneself to a lot of trouble (**pour faire** to do); *(se déplacer)* to move; **ne te dérange pas!** don't bother! ▪ **dérangement** *nm (gêne)* trouble; **excusez-moi pour le d.** I'm sorry to trouble you; **en d.** *(téléphone)* out of order

déraper [derape] *vi (véhicule)* to skid; *Fam (personne)* to slip ▪ **dérapage** *nm* skid; *Fig* **le d. des prix** spiralling prices

dératé [derate] *nm Fam* **courir comme un d.** to run like mad

dérégler [deregle] 1 *vt (mécanisme)* to cause to malfunction 2 **se dérégler** *vpr (mécanisme)* to go wrong ▪ **dérèglement** [-ɛgləmɑ̃] *nm (de mécanisme)* malfunctioning

dérider [deride] *vt*, **se dérider** *vpr* to cheer up

Il faut noter que le verbe anglais **to deride** est un faux ami. Il signifie le plus souvent **ridiculiser.**

---

dérision [derizjɔ̃] *nf* derision; **tourner qch en d.** to deride sth; **par d.** derisively ▪ **dérisoire** *adj (somme)* derisory

dérivatif [derivatif] *nm* distraction (**à** from)

dériver [derive] 1 *vt (cours d'eau)* to divert 2 *vi Naut* to drift; **d. de** *(mot)* to be derived from ▪ **dérivation** *nf (de cours d'eau)* diversion ▪ **dérive** *nf Naut* drift; **à la d.** adrift ▪ **dérivé** *nm (mot, substance)* derivative

dermatologie [dermatɔlɔʒi] *nf* dermatology ▪ **dermatologiste** [-tɔlɔʒist], **dermatologue** [-tɔlɔg] *nmf* dermatologist

dernier, -ière [dɛrnje, -jɛr] 1 *adj (ultime)* last; *(marquant la fin)* final; *(nouvelles, mode)* latest; *(étage)* top; *(degré)* highest; **le d. rang** the back or last row; **de d. ordre** third-rate; **ces derniers mois** these past few months; **les dix dernières minutes** the last ten minutes; **de la dernière importance** of (the) utmost importance; **en d.** last 2 *nmf* last; **ce d.** *(de deux)* the latter; *(de plusieurs)* the last-mentioned; **être le d. de la classe** to be (at) the bottom of the class; **le d. des derniers** the lowest of the low; **le d. de mes soucis** the least of my worries; **avoir le d. mot** to have the last word ▪ **dernier-né,** **dernière-née** *(mpl* **derniers-nés,** *fpl* **dernières-nées)** *nmf* youngest (child) ▪ **dernièrement** *adv* recently

dérobade [derɔbad] *nf (esquive)* evasion

dérober [derɔbe] **1** *vt (voler)* to steal (**à** from); *(cacher)* to hide (**à** from) **2 se dérober** *vpr (s'esquiver)* to slip away; *(éviter de répondre)* to dodge the issue; **se d. à la curiosité de qn** to avoid sb's prying eyes; **se d. aux regards** to hide from view; **ses jambes se sont dérobées sous lui** his legs gave way beneath him ▪**dérobé, -ée** *adj (porte)* hidden; **à la dérobée** on the sly

dérogation [derɔgasjɔ̃] *nf* exemption (**à** from)

déroger [derɔʒe] *vi* **d. à une règle** to depart from a rule

dérouiller [deruje] *Fam* **1** *vt* **d. qn** *(battre)* to thrash sb **2 se dérouiller** *vpr* **se d. les jambes** to stretch one's legs ▪**dérouillée** *nf Fam* belting

dérouler [derule] **1** *vt (tapis)* to unroll; *(fil)* to unwind **2 se dérouler** *vpr (tapis)* to unroll; *(fil)* to unwind; *Fig (événement)* to take place ▪**déroulement** *nm (d'action)* unfolding

déroute [derut] *nf (d'armée)* rout

dérouter [derute] *vt (avion, navire)* to divert, to reroute; *(poursuivant)* to throw off the scent; *Fig (étonner)* to throw

derrière [derjɛr] **1** *prép & adv* behind; **d. moi** behind me; **assis d.** *(dans une voiture)* sitting in the back; **par d.** *(attaquer)* from behind, from the rear **2** *nm (de maison)* back, rear; *(fesses)* behind; **patte de d.** hind leg; **roue de d.** back or rear wheel

des [dɛ] *voir* **de, un**

dès [dɛ] *prép* from; **d. le début** (right) from the start; **d. maintenant** from now on; **d. son enfance** since or from childhood; **d. le VIᵉ siècle** as early as or as far back as the sixth century; **d. l'aube** at (the crack of) dawn; **d. lors** *(dans le temps)* from then on; *(en conséquence)* consequently; **d. leur arrivée** as soon as they arrive/arrived; **d. qu'elle viendra** as soon as she comes

désabusé, -ée [dezabyze] *adj* disillusioned

désaccord [dezakɔr] *nm* disagreement; **être en d. avec qn** to disagree with sb ▪**désaccordé, -ée** *adj (instrument)* out of tune

désaccoutumer [dezakutyme] **se désaccoutumer** *vpr* **se d. de qch** to get out of the habit of sth

désaffecté, -ée [dezafɛkte] *adj* disused

désaffection [dezafɛksjɔ̃] *nf* disaffection (**à l'égard de** with)

désagréable [dezagreabl] *adj* unpleasant

désagréger [dezagreʒe] *vt*, **se désagréger** *vpr* to disintegrate ▪**désagrégation** *nf* disintegration

désagrément [dezagremɑ̃] *nm (gêne)* trouble; *(souci, aspect négatif)* problem

désaltérer [dezaltere] **1** *vt* **d. qn** to quench sb's thirst **2 se désaltérer** *vpr* to quench one's thirst ▪**désaltérant, -ante** *adj* thirst-quenching

désamorcer [dezamɔrse] *vt (bombe, conflit)* to defuse

désappointer [dezapwɛ̃te] *vt Littéraire* to disappoint

désapprouver [dezapruve] **1** *vt* to disapprove of **2** *vi* to disapprove ▪**désapprobateur, -trice** *adj* disapproving ▪**désapprobation** *nf* disapproval

désarçonner [dezarsɔne] *vt (jockey)* to throw, to unseat; *Fig (déconcerter)* to throw

désarmer [dezarme] **1** *vt (soldat, nation)* to disarm; *Fig* **d. qn** *(franchise, attitude)* to disarm sb **2** *vi (pays)* to disarm; **il ne désarme pas** he won't give up ▪**désarmant, -ante** *adj* disarming ▪**désarmé, -ée** *adj (sans défense)* unarmed; *Fig (sans défenses)* helpless ▪**désarmement** [-əmɑ̃] *nm (de nation)* disarmament

désarroi [dezarwa] *nm* confusion; **être en plein d.** to be in a state of utter confusion

désarticulé, -ée [dezartikyle] *adj (pantin, clown)* double-jointed

désastre [dezastr] *nm* disaster ▪**désastreux, -euse** *adj* disastrous

désavantage [dezavɑ̃taʒ] *nm* disadvantage ▪**désavantager** *vt* to put at a disadvantage ▪**désavantageux, -euse** *adj* disadvantageous

désaveu, -x [dezavø] *nm (reniement)* disowning

désavouer [dezavwe] *vt (renier)* to disown

désaxé, -ée [dezakse] **1** *adj (psychiquement)* unbalanced **2** *nmf* unbalanced person

desceller [desele] **1** *vt (pierre)* to loosen **2 se desceller** *vpr* to come loose

descendant, -ante [desɑ̃dɑ̃, -ɑ̃t] **1** *adj* descending **2** *nmf* descendant ▪**descendance** *nf (enfants)* descendants; *(origine)* descent

descendre [desɑ̃dr] **1** *(aux être) vi* to come/go down (**de** from); *(d'un train)* to get off (**de** from); *(d'un arbre)* to climb down (**de** from); *(nuit, thermomètre)* to fall; *(marée)* to go out; **d. de cheval** to dismount; **d. à l'hôtel** to put up at a hotel; **d. chez un ami** to stay with a friend; **d. de** *(être issu de)* to be descended from **2** *(aux avoir) vt (escalier)* to come/go down; *(objet)* to bring/take down; *Fam* **d. qn** *(tuer)* to bump sb off

descente [desɑ̃t] *nf (d'avion)* descent; *(en parachute)* drop; *(pente)* slope; *(de police)* raid (**dans** upon); **il fut accueilli à sa d. d'avion** he was met as he got off the plane; **d. de lit** bedside rug

descriptif, -ive [deskriptif, -iv] *adj* descriptive ▪**description** *nf* description

désemparé, -ée [dezɑ̃pare] *adj (personne)* at a loss

désemplir [dezɑ̃plir] *vi* **ce magasin ne désemplit pas** this shop is always crowded

désenchanté, -ée [dezɑ̃ʃɑ̃te] *adj* disillusioned ▪ **désenchantement** *nm* disenchantment

désencombrer [dezɑ̃kɔ̃bre] *vt (passage)* to clear

désenfler [dezɑ̃fle] *vi (genou, cheville)* to go down, to become less swollen

déséquilibre [dezekilibr] *nm* imbalance; **en d.** unsteady ▪ **déséquilibré, -ée 1** *adj* unbalanced **2** *nmf* unbalanced person ▪ **déséquilibrer** *vt* to throw off balance; *Fig (esprit, personne)* to unbalance

désert, -erte [dezer, -ert] **1** *adj (lieu)* deserted; *(région)* uninhabited; **île déserte** desert island **2** *nm* desert ▪ **désertique** *adj* **région d.** desert region

déserter [dezerte] *vti* to desert ▪ **déserteur** *nm* deserter ▪ **désertion** *nf* desertion

désespérer [dezespere] **1** *vt* to drive to despair **2** *vi* to despair **(de** of) **3 se désespérer** *vpr* to despair ▪ **désespérant, -ante** *adj (situation, personne)* hopeless ▪ **désespéré, -ée 1** *adj (personne)* in despair; *(cas, situation, efforts)* desperate **2** *nmf* desparate person ▪ **désespérément** *adv* desperately

désespoir [dezespwar] *nm* despair; **au d.** in despair; **en d. de cause** in desperation

déshabiller [dezabije] *vt*, **se déshabiller** *vpr* to undress

déshabituer [dezabitɥe] *vt* **d. qn de qch** to get sb out of the habit of sth

désherber [dezerbe] *vti* to weed ▪ **désherbant** *nm* weedkiller

déshériter [dezerite] *vt* to disinherit ▪ **déshérité, -ée** *adj (pauvre)* deprived

déshonneur [dezɔnœr] *nm Br* dishonour, *Am* dishonor

déshonorer [dezɔnɔre] *vt* to disgrace ▪ **déshonorant, -ante** *adj Br* dishonourable, *Am* dishonorable

déshydrater [dezidrate] **1** *vt* to dehydrate **2 se déshydrater** *vpr* to become dehydrated

désigner [deziɲe] *vt (montrer)* to point to; *(choisir)* to choose; *(nommer)* to appoint; *(signifier)* to designate; **il est tout désigné pour ce travail** he's just the person for the job ▪ **désignation** *nf* designation

désillusion [dezilyzjɔ̃] *nf* disillusion ▪ **désillusionner** *vt* to disillusion

désinfecter [dezɛ̃fɛkte] *vt* to disinfect ▪ **désinfectant, -ante** *nm & adj* disinfectant ▪ **désinfection** *nf* disinfection

désinformation [dezɛ̃fɔrmasjɔ̃] *nf* disinformation

désintégrer [dezɛ̃tegre] **se désintégrer** *vpr* to disintegrate ▪ **désintégration** *nf* disintegration

désintéresser [dezɛ̃terese] **se désintéresser** *vpr* **se d. de qch** to lose interest in sth ▪ **désintéressé, -ée** *adj (altruiste)* disinterested ▪ **désintérêt** *nm* lack of interest

désintoxication [dezɛ̃tɔksikasjɔ̃] *nf* detoxification, *Fam* detox; **faire une cure de d.** to undergo treatment for alcoholism/drug addiction ▪ **désintoxiquer 1** *vt (alcoolique, drogué)* to treat for alcoholism/drug abuse **2 se désintoxiquer** *(alcoolique, drogué)* to come off alcohol/drugs

désinvolte [dezɛ̃vɔlt] *adj (dégagé)* casual; *(insolent)* offhand ▪ **désinvolture** *nf* casualness; *(insolence)* offhandedness

désir [dezir] *nm* desire; **prendre ses désirs pour des réalités** to indulge in wishful thinking ▪ **désirable** *adj* desirable ▪ **désirer** *vt* to wish; *(convoiter)* to desire; **je désire venir** I wish to come; **je désire que tu viennes** I want you to come; **ça laisse à d.** it leaves a lot to be desired

désireux, -euse [dezirø, -øz] *adj* **d. de faire qch** anxious to do sth

désister [deziste] **se désister** *vpr* to withdraw ▪ **désistement** [-əmɑ̃] *nm* withdrawal

désobéir [dezɔbeir] *vi* to disobey; **d. à qn** to disobey sb ▪ **désobéissance** *nf* disobedience (**à** to) ▪ **désobéissant, -ante** *adj* disobedient

désobligeant, -ante [dezɔbliʒɑ̃, -ɑ̃t] *adj* disagreeable

désodorisant [dezɔdɔrizɑ̃] *nm* air freshener

désœuvré, -ée [dezœvre] *adj* idle ▪ **désœuvrement** [-əmɑ̃] *nm* idleness

désoler [dezɔle] **1** *vt* to upset **2 se désoler** *vpr* to be upset **(de** at) ▪ **désolant, -ante** *adj* upsetting ▪ **désolation** *nf (peine)* distress ▪ **désolé, -ée** *adj (région)* desolate; *(affligé)* upset; **être d. que...** (+ *subjunctive)* to be sorry that...; **je suis d. de vous déranger** I'm sorry to disturb you

désolidariser [desɔlidarize] **se désolidariser** *vpr* to dissociate oneself **(de** from)

désopilant, -ante [dezɔpilɑ̃, -ɑ̃t] *adj* hilarious

désordonné, -ée [dezɔrdɔne] *adj (personne, chambre)* untidy

désordre [dezɔrdr] *nm (manque d'ordre)* mess; *(manque d'organisation)* disorder; **en d.** untidy, messy; **de graves désordres** *(émeutes)* serious disturbances

désorganiser [dezɔrganize] *vt* to disorganize ▪ **désorganisation** *nf* disorganization ▪ **désorganisé, -ée** *adj* disorganized

désorienter [dezɔrjɑ̃te] *vt* **d. qn** to bewilder sb

désormais [dezɔrmɛ] *adv* from now on, in future

désosser [dezɔse] *vt (viande)* to bone

despote [despɔt] *nm* despot ▪ **despotique** *adj* despotic

desquels, desquelles [dekɛl] *voir* **lequel**

dessaisir [desezir] **se dessaisir** *vpr* **se d. de qch** to relinquish sth

dessaler [desale] *vt (poisson)* to remove the salt from *(by soaking)*

dessécher [desefe] **1** *vt (peau)* to dry up; *(végétation)* to wither **2 se dessécher** *upr (peau)* to dry up; *(végétation)* to wither

dessein [desɛ̃] *nm* intention; **dans le d. de faire qch** with the intention of doing sth; **à d.** intentionally

desserrer [desere] **1** *vt (ceinture)* to loosen; *(poing)* to unclench; *(frein)* to release; *Fig* **il n'a pas desserré les dents** he didn't open his mouth **2 se desserrer** *upr (ceinture)* to come loose

dessert [desɛr] *nm* dessert, *Br* pudding

desserte [desɛrt] *nf* **assurer la d. de** *(village)* to provide a service to

desservir [deservir] *vt (table)* to clear (away); **d. qn** to do sb a disservice; **le car dessert ce village** the bus stops at this village; **ce quartier est bien desservi** this district is well served by public transport

dessin [desɛ̃] *nm* drawing; *(rapide)* sketch; *(motif)* design, pattern; *(contour)* outline; **d. animé** cartoon; **d. humoristique** *(de journal)* cartoon

dessinateur, -trice [desinatœr, -tris] *nmf* drawer; **d. humoristique** cartoonist; **d. de modes** dress designer; **d. industriel** *Br* draughtsman, *Am* draftsman

dessiner [desine] **1** *vt* to draw; *(rapidement)* to sketch; *(meuble, robe)* to design; *(indiquer)* to outline; **d. (bien) la taille** *(vêtement)* to show off or draw attention to the waist **2 se dessiner** *upr (colline)* to stand out; *(projet)* to take shape

dessoûler [desule] *vti Fam* to sober up

dessous [dəsu] **1** *adv* underneath; **en d.** underneath; **en d. de** below; *Fam* **être en d. de tout** to be worse than useless **2** *nm* underside; *(du pied)* bottom; **des d.** *(sous-vêtements)* underwear; **drap de d.** bottom sheet; **les gens du d.** the people downstairs or below ▪**dessous-de-plat** *nm inv* table mat ▪**dessous-de-table** *nm inv* bribe, *Br* backhander

dessus [dəsy] **1** *adv (marcher, écrire)* on it/them; *(monter)* on top (of it/them), on it/them; *(passer)* over it/them; **de d. la table** off or from the table **2** *nm* top; *(de chaussure)* upper; **drap de d.** top sheet; **les gens du d.** the people upstairs or above; **avoir le d.** to have the upper hand; **reprendre le d.** *(se remettre)* to get over it ▪**dessus-de-lit** *nm inv* bedspread

déstabiliser [destabilize] *vt* to destabilize

destin [destɛ̃] *nm* fate, destiny ▪**destinée** *nf* destiny

destinataire [destinatɛr] *nmf* addressee

destination [destinasjɔ̃] *nf (lieu)* destination; **trains à d. de…** trains to…; **arriver à d. to** reach one's destination

destiner [destine] *vt* **d. qch à qn** to intend sth

for sb; **d. qn à** *(carrière, fonction)* to intend or destine sb for; **destiné à mourir** *(condamné)* destined or fated to die **2 se destiner** *upr se* **d. à** *(carrière)* to intend to take up

destituer [destitɥe] *vt (fonctionnaire)* to remove from office ▪**destitution** *nf* removal from office

destroy [destrɔj] *adj Fam (musique)* = loud, fast and aggressive; *(personne)* self-destructive; **avoir une allure complètement d.** to look wasted

destructeur, -trice [destryktœr, -tris] *adj* destructive

destruction [destryksjɔ̃] *nf* destruction

désuet, -uète [desɥe, -ɥɛt] *adj* obsolete ▪**désuétude** *nf* **tomber en d.** *(expression)* to become obsolete

désunir [dezynir] *vt (famille, personnes)* to divide

détachant [detaʃɑ̃] *nm* stain remover

détachement [detaʃmɑ̃] *nm* (**a**) *(indifférence)* detachment (**b**) *(de fonctionnaire)* secondment; *(de troupes)* detachment

détacher¹ [detaʃe] **1** *vt (ceinture, vêtement)* to undo; *(mains, personne)* to untie; *(ôter)* to take off; *(mots)* to pronounce clearly; **d. qn** *(libérer)* to untie sb; *(affecter)* to transfer sb (on assignment) **(à** to); **d. les yeux de qn/qch** to take one's eyes off sb/sth; **'détachez en suivant les pointillés'** 'tear off along the dotted line' **2 se détacher** *upr (chien, prisonnier)* to break loose; *(se dénouer)* to come undone; **se d. (de qch)** *(fragment)* to come off (sth); **se d. de ses amis** to break away from one's friends; **se d. (sur)** *(ressortir)* to stand out (against) ▪**détaché, -ée** *adj (nœud)* loose, undone; *(air, ton)* detached

détacher² [detaʃe] *vt (linge)* to remove the stains from

détail [detaj] *nm* detail; **en d.** in detail; **entrer dans les détails** to go into detail; **le d. de** *(dépenses)* a breakdown of; **magasin/prix de d.** retail store/price; **vendre au d.** to sell retail

détaillant [detajɑ̃] *nm* retailer

détailler [detaje] *vt (énumérer)* to detail ▪**détaillé, -ée** *adj (récit, description)* detailed; *(facture)* itemized

détaler [detale] *vi Fam* to take off

détartrer [detartre] *vt (chaudière, dents)* to scale

détaxer [detakse] *vt* to exempt from tax; **produit détaxé** duty-free article

détecter [detekte] *vt* to detect ▪**détecteur** *nm* *(appareil)* detector; **d. de fumée** smoke detector ▪**détection** *nf* detection

détective [detɛktiv] *nm* **d. (privé)** (private) detective

déteindre* [detɛ̃dr] *vi (couleur, tissu)* to run; **ton tablier bleu a déteint sur ma chemise** the blue of your apron has come off on(to) my shirt; *Fig*

d. sur qn *(influencer)* to leave one's mark on sb

dételer [detle] *vt (chevaux)* to unharness

détendre [detɑ̃dr] **1** *vt (corde)* to slacken; *(arc)* to unbend; **d. l'atmosphère** to make the atmosphere less tense; **d. qn** to relax sb **2 se détendre** *vpr (corde)* to slacken; *(arc)* to unbend; *(atmosphère)* to become less tense; *(personne)* to relax ■ **détendu, -ue** *adj (visage, atmosphère)* relaxed; *(ressort, câble)* slack

détenir* [detnir] *vt (record, pouvoir, titre, prisonnier)* to hold; *(secret, objet volé)* to be in possession of ■ **détenteur, -trice** *nmf (de record)* holder ■ **détention** *nf (d'armes)* possession; *(captivité)* detention; **d. provisoire** detention pending trial ■ **détenu, -ue** *nmf* prisoner

détente [detɑ̃t] *nf* (**a**) *(repos)* relaxation; *(entre deux pays)* détente (**b**) *(saut)* spring (**c**) *(gâchette)* trigger

détergent [detɛrʒɑ̃] *nm* detergent

détériorer [deterjɔre] **1** *vt* to damage **2 se détériorer** *vpr* to deteriorate ■ **détérioration** *nf* damage (**de** to); *(d'une situation)* deterioration (**de** in)

détermination [detɛrminasjɔ̃] *nf (fermeté)* determination; *(de date, de lieu)* fixing

déterminer [detɛrmine] **1** *vt (préciser)* to determine; *(causer)* to bring about; **d. qn à faire qch** to induce sb to do sth **2 se déterminer** *vpr* **se d. à faire qch** to make up one's mind to do sth ■ **déterminant, -ante 1** *adj* decisive **2** *nm Grammaire* determiner ■ **déterminé, -ée** *adj (précis)* specific; *(résolu)* determined

déterrer [detere] *vt* to dig up

détester [detɛste] *vt* to hate, to detest; **d. faire qch** to hate doing *or* to do sth ■ **détestable** *adj* foul

détonateur [detonatœr] *nm* detonator ■ **détonation** *nf* explosion; *(d'arme)* bang

détonner [detone] *vi (contraster)* to clash

détour [detur] *nm (crochet)* detour; *(de route)* bend, curve; **sans d.** *(parler)* without beating about the bush; **faire un d.** to make a detour; **faire des détours** *(route)* to wind

détourner [deturne] **1** *vt (dévier)* to divert; *(avion)* to hijack; *(conversation, sens)* to change; *(fonds)* to embezzle; *(coup)* to ward off; **d. la tête** to turn one's head away; **d. les yeux** to look away; **d. qn de** *(son devoir, ses amis)* to take sb away from; *(sa route)* to lead sb away from **2 se détourner** *vpr* to turn away ■ **détourné, -ée** *adj (chemin, moyen)* roundabout, indirect ■ **détournement** *nm (de cours d'eau)* diversion; **d. d'avion** hijack(ing); **d. de fonds** embezzlement

détracteur, -trice [detraktœr, -tris] *nmf* detractor

détraquer [detrake] **1** *vt (mécanisme)* to put out of order **2 se détraquer** *vpr (machine)* to go wrong; **se d. l'estomac** to upset one's stomach; **se d. la santé** to ruin one's health ■ **détraqué, -ée 1** *adj (appareil)* out of order; *(cerveau)* deranged **2** *nmf (obsédé)* sex maniac

détremper [detrɑ̃pe] *vt* to soak; **des terres détrempées** waterlogged ground

détresse [detrɛs] *nf* distress; **en d.** *(navire, âme)* in distress; **dans la d.** *(misère)* in (great) distress

détriment [detrimɑ̃] *nm* **au d. de** to the detriment of; **je l'ai appris à mon d.** I found it out to my cost

détritus [detritys] *nmpl Br* rubbish, *Am* garbage

détroit [detrwa] *nm* strait

détromper [detrɔ̃pe] **1** *vt* **d. qn** to put sb right **2 se détromper** *vpr* **détrompez-vous!** don't you believe it!

détrôner [detrone] *vt (souverain)* to dethrone; *(supplanter)* to supersede

détrousser [detruse] *vt Hum* **d. qn** to relieve sb of one's valuables

détruire* [detrɥir] *vt (ravager)* to destroy; *(tuer)* to kill; *(santé)* to ruin, to wreck

dette [dɛt] *nf* debt; **avoir des dettes** to be in debt; **faire des dettes** to run into debt

DEUG [dœg] *(abrév* **diplôme d'études universitaires générales)** *nm* = degree gained after two years' study at university

deuil [dœj] *nm (affliction, vêtements)* mourning; *(décès)* bereavement; **être en d., porter le d.** to be in mourning; **faire son d. de qch** to give sth up as lost

deux [dø] *adj inv & nm inv* two; **d. fois** twice; **mes d. sœurs** both my sisters, my two sisters; **tous (les) d.** both; *Fam* **en moins de d.** in no time (at all) ■ **deux-pièces** *nm inv (maillot de bain)* bikini; *(appartement)* two-room(ed) *Br* flat *or Am* apartment ■ **deux-points** *nm inv* colon ■ **deux-roues** *nm inv* two-wheeled vehicle

deuxième [døzjɛm] *adj & nmf* second ■ **deuxièmement** *adv* secondly

dévaler [devale] **1** *vt (escalier)* to hurtle down **2** *vi (personne, pièces)* to hurtle down; *(eau, lave)* to rush down

dévaliser [devalize] *vt (personne, banque)* to rob; *(maison)* to burgle

dévaloriser [devalɔrize] **1** *vt (monnaie, diplôme)* to devalue; *(personne, politique)* to discredit **2 se dévaloriser** *vpr (monnaie)* to depreciate; *(personne)* to put oneself down ■ **dévalorisation** *nf (de diplôme)* loss of value

dévaluer [devalɥe] *vt (monnaie)* to devalue ■ **dévaluation** *nf Fin* devaluation

devancer [dəvɑ̃se] *vt (concurrent)* to be ahead of; *(question)* to anticipate; *(arriver avant)* to arrive before; *Mil* **d. l'appel** to enlist before call-up

devant [dəvɑ̃] **1** *prép & adv* in front (of); **d. l'hôtel** in front of the hotel; **passer d. (l'église)** to go past (the church); **marcher d. (qn)** to walk in front (of sb); **assis d.** *(dans une voiture)* sitting in the front; **par d.** from *or* at the front; **loin d.** a long way ahead *or* in front; **d. le danger** *(confronté à)* in the face of danger; **d. mes yeux/la loi** before my eyes/the law; **l'avenir est d. toi** the future is ahead of you **2** *nm* front; **roue/porte de d.** front wheel/door; **patte de d.** foreleg; **prendre les devants** *(action)* to take the initiative

devanture [dəvɑ̃tyr] *nf (vitrine)* window; *(façade)* front

dévaster [devaste] *vt* to devastate ▪ **dévastation** *nf* devastation

déveine [devɛn] *nf Fam* bad luck

développer [devlɔpe] *vt*, **se développer** *vpr* to develop ▪ **développement** *nm* development; *(de photo)* developing; **en plein d.** *(entreprise, pays)* growing fast

devenir* [dəvnir] *(aux être) vi* to become; **d. médecin** to become a doctor; **d. un papillon/ un homme** to grow into a butterfly/a man; **d. vieux** to get *or* grow old; **d. tout rouge** to go all red; **qu'est-il devenu?** what has become of him/it?; *Fam* **qu'est-ce que tu deviens?** how are you getting on?

dévergonder [devergɔ̃de] **se dévergonder** *vpr* to get into bad ways ▪ **dévergondé, -ée** *adj* shameless

déverser [devɛrse] **1** *vt (liquide)* to pour out; *(bombes, ordures)* to dump **2** **se déverser** *vpr (liquide, rivière)* to empty **(dans** into)

dévêtir [devetir] *vt*, **se dévêtir** *vpr* to undress

dévier [devje] **1** *vt (circulation)* to divert; *(coup, rayons)* to deflect **2** *vi (balle)* to deflect; *(véhicule)* to veer; **d. de sa route** to veer off course ▪ **déviation** *nf (itinéraire provisoire) Br* diversion, *Am* detour; *(modification)* deviation

devin [dəvɛ̃] *nm* soothsayer; *Fam* **je ne suis pas d.** I can't predict what will happen

deviner [dəvine] *vt* to guess (**que** that); *(avenir)* to predict; *(pensée)* to read ▪ **devinette** *nf* riddle

devis [dəvi] *nm* estimate; **faire faire un d. pour qch** to get an estimate for sth

dévisager [devizaʒe] *vt* **d. qn** to stare at sb

devise [dəviz] *nf (légende)* motto; *(monnaie)* currency; **devises étrangères** foreign currency

dévisser [devise] **1** *vt* to unscrew **2** *vi (en montagne)* to fall **3** **se dévisser** *vpr (bouchon)* to unscrew; *(par accident)* to come unscrewed

dévoiler [devwale] **1** *vt (statue)* to unveil; *Fig (secret)* to disclose **2** **se dévoiler** *vpr (mystère)* to come to light

devoir*¹ [dəvwar] *v aux* (**a**) *(indique la nécessité)* **je dois refuser** I must refuse, I have (got) to refuse; **j'ai dû refuser** I had to refuse (**b**) *(indique une forte probabilité)* **il doit être tard** it must be late; **elle a dû oublier** she must have forgotten; **il ne doit pas être bête** he can't be stupid; **cela devait arriver** it had to happen (**c**) *(indique l'obligation)* **tu dois apprendre tes leçons** you must learn your lessons; **vous devriez rester** you should stay, you ought to stay; **il aurait dû venir** he should have come, he ought to have come (**d**) *(indique l'intention)* **elle doit venir** she's supposed to be coming, she's due to come; **le train devait arriver à midi** the train was due (to arrive) at noon; **je devais le voir** I was (due) to see him

devoir*² [dəvwar] **1** *vt* to owe; **d. qch à qn** to owe sb sth, to owe sth to sb; **l'argent qui m'est dû** the money due to *or* owing to me, the money owed (to) me **2** **se devoir** *vpr* **comme il se doit** as is proper **3** *nm (obligation)* duty; **présenter ses devoirs à qn** to pay one's respects to sb; *Scol* **devoirs** homework; **faire ses devoirs** to do one's homework; **d. sur table** class examination

dévolu, -ue [devɔly] **1** *adj* **d. à qn** *(pouvoirs, tâche)* assigned to sb **2** *nm* **jeter son d. sur qn/qch** to set one's heart on sb/sth

dévorer [devɔre] *vt (manger)* to devour; *Fig (kilomètres)* to eat up; **d. qn/qch du regard** to devour sb/sth with one's eyes; **être dévoré par la jalousie** to be consumed by jealousy ▪ **dévorant, -ante** *adj (faim)* ravenous; *(passion)* devouring

dévot, -ote [devo, -ɔt] **1** *adj* devout **2** *nmf* devout person ▪ **dévotion** *nf (adoration)* devotion

dévouer [devwe] **se dévouer** *vpr (se sacrifier)* to volunteer; *(se consacrer)* to devote oneself (**à** to) ▪ **dévoué, -ée** *adj (ami, femme)* devoted (**à** to) ▪ **dévouement** [-umɑ̃] *nm* devotion; *(de héros)* devotion to duty

dévoyé, -ée [devwaje] *adj & nmf* delinquent

dextérité [dɛksterite] *nf* dexterity, skill

dézipper [dezipe] *vt Ordinat (fichier)* to unzip

diabète [djabɛt] *nm Méd* diabetes; **avoir du d.** to have diabetes ▪ **diabétique** *adj & nmf* diabetic

diable [djabl] *nm* devil; **le d.** the Devil; **habiter au d.** to live miles from anywhere; **faire qch à la d.** to do something anyhow; **se débattre comme un beau d.** to struggle with all one's might; **tirer le d. par la queue** to live from hand to mouth; **c'est bien le d. si...** I'll be damned if...; **quel d., cet enfant!** what a little devil that child is!; **où/pourquoi d....?** where/why the devil...? ▪ **diabolique** *adj* diabolical

diadème [djadɛm] *nm* tiara

diagnostic [djagnɔstik] *nm* diagnosis ▪ **diagnostiquer** *vt* to diagnose

diagonal, -e, -aux, -ales [djagɔnal, -o] *adj* diagonal ▪ **diagonale** *nf* diagonal (line); **en d.**

diagonally; *Fam* **lire qch en d.** to skim through sth

diagramme [djagram] *nm* diagram

dialecte [djalɛkt] *nm* dialect

dialogue [djalɔg] *nm Br* dialogue, *Am* dialog; *(conversation)* conversation ▪ **dialoguer** *vi* to communicate; *Ordinat* to interact

dialyse [djaliz] *nf Méd* dialysis

diamant [djamɑ̃] *nm* diamond

diamètre [djamɛtr] *nm* diameter ▪ **diamétralement** *adv* **d. opposés** diametrically opposed

diapason [djapazɔ̃] *nm Mus (appareil)* tuning fork; *Fig* **se mettre au d.** to fall in with the others

diaphane [djafan] *adj* diaphanous

diaphragme [djafragm] *nm* diaphragm

diapositive, *Fam* **diapo** [djapozitiv, djapo] *nf* slide

diarrhée [djare] *nf* diarrhoea; **avoir la d.** to have diarrhoea

diatribe [djatrib] *nf* diatribe

dictateur [diktatœr] *nm* dictator ▪ **dictatorial, -e, -aux, -ales** *adj* dictatorial ▪ **dictature** *nf* dictatorship

dicter [dikte] *vt* to dictate (**à** to) ▪ **dictée** *nf* dictation; **prendre qch sous la d. de qn** to take sth down at sb's dictation ▪ **Dictaphone**® *nm* dictaphone®

diction [diksjɔ̃] *nf* diction

dictionnaire [diksjɔner] *nm* dictionary

dicton [diktɔ̃] *nm* saying

didactique [didaktik] *adj* didactic

dièse [djez] **1** *adj & nm Mus* sharp **2** *nm Ordinat & Tél Br* hash (sign), *Am* pound (sign)

diesel [djezɛl] *adj & nm* **(moteur) d.** diesel (engine)

diète [djet] *nf (partielle)* diet; *(totale)* fast; **être à la d.** to be on a diet/to be fasting

diététicien, -ienne [djetetisjɛ̃, -jɛn] *nmf* dietician ▪ **diététique 1** *nf* dietetics *(sing)* **2** *adj* **aliment** *ou* **produit d.** health food; **magasin/restaurant d.** health-food shop/restaurant

dieu, -x [djø] *nm* god; **D.** God; **le bon D.** God; **on lui donnerait le bon D. sans confession** butter wouldn't melt in his mouth; **D. seul le sait!** God only knows!; **D. merci!** thank God!, thank goodness!; *Fam* **laisse-moi tranquille, bon D.!** leave me alone, for God's sake!

diffamation [difamasjɔ̃] *nf (en paroles)* slander; *(par écrit)* libel; **procès en d.** slander/libel trial ▪ **diffamatoire** *adj (paroles)* slanderous; *(écrit)* libellous

différé [difere] *nm* **en d.** *(émission)* prerecorded

différence [diferɑ̃s] *nf* difference (**de** in); **à la d. de qn/qch** unlike sb/sth; **faire la d. entre** to make a distinction between

différencier [diferɑ̃sje] **1** *vt* to differentiate (**de** from) **2 se différencier** *vpr* to differ (**de** from)

différend [diferɑ̃] *nm* difference of opinion

différent, -ente [diferɑ̃, -ɑ̃t] *adj* different; **différents** *(divers)* different, various; **d. de** different from ▪ **différemment** [-amɑ̃] *adv* differently (**de** from)

différentiel, -ielle [diferɑ̃sjɛl] *adj* differential

différer [difere] **1** *vt (remettre)* to postpone; *(paiement)* to defer **2** *vi* to differ (**de** from)

difficile [difisil] *adj* difficult; *(exigeant)* fussy; **c'est d. à faire** it's hard *or* difficult to do; **il nous est d. d'accepter** it's hard *or* difficult for us to accept ▪ **difficilement** *adv* with difficulty; **d. lisible** not easy to read

difficulté [difikylte] *nf* difficulty (**à faire** in doing); **en d.** in a difficult situation; **avoir de la d. à faire qch** to have difficulty (in) doing sth

difforme [difɔrm] *adj* deformed, misshapen ▪ **difformité** *nf* deformity

diffus, -use [dify, -yz] *adj (lumière)* diffuse; *(impression)* vague

diffuser [difyze] *vt (émission)* to broadcast; *(nouvelle)* to spread; *(lumière, chaleur)* to diffuse; *(livre)* to distribute ▪ **diffusion** *nf (d'émission)* broadcasting; *(de lumière, chaleur)* diffusion; *(de livre)* distribution; **d. terrestre** terrestrial broadcasting

digérer [diʒere] **1** *vt* to digest; *Fam (endurer)* to stomach **2** *vi* to digest; **avoir du mal à d.** to have trouble digesting ▪ **digeste** *adj* easily digestible

digestif, -ive [diʒestif, -iv] **1** *adj (tube, sucs)* digestive **2** *nmf* after-dinner liqueur

digestion [diʒestjɔ̃] *nf* digestion

Digicode® [diʒikɔd] *nm* entry code *(for building)*

digital[1], -ale, -aux, -ales [diʒital, -o] *adj Ordinat* digital; **affichage d.** digital display; **montre à affichage d.** digital watch

digital[2], -ale, -aux, -ales [diʒital, -o] *voir* **empreinte**

digne [diɲ] *adj (air, attitude)* dignified; **d. de qn/qch** worthy of sb/sth; **d. d'admiration** worthy of *or* deserving of admiration; **d. de foi** reliable; **il n'est pas d. d'exister** he's not fit to live ▪ **dignement** [-əmɑ̃] *adv* with dignity; **être d. récompensé** to be justly rewarded

dignitaire [diɲiter] *nm* dignitary

dignité [diɲite] *nf* dignity

digression [digresjɔ̃] *nf* digression

digue [dig] *nf* dike, dyke; *(en bord de mer)* sea wall

dilapider [dilapide] *vt* to squander

dilater [dilate] *vt*, **se dilater** *vpr (pupille)* to dilate ▪ **dilatation** *nf (de pupille)* dilation

dilatoire [dilatwar] *adj* **manœuvre d.** delaying tactic

dilemme [dilɛm] *nm* dilemma

dilettante [diletɑ̃t] *nmf* dilettante; **faire qch en d.** to dabble in sth

diligence [diliʒɑ̃s] *nf (rapidité)* speedy efficiency; *(véhicule)* stagecoach ■**diligent, -ente** *adj (prompt)* speedy and efficient; *(soin)* diligent

diluer [dilɥe] *vt (liquide, substance)* to dilute (**dans** in) ■**dilution** *nf* dilution

diluvienne [dilyvjɛn] *adj f* **pluie d.** torrential rain

dimanche [dimɑ̃ʃ] *nm* Sunday

dimension [dimɑ̃sjɔ̃] *nf (mesure, aspect)* dimension; *(taille)* size; **à deux dimensions** two-dimensional; **prendre les dimensions de qch** to take the measurements of sth

diminuer [diminɥe] **1** *vt* to reduce, to decrease; *(affaiblir)* to weaken; **d. qn** *(rabaisser)* to belittle sb; **il est très diminué depuis l'accident** he has been far less able-bodied since the accident **2** *vi (réserves, nombre)* to decrease, to diminish; *(jours)* to get shorter; *(prix, profits)* to decrease, to drop ■**diminution** *nf* reduction, decrease (**de** in)

diminutif, -ive [diminytif, -iv] *nm (nom)* diminutive

dinde [dɛ̃d] *nf (volaille, viande)* turkey

dîner [dine] **1** *nm (repas du soir)* dinner; *(repas de midi)* lunch; *(soirée)* dinner party **2** *vi* to have dinner; *Belg, Can* to have lunch

dînette [dinɛt] *nf (jouet)* doll's tea-set; **jouer à la d.** to have a doll's tea party

dingue [dɛ̃g] *Fam* **1** *adj* crazy, nuts; **être d. de qn/qch** to be crazy about sb/sth **2** *nmf* nutcase; **être un d. de moto** to be a motorbike nut

dinosaure [dinozɔr] *nm* dinosaur

diocèse [djɔsɛz] *nm Rel* diocese

diphtérie [difteri] *nf Méd* diphtheria

diphtongue [diftɔ̃g] *nf* diphthong

diplomate [diplɔmat] **1** *adj* diplomatic **2** *nmf* diplomat ■**diplomatie** [-asi] *nf (tact)* diplomacy; *(carrière)* diplomatic service ■**diplomatique** *adj* diplomatic

diplôme [diplom] *nm* diploma; *(d'université)* degree ■**diplômé, -ée** **1** *adj* qualified; *Univ* **être d. (de)** to be a graduate (of) **2** *nmf* holder of a diploma; *Univ* graduate

dire* [dir] **1** *nm* **au d. de** according to; **selon ses dires** according to him/her

2 *vt (mot, avis)* to say; *(vérité, secret, heure)* to tell; **d. des bêtises** to talk nonsense; **d. qch à qn** to tell sb sth, to say sth to sb; **d. à qn que...** to tell sb that..., to say to sb that...; **elle dit que tu mens** she says (that) you're lying; **d. à qn de faire qch** to tell sb to do sth; **d. du mal/du bien de qn** to speak ill/well of sb; **on dirait un château** it looks like a castle; **on dirait du Mozart** it sounds like Mozart; **on dirait du cabillaud** it tastes like cod; **que diriez-vous d'un verre de vin?** what would you say to a glass of wine?; **qu'est-ce que tu en dis?** what do you think?; **on dirait que...** it would seem

that...; **ça ne me dit rien de manger chinois** I don't really fancy Chinese food; **ce nom ne me dit rien** that name doesn't ring a bell; **ça ne me dit rien qui vaille** I don't like the look of it; **ça vous dit de rester?** do you feel like staying?; **ça va sans d.** that goes without saying; **c'est beaucoup d.** that's going too far; **dites donc!** look here!; **autrement dit** in other words; **ceci dit** having said this; **à vrai d.** to tell the truth; **à l'heure dite** at the agreed time

3 se dire *vpr* **il se dit malade** he says he's ill; **comment ça se dit en anglais?** how do you say that in English?

direct, -e [dirɛkt] **1** *adj* direct **2** *nm Radio & TV* live broadcasting; **en d. (de)** live (from); *Boxe* **d. du gauche** straight left ■**directement** [-əmɑ̃] *adv (sans intermédiaire)* directly; *(sans détour)* straight

directeur, -trice [dirɛktœr, -tris] **1** *nmf* director; *(de magasin, de service)* manager; *(de journal)* editor; *(d'école)* *Br* headmaster, *f* headmistress, *Am* principal; **d. commercial** sales director **2** *adj (principe)* guiding; *(idées)* main; *(équipe)* management

direction [dirɛksjɔ̃] *nf* (**a**) *(sens)* direction; **train en d. de...** train to (**b**) *(de société, de club)* running, management; *(de parti)* leadership; *Aut* steering; **prendre la d. de** *(parti)* to take charge of; **sous la d. de** under the supervision of; *(orchestre)* conducted by; **la d.** *(l'équipe dirigeante)* the management; **un poste de d.** a management post; **d. du personnel** personnel department

directive [dirɛktiv] *nf* directive

dirigeable [diriʒabl] *adj & nm* **(ballon) d.** airship, dirigible

dirigeant, -ante [diriʒɑ̃, -ɑ̃t] **1** *adj (classe)* ruling **2** *nm (de pays)* leader; *(d'entreprise, de club)* manager

diriger [diriʒe] **1** *vt (entreprise, club)* to run, to manage; *(pays, parti, cheval)* to lead; *(séance, orchestre)* to conduct; *(travaux, études)* to supervise; *(acteur)* to direct; *(orienter)* to turn (**vers** to); *(arme, lumière)* to point (**sur** at); *(véhicule)* to steer **2 se diriger** *vpr* **se d. vers** *(lieu, objet)* to head for; *(personne)* to go up to; *(dans une carrière)* to go into ■**dirigisme** *nm* state control

dis, disant [di, dizɑ̃] *voir* **dire**

discerner [disɛrne] *vt (voir)* to make out; *(différencier)* to distinguish (**de** from) ■**discernement** [-əmɑ̃] *nm* discernment; **sans d.** rashly

disciple [disipl] *nm* disciple

discipline [disiplin] *nf (règle, matière)* discipline ■**disciplinaire** *adj* disciplinary

discipliner [disipline] **1** *vt (enfant)* to control **2 se discipliner** *vpr* to discipline oneself ■**discipliné, -ée** *adj* well-disciplined

discontinu, -ue [diskɔ̃tiny] *adj (ligne)* broken; *(bruit)* intermittent ▪ **discontinuer** *vi* sans d. without stopping

discorde [diskɔrd] *nf* discord ▪ **discordant, -ante** *adj (son)* discordant; *(témoignages)* conflicting; *(couleurs)* clashing

discothèque [diskɔtek] *nf (organisme)* record library; *(club)* disco; **aller en d.** to go to a disco ▪ **disco** *nf Fam (club)* disco; **(musique) d.** disco (music)

discours [diskur] *nm* speech; *(écrit littéraire)* discourse; **faire un d.** to make a speech; **tenir de longs d. à qn sur qch** to go on and on to sb about sth

discrédit [diskredi] *nm* discredit; **jeter le d. sur qn** to bring discredit on sb

discréditer [diskredite] **1** *vt* to discredit **2 se discréditer** *vpr (personne)* to discredit oneself

discret, -ète [diskre, -et] *adj (personne, manière)* discreet; *(vêtement)* simple ▪ **discrètement** *adv (avec retenue)* discreetly; *(sobrement)* simply

discrétion [diskresjɔ̃] *nf* discretion; **laisser qch à la d. de qn** to leave sth to sb's discretion; **vin/pain à d.** unlimited bread/wine

discrimination [diskriminasjɔ̃] *nf* discrimination ▪ **discriminatoire** *adj* discriminatory

disculper [diskylpe] *vt* to exonerate (**de** from)

discussion [diskysjɔ̃] *nf* discussion; **avoir une d. (sur)** to have a discussion (about); **pas de d.!** no argument!

discutable [diskytabl] *adj* questionable

discuter [diskyte] **1** *vt* to discuss; *(contester)* to question **2** *vi* to discuss; *(protester)* to argue; **d. de qch avec qn** to discuss sth with sb **3 se discuter** *vpr* ça se discute that's debatable

dise, disent [diz] *voir* **dire**

disette [dizet] *nf* food shortage

diseuse [dizøz] *nf* **d. de bonne aventure** fortune-teller

disgrace [disgras] *nf* **tomber en d.** to fall into disfavour ▪ **disgracier** *vt* to disgrace ▪ **disgracieux, -ieuse** *adj* ungainly

> Il faut noter que l'adjectif anglais **disgraceful** est un faux ami. Il signifie **honteux.**

disjoindre* [disʒwɛdr] *vt* to separate ▪ **disjoint, -ointe** *adj* separated

disjoncter [disʒɔ̃kte] *vi (circuit électrique)* to fuse; *Fam (s'effondrer)* to crack up ▪ **disjoncteur** *nm* circuit breaker

dislocation [dislɔkasjɔ̃] *nf (de membre)* dislocation

disloquer [dislɔke] **1** *vt (membre)* to dislocate; *(empire)* to break up **2 se disloquer** *vpr (empire)* to break up; **se d. le bras** to dislocate one's arm

disons [dizɔ̃] *voir* **dire**

disparaître* [disparetr] *vi* to disappear; *(être porté manquant)* to go missing; *(mourir)* to die; *(coutume)* to die out; **d. en mer** to be lost at sea; **faire d. qch** to get rid of sth ▪ **disparition** *nf* disappearance; *(mort)* death ▪ **disparu, -ue 1** *adj (personne)* missing; **être porté d.** to be reported missing **2** *nmf (absent)* missing person; *(mort)* departed

disparate [disparat] *adj* ill-matched, disparate; *(couleurs)* clashing

disparité [disparite] *nf* disparity (**entre, de** between)

dispensaire [dispɑ̃ser] *nm* community health *Br* centre *or Am* center

dispense [dispɑ̃s] **1** *nf (d'obligation)* exemption ▪ **dispenser** *vt (soins, bienfaits)* to dispense; **d. qn de qch** to exempt sb from sth; **d. qn de faire qch** to exempt sb from doing sth; **je vous dispense de vos réflexions** you can keep your comments to yourselves **2** *vpr* **se d. de faire qch** to get out of sth; **se d. de faire qch** to get out of doing sth

disperser [disperse] **1** *vt (papiers, foule)* to scatter; *(brouillard)* to disperse; *(collection)* to break up **2 se disperser** *vpr (foule)* to scatter, to disperse; **elle se disperse trop** she tries to do too many things at once ▪ **dispersion** *nf (d'armée, de manifestants, de brouillard)* dispersal

disponible [dispɔnibl] *adj (article, place, personne)* available; **es-tu d. ce soir?** are you free tonight? ▪ **disponibilité** *nf* availability; **mise en d.** *(d'un fonctionnaire)* (extended) leave; **disponibilités** *(fonds)* available funds

dispos [dispo] *adj m (personne)* fit and well

disposé, -ée [dispoze] *adj* **bien/mal d.** in a good/bad mood; **bien d. envers** *ou* **à l'égard de qn** well disposed towards sb; **d. à faire qch** disposed to do sth

disposer [dispoze] **1** *vt (objets)* to arrange; *(table)* to lay; **d. qn à (faire) qch** to dispose sb to (do) sth **2** *vi* **d. de qch** to have sth at one's disposal **3 se disposer** *vpr* **se d. à faire qch** to prepare to do sth

> Il faut noter que le verbe anglais **to dispose of** est un faux ami. Il signifie **se débarrasser de.**

dispositif [dispozitif] *nm (mécanique)* device; **d. policier** police presence

disposition [dispozisjɔ̃] *nf* arrangement; *(tendance)* tendency (**à** to); *(de maison, de page)* layout; *Jur (de loi)* clause; **être** *ou* **rester** *ou* **se tenir à la d. de qn** to be *or* remain at sb's disposal; **dispositions** *(aptitudes)* ability, aptitude (**pour** for); **prendre ses** *ou* **des dispositions** to make arrangements; *(pour l'avenir)* to make provision; **dans de bonnes dispositions à l'égard de qn** well disposed towards sb

disproportion [disprɔpɔrsjɔ̃] nf disproportion ▪**disproportionné, -ée** adj disproportionate

dispute [dispyt] nf quarrel ▪**disputer 1** vt (match) to play; (rallye) to compete in; (combat de boxe) to fight; (droit) to contest; **d. qch à qn** (prix, première place) to fight with sb for or over sth; Fam **d. qn** (gronder) to tell sb off **2 se disputer** vpr to quarrel (**avec** with); (match) to take place; **se d. qch** to fight over sth

disqualifier [diskalifje] vt (équipe, athlète) to disqualify ▪**disqualification** nf disqualification

disque [disk] nm (de musique) record; (cercle) Br disc, Am disk; Ordinat disk; Sport discus; **mettre un d.** to play a record; **d. compact** Br compact disc, Am compact disk; **d. dur** hard disk ▪**disquaire** nmf record dealer ▪**disquette** nf Ordinat floppy (disk), diskette

dissection [diseksjɔ̃] nf dissection

dissemblable [disɑ̃blabl] adj dissimilar (**à** to)

disséminer [disemine] vt (graines, mines) to scatter ▪**dissémination** nf scattering

dissension [disɑ̃sjɔ̃] nf dissension

disséquer [diseke] vt to dissect

disserter [diserte] vi **d. sur qch** to discourse on sth; (écrire) to write about sth ▪**dissertation** nf essay

dissident, -ente [disidɑ̃, -ɑ̃t] adj & nmf dissident ▪**dissidence** nf dissidence

dissimuler [disimyle] **1** vt (cacher) to conceal (**à** from) **2 se dissimuler** vpr to be hidden ▪**dissimulation** nf concealment; (duplicité) deceit

dissipation [disipasjɔ̃] nf (de brouillard, de malentendu) clearing; (indiscipline) Br misbehaviour, Am misbehavior; Littéraire (débauche) dissipation

dissiper [disipe] **1** vt (nuages) to disperse; (brouillard) to clear; (malentendu) to clear up; (craintes) to dispel; **d. qn** to lead sb astray **2 se dissiper** vpr (nuage) to disperse; (brume) to clear; (craintes) to vanish; (élève) to misbehave ▪**dissipé, -ée** adj (élève) unruly

dissocier [disɔsje] vt to dissociate (**de** from)

dissolu, -ue [disɔly] adj (vie) dissolute

dissolution [disɔlysjɔ̃] nf dissolution

dissolvant, -ante [disɔlvɑ̃, -ɑ̃t] adj & nm (produit) **d.** solvent; (pour vernis à ongles) nail polish remover

dissoudre* [disudr] vt, **se dissoudre** vpr to dissolve

dissuader [disɥade] vt to dissuade (**de qch** from sth; **de faire** from doing) ▪**dissuasif, -ive** adj deterrent; **avoir un effet d.** to be a deterrent ▪**dissuasion** nf dissuasion; Mil **force de d.** deterrent

distance [distɑ̃s] nf distance; **à deux mètres de d.** two metres apart; **à d.** at or from a distance; **garder ses distances** to keep one's distance

(**vis-à-vis de** from); **tenir qn à d.** to keep sb at a distance; **commandé à d.** remote-controlled; **à quelle d. se trouve la poste?** how far is it to the post office?

distancer [distɑ̃se] vt to outstrip; **se laisser d.** to fall behind

distant, -ante [distɑ̃, -ɑ̃t] adj distant; (personne) aloof, distant; **d. de dix kilomètres** (éloigné) ten kilometres away; (à intervalles) ten kilometres apart

distendre [distɑ̃dr] vt, **se distendre** vpr to stretch

distiller [distile] vt to distil ▪**distillation** nf distillation ▪**distillerie** nf (lieu) distillery

distinct, -incte [distɛ̃, -ɛ̃kt] adj (différent) distinct, separate (**de** from); (net) clear, distinct ▪**distinctement** [-əmɑ̃] adv distinctly, clearly ▪**distinctif, -ive** adj distinctive ▪**distinction** nf (différence, raffinement) distinction

distinguer [distɛ̃ge] **1** vt (différencier) to distinguish; (voir) to make out; (choisir) to single out; **d. le bien du mal** to tell good from evil **2 se distinguer** vpr (s'illustrer) to distinguish oneself; **se d. de qn/qch (par)** to be distinguishable from sb/sth (by); **se d. par sa beauté** to be conspicuous for one's beauty ▪**distingué, -ée** adj (bien élevé, éminent) distinguished

distorsion [distɔrsjɔ̃] nf distortion

distraction [distraksjɔ̃] nf (étourderie) absent-mindedness; **ça manque de distractions** there's nothing to do ▪**distraire* 1** vt (divertir) to entertain; **d. qn (de qch)** to distract sb (from sth) **2 se distraire** vpr to amuse oneself ▪**distrait, -aite** adj absent-minded ▪**distraitement** adv absent-mindedly ▪**distrayant, -ante** adj entertaining

> Il faut noter que l'adjectif anglais **distracted** est un faux ami. Il signifie **préoccupé**.

distribuer [distribɥe] vt (donner) & Com to distribute; (courrier) to deliver; (cartes) to deal; (tâches) to allocate; (eau) to supply

distributeur [distribytœr] nm Com distributor; **d. automatique** vending machine; **d. de billets** (de train) ticket machine; (de billets de banque) cash machine, ATM

distribution [distribysjɔ̃] nf distribution; (du courrier) delivery; (de l'eau) supply; (acteurs de cinéma) cast; **d. des prix** prizegiving

district [distrikt] nm district

dit¹, dite [di, dit] **1** pp de **dire 2** adj (convenu) agreed; (surnommé) called

dit², dites [di, dit] voir **dire**

diva [diva] nf (chanteuse, célébrité) diva

divaguer [divage] vi (dérailler) to rave ▪**divagations** nfpl ravings

divan [divɑ̃] nm divan, couch

divergent, -ente [diverʒɑ̃, -ɑ̃t] adj (lignes)

divergent; *(opinions)* differing ▪**divergence** nf *(de lignes)* divergence; *(d'opinions)* difference ▪**diverger** vi to diverge (**de** from)

divers, -erse [diver, -ers] *adj (varié)* varied; **divers(es)** *(plusieurs)* various ▪**diversement** [-əmɑ̃] *adv* in various ways

diversifier [diversifje] *vt,* **se diversifier** *vpr* to diversify

diversion [diversjɔ̃] *nf* diversion; **faire d.** to create a diversion

diversité [diversite] *nf* diversity

divertir [divertir] **1** *vt* to entertain **2 se divertir** *vpr* to enjoy oneself ▪**divertissement** *nm* entertainment, amusement

dividende [dividɑ̃d] *nm Math & Fin* dividend

divin, -ine [divɛ̃, -in] *adj* divine ▪**divinité** nf divinity

diviser [divize] *vt,* **se diviser** *vpr* to divide (**en** into) ▪**divisible** *adj* divisible ▪**division** nf division

divorce [divors] *nm* divorce ▪**divorcer** vi to get divorced; **d. d'avec qn** to divorce sb ▪**divorcé, -ée 1** *adj* divorced (**d'avec** from) **2** nmf divorcee

divulguer [divylge] *vt* to divulge ▪**divulgation** nf disclosure

dix [dis] ([di] *before consonant,* [diz] *before vowel) adj & nm* ten ▪**dixième** [dizjem] *adj & nmf* tenth; **un d.** a tenth ▪**dix-huit** *adj & nm* eighteen ▪**dix-huitième** *adj & nmf* eighteenth ▪**dix-neuf** [diznœf] *adj & nm* nineteen ▪**dix-neuvième** *adj & nmf* nineteenth ▪**dix-sept** [disset] *adj & nm* seventeen ▪**dix-septième** *adj & nmf* seventeenth

dizaine [dizen] *nf* **une d. (de)** about ten

do [do] *nm inv (note)* C

docile [dɔsil] *adj* docile ▪**docilité** nf docility

dock [dɔk] *nm (bassin)* dock; *(magasin)* warehouse

docteur [dɔktœr] *nm (en médecine, d'université)* doctor (**ès, en** of) ▪**doctorat** *nm* doctorate, ≃ PhD (**ès/en** in)

doctrine [dɔktrin] *nf* doctrine

document [dɔkymɑ̃] *nm* document ▪**documentaire** *adj & nm* documentary ▪**documentaliste** *nmf* archivist; *(à l'école)* (school) librarian

documentation [dɔkymɑ̃tasjɔ̃] *nf (documents)* documentation, *(brochures)* literature ▪**documenté, -ée** *adj (personne)* well-informed; **un article solidement d.** a well-documented article ▪**se documenter** *vpr* to gather information *or* material (**sur** on)

dodeliner [dɔdline] *vi* **d. de la tête** to nod (one's head)

dodo [dodo] *nm Fam (en langage enfantin)* **faire d.** to sleep; **aller au d.** to go beddy-byes

dodu, -ue [dɔdy] *adj* chubby, plump

dogme [dɔgm] *nm* dogma ▪**dogmatique** *adj* dogmatic ▪**dogmatisme** *nm* dogmatism

dogue [dɔg] *nm (chien)* mastiff

doigt [dwa] *nm* finger; **d. de pied** toe; **petit d.** little finger, *Am & Scot* pinkie; **un d. de vin** a drop of wine; **à deux doigts de** within an ace of; **montrer qn du d.** to point one's finger at sb; **savoir qch sur le bout du d.** to have sth at one's finger tips; **elle ne lèvera pas le petit d. pour vous aider** she won't lift a finger to help you; **c'est mon petit d. qui me l'a dit** a little bird told me

doigté [dwate] *nm Mus* fingering; *(savoir-faire)* tact

dois, doit [dwa] *voir* devoir[1,2]

doléances [dɔleɑ̃s] *nfpl (plaintes)* grievances

dollar [dɔlar] *nm* dollar

domaine [dɔmen] *nm (terres)* estate, domain; *(matière)* field, domain; *Ordinat* domain; **être du d. public** to be in the public domain; *Ordinat* **nom de d.** domain name

dôme [dom] *nm* dome

domestique [dɔmestik] **1** *adj (vie, marché, produit, querelle)* domestic; **travaux domestiques** housework; **à usage d.** for domestic use **2** nmf servant ▪**domestiquer** vt to domesticate

domicile [dɔmisil] *nm* home; *(demeure légale)* abode; **travailler à d.** to work from home; **livrer à d.** to deliver (to the house); **dernier d. connu** last known address; **sans d. fixe** of no fixed abode; *Jur* **d. conjugal** marital home ▪**domicilié, -ée** *adj* resident (**à/chez** at)

dominateur, -trice [dɔminatœr, -tris] *adj* domineering ▪**domination** nf domination

dominer [dɔmine] **1** *vt* to dominate; *(situation, sentiment)* to master; *(être supérieur à)* to surpass; **d. la situation** to keep the situation under control; **d. le monde** to rule the world **2** *vi (être le plus fort)* to be dominant; *(être le plus important)* to predominate **3 se dominer** *vpr* to control oneself ▪**dominant, -ante** *adj* dominant ▪**dominante** nf dominant feature

dominicain, -aine [dɔminikɛ̃, -ɛn] **1** *adj & nmf Rel* Dominican **2** *adj Géog* Dominican; **la République dominicaine** the Dominican Republic **3** nmf **D., Dominicaine** Dominican

dominical, -e, -aux, -ales [dɔminikal, -o] *adj* **repos d.** Sunday rest

domino [dɔmino] *nm* domino; **dominos** *(jeu)* dominoes

dommage [dɔmaʒ] *nm (tort)* harm; **dommages** *(dégâts)* damage; **(c'est) d.!** it's a pity, it's a shame! **(que** that); **quel d.!** what a pity, what a shame!; **c'est (bien) d. qu'elle ne soit pas venue** it's a (great) pity or shame she didn't come; **dommages collatéraux** collateral damage; **dommages-intérêts** damages

dompter [dɔ̃te] *vt (animal)* to tame; *(passions, rebelles)* to subdue ▪**dompteur, -euse** nmf tamer

DOM-TOM [dɔmtɔm] *(abrév* **départements et**

territoires d'outre-mer) *nmpl* = French overseas departments and territories

don [dɔ̃] *nm (cadeau, aptitude)* gift; *(à un musée, à une œuvre)* donation; **faire d. de qch** to give sth; **avoir le d. de faire qch** to have the knack for doing sth; **d. du sang** blood donation

donateur, -trice [dɔnatœr, -tris] *nmf* donor ▪**donation** *nf* donation

donc [dɔ̃(k)] *conj* so, then; *(par conséquent)* so, therefore; **asseyez-vous d.!** *(intensif)* do sit down!; **qui/quoi d.?** who?/what?; **allons d.!** come on!; *Fam* **dis d.!** excuse me!

donne [dɔn] *nf Cartes* deal

données [dɔne] *nfpl Ordinat* data; *(de problème)* facts; **avoir toutes les données du problème** to have all the information on the problem

donner [dɔne] **1** *vt* to give; *(récolte, résultat)* to produce; *(sa place)* to give up; *(cartes)* to deal; *(pièce, film)* to put on; **pourriez-vous me d. l'heure?** could you tell me the time?; **d. un coup à qn** to hit sb; **d. le bonjour à qn** to say hello to sb; **d. qch à réparer** to take sth (in) to be repaired; **d. à manger à qn** *(animal, enfant)* to feed sb; **d. raison à qn** to say sb is right; **elle m'a donné de ses nouvelles** she told me how she was doing; **ça donne soif/faim** it makes you thirsty/hungry; **je lui donne trente ans** I'd say he/she was thirty; **ça n'a rien donné** *(efforts)* it hasn't got us anywhere; *Fam* **c'est donné** it's dirt cheap; **étant donné** *(la situation)* considering, in view of; **étant donné que…** seeing (that), considering (that)…; **à un moment donné** at some stage

2 *vi* **d. sur** *(fenêtre)* to overlook, to look out onto; *(porte)* to open onto; **d. dans** *(piège)* to fall into; *Fam* **ne plus savoir où d. de la tête** not to know which way to turn

3 se donner *vpr (se consacrer)* to devote oneself (**à** to); **se d. du mal** to go to a lot of trouble (**pour faire** to do); **s'en d. à cœur joie** to have a whale of a time

donneur, -euse [dɔnœr, -øz] *nmf (de sang, de sperme, d'organe)* donor; *Cartes* dealer

dont [dɔ̃] *(= de qui, duquel, de quoi) pron relatif (personne)* of whom; *(chose)* of which; *(appartenance: personne)* whose, of whom; *(appartenance: chose)* of which, whose; **une mère d. le fils est malade** a mother whose son is ill; **la fille d. il est fier** the daughter he is proud of *or* of whom he is proud; **les outils d. j'ai besoin** the tools I need; **la façon d. elle joue** the way (in which) she plays; **cinq enfants d. deux filles** five children two of whom are daughters, five children including two daughters; **voici ce d. il s'agit** here's what it's about

doper [dɔpe] **1** *vt* to dope **2 se doper** *vpr* to take drugs ▪**dopage** *nm (action)* doping; *(de sportif)* drug-taking

dorénavant [dɔrenavɑ̃] *adv* from now on

dorer [dɔre] **1** *vt (objet)* to gild; *Fig* **d. la pilule à qn** to sugar the pill for sb **2** *vi (à la cuisson)* to brown **3 se dorer** *vpr* **se d. au soleil** to sunbathe ▪**doré, -ée** *adj (objet)* gilt, gold; *(couleur)* golden

dorloter [dɔrlɔte] *vt* to pamper, to coddle

dormir* [dɔrmir] *vi* to sleep; *(être endormi)* to be asleep; *Fig (argent)* to lie idle; **avoir envie de d.** to feel sleepy; **dormez tranquille!** set your mind at rest!, rest easy!; **histoire à d. debout** tall story, cock-and-bull story; **eau dormante** stagnant water

dortoir [dɔrtwar] *nm* dormitory

dos [do] *nm (de personne, d'animal)* back; *(de livre)* spine; **'voir au d.'** *(verso)* 'see over'; **voir qn de d.** to have a back view of sb; *Fam* **mettre qch sur le d. de qn** *(accuser qn)* to pin sth on sb; *Fam* **avoir qn sur le d.** to have sb on one's back; *Fam* **j'en ai plein le d.** I'm sick of it

dose [doz] *nf* dose; *(dans un mélange)* proportion; *Fig* **forcer la d.** to overdo it ▪**dosage** *nm (de médicament)* dosage; *(d'ingrédients)* proportioning ▪**doser** *vt (médicament, ingrédients)* to measure out ▪**doseur** *nm* **bouchon d.** measuring cap

dossard [dɔsar] *nm (de sportif)* number *(worn by player/competitor)*

dossier [dɔsje] *nm (de siège)* back; *(documents)* file, dossier; *(classeur)* folder, file

dot [dɔt] *nf* dowry

doter [dɔte] *vt (équiper)* to equip (**de** with); **elle est dotée d'une grande intelligence** she's endowed with great intelligence ▪**dotation** *nf (d'hôpital)* endowment

douane [dwan] *nf* customs; **passer la d.** to go through customs ▪**douanier, -ière 1** *nm* customs officer **2** *adj* **union douanière** customs union

doublage [dublaʒ] *nm (de film)* dubbing

double [dubl] **1** *adj* double; *(rôle, avantage)* twofold, double; **en d. exemplaire** in duplicate; **enfermer qn à d. tour** to lock sb in; **fermer une porte à d. tour** to double-lock a door; **doubles rideaux** lined curtains, *Am* (thick) drapes **2** *adv* double **3** *nm (de personne)* double; *(copie)* copy, duplicate; *(de timbre)* swap, duplicate; **le d. (de)** *(quantité)* twice as much (as); **j'en ai deux** I have two of them ▪**double-clic** *nm Ordinat* double click; **faire un d. sur qch** to double click on sth ▪**doublement 1** *adv* doubly **2** *nm (de nombres, de lettres)* doubling

doubler [duble] **1** *vt (augmenter)* to double; *(vêtement)* to line; *(film)* to dub; *(acteur)* to dub the voice of; *(classe à l'école)* to repeat; *(cap)* (en bateau) to round **2** *vi (augmenter)* to double; **d. de volume** to double in volume **3** *vti (en voiture)* *Br* to overtake, *Am* to pass **4 se doubler** *vpr* **se d. de** to be coupled with

doublure [dublyr] *nf (étoffe)* lining; *(au théâtre)* understudy; *(au cinéma)* stand-in

douce [dus] *voir* **doux** ■**doucement** *adv (délicatement)* gently; *(bas)* softly; *(lentement)* slowly; *(sans bruit)* quietly; *Fam (assez bien)* so-so ■**douceur** *nf (de miel)* sweetness; *(de peau)* softness; *(de temps)* mildness; *(de personne)* gentleness; **douceurs** *(sucreries)* Br sweets, Am candy; **la voiture a démarré en d.** the car started smoothly

douche [duʃ] *nf* shower; **prendre une d.** to have *or* take a shower; **être sous la d.** to be in the shower ■**doucher 1** *vt* **d. qn** to give sb a shower **2 se doucher** *vpr* to have *or* take a shower

doué, -ée [dwe] *adj* gifted, talented (**en** at); **d. de raison** gifted with reason; **être d. pour qch** to have a gift for sth

douille [duj] *nf (d'ampoule)* socket; *(de cartouche)* case

douillet, -ette [duje, -ɛt] *adj (lit)* Br cosy, Am cozy; **tu es d.** *(délicat)* you're such a baby

douleur [dulœr] *nf (mal)* pain; *(chagrin)* sorrow, grief ■**douloureux, -euse** *adj (maladie, membre, décision, perte)* painful

doute [dut] *nm* doubt; **sans d.** no doubt, probably; **sans aucun d.** without (any) doubt; **mettre qch en d.** to cast doubt on sth; **dans le d.** doubtful; **ça ne fait pas de d.** there is no doubt about it

douter [dute] **1** *vi* to doubt; **d. de qn/qch** to doubt sb/sth; *Fam* **ne d. de rien** to have plenty of self-confidence **2** *vt* **je doute qu'il soit assez fort** I doubt (whether) he's strong enough **3 se douter** *vpr* **se d. de qch** to suspected sth; **je m'en doutais bien** I suspected as much

douteux, -euse [dutø, -øz] *adj* doubtful; *(louche, médiocre)* dubious

douve [duv] *nf (de château)* moat

Douvres [duvr] *nm ou f* Dover

doux, douce [du, dus] *adj (miel, son)* sweet; *(peau, lumière, drogue)* soft; *(temps, climat)* mild; *(personne, pente)* gentle; *(émotion, souvenir)* pleasant; **d. comme un agneau** as gentle as a lamb; *Fam* **faire qch en douce** to do sth on the quiet

douze [duz] *adj & nm* twelve ■**douzaine** *nf (douze)* dozen; *(environ)* about twelve; **une d. d'œufs** a dozen eggs ■**douzième** *adj & nmf* twelfth; **un d.** a twelfth

doyen, -enne [dwajɛ̃, -ɛn] *nmf (d'université, ecclésiastique)* dean; **d. (d'âge)** oldest person

draconien, -ienne [drakɔnjɛ̃, -jɛn] *adj (mesures)* drastic

dragée [draʒe] *nf* sugared almond; *Fig* **tenir la d. haute à qn** to stand up to sb

dragon [dragɔ̃] *nm (animal, personne acariâtre)* dragon; *Hist (soldat)* dragoon

draguer [drage] *vt (rivière)* to dredge; *Fam* **d. qn** Br to chat sb up, Am to hit on sb ■**drague** *nf Fam* Br chatting up, Am hitting on; **un lieu de d. idéal** an ideal place for Br chatting people up *or* Am hitting on people ■**dragueur, -euse 1** *nm (bateau)* dredger; **d. de mines** minesweeper **2** *nmf Fam* **c'est un d.** he's always Br chatting up *or* Am hitting on women

drainer [drene] *vt* to drain

drame [dram] *nm (genre littéraire)* drama; *(catastrophe)* tragedy ■**dramatique 1** *adj* dramatic; **critique d.** drama critic; **auteur d.** playwright, dramatist **2** *nf* drama ■**dramatiser** *vt* to dramatize ■**dramaturge** *nmf* dramatist

> Il faut noter que le nom anglais **drama** est un faux ami. Il s'utilise uniquement dans un contexte théâtral.

drap [dra] *nm (de lit)* sheet; *(tissu)* cloth; **d.-housse** fitted sheet; **d. de bain** bath towel; *Fam* **être dans de beaux draps** to be in a fine mess

drapeau, -x [drapo] *nm* flag; **être sous les drapeaux** *(soldat)* to be doing one's military service

draper [drape] **1** *vt* to drape (**de** with) **2 se draper** *vpr Fig* **se d. dans sa dignité** to stand on one's dignity

dreadlocks [drɛdlɔks] *nfpl* dreadlocks *(pluriel)*

dresser [drese] **1** *vt (échelle, statue)* to put up, to erect; *(liste)* to draw up; *(piège)* to set, to lay; *(animal)* to train; **d. les oreilles** to prick up one's ears **2 se dresser** *vpr (personne)* to stand up; *(statue, montagne)* to rise up ■**dressage** *nm* training ■**dresseur, -euse** *nmf* trainer

dribbler [drible] *vi* Football to dribble

drogue [drɔg] *nf (stupéfiant)* drug; *Péj (médicament)* medicine; **d. dure/douce** hard/soft drug ■**drogué, -ée** *nmf* drug addict ■**droguer 1** *vt (victime)* to drug; *(malade)* to dose up **2 se droguer** *vpr* to take drugs

droguerie [drɔgri] *nf* hardware Br shop *or* Am store ■**droguiste** *nmf* hardware dealer

droit[1] [drwa] *nm (privilège)* right; *(d'inscription)* fee(s); **le d.** *(science juridique)* law; **à bon d.** rightly; **avoir d. à qch** to be entitled to sth; **avoir le d. de faire qch** to be entitled to do sth, to have the right to do sth; **d. d'entrée** entrance fee; **droits d'auteur** royalties; **droits de douane** (customs) duty; **droits de l'homme** human rights

droit[2]**, droite**[1] [drwa, drwat] **1** *adj (route, ligne)* straight; *(angle)* right; *(veston)* single-breasted; *Fig (honnête)* upright **2** *adv* straight; **tout d.** straight *or* right ahead; **aller d. au but** to go straight to the point ■**droite**[2] *nf (ligne)* straight line

droit[3]**, droite**[3] [drwa, drwat] **1** *adj (côté, bras)* right **2** *nm Boxe (coup)* right ■**droite**[4] *nf* **la d.**

(côté) the right (side); *Pol* the right (wing); **à d.** *(tourner)* (to the) right; *(rouler, se tenir)* on the right, on the right(-hand) side; **de d.** *(fenêtre)* right-hand; *(candidat)* right-wing; **voter à d.** to vote right-wing; **à d. de** on *or* to the right of; **à d. et à gauche** *(voyager)* here, there and everywhere

droitier, -ière [drwatje, -jɛr] **1** *adj* right-handed **2** *nmf* right-handed person

droiture [drwatyr] *nf* rectitude

drôle [drol] *adj* funny; **d. d'air/de type** funny look/fellow; **faire une d. de tête** to pull a face ▪ **drôlement** *adv* funnily; *Fam (extrêmement)* terribly, dreadfully

dromadaire [drɔmadɛr] *nm* dromedary

dru, drue [dry] **1** *adj (herbe)* thick, dense **2** *adv* **tomber d.** *(pluie)* to pour down heavily; **pousser d.** to grow thick(ly)

du [dy] *voir* **de**[1,2]

dû, due [dy] **1** *adj* **d. à qch** due to sth; **en bonne et due forme** in due form **2** *nm* due

dualité [dɥalite] *nf* duality

dubitatif, -ive [dybitatif, -iv] *adj* doubtful

duc [dyk] *nm* duke ▪ **duché** *nm* duchy ▪ **duchesse** *nf* duchess

duel [dɥɛl] *nm* duel

dûment [dymɑ̃] *adv* duly

dune [dyn] *nf* (sand) dune

duo [dɥo] *nm Mus* duet; **d. comique** comic duo

dupe [dyp] **1** *adj* **être d. de** to be taken in by; **il n'est pas d.** he's well aware of it **2** *nf* dupe ▪ **duper** *vt* to fool, to dupe

duplex [dypleks] *nm Br* maisonette, *Am* duplex; *TV* **(émission en) d.** link-up

duplicata [dyplikata] *nm inv* duplicate

duplicité [dyplisite] *nf* duplicity

duquel [dykɛl] *voir* **lequel**

dur, dure [dyr] **1** *adj (substance)* hard; *(difficile)* hard, tough; *(viande)* tough; *(hiver, ton)* harsh; *(personne)* hard, harsh; *(œuf)* hard-boiled; *(brosse, carton)* stiff; **d. d'oreille** hard of hearing; *Fam* **d. à cuire** hard-bitten, tough **2** *adv (travailler)* hard; **croire à qch d. comme fer** to have a cast-iron belief in sth **3** *nm Fam (personne)* tough guy ▪ **durement** *adv* harshly ▪ **dureté** *nf (de substance)* hardness; *(d'hiver, de ton)* harshness; *(de viande)* toughness

durable [dyrabl] *adj* lasting

durant [dyrɑ̃] *prép* during; **d. l'hiver** during the winter; **des heures d.** for hours and hours

durcir [dyrsir] *vti*, **se durcir** *vpr* to harden ▪ **durcissement** *nm* hardening

durée [dyre] *nf (de film, d'événement)* length; *(période)* duration; *(de pile électrique)* life; **de longue d.** *(bonheur)* lasting; **chômage de longue d.** long-term unemployment; **disque de longue d.** long-playing record; **pile longue d.** long-life battery; **de courte d.** *(attente)* short; *(bonheur)* short-lived

durer [dyre] *vi* to last; **ça dure depuis...** it's been going on for...

durillon [dyrijɔ̃] *nm (de la main)* callus; *(du pied)* corn

DUT [deyte] *(abrév* **diplôme universitaire de technologie)** *nm* = post-baccalauréat technical qualification awarded after two years

duvet [dyvɛ] *nm (d'oiseau, de visage)* down; *(sac)* sleeping bag ▪ **duveteux, -euse** *adj* downy

DVD [devede] *(abrév* **Digital Versatile Disk, Digital Video Disk)** *nm inv* DVD

DVD-ROM [devederɔm] *(abrév* **Digital Versatile Disk Read-only Memory)** *nm inv* DVD-ROM

dynamique [dinamik] **1** *adj* dynamic **2** *nf (force)* dynamic force, thrust ▪ **dynamisme** *nm* dynamism

dynamite [dinamit] *nf* dynamite ▪ **dynamiter** *vt* to dynamite

dynamo [dinamo] *nf* dynamo

dynastie [dinasti] *nf* dynasty

dysenterie [disɑ̃tri] *nf Méd* dysentery

dyslexique [disleksik] *adj* dyslexic

E, e [ə] *nm inv* E, e

EAO [əao] (*abrév* **enseignement assisté par ordinateur**) *nm inv* CAL

eau, -x [o] *nf* water; **grandes eaux** (*d'un parc*) ornamental fountains; **tout en e.** sweating; **prendre l'e.** to let in water; *Fam* **tomber à l'e.** (*projet*) to fall through; **il est tombé beaucoup d'e.** a lot of rain fell; *Fig* **apporter de l'e. au moulin de qn** to strengthen sb's case; **ça lui fait venir l'e. à la bouche** it makes his/her mouth water; **sports d'e. vive** white-water sports; **e. de Cologne** eau de Cologne; **e. de toilette** toilet water; **e. du robinet** tap water; **e. douce** fresh water; **e. plate** still water; **e. salée** salt water ▪ **eau-de-vie** (*pl* **eaux-de-vie**) *nf* brandy ▪ **eau-forte** (*pl* **eaux-fortes**) *nf* (*gravure*) etching

ébahir [ebair] *vt* to astound

ébattre [ebatr] **s'ébattre** *upr* to frolic ▪ **ébats** *nmpl* frolicking

ébauche [eboʃ] *nf* (*esquisse*) rough sketch; (*de roman*) outline; (*début*) beginnings; **l'é. d'un sourire** the ghost of a smile ▪ **ébaucher** *vt* (*tableau, roman*) to rough out; (*lettre*) to draft; **é. un sourire** to give a faint smile

ébène [eben] *nf* ebony ▪ **ébéniste** *nmf* cabinet-maker

éberlué, -uée [eberlɥe] *adj Fam* dumbfounded

éblouir [ebluir] *vt* to dazzle ▪ **éblouissement** *nm* (*aveuglement*) dazzle; (*malaise*) fit of dizziness

éborgner [eborɲe] *vt* **é. qn** to put sb's eye out

éboueur [ebwœr] *nm Br* dustman, *Am* garbage collector

ébouillanter [ebujɑ̃te] **1** *vt* to scald **2** **s'ébouillanter** *upr* to scald oneself

ébouler [ebule] **s'ébouler** *upr* (*falaise*) to collapse; (*tunnel*) to cave in ▪ **éboulement** *nm* (*écroulement*) collapse; (*de mine*) cave-in ▪ **éboulis** *nm* (mass of) fallen debris

ébouriffé, -ée [eburife] *adj* (*personne, cheveux*) *Br* dishevelled, *Am* disheveled

ébranler [ebrɑ̃le] **1** *vt* (*mur, confiance, personne*) to shake; (*santé*) to weaken **2** **s'ébranler** *upr* (*train, cortège*) to move off

ébrécher [ebreʃe] *vt* (*assiette*) to chip; (*lame*) to nick

ébriété [ebrijete] *nf* **en état d'é.** under the influence of drink

ébrouer [ebrue] **s'ébrouer** *upr* (*chien*) to shake itself; (*cheval*) to snort

ébruiter [ebrɥite] *vt* (*nouvelle*) to spread

EBS [øbɛɛs] (*abrév* **encéphalopathie bovine spongiforme**) *nf* BSE

ébullition [ebylisjɔ̃] *nf* boiling; **être en é.** (*eau*) to be boiling; *Fig* (*ville*) to be in turmoil; **porter qch à é.** to bring sth to the boil

écaille [ekaj] *nf* (*de poisson*) scale; (*de tortue, d'huître*) shell ▪ **écailler 1** *vt* (*poisson*) to scale; (*huître*) to shell **2** **s'écailler** *upr* (*peinture*) to peel (off)

écarlate [ekarlat] *adj* scarlet

écarquiller [ekarkije] *vt* **é. les yeux** to open one's eyes wide

écart [ekar] *nm* (*intervalle*) gap, distance; (*différence*) difference (**de** in; **entre** between); **faire le grand é.** to do the splits; **à l'é.** out of the way; **tenir qn à l'é.** to keep sb out of things; **à l'é. de** away from; **écarts de conduite** misbehaviour; **écarts de langage** bad language

écartelé, -ée [ekartəle] *adj* **é. entre** (*tiraillé*) torn between

écartement [ekartəmɑ̃] *nm* (*espace*) gap, distance (**de** between)

écarter [ekarte] **1** *vt* (*objets, personnes*) to move apart; (*jambes, doigts*) to spread; (*rideaux*) to draw (back); (*crainte, idée*) to brush aside; (*candidat, proposition*) to turn down; **é. qch de qch** to move sth away from sth **2** **s'écarter** *upr* (**a**) (*se séparer*) (*personnes*) to move apart (**de** from); (*foule*) to part (**b**) (*piéton*) to move away (**de** from); (*voiture*) to swerve; **s'é. du sujet** to wander from the subject ▪ **écarté, -ée** *adj* (*endroit*) remote; **les jambes écartées** with his/her legs (wide) apart

ecchymose [ekimoz] *nf* bruise

ecclésiastique [eklezjastik] **1** *adj* ecclesiastical **2** *nm* clergyman

écervelé, -ée [esɛrvəle] **1** *adj* scatterbrained **2** *nmf* scatterbrain

échafaud [eʃafo] *nm* scaffold

échafaudage [eʃafodaʒ] *nm* scaffolding; **des échafaudages** scaffolding ▪ **échafauder** *vt* (*empiler*) to pile up

échalote [eʃalɔt] *nf* shallot

échancré, -ée [eʃɑ̃kre] *adj* low-cut ▪ **échancrure** *nf* low neckline

échange [eʃɑ̃ʒ] *nm* exchange; **en é.** in exchange (**de** for) ▪ **échanger** *vt* to exchange (**contre** for)

échangeur [eʃɑ̃ʒœr] *nm* interchange

échantillon [eʃɑ̃tijɔ̃] *nm* sample ▪**échantillonnage** *nm* sampling ▪**échantillonner** *vt* to sample

échappatoire [eʃapatwar] *nf* way out

échappement [eʃapmɑ̃] *nm* (*de véhicule*) **tuyau d'é.** exhaust pipe; **pot d'é.** exhaust

échapper [eʃape] **1** *vi* **é. à qn** to escape from sb; **é. à la mort/un danger** to escape death/danger; **son nom m'échappe** his/her name escapes me; **ça m'a échappé** (*je n'ai pas compris*) I didn't catch it; **ça lui a échappé (des mains)** it slipped out of his/her hands; **laisser é.** (*cri*) to let out; (*objet, occasion*) to let slip **2** *vt* **il l'a échappé belle** he had a narrow escape **3** **s'échapper** *vpr* (*personne, gaz, eau*) to escape (**de** from) ▪**échappée** *nf* (*de cyclistes*) breakaway; (*vue*) vista

écharde [eʃard] *nf* splinter

écharpe [eʃarp] *nf* scarf; (*de maire*) sash; **avoir le bras en é.** to have one's arm in a sling

échasse [eʃas] *nf* (*bâton*) stilt

échaudé, -ée [eʃode] *adj Fig* **être é.** to get one's fingers burnt

échauffer [eʃofe] **1** *vt* (*moteur*) to overheat; **é. les esprits** to get people worked up **2** **s'échauffer** *vpr* (*discussion, sportif*) to warm up ▪**échauffement** *nm* (*de moteur*) overheating; (*de sportif*) warm(ing)-up

échauffourée [eʃofure] *nf* (*bagarre*) clash, brawl, skirmish

échéance [eʃeɑ̃s] *nf* (*de facture, de dette*) date of payment; **à brève/longue é.** (*projet, emprunt*) short-/long-term; **faire face à ses échéances** to meet one's financial obligations

échéant [eʃeɑ̃] **le cas échéant** *adv* if need be

échec [eʃɛk] *nm* (*insuccès*) failure; **faire é. à qch** to hold sth in check; **les échecs** (*jeu*) chess; **é.!** check!; **é. et mat!** checkmate!

échelle [eʃɛl] *nf* (**a**) (*marches*) ladder; **faire la courte é. à qn** to give sb *Br* a leg up *or Am* a boost (**b**) (*de carte*) scale; **à l'é. nationale** on a national scale

échelon [eʃlɔ̃] *nm* (*d'échelle*) rung; (*de fonctionnaire*) grade; (*d'organisation*) echelon; **à l'é. régional/national** on a regional/national level

échelonner [eʃlɔne] **1** *vt* (*paiements*) to spread **2** **s'échelonner** *vpr* to be spread out

écheveau, -x [eʃ(ə)vo] *nm* (*de laine*) skein; *Fig* (*d'une intrigue*) muddle, tangle

échevelé, -ée [eʃəv(ə)le] *adj* (*ébouriffé*) *Br* dishevelled, *Am* disheveled; *Fig* (*course, danse*) wild

échine [eʃin] *nf Anat* backbone, spine; **courber l'é. devant qn** to submit to sb ▪**s'échiner** *vpr Fam* **s'é. à faire qch** to wear oneself out doing sth

échiquier [eʃikje] *nm* (*plateau*) chessboard

écho [eko] *nm* (*d'un son*) echo; **échos** (*dans la presse*) gossip column; **avoir des échos de qch** to hear some news about sth; **se faire l'é. de qch** to echo sth

échographie [ekɔɡrafi] *nf* (ultrasound) scan; **passer une é.** to have a scan

échoir* [eʃwar] *vi* **é. à qn** to fall to sb

échouer [eʃwe] **1** *vi* to fail; **é. à** (*examen*) to fail; **faire é. un projet** to wreck a plan; **faire é. un complot** to foil a plot **2** *vi*, **s'échouer** *vpr* (*navire*) to run aground

éclabousser [eklabuse] *vt* to splash, to spatter (**avec** with) ▪**éclaboussure** *nf* splash

éclair [ekler] **1** *nm* (**a**) (*lumière*) flash; (*d'orage*) flash of lightning; **un é. de génie** a flash *or* stroke of genius (**b**) (*gâteau*) éclair **2** *adj inv* **visite/raid é.** lightning visit/raid

éclairage [eklerɑ̃ʒ] *nm* lighting

éclaircie [eklersi] *nf* sunny spell

éclaircir [eklersir] **1** *vt* (*couleur*) to lighten; (*teint*) to clear; (*mystère*) to clear up; (*sauce*) to thin out **2** **s'éclaircir** *vpr* (*ciel*) to clear; (*mystère*) to be cleared up; (*cheveux*) to thin; **s'é. la voix** to clear one's throat ▪**éclaircissement** *nm* (*explication*) explanation; **demander des éclaircissements sur qch** to ask for an explanation of sth

éclairer [eklere] **1** *vt* (*pièce*) to light (up); **é. qn** (*avec une lampe*) to give sb some light; (*informer*) to enlighten sb (**sur** about); **é. une situation d'un jour nouveau** to shed *or* throw new light on a situation **2** *vi* (*lampe*) to give light; **é. bien/mal** to give good/poor light **3** **s'éclairer** *vpr* (*visage*) to light up; **s'é. à la bougie** to use candlelight; **s'é. à l'électricité** to have electric lighting ▪**éclairé, -ée** *adj* (*averti*) enlightened; **bien/mal é.** (*illuminé*) well/badly lit

éclaireur, -euse [eklerœr, -øz] **1** *nmf* (boy) scout, *f* (girl) guide **2** *nm* (*soldat*) scout

éclat [ekla] *nm* (**a**) (*de lumière*) brightness; (*de phare*) glare; (*de diamant*) flash; (*splendeur*) brilliance, radiance; *Fig* **l'é. de la jeunesse** the bloom of youth (**b**) (*de verre, de bois*) splinter; **é. d'obus** shrapnel; **é. de rire** burst of laughter; **éclats de voix** noisy outbursts, shouts

éclatant, -ante [eklatɑ̃, -ɑ̃t] *adj* (*lumière, couleur, succès*) brilliant; (*beauté, santé*) radiant; (*rire*) loud; **être é. de santé** to be glowing with health

éclater [eklate] *vi* (*pneu, obus*) to burst; (*bombe, pétard*) to go off, to explode; (*verre*) to shatter; (*guerre, incendie*) to break out; (*orage, scandale*) to break; (*parti*) to break up; **é. de rire** to burst out laughing; **é. en sanglots** to burst into tears ▪**éclatement** *nm* (*de pneu*) bursting; (*de bombe*) explosion; (*de parti*) break-up

éclectique [eklɛktik] *adj* eclectic

éclipse [eklips] *nf (de soleil, de lune)* eclipse ■**éclipser 1** *vt* to eclipse **2 s'éclipser** *vpr (soleil)* to be eclipsed; *Fam (partir)* to slip away

éclopé, -ée [eklɔpe] **1** *adj* lame **2** *nmf* lame person

éclore* [eklɔr] *vi (œuf)* to hatch; *(fleur)* to open (out), to blossom ■**éclosion** *nf* hatching; *(de fleur)* opening, blossoming

écluse [eklyz] *nf (de canal)* lock

écobilan [ekɔbilɑ̃] *nm* life-cycle analysis

écœurer [ekœre] *vt* **é. qn** *(aliment)* to make sb feel sick; *(au moral)* to sicken sb ■**écœurant, -ante** *adj* disgusting, sickening ■**écœurement** *nm (nausée)* nausea; *(indignation)* disgust

écoguerrier, -ière [ekogerje, -ɛr] *nmf* ecowarrior

école [ekɔl] *nf* school; *(militaire)* academy; **à l'é.** at school; **aller à l'é.** to go to school; **faire é.** to gain a following; **les grandes écoles** = university-level colleges specializing in professional training; **é. de danse/dessin** dancing/art school; **é. normale** *Br* ≃ teacher training college, *Am* ≃ teachers' college; **é. privée** private school; **é. publique** *Br* state school, *Am* public school ■**écolier, -ière** *nmf* schoolboy, *f* schoolgirl

écolo [ekɔlo] *adj & nmf Fam* green

écologie [ekɔlɔʒi] *nf* ecology ■**écologique** *adj* ecological, environmental ■**écologiste** *adj & nmf* environmentalist

éconduire* [ekɔ̃dɥir] *vt Littéraire (repousser)* to reject

économe [ekɔnɔm] **1** *adj* thrifty, economical **2** *nmf (de collège)* bursar

économie [ekɔnɔmi] *nf (activité, vertu)* economy; **économies** *(argent)* savings; **une é. de** *(gain)* a saving of; **faire une é. de temps** to save time; **faire des économies** to save (up); **faire des économies d'énergie** to conserve *or* save energy; **nouvelle é.** new economy; **é. de marché** market economy; **é. dirigée** planned economy; **é. libérale** open-market economy ■**économique** *adj* **(a)** *(relatif à l'économie)* economic; **science é.** economics *(sing)* **(b)** *(avantageux)* economical ■**économiquement** *adv* economically ■**économiste** *nmf* economist

économiser [ekɔnɔmize] **1** *vt (forces, argent, énergie)* to save **2** *vi* to economize (**sur** on) ■**économiseur d'écran** *nm Ordinat* screen-saver

écoper [ekɔpe] **1** *vt (bateau)* to bail out, *Br* to bale out **2** *vi Fam* **é. de qch** *(punition, amende)* to get sth

écorce [ekɔrs] *nf (d'arbre)* bark; *(de fruit)* peel; **l'é. terrestre** the earth's crust

écorcher [ekɔrʃe] **1** *vt (érafler)* to graze; *(animal)* to flay; *Fig (nom)* to mispronounce;

é. les oreilles à qn to grate on sb's ears **2 s'écorcher** *vpr* to graze oneself; **s'é. le genou** to graze one's knee ■**écorchure** *nf* graze

Écosse [ekɔs] *nf* l'É. Scotland ■**écossais, -aise 1** *adj* Scottish; *(tissu)* tartan; *(whisky)* Scotch **2** *nmf* É., Écossaise Scot

écosser [ekɔse] *vt (pois)* to shell

écotaxe [ekotaks] *nf* ecotax

écotourisme [ekoturism] *nm* ecotourism

écouler [ekule] **1** *vt (se débarrasser de)* to dispose of **2 s'écouler** *vpr (eau)* to flow out, to run out; *(temps)* to pass ■**écoulé, -ée** *adj (années)* past ■**écoulement** *nm (de liquide)* flow; *(de temps)* passage; *(de marchandises)* sale

écourter [ekurte] *vt (séjour, discours)* to cut short; *(texte, tige)* to shorten

écoute [ekut] *nf* listening; **être à l'é.** to be listening (**de** to); **rester à l'é.** to keep listening; **être à l'é. de qn** to listen (sympathetically) to sb; **heure de grande é.** *Radio* peak listening time; *TV* peak viewing time; **écoutes téléphoniques** phone tapping

écouter [ekute] **1** *vt* to listen to; **faire é. qch à qn** *(disque)* to play sb sth **2 s'écouter** *vpr* **si je m'écoutais** if I did what I wanted; **il s'écoute parler** he likes the sound of his own voice ■**écouteur** *nm (de téléphone)* earpiece; **écouteurs** *(casque)* headphones

écrabouiller [ekrabuje] *vt Fam* to crush

écran [ekrɑ̃] *nm* screen; **à l'é.** on screen; **le petit é.** television; **é. publicitaire** commercial break; **é. total** sun block

écraser [ekraze] **1** *vt (broyer, vaincre)* to crush; *(fruit, insecte)* to squash; *(cigarette)* to put out; *(piéton)* to run over; **se faire é. par une voiture** to get run over by a car; *Fam* **se faire é.** to be clobbered **2 s'écraser** *vpr (avion)* to crash (**contre** into) ■**écrasant, -ante** *adj (victoire, chaleur)* overwhelming ■**écrasé, -ée** *adj m* squashed; **nez é.** snub nose

écrémer [ekreme] *vt (lait)* to skim; *Fig (choisir)* to cream off the best from ■**écrémé, -ée** *adj (lait) Br* skimmed, *Am* skim

écrevisse [ekrəvis] *nf* crayfish *inv*

écrier [ekrije] **s'écrier** *vpr* to exclaim, to cry out (**que** that)

écrin [ekrɛ̃] *nm* (jewel) case

écrire* [ekrir] **1** *vt* to write; *(noter)* to write down; **é. à la machine** to type **2** *vi* to write **3 s'écrire** *vpr (mot)* to be spelt; **comment ça s'écrit?** how do you spell it? ■**écrit** *nm* written document; *(examen)* written examination; **par é.** in writing; **écrits** *(œuvres)* writings

écriteau, -x [ekrito] *nm* notice, sign

écriture [ekrityr] *nf (système)* writing; *(personnelle)* (hand)writing; *Com* **écritures** accounts; **les Écritures** *(la Bible)* the Scriptures

écrivain [ekrivɛ̃] *nm* writer

écrou [ekru] *nm (de boulon)* nut

écrouer [ekrue] *vt* to imprison

écrouler [ekrule] **s'écrouler** *vpr (édifice, blessé)* to collapse; **être écroulé de fatigue** to be dropping with exhaustion; *Fam* **être écroulé (de rire)** to be doubled up (with laughter) ▪ **écroulement** *nm* collapse

écru, -ue [ekry] *adj (beige)* écru; *(naturel)* unbleached

ecsta [eksta] *nf Fam (drogue)* E, ecstasy

écueil [ekœj] *nm (rocher)* reef; *Fig (obstacle)* pitfall

écuelle [ekɥɛl] *nf* bowl

éculé, -ée [ekyle] *adj (chaussure)* down-at-heel; *Fig (plaisanterie)* hackneyed

écume [ekym] *nf (de mer, bave d'animal)* foam; *(de pot-au-feu)* scum ▪ **écumer 1** *vt (pot-au-feu)* to skim; *(piller)* to plunder **2** *vi* to foam (**de rage** with anger)

écureuil [ekyrœj] *nm* squirrel

écurie [ekyri] *nf* stable

écusson [ekysɔ̃] *nm (en étoffe)* badge

écuyer, -ère [ekɥije, -ɛr] *nmf (cavalier)* rider

eczéma [ɛgzema] *nm Méd* eczema

édenté, -ée [edɑ̃te] *adj* toothless

EDF [ədeɛf] *(abrév* **Électricité de France)** *nf* = French electricity company

édifice [edifis] *nm* edifice ▪ **édification** *nf (de monument)* construction; *(instruction morale)* edification ▪ **édifier** *vt (bâtiment)* to erect; *(théorie)* to construct; **é. qn** *(moralement)* to edify sb

Édimbourg [edɛ̃bur] *nm ou f* Edinburgh

édit [edi] *nm Hist* edict

éditer [edite] *vt (publier)* to publish; *(annoter)* & *Ordinat* to edit ▪ **éditeur, -trice** *nmf (dans l'édition)* publisher; *(commentateur)* editor ▪ **édition** *nf (livre, journal)* edition; *(métier, diffusion)* publishing

> Il faut noter que le verbe anglais **to edit** est un faux ami. Il ne s'emploie jamais pour dire **publier**.

> Il faut noter aussi que le nom anglais **edition** est un faux ami. Il ne désigne jamais l'industrie du livre.

éditorial, -iaux [editɔrjal, -jo] *nm (article)* editorial, *Br* leader ▪ **éditorialiste** *nmf* editorial or *Br* leader writer

édredon [edrədɔ̃] *nm* eiderdown

éducateur, -trice [edykatœr, -tris] *nmf* educator

éducatif, -ive [edykatif, -iv] *adj* educational

éducation [edykasjɔ̃] *nf (enseignement)* education; *(par les parents)* upbringing; **avoir de l'é.** to have good manners; **l'É. nationale** ≃ the Department of Education; **é. physique** physical education or training; **é. sexuelle** sex education ▪ **éduquer** *vt (à l'école)* to educate; *(à la maison)* to bring up

> Il faut noter que le nom anglais **education** ne fait référence qu'à l'instruction scolaire et à l'enseignement et non à la façon dont on est élevé.

EEE [əəə] *(abrév* **Espace économique européen)** *nm* EEA

effacé, -ée [efase] *adj (modeste)* self-effacing ▪ **effacement** *nm (modestie)* self-effacement

effacer [efase] **1** *vt (gommer)* to rub out, to erase; *(en lavant)* to wash out; *(avec un chiffon)* to wipe away; *Fig (souvenir)* to blot out, to erase **2** **s'effacer** *vpr (souvenir, couleur)* to fade; *(se placer en retrait)* to step aside

effarer [efare] *vt* to astound ▪ **effarant, -ante** *adj* astounding ▪ **effarement** *nm* astonishment

effaroucher [efaruʃe] **1** *vt* to scare away **2** **s'effaroucher** *vpr* to take fright

effectif, -ive [efɛktif, -iv] **1** *adj (réel)* effective **2** *nm (de classe)* size; *(d'une armée)* (total) strength; *(employés)* staff ▪ **effectivement** *adv (en effet)* actually

> Il faut noter que l'adverbe anglais **effectively** est un faux ami. Il signifie **efficacement**.

effectuer [efɛktɥe] *vt (expérience, geste difficile)* to carry out, to perform; *(paiement, trajet)* to make

efféminé, -ée [efemine] *adj* effeminate

effervescent, -ente [efɛrvesɑ̃, -ɑ̃t] *adj (médicament)* effervescent ▪ **effervescence** *nf (exaltation)* excitement

effet [efɛ] *nm (résultat)* effect; *(impression)* impression (**sur** on); **en e.** indeed, in fact; **à cet e.** to this end, for this purpose; **sous l'e. de la colère** *(agir)* in anger, out of anger; **faire de l'e.** *(remède)* to be effective; *Tennis* **donner de l'e. à une balle** to put spin on a ball; **il me fait l'e. d'être fatigué** he seems to me to be tired; **ce n'est pas l'e. du hasard si...** it is not simply a matter of chance if...; **e. de commerce** bill of exchange; **e. de serre** greenhouse effect; **e. secondaire** side effect; *Cin* **effets spéciaux** special effects

effets [efɛ] *nmpl (vêtements)* clothes, things

efficace [efikas] *adj (mesure)* effective; *(personne)* efficient ▪ **efficacité** *nf (de mesure)* effectiveness; *(de personne)* efficiency

effigie [efiʒi] *nf* effigy; **à l'e. de qn** bearing the image of sb

effilé, -ée [efile] *adj (doigt, lame)* tapering

effilocher [efilɔʃe] **s'effilocher** *vpr* to fray

efflanqué, -ée [eflɑ̃ke] *adj* emaciated

effleurer [eflœre] *vt (frôler)* to touch lightly; *Fig (question)* to touch on; **e. qn** *(pensée)* to cross sb's mind

effondrer [efɔ̃dre] **s'effondrer** *vpr (édifice,*

Bourse) to collapse; *(plan)* to fall through; *(personne)* to go to pieces; **avoir l'air effondré** to look completely dejected ▪**effondrement** *nm (d'édifice, de la Bourse)* collapse; *(de personne)* dejection

efforcer [efɔrse] **s'efforcer** *vpr* **s'e. de faire qch** to try hard to do sth

effort [efɔr] *nm* effort; **sans e.** *(réussir)* effortlessly; **faire des efforts** to make an effort; **allons! encore un petit e.!** come on, try again!

effraction [efraksjɔ̃] *nf* **entrer par e.** to break in; **vol avec e.** housebreaking

effranger [efrɑ̃ʒe] **s'effranger** *vpr* to fray

effrayer [efreje] **1** *vt* to frighten, to scare **2 s'effrayer** *vpr* to be frightened *or* scared ▪**effrayant, -ante** *adj* frightening, scary

effréné, -ée [efrene] *adj* unrestrained; *(course)* frantic

effriter [efrite] **s'effriter** *vpr* to crumble

effroi [efrwa] *nm Littéraire* dread ▪**effroyable** *adj* dreadful ▪**effroyablement** [-əmɑ̃] *adv* dreadfully

effronté, -ée [efrɔ̃te] *adj (personne)* impudent ▪**effronterie** *nf* impudence

effusion [efyzjɔ̃] *nf (manifestation)* effusiveness; **avec e.** effusively; **e. de sang** bloodshed

égal, -e, -aux, -ales [egal, -o] **1** *adj* equal *(à* to*); (uniforme, régulier)* even; **ça m'est é.** it's all the same to me; **combattre à armes égales** to fight on equal terms; *Sport* **faire jeu é.** to be evenly matched; **se trouver à égale distance de** to be equidistant from **2** *nmf (personne)* equal; **traiter qn d'é. à é. ou en é.** to treat sb as an equal; **sans é.** without match ▪**également** *adv (au même degré)* equally; *(aussi)* also, as well ▪**égaler** *vt* to equal, to match **(en** in); **3 plus 4 égale(nt) 7** 3 plus 4 equals 7

égaliser [egalize] **1** *vt (salaire)* to equalize; *(terrain)* to level **2** *vi Sport* to equalize ▪**égalisation** *nf Sport* equalization; *(de terrain)* levelling

égalité [egalite] *nf* equality; *(régularité)* evenness; *Tennis* deuce; *Sport* **à é. (de score)** even, equal (in points) ▪**égalitaire** *adj* egalitarian

égard [egar] *nm* **à l'é. de** *(envers)* towards; *(concernant)* with respect *or* regard to; **à cet é.** in this respect; **à certains égards** in some respects; **eu é. à** considering, in consideration of; **par é. pour qn** out of consideration for sb

égarement [egarmɑ̃] *nm (folie)* distraction; **égarements** *(actes immoraux)* wild behaviour

égarer [egare] **1** *vt (objet)* to mislay; *(personne)* to mislead; *(soupçons)* to avert **2 s'égarer** *vpr (personne, lettre)* to get lost; *(objet)* to go astray; *(sortir du sujet)* to wander from the point

égayer [egeje] **1** *vt (pièce)* to brighten up; **é. qn** *(réconforter, amuser)* to cheer sb up **2 s'égayer** *vpr (s'animer)* to cheer up

égide [eʒid] *nf* **sous l'é. de** under the aegis of

églantier [eglɑ̃tje] *nm* wild rose ▪**églantine** *nf* wild rose

église [egliz] *nf* church

égocentrique [egosɑ̃trik] *adj* egocentric

égoïsme [egoism] *nm* selfishness ▪**égoïste 1** *adj* selfish **2** *nmf* selfish person

égorger [egɔrʒe] *vt* to cut *or* slit the throat of

égosiller [egozije] **s'égosiller** *vpr* to scream one's head off, to bawl out

égotisme [egotism] *nm* egotism

égout [egu] *nm* sewer; **eaux d'é.** sewage

égoutter [egute] **1** *vt* to drain **2** *vi,* **s'égoutter** *vpr* to drain ▪**égouttoir** *(panier)* drainer

égratigner [egratiɲe] **1** *vt* to scratch **2 s'égratigner** *vpr* to scratch oneself ▪**égratignure** *nf* scratch

égrener [egrəne] *vt (raisins)* to pick the grapes off; *(maïs, pois)* to shell; *Rel* **é. son chapelet** to tell one's beads; **l'horloge égrène les heures** the clock slowly marks the hours

Égypte [eʒipt] *nf* **l'É.** Egypt ▪**égyptien, -ienne** [-sjɛ̃, -sjɛn] **1** *adj* Egyptian **2** *nmf* **É., Égyptienne** Egyptian

eh [e] *exclam* hey!; **eh bien!** well!

éhonté, -ée [eɔ̃te] *adj* shameless; **mensonge é.** barefaced lie

éjecter [eʒɛkte] *vt* to eject; *Fam* **se faire é.** to get thrown out ▪**éjectable** *adj* **siège é.** *(d'avion)* ejector seat ▪**éjection** *nf (de pilote)* ejection

élaborer [elabɔre] *vt (plan, idée)* to develop ▪**élaboration** *nf (de plan, d'idée)* development

élaguer [elage] *vt (arbre, texte)* to prune

élan¹ [elɑ̃] *nm (vitesse)* momentum; *(course)* run-up; *Fig (impulsion)* boost; **un é. de tendresse** a surge of affection; **prendre son é.** to take a run-up; **d'un seul é.** in one go

élan² [elɑ̃] *nm (animal)* elk

élancé, -ée [elɑ̃se] *adj (personne, taille)* slender

élancer [elɑ̃se] **1** *vi (abcès)* to give shooting pains **2 s'élancer** *vpr (bondir)* to rush forward; *Sport* to take a run-up ▪**élancement** *nm* shooting pain

élargir [elarʒir] **1** *vt (chemin)* to widen; *(vêtement)* to let out; *(esprit, débat)* to broaden **2 s'élargir** *vpr (sentier)* to widen out; *(vêtement)* to stretch

élastique [elastik] **1** *adj (objet, gaz, métal)* elastic; *(règlement, notion)* flexible, supple **2** *nm (lien)* rubber band; *R* elastic band; *(pour la couture)* elastic ▪**élasticité** *nf* elasticity

élection [elɛksjɔ̃] *nf* election; **é. partielle** by-election ▪**électeur, -trice** *nmf* voter, elector ▪**électoral, -e, -aux, -ales** *adj* **campagne électorale** election campaign; **liste électorale** electoral roll ▪**électorat** *nm (électeurs)* electorate, voters

électricien, -ienne [elɛktrisjɛ̃, -jɛn] *nmf* electrician ▪ **électricité** *nf* electricity ▪ **électrifier** *vt* (*voie ferrée*) to electrify ▪ **électrique** *adj* (*pendule, décharge*) & *Fig* electric; (*courant, fil*) electric(al) ▪ **électriser** *vt Fig* (*animer*) to electrify

électrochoc [elɛktrɔʃɔk] *nm* (*traitement*) electric shock treatment

électrocuter [elɛktrɔkyte] *vt* to electrocute

électrode [elɛktrɔd] *nf Él* electrode

électrogène [elɛktrɔʒɛn] *adj Él* **groupe é.** generator

électroménager [elɛktrɔmenaʒe] **1** *adj m* **appareil é.** household electrical appliance **2** *nm* household appliances

électron [elɛktrɔ̃] *nm* electron ▪ **électronicien, -ienne** *nmf* electronics engineer ▪ **électronique 1** *adj* electronic; **microscope é.** electron microscope **2** *nf* electronics (*sing*)

électrophone [elɛktrɔfɔn] *nm* record player

élégant, -ante [elegɑ̃, -ɑ̃t] *adj* (*bien habillé*) smart, elegant; (*solution*) neat ▪ **élégamment** [-amɑ̃] *adv* elegantly, smartly ▪ **élégance** *nf* elegance; **avec é.** elegantly

élégie [eleʒi] *nf* elegy

élément [elemɑ̃] *nm* (*composante, personne*) & *Chim* element; (*de meuble*) unit; *Math* member; *Fig* **être dans son é.** to be in one's element

élémentaire [elemɑ̃tɛr] *adj* basic; (*cours, école*) elementary

éléphant [elefɑ̃] *nm* elephant

élevage [elvaʒ] *nm* (*production*) breeding (**de** of); (*ferme*) cattle farm; **faire l'é. de** to breed

élévateur [elevatœr] *adj m* **chariot é.** forklift truck

élévation [elevasjɔ̃] *nf* raising; **é. de** (*hausse*) rise in

élevé, -ée [elve] *adj* (*haut*) high; (*noble*) noble; **bien/mal é.** well-/bad- or ill-mannered

élève [elɛv] *nmf* (*à l'école*) pupil

élever [elve] **1** *vt* (*prix, voix, objection*) to raise; (*enfant*) to bring up; (*animal*) to breed; (*âme*) to uplift **2 s'élever** *vpr* (*prix, ton, montagne*) to rise; (*cerf-volant*) to rise into the sky; (*monument*) to stand; **un cri s'éleva dans la foule** a shout went up from the crowd; **s'é. à** (*prix*) to amount to; **s'é. contre** to rise up against

éleveur, -euse [elvœr, -øz] *nmf* breeder

éligible [eliʒibl] *adj* eligible (**à** for)

élimé, -ée [elime] *adj* (*tissu*) threadbare, worn thin

éliminer [elimine] *vt* to eliminate ▪ **élimination** *nf* elimination ▪ **éliminatoire** *adj* **épreuve é.** *Sport* qualifying round; *Scol* qualifying exam; *Scol* **note é.** disqualifying mark ▪ **éliminatoires** *nfpl Sport* qualifying rounds

élire* [elir] *vt* to elect (**à** to)

élision [elizjɔ̃] *nf Ling* elision

élite [elit] *nf* elite (**de** of); **les élites** the elite; **troupes d'é.** crack or elite troops

elle [ɛl] *pron personnel* (**a**) (*sujet*) she; (*chose, animal*) it; **elles** they; **e. est** she is/it is; **elles sont** they are (**b**) (*complément*) her; (*chose, animal*) it; **elles** them; **pour e.** for her; **pour elles** for them; **plus grande qu'e./qu'elles** taller than her/them ▪ **elle-même** *pron* herself; (*chose, animal*) itself; **elles-mêmes** themselves

ellipse [elips] *nf* ellipse ▪ **elliptique** *adj* elliptical

élocution [elɔkysjɔ̃] *nf* diction

éloge [elɔʒ] *nm* (*compliment*) praise; (*panégyrique*) eulogy; **faire l'é. de** to praise; **é. funèbre** funeral oration ▪ **élogieux, -ieuse** *adj* laudatory

éloigné, -ée [elwaɲe] *adj* (*lieu*) far away, remote; (*date, parent*) distant; **é. de** (*village, maison*) far (away) from; (*très différent*) far removed from

éloignement [elwaɲəmɑ̃] *nm* remoteness, distance; (*absence*) separation (**de** from); **avec l'é.** (*avec le recul*) with time

éloigner [elwaɲe] **1** *vt* (*chose, personne*) to move away (**de** from); (*moustiques*) to keep away; (*crainte, idée*) to banish; **é. qn de** (*sujet, but*) to take sb away from **2 s'éloigner** *vpr* (*partir*) to move away (**de** from); (*dans le passé*) to become (more) remote; **s'é. de** (*sujet, but*) to wander from

élongation [elɔ̃gasjɔ̃] *nf Méd* pulled muscle; **se faire une é.** to pull a muscle

éloquent, -ente [elɔkɑ̃, -ɑ̃t] *adj* eloquent ▪ **éloquence** *nf* eloquence

élu, -ue [ely] **1** *pp de* **élire 2** *adj Rel* **le peuple é.** the chosen people **3** *nmf Pol* elected member or representative; *Rel* **les élus** the chosen ones; **l'heureux é./l'heureuse élue** (*futur mari, future femme*) the lucky man/woman

élucider [elyside] *vt* to elucidate

élucubrations [elykybrasjɔ̃] *nfpl Péj* flights of fancy

éluder [elyde] *vt* to evade

Élysée [elize] *nm* (**le palais de**) **l'É.** the Élysée palace (*French President's residence*)

émacié, -iée [emasje] *adj* emaciated

émail, -aux [emaj, -o] *nm* enamel; **casserole en é.** enamel saucepan ▪ **émaillé, -ée** *adj* **é. de fautes** peppered with errors

e-mail [imɛl] *nm* e-mail; **envoyer un e. à qn** to send sb an e-mail, to e-mail sb

émanciper [emɑ̃sipe] **1** *vt* (*femmes*) to emancipate **2 s'émanciper** *vpr* to become emancipated ▪ **émancipation** *nf* emancipation; **l'é. de la femme** the emancipation of women

émaner [emane] *vt* **é. de** to emanate from ▪ **émanation** *nf* **des émanations** (*odeurs*) smells; *(vapeurs)* fumes; **émanations toxiques** toxic fumes

émarger [emarʒe] **1** *vt (signer)* to sign **2** *vi (recevoir un salaire)* to draw one's salary

emballer [ɑ̃bale] **1** *vt* (**a**) *(dans une caisse)* to pack; *(dans du papier)* to wrap (up) (**b**) *(moteur)* to race; *Fam* **e. qn** *(passionner)* to grab sb **2 s'emballer** *vpr Fam (personne)* to get carried away; *(cheval)* to bolt; *(moteur)* to race ▪ **emballage** *nm (action)* packing; *(dans du papier)* wrapping; *(caisse)* packaging; **papier d'e.** wrapping paper ▪ **emballé, -ée** *adj Fam* enthusiastic

embarcadère [ɑ̃barkadɛr] *nm* landing stage

embarcation [ɑ̃barkasjɔ̃] *nf* (small) boat

embardée [ɑ̃barde] *nf (de véhicule)* swerve; **faire une e.** to swerve

embargo [ɑ̃bargo] *nm* embargo; **imposer/lever un e.** to impose/lift an embargo

embarquer [ɑ̃barke] **1** *vt (passagers)* to take on board; *(marchandises)* to load; *Fam (voler)* to walk off with; *Fam* **e. qn** *(au commissariat)* to cart sb off **2** *vi, s'embarquer* *vpr* to (go on) board; *Fam* **s'e. dans** *(aventure)* to embark on ▪ **embarquement** [-əmɑ̃] *nm (de passagers)* boarding

embarras [ɑ̃bara] *nm (gêne, malaise)* embarrassment; *(difficulté)* difficulty, trouble; **dans l'e.** in an awkward situation; *(financièrement)* in financial difficulties; **n'avoir que l'e. du choix** to be spoilt for choice

embarrasser [ɑ̃barase] **1** *vt (encombrer)* to clutter up; **e. qn** *(empêcher le passage de)* to be in sb's way; *(gêner)* to embarrass sb **2 s'embarrasser** *vpr* **s'e. de** to burden oneself with; *(se soucier)* to bother oneself about ▪ **embarrassant, -ante** *adj (paquet)* cumbersome; *(question)* embarrassing

embauche [ɑ̃boʃ] *nf (action)* hiring; *(travail)* work; **bureau d'e.** employment office ▪ **embaucher** *vt (ouvrier)* to hire, to take on

embaumer [ɑ̃bome] **1** *vt (parfumer)* to give a sweet smell to; *(cadavre)* to embalm **2** *vi* to smell sweet

embellie [ɑ̃beli] *nf* bright spell; *Naut* calm spell

embellir [ɑ̃belir] **1** *vt (pièce, personne)* to make more attractive; *(texte, vérité)* to embellish **2** *vi (jeune fille)* to grow more attractive ▪ **embellissement** *nm (de lieu)* improvement; *(de récit)* embellishment

emberlificoter [ɑ̃bɛrlifikɔte] *vt Fam (empêtrer)* to tangle up; *Fig* **se laisser e. dans** *(affaire)* to get tangled up in

embêter [ɑ̃bete] *Fam* **1** *vt (agacer)* to annoy; *(ennuyer)* to bore **2 s'embêter** *vpr* to get bored ▪ **embêtant, -ante** *adj Fam* annoying ▪ **embêtement** [-ɛtmɑ̃] *nm Fam* problem; **des embêtements** bother, trouble

emblée [ɑ̃ble] **d'emblée** *adv* right away

emblème [ɑ̃blɛm] *nm* emblem

embobiner [ɑ̃bɔbine] *vt Fam (tromper)* to take in

emboîter [ɑ̃bwate] **1** *vt* to fit together; **e. le pas à qn** to follow close on sb's heels; *Fig (imiter)* to follow in sb's footsteps **2 s'emboîter** *vpr* to fit together

embonpoint [ɑ̃bɔ̃pwɛ̃] *nm* stoutness; **avoir de l'e.** to be stout

embouché, -ée [ɑ̃buʃe] *adj Fam* **mal e.** foul-tempered

embouchure [ɑ̃buʃyr] *nf (de fleuve)* mouth; *(d'un instrument à vent)* mouthpiece

embourber [ɑ̃burbe] **s'embourber** *vpr (véhicule)* & *Fig* to get bogged down

embourgeoiser [ɑ̃burʒwaze] **s'embourgeoiser** *vpr (personne)* to become middle-class; *(quartier)* to become gentrified

embout [ɑ̃bu] *nm (de canne)* tip; *(de tuyau)* nozzle

embouteillage [ɑ̃buteja3] *nm* traffic jam

embouteillé, -ée [ɑ̃buteje] *adj (rue)* congested; **route embouteillée sur 5 km** road with a 5-km-long traffic jam

emboutir [ɑ̃butir] *vt (voiture)* to crash into; *(métal)* to stamp; **il a eu l'arrière embouti** someone crashed into the back of his car

embranchement [ɑ̃brɑ̃ʃmɑ̃] *nm (de voie)* junction

embraser [ɑ̃braze] **1** *vt* to set ablaze **2 s'embraser** *vpr (prendre feu)* to flare up

embrasser [ɑ̃brase] **1** *vt* **e. qn** *(donner un baiser à)* to kiss sb; *(serrer contre soi)* to embrace *or* hug sb; **e. une croyance** to embrace a belief; **e. qch du regard** to take sth in at one glance **2 s'embrasser** *vpr* to kiss (each other) ▪ **embrassade** *nf* embrace, hug

> Il faut noter que le verbe anglais **to embrace** est un faux ami. Il ne signifie jamais **donner un baiser.**

embrasure [ɑ̃brazyr] *nf (de fenêtre, de porte)* aperture; **dans l'e. de la porte** in the doorway

embrayer [ɑ̃breje] *vi Aut* to engage the clutch ▪ **embrayage** [-ɛjaʒ] *nm (mécanisme, pédale)* clutch

embrigader [ɑ̃brigade] *vt Péj* to dragoon (**dans** into)

embrocher [ɑ̃brɔʃe] *vt (volaille)* to put on a spit; *Fam* **e. qn** *(avec une épée)* to skewer sb

embrouiller [ɑ̃bruje] **1** *vt (fils)* to tangle (up); *(papiers)* to mix up, to muddle (up); **e. qn** to confuse sb, to get sb muddled; **tu vas m'e. les idées** you're going to get me confused **2 s'embrouiller** *vpr* to get confused *or* muddled (**dans** in *or* with) ▪ **embrouillamini** *nm Fam* muddle ▪ **embrouille** *nf Fam* muddle; **un sac d'embrouilles** a muddle of the first order

embroussaillé, -ée [ɑ̃brusaje] *adj (barbe, chemin)* bushy

embruns [ãbrœ̃] *nmpl* (sea) spray

embryon [ãbrijɔ̃] *nm* embryo ▪**embryonnaire** *adj Méd & Fig* embryonic

embûches [ãbyʃ] *nfpl (difficultés)* traps, pitfalls; **tendre des e. à qn** to set traps for sb; **semé d'e.** full of pitfalls

embuer [ãbɥe] *vt (vitre, yeux)* to mist up; **des yeux embués de larmes** eyes misted over with tears

embusquer [ãbyske] **s'embusquer** *upr* to lie in ambush ▪**embuscade** *nf* ambush

éméché, -ée [emeʃe] *adj Fam (ivre)* tipsy

émeraude [emrod] *nf & adj inv* emerald

émerger [emerʒe] *vi* to emerge **(de** from)

émérite [emerit] *adj* **professeur é.** emeritus professor

émerveiller [emerveje] **1** *vt* to amaze, to fill with wonder **2 s'émerveiller** *upr* to marvel, to be filled with wonder **(de** at) ▪**émerveillement** *nm* wonder, amazement

émettre* [emɛtr] *vt (lumière, son)* to give out, to emit; *(message radio)* to broadcast; *(timbre, monnaie)* to issue; *(opinion, vœu)* to express; *(cri)* to utter; *(chèque)* to draw; *(emprunt)* to float ▪**émetteur** *adj & nm Radio* **(poste) é.** transmitter

émeute [emøt] *nf* riot ▪**émeutier, -ière** *nmf* rioter

émietter [emjete] *vt,* **s'émietter** *upr (pain)* to crumble

émigrer [emigre] *vi (personne)* to emigrate ▪**émigrant, -ante** *nmf* emigrant ▪**émigration** *nf* emigration ▪**émigré, -ée 1** *nmf* exile, émigré **2** *adj* **travailleur é.** migrant worker

éminent, -ente [eminã, -ãt] *adj* eminent ▪**éminemment** [-amã] *adv* eminently ▪**éminence** *nf (colline)* hill; **son É. (le cardinal)** *(titre honorifique)* his Eminence (the Cardinal); *Fig* **une é. grise** *(conseiller)* an éminence grise

émir [emir] *nm* emir ▪**émirat** *nm* emirate

émissaire [emisɛr] *nm* emissary

émission [emisjɔ̃] *nf (de radio)* programme; *(diffusion)* transmission; *(de timbre, monnaie)* issue; *(de lumière, de son)* emission **(de** of)

emmagasiner [ãmagazine] *vt* to store (up); *Fig* **e. de l'énergie/des souvenirs** to store energy/ memories

emmanchure [ãmãʃyr] *nf* armhole

emmêler [ãmele] **1** *vt (fil, cheveux)* to tangle (up) **2 s'emmêler** *upr* to get tangled

emménager [ãmenaʒe] *vi (dans un logement)* to move in; **e. dans** to move into ▪**emménagement** *nm* moving in

emmener [ãmne] *vt* to take off; *(prisonnier)* to take away; **e. qn faire une promenade** to take sb for a walk; **e. qn en voiture** to give sb a *Br* lift or *Am* ride

emmerder [ãmɛrde] *très Fam* **1** *vt* **e. qn** *(agacer)* to get on sb's nerves; *(ennuyer)* to bore sb stiff **2 s'emmerder** *upr* to get bored stiff ▪**emmerdement** [-əmã] *nm très Fam* bloody nuisance ▪**emmerdeur, -euse** *nmf très Fam (personne)* pain in the *Br* arse or *Am* ass

emmitoufler [ãmitufle] **s'emmitoufler** *upr* to wrap (oneself) up **(dans** in)

emmurer [ãmyre] *vt (personne)* to wall in

émoi [emwa] *nm* emotion; **en é.** in a flutter

émoluments [emɔlymã] *nmpl (de fonctionnaire)* remuneration

émotion [emosjɔ̃] *nf (sentiment)* emotion; *(frayeur)* fright; **donner des émotions à qn** to give sb a real fright; **aimer les émotions fortes** to love thrills ▪**émotif, -ive** *adj* emotional ▪**émotionné, -ée** *adj Fam* upset

émousser [emuse] *vt (pointe)* to blunt; *Fig (sentiment)* to dull ▪**émoussé, -ée** *adj (pointe)* blunt; *Fig (sentiment)* dulled

émouvoir* [emuvwar] **1** *vt (affecter)* to move, to touch **2 s'émouvoir** *upr* to be moved or touched ▪**émouvant, -ante** *adj* moving, touching

empailler [ãpaje] *vt (animal)* to stuff

empaler [ãpale] *vt* to impale

empaqueter [ãpakte] *vt* to pack

emparer [ãpare] **s'emparer** *upr* **s'e. de** *(lieu, personne, objet)* to seize; *(sujet: émotion)* to take hold of

empâter [ãpate] **s'empâter** *upr* to become bloated ▪**empâté, -ée** *adj* fleshy, fat

empêcher [ãpeʃe] *vt* to prevent, to stop; **e. qn de faire qch** to prevent or stop sb from doing sth; **elle ne peut pas s'e. de rire** she can't help laughing; *Fig* **ça ne m'empêche pas de dormir** I don't lose any sleep over it; **e. l'accès d'un lieu** to prevent access to a place; *Fam* **il n'empêche qu'elle a raison** all the same, she's right; *Fam* **n'empêche** all the same ▪**empêchement** [-ɛʃmã] *nm* hitch; **il a/j'ai eu un e.** something came up

empereur [ãprœr] *nm* emperor

empester [ãpeste] **1** *vt (tabac)* to stink of; *(pièce)* to stink out; **e. qn** to stink sb out **2** *vi* to stink

empêtrer [ãpetre] **s'empêtrer** *upr* to get entangled **(dans** in)

emphase [ãfaz] *nf* pomposity ▪**emphatique** *adj* pompous

empiéter [ãpjete] *vi* **e. sur** to encroach (up)on ▪**empiétement** *nm* encroachment

empiffrer [ãpifre] **s'empiffrer** *upr Fam* to stuff oneself **(de** with)

empiler [ãpile] **1** *vt* to pile up **(sur** on) **2 s'empiler** *upr* to pile up **(sur** on); **s'e. dans** *(passagers)* to cram into

empire [ãpir] *nm (territoires)* empire; *(autorité)* hold, influence; **sous l'e. de la peur** in the grip of fear

empirer [ãpire] *vi* to worsen, to get worse

empirique [ɑ̃pirik] *adj* empirical ▪**empirisme** *nm* empiricism

emplacement [ɑ̃plasmɑ̃] *nm* (*de construction*) site, location; (*de stationnement*) place

emplâtre [ɑ̃plɑtr] *nm* (*pansement*) plaster

emplette [ɑ̃plɛt] *nf* purchase; **faire des emplettes** to do some shopping

emplir [ɑ̃plir] *vt*, **s'emplir** *vpr* to fill (**de** with)

emploi [ɑ̃plwa] *nm* (**a**) (*usage*) use; **e. du temps** timetable (**b**) (*travail*) job; **sans e.** unemployed; **la situation de l'e.** the employment situation

employabilité [ɑ̃plwajabilite] *nf* employability

employer [ɑ̃plwaje] **1** *vt* (*utiliser*) to use; **e. qn** (*occuper*) to employ sb **2 s'employer** *vpr* (*expression*) to be used; **s'e. à faire qch** to devote oneself to doing sth ▪**employé, -ée** *nmf* employee; **e. de banque** bank clerk; **e. de bureau** office worker; **e. de maison** domestic employee; **e. des postes** postal worker ▪**employeur, -euse** *nmf* employer

empocher [ɑ̃pɔʃe] *vt* to pocket

empoigner [ɑ̃pwaɲe] **1** *vt* (*saisir*) to grab **2 s'empoigner** *vpr* to come to blows ▪**empoignade** *nf* (*querelle*) fight

empoisonner [ɑ̃pwazɔne] **1** *vt* (*personne, aliment, atmosphère*) to poison; (*empester*) to stink out; *Fam* **e. qn** to get on sb's nerves; *Fam* **e. la vie à qn** to make sb's life a misery **2 s'empoisonner** *vpr* (*par accident*) to be poisoned; (*volontairement*) to poison oneself; *Fam* (*s'ennuyer*) to get bored stiff ▪**empoisonnant, -ante** *adj Fam* (*embêtant*) irritating ▪**empoisonnement** *nm* poisoning; *Fam* (*ennui*) problem

emporter [ɑ̃pɔrte] **1** *vt* (*prendre*) to take (**avec soi** with one); (*transporter*) to take away; (*prix, trophée*) to carry off; (*décision*) to carry; (*entraîner*) to carry along *or* away; (*par le vent*) to blow off *or* away; (*par les vagues*) to sweep away; (*par la maladie*) to carry off; **pizza à e.** takeaway pizza; **l'e. sur qn** to get the upper hand over sb; **il l'a emporté** he won; *Fig* **se laisser e.** to get carried away (**par** by); **elle ne l'emportera pas au paradis** she'll soon be smiling on the other side of her face **2 s'emporter** *vpr* to lose one's temper (**contre** with) ▪**emporté, -ée** *adj* (*caractère*) hottempered ▪**emportement** [-ɔmɑ̃] *nm* anger; **emportements** fits of anger

empoté, -ée [ɑ̃pɔte] *adj Fam* clumsy

empourprer [ɑ̃purpre] **s'empourprer** *vpr* to turn crimson

empreint, -einte [ɑ̃prɛ̃, -ɛ̃t] *adj Littéraire* **e. de bonté** full of kindness; **e. de danger** fraught with danger

empreinte [ɑ̃prɛ̃t] *nf* (*marque*) & *Fig* mark; **e. digitale** fingerprint; **e. de pas** footprint

empresser [ɑ̃prese] **s'empresser** *vpr* **s'e. de faire qch** to hasten to do sth; **s'e. auprès de qn** to be attentive to sb ▪**empressé, -ée** *adj* attentive ▪**empressement** [-ɛsmɑ̃] *nm* (*hâte*) eagerness; (*prévenance*) attentiveness

emprise [ɑ̃priz] *nf* hold (**sur** over)

emprisonner [ɑ̃prizɔne] *vt* to imprison ▪**emprisonnement** *nm* imprisonment

emprunt [ɑ̃prœ̃] *nm* (*argent*) loan; *Ling* (*mot*) borrowing; **faire un e.** (*auprès d'une banque*) to take out a loan; **d'e.** borrowed; **nom d'e.** assumed name ▪**emprunter** *vt* (*argent, objet*) to borrow (**à qn** from sb); (*route*) to take

emprunté, -ée [ɑ̃prœ̃te] *adj* (*gêné*) ill at ease

empuantir [ɑ̃pɥɑ̃tir] *vt* to make stink

ému, -ue [emy] **1** *pp de* **émouvoir 2** *adj* (*attendri*) moved; (*attristé*) upset; (*apeuré*) nervous; **une voix émue** a voice charged with emotion

émulation [emylasjɔ̃] *nf* (*sentiment*) & *Ordinat* emulation

émule [emyl] *nmf* emulator

en¹ [ɑ̃] *prép* (**a**) (*indique le lieu*) in; (*indique la direction*) to; **être en ville/en France** to be in town/in France; **aller en ville/en France** to go (in)to town/to France (**b**) (*indique le temps*) in; **en février** in February; **en été** in summer; **d'heure en heure** from hour to hour (**c**) (*indique le moyen*) by; (*indique l'état*) in; **en avion** by plane; **en groupe** in a group; **en fleur** in flower; **en congé** on leave; **en mer** at sea; **en guerre** at war (**d**) (*indique la matière*) in; **en bois** made of wood, wooden; **chemise en Nylon®** nylon shirt; **c'est en or** it's (made of) gold (**e**) (*domaine*) **étudiant en lettres** humanities *or Br* arts student; **docteur en médecine** doctor of medicine (**f**) (*comme*) **en cadeau** as a present; **en ami** as a friend (**g**) (+ *participe présent*) **en mangeant/chantant** while eating/singing; **en apprenant que...** on hearing that...; **en souriant** smiling, with a smile; **en ne disant rien** by saying nothing; **sortir en courant** to run out (**h**) (*transformation*) into; **traduire en français** to translate into French

en² [ɑ̃] *pron* (**a**) (*indique la provenance*) from there; **j'en viens** I've just come from there (**b**) (*remplace les compléments introduits par 'de'*) **il en est content** he's pleased with it/him/them; **en parler** to talk about it; **en mourir** to die of *or* from it; **elle m'en frappa** she struck me with it; **il s'en souviendra** he'll remember it (**c**) (*partitif*) some; **j'en ai** I have some; **en veux-tu?** do you want some?; **donne-lui-en** give some to him/her; **je t'en supplie** I beg you (to)

ENA [ena] (*abrév* **École nationale d'administration**) *nf* = university-level college preparing students for senior positions in law and economics ▪**énarque** *nmf* = graduate from ENA

encablure [ɑ̃kablyr] *nf* **à quelques encablures**

du rivage a short distance (away) from the shore

encadrer [ākadre] *vt* (*tableau*) to frame; (*entourer d'un trait*) to circle; (*étudiants, troupes*) to supervise; (*personnel*) to manage; (*prisonnier, accusé*) to flank; *Fam* **je ne peux pas l'e.** I can't stand him/her ▪**encadrement** *nm* (*action*) framing; (*d'étudiants*) supervision; (*de personnel*) management; (*de porte, de photo*) frame; **personnel d'e.** training and supervisory staff

encaissé, -ée [ākese] *adj* (*vallée*) deep

encaisser [ākese] *vt* (*argent, loyer*) to collect; (*chèque*) to cash; *Fam* (*coup*) to take; *Fam* **je ne peux pas l'e.** I can't stand him/her ▪**encaissement** [-esmā] *nm* (*de loyer*) collection; (*de chèque*) cashing

encart [ākar] *nm* (*feuille*) insert; **e. publicitaire** publicity insert

en-cas [āka] *nm inv* (*repas*) snack

encastrer [ākastre] *vt* to build in (**dans** to) ▪**encastré, -ée** *adj* built-in

encaustique [ākostik] *nf* wax, polish

enceinte¹ [āsēt] *adj f* (*femme*) pregnant; **e. de six mois** six months pregnant

enceinte² [āsēt] *nf* (*muraille*) (surrounding) wall; (*espace*) enclosure; **dans l'e. de** within, inside; **e. (acoustique)** speakers

encens [āsā] *nm* incense ▪**encensoir** *nm* censer

encercler [āserkle] *vt* (*lieu, ennemi*) to surround, to encircle; (*mot*) to circle

enchaîner [āʃene] **1** *vt* (*animal, prisonnier*) to chain up; (*idées*) to link (up) **2** *vi* (*continuer à parler*) to continue **3** **s'enchaîner** *vpr* (*idées*) to be linked (up) ▪**enchaînement** [-enmā] *nm* (*succession*) chain, series; (*liaison*) link(ing) (**de** between *or* of); (*en gymnastique, en danse*) enchaînement

enchanter [āʃāte] *vt* (*ravir*) to delight, to enchant; (*ensorceler*) to bewitch ▪**enchanté, -ée** *adj* (*ravi*) delighted (**de** with; **que** + *subjunctive* that); (*magique*) enchanted; **e. (de faire votre connaissance)!** pleased to meet you! ▪**enchantement** *nm* (*ravissement*) delight; (*sortilège*) magic spell; **comme par e.** as if by magic ▪**enchanteur, -eresse 1** *adj* delightful, enchanting **2** *nm* (*sorcier*) magician

enchâsser [āʃase] *vt* (*diamant*) to set

enchère [āʃer] *nf* (*offre*) bid; **vente aux enchères** auction; **mettre qch aux enchères** to put sth up for auction, to auction sth ▪**enchérir** *vi* to make a higher bid; **e. sur qn** to outbid sb

enchevêtrer [āʃvetre] **1** *vt* to (en)tangle **2** **s'enchevêtrer** *vpr* to get entangled (**dans** in) ▪**enchevêtrement** [-etrəmā] *nm* tangle, entanglement

enclave [āklav] *nf* enclave

enclencher [āklāʃe] *vt Tech* to engage

enclin, -ine [āklē, -in] *adj* **e. à** inclined to

enclos [āklo] *nm* (*terrain, clôture*) enclosure ▪**enclore*** *vt* (*terrain*) to enclose

enclume [āklym] *nf* anvil

encoche [ākɔʃ] *nf* notch (**à** in)

encoignure [ākwaɲyr] *nf* corner

encoller [ākɔle] *vt* (*papier peint*) to paste

encolure [ākɔlyr] *nf* (*de cheval, vêtement*) neck; (*tour du cou*) collar (size); **robe à e. carrée** square-neck(ed) dress

encombre [ākɔbr] **sans encombre** *adv* without a hitch

encombrer [ākɔbre] **1** *vt* (*pièce, couloir*) to clutter up (**de** with); (*rue, passage*) to block; **e. qn** to hamper sb **2** **s'encombrer** *vpr* **s'e. de** to load oneself down with ▪**encombrant, -ante** *adj* (*paquet*) bulky, cumbersome; (*présence*) awkward ▪**encombré, -ée** *adj* (*lignes téléphoniques, route*) jammed ▪**encombrement** [-əmā] *nm* (*d'objets*) clutter; (*embouteillage*) traffic jam; (*volume*) bulk(iness)

encontre [ākɔtr] **à l'encontre de** *prép* against

encore [ākɔr] *adv* (**a**) (*toujours*) still; **tu es e. là?** are you still here? (**b**) (*avec négation*) **pas e.** not yet; **je ne suis pas e. prêt** I'm not ready yet (**c**) (*de nouveau*) again; **essaie e.** try again (**d**) (*de plus, en plus*) **e. un café** another coffee, one more coffee; **e. une fois** (once) again, once more; **e. un** another (one), one more; **e. du pain** (some) more bread; **que veut-il e.?** what else *or* more does he want?; **e. quelque chose** something else; **qui/quoi e.?** who/what else? (**e**) (*avec comparatif*) even, still; **e. mieux**, better, better still (**f**) (*aussi*) **mais e.** but also (**g**) **si e.** (*si seulement*) if only; **et e.** (*à peine*) if that, only just (**h**) **e. que...** (+ *subjunctive*) although...

encourager [ākuraʒe] *vt* to encourage (**à faire** to do) ▪**encourageant, -ante** *adj* encouraging ▪**encouragement** *nm* encouragement

encourir* [ākurir] *vt* to incur

encrasser [ākrase] **1** *vt* to clog up (with dirt) **2** **s'encrasser** *vpr* to get clogged up

encre [ākr] *nf* ink; **faire couler beaucoup d'e.** to be much written about; **e. de Chine** *Br* Indian ink, *Am* India ink; **e. sympathique** invisible ink ▪**encrier** *nm* inkpot

encroûter [ākrute] **s'encroûter** *vpr Péj* to get into a rut

encyclopédie [āsiklɔpedi] *nf* encyclopedia ▪**encyclopédique** *adj* encyclopedic

endémique [ādemik] *adj* endemic

endetter [ādete] **1** *vt* **e. qn** to get sb into debt **2** **s'endetter** *vpr* to get into debt ▪**endettement** *nm* debts

endeuiller [ādœje] *vt* (*famille, nation*) to plunge into mourning

endiablé, -ée [ādjable] *adj* (*rythme*) wild

endiguer [ɑ̃dige] *vt (fleuve)* to dyke (up); *Fig (réprimer)* to contain

endimanché, -ée [ɑ̃dimɑ̃ʃe] *adj* in one's Sunday best

endive *nf* chicory *inv,* endive

endoctriner [ɑ̃dɔktrine] *vt* to indoctrinate ▪ **endoctrinement** *nm* indoctrination

endolori, -ie [ɑ̃dɔlɔri] *adj* painful

endommager [ɑ̃dɔmaʒe] *vt* to damage

endormir* [ɑ̃dɔrmir] **1** *vt (enfant)* to put to sleep; *(ennuyer)* to send to sleep; *(soupçons)* to lull; *(douleur)* to deaden **2 s'endormir** *vpr* to fall asleep, to go to sleep ▪ **endormi, -ie** *adj* asleep, sleeping; *Fam (indolent)* sluggish

endosser [ɑ̃dose] *vt (vêtement)* to put on; *(responsabilité)* to assume; *(chèque)* to endorse

endroit [ɑ̃drwa] *nm* (a) *(lieu)* place, spot; **à cet e. du récit** at this point in the story; **par endroits** in places (b) *(de tissu)* right side; **à l'e.** *(vêtement)* the right way round

enduire* [ɑ̃dɥir] *vt* to smear, to coat (**de** with) ▪ **enduit** *nm* coating; *(de mur)* plaster

endurant, -ante [ɑ̃dyrɑ̃, -ɑ̃t] *adj* hardy, tough ▪ **endurance** *nf* stamina; **épreuve d'e.** endurance trial

endurcir [ɑ̃dyrsir] **1** *vt* **e. qn à** *(douleur)* to harden sb to **2 s'endurcir** *vpr (moralement)* to become hard; *(physiquement)* to toughen up ▪ **endurci, -ie** *adj (insensible)* hardened; **célibataire e.** confirmed bachelor

endurer [ɑ̃dyre] *vt* to endure, to bear

énergie [enerʒi] *nf* energy; **avec é.** *(protester)* forcefully ▪ **énergétique** *adj* **aliment é.** energy food; **ressources énergétiques** energy resources ▪ **énergique** *adj (dynamique)* energetic; *(remède)* powerful; *(mesure, ton)* forceful ▪ **énergiquement** *adv (protester)* energetically

énergumène [energymen] *nmf Péj* eccentric

énerver [enerve] **1** *vt* **é. qn** *(irriter)* to get on sb's nerves; *(rendre nerveux)* to make sb nervous **2 s'énerver** *vpr* to get worked up ▪ **énervé, -ée** *adj (agacé)* irritated; *(excité)* on edge, agitated ▪ **énervement** [-əmɑ̃] *nm (agacement)* irritation; *(excitation)* agitation

> Il faut noter que le verbe anglais **to unnerve** est un faux ami. Il signifie **troubler**.

enfance [ɑ̃fɑ̃s] *nf* childhood; **petite e.** infancy, early childhood; *Fam* **c'est l'e. de l'art** it's child's play ▪ **enfanter** *vt* to give birth to ▪ **enfantillages** *nmpl* childish *Br* behaviour *or Am* behavior ▪ **enfantin, -ine** *adj (voix, joie)* childlike; *(langage)* children's; *(puéril)* childish; *(simple)* easy

enfant [ɑ̃fɑ̃] *nmf* child *(pl* children); **attendre un e.** to be expecting a baby; **c'est un e. de...** *(originaire)* he's a native of...; **c'est un jeu d'e.** it's child's play; **e. en bas âge** infant; *Rel* **e. de chœur** altar boy; **e. gâté** spoilt child; **e.**

prodige child prodigy; **e. prodigue** prodigal son; **e. trouvé** foundling; **e. unique** only child

enfer [ɑ̃fɛr] *nm* hell; **d'e.** *(bruit, vision)* infernal; **à un train d'e.** at breakneck speed; *Fam* **un plan d'e.** a hell of a (good) plan

enfermer [ɑ̃ferme] **1** *vt (personne, chose)* to shut up; **e. qn/qch à clef** to lock sb/sth up **2 s'enfermer** *vpr* **s'e. dans** *(chambre)* to shut oneself (up) in; *Fig (attitude)* to maintain stubbornly; **s'e. à clef** to lock oneself in

enfiévré, -ée [ɑ̃fjevre] *adj (front, imagination)* fevered

enfilade [ɑ̃filad] *nf (série)* row, string; **des pièces en e.** a suite of rooms

enfiler [ɑ̃file] *vt (aiguille)* to thread; *(perles)* to string; *Fam (vêtement)* to slip on

enfin [ɑ̃fɛ̃] *adv (à la fin)* finally, at last; *(en dernier lieu)* lastly; *(en somme)* in a word; *(de résignation)* well; *Fam* **e. bref...** *(en somme)* in a word...; **mais e.** but; **(mais) e.!** for heaven's sake!; **il est grand, e. pas trop petit** he's tall, well, at least he's not too short

enflammer [ɑ̃flame] **1** *vt* to set fire to; *(allumette)* to light; *(irriter)* to inflame; *(imagination)* to stir **2 s'enflammer** *vpr* to catch fire ▪ **enflammé, -ée** *adj (discours)* fiery

enfler [ɑ̃fle] **1** *vt (rivière, membre)* to swell **2** *vi (membre)* to swell (up) ▪ **enflure** *nf* swelling

enfoncer [ɑ̃fɔ̃se] **1** *vt (clou)* to bang in; *(pieu)* to drive in; *(porte, voiture)* to smash in; *(chapeau)* to push down; **e. dans qch** *(couteau, mains)* to plunge into sth **2** *vi (s'enliser)* to sink (**dans** into); *(couteau)* to go in **3 s'enfoncer** *vpr (s'enliser)* to sink (**dans** into); *(couteau)* to go in; **s'e. dans** *(pénétrer)* to disappear into ▪ **enfoncé, -ée** *adj (yeux)* sunken

enfouir [ɑ̃fwir] *vt* to bury

enfourcher [ɑ̃furʃe] *vt (cheval)* to mount

enfourner [ɑ̃furne] *vt* to put in the oven

enfreindre* [ɑ̃frɛ̃dr] *vt* to infringe

enfuir* [ɑ̃fɥir] **s'enfuir** *vpr* to run away (**de** from)

enfumer [ɑ̃fyme] *vt (pièce)* to fill with smoke; *(personne)* to smoke out

engager [ɑ̃gaʒe] **1** *vt (discussion, combat)* to start; *(bijou)* to pawn; *(parole)* to pledge; *(clef)* to insert (**dans** into); **e. qn** *(embaucher)* to hire sb; *(lier)* to bind sb; **e. qn dans** *(affaire)* to involve sb in; **e. qn à faire qch** to urge sb to do sth; **e. la partie** to start the match **2 s'engager** *vpr (dans l'armée)* to enlist; *(prendre position)* to commit oneself; *(partie)* to start; **s'e. à faire qch** to undertake to do sth; **s'e. dans** *(voie)* to enter; *(affaire)* to get involved in; **s'e. dans une aventure** to get involved in an adventure ▪ **engagé, -ée** *adj (écrivain)* committed ▪ **engageant, -ante** *adj* engaging ▪ **engagement** *nm (promesse)* commitment; *(de soldats)* enlistment; *(commencement)* start; *Football* kick-off; **sans e. de votre part** without obligation (on your part); **prendre l'e. de faire qch** to undertake to do sth

Il faut noter que l'adjectif anglais **engaged** est un faux ami. Il ne s'utilise jamais dans un contexte politique.

engelure [ãʒlyr] nf chilblain
engendrer [ãʒãdre] vt (causer) to generate, to engender; (procréer) to father
engin [ãʒɛ̃] nm (machine) machine; (outil) device; **e. explosif** explosive device; **e. spatial** spacecraft

Il faut noter que le nom anglais **engine** est un faux ami. Il signifie **moteur**.

englober [ãglɔbe] vt to include
engloutir [ãglutir] vt (nourriture) to wolf down; (bateau, village) to submerge
engorger [ãgɔrʒe] vt to block up, to clog
engouement [ãgumã] nm craze (**pour** for)
engouffrer [ãgufre] 1 vt Fam (avaler) to wolf down 2 **s'engouffrer** vpr **s'e. dans** to rush into
engourdir [ãgurdir] 1 vt (membre) to numb; (esprit) to dull 2 **s'engourdir** vpr (membre) to go numb; (esprit) to become dull(ed) ▪ **engourdissement** nm numbness
engrais [ãgre] nm fertilizer
engraisser [ãgrese] 1 vt (animal, personne) to fatten up 2 vi Fam to get fat
engrenage [ãgrənaʒ] nm Tech gears; Fig chain; Fig **pris dans l'e.** caught (up) in the system
engueuler [ãgœle] Fam 1 vt **e. qn** to yell at sb, to bawl sb out; **se faire e.** to get bawled out 2 **s'engueuler** vpr to have a row ▪ **engueulade** nf Fam (réprimande) bawling out; (dispute) row, Br slanging match
enhardir [ãardir] 1 vt to make bolder 2 **s'enhardir** vpr **s'e. à faire qch** to pluck up courage to do sth
énième [enjɛm] adj Fam umpteenth
énigme [enigm] nf (devinette) riddle; (mystère) enigma ▪ **énigmatique** adj enigmatic
enivrer [ãnivre] 1 vt (soûler) to intoxicate 2 **s'enivrer** vpr to get drunk (de on)
enjamber [ãʒãbe] vt to step over; (sujet: pont) (rivière) to span ▪ **enjambée** nf stride
enjeu, -x [ãʒø] nm (mise) stake; Fig (de guerre) stakes; **quel est l'e.?** what is at stake?
enjoindre* [ãʒwɛ̃dr] vt Littéraire **e. à qn de faire qch** to enjoin sb to do sth
enjôler [ãʒole] vt to coax
enjoliver [ãʒɔlive] vt to embellish
enjoliveur [ãʒɔlivœr] nm hubcap
enjoué, -ée [ãʒwe] adj playful ▪ **enjouement** nm playfulness
enlacer [ãlase] vt (mêler) to entwine; (embrasser) to clasp
enlaidir [ãledir] 1 vt to make ugly 2 vi to grow ugly

enlevé, -ée [ãlve] adj (style, danse) lively
enlever [ãl(ə)ve] 1 vt to remove; (meubles) to take away, to remove; (vêtement, couvercle) to take off, to remove; (tapis) to take up; (rideau) to take down; (enfant) to kidnap, to abduct; (ordures) to collect 2 **s'enlever** vpr (tache) to come out; (vernis) to come off ▪ **enlèvement** [-ɛvmã] nm (d'enfant) kidnapping, abduction; (d'un objet) removal; (des ordures) collection
enliser [ãlize] **s'enliser** vpr (véhicule) et Fig to get bogged down (**dans** in)
enneigé, -ée [ãneʒe] adj snow-covered ▪ **enneigement** [-ɛʒmã] nm snow coverage; **bulletin d'e.** snow report
ennemi, -ie [enmi] 1 nmf enemy 2 adj (personne) hostile (**de** to); **pays/soldat e.** enemy country/soldier
ennui [ãnɥi] nm (lassitude) boredom; (souci) problem; **avoir des ennuis** (soucis) to be worried; (problèmes) to have problems; **l'e., c'est que...** the annoying thing is that...
ennuyer [ãnɥije] 1 vt (agacer) to annoy; (préoccuper) to bother; (lasser) to bore; **si ça ne t'ennuie pas** if you don't mind 2 **s'ennuyer** vpr to get bored ▪ **ennuyé, -ée** adj (air) bored; **je suis très e.** (confus) I feel bad (about it) ▪ **ennuyeux, -euse** adj (contrariant) annoying; (lassant) boring

Il faut noter que le verbe anglais **to annoy** ne signifie jamais **lasser**. Il signifie **importuner** ou **irriter**.

énoncé [enɔ̃se] nm (de question) wording; (de faits) statement; (de sentence) pronouncement ▪ **énoncer** vt to state
enorgueillir [ãnɔrgœjir] **s'enorgueillir** vpr **s'e. de qch** to pride oneself on sth
énorme [enɔrm] adj enormous, huge ▪ **énormément** adv (travailler, pleurer) an awful lot; **je le regrette é.** I'm awfully sorry about it; **il n'a pas é. d'argent** he hasn't got a huge amount of money ▪ **énormité** nf (de demande, de crime, de somme) enormity; (faute) glaring mistake
enquérir* [ãkerir] **s'enquérir** vpr **s'e. de qch** to inquire about sth
enquête [ãkɛt] nf (de policiers, de journalistes) investigation; (judiciaire, administrative) inquiry; (sondage) survey ▪ **enquêter** vi (policier, journaliste) to investigate; **e. sur qch** to investigate sth ▪ **enquêteur, -euse** nmf (policier) investigator; (sondeur) researcher
enquiquiner [ãkikine] vt Fam to annoy
enraciner [ãrasine] **s'enraciner** vpr to take root; **enraciné dans** (personne, souvenir) rooted in; **bien enraciné** (préjugé) deep-rooted
enrager [ãraʒe] vi to be furious (**de faire** about doing); **faire e. qn** to get on sb's nerves ▪ **enragé, -ée** adj (chien) rabid; Fam (joueur)

fanatical (**de** about) ▪ **enrageant, -ante** *adj* infuriating

enrayer [ɑ̃reje] **1** *vt (maladie)* to check **2** **s'enrayer** *vpr (fusil)* to jam

enregistrer [ɑ̃r(ə)ʒistre] *vt (par écrit, sur bande)* to record; *(sur registre)* to register; *(constater)* to register; **(faire) e. ses bagages** *(à l'aéroport)* to check in, to check one's bags in; **ça enregistre** it's recording ▪ **enregistrement** [-əmɑ̃] *nm (d'un acte)* registration; *(sur bande)* recording; **l'e. des bagages** *(à l'aéroport)* (baggage) check-in; **se présenter à l'e.** to check in ▪ **enregistreur, -euse** *adj* **appareil e.** recording apparatus; **caisse enregistreuse** cash register

enrhumer [ɑ̃ryme] **s'enrhumer** *vpr* to catch a cold; **être enrhumé** to have a cold

enrichir [ɑ̃riʃir] **1** *vt* to enrich (**de** with) **2** **s'enrichir** *vpr (personne)* to get rich

enrober [ɑ̃rɔbe] *vt* to coat (**de** in); **enrobé de chocolat** chocolate-coated

enrôler [ɑ̃role] *vt*, **s'enrôler** *vpr* to enlist ▪ **enrôlement** *nm* enlistment

enrouer [ɑ̃rwe] **s'enrouer** *vpr* to get hoarse ▪ **enroué, -ée** *adj* hoarse

enrouler [ɑ̃rule] **1** *vt (fil)* to wind; *(tapis, cordage)* to roll up **2** **s'enrouler** *vpr* **s'e. dans qch** *(couvertures)* to wrap oneself up in sth; **s'e. sur** *ou* **autour de qch** to wind round sth

ensabler [ɑ̃sable] *vt*, **s'ensabler** *vpr (port)* to silt up

ensanglanté, -ée [ɑ̃sɑ̃glɑ̃te] *adj* bloodstained

enseigne [ɑ̃sɛɲ] *nf (de magasin)* sign; *Fig* **logés à la même e.** in the same boat; **e. lumineuse** neon sign

enseigner [ɑ̃seɲe] **1** *vt* to teach; **e. qch à qn** to teach sb sth **2** *vi* to teach ▪ **enseignant, -ante** [-eɲɑ̃, -ɑ̃t] **1** *nmf* teacher **2** *adj* **corps e.** teaching profession ▪ **enseignement** [-ɛɲəmɑ̃] *nm* education; *(action, métier)* teaching; **être dans l'e.** to be a teacher; **e. par correspondance** distance learning; **e. privé** private education; **e. public** *Br* state *or* *Am* public education

ensemble [ɑ̃sɑ̃bl] **1** *adv* together; **aller (bien) e.** *(couleurs)* to go together; *(personnes)* to be well-matched **2** *nm (d'objets)* group, set; *Math* set; *(vêtement)* outfit; *Mus* ensemble; *(harmonie)* unity; **l'e. du personnel** *(totalité)* the whole (of the) staff; **l'e. des enseignants** all (of) the teachers; **dans l'e.** on the whole; **vue d'e.** general view; **grand e.** *(quartier)* housing *Br* complex *or* *Am* development

ensemencer [ɑ̃səmɑ̃se] *vt (terre)* to sow

ensevelir [ɑ̃səvlir] *vt* to bury

ensoleillé, -ée [ɑ̃sɔleje] *adj (endroit, journée)* sunny

ensommeillé, -ée [ɑ̃sɔmeje] *adj* sleepy

ensorceler [ɑ̃sɔrsəle] *vt (envoûter, séduire)* to bewitch ▪ **ensorcellement** [-ɛlmɑ̃] *nm (séduction)* spell

ensuite [ɑ̃sɥit] *adv (puis)* next, then; *(plus tard)* afterwards

ensuivre* [ɑ̃sɥivr] **s'ensuivre** *v impersonnel* **il s'ensuit que...** it follows that...; **et tout ce qui s'ensuit** and all the rest of it; **jusqu'à ce que mort s'ensuive** until death

entacher [ɑ̃taʃe] *vt (honneur)* to sully

entaille [ɑ̃taj] *nf (fente)* notch; *(blessure)* gash, slash ▪ **entailler** *vt* to notch; *(blesser)* to gash, to slash

entame [ɑ̃tam] *nf* first slice

entamer [ɑ̃tame] *vt (pain, peau)* to cut into; *(bouteille, boîte)* to open; *(négociations)* to enter into; *(capital)* to eat or break into; *(métal, plastique)* to damage; *(résolution, réputation)* to shake

entartrer [ɑ̃tartre] *vt*, **s'entartrer** *vpr (chaudière)* *Br* to fur up, *Am* to scale

entasser [ɑ̃tase] *vt*, **s'entasser** *vpr (objets)* to pile up, to heap up ▪ **entassement** *nm (tas)* pile, heap; *(de gens)* crowding

entendement [ɑ̃tɑ̃dmɑ̃] *nm (faculté)* understanding

entendre [ɑ̃tɑ̃dr] **1** *vt* to hear; *(comprendre)* to understand; *(vouloir)* to intend; **e. parler de qn/qch** to hear of sb/sth; **e. dire que...** to hear (it said) that...; **e. raison** to listen to reason; **laisser e. à qn que...** to give sb to understand that... **2** **s'entendre** *vpr (être entendu)* to be heard; *(être compris)* to be understood; **s'e. (sur)** *(être d'accord)* to agree (on); **(bien) s'e. avec qn** to get along *or Br* on with sb; **on ne s'entend plus!** *(à cause du bruit)* we can't hear ourselves speak!; **il s'y entend** *(est expert)* he knows all about that

entendu, -ue [ɑ̃tɑ̃dy] *adj (convenu)* agreed; *(compris)* understood; *(sourire, air)* knowing; **e.!** all right!; **bien e.** of course

entente [ɑ̃tɑ̃t] *nf (accord)* agreement, understanding; **(bonne) e.** *(amitié)* harmony

entériner [ɑ̃terine] *vt* to ratify

enterrer [ɑ̃tere] *vt (défunt)* to bury; *Fig (projet)* to scrap ▪ **enterrement** [-ɛrmɑ̃] *nm* burial; *(funérailles)* funeral

en-tête [ɑ̃tɛt] *(pl* **en-têtes***) nm (de papier)* heading; **papier à e.** *Br* headed paper, *Am* letterhead

entêter [ɑ̃tete] **s'entêter** *vpr* to persist (**à faire** in doing) ▪ **entêté, -ée** *adj* stubborn ▪ **entêtement** [ɑ̃tɛtmɑ̃] *nm* stubbornness; **e. à faire qch** persistence in doing sth

enthousiasme [ɑ̃tuzjasm] *nm* enthusiasm ▪ **enthousiasmant, -ante** *adj* exciting ▪ **enthousiasmer 1** *vt* to fill with enthusiasm **2** **s'enthousiasmer** *vpr* **s'e. pour qch** to get enthusiastic about sth ▪ **enthousiaste** *adj* enthusiastic

enticher [ɑ̃tiʃe] **s'enticher** *vpr* **s'e. de qn/qch** to become infatuated with sb/sth

entier, -ière [ɑ̃tje, -jɛr] **1** *adj (total)* whole, entire; *(intact)* intact; *(absolu)* absolute, complete; *(caractère, personne)* uncompromising; **payer place entière** to pay full price; **le pays tout e.** the whole *or* entire country **2** *nm (unité)* whole; **en e., dans son e.** in its entirety, completely ▪ **entièrement** *adv* entirely

entité [ɑ̃tite] *nf* entity

entonner [ɑ̃tɔne] *vt (air)* to start singing

entonnoir [ɑ̃tɔnwar] *nm* funnel

entorse [ɑ̃tɔrs] *nf Méd* sprain; **se faire une e. à la cheville** to sprain one's ankle; *Fig* **faire une e. au règlement** to bend the rules

entortiller [ɑ̃tɔrtije] **1** *vt* to wrap (**dans** in); *Fam* **e. qn** to dupe sb **2 s'entortiller** *vpr (lierre)* to coil (**autour de** round)

entourage [ɑ̃turaʒ] *nm (proches)* circle of family and friends

entourer [ɑ̃ture] **1** *vt* to surround (**de** with); *(envelopper)* to wrap (**de** in); **entouré de** surrounded by; **e. qn de ses bras** to put one's arms round sb; **il est très entouré** *(soutenu)* he has lots of supportive people around him **2 s'entourer** *vpr* **s'e. de** to surround oneself with

entourlouper [ɑ̃turlupe] *vt Fam* **e. qn** to play a dirty trick on sb ▪ **entourloupette** *nf Fam* dirty trick; **faire une e. à qn** to play a dirty trick on sb

entracte [ɑ̃trakt] *nm (de théâtre) Br* interval, *Am* intermission

entraide [ɑ̃trɛd] *nf* mutual aid ▪ **s'entraider** [sɑ̃trede] *vpr* to help each other

entrailles [ɑ̃trɑj] *nfpl* entrails

entrain [ɑ̃trɛ̃] *nm* get-up-and-go; **plein d'e.** lively; **sans e.** lifeless

entraînant, -ante [ɑ̃trɛnɑ̃, -ɑ̃t] *adj (musique)* lively

entraîner [ɑ̃trene] **1** *vt* (**a**) *(charrier)* to carry away; *(causer)* to bring about; *(dépenses, modifications)* to entail; *Tech (roue)* to drive; **e. qn** *(emmener)* to lead sb away; *(de force)* to drag sb away; *(attirer)* to lure sb; **e. qn à faire qch** to lead sb to do sth; **se laisser e.** to allow oneself to be led astray (**b**) *(athlète, cheval)* to train (**à** for) **2 s'entraîner** *vpr* to train oneself (**à faire qch** to do sth); *Sport* to train ▪ **entraînement** [-ɛnmɑ̃] *nm Sport* training; *(élan)* impulse; *Tech* drive ▪ **entraîneur** [-ɛnœr] *nm (d'athlète)* coach; *(de cheval)* trainer

entrave [ɑ̃trav] *nf Fig (obstacle)* hindrance (**à** to) ▪ **entraver** *vt* to hinder, to hamper

entre [ɑ̃tr] *prép* between; *(parmi)* among(st); **l'un d'e. vous** one of you; *(soit dit)* **e. nous** between you and me; **se dévorer e. eux** *(réciprocité)* to devour each other; **e. deux âges** middle-aged; **e. autres (choses)** among other things

entrebâiller [ɑ̃trǝbɑje] *vt (porte)* to open slightly ▪ **entrebâillement** *nm* **par l'e. de la porte** through the half-open door

entrechoquer [ɑ̃trǝʃɔke] **s'entrechoquer** *vpr (bouteilles)* to knock against each other

entrecôte [ɑ̃trǝkot] *nf* rib steak

entrecouper [ɑ̃trǝkupe] *vt (entremêler)* to punctuate (**de** with)

entrecroiser [ɑ̃trǝkrwaze] *vt,* **s'entrecroiser** *vpr (fils)* to interlace; *(routes)* to intersect

entre-deux-guerres [ɑ̃trǝdøgɛr] *nm inv* inter-war period

entrée [ɑ̃tre] *nf (action)* entry, entrance; *(porte)* entrance; *(vestibule)* entrance hall, entry; *(accès)* admission, entry (**de** to); *Ordinat* input; *(plat)* starter; **à son e.** as he/she came in; **faire son e.** to make one's entrance; **à l'e. de l'hiver** at the beginning of winter; **'e. interdite'** 'no entry', 'no admittance'; **'e. libre'** 'admission free'; **e. en matière** *(d'un discours)* opening, introduction; **e. en vigueur** *(d'une loi)* date of application; *Scol* **e. en sixième** *Br* ≃ entering the first form, *Am* ≃ entering the sixth grade; **e. de service** service *or Br* tradesmen's entrance; **e. des artistes** stage door

entrefaites [ɑ̃trǝfɛt] *nfpl* **sur ces e.** at that moment

entrefilet [ɑ̃trǝfilɛ] *nm* short (news) item

entrejambe [ɑ̃trǝʒɑ̃b] *nm* crotch

entrelacer [ɑ̃trǝlase] *vt,* **s'entrelacer** *vpr* to intertwine

entremêler [ɑ̃trǝmele] *vt,* **s'entremêler** *vpr* to intermingle

entremets [ɑ̃trǝmɛ] *nm (plat)* dessert, *Br* sweet

entremetteur, -euse [ɑ̃trǝmɛtœr, -øz] *nmf* go-between

entremise [ɑ̃trǝmiz] *nf* intervention; **par l'e. de qn** through sb

entreposer [ɑ̃trǝpoze] *vt* to store ▪ **entrepôt** *nm* warehouse

entreprendre* [ɑ̃trǝprɑ̃dr] *vt (travail, voyage)* to undertake; **e. de faire qch** to undertake to do sth ▪ **entreprenant, -ante** [-ǝnɑ̃] *adj* enterprising; *(galant)* forward

entrepreneur [ɑ̃trǝprǝnœr] *nm (en bâtiment)* contractor

entreprise [ɑ̃trǝpriz] *nf (firme)* company, firm; *(opération)* undertaking

entrer [ɑ̃tre] **1** *vi (aux* **être**) *(aller)* to go in, to enter; *(venir)* to come in, to enter; **e. dans** to go into; *(pièce)* to come/go into, to enter; *(club)* to join; *(carrière)* to enter, to go into; **e. dans un arbre** *(en voiture)* to crash into a tree; **e. à l'université** to start university; **e. en action** to go into action; **e. en ébullition** to start boiling; **e. dans les détails** to go into detail; **faire/laisser e. qn** to show/let sb in; **entrez!** come in! **2** *vt Ordinat* **e. des données** to enter data (**dans** into)

entresol [ɑ̃trǝsɔl] *nm* mezzanine floor

entre-temps [ɑ̃trətɑ̃] *adv* meanwhile
entretenir* [ɑ̃trət(ə)nir] **1** *vt (voiture, maison, famille)* to maintain; *(relations, souvenir)* to keep; *(sentiment)* to entertain; **e. sa forme/sa santé** to keep fit/healthy; **e. qn de qch** to talk to sb about sth **2** **s'entretenir** *vpr* **s'e. de** to talk about **(avec** with) ▪ **entretenu, -ue** *adj* **bien/mal e.** *(maison)* well-kept/badly kept; **femme entretenue** kept woman

> Il faut noter que le verbe anglais **to entertain** est un faux ami. Il signifie le plus souvent **divertir**.

entretien [ɑ̃trətjɛ̃] *nm (de route, de maison)* maintenance, upkeep; *(dialogue)* conversation; *(entrevue)* interview; **entretiens** *(négociations)* talks
entre-tuer [ɑ̃trətɥe] **s'entre-tuer** *vpr* to kill each other
entrevoir* [ɑ̃trəvwar] *vt (rapidement)* to catch a glimpse of; *(pressentir)* to foresee
entrevue [ɑ̃trəvy] *nf* interview
entrouvrir* [ɑ̃truvrir] *vt,* **s'entrouvrir** *vpr* to half-open ▪ **entrouvert, -erte** *adj (porte, fenêtre)* half-open
énumérer [enymere] *vt* to list ▪ **énumération** *nf* listing
envahir [ɑ̃vair] *vt (pays)* to invade; *(marché)* to flood; **e. qn** *(doute, peur)* to overcome sb ▪ **envahissant, -ante** *adj (voisin)* intrusive ▪ **envahissement** *nm* invasion ▪ **envahisseur** *nm* invader
enveloppant, -ante [ɑ̃vlɔpɑ̃, -ɑ̃t] *adj (séduisant)* captivating
enveloppe [ɑ̃vlɔp] *nf (pour lettre)* envelope; *(de colis)* wrapping; *(de pneu)* casing; *Fig (apparence)* exterior; **mettre qch sous e.** to put sth in an envelope; **e. timbrée à votre adresse** *Br* stamped addressed envelope, *Am* stamped self-addressed envelope
envelopper [ɑ̃vlɔpe] **1** *vt* to wrap (up) **(dans** in); **e. la ville** *(brouillard)* to blanket *or* envelop the town; **enveloppé de mystère** shrouded in mystery **2** **s'envelopper** *vpr* to wrap oneself (up) **(dans** in)
envenimer [ɑ̃v(ə)nime] **1** *vt (plaie)* to make septic; *Fig (querelle)* to embitter **2** **s'envenimer** *vpr (plaie)* to turn septic; *Fig* to become acrimonious
envergure [ɑ̃vɛrgyr] *nf (d'avion, d'oiseau)* wingspan; *(de personne)* calibre; *(ampleur)* scope; **de grande e.** *(réforme)* far-reaching
envers [ɑ̃vɛr] **1** *prép Br* towards, *Am* toward(s), to; **e. et contre tous** in the face of all opposition **2** *nm (de tissu)* wrong side; *(de médaille)* reverse side; **à l'e.** *(chaussette)* inside out; *(pantalon)* back to front; *(la tête en bas)* upside down; *(à contresens)* the wrong way
envie [ɑ̃vi] *nf (jalousie)* envy; *(désir)* desire; *Fam*

(des ongles) hangnail; **avoir e. de qch** to want sth; **j'ai e. de faire qch** I feel like doing sth; **elle meurt d'e. de faire qch** she's dying to do sth; **ça me fait e.** I really like that ▪ **envier** *vt* to envy **(qch à qn** sb sth) ▪ **envieux, -ieuse** *adj* envious; **faire des e.** to make people envious
environ [ɑ̃virɔ̃] *adv (à peu près)* about ▪ **environs** *nmpl* outskirts, surroundings; **aux e. de** *(Paris, Noël, 10 euros)* around, in the vicinity of
environner [ɑ̃virɔne] *vt* to surround ▪ **environnant, -ante** *adj* surrounding ▪ **environnement** *nm* environment
envisager [ɑ̃vizaʒe] *vt (considérer)* to consider; *(projeter) Br* to envisage, *Am* to envision; **e. de faire qch** to consider doing sth ▪ **envisageable** *adj* conceivable; **pas e.** unthinkable
envoi [ɑ̃vwa] *nm (action)* sending; *(paquet)* package; *(marchandises)* consignment
envol [ɑ̃vɔl] *nm (d'oiseau)* taking flight; *(d'avion)* take-off ▪ **envolée** *nf Fig (élan)* flight ▪ **s'envoler** *vpr (oiseau)* to fly away; *(avion)* to take off; *(chapeau)* to blow away; *Fig (espoir)* to vanish
envoûter [ɑ̃vute] *vt* to bewitch ▪ **envoûtement** *nm* bewitchment
envoyer* [ɑ̃vwaje] **1** *vt* to send; *(lancer)* to throw; *Fam (gifle)* to give; **e. chercher qn** to send for sb; *Fam* **e. promener qn** to send sb packing **2** **s'envoyer** *vpr Fam (repas)* to put *or* stash away ▪ **envoyé, -ée** *nmf* envoy; **e. spécial** *(reporter)* special correspondent ▪ **envoyeur** *nm* sender; **'retour à l'e.'** *(sur une enveloppe)* 'return to sender'
épagneul, -eule [epaɲœl] *nmf* spaniel
épais, -aisse [epɛ, -ɛs] *adj* thick ▪ **épaisseur** *nf* thickness; **avoir 1 m d'é.** to be 1 m thick ▪ **épaissir** [epesir] **1** *vt* to thicken **2** *vi,* **s'épaissir** *vpr* to thicken; *(grossir)* to fill out; **le mystère s'épaissit** the mystery is deepening
épancher [epɑ̃ʃe] **1** *vt Fig (cœur)* to pour out **2** **s'épancher** *vpr* to pour out one's heart ▪ **épanchement** *nm (aveu)* outpouring
épanouir [epanwir] **s'épanouir** *vpr (fleur)* to bloom; *Fig (personne)* to blossom; *(visage)* to beam ▪ **épanoui, -ouie** *adj (fleur, personne)* in full bloom; *(visage)* beaming ▪ **épanouissement** *nm (de fleur)* full bloom; *(de personne)* blossoming
épargne [eparɲ] *nf (action, vertu)* saving; *(sommes)* savings ▪ **épargnant, -ante** *nmf* saver ▪ **épargner** *vt (argent, provisions)* to save; *(ennemi)* to spare; **e. qch à qn** *(ennuis, chagrin)* to spare sb sth
éparpiller [eparpije] *vt,* **s'éparpiller** *vpr* to scatter; *(efforts)* to dissipate ▪ **épars, -arse** *adj* scattered
épaté, -ée [epate] *adj (nez)* flat
épater [epate] *vt Fam* to astound ▪ **épatant, -ante** *adj Fam* splendid

épaule [epol] *nf* shoulder ▪ **épauler 1** *vt (fusil)* to raise (to one's shoulder); *(aider)* to back sb up **2** *vi* to take aim ▪ **épaulette** *nf (de veste)* shoulder pad

épave [epav] *nf (bateau, personne)* wreck

épée [epe] *nf* sword

épeler [ep(ə)le] *vt* to spell

éperdu, -ue [eperdy] *adj (regard)* distraught; *(amour)* passionate ▪ **éperdument** *adv (aimer)* madly; **elle s'en moque e.** she couldn't care less

éperon [eprɔ̃] *nm (de cavalier, de coq)* spur ▪ **éperonner** *vt* to spur on

éphémère [efemer] *adj* short-lived, ephemeral

épi [epi] *nm (de blé)* ear; *(de cheveux)* tuft of hair

épice [epis] *nf* spice ▪ **épicé, -ée 1** *adj (plat, récit)* spicy **2** *adv* **manger é.** to eat spicy food ▪ **épicer** *vt* to spice

épicier, -ière [episje, -jer] *nmf* grocer ▪ **épicerie** *nf (magasin) Br* grocer's (shop), *Am* grocery (store); **é. fine** delicatessen

épidémie [epidemi] *nf* epidemic ▪ **épidémique** *adj* epidemic

épiderme [epiderm] *nm* skin

épier [epje] *vt (observer)* to watch closely; *(occasion)* to watch out for; **é. qn** to spy on sb

épilepsie [epilɛpsi] *nf Méd* epilepsy ▪ **épileptique** *adj & nmf* epileptic

épiler [epile] **1** *vt (jambes)* to remove unwanted hair from; *(sourcils)* to pluck **2** **s'épiler** *upr* **s'é. les jambes (à la cire)** to wax one's legs; **s'é. les sourcils** to pluck one's eyebrows ▪ **épilation** *nf (des jambes)* removal of unwanted hair; *(des sourcils)* plucking

épilogue [epilɔg] *nm* epilogue

épinard [epinar] *nm (plante)* spinach; **épinards** spinach

épine [epin] *nf (de plante)* thorn; *(d'animal)* spine, prickle; *Anat* **é. dorsale** spine ▪ **épineux, -euse** *adj (tige, question)* thorny; *(poisson)* spiny

épingle [epɛ̃gl] *nf* pin; *Fig* **tiré à quatre épingles** immaculately turned out; **é. à cheveux** hairpin; **virage en é. à cheveux** hairpin bend; **é. de** *ou* **à nourrice, é. de sûreté** safety pin; **é. à linge** *Br* clothes peg, *Am* clothes pin ▪ **épingler** *vt* to pin; *Fam* **é. qn** *(arrêter)* to nab sb

Épiphanie [epifani] *nf* **l'É.** Epiphany

épique [epik] *adj* epic

épiscopal, -e, -aux, -ales [episkɔpal, -o] *adj* episcopal

épisode [epizɔd] *nm* episode; **feuilleton en six épisodes** serial in six episodes, six-part serial ▪ **épisodique** *adj (intermittent)* occasional; *(accessoire)* minor

épitaphe [epitaf] *nf* epitaph

épithète [epitɛt] *nf* epithet; *Grammaire* attribute

épître [epitr] *nf* epistle

éploré, -ée [eplɔre] *adj (veuve, air)* tearful

éplucher [eplyʃe] *vt (carotte, pomme)* to peel; *(salade)* to clean; *Fig (texte)* to dissect ▪ **épluchure** *nf* peeling

éponge [epɔ̃ʒ] *nf* sponge; *Fig* **jeter l'é.** to throw in the towel ▪ **éponger 1** *vt (liquide)* to mop up; *(surface)* to sponge down; *(dette)* to absorb **2** **s'éponger** *upr* **s'é. le front** to mop one's brow

épopée [epɔpe] *nf* epic

époque [epɔk] *nf (date)* time, period; *(historique)* age; **meubles d'é.** period furniture; **à l'é.** at the *or* that time

épouse [epuz] *nf* wife

épouser [epuze] *vt* to marry; *Fig (cause)* to espouse; *Fig* **é. la forme de qch** to take on the exact shape of sth

épousseter [epuste] *vt* to dust

époustoufler [epustufle] *vt Fam* to astound ▪ **époustouflant, -ante** *adj Fam* astounding

épouvantable [epuvɑ̃tabl] *adj* appalling

épouvantail [epuvɑ̃taj] *nm (de jardin)* scarecrow

épouvante [epuvɑ̃t] *nf* terror ▪ **épouvanter** *vt* to terrify

époux [epu] *nm* husband; **les é.** the husband and wife

éprendre* [eprɑ̃dr] **s'éprendre** *upr* **s'é. de qn** to fall in love with sb ▪ **épris, -ise** *adj* in love (**de** with)

épreuve [eprœv] *nf (essai, examen)* test; *(sportive)* event; *(malheur)* ordeal, trial; *(photo)* print; *(texte imprimé)* proof; **mettre qn/qch à l'é.** to put sb/sth to the test; **à toute é.** *(patience)* unfailing; *(nerfs)* rock-solid; **à l'é. des balles/du feu** bulletproof/fireproof

éprouver [epruve] *vt (méthode, personne, courage)* to test; *(sentiment)* to feel; *(difficultés)* to meet with ▪ **éprouvant, -ante** *adj (pénible)* trying ▪ **éprouvé, -ée** *adj (remède)* well-tried; *(famille)* sorely tried; *(région)* hard-hit

éprouvette [epruvet] *nf* test tube

EPS [əpeɛs] *(abrév* **éducation physique et sportive)** *nf Scol* PE

épuiser [epuize] **1** *vt (personne, provisions, sujet)* to exhaust **2** **s'épuiser** *upr (réserves, patience)* to run out; **s'é. à faire qch** to exhaust oneself doing sth ▪ **épuisant, -ante** *adj* exhausting ▪ **épuisé, -ée** *adj* exhausted; *(marchandise)* sold out; *(édition)* out of print ▪ **épuisement** *nm* exhaustion

épuisette [epuizet] *nf* landing net

épurer [epyre] *vt (eau, gaz)* to purify; *(minerai)* to refine ▪ **épuration** *nf* purification; *(de minerai)* refining; **station d'é.** purification *Br* works *or Am* plant

équateur [ekwatœr] *nm* equator; **sous l'é.** at the equator ▪ **équatorial, -e, -iaux, -iales** *adj* equatorial

équation [ekwɑsjɔ̃] *nf Math* equation

équerre [ekɛr] nf **é. (à dessin)** Br set square, Am triangle; **d'é.** straight, square

équestre [ekɛstr] adj (statue, sports) equestrian

équilibre [ekilibr] nm balance; **mettre qch en é.** to balance sth (**sur** on); **se tenir en é.** to (keep one's) balance; **garder/perdre l'é.** to keep/lose one's balance ▪ **équilibriste** nmf tightrope walker

équilibrer [ekilibre] **1** vt (charge, composition, budget) to balance **2 s'équilibrer** vpr (équipes) to balance each other out; (comptes) to balance

équinoxe [ekinɔks] nm equinox

équipage [ekipaʒ] nm (de navire, d'avion) crew

équipe [ekip] nf team; (d'ouvriers) gang; **faire é. avec qn** to team up with sb; **é. de nuit** night shift; **é. de secours** rescue team ▪ **équipier, -ière** nmf team member

équipée [ekipe] nf escapade

équiper [ekipe] **1** vt to equip (**de** with) **2 s'équiper** vpr to equip oneself (**de** with) ▪ **équipement** nm equipment

équitation [ekitasjɔ̃] nf Br (horse) riding, Am (horseback) riding; **faire de l'é.** to go riding

équité [ekite] nf fairness ▪ **équitable** adj fair, equitable ▪ **équitablement** [-əmɑ̃] adv fairly

équivalent, -ente [ekivalɑ̃, -ɑ̃t] adj & nm equivalent ▪ **équivalence** nf equivalence ▪ **équivaloir** vi **é. à qch** to be equivalent to sth

équivoque [ekivɔk] **1** adj (ambigu) equivocal; (douteux) dubious **2** nf ambiguity; **sans é.** (déclaration) unequivocal

érable [erabl] nm (arbre, bois) maple

érafler [erafle] vt to graze, to scratch ▪ **éraflure** nf graze, scratch

éraillé [eraje] adj (tissu) frayed; (surface) scratched; (voice) hoarse; **yeux éraillés** bloodshot eyes

ère [ɛr] nf era; **avant notre è.** BC; **en l'an 800 de notre è.** in the year 800 AD

érection [erɛksjɔ̃] nf erection

éreinter [erɛ̃te] **1** vt (fatiguer) to exhaust; (critiquer) to tear to pieces **2 s'éreinter** vpr **s'é. à faire qch** to wear oneself out doing sth

ergot [ɛrgo] nm (de coq) spur

ergoter [ɛrgɔte] vi to quibble (**sur** about)

ériger [eriʒe] **1** vt to erect **2 s'ériger** vpr **s'é. en qch** to set oneself up as sth

ermite [ɛrmit] nm hermit

érosion [erozjɔ̃] nf erosion ▪ **éroder** vt to erode

érotique [erɔtik] adj erotic ▪ **érotisme** nm eroticism

errer [ɛre] vi to wander ▪ **errant, -ante** adj wandering; **chien/chat e.** stray dog/cat

erreur [ɛrœr] nf (faute) mistake, error; **par e.** by mistake; **dans l'e.** mistaken; **sauf e. de ma part** unless I'm mistaken; **faire e.** (au téléphone) to dial the wrong number; **e. de calcul** miscalculation; **e. judiciaire** miscarriage of justice ▪ **erroné, -ée** adj erroneous

ersatz [ɛrzats] nm substitute

éructer [erykte] vi to belch

érudit, -ite [erydi, -it] **1** adj scholarly, erudite **2** nmf scholar ▪ **érudition** nf scholarship, erudition

éruption [erypsjɔ̃] nf (de volcan) eruption; (de boutons) rash

es [ɛ] voir **être**

ès [ɛs] prép of; **licencié/docteur ès lettres** ≃ BA/PhD

ESB [øɛsbe] (abrév **encéphalopathie spongiforme bovine**) nf BSE

escabeau, -x [ɛskabo] nm (marchepied) stepladder, Br (pair of) steps; (tabouret) stool

escadre [ɛskadr] nf Naut squadron ▪ **escadrille** nf Av (unité) flight ▪ **escadron** nm squadron

escalade [ɛskalad] nf climbing; (de prix, de violence, de guerre) escalation ▪ **escalader** vt to climb, to scale

escale [ɛskal] nf Av stopover; Naut (lieu) port of call; **faire e. à** (avion) to stop (over) at; (navire) to put in at; **vol sans e.** non-stop flight; **e. technique** refuelling stop

escalier [ɛskalje] nm (marches) stairs; (cage) staircase; **l'e., les escaliers** the stairs; **e. mécanique** ou **roulant** escalator; **e. de secours** fire escape; **e. de service** service stairs

escalope [ɛskalɔp] nf escalope

escamoter [ɛskamɔte] vt (faire disparaître) to make vanish; (esquiver) to dodge ▪ **escamotable** adj Tech retractable

escampette [ɛskɑ̃pɛt] nf Fam **prendre la poudre d'e.** to make off

escapade [ɛskapad] nf jaunt; **faire une e.** to go on a jaunt

escargot [ɛskargo] nm snail

escarmouche [ɛskarmuʃ] nf skirmish

escarpé, -ée [ɛskarpe] adj steep ▪ **escarpement** [-əmɑ̃] nm (côte) steep slope

escarpin [ɛskarpɛ̃] nm (soulier) pump, Br court shoe

escient [ɛsjɑ̃] **à bon e.** adv wisely

esclaffer [ɛsklafe] **s'esclaffer** vpr to roar with laughter

esclandre [ɛsklɑ̃dr] nm (noisy) scene; **causer un e.** to make a scene

esclave [ɛsklav] nmf slave; **être l'e. de qn/qch** to be a slave to sb/sth ▪ **esclavage** nm slavery

escompte [ɛskɔ̃t] nm discount; **taux d'e.** bank discount rate ▪ **escompter** vt (espérer) to anticipate (**faire** doing), to expect (**faire** to do)

escorte [ɛskɔrt] nf escort; **sous bonne e.** under escort ▪ **escorter** vt to escort

escouade [ɛskwad] nf Mil squad

escrime [ɛskrim] nf Sport fencing; **faire de l'e.** to fence ▪ **escrimeur, -euse** nmf fencer

escrimer [ɛskrime] **s'escrimer** vpr **s'e. à faire qch** to struggle to do sth

escroc [ɛskro] nm crook, swindler ▪**escroquer** vt **e. qn** to swindle sb; **e. qch à qn** to swindle sb out of sth ▪**escroquerie** nf (action) swindling; (résultat) swindle; Fam **c'est de l'e.!** it's a rip-off!

espace [ɛspas] nm space; **e. aérien** air space; **e. vert** garden, park ▪**espacer 1** vt to space out; **espacés d'un mètre** one metre apart **2 s'espacer** vpr (maisons, visites) to become less frequent

espadon [ɛspadɔ̃] nm swordfish

espadrille [ɛspadrij] nf espadrille, rope-soled sandal

Espagne [ɛspaɲ] nf l'E. Spain ▪**espagnol, -ole 1** adj Spanish **2** nmf E., Espagnole Spaniard **3** nm (langue) Spanish

espèce [ɛspɛs] nf (race) species; (genre) kind, sort; Fam **un e. d'idiot/une e. d'idiote** an idiot; Fam **e. d'idiot!** you idiot! ▪**espèces** nfpl (argent) cash; **en e.** in cash

espérance [ɛsperɑ̃s] nf hope; **au-delà de nos espérances** beyond our expectations; **répondre aux espérances de qn** to live up to sb's expectations; **e. de vie** life expectancy

espérer [ɛspere] **1** vt to hope for; **e. que...** to hope that...; **e. faire qch** to hope to do sth **2** vi to hope; **e. en qn/qch** to trust in sb/sth; **j'espère (bien)!** I hope so!

espiègle [ɛspjɛgl] adj mischievous ▪**espièglerie** [-əri] nf mischievousness

espion, -ionne [ɛspjɔ̃, -jɔn] nmf spy ▪**espionnage** nm spying, espionage ▪**espionner 1** vt to spy on **2** vi to spy

esplanade [ɛsplanad] nf esplanade

espoir [ɛspwar] nm hope; **avoir l'e. de faire qch** to have hopes of doing sth; **il n'y a plus d'e.** (il va mourir) there's no hope for him; **sans e.** (cas) hopeless; **les espoirs de la danse** the young hopefuls of the dancing world

esprit [ɛspri] nm (attitude, fantôme) spirit; (intellect) mind; (humour) wit; **venir à l'e. de qn** to cross sb's mind; **avoir de l'e.** to be witty; **avoir l'e. large/étroit** to be broad-/narrow-minded; **perdre l'e.** to go out of one's mind

esquimau, -aude, -aux, -audes [ɛskimo, -od] **1** adj Eskimo, Am Inuit **2** nmf E., Esquimaude Eskimo, Am Inuit **3** nm E.® (glace) Br ≃ choc-ice (on a stick), Am ≃ ice-cream bar

esquinter [ɛskɛ̃te] Fam **1** vt (voiture) to damage; (blesser) to hurt **2 s'esquinter** vpr **s'e. la jambe** to hurt one's leg; **s'e. la santé** to damage one's health; **s'e. à faire qch** to wear oneself out doing sth

esquisse [ɛskis] nf (croquis, plan) sketch ▪**esquisser** vt to sketch; **e. un geste** to make a (slight) gesture

esquiver [ɛskive] **1** vt (coup, problème) to dodge **2 s'esquiver** vpr to slip away

essai [ɛsɛ] nm (test) test, trial; (tentative) & Rugby try; (ouvrage) essay; **à l'e.** (objet) on a trial basis; **coup d'e.** first attempt

essaim [ɛsɛ̃] nm swarm

essayer [eseje] **1** vt to try (**de faire** to do); (vêtement) to try on; (méthode, restaurant) to try out **2 s'essayer** vpr **s'e. à qch/à faire qch** to try one's hand at sth/at doing sth ▪**essayage** [-ɛjaʒ] nm (de vêtement) fitting

essence [esɑ̃s] nf (carburant) Br petrol, Am gas; (extrait) & Phil essence; **par e.** essentially; **e. sans plomb** unleaded; **e. ordinaire** Br two-star petrol, Am regular gas

essentiel, -ielle [esɑ̃sjɛl] **1** adj essential (**à/pour** for) **2** nm **l'e.** (le plus important) the main thing; (le minimum) the essentials; **l'e. de la majorité of** ▪**essentiellement** adv essentially

essieu, -x [esjø] nm axle

essor [esor] nm (d'oiseau) flight; (de pays, d'entreprise) rapid growth; **en plein e.** booming; **prendre son e.** to take off

essorer [esore] vt (linge) to wring; (dans une essoreuse) to spin-dry; (dans une machine à laver) to spin ▪**essoreuse** nf (à main) wringer; (électrique) spin-dryer

essouffler [esufle] **1** vt to make out of breath **2 s'essouffler** vpr to get out of breath

essuyer [esɥije] **1** vt (objet, surface) to wipe; (liquide) to wipe up; (larmes) to wipe away; (défaite) to suffer; (refus) to meet with; **e. la vaisselle** to dry the dishes **2 s'essuyer** vpr to wipe oneself; **s'e. les yeux** to wipe one's eyes ▪**essuie-glace** (pl essuie-glaces) nm Br windscreen wiper, Am windshield wiper ▪**essuie-mains** nm inv hand towel

est¹ [ɛ] voir **être**

est² [ɛst] **1** nm east; **à l'e.** in the east; (direction) (to the) east (**de** of); **d'e.** (vent) east(erly); **de l'e.** eastern **2** adj inv (côte) east(ern)

estafilade [ɛstafilad] nf gash

estampe [ɛstɑ̃p] nf print

estampille [ɛstɑ̃pij] nf (de produit) mark; (de document) stamp

esthète [ɛstɛt] nmf Br aesthete, Am esthete

esthéticienne [ɛstetisjɛn] nf beautician

esthétique [ɛstetik] adj Br aesthetic, Am esthetic

estime [ɛstim] nf esteem, regard

estimer [ɛstime] **1** vt (tableau) to value (**à** at); (prix, distance, poids) to estimate; (dommages, besoins) to assess; (juger) to consider (**que** that); **e. dangereux de faire qch** to consider it dangerous to do sth; **e. qn** to esteem sb **2 s'estimer** vpr **s'e. heureux** to consider oneself happy ▪**estimable** adj respectable ▪**estimation** nf (de mobilier) valuation; (de prix, de distance, de poids) estimation; (de dommages, de besoins) assessment

estival, -e, -aux, -ales [ɛstival, -o] adj **travail e.** summer work ▪**estivant, -ante** nmf (summer) Br holidaymaker or Am vacationer

estomac [ɛstɔma] *nm* stomach

estomaquer [ɛstɔmake] *vt Fam* to flabbergast

estomper [ɛstɔpe] **1** *vt (rendre flou)* to blur **2** **s'estomper** *vpr* to become blurred

Estonie [ɛstɔni] *nf* Estonia ■ **estonien, -ienne 1** *adj* Estonian **2** *nmf* **E., Estonienne** Estonian **3** *nm (langue)* Estonian

estrade [ɛstrad] *nf* platform

estragon [ɛstragɔ̃] *nm (plante, condiment)* tarragon

estropier [ɛstrɔpje] *vt* to cripple, to maim ■ **estropié, -iée** *nmf* cripple

estuaire [ɛstɥɛr] *nm* estuary

esturgeon [ɛstyrʒɔ̃] *nm* sturgeon

et [e] *conj* and; **vingt et un** twenty-one; **et moi?** what about me?

étable [etabl] *nf* cowshed

établi [etabli] *nm* workbench

établir [etablir] **1** *vt (paix, relations, principe)* to establish; *(agence)* to set up; *(liste)* to draw up; *(record)* to set; *(démontrer)* to establish, to prove **2** **s'établir** *vpr (pour habiter)* to settle; *(pour exercer un métier)* to set up in business ■ **établissement** *nm (de paix, de relations, de principe)* establishment; *(entreprise)* business, firm; **é. scolaire** school

étage [etaʒ] *nm (d'immeuble)* floor, *Br* storey, *Am* story; *(de fusée)* stage; **à l'é.** upstairs; **au premier é.** on the *Br* first or *Am* second floor; **maison à deux étages** *Br* two-storeyed or *Am* two-storied house ■ **s'étager** *vpr* to rise in tiers

étagère [etaʒɛr] *nf* shelf; *(meuble)* shelving unit

étai [etɛ] *nm Tech* prop

étain [etɛ̃] *nm (métal)* tin; *(de gobelet)* pewter

étais, était [etɛ] *voir* **être**

étal [etal] *(pl* **étals)** *nm (au marché)* stall

étalage [etalaʒ] *nm* display; *(vitrine)* display window; **faire é. de son savoir** to show off one's knowledge ■ **étalagiste** *nmf* window dresser

étaler [etale] **1** *vt (disposer)* to lay out; *(en vitrine)* to display; *(beurre)* to spread; *(vacances, paiements)* to stagger; *Fig (érudition)* to show off **2** **s'étaler** *vpr Fam (s'affaler)* to sprawl; **s'é. sur** *(congés, paiements)* to be spread over; *Fam* **s'é. de tout son long** to fall flat on one's face ■ **étalement** *nm (de vacances, de paiements)* staggering

étalon [etalɔ̃] *nm (cheval)* stallion; *(modèle)* standard; **é.-or** gold standard

étanche [etɑ̃ʃ] *adj* watertight; *(montre)* waterproof

étancher [etɑ̃ʃe] *vt (sang)* to stop the flow of; *(soif)* to quench

étang [etɑ̃] *nm* pond

étant [etɑ̃] *p prés de* **être**

étape [etap] *nf (de voyage)* stage; *(lieu)* stop(over); **faire é. à** to stop off or over at; **par (petites) étapes** in (easy) stages; *Fig* **brûler les étapes** *(dans sa carrière)* to shoot to the top

état [eta] *nm* (**a**) *(condition, manière d'être)* state; *(inventaire)* statement; **à l'é. brut** in a raw state; **à l'é. neuf** as new; **de son é.** *(métier)* by trade; **en bon é.** in good condition; **en é. de marche** in working order; **en é. de faire qch** in a position to do sth; **hors d'é. de faire qch** not in a position to do sth; **faire é. de qch** to mention sth; **(ne pas) être dans son é. normal** (not) to be one's usual self; **être dans un é. second** to be spaced out; *Fam* **être dans tous ses états** to be in a state; **mettre qn en é. d'arrestation** to put sb under arrest; **remettre qch en é.** to repair sth; **é. d'âme** mood; **é. d'esprit** state or frame of mind; **é. de choses** state of affairs; **é. de santé** state of health; **é. des lieux** inventory of fixtures; **é. civil** register office (**b**) *(autorité centrale)* **É.** *(nation)* State ■ **étatisé, -ée** *adj* state-controlled

état-major [etamaʒɔr] *(pl* **états-majors)** *nm Mil (general)* staff; *(de parti)* senior staff

États-Unis [etazyni] *nmpl* **les É. (d'Amérique)** the United States (of America)

étau, -x [eto] *nm (instrument) Br* vice, *Am* vise

étayer [eteje] *vt (mur)* to shore up; *(théorie)* to support

été¹ [ete] *nm* summer

été² [ete] *pp de* **être**

éteindre* [etɛ̃dr] **1** *vt (feu, cigarette)* to put out, to extinguish; *(lampe)* to switch off; *(gaz)* to turn off **2** *vi* to switch off **3** **s'éteindre** *vpr (feu)* to go out; *(personne)* to pass away; *(race)* to die out; *(amour)* to die ■ **éteint, -einte** *adj (feu, bougie)* out; *(lampe, lumière)* off; *(volcan, race, famille)* extinct; *(voix)* faint

étendard [etɑ̃dar] *nm (drapeau)* standard

étendre [etɑ̃dr] **1** *vt (linge)* to hang out; *(nappe)* to spread out; *(beurre)* to spread; *(agrandir)* to extend; **é. le bras** to stretch out one's arm **2** **s'étendre** *vpr (personne)* to lie down; *(plaine)* to stretch; *(feu)* to spread; *(pouvoir)* to extend; **s'é. sur qch** *(sujet)* to dwell on sth ■ **étendu, -ue** *adj (forêt, vocabulaire)* extensive; *(personne)* lying ■ **étendue** *nf (importance)* extent; *(surface)* area; *(d'eau)* expanse

éternel, -elle [etɛrnɛl] *adj* eternal ■ **éternellement** *adv* eternally, for ever ■ **s'éterniser** *vpr (débat)* to drag on endlessly; *Fam (visiteur)* to stay for ever ■ **éternité** *nf* eternity

éternuer [etɛrnɥe] *vi* to sneeze ■ **éternuement** [-ymɑ̃] *nm* sneeze

êtes [ɛt] *voir* **être**

éther [etɛr] *nm* ether

Éthiopie [etjɔpi] *nf* l'É. Ethiopia ■ **éthiopien, -ienne 1** *adj* Ethiopian **2** *nmf* **É., Éthiopienne** Ethiopian

éthique [etik] **1** *adj* ethical **2** *nf Phil* ethics *(sing)*; **l'é. puritaine** the Puritan ethic

ethnie [ɛtni] *nf* ethnic group ■ **ethnique** *adj* ethnic

étinceler [etɛ̃s(ə)le] *vi* to sparkle ▪ **étincelle** *nf* spark; *Fam* **ça va faire des étincelles** sparks will fly

étioler [etjɔle] **s'étioler** *upr* to wilt

étiquette [etiket] *nf* (**a**) *(marque)* label (**b**) *(protocole)* (diplomatic *or* court) etiquette ▪ **étiqueter** *ut* to label

étirer [etire] **1** *vt* to stretch **2 s'étirer** *upr* to stretch (oneself)

étoffe [etɔf] *nf* material, fabric; **avoir l'é. d'un héros** to be the stuff heroes are made of

étoffer [etɔfe] **1** *vt (personne, texte)* to flesh out **2 s'étoffer** *upr (personne)* to fill out

étoile [etwal] *nf* star; **à la belle é.** in the open; **être né sous une bonne é.** to be born under a lucky star; **é. de mer** starfish; **é. filante** shooting star ▪ **étoilé, -ée** *adj (ciel, nuit)* starry; *(vitre)* cracked *(star-shaped)*

étonner [etɔne] **1** *vt* to surprise **2 s'étonner** *upr* to be surprised (**de qch** at sth; **que** + *subjunctive* that) ▪ **étonnant, -ante** *adj (ahurissant)* surprising; *(remarquable)* amazing ▪ **étonnement** *nm* surprise

étouffer [etufe] **1** *vt (tuer)* to suffocate; *(bruit)* to muffle; *(feu)* to smother; *Fig (révolte, sentiment)* to stifle; *Fig (scandale)* to hush up **2** *vi* to suffocate; **on étouffe!** it's stifling!; **é. de colère** to choke with anger **3 s'étouffer** *upr (en mangeant)* to choke (**avec** on); *(mourir)* to suffocate ▪ **étouffant, -ante** *adj (air)* stifling ▪ **étouffement** *nm* suffocation

étourdi, -ie [eturdi] **1** *adj* scatterbrained **2** *nmf* scatterbrain ▪ **étourderie** *nf* absent-mindedness; **une é.** a thoughtless blunder

étourdir [eturdir] *vt* to stun, to daze; *(sujet: vin, vitesse)* to make dizzy ▪ **étourdissant, -ante** *adj (bruit)* deafening; *(beauté)* stunning ▪ **étourdissement** *nm (malaise)* dizzy spell

étourneau, -x [eturno] *nm* starling

étrange [etrɑ̃ʒ] *adj* strange, odd ▪ **étrangement** *adv* strangely, oddly ▪ **étrangeté** *nf* strangeness, oddness

étranger, -ère [etrɑ̃ʒe, -ɛr] **1** *adj (d'un autre pays)* foreign; *(non familier)* strange (**à** to); **il m'est é.** he's unknown to me **2** *nmf (d'un autre pays)* foreigner; *(inconnu)* stranger; **à l'é.** abroad; **de l'é.** from abroad

étrangler [etrɑ̃gle] **1** *vt* **é. qn** *(tuer)* to strangle sb; *(col)* to choke sb **2 s'étrangler** *upr (de colère, en mangeant)* to choke ▪ **étranglé, -ée** *adj (voix)* choking; *(passage)* constricted ▪ **étranglement** [-əmɑ̃] *nm (de personne)* strangulation

être* [ɛtr] **1** *vi* to be; **il est tailleur** he's a tailor; **est-ce qu'il vient?** is she coming?; **il vient, n'est-ce pas?** he's coming, isn't he?; **est-ce qu'il aime le thé?** does he like tea?; **nous sommes dix** there are ten of us; **nous sommes le dix** today is the tenth; **où en es-tu?** how far

have you *Br* got *or Am* gotten?; **il a été à Paris** *(il y est allé)* he has been to Paris; **elle est de Paris** she's from Paris; **elle est de la famille** she's one of the family; **il est cinq heures** it's five (o'clock); **il était une fois...** once upon a time, there was...; **c'est à lire pour demain** *(obligation)* this has to be read for tomorrow; **c'est à voir absolument** *(exposition)* it's well worth seeing; **c'est à lui** it's his; **il n'est plus** *(il est mort)* he is dead; **si j'étais vous** if I were *or* was you; **cela étant** that being so

2 *v aux (avec 'venir', 'partir')* to have/to be; **elle est (déjà) arrivée** she has (already) arrived; **elle est née en 1980** she was born in 1980; **nous y sommes toujours bien reçus** *(passif)* we are always well received

3 *nm (personne)* being; **les êtres chers** the loved ones; **ê. humain** human being; **ê. vivant** living being

étreindre* [etrɛ̃dr] *vt* to grip; *(avec amour)* to embrace ▪ **étreinte** *nf* grip; *(amoureuse)* embrace

étrenner [etrene] *vt* to use for the first time; *(vêtement)* to wear for the first time

étrennes [etrɛn] *nfpl* New Year gift; *(gratification)* ≃ Christmas tip *or Br* box

étrier [etrije] *nm* stirrup; **mettre le pied à l'é. à qn** to help sb get off to a good start

étriper [etripe] **s'étriper** *upr Fam* to tear each other apart

étriqué, -ée [etrike] *adj (vêtement)* tight; *Fig (esprit, vie)* narrow

étroit, -oite [etrwa, -at] *adj* narrow; *(vêtement)* tight; *(lien, collaboration)* close; **être à l'é.** to be cramped ▪ **étroitement** *adv (surveiller)* closely ▪ **étroitesse** *nf* narrowness; *(de lien)* closeness; **é. d'esprit** narrow-mindedness

étude [etyd] *nf (action, ouvrage)* study; *(de notaire)* office; *Scol (pièce)* study room; *(période)* study period; **à l'é.** *(projet)* under consideration; **faire des études de français** to study French; **faire une é. de marché** to do market research; **é. de cas** case study

étudiant, -iante [etydjɑ̃, -jɑ̃t] **1** *nmf* student; **être é. en droit** to be a law student **2** *adj (vie)* student

étudier [etydje] *vti* to study

étui [etɥi] *nm (à lunettes, à cigarettes)* case; *(de revolver)* holster

étymologie [etimɔlɔʒi] *nf* etymology

eu, eue [y] *pp de* avoir

eucalyptus [økaliptys] *nm* eucalyptus

eucharistie [økaristi] *nf Rel* **l'e.** the Eucharist

eugénisme [øʒenism] *nm* eugenics *(sing)*

euh [ø] *exclam* er!, well!

euphémisme [øfemism] *nm* euphemism

euphorie [øfɔri] *nf* euphoria

eurent [yr] *voir* avoir

euro [øro] *nm (monnaie)* euro

euro- [øro] *préf* Euro-

eurocrate [ørɔkrat] *nmf* Eurocrat

eurodéputé [ørodepyte] *nm* Euro MP

Europe [ørɔp] *nf* l'E. Europe; l'E. (des vingt-cinq) the European Union *(comprising twenty-five member states)* ■ **européen, -éenne 1** *adj* European **2** *nmf* E., Européenne European

eurosceptique [ørosɛptik] *nmf Br* Eurosceptic, *Am* Euroskeptic

eut [y] *voir* **avoir**

euthanasie [øtanazi] *nf* euthanasia

eux [ø] *pron personnel (sujet)* they; *(complément)* them; *(réfléchi, emphase)* themselves ■ **eux-mêmes** *pron* themselves

évacuer [evakɥe] *vt* to evacuate; *(liquide)* to drain off ■ **évacuation** *nf* evacuation

évader [evade] **s'évader** *vpr* to escape (**de** from) ■ **évadé, -ée** *nmf* escaped prisoner

> Il faut noter que le verbe anglais **to evade** est un faux ami. Il signifie **éviter**.

évaluer [evalɥe] *vt (fortune)* to estimate; *(meuble)* to value ■ **évaluation** *nf* estimation; *(de meuble)* valuation

évangile [evãʒil] *nm* gospel; l'É. the Gospel; *Fig* **parole d'é.** gospel (truth) ■ **évangélique** *adj* evangelical ■ **évangeliste** *nmf* evangelist; *(auteur de l'un des Évangiles)* Evangelist

évanouir [evanwir] **s'évanouir** *vpr (personne)* to faint; *(espoir, crainte)* to vanish ■ **évanoui, -ouie** *adj* unconscious ■ **évanouissement** *nm (syncope)* fainting fit

évaporer [evapore] **s'évaporer** *vpr* to evaporate; *Fig (disparaître)* to vanish into thin air ■ **évaporation** *nf* evaporation

évasé, -ée [evaze] *adj (jupe)* flared

évasif, -ive [evazif, -iv] *adj* evasive

évasion [evazjɔ̃] *nf* escape (**de** from); *(hors de la réalité)* escapism; **é. de capitaux** flight of capital; **é. fiscale** tax evasion

> Il faut noter que le nom anglais **evasion** est un faux ami. Il signifie le plus souvent **dérobade**.

éveil [evɛj] *nm* awakening; **être en é.** to be alert; **donner l'é. à qn** to alert sb; *Scol* **activité d'é.** early-learning activity

éveiller [eveje] **1** *vt (susciter)* to arouse; **é. qn** to awaken sb **2 s'éveiller** *vpr* to awaken (**à** to); *(intelligence)* to develop ■ **éveillé, -ée** *adj* awake; *(vif)* alert

événement [evenmã] *nm* event

éventail [evãtaj] *nm (instrument)* fan; *(choix)* range; **en é.** *(orteils)* spread out

éventer [evãte] **1** *vt (secret)* to discover; **é. qn** to fan sb **2 s'éventer** *vpr (vin, parfum)* to turn stale; *(bière)* to go flat ■ **éventé, -ée** *adj (vin, parfum)* stale; *(bière)* flat

éventrer [evãtre] *vt (oreiller)* to rip open; *(animal)* to open up

éventuel, -uelle [evãtɥel] *adj* possible ■ **éventualité** *nf* possibility; **dans l'é. de** in the event of; **parer à toute é.** to be prepared for all eventualities ■ **éventuellement** *adv* possibly

> Il faut noter que les termes anglais **eventual** et **eventually** sont des faux amis. Ils signifient respectivement **final** et **finalement**.

évêque [evɛk] *nm* bishop

évertuer [evertɥe] **s'évertuer** *vpr* **s'é. à faire qch** to endeavour to do sth

éviction [eviksjɔ̃] *nf (de concurrent, de président)* ousting; *(de locataire)* eviction

évident, -ente [evidã, -ãt] *adj* obvious (**que** that); *Fam (facile)* easy ■ **évidemment** [-amã] *adv* obviously ■ **évidence** *nf* obviousness; **une é.** an obvious fact; **nier l'é.** to deny the obvious; **en é.** in a prominent position; **mettre qch en é.** to highlight sth; **se rendre à l'é.** to face the facts; **à l'é.** obviously

> Il faut noter que les termes anglais **evidently** et **evidence** sont des faux amis. Le premier signifie **manifestement**, et le second signifie le plus souvent **preuve**.

évider [evide] *vt* to hollow out

évier [evje] *nm* (kitchen) sink

évincer [evɛ̃se] *vt (concurrent, président)* to oust (**de** from); *(locataire)* to evict (**de** from)

éviter [evite] *vt* to avoid (**de faire** doing); **é. qch à qn** to spare *or* save sb sth; **je voulais é. que vous ne vous déplaciez pour rien** I wanted to save you coming for nothing

évoluer [evɔlɥe] *vi (changer)* to develop; *(société, idée, situation)* to evolve; *(se déplacer)* to move around; **é. dans un milieu artistique** to move in artistic circles ■ **évolué, -uée** *adj (pays)* advanced; *(personne)* enlightened ■ **évolution** *nf (changement)* development; *Biol* evolution; **évolutions** *(mouvements)* movements

évoquer [evɔke] *vt* to evoke ■ **évocateur, -trice** *adj* evocative ■ **évocation** *nf* evocation

ex [ɛks] *nmf Fam (mari, femme)* ex

ex- [ɛks] *préf* ex-; **ex-mari** ex-husband

exacerber [ɛgzasɛrbe] *vt (douleur)* to exacerbate

exact, -e [ɛgzakt] *adj (quantité, poids, nombre)* exact, precise; *(rapport, description)* accurate; *(mot)* right, correct; *(ponctuel)* punctual ■ **exactement** [-əmã] *adv* exactly ■ **exactitude** *nf (précision, fidélité)* exactness; *(justesse)* correctness; *(ponctualité)* punctuality

exactions [ɛgzaksjɔ̃] *nfpl* atrocities

ex æquo [ɛgzeko] **1** *adj inv Sport* **être classés e.** to tie, to be equally placed **2** *adv* **être troisième e.** to tie for third place

exagérer [ɛgzaʒere] **1** *vt* to exaggerate **2** *vi (parler)* to exaggerate; *(agir)* to go too far

■ **exagération** nf exaggeration ■ **exagéré, -ée** adj excessive ■ **exagérément** adv excessively

exalter [εgzalte] vt (glorifier) to exalt; (passionner) to stir ■ **exaltant, -ante** adj stirring ■ **exaltation** nf (délire) intense excitement ■ **exalté, -ée 1** adj (sentiment) impassioned **2** nmf Péj fanatic

examen [εgzamε̃] nm examination; **e. blanc** mock exam; **e. médical** medical examination; **e. de la vue** eye test ■ **examinateur, -trice** nmf examiner ■ **examiner** vt (considérer, regarder) to examine

exaspérer [εgzaspere] vt (personne) to exasperate; Fig (douleur) to aggravate ■ **exaspération** nf exasperation

exaucer [εgzose] vt (désir) to grant; **e. qn** to grant sb's wish

excavation [εkskavasjɔ̃] nf (trou, action) excavation ■ **excaver** vt to excavate

excéder [εksede] vt (dépasser) to exceed; **é. qn** (énerver) to exasperate sb ■ **excédent** nm surplus, excess; **e. de bagages** excess baggage ■ **excédentaire** adj **poids e.** excess weight

excellent, -ente [εkselɑ̃, -ɑ̃t] adj excellent ■ **excellence** nf excellence; **c'est le chercheur par e.** he's the researcher par excellence; **E.** (titre) Excellency ■ **exceller** vi to excel (**en** at)

excentrique [εksɑ̃trik] adj & nmf eccentric ■ **excentricité** nf eccentricity

excepté, -ée [εksεpte] **1** prép except **2** adj except (for); **les femmes exceptées** except (for) the women ■ **excepter** vt to carry sth out

exception [εksεpsjɔ̃] nf exception; **à l'e. de** except (for), with the exception of; **faire e.** to be an exception ■ **exceptionnel, -elle** adj exceptional ■ **exceptionnellement** adv exceptionally

excès [εksε] nm excess; **faire des e. (de table)** to overindulge; **e. de vitesse** speeding; **faire un e. de vitesse** to speed ■ **excessif, -ive** adj excessive ■ **excessivement** adv excessively

excitation [εksitasjɔ̃] nf (agitation) excitement; **e. à** (haine) incitement to

exciter [εksite] **1** vt (faire naître) to arouse; **e. qn** (énerver) to excite sb; **e. qn à la révolte** to incite sb to revolt **2** s'exciter upr (devenir nerveux) to get excited ■ **excitable** adj excitable ■ **excitant, -ante 1** adj Fam exciting **2** nm stimulant ■ **excité, -ée** adj excited

exclamer [εksklame] s'exclamer upr to exclaim ■ **exclamatif, -ive** adj exclamatory ■ **exclamation** nf exclamation

exclure* [εksklyr] vt (écarter) to exclude (**de** from); (chasser) to expel (**de** from); **e. qch** (rendre impossible) to preclude sth ■ **exclu, -ue** adj (solution) out of the question; (avec une date) exclusive

exclusif, -ive [εksklyzif, -iv] adj (droit, modèle, préoccupation) exclusive ■ **exclusivement** adv exclusively ■ **exclusivité** nf Com exclusive rights; (dans la presse) scoop; **en e.** (film) having an exclusive showing (**à** at)

exclusion [εksklyzjɔ̃] nf exclusion; **à l'e. de** with the exception of

excommunier [εkskɔmynje] vt to excommunicate ■ **excommunication** nf excommunication

excréments [εkskremɑ̃] nmpl excrement

excroissance [εkskrwasɑ̃s] nf excrescence

excursion [εkskyrsjɔ̃] nf trip, excursion; (de plusieurs jours) tour; **faire une e.** to go on a trip/tour

excuse [εkskyz] nf (prétexte) excuse; **excuses** (regrets) apology; **faire des excuses** to apologize (**à** to); **toutes mes excuses** (my) sincere apologies ■ **excuser 1** vt (justifier, pardonner) to excuse (**qn d'avoir fait/qn de faire** sb for doing) **2** s'excuser upr to apologize (**de** for; **auprès de** to); **excusez-moi!, je m'excuse!** excuse me!

exécrer [εgzekre] vt to loathe ■ **exécrable** adj atrocious

exécuter [εgzekyte] **1** vt (travail, projet, tâche) to carry out; (peinture) to execute; Mus (jouer) to perform; Ordinat to run; **e. qn** to execute sb **2** s'exécuter upr to comply ■ **exécutant, -ante** nmf (musicien) performer; (ouvrier, employé) subordinate ■ **exécution** nf (de travail) carrying out; (de musique) performance; (de peinture, de condamné) & Ordinat execution; **mettre qch à e.** to carry sth out

exécutif [εgzekytif] **1** adj m **pouvoir e.** executive power **2** nm **l'e.** the executive

exemplaire [εgzɑ̃plεr] **1** adj exemplary **2** nm (livre) copy; **photocopier un document en double e.** to make two photocopies of a document

exemple [εgzɑ̃pl] nm example; **par e.** for example, for instance; **donner l'e.** to set an example (**à** to); **prendre e. sur qn** to follow sb's example; **faire un e.** to make an example (of someone); **c'est un e. de vertu** he's a model of virtue; Fam (ça) **par e.!** good heavens!

exempt, -empte [εgzɑ̃, -ɑ̃t] adj **e. de** (dispensé de) exempt from; (sans) free from ■ **exempter** [εgzɑ̃te] vt to exempt (**de** from) ■ **exemption** nf exemption

exercer [εgzεrse] **1** vt (voix, droits) to exercise; (autorité, influence) to exert (**sur** on); (profession) Br to practise, Am to practice; **e. qn à qch** to train sb in sth; **e. qn à faire qch** to train sb to do sth **2** vi (médecin) Br to practise, Am to practice **3** s'exercer upr (s'entraîner) to train; **s'e. à qch** to Br practise or Am practice sth; **s'e. à faire qch** to Br practise or Am practice doing sth

exercice [εgzεrsis] *nm* (physique) & Scol exercise; Mil drill; (de métier) l'e. de (pouvoir) the exercise of; **en e.** (fonctionnaire) in office; (médecin) in practice; **dans l'e. de ses fonctions** in the exercise of one's duties; **faire de l'e., prendre de l'e.** to (take) exercise

exhaler [εgzale] *vt* (odeur) to give off

exhaustif, -ive [εgzostif, -iv] *adj* exhaustive

exhiber [εgzibe] *vt* (documents, passeport) to produce; Péj (savoir, richesses) to show off, to flaunt **▪exhibition** *nf* Péj flaunting **▪exhibitionniste** *nmf* exhibitionist

---

Il faut noter que le nom anglais **exhibition** est un faux ami. Il signifie le plus souvent **exposition**.

---

exhorter [εgzɔrte] *vt* to exhort (**à faire** to do)

exhumer [εgzyme] *vt* (corps) to exhume; (vestiges) to dig up

exiger [εgziʒe] *vt* (exiger) to demand (**de** from); (nécessiter) to require; **e. que qch soit fait** to demand that sth be done **▪exigeant, -ante** *adj* demanding, exacting **▪exigence** *nf* (caractère) exacting nature; (condition) demand

exigu, -uë [εgzigy] *adj* cramped, tiny **▪exiguïté** *nf* crampedness

exil [εgzil] *nm* exile **▪exilé, -ée** *nmf* (personne) exile **▪exiler 1** *vt* to exile **2 s'exiler** *vpr* to go into exile

existence [εgzistãs] *nf* (fait d'exister) existence; (vie) life; **moyen d'e.** means of existence **▪existant, -ante** *adj* existing **▪existentialisme** *nm* existentialism **▪exister 1** *vi* to exist **2** *v impersonnel* **il existe...** there is/there are...

exode [εgzɔd] *nm* exodus; **e. rural** rural depopulation

exonérer [εgzɔnere] *vt* to exempt (**de** from); **exonéré d'impôts** exempt from tax **▪exonération** *nf* exemption

exorbitant, -ante [εgzɔrbitã, -ãt] *adj* exorbitant

exorbité, -ée [εgzɔrbite] *adj* **yeux exorbités** bulging eyes

exorciser [εgzɔrsize] *vt* to exorcize **▪exorcisme** *nm* exorcism

exotique [εgzɔtik] *adj* exotic **▪exotisme** *nm* exoticism

expansif, -ive [εkspãsif, -iv] *adj* expansive

expansion [εkspãsjɔ̃] *nf* (de commerce, de pays, de gaz) expansion; **en (pleine) e.** (rapidly) expanding

expatrier [εkspatrije] **s'expatrier** *vpr* to leave one's country **▪expatrié, -iée** *adj* & *nmf* expatriate

expectative [εkspεktativ] *nf* **être dans l'e.** to be waiting to see what happens

expédient [εkspedjã] *nm* (moyen) expedient

expédier [εkspedje] *vt* (envoyer) to send, to dispatch; (affaires, client) to deal promptly with **▪expéditeur, -trice** *nmf* sender **▪expéditif, -ive** *adj* hasty **▪expédition** *nf* (envoi) dispatch; (voyage) expedition

expérience [εksperjãs] *nf* (connaissance) experience; (scientifique) experiment; **faire l'e. de qch** to experience sth; **avoir de l'e.** to have experience; **être sans e.** to have no experience; **un homme d'e.** a man of experience

expérimenter [εksperimãte] *vt* (remède, vaccin) to try out **▪expérimental, -e, -aux, -ales** *adj* experimental **▪expérimentation** *nf* experimentation **▪expérimenté, -ée** *adj* experienced

expert, -erte [εkspεr, -εrt] **1** *adj* expert, skilled (**en** in); **être e. en la matière** to be an expert on the subject **2** *nm* expert (**en** on *or* in); (d'assurances) valuer **▪expert-comptable** (pl experts-comptables) *nm* Br ≃ chartered accountant, Am ≃ certified public accountant **▪expertise** *nf* (évaluation) valuation; (rapport) expert's report; (compétence) expertise

expier [εkspje] *vt* (péchés, crime) to expiate, to atone for **▪expiation** *nf* expiation (**de** of)

expirer [εkspire] **1** *vti* to breathe out **2** *vi* (mourir) to pass away; (finir, cesser) to expire **▪expiration** *nf* (respiration) breathing out; (échéance) Br expiry, Am expiration; **arriver à e.** to expire

explication [εksplikasjɔ̃] *nf* explanation; (mise au point) discussion; Scol **e. de texte** textual analysis

explicite [εksplisit] *adj* explicit **▪explicitement** *adv* explicitly

expliquer [εksplike] **1** *vt* to explain (**à** to; **que** that) **2 s'expliquer** *vpr* to explain oneself; (discuter) to talk things over (**avec** with); **s'e. qch** (comprendre) to understand sth; **ça s'explique** that is understandable **▪explicable** *adj* understandable **▪explicatif, -ive** *adj* explanatory

exploit [εksplwa] *nm* feat

exploiter [εksplwate] *vt* (champs) to farm; (ferme, entreprise) to run; (mine) to work; Fig & Péj (personne, situation) to exploit **▪exploitant, -ante** *nmf* operator; (directeur) manager; **e. agricole** farmer **▪exploitation** *nf* (de champs) farming; (de ferme) running; (de mine) working; Péj exploitation; Ordinat **système d'e.** operating system; **e. agricole** farm; **e. minière** mine

explorer [εksplɔre] *vt* to explore **▪explorateur, -trice** *nmf* explorer **▪exploration** *nf* exploration

exploser [εksploze] *vi* (gaz, bombe, personne) to explode; **faire e. qch** to explode sth **▪explosif, -ive** *adj* & *nm* explosive **▪explosion** *nf* explosion; (de colère, joie) outburst

exporter [εkspɔrte] *vt* to export (**vers** to; **de**

from) ▪**exportateur, -trice** 1 *nmf* exporter 2
adj exporting ▪**exportation** *nf (produit)*
export; *(action)* export(ation); *Ordinat (de
fichier)* exporting

exposer [ɛkspoze] 1 *vt (tableau)* to exhibit;
(marchandises) to display; *(raison, théorie)* to
set out; *(vie, réputation)* to risk, to endanger;
Phot (film) to expose; **e. qch à la lumière** to
expose sth to the light; **e. qn à la critique** to
expose sb to criticism; **je leur ai exposé ma
situation** I explained my situation to them 2
s'exposer *upr* **s'e. au danger** to put oneself in
danger; **s'e. à la critique** to lay oneself open to
criticism; **ne t'expose pas trop longtemps**
don't stay in the sun too long ▪**exposant,
-ante** *nmf (artiste, commerçant)* exhibitor
▪**exposé, -ée** 1 *adj* **e. au sud** facing south 2
nm (compte rendu) account (**de** of);
(présentation) talk; *Scol* paper

exposition [ɛkspozisjɔ̃] *nf (d'objets d'art)*
exhibition; *(de marchandises)* display; *(au
danger)* & *Phot* exposure (**à** to); *(de maison)* aspect

exprès¹ [ɛksprɛ] *adv* on purpose, intentionally;
(spécialement) specially; **comme (par) un fait e.**
almost as if it was meant to be

exprès², -esse [ɛksprɛs] *adj (ordre, condition)*
express ▪**expressément** *adv* expressly

exprès³ [ɛksprɛs] *adj inv* **lettre/colis e.** special
delivery letter/parcel

express [ɛksprɛs] *adj & nm inv (train)* express;
(café) espresso

expressif, -ive [ɛksprɛsif, -iv] *adj* expressive
▪**expression** *nf (phrase, mine)* expression; *Fig*
réduire qch à sa plus simple e. to reduce sth
to its simplest form ▪**exprimer** *vt* to express
2 **s'exprimer** *upr* to express oneself

exproprier [ɛksprɔprije] *vt* to expropriate

expulser [ɛkspylse] *vt* to expel (**de** from);
(joueur) to send off; *(locataire)* to evict
▪**expulsion** *nf* expulsion; *(de joueur)* sending
off; *(de locataire)* eviction

expurger [ɛkspyrʒe] *vt* to expurgate

exquis, -ise [ɛkski, -iz] *adj (nourriture)*
exquisite

exsangue [ɛksɑ̃g] *adj (visage)* bloodless

extase [ɛkstaz] *nf* ecstasy; **tomber en e. devant
qch** to be in raptures over sth ▪**s'extasier** *upr*
to be in raptures (**sur** over *or* about)

extensible [ɛkstɑ̃sibl] *adj (métal)* tensile; *(tissu)*
stretch ▪**extension** *nf (de muscle)* stretching;
(de durée, de contrat) extension; *(essor)*
expansion; **par e.** by extension

exténuer [ɛkstenɥe] *vt (fatiguer)* to exhaust
▪**exténué, -uée** *adj* exhausted

Il faut noter que le verbe anglais **to extenu-
ate** est un faux ami. Il signifie **atténuer**.

extérieur, -ieure [ɛksterjœr] 1 *adj (monde)*
outside; *(surface)* outer, external; *(signe)*

outward, external; *(politique)* foreign; **e. à qch**
external to sth; **signe e. de richesse** outward
sign of wealth 2 *nm* outside, exterior; **à l'e.
(de)** outside; **à l'e.** *(match)* away; **tourner un
film en e.** to shoot a film on location
▪**extérieurement** *adv* externally; *(en
apparence)* outwardly ▪**extérioriser** *vt* to express

exterminer [ɛkstɛrmine] *vt* to exterminate
▪**extermination** *nf* extermination

externat [ɛkstɛrna] *nm (école)* day school

externe [ɛkstɛrn] 1 *adj* external 2 *nmf (élève)*
day pupil; *Méd* = non-resident hospital
medical student, *Am* extern

extincteur [ɛkstɛ̃ktœr] *nm* fire extinguisher
▪**extinction** *nf (de feu)* extinguishing; *(de race)*
extinction; **e. de voix** loss of voice

extirper [ɛkstirpe] 1 *vt* to eradicate 2 **s'extirper**
upr **s'e. de** *(endroit)* to extricate oneself from

extorquer [ɛkstɔrke] *vt* to extort (**à** from)
▪**extorsion** *nf* extortion; **e. de fonds** extortion

extra [ɛkstra] 1 *adj inv Fam (très bon)* top-quality
2 *nm inv Culin (gâterie)* (extra-special) treat;
(serviteur) extra hand

extra- [ɛkstra] *préf* extra- ▪**extrafin, -ine** *adj*
extra-fine ▪**extrafort, -orte** *adj* extra-strong

extradition [ɛkstradisjɔ̃] *nf* extradition
▪**extrader** *vt* to extradite

extraire* [ɛkstrɛr] *vt* to extract (**de** from);
(charbon) to mine ▪**extraction** *nf* extraction
▪**extrait** *nm* extract; **e. de compte** statement
of account, bank statement; **e. de naissance**
birth certificate

extralucide [ɛkstralysid] *adj & nmf* clairvoyant

extranet [ɛkstranɛt] *nm Ordinat* extranet

extraordinaire [ɛkstraɔrdinɛr] *adj* extraordinary; **si par e.** if by some remote chance
▪**extraordinairement** *adv* exceptionally;
(très, bizarrement) extraordinarily

extraterrestre [ɛkstratɛrɛstr] *adj & nmf*
extraterrestrial

extravagant, -ante [ɛkstravagɑ̃, -ɑ̃t] *adj (idée,
comportement)* extravagant ▪**extravagance** *nf*
(d'idée, de comportement) extravagance

extraverti-ie [ɛkstravɛrti] *adj & nmf* extrovert

extrême [ɛkstrɛm] 1 *adj* extreme; *Pol* **l'e.
droite/gauche** the far *or* extreme right/left 2
nm extreme; **pousser qch à l'e.** to take *or*
carry sth to extremes ▪**extrêmement** *adv*
extremely ▪**Extrême-Orient** *nm* **l'E.** the Far
East ▪**extrémiste** *adj & nmf* extremist
▪**extrémité** *nf (bout)* extremity, end;
extrémités *(pieds et mains)* extremities; **être à
la dernière e.** to be on the point of death

exubérant, -ante [ɛgzyberɑ̃, -ɑ̃t] *adj*
exuberant ▪**exubérance** *nf* exuberance

exulter [ɛgzylte] *vi* to exult, to rejoice
▪**exultation** *nf* exultation

exutoire [ɛgzytwar] *nm* outlet (**à** for)

ezine, e-zine [izin] *nm Ordinat* ezine, e-zine

F¹, f [ɛf] *nm inv* F, f

F² *abrév* **franc(s)**

fa [fa] *nm (note de musique)* F

fable [fabl] *nf* fable

fabricant, -ante [fabrikã, -ãt] *nmf* manufacturer ▪**fabrication** *nf* manufacture; **f. artisanale** production by craftsmen; **de f. artisanale** hand-made; **de f. française** made in France

fabrique [fabrik] *nf* factory

> Il faut noter que le nom anglais **fabric** est un faux ami. Il signifie le plus souvent **tissu**.

fabriquer [fabrike] *vt (objet)* to make; *(en usine)* to manufacture; *Péj (récit)* to fabricate; *Fam* **qu'est-ce qu'il fabrique?** what's he up to?

fabuler [fabyle] *vi* to make up stories

fabuleux, -euse [fabylø, -øz] *adj (légendaire, incroyable)* fabulous

fac [fak] *nf Fam* university; **à la f.** *Br* at university, *Am* at school, in college

façade [fasad] *nf* façade

face [fas] *nf (visage)* face; *(de cube, de montagne)* side; *(de pièce de monnaie)* head; **en f.** opposite; **en f. de** opposite, facing; *(en présence de)* in front of; **f. à** *(vis-à-vis)* facing; **f. à f.** face to face; **f. à un problème** faced with a problem; **faire f. à** *(situation)* to face up to; **regarder qn en f.** to look sb in the face; **sauver/perdre la f.** to save/lose face; *Fig* **se voiler la f.** to hide from reality; **photo de f.** full-face (photo) ▪**face-à-face** *nm inv* f. **télévisé** face-to-face TV encounter

facétie [fasesi] *nf* joke ▪**facétieux, -ieuse** [-esjø, -øz] *adj (personne)* facetious

facette [fasɛt] *nf (de diamant, de problème)* facet

fâcher [faʃe] **1** *vt* to anger **2 se fâcher** *vpr* to get angry *(**contre** with)*; **se f. avec qn** to fall out with sb ▪**fâché, -ée** *adj (air)* angry; *(amis)* on bad terms; **f. avec** *ou* **contre qn** angry with sb; *Fam* **être f. avec l'orthographe** to be a hopeless speller; **f. de qch** sorry about sth ▪**fâcheux, -euse** *adj (nouvelle)* unfortunate

facho [faʃo] *adj & nmf Fam* fascist

facile [fasil] *adj* easy; *(caractère, humeur)* easy-going; *Péj (banal)* facile; **c'est f. à faire** it's easy to do; **il nous est f. de faire ça** it's easy for us to do that; **f. à vivre** easy to get along with ▪**facilement** *adv* easily ▪**facilité** *nf (simplicité)* easiness; *(aisance)* ease; *Com* **facilités de paiement** payment facilities; **avoir des**

facilités pour qch to have an aptitude for sth ▪**faciliter** *vt* to make easier, to facilitate

façon [fasɔ̃] *nf* (**a**) *(manière)* way; **la f. dont elle parle** the way (in which) she talks; **de quelle f.?** how?; **façons** *(comportements)* manners; **une f. de parler** a manner of speaking; **à la f. de** in the fashion of; **de toute f.** anyway, anyhow; **d'une certaine f.** in some way; **de f. à** so as to; **de f. à ce qu'on vous comprenne** so as to be understood, so that you may be understood; **de f. générale** generally speaking; **d'une f. ou d'une autre** one way or another; **à ma f.** my way, (in) my own way; **faire des façons** to make a fuss; **accepter qch sans f.** to accept sth without fuss; **table f. chêne** imitation oak table; **f. cuir** imitation leather (**b**) *(coupe de vêtement)* cut, style

façonner [fasɔne] *vt (travailler, former)* to shape; *(fabriquer)* to make

facteur [faktœr] *nm* (**a**) *(employé)* *Br* postman, *Am* mailman (**b**) *(élément)* factor ▪**factrice** *nf Br* postwoman, *Am* mailwoman

factice [faktis] *adj* false; **diamant f.** imitation diamond

faction [faksjɔ̃] *nf (groupe)* faction; **de f.** *(soldat)* on guard duty

facture [faktyr] *nf Com* bill, invoice ▪**facturer** *vt* to bill, to invoice

facultatif, -ive [fakyltatif, -iv] *adj (travail)* optional; *Scol* **matière/épreuve facultative** *Br* optional *or Am* elective subject/test paper

faculté [fakylte] *nf* (**a**) *(aptitude)* faculty; **une grande f. de travail** a great capacity for work; **facultés mentales** faculties (**b**) *(d'université)* faculty; **à la f.** *Br* at university, *Am* at school, in college

fada [fada] *Fam* **1** *adj* nuts **2** *nm* nutcase

fadaises [fadɛz] *nfpl* nonsense

fade [fad] *adj* insipid ▪**fadasse** *adj Fam* wishy-washy

fagot [fago] *nm* bundle of firewood ▪**fagoter** *vt Péj* to dress

faible [fɛbl] **1** *adj* weak, feeble; *(bruit, voix)* faint; *(vent, chances)* slight; *(quantité, revenus)* small; **f. en anglais** poor at English **2** *nm* weakling; **les faibles** the weak; **f. d'esprit** feeble-minded person; **avoir un f. pour qn** to have a soft spot for sb; **avoir un f. pour qch** to have a weakness for sth ▪**faiblement** [-amã] *adv (protester)* weakly; *(éclairer)* faintly ▪**faiblesse** *nf (physique, morale)* weakness; *(de vent)* lightness; *(de revenus)* smallness

faiblir [feblir] *vi (forces)* to weaken; *(courage, vue)* to fail; *(vent)* to drop

faïence [fajɑ̃s] *nf (matière)* earthenware; **faïences** *(objets)* earthenware

faille¹ [faj] *nf Géol* fault; *Fig* flaw

faille² [faj] *voir* **falloir**

faillible [fajibl] *adj* fallible

faillir* [fajir] *vi* **il a failli tomber** he almost *or* nearly fell; **f. à un devoir** to fail in a duty

faillite [fajit] *nf Com* bankruptcy; *Fig* failure; **faire f.** to go bankrupt

faim [fɛ̃] *nf* hunger; **avoir f.** to be hungry; **donner f. à qn** to make sb hungry; **manger à sa f.** to eat one's fill; **rester sur sa f.** to remain hungry; **mourir de f.** to die of starvation; *Fig (avoir très faim)* to be starving

fainéant, -éante [feneɑ̃, -eɑ̃t] 1 *adj* idle 2 *nmf* idler ▪**fainéanter** *vi* to idle ▪**fainéantise** *nf* idleness

faire* [fɛr] 1 *vt (bruit, faute, gâteau, voyage, repas)* to make; *(devoir, ménage, dégâts)* to do; *(rêve, chute)* to have; *(sourire)* to give; *(promenade, sieste)* to have, to take; *(guerre)* to wage, to make; **ça fait 10 m de large** it's 10 m wide; **ça fait 10 euros** it's *or* that's 10 euros; **2 et 2 font 4** 2 and 2 are 4; **qu'a-t-il fait de...?** what's he done with...?; **que f.?** what's to be done? **f. du tennis/du piano** to play tennis/the piano; **f. du droit/de la médecine** to study law/ medicine; **f. du bien à qn** to do sb good; **f. du mal à qn** to hurt *or* harm sb; **f. l'idiot** to act *or* play the fool; **il fera un bon médecin** he'll be *or* make a good doctor; **ça ne fait rien** that doesn't matter; **comment as-tu fait pour...?** how did you manage to...?; **il ne fait que travailler** he does nothing but work; **je ne fais que d'arriver** I've just arrived; **'oui', fit-elle** 'yes', she said

2 *vi (agir)* to do; *(paraître)* to look; **f. comme chez soi** to make oneself at home; **faites donc!** please do!; **elle ferait bien de partir** she'd do well to leave; **il fait vieux** he looks old; **il fait (bien) son âge** he looks his age

3 *v impersonnel* **il fait beau/froid** it's fine/cold; **il fait du vent/soleil** it's windy/sunny; **quel temps fait-il?** what's the weather like?; **ça fait deux ans que je ne l'ai pas vu** I haven't seen him for two years, it's (been) two years since I saw him; **ça fait un an que je suis là** I've been here for a year

4 *v aux (+ infinitive)* **f. construire une maison** to have a house built *(à qn* for sb; **par qn** by sb); **f. crier/souffrir qn** to make sb shout/suffer

5 **se faire** *vpr (fabrication)* to be made; *(activité)* to be done; **se f. couper les cheveux** to have one's hair cut; **se f. tuer/renverser** to get

killed/knocked down; **se f. des illusions** to have illusions; **se f. des amis** to make friends; **se f. vieux** to get old; **il se fait tard** it's getting late; **comment se fait-il que...?** how is it that...?; **ça se fait beaucoup** people do that a lot; **se f. à** to get used to; **ne t'en fais pas!** don't worry! ▪**faire-part** *nm inv* announcement

fais, fait [fɛ] *voir* **faire**

faisable [fəzabl] *adj* feasible

faisan [fəzɑ̃] *nm* pheasant ▪**faisandé, -ée** *adj (gibier)* high

faisceau, -x [fɛso] *nm (rayons)* beam; *Fig* **un f. de preuves** a body of proof; **f. lumineux** beam of light

fait, -e [fɛ, fɛt] 1 *pp de* **faire** 2 *adj (fromage)* ripe; *(yeux)* made up; *(ongles)* polished; *(homme)* grown; **tout f.** ready made; **bien f.** *(jambes, corps)* shapely; **c'est bien f. (pour toi)!** it serves you right! 3 *nm (événement)* event; *(donnée, réalité)* fact; **du f. de** on account of; **au f.** *(à propos)* by the way; **en f.** in fact; **en f. de** *(en guise de)* by way of; *(au lieu de)* instead of; **prendre qn sur le f.** to catch sb red-handed *or* in the act; **aller au f., en venir au f.** to get to the point; **faits et gestes** actions; **prendre f. et cause pour qn** to stand up for sb; **mettre qn devant un f. accompli** to present sb with a fait accompli; *Journ* **faits divers** ≃ news in brief

faîte [fɛt] *nm (haut)* top; *Fig (apogée)* height

faites [fɛt] *voir* **faire**

fait-tout [fetu] *nm inv* stewpot

falaise [falɛz] *nf* cliff

falloir* [falwar] 1 *v impersonnel* **il faut qn/qch** I/ you/we/*etc* need sb/sth; **il lui faut un stylo** he/ she needs a pen; **il faut partir** I/you/we/*etc* have to go; **il faut que je parte** I have to go; **il faudrait qu'elle reste** she ought to stay; **il faut un jour** it takes a day *(***pour faire** to do); **comme il faut** proper(ly); **s'il le faut** if need be 2 **s'en falloir** *vpr* **il s'en est fallu de peu qu'il ne pleure, peu s'en est fallu qu'il ne pleure** he almost cried; **tant s'en faut** far from it

falsifier [falsifje] *vt (texte)* to falsify ▪**falsification** *nf* falsification

famé, -ée [fame] *adj* **mal f.** of ill repute

famélique [famelik] *adj* half-starved

fameux, -euse [famø, -øz] *adj (célèbre)* famous; *Fam (excellent)* first-class; *Fam* **pas f.** not much good

familial, -e, -iaux, -iales [familjal, -jo] *adj (atmosphère, ennuis)* family; *(entreprise)* family-run

familier, -ière [familje, -jɛr] 1 *adj (connu)* familiar *(***à** to); *(désinvolte)* informal *(***avec** with); *(locution)* colloquial 2 *nm (de club)* regular visitor *(***de** to) ▪**familiariser** 1 *vt* to familiarize *(***avec** with) 2 **se familiariser** *vpr* to familiarize oneself *(***avec** with) ▪**familiarité**

nf (désinvolture) informality; *Péj* **familiarités** liberties

famille [famij] *nf* family; **en f.** with one's family

famine [famin] *nf* famine

fan [fan], **fana** [fana] *nmf Fam* fan; **être f. de** to be crazy about

fanal, -aux [fanal, -o] *nm* lantern

fanatique [fanatik] **1** *adj* fanatical **2** *nmf* fanatic ▪**fanatisme** *nm* fanaticism

faner [fane] **se faner** *vpr (fleur, beauté)* to fade ▪**fané, -ée** *adj* faded

fanfare [fɑ̃far] *nf (orchestre)* brass band; *Fam* **réveil en f.** brutal awakening

fanfaron, -onne [fɑ̃farɔ̃, -ɔn] **1** *adj* boastful **2** *nmf* boaster

fanfreluches [fɑ̃frǝlyʃ] *nfpl Péj* frills

fanion [fanjɔ̃] *nm (de club)* pennant

fantaisie [fɑ̃tezi] *nf (caprice)* whim; *(imagination)* imagination; **bijoux f.** costume *Br* jewellery *or Am* jewelry ▪**fantaisiste** *adj (pas sérieux)* fanciful; *(excentrique)* unorthodox

> Il faut noter que le nom anglais **fantasy** est un faux ami. Il signifie **rêve**.

fantasme [fɑ̃tasm] *nm* fantasy ▪**fantasmer** *vi* to fantasize (**sur** about)

fantasque [fɑ̃task] *adj* whimsical

fantassin [fɑ̃tasɛ̃] *nm* infantryman

fantastique [fɑ̃tastik] *adj (imaginaire, excellent)* fantastic

fantoche [fɑ̃tɔʃ] *nm & adj* puppet

fantôme [fɑ̃tom] **1** *nm* ghost, phantom **2** *adj* **ville/train f.** ghost town/train; **firme f.** bogus company *or* firm

faon [fɑ̃] *nm* fawn

FAQ [efaky] *(abrév* **foire aux questions, frequently asked questions**) *nf Ordinat* FAQ

faramineux, -euse [faraminø, -øz] *adj Fam* fantastic

farce¹ [fars] *nf (tour)* practical joke, prank; *(pièce de théâtre)* farce; **faire une f. à qn** to play a practical joke *or* a prank on sb; **magasin de farces et attrapes** joke shop ▪**farceur, -euse** *nmf (blagueur)* practical joker

farce² [fars] *nf Culin* stuffing ▪**farcir** *vt (poulet)* to stuff; *Fam* **se f. qn** to put up with sb; **se f. qch** to get landed with sth

fard [far] *nm* make-up ▪**farder 1** *vt (maquiller)* to make up **2 se farder** *vpr (se maquiller)* to put on one's make-up; **se f. les yeux** to put eyeshadow on

fardeau, -x [fardo] *nm* burden, load

farfelu, -ue [farfǝly] *Fam* **1** *adj* weird **2** *nmf* weirdo

farfouiller [farfuje] *vi Fam* to rummage (**dans** through)

fariboles [faribɔl] *nfpl Fam* nonsense

farine [farin] *nf (de blé)* flour; **f. d'avoine** oatmeal ▪**farineux, -euse** *adj* floury

farouche [faruʃ] *adj (personne)* shy; *(animal)* timid; *(haine, regard)* fierce ▪**farouchement** *adv* fiercely

fascicule [fasikyl] *nm (de publication)* instalment; *(brochure)* brochure

fasciner [fasine] *vt* to fascinate ▪**fascination** *nf* fascination

fascisme [faʃism] *nm* fascism ▪**fasciste** *adj & nmf* fascist

fasse(s), fassent [fas] *voir* **faire**

faste [fast] **1** *nm Br* splendour, *Am* splendor **2** *adj* **jour/période f.** lucky day/period

fastidieux, -ieuse [fastidjø, -jøz] *adj* tedious

> Il faut noter que l'adjectif anglais **fastidious** est un faux ami. Il signifie **pointilleux**.

fatal, -e, -als, -ales [fatal] *adj (mortel)* fatal; *(inévitable)* inevitable; *(moment, ton)* fateful; **c'était f.!** it was bound to happen! ▪**fatalement** *adv* inevitably ▪**fataliste 1** *adj* fatalistic **2** *nmf* fatalist ▪**fatalité** *nf (destin)* fate ▪**fatidique** *adj (jour, date)* fateful

> Il faut noter que les termes anglais **fatally** et **fatality** sont des faux amis. Ils signifient respectivement **mortellement** ou **irrémédiablement**, et **victime**.

fatigant, -ante [fatigɑ̃, -ɑ̃t] *adj (épuisant)* tiring; *(ennuyeux)* tiresome

fatigue [fatig] *nf* tiredness; **tomber de f.** to be dead tired

fatiguer [fatige] **1** *vt (épuiser)* to tire; *(yeux)* to strain; *(ennuyer)* to bore **2** *vi (personne)* to get tired; *(moteur)* to *Br* labour *or Am* labor **3 se fatiguer** *vpr (s'épuiser, se lasser)* to get tired (**de** of); **se f. à faire qch** to tire oneself out doing sth; **se f. les yeux** to strain one's eyes ▪**fatigué, -ée** *adj* tired (**de** of)

fatras [fatra] *nm* jumble, muddle

faubourg [fobur] *nm* suburb

fauché, -ée [foʃe] *adj Fam (sans argent)* broke

faucher [foʃe] *vt (herbe)* to mow; *(blé)* to reap; *Fam (voler)* to snatch, *Br* to pinch; *Fig* **f. qn** *(faire tomber brutalement)* to mow sb down ▪**faucheuse** *nf (machine)* reaper

faucille [fosij] *nf* sickle

faucon [fokɔ̃] *nm* hawk, falcon

faudra, faudrait [fodra, fodrɛ] *voir* **falloir**

faufiler [fofile] **se faufiler** *vpr* to work one's way (**dans** through *or* into; **entre** between)

faune [fon] *nf* wildlife, fauna; *Péj (gens)* set

faussaire [fosɛr] *nm* forger

fausse [fos] *voir* **faux¹** ▪**faussement** *adv* falsely

fausser [fose] *vt (réalité)* to distort; *(clé)* to buckle; **f. compagnie à qn** to give sb the slip

fausseté [foste] *nf (de raisonnement)* falseness; *(hypocrisie)* duplicity

faut [fo] *voir* **falloir**

faute [fot] *nf (erreur)* mistake; *(responsabilité) & Tennis* fault; *Football* foul; **Fam c'est de ta f., c'est ta f.** it's your fault; **f. de temps** for lack of time; **f. de mieux** for want of anything better; **en f.** at fault; **sans f.** without fail; **faire une f.** to make a mistake; **f. d'impression** printing error

fauteuil [fotœj] *nm* armchair; *(de président)* chair; *Fam* **arriver dans un f.** to win hands down; *Théâtre* **f. d'orchestre** seat in the Br stalls *or* Am orchestra; **f. pivotant** swivel chair; **f. roulant** wheelchair

fauteur [fotœr] *nm* **f. de troubles** troublemaker

fautif, -ive [fotif, -iv] *adj (personne)* at fault; *(erroné)* faulty

fauve [fov] **1** *nm* big cat; **chasse aux grands fauves** big game hunting **2** *adj & nm (couleur)* fawn

faux¹, fausse [fo, fos] **1** *adj (pas vrai)* false, untrue; *(inexact)* wrong; *(inauthentique)* false; *(monnaie)* forged; *(tableau)* fake; **faire fausse route** to take the wrong road; *Fig* to be on the wrong track; **faire un f. mouvement** to make a sudden (awkward) movement; **faire une fausse note** *(musicien)* to play a wrong note; **faire une fausse couche** to have a miscarriage; *Fam* **avoir tout f.** to get it all wrong; *Ling* **f. ami** false friend; **f. col** detachable collar; **f. départ** false start; **f. diamant** fake diamond; **f. nez** false nose **2** *adv (chanter)* out of tune **3** *nm (tableau)* fake; *(document)* forgery ▪**faux-filet** *(pl* **faux-filets)** *nm* sirloin ▪**faux-fuyant** *(pl* **faux-fuyants)** *nm* subterfuge ▪**faux-monnayeur** *(pl* **faux-monnayeurs)** *nm* counterfeiter

faux² [fo] *nf (instrument)* scythe

faveur [favœr] *nf Br* favour, *Am* favor; **en f. de** *(au profit de)* in aid of; **être en f. de qch** to be in favour of sth; **de f.** *(billet)* complimentary; *(traitement, régime)* preferential ▪**favorable** *adj Br* favourable, *Am* favorable **(à** to) ▪**favori, -ite** *adj & nmf Br* favourite, *Am* favorite ▪**favoriser** *vt Br* to favour, *Am* to favor ▪**favoritisme** *nm Br* favouritism, *Am* favoritism

favoris [favɔri] *nmpl* sideburns

fax [faks] *nm (appareil, message)* fax; *Ordinat* **f. modem** fax modem ▪**faxer** *vt (message)* to fax

fébrile [febril] *adj* feverish ▪**fébrilité** *nf* feverishness

fécond, -onde [fekɔ̃, -ɔ̃d] *adj (femme, idée)* fertile ▪**fécondation** *nf* fertilization; **f. in vitro** in vitro fertilization ▪**féconder** *vt* to fertilize ▪**fécondité** *nf* fertility

fécule [fekyl] *nf* starch ▪**féculents** *nmpl (aliments)* starchy food

fédéral, -e, -aux, -ales [federal, -o] *adj* federal ▪**fédération** *nf* federation ▪**fédérer** *vt* to federate

fée [fe] *nf* fairy ▪**féerique** *adj (personnage, monde)* fairy; *(vision)* enchanting

feindre* [fɛ̃dr] *vt* to feign; **f. de faire qch** to pretend to do sth ▪**feint, -e** *adj* feigned ▪**feinte** *nf (ruse)* ruse; *Football & Rugby* dummy run

fêler [fele] *vt,* **se fêler** *vpr* to crack ▪**fêlure** *nf* crack

féliciter [felisite] **1** *vt* to congratulate (**de** *ou* **sur** on) **2 se féliciter** *vpr* **se f. de qch** to congratulate oneself on sth ▪**félicitations** *nfpl* congratulations (**pour** on)

félin, -ine [felɛ̃, -in] *adj & nm* feline

femelle [fəmel] *adj & nf* female

féminin, -ine [feminɛ̃, -in] *adj (prénom, hormone)* female; *(trait, intuition, pronom)* feminine; *(mode, revue, équipe)* women's ▪**féministe** *adj & nmf* feminist ▪**féminité** *nf* femininity

femme [fam] *nf* woman *(pl* women); *(épouse)* wife; **f. d'affaires** businesswoman; **f. de chambre** (chamber)maid; **f. de ménage** cleaning lady; **f. au foyer** housewife; *Fam* **bonne f.** woman

fémur [femyr] *nm* thighbone, femur

fendiller [fɑ̃dije] **se fendiller** *vpr* to crack

fendre [fɑ̃dr] **1** *vt (bois)* to split; *(foule)* to force one's way through; *(air)* to cleave; *Fig (cœur)* to break; **jupe fendue** slit skirt **2 se fendre** *vpr (se fissurer)* to crack; *Fam* **se f. de 50 euros** to fork out 50 euros; *Fam* **se f. la gueule** to laugh one's head off

fenêtre [fənɛtr] *nf* window

fenouil [fənuj] *nm* fennel

fente [fɑ̃t] *nf (de tirelire, palissade, jupe)* slit; *(de rocher)* split, crack

féodal, -e, -aux, -ales [feɔdal, -o] *adj* feudal

fer [fɛr] *nm* iron; *(partie métallique de qch)* metal (part); **barre de** *ou* **en f.** iron bar; **boîte en f.** can, *Br* tin; *Fig* **santé de f.** cast-iron constitution; *Fig* **main/volonté de f.** iron hand/will; **f. à cheval** horseshoe; **f. forgé** wrought iron **f. à friser** curling tongs; *Fig* **f. de lance** spearhead; **f. à repasser** iron ▪**fer-blanc** *(pl* **fers-blancs)** *nm* tin(-plate)

fera, ferait *etc* [fəra, fərɛ] *voir* **faire**

férié [ferje] *adj m* **jour f.** *(public)* holiday

ferme¹ [fɛrm] *nf* farm; *(maison)* farm(house)

ferme² [fɛrm] **1** *adj (beurre, décision)* firm; *(pas, voix)* steady; *(pâte)* stiff; *(autoritaire)* firm (**avec** with) **2** *adv (discuter)* keenly; *(travailler, boire)* hard; **s'ennuyer f.** to be bored stiff ▪**fermement** [-əmɑ̃] *adv* firmly

ferment [fɛrmɑ̃] *nm* ferment ▪**fermentation** *nf* fermentation ▪**fermenter** *vi* to ferment

fermer [fɛrme] **1** *vt* to close, to shut; *(gaz, radio)* to turn *or* switch off; *(vêtement)* to do up; *(passage)* to block; **f. qch à clef** to lock sth; **f. un magasin** *(définitivement)* to close *or* shut (down) a shop; **f. la marche** to bring up the rear; *Fam* **ferme-la!, la ferme!** shut up! **2** *vi,* **se**

fermer *vpr* to close, to shut ▪**fermé, -ée** *adj (porte, magasin)* closed, shut; *(route, circuit)* closed; *(gaz)* off

fermeté [fɛrməte] *nf* firmness; *(de geste, de voix)* steadiness

fermeture [fɛrmətyr] *nf* closing, closure; *(heure)* closing time; *(mécanisme)* catch; **f. annuelle** annual closure; **f. Éclair®** *Br* zip (fastener), *Am* zipper

fermier, -ière [fɛrmje, -jɛr] **1** *nmf* farmer **2** *adj* **poulet f.** free-range chicken

fermoir [fɛrmwar] *nm* clasp

féroce [ferɔs] *adj* ferocious ▪**férocité** *nf* ferocity

feront [fərɔ̃] *voir* **faire**

ferraille [fɛrɑj] *nf* scrap iron; **mettre qch à la f.** to scrap sth ▪**ferrailleur** *nm* scrap metal dealer *or Br* merchant

ferré, -ée [fɛre] *adj (canne)* metal-tipped

ferrer [fɛre] *vt (cheval)* to shoe

ferronnerie [fɛrɔnri] *nf* ironwork

ferroviaire [fɛrɔvjɛr] *adj* **compagnie f.** *Br* railway company, *Am* railroad company; **catastrophe f.** rail disaster

ferry [fɛri] *(pl* **ferrys** *ou* **ferries***) nm* ferry

fertile [fɛrtil] *adj (terre, imagination)* fertile; **f. en incidents** eventful ▪**fertiliser** *vt* to fertilize ▪**fertilité** *nf* fertility

fervent, -ente [fɛrvɑ̃, -ɑ̃t] **1** *adj* fervent **2** *nmf* devotee **(de** of) ▪**ferveur** *nf* fervour

fesse [fɛs] *nf* buttock; **fesses** *Br* bottom, *Am* butt ▪**fessée** *nf* spanking

festin [fɛstɛ̃] *nm* feast

festival, -als [fɛstival] *nm* festival; *Fig* **nous avons assisté à un vrai f.** we witnessed a dazzling performance

festivités [fɛstivite] *nfpl* festivities

festoyer [fɛstwaje] *vi* to feast

fête [fɛt] *nf (civile)* holiday; *(religieuse)* festival, feast; *(entre amis)* party; **jour de f.** (public) holiday; **air de f.** festive air; **les fêtes (de Noël et du nouvel an)** the Christmas holidays; **faire la f.** to have a good time; **c'est sa f.** it's his/her saint's day; *Fam* **ça va être ta f.!** you're in for it!; **f. de famille** family celebration; **la f. des Mères** Mother's Day; **la f. du Travail** Labour Day; **f. du village** village fair *or* fête; **f. nationale** national holiday ▪**fêter** *vt (événement)* to celebrate

fétiche [fetiʃ] *nm (objet de culte)* fetish; *Fig (mascotte)* mascot

fétide [fetid] *adj* fetid

feu¹, -x [fø] *nm* fire; *(de réchaud)* burner; *Aut, Naut & Av (lumière)* light; **tous feux éteints** *(rouler)* without lights; **en f.** on fire, ablaze; **mettre le f. à qch** to set fire to sth; **faire du f.** to light *or* make a fire; **prendre f.** to catch fire; **donner du f. à qn** to give sb a light; **avez-vous du f.?** have you got a light?; **faire cuire qch à f. doux** to cook sth on a low heat; *Fig* **dans le f. de la dispute** in the heat of the argument; *Fig*

mettre le f. aux poudres to spark things off; *Fig* **donner le f. vert** to give the go-ahead **(à** to); *Fig* **ne pas faire long f.** not to last very long; **au f.!** (there's a) fire!; *Mil* **f.!** fire!; **feux de croisement** *Br* dipped headlights, *Am* low beams; **feux de détresse** (hazard) warning lights; **feux de position** parking lights; *Aut* **f. rouge** *(lumière)* red light; *(objet)* traffic lights; **feux tricolores** traffic lights

feu², -e [fø] *adj* late; **f. ma tante** my late aunt

feuille [fœj] *nf* leaf; *(de papier)* sheet; *(de température)* chart; *(de journal)* newssheet; **f. d'impôt** tax form *or* return; **f. de maladie** = form given by doctor to patient for claiming reimbursement from Social Security; **f. de paie** *Br* pay slip, *Am* pay stub; *Scol* **f. de présence** attendance sheet ▪**feuillage** *nm* leaves, foliage ▪**feuillu, -ue** *adj* leafy

feuillet [fœjɛ] *nm (de livre)* leaf ▪**feuilleté** *nm* **f. au fromage** cheese pastry ▪**feuilleter** *vt (livre)* to flip through

feuilleton [fœjtɔ̃] *nm (roman, film)* serial; **f. télévisé** television serial

feutre [føtr] *nm* felt; *(chapeau)* felt hat; **(crayon) f.** felt-tip(ped) pen ▪**feutré, -ée** *adj (lainage)* matted; *(bruit)* muffled; **à pas feutrés** silently

fève [fɛv] *nf (broad)* bean; *(de la galette des Rois)* charm

février [fevrije] *nm* February

fiable [fjabl] *adj* reliable ▪**fiabilité** *nf* reliability

fiacre [fjakr] *nm Hist* hackney carriage

fiancer [fjɑ̃se] **se fiancer** *vpr* to become engaged **(avec** to) ▪**fiançailles** *nfpl* engagement ▪**fiancé** *nm* fiancé; **fiancés** engaged couple ▪**fiancée** *nf* fiancée

fiasco [fjasko] *nm* fiasco

fibre [fibr] *nf* fibre; **f. de verre** fibreglass; **fibres optiques** optical fibres; **câble en fibres optiques** fibre-optic cable

ficelle [fisɛl] *nf (de corde)* string; *(pain)* = long thin loaf; **les ficelles du métier** the tricks of the trade ▪**ficeler** *vt* to tie up

fiche [fiʃ] *nf* **(a)** *(carte)* index card; *(papier)* form; **f. d'état civil** = administrative record of birth details and marital status; **f. de paie** *Br* pay slip, *Am* pay stub; **f. technique** data record **(b)** *Él (broche)* pin; *(prise)* plug

fiche(r) [fiʃ(e)] *(pp* **fichu***) Fam* **1** *vt (faire)* to do; *(donner)* to give; *(jeter)* to throw; *(mettre)* to put; **f. le camp** to shove off; **fiche-moi la paix!** leave me alone! **2 se ficher** *vpr* **se f. de qn** to make fun of sb; **je m'en fiche!** I don't give a damn!; **je me suis fichu dedans** I goofed

ficher [fiʃe] *vt (enfoncer)* to drive in; *(mettre sur fiche)* to put on file

fichier [fiʃje] *nm* card index, file; *Ordinat* file; *Ordinat* **f. MP3** MP3 file; *Ordinat* **f. de sauvegarde** backup file

fichu¹, -ue [fiʃy] *adj Fam (mauvais)* lousy,

rotten; *(capable)* able (**de faire** to do); **mal f.**
(malade) not well; **c'est f.** *(abîmé)* it's had it; **il
est f.** *(condamné)* he's had it, *Br* he's done for
fichu² [fiʃy] *nm (étoffe)* (head)scarf

fictif, -ive [fiktif, -iv] *adj* fictitious ■**fiction** *nf*
fiction

fidèle [fidɛl] **1** *adj* faithful (**à** to) **2** *nmf* faithful
supporter; *(client)* regular (customer); **les
fidèles** *(croyants)* the faithful; *(à l'église)* the
congregation ■**fidèlement** *adv* faithfully ■**fidélité** *nf* fidelity, faithfulness

fief [fjɛf] *nm* domain

fieffé, -ée [fjefe] *adj* **un f. menteur** an out-and-
out liar

fiel [fjɛl] *nm* gall

fier¹ [fje] **se fier** *vpr* **se f. à qn/qch** to trust sb/sth

fier², fière [fjer] *adj* proud (**de** of); **avoir fière
allure** to cut a fine figure ■**fièrement** *adv*
proudly ■**fierté** *nf* pride

fièvre [fjɛvr] *nf (maladie)* fever; *(agitation)*
frenzy; **avoir de la f.** to have a temperature *or*
a fever ■**fiévreux, -euse** *adj* feverish

figer [fiʒe] **1** *vt (liquide)* to congeal; *Fig* **f. qn** to
paralyse sb **2 se figer** *vpr (liquide)* to congeal;
Fig (sourire, personne) to freeze ■**figé, -ée** *adj*
(locution) set, fixed; *(regard)* frozen; *(société)*
fossilized

fignoler [fiɲɔle] *vt Fam* to put the finishing
touches to

figue [fig] *nf* fig ■**figuier** *nm* fig tree

figurant, -ante [figyrɑ̃, -ɑ̃t] *nmf (de film)* extra

figure [figyr] *nf (visage)* face; *(personnage,
illustration) & Math* figure; **faire f. de favori** to
be considered the favourite; **f. de style**
stylistic device; **figures imposées** compulsory figures; **figures libres** freestyle ■**figu-
rine** *nf* statuette

> Il faut remarquer que le nom anglais **figure**
> est un faux ami lorsqu'il s'applique à une
> personne. Il signifie **silhouette**.

figurer [figyre] **1** *vt* to represent **2** *vi* to appear
3 se figurer *vpr* to imagine; **figurez-vous
que...?** would you believe that...? ■**figuré,
-ée 1** *adj (sens)* figurative **2** *nm* **au f.**
figuratively

fil [fil] *nm* (**a**) *(de coton, de pensée)* thread;
(lin) linen; **de f. en aiguille** bit by bit; *Fig* **cousu
de f. blanc** plain for all to see, as plain as day;
Fig **donner du f. à retordre à qn** to give
sb trouble; **f. dentaire** dental floss (**b**)
(métallique) wire; *Ordinat* **sans f.** wireless; **f. de
fer** wire; **f. à plomb** plumbline (**c**) *(de couteau)*
edge (**d**) *(expressions)* **au f. de l'eau/des jours**
with the current/the passing of time; **au bout
du f.** *(au téléphone)* on the line

filaire [filɛr] *nm* corded phone

filament [filamɑ̃] *nm Biol & Él* filament

filandreux, -euse [filɑ̃drø, -øz] *adj (viande,
légumes)* stringy

filature [filatyr] *nf (usine)* textile mill;
(surveillance) shadowing; **prendre qn en f.** to
shadow sb

file [fil] *nf* line; *Aut (couloir)* lane; **f. d'attente** *Br*
queue, *Am* line; **en f. indienne** in single file;
être en double f. to be double-parked

filer [file] **1** *vt (coton)* to spin; **f. qn** to shadow sb;
Fam **f. qch à qn** to give sb sth **2** *vi (partir)* to rush
off; *(aller vite)* to speed along; *(temps)* to fly;
(bas, collant) to run, *Br* to ladder; **f. entre les
doigts à qn** to slip through sb's fingers; *Fam* **f.
à l'anglaise** *(sans se faire remarquer)* to slip
away; *(pour éviter qn ou qch)* to sneak off, *Br* to
do a runner; **f. doux** to be obedient; **filez!** beat it!

filet [filɛ] *nm* (**a**) *(en maille)* net; **coup de f.**
(opération de police) police haul; **f. à bagages**
luggage rack; **f. à provisions** string bag (**b**)
(d'eau) trickle (**c**) *(de poisson, de viande)* fillet

filial, -e, -iaux, -iales [filjal, -jo] *adj* filial
■**filiale** *nf* subsidiary (company)

filiation [filjasjɔ̃] *nf (relation)* relationship

filière [filjer] *nf (voie obligée)* channels;
(domaine d'études) field of study; *(organisation
clandestine)* network; **suivre la f. normale** to
go through the official channels; *(employé)* to
work one's way up; *Scol* **suivre la f.
scientifique** to study scientific subjects;
remonter la f. *(police)* to go back through the
network (to reach the person at the top)

filigrane [filigran] *nm (sur papier)* watermark

filin [filɛ̃] *nm Naut* rope

fille [fij] *nf (enfant)* girl; *(descendante)* daughter;
petite f. (little *or* young) girl; **jeune f.** girl,
young lady; *Péj* **vieille f.** old maid ■**fillette** *nf*
little girl

filleul [fijœl] *nm* godson ■**filleule** *nf* goddaughter

film [film] *nm (œuvre)* film, movie; *(pour photo)*
film; *Fig* **le f. des événements** the sequence of
events; *Fam* **se faire un f.** to be living in a dream
world; **f. d'aventures** adventure film; **f. muet/
parlant** silent/talking film; **f. policier** thriller;
f. plastique *Br* clingfilm, *Am* plastic wrap
■**filmer** *vt (personne, scène)* to film

filon [filɔ̃] *nm Géol* seam; *Fam* **trouver le f.** to
strike it lucky

filou [filu] *nm (escroc)* rogue

filtre [filtr] *nm* filter; **(à bout) f.** *(cigarette)* filter-
tipped; **(bout) f.** filter (tip) ■**filtrer 1** *vt* to filter;
(personne, nouvelles) to screen **2** *vi (liquide)* to
filter (through); *(nouvelle)* to leak out

fin¹ [fɛ̃] *nf* (**a**) *(conclusion)* end; **mettre f. à qch**
to put an end to sth; **prendre f.** to come to an
end; **tirer à sa f.** to draw to a close; **sans f.**
endless; **à la f.** in the end; **arrêtez, à la f.!** stop,
for heaven's sake!; **f. mai** at the end of May; **f. de
semaine** weekend (**b**) *(but)* end, aim; **arriver à
ses fins** to achieve one's ends; **à cette f.** to this
end

fin², fine [fɛ̃, fin] **1** *adj (pointe, tissu)* fine; *(peu épais)* thin; *(plat)* delicate; *(esprit, oreille)* sharp; *(observation)* sharp, fine; *(intelligent)* clever; **au f. fond de** in the depths of; **jouer au plus f. avec qn** to try and be smarter than sb **2** *adv (couper, moudre)* finely; *(écrire)* small

final, -e, -aux *ou* **-als, -ales** [final, -o] *adj* final ▪**finale 1** *nf Sport* final **2** *nm Mus* finale ▪**finalement** *adv* finally ▪**finaliste** *nmf Sport* finalist

finance [finɑ̃s] *nf* finance ▪**financement** *nm* financing ▪**financer** *vt* to finance

financier, -ière [finɑ̃sje, -jɛr] **1** *adj* financial **2** *nm* financier ▪**financièrement** *adv* financially

fine [fin] *nf* liqueur brandy

finement [finmɑ̃] *adv (couper, broder)* finely; *(agir)* cleverly; **f. joué** nicely played

finesse [fines] *nf (de pointe)* fineness; *(de taille)* thinness; *(de plat)* delicacy; *(d'esprit, de goût)* finesse; **finesses** *(de langue)* niceties

finir [finir] **1** *vt* to finish; *(discours, vie)* to end, to finish **2** *vi* to finish, to end; **f. bien/mal** to have a happy/an unhappy ending; **f. de faire qch** to finish doing sth; **f. par faire qch** to end up doing sth; **f. par qch** to finish (up) *or* end (up) with sth; **en f. avec qn/qch** to have done with sb/sth; **elle n'en finit pas de pleurer** there's nothing that can make her stop crying; **il finira tout seul** *(il mourra tout seul)* he'll come to a lonely end ▪**fini, -ie 1** *adj (produit)* finished; *(univers) & Math* finite; **c'est f.** it's over *or* finished; **il est f.** *(trop vieux)* he's finished **2** *nm (d'objet manufacturé)* finish ▪**finish** *nm inv Sport* finish; *Fam* **avoir qn au f.** *(à l'usure)* to get sb in the end ▪**finition** *nf Tech (action)* finishing; *(résultat)* finish

Finlande [fɛ̃lɑ̃d] *nf* **la F.** Finland ▪**finlandais, -aise 1** *adj* Finnish **2** *nmf* **F., Finlandaise** Finn ▪**finnois, -oise 1** *adj* Finnish **2** *nmf* **F., Finnoise** Finn **3** *nm (langue)* Finnish

fiole [fjɔl] *nf* phial

firme [firm] *nf* firm

fisc [fisk] *nm Br* ≃ Inland Revenue, *Am* ≃ Internal Revenue ▪**fiscal, -e, -aux, -ales** *adj* **droit f.** tax law; **charges fiscales** taxes; **fraude fiscale** tax fraud *or* evasion ▪**fiscalité** *nf* tax system

fissure [fisyr] *nf* crack ▪**se fissurer** *vpr* to crack

fiston [fistɔ̃] *nm Fam* son, lad

FIV [efive] *(abrév* **fécondation in vitro)** *nf* IVF

fixateur [fiksatœr] *nm Phot* fixer

fixation [fiksɑsjɔ̃] *nf (action)* fixing; *(dispositif)* fastening, binding; *(idée fixe)* fixation; **faire une f. sur qn/qch** to be fixated on sb/sth

fixe [fiks] **1** *adj* fixed; *(prix, heure)* set, fixed; **être au beau f.** *(temps)* to be set fair **2** *nm (paie)* fixed salary ▪**fixement** [-əmɑ̃] *adv* **regarder qn/qch f.** to stare at sb/sth

fixer [fikse] **1** *vt (attacher)* to fix **(à** to); *(choix)* to settle; *(date, règle)* to decide, to fix; **f. qn/qch (du regard)** to stare at sb/sth; **être fixé**

(décidé) to be decided; **comme ça, on est fixé!** *(renseigné)* we've got the picture! **2 se fixer** *vpr (regard)* to become fixed; *(s'établir)* to settle

flacon [flakɔ̃] *nm* small bottle

flageoler [flaʒɔle] *vi* to shake, to tremble

flageolet [flaʒɔlɛ] *nm (haricot)* flageolet bean

flagrant, -ante [flagrɑ̃, -ɑ̃t] *adj (injustice)* flagrant, blatant; **pris en f. délit** caught in the act *or* red-handed

flair [flɛr] *nm (d'un chien)* (sense of) smell, scent; *(clairvoyance)* intuition, flair ▪**flairer** *vt* to smell, to sniff at; *Fig (discerner)* to smell

flamand, -ande [flamɑ̃, -ɑ̃d] **1** *adj* Flemish **2** *nmf* **F., Flamande** Fleming **3** *nm (langue)* Flemish

flamant [flamɑ̃] *nm* **f. (rose)** flamingo

flambant [flɑ̃bɑ̃] *adv* **f. neuf** brand new

flambeau, -x [flɑ̃bo] *nm* torch

flambée [flɑ̃be] *nf* blaze; *Fig (de colère, des prix)* surge; *(de violence)* flare-up

flamber [flɑ̃be] **1** *vt Méd (aiguille)* to sterilize; *Culin* to flambé; *(poulet)* to singe; **crêpes flambées** flambéed pancakes **2** *vi* to blaze; *Fam (jouer)* to gamble for big money ▪**flambeur** *nm Fam* big-time gambler

flamboyer [flɑ̃bwaje] *vi* to blaze

flamme [flam] *nf* flame; *Fig (ardeur)* fire; **en flammes** on fire

flan [flɑ̃] *nm* baked custard

flanc [flɑ̃] *nm* side; *(d'armée, d'animal)* flank; *Fam* **tirer au f.** to shirk

flancher [flɑ̃ʃe] *vi Fam* to give in

Flandre [flɑ̃dr] *nf* **la F., les Flandres** Flanders

flanelle [flanɛl] *nf* flannel

flâner [flɑne] *vi* to stroll

flanquer [flɑ̃ke] **1** *vt* to flank (**de** with); *Fam (jeter)* to chuck; *Fam (donner)* to give; *Fam* **f. qn à la porte** to kick sb out **2 se flanquer** *vpr* **se f. par terre** to fall flat on one's face

flaque [flak] *nf (d'eau)* puddle; *(de sang)* pool

flash [flaʃ] *(pl* **flashes)** *nm Phot* flashlight; *Radio & TV* **f. d'informations** (news)flash ▪**flasher** *vi Fam* **f. sur qn/qch** to fall for sb/sth in a big way

flasque [flask] *adj* flabby

flatter [flate] **1** *vt* to flatter **2 se flatter** *vpr* **se f. de faire qch** to flatter oneself on doing sth ▪**flatté, -ée** *adj* flattered (**de qch** by sth; **de faire** to do; **que** that) ▪**flatterie** *nf* flattery ▪**flatteur, -euse 1** *adj* flattering **2** *nmf* flatterer

fléau, -x [fleo] *nm (catastrophe)* scourge; *Fig (personne)* pain; *Agr* flail

flèche [flɛʃ] *nf* arrow; *(d'église)* spire; **monter en f.** *(prix)* to shoot up ▪**flécher** *vt* to signpost (with arrows) ▪**fléchette** *nf* dart; **fléchettes** *(jeu)* darts

fléchir [fleʃir] **1** *vt (membre)* to bend; *Fig* **f. qn** to sway sb **2** *vi (membre)* to bend; *(poutre)* to sag; *(faiblir)* to give way; *(baisser)* to fall

flegme [flɛgm] *nm* composure ▪**flegmatique** *adj* phlegmatic

flemme [flɛm] *nf Fam* laziness; **il a la f.** he can't be bothered ▪ **flemmard, -arde** *Fam* **1** *adj* lazy **2** *nmf* lazybones

flétrir [fletrir] *vt*, **se flétrir** *vpr* to wither

fleur [flœr] *nf* flower; *(d'arbre, d'arbuste)* blossom; **en fleur(s)** in flower, in bloom; *(arbre)* in blossom; **à fleurs** *(tissu)* floral; **à** *ou* **dans la f. de l'âge** in the prime of life; **à f. d'eau** just above the water; **émotions à f. de peau** skin-deep emotions; **avoir les nerfs à f. de peau** to be all on edge; **la fine f. de la marine française** the cream of the French navy; *Fam* **arriver comme une f.** to arrive innocent and unsuspecting; *Fam* **faire une f. à qn** to do sb a favour; **il a un côté f. bleue** he has a romantic side

fleurir [flœrir] **1** *vt (table)* to decorate with flowers; *(tombe)* to lay flowers on **2** *vi (plante)* to flower, to bloom; *(arbre)* to blossom; *Fig (art, commerce)* to flourish ▪ **fleuri, -ie** *adj (fleur, jardin)* in bloom; *(tissu)* floral; *(style)* flowery, florid

fleuriste [flœrist] *nmf* florist

fleuve [flœv] *nm* river

flexible [flɛksibl] *adj* flexible ▪ **flexibilité** *nf* flexibility

flexion [flɛksjɔ̃] *nf (fléchissement)* bending

flic [flik] *nm Fam* cop

flingue [flɛ̃g] *nm Fam* gun ▪ **flinguer** *vt Fam* **f. qn** to gun sb down

flipper [flipœr] *nm (jeu)* pinball; *(appareil)* pinball machine

flocon [flɔkɔ̃] *nm* flake; **il neige à gros flocons** big flakes of snow are falling; **f. de neige** snowflake; **flocons d'avoine** porridge oats ▪ **floconneux, -euse** *adj* fluffy

floraison [flɔrɛzɔ̃] *nf* flowering; **en pleine f.** in full bloom ▪ **floral, -e, -aux, -ales** *adj* floral ▪ **floralies** *nfpl* flower show

flore [flɔr] *nf* flora

florissant, -ante [flɔrisɑ̃, -ɑ̃t] *adj* flourishing

flot [flo] *nm (de souvenirs, de larmes)* flood, stream; **les flots** *(la mer)* the waves; **à f.** *(bateau, personne)* afloat; *Fig* **remettre qn à f.** to restore sb's fortunes; *Fig* **couler à flots** *(argent, vin)* to flow freely; **le soleil entrait à flots** the sun was streaming in

flotte [flɔt] *nf (de bateaux, d'avions)* fleet; *Fam (pluie)* rain; *Fam (eau)* water

flottement [flɔtmɑ̃] *nm (hésitation)* indecision

flotter [flɔte] *vi (bateau)* to float; *(drapeau)* to fly; *(cheveux)* to flow; *Fam (pleuvoir)* to rain ▪ **flotteur** *nm* float

flou, -e [flu] **1** *adj (photo)* fuzzy, blurred; *(idée)* vague **2** *nm* fuzziness; *Fig* vagueness; *Phot* **f. artistique** soft focus (effect)

fluctuant, -uante [flyktɥɑ̃, -ɥɑ̃t] *adj (prix, opinions)* fluctuating ▪ **fluctuations** *nfpl* fluctuation(s) (**de** in)

fluet, -uette [flyɛ, -ɥɛt] *adj* thin, slender

fluide [flɥid] **1** *adj (liquide)* & *Fig* fluid **2** *nm (liquide)* fluid ▪ **fluidité** *nf* fluidity

fluorescent, -ente [flyɔresɑ̃, -ɑ̃t] *adj* fluorescent ▪ **fluo** *adj inv Fam* fluorescent

flûte [flyt] **1** *nf (instrument)* flute; *(verre)* champagne glass **2** *exclam Fam* damn! ▪ **flûtiste** *nmf Br* flautist, *Am* flutist

fluvial, -e, -iaux, -iales [flyvjal, -jo] *adj* river; **navigation/pêche fluviale** river navigation/ fishing

flux [fly] *nm (abondance)* flow; **f. et reflux** ebb and flow

focal, -e, -aux, -ales [fɔkal, -o] *adj* focal ▪ **focaliser** *vt* to focus (**sur** on)

fœtus [fetys] *nm Br* foetus, *Am* fetus

foi [fwa] *nf* faith; **sur la f. de** on the strength of; **être de bonne/mauvaise f.** to be sincere/ insincere; **avoir la f.** to have faith; **ma f., oui!** yes, indeed!

foie [fwa] *nm* liver; **f. gras** foie gras; **crise de f.** bout of indigestion

foin [fwɛ̃] *nm* hay; *Fam* **faire du f.** *(scandale)* to kick up a fuss

foire [fwar] *nf* fair; *Fam* **faire la f.** to muck about

fois [fwa] *nf* time; **une f.** once; **deux f.** twice; **trois f.** three times; **deux f. trois** two times three; **payer qn en plusieurs f.** to pay for sth in several instalments; **chaque f. que...** whenever..., each time (that)...; **une f. qu'il sera arrivé** *(dès que)* once he has arrived; **une f. pour toutes** once and for all; **à la f.** at the same time, at once; **à la f. riche et heureux** both rich and happy; *Fam* **des f.** sometimes; *Fam* **non mais des f.!** really now!

foison [fwazɔ̃] *nf* **à f.** in abundance ▪ **foisonnement** *nm* abundance ▪ **foisonner** *vi* to abound (**de** *ou* **en** in)

fol [fɔl] *voir* **fou**

folâtre [fɔlɑtr] *adj* playful ▪ **folâtrer** *vi* to romp, to frolic

folichon, -onne [fɔliʃɔ̃, -ɔn] *adj Fam* **pas f.** not much fun

folie [fɔli] *nf* madness; **faire une f.** to do a foolish thing; *(dépense)* to be very extravagant; **faire des folies pour qn** to do anything for sb; **aimer qn à la f.** to be madly in love with sb; **la f. des grandeurs** delusions of grandeur

folklore [fɔlklɔr] *nm* folklore ▪ **folklorique** *adj (costume)* traditional; *(danse)* folk; *Fam (endroit, soirée)* bizarre

folle [fɔl] *voir* **fou** ▪ **follement** *adv* madly

foncé, -ée [fɔ̃se] *adj* dark

foncer [fɔ̃se] **1** *vi (aller vite)* to tear *or* charge along; *Fam (s'y mettre)* to get one's head down; **f. sur qn/qch** to swoop on sb/sth **2** *vti (couleur)* to darken ▪ **fonceur, -euse** *nmf Fam* go-getter

foncier, -ière [fɔ̃sje, -jɛr] *adj (fondamental)* fundamental, basic; *(impôt)* land; **crédit f.** land loan ▪ **foncièrement** *adv* fundamentally

fonction [fɔ̃ksjɔ̃] *nf (rôle)* & *Math* function; *(emploi)* office; **en f. de** according to; **faire f. de** *(personne)* to act as; *(objet)* to serve *or* act as; **prendre ses fonctions** to take up one's duties; **la f. publique** the civil service; *Ordinat* **f. recherche et remplacement** search and replace function; *Ordinat* **f. de sauvegarde** save function **•fonctionnaire** *nmf* civil servant; **haut f.** high-ranking civil servant **•fonctionnel, -elle** *adj* functional

fonctionner [fɔ̃ksjɔne] *vi (machine)* to work, to function; *Ordinat* to run; **faire f. qch** to operate sth **•fonctionnement** *nm (de machine)* working; **en état de f.** in working order; *Ordinat* **f. en réseau** networking

fond [fɔ̃] *nm (de boîte, de jardin, de vallée)* bottom; *(de salle, d'armoire)* back; *(arrière-plan)* background; **au f. de** *(boîte, jardin)* at the bottom of; *(salle)* at the back of; *Fig* **au f., dans le f.** basically; **à f.** *(connaître)* thoroughly; *Fam* **à f. la caisse** *(très vite)* hell for leather; **de f. en comble** from top to bottom; **course/coureur de f.** long-distance race/runner; **ski de f.** cross-country skiing; **bruits de f.** background noise; **toucher le f. (du désespoir)** to have hit rock-bottom; **user ses fonds de culotte sur les bancs d'une école** to spend a great deal of time at a school; **f. de bouteille** *(contenu)* dregs; **f. de teint** foundation (cream); **f. sonore** background music

fondamental, -e, -aux, -ales [fɔ̃damãtal, -o] *adj* fundamental, basic

fonder [fɔ̃de] **1** *vt (ville)* to found; *(commerce)* to set up; *(famille)* to start; **f. qch sur qch** to base sth on sth; **être fondé à croire** to be justified in thinking; **bien fondé** well-founded **2 se fonder** *upr* **se f. sur qch** *(sujet: théorie, remarque)* to be based on sth; **sur quoi se fonde-t-il pour...?** what are his grounds for...? **•fondateur, -trice** *nmf* founder **2** *adj* **membre f.** founding member **•fondation** *nf (création, œuvre)* foundation (**de** of); **fondations** *(de bâtiment)* foundations **•fondement** *nm* foundation

fonderie [fɔ̃dri] *nf* foundry

fondre [fɔ̃dr] **1** *vt (métal)* to melt down; *(neige)* to melt; *(cloche)* to cast; *Fig (couleurs)* to blend (**avec** with); **faire f. qch** *(sucre)* to dissolve sth **2** *vi (se liquéfier)* to melt; *(sucre)* to dissolve; **f. en larmes** to burst into tears; **f. sur qch** to swoop on sth **3 se fondre** *upr* **se f. en eau** *(glaçon)* to melt away; **se f. dans qch** *(brume)* to merge into sth **•fondant, -ante 1** *adj* which melts in the mouth **2** *nm (bonbon)* **un fondant au chocolat** a chocolate fondant **•fondu** *nm Cin* **f. enchaîné** dissolve

fonds [fɔ̃] **1** *nm (organisme)* fund; *(de bibliothèque)* collection; **f. de commerce** business; **F. monétaire international** International Monetary Fund **2** *nmpl (argent)* funds; **être en f.** to be in funds

fondue [fɔ̃dy] *nf Culin* fondue; **f. bourguignonne** beef fondue; **f. savoyarde** cheese fondue

font [fɔ̃] *voir* **faire**

fontaine [fɔ̃tɛn] *nf (construction)* fountain; *(source)* spring

fonte [fɔ̃t] *nf* (**a**) *(de neige)* melting; *(d'acier)* smelting (**b**) *(alliage)* cast iron; **en f.** *(poêle)* cast-iron (**c**) *Typ* font

fonts [fɔ̃] *nmpl Rel* **f. baptismaux** font

football [futbol] *nm Br* football, *Am* soccer; **f. américain** *Br* American football, *Am* football **•footballeur, -euse** *nmf Br* footballer, *Am* soccer player

footing [futiŋ] *nm Sport* jogging; **faire du f.** to go jogging

for [fɔr] *nm Littéraire* **en son f. intérieur** in one's heart of hearts

forage [fɔraʒ] *nm* drilling, boring

forain [fɔrɛ̃] *nm* fairground stallholder

forçat [fɔrsa] *nm (prisonnier)* convict

force [fɔrs] *nf (violence)* & *Phys* force; *(vigueur)* strength; **de toutes ses forces** with all one's strength; **de f.** by force, forcibly; **en f.** *(attaquer, venir)* in force; **à f. de volonté** through sheer willpower; **à f. de faire qch** through doing sth; *Fam* **à f., il va se mettre en colère** he'll end up losing his temper; **dans la f. de l'âge** in the prime of life; **par la f. des choses** through force of circumstance; **les forces armées** the armed forces; **les forces de l'ordre** the police; **f. de frappe** strike force

forcé, -ée [fɔrse] *adj (de faire)* to do); *Fam* **c'est f.** it's inevitable **•forcément** *adv* inevitably; **pas f.** not necessarily

forcené, -ée [fɔrsəne] **1** *adj* fanatical **2** *nmf* maniac

forceps [fɔrsɛps] *nm* forceps *(pluriel)*

forcer [fɔrse] **1** *vt (obliger)* to force; *(porte)* to force open; *(voix)* to strain; **f. qn à faire qch** to force sb to do sth; **f. la main à qn** to force sb's hand; *Fam* **f. la dose** to overdo it **2** *vi (appuyer, tirer)* to force it; *(se surmener)* to overdo it **3 se forcer** *vpr* to force oneself (**à faire** to do)

forcir [fɔrsir] *vi* to get bigger

forer [fɔre] *vt* to drill, to bore

forêt [fɔrɛ] *nf* forest; **f.-noire** *(gâteau)* Black Forest gateau; **f. vierge** virgin forest **•forestier, -ière 1** *adj* **chemin f.** forest road **2** *nm* forester

forfait [fɔrfɛ] *nm* (**a**) *(prix)* all-in price; *(de ski)* pass; **f. week-end** weekend package (**b**) *(crime)* heinous crime **•forfaitaire** *adj (indemnités)* basic; **prix f.** all-in price

forge [fɔrʒ] *nf* forge **•forger** *vt (métal, liens)* to forge; *Fig (caractère)* to form; *Fig (histoire)* to make up **•forgeron** [-ərɔ̃] *nm* (black)smith

formaliser [fɔrmalize] **se formaliser** *vpr* to take offence (**de** at)

formalité [fɔrmalite] *nf* formality

format [fɔrma] *nm* format; **f. de poche** pocket format

formater [fɔrmate] *vt* Ordinat to format ▪**formatage** *nm* Ordinat formatting

formation [fɔrmasjɔ̃] *nf* (*de roche, de mot*) formation; (*éducation*) education; **f. permanente** continuing education; **f. professionnelle** vocational training ▪**formateur, -trice** 1 *adj* formative 2 *nmf* trainer

forme [fɔrm] *nf* (*contour*) shape, form; (*manière, bonne santé*) form; **formes** (*de femme*) curves; **en f. de qch** in the shape of sth; **en f. de poire** pear-shaped; **sous f. de qch** in the form of sth; **dans les formes** in the accepted way; **en bonne et due f.** in due form; **en (pleine) f.** (*en bonne santé*) on (top) form; **sans autre f. de procès** without further ado; **prendre f.** to take shape; **y mettre les formes** to do things tactfully

formel, -elle [fɔrmɛl] *adj* (*structure, logique*) formal; (*démenti*) flat; (*personne, preuve*) positive; (*interdiction*) strict ▪**formellement** *adv* (*interdire*) strictly

former [fɔrme] 1 *vt* (*groupe, caractère*) to form; (*apprenti*) to train 2 **se former** *vpr* (*apparaître*) to form; (*association, liens*) to be formed; (*apprendre son métier*) to train oneself

formidable [fɔrmidabl] *adj* (*fantastique*) great; (*gigantesque*) tremendous

> Il faut noter que l'adjectif anglais **formidable** est un faux ami. Il signifie **redoutable**.

formulaire [fɔrmylɛr] *nm* form

formule [fɔrmyl] *nf* Math formula; (*phrase*) expression; (*solution*) method; **nouvelle f.** (*abonnement, menu*) new-style; **f. magique** magic formula; **f. de politesse** (*au début d'une lettre*) standard opening; (*à la fin d'une lettre*) standard closure ▪**formulation** *nf* formulation ▪**formuler** *vt* to formulate

fort¹, -e [fɔr, fɔrt] 1 *adj* (*vigoureux*) strong; (*gros, important*) large; (*pluie, mer, chute de neige*) heavy; (*voix*) loud; (*fièvre*) high; (*pente*) steep; **être f. en qch** (*doué*) to be good at sth; **il y a de fortes chances que ça réussisse** there's a good chance it will work; **c'est plus f. qu'elle** she can't help it; *Fam* **c'est un peu f.!** that's a bit much! 2 *adv* (**a**) (*frapper*) hard; (*pleuvoir*) hard, heavily; (*parler*) loud(ly); (*serrer*) tight; **sentir f.** to have a strong smell; **respirer f.** to breathe heavily; *Fam* **y aller f.** to overdo it; *Fam* **faire très f.** (*très bien*) to do really brilliantly (**b**) *Littéraire* (*très*) very; (*beaucoup*) very much 3 *nm* (*spécialité*) strong point; **au plus f. de qch** (*hiver*) in the depths of sth; (*épidémie*) at the height of sth ▪**fortement** [-əmã] *adv* (*désirer, influencer*) strongly; (*tirer, pousser*) hard;

(*impressionner*) greatly; **f. épicé** highly spiced

fort² [fɔr] *nm Hist & Mil* fort ▪**forteresse** *nf* fortress

fortifié, -iée [fɔrtifje] *adj* (*ville, camp*) fortified ▪**fortification** *nf* fortification

fortifier [fɔrtifje] *vt* (*mur, ville*) to fortify; (*corps*) to strengthen ▪**fortifiant** *nm* tonic

fortuit, -uite [fɔrtɥi, -ɥit] *adj* **rencontre fortuite** chance meeting

fortune [fɔrtyn] *nf* (*richesse, hasard*) fortune; **moyens de f.** makeshift means; **faire f.** to make one's fortune; **dîner à la f. du pot** to take pot luck; **faire contre mauvaise f. bon cœur** to make the best of it ▪**fortuné, -ée** *adj* (*riche*) wealthy

> Il faut noter que l'adjectif anglais **fortunate** signifie uniquement **qui a de la chance**.

forum [fɔrɔm] *nm* forum; Ordinat **f. de discussion** discussion forum; **f. en-ligne** online forum

fosse [fos] *nf* (*trou*) pit; (*tombe*) grave; **f. d'aisances** cesspool; **f. d'orchestre** orchestra pit; **f. commune** mass grave

fossé [fose] *nm* ditch; (*de château*) moat; Fig (*désaccord*) gulf

fossette [fosɛt] *nf* dimple

fossile [fosil] *nm & adj* fossil; Fam **un vieux f.** an old fossil ▪**fossilisé, -ée** *adj* fossilized ▪**fossiliser** *vt*, **se fossiliser** *vpr* to fossilize

fossoyeur [foswajœr] *nm* gravedigger

fou, folle [fu, fɔl]

> **fol** is used before masculine singular nouns beginning with a vowel or h mute.

1 *adj* (*personne, projet*) mad, insane; (*succès, temps*) tremendous; (*envie*) wild, mad; (*espoir*) foolish; (*cheval, camion*) runaway; **f. à lier** raving mad; **f. de qch** (*musique, personne*) mad about sth; **f. de joie** beside oneself with joy; **f. rire** uncontrollable giggling; **avoir le f. rire** to have the giggles 2 *nmf* madman, *f* madwoman 3 *nm* (*bouffon*) jester; *Échecs* bishop; **faire le f.** to play the fool

foudre [fudr] *nf* **la f.** lightning ▪**foudroyant, -ante** *adj* (*succès, vitesse*) staggering; (*regard*) withering ▪**foudroyer** *vt* to strike; **f. qn du regard** to give sb a withering look

fouet [fwɛ] *nm* whip; Culin (egg-)whisk; **coup de f.** lash (with a whip); **de plein f.** head-on ▪**fouetter** *vt* to whip; (*œufs*) to whisk; (*sujet: pluie*) to lash (against); **crème fouettée** whipped cream

fougère [fuʒɛr] *nf* fern

fougue [fug] *nf* fire, spirit ▪**fougueux, -euse** *adj* fiery, ardent

fouille [fuj] 1 *nf* (*de personne, de bagages*) search 2 *nfpl* **fouilles archéologiques** excavations, dig ▪**fouillé, -ée** *adj* detailed ▪**fouiller** 1 *vt* (*personne, maison*) to search 2 *vi* **f. dans qch** (*tiroir*) to search through sth 3 *vti* (*creuser*) to dig

fouillis [fuji] *nm* jumble

fouine [fwin] *nf* stone marten

fouiner [fwine] *vi Fam* to nose about (**dans** in) **fouineur, -euse** *Fam* 1 *adj* nosey 2 *nmf* nosey parker

foulard [fular] *nm* (head)scarf

foule [ful] *nf* crowd; **en f.** in mass; **une f. de** (*objets*) a mass of; **bain de f.** walkabout

foulée [fule] *nf* (*de coureur, de cheval*) stride; *Fam* **dans la f., j'ai vérifié les comptes** while I was at it, I checked the accounts

fouler [fule] 1 *vt* (*raisin*) to press; (*sol*) to tread; **f. qch aux pieds** to trample sth underfoot 2 **se fouler** *vpr* **se f. la cheville** to sprain one's ankle; *Fam* **il ne se foule pas** he doesn't exactly exert himself **foulure** *nf* sprain

four [fur] *nm* (*de cuisine*) oven; (*de potier*) kiln; *Fam* (*fiasco*) flop; **faire un f.** to flop; **petit f.** (*gâteau*) petit four, small fancy cake

fourbe [furb] 1 *adj* deceitful 2 *nmf* cheat **fourberie** *nf* deceit

fourbi [furbi] *nm Fam* (*désordre*) mess; (*choses*) stuff

fourbu, -ue [furby] *adj* (*fatigué*) exhausted

fourche [furʃ] *nf* (*outil, embranchement*) fork; **faire une f.** to fork **fourcher** *vi* (*arbre*) to fork; **ma langue a fourché** I made a slip of the tongue **fourchette** *nf* (*pour manger*) fork; (*de salaires*) bracket **fourchu, -ue** *adj* forked; **avoir les cheveux fourchus** to have split ends

fourgon [furgɔ̃] *nm* (*camion*) van; **f. cellulaire** *Br* prison van, *Am* patrol wagon; **f. funéraire** hearse; **f. postal** *Br* postal van, *Am* mail car **fourgonnette** *nf* (small) van

fourguer [furge] *vt Fam* **f. qch à qn** to unload sth onto sb

fourmi [furmi] *nf* (*insecte*) ant; **avoir des fourmis dans les jambes** to have pins and needles in one's legs **fourmilière** *nf* anthill **fourmiller** *vi* to teem, to swarm (**de** with)

fournaise [furnez] *nf* furnace

fourneau, -x [furno] *nm* (*de cuisine*) stove; (*de verrier*) furnace

fournée [furne] *nf* (*de pain, de gens*) batch

fournil [furni] *nm* bakehouse

fournir [furnir] 1 *vt* (*approvisionner*) to supply (**en** with); (*alibi, preuve, document*) to provide; (*effort*) to make; **f. qch à qn** to provide sb with sth; **pièces à f.** required documents 2 **se fournir** *vpr* **se f. en qch** to get in supplies of sth; **se f. chez qn** to get one's supplies from sb **fourni, -ie** *adj* (*barbe*) bushy; **bien f.** (*boutique*) well-stocked **fournisseur** *nm* (*commerçant*) supplier; *Ordinat* **f. d'accès** access provider **fourniture** *nf* (*action*) supply(ing) (**de** of); **fournitures de bureau** office supplies; **fournitures scolaires** educational stationery

---

Il faut noter que le mot anglais **furniture** est un faux ami. Il signifie **meubles**.

---

fourrage [furaʒ] *nm* fodder

fourrager [furaʒe] *vi Fam* to rummage (**dans** in)

fourré, -ée [fure] 1 *adj* (*gant*) fur-lined; (*gâteau*) jam-/cream-filled; *Fam* **coup f.** (*traîtrise*) stab in the back 2 *nm Bot* thicket

fourreau, -x [furo] *nm* (*gaine*) sheath

fourrer [fure] 1 *vt* (*gâteau, chou*) to fill; (*vêtement*) to fur-line; *Fam* (*mettre*) to stick; *Fam* **f. son nez dans qch** to poke one's nose into sth 2 **se fourrer** *vpr Fam* to put oneself (**dans** in); **se f. dans une sale affaire** to get involved in a nasty business; **se f. le doigt dans l'œil** to kid oneself; **où est-il allé se f.?** where's he got to? **fourre-tout** *nm inv* (*pièce*) junk room; (*sac*) *Br* holdall, *Am* carryall

fourrière [furjer] *nf* (*lieu*) pound; **mettre à la f.** (*voiture*) to impound; (*chien*) to put in the pound

fourrure [furyr] *nf* fur; **manteau de f.** fur coat **fourreur** *nm* furrier

fourvoyer [furvwaje] **se fourvoyer** *vpr Littéraire & Fig* to go astray

foutaises [futez] *nfpl Fam* crap

foutoir [futwar] *nm Fam* dump

foutre* [futr] *très Fam* 1 *vt* (*mettre*) to stick; (*faire*) to do; (*donner*) to give; **f. qch par terre** to chuck sth on the ground; **f. qn à la porte** to kick sb out; **f. qch en l'air** (*faire échouer*) to screw sth up; **f. le camp** to piss off; **ne rien f.** to do damn all *or Br* bugger all; **je n'en ai rien à f.!** I don't give a damn!, *Br* I don't give a toss! 2 **se foutre** *vpr* **se f. un coup** to bang oneself; **se f. du monde** to take the piss; **se f. de la gueule de qn** to take the piss out of sb; **je m'en fous** I don't give a damn **foutu, -ue** *adj Fam* (*maudit*) damn; **être f.** (*en mauvais état*) to have had it; **être bien f.** (*beau*) to have a nice body; (*bien conçu*) to be well designed; **être mal f.** (*malade*) to be under the weather; **être f. de faire qch** to be quite likely to do sth

foyer [fwaje] *nm* (*maison*) home; (*d'étudiants*) residence; (*de travailleurs*) hostel; (*de théâtre*) foyer; (*de lunettes*) focus; (*de chaleur, d'infection*) source; (*d'incendie*) seat; (*âtre*) hearth; (*famille*) family; **fonder un f.** to start a family

fracas [fraka] *nm* crash **fracassant, -ante** *adj* (*nouvelle, révélation*) shattering **fracasser** *vt*, **se fracasser** *vpr* to smash

fraction [fraksjɔ̃] *nf* fraction; (*partie*) part **fractionner** *vt*, **se fractionner** *vpr* to split (up)

fracture [fraktyr] *nf* fracture; *Fig* **f. sociale** social fracture **fracturer** 1 *vt* (*porte*) to break open; (*os*) to fracture 2 **se fracturer** *vpr* **se f. la jambe** to fracture one's leg

fragile [fraʒil] *adj* (*objet, matériau*) fragile; (*santé, équilibre*) delicate; (*personne*) (*physiquement*) frail; (*mentalement*) sensitive **fragilité** *nf* (*d'objet, de matériau*) fragility; (*de personne*) (*physique*) frailty; (*mentale*) sensitivity

fragment [fragmɑ̃] *nm* fragment

▪**fragmentaire** adj fragmentary ▪**fragmenter** vt to fragment

frais¹, fraîche [frɛ, frɛʃ] **1** adj (aliment, fleurs, teint) fresh; (vent, air) cool, fresh; (nouvelles) recent; (peinture) wet; **connaître qn de fraîche date** to have known sb for a short time **2** adv **servir f.** (vin) to serve chilled; **f. émoulu de** fresh out of **3** nm **prendre le f.** to get some fresh air; **mettre qch au f.** to put sth in a cool place; (au réfrigérateur) to refrigerate sth; **il fait f.** it's cool ▪**fraîchement** adv (récemment) newly; (accueillir) coolly ▪**fraîcheur** nf (d'aliments, du vent) freshness; (de température, d'accueil) coolness ▪**fraîchir** vi (temps) to freshen

frais² [frɛ] nmpl expenses; **à mes f.** at my (own) expense; **à grands f.** at great expense; **faire des f., se mettre en f.** to go to great expense; **faire les f.** to bear the cost (**de** of); **j'en ai été pour mes f.** I wasted my time and effort; **faux f.** incidental expenses; **f. d'inscription** (d'université) registration fees; (de club) enrolment fee(s); **f. de scolarité** school fees; **f. généraux** Br overheads, Am overhead

fraise [frɛz] nf (fruit) strawberry; (de dentiste) drill ▪**fraisier** nm (plante) strawberry plant; (gâteau) strawberry cream cake

framboise [frɑ̃bwaz] nf raspberry ▪**framboisier** nm raspberry bush

franc¹, franche [frɑ̃, frɑ̃ʃ] adj (**a**) (sincère) frank; (visage) open (**b**) (net) (couleur) pure; (cassure) clean (**c**) (zone, ville, port) free ▪**franchement** adv (sincèrement) frankly; (vraiment) really; (sans ambiguïté) clearly

franc² [frɑ̃] nm (monnaie) franc

France [frɑ̃s] nf **la F.** France ▪**français, -aise 1** adj French **2** nmf **F.** Frenchman; **Française** Frenchwoman; **les F.** the French **3** nm (langue) French

franchir [frɑ̃ʃir] vt (obstacle, difficulté) to get over; (fossé) to jump over; (frontière, ligne d'arrivée) to cross; (porte) to go through; (distance) to cover; Fig (seuil, limite) to exceed

franchise [frɑ̃ʃiz] nf (sincérité) frankness; (exonération) exemption; Com franchise; **en toute f.** quite frankly; **f. postale** ≃ postage paid

franc-maçon [frɑ̃masɔ̃] (pl francs-maçons) nm freemason ▪**franc-maçonnerie** nf freemasonry

franco [frɑ̃ko] adv **f. de port** postage paid

franco- [frɑ̃ko] préf Franco-

francophile [frɑ̃kɔfil] adj & nmf Francophile

francophone [frɑ̃kɔfɔn] **1** adj French-speaking **2** nmf French speaker ▪**francophonie** nf **la f.** the French-speaking world

franc-parler [frɑ̃parle] nm **avoir son f.** to speak one's mind

franc-tireur [frɑ̃tirœr] (pl francs-tireurs) nm irregular (soldier)

frange [frɑ̃ʒ] nf (de cheveux) Br fringe, Am bangs; (de vêtement) fringe

frangin [frɑ̃ʒɛ̃] nm Fam brother ▪**frangine** nf Fam sister

franquette [frɑ̃kɛt] nf **à la bonne franquette** without ceremony; **un repas à la bonne f.** a simple meal

frappe [frap] nf (sur machine à écrire) typing; (sur ordinateur) keying; (de monnaie) minting; Football kick; **faute de f.** typing error; Mil **force de f.** strike force

frapper [frape] **1** vt (battre) to strike, to hit; (monnaie) to mint; **f. qn** (impressionner) to strike sb; (impôt, mesure) to hit sb **2** vi (donner un coup) to strike, to hit; **f. du pied** to stamp (one's foot); **f. du poing sur la table** to bang (on) the table; **f. dans ses mains** to clap one's hands; **f. à une porte** to knock on a door; Fig **f. à toutes les portes** to try everywhere; **'entrez sans f.'** (sur une porte) 'go straight in' **3 se frapper** vpr Fam (s'inquiéter) to get oneself worked up ▪**frappant, -ante** adj striking ▪**frappé, -ée** adj (vin) chilled; Fam (fou) crazy; **f. de stupeur** astounded, flabbergasted

frasque [frask] nf escapade, prank; **faire des frasques** to get up to mischief

fraternel, -elle [fratɛrnɛl] adj fraternal, brotherly ▪**fraterniser** vi to fraternize (**avec** with) ▪**fraternité** nf fraternity, brotherhood

fraude [frod] nf fraud; **passer qch en f.** to smuggle sth in; **f. électorale** electoral fraud; **f. fiscale** tax evasion ▪**frauder 1** vt to defraud; **f. le fisc** to evade tax **2** vi to cheat (**sur** on) ▪**fraudeur, -euse** nmf defrauder ▪**frauduleux, -euse** adj fraudulent

frayer [freje] **1** vi (poisson) to spawn **2 se frayer** vpr **se f. un chemin** to clear a way (**à travers/dans** through)

frayeur [frejœr] nf fright

fredaine [frədɛn] nf escapade, prank; **faire des fredaines** to get up to mischief

fredonner [frədɔne] vti to hum

freezer [frizœr] nm freezer compartment

frein [frɛ̃] nm brake; **donner un coup de f.** to put on the brakes; Fig **mettre un f. à qch** to curb sth; **f. à main** handbrake ▪**freinage** nm Aut braking ▪**freiner 1** vt (véhicule) to slow down; (chute) to break; Fig (inflation, production) to curb **2** vi to brake

frelaté, -ée [frəlate] adj (vin) & Fig adulterated

frêle [frɛl] adj frail

frelon [frəlɔ̃] nm hornet

frémir [fremir] vi (personne) to tremble (**de** with); (feuilles) to rustle; (eau chaude) to simmer ▪**frémissement** nm (de peur) shudder; (de plaisir) thrill; (de colère) quiver; (de feuilles) rustle; (d'eau chaude) simmering

frêne [frɛn] nm (arbre, bois) ash

frénésie [frenezi] nf frenzy ▪**frénétique** adj frenzied

fréquent, -ente [frekɑ̃, -ɑ̃t] adj frequent

■**fréquemment** [-amã] *adv* frequently ■**fréquence** *nf* frequency
fréquenter [frekãte] **1** *vt (lieu)* to frequent; **f. qn** to see sb regularly **2 se fréquenter** *upr (se voir régulièrement)* to see each other socially ■**fréquentable** *adj* peu f. *(personne, endroit)* not very commendable ■**fréquentation** *nf (de lieu)* frequenting; **fréquentations** *(relations)* company; **avoir de mauvaises fréquentations** to keep bad company ■**fréquenté, -ée** *adj* très f. very busy; **mal f.** of ill repute; **bien f.** reputable, of good repute

frère [frɛr] *nm* brother

fresque [frɛsk] *nf* fresco

fret [frɛ] *nm* freight

frétiller [fretije] *vi (poisson, personne)* to wriggle; **f. d'impatience** to quiver with impatience; **f. de joie** to tingle with excitement

fretin [frətɛ̃] *nm* menu f. *(poissons, personnes)* small fry

friable [frijabl] *adj* crumbly

friand, -e [frijɑ̃, -ɑ̃d] **1** *adj* **f. de qch** fond of sth **2** *nm (salé)* = small savoury pastry ■**friandise** *nf Br* titbit, *Am* tidbit

fric [frik] *nm Fam (argent)* dough

friche [friʃ] *nf* fallow land; **laisser une terre en f.** to let a piece of land lie fallow

friction [friksjɔ̃] *nf (massage)* rubdown; *(de cuir chevelu)* scalp massage; *(désaccord)* friction ■**frictionner** *vt (partie du corps)* to rub; *(personne)* to rub down

Frigidaire® [friʒidɛr] *nm* fridge ■**frigo** *nm Fam* fridge ■**frigorifié, -iée** *adj Fam (personne)* frozen stiff ■**frigorifique** *adj voir* **camion**

frigide [friʒid] *adj* frigid ■**frigidité** *nf* frigidity

frileux, -euse [frilø, -øz] *adj* être f. to feel the cold

frime [frim] *nf Fam* show ■**frimer** *vi Fam* to show off

frimousse [frimus] *nf Fam* sweet little face; *Ordinat* smiley

fringale [frɛ̃gal] *nf Fam* hunger; **avoir la f.** to be starving

fringant, -ante [frɛ̃gɑ̃, -ɑ̃t] *adj (personne, allure)* dashing

fringues [frɛ̃g] *nfpl Fam (vêtements)* clothes, gear ■**se fringuer** *upr Fam* to get dressed

friper [fripe] **1** *vt* to crumple **2 se friper** *upr* to get crumpled ■**fripé, -ée** *adj* crumpled

fripier, -ière [fripje, -jɛr] *nmf* second-hand clothes dealer

fripon, -onne [fripɔ̃, -ɔn] *Fam* **1** *adj* mischievous **2** *nmf* rascal

fripouille [fripuj] *nf Fam* rogue

friqué, -e [frike] *adj Fam (riche)* loaded

frire* [frir] **1** *vt* to fry **2** *vi* to fry; **faire f. qch** to fry sth

frise [friz] *nf* frieze

friser [frize] **1** *vt (cheveux)* to curl; *(effleurer)* to skim; **f. les cheveux à qn** to curl sb's hair; **f. la**

---

trentaine to be close to thirty; **f. la catastrophe** to come within an inch of disaster **2** *vi (cheveux)* to curl; *(personne)* to have curly hair ■**frisé, -ée** *adj (cheveux)* curly; *(personne)* curly-haired

frisquet, -ette [friskɛ, -ɛt] *adj Fam* chilly; **il fait f.** it's chilly

frisson [frisɔ̃] *nm (de froid, de peur)* shiver; *(de plaisir)* thrill; **avoir des frissons** to shiver; **donner le f. à qn** to give sb the shivers ■**frissonner** *vi (de froid, de peur)* to shiver

frit, -e [fri, -it] **1** *pp de* **frire 2** *adj* fried ■**frite** *nf Fam* **avoir la f.** to be on form ■**frites** *nfpl Br* chips, *Am* French fries ■**friteuse** *nf* (deep) frier, *Br* chip pan; **f. électrique** electric frier ■**friture** *nf (mode de cuisson)* frying; *(corps gras)* frying fat; *(aliment)* fried food; *Radio & Tél (bruit)* crackling

frivole [frivɔl] *adj* frivolous ■**frivolité** *nf* frivolity

froc [frɔk] *nm Fam (pantalon) Br* trousers, *Am* pants

froid, -e [frwa, frwad] **1** *adj* cold **2** *nm* cold; **avoir/prendre f.** to be/catch cold; **avoir f. aux mains** to have cold hands; **démarrer à f.** *(véhicule)* to start (from) cold; **être en f.** to be on bad terms (**avec qn** with sb); *Fig* **n'avoir pas f. aux yeux** to have plenty of nerve; *Fam* **jeter un f.** to cast a chill (**dans** over); **il fait f.** it's cold ■**froidement** *adv (accueillir)* coldly; *(abattre)* cold-bloodedly; *(répondre)* coolly ■**froideur** *nf* coldness

froisser [frwase] **1** *vt (tissu)* to crumple, to crease; *Fig* **f. qn** to offend sb **2 se froisser** *upr (tissu)* to crease, to crumple; *Fig* to take offence (**de** at); **se f. un muscle** to strain a muscle

frôler [frole] *vt (effleurer)* to brush against, to touch lightly; *Fig (la mort, la catastrophe)* to come close to

fromage [frɔmaʒ] *nm* cheese; **f. de chèvre** goat's cheese; **f. de tête** *Br* brawn, *Am* headcheese; **f. blanc** fromage frais; **f. frais** soft cheese ■**fromager, -ère 1** *adj* cheese; **industrie fromagère** cheese industry **2** *nmf (fabricant)* cheesemaker; *(commerçant)* cheese seller ■**fromagerie** *nf (magasin)* cheese shop

froment [frɔmɑ̃] *nm* wheat

fronce [frɔ̃s] *nf* gather ■**froncement** *nm* f. de sourcils frown ■**froncer** *vt (tissu)* to gather; **f. les sourcils** to frown

fronde [frɔ̃d] *nf (arme)* sling; *(sédition)* revolt

front [frɔ̃] *nm (du visage)* forehead; *(avant)*, *Mil & Pol* front; *(heurter)* head-on; *(côte à côte)* abreast; *(à la fois)* (all) at once; **faire f. à qn/qch** to face up to sb/sth; **f. de mer** sea front ■**frontal, -e, -aux, -ales** *adj (collision)* head-on

frontière [frɔ̃tjɛr] **1** *nf (entre pays)* border, frontier **2** *adj inv* **ville f.** border town ■**frontalier, -ière 1** *adj* **ville frontalière** border *or* frontier town **2** *nmf (habitant)* inhabitant of the border *or* frontier zone; *(travailleur)* cross-border commuter

fronton [frɔ̃tɔ̃] *nm (de monument)* pediment

frotter [frɔte] **1** *vt* to rub; *(plancher)* to scrub; *(allumette)* to strike **2** *vi* to rub *(contre* against) **3 se frotter** *vpr* to rub oneself; **se f. le dos** to scrub one's back; *Fig* **se f. à qn** *(l'attaquer)* to meddle with sb ▪ **frottement** *nm* rubbing; *Tech* friction

froufrou [frufru] *nm (bruit)* rustling; **froufrous** *(de vêtements)* frills

frousse [frus] *nf Fam* fear; **avoir la f.** to be scared ▪ **froussard, -arde** *nmf Fam* chicken

fructifier [fryktifje] *vi (arbre, capital)* to bear fruit; **faire f. son capital** to make one's capital grow ▪ **fructueux, -ueuse** *adj* fruitful

frugal, -e, -aux, -ales [frygal, -o] *adj* frugal ▪ **frugalité** *nf* frugality

fruit [frɥi] *nm* fruit; **des fruits** fruit; **un f.** a piece of fruit; **porter ses fruits** *(placement)* to bear fruit; **fruits de mer** seafood; **fruits rouges** red berries and currants; **fruits secs** dried fruit ▪ **fruité, -ée** *adj* fruity ▪ **fruitier, -ière 1** *adj* **arbre f.** fruit tree **2** *nmf* fruit seller, *Br* fruiterer

frusques [frysk] *nfpl Fam (vêtements)* gear

fruste [fryst] *adj (personne)* rough

frustrer [frystre] *vt* **f. qn** to frustrate sb; **f. qn de qch** to deprive sb of sth ▪ **frustration** *nf* frustration ▪ **frustré, -ée** *adj* frustrated

fuel [fjul] *nm* fuel oil

fugace [fygas] *adj* fleeting

fugitif, -ive [fyʒitif, -iv] **1** *adj (passager)* fleeting **2** *nmf* runaway, fugitive

fugue [fyg] *nf (œuvre musicale)* fugue; **faire une f.** *(enfant)* to run away ▪ **fuguer** *vi Fam* to run away

fuir* [fɥir] **1** *vt (pays)* to flee; *(personne)* to run away from; *(guerre)* to escape; *(responsabilités)* to shirk **2** *vi (s'échapper)* to run away *(devant* from); *(gaz, robinet, stylo)* to leak; *Littéraire (temps)* to fly ▪ **fuite** *nf (évasion)* flight *(devant* from); *(de gaz)* leak; **en f.** on the run; **prendre la f.** to take flight; **f. des cerveaux** brain drain

fulgurant, -ante [fylgyrã, -ãt] *adj (progrès)* spectacular; *(vitesse)* lightning; *(douleur)* searing

fumée [fyme] *nf* smoke; *(vapeur)* steam

fumer [fyme] **1** *vt (cigarette, poisson)* to smoke; **f. la pipe** to smoke a pipe **2** *vi (fumeur, feu, moteur)* to smoke; *(liquide brûlant)* to steam ▪ **fumé, -ée** *adj (poisson, verre)* smoked ▪ **fume-cigarette** *nm inv* cigarette holder ▪ **fumeur, -euse** *nmf* smoker

> Il faut noter que le verbe anglais **to fume** est un faux ami. Il signifie **fulminer**.

fumet [fyme] *nm* aroma

fumeux, -euse [fymø, -øz] *adj Fig (idée)* hazy

fumier [fymje] *nm (engrais)* manure, dung

fumigation [fymigasjɔ̃] *nf* fumigation

fumiste [fymist] *nmf Fam (sur qui on ne peut compter)* clown ▪ **fumisterie** *nf Fam (farce)* con

funambule [fynãbyl] *nmf* tightrope walker

funèbre [fynɛbr] *adj (lugubre)* gloomy; **service/ marche f.** funeral service/march ▪ **funérailles** *nfpl* funeral ▪ **funéraire** *adj (frais)* funeral

funeste [fynɛst] *adj (désastreux)* disastrous

funiculaire [fynikylɛr] *nm* funicular

fur [fyr] **au fur et à mesure** *adv* as one goes along; **au f. et à mesure de vos besoins** as your needs dictate; **au f. et à mesure que...** as...

furent [fyr] *voir* **être**

furet [fyrɛ] *nm* ferret

fureter [fyr(ə)te] *vi Péj* to ferret about

fureur [fyrœr] *nf (colère)* fury, rage; *(passion)* passion **(de** for); **en f.** furious; **faire f.** to be all the rage ▪ **furibond, -onde** *adj* furious ▪ **furie** *nf (colère)* fury; *Fig (femme)* shrew; **comme une f.** like a wild thing ▪ **furieux, -ieuse** *adj (en colère)* furious **(contre** with); *(vent)* raging; *Fig (envie)* tremendous

furoncle [fyrɔ̃kl] *nm* boil

furtif, -ive [fyrtif, -iv] *adj* furtive, stealthy

fusain [fyzɛ̃] *nm (crayon, dessin)* charcoal; **dessin au f.** charcoal drawing

fuseau, -x [fyzo] *nm (pantalon)* ski pants; *Tex* spindle; **f. horaire** time zone ▪ **fuselé, -ée** *adj* slender; *(voiture)* streamlined

fusée [fyze] *nf (projectile)* rocket; **f. de détresse** flare, distress signal; **f. éclairante** flare

fuselage [fyzlaʒ] *nm (d'avion)* fuselage

fuser [fyze] *vi (rires)* to burst forth

fusible [fyzibl] *nm Br* fuse; *Am* fuze

fusil [fyzi] *nm* rifle, gun; *(de chasse)* shotgun; **un bon f.** *(personne)* a good shot ▪ **fusillade** *nf (tirs)* gunfire ▪ **fusiller** *vt (exécuter)* to shoot; *Fam (abîmer)* to wreck; *Fam* **f. qn du regard** to look daggers at sb

fusion [fyzjɔ̃] *nf* **(a)** *(de métal)* melting; *Phys* fusion; **point de f.** melting point; **métal en f.** molten metal **(b)** *(de sociétés)* merger ▪ **fusionner** *vti (sociétés)* to merge

fustiger [fystiʒe] *vt (critiquer)* to castigate

fut [fy] *voir* **être**

fût [fy] *nm (tonneau)* barrel, cask; *(d'arbre)* bole

futal, -als [fytal], **fute** [fyt] *nm Fam Br* trousers, *Am* pants

futé, -ée [fyte] *adj* crafty

futile [fytil] *adj (personne)* frivolous; *(occupation, prétexte)* trivial ▪ **futilité** *nf* triviality

futur, -ure [fytyr] **1** *adj* future; **un f. artiste** a budding artist; **f. client** prospective client; **future mère** mother-to-be **2** *nmf* **mon f./ma future** my intended **3** *nm (avenir)* future; *Grammaire* future (tense)

fuyant [fɥijã] *p prés de* **fuir** ▪ **fuyant, -ante** *adj (front, ligne)* receding; *(personne)* evasive; *(yeux)* shifty ▪ **fuyard** *nm* runaway

G, g [ʒe] *nm inv* G, g

gabardine [gabardin] *nf (tissu, imperméable)* gabardine

gabarit [gabari] *nm (dimension)* size

gâcher [gɑʃe] *vt (gâter)* to spoil; *(gaspiller)* to waste; *(plâtre)* to mix; **g. sa vie** to waste one's life ▪ **gâchis** *nm* waste

gâchette [gɑʃɛt] *nf* trigger; **appuyer sur la g.** to pull the trigger

gadget [gadʒɛt] *nm* gadget

gadoue [gadu] *nf* mud

gaffe [gaf] *nf Fam (bévue)* blunder; **faire une g.** to put one's foot in it; **faire g.** to pay attention; **fait g.!** look out! ▪ **gaffer** *vi Fam* to put one's foot in it ▪ **gaffeur, -euse** *nmf Fam* blunderer

gag [gag] *nm* gag

gaga [gaga] *adj Fam* gaga

gage [gaʒ] *nm (garantie)* guarantee; *(au jeu)* forfeit; *(de prêteur sur gages)* pledge; *(preuve)* token; **mettre qch en g.** to pawn sth; **donner qch en g. de fidélité** to give sth as a token of one's fidelity ▪ **gages** *nmpl Vieilli (salaire)* pay; **tueur à g.** hired assassin

gager [gaʒe] *vt Littéraire* **g. que...** to wager that... ▪ **gageure** [gaʒyr] *nf Littéraire* wager

gagnant, -ante [gaɲɑ̃, -ɑ̃t] **1** *adj (billet, cheval)* winning **2** *nmf* winner

gagner [gaɲe] **1** *vt (par le travail)* to earn; *(par le jeu)* to win; *(obtenir)* to gain; *(atteindre)* to reach; *(sujet: feu, épidémie)* to spread to; **g. sa vie** to earn one's living; *Fam* **g. des mille et des cents** to earn a bundle *or Br* a packet; **g. une heure** to save an hour; **g. du temps** *(aller plus vite)* to save time; *(temporiser)* to gain time; **g. du terrain/du poids** to gain ground/weight; **g. de la place** to save space; **g. qn** *(sommeil, faim, panique)* to overcome sb; *Fam* **c'est toujours ça de gagné** that's something, anyway **2** *vi (être vainqueur)* to win; *(croître)* to increase; **g. à être connu** to improve with acquaintance; **g. sur tous les tableaux** to win on all counts ▪ **gagne-pain** *nm inv* livelihood

gai, -e [gɛ] *adj* cheerful; *Fam* **être un peu g.** to be tipsy ▪ **gaiement** *adv* cheerfully ▪ **gaieté** *nf* cheerfulness; **je ne le fais pas de g. de cœur** I don't enjoy doing it

gaillard, -arde [gajar, -ard] **1** *adj (fort)* vigorous; *(grivois)* bawdy **2** *nm (homme)* hearty type; **un grand g.** a strapping man

gain [gɛ̃] *nm (profit)* gain, profit; *(succès)* winning; **gains** *(à la Bourse)* profits; *(au jeu)* winnings; **un g. de temps** a saving of time; **obtenir g. de cause** to win one's case

gaine [gɛn] *nf (sous-vêtement)* girdle; *(étui)* sheath

gala [gala] *nm* gala

galant, -ante [galɑ̃, -ɑ̃t] *adj (homme)* gallant; *(rendez-vous)* romantic ▪ **galanterie** *nf* gallantry

galaxie [galaksi] *nf* galaxy

galbe [galb] *nm* curve ▪ **galbé, -ée** *adj (jambes)* shapely

gale [gal] *nf Méd* **la g.** scabies; *(de chien)* mange ▪ **galeux, -euse** *adj (chien)* mangy

galère [galɛr] *nf Hist (navire)* galley; *Fam (difficultés)* hassle; **pour se garer le samedi c'est la g.** it's a real hassle finding a parking space on Saturdays; **c'est une vraie g.** it's a real pain; *(situation pénible)* **être dans une g.** to be in a mess *or Br* a pickle ▪ **galérer** *vi Fam* to have a hard time

galerie [galri] *nf (passage, salle)* gallery; *(de taupe)* tunnel; *Théâtre* balcony; *Aut (porte-bagages)* roof rack; *Fam* **épater la g.** to show off; **g. d'art** art gallery; **g. marchande** *Br* shopping centre, *Am* (shopping) mall

galet [galɛ] *nm* pebble; **plage de galets** shingle beach

galette [galɛt] *nf (gâteau)* butter biscuit; *(crêpe)* buckwheat pancake; **g. des Rois** Twelfth Night cake

galipette [galipɛt] *nf Fam* somersault

Galles [gal] *nfpl* **pays de G.** Wales ▪ **gallois, -oise** **1** *adj* Welsh **2** *nmf* **G.** Welshman; **Galloise** Welshwoman **3** *nm (langue)* Welsh

gallicisme [galisism] *nm* Gallicism

galon [galɔ̃] *nm (ruban)* braid; *(de soldat)* stripe; *Fam* **prendre du g.** to get promoted

galop [galo] *nm* gallop; **aller au g.** to gallop; *Fig* **g. d'essai** trial run ▪ **galopade** *nf (ruée)* stampede ▪ **galoper** *vi (cheval)* to gallop; *(personne)* to rush; **inflation galopante** galloping inflation

galopin [galɔpɛ̃] *nm Fam* urchin

galvaniser [galvanize] *vt* to galvanize

galvauder [galvode] *vt (talent, avantage)* to misuse

gambade [gɑ̃bad] *nf* leap ▪ **gambader** *vi* to leap *or* frisk about

gambas [gãbas] *nfpl* large prawns

Gambie [gãbi] *nf* **la G.** The Gambia

gamelle [gamɛl] *nf* (*de chien*) bowl; (*d'ouvrier*) billy(can); (*de soldat*) mess tin; *Fam* **se prendre une g.** *Br* to come a cropper, *Am* to take a spill

gamin, -ine [gamɛ̃, -in] **1** *nmf Fam* (*enfant*) kid **2** *adj* (*puéril*) childish ■ **gaminerie** *nf* (*comportement*) childishness; (*acte*) childish prank

gamme [gam] *nf Mus* scale; (*éventail*) range; **téléviseur haut/bas de g.** top-of-the-range/bottom-of-the-range television

gammée [game] *adj f* **croix g.** swastika

gang [gãg] *nm* gang ■ **gangster** *nm* gangster

Gange [gãʒ] *nm* **le G.** the Ganges

gangrène [gãgrɛn] *nf Méd* gangrene ■ **se gangrener** [səgãgrəne] *vpr* to become gangrenous

gant [gã] *nm* glove; *Fig* **aller comme un g. à qn** (*vêtement*) to fit sb like a glove; *Fig* **jeter/relever le g.** to throw down/take up the gauntlet; **g. de boxe** boxing glove; **g. de toilette** *Br* ≃ facecloth, *Am* ≃ washcloth ■ **ganté, -ée** *adj* (*main*) gloved; (*personne*) wearing gloves

garage [garaʒ] *nm* (*pour véhicules*) garage ■ **garagiste** *nmf* (*mécanicien*) garage mechanic; (*propriétaire*) garage owner

garant, -ante [garã, -ãt] *nmf Jur* (*personne*) guarantor; **se porter g. de qn** to stand guarantor for sb; **se porter g. de qch** to vouch for sth

garantie [garãti] *nf* guarantee; *Fig* (*précaution*) safeguard; **être sous g.** to be under guarantee ■ **garantir** *vt* to guarantee; (*emprunt*) to secure; **g. à qn que...** to give sb the guarantee that...; **g. qch de qch** (*protéger*) to protect sth from sth; **je te le garantis** I can vouch for it

garce [gars] *nf Fam Péj* bitch

garçon [garsɔ̃] *nm* boy; (*jeune homme*) young man; (*serveur*) waiter; **de g.** (*comportement*) boyish; **vieux g.** (old) bachelor; **g. de café** waiter; **g. d'honneur** best man; **g. manqué** tomboy ■ **garçonnet** *nm* little boy ■ **garçonnière** *nf* bachelor *Br* flat *or Am* apartment

garde [gard] **1** *nm* (*gardien*) guard; (*soldat*) guardsman; **g. champêtre** rural policeman; **g. du corps** bodyguard; **g. des Sceaux** Justice Minister

2 *nf* (**a**) (*d'enfants, de bagages*) care, custody (*de* of); **avoir la g. de** to be in charge of; **faire bonne g.** to keep a close watch; **prendre g.** to pay attention (**à qch** to sth); **prendre g. de ne pas faire qch** to be careful not to do sth; **mettre qn en g.** to warn sb (**contre** against); **mise en g.** warning; **être de g.** to be on duty; (*soldat*) to be on guard duty; **médecin de g.** duty doctor; **monter la g.** to mount guard; **être sur ses gardes** to be on one's guard; **g. à vue** police custody (**b**) (*escorte, soldats*) guard

3 *nmf* **g. d'enfants** childminder; **g. de nuit** (*de malade*) night nurse ■ **garde-à-vous** *nm inv Mil* (position of) attention; **se mettre au g.** to stand to attention ■ **garde-boue** *nm inv Br* mudguard, *Am* fender ■ **garde-chasse** (*pl* **gardes-chasses**) *nm* gamekeeper ■ **garde-côte** (*pl* **garde-côtes**) *nm* (*bateau*) coastguard vessel ■ **garde-fou** (*pl* **garde-fous**) *nm* (*rambarde*) railings; (*mur*) parapet ■ **garde-malade** (*pl* **gardes-malades**) *nmf* nurse ■ **garde-manger** *nm inv* (*armoire*) food safe; (*pièce*) pantry, *Br* larder ■ **garde-robe** (*pl* **garde-robes**) *nf* (*habits, armoire*) wardrobe, *Am* closet

garder [garde] **1** *vt* (*conserver*) to keep; (*vêtement*) to keep on; (*habitude*) to keep up; (*surveiller*) to look after; (*défendre*) to protect; **g. qn à dîner** to get sb to stay for dinner; **g. la chambre** to keep to one's room; **g. le lit** to stay in bed; **g. la tête** to keep a cool head **2** *se* **garder** *vpr* (*aliment*) to keep; **se g. de qch** to beware of sth; **se g. de faire qch** to take care not to do sth

garderie [gardəri] *nf Br* (day) nursery, *Am* daycare center

gardien, -ienne [gardjɛ̃, -jɛn] *nmf* (*d'immeuble, d'hôtel*) caretaker, *Am* janitor; (*de prison*) (prison) guard, *Br* warder; (*de zoo, parc*) keeper; (*de musée*) *Br* attendant, *Am* guard; *Fig* **g. de** (*libertés*) guardian of; *Football* **g. de but** goalkeeper; **g.** childminder, baby-sitter; **g. de nuit** night watchman; **g. de la paix** policeman

gardon [gardɔ̃] *nm* roach; *Fig* **frais comme un g.** fresh as a daisy

gare¹ [gar] *nf* (*pour trains*) station; **g. routière** bus *or Br* coach station

gare² [gar] *exclam* **g. à toi si on l'apprend** woe betide you if anyone finds out; **g. aux orties!** mind the nettles!; **sans crier g.** without warning

garer [gare] **1** *vt* (*voiture*) to park **2** *se* **garer** *vpr* (*automobiliste*) to park; **se g. de qch** (*se protéger*) to steer clear of sth

gargariser [gargarize] **se gargariser** *vpr* to gargle ■ **gargarisme** *nm* gargle

gargote [gargɔt] *nf Péj* cheap restaurant

gargouiller [garguje] *vi* (*fontaine, eau*) to gurgle; (*ventre*) to rumble ■ **gargouillis, gargouillement** *nm* gurgling; (*de ventre*) rumbling

garnement [garnəmã] *nm* rascal

garnir [garnir] *vt* (*équiper*) to fit out (**de** with); (*couvrir*) to cover; (*remplir*) to fill; (*magasin*) to stock (**de** with); (*tiroir*) to line; (*robe, chapeau*) to trim (**de** with); *Culin* to garnish ■ **garni, -ie** *adj* (*plat*) served with vegetables; *Fig* **bien g.** (*portefeuille*) well-lined ■ **garniture** *nf Culin* garnish; *Aut* **g. de frein** brake lining; **g. de lit** bedding

garnison [garnizɔ̃] *nf* garrison

garrot [garo] nm Méd (lien) tourniquet

gars [ga] nm Fam fellow, guy

gas-oil [gazwal] nm diesel (oil)

gaspiller [gaspije] vt to waste ▪ **gaspillage** nm waste

gastrique [gastrik] adj gastric

gastronome [gastronɔm] nmf gourmet ▪ **gastronomie** nf gastronomy

gâteau, -x [gato] nm cake; Fam **c'était du g.** (facile) it was a piece of cake; **g. de riz** rice pudding; **g. sec** Br biscuit, Am cookie

gâter [gate] 1 vt to spoil 2 **se gâter** vpr (aliment, dent) to go bad; (temps, situation) to take a turn for the worse; (relations) to turn sour ▪ **gâté, -ée** adj (dent, fruit) bad ▪ **gâterie** nf (cadeau, friandise) treat

gâteux, -euse [gatø, -øz] adj senile

gauche¹ [goʃ] 1 adj (côté, main) left 2 nf **la g.** (côté) the left (side); Pol the left (wing); **à g.** (tourner) (to the) left; (marcher, se tenir) on the left; (parti, politique) left-wing; **à g. de** on or to the left of ▪ **gaucher, -ère** 1 adj left-handed 2 nmf left-hander ▪ **gauchisant, -ante** adj Pol left-leaning; **être g.** to have left-wing sympathies ▪ **gauchiste** adj & nmf Pol (extrême) leftist

gauche² [goʃ] adj (maladroit) awkward ▪ **gauchement** adv awkwardly ▪ **gaucherie** nf awkwardness

gauchir [goʃir] vti to warp

gaufre [gofr] nf waffle ▪ **gaufrette** nf wafer (biscuit)

Gaule [gol] nf Hist **la G.** (pays) Gaul ▪ **gaulois, -oise** 1 adj Gallic; Fig (propos) bawdy 2 nmpl Hist **les G.** the Gauls ▪ **gauloiserie** nf (plaisanterie) bawdy joke

gaule [gol] nf long pole; Pêche fishing rod

gausser [gose] **se gausser** vpr Littéraire to mock

gaver [gave] 1 vt (animal) to force-feed; Fig (personne) to stuff (**de** with) 2 **se gaver** vpr to stuff oneself (**de** with)

gay [gɛ, ge] adj & nmf Fam (homosexuel) gay

gaz [gaz] nm inv gas; **réchaud/masque à g.** gas stove/mask; **avoir des g.** to have wind; Fam **il y a de l'eau dans le g.** things aren't going too well; **g. carbonique** carbon dioxide; **g. d'échappement** exhaust fumes; **g. lacrymogène** tear gas ▪ **gazeux, -euse** adj (état) gaseous; (boisson, eau) Br fizzy, carbonated ▪ **gazomètre** nm Br gasometer, gas storage tank

Gaza [gaza] nf Gaza; **la bande de G.** the Gaza Strip

gaze [gaz] nf gauze

gazelle [gazɛl] nf gazelle

gazer [gaze] 1 vt (asphyxier) to gas 2 vi Fam **ça gaze?** how's it going?; **ça gaze!** everything's just fine!

gazette [gazɛt] nf (journal) newspaper

gazinière [gazinjer] nf Br gas cooker, Am gas stove

gazoduc [gazodyk] nm gas pipeline

gazole [gazɔl] nm diesel oil

gazon [gazɔ̃] nm (herbe) grass; (surface) lawn

gazouiller [gazuje] vi (oiseau) to chirp; (bébé, ruisseau) to babble ▪ **gazouillis, gazouillement** nm (d'oiseau) chirping; (de bébé) babbling

GDF [ʒedeɛf] (abrév **Gaz de France**) nm = French gas company

geai [ʒɛ] nm jay

géant, -e [ʒeɑ̃, -ɑ̃t] adj & nmf giant

geindre* [ʒɛ̃dr] vi (gémir) to moan; Fam (se plaindre) to whine

gel [ʒɛl] nm (a) (temps, glace) frost; Écon **g. des salaires** wage freeze (b) (pour cheveux) gel ▪ **gelé, -ée** adj frozen; Méd (doigts, mains, pieds) frostbitten ▪ **gelée** nf (a) frost; **g. blanche** ground frost (b) (de viande) jelly; (de fruits) Br jelly, Am jello ▪ **geler** 1 vt to freeze 2 vi to freeze; **on gèle ici** it's freezing here 3 v impersonnel **il gèle** it's freezing

gélatine [ʒelatin] nf gelatine

gélule [ʒelyl] nf capsule

Gémeaux [ʒemo] nmpl **les G.** (signe) Gemini; **être G.** to be (a) Gemini

gémir [ʒemir] vi to groan, to moan ▪ **gémissement** nm groan, moan

gencive [ʒɑ̃siv] nf gum

gendarme [ʒɑ̃darm] nm gendarme, policeman; **g. couché** sleeping policeman ▪ **gendarmerie** nf (corps) police force; (local) police headquarters

gendre [ʒɑ̃dr] nm son-in-law

gène [ʒɛn] nm gene

gêne [ʒɛn] nf (trouble physique) discomfort; (confusion) embarrassment; (dérangement) inconvenience; **dans la g.** (à court d'argent) in financial difficulties

généalogie [ʒenealɔʒi] nf genealogy ▪ **généalogique** adj genealogical; **arbre g.** family tree

gêner [ʒene] 1 vt (déranger, irriter) to bother; (troubler) to embarrass; (mouvement, action) to hamper; (circulation) to hold up; **g. qn** (vêtement) to be uncomfortable on sb; (par sa présence) to be in sb's way; **ça ne me gêne pas** I don't mind if 2 **se gêner** vpr (se déranger) to put oneself out; **ne te gêne pas pour moi!** don't mind me! ▪ **gênant, -ante** adj (objet) cumbersome; (présence, situation) awkward; (bruit, personne) annoying ▪ **gêné, -ée** adj (intimidé) embarrassed; (silence, sourire) awkward; (sans argent) short of money

général, -e, -aux, -ales [ʒeneral, -o] 1 adj general; **en g.** in general 2 nm Mil general; **oui, mon g.!** yes, general! ▪ **générale** nf Théâtre dress rehearsal ▪ **généralement** adv generally; **g. parlant** broadly or generally speaking ▪ **généralité** nf generality

généralisation [ʒeneralizɑsjɔ̃] nf generalization ▪ **généraliser 1** vti to generalize **2 se généraliser** vpr to become widespread ▪ **généraliste** nmf (médecin) general practitioner, GP

générateur [ʒeneratœr] nm Él generator

génération [ʒenerɑsjɔ̃] nf generation

génératrice [ʒeneratris] nf Él generator

générer [ʒenere] vt to generate

généreux, -euse [ʒenerø, -øz] adj generous (**de** with) ▪ **généreusement** adv generously ▪ **générosité** nf generosity

générique [ʒenerik] **1** nm (de film) credits **2** adj **produit g.** generic product

genèse [ʒənez] nf genesis

genêt [ʒəne] nm broom

génétique [ʒenetik] **1** nf genetics (sing) **2** adj genetic; **manipulation g.** genetic engineering ▪ **génétiquement** adv **g. modifié** genetically modified

Genève [ʒənev] nm ou f Geneva

génial, -e, -iaux, -iales [ʒenjal, -jo] adj (personne, invention) brilliant; Fam (formidable) great, fantastic

> Il faut noter que l'adjectif anglais **genial** est un faux ami. Il signifie **cordial**.

génie [ʒeni] nm (**a**) (aptitude, personne) genius; **inventeur de g.** inventor of genius; **avoir le g. pour faire/de qch** to have a genius for doing/for sth (**b**) **g. civil** civil engineering; **g. génétique/informatique** genetic/computer engineering; **g. militaire** engineering corps (**c**) (esprit) genie, spirit; **bon/mauvais g.** good/evil genie

génital, -e, -aux, -ales [ʒenital, -o] adj genital; **organes génitaux** genitals

génocide [ʒenɔsid] nm genocide

genou, -x [ʒ(ə)nu] nm knee; **être à genoux** to be kneeling (down); **se mettre à genoux** to kneel (down); **prendre qn sur ses genoux** to take sb on one's lap or knee; **écrire sur ses genoux** to write on one's lap ▪ **genouillère** nf kneepad

genre [ʒɑ̃r] nm (espèce) kind, sort; (attitude) manner; Littérature & Cin genre; Grammaire gender; **en tous genres** of all kinds; **ce n'est pas son g.** that's not like him; **le g. humain** mankind

gens [ʒɑ̃] nmpl people; **jeunes g.** young people; (hommes) young men; **de petites g.** people of humble means; **g. de maison** domestic servants

gentil, -ille [ʒɑ̃ti, -ij] adj (aimable) nice (**avec** to); (sage) good; **une gentille somme** a nice little sum ▪ **gentillesse** nf kindness; **avoir la g. de faire qch** to be kind enough to do sth ▪ **gentiment** adv (aimablement) kindly; (sagement) nicely

> Il faut noter que les termes anglais **genteel** et **gentle** sont des faux amis. Le premier signifie **respectable** ou **affecté**, le second signifie **doux**.

gentilhomme [ʒɑ̃tijɔm] (pl **gentilshommes** [ʒɑ̃tizɔm]) nm Hist (noble) gentleman

géographie [ʒeɔgrafi] nf geography ▪ **géographique** adj geographical

geôlier, -ière [ʒolje, -jer] nmf jailer

géologie [ʒeɔlɔʒi] nf geology ▪ **géologique** adj geological ▪ **géologue** nmf geologist

géomètre [ʒeɔmetr] nm surveyor

géométrie [ʒeɔmetri] nf geometry; Fig **à g. variable** ever-changing ▪ **géométrique** adj geometric(al)

géranium [ʒeranjɔm] nm geranium

gérant, -ante [ʒerɑ̃, -ɑ̃t] nmf manager ▪ **gérance** nf (gestion) management

gerbe [ʒerb] nf (de blé) sheaf; (de fleurs) bunch; (d'eau) spray; (d'étincelles) shower

gercer [ʒerse] vi, **se gercer** vpr (peau, lèvres) to chap; **avoir les lèvres gercées** to have chapped lips ▪ **gerçure** nf chap, crack; **avoir des gerçures aux mains** to have chapped hands

gérer [ʒere] vt to manage

germain, -aine [ʒermɛ̃, -en] adj voir **cousin**

germanique [ʒermanik] adj Germanic

germe [ʒerm] nm (microbe) germ; (de plante) shoot; Fig (d'une idée) seed, germ ▪ **germer** vi (graine) to start to grow; (pomme de terre) to sprout; Fig (idée) to germinate

gérondif [ʒerɔ̃dif] nm Grammaire gerund

gésir [ʒezir] vi Littéraire (être étendu) to be lying; **il gît/gisait** he is/was lying; **ci-gît...** (sur tombe) here lies…

gestation [ʒestɑsjɔ̃] nf gestation

geste [ʒest] nm gesture; **ne pas faire un g.** (ne pas bouger) not to make a move; **faire un g. de la main** to wave one's hand; **faire un g.** (bouger, agir) to make a gesture ▪ **gesticuler** vi to gesticulate

gestion [ʒestjɔ̃] nf (action) management; **g. du personnel/de patrimoine/des affaires** personnel/property/business management ▪ **gestionnaire** nmf administrator

geyser [ʒezer] nm geyser

Ghana [gana] nm **le G.** Ghana

ghetto [geto] nm ghetto

gibecière [ʒibasjer] nf (de chasseur) game bag

gibier [ʒibje] nm game; **le gros g.** big game; Fig **g. de potence** gallows bird

giboulée [ʒibule] nf sudden shower; **giboulées de mars** ≃ April showers

gicler [ʒikle] vi (liquide) to spurt out; (boue) to splash up ▪ **giclée** nf spurt ▪ **gicleur** nm Aut jet

gifle [ʒifl] nf slap in the face ▪ **gifler** vt to slap sb in the face

gigantesque [ʒigɑ̃tesk] *adj* gigantic

gigogne [ʒigɔɲ] *adj* **tables gigognes** nest of tables; **poupées gigognes** nest of (Russian) dolls

gigot [ʒigo] *nm* leg of mutton/lamb

gigoter [ʒigɔte] *vi Fam* to wriggle, to fidget

gilet [ʒilɛ] *nm (cardigan)* cardigan; *(de costume) Br* waistcoat, *Am* vest; **g. pare-balles** bullet-proof vest; **g. de sauvetage** life jacket, life vest

gin [dʒin] *nm* gin

gingembre [ʒɛ̃ʒɑ̃br] *nm* ginger

girafe [ʒiraf] *nf* giraffe

giratoire [ʒiratwar] *nm Br* roundabout, *Am* traffic circle

girofle [ʒirɔfl] *nm* **clou de g.** clove

giroflée [ʒirɔfle] *nf* wallflower

girouette [ʒirwɛt] *nf Br* weathercock, *Am* weathervane

gisait [ʒizɛ] *voir* **gésir**

gisement [ʒizmɑ̃] *nm (de minerai)* deposit; **g. de pétrole** oilfield

gît [ʒi] *voir* **gésir**

gitan, -ane [ʒitɑ̃, -an] *nmf* gipsy

gîte [ʒit] *nm (abri)* resting place; **donner le g. et le couvert à qn** to give sb room and board; **g. rural** gîte, = self-catering holiday cottage or apartment

givre [ʒivr] *nm* frost ▪ **givré, -ée** *adj* frost-covered; *Fam (fou)* nuts, crazy ▪ **se givrer** *vpr (pare-brise)* to ice up, to frost up

glabre [glabr] *adj (visage)* smooth

glace [glas] *nf* **(a)** *(eau gelée)* ice; *(crème glacée)* ice cream **(b)** *(vitre)* window; *(miroir)* mirror; *Fig* **briser la g.** to break the ice; **il est resté de g.** he showed no emotion

glacer [glase] **1** *vt (durcir)* to freeze; *(gâteau)* to ice; *Fig (sang)* to chill; **à vous g. le sang** spine-chilling **2** *se glacer vpr* **mon sang s'est glacé dans mes veines** my blood ran cold ▪ **glaçage** *nm (de gâteau)* icing ▪ **glacé, -ée** *adj (eau, pièce)* ice-cold, icy; *(vent)* freezing, icy; *(thé, café)* iced; *(fruit)* candied; *(papier)* glazed; *Fig (accueil)* icy, chilly; **avoir les pieds glacés** to have icy *or* frozen feet

glacial, -e, -iaux, -iales [glasjal, -jo] *adj* icy

glacier [glasje] *nm* **(a)** *Géol* glacier **(b)** *(vendeur)* ice-cream seller

glacière [glasjɛr] *nf (boîte)* icebox

glaçon [glasɔ̃] *nm Culin* ice cube; *Géol* block of ice; *(sur toit)* icicle

glaïeul [glajœl] *nm* gladiolus

glaire [glɛr] *nf Méd* phlegm

glaise [glɛz] *nf* clay

gland [glɑ̃] *nm Bot* acorn; *(pompon)* tassel

glande [glɑ̃d] *nf* gland

glander [glɑ̃de] *vi très Fam* to laze around ▪ **glandeur, -euse** *nmf très Fam* layabout

glandouiller [glɑ̃duje] *vi très Fam* to laze around

glaner [glane] *vt (blé, renseignement)* to glean

glapir [glapir] *vi (chien)* to yap

glas [gla] *nm (de cloche)* knell; **on sonne le g.** the bell is tolling

glauque [glok] *adj* sea-green; *Fam (sinistre)* creepy

glisse [glis] *nf* **(sports de) g.** = sports involving sliding motion, eg skiing, surfing etc

glisser [glise] **1** *vt (introduire)* to slip (**dans** into); *(murmurer)* to whisper **2** *vi (involontairement)* to slip; *(volontairement) (sur glace)* to slide; *(sur l'eau)* to glide; *Fig* **g. sur** *(sujet)* to gloss over; *Ordinat* **faire g.** *(pointeur)* to drag; **se laisser g. le long de la gouttière** to slide down the drainpipe; **ça glisse** it's slippery; **ça m'a glissé des mains** it slipped out of my hands **3** *se glisser vpr* **se glisser dans/sous qch** to slip into/under sth ▪ **glissade** *nf (involontaire)* slip; *(volontaire)* slide ▪ **glissant, -ante** *adj* slippery ▪ **glissement** *nm* **g. de terrain** landslide

glissière [glisjɛr] *nf Tech* runner, slide; **porte à g.** sliding door; *Aut* **g. de sécurité** crash barrier

global, -e, -aux, -ales [glɔbal, -o] *adj* total, global; **somme globale** lump sum; *Scol* **méthode globale** word recognition method ▪ **globalement** *adv* overall

globe [glɔb] *nm* globe; **g. oculaire** eyeball; **g. terrestre** *(mappemonde)* globe

globule [glɔbyl] *nm (d'air, d'eau)* globule; *(de sang)* blood cell; **globules blancs/rouges** white/red blood cells

globuleux, -euse [glɔbylø, -øz] *adj* **yeux g.** bulging eyes

gloire [glwar] *nf (renom)* glory; *(personne célèbre)* celebrity; **tirer g. de qch** to glory in sth; **à la g. de qn** in praise of sb ▪ **glorieux, -ieuse** *adj* glorious ▪ **glorifier 1** *vt* to glorify **2** *se glorifier vpr* **se g. de qch** to glory in sth

glossaire [glɔsɛr] *nm* glossary

glouglou [gluglu] *nm Fam (de liquide)* gurgle ▪ **glouglouter** *vi Fam* to gurgle

glousser [gluse] *vi (poule)* to cluck; *(personne)* to chuckle ▪ **gloussement** *nm* clucking; *(de personne)* chuckling

glouton, -onne [glutɔ̃, -ɔn] **1** *adj* greedy, gluttonous **2** *nmf* glutton ▪ **gloutonnerie** *nf* gluttony

gluant, -e [glyɑ̃, -ɑ̃t] *adj* sticky

glucose [glykoz] *nm* glucose

glycérine [gliserin] *nf* glycerine

glycine [glisin] *nf (plante)* wisteria

gnome [gnom] *nm* gnome

gnon [ɲɔ̃] *nm Fam* thump; **se prendre un g.** to get thumped

go [go] **tout de go** *adv* straight away; **répondre tout de go** to answer straight off

goal [gol] *nm Football* goalkeeper

gobelet [gɔblɛ] *nm* tumbler; *(de plastique, de papier)* cup

gober [gɔbe] *vt (œuf, mouche)* to gulp down; *Fam (croire)* to swallow

godasse [gɔdas] *nf Fam* shoe

godet [gɔdɛ] *nm (récipient)* pot; *Fam (verre)* drink

godillot [gɔdijo] *nm Fam* clodhopper

goéland [gɔelɑ̃] *nm* (sea)gull

goélette [gɔelɛt] *nf* schooner

gogo¹ [gogo] *nm Fam (homme naïf)* sucker

gogo² [gogo] **à gogo** *adv Fam* **whisky à g.** whisky galore

goguenard, -arde [gɔgnar, -ard] *adj* mocking

goinfre [gwɛ̃fr] *nmf Fam (glouton)* pig ▪ **se goinfrer** *vpr Fam* to stuff oneself (**de** with); to pig out (**de** on)

golf [gɔlf] *nm Sport* golf; *(terrain)* golf course ▪ **golfeur, -euse** *nmf* golfer

golfe [gɔlf] *nm* gulf, bay

gomme [gɔm] *nf (substance)* gum; *(à effacer)* eraser, *Br* rubber; *Fam* **mettre la g.** *(accélérer)* to get a move on; *(en voiture)* to step on it; *Fam* **à la g.** useless ▪ **gommé, -ée** *adj (papier)* gummed ▪ **gommer** *vt (effacer)* to rub out, to erase

gond [gɔ̃] *nm (de porte)* hinge; *Fig* **sortir de ses gonds** to fly off the handle

gondole [gɔ̃dɔl] *nf (barque, présentoir)* gondola ▪ **gondolier** *nm* gondolier

gondoler [gɔ̃dɔle] **1** *vi (planche)* to warp; *(papier)* to crinkle **2 se gondoler** *vpr (planche)* to warp; *(papier)* to crinkle; *Fam (rire)* to fall about laughing

gonflable [gɔ̃flabl] *adj* inflatable

gonfler [gɔ̃fle] **1** *vt* to swell; *(pneu)* to inflate; *très Fam (énerver)* to get up sb's nose **2** *vi* to swell **3 se gonfler** *vpr* to swell ▪ **gonflé, -ée** *adj* swollen; *Fam* **être g.** *(courageux)* to have plenty of pluck; *(insolent)* to have a lot of nerve ▪ **gonflement** [-amɑ̃] *nm* swelling

gong [gɔ̃g] *nm* gong

gorge [gɔrʒ] *nf* throat; *Littéraire (poitrine)* bosom; *Géog* gorge; **avoir la g. serrée** to have a lump in one's throat; **rire à g. déployée** to roar with laughter; *Fig* **faire des gorges chaudes de qch** to have a field day pouring scorn on sth

gorgé, -ée [gɔrʒe] *adj* **g. de** *(saturé)* gorged with

gorgée [gɔrʒe] *nf* mouthful; **petite g.** sip; **d'une seule g.** in one gulp

gorger [gɔrʒe] **1** *vt (remplir)* to stuff (**de** with) **2 se gorger** *vpr* **se g. de** to gorge oneself with

gorille [gɔrij] *nm (animal)* gorilla; *Fam (garde du corps)* bodyguard

gosier [gozje] *nm* throat

gosse [gɔs] *nmf Fam (enfant)* kid

gothique [gɔtik] *adj & nm* Gothic

gouache [gwaʃ] *nf (peinture)* gouache

goudron [gudrɔ̃] *nm* tar ▪ **goudronner** *vt* to tar

gouffre [gufr] *nm* abyss

goujat [guʒa] *nm* boor

goulot [gulo] *nm (de bouteille)* neck; **boire au g.** to drink from the bottle

goulu, -ue [guly] *adj* greedy ▪ **goulûment** *adv* greedily

goupille [gupij] *nf (de grenade)* pin

goupiller [gupije] *Fam* **1** *vt (arranger)* to fix up **2 se goupiller** *vpr* **ça s'est bien goupillé** it worked out (well); **ça s'est mal goupillé** it didn't work out

gourde [gurd] *nf (à eau)* water bottle, flask; *Fam Péj (femme niaise)* dope

gourdin [gurdɛ̃] *nm* club, cudgel

gourer [gure] **se gourer** *vpr Fam* to make a mistake

gourmand, -ande [gurmɑ̃, -ɑ̃d] **1** *adj* fond of food; *Fig (intéressé)* greedy; **g. de qch** fond of sth **2** *nmf* hearty eater ▪ **gourmandise** *nf* fondness for food; **gourmandises** *(mets)* delicacies

gourmet [gurmɛ] *nm* gourmet; **fin g.** gourmet

gourmette [gurmɛt] *nf (bracelet)* chain

gousse [gus] *nf* **g. d'ail** clove of garlic

goût [gu] *nm* taste; **de bon g.** in good taste; **sans g.** tasteless; **par g.** by choice; **avoir du g.** *(personne)* to have good taste; **avoir un g. de noisette** to taste of hazelnut; **prendre g. à qch** to take a liking to sth; *Fam* **quelque chose dans ce g.-là!** something of that order!

goûter [gute] **1** *vt (aliment)* to taste; *(apprécier)* to enjoy; **g. à qch** to taste (a little of) sth **2** *vi* to have an afternoon snack, *Br* to have tea **3** *nm* afternoon snack, *Br* tea

goutte [gut] *nf* **(a)** *(de liquide)* drop; **couler g. à g.** to drip **(b)** *Méd* gout ▪ **goutte-à-goutte** *nm inv Méd* drip ▪ **gouttelette** *nf* droplet ▪ **goutter** *vi* to drip

gouttière [gutjer] *nf (le long du toit)* gutter; *(le long du mur)* drainpipe

gouvernail [guvernaj] *nm (pale)* rudder; *(barre)* helm

gouvernante [guvernɑ̃t] *nf* governess

gouvernement [guvernəmɑ̃] *nm* government ▪ **gouvernemental, -e, -aux, -ales** *adj* **politique gouvernementale** government policy; **l'équipe gouvernementale** the government

gouverner [guverne] *vti Pol & Fig* to govern, to rule ▪ **gouvernants** *nmpl* rulers ▪ **gouverneur** *nm* governor

grabuge [grabyʒ] *nm Fam* **il y a du g.** there's trouble, *Br* there are ructions

grâce [gras] **1** *nf (charme) & Rel* grace; *Littéraire (faveur) Br* favour, *Am* favor; *(acquittement)* pardon; **de bonne/mauvaise g.** with good/bad grace; **crier g.** to beg for mercy; **donner le coup de g. à** to finish off; **faire g. de qch à qn** to spare sb sth; **être dans les bonnes grâces de**

qn to be in favour with sb; **rendre g. à qn** to give thanks to sb; **délai de g.** period of grace; **g. présidentielle** presidential pardon 2 *prép* **g. à** thanks to

gracier [grasje] *vt (condamné)* to pardon

gracieux, -ieuse [grasjø, -jøz] *adj (élégant)* graceful; *(aimable)* gracious; *(gratuit)* gratuitous; **à titre g.** free (of charge) ▪**gracieusement** *adv* gracefully; *(aimablement)* graciously; *(gratuitement)* free (of charge)

gracile [grasil] *adj Littéraire* slender

gradation [gradɑsjɔ̃] *nf* gradation

grade [grad] *nm (militaire)* rank; **monter en g.** to be promoted ▪**gradé** *nm Mil* non-commissioned officer

gradins [gradɛ̃] *nmpl (d'amphithéâtre)* rows of seats; *(de stade)* Br terraces, Am bleachers

graduel, -uelle [gradɥɛl] *adj* gradual

graduer [gradɥe] *vt (règle)* to graduate; *(augmenter)* to increase gradually

graffiti [grafiti] *nmpl* graffiti

grain [grɛ̃] *nm* (**a**) *(de blé) & Fig* grain; *(de café)* bean; *(de poussière)* speck; *(de chapelet)* bead; **le g.** *(de cuir, de papier)* the grain; *Fam* **avoir un g.** to be not quite right in the head; *Fam* **mettre son g. de sel** to stick one's oar in; **g. de beauté** mole; *(sur le visage)* beauty spot; **g. de raisin** grape (**b**) *(averse)* shower

graine [grɛn] *nf* seed; **mauvaise g.** *(enfant)* rotten egg, *Br* bad lot; **en prendre de la g.** to learn from someone's example

graisse [grɛs] *nf* fat; *(lubrifiant)* grease ▪**graissage** *nm (de véhicule)* lubrication ▪**graisser** *vt* to grease ▪**graisseux, -euse** *adj (vêtement)* greasy, oily; *(bourrelets, tissu)* fatty

grammaire [gramɛr] *nf* grammar; **livre de g.** grammar (book) ▪**grammatical, -e, -aux, -ales** *adj* grammatical

gramme [gram] *nm* gram(me)

grand, -e [grɑ̃, grɑ̃d] 1 *adj* big, large; *(en hauteur)* tall; *(chaleur, découverte, âge, mérite, ami)* great; *(bruit)* loud; *(différence)* big, great; *(adulte, mûr, plus âgé)* grown-up, big; *(âme)* noble; *(illustre)* great; **le g. frère** *(plus âgé)* big brother; **le g. air** the open air; **il est g. temps que je parte** it's high time that I left; **il n'y avait pas g. monde** there were not many people 2 *adv* **g. ouvert** *(yeux, fenêtre)* wide open; **ouvrir g.** to open wide; **en g.** on a grand or large scale 3 *nmf (à l'école)* senior; *(adulte)* grown-up ▪**grandement** *adv (beaucoup)* greatly; *(généreusement)* grandly; **avoir g. de quoi vivre** to have plenty to live on ▪**grand-mère** *(pl* **grands-mères***) nf* grandmother ▪**grand-père** *(pl* **grands-pères***) nm* grandfather ▪**grand-route** *(pl* **grand-routes***) nf* main road ▪**grands-parents** *nmpl* grandparents

grand-chose [grɑ̃ʃoz] *pron* **pas g.** not much

Grande-Bretagne [grɑ̃dbrətaɲ] *nf* **la G.** Great Britain

grandeur [grɑ̃dœr] *nf (importance, gloire)* greatness; *(dimension)* size; *(majesté, splendeur)* grandeur; **avoir la folie des grandeurs** to have delusions of grandeur; **g. d'âme** magnanimity; **g. nature** life-size

grandiose [grɑ̃djoz] *adj* imposing

grandir [grɑ̃dir] 1 *vi (en taille)* to grow; *(en âge)* to grow up; *(bruit)* to grow louder; **g. de 2 cm** to grow 2 cm 2 *vt* **g. qn** *(faire paraître plus grand)* to make sb look taller

grange [grɑ̃ʒ] *nf* barn

granit(e) [granit] *nm* granite

granule [granyl] *nm* granule

graphique [grafik] 1 *adj (signe, art)* graphic 2 *nm* graph; *Ordinat* graphic

grappe [grap] *nf (de fruits)* cluster; **g. de raisin** bunch of grapes

> Il faut noter que le nom anglais **grape** est un faux ami. Il signifie **grain de raisin**.

grappin [grapɛ̃] *nm Fam* **mettre le g. sur qn/qch** to get one's hands on sb/sth

gras, grasse [grɑ, grɑs] 1 *adj (personne, ventre)* fat; *(aliment)* fatty; *(graisseux)* greasy, oily; *(plante, matière)* greasy; *(rire)* throaty; *(toux)* loose; **faire la grasse matinée** to have a lie-in 2 *nm (de viande)* fat ▪**grassement** *adv* **g. payé** handsomely paid ▪**grassouillet, -ette** *adj* plump

gratifier [gratifje] *vt* **g. qn de qch** to present sb with sth ▪**gratification** *nf (prime)* bonus

gratin [gratɛ̃] *nm Culin (plat)* = baked dish with a cheese topping; *Fam (élite)* upper crust; **chou-fleur au g.** cauliflower cheese; **g. dauphinoise** = sliced potatoes baked with milk; **g. de macaronis** *Br* macaroni cheese, *Am* macaroni and cheese ▪**gratiner** *vt* to brown

gratis [gratis] *adv* free (of charge)

gratitude [gratityd] *nf* gratitude

gratte-ciel [gratsjɛl] *nm inv* skyscraper

gratte-papier [gratpapje] *nm inv Péj (employé)* pen-pusher

gratter [grate] 1 *vt (avec un outil)* to scrape; *(avec les ongles, les griffes)* to scratch; *(boue)* to scrape off; *(effacer)* to scratch out; *Fam* **ça me gratte** it itches 2 *vi (à la porte)* to scratch; *(tissu)* to be scratchy 3 **se gratter** *vpr* to scratch oneself ▪**grattoir** *nm* scraper

gratuit, -uite [gratɥi, -ɥit] *adj (billet, entrée)* free; *(hypothèse, acte)* gratuitous ▪**gratuité** *nf* **la g. de l'enseignement** free education ▪**gratuitement** *adv (sans payer)* free (of charge); *(sans motif)* gratuitously

> Il faut noter que le nom anglais **gratuity** est un faux ami. Il signifie **pourboire**.

gravats [grava] *nmpl* rubble, debris

grave [grav] *adj (maladie, faute)* serious; *(juge, visage)* grave; *(voix)* deep, low; **ce n'est pas g.!** it's not important! ▪ **gravement** *adv (malade, menacé)* seriously; *(dignement)* gravely

graver [grave] *vt (sur métal)* to engrave; *(sur bois)* to carve; *(disque)* to cut; *(dans sa mémoire)* to engrave ▪ **graveur** *nm* engraver; **g. de CD** CD burner *or* writer

gravier [gravje] *nm* gravel ▪ **gravillon** *nm* piece of gravel; **gravillons** gravel, *Br* (loose) chippings

gravir [gravir] *vt* to climb; *Fig* **g. les échelons** to climb the ladder

gravité [gravite] *nf (de situation)* seriousness; *(solennité)* & *Phys* gravity; **accident sans g.** minor accident; *Phys* **centre de g.** centre of gravity

graviter [gravite] *vi* to revolve (**autour** around) ▪ **gravitation** *nf* gravitation

gravure [gravyr] *nf (image)* print; *(action, art)* engraving; **g. sur bois** *(action)* woodcarving; *(objet)* woodcut

gré [gre] *nm* **à son g.** *(goût)* to his/her taste; *(désir)* as he/she pleases; **de son plein g.** of one's own free will; **de bon g.** willingly; **contre le g. de** against sb's will; **bon g. mal g.** whether we/you/*etc* like it or not; **de g. ou de force** one way or another; **au g. de** *(vent)* at the mercy of; *Formel* **savoir g. de qch à qn** to be thankful to sb for sth

Grèce [gres] *nf* **la G.** Greece ▪ **grec, grecque 1** *adj* Greek **2** *nmf* **G., Grecque** Greek **3** *nm (langue)* Greek

greffe [gref] **1** *nf (de peau, d'arbre)* graft; *(d'organe)* transplant **2** *nm Jur* record office ▪ **greffer** *vt (peau)* & *Bot* to graft (**à** on to); *(organe)* to transplant ▪ **greffier** *nm Jur* clerk (of the court) ▪ **greffon** *nm (de peau)* & *Bot* graft

grégaire [greger] *adj* gregarious

> Il faut noter que lorsque l'adjectif anglais **gregarious** s'emploie à propos de personnes, il signifie **sociable**.

grêle[1] [grel] *nf* hail; *Fig* **g. de balles** hail of bullets ▪ **grêlé, -ée** *adj (visage)* pockmarked ▪ **grêler** *v impersonnel* to hail; **il grêle** it's hailing ▪ **grêlon** *nm* hailstone

grêle[2] [grel] *adj (jambes)* skinny; *(tige)* slender; *(voix)* shrill

grelot [grəlo] *nm* (small) bell

grelotter [grəlote] *vi* to shiver (**de** with)

grenade [grənad] *nf (fruit)* pomegranate; *(projectile)* grenade ▪ **grenadine** *nf* grenadine

grenat [grəna] *adj inv (couleur)* dark red

grenier [grənje] *nm (de maison)* attic; *(pour le fourrage)* granary

grenouille [grənuj] *nf* frog

grès [gre] *nm (roche)* sandstone; *(poterie)* stoneware

grésiller [grezije] *vi (huile)* to sizzle; *(feu, radio)* to crackle

grève[1] [grev] *nf (arrêt du travail)* strike; **se mettre en g.** to go out on strike; **faire g.** to be on strike; **g. de la faim** hunger strike; **g. perlée** *Br* go-slow, *Am* slow-down (strike); **g. sauvage/ sur le tas** wildcat/sit-down strike; **g. tournante** staggered strike; **g. du zèle** *Br* work-to-rule, *Am* rule-book slow-down ▪ **gréviste** *nmf* striker

grève[2] [grev] *nf (de mer)* shore; *(de rivière)* bank

gribouiller [gribuje] *vti* to scribble ▪ **gribouillis** *nm* scribble

grief [grijef] *nm (plainte)* grievance; **faire g. de qch à qn** to hold sth against sb

> Il faut noter que le nom anglais **grief** est un faux ami. Il signifie **chagrin**.

grièvement [grijevmɑ̃] *adv* seriously, badly

griffe [grif] *nf (ongle)* claw; *(de couturier)* (designer) label; *Fig (style)* stamp; *Fig* **arracher qn des griffes de qn** to snatch sb out of sb's clutches ▪ **griffé, -ée** *adj* **vêtements griffés** designer clothes ▪ **griffer** *vt* to scratch

griffonner [grifone] *vt* to scribble, to scrawl ▪ **griffonnage** *nm* scribble, scrawl

grignoter [griɲote] *vti* to nibble

gril [gril] *nm (ustensile de cuisine) Br* grill, *Am* broiler ▪ **grillade** [grijad] *nf (viande) Br* grilled meat, *Am* broiled meat ▪ **grille-pain** *nm inv* toaster ▪ **griller 1** *vt (viande) Br* to grill, *Am* to broil; *(pain)* to toast; *(café)* to roast; *(ampoule électrique)* to blow; *(brûler)* to scorch; *Fam (cigarette)* to smoke; *Fam* **g. un feu rouge** to jump the lights; *Fam* **il est grillé** his game's up **2** *vi (viande)* to grill; *(pain)* to toast; **mettre qch à g.** to put sth on the grill, *Am* to broil sth; **g. d'impatience** to be burning with impatience

grille [grij] *nf (clôture)* railings; *(porte)* gate; *(de fourneau, de foyer)* grate; *Aut (de radiateur)* grille; *Fig (des salaires)* scale; **g. des horaires** schedule; **g. de mots croisés** crossword puzzle grid ▪ **grillage** *nm* wire mesh *or* netting

grillon [grijɔ̃] *nm* cricket

grimace [grimas] *nf (pour faire rire)* (funny) face; *(de douleur)* grimace; **faire la g.** to pull a face ▪ **grimacer** *vi* to make a face; *(de douleur)* to wince (**de** with)

grimer [grime] **1** *vt (acteur, visage)* to make up **2** **se grimer** *vpr* to put one's make-up on

grimper [grɛ̃pe] **1** *vi* to climb (**à qch** up sth); *Fam (prix)* to rocket **2** *vt (escalier)* to climb ▪ **grimpant, -ante** *adj* **plante grimpante** climbing plant

grincer [grɛ̃se] *vi* to creak; **g. des dents** to grind one's teeth ▪ **grincement** *nm* creaking; **grincements de dents** grinding of teeth

grincheux, -euse [grɛ̃ʃø, -øz] *adj* grumpy

gringalet [grɛ̃gale] *nm Péj* weakling

grippe [grip] *nf (maladie)* flu, influenza; **g.**

intestinale gastric flu; **prendre qn/qch en g.** to take a strong dislike to sb/sth ▪**grippé, -ée** *adj* être g. to have (the) flu

gripper [gripe] *se gripper vpr (moteur)* to seize up

grippe-sou [gripsu] *nm inv* skinflint, miser

gris, -e [gri, griz] **1** *adj Br* grey, *Am* gray; *(temps)* dull, grey; *(ivre)* tipsy **2** *nm Br* grey, *Am* gray ▪**grisaille** *nf (caractère morne)* dreariness ▪**grisâtre** *adj Br* greyish, *Am* grayish

griser [grize] *vt (vin)* to make tipsy; *(air vif, succès)* to exhilarate

grisonner [grizɔne] *vi (cheveux, personne)* to go *Br* grey or *Am* gray ▪**grisonnant, -ante** *adj Br* greying, *Am* graying; **avoir les tempes grisonnantes** to be going grey at the temples

grisou [grizu] *nm* firedamp; **coup de g.** firedamp explosion

grive [griv] *nf* thrush

grivois, -oise [grivwa, -waz] *adj* bawdy ▪**grivoiserie** *nf (propos)* bawdy talk

grizzli [grizli] *nm* grizzly bear

Groenland [grɔɛnlɑ̃d] *nm* le G. Greenland

grog [grɔg] *nm* hot toddy

grogner [grɔɲe] *vi (personne)* to grumble (**contre** at); *(cochon)* to grunt ▪**grogne** *nf Fam* discontent ▪**grognement** [-əmɑ̃] *nm (de personne)* growl; *(de cochon)* grunt ▪**grognon, -onne** *adj* grumpy

groin [grwɛ̃] *nm* snout

grol(l)e [grɔl] *nf très Fam* shoe

grommeler [grɔm(ə)le] *vti* to mutter

gronder [grɔ̃de] **1** *vt (réprimander)* to scold, to tell off **2** *vi (chien)* to growl; *(tonnerre, camion)* to rumble ▪**grondement** *nm (de chien)* growl; *(de tonnerre)* rumble

groom [grum] *nm Br* page, *Am* bellboy

gros, grosse [gro, gros] **1** *adj (corpulent, important)* big; *(gras)* fat; *(épais)* thick; *(effort, progrès)* great; *(somme, fortune)* large; *(averse, rhume, mer)* heavy; *(faute)* serious, gross; *(bruit)* loud; *(traits, laine, fil)* coarse; **g. mot** swearword **2** *adv* **gagner g.** to earn big money; **risquer g.** to take a big risk; **écrire g.** to write big; **en g.** *(globalement)* roughly; *(écrire)* in big letters; *(vendre)* in bulk, wholesale; *Fig* **en avoir g. sur le cœur** to be bitter **3** *nmf (personne)* fat man, *f* fat woman **4** *nm* **le g. de** the bulk of; **commerce/prix de g.** wholesale trade/prices

groseille [grozɛj] *nf* redcurrant; **g. à maque-reau** gooseberry

grossesse [groses] *nf* pregnancy

grosseur [grosœr] *nf (volume)* size; *(tumeur)* lump

grossier, -ière [grosje, -jɛr] *adj (tissu, traits)* rough, coarse; *(personne, manières)* rude, coarse; *(erreur)* gross; *(idée, solution)* rough, crude; *(ruse, instrument)* crude; **être g. envers**

qn to be rude to sb ▪**grossièrement** *adv (calculer)* roughly; *(répondre)* coarsely, rudely; *(se tromper)* grossly ▪**grossièreté** *nf (incorrection, vulgarité)* coarseness; *(mot)* rude word

grossir [grosir] **1** *vt (sujet: verre, loupe)* to magnify; *Fig (exagérer)* to exaggerate **2** *vi (personne)* to put on weight; *(fleuve)* to swell; *(bosse, foule, nombre)* to get bigger; *(bruit)* to get louder ▪**grossissant, -ante** *adj* **verre g.** magnifying glass ▪**grossissement** *nm (augmentation de taille)* increase in size; *(de microscope)* magnification

grossiste [grosist] *nmf Com* wholesaler

grosso modo [grosomɔdo] *adv (en gros)* roughly

grotesque [grɔtɛsk] *adj* ludicrous

grotte [grɔt] *nf* cave

grouiller [gruje] **1** *vi (se presser)* to swarm around; **g. de** to swarm with **2 se grouiller** *vpr Fam (se hâter)* to get a move on ▪**grouillant, -ante** *adj* swarming (**de** with)

groupe [grup] *nm* group; **g. sanguin** blood group; **g. scolaire** *(bâtiments)* school block; **g. témoin** focus group ▪**groupement** *nm (action)* grouping; *(groupe)* group ▪**grouper 1** *vt* to group (together) **2 se grouper** *vpr (en association)* to form a group; **restez groupés** keep together

groupie [grupi] *nf Fam* groupie

grue [gry] *nf (machine, oiseau)* crane

gruger [gryʒe] *vt* to swindle; **se faire g.** to get swindled

grumeau, -x [grymo] *nm (dans une sauce)* lump ▪**grumeleux, -euse** *adj* lumpy

gruyère [gryjɛr] *nm* Gruyère (cheese)

GSM [ʒeɛsɛm] *(abrév* **global system for mobile communications***) nm Tél* GSM; *Belg (téléphone portable) Br* mobile (phone), *Am* cell (phone); **réseau G.** GSM network

Guadeloupe [gwadlup] *nf* **la G.** Guadeloupe

Guatemala [gwatemala] *nm* **le G.** Guatemala

gué [ge] *nm* ford; **passer à g.** to ford

guenilles [gənij] *nfpl* rags (and tatters)

guépard [gepar] *nm* cheetah

guêpe [gɛp] *nf* wasp ▪**guêpier** *nm (nid)* wasp's nest; *Fig (piège)* trap

guère [gɛr] *adv* **(ne...) g.** *(pas beaucoup)* not much; *(pas longtemps)* hardly, scarcely; **il n'a g. d'amis** he hasn't got many friends; **il ne sort g.** he hardly *or* scarcely goes out; **il n'y a g. plus de six ans** just over six years ago

guéridon [geridɔ̃] *nm* pedestal table

guérilla [gerija] *nf* guerrilla warfare ▪**guérillero** *nm* guerrilla

> Il faut noter que le nom anglais **guerrilla** est un faux ami. Il signifie **guérillero**.

guérir [gerir] **1** *vt (personne, maladie)* to cure (**de** of); *(blessure)* to heal **2** *vi (personne)* to get better, to recover; *(blessure)* to heal; *(rhume)* to get better **3 se guérir** *vpr* to get better ▪ **guéri, -ie** *adj* cured; *Fig* **être g. de qn/qch** to have got over sb/sth ▪ **guérison** *nf (rétablissement)* recovery ▪ **guérisseur, -euse** *nmf* faith healer

guérite [gerit] *nf Mil* sentry box

Guernesey [gɛrn(ə)zɛ] *nf* Guernsey

guerre [gɛr] *nf* war; *(technique)* warfare; **en g.** at war **(avec** with); **faire la g.** to wage *or* make war **(à** on *or* against); *(soldat)* to fight; **crime/cri de g.** war crime/cry; *Fig* **de g. lasse** for the sake of peace and quiet; *Fig* **c'est de bonne g.** that's fair enough; **g. d'usure** war of attrition ▪ **guerrier, -ière 1** *adj* **danse guerrière** war dance; **chant g.** battle song; **nation guerrière** warlike nation **2** *nmf* warrior ▪ **guerroyer** *vi Littéraire* to wage war **(contre** on)

guet [gɛ] *nm* **faire le g.** to be on the lookout ▪ **guetter** [gete] *vt (occasion)* to watch out for; *(gibier)* to lie in wait for

guet-apens [gɛtapɑ̃] *(pl* **guets-apens)** *nm* ambush

guêtre [gɛtr] *nf* gaiter

gueule [gœl] *nf (d'animal, de canon)* mouth; *Fam (de personne)* mouth; *Fam (visage)* face; *Fam* **avoir la g. de bois** to have a hangover; *Fam* **faire la g.** to sulk; *Fam* **faire une g. d'enterrement** to look really *Br* pissed off *or Am* pissed ▪ **gueuler** *vti très Fam* to bawl ▪ **gueuleton** *nm Fam (repas)* feast, *Br* blowout

gui [gi] *nm* mistletoe

guichet [giʃɛ] *nm (de gare, de banque)* window; *(de théâtre)* box office; *Théâtre* **on joue à guichets fermés** the performance is sold out; **g. automatique** *(de banque)* cash dispenser ▪ **guichetier, -ière** *nmf (de banque) Br* counter clerk, *Am* teller; *(à la gare)* ticket clerk

guide [gid] **1** *nm (personne, livre)* guide; **g.**

touristique tourist guide **2** *nf (éclaireuse)* (Girl) Guide ▪ **guider** *vt* to guide ▪ **guides** *nfpl (rênes)* reins

guidon [gidɔ̃] *nm* handlebars

guigne [giɲ] *nf Fam (malchance)* bad luck

guignol [giɲɔl] *nm (spectacle)* ≃ Punch and Judy show; *Fam* **faire le g.** to clown around

guillemets [gijmɛ] *nmpl Typ* inverted commas, quotation marks; **entre g.** in inverted commas, in quotation marks

guilleret, -ette [gijrɛ, -ɛt] *adj* lively, perky

guillotine [gijɔtin] *nf* guillotine ▪ **guillotiner** *vt* to guillotine

guimauve [gimov] *nf (confiserie)* marshmallow

guimbarde [gɛ̃bard] *nf Fam (voiture) Br* old banger, *Am* (old) wreck

guindé, -ée [gɛ̃de] *adj (peu naturel)* stiff; *(style)* stilted

Guinée [gine] *nf* **la G.** Guinea

guingois [gɛ̃gwa] *adv Fam* **de g.** askew; *Fig* **tout va de g.** everything's going wrong

guirlande [girlɑ̃d] *nf* garland; **g. de Noël** piece of tinsel; **g. lumineuse** string of (fairy) lights

guise [giz] *nf* **agir à sa g.** to do as one pleases; **n'en faire qu'à sa g.** to do just as one pleases; **en g. de** by way of

guitare [gitar] *nf* guitar ▪ **guitariste** *nmf* guitarist

guttural, -e, -aux, -ales [gytyral, -o] *adj* guttural

Guyane [gɥijan] *nf* **la G.** Guiana

gymnase [ʒimnɑz] *nm* gymnasium ▪ **gymnaste** *nmf* gymnast ▪ **gymnastique** *nf* gymnastics *(sing)*

gynécologie [ʒinekɔlɔʒi] *nf Br* gynaecology, *Am* gynecology ▪ **gynécologue** *nmf Br* gynaecologist, *Am* gynecologist

gyrophare [ʒirofar] *nm* flashing light

H, h [aʃ] *nm inv* H, h; **l'heure H** zero hour; **bombe H** H-bomb

ha [ʼɑ] *exclam* ah!, oh!; **ha, ha!** *(rire)* ha-ha!

habile [abil] *adj* skilful, *Am* skillful (**à qch** at sth; **à faire** at doing); **h. de ses mains** good with one's hands ■ **habilement** *adv* skilfully, *Am* skillfully ■ **habileté** *nf* skill

habilité, -ée [abilite] *adj* (legally) authorized (**à faire** to do)

habiller [abije] **1** *vt (vêtir)* to dress (**de** in); *(fournir en vêtements)* to clothe; *(garnir)* to cover (**de** with); **h. qn en soldat** to dress sb up as a soldier; **un rien l'habille** he/she looks good in anything **2 s'habiller** *vpr* to dress, to get dressed; *(avec élégance)* to dress up; **s'h. chez Dior** to buy one's clothes from Dior ■ **habillé, -ée** *adj* dressed (**de** in; **en** as); *(costume, robe)* smart; **soirée habillée** formal occasion ■ **habillement** *nm (vêtements)* clothes

habit [abi] *nm (tenue de soirée)* evening dress, tails; **habits** *(vêtements)* clothes

habitable [abitabl] *adj* (in)habitable; *(maison)* fit to live in

habitat [abita] *nm (d'animal, de plante)* habitat; *(conditions)* housing conditions

habitation [abitasjɔ̃] *nf (lieu)* dwelling; *(fait de résider)* living

habiter [abite] **1** *vt (maison, région)* to live in; *(planète)* to inhabit **2** *vi* to live (**à/en** in) ■ **habitant, -ante** *nmf (de pays)* inhabitant; *(de maison)* occupant ■ **habité, -ée** *adj (région)* inhabited; *(maison)* occupied

habitude [abityd] *nf* habit; **avoir l'h. de qch** to be used to sth; **avoir l'h. de faire qch** to be used to doing sth; **prendre l'h. de faire qch** to get into the habit of doing sth; **prendre de bonnes habitudes** to take on some good habits; **prendre de mauvaises habitudes** to pick up (some) bad habits; **d'h.** usually; **comme d'h.** as usual

habituel, -uelle [abitɥɛl] *adj* usual, customary ■ **habituellement** *adv* usually

habituer [abitɥe] **1** *vt* **h. qn à qch** to accustom sb to sth; **être habitué à qch/à faire qch** to be used to sth/to doing sth **2 s'habituer** *vpr* **s'h. à qn/qch** to get used to sb/sth ■ **habitué, -uée** *nmf* regular; *(de maison)* regular visitor

hache [ʼaʃ] *nf* axe, *Am* ax ■ **hachette** *nf* hatchet

hacher [ʼaʃe] *vt (au couteau)* to chop up; *(avec un appareil) Br* to mince, *Am* to grind ■ **haché, -ée** *adj (viande) Br* minced, *Am* ground; *(légumes)* chopped; *(style)* jerky ■ **hachis** *nm (viande) Br* mince, *Am* ground meat; **h. Parmentier** ≃ cottage pie ■ **hachoir** *nm (couteau)* chopper; *(appareil) Br* mincer, *Am* grinder

hachures [ʼaʃyr] *nfpl* hatching ■ **hachurer** *vt* to hatch

hagard, -arde [ʼagar, -ard] *adj (visage)* haggard; *(yeux)* wild

haie [ʼɛ] *nf (clôture)* hedge; *(rangée)* row; *(en athlétisme)* hurdle; *(en équitation)* fence; **400 mètres haies** *(en athlétisme)* 400-metre hurdles; **course de haies** *(en équitation)* steeplechase; **h. d'honneur** guard of honour

haillons [ʼajɔ̃] *nmpl* rags; **en h.** in rags

haine [ʼɛn] *nf* hatred, hate; *Fam* **avoir la h.** *(être révolté)* to be full of rage ■ **haineux, -euse** *adj* full of hatred

> Il faut noter que l'adjectif anglais **heinous** est un faux ami. Il signifie **atroce**.

haïr* [ʼair] *vt* to hate ■ **haïssable** *adj* hateful

hâle [ʼɑl] *nm* suntan ■ **hâlé, -ée** *adj* suntanned

haleine [alɛn] *nf* breath; **hors d'h.** out of breath; **perdre h.** to get out of breath; **reprendre h.** to get one's breath back; **tenir qn en h.** to keep sb in suspense; **travail de longue h.** long job

haler [ʼale] *vt* to tow ■ **halage** *nm* towing; **chemin de h.** towpath

haleter [ʼal(ə)te] *vi* to pant, to gasp ■ **haletant, -ante** *adj* panting, gasping

hall [ʼɔl] *nm (de maison)* entrance hall; *(d'hôtel)* lobby; *(d'aéroport)* lounge; **h. de gare** station concourse

halle [ʼal] *nf* (covered) market; **les halles** the central food market

hallucination [alysinasjɔ̃] *nf* hallucination ■ **hallucinant, -ante** *adj* incredible ■ **halluciner** *vi* to hallucinate; *Fam* **j'hallucine!** I don't believe it!

halo [ʼalo] *nm* halo

halogène [alɔʒɛn] *nm (lampe)* halogen lamp

halte [ʼalt] **1** *nm (arrêt)* stop, *Mil* halt; *(lieu)* stopping place, *Mil* halting place; **faire h.** to stop; **h. routière** (roadside) rest area **2** *exclam* stop!, *Mil* halt!

haltère [altɛr] *nm* dumbbell ■ **haltérophile** *nmf* weightlifter ■ **haltérophilie** *nf* weightlifting

hamac ['amak] *nm* hammock
hamburger ['ãbœrgœr] *nm* burger
hameau, -x ['amo] *nm* hamlet
hameçon [amsɔ̃] *nm* (fish-)hook; *Fig* **mordre à l'h.** to swallow the bait
hamster ['amster] *nm* hamster
hanche ['ãʃ] *nf* hip
handball ['ãdbal] *nm* *Sport* handball ▪**handballeur, -euse** *nmf* handball player
handicap ['ãdikap] *nm* (*physique, mental*) disability; *Fig* handicap ▪**handicapé, -ée 1** *adj* disabled **2** *nmf* disabled person; **h. moteur** person with motor impairment; **h. physique/mental** physically/mentally handicapped person ▪**handicaper** *vt* (*physiquement, mentalement*) to disable; *Fig* to handicap
hangar ['ãgar] *nm* (*entrepôt*) shed; (*pour avions*) hangar; (*de bus*) depot
hanneton ['an(ə)tɔ̃] *nm* cockchafer, *Am* June bug; *Fam* **pas piqué des hannetons** (*difficile*) tough; (*bon*) incredible
hanter ['ãte] *vt* (*sujet: fantôme, souvenir*) to haunt; *Fig* (*bars*) to hang around ▪**hanté, -ée** *adj* (*maison*) haunted ▪**hantise** *nf* **avoir la h. de qch** to really dread sth
happer ['ape] *vt* (*saisir*) to snatch; (*par la gueule*) to snap up
haras ['arɑ] *nm* stud farm
harasser ['arase] *vt* to exhaust ▪**harassé, -ée** *adj* exhausted

> Il faut noter que le verbe anglais **to harass** est un faux ami. Il signifie **harceler**.

harceler ['arsəle] *vt* (*importuner*) to harass; (*insister auprès de*) to pester; **h. qn de questions** to pester sb with questions ▪**harcèlement** *nm* harassment; **h. sexuel** sexual harassment ▪**harceleur, -euse** *nmf* tormentor; **h. téléphonique** phone pest
hardi, -ie ['ardi] *adj* bold ▪**hardiesse** *nf* boldness ▪**hardiment** *adv* boldly
harem ['arɛm] *nm* harem
hareng ['arɑ̃] *nm* herring; **h. saur** smoked herring
hargne ['arɲ] *nf* bad temper ▪**hargneux, -euse** *adj* bad-tempered
haricot ['ariko] *nm* bean; *Fam* **c'est la fin des haricots** it's all over; **h. blanc** haricot bean; **h. rouge** kidney bean; **h. vert** green bean, *Br* French bean
harmonica [armɔnika] *nm* harmonica, mouth organ
harmonie [armɔni] *nf* harmony ▪**harmonieux, -ieuse** *adj* harmonious ▪**harmonique** *adj Mus* harmonic ▪**harmoniser** *vt*, **s'harmoniser** *vpr* to harmonize ▪**harmonium** *nm* harmonium
harnacher ['arnaʃe] *vt* (*cheval*) to harness ▪**harnais** *nm* (*de cheval, de bébé*) harness
harpe ['arp] *nf* harp
harpon ['arpɔ̃] *nm* harpoon ▪**harponner** *vt*

(*baleine*) to harpoon; *Fam* **h. qn** (*sujet: importun*) to corner sb
hasard ['azar] *nm* **le h.** chance; **un h.** a coincidence; **un heureux h.** a stroke of luck; **un malheureux h.** a rotten piece of luck; **par h.** by chance; **par le plus grand des hasards** by a (sheer) fluke; **au h.** (*choisir, répondre*) at random; (*marcher*) aimlessly; **à tout h.** (*par précaution*) just in case; (*pour voir*) on the off chance; **si par h.** if by any chance; **les hasards de la vie** the fortunes of life ▪**hasarder 1** *vt* (*remarque, démarche*) to venture **2** **se hasarder** *vpr* **se h. dans** to venture into; **se h. à faire qch** to risk doing sth ▪**hasardeux, -euse** *adj* risky, hazardous

> Il faut noter que le nom anglais **hazard** est un faux ami. Il signifie uniquement **danger**.

haschisch ['aʃiʃ] *nm* hashish
hâte ['ɑt] *nf* haste; **à la h.** hastily; **en (toute) h.** hurriedly; **avoir h. de faire qch** to be eager to do sth ▪**hâter 1** *vt* (*pas, départ*) to hasten **2** **se hâter** *vpr* to hurry (**de faire** to do) ▪**hâtif, -ive** *adj* (*trop rapide*) hasty
hausse ['os] *nf* rise (**de** in); **en h.** rising ▪**hausser 1** *vt* (*prix, voix*) to raise; (*épaules*) to shrug **2** **se hausser** *vpr* **se h. sur la pointe des pieds** to stand on tiptoe
haussier ['osje] *adj m voir* **marché**
haut, -e ['o, 'ot] **1** *adj* high; (*en taille*) tall; (*dans le temps*) early; **h. de 5 m** 5 m high *or* tall; **à haute voix, à voix haute** aloud; **en haute mer** out at sea; **la mer est haute** it's high tide; **la haute couture** high fashion; **la haute coiffure** haute coiffure; **la haute société** high society; **la haute bourgeoisie** the upper middle class; **un instrument de haute précision** a precision instrument; **un renseignement de la plus haute importance** news of the utmost importance; **avoir une haute opinion de qn** to have a high opinion of sb; **obtenir qch de haute lutte** to get sth after a hard struggle; **haute trahison** high treason
2 *adv* (*dans l'espace*) & *Mus* high; (*dans une hiérarchie*) highly; (*parler*) loud, loudly; **tout h.** (*lire, penser*) out loud; **h. placé** (*personne*) in a high position; **plus h.** (*dans un texte*) above; **gagner h. la main** to win hands down
3 *nm* (*partie haute*) top; **en h. de** at the top of; **en h.** (*loger*) upstairs; (*regarder*) up; (*mettre*) on (the) top; **d'en h.** (*de la partie haute, du ciel*) from high up, from up above; **avoir 5 mètres de h.** to be 5 metres high *or* tall; *Fig* **des hauts et des bas** ups and downs ▪**haut-de-forme** (*pl* **hauts-de-forme**) *nm* top hat ▪**haut-fourneau** (*pl* **hauts-fourneaux**) *nm* blast-furnace ▪**haut-le-cœur** *nm inv* **avoir un h.** to retch ▪**haut-parleur** (*pl* **haut-parleurs**) *nm Br* loudspeaker, *Am* bullhorn

hautain, -aine ['otɛ̃, -ɛn] *adj* haughty

hautbois ['obwa] *nm* oboe

hautement ['otmã] *adv (très)* highly ■**hauteur** *nf* height; *(colline)* hill; *Mus* pitch; **à h. de 10 000 euros** for a sum of 10,000 euros; **à la h. de** *(objet)* level with; *(rue)* opposite; **arriver à la h. de qch** *(mesurer)* to reach (the level of) sth; **à la h. de la situation** up to *or* equal to the situation; **il n'est pas à la h.** he isn't up to it

hâve ['av] *adj* gaunt

havre ['avr] *nm Littéraire* haven; **h. de paix** haven of peace

Haye ['ɛ] *nf* **La H.** The Hague

hayon ['ajɔ̃] *nm (de voiture)* hatchback

hé ['e] *exclam (appel)* hey!; **hé! hé!** *(appréciation, moquerie)* well, well!

hebdomadaire [ɛbdɔmadɛr] *adj & nm* weekly

héberger [ebɛrʒe] *vt (invités)* to put up; *Ordinat (site Web)* to host ■**hébergement** [-əmã] *nm* putting up; **centre d'h.** shelter ■**hébergeur, -euse** *nmf Ordinat (de site Web)* host

hébété, -ée [ebete] *adj* dazed

hébreu, -x [ebrø] **1** *adj m* Hebrew **2** *nm (langue)* Hebrew ■**hébraïque** *adj* Hebrew

Hébrides [ebrid] *nfpl* **les H.** the Hebrides

hécatombe [ekatɔ̃b] *nf* slaughter

hectare [ɛktar] *nm* hectare *(= 2.47 acres)*

hégémonie [eʒemɔni] *nf* hegemony

hein ['ɛ̃] *exclam Fam (surprise, interrogation)* eh?; **ne fais plus jamais ça, h.?** don't ever do that again, OK?

hélas ['elas] *exclam* unfortunately

héler ['ele] *vt (taxi)* to hail

hélice [elis] *nf (d'avion, de navire)* propeller

hélicoptère [elikɔptɛr] *nm* helicopter ■**héliport** *nm* heliport

helvétique [ɛlvetik] *adj* Swiss ■**helvétisme** *nm* Swiss French expression

hémicycle [emisikl] *nm Pol* **l'h.** *(de l'Assemblée nationale)* the chamber

hémisphère [emisfɛr] *nm* hemisphere

hémophile [emɔfil] **1** *adj* haemophilic **2** *nm* haemophiliac ■**hémophilie** *nf Méd* haemophilia

hémorragie [emɔraʒi] *nf Méd* haemorrhage; *Fig (de capitaux)* drain; **faire une h.** to haemorrhage; **h. cérébrale** stroke

hémorroïdes [emɔrɔid] *nfpl* piles, haemorrhoids

hennir ['enir] *vi (cheval)* to neigh ■**hennissement** *nm* neigh; **hennissements** neighing

hépatite [epatit] *nf Méd* hepatitis

herbe [ɛrb] *nf* grass; *(pour soigner)* herb; **mauvaise h.** weed; *Culin* **fines herbes** herbs; **blé en h.** green wheat; *Fig* **poète en h.** budding poet; **couper l'h. sous le pied de qn** to cut the ground from under sb's feet; *Fam* **fumer de l'h.** to smoke grass *or* weed ■**herbage** *nm* pasture ■**herbeux, -euse** *adj* grassy ■**herbicide** *nm* weedkiller ■**herbivore** *adj* herbivorous

herculéen, -éenne [ɛrkyleɛ̃, -ɛn] *adj* Herculean

hérédité [eredite] *nf Biol* heredity ■**héréditaire** *adj* hereditary

hérésie [erezi] *nf* heresy ■**hérétique 1** *adj* heretical **2** *nmf* heretic

hérisser ['erise] **1** *vt (poils)* to bristle up; *Fig* **h. qn** *(irriter)* to get sb's back up **2 se hérisser** *vpr (animal, personne)* to bristle; *(poils, cheveux)* to stand on end ■**hérissé, -ée** *adj (cheveux)* bristly; *(cactus)* prickly; **h. de** bristling with

hérisson ['erisɔ̃] *nm* hedgehog

hériter [erite] **1** *vt* to inherit *(qch de qn* sth from sb*)* **2** *vi* **h. de qch** to inherit sth ■**héritage** *nm (biens)* inheritance; *Fig (culturel, politique)* heritage; **faire un h.** to come into an inheritance ■**héritier** *nm* heir **(de** to**)** ■**héritière** *nf* heiress **(de** to**)**

hermétique [ɛrmetik] *adj* hermetically sealed; *Fig (obscur)* impenetrable ■**hermétiquement** *adv* hermetically

hermine [ɛrmin] *nf (animal, fourrure)* ermine

hernie ['ɛrni] *nf Méd* hernia; **h. discale** slipped disc

héron ['erɔ̃] *nm* heron

héros ['ero] *nm* hero ■**héroïne** [erɔin] *nf (femme)* heroine; *(drogue)* heroin ■**héroïque** [erɔik] *adj* heroic ■**héroïsme** [erɔism] *nm* heroism

hésiter [ezite] *vi* to hesitate **(sur** over *or* about; **entre** between; **à faire** to do**)** ■**hésitant, -ante** *adj* hesitant ■**hésitation** *nf* hesitation; **avec h.** hesitatingly

hétéroclite [eterɔklit] *adj* motley

hétérogène [eterɔʒɛn] *adj* mixed

hêtre ['ɛtr] *nm (arbre, bois)* beech

heu ['ø] *exclam (hésitation)* er

heure [œr] *nf (mesure)* hour; *(moment)* time; **quelle h. est-il?** what time is it?; **il est six heures** it's six (o'clock); **six heures moins cinq** five to six; **six heures cinq** *Br* five past six, *Am* five after six; **à l'h.** *(arriver)* on time; *(être payé)* by the hour; **10 km à l'h.** 10 km an hour; **ils devraient être arrivés à l'h. qu'il est** they ought to have arrived by now; **de bonne h.** early; **nouvelle de dernière h.** latest *or* last-minute news; **tout à l'h.** *(futur)* in a few moments, later; *(passé)* a moment ago; **à tout à l'h.!** *(au revoir)* see you soon!; **à toute h.** *(continuellement)* at all hours; **24 heures sur 24** 24 hours a day; **d'h. en h.** hourly, hour by hour; **faire des heures supplémentaires** to work *or* do overtime; **heures d'affluence, heures de pointe** *(circulation)* rush hour; *(dans les magasins)* peak period; **heures creuses** off-peak *or* slack periods; **h. d'été** *Br* summer time, *Am* daylight-saving time

heureux, -euse [œrø, -øz] **1** *adj* happy (**de** with); *(chanceux)* lucky, fortunate; *(issue, changement)* successful; *(expression, choix)* apt; **h. de faire qch** happy to do sth; **je suis h. que vous puissiez venir** I'm happy you can come **2** *adv (vivre, mourir)* happily ▪**heureusement** *adv (par chance)* fortunately, luckily (**pour** for); *(avec succès)* successfully

heurt [œr] *nm* collision; *Fig (d'opinions)* clash; **sans heurts** smoothly

heurter [œrte] **1** *vt (cogner)* to hit (**contre** against); *(entrer en collision avec)* to collide with; **h. qn** *(choquer)* to offend sb **2 se heurter** *vpr* to collide (**à** *ou* **contre** against); *Fig* **se h. à qch** to meet with sth ▪**heurtoir** *nm* (door) knocker

hexagone [ɛgzagon] *nm* hexagon; *Fig* **l'H.** France ▪**hexagonal, -e, -aux, -ales** *adj* hexagonal; *Fam (français)* French

hiatus [jatys] *nm Fig* hiatus, gap

hiberner [iberne] *vi* to hibernate ▪**hibernation** *nf* hibernation

hibou, -x ['ibu] *nm* owl

hic ['ik] *nm Fam* **voilà le h.!** there's the snag!

hideux, -euse [idø, -øz] *adj* hideous

hier [ijɛr] *adv* yesterday; **h. soir** yesterday evening; **ça ne date pas d'h.** that's nothing new; *Fig* **elle n'est pas née d'h.** she wasn't born yesterday

hiérarchie ['jerarʃi] *nf* hierarchy ▪**hiérarchique** *adj* hierarchical; **par la voie h.** through the official channels

hi-fi ['ifi] *adj inv & nf inv* hi-fi

hilare [ilar] *adj* grinning ▪**hilarant, -ante** *adj* hilarious ▪**hilarité** *nf* hilarity, mirth

hindou, -oue [ɛ̃du] *adj & nmf* Hindu

hip-hop ['ipɔp] *nm inv (musique)* hip-hop

hippie ['ipi] *nmf* hippie

hippique [ipik] *adj* **concours h.** horse show ▪**hippodrome** *nm Br* racecourse, *Am* race-track

hippopotame [ipɔpɔtam] *nm* hippopotamus, *Fam* hippo

hirondelle [irɔ̃dɛl] *nf (oiseau)* swallow

hirsute [irsyt] *adj (personne, barbe)* shaggy

hispanique [ispanik] *adj* Hispanic

hisser ['ise] **1** *vt* to hoist up **2 se hisser** *vpr* to heave oneself up

histoire [istwar] *nf (science, événements)* history; *(récit)* story; *Fam (affaire)* business, matter; *Fam* **des histoires** *(mensonges)* fibs, stories; *(chichis)* fuss; *Fam* **raconter des histoires** to tell fibs; *Fam* **faire des histoires à qn** to make trouble for sb; *Fam* **c'est toute une h. pour lui faire prendre son bain** it's quite a business getting him/her to have a bath; *Fam* **h. de rire** for a laugh; **sans histoires** *(voyage)* uneventful

historien, -ienne [istɔrjɛ̃, -jɛn] *nmf* historian

historique [istɔrik] **1** *adj (concernant l'histoire)* historical; *(important)* historic **2** *nm* historical account

hiver [ivɛr] *nm* winter ▪**hivernal, -e, -aux, -ales** *adj* winter; *(temps)* wintry

HLM ['aʃɛlɛm] *(abrév* **habitation à loyer modéré)** *nm ou f Br* ≃ (block of) council flats, *Am* ≃ public housing unit

hocher ['ɔʃe] *vt* **h. la tête** *(pour dire oui)* to nod; *(pour dire non)* to shake one's head ▪**hochement** *nm* **h. de tête** *(affirmatif)* nod; *(négatif)* shake of the head

hochet ['ɔʃɛ] *nm* rattle

hockey ['ɔkɛ] *nm* hockey; **h. sur glace** ice hockey; **h. sur gazon** *Br* hockey, *Am* field hockey

holà ['ɔla] **1** *exclam* stop! **2** *nm inv* **mettre le h. à qch** to put a stop to sth

hold-up ['ɔldœp] *nm inv* hold-up

Hollande ['ɔlɑ̃d] *nf* **la H.** Holland ▪**hollandais, -aise** **1** *adj* Dutch **2** *nmf* **H.** Dutchman; **Hollandaise** Dutchwoman; **les H.** the Dutch **3** *nm (langue)* Dutch

holocauste [ɔlɔkost] *nm* holocaust

homard ['ɔmar] *nm* lobster

homélie [ɔmeli] *nf* homily

homéopathe [ɔmeɔpat] **1** *adj* homoeopathic **2** *nmf* homeopath ▪**homéopathie** *nf* homeopathy ▪**homéopathique** *adj* homeopathic

homicide [ɔmisid] *nm* homicide; **h. involontaire** *ou* **par imprudence** manslaughter; **h. volontaire** murder

hommage [ɔmaʒ] *nm* homage (**à** to); **rendre h. à qn** to pay homage to sb; **faire qch en h. à qn** to do sth as a tribute to sb *or* in homage to sb; **présenter ses hommages à une femme** to pay one's respects to a lady

homme [ɔm] *nm* man *(pl* men); **l'h.** *(genre humain)* man(kind); **des vêtements d'h.** men's clothes; **d'h. à h.** man to man; *Fig* **l'h. de la rue** the man in the street; **il n'est pas h. à vous laisser tomber** he's not the sort of man to let you down; **h. d'affaires** businessman; **h. politique** politician ▪**homme-grenouille** *(pl* **hommes-grenouilles)** *nm* frogman

homogène [ɔmɔʒɛn] *adj* homogeneous ▪**homogénéité** *nf* homogeneity

homologue [ɔmɔlɔg] *nmf* counterpart, opposite number

homologuer [ɔmɔlɔge] *vt (décision, accord, record)* to ratify

homonyme [ɔmɔnim] **1** *nm (mot)* homonym **2** *nmf (personne)* namesake

homosexuel, -uelle [ɔmɔsɛksɥɛl] *adj & nmf* homosexual ▪**homosexualité** *nf* homosexuality

Hongrie ['ɔ̃gri] *nf* **la H.** Hungary ▪**hongrois, -oise** **1** *adj* Hungarian **2** *nmf* **H., Hongroise** Hungarian **3** *nm (langue)* Hungarian

honnête [ɔnɛt] *adj (intègre)* honest; *(vie, gens)* decent; *(prix)* fair ▪ **honnêtement** *adv (avec intégrité)* honestly; *(raisonnablement)* decently; **h., qu'est-ce que tu en penses?** be honest, what do you think? ▪ **honnêteté** *nf (intégrité)* honesty

honneur [ɔnœr] *nm Br* honour, *Am* honor; **en l'h. de qn** in honour of sb; **faire h. à** *(sa famille)* to be a credit to; *(par sa présence)* to do honour to; *(promesse)* to honour; *Fam (repas)* to do justice to; **être à l'h.** to have the place of honour; **donner sa parole d'h.** to give one's word of honour; **mettre un point d'h. à faire qch** to make it a point of honour to do sth; **invité d'h.** guest of honour; **membre d'h.** honorary member

honorable [ɔnɔrabl] *adj Br* honourable, *Am* honorable; *Fig (résultat, salaire)* respectable

honoraire [ɔnɔrɛr] *adj (membre)* honorary ▪ **honoraires** *nmpl* fees

honorer [ɔnɔre] **1** *vt* to *Br* honour *or Am* honor (**de** with); **h. qn** *(conduite)* to be a credit to sb; **h. qn de sa confiance** to put one's trust in sb **2 s'honorer** *vpr* **s'h. d'avoir fait qch** to pride oneself on having done sth ▪ **honorifique** *adj* honorary

honte [ʒt] *nf* shame; **avoir h.** to be *or* feel ashamed (**de qch/de faire** of sth/to do *or* of doing); **faire h. à qn** to put one's shame; **sans h.** shamelessly ▪ **honteusement** *adv* shamefully ▪ **honteux, -euse** *adj (personne)* ashamed (**de** of); *(conduite, acte)* shameful

hop [ɔp] *exclam* **allez h., saute!** go on, jump!; **allez h., tout le monde dehors!** come on, everybody out!

hôpital, -aux [ɔpital, -o] *nm* hospital; **à l'h.** *Br* in hospital, *Am* in the hospital

hoquet [ɔkɛ] *nm* hiccup; **avoir le h.** to have the hiccups ▪ **hoqueter** [-əte] *vi* to hiccup

horaire [ɔrɛr] **1** *adj (salaire)* hourly; *(vitesse)* per hour **2** *nm* timetable, schedule; **horaires de travail** working hours

horde [ɔrd] *nf* horde

horizon [ɔrizɔ̃] *nm* horizon; *(vue, paysage)* view; **à l'h.** on the horizon ▪ **horizontal, -e, -aux, -ales** *adj* horizontal ▪ **horizontalement** *adv* horizontally

horloge [ɔrlɔʒ] *nf* clock ▪ **horloger, -ère** *nmf* watchmaker ▪ **horlogerie** *nf (magasin)* watchmaker's (shop); *(industrie)* watchmaking

hormis [ɔrmi] *prép Littéraire* save, except (for)

hormone [ɔrmɔn] *nf* hormone ▪ **hormonal, -e, -aux, -ales** *adj* **traitement h.** hormone treatment

horoscope [ɔrɔskɔp] *nm* horoscope

horreur [ɔrœr] *nf* horror; **des horreurs** *(propos)* horrible things; **faire h. à qn** to disgust sb; **avoir h. de qch** to hate *or* loathe sth; **quelle h.!** how awful!

horrible [ɔribl] *adj (effrayant)* horrible; *(laid)* hideous ▪ **horriblement** [-əmã] *adv (défiguré)* horribly; *(cher, froid)* terribly

horrifiant, -iante [ɔrifjã, -jãt] *adj* horrifying ▪ **horrifié, -iée** *adj* horrified

horripiler [ɔripile] *vt* to exasperate

hors [ɔr] *prép* **h. de** *(maison, boîte)* outside; *Fig (danger, haleine)* out of; **h. de doute** beyond doubt; **h. de soi** *(furieux)* beside oneself; *Fig* **être h. concours** to be in a class of one's own; *Football* **être h. jeu** to be offside ▪ **hors-bord** *nm inv* speedboat; **moteur h.** outboard motor ▪ **hors-d'œuvre** *nm inv (plat)* hors-d'œuvre, starter ▪ **hors-jeu** *nm inv Football* offside ▪ **hors-la-loi** *nm inv* outlaw ▪ **hors-piste** *nm inv Ski* off-piste skiing; **faire du h.** to ski off piste ▪ **hors service** *adj inv (appareil)* out of order ▪ **hors taxe** *adj inv (magasin, objet)* duty-free

hortensia [ɔrtãsja] *nm* hydrangea

horticulteur, -trice [ɔrtikyltœr, -tris] *nmf* horticulturist ▪ **horticole** *adj* horticultural ▪ **horticulture** *nf* horticulture

hospice [ɔspis] *nm (foyer)* home; *(hôpital)* hospice

hospitalier, -ière [ɔspitalje, -jɛr] *adj (accueillant)* hospitable; **centre h.** hospital (complex); **personnel h.** hospital staff ▪ **hospitaliser** *vt* to hospitalize ▪ **hospitalité** *nf* hospitality

hostile [ɔstil] *adj* hostile (**à** *or* towards) ▪ **hostilité** *nf* hostility (**envers** *or* towards); *Mil* **hostilités** hostilities

hôte [ot] **1** *nm (qui reçoit)* host **2** *nmf (invité)* guest ▪ **hôtesse** *nf* hostess; **h. de l'air** air hostess

hôtel [otɛl] *nm* hotel; **h. particulier** mansion, town house; **h. de ville** *Br* town hall, *Am* city hall; **h. des impôts** tax office; **h. des ventes** auction rooms ▪ **hôtelier, -ière** **1** *nmf* hotelkeeper, hotelier **2** *adj* **industrie hôtelière** hotel industry ▪ **hôtellerie** *nf (auberge)* inn; *(métier)* hotel trade

hotte [ʒt] *nf (panier)* basket *(carried on back)*; *(de cheminée)* hood; **la h. du père Noël** Santa's sack, *Br* Father Christmas's sack; **h. aspirante** extractor hood

houblon [ˈublɔ̃] *nm* **le h.** hops

houille [ˈuj] *nf* coal; **h. blanche** hydroelectric power ▪ **houiller, -ère 1** *adj* **bassin h.** coalfield **2** *nf* **houillère** coalmine, *Br* colliery

houle [ˈul] *nf* swell ▪ **houleux, -euse** *adj (mer)* rough; *Fig (réunion)* stormy

houlette [ˈulɛt] *nf Fig* **sous la h. de qn** under the leadership of sb

houmous [ˈumus] *nm Culin* hummus, houmous

houppette [ˈupɛt] *nf (de poudrier)* powder puff

hourra [ˈura] **1** *exclam* hurray! **2** *nm* hurray

houspiller [ˈuspije] *vt* to tell off

housse ['us] *nf* (protective) cover

houx ['u] *nm* holly

hublot ['yblo] *nm (de navire, d'avion)* porthole

huche ['yʃ] *nf* **h. à pain** bread bin

hue ['y] *exclam* gee up!

huer ['ɥe] *vt* to boo ▪**huées** *nfpl* boos

huile [ɥil] *nf* oil; *Fam (personne)* big shot; *Fig* **mer d'h.** glassy sea; *Fig* **jeter de l'h. sur le feu** to add fuel to the fire; *Fam* **h. de coude** elbow grease; **h. d'arachide/d'olive** groundnut/olive oil; **h. essentielle** essential oil; **h. solaire** suntan oil ▪**huiler** *vt* to oil ▪**huileux, -euse** *adj* oily

huis [ɥi] *nm* **à h. clos** behind closed doors; *Jur* in camera

huissier [ɥisje] *nm (portier)* usher; *Jur* bailiff

huit ['ɥit, 'ɥi *before consonant] adj & nm inv* eight; **h. jours** a week; **dimanche en h.** *Br* a week on Sunday, *Am* a week from Sunday ▪**huitaine** *nf* (about) eight; *(semaine)* week; **une h. (de)** about eight ▪**huitième** *adj, nm & nmf* eighth; **un h.** an eighth; *Sport* **h. de finale** last sixteen

huître [ɥitr] *nf* oyster

hululer ['ylyle] *vi* to hoot

humain, -aine [ymɛ̃, -ɛn] **1** *adj (relatif à l'homme)* human; *(compatissant)* humane **2** *nmpl* **les humains** humans ▪**humainement** *adv (relatif à l'homme)* humanly; *(avec bonté)* humanely; **h. possible** humanly possible ▪**humanitaire** *adj* humanitarian ▪**humanité** *nf (genre humain, sentiment)* humanity

humble [œ̃bl] *adj* humble ▪**humblement** [-əmɑ̃] *adv* humbly

humecter [ymɛkte] *vt* to moisten

humer ['yme] *vt (respirer)* to breathe in; *(sentir)* to smell

humeur [ymœr] *nf (disposition)* mood; *(caractère)* temper; *(mauvaise humeur)* bad mood; **être de bonne/mauvaise h.** to be in a good/bad mood; **mettre qn de bonne/ mauvaise h.** to put sb in a good/bad mood; **être d'une h. massacrante** to be in a foul mood; **d'h. égale** even-tempered

humide [ymid] *adj (linge)* damp, wet; *(climat, temps)* humid; **les yeux humides de larmes** eyes moist with tears ▪**humidifier** *vt* to humidify ▪**humidité** *nf (de maison)* dampness; *(de climat)* humidity

humilier [ymilje] *vt* to humiliate ▪**humiliant, -iante** *adj* humiliating ▪**humiliation** *nf* humiliation ▪**humilité** *nf* humility

humour [ymur] *nm Br* humour, *Am* humor; **avoir de l'h. ou le sens de l'h.** to have a sense of humour; **h. noir** black humour ▪**humoriste**

nmf humorist ▪**humoristique** *adj (ton)* humorous

huppé, -ée ['ype] *adj Fam (riche)* high-class, *Br* posh

hurler ['yrle] **1** *vt (slogans, injures)* to yell **2** *vi (loup, vent)* to howl; *(personne)* to scream; *Fig* **h. avec les loups** to follow the crowd ▪**hurlement** [-əmɑ̃] *nm (de loup, de vent)* howl; *(de personne)* scream

hurluberlu [yrlybɛrly] *nm* oddball

hutte ['yt] *nf* hut

hybride [ibrid] *adj & nm* hybrid

hydrater [idrate] *vt (peau)* to moisturize; **crème hydratante** moisturizing cream

hydraulique [idrolik] *adj* hydraulic

hydravion [idravjɔ̃] *nm* seaplane

hydrocarbure [idrokarbyr] *nm* hydrocarbon

hydroélectrique [idroelɛktrik] *adj* hydroelectric

hydrogène [idrɔʒɛn] *nm* hydrogen

hydrophile [idrɔfil] *adj* **coton h.** *Br* cotton wool, *Am* (absorbent) cotton

hyène [jɛn] *nf* hyena

hygiène [iʒjɛn] *nf* hygiene ▪**hygiénique** *adj* hygienic; *(serviette, conditions)* sanitary

hymne [imn] *nm* hymn; **h. national** national anthem

hyper- [ipɛr] *préf* hyper- ▪**hyperlien** *nm Ordinat* hyperlink ▪**hypermarché** *nm* hypermarket ▪**hypermétrope** *adj* longsighted ▪**hypertension** *nf* **h. artérielle** high blood pressure; **faire de l'h.** to have high blood pressure

hypnose [ipnoz] *nf* hypnosis ▪**hypnotique** *adj* hypnotic ▪**hypnotiser** *vt* to hypnotize ▪**hypnotiseur** *nm* hypnotist ▪**hypnotisme** *nm* hypnotism

hypoallergénique [ipoalɛrʒenik] *adj* hypoallergenic

hypocalorique [ipokalorik] *adj (régime, aliment)* low-calorie

hypocondriaque [ipokɔ̃drijak] *adj & nmf* hypochondriac

hypocrisie [ipokrizi] *nf* hypocrisy ▪**hypocrite** **1** *adj* hypocritical **2** *nmf* hypocrite

hypodermique [ipodɛrmik] *adj* hypodermic

hypokhâgne [ipokaɲ] *nf Scol* = first-year arts class preparing students for the entrance examination for the École normale supérieure

hypothèque [ipotɛk] *nf* mortgage ▪**hypothéquer** *vt (maison)* to mortgage

hypothèse [ipotez] *nf* hypothesis; **dans l'h. où...** supposing (that)... ▪**hypothétique** *adj* hypothetical

hystérie [isteri] *nf* hysteria ▪**hystérique** *adj* hysterical

I, i [i] *nm inv* I, i

iceberg [isberg, ajsberg] *nm* iceberg

ici [isi] *adv* here; **par i.** *(passer)* this way; *(habiter)* around here; **jusqu'i.** *(temps)* up to now; *(lieu)* as far as this *or* here; **d'i. à mardi** by Tuesday; **d'i. à une semaine** within a week; **d'i. peu** before long; **i. Dupont!** *(au téléphone)* Dupont here!, this is Dupont!; **je ne suis pas d'i.** I'm a stranger around here; **les gens d'i.** the people from around here, the locals ▪ **ici-bas** *adv* on earth

icône [ikon] *nf* Rel & Ordinat icon

idéal, -e, -aux *ou* **-als, -ales** [ideal, -o] **1** *adj* ideal **2** *n* ideal; **l'i. serait de/que...** the ideal *or* best solution would be to/if... ▪ **idéalement** *adv* ideally ▪ **idéaliser** *vt* to idealize ▪ **idéalisme** *nm* idealism ▪ **idéaliste 1** *adj* idealistic **2** *nmf* idealist

idée [ide] *nf* idea **(de** of; **que** that); **changer d'i.** to change one's mind; **il m'est venu à l'i. que...** it occurred to me that...; **se faire une i. de qch** to get an idea of sth; *Fam* **se faire des idées** to imagine things; **avoir dans l'i. de faire qch** to have it in mind to do sth; **avoir son i. sur qch** to have one's own opinions about sth; **avoir une i. derrière la tête** to have an idea at the back of one's mind; *Fam* **avoir des idées** to be full of good ideas; **i. fixe** obsession; **idées noires** black thoughts

idem [idem] *adv* ditto

identifier [idãtifje] *vt*, **s'identifier** *vpr* to identify **(à** *ou* **avec** with) ▪ **identification** *nf* identification

identique [idãtik] *adj* identical **(à** to)

identité [idãtite] *nf* identity

idéologie [ideɔlɔʒi] *nf* ideology ▪ **idéologique** *adj* ideological

idiome [idjom] *nm* idiom ▪ **idiomatique** *adj* idiomatic

idiot, -iote [idjo, -jɔt] **1** *adj* silly, idiotic **2** *nmf* idiot ▪ **idiotie** [-ɔsi] *nf (état)* idiocy; **une i.** *(parole, action)* a silly thing

idole [idɔl] *nf* idol; **i. des jeunes** teen idol

idylle [idil] *nf (amourette)* romance

idyllique [idilik] *adj* idyllic

if [if] *nm* yew (tree)

IFOP [ifɔp] *(abrév* **Institut français d'opinion publique)** *nm =* French market and opinion research institute

igloo [iglu] *nm* igloo

ignare [iɲar] **1** *adj* ignorant **2** *nmf* ignoramus

ignifugé, -ée [iɲifyʒe] *adj* fireproof(ed)

ignoble [iɲɔbl] *adj* vile

ignorant, -ante [iɲɔrã, -ãt] *adj* ignorant **(de** of) ▪ **ignorance** *nf* ignorance

ignorer [iɲɔre] *vt* not to know; **j'ignore si...** I don't know if...; **je n'ignore pas les difficultés** I am not unaware of the difficulties; **i. qn** *(mépriser)* to ignore sb ▪ **ignoré, -ée** *adj (inconnu)* unknown

il [il] *pron personnel (personne)* he; *(chose, animal, impersonnel)* it; **il est** he/it is; **il pleut** it's raining; **il est vrai que...** it's true that...; **il y a...** there is/are...; **il y a six ans** six years ago; **il y a une heure qu'il travaille** he has been working for an hour; **qu'est-ce qu'il y a?** what's the matter?, what's wrong?; **il n'y a pas de quoi!** don't mention it!

île [il] *nf* island; **les îles Anglo-Normandes** the Channel Islands; **les îles Britanniques** the British Isles; **l'î. Maurice** Mauritius; *Culin* **î. flottante** floating island *(beaten egg whites served on custard)*

illégal, -e, -aux, -ales [il(l)egal, -o] *adj* illegal ▪ **illégalité** *nf* illegality

illégitime [il(l)eʒitim] *adj (enfant, revendication)* illegitimate; *(demande)* unwarranted

illettré, -ée [il(l)etre] *adj & nmf* illiterate

illicite [il(l)isit] *adj* unlawful, illicit

illico [il(l)iko] *adv Fam* **i.** *(presto)* pronto

illimité, -ée [il(l)imite] *adj* unlimited

illisible [il(l)izibl] *adj (écriture)* illegible; *(livre)* & *Ordinat* unreadable

illogique [il(l)ɔʒik] *adj* illogical

illuminer [il(l)ymine] **1** *vt* to light up, to illuminate **2** **s'illuminer** *vpr (visage, ciel)* to light up ▪ **illumination** *nf (action, lumière)* illumination ▪ **illuminé, -ée** *adj (monument)* floodlit

illusion [il(l)yzjɔ̃] *nf* illusion **(sur** about); **se faire des illusions** to delude oneself **(sur** about); **i. d'optique** optical illusion ▪ **s'illusionner** *vpr* to delude oneself **(sur** about) ▪ **illusionniste** *nmf* conjurer ▪ **illusoire** *adj* illusory

illustre [il(l)ystr] *adj* illustrious

illustrer [il(l)ystre] **1** *vt (livre, récit)* to illustrate **(de** with) **2** **s'illustrer** *vpr* to distinguish

oneself (**par** by) ■ **illustration** *nf* illustration
■ **illustré, -ée** *adj (livre, magazine)* illustrated
îlot [ilo] *nm (île)* small island; *(maisons)* block
ils [il] *pron personnel mpl* they; **i. sont ici** they are
here

image [imaʒ] *nf* picture; *(ressemblance, symbole)*
image; *(dans une glace)* reflection; **i. de marque**
(de produit) brand image; *(firme)* (public)
image; *Ordinat* **i. de synthèse** computer-
generated image ■ **imagé, -ée** *adj (style)* full
of imagery

imaginable [imaʒinabl] *adj* imaginable
■ **imaginaire** *adj* imaginary ■ **imaginatif,
-ive** *adj* imaginative

imagination [imaʒinasjɔ̃] *nf* imagination; **avoir
de l'i.** to be imaginative

imaginer [imaʒine] **1** *vt (se figurer)* to imagine;
(inventer) to devise **2 s'imaginer** *vpr (se figurer)*
to imagine (**que** that); *(se voir)* to picture oneself

imbattable [ɛ̃batabl] *adj* unbeatable

imbécile [ɛ̃besil] **1** *adj* idiotic **2** *nmf* idiot,
imbecile ■ **imbécillité** *nf (état)* imbecility; **une
i.** *(action, parole)* an idiotic thing

imberbe [ɛ̃bɛrb] *adj* beardless

imbiber [ɛ̃bibe] **1** *vt* to soak (**de** with *or* in) **2
s'imbiber** *vpr* to become soaked (**de** with)

imbriquer [ɛ̃brike] **s'imbriquer** *vpr (s'emboîter)*
to overlap

imbroglio [ɛ̃brɔglijo] *nm* imbroglio

imbu, -ue [ɛ̃by] *adj* **i. de soi-même** full of
oneself

imbuvable [ɛ̃byvabl] *adj* undrinkable; *Fam
(personne)* insufferable

imiter [imite] *vt* to imitate; *(signature)* to forge;
i. qn *(pour rire)* to mimic sb; *(faire comme)* to
do the same as sb; *(imitateur professionnel)*
to impersonate sb ■ **imitateur, -trice** *nmf*
imitator; *(professionnel)* impersonator ■ **imitation** *nf* imitation

immaculé, -ée [imakyle] *adj (sans tache, sans
péché)* immaculate

immangeable [ɛ̃mɑ̃ʒabl] *adj* inedible

immanquable [ɛ̃mɑ̃kabl] *adj* inevitable

immatriculer [imatrikyle] *vt* to register; **se faire
i.** to register ■ **immatriculation** *nf* registration

immédiat, -iate [imedja, -jat] **1** *adj* immediate
2 *nm* **dans l'i.** for the time being
■ **immédiatement** *adv* immediately

immense [imɑ̃s] *adj* immense ■ **immensément** *adv* immensely ■ **immensité** *nf* immensity

immerger [imɛrʒe] *vt* to immerse ■ **immersion**
nf immersion (**dans** in)

immettable [ɛ̃metabl] *adj* unwearable

immeuble [imœbl] *nm* building; *(appartements)*
Br block of flats, *Am* apartment block

immigrer [imigre] *vi* to immigrate ■ **immigrant, -ante** *nmf* immigrant ■ **immigration**
nf immigration ■ **immigré, -ée** *adj & nmf*
immigrant; **travailleur i.** immigrant worker

imminent, -ente [iminɑ̃, -ɑ̃t] *adj* imminent
■ **imminence** *nf* imminence

immiscer [imise] **s'immiscer** *vpr* to interfere
(**dans** in)

immobile [imɔbil] *adj* still, motionless
■ **immobiliser 1** *vt (blessé)* to immobilize;
(train) to bring to a stop; *(voiture) (avec un
sabot)* to clamp **2 s'immobiliser** *vpr* to come
to a stop ■ **immobilité** *nf* stillness; *(de visage)*
immobility

immobilier, -ière [imɔbilje, -jɛr] **1** *adj* **marché
i.** property market; **vente immobilière** sale of
property **2** *nm* **l'i.** *Br* property, *Am* real estate

immodéré, -ée [i(m)mɔdere] *adj* immoderate

immoler [i(m)mɔle] *Littéraire* **1** *vt (sacrifier)* to
sacrifice **2 s'immoler** *vpr* **s'i. par le feu** to die
by setting fire to oneself

immonde [i(m)mɔ̃d] *adj (sale)* foul; *(ignoble,
laid)* vile ■ **immondices** *nfpl* refuse

immoral, -e, -aux, -ales [i(m)mɔral, -o] *adj*
immoral ■ **immoralité** *nf* immorality

immortel, -elle [i(m)mɔrtɛl] *adj* immortal; **les
Immortels** the members of the Académie
française ■ **immortaliser** *vt* to immortalize
■ **immortalité** *nf* immortality

immuable [i(m)mɥabl] *adj* immutable,
unchanging

immuniser [i(m)mynize] *vt Méd* to immunize
(**contre** against) ■ **immunitaire** *adj Méd
(déficience, système)* immune ■ **immunité** *nf
Méd & Pol* immunity; **i. parlementaire**
parliamentary immunity

impact [ɛ̃pakt] *nm* impact (**sur** on)

impair, -aire [ɛ̃pɛr] **1** *adj (nombre)* odd, uneven
2 *nm (maladresse)* blunder

imparable [ɛ̃parabl] *adj (coup)* unavoidable

impardonnable [ɛ̃pardɔnabl] *adj* unforgivable

imparfait, -aite [ɛ̃parfɛ, -ɛt] **1** *adj
(connaissance)* imperfect **2** *nm Grammaire
(temps)* imperfect

impartial, -e, -iaux, -iales [ɛ̃parsjal, -jo]
adj impartial, unbiased ■ **impartialité** *nf*
impartiality

impartir [ɛ̃partir] *vt* to grant (**à** to); **dans le
temps qui nous est imparti** within the
allotted time

impasse [ɛ̃pas] *nf (rue)* dead end; *Fig (situation)*
impasse; **être dans une i.** to be deadlocked;
faire une i. *(en révisant)* = to miss out part of a
subject when revising

impassible [ɛ̃pasibl] *adj* impassive
■ **impassibilité** *nf* impassiveness

impatient, -iente [ɛ̃pasjɑ̃, -jɑ̃t] *adj* impatient;
i. de faire qch impatient to do sth
■ **impatiemment** [-amɑ̃] *adv* impatiently
■ **impatience** *nf* impatience ■ **impatienter 1**
vt to annoy **2 s'impatienter** *vpr* to get
impatient

impavide [ɛ̃pavid] *adj Littéraire* impassive

impayable [ɛ̃pɛjabl] *adj Fam (comique)* priceless

impayé, -ée [ɛ̃peje] *adj* unpaid

impeccable [ɛ̃pekabl] *adj* impeccable ▪ **impeccablement** [-əmɑ̃] *adv* impeccably

impénétrable [ɛ̃penetrabl] *adj (forêt, mystère)* impenetrable

impénitent, -ente [ɛ̃penitɑ̃, -ɑ̃t] *adj* unrepentant

impensable [ɛ̃pɑ̃sabl] *adj* unthinkable

imper [ɛ̃pɛr] *nm Fam* raincoat, *Br* mac

impératif, -ive [ɛ̃peratif, -iv] **1** *adj (consigne, besoin)* imperative; *(ton)* imperious **2** *nm Grammaire* imperative

impératrice [ɛ̃peratris] *nf* empress

imperceptible [ɛ̃pɛrsɛptibl] *adj* imperceptible (**à** to)

imperfection [ɛ̃pɛrfɛksjɔ̃] *nf* imperfection

impérial, -e, -iaux, -iales [ɛ̃perjal, -jo] *adj* imperial ▪ **impérialisme** *nm* imperialism

impériale [ɛ̃perjal] *nf (d'autobus)* top deck; **autobus à i.** double-decker (bus)

impérieux, -ieuse [ɛ̃perjø, -jøz] *adj (autoritaire)* imperious; *(besoin)* pressing

impérissable [ɛ̃perisabl] *adj (souvenir)* enduring

imperméable [ɛ̃pɛrmeabl] **1** *adj* impervious (**à** to); *(tissu, manteau)* waterproof **2** *nm* raincoat, *Br* mackintosh ▪ **imperméabilisé, -ée** *adj* waterproof

impersonnel, -elle [ɛ̃pɛrsɔnɛl] *adj* impersonal

impertinent, -ente [ɛ̃pɛrtinɑ̃, -ɑ̃t] *adj* impertinent (**envers** to) ▪ **impertinence** *nf* impertinence

imperturbable [ɛ̃pɛrtyrbabl] *adj (personne)* imperturbable

impétueux, -ueuse [ɛ̃petyø, -yøz] *adj* impetuous ▪ **impétuosité** *nf* impetuosity

impie [ɛ̃pi] *adj Littéraire* impious

impitoyable [ɛ̃pitwajabl] *adj* merciless

implacable [ɛ̃plakabl] *adj (personne, vengeance)* implacable; *(avancée)* relentless

implant [ɛ̃plɑ̃] *nm Méd* implant; **implants capillaires** hair grafts

implanter [ɛ̃plɑ̃te] **1** *vt (installer)* to establish; *(chirurgicalement)* to implant **2 s'implanter** *vpr* to become established ▪ **implantation** *nf* establishment

implicite [ɛ̃plisit] *adj* implicit ▪ **implicitement** *adv* implicitly

impliquer [ɛ̃plike] *vt (entraîner)* to imply; **i. que...** to imply that...; **i. qn** to implicate sb (**dans** in) ▪ **implication** *nf (conséquence)* implication; *(participation)* involvement

implorer [ɛ̃plɔre] *vt* to implore (**qn de faire** sb to do)

impoli, -ie [ɛ̃pɔli] *adj* rude, impolite ▪ **impolitesse** *nf* impoliteness, rudeness; **une i.** *(acte)* impolite act

impondérable [ɛ̃pɔ̃derabl] *nm* imponderable

impopulaire [ɛ̃pɔpylɛr] *adj* unpopular

import [ɛ̃pɔr] *nm* import

important, -ante [ɛ̃pɔrtɑ̃, -ɑ̃t] **1** *adj (personnage, événement)* important; *(quantité, somme, ville)* large; *(dégâts, retard)* considerable **2** *nm* **l'i., c'est de...** the important thing is to... ▪ **importance** *nf* importance; *(taille)* size; *(de dégâts)* extent; **attacher de l'i. à qch** to attach importance to sth; **ça n'a pas d'i.** it doesn't matter

---

Il faut noter que l'adjectif anglais **important** ne signifie jamais **considérable** et ne se rapporte donc jamais à des proportions ou à une quantité.

---

importer¹ [ɛ̃pɔrte] **1** *vi* to matter (**à** to) **2** *v impersonnel* **il importe de faire qch** it's important to do sth; **il importe que vous y soyez** it is important that you're there; **peu importe, n'importe** it doesn't matter; **n'importe qui/quoi/où/quand/comment** anyone/anything/anywhere/any time/anyhow; *Péj* **dire n'importe quoi** to talk nonsense

importer² [ɛ̃pɔrte] *vt (marchandises)* to import (**de** from) ▪ **importateur, -trice** **1** *adj* importing **2** *nmf* importer ▪ **importation** *nf (objet)* import; *(action)* importing, importation; **d'i.** *(article)* imported

importun, -une [ɛ̃pɔrtœ̃, -yn] **1** *adj (personne, question)* importunate; *(arrivée)* ill-timed **2** *nmf* nuisance ▪ **importuner** *vt Formel* to bother

imposer [ɛ̃poze] **1** *vt (condition)* to impose; *(taxer)* to tax; **i. qch à qn** to impose sth on sb; **i. le respect** to command respect **2** *vi* **en i. à qn** to impress sb **3 s'imposer** *vpr (faire reconnaître sa valeur)* to assert oneself; *(gagner)* to win; *(être nécessaire)* to be essential; *Péj (chez qn)* to impose; **s'i. de faire qch** to make it a rule to do sth ▪ **imposable** *adj Fin* taxable ▪ **imposant, -ante** *adj* imposing ▪ **imposition** *nf Fin* taxation

impossible [ɛ̃pɔsibl] **1** *adj* impossible (**à faire** to do); **il (nous) est i. de faire qch** it is impossible (for us) to do sth; **il est i. que...** (+ *subjunctive)* it is impossible that...; **ça m'est i.** I cannot possibly; **i. n'est pas français** there's no such word as 'can't' **2** *nm* **tenter l'i.** to attempt the impossible; **faire l'i. pour faire qch** to do everything possible to do sth ▪ **impossibilité** *nf* impossibility

imposteur [ɛ̃pɔstœr] *nm* impostor ▪ **imposture** *nf* deception

impôt [ɛ̃po] *nm* tax; **(service des) impôts** tax authorities; **payer 500 euros d'impôts** to pay 500 euros in tax; **impôts locaux** local taxes; **i. sur le revenu** income tax

impotent, -ente [ɛ̃potɑ̃, -ɑ̃t] *adj* disabled; *(de vieillesse)* infirm

> Il faut noter que l'adjectif anglais **impotent** est un faux ami. Il signifie **impuissant**.

impraticable [ɛ̃pratikabl] *adj (chemin)* impassable; *(projet)* impracticable

imprécis, -ise [ɛ̃presi, -iz] *adj* imprecise ▪ **imprécision** *nf* imprecision

imprégner [ɛ̃preɲe] **1** *vt* to impregnate (**de** with); *Fig* **être imprégné de qch** to be full of sth **2 s'imprégner** *vpr* to become impregnated (**de** with)

imprenable [ɛ̃prənabl] *adj (forteresse)* impregnable; *(vue)* unobstructed

imprésario [ɛ̃presarjo] *nm* manager

impression [ɛ̃presjɔ̃] *nf* (**a**) *(sensation)* impression; **avoir l'i. que...** to have the impression that...; **il donne l'i. d'être fatigué** he gives the impression of being tired; **faire bonne i. à qn** to make a good impression on sb (**b**) *(de livre)* printing

impressionner [ɛ̃presjɔne] *vt (bouleverser)* to upset; *(frapper)* to impress ▪ **impressionnable** *adj* easily upset ▪ **impressionnant, -ante** *adj* impressive

> Il faut noter que l'adjectif anglais **impressionable** est un faux ami. Il signifie **influençable**.

impressionnisme [ɛ̃presjɔnism] *nm* impressionism ▪ **impressionniste** *adj & nmf* impressionist

imprévisible [ɛ̃previzibl] *adj (temps, réaction, personne)* unpredictable; *(événement)* unforeseeable ▪ **imprévoyance** *nf* lack of foresight ▪ **imprévoyant, -ante** *adj* lacking in foresight ▪ **imprévu, -ue 1** *adj* unexpected, unforeseen **2** *nm* **en cas d'i.** in case of anything unexpected

imprimer [ɛ̃prime] *vt (livre, tissu)* to print; *(cachet)* to stamp; *Ordinat* to print (out); *Tech* **i. un mouvement à** to impart motion to ▪ **imprimante** *nf* printer; **i. à bulles (d'encre)** bubble-jet printer; **i. laser** laser printer ▪ **imprimé** *nm (formulaire)* printed form; **imprimés** *(journaux, prospectus)* printed matter ▪ **imprimerie** *nf (technique)* printing; *(lieu) Br* printing works, *Am* print shop ▪ **imprimeur** *nm* printer

improbable [ɛ̃prɔbabl] *adj* improbable, unlikely

impromptu, -ue [ɛ̃prɔ̃pty] *adj & adv* impromptu

impropre [ɛ̃prɔpr] *adj* inappropriate; **i. à qch** unfit for sth; **i. à la consommation** unfit for human consumption

improviser [ɛ̃prɔvize] *vti* to improvise ▪ **improvisation** *nf* improvisation

improviste [ɛ̃prɔvist] **à l'improviste** *adv* unexpectedly

imprudent, -ente [ɛ̃prydɑ̃, -ɑ̃t] *adj (personne, action)* rash; **il est i. de...** it is unwise to... ▪ **imprudemment** [-amɑ̃] *adv* rashly ▪ **imprudence** *nf* rashness; **commettre une i.** to do something foolish

impudent, -ente [ɛ̃pydɑ̃, -ɑ̃t] *adj* impudent ▪ **impudence** *nf* impudence

impudique [ɛ̃pydik] *adj* shameless

impuissant, -ante [ɛ̃pɥisɑ̃, -ɑ̃t] *adj* powerless; *Méd* impotent ▪ **impuissance** *nf* powerlessness; *Méd* impotence

impulsif, -ive [ɛ̃pylsif, -iv] *adj* impulsive ▪ **impulsion** *nf* impulse; *Fig* **donner une i. à qch** to give an impetus to sth

impunément [ɛ̃pynemɑ̃] *adv* with impunity ▪ **impuni, -ie** *adj* unpunished

impur, -ure [ɛ̃pyr] *adj* impure ▪ **impureté** *nf* impurity

imputer [ɛ̃pyte] *vt* to attribute (**à** to); *(frais)* to charge (**à** to) ▪ **imputable** *adj* attributable (**à** to)

inabordable [inabɔrdabl] *adj (prix)* prohibitive; *(lieu)* inaccessible; *(personne)* unapproachable

inacceptable [inakseptabl] *adj* unacceptable

inaccessible [inaksesibl] *adj (lieu)* inaccessible; *(personne)* unapproachable

inachevé, -ée [inaʃve] *adj* unfinished

inactif, -ive [inaktif, -iv] *adj (personne)* inactive; *(remède)* ineffective ▪ **inaction** *nf* inaction ▪ **inactivité** *nf* inactivity

inadapté, -ée [inadapte] **1** *adj (socialement)* maladjusted; *(physiquement, mentalement)* handicapped; *(matériel)* unsuitable (**à** for) **2** *nmf (socialement)* maladjusted person

inadmissible [inadmisibl] *adj* inadmissible

inadvertance [inadvertɑ̃s] *nf* **par i.** inadvertently

inaltérable [inalterabl] *adj (matière)* stable; *Fig (sentiment)* unchanging

inamical, -e, -aux, -ales [inamikal, -o] *adj* unfriendly

inanimé, -ée [inanime] *adj (mort)* lifeless; *(évanoui)* unconscious; *(matière)* inanimate

inanité [inanite] *nf (d'effort)* futility; *(de conversation)* inanity

inanition [inanisjɔ̃] *nf* **mourir d'i.** to die of starvation

inaperçu, -ue [inapersy] *adj* **passer i.** to go unnoticed

inapplicable [inaplikabl] *adj (loi)* unenforceable; *(théorie)* inapplicable (**à** to)

inappréciable [inapresjabl] *adj* invaluable

inapte [inapt] *adj (intellectuellement)* unsuited; *(médicalement)* unfit; **être i. à qch** to be unsuited/unfit for sth ▪ **inaptitude** *nf (intellectuelle)* inaptitude; *(médicale)* unfitness (**à** for)

inarticulé, -ée [inartikyle] *adj (son, cri)* inarticulate

inattaquable [inatakabl] *adj* unassailable

inattendu, -ue [inatɑ̃dy] *adj* unexpected

inattentif, -ive [inatɑ̃tif, -iv] *adj* inattentive; **i. à qch** (*indifférent*) heedless of sth ▪ **inattention** *nf* lack of attention; **moment d'i.** lapse of concentration

inaudible [inodibl] *adj* inaudible

inaugurer [inogyre] *vt* (*édifice*) to inaugurate; (*statue*) to unveil; (*politique*) to implement ▪ **inaugural, -e, -aux, -ales** *adj* inaugural ▪ **inauguration** *nf* (*d'édifice*) inauguration; (*de statue*) unveiling

inavouable [inavwabl] *adj* shameful

incalculable [ɛ̃kalkylabl] *adj* incalculable

incandescent, -ente [ɛ̃kɑ̃dɛsɑ̃, -ɑ̃t] *adj* incandescent

incapable [ɛ̃kapabl] **1** *adj* incapable; **i. de faire qch** incapable of doing sth **2** *nmf* (*personne*) incompetent ▪ **incapacité** *nf* (*impossibilité*) inability (**de faire** to do); (*invalidité*) disability; **être dans l'i. de faire qch** to be unable to do sth

incarcérer [ɛ̃karsere] *vt* to incarcerate ▪ **incarcération** *nf* incarceration

incarné, -ée [ɛ̃karne] *adj* (*ongle*) ingrown; **être la gentillesse incarnée** to be the very embodiment of kindness

incarner [ɛ̃karne] *vt* to embody; *Cin* **i. le rôle de qn** to play the part of sb ▪ **incarnation** *nf* incarnation

incartade [ɛ̃kartad] *nf* indiscretion

incassable [ɛ̃kasabl] *adj* unbreakable

incendie [ɛ̃sɑ̃di] *nm* fire; **i. criminel** arson; **i. de forêt** forest fire ▪ **incendiaire 1** *adj* (*bombe*) incendiary; *Fig* (*paroles*) inflammatory **2** *nmf* arsonist ▪ **incendier** *vt* to set on fire

incertain, -aine [ɛ̃sɛrtɛ̃, -ɛn] *adj* (*résultat*) uncertain; (*temps*) unsettled; (*entreprise*) chancy; (*contour*) indistinct; (*personne*) indecisive ▪ **incertitude** *nf* uncertainty; **être dans l'i. quant à qch** to be uncertain about sth

incessamment [ɛ̃sesamɑ̃] *adv* very soon

incessant, -ante [ɛ̃sesɑ̃, -ɑ̃t] *adj* incessant

inceste [ɛ̃sɛst] *nm* incest ▪ **incestueux, -ueuse** *adj* incestuous

inchangé, -ée [ɛ̃ʃɑ̃ʒe] *adj* unchanged

incidence [ɛ̃sidɑ̃s] *nf* (*influence*) impact (**sur** on); *Méd* incidence

incident [ɛ̃sidɑ̃] *nm* incident; (*accroc*) hitch; **i. diplomatique** diplomatic incident; **i. de parcours** minor setback; **i. technique** technical hitch

incinérer [ɛ̃sinere] *vt* (*cadavre*) to cremate ▪ **incinération** *nf* (*de cadavre*) cremation

inciser [ɛ̃size] *vt* (*peau*) to make an incision in; (*abcès*) to lance ▪ **incision** *nf* (*entaille*) incision

incisif, -ive [ɛ̃sizif, -iv] **1** *adj* incisive **2** *nf* (*dent*) incisive incisor (tooth)

inciter [ɛ̃site] *vt* to encourage (**à faire** to do); **i. qn à la prudence** (*sujet: événement*) to incline

sb to be cautious ▪ **incitation** *nf* incitement (**à** to)

incliner [ɛ̃kline] **1** *vt* (*pencher*) to tilt; **i. la tête** (*approuver*) to nod; (*saluer*) to bow one's head; *Fig* **i. qn à faire qch** to incline sb to do sth; *Fig* **i. qn à la prudence** to incline sb to be cautious **2 s'incliner** *vpr* (*se pencher*) to lean forward; (*pour saluer*) to bow; (*bateau*) to heel over; (*avion*) to bank; *Fig* (*se soumettre*) to give in (**devant** to) ▪ **inclinaison** *nf* incline, slope ▪ **inclination** *nf* (*tendance*) inclination; **i. de la tête** (*pour saluer*) nod

inclure* [ɛ̃klyr] *vt* to include; (*dans un courrier*) to enclose (**dans** with) ▪ **inclus, -use** *adj* **du 4 au 10 i.** from the 4th to the 10th inclusive; **jusqu'à lundi i.** *Br* up to and including Monday, *Am* through Monday ▪ **inclusion** *nf* inclusion

incognito [ɛ̃kɔnito] *adv* incognito; **passer/ rester i.** to go/remain incognito

incohérent, -ente [ɛ̃kɔerɑ̃, -ɑ̃t] *adj* (*propos*) incoherent; (*histoire*) inconsistent ▪ **incohérence** *nf* (*de propos*) incoherence; (*d'histoire*) inconsistency

incollable [ɛ̃kɔlabl] *adj* (*riz*) non-stick; *Fam* (*personne*) unbeatable

incolore [ɛ̃kɔlɔr] *adj Br* colourless, *Am* colorless; (*vernis, verre*) clear

incomber [ɛ̃kɔbe] *vi* **i. à qn** (*devoir*) to fall to sb; **il lui incombe de faire qch** it falls to him/her to do sth

incommensurable [ɛ̃kɔmɑ̃syrabl] *adj* immeasurable

incommode [ɛ̃kɔmɔd] *adj* (*situation*) awkward

incommoder [ɛ̃kɔmɔde] *vt* to bother ▪ **incommodant, -ante** *adj* annoying

incomparable [ɛ̃kɔparabl] *adj* matchless

incompatible [ɛ̃kɔpatibl] *adj* incompatible (**avec** with) ▪ **incompatibilité** *nf* incompatibility; **i. d'humeur** mutual incompatibility

incompétent, -ente [ɛ̃kɔpetɑ̃, -ɑ̃t] *adj* incompetent ▪ **incompétence** *nf* incompetence

incomplet, -ète [ɛ̃kɔplɛ, -ɛt] *adj* incomplete

incompréhensible [ɛ̃kɔpreɑ̃sibl] *adj* incomprehensible ▪ **incompréhension** *nf* incomprehension

incompris, -ise [ɛ̃kɔpri, -iz] **1** *adj* misunderstood **2** *nmf* **être un i.** to be misunderstood

inconcevable [ɛ̃kɔsəvabl] *adj* inconceivable

inconciliable [ɛ̃kɔsiljabl] *adj* (*théorie*) irreconcilable; (*activité*) incompatible

inconditionnel, -elle [ɛ̃kɔdisjɔnɛl] *adj* unconditional; (*supporter*) staunch

inconfort [ɛ̃kɔfɔr] *nm* (*matériel*) discomfort ▪ **inconfortable** *adj* uncomfortable

incongru, -ue [ɛ̃kɔgry] *adj* inappropriate

inconnu, -ue [ɛ̃kɔny] **1** *adj* unknown (**de** to) **2**

nmf (étranger) stranger; *(auteur)* unknown **3** *nm* **l'i.** the unknown **4** *nf Math* **inconnue** unknown (quantity)

inconscient, -iente [ɛ̃kɔ̃sjɑ̃, -jɑ̃t] **1** *adj (sans connaissance)* unconscious; *(imprudent)* reckless; **i. de qch** unaware of sth **2** *nm* **l'i.** the unconscious ▪ **inconsciemment** [-amɑ̃] *adv (dans l'inconscient)* subconsciously ▪ **inconscience** *nf (perte de conscience)* unconsciousness; *(irréflexion)* recklessness

inconséquence [ɛ̃kɔ̃sekɑ̃s] *nf (manque de prudence)* recklessness; *(manque de cohérence)* inconsistency

inconsidéré, -ée [ɛ̃kɔ̃sidere] *adj* thoughtless

inconsistant, -ante [ɛ̃kɔ̃sistɑ̃, -ɑ̃t] *adj (personne)* weak; *(film, roman)* flimsy; *(sauce, crème)* thin

> Il faut noter que l'adjectif anglais **inconsistent** est un faux ami. Il signifie **incohérent**.

inconsolable [ɛ̃kɔ̃sɔlabl] *adj* inconsolable

inconstant, -ante [ɛ̃kɔ̃stɑ̃, -ɑ̃t] *adj* fickle ▪ **inconstance** *nf* fickleness

incontestable [ɛ̃kɔ̃tɛstabl] *adj* indisputable ▪ **incontesté, -ée** *adj* undisputed

incontinent, -ente [ɛ̃kɔ̃tinɑ̃, -ɑ̃t] *adj Méd* incontinent

incontournable [ɛ̃kɔ̃turnabl] *adj Fig (film)* unmissable; *(auteur)* who cannot be ignored

incontrôlé, -ée [ɛ̃kɔ̃trole] *adj* unchecked ▪ **incontrôlable** *adj (invérifiable)* unverifiable; *(indomptable)* uncontrollable

inconvenant, -ante [ɛ̃kɔ̃vnɑ̃, -ɑ̃t] *adj* improper ▪ **inconvenance** *nf* impropriety

inconvénient [ɛ̃kɔ̃venjɑ̃] *nm (désavantage)* drawback; **je n'y vois pas d'i.** I have no objection; **l'i. c'est que...** the annoying thing is that...

incorporer [ɛ̃kɔrpɔre] *vt (insérer)* to insert (**à** in); *(troupes)* to draft; **i. qch à qch** to blend sth into sth ▪ **incorporation** *nf (mélange)* blending (**de qch dans qch** of sth into sth); *Mil* conscription

incorrect, -ecte [ɛ̃kɔrɛkt] *adj (inexact)* incorrect; *(grossier)* impolite; *(inconvenant)* improper ▪ **incorrection** *nf (impolitesse)* impoliteness; *(propos)* impolite remark; *(faute de grammaire)* mistake

incorrigible [ɛ̃kɔriʒibl] *adj* incorrigible

incorruptible [ɛ̃kɔryptibl] *adj* incorruptible

incrédule [ɛ̃kredyl] *adj* incredulous ▪ **incrédulité** *nf* incredulity

increvable [ɛ̃krəvabl] *adj (pneu)* punctureproof; *Fam (personne)* tireless

incriminer [ɛ̃krimine] *vt (personne)* to accuse

incroyable [ɛ̃krwajabl] *adj* incredible ▪ **incroyablement** [-əmɑ̃] *adv* incredibly ▪ **incroyant, -ante 1** *adj* unbelieving **2** *nmf* unbeliever

incrusté, -ée [ɛ̃kryste] *adj* **i. de** *(orné)* inlaid with ▪ **incrustation** *nf (ornement)* inlay; *(dépôt)* fur ▪ **s'incruster** *vpr Fam (chez qn)* to be difficult to get rid of

incubation [ɛ̃kybasjɔ̃] *nf* incubation

inculper [ɛ̃kylpe] *vt Jur (accuser)* to charge (**de** with) ▪ **inculpation** *nf Jur* charge, indictment ▪ **inculpé, -ée** *nmf Jur* **l'i.** the accused

inculquer [ɛ̃kylke] *vt* to instil (**à qn** in sb)

inculte [ɛ̃kylt] *adj (terre, personne)* uncultivated

incurable [ɛ̃kyrabl] *adj* incurable

incursion [ɛ̃kyrsjɔ̃] *nf (invasion)* incursion; *Fig (entrée soudaine)* intrusion

incurvé, -ée [ɛ̃kyrve] *adj* curved

Inde [ɛ̃d] *nf* **l'I.** India

indécent, -ente [ɛ̃desɑ̃, -ɑ̃t] *adj* indecent ▪ **indécence** *nf* indecency

indéchiffrable [ɛ̃deʃifrabl] *adj (illisible)* undecipherable

indécis, -ise [ɛ̃desi, -iz] *adj (personne) (de caractère)* indecisive; *(ponctuellement)* undecided; *(bataille)* inconclusive; *(contour)* vague ▪ **indécision** *nf (de caractère)* indecisiveness; *(ponctuelle)* indecision

indéfendable [ɛ̃defɑ̃dabl] *adj* indefensible

indéfini, -ie [ɛ̃defini] *adj (illimité) & Grammaire* indefinite; *(imprécis)* undefined ▪ **indéfiniment** *adv* indefinitely ▪ **indéfinissable** *adj* indefinable

indéformable [ɛ̃defɔrmabl] *adj (vêtement)* which keeps its shape

indélébile [ɛ̃delebil] *adj* indelible

indélicat, -ate [ɛ̃delika, -at] *adj (grossier)* insensitive; *(malhonnête)* unscrupulous ▪ **indélicatesse** *nf (manque de tact)* tactlessness

indemne [ɛ̃dɛmn] *adj* unhurt, unscathed

indemniser [ɛ̃dɛmnize] *vt* to compensate (**de** for) ▪ **indemnisation** *nf* compensation ▪ **indemnité** *nf (dédommagement)* compensation; *(allocation)* allowance; **i. de licenciement** severance pay, *Br* redundancy payment

indémodable [ɛ̃demɔdabl] *adj* classic, perennially fashionable

indéniable [ɛ̃denjabl] *adj* undeniable

indépendant, -ante [ɛ̃depɑ̃dɑ̃, -ɑ̃t] *adj* independent (**de** of); *(chambre)* selfcontained; *(travailleur)* self-employed; **i. de ma volonté** beyond my control ▪ **indépendamment** [-amɑ̃] *adv* independently; **i. de** apart from ▪ **indépendance** *nf* independence ▪ **indépendantiste** *nmf Pol (activiste)* freedom fighter

indescriptible [ɛ̃deskriptibl] *adj* indescribable

indésirable [ɛ̃dezirabl] *adj & nmf* undesirable

indestructible [ɛ̃destryktibl] *adj* indestructible

indéterminé, -ée [ɛ̃detɛrmine] *adj (date, heure)* unspecified; *(raison)* unknown

index [ɛ̃dɛks] *nm (doigt)* index finger; *(liste) & Ordinat* index

indexer [ɛ̃dekse] *vt Écon* to index-link (**sur** to); *(ajouter un index à)* to index

indicateur, -trice [ɛ̃dikatœr, -tris] **1** *nm Rail* timetable; *Tech* indicator, gauge; *Écon* indicator; *(espion)* informer **2** *adj* **poteau i.** signpost; **panneau i.** road sign

indicatif, -ive [ɛ̃dikatif, -iv] **1** *adj* indicative (**de** of); **à titre i.** for information **2** *nm Radio* theme tune; *Grammaire* indicative; **i. téléphonique** *Br* dialling code, *Am* area code

indication [ɛ̃dikasjɔ̃] *nf* indication (**de** of); *(renseignement)* (piece of) information; *(directive)* instruction; **indications:...** *(de médicament)* suitable for...

indice [ɛ̃dis] *nm (signe)* sign; *(d'enquête)* clue; *Radio & TV* **i. d'écoute** audience rating; **i. des prix** price index

indien, -ienne [ɛ̃djɛ̃, -jɛn] **1** *adj* Indian **2** *nmf* **I., Indienne** Indian; **I. d'Amérique** Native American

indifférent, -ente [ɛ̃diferɑ̃, -ɑ̃t] *adj* indifferent (**à** to); **ça m'est i.** it's all the same to me **• indifféremment** [-amɑ̃] *adv* indifferently **• indifférence** *nf* indifference (**à** to)

indigène [ɛ̃diʒɛn] *adj & nmf* native

indigent, -ente [ɛ̃diʒɑ̃, -ɑ̃t] *adj* destitute **• indigence** *nf* destitution

indigeste [ɛ̃diʒɛst] *adj* indigestible **• indigestion** *nf* **avoir une i.** to have a stomach upset

indigne [ɛ̃diɲ] *adj (personne)* unworthy; *(conduite)* shameful; **i. de qn/qch** unworthy of sb/sth **• indignité** *nf (de personne)* unworthiness; *(de conduite)* shamefulness; *(action)* shameful act

indigner [ɛ̃diɲe] **1** *vt* **i. qn** to make sb indignant **2 s'indigner** *vpr* to be indignant (**de** at) **• indignation** *nf* indignation **• indigné, -ée** *adj* indignant

indigo [ɛ̃digo] *nm & adj inv* indigo

indiquer [ɛ̃dike] *vt (sujet: personne)* to point out; *(sujet: panneau, étiquette)* to show, to indicate; *(sujet: compteur)* to read; *(donner) (date, adresse)* to give; *(recommander)* to recommend; **i. qch du doigt** to point to *or* at sth; **i. le chemin à qn** to tell sb the way **• indiqué, -ée** *adj (conseillé)* advisable; **à l'heure indiquée** at the appointed time; **il est tout i. pour ce poste** he's the right person for the job

indirect, -ecte [ɛ̃dirɛkt] *adj* indirect **• indirectement** [-əmɑ̃] *adv* indirectly

indiscipline [ɛ̃disiplin] *nf* indiscipline **• indiscipliné, -ée** *adj* unruly

indiscret, -ète [ɛ̃diskrɛ, -ɛt] *adj Péj (curieux)* inquisitive; *(qui parle trop)* indiscreet; **à l'abri des regards indiscrets** safe from prying eyes **• indiscrétion** *nf* indiscretion

indiscutable [ɛ̃diskytabl] *adj* indisputable

indispensable [ɛ̃dispɑ̃sabl] *adj* essential,

indispensable (**à qch** for sth); **i. à qn** indispensable to sb

indisponible [ɛ̃dispɔnibl] *adj* unavailable

indisposer [ɛ̃dispoze] *vt (contrarier)* to annoy; **i. qn** *(odeur, climat)* to make sb feel ill **• indisposé, -ée** *adj (malade)* indisposed, unwell **• indisposition** *nf* indisposition

indissoluble [ɛ̃disɔlybl] *adj (liens)* indissoluble

indistinct, -incte [ɛ̃distɛ̃(kt), -ɛ̃kt] *adj* indistinct **• indistinctement** [-ɛ̃ktəmɑ̃] *adv (voir, parler)* indistinctly; *(également)* equally

individu [ɛ̃dividy] *nm* individual; *Péj* individual, character

individualiser [ɛ̃dividɥalize] *vt (adapter)* to adapt to individual circumstances

individualiste [ɛ̃dividɥalist] **1** *adj* individualistic **2** *nmf* individualist

individualité [ɛ̃dividɥalite] *nf* individuality

individuel, -uelle [ɛ̃dividɥɛl] *adj* individual; *(maison)* detached **• individuellement** *adv* individually

indivisible [ɛ̃divizibl] *adj* indivisible

Indochine [ɛ̃dɔʃin] *nf* **l'I.** Indo-China

indolent, -ente [ɛ̃dɔlɑ̃, -ɑ̃t] *adj* lazy **• indolence** *nf* laziness

indolore [ɛ̃dɔlɔr] *adj* painless

indomptable [ɛ̃dɔ̃(p)tabl] *adj (animal)* untamable; *Fig (orgueil, volonté)* indomitable **• indompté, -ée** *adj (animal)* untamed

Indonésie [ɛ̃dɔnezi] *nf* **l'I.** Indonesia **• indonésien, -ienne 1** *adj* Indonesian **2** *nmf (person)* **I., Indonésienne** Indonesian **3** *nm (langue)* Indonesian

indu, -ue [ɛ̃dy] *adj* unwarranted; **à une heure indue** at an ungodly hour; **rentrer à des heures indues** to come home at all hours of the night

indubitable [ɛ̃dybitabl] *adj* indisputable; **c'est i.** there's no doubt about it **• indubitablement** [-əmɑ̃] *adv* undoubtedly

induire* [ɛ̃dɥir] *vt* **i. qn en erreur** to lead sb astray

indulgent, -ente [ɛ̃dylʒɑ̃, -ɑ̃t] *adj* indulgent **• indulgence** *nf* indulgence

industrie [ɛ̃dystri] *nf* industry **• industrialisé, -ée** *adj* industrialized **• industriel, -ielle 1** *adj* industrial **2** *nm* industrialist

> Il faut noter que l'adjectif anglais **industrial** ne signifie pas toujours **industriel**. Il s'emploie également à propos des relations entre employeurs et employés dans des expressions du type **industrial relations** ou **industrial unrest**.

inébranlable [inebrɑ̃labl] *adj Fig (certitude, personne)* unshakeable

inédit, -ite [inedi, -it] *adj (texte)* unpublished; *Fig (nouveau)* original

ineffable [inefabl] *adj* ineffable

inefficace [inefikas] *adj (mesure)* ineffective; *(personne)* inefficient ▪**inefficacité** *nf (de mesure)* ineffectiveness; *(de personne)* inefficiency

inégal, -e, -aux, -ales [inegal, -o] *adj (parts, lutte)* unequal; *(sol, humeur)* uneven; *Fig (travail)* inconsistent ▪**inégalable** *adj* incomparable ▪**inégalé, -ée** *adj* unequalled ▪**inégalité** *nf (injustice)* inequality; *(physique)* disparity (**de** in); *(de sol)* unevenness

inélégant, -ante [inelegã, -ãt] *adj (mal habillé)* inelegant; *(discourtois)* discourteous

inéligible [ineliʒibl] *adj* ineligible

inéluctable [inelyktabl] *adj* inescapable

inénarrable [inenarabl] *adj (comique)* indescribably funny

inepte [inɛpt] *adj (remarque, histoire)* inane; *(personne)* inept ▪**ineptie** [inɛpsi] *nf (de comportement, de film)* inanity; *(remarque)* stupid remark

inépuisable [inepɥizabl] *adj* inexhaustible

inerte [inɛrt] *adj (matière)* inert; *(corps)* lifeless ▪**inertie** [inɛrsi] *nf Phys* inertia; *(manque d'énergie)* apathy

inespéré, -ée [inɛspere] *adj* unhoped-for

inestimable [inɛstimabl] *adj (objet d'art)* priceless; **d'une valeur i.** priceless

inévitable [inevitabl] *adj* inevitable, unavoidable

inexact, -acte [inɛgzakt] *adj (erroné)* inaccurate; *(calcul)* wrong ▪**inexactitude** *nf (caractère erroné, erreur)* inaccuracy; *(manque de ponctualité)* unpunctuality

inexcusable [inɛkskyzabl] *adj* inexcusable

inexistant, -ante [inɛgzistã, -ãt] *adj* nonexistent

inexorable [inɛgzɔrabl] *adj* inexorable; *(volonté)* inflexible

inexpérience [inɛksperjãs] *nf* inexperience ▪**inexpérimenté, -ée** *adj* inexperienced

inexplicable [inɛksplikabl] *adj* inexplicable ▪**inexpliqué, -ée** *adj* unexplained

inexploré, -ée [inɛksplɔre] *adj* unexplored

inexpressif, -ive [inɛkspresif, -iv] *adj* expressionless

inexprimable [inɛksprimabl] *adj* inexpressible

in extremis [inɛkstremis] *adv* at the very last minute

inextricable [inɛkstrikabl] *adj* inextricable

infaillible [ɛ̃fajibl] *adj* infallible ▪**infaillibilité** *nf* infallibility

infaisable [ɛ̃fəzabl] *adj (travail)* impossible

infamant, -ante [ɛ̃famã, -ãt] *adj (accusation)* defamatory

infâme [ɛ̃fam] *adj (personne)* despicable; *(acte)* unspeakable; *(taudis)* squalid; *(aliment)* revolting ▪**infamie** *nf (caractère infâme)* infamy; *(remarque)* slanderous remark

infanterie [ɛ̃fãtri] *nf* infantry

infantile [ɛ̃fãtil] *adj (maladie)* childhood; *Péj (comportement, personne)* infantile

infarctus [ɛ̃farktys] *nm Méd* heart attack

infatigable [ɛ̃fatigabl] *adj* tireless

infect, -ecte [ɛ̃fɛkt] *adj* foul

infecter [ɛ̃fɛkte] **1** *vt (atmosphère)* to contaminate; *Méd* to infect **2 s'infecter** *vpr* to become infected ▪**infectieux, -ieuse** *adj* infectious ▪**infection** *nf Méd* infection; *(odeur)* stench

inférieur, -ieure [ɛ̃ferjœr] **1** *adj (étagère, niveau)* bottom; *(étage, lèvre, membre)* lower; *(qualité, marchandises)* inferior; **i. à** *(qualité)* inferior to; *(quantité)* less than; **i. à la moyenne** below average; **à l'étage i.** on the floor below **2** *nmf* inferior ▪**infériorité** *nf* inferiority

infernal, -e, -aux, -ales [ɛ̃fɛrnal, -o] *adj (de l'enfer)* & *Fig (chaleur, bruit)* infernal; **cet enfant est i.** this child's a little devil

infester [ɛ̃fɛste] *vt* to infest (**de** with) ▪**infesté, -ée** *adj* **i. de requins/de fourmis** shark-/ant-infested

infidèle [ɛ̃fidɛl] *adj* unfaithful (**à** to) ▪**infidélité** *nf* unfaithfulness; **une i.** *(acte)* an infidelity

infiltrer [ɛ̃filtre] **1** *vt (party)* to infiltrate **2 s'infiltrer** *vpr (liquide)* to seep (**dans** into); *(lumière)* to filter in; *Fig* **s'i. dans** *(groupe, esprit)* to infiltrate ▪**infiltration** *nf (de liquide, d'espions)* infiltration

infime [ɛ̃fim] *adj* tiny

infini, -ie [ɛ̃fini] **1** *adj* infinite **2** *nm Math & Phot* infinity; *Phil* infinite; **à l'i.** *(discuter)* ad infinitum; *Math* to infinity ▪**infiniment** *adv* infinitely; **je regrette i.** I'm very sorry ▪**infinité** *nf* **une i. de** an infinite number of

infinitif [ɛ̃finitif] *nm Grammaire* infinitive

infirme [ɛ̃firm] **1** *adj* disabled **2** *nmf* disabled person ▪**infirmité** *nf* disability

infirmer [ɛ̃firme] *vt* to invalidate

infirmerie [ɛ̃firməri] *nf (d'école, de bateau)* sick room; *(de caserne, de prison)* infirmary ▪**infirmier** *nm* male nurse ▪**infirmière** *nf* nurse

inflammable [ɛ̃flamabl] *adj* (in)flammable

inflammation [ɛ̃flamasjõ] *nf Méd* inflammation

inflation [ɛ̃flasjõ] *nf Écon* inflation ▪**inflationniste** *adj Écon* inflationary

infléchir [ɛ̃fleʃir] *vt (courber)* to bend; *(politique)* to change the direction of ▪**inflexion** *nf (de courbe, de voix)* inflection; **i. de la tête** tilt of the head; *(pour saluer)* nod

inflexible [ɛ̃flɛksibl] *adj* inflexible

infliger [ɛ̃fliʒe] *vt* to inflict (**à** on); *(amende)* to impose (**à** on)

influence [ɛ̃flyãs] *nf* influence; **sous l'i. de la drogue** under the influence of drugs; **sous l'i. de la colère** in the grip of anger ▪**influençable** *adj* easily influenced, impressionable ■**influencer** vt to influence ■**influent, -uente** adj influential ■**influer** vi **i. sur qch** to influence sth

info [ɛfo] nf Fam news item; **les infos** the news (sing)

informateur, -trice [ɛfɔrmatœr, -tris] nmf informant

informaticien, -ienne [ɛfɔrmatisjɛ̃, -jɛn] nmf computer scientist

information [ɛfɔrmasjɔ̃] nf information; (nouvelle) piece of news; Jur (enquête) inquiry; Ordinat data, information; Radio & TV **les informations** the news (sing)

informatique [ɛfɔrmatik] **1** nf (science) computer science, IT; (technique) data processing **2** adj **programme/matériel i.** computer program/hardware ■**informatisation** nf computerization ■**informatiser** vt to computerize

informe [ɛfɔrm] adj shapeless

informer [ɛfɔrme] **1** vt to inform (**de** of or about; **que** that) **2 s'informer** vpr (se renseigner) to inquire (**de** about; **si** if or whether)

inforoute [ɛfɔrut] nf information superhighway

infortune [ɛfɔrtyn] nf misfortune ■**infortuné, -ée** adj unfortunate

infospectacle [ɛfɔspɛktakl] nf infotainment

infraction [ɛfraksjɔ̃] nf (à un règlement) infringement; (délit) Br offence, Am offense; **être en i.** to be committing an offence

infranchissable [ɛfrɑ̃ʃisabl] adj (mur, fleuve) impassable; Fig (difficulté) insurmountable

infrarouge [ɛfraruʒ] adj infrared

infrastructure [ɛfrastryktyr] nf (de bâtiment) substructure; (équipements) infrastructure

infroissable [ɛfrwasabl] adj crease-resistant

infructueux, -ueuse [ɛfryktɥø, -ɥøz] adj fruitless

infuser [ɛfyze] vi (thé) to brew; (tisane) to infuse; **laisser i. le thé** to leave the tea to brew ■**infusion** nf (tisane) herb(al) tea

ingénier [ɛʒenje] **s'ingénier** vpr to strive (**à faire** to do)

ingénieur [ɛʒenjœr] nm engineer; **i. civil/mécanique/électronique** structural/mechanical/electronics engineer; **i. des ponts et chaussées** civil engineer ■**ingénierie** [-iri] nf engineering; **i. mécanique** mechanical engineering

ingénieux, -ieuse [ɛʒenjø, -jøz] adj ingenious ■**ingéniosité** nf ingenuity

ingénu, -ue [ɛʒeny] adj ingenuous

ingérer [ɛʒere] **s'ingérer** vpr to interfere (**dans** in) ■**ingérence** nf interference (**dans** in)

ingrat, -ate [ɛgra, -at] adj (personne) ungrateful (**envers** to); (tâche) thankless; (sol) barren; (visage) unattractive; **l'âge i.** the awkward age ■**ingratitude** nf ingratitude

ingrédient [ɛgredjɑ̃] nm ingredient

inguérissable [ɛgerisabl] adj incurable

ingurgiter [ɛgyrʒite] vt to gulp down

inhabitable [inabitabl] adj uninhabitable ■**inhabité, -ée** adj uninhabited

---

Il faut noter que les adjectifs anglais **inhabitable** et **inhabited** sont des faux amis. Ils signifient respectivement **habitable** et **habité**.

---

inhabituel, -uelle [inabitɥel] adj unusual

inhalateur [inalatœr] nm Méd inhaler ■**inhalation** nf inhalation; **faire des inhalations** to inhale

inhérent, -ente [inerɑ̃, -ɑ̃t] adj inherent (**à** in)

inhibé, -ée [inibe] adj inhibited ■**inhibition** nf inhibition

inhospitalier, -ière [inɔspitalje, -jer] adj inhospitable

inhumain, -aine [inymɛ̃, -ɛn] adj (cruel, terrible) inhuman

inhumer [inyme] vt to bury ■**inhumation** nf burial

inimaginable [inimaʒinabl] adj unimaginable

inimitable [inimitabl] adj inimitable

inimitié [inimitje] nf enmity

ininflammable [inɛflamabl] adj nonflammable

inintelligent, -ente [inɛteliʒɑ̃, -ɑ̃t] adj unintelligent

inintelligible [inɛteliʒibl] adj unintelligible

inintéressant, -ante [inɛteresɑ̃, -ɑ̃t] adj uninteresting

ininterrompu, -ue [inɛterɔ̃py] adj continuous

inique [inik] adj iniquitous ■**iniquité** nf iniquity

initial, -e, -iaux, -iales [inisjal, -jo] adj initial ■**initiale** nf initial ■**initialement** adv initially

initialiser [inisjalize] vt Ordinat (disque) to initialize; (ordinateur) to boot (up)

initiative [inisjativ] nf initiative; **de ma propre i.** on my own initiative

initier [inisje] **1** vt (former) to introduce (**à** to); (rituellement) to initiate (**à** into) **2 s'initier** vpr **s'i. à qch** to start learning sth ■**initiation** nf initiation ■**initié, -iée** nmf initiate; **les initiés** the initiated

injecter [ɛʒɛkte] vt to inject (**dans** into); **injecté de sang** bloodshot ■**injection** nf injection

injoignable [ɛʒwaɲabl] adj **il est i.** he cannot be reached

injonction [ɛʒɔ̃ksjɔ̃] nf injunction

injure [ɛʒyr] nf insult; **injures** abuse, insults ■**injurier** vt to insult, to abuse ■**injurieux, -ieuse** adj abusive, insulting (**pour** to)

Il faut noter que les termes anglais **injury** et **to injure** sont des faux amis. Ils signifient le plus souvent **blessure** et **blesser**.

---

injuste [ɛ̃ʒyst] *adj (contraire à la justice)* unjust; *(non équitable)* unfair ▪ **injustice** *nf* injustice

injustifiable [ɛ̃ʒystifjabl] *adj* unjustifiable ▪ **injustifié, -iée** *adj* unjustified

inlassable [ɛ̃lɑsabl] *adj* untiring

inné, -ée [ine] *adj* innate, inborn

innocent, -ente [inɔsɑ̃, -ɑ̃t] 1 *adj* innocent (**de** of) 2 *nmf (non coupable)* innocent person ▪ **innocemment** [-amɑ̃] *adv* innocently ▪ **innocence** *nf* innocence; **en toute i.** in all innocence ▪ **innocenter** *vt* **i. qn** to clear sb (**de** of)

innombrable [inɔ̃brabl] *adj* countless, innumerable; *(foule)* huge

innommable [inɔmabl] *adj (conduite, actes)* unspeakable; *(nourriture, odeur)* vile

innover [inɔve] *vi* to innovate ▪ **innovateur, -trice** 1 *adj* innovative 2 *nmf* innovator ▪ **innovation** *nf* innovation

inoccupé, -ée [inɔkype] *adj* unoccupied

inoculer [inɔkyle] *vt Méd* **i. qch à qn** to inoculate sb with sth; **i. qn contre qch** to inoculate sb against sth ▪ **inoculation** *nf Méd* inoculation

inodore [inɔdɔr] *adj Br* odourless, *Am* odorless

inoffensif, -ive [inɔfɑ̃sif, -iv] *adj* harmless

inonder [inɔ̃de] *vt (lieu)* to flood; *Fig (marché)* to flood, to inundate (**de** with); **inondé de réclamations** inundated with complaints; **inondé de larmes** *(visage)* streaming with tears; **inondé de soleil** bathed in sunlight ▪ **inondation** *nf* flood; *(action)* flooding

inopérable [inɔperabl] *adj* inoperable

inopérant, -ante [inɔperɑ̃, -ɑ̃t] *adj* ineffective

inopiné, -ée [inɔpine] *adj* unexpected

inopportun, -une [inɔpɔrtœ̃, -yn] *adj* inopportune

inoubliable [inublijabl] *adj* unforgettable

inouï, inouïe [inwi] *adj* incredible

Inox® [inɔks] *nm* stainless steel; **couteau en I.** stainless-steel knife ▪ **inoxydable** *adj (couteau)* stainless-steel

inqualifiable [ɛ̃kalifjabl] *adj* unspeakable

inquiet, -iète [ɛ̃kjɛ, -jɛt] *adj* worried, anxious (**de** about)

inquiéter [ɛ̃kjete] 1 *vt (préoccuper)* to worry 2 **s'inquiéter** *vpr* to worry (**de** about); **s'i. pour qn** to worry about sb ▪ **inquiétant, -ante** *adj* worrying

inquiétude [ɛ̃kjetyd] *nf* anxiety, worry; **avoir quelques inquiétudes** to feel a bit worried

inquisiteur, -trice [ɛ̃kizitœr, -tris] *adj (regard)* inquisitive

insaisissable [ɛ̃sezizabl] *adj* elusive

insalubre [ɛ̃salybr] *adj (climat, habitation)* insalubrious

insanités [ɛ̃sanite] *nfpl (idioties)* complete nonsense

insatiable [ɛ̃sasjabl] *adj* insatiable

insatisfait, -aite [ɛ̃satisfɛ, -ɛt] *adj (personne)* dissatisfied

inscription [ɛ̃skripsjɔ̃] *nf (action)* entering; *(immatriculation)* registration; *(sur écriteau, mur, tombe)* inscription

inscrire* [ɛ̃skrir] 1 *vt (renseignements, date)* to write down; *(dans un journal, sur un registre)* to enter; *(graver)* to inscribe; **i. qn à un club** *or Br* enrol *or Am* enroll sb in a club 2 **s'inscrire** *vpr* to put one's name down; *(à une activité) Br* to enrol, *Am* to enroll (**à** at); *(à l'université)* to register (**à** at); **s'i. à un club** to join a club; **s'i. à un examen** to register for an exam; **s'i. dans le cadre de** to come within the framework of; **s'i. en faux contre qch** to deny sth absolutely

insecte [ɛ̃sɛkt] *nm* insect ▪ **insecticide** *nm & adj* insecticide

insécurité [ɛ̃sekyrite] *nf* insecurity

INSEE [inse] *(abrév* **Institut national de la statistique et des études économiques)** *nm* = French national institute of statistics and economic studies

insémination [ɛ̃seminasjɔ̃] *nf Méd* **i. artificielle** artificial insemination

insensé, -ée [ɛ̃sɑ̃se] *adj (projet, idée)* crazy; *(espoir)* wild

insensible [ɛ̃sɑ̃sibl] *adj (indifférent)* insensitive (**à** to); *(imperceptible)* imperceptible ▪ **insensibilité** *nf* insensitivity ▪ **insensiblement** [-ɑ̃mɑ̃] *adv* imperceptibly

inséparable [ɛ̃separabl] *adj* inseparable (**de** from)

insérer [ɛ̃sere] *vt* to insert (**dans** in) ▪ **insertion** [ɛ̃sɛrsjɔ̃] *nf* insertion; **i. professionnelle** integration into the job market

insidieux, -ieuse [ɛ̃sidjø, -jøz] *adj* insidious

insigne [ɛ̃siɲ] *nm* badge; **les insignes de la royauté** the insignia of royalty

insignifiant, -iante [ɛ̃siɲifjɑ̃, -jɑ̃t] *adj* insignificant ▪ **insignifiance** *nf* insignificance

insinuer [ɛ̃sinɥe] 1 *vt Péj* to insinuate (**que** that) 2 **s'insinuer** *vpr (froid)* to creep (**dans** into); *(personne)* to worm one's way (**dans** into); **le doute qui s'insinue dans mon esprit** the doubt that is creeping into my mind ▪ **insinuation** *nf* insinuation

insipide [ɛ̃sipid] *adj* insipid

insister [ɛ̃siste] *vi* to insist (**pour faire** on doing); *Fam (persévérer)* to persevere; **i. sur qch** to stress sth; **i. pour que...** (+ *subjunctive*) to insist that...; **il a beaucoup insisté** he was very insistent ▪ **insistance** *nf* insistence ▪ **insistant, -ante** *adj* insistent

insolation [ɛ̃sɔlasjɔ̃] *nf Méd* sunstroke

insolent, -ente [ɛ̃sɔlɑ̃, -ɑ̃t] *adj (impoli)* insolent; *(luxe)* unashamed ▪ **insolence** *nf* insolence

insolite [ɛ̃sɔlit] *adj* unusual, strange

insoluble [ɛ̃sɔlybl] *adj* insoluble

insolvable [ɛ̃sɔlvabl] *adj Fin* insolvent

insomnie [ɛ̃sɔmni] *nf* insomnia; **avoir des insomnies** to have insomnia; **nuit d'i.** sleepless night ▪ **insomniaque** *nmf* insomniac

insondable [ɛ̃sɔ̃dabl] *adj* unfathomable

insonoriser [ɛ̃sɔnɔrize] *vt* to soundproof ▪ **insonorisation** *nf* soundproofing

insouciant, -iante [ɛ̃susjɑ̃, -jɑ̃t] *adj* carefree; **i. de** unconcerned about ▪ **insouciance** *nf* carefree attitude

insoumis, -ise [ɛ̃sumi, -iz] *adj (personne)* rebellious; *Mil* absentee

insoupçonnable [ɛ̃supsɔnabl] *adj* beyond suspicion ▪ **insoupçonné, -ée** *adj* unsuspected

insoutenable [ɛ̃sutnabl] *adj (spectacle, odeur)* unbearable; *(théorie)* untenable

inspecter [ɛ̃spɛkte] *vt* to inspect ▪ **inspecteur, -trice** *nmf* inspector ▪ **inspection** *nf* inspection

inspirer [ɛ̃spire] **1** *vt* to inspire; **i. qch à qn** to inspire sb with sth; **i. confiance à qn** to inspire confidence in sb **2** *vi* to breathe in **3** **s'inspirer** *vpr* **s'i. de qn/qch** to take one's inspiration from sb/sth ▪ **inspiration** *nf (pour créer, idée)* inspiration; *(d'air)* breathing in ▪ **inspiré, -ée** *adj* inspired; **être bien i. de faire qch** to have the good idea to do sth

instable [ɛ̃stabl] *adj* unstable; *(temps)* changeable ▪ **instabilité** *nf* instability; *(de temps)* changeability

installer [ɛ̃stale] **1** *vt (appareil, meuble)* to install, to put in; *(étagère)* to put up; *(cuisine)* to fit out; **i. qn** *(dans une fonction, dans un logement)* to install sb **(dans** in); **i. qn dans un fauteuil** to settle sb down in an armchair **2** **s'installer** *vpr (s'asseoir)* to settle down; *(dans un bureau)* to install oneself; *(médecin)* to set oneself up; **s'i. à la campagne** to settle in the country ▪ **installateur** *nm* fitter ▪ **installation** *nf (de machine)* installation; *(de cuisine)* fitting out; *(de rideaux)* putting in; *(emménagement)* move; **installations** *(appareils)* fittings; *(bâtiments)* facilities

instamment [ɛ̃stamɑ̃] *adv* earnestly

instance [ɛ̃stɑ̃s] *nf (insistance)* plea; *(autorité)* authority; *Jur* proceedings; **en i. de divorce** waiting for a divorce; **courrier en i.** mail waiting to go out

> Il faut noter que le nom anglais **instance** est un faux ami. Il signifie **exemple**.

instant [ɛ̃stɑ̃] *nm* moment, instant; **à l'i.** a moment ago; **à l'i. (même) où...** just as...; **pour l'i.** for the moment; **dès l'i. que...** from the moment that...; *(puisque)* seeing that... ▪ **instantané, -ée 1** *adj* instantaneous; **café i.** instant coffee **2** *nm (photo)* snapshot

instar [ɛ̃star] *nm* **à l'i. de qn** after the fashion of sb

instaurer [ɛ̃stɔre] *vt* to establish

instigateur, -trice [ɛ̃stigatœr, -tris] *nmf* instigator ▪ **instigation** *nf* instigation

instinct [ɛ̃stɛ̃] *nm* instinct; **d'i.** by instinct ▪ **instinctif, -ive** *adj* instinctive

instituer [ɛ̃stitye] *vt* to establish

institut [ɛ̃stity] *nm* institute; **i. de beauté** beauty salon, *Am* beauty parlor

instituteur, -trice [ɛ̃stitytœr, -tris] *nmf Br* primary *or Am* elementary school teacher

institution [ɛ̃stitysjɔ̃] *nf (création)* establishment; *(coutume)* institution; *(école)* private school; *Pol* **institutions** institutions ▪ **institutionnel, -elle** *adj* institutional

instructif, -ive [ɛ̃stryktif, -iv] *adj* instructive

instruction [ɛ̃stryksjɔ̃] *nf (éducation)* education; *Mil* training; *Jur* preliminary investigation; **instructions** instructions ▪ **instructeur** *nm* instructor

instruire* [ɛ̃struir] **1** *vt* to teach, to educate; *Mil* to train; *Jur* to investigate; **i. qn de qch** to inform sb of sth **2** **s'instruire** *vpr* to educate oneself; **s'i. de** to find out about ▪ **instruit, -uite** *adj* educated

instrument [ɛ̃strymɑ̃] *nm* instrument; **i. à vent** wind instrument; **instruments de bord** *(d'avion)* instruments ▪ **instrumental, -e, -aux, -ales** *adj Mus* instrumental ▪ **instrumentiste** *nmf Mus* instrumentalist

insu [ɛ̃sy] *nm* **à l'insu de** without the knowledge of; **à mon/son i.** *(sans m'en/s'en apercevoir)* without being aware of it

insuccès [ɛ̃syksɛ] *nm* failure

insuffisant, -ante [ɛ̃syfizɑ̃, -ɑ̃t] *adj (en quantité)* insufficient; *(en qualité)* inadequate ▪ **insuffisance** *nf (manque)* insufficiency; *(de moyens)* inadequacy; **insuffisances** *(faiblesses)* shortcomings

insulaire [ɛ̃syler] **1** *adj* insular **2** *nmf* islander

insuline [ɛ̃sylin] *nf Méd* insulin

insulte [ɛ̃sylt] *nf* insult **(à** to) ▪ **insulter** *vt* to insult

insupportable [ɛ̃sypɔrtabl] *adj* unbearable

insurger [ɛ̃syrʒe] **s'insurger** *vpr* to rise up **(contre** against) ▪ **insurgé, -ée** *nmf & adj* insurgent ▪ **insurrection** *nf* insurrection, uprising

insurmontable [ɛ̃syrmɔ̃tabl] *adj* insurmountable

intact, -acte [ɛ̃takt] *adj* intact

intangible [ɛ̃tɑ̃ʒibl] *adj (loi, institution)* sacred

intarissable [ɛ̃tarisabl] *adj* inexhaustible

intégral, -e, -aux, -ales [ɛ̃tegral, -o] *adj (paiement)* full; *(édition)* unabridged; **casque i.** full-face crash helmet; **version intégrale** *(de film)* uncut version ▪ **intégralement** *adv* in full, fully ▪ **intégralité** *nf* whole **(de** of); **dans son i.** in full

intègre [ɛ̃tɛgr] *adj* upright, honest ▪ **intégrité** *nf* integrity

intégrer [ɛ̃tegre] **1** *vt* to integrate (**dans** in); *(école)* to get into **2 s'intégrer** *vpr* to become integrated ▪ **intégrante** *adj f* **faire partie i. de qch** to be an integral part of sth ▪ **intégration** *nf (au sein d'un groupe)* integration

intégrisme [ɛ̃tegrism] *nm* fundamentalism

intellectuel, -uelle [ɛ̃telɛktɥɛl] *adj & nmf* intellectual

intelligent, -ente [ɛ̃teliʒɑ̃, -ɑ̃t] *adj* intelligent, clever ▪ **intelligemment** [-amɑ̃] *adv* intelligently ▪ **intelligence** *nf (faculté)* intelligence; **avoir l'i. de faire qch** to have the intelligence to do sth; **vivre en bonne i. avec qn** to be on good terms with sb; *Ordinat* **i. artificielle** artificial intelligence

intelligentsia [inteligentsja] *nf* intelligentsia

intelligible [ɛ̃teliʒibl] *adj* intelligible ▪ **intelligibilité** *nf* intelligibility

intempéries [ɛ̃tɑ̃peri] *nfpl* bad weather

intempestif, -ive [ɛ̃tɑ̃pestif, -iv] *adj* untimely

intenable [ɛ̃tnabl] *adj (position)* untenable; *Fam (enfant)* uncontrollable

intendant, -ante [ɛ̃tɑ̃dɑ̃, -ɑ̃t] *nmf Scol* bursar ▪ **intendance** *nf Scol* bursary

intense [ɛ̃tɑ̃s] *adj* intense; *(circulation)* heavy ▪ **intensément** *adv* intensely ▪ **intensif, -ive** *adj* intensive ▪ **intensité** *nf* intensity

intensifier [ɛ̃tɑ̃sifje] *vt*, **s'intensifier** *vpr* to intensify

intenter [ɛ̃tɑ̃te] *vt Jur* **i. un procès à qn** to institute proceedings against sb

intention [ɛ̃tɑ̃sjɔ̃] *nf* intention; *Jur* intent; **avoir l'i. de faire qch** to intend to do sth; **à l'i. de qn** for sb ▪ **intentionné, -ée bien i.** well-intentioned; **mal i.** ill-intentioned ▪ **intentionnel, -elle** *adj* intentional ▪ **intentionnellement** *adv* intentionally

interactif, -ive [ɛ̃teraktif, -iv] *adj Ordinat* interactive

interaction [ɛ̃teraksjɔ̃] *nf* interaction

intercalaire [ɛ̃terkaler] *adj & nm* **(feuillet) i.** *(de classeur)* divider

intercaler [ɛ̃terkale] *vt* to insert

intercéder [ɛ̃tersede] *vt* to intercede (**auprès de** with; **en faveur de** on behalf of)

intercepter [ɛ̃tersepte] *vt* to intercept ▪ **interception** *nf* interception

interchangeable [ɛ̃terʃɑ̃ʒabl] *adj* interchangeable

interclasse [ɛ̃terklɑs] *nm Scol* = short break between classes

intercontinental, -e, -aux, -ales [ɛ̃terkɔ̃tinɑ̃tal, -o] *adj* intercontinental

interdépendant, -ante [ɛ̃terdepɑ̃dɑ̃, -ɑ̃t] *adj* interdependent

interdire* [ɛ̃terdir] *vt* to forbid (**qch à qn** sb sth); *(film, meeting)* to ban; **i. à qn de faire qch** *(médecin, père)* to forbid sb to do sth; *(santé)* to prevent sb from doing sth ▪ **interdiction** *nf*

ban (**de** on); **'i. de fumer'** 'no smoking' ▪ **interdit, -ite** *adj* **(a)** forbidden; **il est i. de...** it is forbidden to...; **'stationnement i.'** *(sur panneau)* 'no parking' **(b)** *(étonné)* disconcerted

intéresser [ɛ̃terese] **1** *vt (captiver)* to interest; *(concerner)* to concern **2 s'intéresser** *vpr* **s'i. à qn/qch** to be interested in sb/sth ▪ **intéressant, -ante 1** *adj (captivant)* interesting; *(prix)* attractive **2** *nmf Péj* **faire l'i.** to show off ▪ **intéressé, -ée 1** *adj (avide)* self-interested; *(motif)* selfish; *(concerné)* concerned **2** *nmf* **l'i.** the person concerned

intérêt [ɛ̃terɛ] *nm* interest; *Fin* **intérêts** interest; **tu as i. à le faire** you'd do well to do it; **sans i.** *(personne, film)* uninteresting

interface [ɛ̃terfas] *nf Ordinat* interface

intérieur, -ieure [ɛ̃terjœr] **1** *adj (escalier, paroi)* interior; *(cour, vie)* inner; *(poche)* inside; *(partie)* internal; *(vol)* internal, domestic; *(mer)* inland **2** *nm (de boîte, de maison)* inside (**de** of); *(de pays)* interior; *(maison)* home; **à l'i. (de)** inside; **à l'i. de nos frontières** within the country; **d'i.** *(vêtement, jeux)* indoor; **femme d'i.** home-loving woman ▪ **intérieurement** *adv* inwardly

intérim [ɛ̃terim] *nm (travail temporaire)* temporary work; **assurer l'i.** to stand in (**de** for); **président par i.** acting president ▪ **intérimaire 1** *adj (fonction, employé)* temporary **2** *nmf (travailleur)* temporary worker; *(secrétaire)* temp

intérioriser [ɛ̃terjɔrize] *vt* to internalize

interligne [ɛ̃terliɲ] *nm* line spacing

interlocuteur, -trice [ɛ̃terlɔkytœr, -tris] *nmf (de conversation)* speaker; *(de négociation)* discussion partner; **mon i.** the person I am/was speaking to

interloqué, -ée [ɛ̃terlɔke] *adj* dumbfounded

interlude [ɛ̃terlyd] *nm* interlude

intermède [ɛ̃termɛd] *nm* interlude

intermédiaire [ɛ̃termedjer] **1** *adj* intermediate **2** *nmf* intermediary; *Com* middleman; **par l'i. de** through; **sans i.** directly

interminable [ɛ̃terminabl] *adj* interminable

intermittent, -ente [ɛ̃termitɑ̃, -ɑ̃t] *adj* intermittent ▪ **intermittence** *nf* **par i.** intermittently

internat [ɛ̃terna] *nm (école)* boarding school; *(concours de médecine)* = entrance examination for *Br* a housemanship *or Am* an internship ▪ **interne 1** *adj (douleur)* internal; *(oreille)* inner **2** *nmf (élève)* boarder; **i. des hôpitaux** *Br* house doctor, *Am* intern

international, -e, -aux, -ales [ɛ̃ternasjonal, -o] **1** *adj* international **2** *nm (joueur de football)* international

interner [ɛ̃terne] *vt (prisonnier)* to intern; *(aliéné)* to commit ▪ **internement** [-əmɑ̃] *nm (emprisonnement)* internment; *(d'aliéné)* confinement

Internet [ɛtɛrnɛt] *nm* Internet; **sur I.** on the Internet ▪**internaute** *nmf* Internet surfer

interopérabilité [ɛtɛrɔperabilite] *nf Ordinat* interoperability

interpeller [ɛtɛrpəle] *vt* (*appeler*) to call out to; (*dans une réunion*) to question; **i. qn** (*police*) to take sb in for questioning; **ce roman m'a interpellé** I can really relate to that novel ▪**interpellation** *nf* sharp address; (*dans une réunion*) question; **la police a procédé à plusieurs interpellations** the police took several people in for questioning

Interphone® [ɛtɛrfɔn] *nm* (*de bureau*) intercom; (*d'immeuble*) entryphone

interplanétaire [ɛtɛrplaneter] *adj* interplanetary

interposer [ɛtɛrpoze] **s'interposer** *upr* (*intervenir*) to intervene (**dans** in); **par personne interposée** through an intermediary

interprète [ɛtɛrprɛt] *nmf* (*traducteur*) interpreter; (*chanteur*) singer; (*musicien, acteur*) performer; (*porte-parole*) spokesman, spokesperson, *f* spokeswoman ▪**interprétariat** *nm* interpreting ▪**interprétation** *nf* (*de texte, de rôle, de rêve*) interpretation; (*traduction*) interpreting ▪**interpréter** *vt* (*texte, rôle, musique, rêve*) to interpret; (*chanter*) to sing; **mal i. les paroles de qn** to misinterpret sb's words

interroger [ɛtɛrɔʒe] *vt* to question; (*élève*) to test; *Ordinat* (*banque de données*) to query ▪**interrogateur, -trice** *adj* (*air*) questioning ▪**interrogatif, -ive** *adj & nm Grammaire* interrogative ▪**interrogation** *nf* (*question*) question; (*de prisonnier*) questioning; *Scol* **i. écrite/orale** written/oral test ▪**interrogatoire** *nm* interrogation

interrompre* [ɛtɛrɔpr] **1** *vt* to interrupt **2 s'interrompre** *upr* to break off ▪**interrupteur** *nm* switch ▪**interruption** *nf* interruption; (*de négociations*) breaking off; **sans i.** continuously; **i. volontaire de grossesse** (voluntary) termination of pregnancy, abortion

intersection [ɛtɛrsɛksjɔ̃] *nf* intersection; (*de routes*) junction

interstice [ɛtɛrstis] *nm* crack, chink

intervalle [ɛtɛrval] *nm* (*dans l'espace*) gap, space; (*dans le temps*) interval; **dans l'i.** (*entretemps*) in the meantime; **par intervalles** (every) now and then, at intervals

intervenir* [ɛtɛrvənir] *vi* (*agir, prendre la parole*) to intervene; (*survenir*) to occur; **i. auprès de qn** to intercede with sb; **être intervenu** (*accord*) to be reached ▪**intervention** *nf* intervention; (*discours*) speech; **i. chirurgicale** operation

intervertir [ɛtɛrvertir] *vt* (*l'ordre de qch*) to invert; (*objets*) to switch round ▪**interversion** *nf* inversion

interview [ɛtɛrvju] *nm ou f* interview ▪**interviewer** [-vjuve] *vt* to interview

intestin [ɛtɛstɛ̃] *nm* intestine ▪**intestinal, -e, -aux, -ales** *adj* intestinal

intime [ɛtim] **1** *adj* intimate; (*ami*) close; (*toilette*) personal; (*cérémonie*) quiet **2** *nmf* close friend ▪**intimement** [-əmã] *adv* intimately; **i. liés** (*problèmes*) closely linked ▪**intimité** *nf* (*familiarité*) intimacy; (*vie privée*) privacy; **dans l'i.** in private

> Il faut noter qu'en anglais **to be intimate with someone** signifie le plus souvent **avoir des rapports sexuels avec quelqu'un.**

intimider [ɛtimide] *vt* to intimidate ▪**intimidation** *nf* intimidation

intituler [ɛtityle] **1** *vt* to give a title to **2 s'intituler** *upr* to be entitled

intolérable [ɛtɔlerabl] *adj* intolerable ▪**intolérance** *nf* intolerance ▪**intolérant, -ante** *adj* intolerant

intonation [ɛtɔnasjɔ̃] *nf Ling* intonation

intoxiquer [ɛtɔksike] **1** *vt* (*empoisonner*) to poison **2 s'intoxiquer** *upr* to poison oneself ▪**intoxication** *nf* (*empoisonnement*) poisoning; **i. alimentaire** food poisoning

intraduisible [ɛtradyizibl] *adj* untranslatable

intraitable [ɛtrɛtabl] *adj* uncompromising

Intranet [ɛtranɛt] *nm Ordinat* Intranet

intransigeant, -ante [ɛtrãziʒã, -ãt] *adj* intransigent ▪**intransigeance** *nf* intransigence

intransitif, -ive [ɛtrãzitif, -iv] *adj & nm Grammaire* intransitive

intraveineux, -euse [ɛtravɛnø, -øz] *Méd* **1** *adj* intravenous **2** *nf* **intraveineuse** intravenous injection

intrépide [ɛtrepid] *adj* fearless, intrepid ▪**intrépidité** *nf* fearlessness

intrigue [ɛtrig] *nf* intrigue; (*de film, roman*) plot ▪**intrigant, -ante** *nmf* schemer ▪**intriguer 1** *vt* **i. qn** to intrigue sb **2** *vi* to scheme

intrinsèque [ɛtrɛ̃sɛk] *adj* intrinsic

introduire* [ɛtrɔdɥir] **1** *vt* (*insérer*) to insert (**dans** into); (*marchandises*) to bring in; (*réforme, mode*) to introduce; (*visiteur*) to show in; *Com* **i. sur le marché** to launch onto the market **2 s'introduire** *upr* **s'i. dans une maison** to get into a house ▪**introduction** *nf* (*texte, action*) introduction

introspectif, -ive [ɛtrɔspɛktif, -iv] *adj* introspective ▪**introspection** *nf* introspection

introuvable [ɛtruvabl] *adj* (*produit*) unobtainable; (*personne*) nowhere to be found

introverti, -ie [ɛtrɔverti] *adj & nmf* introvert

intrus, -use [ɛtry, -yz] *nmf* intruder ▪**intrusion** *nf* intrusion (**dans** into)

intuition [ɛtɥisjɔ̃] *nf* intuition ▪**intuitif, -ive** *adj* intuitive

inuit [inцit] 1 *adj inv* Inuit 2 *nmf inv* I. Inuit

inusable [inyzabl] *adj* hard-wearing

inusité, -ée [inyzite] *adj (mot, forme)* uncommon

inutile [inytil] *adj (qui ne sert à rien)* useless; *(précaution, bagage)* unnecessary; **c'est i. de crier** there's no point shouting; **i. de dire que...** needless to say that... **■inutilement** *adv* needlessly **■inutilité** *nf* uselessness

inutilisable [inytilizabl] *adj* unusable **■inutilisé, -ée** *adj* unused

invaincu, -ue [ɛ̃vɛ̃ky] *adj Sport* unbeaten

invalide [ɛ̃valid] 1 *adj* disabled 2 *nmf* disabled person; **i. de guerre** disabled ex-serviceman

invalider [ɛ̃valide] *vt* to invalidate

invariable [ɛ̃varjabl] *adj* invariable **■invariablement** [-əmã] *adv* invariably

invasion [ɛ̃vazjɔ̃] *nf* invasion

invective [ɛ̃vɛktiv] *nf* invective **■invectiver** *vt* to hurl abuse at

invendable [ɛ̃vãdabl] *adj* unsellable **■invendu, -ue** 1 *adj* unsold 2 *nmpl* **invendus** unsold articles; *(journaux)* unsold copies

inventaire [ɛ̃vɑ̃tɛr] *nm Com (liste)* inventory; *Fig (étude)* survey; *Com* **faire l'i.** to do the stocktaking (**de** of)

inventer [ɛ̃vɑ̃te] *vt (créer)* to invent; *(concept)* to think up; *(histoire, excuse)* to make up **■inventeur, -trice** *nmf* inventor **■inventif, -ive** *adj* inventive **■invention** *nf* invention

inverse [ɛ̃vɛrs] 1 *adj (sens)* opposite; *(ordre)* reverse; *Math* inverse 2 *nm* **l'i.** the reverse, the opposite **■inversement** [-əmã] *adv* conversely **■inverser** *vt (ordre)* to reverse **■inversion** *nf* inversion

investigation [ɛ̃vɛstigasjɔ̃] *nf* investigation **■investigateur, -trice** *nmf* investigator

investir [ɛ̃vɛstir] 1 *vt (capitaux)* to invest (**dans** in); *(édifice, ville)* to besiege; **i. qn d'une mission** to entrust sb with a mission 2 *vi* to invest (**dans** in) **■investissement** *nm Fin* investment **■investiture** *nf Pol* nomination

invétéré, -ée [ɛ̃vetere] *adj* inveterate

invincible [ɛ̃vɛ̃sibl] *adj* invincible

invisible [ɛ̃vizibl] *adj* invisible

inviter [ɛ̃vite] *vt* to invite; **i. qn à faire qch** *(prier)* to request sb to do sth; *(inciter)* to urge sb to do sth; **i. qn à dîner** to invite sb to dinner **■invitation** *nf* invitation **■invité, -ée** *nmf* guest

invivable [ɛ̃vivabl] *adj* unbearable; *Fam (personne)* insufferable

involontaire [ɛ̃vɔlɔ̃tɛr] *adj (geste)* involuntary; *(témoin)* unwilling **■involontairement** *adv* involuntarily

invoquer [ɛ̃vɔke] *vt (argument)* to put forward; *(loi, texte)* to refer to; *(divinité)* to invoke **■invocation** *nf* invocation (**à** to)

invraisemblable [ɛ̃vrɛsɑ̃blabl] *adj (extra-ordinaire)* incredible; *(alibi)* implausible **■invraisemblance** *nf (improbabilité)* unlikeli-hood; *(d'alibi)* implausibility; **invraisemblances** implausibilities

invulnérable [ɛ̃vylnerabl] *adj* invulnerable

iode [jɔd] *nm* **teinture d'i.** *(antiseptique)* iodine

ira, irait *etc* [ira, irɛ] *voir* **aller[1]**

Irak [irak] *nm* **l'I.** Iraq **■irakien, -ienne** 1 *adj* Iraqi 2 *nmf* **I., Irakienne** Iraqi

Iran [irã] *nm* **l'I.** Iran **■iranien, -ienne** 1 *adj* Iranian 2 *nmf* **I., Iranienne** Iranian

irascible [irasibl] *adj* irascible

iris [iris] *nm (plante)* & *Anat* iris

Irlande [irlãd] *nf* **l'I.** Ireland; **l'I. du Nord** Northern Ireland **■irlandais, -aise** 1 *adj* Irish 2 *nmf* **I.** Irishman; **Irlandaise** Irishwoman; **les I.** the Irish 3 *nm (langue)* Irish

ironie [irɔni] *nf* irony **■ironique** *adj* ironic(al)

iront [irɔ̃] *voir* **aller[1]**

irradier [iradje] *vt* to irradiate

irraisonné, -ée [irezɔne] *adj* irrational

irrationnel, -elle [irasjɔnɛl] *adj* irrational

irrattrapable [iratrapabl] *adj (retard)* that cannot be made up

irréalisable [irealizabl] *adj (projet)* imprac-ticable

irréaliste [irealist] *adj* unrealistic

irrecevable [irəsəvabl] *adj Jur (preuve)* inadmissible

irrécupérable [irekyperabl] *adj (objet)* beyond repair; *(personne)* irredeemable

irrécusable [irekyzabl] *adj (preuve)* indisputable; *Jur (témoignage)* unimpeachable

irréductible [iredyktibl] 1 *adj (ennemi)* implacable 2 *nm* die-hard

irréel, -éelle [ireɛl] *adj* unreal

irréfléchi, -ie [ireflefi] *adj* rash

irréfutable [irefytabl] *adj* irrefutable

irrégulier, -ière [iregylje, -jɛr] *adj (rythme, respiration, verbe, procédure)* irregular; *(sol)* uneven; *(résultats)* inconsistent; **être en situation irrégulière** *(voyageur)* not to hold a valid ticket; *(étranger)* not to have one's residence papers in order **■irrégularité** *nf* irregularity; *(de sol)* unevenness

irrémédiable [iremedjabl] *adj* irreparable

irremplaçable [irãplasabl] *adj* irreplaceable

irréparable [ireparabl] *adj (véhicule)* beyond repair; *(tort, perte)* irreparable

irrépressible [irepresibl] *adj* irrepressible

irréprochable [ireprɔfabl] *adj* irreproachable

irrésistible [irezistibl] *adj (personne, charme)* irresistible

irrésolu, -ue [irezɔly] *adj (personne)* indecisive; *(problème)* unresolved

irrespect [irɛspɛ] *nm* disrespect **■irres-pectueux, -ueuse** *adj* disrespectful

irrespirable [irɛspirabl] *adj (air)* unbreathable; *Fig (atmosphère)* unbearable

irresponsable [irɛspɔ̃sabl] *adj (personne)* irresponsible

irrévérencieux, -ieuse [ireverɑ̃sjø, -jøz] *adj* irreverent

irréversible [ireversibl] *adj* irreversible

irrévocable [irevɔkabl] *adj* irrevocable

irriguer [irige] *vt* to irrigate ▪ **irrigation** *nf* irrigation

irriter [irite] **1** *vt* to irritate **2** s'irriter *vpr (s'énerver)* to get irritated (**de/contre** with/at); *(s'enflammer)* to become irritated ▪ **irritable** *adj* irritable ▪ **irritant, -ante** *adj (personne, comportement)* irritating; *(produit)* irritant ▪ **irritation** *nf (colère)* & *Méd* irritation

irruption [irypsjɔ̃] *nf* **faire i. dans** to burst into

Islam [islam] *nm* **l'I.** Islam ▪ **islamique** *adj* Islamic

Islande [islɑ̃d] *nf* **l'I.** Iceland ▪ **islandais, -aise** **1** *adj* Icelandic **2** *nmf* **I., Islandaise** Icelander

isocèle [izɔsɛl] *adj* **triangle i.** isosceles triangle

isoler [izɔle] **1** *vt* to isolate (**de** from); *(du froid)* & *Él* to insulate **2** s'isoler *vpr* to isolate oneself ▪ **isolant, -ante** **1** *adj* insulating **2** *nm* insulating material ▪ **isolation** *nf* insulation; **i. thermique** thermal insulation ▪ **isolé, -ée** *adj (personne, endroit, maison)* isolated; *(du froid)* insulated; **i. de** cut off *or* isolated from ▪ **isolement** *nm (de personne)* isolation ▪ **isolément** *adv (agir)* in isolation; *(interroger des gens)* individually

isoloir [izɔlwar] *nm Br* polling booth, *Am* voting booth

Israël [israel] *nm* Israel ▪ **israélien, -ienne** **1** *adj* Israeli **2** *nmf* **I., Israélienne** Israeli ▪ **israélite** **1** *adj* Jewish **2** *nmf* Jew

issu, -ue [isy] *adj* **être i. de** to come from

issue [isy] *nf (sortie)* exit; *Fig (solution)* way out; *(résultat)* outcome; *Fig* **situation sans i.** dead end; **à l'i. de** at the end of; **i. de secours** emergency exit

> Il faut noter que le nom anglais **issue** est un faux ami. Il signifie le plus souvent **problème** ou **question**.

isthme [ism] *nm* isthmus

Italie [itali] *nf* **l'I.** Italy ▪ **italien, -ienne** **1** *adj* Italian **2** *nmf* **I., Italienne** Italian **3** *nm (langue)* Italian

italique [italik] **1** *adj (lettre)* italic **2** *nm* italics; **en i.** in italics

itinéraire [itinerɛr] *nm* route, itinerary; **i. bis** = alternative route recommended when roads are highly congested

itinérant, -ante [itinerɑ̃, -ɑ̃t] *adj Br* travelling, *Am* traveling

IUFM [iyɛfɛm] *(abrév* **Institut universitaire de formation des maîtres)** *nm Br* ≃ teacher training college, *Am* ≃ teachers' college

IUT [iyte] *(abrév* **institut universitaire de technologie)** *nm* = vocational higher education college

IVG [iveʒe] *(abrév* **interruption volontaire de grossesse)** *nf* (voluntary) abortion *or* termination

ivoire [ivwar] *nm* ivory; **statuette en i.** *ou* **d'i.** ivory statuette

ivre [ivr] *adj* drunk (**de** with); *Fig* **i. de joie** wild with joy; **i. de bonheur** wildly happy; **i. mort** blind drunk ▪ **ivresse** *nf* drunkenness; **en état d'i.** under the influence of drink ▪ **ivrogne** *nmf* drunk(ard)

J, j [ʒi] *nm inv* J, j; **le jour J.** D-day

j' [ʒ] *voir* **je**

jacasser [ʒakase] *vi (personne, pie)* to chatter

jachère [ʒaʃɛr] **en jachère** *adv (champ)* fallow; **être en j.** to lie fallow

jacinthe [ʒasɛ̃t] *nf* hyacinth

Jacuzzi® [ʒakuzi] *nm* Jacuzzi®

jade [ʒad] *nm (pierre)* jade

jadis [ʒadis] *adv Littéraire* in days gone by

jaguar [ʒagwar] *nm* jaguar

jaillir [ʒajir] *vi (liquide)* to gush out; *(étincelles)* to shoot out; *(lumière)* to flash; *(cri)* to burst out

jais [ʒɛ] *nm (noir)* **de j.** jet-black

jalon [ʒalɔ̃] *nm* ranging pole; *Fig* **poser les jalons** to prepare the way (**de** for) ▪ **jalonner** *vt (marquer)* to mark out; *(border)* to line

jaloux, -ouse [ʒalu, -uz] *adj* jealous (**de** of) ▪ **jalouser** *vt* to envy ▪ **jalousie** *nf (sentiment)* jealousy; *(store)* Venetian blind

Jamaïque [ʒamaik] *nf* **la J.** Jamaica

jamais [ʒamɛ] *adv* **(a)** *(négatif)* never; **elle ne sort j.** she never goes out; **sans j. sortir** without ever going out; **j. de la vie!** (absolutely) never! **(b)** *(positif)* ever; **à (tout) j.** for ever; **si j.** if ever; **le film le plus drôle que j'aie j. vu** the funniest film I have ever seen

jambe [ʒɑ̃b] *nf* leg; **à toutes jambes** as fast as one can; *Fig* **prendre ses jambes à son cou** to take to one's heels; **être dans les jambes de qn** to be under sb's feet; *Fam* **faire qch par-dessus la j.** to do sth any old how; *Fam* **ça me fait une belle j.!** a fat lot of good that does me!

jambon [ʒɑ̃bɔ̃] *nm* ham ▪ **jambonneau, -x** *nm* knuckle of ham

jante [ʒɑ̃t] *nf* rim

janvier [ʒɑ̃vje] *nm* January

Japon [ʒapɔ̃] *nm* **le J.** Japan ▪ **japonais, -aise 1** *adj* Japanese **2** *nmf* **J., Japonaise** Japanese *inv*; **les J.** the Japanese **3** *nm (langue)* Japanese

japper [ʒape] *vi (chien)* to yap, to yelp

jaquette [ʒakɛt] *nf (d'homme)* morning coat; *(de livre)* jacket

jardin [ʒardɛ̃] *nm* garden; **j. d'enfants** kindergarten; **j. public** gardens ▪ **jardinage** *nm* gardening ▪ **jardiner** *vi* to do some gardening ▪ **jardinerie** *nf* garden centre ▪ **jardinier** *nm* gardener ▪ **jardinière** *nf (caisse à fleurs)* window box; **j. de légumes** mixed vegetables

jargon [ʒargɔ̃] *nm* jargon

jarret [ʒarɛ] *nm* back of the knee

jarretelle [ʒartɛl] *nf Br* suspender, *Am* garter ▪ **jarretière** *nf* garter

jaser [ʒaze] *vi (médire)* to gossip

jasmin [ʒasmɛ̃] *nm* jasmine; **thé au j.** jasmine tea

jatte [ʒat] *nf* bowl

jauge [ʒoʒ] *nf (instrument)* gauge; *Naut* tonnage ▪ **jauger** *vt Fig (personne, situation)* to size up

jaune [ʒon] **1** *adj* yellow **2** *nm (couleur)* yellow; *Péj (ouvrier)* yellowbelly; **j. d'œuf** (egg) yolk **3** *adv* **rire j.** to give a forced laugh ▪ **jaunâtre** *adj* yellowish ▪ **jaunir** *vti* to turn yellow ▪ **jaunisse** *nf Méd* jaundice

Javel [ʒavel] *nf* **(eau de) J.** bleach

javelot [ʒavlo] *nm* javelin

jazz [dʒaz] *nm* jazz

J.-C. [ʃise] *(abrév* **Jésus-Christ)** *nm* J.C.; **av./ap. J.-C.** BC/AD

je [ʒə]

> **j'** is used before a word beginning with a vowel or h mute.

pron personnel I; **je suis ici** I'm here

jean [dʒin] *nm (pair of)* jeans; **veste/jupe en j.** denim jacket/skirt

Jeep® [dʒip] *nf* Jeep®

je-m'en-foutisme [ʒmɑ̃futism] *nm inv très Fam* couldn't-care-less attitude

jérémiades [ʒeremjad] *nfpl* whining

jerrican [(d)ʒerikan] *nm* jerry can

Jersey [ʒɛrze] *nf* Jersey

jésuite [ʒezɥit] *nm* Jesuit

Jésus-Christ [ʒezykrist] *nm* Jesus Christ; **avant/après J.** BC/AD

jet [ʒɛ] *nm (de pierre)* throwing; *(de vapeur, de liquide)* jet; *(de lumière)* flash; **premier j.** *(ébauche)* first draft; **d'un seul j.** in one go; **j. d'eau** fountain

jetable [ʒətabl] *adj* disposable

jetée [ʒəte] *nf* pier, jetty

jeter [ʒəte] **1** *vt* to throw (**à** to; **dans** into); *(à la poubelle)* to throw away; *(ancre, sort, regard)* to cast; *(bases)* to lay; *(cri)* to utter; *(éclat, lueur)* to give out; *(noter)* to jot down; **j. qch à qn** to throw sth to sb, to throw sb sth; **j. un coup d'œil à qn/qch** to have a quick look at sb/sth; *Fig* **j. l'argent par les fenêtres** to throw money down the drain; *Fam* **se faire j. de** to get chucked out of; **ça a jeté un froid** it cast a chill; *Fam* **ça en jette!** that's really something!

2 se jeter *vpr* *(personne)* to throw oneself; **se j. sur qn** to throw oneself at sb; *Fig* to pounce on sb; **se j. sur** *(nourriture)* to pounce on; *(occasion)* to jump at; **se j. contre** *(véhicule)* to crash into; **se j. dans** *(fleuve)* to flow into; **se j. à l'eau** *(plonger)* to jump into the water; *Fig (se décider)* to take the plunge

jeton [ʒǝtɔ̃] *nm (pièce)* token; *(au jeu)* chip; *Fam* **avoir les jetons** to have the jitters

jeu, -x [ʒø] *nm* (**a**) *(amusement)* play; *(activité)* & *Tennis* game; *(d'acteur)* acting; *(de musicien)* playing; **le j.** *(au casino)* gambling; **maison de jeux** gambling club; **en j.** *(en cause)* at stake; *(forces)* at work; **entrer en j.** to come into play; **d'entrée de j.** from the outset; *Fig* **tirer son épingle du j.** to play one's game profitably; **elle a beau j. de critiquer** it's easy for her to criticize; **c'est un j. d'enfant!** it's child's play!; **j.-concours** competition; **j. électronique** computer game; **jeux de hasard** games of chance; **j. de mots** play on words, pun; **jeux de société** *(devinettes)* parlour games; *(jeu de l'oie, petits chevaux)* board games; **j. télévisé** television game show; *(avec questions)* television quiz show; **j. vidéo** video game (**b**) *(série complète)* set; *(de cartes)* deck, *Br* pack; *(cartes en main)* hand; **j. d'échecs** *(boîte, pièces)* chess set (**c**) *Tech (de ressort, verrou)* play

jeudi [ʒødi] *nm* Thursday

jeun [ʒœ̃] **à jeun 1** *adv* on an empty stomach **2** *adj* **être à j.** to have eaten no food

jeune [ʒœn] **1** *adj* young; *(apparence)* youthful; **jeunes gens** young people **2** *nmf* young person; **les jeunes** young people ▪**jeunesse** *nf* youth; *(apparence)* youthfulness; **la j.** *(les jeunes)* the young

jeûne [ʒøn] *nm (période)* fast; *(pratique)* fasting ▪**jeûner** *vi* to fast

joaillier, -ière [ʒɔaje, -jɛr] *nmf Br* jeweller, *Am* jeweler ▪**joaillerie** *nf (bijoux) Br* jewellery, *Am* jewelry; *(magasin) Br* jewellery shop, *Am* jewelry store

jockey [ʒɔkɛ] *nm* jockey

jogging [dʒɔgiŋ] *nm Sport* jogging; *(survêtement)* jogging suit; **faire du j.** to jog, to go jogging

joie [ʒwa] *nf* joy, delight; **avec j.** with pleasure, gladly; **faire la j. de qn** to make sb happy

joindre* [ʒwɛ̃dr] **1** *vt (réunir)* to join; *(ajouter)* to add (**à** to); *(dans une enveloppe)* to enclose (**à** with); **j. qn** *(contacter)* to get in touch with sb; **j. les mains** to put one's hands together; *Fig* **j. les deux bouts** to make ends meet **2 se joindre** *vpr* **se j. à qn** to join sb; **se j. à qch** to join in sth ▪**joint, -e 1** *adj* **à pieds joints** with feet together; **les mains jointes** with hands together; **pièces jointes** *(de lettre)* enclosures **2** *nm Tech (articulation)* joint; *(d'étanchéité)* seal; *(de robinet)* washer; *Fam (à fumer)* joint; **j.**

de culasse gasket ▪**jointure** *nf (articulation)* joint

joker [ʒɔkɛr] *nm Cartes* joker

joli, -ie [ʒɔli] *adj* pretty; *(somme)* nice ▪**joliment** *adv* nicely; *Fam (très, beaucoup)* awfully

> Il faut noter que l'adjectif anglais **jolly** est un faux ami. Il signifie **joyeux**.

jonc [ʒɔ̃] *nm (plante)* rush

joncher [ʒɔ̃ʃe] *vt* to strew (**de** with); **jonché de** strewn with

jonction [ʒɔ̃ksjɔ̃] *nf* junction

jongler [ʒɔ̃gle] *vi* to juggle (**avec** with) ▪**jonglerie** *nf* juggling ▪**jongleur, -euse** *nmf* juggler

jonquille [ʒɔ̃kij] *nf* daffodil

Jordanie [ʒɔrdani] *nf* **la J.** Jordan

joue [ʒu] *nf (du visage)* cheek; **mettre qn en j.** to take aim at sb; **en j.!** (take) aim!

jouer [ʒwe] **1** *vt (musique, tour, carte, rôle)* to play; *(pièce de théâtre)* to perform; *(film)* to show; *(parier)* to stake (**sur** on); *(cheval)* to bet on; **j. la finale** to play in the final; **j. les héros** to play the hero; *Fig* **j. son avenir** to risk one's future **2** *vi* to play; *(acteur)* to act; *(au tiercé)* to gamble; *(être important)* to count; **j. au tennis/aux cartes** to play tennis/cards; **j. du piano/du violon** to play the piano/violin; **j. aux courses** to bet on the horses; *Fig* **j. en faveur de qn** to work in sb's favour; **j. des coudes** to elbow one's way through; **faire j. un ressort** to release a spring; **à toi de j.!** it's your turn (to play)! **3 se jouer** *vpr (film, pièce)* to be on; **se j. de qn** to trifle with sb; **se j. des difficultés** to make light of difficulties

jouet [ʒwɛ] *nm* toy; *Fig* **être le j. de qn** to be sb's plaything

joueur, -euse [ʒwœr, -øz] *nmf* player; *(au tiercé)* gambler; **beau j., bon j.** good loser

joufflu, -ue [ʒufly] *adj (visage)* chubby; *(enfant)* chubby-cheeked

joug [ʒu] *nm Agr* & *Fig* yoke

jouir [ʒwir] *vi (sexuellement)* to have an orgasm; **j. de qch** to enjoy sth; **j. d'une bonne santé** to enjoy good health ▪**jouissance** *nf (plaisir)* enjoyment; *(sexuel)* orgasm; *Jur (usage)* use

joujou, -x [ʒuʒu] *nm Fam (en langage enfantin)* toy

jour [ʒur] *nm (journée, date)* day; *(clarté)* daylight; *(éclairage)* light; *(ouverture)* gap; **il fait j.** it's (day)light; **de j. en j.** day by day; **du j. au lendemain** overnight; **au j. le j.** from day to day; **en plein j., au grand j.** in broad daylight; **de nos jours** nowadays, these days; *Fig* **sous un j. nouveau** in a different light; **les beaux jours** *(l'été)* summer; **mettre qch à j.** to bring sth up to date; **se faire j.** to come to light; **donner le j. à qn** to give birth to sb; **mettre fin**

à ses jours to commit suicide; **quel j. sommes-nous?** what day is it?; **il y a dix ans j. pour j.** ten years ago to the day; *Fam* **elle et lui, c'est le j. et la nuit** she and he are as different as night and day *or Br* as chalk and cheese; **le j. de l'an** New Year's Day

journal, -aux [ʒurnal, -o] *nm* (news)paper; *(spécialisé)* journal; *(intime)* diary; *Radio* **j. parlé** (radio) news *(sing)*; **j. télévisé** (TV) news *(sing)*; *Naut* **j. de bord** logbook ▪ **journalisme** *nm* journalism ▪ **journaliste** *nmf* journalist ▪ **journalistique** *adj (style)* journalistic

journalier, -ière [ʒurnalje, -jer] *adj* daily

journée [ʒurne] *nf* day; **pendant la j.** during the day(time); **toute la j.** all day (long) ▪ **journellement** *adv* daily

> Il faut noter que le nom anglais **journey** est un faux ami. Il signifie **voyage** ou **trajet**.

jouxter [ʒukste] *vt* to adjoin

jovial, -e, -iaux, -iales [ʒɔvjal, -jo] *adj* jovial, jolly ▪ **jovialité** *nf* joviality

joyau, -x [ʒwajo] *nm* jewel

joyeux, -euse [ʒwajø, -øz] *adj* joyful; **j. anniversaire!** happy birthday!; **j. Noël!** merry *or Br* happy Christmas! ▪ **joyeusement** *adv* joyfully

jubilé [ʒybile] *nm* jubilee

jubiler [ʒybile] *vi* to be jubilant ▪ **jubilation** *nf* jubilation

jucher [ʒyʃe] *vt*, **se jucher** *vpr* to perch (**sur** on)

judaïsme [ʒydaism] *nm* Judaism

judas [ʒyda] *nm (de porte)* peephole, spyhole

judiciaire [ʒydisjer] *adj* judicial; *(autorité)* legal

judicieux, -ieuse [ʒydisjø, -jøz] *adj* judicious

judo [ʒydo] *nm* judo

juge [ʒyʒ] *nmf* judge; **j. d'instruction** examining magistrate; *Football* **j. de touche** linesman, assistant referee

jugé [ʒyʒe] **au jugé** *adv (calculer)* roughly

jugement [ʒyʒmɑ̃] *nm (opinion, discernement)* judgement; *Jur (verdict)* sentence; **porter un j. sur qch** to pass judgement on sth; *Jur* **passer en j.** to stand trial

jugeote [ʒyʒɔt] *nf Fam* common sense

juger [ʒyʒe] **1** *vt (personne, question)* to judge; *(au tribunal)* to try; *(estimer)* to consider (**que** that); **j. utile de faire qch** to consider it useful to do sth **2** *vi* **j. de** to judge; **jugez de ma surprise!** imagine my surprise!

juguler [ʒygyle] *vt (inflation, épidémie)* to check

juif, juive [ʒyif, ʒyiv] **1** *adj* Jewish **2** *nmf* **J.** Jew

juillet [ʒyije] *nm* July

juin [ʒɥɛ̃] *nm* June

jumeau, -elle, -x, -elles [ʒymo, -ɛl] **1** *adj* **frère j.** twin brother; **sœur jumelle** twin sister; **lits jumeaux** twin beds; **maisons jumelles** semi-detached houses **2** *nmf* twin ▪ **jumelé,**

-ée *adj* **maison jumelée** semi-detached house; **villes jumelées** *Br* twin(ned) towns *or* cities, *Am* sister cities ▪ **jumeler** *vt (villes) Br* to twin, *Am* to make sister cities ▪ **jumelles** *nfpl (pour regarder)* binoculars; **j. de théâtre** opera glasses

jument [ʒymɑ̃] *nf* mare

jungle [ʒœ̃gl] *nf* jungle

junior [ʒynjɔr] *nm & adj inv Sport* junior

junte [ʒœ̃t] *nf* junta

jupe [ʒyp] *nf* skirt ▪ **jupon** *nm* petticoat

jurer [ʒyre] **1** *vt (promettre)* to swear (**que** that; **de faire** to do) **2** *vi (dire un gros mot) Br* to swear, *Am* to curse (**contre** at); *(contraster)* to clash (**avec** with); **j. de qch** to swear to sth ▪ **juré, -ée 1** *adj* **ennemi j.** sworn enemy **2** *nm Jur* juror

juridiction [ʒyridiksjɔ̃] *nf (compétence)* jurisdiction; *(tribunaux)* courts (of law)

juridique [ʒyridik] *adj* legal ▪ **juriste** *nmf* legal expert

juron [ʒyrɔ̃] *nm* swearword

jury [ʒyri] *nm Jur* jury; *(d'examen)* board of examiners

jus [ʒy] *nm (de fruits)* juice; *(de viande)* gravy; *Fam (café)* coffee; *Fam* **prendre du j.** *(électricité)* to get a shock; **j. d'orange** orange juice

jusque [ʒysk] **1** *prép* **jusqu'à** *(espace)* as far as, (right) up to; *(temps)* until, (up) till, to; *(même)* even; **jusqu'à 10 euros** up to 10 euros; **jusqu'en mai** until May; **jusqu'où?** how far?; **jusqu'ici** as far as this; *(temps)* up till now; **jusqu'à présent** up till now; **jusqu'à un certain point** up to a point; **jusqu'à la limite de ses forces** to the point of exhaustion; **j. dans/sous** right into/under; **j. chez moi** as far as my place; *Fam* **en avoir j.-là** to be fed up **2** *conj* **jusqu'à ce qu'il vienne** until he comes

juste [ʒyst] **1** *adj (équitable)* fair, just; *(exact)* right, correct; *(étroit)* tight; *(raisonnement)* sound; **un peu j.** *(quantité, qualité)* barely enough; **très j.!** quite so *or* right! **2** *adv (deviner, compter)* correctly, right; *(chanter)* in tune; *(précisément, à peine)* just; **au j.** exactly; **à trois heures j.** on the stroke of three; **un peu j.** *(mesurer, compter)* a bit on the short side; **calculer trop j. (pour)** not to allow enough (for); **ils ont tout j. fini de manger** they've only just finished eating; *Fam* **comme de j.** as one would expect **3** *nm (homme)* just man ▪ **justement** [-əmɑ̃] *adv (précisément)* exactly; *(avec justesse, avec justice)* justly; **j. j'allais t'appeler** I was just going to ring you

justesse [ʒystɛs] *nf (exactitude)* accuracy; **de j.** *(éviter, gagner)* just

justice [ʒystis] *nf (équité)* justice; **la j.** *(autorité)* the law; **rendre j. à qn** to do justice to sb; **se faire j.** *(se venger)* to take the law into one's own hands ▪ **justicier, -ière** *nmf* righter of wrongs

justifier [ʒystifje] 1 *vt & Typ & Ordinat* to justify; justifié à **gauche/droite** left/right justified 2 **se justifier** *vpr* to justify oneself (**de** of) ▪**justifiable** *adj* justifiable ▪**justificatif, -ive** *adj* pièces justificatives supporting documents ▪**justification** *nf* (*explication*) justification; (*preuve*) proof

jute [ʒyt] *nm* (*fibre*) jute

juteux, -euse [ʒytø, -øz] *adj* juicy

juvénile [ʒyvenil] *adj* youthful

juxtaposer [ʒykstapoze] *vt* to juxtapose ▪**juxtaposition** *nf* juxtaposition

K, k [ka] *nm inv* K, k
kaki [kaki] *adj inv & nm* khaki
kaléidoscope [kaleidɔskɔp] *nm* kaleidoscope
kangourou [kãguru] *nm* kangaroo
karaté [karate] *nm Sport* karate
kart [kart] *nm Sport* (go-)kart ▪ **karting** [-iŋ] *nm
Sport* karting
kasher [kaʃɛr] *adj inv Rel* kosher
kayak [kajak] *nm (bateau de sport)* canoe,
kayak; **faire du k.** to go canoeing
Kenya [kenja] *nm* **le K.** Kenya
képi [kepi] *nm* kepi
kermesse [kɛrmes] *nf* charity fair *or Br* fête; *(en
Belgique)* village fair
kérosène [kerozɛn] *nm* kerosene
kibboutz [kibuts] *nm inv* kibbutz
kidnapper [kidnape] *vt* to kidnap ▪ **kid-
nappeur, -euse** *nmf* kidnapper
kilo [kilo] *nm* kilo ▪ **kilogramme** *nm* kilo-
gram(me)
kilomètre [kilɔmɛtr] *nm* kilometre ▪ **kilométrage** *nm Aut* ≃ mileage ▪ **kilométrique**

adj **borne k.** ≃ milestone
kilo-octet [kilɔɔktɛ] (*pl* **kilo-octets**) *nm
Ordinat* kilobyte
kilowatt [kilɔwat] *nm* kilowatt
kimono [kimɔno] *nm* kimono
kinésithérapie [kineziterapi] *nf* physiotherapy
▪ **kinésithérapeute** *nmf* physiotherapist
kiosque [kjɔsk] *nm (à fleurs)* kiosk, *Br* stall; **k. à
journaux** newsstand; **k. à musique** bandstand
kit [kit] *nm* (self-assembly) kit; **en k.** in kit form
kiwi [kiwi] *nm (oiseau, fruit)* kiwi
Klaxon® [klaksɔn] *nm* horn ▪ **klaxonner** *vi* to
sound one's horn
km (*abrév* **kilomètre**) km ▪ **km/h** (*abrév
kilomètre-heure*) kph, ≃ mph
k.-o. [kao] *adj inv* **mettre qn k.** to knock sb out
Koweït [kɔwɛjt] *nm* **le K.** Kuwait ▪ **koweïtien,
-ienne 1** *adj* Kuwaiti **2** *nmf* **K., Koweïtienne**
Kuwaiti
kyrielle [kirjɛl] *nf* **une k. de** *(reproches, fautes)* a
long string of; *(vedettes)* a whole series of
kyste [kist] *nm Méd* cyst

L, l [ɛl] *nm inv* L, l

l', la¹ [l, la] *voir* **le**

la² [la] *nm inv (note)* A; *Mus* **donner le la** to give an A

là [la] **1** *adv (là-bas)* there; *(ici)* here; **je reste là** I'll stay here; **c'est là que...** *(lieu)* that's where...; **c'est là ton erreur** that's *or* there's your mistake; **c'est là que j'ai compris** that's when I understood; **là où il est** where he is; **à 5 m de là** 5 m away; **de là son échec** *(cause)* hence his/her failure; **jusque-là** *(lieu)* as far as that; *(temps)* up till then **2** *exclam* **oh là là!** oh dear!; **alors là!** well! **3** *voir* **ce²**, **celui**

là-bas [laba] *adv* over there

label [label] *nm Com* quality label

labeur [labœr] *nm Littéraire* toil

laboratoire [labɔratwar] *nm* laboratory; **l. de langues** language laboratory ■ **labo** *nm Fam* lab

laborieux, -ieuse [labɔrjø, -jøz] *adj (pénible)* laborious; **les masses laborieuses** the toiling masses

labour [labur] *nm Br* ploughing, *Am* plowing ■ **labourer** *vt (terre) Br* to plough, *Am* to plow; *Fig (griffer)* to furrow ■ **laboureur** *nm Br* ploughman, *Am* plowman

labyrinthe [labirɛ̃t] *nm* maze, labyrinth

lac [lak] *nm* lake

lacer [lase] *vt* to lace (up) ■ **lacet** *nm (de chaussure)* lace; *(de route)* sharp bend; **faire ses lacets** to tie one's laces; **route en l.** winding road

lacérer [lasere] *vt (déchirer)* to tear to shreds; *(lacérer)* to lacerate

lâche [laʃ] **1** *adj (ressort, nœud)* loose, slack; *Péj (personne, acte)* cowardly **2** *nmf* coward ■ **lâchement** *adv* in a cowardly manner ■ **lâcheté** *nf* cowardice; **une l.** *(action)* a cowardly act

lâcher [laʃe] **1** *vt (ne plus tenir)* to let go of; *(bombe)* to drop; *(colombe)* to release; *(poursuivant)* to shake off; *(dans une course)* to leave behind; *Fam (ami)* to let down; *(juron, cri)* to let out; **l. prise** to let go; *Fam* **lâche-moi les baskets!** get off my back! **2** *vi (corde)* to break **3** *nm* release ■ **lâcheur, -euse** *nmf Fam* unreliable person

laconique [lakɔnik] *adj* laconic ■ **laconiquement** *adv* laconically

lacrymogène [lakrimɔʒɛn] *adj* **gaz l.** tear gas

lacté, -ée [lakte] *adj (produit)* containing milk; **régime l.** milk diet

lacune [lakyn] *nf* gap, deficiency

là-dedans [ladədɑ̃] *adv (lieu)* in there, inside

là-dessous [ladəsu] *adv* underneath

là-dessus [ladəsy] *adv* on there; *(monter)* on top; *(alors)* thereupon

lagon [lagɔ̃] *nm* lagoon ■ **lagune** *nf* lagoon

là-haut [lao] *adv* up there; *(à l'étage)* upstairs

laid, -e [lɛ, lɛd] *adj (personne, visage, endroit)* ugly; *(ignoble)* not nice ■ **laideur** *nf* ugliness

laine [lɛn] *nf* wool; **de l., en l.** *Br* woollen, *Am* woolen; **l. de verre** glass wool ■ **lainage** *nm (vêtement)* jumper; *(étoffe)* woollen material; *Com* **lainages** woollens ■ **laineux, -euse** *adj* woolly

laïque [laik] **1** *adj (école)* non-denominational; *(vie)* secular; *(tribunal)* lay **2** *nmf (non-prêtre)* layman, *f* laywoman

laisse [lɛs] *nf* lead, leash; **tenir un chien en l.** to keep a dog on a lead

laisser [lese] **1** *vt* to leave; **l. qn partir/entrer** *(permettre)* to let sb go/come in; **l. qch à qn** *(confier, donner)* to leave sth with sb; **laissez-moi le temps de le faire** give me *or* leave me time to do it; **l. qn seul** to leave sb alone; **je vous laisse** *(je pars)* I'm leaving now; **je vous le laisse pour 100 euros** I'll let you have it for 100 euros **2** *se laisser* *vpr* **se l. aller** to let oneself go; **se l. faire** to be pushed around; **se l. surprendre par l'orage** to get caught out by the storm ■ **laissé-pour-compte** *(pl* **laissés-pour-compte)** *nm (personne)* misfit, reject ■ **laisser-aller** *nm inv* carelessness ■ **laissez-passer** *nm inv (sauf-conduit)* pass

lait [lɛ] *nm* milk; **l. entier/demi-écrémé/écrémé** whole/semi-skimmed/skimmed milk; **frère/sœur de l.** foster-brother/-sister ■ **laitage** *nm* dairy product ■ **laiterie** *nf* dairy ■ **laiteux, -euse** *adj* milky ■ **laitier, -ière** **1** *adj* **produit l.** dairy product **2** *nm (livreur)* milkman; *(vendeur)* dairyman **3** *nf* **laitière** *(femme)* dairywoman

laiton [lɛtɔ̃] *nm* brass

laitue [lɛty] *nf* lettuce

laïus [lajys] *nm Fam* speech

lama [lama] *nm (animal)* llama

lambeau, -x [lɑ̃bo] *nm* scrap; **mettre qch en**

lambeaux to tear sth to shreds; **tomber en lambeaux** to fall to bits

lambris [lɑ̃bri] *nm Br* panelling, *Am* paneling ▪ **lambrisser** *vt* to panel

lame [lam] *nf (de couteau, de rasoir)* blade; *(de métal)* strip, plate; *(vague)* wave; **l. de fond** groundswell; **l. de parquet** floorboard

lamelle [lamɛl] *nf* thin strip; **l. de verre** *(de microscope)* cover glass

lamenter [lamɑ̃te] **se lamenter** *vpr* to moan; **se l. sur qch** to bemoan sth ▪ **lamentable** *adj (mauvais)* terrible, deplorable; *(voix, cri)* mournful; *(personne)* pathetic ▪ **lamentations** *nfpl (cris, pleurs)* wailing

laminé, -ée [lamine] *adj (métal)* laminated

lampadaire [lɑ̃padɛr] *nm Br* standard lamp, *Am* floor lamp; *(de rue)* street lamp

lampe [lɑ̃p] *nf* lamp; **l. de bureau** desk lamp; **l. de poche** *Br* torch, *Am* flashlight; **l. à pétrole** oil lamp

lampée [lɑ̃pe] *nf Fam* gulp

lampion [lɑ̃pjɔ̃] *nm* paper lantern

lance [lɑ̃s] *nf* spear; **l. d'incendie** fire hose ▪ **lance-flammes** *nm inv* flamethrower ▪ **lance-pierres** *nm inv* catapult; *Am* slingshot

lancer [lɑ̃se] **1** *vt (jeter)* to throw (**à** to); *(fusée, produit, mode, navire)* to launch; *(appel, ultimatum)* to issue; *(cri)* to utter; *(bombe)* to drop; *(regard)* to cast (**à** at); **'au revoir!' nous lança-t-il gaiement** 'goodbye!' he called out to us cheerfully **2 se lancer** *vpr (se précipiter)* to rush; *(se faire connaître)* to make a name for oneself; **se l. dans** *(aventure, discussion)* to launch into; **se l. à la poursuite de qn** to rush off in pursuit of sb **3** *nm Sport* **l. du javelot** throwing the javelin; *Basket* **l. franc** free throw ▪ **lancée** *nf* continuer sur sa l. to keep going ▪ **lancement** *nm (de fusée, de produit)* launch(ing)

lancinant, -ante [lɑ̃sinɑ̃, -ɑ̃t] *adj (douleur)* shooting; *(obsédant)* haunting

landau, -s [lɑ̃do] *nm Br* pram, *Am* baby carriage

lande [lɑ̃d] *nf* moor, heath

langage [lɑ̃gaʒ] *nm* language; **l. chiffré** code; *Ordinat* **l. machine/naturel** computer/natural language

lange [lɑ̃ʒ] *nm (couche) Br* nappy, *Am* diaper ▪ **langer** *vt (bébé)* to change

langouste [lɑ̃gust] *nf* crayfish ▪ **langoustine** *nf* Dublin Bay prawn

langue [lɑ̃g] *nf Anat* tongue; *Ling* language; **de l. anglaise/française** English-/French-speaking; *Fam* **mauvaise l.** *(personne)* gossip; *Fig* **tenir sa l.** to keep a secret; *Fig* **donner sa l. au chat** to give up; *Fig* **avoir un cheveu sur la l.** to lisp; *Fig* **avoir la l. bien pendue** to have the gift of the gab; *Fig* **avoir un mot sur le bout de la l.** to have a word on the tip of one's tongue; **l. maternelle** mother tongue; **langues mortes**

ancient languages; **langues vivantes** modern languages ▪ **languette** *nf (patte)* tongue

langueur [lɑ̃gœr] *nf (mélancolie)* languor ▪ **languir** *vi* to languish (**après** for *or* after); *(conversation)* to flag; **ne nous fais pas l.** don't keep us in suspense

lanière [lanjɛr] *nf* strap; *(d'étoffe)* strip

lanterne [lɑ̃tɛrn] *nf (lampe)* lantern; *Aut* **lanternes** parking lights, *Br* sidelights; *Fig* **éclairer la l. de qn** to enlighten sb

lanterner [lɑ̃tɛrne] *vi Fam* to dawdle

lapalissade [lapalisad] *nf* statement of the obvious

laper [lape] *vt* to lap up

lapider [lapide] *vt* to stone

lapin [lapɛ̃] *nm* rabbit; **mon (petit) l.** darling, *Am* honey; *Fam* **poser un l. à qn** to stand sb up

laps [laps] *nm* **un l. de temps** a period of time

lapsus [lapsys] *nm* slip of the tongue; **faire un l.** to make a slip

laquais [lakɛ] *nm Hist* footman; *Fig & Péj* lackey

laque [lak] *nf (vernis)* lacquer; *(pour cheveux)* hairspray; *(peinture)* gloss (paint) ▪ **laquer** *vt (objet, cheveux)* to lacquer

laquelle [lakɛl] *voir* **lequel**

larbin [larbɛ̃] *nm Fam Péj* flunkey

larcin [larsɛ̃] *nm* petty theft

lard [lar] *nm (gras)* (pork) fat; *(viande)* bacon ▪ **lardon** *nm Culin* strip of bacon

Il faut noter que le nom anglais **lard** est un faux ami. Il signifie **saindoux**.

large [larʒ] **1** *adj (route, porte, chaussure)* wide; *(vêtement)* loose-fitting; *(nez, geste)* broad; *(considérable)* large; *(généreux)* generous; **l. de 6 m** 6 m wide; **l. d'esprit** broad-minded; **avoir les idées larges** to be broad-minded; **dans une l. mesure** to a large extent **2** *adv* **compter l.** to allow for more **3** *nm* **avoir 6 m de l.** to be 6 m wide; **le l.** *(mer)* the open sea; **au l. de Cherbourg** off Cherbourg; **être au l. dans** *(vêtement)* to have lots of room in ▪ **largement** [-əmɑ̃] *adv (répandu, critiqué)* widely; *(ouvrir)* wide; *(récompenser, payer, servir)* generously; *(dépasser)* by a long way; **avoir le temps** to have plenty of time ▪ **largesse** *nf (générosité)* generosity; **largesses** *(dons)* generous gifts ▪ **largeur** *nf (dimension)* width, breadth; **en l., dans la l.** widthwise; **l. d'esprit** broad-mindedness; *Ordinat* **l. de bande** bandwidth

Il faut noter que l'adverbe anglais **largely** est un faux ami. Il signifie **en grande partie**.

larguer [large] *vt (bombe, parachutiste)* to drop; *Naut* **l. les amarres** to cast off; *Fam* **l. qn** *(abandonner)* to chuck *or* dump sb; *Fam* **je suis largué** *(perdu)* I'm all at sea

larme [larm] *nf* tear; *Fam (goutte)* drop; **avoir les larmes aux yeux** to have tears in one's eyes; **en**

larmes in tears; **rire aux larmes** to laugh till one cries ▪**larmoyer** *vi (yeux)* to water

larve [larv] *nf (d'insecte)* grub

larvé, -ée [larve] *adj (guerre)* latent

larynx [larɛ̃ks] *nm* larynx ▪**laryngite** *nf Méd* laryngitis

las, lasse [lɑ, lɑs] *adj* weary (**de** of) ▪**lassant, -ante** *adj* tiresome ▪**lasser** 1 *vt* to tire 2 **se lasser** *vpr* **se l. de qch/de faire qch** to get tired of sth/of doing sth ▪**lassitude** *nf* weariness

lasagnes [lazaɲ] *nfpl* lasagne

lascar [laskar] *nm Fam* rascal

lascif, -ive [lasif, -iv] *adj* lascivious

laser [lazer] *nm* laser; **rayon/imprimante l.** laser beam/printer

lasso [laso] *nm* lasso; **prendre au l.** to lasso

latent, -ente [latɑ̃, -ɑ̃t] *adj* latent

latéral, -e, -aux, -ales [lateral, -o] *adj* side; **rue latérale** side street

latin, -ine [latɛ̃, -in] 1 *adj* Latin 2 *nmf* L., Latine Latin 3 *nm (langue)* Latin; *Fam* **j'y perds mon l.** I can't make head nor tail of it

latitude [latityd] *nf Géog & Fig* latitude

latrines [latrin] *nfpl* latrines

latte [lat] *nf* lath; *(de plancher)* board

lauréat, -éate [lɔrea, -eat] *nmf* (prize)winner

laurier [lɔrje] *nm (arbre)* laurel; *Culin* bay leaves; *Fig* **s'endormir sur ses lauriers** to rest on one's laurels

lavabo [lavabo] *nm* washbasin; **lavabos** *(toilettes) Br* toilet(s), *Am* washroom

lavande [lavɑ̃d] *nf* lavender

lave [lav] *nf* lava

laver [lave] 1 *vt* to wash; **l. qch à l'eau froide** to wash sth in cold water; *Fig* **l. qn d'une accusation** to clear sb of an accusation 2 **se laver** *vpr* to wash (oneself), *Am* to wash up; **se l. les mains** to wash one's hands; **se l. les dents** to clean one's teeth ▪**lavable** *adj* washable ▪**lavage** *nm* washing; **l. de cerveau** brainwashing ▪**lave-auto** *(pl* lave-autos) *nm Can* carwash ▪**lave-glace** *(pl* lave-glaces) *nm Br* windscreen *or Am* windshield washer ▪**lave-linge** *nm inv* washing machine ▪**laverie** *nf (automatique) Br* launderette, *Am* Laundromat® ▪**lavette** *nf* dishcloth; *Péj (homme)* drip ▪**laveur** *nm* **l. de carreaux** window *Br* cleaner *or Am* washer ▪**lave-vaisselle** *nm inv* dishwasher ▪**lavoir** *nm (bâtiment)* washhouse

laxatif, -ive [laksatif, -iv] *nm & adj* laxative

laxisme [laksism] *nm* laxness ▪**laxiste** *adj* lax

layette [lɛjɛt] *nf* baby clothes

le, la, les [lə, la, le]

> l' is used instead of **le** or **la** before a word beginning with a vowel or h mute.

1 *article défini* (**a**) *(pour définir le nom)* the; **le garçon** the boy; **la fille** the girl; **les petits/ rouges** the little ones/red ones; **mon ami le**

plus proche my closest friend; **venez, les enfants!** come, children! (**b**) *(avec les généralités, les notions)* **la beauté/vie** beauty/ life; **la France** France; **les Français** the French; **les hommes** men; **aimer le café** to like coffee (**c**) *(avec les parties du corps)* **il ouvrit la bouche** he opened his mouth; **se blesser au pied** to hurt one's foot; **avoir les cheveux blonds** to have blond hair (**d**) *(distributif)* **3 euros le kilo** 3 euros a kilo (**e**) *(dans les compléments de temps)* **elle vient le lundi/le matin** she comes on Mondays/in the morning(s); **elle passe le soir** she comes over in the evening(s); **l'an prochain** next year; **une fois l'an** once a year

2 *pron (homme)* him; *(femme)* her; *(chose, animal)* it; **les** them; **je la vois** I see her/it; **je le vois** I see him/it; **je les vois** I see them; **es-tu fatigué? – je le suis** are you tired? – I am; **je le crois** I think so

leader [lidœr] *nm* leader

lécher [leʃe] *vt* to lick 2 **se lécher** *vpr* **se l. les doigts** to lick one's fingers ▪**lèche-vitrines** *nm Fam* **faire du l.** to go window-shopping

leçon [ləsɔ̃] *nf* lesson; **faire la l. à qn** to lecture sb; **servir de l. à qn** to teach sb a lesson

lecteur, -trice [lɛktœr, -tris] *nmf* reader; *Univ* foreign language assistant; **l. (de) cassettes/ CD/DVD** cassette/CD/DVD player; *Ordinat* **l. (de) disques** *ou* **(de) disquettes** disk drive; **l. (de) MP3** MP3 player; *Ordinat* **l. Zip®** zip drive ▪**lecture** *nf* reading; **faire la l. à qn** to read to sb; **de la l.** some reading matter; **donner l. des résultats** to read out the results; **lectures** *(livres)* books; *Ordinat* **l. optique** optical reading

> Il faut noter que le nom anglais **lecture** est un faux ami. Il signifie **conférence**.

légal, -e, -aux, -ales [legal, -o] *adj* legal ▪**légalement** *adv* legally ▪**légaliser** *vt* to legalize ▪**légalité** *nf* legality (**de** of); **agir en toute l.** to act within the law

légataire [legater] *nmf* legatee; **l. universel** sole legatee

légende [leʒɑ̃d] *nf (histoire)* legend; *(de carte)* key; *(de photo)* caption; **entrer dans la l.** to become a legend ▪**légendaire** *adj* legendary

léger, -ère [leʒe, -ɛr] 1 *adj* light; *(bruit, blessure, fièvre, nuance)* slight; *(café, thé, argument)* weak; *(bière, tabac)* mild; *(frivole)* frivolous; *(irréfléchi)* thoughtless 2 *adv* **manger l.** to have a light meal 3 *nf* **agir à la légère** to act thoughtlessly; **prendre qch à la légère** to make light of sth ▪**légèrement** *adv* lightly; *(un peu)* slightly; *(avec désinvolture)* rashly ▪**légèreté** *nf (d'objet, de danseur)* lightness; *(de blessure)* slightness; *(désinvolture)* thoughtlessness

légiférer [leʒifere] *vi* to legislate (**sur** on)

légion [leʒjɔ̃] nf Mil legion; Fig huge number; **L. d'honneur** Legion of Honour ▪**légionnaire** nm (de la Légion étrangère) legionnaire

législatif, -ive [leʒislatif, -iv] adj legislative; (élections) parliamentary ▪**législation** nf legislation ▪**législature** nf (période) term of office

légitime [leʒitim] adj (action, enfant) legitimate; (héritier) rightful; (colère) justified; **être en état de l. défense** to be acting in Br self-defence or Am self-defense ▪**légitimité** nf legitimacy

legs [leg] nm Jur legacy, bequest; Fig (héritage) legacy ▪**léguer** vt to bequeath (**à** to)

légume [legym] nm vegetable

lendemain [lɑ̃dmɛ̃] nm **le l.** the next day; **le l. de** the day after; **le l. matin** the next morning; **sans l. (succès)** short-lived; **au l. de la guerre** soon after the war

lent, -e [lɑ̃, lɑ̃t] adj slow ▪**lentement** adv slowly ▪**lenteur** nf slowness

lentille [lɑ̃tij] nf (plante, graine) lentil; (verre) lens; **lentilles de contact** contact lenses

léopard [leɔpar] nm leopard

LEP [ɛløpe, lɛp] (abrév **lycée d'enseignement professionnel**) nm Anciennement Scol ≃ technical college

lèpre [lɛpr] nf leprosy ▪**lépreux, -euse** 1 adj leprous 2 nmf leper

lequel, laquelle [ləkɛl, lakɛl] (mpl **lesquels,** fpl **lesquelles** [lekɛl])

> **lequel** and **lesquel(le)s** contract with **à** to form **auquel** and **auxquel(le)s**, and with **de** to form **duquel** and **desquel(le)s**.

1 pron relatif (chose, animal) which; (personne) who; (indirect) whom; **dans l.** in which; **parmi lesquels** (choses, animaux) among which; (personnes) among whom **2** pron interrogatif which (one); **l. préférez-vous?** which (one) do you prefer?

les [le] voir **le**

lesbien, -ienne [lɛsbjɛ̃, -jɛn] **1** adj lesbian **2** nf lesbienne lesbian

léser [leze] vt (personne) to wrong

lésiner [lezine] vi to skimp (**sur** on)

lésion [lezjɔ̃] nf lesion

lessive [lesiv] nf (produit) washing powder; (liquide) liquid detergent; (linge) washing; **faire la l.** to do the washing ▪**lessivé, -ée** adj Fam washed out ▪**lessiver** vt to wash

lest [lɛst] nm ballast; **lâcher du l.** to discharge ballast ▪**lester** vt to ballast; Fam (remplir) to stuff

leste [lɛst] adj (agile) nimble; (grivois) risqué

léthargie [letarʒi] nf lethargy ▪**léthargique** adj lethargic

Lettonie [lɛtɔni] nf Latvia ▪**letton, -onne** 1 adj Latvian 2 nmf L., Lettonne Latvian 3 nm (langue) Latvian

lettre [lɛtr] nf (missive, caractère) letter; **en toutes lettres** in full; **obéir à qch à la l.** to

obey sth to the letter; **les lettres** (discipline) arts, humanities; **homme de lettres** man of letters; Fam **c'est passé comme une l. à la poste** it went off without a hitch; **l. ouverte** open letter ▪**lettré, -ée** adj well-read

leucémie [løsemi] nf Méd Br leukaemia, Am leukemia

leur [lœr] **1** adj possessif their; **l. chat** their cat; **leurs voitures** their cars **2** pron possessif **le l., la l., les leurs** theirs **3** pron personnel (indirect) to them; **donne-l. ta carte** give them your card; **il l. est facile de...** it's easy for them to...

leurre [lœr] nm (illusion) illusion ▪**leurrer** 1 vt to delude **2 se leurrer** upr to delude oneself

lever [ləve] **1** vt (objet) to lift, to raise; (blocus, interdiction, immunité parlementaire) to lift; (séance) to close; (impôts, armée) to levy; **l. les yeux** to look up **2** vi (pâte) to rise; (blé) to shoot **3 se lever** upr to get up; (soleil, rideau) to rise; (jour) to break; (brume) to clear, to lift **4** nm **le l. du jour** daybreak; **le l. du soleil** sunrise; Théâtre **l. de rideau** curtain up ▪**levant, -ante** 1 adj (soleil) rising 2 nm **le l.** the east ▪**levé, -ée** adj être **l.** (debout) to be up ▪**levée** nf (d'interdiction) lifting; (du courrier) collection; (d'impôts) levying; Fig **l. de boucliers** public outcry

levier [ləvje] nm lever; Aut **l. de vitesse** Br gear lever, Am gearshift

lèvre [lɛvr] nf lip; **accepter du bout des lèvres** to accept grudgingly

lévrier [levrije] nm greyhound

levure [ləvyr] nf yeast

lexique [lɛksik] nm (glossaire) glossary

lézard [lezar] nm lizard

lézarde [lezard] nf crack ▪**lézarder** 1 vt to crack **2** vi Fam to bask in the sun **3 se lézarder** upr to crack

liaison [ljɛzɔ̃] nf (rapport) connection; (entre mots) & Mil liaison; **en l. avec qn** in contact with sb; **assurer la l. entre deux services** to liaise between two departments; **l. aérienne/ ferroviaire** air/rail link; **l. amoureuse** love affair; **l. radio/téléphonique** radio/telephone link

liane [ljan] nf creeper

liant, -e [ljɑ̃, -ɑ̃t] adj sociable

liasse [ljas] nf bundle

Liban [libɑ̃] nm **le L.** (the) Lebanon ▪**libanais, -aise** 1 adj Lebanese 2 nmf L., Libanaise Lebanese

libeller [libele] vt (contrat) to word; (chèque) to make out ▪**libellé** nm wording

libellule [libelyl] nf dragonfly

libéral, -e, -aux, -ales [liberal, -o] adj & nmf liberal ▪**libéraliser** vt to liberalize ▪**libéralisme** nm Pol liberalism; Écon free-market economics ▪**libéralité** nf Littéraire (générosité) generosity; Jur (don) gift

libérer [libere] **1** *vt* (*prisonnier*) to free, to release; (*élève*) to let go; (*pays*) to liberate (**de** from); (*chambre*) to vacate; **l. qn d'un souci** to take the weight off sb's mind **2 se libérer** *upr* to free oneself (**de** from); **je n'ai pas pu me l. plus tôt** I couldn't get away any earlier ▪ **libérateur, -trice** **1** *adj* liberating **2** *nmf* liberator ▪ **libération** *nf* (*de prisonnier*) release; (*de pays*) liberation; *Jur* **l. conditionnelle** parole; *Hist* **la L.** the Liberation (*of France from the Germans in 1944-45*)

liberté [liberte] *nf* freedom, liberty; *Jur* **en l. provisoire** on bail; **rendre sa l. à qn** to let sb go; **mettre qn en l.** to set sb free; **mise en l.** release

libraire [librer] *nmf* bookseller ▪ **librairie** *nf* (*magasin*) bookshop

> Il faut noter que les termes anglais **librarian** et **library** sont des faux amis. Ils signifient respectivement **bibliothécaire** et **bibliothèque**.

libre [libr] *adj* (*personne, siège*) free (**de qch** from sth; **de faire** to do); (*voie*) clear; **être l. comme l'air** to be as free as a bird; **avoir les mains libres** to have one's hands free; *Fig* **la voie est l.** the coast is clear; **école l.** independent Catholic school; **radio l.** independent radio; **l. arbitre** free will ▪ **libre-échange** *nm Écon* free trade ▪ **librement** [-əmã] *adv* freely ▪ **libre-penseur** (*pl* **libres-penseurs**) *nm* freethinker ▪ **libre-service** (*pl* **libres-services**) *nm* (*système, magasin*) self-service

Libye [libi] *nf* **la L.** Libya ▪ **libyen, -enne** **1** *adj* Libyan **2** *nmf* **L., Libyenne** Libyan

licence [lisãs] *nf Sport* permit; *Com Br* licence, *Am* license; *Univ* (*bachelor's*) degree; **l. en lettres/sciences** arts/science degree; **l. poétique** poetic licence ▪ **licencié, -iée** *adj & nmf* graduate; **l. en lettres/sciences** arts/ science graduate

> Il faut noter que le nom anglais **licence** ne signifie jamais **diplôme**.

licencier [lisãsje] *vt* (*employé*) to lay off, *Br* to make redundant ▪ **licenciement** *nm* lay-off, *Br* redundancy; **l. économique** lay-off, *Br* redundancy

licorne [likɔrn] *nf* unicorn

lie [li] *nf* dregs

liège [ljɛʒ] *nm* (*matérielle*) cork; **un bouchon de l.** a cork

lien [ljɛ̃] *nm* (*rapport*) link, connection; (*attache*) bond; **les liens sacrés du mariage** the sacred bonds of marriage; **l. de parenté** family relationship; *Ordinat* **l. hypertexte** hypertext link

lier [lje] **1** *vt* (*attacher*) to tie up; (*contrat*) to be

binding on; (*personnes*) to bind together; (*événements, paragraphes*) to connect, to link; *Culin* (*sauce*) to thicken; **l. qn** (*unir, engager*) to bind sb; **avoir les mains liées** to have one's hands tied; **être très lié avec qn** to be great friends with sb **2 se lier** *upr* **se l.** (**d'amitié**) to become friends

lierre [ljɛr] *nm* ivy

lieu, -x [ljø] *nm* place; **les lieux** (*locaux*) the premises; **sur les lieux du crime/de l'accident** at the scene of the crime/accident; **être sur les lieux** to be on the spot; **avoir l.** to take place; **donner l. à qch** to give rise to sth; **avoir l. de faire qch** to have good reason to do sth; **il n'y a pas l. de s'inquiéter** there's no need to worry; **tenir l. de qch** to serve as sth; **se plaindre en haut l.** to complain to people in high places; **au l. de** instead of; **au l. de te plaindre** instead of complaining; **en premier l.** in the first place, firstly; **en dernier l.** lastly; **s'il y a l.** if necessary; **l. commun** commonplace; **l. de naissance** place of birth; **l. public** public place; **l. de vacances** *Br* holiday *or Am* vacation destination ▪ **lieu-dit** (*pl* **lieux-dits**) *nm* locality

lieue [ljø] *nf Hist & Naut* (*mesure*) league

lieutenant [ljøtnã] *nm* lieutenant

lièvre [ljɛvr] *nm* hare

lifter [lifte] *vt* (*personne*) to perform a facelift on; (*bâtiment*) to give a facelift to ▪ **lifting** *nm* facelift

ligament [ligamã] *nm* ligament

ligne [liɲ] *nf* (*trait, contour, de transport*) line; (*belle silhouette*) figure; (*rangée*) row, line; **les grandes lignes** (*de train*) the main lines; *Fig* (*les idées principales*) the broad outline; **aller à la l.** to begin a new paragraph; *Fig* **sur toute la l.** completely; (**se**) **mettre en l.** to line up; **être en l.** (*au téléphone*) to be through; **entrer en l. de compte** to be taken into account; *Fam* **garder la l.** to stay slim; **l. d'autobus** bus service; (*parcours*) bus route; **l. de chemin de fer** *Br* railway *or Am* railroad line; **l. de conduite** line of conduct; *Sport* **l. de touche** touchline

lignée [liɲe] *nf* descendants; *Fig* **dans la l. de** in the tradition of

ligoter [ligɔte] *vt* to tie up (**à** to)

ligue [lig] *nf* league ▪ **se liguer** *upr* (*États*) to form a league (**contre** against); (*personnes*) to gang up (**contre** against)

lilas [lila] *nm & adj inv* lilac

limace [limas] *nf* slug

limaille [limaj] *nf* filings

limande [limãd] *nf* dab

lime [lim] *nf* (*outil*) file; **l. à ongles** nail file ▪ **limer** *vt* to file

limier [limje] *nm* (*chien*) bloodhound; *Fam* **fin l.** (*policier*) sleuth

limitatif, -ive [limitatif, -iv] *adj* restrictive ▪ **limitation** *nf* limitation; **l. de vitesse** speed limit

limite [limit] **1** *nf* limit (à to); *(de propriété)* boundary; **sans l.** unlimited, limitless; **jusqu'à la l. de ses forces** to the point of exhaustion; **à la l.** if absolutely necessary; **dans la l. des stocks disponibles** while stocks last; **ma patience a des limites!** there are limits to my patience! **2** *adj (vitesse, âge)* maximum; **cas l.** borderline case; *Fam* **je suis un peu l. financièrement** I'm a bit short of cash

limiter [limite] **1** *vt (restreindre)* to limit, to restrict (à to); *(territoire)* to bound **2 se limiter** *vpr* **se l. à qch/à faire qch** to limit *or* restrict oneself to sth/to doing sth

limoger [limɔʒe] *vt* to dismiss

limonade [limɔnad] *nf* lemonade *(fizzy)*

limpide [lɛ̃pid] *adj (eau, explication)* clear, crystal-clear ▪ **limpidité** *nf* clearness

lin [lɛ̃] *nm (plante)* flax; *(tissu)* linen; **huile de l.** linseed oil

linceul [lɛ̃sœl] *nm* shroud

linéaire [lineɛr] *adj* linear

linge [lɛ̃ʒ] *nm (vêtements)* linen; *(à laver)* washing; *(morceau de tissu)* cloth; **l. de corps** underwear; **l. de maison** household linen ▪ **lingerie** *nf (de femmes)* underwear; *(pièce)* linen room

lingot [lɛ̃go] *nm* ingot; **l. d'or** gold bar

linguiste [lɛ̃gɥist] *nmf* linguist ▪ **linguistique** **1** *adj* linguistic **2** *nf* linguistics *(sing)*

lino [lino] *nm* lino ▪ **linoléum** *nm* linoleum

linotte [linɔt] *nf Fig* **tête de l.** scatterbrain

lion [ljɔ̃] *nm* lion; **le L.** *(signe)* Leo; **être L.** to be (a) Leo ▪ **lionceau, -x** *nm* lion cub ▪ **lionne** *nf* lioness

liquéfier [likefje] *vt*, **se liquéfier** *vpr* to liquefy

liqueur [likœr] *nf* liqueur

> Il faut noter que le nom **liquor** utilisé en américain est un faux ami. Il signifie **alcool**.

liquide [likid] **1** *adj* liquid **2** *nm* liquid; *(argent)* cash; **payer en l.** to pay cash

liquider [likide] *vt (dette, stock)* to clear; *Jur (société)* to liquidate; *Fam (travail, restes)* to polish off; *Fam* **l. qn** *(tuer)* to liquidate sb ▪ **liquidation** *nf (de dette, de stock)* clearing; *Jur (de société)* liquidation; *Com* **l. totale** stock clearance

lire¹ [lir] **1** *vt* to read; **l. qch à qn** to read sth to sb **2** *vi* to read

lire² [lir] *nf (monnaie)* lira

lis¹ [lis] *nm (plante, fleur)* lily

lis², lisant, lise(nt) *etc* [li, lizɑ̃, liz] *voir* **lire¹**

lisible [lizibl] *adj (écriture)* legible; *(livre)* readable ▪ **lisiblement** [-əmɑ̃] *adv* legibly

lisière [lizjɛr] *nf* edge

lisse [lis] *adj* smooth ▪ **lisser** *vt* to smooth; *(plumes)* to preen

liste [list] *nf* list; **sur (la) l. rouge** *(du téléphone)* *Br* ex-directory, *Am* unlisted; **l. de qch** to make (out) a list of sth; **l. d'attente** waiting list; **l. électorale** electoral roll; **l. de mariage** wedding list

lit¹ [li] *nm* bed; **se mettre au l.** to go to bed; **garder le l.** to stay in bed; **faire son l.** to make one's bed; **sortir de son l.** *(rivière)* to burst its banks; **l. de camp** *Br* camp bed, *Am* cot; **l. d'enfant** *Br* cot, *Am* crib; **lits superposés** bunk beds ▪ **literie** *nf* bedding

lit² [li] *voir* **lire¹**

litanie [litani] *nf* litany

litière [litjɛr] *nf (de chat, de cheval)* litter

litige [litiʒ] *nm (conflit)* dispute; *Jur* lawsuit ▪ **litigieux, -ieuse** *adj* contentious

litre [litr] *nm Br* litre, *Am* liter

littéraire [literɛr] *adj* literary ▪ **littérature** *nf* literature

littéral, -e, -aux, -ales [literal, -o] *adj* literal ▪ **littéralement** *adv* literally

littoral, -e, -aux, -ales [litɔral, -o] **1** *adj* coastal **2** *nm* coast(line)

Lituanie [litɥani] *nf* Lithuania ▪ **lituanien, -ienne** **1** *adj* Lithuanian **2** *nmf* **L., Lituanienne** Lithuanian **3** *nm (langue)* Lithuanian

liturgie [lityrʒi] *nf* liturgy ▪ **liturgique** *adj* liturgical

livide [livid] *adj (pâle)* pallid

livraison [livrɛzɔ̃] *nf* delivery

livre [livr] **1** *nm* book; **le l., l'industrie du l.** the book industry; *Naut* **l. de bord** logbook; **l. de cuisine** cookery book; **l. de poche** paperback (book) **2** *nf (monnaie, poids)* pound ▪ **livresque** [-ɛsk] *adj (savoir)* acquired from books; *Péj (personne)* bookish

livrée [livre] *nf (de domestique)* livery

livrer [livre] **1** *vt (marchandises)* to deliver (à to); *(secret)* to reveal; **l. qn à la police** to hand sb over to the police; **l. bataille** to join battle **2 se livrer** *vpr (se rendre)* to give oneself up (à to); *(se confier)* to confide (à in); **se l. à** *(habitude, excès)* to indulge in; *(activité)* to devote oneself to; *(désespoir, destin)* to abandon oneself to ▪ **livraison** *nf* delivery ▪ **livreur, -euse** *nmf* delivery man, *f* delivery woman

livret [livrɛ] *nm (petit livre)* booklet; *Mus* libretto; **l. de caisse d'épargne** bankbook, *Br* passbook; **l. de famille** family record book *(registering births and deaths)*; **l. scolaire** school report book

lobe [lɔb] *nm Anat* lobe

local, -e, -aux, -ales [lɔkal, -o] **1** *adj* local **2** *nm (pièce)* room; **locaux** *(bâtiment)* premises ▪ **localement** *adv* locally ▪ **localiser** *vt (déterminer)* to locate; *(appel téléphonique)* to trace

localité [lɔkalite] *nf* locality

locataire [lɔkatɛr] *nmf* tenant; *(chez le propriétaire)* *Br* lodger, *Am* roomer

location [lɔkasjɔ̃] *nf (de maison) (par le locataire)* renting; *(par le propriétaire)* renting out, *Br* letting; *(de voiture)* renting, *Br* hiring; *(appartement, maison)* rented accommodation; *(loyer)* rent; *(de place de spectacle)* booking; **bureau de l.** booking office; **en l.** on hire; **voiture de l.** rented *or Br* hire(d) car; **l.-vente** *(crédit-bail)* leasing with option to buy

> Il faut noter que le nom anglais **location** est un faux ami. Il signifie **endroit**.

locomotion [lɔkɔmosjɔ̃] *nf* moyen de l. means of transport

locomotive [lɔkɔmɔtiv] *nf (de train)* engine

locuteur, -trice [lɔkytœr, -tris] *nmf Ling* speaker ▪ **locution** *nf* phrase

loge [lɔʒ] *nf (de concierge)* lodge; *(d'acteur)* dressing-room; *Théâtre (de spectateur)* box; *Fig* **être aux premières loges** to have a ringside seat

loger [lɔʒe] 1 *vt (recevoir, mettre)* to accommodate; *(héberger)* to put up; **être logé et nourri** to have board and lodging 2 *vi (temporairement)* to stay; *(en permanence)* to live 3 **se loger** *vpr* **(trouver à) se l.** to find somewhere to live; *(temporairement)* to find somewhere to stay; **la balle se logea dans le mur** the bullet lodged (itself) in the wall ▪ **logement** *nm (habitation)* accommodation, lodging; *(appartement) Br* flat, *Am* apartment; *(maison)* house; *(action)* housing; **le l.** housing ▪ **logeur, -euse** *nmf* landlord, *f* landlady

loggia [lɔdʒja] *nf (balcon)* loggia

logiciel [lɔʒisjɛl] *nm Ordinat* software *inv*; **un l.** a software package; *(programme)* a computer program

logique [lɔʒik] 1 *adj* logical 2 *nf* logic ▪ **logiquement** *adv* logically

logistique [lɔʒistik] *nf* logistics *(sing)*

logo [lɔgo] *nm* logo

loi [lwa] *nf* law; **faire la l.** to lay down the law (**à** to)

loin [lwɛ̃] *adv* far (away *or* off) (**de** from); **Boston est l. de Paris** Boston is a long way away from Paris; **plus l.** further, farther; *(ci-après)* further on; **aller l.** *(réussir)* to go far; **aller trop l.** *(exagérer)* to go too far; **au l.** in the distance, far away; **de l.** from a distance; *(de beaucoup)* by far; **c'est l., tout ça** *(passé)* that was a long time ago; *Fig* **l. de là** far from it ▪ **lointain, -aine** *adj* distant, far-off; *(ressemblance, rapport)* remote

loir [lwar] *nm* dormouse

loisir [lwazir] *nm* **avoir le l. de faire qch** to have the time to do sth; **(tout) à l.** *(en prenant tout son temps)* at leisure; *(autant qu'on le désire)* as much as one would like; **loisirs** *(temps libre)* spare time, leisure (time); *(distractions)* leisure *or* spare-time activities

Londres [lɔ̃dr] *nm ou f* London ▪ **londonien, -ienne** 1 *adj* London, of London 2 *nmf* **L., Londonienne** Londoner

long, longue [lɔ̃, lɔ̃g] 1 *adj* long; **être l. (à faire qch)** to be a long time (in doing sth); **l. de 2 m** 2 m long 2 *nm* **avoir 2 m de l.** to be 2 m long; **(tout) le l. de** *(espace)* (all) along; **tout le l. de** *(temps)* throughout; **de l. en large** *(marcher)* up and down; **en l. et en large** thoroughly; **en l.** lengthwise; **tomber de tout son l.** to fall flat *(on one's face)* 3 *adv* **en savoir/en dire l. sur** to know/say a lot about; **leur attitude en disait l.** their attitude spoke volumes ▪ **long-courrier** *(pl* **long-courriers)** *nm (avion)* long-haul aircraft

longer [lɔ̃ʒe] *vt (sujet: personne, voiture)* to go along; *(mur, côte)* to hug; *(sujet: sentier, canal)* to run alongside

longévité [lɔ̃ʒevite] *nf* longevity

longiligne [lɔ̃ʒiliɲ] *adj* willowy

longitude [lɔ̃ʒityd] *nf* longitude

longtemps [lɔ̃tɑ̃] *adv* (for) a long time; **trop/ avant l.** too/before long; **aussi l. que** as long as

longue [lɔ̃g] *voir* **long** ▪ **longuement** *adv (expliquer)* at length; *(attendre, réfléchir)* for a long time ▪ **longuet, -ette** *adj Fam* longish ▪ **longueur** *nf* length; *Péj* **longueurs** *(de texte, de film)* drawn-out passages; **à l. de journée** all day long; *Radio* **l. d'onde** wavelength; *Fig* **être sur la même l. d'onde** to be on the same wavelength ▪ **longue-vue** *(pl* **longues-vues)** *nf* telescope

look [luk] *nm Fam* look; **avoir un l. d'enfer** to look great *or Br* wicked ▪ **looké, -ée** *adj Fam* **être l. punk/grunge** to have a punky/grunge look

lopin [lɔpɛ̃] *nm* **l. de terre** plot *or* patch of land

loquace [lɔkas] *adj* talkative

loque [lɔk] *nf (vêtement)* rag; *Fig (personne)* wreck; **être en loques** to be in rags

loquet [lɔkɛ] *nm* latch

lorgner [lɔrɲe] *vt (avec indiscrétion)* to eye; *(avec concupiscence)* to eye up; *(convoiter)* to have one's eye on

lors [lɔr] *adv* **l. de** at the time of; **depuis l., dès l.** from then on; **dès l. que** *(puisque)* since

lorsque [lɔrsk(ə)] *conj* when

losange [lɔzɑ̃ʒ] *nm (forme)* diamond

lot [lo] *nm (de marchandises)* batch; *(de loterie)* prize; **gros l.** jackpot ▪ **loterie** *nf* lottery

loti, -ie [lɔti] *adj Fig* **bien/mal l.** well-off/badly off

lotion [losjɔ̃] *nf* lotion

lotissement [lɔtismɑ̃] *nm (terrain)* building plot; *(habitations)* housing *Br* estate *or Am* development

loto [lɔto] *nm (jeu)* lotto; *(jeu national)* national lottery

louable [lwabl] *adj* praiseworthy, laudable

louange [lwɑ̃ʒ] *nf* praise
louche[1] [luʃ] *nf (cuillère)* ladle
louche[2] [luʃ] *adj (suspect)* shady, *Br* dodgy
loucher [luʃe] *vi* to squint; *Fam* **l. sur qch** to eye sth
louer[1] [lwe] *vt (prendre en location) (maison, appartement)* to rent; *(voiture)* to rent, *Br* to hire; *(donner en location) (maison, appartement)* to rent out, *Br* to let; *(voiture)* to rent out, *Br* to hire out; *(réserver)* to book; **maison/chambre à l.** house/room to rent *or Br* to let
louer[2] [lwe] **1** *vt (exalter)* to praise *(de* for) **2 se louer** *vpr* **se l. de qch** to be highly satisfied with sth
loufoque [lufɔk] *adj Fam (fou)* crazy
loukoum [lukum] *nm* piece of Turkish delight; **des loukoums** Turkish delight
loup [lu] *nm* wolf; **avoir une faim de l.** to be ravenous ▪ **loup-garou** *(pl* **loups-garous)** *nm* werewolf
loupe [lup] *nf* magnifying glass
louper [lupe] *vt Fam (train)* to miss; *(examen)* to fail, *Am* to flunk; *(travail)* to mess up
lourd, -e [lur, lurd] **1** *adj* heavy *(de* with); *(temps, chaleur)* close; *(faute)* gross; *(tâche)* arduous; *(esprit)* dull **2** *adv* **peser l. (malle)** to be heavy ▪ **lourdaud, -aude 1** *adj* oafish **2** *nmf* oaf ▪ **lourdement** [-əmɑ̃] *adv* heavily; **se tromper l.** to be greatly mistaken ▪ **lourdeur** *nf* heaviness; *(d'esprit)* dullness; **avoir des lourdeurs d'estomac** to feel bloated
lourdingue [lurdɛ̃g] *adj Fam (personne, plaisanterie)* unsubtle
loutre [lutr] *nf* otter
louve [luv] *nf* she-wolf ▪ **louveteau, -x** *nm (animal)* wolf cub; *(scout)* Cub (Scout)
loyal, -e, -aux, -ales [lwajal, -o] *adj (honnête)* fair *(envers* to); *(dévoué)* loyal *(envers* to) ▪ **loyalement** *adv (honnête)* fairly; *(avec dévouement)* loyally ▪ **loyauté** *nf (honnêteté)* fairness; *(dévouement)* loyalty *(envers* to)
loyer [lwaje] *nm* rent
lu [ly] *pp de* **lire**
lubie [lybi] *nf* whim
lubrifier [lybrifje] *vt* to lubricate ▪ **lubrifiant** *nm* lubricant
lubrique [lybrik] *adj* lustful
lucarne [lykarn] *nf (fenêtre)* dormer window; *(de toit)* skylight
lucide [lysid] *adj* lucid ▪ **lucidité** *nf* lucidity
lucratif, -ive [lykratif, -iv] *adj* lucrative
lueur [lɥœr] *nf (lumière) & Fig* glimmer
luge [lyʒ] *nf Br* sledge, *Am* sled
lugubre [lygybr] *adj* gloomy
lui [lɥi] *pron personnel* (**a**) *(objet indirect)* (to) him; *(femme)* (to) her; *(chose, animal)* (to) it; **je le l. ai montré** I showed it to him/her; **il l. est facile de…** it's easy for him/her to… (**b**) *(complément direct)* him; **elle n'aime que l.** she

only loves him; **elle n'écoute ni l. ni personne** she doesn't listen to him or to anybody (**c**) *(après une préposition)* him; **pour/avec l.** for/with him; **elle pense à l.** she thinks of him; **il ne pense qu'à lui** he only thinks of himself; **ce livre est à l.** this book is his (**d**) *(dans les comparaisons)* **elle est plus grande que l.** she's taller than he is *or* than him (**e**) *(sujet)* **l., il ne viendra pas** *(emphatique)* HE won't come; **c'est l. qui me l'a dit** he is the one who told me ▪ **lui-même** *pron* himself; *(chose, animal)* itself
luire* [lɥir] *vi* to shine ▪ **luisant, -ante** *adj (métal)* shiny
lumbago [lɔ̃bago] *nm* lumbago
lumière [lymjer] *nf* light; **à la l. de** by the light of; *Fig (grâce à)* in the light of; *Fig* **faire toute la l. sur** to clear up; *Fig* **mettre en l.** to bring to light; *Fam* **ce n'est pas une l.** he's/she's not very bright ▪ **luminaire** *nm (appareil)* lighting appliance
lumineux, -euse [lyminø, -øz] *adj (idée, ciel)* bright, brilliant; *(cadran, corps)* luminous; **source lumineuse** light source ▪ **luminosité** *nf* luminosity
lunaire [lyner] *adj* lunar; **clarté l.** light *or* brightness of the moon
lunatique [lynatik] *adj* quirky

> Il faut noter que l'adjectif anglais **lunatic** est un faux ami. Il signifie **fou**.

lundi [lœ̃di] *nm* Monday
lune [lyn] *nf* moon; **être dans la l.** to have one's head in the clouds; **l. de miel** honeymoon ▪ **luné, -ée** *adj Fam* **être bien/mal l.** to be in a good/bad mood
lunette [lynet] *nf (astronomique)* telescope; **lunettes** *(de vue)* glasses, spectacles; *(de protection, de plongée)* goggles; **l. arrière** *(de voiture)* rear window; **lunettes de soleil** sunglasses
lurette [lyret] *nf Fam* **il y a belle l.** ages ago
luron [lyrɔ̃] *nm* **c'est un gai l.** he's a bit of a lad
lustre [lystr] *nm (lampe)* chandelier; *(éclat)* lustre ▪ **lustré, -ée** *adj (par l'usure)* shiny ▪ **lustres** *nmpl Fam* **depuis des l.** for ages and ages
luth [lyt] *nm* lute
lutin [lytɛ̃] *nm* elf, pixie
lutte [lyt] *nf* fight, struggle; *Sport* wrestling; **l. des classes** class struggle ▪ **lutter** *vi* to fight, to struggle; *Sport* to wrestle ▪ **lutteur, -euse** *nmf Sport* wrestler
luxation [lyksasjɔ̃] *nf Méd* dislocation; **se faire une l. à l'épaule** to dislocate one's shoulder
luxe [lyks] *nm* luxury; **un l. de** a wealth of; **article de l.** luxury article; **modèle de l.** de luxe model ▪ **luxueux, -ueuse** *adj* luxurious
Luxembourg [lyksɑ̃bur] *nm* **le L.** Luxembourg ▪ **luxembourgeois 1** *adj* Luxembourgish **2**

nmf **L., Luxembourgeoise** Luxembourger **3** *nm (langue)* Luxembourgish

luxure [lyksyr] *nf Littéraire* lust

> Il faut noter que le nom anglais **luxury** est un faux ami. Il signifie **luxe**.

luxuriant, -iante [lyksyrjɑ̃, -jɑ̃t] *adj* luxuriant

luzerne [lyzɛrn] *nf (plante) Br* lucerne, *Am* alfalfa

lycée [lise] *nm Br* ≃ secondary school, *Am* ≃ high school; **l. technique** *ou* **professionnel** technical *or* vocational school ▪ **lycéen, -éenne** *nmf Br* secondary school pupil, *Am* high school student

lymphatique [lɛ̃fatik] *adj Biol* lymphatic; *(apathique)* lethargic

lyncher [lɛ̃ʃe] *vt* to lynch ▪ **lynchage** *nm* lynching

lynx [lɛ̃ks] *nm* lynx; *Fig* **avoir des yeux de l.** to have eyes like a hawk

lyophiliser [ljɔfilize] *vt (café)* to freeze-dry

lyre [lir] *nf* lyre

lyrique [lirik] *adj (poème)* lyric; *Fig (passionné)* lyrical; **artiste l.** opera singer ▪ **lyrisme** *nm* lyricism

lys [lis] *nm (plante, fleur)* lily

M¹, m¹ [ɛm] *nm inv* M, m

M² *(abrév* **Monsieur)** Mr

m² *(abrév* **mètre(s))** m

m' [m] *voir* **me**

ma [ma] *voir* **mon**

macabre [makɑbr] *adj* macabre, gruesome

macadam [makadam] *nm (goudron)* macadam

macaron [makarɔ̃] *nm (gâteau)* macaroon; *(insigne)* badge; *(autocollant)* sticker

macaronis [makarɔni] *nmpl* macaroni

macédoine [masedwan] *nf* **m. de légumes** mixed vegetables; **m. de fruits** fruit salad

macérer [masere] *vti* to steep ▪ **macération** *nf* steeping

mâche [mɑʃ] *nf* lamb's lettuce

mâcher [mɑʃe] *vt* to chew; **m. le travail à qn** to make sb's task easy; **ne pas m. ses mots** not to mince one's words

machiavélique [makjavelik] *adj* Machiavellian

machin, -ine [maʃɛ̃, -ʃin] *Fam* **1** *nmf (personne)* **M.** what's-his-name; **Machine** what's-her-name **2** *nm (chose)* thingy

machinal, -e, -aux, -ales [maʃinal, -o] *adj (geste, travail)* mechanical; *(réaction)* automatic ▪ **machinalement** *adv (agir)* mechanically; *(réagir)* automatically

machination [maʃinasjɔ̃] *nf* conspiracy

machine [maʃin] *nf (appareil)* machine; *(locomotive, moteur)* engine; *Naut* **salle des machines** engine room; **m. à calculer** calculator; **m. à coudre** sewing machine; **m. à écrire** typewriter; **m. à laver** washing machine; **m. à laver la vaisselle** dishwasher; **m. à** *ou* **de traitement de texte** word processor ▪ **machiniste** *nm (conducteur)* driver; *(de théâtre)* stagehand

machisme [maʃism] *nm* machismo ▪ **macho** [matʃo] *adj & nm Fam* macho

mâchoire [mɑʃwar] *nf* jaw

mâchonner [mɑʃɔne] *vt* to chew

macis [masi] *nm Culin (épice)* mace

maçon [masɔ̃] *nm (de briques)* bricklayer; *(de pierres)* mason ▪ **maçonnerie** *nf (travaux)* building work; *(ouvrage de briques)* brickwork; *(de pierres)* masonry, stonework

macrobiotique [makrobjɔtik] *adj* macrobiotic

macro-commande [makrokɔmɑ̃d] *(pl* **macro-commandes)** *nf Ordinat* macro

maculer [makyle] *vt* to stain **(de** with)

Madagascar [madagaskar] *nf* Madagascar

madame [madam] *(pl* **mesdames)** *nf (en apostrophe)* madam; **bonjour mesdames** good morning(, ladies); **M. Legras** Mrs Legras; **M.** *(dans une lettre)* Dear Madam

madeleine [madlɛn] *nf (gâteau)* madeleine

mademoiselle [madmwazɛl] *(pl* **mesdemoiselles)** *nf (suivi d'un nom)* Miss; **M. Legras** Miss Legras; **merci m.** thank you; **bonjour mesdemoiselles** good morning(, ladies); **M.** *(dans une lettre)* Dear Madam

Madère [madɛr] *nf (île)* Madeira

madère [madɛr] *nm (vin)* Madeira

madone [madɔn] *nf Rel* Madonna

madrier [madrije] *nm* beam

Maf(f)ia [mafja] *nf* **la M.** the Mafia

magasin [magazɛ̃] *nm Br* shop, *Am* store; *(entrepôt)* warehouse; *(d'arme)* & *Phot* magazine; **grand m.** department store; **en m.** in stock ▪ **magasinier** *nm* warehouseman

magazine [magazin] *nm (revue)* magazine

magie [maʒi] *nf* magic ▪ **magicien, -ienne** *nmf* magician ▪ **magique** *adj (surnaturel)* magic; *(enchanteur)* magical

magistral, -e, -aux, -ales [maʒistral, -o] *adj (démonstration)* masterly; *(erreur)* colossal ▪ **magistralement** *adv* magnificently

magistrat [maʒistra] *nm* magistrate ▪ **magistrature** *nf* magistrature

magma [magma] *nm (roche)* magma; *Fig (mélange)* jumble

magnanime [maɲanim] *adj* magnanimous

magnat [magna] *nm* tycoon, magnate; **m. de la presse** presse baron

magner [maɲe] **se magner** *vpr Fam* to get a move on

magnésium [maɲezjɔm] *nm* magnesium

magnétique [maɲetik] *adj* magnetic ▪ **magnétiser** *vt* to magnetize ▪ **magnétisme** *nm* magnetism

magnétophone [maɲetɔfɔn] *(Fam* **magnéto)** *nm* tape recorder; **m. à cassettes** cassette recorder

magnétoscope [maɲetɔskɔp] *nm* video (recorder), *Am* VCR

magnifique [maɲifik] *adj* magnificent ▪ **magnificence** *nf* magnificence ▪ **magnifiquement** *adv* magnificently

magnolia [maɲɔlja] *nm (arbre)* magnolia

magot [mago] *nm Fam* hoard

magouille [maguj] *nf Fam* scheming ▪ **magouilleur, -euse** *nmf Fam* schemer

magret [magrε] *nm* m. de canard *Br* fillet *or Am* filet of duck

mai [mε] *nm* May

maigre [mεgr] 1 *adj (personne, partie du corps)* thin; *(viande)* lean; *(fromage, yaourt)* low-fat; *(repas, salaire, espoir)* meagre 2 *adv* faire m. to abstain from meat ▪ **maigreur** *nf (de personne)* thinness ▪ **maigrichon, -onne** [meg-] *adj Fam* skinny ▪ **maigrir** *vi* to get thinner, to lose weight

maille [majl] *nf (de tricot)* stitch; *(de filet)* mesh; m. filée *(de bas)* run, *Br* ladder; *Fig* avoir m. à partir avec qn to have a set-to with sb ▪ **maillon** *nm* link

maillet [majε] *nm* mallet

maillot [majo] *nm (de sportif)* jersey, shirt; m. de bain *(de femme)* swimsuit, *Br* swimming costume; *(d'homme)* (swimming) trunks; m. de corps *Br* vest, *Am* undershirt; m. jaune *(du Tour de France)* yellow jersey

main [mε] 1 *nf* hand; à la m. *(faire, écrire)* by hand; tenir qch à la m. to hold sth in one's hand; sous la m. handy; la m. dans la m. hand in hand; en mains propres in person; donner la m. à qn to hold sb's hand; *Fig* avoir la m. heureuse to be lucky; avoir le coup de m. to have the knack; demander la m. d'une femme to ask for a woman's hand (in marriage); faire m. basse sur qch to get one's hands on sth; mettre la m. à la pâte to do one's bit; ne pas y aller de m. morte not to pull punches; en venir aux mains to come to blows; *Fig* j'y mettrais ma m. au feu I'd stake my life on it; haut les mains! hands up!; m. courante handrail 2 *adj* fait m. hand-made ▪ **main-d'œuvre** *(pl* mains-d'œuvre*)* *nf* labour ▪ **mainmise** *nf Jur* seizure *(de* of*)*

maint, mainte [mε, mεt] *adj Littéraire* maintes fois, à maintes reprises many a time

maintenant [mεtnɑ̃] *adv* now; *(de nos jours)* nowadays; m. que... now that...; dès m. from now on

maintenir* [mεtənir] 1 *vt (conserver)* to keep, to maintain; *(retenir)* to hold in position; *(foule)* to hold back; *(affirmer)* to maintain *(que* that*)* 2 se maintenir *upr (durer)* to remain; *(malade, vieillard)* to hold up ▪ **maintien** *nm (action)* maintenance *(de* of*)*; *(allure)* bearing

maire [mεr] *nmf* mayor ▪ **mairie** *nf Br* town hall, *Am* city hall; *(administration)* *Br* town council, *Am* city hall

mais [mε] *conj* but; m. oui, m. si of course; m. non definitely not

maïs [mais] *nm Br* maize, *Am* corn

maison [mεzɔ̃] 1 *nf (bâtiment, famille)* house; *(foyer)* home; *(entreprise)* company; à la m. at home; aller à la m. to go home; rentrer à la m. to go/come (back) home; m. de la culture arts centre; m. d'édition publishing house; m. des jeunes et de la culture = youth club and arts centre; m. de repos rest home; m. de retraite retirement home, *Br* old people's home; m. de santé nursing home; la M.-Blanche the White House 2 *adj inv (artisanal)* home-made ▪ **maisonnée** *nf* household ▪ **maisonnette** *nf* small house

maître [mεtr] *nm* master; être m. de la situation to be in control of the situation; être m. de ses émotions to have one's emotions under control; se rendre m. de qch *(incendie)* to bring sth under control; *(pays)* to conquer sth; m. d'école teacher; m. d'hôtel *(de restaurant)* head waiter; m. de maison host; m. chanteur blackmailer; m. nageur (sauveteur) swimming instructor (and lifeguard)

maîtresse [mεtrεs] 1 *nf* mistress; être m. de la situation to be in control of the situation; m. d'école teacher; m. de maison hostess 2 *adj f (idée, poutre)* main; *(carte)* master

maîtrise [mεtriz] *nf (contrôle, connaissance)* mastery *(de* of*)*; *(diplôme)* ≃ master's degree *(de* in*)*; m. de soi self-control ▪ **maîtriser** 1 *vt (incendie, passion)* to control; *(peur)* to overcome; *(sujet)* to master; *(véhicule)* to have under control; m. qn to overpower sb 2 se maîtriser *upr* to control oneself

majesté [maʒεste] *nf* majesty; Votre M. *(titre)* Your Majesty ▪ **majestueux, -ueuse** *adj* majestic

majeur, -eure [maʒœr] 1 *adj (important)* & *Mus* major; *Jur* être m. to be of age; la majeure partie de most of; en majeure partie for the most part 2 *nm (doigt)* middle finger

majorer [maʒɔre] *vt* to increase ▪ **majoration** *nf (hausse)* increase *(de* in*)*

majorette [maʒɔrεt] *nf (drum)* majorette

majorité [maʒɔrite] *nf* majority *(de* of*)*; *(gouvernement)* government, party in office; en m. *(pour la plupart)* in the main; m. civile majority, coming of age ▪ **majoritaire** *adj* majority; être m. to be in the majority; être m. aux élections to win the elections

Majorque [maʒɔrk] *nf* Majorca

majuscule [maʒyskyl] 1 *adj* capital 2 *nf* capital letter

mal, maux [mal, mo] 1 *nm (douleur)* pain; *(préjudice)* harm; *(maladie)* illness; *(malheur)* misfortune; *Phil* le m. evil; avoir m. à la tête/à la gorge to have a headache/sore throat; ça me fait m., j'ai m. it hurts (me); avoir le m. de mer to be seasick; avoir le m. de l'air to be airsick; avoir le m. des transports to be travelsick; faire du m. à qn to harm sb; dire du m. de qn to speak ill of sb; avoir du m. à faire qch to have trouble doing sth; se donner du m. pour faire qch to take pains to do sth; m. de dents toothache; m. de gorge sore throat; m. de tête headache; m. de ventre stomach ache; m. du pays homesickness; avoir le m. du pays to be homesick 2 *adv (avec médiocrité)* badly; *(incorrectement)* wrongly; aller m. *(projet)* to be going badly; *(personne)* to be ill; être m. en point to be in a bad way; prendre m. to catch cold; m. comprendre to misunderstand; m. renseigner qn to misinform sb; se trouver m. to faint; *Fam* pas m. *(beaucoup)* quite a lot (de of); c'est m. de mentir it's wrong to lie; de m. en pis from bad to worse

malade [malad] 1 *adj* ill, sick; *(arbre, dent)* diseased; *(estomac, jambe)* bad 2 *nmf* sick person; *(de médecin)* patient; les malades the sick ▪maladie *nf* illness, disease; m. émergente new disease; m. sexuellement transmissible sexually transmitted disease *or* infection ▪maladif, -ive *adj (personne)* sickly; *(curiosité)* morbid

maladroit, -oite [maladrwa, -wat] *adj (malhabile)* clumsy, awkward; *(indélicat)* tactless ▪maladresse *nf (manque d'habileté)* clumsiness, awkwardness; *(indélicatesse)* tactlessness; *(bévue)* blunder

malaise [malɛz] *nm (angoisse)* uneasiness, malaise; *(indisposition)* feeling of sickness; *(étourdissement)* dizzy spell; avoir un m. to feel faint

malaisé, -ée [malɛze] *adj* difficult

Malaisie [malɛzi] *nf* la M. Malaysia

malaria [malarja] *nf* malaria

malavisé, -ée [malavize] *adj* ill-advised (de faire to do)

malaxer [malakse] *vt* to knead

malbouffe [malbuf] *nf Fam* junk food

malchance [malʃɑ̃s] *nf* bad luck; jouer de m. to have no luck at all ▪malchanceux, -euse *adj* unlucky

malcommode [malkɔmɔd] *adj* awkward

mâle [mal] 1 *adj (du sexe masculin)* male; *(viril)* manly 2 *nm* male

malédiction [malediksjɔ̃] *nf* curse

maléfice [malefis] *nm* evil spell ▪maléfique *adj* evil

malencontreux, -euse [malɑ̃kɔ̃trø, -øz] *adj* unfortunate

malentendant, -ante [malɑ̃tɑ̃dɑ̃, -ɑ̃t] *nmf* person who is hard of hearing

malentendu [malɑ̃tɑ̃dy] *nm* misunderstanding

malfaçon [malfasɔ̃] *nf* defect

malfaisant, -ante [malfəzɑ̃, -ɑ̃t] *adj* harmful

malfaiteur [malfɛtœr] *nm* criminal

malfamé, -ée [malfame] *adj* disreputable

malformation [malfɔrmasjɔ̃] *nf* malformation

malgré [malgre] *prép* in spite of; m. tout for all that, after all; m. soi *(à contrecœur)* reluctantly

malhabile [malabil] *adj* clumsy

malheur [malœr] *nm (drame)* misfortune; *(malchance)* bad luck; par m. unfortunately; porter m. à qn to bring sb bad luck; faire un m. to be a big hit ▪malheureusement *adv* unfortunately ▪malheureux, -euse 1 *adj (triste)* unhappy, miserable; *(malchanceux)* unlucky; *(candidat)* unsuccessful 2 *nmf (infortuné)* poor wretch; *(indigent)* needy person

malhonnête [malɔnɛt] *adj* dishonest ▪malhonnêteté *nf* dishonesty

malice [malis] *nf* mischievousness ▪malicieux, -ieuse *adj* mischievous

> Il faut noter que les termes anglais **malice** et **malicious** sont des faux amis. Ils signifient respectivement **méchanceté** ou **préméditation** selon le contexte, et **méchant**.

malin, -igne [malɛ̃, -iɲ] *adj (astucieux)* clever, smart; *Méd (tumeur)* malignant; prendre un m. plaisir à faire qch to take a malicious pleasure in doing sth; *Ironique* c'est m.! that's clever!

malingre [malɛ̃gr] *adj* puny

malintentionné, -ée [malɛ̃tɑ̃sjɔne] *adj* ill-intentioned (à l'égard de towards)

malle [mal] *nf (coffre)* trunk; *(de véhicule) Br* boot, *Am* trunk; *Fam* se faire la m. to clear off ▪mallette *nf* briefcase

malléable [maleabl] *adj* malleable

mal-logés [mallɔʒe] *nmpl* les m. = people living in inadequate housing conditions

malmener [malmɔne] *vt* to manhandle, to treat badly

malnutrition [malnytrisjɔ̃] *nf* malnutrition

malodorant, -ante [malɔdɔrɑ̃, -ɑ̃t] *adj* smelly

malotru, -ue [malɔtry] *nmf* boor, lout

malpoli, -ie [malpɔli] *adj Fam* rude

malpropre [malprɔpr] *adj (sale)* dirty

malsain, -aine [malsɛ̃, -ɛn] *adj* unhealthy

malséant, -éante [malseɑ̃, -eɑ̃t] *adj Littéraire* unseemly

malt [malt] *nm* malt

Malte [malt] *nf* Malta ▪maltais, -aise 1 *adj* Maltese 2 *nmf* M., Maltaise Maltese 3 *nm (langue)* Maltese

maltraiter [maltrɛte] *vt* to ill-treat ▪maltraitance *nf* ill-treatment

malveillant, -ante [malvɛjɑ̃, -ɑ̃t] *adj* malevolent ▪malveillance *nf* malevolence

malvenu, -ue [malvəny] *adj (déplacé)* uncalled-for

malversation [malversasjɔ̃] *nf* embezzlement

maman [mamɑ̃] *nf Br* mum, *Am* mom

mamelle [mamɛl] *nf (d'animal)* teat; *(de vache)* udder ▪mamelon *nm (de femme)* nipple; *(colline)* hillock

mamie [mami] *nf* grandma, granny

mammifère [mamifɛr] *nm* mammal

Manche [mɑ̃ʃ] *nf* **la M.** the Channel

manche¹ [mɑ̃ʃ] *nf (de vêtement)* sleeve; *Sport & Cartes* round; *Fam* **faire la m.** to beg; *Fam* **c'est une autre paire de manches!** it's a different ball game ▪ **manchette** *nf (de chemise)* cuff; *(de journal)* headline ▪ **manchon** *nm (en fourrure)* muff

manche² [mɑ̃ʃ] *nm (d'outil)* handle; **m. à balai** broomstick; *(d'avion, d'ordinateur)* joystick

manchot¹, -ote [mɑ̃ʃo, -ɔt] **1** *adj* one-armed **2** *nmf* one-armed person

manchot² [mɑ̃ʃo] *nm (oiseau)* penguin

mandale [mɑ̃dal] *nf très Fam* clout

mandarin [mɑ̃darɛ̃] *nm (langue)* Mandarin; *Péj (personnage influent)* mandarin

mandarine [mɑ̃darin] *nf (fruit)* mandarin (orange)

mandat [mɑ̃da] *nm (de député)* mandate; *(de président)* term of office; *(procuration)* power of attorney; **m. d'amener** = summons; **m. d'arrêt** warrant (**contre qn** for sb's arrest); **m. de perquisition** search warrant; **m. postal** *Br* postal order, *Am* money order ▪ **mandataire** *nmf (délégué)* representative ▪ **mandater** *vt* to delegate; *(député)* to give a mandate to

manège [manɛʒ] *nm* **(a)** *(de foire)* merry-go-round, *Br* roundabout; *Équitation* riding school **(b)** *(intrigue)* game

manette [manɛt] *nf* lever; *Ordinat* **m. (de jeu)** joystick

mangeoire [mɑ̃ʒwar] *nf (feeding)* trough

manger [mɑ̃ʒe] **1** *vt* to eat; *(corroder)* to eat into; *Fig (consommer, dépenser)* to get through **2** *vi* to eat; **donner à m. à qn** to give sb sth to eat; **m. à sa faim** to have enough to eat; **on mange bien ici** the food is good here **3** *nm (nourriture)* food ▪ **mangeable** *adj (médiocre)* eatable ▪ **mangeur, -euse** *nmf* **être un gros m.** to be a big eater

mangue [mɑ̃g] *nf* mango

manie [mani] *nf (habitude)* odd habit; *(idée fixe)* mania (**de** for) ▪ **maniaque** **1** *adj* fussy **2** *nmf Br* fusspot, *Am* fussbudget; **un m. de la propreté** a maniac for cleanliness

manier [manje] *vt* to handle ▪ **maniabilité** *nf (de véhicule) Br* manoeuvrability, *Am* maneuverability ▪ **maniable** *adj (outil)* handy; *(véhicule)* easy to handle ▪ **maniement** *nm* handling

manière [manjɛr] *nf* way, manner; **la m. dont elle parle** the way (in which) she talks; **manières** *(politesse)* manners; **faire des manières** *(se faire prier)* to make a fuss; *(être affecté)* to put on airs; **de toute m.** anyway, anyhow; **de cette m.** (in) this way; **de m. à faire qch** so as to do sth; **à ma m.** my way; **à la m. de** in the style of; **d'une m. générale** generally speaking ▪ **maniéré, -ée** *adj* affected

manif [manif] *(abrév* **manifestation)** *nf Fam* demo

manifeste [manifɛst] **1** *adj* manifest, obvious **2** *nm Pol* manifesto ▪ **manifestement** [-əma] *adv* obviously, manifestly

manifester [manifɛste] **1** *vt (exprimer)* to show **2** *vi (protester)* to demonstrate **3 se manifester** *vpr (maladie, sentiment)* to show or manifest itself; *(personne)* to make oneself known ▪ **manifestant, -ante** *nmf* demonstrator ▪ **manifestation** *nf (défilé)* demonstration; *(réunion, fête)* event; *(de sentiments)* display

manigances [manigɑ̃s] *nfpl* scheming ▪ **manigancer** *vt* to scheme

manipuler [manipyle] *vt (appareils, produits)* to handle; *Péj (personnes)* to manipulate ▪ **manipulation** *nf (d'appareils, de produits)* handling; *Péj (de personnes)* manipulation (**de** of); **manipulations génétiques** genetic engineering

manivelle [manivɛl] *nf* crank

mannequin [mankɛ̃] *nm (personne)* model; *(statue)* dummy

manœuvre [manœvr] **1** *nm (ouvrier)* unskilled worker **2** *nf (opération)* & *Mil Br* manoeuvre, *Am* maneuver; *(intrigue)* scheme ▪ **manœuvrer** **1** *vt (véhicule, personne) Br* to manoeuvre, *Am* to maneuver; *(machine)* to operate **2** *vi Br* to manoeuvre, *Am* to maneuver

manoir [manwar] *nm* manor house

manomètre [manɔmɛtr] *nm* pressure gauge

manque [mɑ̃k] *nm (insuffisance)* lack (**de** of); *(lacune)* gap; **par m. de qch** through lack of sth; **être en m.** *(drogué)* to have withdrawal symptoms; **m. à gagner** loss of earnings

manquer [mɑ̃ke] **1** *vt (cible, train, chance)* to miss; *(échouer)* to fail

2 *vi (faire défaut)* to be lacking; *(être absent)* to be missing; *(échouer)* to fail; **m. de** *(pain, argent)* to be short of; *(attention, cohérence)* to lack; **m. à son devoir** to fail in one's duty; **m. à sa parole** to break one's word; *Mil* **m. à l'appel** to miss (the) roll call; **ça manque de sel** there isn't enough salt; **tu me manques** I miss you; **le temps lui manque** he's short of time; **le cœur m'a manqué** my courage failed me; **ça n'a pas manqué, il est arrivé en retard** sure enough, he was late; **je ne manquerai pas de venir** I won't fail to come; **je n'y manquerai pas** I certainly will; **elle a manqué de tomber** she nearly fell; **ne m. de rien** to have all one needs

3 *v impersonnel* **il manque/il nous manque dix tasses** there are/we are ten cups short; **il manque quelques pages** there are a few pages missing; **il ne manquait plus que ça!** that's all I/we/*etc* needed! ▪ **manquant, -ante** *adj* missing ▪ **manqué, -ée** *adj (occasion)* missed; *(tentative)* unsuccessful ▪ **manquement** *nm* breach (**à** of)

mansarde [mɑ̃sard] *nf* attic

mansuétude [mɑ̃suetyd] *nf Littéraire* indulgence

manteau, -x [mɑ̃to] *nm* coat; *Fig* **sous le m.** secretly

manucure [manykyr] **1** *nmf (personne)* manicurist **2** *nf (soin)* manicure

manuel, -uelle [manɥɛl] **1** *adj (travail)* manual **2** *nm (livre)* handbook, manual; **m. scolaire** textbook

manufacture [manyfaktyr] *nf* factory **■manufacturé, -ée** *adj (produit)* manufactured

manuscrit [manyskri] *nm* manuscript; *(tapé à la machine)* typescript

manutention [manytɑ̃sjɔ̃] *nf* handling **■manutentionnaire** *nmf* packer

mappemonde [mapmɔ̃d] *nf (carte)* map of the world; *(sphère)* globe

maquereau, -x [makro] *nm (poisson)* mackerel

maquette [makɛt] *nf (de bâtiment)* (scale) model; *(jouet)* model

maquiller [makije] **1** *vt (personne, visage)* to make up; *(voiture)* to tamper with; *(documents)* to forge **2 se maquiller** *upr (action)* to put one's make-up on; *(habitude)* to wear make-up **■maquillage** *nm (fard)* make-up; *(action)* making up

maquis [maki] *nm (végétation)* & *Hist* maquis; **prendre le m.** to take to the hills

maraîcher, -ère [mareʃe, -eʃɛr] **1** *nmf Br* market gardener, *Am* truck farmer **2** *adj* **culture maraîchère** *Br* market gardening, *Am* truck farming

marais [marɛ] *nm* marsh; **m. salant** saltern, saltworks

marasme [marasm] *nm* **m. économique/ politique** economic/political stagnation

marathon [maratɔ̃] *nm* marathon

maraudeur, -euse [marodœr, -øz] *nmf* petty thief

marbre [marbr] *nm* marble; **en m.** marble; **rester de m.** to remain impassive **■marbré, -ée** *adj (surface)* marbled; **gâteau m.** marble cake

marc [mar] *nm (eau-de-vie)* marc (brandy); **m. de café** coffee grounds

marchand, -ande [marʃɑ̃, -ɑ̃d] **1** *nmf Br* shopkeeper, *Am* storekeeper; *(de vins, de charbon)* merchant; *(de voitures, de meubles)* dealer; **m. de journaux** *(dans la rue)* newsvendor; *(dans un magasin) Br* newsagent, *Am* newsdealer; **m. de légumes** *Br* greengrocer, *Am* produce dealer **2** *adj* **prix m.** trade price; **valeur marchande** market value

marchander [marʃɑ̃de] **1** *vt (objet, prix)* to haggle over **2** *vi* to haggle **■marchandage** *nm* haggling

marchandises [marʃɑ̃diz] *nfpl* goods, merchandise

marche [marʃ] *nf* (**a**) *(d'escalier)* step, stair (**b**) *(action)* walking; *(promenade)* walk; *Mus* march; *(de train, de véhicule)* movement; *(d'événement)* course; **un train/véhicule en m.** a moving train/vehicle; **la bonne m. de** *(opération, machine)* the smooth running of; **dans le sens de la m.** *(dans un train)* facing forward; **mettre qch en m.** to start sth (up); **faire m. arrière** *(en voiture) Br* to reverse, *Am* to back up; *Fig* to backtrack; **fermer la m.** to bring up the rear; **m. à suivre** procedure

marché [marʃe] **1** *nm (lieu)* & *Écon* market; *(contrat)* deal; *Fig* **par-dessus le m.** into the bargain; **faire son** *ou* **le m.** to go shopping; **vendre qch au m. noir** to sell sth on the black market; **le m. du travail** the labour market; **le M. commun** the Common Market; **le M. unique européen** the Single European Market; **m. des changes** foreign exchange market; **m. immobilier** property market; **m. baissier/haussier** bear/bull market **2** *adj inv* **être bon m.** to be cheap; **c'est meilleur m.** it's cheaper

marchepied [marʃəpje] *nm (de train, de bus)* step

marcher [marʃe] *vi (à pied)* to walk; *(poser le pied)* to step (**dans** in); *(machine)* to run; *(plans)* to work; *(soldats)* to march; **faire m. qch** to operate sth; *Fam* **faire m. qn** to pull sb's leg; *Fam* **ça marche?** how's it going?; *Fam* **elle va m.** *(accepter)* she'll go along (with it) **■marcheur, -euse** *nmf* walker

mardi [mardi] *nm* Tuesday; **M. gras** Shrove Tuesday

mare [mar] *nf (étang)* pond; *(grande quantité)* pool

marécage [marekaʒ] *nm* marsh **■marécageux, -euse** *adj* marshy

maréchal, -aux [mareʃal, -o] *nm* **m. (de France)** field marshal **■maréchal-ferrant** *(pl* maréchaux-ferrants) *nm* blacksmith

marée [mare] *nf* tide; *(poissons)* fresh seafood; **m. haute/basse** high/low tide; **m. noire** oil slick

marelle [marɛl] *nf (jeu)* hopscotch; **jouer à la m.** to play hopscotch

marémotrice [maremɔtris] *adj f* tidal; **usine m.** tidal power station

margarine [margarin] *nf* margarine

marge [marʒ] *nf (de page)* margin; **en m. de** *(en dehors de)* on the fringes of; **avoir de la m.** to have some leeway; **m. de manœuvre** room for manoeuvre; **m. de sécurité** safety margin **■marginal, -e, -aux, -ales 1** *adj (secondaire)* marginal; *(personne)* on the fringes of society **2** *nmf* dropout

marguerite [margərit] *nf (fleur)* daisy

mari [mari] *nm* husband

mariage [marjaʒ] *nm (union)* marriage;

(cérémonie) wedding; *Fig (de couleurs)* blend; **m. blanc** marriage in name only; **m. de raison** marriage of convenience

marier [marje] **1** *vt (couleurs)* to blend; **m. q n** *(sujet: prêtre, maire)* to marry sb; *(sujet: père)* to marry sb off **2 se marier** *vpr* to get married; **se m. avec qn** to get married to sb, to marry sb ▪ **marié, -iée 1** *adj* married **2** *nm* (bride)groom; **les mariés** the bride and groom; **les jeunes mariés** the newly-weds ▪ **mariée** *nf* bride

marijuana [mariɥana] *nf* marijuana

marin, -ine [marɛ̃, -in] **1** *adj (flore)* marine; *(mille)* nautical; **air/sel m.** sea air/salt; **costume m.** sailor suit **2** *nm* sailor, seaman; **m. pêcheur** (deep-sea) fisherman ▪ **marine 1** *nf* **m. de guerre** navy; **m. marchande** merchant navy **2** *adj & nm inv (bleu)* **m.** *(couleur)* navy (blue)

marina [marina] *nf* marina

marinade [marinad] *nf Culin* marinade ▪ **mariner** *vti Culin* to marinade, to marinate

marionnette [marjɔnɛt] *nf* puppet; *(à fils)* marionette

maritalement [maritalmã] *adv* **vivre m.** to cohabit

maritime [maritim] *adj (droit, climat)* maritime; **gare m.** harbour station; **port m.** seaport; *Can* **les Provinces maritimes** the Maritime Provinces

marjolaine [marʒɔlɛn] *nf* marjoram

mark [mark] *nm (monnaie)* mark

marmaille [marmaj] *nf Fam Péj (enfants)* kids

marmelade [marmelad] *nf Br* stewed fruit, *Am* fruit compote; *Fig* **en m.** reduced to a pulp

marmite [marmit] *nf* (cooking) pot

marmonner [marmɔne] *vti* to mutter

marmot [marmo] *nm Fam (enfant)* kid

marmotte [marmɔt] *nf* marmot; *Fig* **dormir comme une m.** to sleep like a log

marmotter [marmɔte] *vti* to mumble

Maroc [marɔk] *nm* **le M.** Morocco ▪ **marocain, -aine 1** *adj* Moroccan **2** *nmf* **M., Marocaine** Moroccan

maroquinerie [marɔkinri] *nf (magasin)* leather goods shop ▪ **maroquinier** *nm* leather goods dealer

marotte [marɔt] *nf Fam (passion)* craze

marque [mark] *nf (trace, signe)* mark; *(de confiance)* sign; *(de produit)* brand; *(de voiture)* make; *Sport (points)* score; **de m.** *(hôte, visiteur)* distinguished; *(produit)* of quality; **à vos marques! prêts? partez!** on your marks! get set! go!; **m. de fabrique** trademark; **m. déposée** (registered) trademark

marquer [marke] **1** *vt (par une marque)* to mark; *(écrire)* to note down; *(indiquer)* to show; *Sport (point, but)* to score; **m. les points** to keep (the) score; *Fam* **m. le coup** to mark the event

2 *vi (laisser une trace)* to leave a mark; *(date, événement)* to stand out; *Sport* to score ▪ **marquant, -ante** *adj (remarquable)* outstanding; *(épisode)* significant ▪ **marqué, -ée** *adj (différence, accent)* marked; *(visage)* lined ▪ **marqueur** *nm (stylo)* marker

marquis [marki] *nm* marquis ▪ **marquise** *nf* **(a)** *(personne)* marchioness **(b)** *(auvent)* canopy

marraine [marɛn] *nf* godmother

marre [mar] *adv Fam* **en avoir m.** to be fed up **(de** with)

marrer [mare] **se marrer** *vpr Fam* to have a good laugh ▪ **marrant, -ante 1** *adj Fam* funny, hilarious **2** *nmf Fam* **c'est un m.** he's a good laugh

marron¹ [marɔ̃] **1** *nm (fruit)* chestnut; *(couleur)* (chestnut) brown; *Fam (coup)* thump; **m. d'Inde** horse chestnut **2** *adj inv (couleur)* (chestnut) brown ▪ **marronnier** *nm* (horse) chestnut tree

---

Il faut noter que le mot anglais **maroon** est un faux ami. Lorsqu'il désigne une couleur, il signifie **bordeaux**.

---

marron², -onne [marɔ̃, -ɔn] *adj (médecin)* quack

mars [mars] *nm* March

marsouin [marswɛ̃] *nm* porpoise

marteau, -x [marto] *nm* hammer; *(de porte)* (door)knocker; **m. piqueur** pneumatic drill ▪ **martèlement** *nm* hammering ▪ **marteler** *vt* to hammer

martial, -e, -iaux, -iales [marsjal, -jo] *adj* martial; **cour martiale** court martial; **loi martiale** martial law

martien, -ienne [marsjɛ̃, -jɛn] *nmf & adj* Martian

martinet [martinɛ] *nm (fouet)* strap

Martinique [martinik] *nf* **la M.** Martinique ▪ **martiniquais, -aise 1** *adj* Martinican **2** *nmf* **M., Martiniquaise** Martinican

martin-pêcheur [martɛ̃pɛʃœr] *(pl* **martins-pêcheurs)** *nm* kingfisher

martyr, -yre¹ [martir] **1** *nmf (personne)* martyr **2** *adj* **enfant m.** battered child ▪ **martyre²** *nm (souffrance)* martyrdom; **souffrir le m.** to be in agony ▪ **martyriser** *vt* to torture; *(enfant)* to batter

marxisme [marksism] *nm* Marxism ▪ **marxiste** *adj & nmf* Marxist

mascara [maskara] *nm* mascara

mascarade [maskarad] *nf* masquerade

mascotte [maskɔt] *nf* mascot

masculin, -ine [maskylɛ̃, -in] **1** *adj (sexe, mode, métier)* male; *(trait de caractère, femme)* & *Grammaire* masculine; *(équipe)* men's **2** *nm Grammaire* masculine ▪ **masculinité** *nf* masculinity

masochisme [mazɔʃism] *nm* masochism ▪ **masochiste** *(Fam* **maso)** **1** *adj* masochistic **2** *nmf* masochist

masque [mask] nm mask; **m. à gaz/oxygène** gas/oxygen mask • **masquer** vt (dissimuler) to mask (**à** from); (cacher à la vue) to block off

massacre [masakʀ] nm (tuerie) massacre; **jeu de m.** Br = Aunt Sally; Fig **faire un m.** (avoir du succès) to be a runaway success • **massacrer** vt to massacre; Fam (abîmer) to ruin

massage [masaʒ] nm massage

masse [mas] nf (a) (volume) mass; (gros morceau, majorité) bulk (**de** of); **de m.** (culture, communication) mass; **en m.** en masse; **une m. de** masses of; **les masses** (peuple) the masses; Fam **des masses de** masses of; Fam **pas des masses** (quantité) not that much; (nombre) not many; Fam **être à la m.** to be off one's head (**b**) (outil) sledgehammer (**c**) Él Br earth, Am ground

masser [mase] **1** vt (rassembler) to assemble; (pétrir) to massage **2 se masser** vpr (foule) to form • **masseur** nm masseur • **masseuse** nf masseuse

massif, -ive [masif, -iv] **1** adj massive; (or, chêne) solid **2** nm (d'arbres, de fleurs) clump; Géog massif • **massivement** adv (voter, répondre) en masse

massue [masy] nf club

mastic [mastik] **1** nm (pour vitres) putty; (pour bois) filler **2** adj inv (beige) putty-coloured

mastiquer[1] [mastike] vt (vitre) to putty; (bois) to fill

mastiquer[2] [mastike] vt (mâcher) to chew

mastoc [mastɔk] adj inv Fam Péj massive

mastodonte [mastɔdɔ̃t] nm Péj (personne) colossus; (objet) hulking great thing

masturber [mastyrbe] **se masturber** vpr to masturbate • **masturbation** nf masturbation

masure [mazyr] nf hovel

mat[1], **mate** [mat] adj (papier, couleur) matt; (son) dull

mat[2] [mat] adj m inv & nm Échecs (check-)mate; **faire m.** to (check)mate; **mettre qn m.** to (check)mate sb

mât [mɑ] nm (de navire) mast; (poteau) pole

match [matʃ] nm Sport Br match, Am game; **m. aller** first leg; **m. retour** return leg; **m. nul** draw; **faire m. nul** to draw

matelas [matla] nm mattress; **m. pneumatique** air bed • **matelassé, -ée** adj (tissu) quilted; (enveloppe) padded

matelot [matlo] nm sailor

mater[1] [mate] vt (se rendre maître de) to bring to heel

mater[2] [mate] vt Fam (regarder) to ogle

matérialiser [materjalize] vt, **se matérialiser** vpr to materialize • **matérialisation** nf materialization

matérialisme [materjalism] nm materialism • **matérialiste** **1** adj materialistic **2** nmf materialist

matériau, -x [materjo] nm material; **matériaux** (de construction) building material(s); Fig (de roman, d'enquête) material

matériel, -ielle [materjel] **1** adj (confort, dégâts, besoins) material; (organisation, problème) practical **2** nm (de camping) equipment; Ordinat **m. informatique** computer hardware • **matériellement** adv materially; **m. impossible** physically impossible

maternel, -elle [maternel] **1** adj (amour, femme) maternal; (langue) native **2** nf (**école**) **maternelle** Br nursery school, Am kindergarten • **materner** vt to mother • **maternité** nf (état) motherhood; (hôpital) maternity hospital

mathématique [matematik] adj mathematical • **mathématicien, -ienne** nmf mathematician • **mathématiques** nfpl mathematics (sing) • **maths** [mat] nfpl Fam Br maths, Am math; Fam **M. Sup/Spé** = first/second-year class preparing for the science-orientated "grandes écoles"

matière [matjɛr] nf (à l'école) subject; (de livre) subject matter; (substance) material; Phys **la m.** matter; **en m. de qch** as regards sth; **s'y connaître en m. de qch** to be experienced in sth; **en la m.** (sur ce sujet) on the subject; **m. plastique** plastic; **m. première** raw material; **matières grasses** fat

Matignon [matiɲɔ̃] nm (l'hôtel) **M.** = the French Prime Minister's offices

matin [matɛ̃] nm morning; **le m.** (chaque matin) in the morning(s); **tous les mardis matin(s)** every Tuesday morning; **le 8 au m.** on the morning of the 8th; **à sept heures du m.** at seven in the morning; **de bon m., au petit m., de grand m.** very early (in the morning); **du m. au soir** from morning till night; **médicament à prendre m., midi et soir** medicine to be taken three times a day • **matinal, -e, -aux, -ales** adj (heure) early; **soleil m.** morning sun; **être m.** to be an early riser

matinée [matine] nf morning; Théâtre & Cin matinée; **dans la m.** in the course of the morning

matos [matos] nm Fam gear

matou [matu] nm tomcat

matraque [matrak] nf bludgeon; (de policier) Br truncheon, Am nightstick • **matraquage** nm **m. publicitaire** hype • **matraquer** vt (frapper) to club; Fig (harceler) to bombard

matrice [matris] nf (moule) & Math matrix • **matricielle** adj f Ordinat **imprimante m.** dot matrix printer

matricule [matrikyl] **1** nm number **2** adj **numéro m.** registration number

matrimonial, -e, -iaux, -iales [matrimɔnjal, -jo] adj matrimonial

mâture [mɑtyr] nf (de navire) masts

maturité [matyrite] *nf* maturity; **arriver à m.** *(fromage, vin)* to mature; *(fruit)* to ripen

maudire* [modir] *vt* to curse ■ **maudit, -ite** *adj* *(damné)* cursed; *(insupportable)* damned

maugréer [mogree] *vi* to growl, to grumble (**contre** at)

Maurice [moris] *nf* **l'île M.** Mauritius

mausolée [mozole] *nm* mausoleum

maussade [mosad] *adj* *(personne)* sullen; *(temps)* gloomy

mauvais, -aise [move, -εz] **1** *adj* bad; *(santé, vue)* poor; *(méchant)* nasty; *(mal choisi)* wrong; *(mer)* rough; **plus m. que...** worse than...; **le plus m.** the worst; **être m. en anglais** to be bad at English; **être en mauvaise santé** to be in bad *or* ill *or* poor health **2** *adv* **il fait m.** the weather's bad; **ça sent m.** it smells bad **3** *nm* **le bon et le m.** the good and the bad

mauve [mov] *adj & nm (couleur)* mauve

mauviette [movjet] *nf Fam (personne)* wimp

maux [mo] *pl de* **mal**

max [maks] *nm inv Fam* **un m.** loads; **un m. de fric** loads of money; **on s'est éclaté un m.** we had *Br* a fantastic time *or Am* a blast

maxime [maksim] *nf* maxim

maximum [maksimɔm] *(pl* **maxima** [-ma] *ou* **maximums**) **1** *nm* maximum; **faire le m.** to do one's very best; **au m.** at the most; *Fam* **un m. de gens** *(le plus possible)* as many people as possible; *(énormément)* loads of people **2** *adj* maximum ■ **maximal, -e, -aux, -ales** *adj* maximum

mayonnaise [majonεz] *nf* mayonnaise

mazout [mazut] *nm* (fuel) oil

me [mə]

m' is used before a vowel or mute h.

pron personnel **(a)** *(complément direct)* me; **il me voit** he sees me **(b)** *(complément indirect)* (to) me; **elle me parle** she speaks to me; **tu me l'as dit** you told me **(c)** *(réfléchi)* myself; **je me lave** I wash myself **(d)** *(avec les pronominaux)* **je me suis trompé** I made a mistake

méandres [meãdr] *nmpl (de rivière)* meanders

mec [mεk] *nm Fam (individu)* guy, *Br* bloke

mécanicien [mekanisjε̃] *nm* mechanic; *(de train) Br* train driver, *Am* engineer

mécanique [mekanik] **1** *adj* mechanical; **jouet m.** wind-up toy **2** *nf (science)* mechanics *(sing)*; *(mécanisme)* mechanism ■ **mécanisme** *nm* mechanism

Il faut noter que le nom anglais **mechanic** est un faux ami. Il signifie **mécanicien**.

mécanisation [mekanizasjɔ̃] *nf* mechanization

mécène [mesεn] *nm* patron (of the arts)

méchant, -ante [meʃã, -ãt] *adj (personne, remarque, blessure)* nasty; *(enfant)* naughty; *(chien)* vicious; **être de méchante humeur** to be in a foul mood; **'attention! chien m.'** 'beware of the dog' ■ **méchamment** [-amã] *adv (cruellement)* nastily; *Fam (très)* terribly ■ **méchanceté** *nf* nastiness; **une m.** *(parole)* a nasty remark; *(acte)* a nasty action

mèche [mεʃ] *nf* **(a)** *(de cheveux)* lock; **se faire des mèches** to have highlights done *(in one's hair)* **(b)** *(de bougie)* wick; *(de pétard)* fuse; *(de perceuse)* bit; *Fig* **vendre la m.** to spill the beans **(c)** *Fam* **être de m. avec qn** to be in cahoots with sb

méconnaître* [mekɔnεtr] *vt (fait)* to fail to take into account; *(talent, artiste)* to fail to recognize ■ **méconnaissable** *adj* unrecognizable ■ **méconnu, -ue** *adj* unrecognized

mécontent, -ente [mekɔ̃tã, -ãt] *adj (insatisfait)* displeased (**de** with); *(contrarié)* annoyed ■ **mécontentement** *nm (insatisfaction)* displeasure; *(contrariété)* annoyance ■ **mécontenter** *vt (ne pas satisfaire)* to displease; *(contrarier)* to annoy

Mecque [mεk] *nf* **La M.** Mecca

médaille [medaj] *nf (décoration, bijou) & Sport* medal; *(portant le nom)* pendant *(with name engraved on it)*; *(de chien)* name tag; *Sport* **être m. d'or/d'argent** to be a gold/silver medallist ■ **médaillé, -ée** *nmf* medal holder ■ **médaillon** *nm (bijou)* locket; *(de viande)* medallion

médecin [medsε̃] *nm* doctor, physician; **m. de famille** family doctor; **m. généraliste** general practitioner, GP; **m. traitant** consulting physician ■ **médecine** *nf* medicine; **médecines alternatives** *ou* **douces** alternative medicine; **m. traditionnelle** traditional medicine; **étudiant en m.** medical student ■ **médical, -e, -aux, -ales** *adj* medical ■ **médicament** *nm* medicine ■ **médicinal, -e, -aux, -ales** *adj* medicinal ■ **médico-légal, -e** *(mpl* **médico-légaux**, *fpl* **médico-légales**) *adj* forensic

Il faut noter que le nom anglais **medicine** signifie également **médicament**, **remède**.

média [medja] *nm* medium; **les médias** the media ■ **médiatique** *adj* campagne/événement m. media campaign/event ■ **médiatiser** *vt* to give media coverage to

médiateur, -trice [medjatœr, -tris] *nmf* mediator ■ **médiation** *nf* mediation

médiéval, -e, -aux, -ales [medjeval, -o] *adj* medieval

médiocre [medjɔkr] *adj* mediocre ■ **médiocrité** *nf* mediocrity

médire* [medir] *vi* **m. de qn** to speak ill of sb ■ **médisance** *nf (action)* gossiping; **médisances** *(propos)* gossip

méditer [medite] **1** *vt (réfléchir profondément à)* to contemplate; **m. de faire qch** to be contemplating doing sth **2** *vi* to meditate (**sur**

on) ■**méditatif, -ive** *adj* meditative ■**méditation** *nf* meditation

Méditerranée [mediterane] *nf* **la M.** the Mediterranean ■**méditerranéen, -éenne** *adj* Mediterranean

médium [medjɔm] *nmf (voyant)* medium

méduse [medyz] *nf* jellyfish ■**méduser** *vt* to dumbfound

meeting [mitiŋ] *nm* meeting

méfait [mefɛ] *nm* misdemeanour; **les méfaits du temps** the ravages of time

méfier [mefje] **se méfier** *vpr* to be careful; **se m. de qn** not to trust sb; **se m. de qch** to watch out for sth; **méfie-toi!** watch out!, beware! ■**méfiance** *nf* distrust, mistrust ■**méfiant, -iante** *adj* suspicious, distrustful

mégalomane [megalɔman] *(Fam* **mégalo)** *nmf* megalomaniac ■**mégalomanie** *nf* megalomania

mégaoctet [megaɔktɛ] *nm Ordinat* megabyte

mégaphone [megafɔn] *nm Br* megaphone, *Am* bullhorn

mégarde [megard] **par mégarde** *adv* inadvertently

mégère [meʒɛr] *nf (femme)* shrew

mégot [mego] *nm* cigarette butt *or* end

mégoter [megɔte] *vi* to skimp (**sur, pour** on); **arrête de m!** don't be stingy!

meilleur, -eure [mejœr] **1** *adj* better (**que** than); **le m. résultat/moment** the best result/ moment **2** *nmf* **le m., la meilleure** the best (one); **pour le m. et pour le pire** for better or for worse **3** *adv* **il fait m.** it's warmer

mél [mel] *nm (courrier)* e-mail

mélancolie [melɑ̃kɔli] *nf* melancholy ■**mélancolique** *adj* melancholy

mélange [melɑ̃ʒ] *nm (résultat)* mixture; *(opération)* mixing ■**mélanger 1** *vt (mêler)* to mix; *(brouiller)* to mix up **2 se mélanger** *vpr (s'incorporer)* to mix; *(idées)* to get mixed up ■**mélangeur** *nm (robinet) Br* mixer tap, *Am* mixing faucet

mélasse [melas] *nf Br* treacle, *Am* molasses; *Fam* **être dans la m.** to be in a mess

mêler [mele] **1** *vt* to mix (**à** with); *(odeurs, thèmes)* to combine; **m. qn à qch** *(affaire, conversation)* to involve sb in sth **2 se mêler** *vpr* to combine (**à** with); **se m. à qch** *(foule)* to mingle with; *(conversation)* to join in sth; **se m. de qch** to get involved in sth; **mêle-toi de tes affaires!** mind your own business! ■**mêlé, -ée** *adj* mixed (**de** with) ■**mêlée** *nf (bataille)* fray; *Rugby* scrum

méli-mélo [melimelo] *(pl* **mélis-mélos)** *nm Fam* jumble, muddle

mélo [melo] *Fam* **1** *adj* melodramatic **2** *nm* melodrama

mélodie [melɔdi] *nf* melody ■**mélodieux, -ieuse** *adj* melodious ■**mélodique** *adj* melodic ■**mélomane** *nmf* music lover

mélodrame [melɔdram] *nm* melodrama ■**mélodramatique** *adj* melodramatic

melon [mǝlɔ̃] *nm (fruit)* melon; **(chapeau) m.** *Br* bowler hat, *Am* derby

membrane [mɑ̃bran] *nf* membrane

membre [mɑ̃br] *nm (bras, jambe)* limb; *(de groupe)* member

même [mɛm] **1** *adj (identique)* same; **en m. temps** at the same time (**que** as); **le m. jour** the same day; **le jour m.** *(exact)* the very day; **il est la bonté m.** he is kindness itself; **lui-m./ vous-m.** himself/yourself **2** *pron* **le/la m.** the same (one); **j'ai les mêmes** I have the same (ones); **cela revient au m.** it amounts to the same thing **3** *adv (y compris, aussi)* even; **m. si...** even if...; **ici m.** in this very place; **tout de m.,** *Fam* **quand m.** all the same; **de m.** likewise; **de m. que...** just as...; **être à m. de faire qch** to be in a position to do sth; **dormir à m. le sol** to sleep on the ground; **boire à m. la bouteille** to drink (straight) from the bottle

mémento [memɛ̃to] *nm (aide-mémoire)* handbook; *(carnet)* diary

mémère [memɛr] *nf Fam Péj* **une grosse m.** a fat old bag

mémoire [memwar] **1** *nf* memory; **de m.** *(citer)* from memory; **de m. d'homme** in living memory; **à la m. de** in memory of; *Ordinat* **m. morte/vive** read-only/random access memory **2** *nm (rapport)* report; *Univ* dissertation; **Mémoires** *(chronique)* memoirs ■**mémorable** *adj* memorable

mémorandum [memɔrɑ̃dɔm] *nm (note)* memorandum

mémorial, -iaux [memɔrjal, -jo] *nm (monument)* memorial

menace [mǝnas] *nf* threat ■**menaçant, -ante** *adj* threatening ■**menacer** *vt* to threaten (**de faire** to do)

ménage [menaʒ] *nm (entretien)* housekeeping; *(couple)* couple, household; **faire le m.** to do the housework; **faire bon m. avec qn** to get on well with sb ■**ménager¹, -ère 1** *adj (équipement)* household **2** *nf* **ménagère** *(femme)* housewife

ménager² [menaʒe] **1** *vt (argent)* to use sparingly; *(forces)* to save; *(entrevue)* to arrange; *(sortie)* to provide; **m. qn** to treat sb carefully; **ne pas m. sa peine** to put in a lot of effort **2 se ménager** *vpr (prendre soin de soi)* to look after oneself; *(se réserver)* to set aside ■**ménagement** *nm (soin)* care; **sans m.** *(brutalement)* brutally

ménagerie [menaʒri] *nf* menagerie

mendier [mɑ̃dje] **1** *vt* to beg for **2** *vi* to beg ■**mendiant, -iante** *nmf* beggar ■**mendicité** *nf* begging

menées [mǝne] *nfpl* intrigues

mener [mǝne] **1** *vt (personne)* to take (**à** to);

(course, vie) to lead; *(enquête, tâche)* to carry out; **m. une campagne** to wage a campaign; *Fig* **m. la vie dure à qn** to give sb a hard time; *Fig* **m. qch à bien** to carry sth through; **ça ne mène à rien** it won't get you/us anywhere **2** *vi Sport* to lead; **m. à un lieu** to lead to a place; *Fam* **elle n'en menait pas large** her heart was in her mouth ▪ **meneur, -euse** *nmf (de révolte)* ringleader

méninges [menɛ̃ʒ] *nfpl Fam* brains

méningite [menɛ̃ʒit] *nf* meningitis

ménopause [menɔpoz] *nf* menopause

menottes [mənɔt] *nfpl* handcuffs; **passer les m. à qn** to handcuff sb

mensonge [mɑ̃sɔ̃ʒ] *nm (propos)* lie; *(action)* lying ▪ **mensonger, -ère** *adj (propos)* untrue; *(publicité)* misleading

menstruation [mɑ̃stryasjɔ̃] *nf* menstruation ▪ **menstruel, -elle** *adj* menstrual

mensuel, -uelle [mɑ̃sɥɛl] **1** *adj* monthly **2** *nm (revue)* monthly ▪ **mensualité** *nf* monthly payment ▪ **mensuellement** *adv* monthly

mensurations [mɑ̃syrasjɔ̃] *nfpl* measurements

mental, -e, -aux, -ales [mɑ̃tal, -o] *adj* mental; **calcul m.** mental arithmetic ▪ **mentalité** *nf* mentality

menthe [mɑ̃t] *nf* mint

mention [mɑ̃sjɔ̃] *nf (fait de citer)* mention; *(à un examen)* ≃ distinction; *Scol* **m. passable/assez bien/bien/très bien** ≃ C/B/A; **faire m. de qch** to mention sth; **'rayez les mentions inutiles'** 'delete as appropriate' ▪ **mentionner** *vt* to mention

mentir* [mɑ̃tir] *vi* to lie (**à** to) ▪ **menteur, -euse 1** *adj* lying **2** *nmf* liar

menton [mɑ̃tɔ̃] *nm* chin

menu¹ [məny] *nm (de restaurant)* set menu; *Ordinat* menu; **par le m.** in detail; *Ordinat* **m. déroulant** pull-down menu; *Ordinat* **m. local** pop-up menu; *Ordinat* **m. principal** main menu

menu², -ue [məny] **1** *adj (petit)* tiny; *(mince)* slim; *(détail, monnaie)* small **2** *adv (hacher)* small, finely

menuisier [mənɥizje] *nm* carpenter, joiner ▪ **menuiserie** *nf (atelier)* joiner's workshop; *(ouvrage)* woodwork

méprendre [meprɑ̃dr] **se méprendre** *upr Littéraire* **se m. sur** to be mistaken about ▪ **méprise** *nf* mistake

mépris [mepri] *nm* contempt (**pour** for), scorn (**pour** for); **au m. de qch** without regard to sth; **avoir du m. pour qn** to despise sb ▪ **méprisable** *adj* despicable ▪ **méprisant, -ante** *adj* contemptuous, scornful ▪ **mépriser** *vt* to despise

mer [mɛr] *nf* sea; *Am* ocean; *(marée)* tide; **en (haute) m.** at sea; **par m.** by sea; **aller à la m.** to go to the seaside; **prendre la m.** to set sail;

Fam **ce n'est pas la m. à boire** it's no big deal; **un homme à la m.!** man overboard!

mercantile [merkɑ̃til] *adj Péj* mercenary

mercatique [merkatik] *nf* marketing

mercenaire [mersənɛr] *adj & nm* mercenary

mercerie [mersəri] *nf (magasin)* Br haberdasher's, *Am* notions store; *(marchandise)* Br haberdashery, *Am* notions ▪ **mercier, -ière** *nmf Br* haberdasher, *Am* notions dealer *or* merchant

merci [mersi] **1** *exclam* thank you, thanks (**de** *ou* **pour** for); **non m.** no thank you; **m. bien** thanks very much **2** *nf* **à la m. de qn/qch** at the mercy of sb/sth; **tenir qn à sa m.** to have sb at one's mercy; **sans m.** merciless

mercredi [merkrədi] *nm* Wednesday

mercure [merkyr] *nm* mercury

merde [merd] *Vulg* **1** *nf* shit; **de m.** *(voiture, télé)* shitty, crappy; **être dans la m.** to be in the shit **2** *exclam* shit! ▪ **merder** *vi très Fam (ne pas marcher)* to go down the pan; **j'ai merdé à l'examen** I really screwed up in the exam ▪ **merdique** *adj très Fam* shitty, crappy

mère [mɛr] *nf* mother; *Fam* **la m. Dubois** old Mrs Dubois; *Com* **maison m.** parent company; **m. célibataire** single mother; **m. de famille** wife and mother; **m. porteuse** surrogate mother; **m. poule** mother hen

méridien [meridjɛ̃] *nm* meridian

méridional, -e, -aux, -ales [meridjɔnal, -o] **1** *adj* southern **2** *nmf* southerner

meringue [mərɛ̃g] *nf* meringue

merisier [mərizje] *nm (bois)* cherry

mérite [merit] *nm* merit; *(honneur)* credit; **avoir du m. à faire qch** to deserve credit for doing sth; **homme de m.** *(valeur)* man of worth ▪ **méritant, -ante** *adj* deserving ▪ **mériter** *vt (être digne de)* to deserve; *(demander)* to be worth; **m. de réussir** to deserve to succeed; **m. réflexion** to be worth thinking about; **ce livre mérite d'être lu** this book is worth reading ▪ **méritoire** *adj* commendable

merlan [merlɑ̃] *nm (poisson)* whiting

merle [merl] *nm* blackbird

merlu [merly] *nm* hake

merveille [mervɛj] *nf* wonder, marvel; **à m.** wonderfully (well); *Fig* **faire des merveilles** to work wonders; **les Sept Merveilles du monde** the Seven Wonders of the World

merveilleux, -euse [mervejø, -øz] **1** *adj* wonderful, *Br* marvellous, *Am* marvelous **2** *nm* **le m.** the supernatural ▪ **merveilleusement** *adv* wonderfully

mes [me] *voir* **mon**

mésange [mezɑ̃ʒ] *nf (oiseau)* tit

mésaventure [mezavɑ̃tyr] *nf* misadventure

mesdames [medam] *pl de* **madame**

mesdemoiselles [medmwazɛl] *pl de* **mademoiselle**

mésentente [mezɑ̃tɑ̃t] *nf* disagreement

mésestimer, -tims [mezɛstime] *vt* to underestimate

mesquin, -ine [mɛskɛ̃, -in] *adj* mean, petty ▪ **mesquinerie** *nf* meanness, pettiness; **une m.** an act of meanness

mess [mes] *nm inv* Mil *(salle)* mess

message [mesaʒ] *nm* message; **m. publicitaire** advertisement; **m. vocal** voicemail (message) ▪ **messager, -ère** *nmf* messenger ▪ **messagerie** *nf* courier company; *Ordinat* **m. électronique** e-mail; *Ordinat* **m. instantanée** instant messaging; *Tél* **m. vocale** voicemail (service)

messe [mes] *nf (office, musique)* mass; **aller à la m.** to go to mass; *Fig* **faire des messes basses** to whisper

messeigneurs [mesɛɲœr] *pl de* **monseigneur**

Messie [mesi] *nm* **le M.** the Messiah

messieurs [mesjø] *pl de* **monsieur**

mesure [məzyr] *nf (dimension)* measurement; *(action)* measuring; *(moyen)* measure; *(retenue)* moderation; *Mus (temps)* time; *Mus (division)* bar; **sur m.** *(vêtement)* made to measure; **être en m. de faire qch** to be in a position to do sth; **être sans commune m. avec qch** to be out of proportion to sth; **prendre la m. de qch** *(problème)* to size sth up; **prendre les mesures de qn** to measure sb; **prendre des mesures** to take measures; **à m. que…** as…; **dans la m. où…** in so far as…; **dans une certaine m.** to a certain extent; **dans la m. du possible** as far as possible

mesurer [məzyre] **1** *vt (dimension, taille)* to measure; *(déterminer)* to assess; *(argent, temps)* to ration (out) **2** *vi* **m.1 m 83** *(personne)* ≃ to be 6 ft tall; *(objet)* to measure 6 ft **3 se mesurer** *upr Fig* **se m. à** *ou* **avec qn** to pit oneself against sb ▪ **mesuré, -ée** *adj (pas, ton)* measured; *(personne)* moderate

met [me] *voir* **mettre**

métal, -aux [metal, -o] *nm* metal ▪ **métallique** *adj (éclat, reflet)* metallic; **pont m.** metal bridge ▪ **métallisé, -ée** *adj* bleu **m.** metallic blue

métallurgie [metalyrʒi] *nf (industrie)* steel industry; *(science)* metallurgy ▪ **métallurgique** *adj* **usine m.** steelworks ▪ **métallurgiste** *nm* metalworker

métamorphose [metamɔrfoz] *nf* metamorphosis ▪ **métamorphoser** *vt,* **se métamorphoser** *upr* to transform (**en** into)

métaphore [metafɔr] *nf* metaphor ▪ **métaphorique** *adj* metaphorical

métaphysique [metafizik] **1** *adj* metaphysical **2** *nf* metaphysics *(sing)*

météo [meteo] *Fam* **1** *nf (bulletin)* weather forecast **2** *nm* **Monsieur M.** the weather man

météore [meteɔr] *nm* meteor ▪ **météorite** *nf* meteorite

météorologie [meteɔrɔlɔʒi] *nf (science)* meteorology; *(service)* weather bureau

▪ **météorologique** *adj* meteorological; **bulletin/station m.** weather report/station

méthode [metɔd] *nf (manière, soin)* method; *(livre)* course ▪ **méthodique** *adj* methodical

méticuleux, -euse [metikylø, -øz] *adj* meticulous

métier [metje] *nm (manuel, commercial)* trade; *(intellectuel)* profession; *(savoir-faire)* experience; **homme de m.** specialist; **tailleur de son m.** tailor by trade; **être du m.** to be in the business; **m. à tisser** loom

métis, -isse [metis] **1** *adj* mixed-race **2** *nmf* person of mixed race

métrage [metraʒ] *nm (action)* measuring; *(tissu)* length; *(de film)* footage; **long m.** feature film; **court m.** short film

mètre [metr] *nm (mesure) Br* metre, *Am* meter; *(règle) (metre)* rule; **m. carré/cube** square/cubic metre; **m. à ruban** tape measure ▪ **métreur** *nm* quantity surveyor ▪ **métrique** *adj (système)* metric

métro [metro] *nm Br* underground, *Am* subway

métropole [metrɔpɔl] *nf (ville)* metropolis; *(pays)* mother country ▪ **métropolitain, -aine** *adj* metropolitan

mets [me] *nm (aliment)* dish

mettable [metabl] *adj* wearable

metteur [metœr] *nm* **m. en scène** director

mettre* [metr] *vt* to put; *(vêtement, lunettes)* to put on; *(chauffage, radio)* to switch on; *(réveil)* to set (**à** for); **m. dix heures à venir** to take ten hours to come; **j'ai mis une heure** it took me an hour; **m. 100 euros** to spend 100 euros (**pour une robe** on a dress); **m. qn en colère** to make sb angry; **m. qn à l'aise** to put sb at ease; **m. qn en liberté** to free sb; **m. qch en bouteilles** to bottle sth; **m. qch plus fort** to turn sth up; **m. de la musique** to put some music on; **m. du soin à faire qch** to take care to do sth; **mettons que…** (+ *subjunctive*) let's suppose that…

2 se mettre *upr (se placer)* to put oneself; *(debout)* to stand; *(assis)* to sit; *(objet)* to go; **se m. en pyjama** to get into one's pyjamas; **se m. à table** to sit (down) at the table; **se m. à l'aise** to make oneself comfortable; **se m. à la cuisine/au salon** to go into the kitchen/dining room; **se m. au travail** to start work; **se m. à faire qch** to start doing sth; **le temps s'est mis au beau/à la pluie** the weather has turned fine/rainy; **se m. en rapport avec qn** to get in touch with sb; *Fam* **se m. le doigt dans l'œil** to be badly mistaken

meuble [mœbl] **1** *adj (terre)* soft **2** *nm* piece of furniture; **meubles** furniture ▪ **meublé** *nm* furnished *Br* flat *or Am* apartment ▪ **meubler** *vt* to furnish; *Fig (remplir)* to fill

meuf [mœf] *nf très Fam* chick, *Br* bird

meugler [møgle] *vi (vache)* to moo ▪ **meugle-**

ment [-əmɑ̃] *nm* moo; **meuglements** mooing
meule [møl] *nf* (*d'herbe*) stack; (*de moulin*) millstone; **m. de foin** haystack
meunier, -ière [mønje, -jɛr] *nmf* miller
meurt [mœr] *voir* **mourir**
meurtre [mœrtr] *nm* murder ▪ **meurtrier, -ière** 1 *nmf* murderer 2 *adj* murderous; (*épidémie*) deadly
meurtrir [mœrtrir] *vt* to bruise ▪ **meurtrissure** *nf* bruise
meute [møt] *nf* (*de chiens*) pack; *Fig* (*foule*) mob
Mexique [mɛksik] *nm* le M. Mexico ▪ **mexicain, -aine** 1 *adj* Mexican 2 *nmf* M., Mexicaine Mexican
mezzanine [mɛdzanin] *nf* (*de pièce*) mezzanine floor; (*au théâtre*) Br dress circle, Am mezzanine
mi [mi] *nm inv* (*note*) E
mi- [mi] *préf* **la mi-mars** mid March; **à mi-distance** midway; **cheveux mi-longs** shoulder-length hair
miaou [mjau] *exclam* miaow ▪ **miaulement** *nm* miaowing ▪ **miauler** [mjole] *vi* (*chat*) to miaow
mi-bas [miba] *nm inv* knee-high sock
miche [miʃ] *nf* (*de pain*) round loaf
mi-chemin [miʃmɛ̃] **à mi-chemin** *adv* halfway
mi-clos, -close [miklo, -kloz] (*mpl* **mi-clos,** *fpl* **mi-closes**) *adj* half-closed
micmac [mikmak] *nm Fam* (*manigance*) muddle
mi-corps [mikɔr] **à mi-corps** *adv* (up) to the waist
mi-côte [mikot] **à mi-côte** *adv* halfway up the hill
micro [mikro] *nm* (*microphone*) mike; *Ordinat* micro(computer) ▪ **microphone** *nm* microphone
microbe [mikrɔb] *nm* germ, microbe
microcosme [mikrɔkɔsm] *nm* microcosm
microfiche [mikrofiʃ] *nf* microfiche
microfilm [mikrofilm] *nm* microfilm
micro-informatique [mikroɛ̃fɔrmatik] *nf* microcomputing
micro-ondes [mikroɔ̃d] *nm inv* microwave; **four à m.** microwave oven
micro-ordinateur [mikroɔrdinatœr] (*pl* **micro-ordinateurs**) *nm* microcomputer
microprocesseur [mikroprɔsɛsœr] *nm Ordinat* microprocessor
microscope [mikrɔskɔp] *nm* microscope ▪ **microscopique** *adj* microscopic
midi [midi] *nm* (**a**) (*heure*) twelve o'clock, midday; (*heure du déjeuner*) lunchtime; **entre m. et deux heures** at lunchtime; *Fig* **chercher m. à quatorze heures** to make unnecessary complications for oneself (**b**) (*sud*) south; **le M.** the South of France
mie [mi] *nf* (*de pain*) soft part, crumb
miel [mjɛl] *nm* honey ▪ **mielleux, -euse** *adj Fig* (*parole, personne*) smooth
mien, mienne [mjɛ̃, mjɛn] 1 *pron possessif* **le**

m., la mienne mine, *Br* my one; **les miens, les miennes** mine, *Br* my ones; **les deux miens** my two 2 *nmpl* **les miens** (*ma famille*) my family
miette [mjɛt] *nf* (*de pain*) crumb; **réduire qch en miettes** to smash sth to pieces; *Fam* **ne pas perdre une m. de qch** (*conversation*) not to miss a word of sth
mieux [mjø] 1 *adv* better (**que** than); **aller m.** to be (feeling) better; **en m.** better; **les deux miens** better; **faire qch à qui m. m.** to try to outdo each other doing sth; **le/la/les m.** (*être*) the best; (*de deux*) the better; **le m. serait de…** the best thing would be to…; **le plus tôt sera le m.** the sooner the better 2 *adj inv* better; (*plus beau*) better-looking; **si tu n'as rien de m. à faire** if you've got nothing better to do 3 *nm* (*amélioration*) improvement; **faire de son m.** to do one's best; **faites au m.** do the best you can
mièvre [mjɛvr] *adj* insipid
mignon, -onne [miɲɔ̃, -ɔn] *adj* (*charmant*) cute; (*gentil*) nice
migraine [migrɛn] *nf* headache; *Méd* migraine
migration [migrasjɔ̃] *nf* migration ▪ **migrant, -ante** *adj & nmf* migrant ▪ **migrateur, -trice** *adj* migratory
mijoter [miʒɔte] 1 *vt* (*avec soin*) to cook (lovingly); (*lentement*) to simmer; *Fam* (*tramer*) to cook up 2 *vi* to simmer
mil [mil] *adj inv* **l'an deux m.** the year two thousand
milice [milis] *nf* militia ▪ **milicien** *nm* militiaman
milieu, -x [miljø] *nm* (*centre*) middle; (*cadre, groupe social*) environment; (*entre extrêmes*) middle course; *Phys* medium; **milieux littéraires/militaires** literary/military circles; **au m.** in the middle of; **au m. du danger** in the midst of danger; **le juste m.** the happy medium; **le m.** (*la pègre*) the underworld
militaire [militɛr] 1 *adj* military 2 *nm* serviceman; (*dans l'armée de terre*) soldier
militer [milite] *vi* (*personne*) to campaign (**pour** for; **contre** against) ▪ **militant, -ante** *adj & nmf* militant
mille [mil] 1 *adj inv & nm inv* thousand; **m. hommes** a *or* one thousand men; **deux m.** two thousand; *Fig* **mettre dans le m.** to hit the bull's-eye; **je vous le donne en m.!** you'll never guess! 2 *nm* **m. (marin)** nautical mile ▪ **mille-feuille** (*pl* **mille-feuilles**) *nm Br* ≃ vanilla slice, *Am* ≃ napoleon ▪ **mille-pattes** *nm inv* centipede ▪ **millième** *adj, nm & nmf* thousandth; **un m.** a thousandth ▪ **millier** *nm* thousand; **un m. (de)** a thousand or so; **par milliers** in their thousands
millénaire [milenɛr] *nm* millennium
millésime [milezim] *nm* (*de vin*) year; (*de pièce de monnaie*) date

millet [mijɛ] *nm* millet

milliard [miljar] *nm* billion ▪ **milliardaire** *adj & nmf* billionaire

millimètre [milimɛtr] *nm* millimetre

million [miljɔ̃] *nm* million; **un m. d'euros** a million euros; **deux millions** two million; **par millions** in millions ▪ **millionième** *adj, nm & nmf* millionth ▪ **millionnaire** *nmf* millionaire

mime [mim] 1 *nm* (*art*) mime 2 *nmf* (*artiste*) mime ▪ **mimer** *vti* (*exprimer*) to mime ▪ **mimique** *nf* (*mine*) (funny) face

mimétisme [mimetism] *nm* mimicry; **agir par m.** to mimic or copy sb's attitudes

mimosa [mimoza] *nm* (*arbre, fleur*) mimosa

minable [minabl] *adj* (*lieu, personne*) shabby; (*médiocre*) pathetic

minaret [minarɛ] *nm* minaret

minauder [minode] *vi* to simper

mince [mɛ̃s] 1 *adj* thin; (*élancé*) slim; (*insuffisant*) slight 2 *exclam Fam* **m. (alors)!** (*de déception*) damn!; (*de surprise*) well, blow me! ▪ **minceur** *nf* thinness; (*sveltesse*) slimness ▪ **mincir** *vi* to get slimmer

mine [min] *nf* (**a**) (*physionomie*) look; **avoir bonne/mauvaise m.** to look well/ill; **faire m. de faire qch** to make as if to do sth; **faire grise m.** to look anything but pleased; *Fam* **m. de rien** (*discrètement*) quite casually (**b**) (*gisement*) & *Fig* mine; **m. de charbon** coalmine (**c**) (*de crayon*) lead (**d**) (*engin explosif*) mine; *Mil* **champ de mines** minefield

miner [mine] *vt* (*terrain*) to mine; *Fig* (*saper*) to undermine; **m. qn** (*chagrin, maladie*) to wear sb down

minerai [minrɛ] *nm* ore

minéral, -e, -aux, -ales [mineral, -o] *adj & nm* mineral

minéralogique [mineralɔʒik] *adj* **plaque m.** (*de véhicule*) *Br* number or*Am* license plate

minerve [minɛrv] *nf* surgical collar

minet, -ette [minɛ, -ɛt] *nmf Fam* (*chat*) puss, kitty; (*personne*) trendy

mineur, -eure [minœr] 1 *nm* (*ouvrier*) miner; **m. de fond** underground worker 2 *adj* (*secondaire*) & *Mus* minor; (*de moins de 18 ans*) under-age 3 *nmf Jur* minor ▪ **minier, -ière** *adj* **industrie minière** mining industry

miniature [minjatyr] 1 *nf* miniature 2 *adj* **train m.** miniature train

minibus [minibys] *nm* minibus

minichaîne [miniʃɛn] *nf* mini (hi-fi) system

Minidisc® [minidisk] *nm* MiniDisc®; **lecteur M.** Minidisc® player

minigolf [minigɔlf] *nm* minigolf, crazy golf

minijupe [miniʒyp] *nf* miniskirt

minimal, -ale, -aux, -ales [minimal, -o] *adj* minimum

minime [minim] *adj* minimal ▪ **minimiser** *vt* to minimize

minimum [minimɔm] (*pl* **minima** [-ma] *ou* **minimums**) 1 *nm* minimum; **le m. de** (*force*) the minimum (amount of); **faire le m.** to do the bare minimum; **en un m. de temps** in as short a time as possible; **au (grand) m.** at the very least; **le m. vital** a minimum to live on; **les minima sociaux** = basic income support 2 *adj* minimum

ministère [ministɛr] *nm* (*département*) ministry; (*gouvernement*) government, cabinet; **m. des Affaires étrangères** *Br* ≃ Foreign Office, *Am* ≃ State Department; **m. de l'Intérieur** *Br* ≃ Home Office, *Am* ≃ Department of the Interior; *Jur* **le m. public** *Br* ≃ the Crown Prosecution Service, *Am* ≃ the District Attorney's Office ▪ **ministériel, -ielle** *adj* ministerial; **remaniement m.** cabinet or government reshuffle

ministre [ministr] *nm Pol & Rel* secretary, *Br* minister; **m. des Affaires étrangères** *Br* ≃ Foreign Secretary, *Am* ≃ Secretary of State; **m. de l'Intérieur** *Br* ≃ Home Secretary, *Am* ≃ Secretary of the Interior; **m. de la Justice** *Br* ≃ Lord Chancellor, *Am* ≃ Attorney General; **m. de la Culture** ≃ Arts Minister; **m. d'État** ≃ secretary of state, *Br* ≃ cabinet minister

Minitel® [minitɛl] *nm* = consumer information network accessible via home computer terminal

minois [minwa] *nm* (*d'enfant, de jeune femme*) (pretty) face

minorer [minɔre] *vt* (*faire baisser*) to reduce

minorité [minɔrite] *nf* minority; **en m.** in the minority ▪ **minoritaire** *adj* **parti m.** minority party; **être m.** to be in the minority

Minorque [minɔrk] *nf* Minorca

minou [minu] *nm Fam* (*chat*) puss, kitty

minuit [minɥi] *nm* midnight, twelve o'clock

minus [minys] *nm Fam* (*incapable*) no-hoper

minuscule [minyskyl] 1 *adj* (*petit*) tiny, minute 2 *adj & nf* (*lettre*) **m.** small letter

minute [minyt] 1 *nf* minute; **à la m.** (*tout de suite*) this (very) minute; **d'une m. à l'autre** any minute (now) 2 *adj inv* **plats m.** convenience food ▪ **minuter** *vt* to time ▪ **minuterie** *nf* (*d'éclairage*) time switch ▪ **minuteur** *nm* timer

minutie [minysi] *nf* meticulousness ▪ **minutieux, -ieuse** *adj* meticulous

mioche [mjɔʃ] *nmf Fam* (*enfant*) kid

mirabelle [mirabɛl] *nf* mirabelle plum

miracle [mirakl] *nm* miracle; **par m.** miraculously ▪ **miraculeux, -euse** *adj* miraculous

mirador [miradɔr] *nm* watchtower

mirage [miraʒ] *nm* mirage

mire [mir] *nf* **point de m.** (*cible*) & *Fig* target

mirettes [mirɛt] *nfpl Fam* eyes

mirifique [mirifik] *adj Hum* fabulous

mirobolant, -ante [mirɔbɔlɑ̃, -ɑ̃t] *adj Fam* fantastic

miroir [mirwar] *nm* mirror ■**miroiter** *vi* to shimmer

mis, mise¹ [mi, miz] 1 *pp de* **mettre** 2 *adj* **bien m.** (*vêtu*) well-dressed

misanthrope [mizɑ̃trɔp] *nmf* misanthropist

mise² [miz] *nf* (**a**) (*placement*) putting; **m. à feu** (*de fusée*) blast-off; **m. au point** (*de rapport*) finalization; *Phot* focusing; (*de moteur*) tuning; (*de technique*) perfecting; *Fig* (*clarification*) clarification; **m. en garde** warning; **m. en marche** starting up; **m. en page(s)** page make-up; *Ordinat* **m. en réseau** networking; **m. en service** putting into service; **m. en scène** *Théâtre* production; *Cin* direction (**b**) (*argent*) stake (**c**) (*tenue*) attire (**d**) **être de m.** to be acceptable

miser [mize] *vt* (*argent*) to stake (**sur** on); **m. sur qn/qch** (*parier*) to bet on sb/sth; (*compter sur*) to count on sb/sth; **m. sur tous les tableaux** to hedge one's bets

misère [mizɛr] *nf* extreme poverty; **être dans la m.** to be poverty-stricken; **gagner une m.** to earn a pittance; **payer qch une m.** to pay next to nothing for sth; **faire des misères à qn** to give sb a hard time ■**misérable** 1 (*pitoyable*) miserable; (*pauvre*) destitute; (*condition, existence*) wretched; (*logement, quartier*) seedy, slummy 2 *nmf* (*indigent*) poor wretch; (*scélérat*) scoundrel ■**miséreux, -euse** 1 *adj* destitute 2 *nmf* pauper

> Il faut noter que le nom anglais **misery** et l'adjectif **miserable** sont des faux amis. Le premier signifie **malheur, tristesse** et le deuxième signifie le plus souvent **malheureux, triste**.

miséricorde [mizerikɔrd] *nf* mercy ■**miséricordieux, -ieuse** *adj* merciful

miso [miso] *nm Culin* miso

misogyne [mizɔʒin] *nmf* misogynist

missile [misil] *nm* missile

mission [misjɔ̃] *nf* (*tâche, vocation, organisation*) mission; (*d'employé*) task; **partir en m.** (*cadre*) to go away on business; (*diplomate*) to go off on a mission; **m. accomplie** mission accomplished; **m. scientifique** scientific expedition ■**missionnaire** *nmf & adj* missionary

missive [misiv] *nf Littéraire* (*lettre*) missive

mistral, -als [mistral] *nm* **le m.** the mistral

mite [mit] *nf* moth ■**mité, -ée** *adj* moth-eaten ■**miteux, -euse** *adj* shabby

mi-temps [mitɑ̃] 1 *nf inv Sport* (*pause*) half-time; (*période*) half 2 *nm inv* part-time job; **travailler à m.** to work part-time; **prendre un m.** to take on a part-time job

mitigé, -ée [mitiʒe] *adj* (*accueil*) lukewarm; (*sentiments*) mixed

mitonner [mitɔne] *vt* (*cuire à petit feu*) to simmer gently

mitoyen, -enne [mitwajɛ̃, -jɛn] *adj* common, shared; **mur m.** party wall

mitrailler [mitraje] *vt* to machine-gun; *Fam* (*photographier*) to click or snap away at; **m. qn de questions** to bombard sb with questions ■**mitraillette** *nf* submachine gun ■**mitrailleur** *adj* **fusil m.** machine gun ■**mitrailleuse** *nf* machine gun

mi-voix [mivwa] **à mi-voix** *adv* in a low voice

mixer [mikse] *vt* (*ingrédients, film*) to mix; (*rendre liquide*) to blend

mixe(u)r [miksœr] *nm* (*pour mélanger*) (food) mixer; (*pour rendre liquide*) liquidizer

mixte [mikst] *adj* mixed; (*école*) co-educational, *Br* mixed; (*commission*) joint; (*cuisinière*) gas-and-electric

mixture [mikstyr] *nf* mixture

MJC [emʒise] (*abrév* **maison des jeunes et de la culture**) *nf* = youth club and arts centre

MLF [emɛlɛf] (*abrév* **Mouvement de libération des femmes**) *nm* ≃ Women's Liberation Movement

Mlle (*abrév* **Mademoiselle**) Miss, Ms

MM (*abrév* **Messieurs**) Messrs

mm (*abrév* **millimètre(s)**) mm

Mme (*abrév* **Madame**) Mrs, Ms

mobile [mɔbil] 1 *adj* (*pièce, cible*) moving; (*panneau, fête*) movable; (*personne*) mobile; (*feuillets*) loose; **échelle m.** sliding scale 2 *nm* (*décoration*) mobile; (*motif*) motive (**de** for) ■**mobilité** *nf* mobility

mobilier [mɔbilje] *nm* furniture

mobiliser [mɔbilize] *vt*, **se mobiliser** *vpr* to mobilize ■**mobilisation** *nf* mobilization

Mobylette® [mɔbilɛt] *nf* moped

mocassin [mɔkasɛ̃] *nm* moccasin

moche [mɔʃ] *adj Fam* (*laid*) ugly; (*mal*) rotten

modalité [mɔdalite] *nf* (*manière*) mode (**de** of); (*de contrat*) clause; **modalités de paiement** conditions of payment

mode¹ [mɔd] *nf* (*tendance*) fashion; (*industrie*) fashion trade; **à la m.** fashionable; **à la m. de** in the manner of; **passé de m.** out of fashion

mode² [mɔd] *nm* (**a**) (*manière*) & *Ordinat & Mus* mode; **m. d'emploi** instructions; **m. de paiement** means of payment; **m. de transport** mode of transport; **m. de vie** way of life (**b**) *Grammaire* mood

modèle [mɔdɛl] 1 *nm* (*schéma, exemple, personne*) model; *Tricot* pattern; **grand/petit m.** (*de vêtement*) large/small size; **m. déposé** registered design; **m. réduit** small-scale model 2 *adj* **élève/petite fille m.** model pupil/girl ■**modeler** 1 *vt* to model (**sur** on) 2 **se modeler** *vpr* **se m. sur qn** to model oneself on sb ■**modéliste** *nmf* stylist, designer

modem [mɔdɛm] *nm Ordinat* modem

modéré, -ée [mɔdere] *adj* moderate ■**modérément** *adv* moderately

modérer [mɔdere] **1** *vt (passions, désirs)* to moderate, to restrain; *(vitesse, température)* to reduce **2 se modérer** *vpr* to calm down ▪**modérateur, -trice 1** *adj* moderating **2** *nmf (personne)* moderator ▪**modération** *nf (retenue)* moderation; *(réduction)* reduction; **avec m.** in moderation; **à consommer avec m.** drink in moderation *(health warning on all products advertising alcoholic drinks)*

moderne [mɔdɛrn] **1** *adj* modern **2** *nm* **le m.** *(mobilier)* modern furniture ▪**modernisation** *nf* modernization ▪**moderniser** *vt,* **se moderniser** *vpr* to modernize ▪**modernisme** *nm* modernism ▪**modernité** *nf* modernity

modeste [mɔdɛst] *adj* modest ▪**modestement** [-əmɑ̃] *adv* modestly ▪**modestie** *nf* modesty

modifier [mɔdifje] **1** *vt* to alter, to modify **se modifier** *vpr* to alter ▪**modification** *hf* alteration, modification; **apporter une m. à qch** to make an alteration to sth

modique [mɔdik] *adj (prix, somme)* modest ▪**modicité** *nf* modesty

modiste [mɔdist] *nmf* milliner

module [mɔdyl] *nm (élément)* unit; *(de vaisseau spatial) & Scol* module

moduler [mɔdyle] *vt (son, amplitude)* to modulate; *(ajuster)* to adjust **(en fonction de** in relation to) ▪**modulation** *nf (de son, d'amplitude)* modulation; *Radio* **m. de fréquence** frequency modulation

moelle [mwal] *nf (d'os)* marrow; *Fig* **jusqu'à la m.** to the core; **m. épinière** spinal cord; **m. osseuse** bone marrow

moelleux, -euse [mwalø, -øz] *adj (lit, tissu)* soft; *(voix, vin)* mellow

mœurs [mœr(s)] *nfpl (morale)* morals; *(habitudes)* customs; **entrer dans les m.** to become part of everyday life

mohair [mɔɛr] *nm* mohair

moi [mwa] **1** *pron personnel* (**a**) *(après une préposition)* me; **pour/avec m.** for/with me; *Fam* **un ami à m.** a friend of mine (**b**) *(complément direct)* me; **laissez-m.** leave me (**c**) *(complément indirect)* (to) me; **montrez-le-m.** show it to me, show me it (**d**) *(sujet)* I; **c'est m. qui vous le dis!** I'm telling you!; **il est plus grand que m.** he's taller than I am *or* than me; **m., je veux bien** that's OK by me **2** *nm inv* self, ego ▪**moi-même** *pron* myself

moignon [mwaɲɔ̃] *nm* stump

moindre [mwɛ̃dr] *adj (comparatif)* lesser; *(prix)* lower; *(quantité)* smaller; *(vitesse)* slower; **le/la m.** *(superlatif)* the least; **la m. erreur** the slightest mistake; **le m. doute** the slightest *or* least doubt; **pas la m. idée** not the slightest idea; **dans les moindres détails** in the smallest detail; **c'est un m. mal** it's not as bad as it might have been; **c'est la m. des choses** it's the least I/we/etc can do

moine [mwan] *nm* monk

moineau, -x [mwano] *nm* sparrow

moins [mwɛ̃] **1** ([mwɛz] *before vowel) adv (comparatif)* less (**que** than); **m. de** *(temps, travail)* less (**que** than); *(gens, livres)* fewer (**que** than); *(100 euros)* less than; **le/la/les m.** *(superlatif)* the least; **le m. grand, la m. grande, les m. grand(e)s** the smallest; **pas le m. du monde** not in the least; **de m. en m.** [dəmɛ̃zɑ̃mwɛ̃] less and less; **au m., du m.** at least; **qch de m., qch en m.** *(qui manque)* sth missing; **dix ans de m.** ten years less; **en m.** *(personne, objet)* less; *(personnes, objets)* fewer; **les m. de vingt ans** those under twenty, the under-twenties; **à m. que...** (+ *subjunctive*) unless... **2** *prép Math* minus; **deux heures m. cinq** five to two; **il fait m. 10 (degrés)** it's minus 10 (degrees); *Fam* **c'était m. une** it was a close shave

mois [mwa] *nm* month; **au m. de juin** in (the month of) June

moisir [mwazir] *vi* to go *Br* mouldy *or Am* moldy; *Fam (stagner)* to *Br* moulder *or Am* molder away; *(attendre)* to hang about ▪**moisi, -ie 1** *adj Br* mouldy, *Am* moldy **2** *nm Br* mould, *Am* mold; *(sur un mur)* mildew; **sentir le m.** to smell musty ▪**moisissure** *nf Br* mould, *Am* mold

moisson [mwasɔ̃] *nf* harvest; **faire la m.** to harvest ▪**moissonner** *vt (céréales)* to harvest; *(champ)* to reap ▪**moissonneuse-batteuse** *(pl* moissonneuses-batteuses) *nf* combine harvester

moite [mwat] *adj* sticky ▪**moiteur** *nf* stickiness

moitié [mwatje] *nf* half; **la m. de la pomme** half (of) the apple; **à m.** *(remplir)* halfway; **à m. plein/vide** half-full/-empty; **à m. prix** (at) half-price; **réduire qch de m.** to reduce sth by half; *Fam* **m.-m.** fifty-fifty; *Fam* **faire m.-m.** to go halves; *Fam (époux, épouse)* **ma m.** my better half

moka [mɔka] *nm (café)* mocha; *(gâteau)* coffee cake

mol [mɔl] *voir* **mou**

molaire [mɔlɛr] *nf* molar

molécule [mɔlekyl] *nf* molecule

molester [mɔleste] *vt* to manhandle

> Il faut noter que le verbe anglais **to molest** est un faux ami. Il signifie **faire subir des sévices sexuels à**.

molette [mɔlɛt] *nf* **clé à m.** adjustable wrench *or Br* spanner

mollasse [mɔlas] *adj Fam (flasque)* flabby ▪**mollasson, -onne** *Fam* **1** *adj* lethargic **2** *nmf* slob

molle [mɔl] *voir* **mou** ▪**mollement** *adv (sans énergie)* feebly; *(avec lenteur)* gently ▪**mollesse** *nf (de matelas)* softness; *(de personne)* lethargy ▪**mollir** *vi (matière)* to soften; *(courage)* to flag

mollet¹ [mɔlɛ] *nm (de jambe)* calf

mollet² [mɔlɛ] *adj* **œuf m.** soft-boiled egg

molleton [mɔltɔ̃] *nm (tissu en coton)* flannelette; *(sous-nappe)* table felt ▪ **molletonné, -ée** *adj* fleece-lined

mollo [mɔlo] *adv Fam* **y aller m.** to take it easy

mollusque [mɔlysk] *nm* mollusc

molosse [mɔlɔs] *nm* big dog

môme [mom] *nmf Fam (enfant)* kid

moment [mɔmɑ̃] *nm (instant, durée)* moment; **un petit m.** a little while; **en ce m.** at the moment; **pour le m.** for the moment, for the time being; **sur le m.** at the time; **à ce m.-là** *(à ce moment précis)* at that (very) moment, at that time; *(dans ce cas)* then; **à un m. donné** at one point; **le m. venu** *(dans le future)* when the time comes; **d'un m. à l'autre** any moment; **dans ces moments-là** at times like that; **par moments** at times; **au m. de partir** when just about to leave; **au m. où... ** just as...; **jusqu'au m. où... ** until...; **du m. que...** *(puisque)* seeing that...; **arriver au bon m.** to arrive just at the right time; **c'est le m. ou jamais** it's now or never ▪ **momentané, -ée** *adj (temporaire)* momentary; *(bref)* brief ▪ **momentanément** *adv (temporairement)* temporarily; *(brièvement)* briefly

momie [mɔmi] *nf* mummy

mon, ma, mes [mɔ̃, ma, me]

> ma becomes mon [mɔ̃n] before a vowel or mute h.

adj possessif my; **m. père** my father; **ma mère** my mother; **m. ami(e)** my friend; **mes parents** my parents

Monaco [mɔnako] *nm* Monaco

monarque [mɔnark] *nm* monarch ▪ **monarchie** *nf* monarchy ▪ **monarchique** *adj* monarchic

monastère [mɔnastɛr] *nm* monastery

monceau, -x [mɔ̃so] *nm* heap, pile

mondain, -aine [mɔ̃dɛ̃, -ɛn] *adj (lieu)* fashionable; **réunion mondaine** society gathering; **rubrique mondaine** *(dans le journal)* gossip column; *Péj* **être très m.** *(personne)* to be a great socialite ▪ **mondanités** *nfpl (événements)* social life; *(conversations superficielles)* social chitchat

> Il faut noter que l'adjectif anglais **mundane** est un faux ami. Il signifie **terre-à-terre**.

monde [mɔ̃d] *nm* world; *(gens)* people; **dans le m. entier** worldwide, all over the world; **le (grand) m.** (high) society; **tout le m.** everybody; **il y a du m.** there are a lot of people; **un m. fou** a tremendous crowd; **mettre qn au m.** to give birth to sb; **venir au m.** to come into the world; *Fam* **se faire un m. de qch** to get worked up about sth; **pas le moins du m.!** not in the least *or* slightest!; **c'est le m. à l'envers!** the world's gone mad!

mondial, -e, -iaux, -iales *adj (crise, renommée)* worldwide; **guerre mondiale** world war ▪ **mondialement** *adv* throughout the world ▪ **mondialisation** *nf* globalization

monégasque [mɔnegask] **1** *adj* Monegasque **2** *nmf* **M.** Monegasque

monétaire [mɔnetɛr] *adj* monetary

mongolien, -ienne [mɔ̃gɔljɛ̃, -jɛn] *Méd* **1** *adj* **être m.** to have Down's syndrome **2** *nmf* person with Down's syndrome ▪ **mongolisme** *nm* Down's syndrome

moniteur, -trice [mɔnitœr, -tris] **1** *nmf* instructor; *(de colonie de vacances) Br* group leader, *Am* camp counselor **2** *nm Ordinat (écran)* monitor

monnaie [mɔnɛ] *nf (argent)* money; *(d'un pays)* currency; *(pièces)* change; **petite m.** small change; **faire de la m.** to get change; **avoir la m. de 20 euros** to have change for 20 euros; *Fig* **c'est m. courante** it's very frequent; *Ordinat* **m. électronique** electronic money; **m. légale** legal tender; **m. unique** single currency ▪ **monnayer** *vt (talent, information)* to cash in on; *(bien, titre)* to convert into cash

mono [mɔno] *adj inv (disque)* mono

monochrome [mɔnɔkrom] *adj & nm* monochrome

monocle [mɔnɔkl] *nm* monocle

monocorde [mɔnɔkɔrd] *adj* monotonous

monogamie [mɔnɔgami] *nf* monogamy ▪ **monogame** *adj* monogamous

monokini [mɔnɔkini] *nm* **faire du m.** to go topless

monolingue [mɔnɔlɛ̃g] *adj* monolingual

monologue [mɔnɔlɔg] *nm Br* monologue, *Am* monolog

mononucléose [mɔnɔnykleoz] *nf* glandular fever

monoparentale [mɔnɔparɑ̃tal] *adj f* **famille m.** one-parent *or* single-parent family ▪ **monoparentalité** *nf* single parenthood

monoplace [mɔnɔplas] *adj & nmf* single-seater

monopole [mɔnɔpɔl] *nm* monopoly; **avoir le m. de qch** to have a monopoly on sth ▪ **monopoliser** *vt* to monopolize

monoski [mɔnɔski] *nm* mono-ski; **faire du m.** to mono-ski

monosyllabe [mɔnɔsilab] *nm* monosyllable ▪ **monosyllabique** *adj* monosyllabic

monothéisme [mɔnɔteism] *nm* monotheism

monotone [mɔnɔtɔn] *adj* monotonous ▪ **monotonie** *nf* monotony

monseigneur [mɔ̃sɛɲœr] *(pl* **messeigneurs***) nm (évêque)* My Lord/His Lordship; *(prince)* His/Your Highness

monsieur [mɔsjø] *(pl* **messieurs***) nm (homme quelconque)* gentleman; **M. Legras** Mr Legras; **oui m.** yes; *(avec déférence)* yes, sir; **oui messieurs** yes(, gentlemen); **bonsoir, mes-**

sieurs-dames! good evening!; **M.** *(dans une lettre)* Dear Sir; **m. tout-le-monde** the man in the street

monstre [mɔ̃str] 1 *nm* monster; **m. sacré** giant 2 *adj Fam (énorme)* colossal ▪ **monstrueux, -ueuse** *adj (mal formé, scandaleux)* monstrous; *(énorme)* huge ▪ **monstruosité** *nf* monstrosity

mont [mɔ̃] *nm* mount; **être toujours par monts et par vaux** to be forever on the move

montage [mɔ̃taʒ] *nm Tech* assembling; *Cin* editing; *(image truquée)* montage; **m. vidéo** video editing

montagne [mɔ̃taɲ] *nf* mountain; **la m.** *(zone)* the mountains; **à la m.** in the mountains; **en haute m.** high in the mountains; *Fig* **une m. de qch** *(grande quantité)* a mountain of sth; *Fig* **se faire une m. de qch** to make a great song and dance about sth; **montagnes russes** *(attraction foraine)* rollercoaster ▪ **montagnard, -arde** 1 *nmf* mountain dweller 2 *adj* **peuple m.** mountain people ▪ **montagneux, -euse** *adj* mountainous

montant, -ante 1 *adj (marée)* rising; *(col)* stand-up; **chaussure montante** boot 2 *nm (somme)* amount; *(de barrière)* post; *(d'échelle)* upright; **montants compensatoires** subsidies

mont-de-piété [mɔ̃dpjete] *(pl* **monts-de-piété***) nm* pawnshop; **mettre qch au m.** to pawn sth

monte-charge [mɔ̃tʃarʒ] *(pl* **monte-charges***) nm* service *Br* lift *or Am* elevator

montée [mɔ̃te] *nf (ascension)* climb, ascent; *(chemin)* slope; *(des prix, du fascisme)* rise; **la m. des eaux** the rise in the water level

monte-plats [mɔ̃tpla] *nm inv* dumb waiter

monter [mɔ̃te] 1 *(aux avoir) vt (côte)* to climb (up); *(objet)* to bring/take up; *(cheval)* to ride; *(son)* to turn up; *(tente)* to put up; *(machine)* to assemble; *(bijou, complot)* to mount; *(affaire)* to hatch; *(pièce de théâtre)* to stage; *(film)* to edit; **m. l'escalier** to go/come upstairs *or* up the stairs; **m. qn contre qn** to set sb against sb

2 *(aux être) vi (personne)* to go/come up; *(ballon)* to go up; *(prix)* to rise; *(marée)* to come in; *(avion)* to climb; **faire m. qn** to show sb up; **m. dans un véhicule** to get in(to) a vehicle; **m. dans un train** to get on(to) a train; **m. sur qch** to climb onto sth; **m. sur** *ou* **à une échelle** to climb up a ladder; **m. sur le trône** to become king/queen; **m. en courant** to run up; *Sport* **m. à cheval** to ride (a horse); **le vin me monte à la tête** wine goes to my head

3 **se monter** *vpr* **se m. à** *(s'élever à)* to amount to; *Fam* **se m. la tête** to get carried away with oneself ▪ **monté, -ée** *adj (police)* mounted

monteur, -euse [mɔ̃tœr, -øz] *nmf Cin* editor

montre [mɔ̃tr] *nf (instrument)* (wrist-)watch; *Sport & Fig* **course contre la m.** race against

the clock ▪ **montre-bracelet** *(pl* **montres-bracelets***) nf* wristwatch

Montréal [mɔ̃real] *nm ou f* Montreal

montrer [mɔ̃tre] 1 *vt* to show (**à** to); **m. qn/qch du doigt** to point at sb/sth; **m. le chemin à qn** to show sb the way 2 **se montrer** *vpr* to show oneself; **se m. courageux** to be courageous

monture [mɔ̃tyr] *nf (de lunettes)* frame; *(de bijou)* setting; *(cheval)* mount

monument [mɔnymɑ̃] *nm* monument; **m. historique** ancient monument; **m. aux morts** war memorial ▪ **monumental, -e, -aux, -ales** *adj (imposant, énorme)* monumental

moquer [mɔke] **se moquer** *vpr* **se m. de qn** to make fun of sb; **se m. de qch** *(rire de)* to make fun of sth; *(ne pas se soucier)* not to care about sth; *Fam* **il se moque du monde** who does he think he is? ▪ **moquerie** *nf* mockery ▪ **moqueur, -euse** *adj* mocking

moquette [mɔket] *nf Br* fitted carpet, *Am* wall-to-wall carpeting

moral, -e, -aux, -ales [mɔral, -o] 1 *adj* moral 2 *nm* **avoir le m.** to be in good spirits; **avoir le m. à zéro** to feel really down; **remonter le m. à qn** to cheer sb up ▪ **morale** *nf (d'histoire)* moral; *(principes)* morals; *(règles)* morality; **faire la m. à qn** to lecture sb ▪ **moralement** *adv* morally ▪ **moraliste** *nmf* moralist ▪ **moralité** *nf (mœurs)* morality; *(de récit)* moral

moratoire [mɔratwar] *nm Jur* moratorium

morbide [mɔrbid] *adj* morbid

morceau, -x [mɔrso] *nm* piece, bit; *(de sucre)* lump; *(de viande)* cut; *(d'une œuvre littéraire)* extract; **tomber en morceaux** to fall to pieces ▪ **morceler** *vt (terrain)* to divide up

mordicus [mɔrdikys] *adv Fam* stubbornly

mordiller [mɔrdije] *vt* to nibble

mordre [mɔrdr] 1 *vti* to bite; **m. qn au bras** to bite sb's arm; **ça mord?** *(poissons)* are the fish biting? 2 **se mordre** *vpr Fig* **se m. les doigts d'avoir fait qch** to kick oneself for doing sth ▪ **mordant, -ante** 1 *adj (esprit, remarque, froid)* biting; *(personne, ironie)* caustic 2 *nm (causticité)* bite

mordu, -ue [mɔrdy] 1 *pp de* **mordre** 2 *nmf Fam* **un m. de jazz** a jazz fanatic

morfondre [mɔrfɔ̃dr] **se morfondre** *vpr* to mope (about)

morgue [mɔrg] *nf (d'hôpital)* mortuary, morgue

moribond, -onde [mɔribɔ̃, -ɔ̃d] 1 *adj* dying 2 *nmf* dying person

morne [mɔrn] *adj (temps)* dismal; *(silence)* gloomy; *(personne)* glum

morose [mɔroz] *adj* morose

morphine [mɔrfin] *nf* morphine

morphologie [mɔrfɔlɔʒi] *nf* morphology

mors [mɔr] *nm (de harnais)* bit; *Fig* **prendre le m. aux dents** to take the bit between one's teeth

morse [mɔrs] *nm (code)* Morse (code); *(animal)* walrus

morsure [mɔrsyr] *nf* bite

mort¹ [mɔr] *nf* death; **mettre qn à m.** to put sb to death; **se donner la m.** to take one's own life; **en vouloir à m. à qn** to be dead set against sb; **un silence de m.** a deathly silence; **la m. dans l'âme** *(accepter qch)* with a heavy heart; **m. subite du nourrisson** *Br* cot death, *Am* crib death ■**mortalité** *nf* death rate, mortality ■**mortel, -elle 1** *adj (hommes, ennemi, danger)* mortal; *(accident)* fatal; *(pâleur)* deathly; *Fam (ennuyeux)* deadly (dull); *Fam (excellent) Br* wicked, *Am* awesome **2** *nmf* mortal **3** *adv Fam* **on s'est éclatés mortel!** we had a blast!, *Br* we had a wicked time! ■**mortellement** *adv (blessé)* fatally; *(ennuyeux)* deadly

mort², **morte** [mɔr, mɔrt] **1** *adj (personne, plante, ville)* dead; **m. ou vif** dead or alive; **m. de fatigue** dead tired; **m. de froid** numb with cold; **m. de peur** frightened to death; *Fam* **m. de rire** killing oneself (laughing) **2** *nmf* dead man, *f* dead woman; **les morts** the dead; **de nombreux morts** *(victimes)* many deaths; **le jour** *ou* **la fête des Morts** All Souls' Day ■**morte-saison** *(pl* mortes-saisons*)* *nf* off-season ■**mort-né, -née** *(mpl* mort-nés, *fpl* mort-nées*) adj (enfant) & Fig* stillborn

mortier [mɔrtje] *nm* mortar

mortifier [mɔrtifje] *vt* to mortify

mortuaire [mɔrtɥɛr] *adj* **couronne m.** funeral wreath

morue [mɔry] *nf* cod

morve [mɔrv] *nf* snot ■**morveux, -euse** *adj Fam Péj (enfant)* snotty(-nosed)

mosaïque [mɔzaik] *nf* mosaic

Moscou [mɔsku] *nm ou f* Moscow

mosquée [mɔske] *nf* mosque

mot [mo] *nm* word; **envoyer un m. à qn** to drop sb a line; **m. à** *ou* **pour m.** word for word; **le bon m.** a witticism; **avoir le dernier m.** to have the last word; **avoir son m. à dire** to have one's say; **m. d'ordre** watchword; **m. de passe** password; **mots croisés** crossword (puzzle)

motard [mɔtar] *nm Fam* motorcyclist

motel [mɔtɛl] *nm* motel

moteur¹ [mɔtœr] *nm (de véhicule)* engine; *(électrique)* motor; *Ordinat* **m. de recherche** search engine

moteur², -trice [mɔtœr, -tris] **1** *adj (nerf, muscle)* motor; **force motrice** driving force; **voiture à quatre roues motrices** four-wheel drive (car) **2** *nf* **motrice** *(de train)* engine

motif [mɔtif] *nm (raison)* reason (**de** for); *(dessin)* pattern

motion [mosjɔ̃] *nf Pol* motion; **m. de censure** motion of censure

motiver [mɔtive] *vt (inciter, causer)* to motivate;

(justifier) to justify ■**motivation** *nf* motivation ■**motivé, -ée** *adj* motivated

moto [mɔto] *nf* motorbike ■**motocycliste** *nmf* motorcyclist

motorisé, -ée [mɔtɔrize] *adj* motorized

motte [mɔt] *nf (de terre)* lump, clod; *(de beurre)* block

mou, molle [mu, mɔl]

mol is used before masculine singular nouns beginning with a vowel or h mute.

1 *adj* soft; *(sans énergie)* feeble **2** *nm* **avoir du m.** *(cordage)* to be slack

mouchard, -arde [muʃar, -ard] *nmf Fam Br* grass, *Am* fink ■**moucharder** *vt Fam* **m. qn** to squeal on sb

mouche [muʃ] *nf (insecte)* fly; **faire m.** to hit the bull's-eye; **prendre la m.** to fly off the handle; *Fam* **quelle m. l'a piqué?** what has *Br* got *or Am* gotten into him? ■**moucheron** *nm* midge

moucher [muʃe] **1** *vt* **m. qn** to wipe sb's nose **2 se moucher** *vpr* to blow one's nose

moucheté, -ée [muʃte] *adj* speckled

mouchoir [muʃwar] *nm* handkerchief; **m. en papier** tissue

moudre* [mudr] *vt* to grind

moue [mu] *nf* pout; **faire la m.** to pout

mouette [mwɛt] *nf* (sea)gull

moufle [mufl] *nf* mitten, mitt

mouiller [muje] **1** *vt* to wet; **se faire m.** to get wet **2** *vi Naut* to anchor **3 se mouiller** *vpr* to get wet; *Fam (prendre position)* to stick one's neck out ■**mouillage** *nm Naut (action)* anchoring; *(lieu)* anchorage ■**mouillé, -ée** *adj* wet (**de** with)

moule¹ [mul] *nm Br* mould, *Am* mold; **m. à gâteaux** *Br* cake tin, *Am* cake pan ■**moulage** *nm (action)* casting; *(objet)* cast ■**moulant, -ante** *adj (vêtement)* tight-fitting ■**mouler** *vt Br* to mould, *Am* to mold; *(statue)* to cast; **m. qn** *(vêtement)* to fit sb tightly ■**moulure** *nf Archit Br* moulding, *Am* molding

moule² [mul] *nf (mollusque)* mussel

moulin [mulɛ̃] *nm* mill; **m. à café** coffee grinder; *Fam* **m. à paroles** chatterbox; **m. à vent** windmill

moulinet [mulinɛ] *nm (de canne à pêche)* reel; **faire des moulinets** *(avec un bâton)* to twirl a stick

moulu, -ue [muly] **1** *pp de* moudre **2** *nmf (café)* ground; *Fig (éreinté)* dead tired

mourir* [murir] **1** *(aux être) vi* to die (**de** of *or* from); **m. de froid** to die of exposure; *Fig* **m. de fatigue/d'ennui** to be dead tired/bored; *Fig* **m. de peur** to be frightened to death; *Fig* **m. de rire** to laugh oneself silly; *Fig* **s'ennuyer à m.** to be bored to death; *Fig* **je meurs de faim!** I'm starving! **2 se mourir** *vpr Littéraire* to be dying ■**mourant, -ante 1** *adj* dying; *(voix)* faint **2** *nmf* dying person

mousquetaire [muskətεr] *nm* musketeer

mousse [mus] **1** *nf (plante)* moss; *(écume)* foam; *(de bière)* head; *(de lait)* froth; *(de savon)* lather; **m. à raser** shaving foam; Culin **m. au chocolat** chocolate mousse **2** *nm (marin)* ship's boy ▪ **mousser** *vi (bière)* to froth; *(savon)* to lather ▪ **mousseux, -euse 1** *adj (bière)* frothy; *(vin)* sparkling **2** *nm* sparkling wine ▪ **moussu, -ue** *adj* mossy

mousseline [muslin] *nf (tissu)* muslin

mousson [musɔ̃] *nf* monsoon

moustache [mustaʃ] *nf (d'homme)* Br moustache, Am mustache; *(de chat)* whiskers ▪ **moustachu, -ue** *adj* with a Br moustache or Am mustache

moustique [mustik] *nm* mosquito ▪ **moustiquaire** *nf* mosquito net; *(en métal)* screen

moutard [mutar] *nm* Fam *(enfant)* kid

moutarde [mutard] *nf* mustard

mouton [mutɔ̃] *nm* sheep *inv*; *(viande)* mutton; **moutons** *(écume)* Br white horses, Am whitecaps; *(poussière)* fluff; **peau de m.** sheepskin

mouvement [muvmɑ̃] *nm (geste, groupe, déplacement)* & Mus movement; *(élan)* impulse; *(de gymnastique)* exercise; **en m.** in motion; **m. de colère** fit of anger; **mouvements sociaux** workers' protest movements ▪ **mouvementé, -ée** *adj (vie, voyage)* eventful

mouvoir* [muvwar] *vi, se mouvoir upr* to move; **mû par** *(mécanisme)* driven by ▪ **mouvant, -ante** *adj (changeant)* changing

moyen¹, -enne [mwajɛ̃, -ɛn] **1** *adj* average; *(format, entreprise)* medium(-sized) **2** *nf* **moyenne** average; **en moyenne** on average; **la moyenne d'âge** the average age; **avoir la moyenne** *(à un examen)* Br to get a pass mark, Am to get a pass; *(à un devoir)* to get 50 percent, Br to get half marks; **le M. Âge** the Middle Ages ▪ **moyennement** *adv* fairly, moderately

moyen² [mwajɛ̃] *nm (procédé, façon)* means, way (**de faire** of doing or to do); **moyens** *(capacités mentales)* ability; *(argent, ressources)* means; **il n'y a pas m. de le faire** it's not possible to do it; **je n'ai pas les moyens** *(argent)* I can't afford it; **au m. de qch** by means of sth; **par mes propres moyens** under my own steam; **utiliser les grands moyens** to take extreme measures; **faire avec les moyens du bord** to make do with what one has

moyennant [mwajɛnɑ̃] *prép (pour)* (in return) for; **m. finance** for a fee

moyeu, -x [mwajø] *nm* hub

Mozambique [mɔzɑ̃bik] *nm* **le M.** Mozambique

MP3 [ɛmpetrwa] *nm Ordinat* MP3 *m inv*

MST [ɛmɛste] *(abrév* **maladie sexuellement transmissible)** *nf* STD, STI

mue [my] *nf (d'animal)* Br moulting, Am molting; *(de voix)* breaking of the voice ▪ **muer** [mɥe] **1**

vi *(animal)* Br to moult, Am to molt; *(voix)* to break **2 se muer** *upr* **se m. en qch** to change into sth

muet, muette [mɥe, mɥɛt] **1** *adj (infirme)* dumb; *(de surprise)* speechless; *(film)* silent; *(voyelle)* silent, mute **2** *nmf* mute

mufle [myfl] *nm (d'animal)* muzzle; Fam *(personne)* lout

mugir [myʒir] *vi (bœuf)* to bellow; *(vache)* to moo; Fig *(vent)* to howl ▪ **mugissement** *nm* bellow; *(de vache)* moo; **mugissements** *(de bœuf)* bellowing; *(de vache)* mooing; *(de vent)* howling

muguet [mygɛ] *nm* lily of the valley

mule [myl] *nf (pantoufle, animal)* mule ▪ **mulet** *nm (équidé)* mule; *(poisson)* mullet

multicolore [myltikɔlɔr] *adj* multicoloured

multiculturel, -elle [myltikyltyrɛl] *adj* multicultural

multimédia [myltimedja] *adj & nm* multimedia

multinational, -e, -aux, -ales [myltinasjɔnal, -o] **1** *adj* multinational **2** *nf* **multinationale** multinational (company)

multiple [myltipl] **1** *adj (nombreux)* numerous; *(varié)* multiple; **à de multiples reprises** repeatedly **2** *nm* Math multiple ▪ **multiplication** *nf (calcul)* multiplication; *(augmentation)* increase ▪ **multiplier 1** *vt* to multiply **2 se multiplier** *upr* to increase; *(se reproduire)* to multiply

multiplexe [myltipleks] *nm (cinéma)* multiplex

multithérapie [myltiterapi] *nf Méd* combination therapy

multitude [myltityd] *nf* multitude

municipal, -e, -aux, -ales [mynisipal, -o] *adj* municipal ▪ **municipalité** *nf (maires et conseillers)* local council; *(commune)* municipality

munir [mynir] **1** *vt* **m. de qch** *(personne)* to provide with sth **2 se munir** *upr* **se m. de qch** to take sth

munitions [mynisjɔ̃] *nfpl* ammunition

muqueuse [mykøz] *nf* mucous membrane

mur [myr] *nm* wall; Fig **au pied du m.** with one's back to the wall; **m. du son** sound barrier ▪ **muraille** *nf* (high) wall ▪ **mural, -e, -aux, -ales** *adj* **carte murale** wall map; **peinture murale** mural (painting) ▪ **murer 1** *vt (porte)* to wall up; *(jardin)* to wall in **2 se murer** *upr* Fig **se m. dans le silence** to retreat into silence

mûr, mûre¹ [myr] *adj (fruit)* ripe; *(personne)* mature; **d'âge m.** middle-aged ▪ **mûrement** *adv* **m. réfléchi** *(décision)* carefully thought-out ▪ **mûrir** *vti (fruit)* to ripen; *(personne)* to mature

mûre² [myr] *nf (baie)* blackberry

muret [myrɛ] *nm* low wall

murmure [myrmyr] *nm* murmur ▪ **murmurer** *vti* to murmur

musc [mysk] *nm* musk

muscade [myskad] *nf* nutmeg

muscat [myska] *nm (raisin)* muscat (grape); *(vin)* muscatel (wine)

muscle [myskl] *nm* muscle ▪ **musclé, -ée** *adj (bras)* muscular ▪ **musculaire** *adj (force, douleur)* muscular ▪ **musculature** *nf* muscles

museau, -x [myzo] *nm (de chien, de chat)* muzzle; *(de porc)* snout ▪ **museler** *vt (animal, presse)* to muzzle ▪ **muselière** *nf* muzzle

musée [myze] *nm* museum; **m. de peinture** art gallery ▪ **muséum** *nm* natural history museum

musette [myzɛt] *nf (sac)* bag

music-hall [myzikɔl] *(pl* **music-halls)** *nm (genre, salle)* music hall

musique [myzik] *nf* music ▪ **musical, -e, -aux, -ales** *adj* musical ▪ **musicien, -ienne 1** *nmf* musician **2** *adj* musical

musulman, -ane [myzylmã, -an] *adj & nmf* Muslim, Moslem

muter [myte] *vt* to transfer ▪ **mutant, -ante** *adj & nmf* mutant ▪ **mutation** *nf (d'employé)* transfer; *Biol* mutation; *Fig* **en pleine m.** undergoing profound change

mutiler [mytile] *vt* to mutilate, to maim; **être mutilé** to be disabled ▪ **mutilation** *nf* mutilation ▪ **mutilé, -ée** *nmf* **m. de guerre** disabled *Br* ex-serviceman *or Am* veteran

mutin¹, -ine [mytɛ̃, -in] *adj (espiègle)* mischievous

mutin² [mytɛ̃] *nm (rebelle)* mutineer ▪ **se mutiner** *vpr* to mutiny ▪ **mutinerie** *nf* mutiny

mutisme [mytism] *nm* silence; *Méd* muteness

mutualité [mytɥalite] *nf* mutual insurance

mutuel, -uelle [mytɥɛl] **1** *adj (réciproque)* mutual **2** *nf* **mutuelle** mutual insurance company ▪ **mutuellement** *adv* each other

myope [mjɔp] *adj* shortsighted ▪ **myopie** *nf* shortsightedness

myosotis [mjɔzɔtis] *nm* forget-me-not

myrtille [mirtij] *nf (baie)* bilberry

mystère [mistɛr] *nm* mystery; **faire des mystères** to be mysterious; **faire m. de qch** to make a secret of sth ▪ **mystérieux, -ieuse** *adj* mysterious

mystifier [mistifje] *vt* to take in ▪ **mystification** *nf* hoax

> Il faut noter que le verbe anglais **to mystify** est un faux ami. Il signifie **déconcerter, laisser perplexe**.

mystique [mistik] **1** *adj* mystical **2** *nmf (personne)* mystic ▪ **mysticisme** *nm* mysticism

mythe [mit] *nm* myth ▪ **mythique** *adj* mythical ▪ **mythologie** *nf* mythology ▪ **mythologique** *adj* mythological

mythomane [mitɔman] *nmf* compulsive liar

myxomatose [miksɔmatoz] *nf* myxomatosis

N, n [ɛn] *nm inv* (**a**) N, n (**b**) (*abrév* **route nationale**) = designation of major road

n' [n] *voir* **ne**

nacelle [nasɛl] *nf* (*de ballon*) basket; (*de landau*) carriage, *Br* carrycot

nacre [nakr] *nf* mother-of-pearl **■ nacré, -ée** *adj* pearly

nage [naʒ] *nf* (*swimming*) stroke; **traverser une rivière à la n.** to swim across a river; *Fig* **en n.** sweating; **n. libre** freestyle

nageoire [naʒwar] *nf* (*de poisson*) fin; (*de dauphin*) flipper

nager [naʒe] **1** *vi* to swim; *Fig* **n. dans le bonheur** to be blissfully happy; *Fam* **je nage complètement** I'm all at sea **2** *vt* (*crawl*) to swim **■ nageur, -euse** *nmf* swimmer

naguère [nagɛr] *adv Littéraire* not long ago

naïf, naïve [naif, naiv] **1** *adj* naïve **2** *nmf* fool **■ naïveté** *nf* naïvety

nain, naine [nɛ̃, nɛn] *adj & nmf* dwarf; **n. de jardin** garden gnome

naissance [nɛsɑ̃s] *nf* (*de personne, d'animal*) birth; (*de cou*) base; **donner n. à** (*enfant*) to give birth to; *Fig* (*rumeur*) to give rise to; **de n.** from birth

naître* [nɛtr] *vi* to be born; (*sentiment, difficulté*) to arise (**de** from); (*idée*) to originate; **faire n.** (*soupçon, industrie*) to give rise to; *Littéraire* **n. à qch** to awaken to sth; *Fam* **il n'est pas né de la dernière pluie** he wasn't born yesterday **■ naissant, -ante** *adj* (*jour*) dawning

nana [nana] *nf Fam* chick, *Br* bird

nantir [nɑ̃tir] *vt* **n. qn de qch** to provide sb with sth **■ nanti, -ie 1** *adj* well-to-do **2** *nmpl Péj* **les nantis** the well-to-do

naphtaline [naftalin] *nf* (**boules de**) **n.** mothballs

nappe [nap] *nf* (*de table*) tablecloth; **n. de brouillard** fog patch; **n. d'eau** expanse of water; **n. de pétrole** layer of oil; (*de marée noire*) oil slick **■ napperon** *nm* mat

napper [nape] *vt* to coat (**de** with)

narcotique [narkotik] *adj & nm* narcotic

narguer [narge] *vt* to taunt

narine [narin] *nf* nostril

narquois, -oise [narkwa, -waz] *adj* sneering

narration [narasjɔ̃] *nf* (*genre*) narration; (*récit*) narrative **■ narrateur, -trice** *nmf* narrator

nasal, -e, -aux, -ales [nazal, -o] *adj* nasal

nase [naz] *Fam* **1** *adj* (*personne*) (*fatigué*) *Br* knackered, *Am* beat; (*idiot*) *Br* thick, *Am* dumb; (*nul*) crappy, lousy; (*machine*) kaput **2** *nmf* **c'est un n., ce mec** this guy's *Br* bloody useless *or Am* no goddamn use

naseau, -x [nazo] *nm* nostril

nasillard, -arde [nazijar, -ard] *adj* (*voix*) nasal

natal, -e, -als, -ales [natal] *adj* native

natalité [natalite] *nf* birth rate

natation [natasjɔ̃] *nf* swimming

natif, -ive [natif, -iv] *adj & nmf* native; **être n. de** to be a native of

nation [nasjɔ̃] *nf* nation; **les Nations unies** the United Nations **■ national, -e, -aux, -ales** *adj* national **■ nationale** *nf* (*route*) *Br* ≃ A road, *Am* ≃ highway **■ nationaliser** *vt* to nationalize **■ nationaliste 1** *adj* nationalistic **2** *nmf* nationalist **■ nationalité** *nf* nationality

natte [nat] *nf* (*de cheveux*) *Br* plait, *Am* braid; (*de paille*) mat **■ natter** *vt Br* to plait, *Am* to braid

naturaliser [natyralize] *vt* to naturalize **■ naturalisation** *nf* naturalization

nature [natyr] **1** *nf* (*univers, caractère*) nature; (*campagne*) country; **plus grand que n.** larger than life; **contre n.** unnatural; **en pleine n.** in the middle of the country; **être de n. à faire qch** to be likely to do sth; **payer en n.** to pay in kind; **seconde n.** second nature; **n. morte** still life **2** *adj inv* (*omelette, yaourt*) plain; (*thé*) without milk **■ naturaliste** *nmf* naturalist **■ naturiste** *nmf* naturist

naturel, -elle [natyrɛl] **1** *adj* natural; **mort naturelle** death from natural causes **2** *nm* (*caractère*) nature; (*simplicité*) naturalness **■ naturellement** *adv* naturally

naufrage [nofraʒ] *nm* (*ship*)wreck; **faire n.** (*bateau*) to be wrecked; (*marin*) to be shipwrecked **■ naufragé, -ée** *nmf* shipwrecked person

nausée [noze] *nf* nausea, sickness; **avoir la n.** to feel sick **■ nauséabond, -onde** *adj* nauseating, sickening

nautique [notik] *adj* nautical

naval, -e, -als, -ales [naval] *adj* naval; **constructions navales** shipbuilding

navet [navɛ] *nm* (*légume*) turnip; *Fam* **c'est un n.** it's a load of rubbish; (*film*) it's a turkey

navette [navɛt] *nf* (*véhicule*) shuttle; **faire la n.** (*véhicule, personne*) to shuttle back and forth

(**entre** between); **n. spatiale** space shuttle
navigable [navigabl] *adj (fleuve)* navigable
■**navigabilité** *nf (de bateau)* seaworthiness;
(d'avion) airworthiness
navigant, -ante [navigɑ̃, -ɑ̃t] *adj Av* **personnel**
n. flight crew
navigateur [navigatœr] *nm (marin)* navigator;
Ordinat browser; **n. solitaire** lone yachtsman
■**navigation** *nf* navigation; *Ordinat* **n. sur**
Internet Internet surfing
naviguer [navige] *vi (bateau)* to sail; **n. sur**
Internet to surf the Net
navire [navir] *nm* ship
navrer [navre] *vt* to appal ■**navrant, -ante** *adj*
appalling ■**navré, -ée** *adj (air)* distressed; **je**
suis n. I'm terribly sorry
nazi, -ie [nazi] *adj & nmf Hist* Nazi
ne [nə]

n' before vowel or mute h; used to form negative verb with **pas, jamais, personne, rien** etc.

adv **ne… pas** not; **il ne boit pas** he does not or
doesn't drink; **elle n'ose (pas)** she doesn't dare;
ne… que only; **il n'a qu'une sœur** he only has
one sister; **je crains qu'il ne parte** I'm afraid
he'll leave
né, née [ne] **1** *pp de* **naître** born; **il est né en**
1945 he was born in 1945; **née Dupont** née
Dupont **2** *adj* born; **c'est un poète-né** he's a
born poet
néanmoins [neɑ̃mwɛ̃] *adv* nevertheless
néant [neɑ̃] *nm* nothingness; *(sur formulaire)* ≃
none
nébuleux, -euse [nebylø, -øz] *adj* hazy
nécessaire [neseser] **1** *adj* necessary **2** *nm* **le n.**
the necessities; **faire le n.** to do what's
necessary; **n. de couture** sewing kit; **n. de**
toilette toilet bag ■**nécessairement** *adv*
necessarily
nécessité [nesesite] *nf* necessity ■**nécessiter**
vt to require, to necessitate ■**nécessiteux,**
-euse *adj* needy
nécrologie [nekrɔlɔʒi] *nf* obituary
nectarine [nektarin] *nf* nectarine
néerlandais, -aise [neɛrlɑ̃de, -ez] **1** *adj* Dutch
2 *nmf* **N.** Dutchman; **Néerlandaise** Dutchwoman **3** *nm (langue)* Dutch
néfaste [nefast] *adj* harmful (**à** to)
négatif, -ive [negatif, -iv] **1** *adj* negative **2** *nm*
(de photo) negative ■**négation** *nf* negation (**de**
of); *Grammaire* negative
négligeable [negliʒabl] *adj* negligible; **non n.**
(quantité) significant
négligent, -ente [negliʒɑ̃, -ɑ̃t] *adj* careless,
negligent ■**négligence** *nf (défaut)* carelessness, negligence; *(oubli)* oversight
négliger [negliʒe] **1** *vt (personne, travail,*
conseil) to neglect; **n. de faire qch** to neglect
to do sth **2** **se négliger** *vpr* to neglect oneself,
to let oneself go ■**négligé, -ée 1** *adj (tenue)*

untidy; *(travail)* careless **2** *nm (vêtement)*
negligée
négocier [negɔsje] *vti* to negotiate
■**négociable** *adj* negotiable ■**négociant,**
-iante *nmf* merchant, dealer ■**négociateur,**
-trice *nmf* negotiator ■**négociation** *nf*
negotiation
nègre [nɛgr] **1** *adj (art, sculpture)* Negro **2** *nm*
(écrivain) ghost writer
neige [nɛʒ] *nf* snow; **aller à la n.** to go skiing; **n.**
carbonique dry ice; **n. fondue** sleet ■**neiger** *v*
impersonnel to snow; **il neige** it's snowing
■**neigeux, -euse** *adj* snowy
nénuphar [nenyfar] *nm* water lily
néon [neɔ̃] *nm (gaz)* neon; *(enseigne)* neon sign;
éclairage au n. neon lighting
néophyte [neofit] *nmf* novice
néo-zélandais, -aise [neozelɑ̃de, -ɛz] *(mpl*
néo-zélandais, *fpl* **néo-zélandaises)** **1** *adj*
New Zealand **2** *nmf* **Néo-Zélandais, Néo-**
Zélandaise New Zealander
nerf [nɛr] *nm* nerve; *Fig* **être sur les nerfs** to live
on one's nerves; *Fig* **être à bout de nerfs** to be
at the end of one's tether; *Fam* **ça me tape sur**
les nerfs it gets on my nerves; *Fam* **du n.!, un**
peu de n.! buck up! ■**nerveux, -euse** *adj*
nervous ■**nervosité** *nf* nervousness
nervure [nɛrvyr] *nf (de feuille)* vein
n'est-ce pas [nɛspa] *adv* isn't he?/don't you?/
won't they?/*etc*; **tu viendras, n.?** you'll come,
won't you?; **il fait beau, n.?** the weather's fine,
isn't it?
Net [nɛt] *nm* **le N.** the Net ■**netiquette** *nf*
Ordinat netiquette
net, nette [nɛt] **1** *adj (propre)* clean; *(image,*
refus) clear; *(écriture)* neat; *(prix, salaire)* net; **n.**
d'impôt net of tax; *Fig* **je veux en avoir le cœur**
n. I want to get to the bottom of it once and for
all **2** *adv (casser, couper)* clean; *(tuer)* outright;
(refuser) flatly; **s'arrêter n.** to stop dead
■**nettement** *adv (avec précision)* clearly;
(incontestablement) definitely; **il va n. mieux**
he's much better ■**netteté** *nf (propreté,*
précision) cleanness; *(de travail)* neatness
nettoyer [netwaje] **1** *vt* to clean; *Fam (sujet:*
cambrioleur) to clean out **2** **se nettoyer** *vpr* **se**
n. les oreilles to clean one's ears
■**nettoiement** *nm* **service du n.** refuse or *Am*
garbage collection service ■**nettoyage** *nm*
cleaning; **n. à sec** dry-cleaning
neuf¹, neuve [nœf, nœv] **1** *adj* new; **quoi de n.?**
what's new? **2** *nm* **remettre qch à n.** to make
sth as good as new; **il y a du n.** there's been a
new development
neuf² [nœf, nœv *before* **heures & ans**] *adj & nm*
nine ■**neuvième** *adj & nmf* ninth
neurone [nøron] *nm* neuron
neutre [nøtr] **1** *adj (pays, personne)* neutral **2**
nm Él neutral **3** *adj & nm Grammaire* neuter

▪**neutraliser** *vt* to neutralize ▪**neutralité** *nf* neutrality

neutron [nøtrɔ̃] *nm* neutron

neveu, -x [nəvø] *nm* nephew

névralgie [nevralʒi] *nf Méd* neuralgia ▪**névralgique** *adj Fig* **centre n.** nerve centre

névrose [nevroz] *nf* neurosis ▪**névrosé, -ée** *adj & nmf* neurotic

nez [ne] *nm* nose; **n. à n.** face to face (**avec** with); **rire au n. de qn** to laugh in sb's face; **parler du n.** to speak through one's nose; *Fig* **mener qn par le bout du n.** to lead sb by the nose; *Fam* **avoir qch sous le n.** to have sth under one's very nose; *Fam* **avoir un verre dans le n.** to have had one too many; *Fam* **mettre le n. dehors** to set foot outside; *Fam* **ça se voit comme le n. au milieu de la figure** it's as plain as the nose on your face

ni [ni] *conj* **ni... ni...** neither... nor...; **ni Pierre ni Paul ne sont venus** neither Peter nor Paul came; **il n'a ni faim ni soif** he's neither hungry nor thirsty; **sans manger ni boire** without eating or drinking; **ni l'un(e) ni l'autre** neither (of them)

niais, niaise [njɛ, njɛz] **1** *adj* silly **2** *nmf* fool ▪**niaiserie** *nf* silliness; **niaiseries** *(paroles)* nonsense

Nicaragua [nikaragwa] *nm* **le N.** Nicaragua

niche [niʃ] *nf (de chien) Br* kennel, *Am* doghouse; *(cavité)* niche, recess; **n. écologique** ecological niche

nicher [niʃe] **1** *vi (oiseau)* to nest **2 se nicher** *upr (oiseau)* to nest; *Fam (se cacher)* to hide oneself ▪**nichée** *nf (chiens)* litter; *(oiseaux)* brood

nickel [nikɛl] **1** *nm (métal)* nickel **2** *adj inv Fam (propre)* spotless **3** *adv Fam* **faire qch n.** to do sth really well

nicotine [nikɔtin] *nf* nicotine

nid [ni] *nm* nest; **n.-de-poule** pothole

nièce [njɛs] *nf* niece

nier [nje] **1** *vt* to deny (**que** that) **2** *vi (accusé)* to deny the charge

nigaud, -aude [nigo, -od] *nmf* silly fool

Niger [niʒɛr] *nm* **le N.** *(pays)* Niger

Nigéria [niʒerja] *nm* **le N.** Nigeria

Nil [nil] *nm* **le N.** the Nile

n'importe [nɛ̃pɔrt] *voir* **importer¹**

nippon, -one *ou* **-onne** [nipɔ̃, -ɔn] *adj* Japanese

niveau, -x [nivo] *nm (hauteur, étage, degré)* level; *Scol* standard; **au n. de la mer** at sea level; **être au n.** *(élève)* to be up to standard; *Fig* **se mettre au n. de qn** to put oneself on sb's level; **n. à bulle d'air** spirit level; **n. de vie** standard of living ▪**niveler** *vt (surface)* to level; *(fortunes)* to even out

noble [nɔbl] **1** *adj* noble **2** *nmf* nobleman, *f* noblewoman ▪**noblement** [-əmā] *adv* nobly ▪**noblesse** *nf (caractère, classe)* nobility

noce [nɔs] *nf* wedding; *Fam* **faire la n.** to live it up; *Fam* **être à la n.** to have a whale of a time; **noces d'argent/d'or** silver/golden wedding ▪**noceur, -euse** *nmf Fam* raver

nocif, -ive [nɔsif, -iv] *adj* harmful ▪**nocivité** *nf* harmfulness

noctambule [nɔktɑ̃byl] *nmf* night owl

nocturne [nɔktyrn] **1** *adj (animal)* nocturnal **2** *nf (de magasin)* late-night opening; *Sport (match en)* **n.** evening match

Noël [nɔɛl] *nm* Christmas; **sapin de N.** Christmas tree; **le père N.** Santa Claus, *Br* Father Christmas

nœud [nø] *nm* (**a**) *(entrecroisement)* knot; *(ruban)* bow; *Fig* **le n. du problème** the crux of the problem; **n. coulant** slipknot; **n. papillon** bow tie (**b**) *Naut (vitesse)* knot

noir, noire [nwar] **1** *adj* black; *(sombre)* dark; *(idées)* gloomy; *(misère)* dire; *Fig* **rue noire de monde** street swarming with people; **il fait n.** it's dark; **roman n.** thriller; **film n.** film noir **2** *nm (couleur)* black; *(obscurité)* dark; **N.** *(homme)* Black (man); *Fam* **travailler au n.** to moonlight **3** *nf* **noire** *(note) Br* crotchet, *Am* quarter note; **Noire** *(femme)* Black (woman) ▪**noirceur** *nf* blackness ▪**noircir 1** *vt* to blacken **2** *vi*, **se noircir** *upr* to turn black

noisette [nwazɛt] *nf* hazelnut ▪**noisetier** *nm* hazel (tree)

noix [nwa] *nf (du noyer)* walnut; *Fam* **à la n.** lousy; **n. de beurre** knob of butter; **n. de coco** coconut

nom [nɔ̃] *nm* name; *Grammaire* noun; **au n. de qn** on sb's behalf; **au n. de la loi** in the name of the law; **sans n.** *(anonyme)* nameless; *(vil)* vile; *Fam* **n. d'un chien!** hell!; **n. de famille** surname; **n. de jeune fille** maiden name

nomade [nɔmad] **1** *adj* nomadic **2** *nmf* nomad

nombre [nɔ̃br] *nm* number; **être au** *ou* **du n. de** to be among; **ils sont au n. de dix** there are ten of them; **le plus grand n. de** the majority of; **bon n. de** a good many; *Math* **n. premier** prime number

nombreux, -euse [nɔ̃brø, -øz] *adj (amis, livres)* numerous, many; *(famille, collection)* large; **peu n.** few; **venir n.** to come in large numbers

nombril [nɔ̃bri] *nm* navel

nominal, -e, -aux, -ales [nɔminal, -o] *adj* nominal

nomination [nɔminasjɔ̃] *nf (à un poste)* appointment; *(pour récompense)* nomination

nommer [nɔme] **1** *vt (appeler)* to name; **n. qn** *(désigner)* to appoint sb (**à un poste** to a post); **n. qn président** to appoint sb chairman **2 se nommer** *upr (s'appeler)* to be called ▪**nommément** *adv* by name

non [nɔ̃] *adv* no; **tu viens ou n.?** are you coming or not?; **n. seulement** not only; **n. (pas) que...** *(+ subjunctive)* not that...; **n. sans regret** not without regret; **n. loin** not far; **je crois que n. I** don't think so; **(ni) moi n. plus** neither do/am/can/etc I; *Fam* **c'est bien, n.?** it's all right, isn't it?; *Fam* **(ah) ça n.!** definitely not (that)!

nonante [nɔnɑ̃t] *adj & nm inv Belg & Suisse* ninety

nonchalant, -ante [nɔ̃ʃalɑ̃, -ɑ̃t] *adj* nonchalant ▪ **nonchalance** *nf* nonchalance

non-conformiste [nɔ̃kɔ̃fɔrmist] *adj & nmf* nonconformist

non-fumeur, -euse [nɔ̃fymœr, -øz] **1** *adj* non-smoking **2** *nmf* non-smoker

non-lieu [nɔ̃ljø] *nm Jur* **bénéficier d'un n.** to be discharged through lack of evidence

non-polluant, -uante [nɔ̃pɔlɥɑ̃, -ɥɑ̃t] (*mpl* **non-polluants,** *fpl* **non-polluantes**) *adj* environmentally friendly

non-retour [nɔ̃rətur] *nm* **point de n.** point of no return

non-sens [nɔ̃sɑ̃s] *nm inv* absurdity

non-violence [nɔ̃vjɔlɑ̃s] *nf* non-violence

non-voyants [nɔ̃vwajɑ̃] *nmpl* **les n.** the unsighted

nord [nɔr] **1** *nm* north; **au n.** in the north; (*direction*) (to the) north (**de** of); **du n.** (*vent, direction*) northerly; (*ville*) northern; (*gens*) from/in the north; **l'Afrique du N.** North Africa; **l'Europe du N.** Northern Europe; **le grand N.** the Frozen North **2** *adj inv* (*côte*) north; (*régions*) northern ▪ **nord-africain, -aine** (*mpl* **nord-africains,** *fpl* **nord-africaines**) **1** *adj* North African **2** *nmf* **Nord-Africain, Nord-Africaine** North African ▪ **nord-américain, -aine** (*mpl* **nord-américains,** *fpl* **nord-américaines**) **1** *adj* North American **2** *nmf* **Nord-Américain, Nord-Américaine** North American ▪ **nord-est** *nm & adj inv* northeast ▪ **nord-ouest** *nm & adj inv* northwest

nordique [nɔrdik] **1** *adj* Scandinavian **2** *nmf* **N.** Scandinavian; *Can* Northern Canadian

noria [nɔrja] *nf* noria

normal, -e, -aux, -ales [nɔrmal, -o] *adj* normal ▪ **normale** *nf* norm; **au-dessus/au-dessous de la n.** above/below average; *Fam* **N. Sup** = university-level college preparing students for senior posts in teaching ▪ **normalement** *adv* normally ▪ **normaliser** *vt* (*uniformiser*) to standardize; (*relations*) to normalize

normand, -ande [nɔrmɑ̃, -ɑ̃d] **1** *adj* Norman **2** *nmf* **N., Normande** Norman ▪ **Normandie** *nf* **la N.** Normandy

norme [nɔrm] *nf* norm; **normes de sécurité** safety standards

Norvège [nɔrvɛʒ] *nf* **la N.** Norway ▪ **norvégien, -ienne** **1** *adj* Norwegian **2** *nmf* **N., Norvégienne** Norwegian **3** *nm* (*langue*) Norwegian

nos [no] *voir* **notre**

nostalgie [nɔstalʒi] *nf* nostalgia ▪ **nostalgique** *adj* nostalgic

notable [nɔtabl] *adj & nm* notable ▪ **notablement** [-amɑ̃] *adv* notably

notaire [nɔtɛr] *nm* lawyer, *Br* ≃ solicitor, notary

notamment [nɔtamɑ̃] *adv* notably

note [nɔt] *nf* (*annotation, communication*) *& Mus* note; *Scol Br* mark, *Am* grade; (*facture*) *Br* bill, *Am* check; **prendre n. de qch, prendre qch en n.** to make a note of sth; **prendre des notes** to take notes; **n. de frais** expenses

noter [nɔte] *vt* (*remarquer*) to note; (*écrire*) to note down; (*devoir*) *Br* to mark, *Am* to grade

notice [nɔtis] *nf* (*mode d'emploi*) instructions; (*de médicament*) directions

> Il faut noter que le nom anglais **notice** est un faux ami. Il signifie le plus souvent **avertissement** ou **écriteau** selon le contexte.

notifier [nɔtifje] *vt* **n. qch à qn** to notify sb of sth

notion [nɔsjɔ̃] *nf* notion; **notions** (*éléments*) rudiments; **avoir des notions de qch** to know the basics of sth

notoire [nɔtwar] *adj* (*criminel, bêtise*) notorious; (*fait*) well-known ▪ **notoriété** *nf* (*renom*) fame; **il est de n. publique que…** it's common knowledge that…

notre, nos [nɔtr, no] *adj possessif* our ▪ **nôtre** **1** *pron possessif* **le/la n., les nôtres** ours **2** *nmpl* **les nôtres** (*parents*) our family; **serez-vous des nôtres ce soir?** will you be joining us this evening?

nouer [nwe] **1** *vt* (*lacets*) to tie; (*cravate*) to knot; *Fig* (*relation*) to establish; **avoir la gorge nouée** to have a lump in one's throat **2** *se nouer* *vpr* (*intrigue*) to take shape ▪ **noueux, noueuse** *adj* (*bois*) knotty; (*doigts*) gnarled

nougat [nuga] *nm* nougat

nouille [nuj] *nf Fam* (*idiot*) dimwit

nouilles [nuj] *nfpl Culin* noodles

nounours [nunurs] *nm Fam* teddy bear

nourrice [nuris] *nf* (*assistante maternelle*) (children's) nurse, *Br* child minder; (*qui allaite*) wet nurse; **mettre un enfant en n.** to put a child out to nurse

nourrir [nurir] **1** *vt* (*alimenter*) to feed; *Fig* (*espoir*) to cherish; **n. un bébé au sein** to breastfeed a baby **2** *se nourrir* *vpr* to eat; **se n. de qch** to feed on sth ▪ **nourrissant, -ante** *adj* nourishing

nourrisson [nurisɔ̃] *nm* infant

nourriture [nurityr] *nf* food

nous [nu] *pron personnel* (**a**) (*sujet*) we; **n. sommes ici** we are here (**b**) (*complément direct*) us; **il n. connaît** he knows us (**c**) (*complément indirect*) (to) us; **il n. l'a donné** he gave it to us, he gave us it (**d**) (*réfléchi*) ourselves; **n. n. lavons** we wash ourselves; **n. n. habillons** we get dressed (**e**) (*réciproque*) each other; **n. n. détestons** we hate each other ▪ **nous-mêmes** *pron* ourselves

nouveau, -elle¹, -x, -elles [nuvo, nuvɛl]

nouvel is used before masculine singular nouns beginning with a vowel or mute h.

1 *adj* new; *(mode)* latest; **on craint de nouvelles inondations** *(d'autres)* further flooding is feared **2** *nmf (à l'école)* new boy, *f* new girl **3** *nm* **du n.** something new **4** *adv* **de n., à n.** again ▪ **nouveau-né, -née** *(mpl* **nouveau-nés,** *fpl* **nouveau-nées) 1** *adj* newborn **2** *nmf* newborn baby

nouveauté [nuvote] *nf* novelty; **nouveautés** *(livres)* new books; *(disques)* new releases

nouvelle² [nuvɛl] *nf* (**a**) **une n.** *(annonce)* a piece of news; **la n. de sa mort** the news of his/her death; **les nouvelles** the news *(sing)*; **les nouvelles sont bonnes/mauvaises** the news is good/bad; **avoir des nouvelles de qn** *(directement)* to have heard from sb; **demander des nouvelles de qn** to inquire about sb (**b**) *(récit)* short story

Il faut noter que le nom anglais **novel** est un faux ami. Il signifie **roman**.

Nouvelle-Calédonie [nuvɛlkaledɔni] *nf* **la N.** New Caledonia

Nouvelle-Zélande [nuvɛlzelɑ̃d] *nf* **la N.** New Zealand

novateur, -trice [nɔvatœr, -tris] **1** *adj* innovative **2** *nmf* innovator

novembre [nɔvɑ̃br] *nm* November

novice [nɔvis] *nmf* novice

noyade [nwajad] *nf* drowning

noyau, -x [nwajo] *nm (de fruit)* stone, *Am* pit; *(d'atome, de cellule)* nucleus; *(groupe)* group; **n. dur** *(de groupe)* hard core

noyauter [nwajote] *vt* to infiltrate

noyer¹ [nwaje] **1** *vt (personne)* to drown; *(terres)* to flood; **n. son chagrin (dans l'alcool)** to drown one's sorrows; *Fig* **n. le poisson** to confuse the issue deliberately; *Fig* **être noyé** *(perdu)* to be out of one's depth; *Fig* **noyé dans la masse** lumped in with the rest **2 se noyer** *vpr* to drown; *(se suicider)* to drown oneself; **se n. dans les détails** to get bogged down in details ▪ **noyé, -ée** *nmf* drowned person

noyer² [nwaje] *nm (arbre)* walnut tree

nu, nue [ny] **1** *adj (personne, vérité)* naked; *(mains, chambre)* bare; **tout nu** (stark) naked, (in the) nude; **tête nue, nu-tête** bare-headed; **aller pieds nus** to go barefoot; **se mettre nu** to strip off **2** *nm Art* nude; **mettre qch à nu** to expose sth

nuage [nɥaʒ] *nm* cloud; *Fig* **un n. de lait** a drop of milk; *Fig* **être dans les nuages** to have one's head in the clouds ▪ **nuageux, -euse** *adj (ciel)* cloudy

nuance [nɥɑ̃s] *nf (de couleur)* shade; *(de sens,*

nuance; *(de regret)* tinge ▪ **nuancé, -ée** *adj (jugement)* qualified ▪ **nuancer** *vt (pensée)* to qualify

nucléaire [nykleɛr] **1** *adj* nuclear **2** *nm* nuclear energy *or* power

nudisme [nydism] *nm* nudism ▪ **nudiste** *nmf* nudist ▪ **nudité** *nf (de personne)* nudity, nakedness; *(de mur)* bareness

nuée [nɥe] *nf* **une n. de** *(foule)* a horde of; *(groupe compact)* a cloud of

nues [ny] *nfpl* **tomber des n.** to be astounded; **porter qn aux n.** to praise sb to the skies

nuire* [nɥir] *vi* **n. à qn/qch** to harm sb/sth ▪ **nuisible** *adj* harmful *(à* to)

nuit [nɥi] *nf* night; *(obscurité)* dark(ness); **la n.** *(se promener)* at night; **cette n.** *(hier)* last night; *(aujourd'hui)* tonight; **avant la n.** before nightfall; **il fait n.** it's dark; **il fait n. noire** it's pitch-black; **bonne n.!** good night!); **n. d'hôtel** overnight stay in a hotel ▪ **nuitée** *nf* overnight stay

nul, nulle [nyl] **1** *adj (médiocre)* hopeless, useless; *(risque)* non-existent, nil; *Jur (non valable)* null (and void); **être n. en qch** to be hopeless at sth **2** *adj indéfini Littéraire (aucun)* no; **sans n. doute** without any doubt **3** *pron indéfini m Littéraire (aucun)* no one ▪ **nullard, -arde** *nmf* très *Fam* useless idiot ▪ **nullement** *adv* not at all ▪ **nulle part** *adv* nowhere; **n. ailleurs** nowhere else ▪ **nullité** *nf (d'un élève)* uselessness; *(personne)* useless person

numéraire [nymerɛr] *nm* cash

numéral, -e, -aux, -ales [nymeral, -o] *adj & nm* numeral

numérique [nymerik] *adj* numerical; *(ordinateur, appareil photo, données)* digital; **montre à affichage n.** digital watch

numéro [nymero] *nm (chiffre)* number; *(de journal)* issue, number; *(au cirque)* act; *Tél* **n. vert** *Br* ≃ Freefone® number, *Am* ≃ toll-free number; *Fam* **quel n.!** *(personne)* what a character!; **n. gagnant** *(au jeu)* winning number; **n. de téléphone** telephone number ▪ **numérotage** *nm* numbering ▪ **numérotation** *nf* numbering; *Tél Br* dialling, *Am* dialing; **n. abrégée** speed dial ▪ **numéroter 1** *vt (pages, sièges)* to number **2** *vi Tél* to dial

nu-pieds [nypje] *nmpl* sandals

nuptial, -iale, -iaux, -iales [nypsjal, -jo] *adj (chambre)* bridal; **cérémonie nuptiale** wedding ceremony

nuque [nyk] *nf* back of the neck

nurse [nœrs] *nf Vieilli* nanny

nutritif, -ive [nytritif, -iv] *adj* nutritious ▪ **nutrition** *nf* nutrition

Nylon® [nilɔ̃] *nm (fibre)* nylon; **chemise en N.** nylon shirt

nymphe [nɛ̃f] *nf* nymph ▪ **nymphomane** *nf* nymphomaniac

O, o [o] *nm inv* O, o

oasis [ɔazis] *nf* oasis

obédience [ɔbedjɑ̃s] *nf (politique)* allegiance

obéir [ɔbeir] *vi* to obey; **o. à qn/qch** to obey sb/ sth; **être obéi** to be obeyed; **o. à qn au doigt et à l'œil** to be at sb's beck and call ▪ **obéissance** *nf* obedience (**à** to) ▪ **obéissant, -ante** *adj* obedient

obélisque [ɔbelisk] *nm* obelisk

obèse [ɔbez] *adj* obese ▪ **obésité** [ɔbe-] *nf* obesity

objecter [ɔbʒɛkte] *vt* **o. que…** to object that…; **n'avoir rien à o. à qch** to have no objection to sth; **on m'objecta mon jeune âge** my youth was held against me ▪ **objecteur** *nm* **o. de conscience** conscientious objector ▪ **objection** *nf* objection; **si vous n'y voyez pas d'o.** if you have no objection(s)

objectif, -ive [ɔbʒɛktif, -iv] **1** *adj* objective **2** *nm (but)* objective; *(d'appareil photo)* lens; *Com* **o. de vente** sales target ▪ **objectivement** *adv* objectively ▪ **objectivité** *nf* objectivity

objet [ɔbʒɛ] *nm (chose, sujet, but)* object; **faire l'o. de** *(étude, critiques)* to be the subject of; *(soins, surveillance)* to be given; **sans o.** *(inquiétude)* groundless; **o. d'art** objet d'art; **o. volant non identifié** unidentified flying object; **objets trouvés** *(bureau) Br* lost property, *Am* lost and found

obligation [ɔbligasjɔ̃] *nf (contrainte)* obligation; *Fin* bond; **se trouver dans l'o. de faire qch** to be obliged to do sth; **sans o. d'achat** no purchase necessary ▪ **obligatoire** *adj* compulsory, obligatory; *Fam (inévitable)* inevitable ▪ **obligatoirement** *adv (fatalement)* inevitably; **tu dois o. le faire** you have to do it; **pas o.** not necessarily

obligeant, -ante [ɔbliʒɑ̃, -ɑ̃t] *adj* obliging, kind ▪ **obligeamment** [-amɑ̃] *adv* obligingly ▪ **obligeance** *nf Formel* **avoir l'o. de faire qch** to be so kind as to do sth

obliger [ɔbliʒe] **1** *vt* **(a)** *(contraindre)* to force (**à faire** to do); **être obligé de faire qch** to be obliged to do sth **(b)** *(rendre service à)* to oblige **2 s'obliger** *vpr* **s'o. à faire qch** to force oneself to do sth ▪ **obligé, -ée** *adj (obligatoire)* necessary; *Fam (fatal)* inevitable

oblique [ɔblik] *adj* oblique; *(regard)* sidelong; **en o.** at an (oblique) angle ▪ **obliquer** *vi (véhicule)* to turn off

oblitérer [ɔblitere] *vt (timbre)* to cancel; **timbre oblitéré** used stamp

oblong, -ongue [ɔblɔ̃, -ɔ̃g] *adj* oblong

obnubilé, -ée [ɔbnybile] *adj (obsédé)* obsessed (**par** with)

obole [ɔbɔl] *nf* small contribution

obscène [ɔpsɛn] *adj* obscene ▪ **obscénité** *nf* obscenity

obscur, -ure [ɔpskyr] *adj (sombre)* dark; *(difficile à comprendre, inconnu)* obscure ▪ **obscurcir** **1** *vt (pièce)* to darken; *(rendre confus)* to obscure **2 s'obscurcir** *vpr (ciel)* to darken; *(vue)* to grow dim ▪ **obscurément** *adv* obscurely ▪ **obscurité** *nf (noirceur)* darkness; *(anonymat)* obscurity; **dans l'o.** in the dark

obséder [ɔpsede] *vt* to obsess ▪ **obsédant, -ante** *adj* haunting; *(pensée)* obsessive ▪ **obsédé, -ée** *nmf* maniac (**de** for); **o. sexuel** sex maniac

obsèques [ɔpsɛk] *nfpl* funeral; **faire des o. nationales à qn** to give sb a state funeral

obséquieux, -ieuse [ɔpsekjø, -jøz] *adj* obsequious

observateur, -trice [ɔpsɛrvatœr, -tris] **1** *adj* observant **2** *nmf* observer

observation [ɔpsɛrvasjɔ̃] *nf (étude, remarque)* observation; *(reproche)* remark; *(respect)* observance; **en o.** *(malade)* under observation

observatoire [ɔpsɛrvatwar] *nm* observatory; *Mil* observation post

observer [ɔpsɛrve] *vt (regarder, respecter)* to observe; *(remarquer)* to notice; **faire o. qch à qn** to point sth out to sb

obsession [ɔpsesjɔ̃] *nf* obsession ▪ **obsessionnel, -elle** *adj* obsessional

obsolète [ɔpsɔlɛt] *adj* obsolete

obstacle [ɔpstakl] *nm* obstacle; **faire o. à qch** to stand in the way of sth

obstétricien, -ienne [ɔpstetrisjɛ̃, -jɛn] *nmf* obstetrician

obstiner [ɔpstine] **s'obstiner** *vpr* to persist (**à faire** in doing) ▪ **obstination** *nf* stubbornness, obstinacy ▪ **obstiné, -ée** *adj* stubborn, obstinate

obstruction [ɔpstryksjɔ̃] *nf* obstruction; *Pol* **faire de l'o.** to be obstructive ▪ **obstruer** *vt* to obstruct

obtempérer [ɔptɑ̃pere] *vi* **o. à qch** to comply with sth

obtenir* [ɔptənir] *vt* to get, to obtain ▪**obtention** *nf* obtaining

obturateur [ɔptyratœr] *nm* (*d'appareil photo*) shutter

obtus, -use [ɔpty, -yz] *adj* (*angle, esprit*) obtuse

obus [ɔby] *nm* (*projectile*) shell

occasion [ɔkazjɔ̃] *nf* (**a**) (*chance*) chance, opportunity (**de faire** to do); (*moment*) occasion; **à l'o.** when the occasion arises; **à l'o. de qch** on the occasion of sth; **pour les grandes occasions** for special occasions (**b**) (*affaire*) bargain; (*objet non neuf*) second-hand item; **d'o.** second-hand

occasionner [ɔkazjɔne] *vt* to cause; **o. qch à qn** to cause sb sth

occident [ɔksidɑ̃] *nm Pol* **l'O.** the West ▪**occidental, -e, -aux, -ales 1** *adj Géog & Pol* western **2** *nmpl Pol* **les Occidentaux** Westerners ▪**occidentalisé, -ée** *adj Pol* westernized

occulte [ɔkylt] *adj* occult

occupant, -ante [ɔkypɑ̃, -ɑ̃t] **1** *adj* (*armée*) occupying **2** *nmf* (*habitant*) occupant **3** *nm Mil* **l'o.** the occupying forces

occupation [ɔkypasjɔ̃] *nf* (*activité, travail*) & *Mil* occupation; *Hist* **l'O.** the Occupation

occupé, -ée [ɔkype] *adj* busy (**à faire** doing); (*place, maison*) occupied; (*ligne téléphonique*) *Br* engaged, *Am* busy

occuper [ɔkype] **1** *vt* (*bâtiment, pays, temps*) to occupy; (*place*) to take up, to occupy; (*poste*) to hold; **o. qn** (*jeu, travail*) to keep sb busy *or* occupied; (*ouvrier*) to employ sb **2 s'occuper** *vpr* to keep oneself busy (**à faire** doing); **s'o. de** (*affaire, problème*) to deal with; (*politique*) to be engaged in; **s'o. de qn** (*malade*) to take care of sb; (*client*) to see to sb; **est-ce qu'on s'occupe de vous?** (*dans un magasin*) are you being served?; *Fam* **occupe-toi de tes affaires!** mind your own business!

occurrence [ɔkyrɑ̃s] *nf Ling* occurrence; **en l'o.** in this case

océan [ɔseɑ̃] *nm* ocean; *Fig* **un o. de fleurs** a sea of flowers; *Fig* **un o. de larmes** floods of tears; **l'o. Atlantique/Pacifique** the Atlantic/Pacific Ocean ▪**océanique** *adj* oceanic

ocre [ɔkr] *nm & adj inv* ochre

octane [ɔktan] *nm* octane

octante [ɔktɑ̃t] *adj & nm inv Belg & Suisse* eighty

octave [ɔktav] *nf Mus* octave

octet [ɔktɛ] *nm Ordinat* byte; **milliard d'octets** gigabyte

octobre [ɔktɔbr] *nm* October

octogénaire [ɔktɔʒenɛr] *adj & nmf* octogenarian

octogone [ɔktɔgɔn] *nm* octagon ▪**octogonal, -e, -aux, -ales** *adj* octagonal

octroyer [ɔktrwaje] *vt Littéraire* to grant (**à** to)

oculaire [ɔkylɛr] *adj* **témoin o.** eyewitness ▪**oculiste** *nmf* eye specialist

ode [ɔd] *nf* ode

odeur [ɔdœr] *nf* smell; (*de fleur*) scent; **une o. de brûlé** a smell of burning ▪**odorant, -ante** *adj* sweet-smelling ▪**odorat** *nm* sense of smell

odieux, -ieuse [ɔdjø, -jøz] *adj* odious

œil [œj] (*pl* **yeux** [jø]) *nm* eye; **l'o. du cyclone** the eye of the storm *or* cyclone; **avoir les yeux verts** to have green eyes; **avoir de grands yeux** to have big eyes; **lever/baisser les yeux** to look up/down; *Fig* **fermer les yeux sur qch** to turn a blind eye to sth; **je n'ai pas fermé l'o. de la nuit** I didn't sleep a wink all night; **coup d'o.** (*regard*) look, glance; **jeter un coup d'o. sur qch** to have a look at sth; **à vue d'o.** visibly; **à mes yeux** in my eyes; *Fam* **à l'o.** (*gratuitement*) free; **avoir qch sous les yeux** to have sth before one's very eyes; **regarder qn dans les yeux** to look sb in the eye; **être les yeux dans les yeux** to be gazing into each other's eyes; **faire les gros yeux à qn** to scowl at sb; *Fam* **faire de l'o. à qn** to give sb the eye; **avoir qn à l'o.** (*surveiller*) to keep an eye on sb; **ne pas avoir les yeux dans sa poche** to be very observant; *Fig* **o. poché, o. au beurre noir** black eye; **ouvre l'o.!** keep your eyes open!; *Fam* **mon o.!** (*incrédulité*) my foot!; *Fam* **entre quat'z'yeux** [katzjø] (*en privé*) in private ▪**œil-de-bœuf** (*pl* **œils-de-bœuf**) *nm* bull's-eye window

œillade [œjad] *nf* wink

œillères [œjɛr] *nfpl* (*de cheval*) *Br* blinkers, *Am* blinders

œillet [œjɛ] *nm* (*fleur*) carnation; (*trou de ceinture*) eyelet

œnologie [enɔlɔʒi, ø-] *nf* oenology

œuf [œf] (*pl* **œufs** [ø]) *nm* egg; **œufs** (*de poissons*) (hard) roe; *Fig* **étouffer qch dans l'o.** to nip sth in the bud; **o. à la coque** boiled egg; **o. de Pâques** Easter egg; **o. dur** hard-boiled egg; **o. sur le plat** fried egg; **œufs brouillés** scrambled eggs

œuvre [œvr] *nf* (*travail, livre*) work; **être à l'o.** to be at work; **mettre qch en o.** (*loi, système*) to implement sth; **mettre tout en o.** to do everything possible (**pour faire** to do); **se mettre à l'o.** to set to work; **o. d'art** work of art; **o. de charité** (*organisation*) charity ▪**œuvrer** *vi* to work

offense [ɔfɑ̃s] *nf* insult; *Rel* transgression ▪**offensant, -ante** *adj* offensive ▪**offenser 1** *vt* to offend **2 s'offenser** *vpr* **s'o. de qch** to take *Br* offence *or Am* offense at sth

offensif, -ive [ɔfɑ̃sif, -iv] **1** *adj* offensive **2** *nf* **offensive** offensive; **passer à l'o.** to go on the offensive; **offensive du froid** cold snap

offert, -erte [ɔfɛr, -ɛrt] *pp de* **offrir**

office [ɔfis] *nm* (**a**) *Rel* service (**b**) (*établissement*) office, bureau; **o. du tourisme** tourist information centre (**c**) (*charge*) office;

d'o. without having any say; **faire o. de qch** to serve as sth

officiel, -ielle [ɔfisjɛl] *adj & nm* official ▪ **officiellement** *adv* officially

officier [ɔfisje] **1** *nm (dans l'armée)* officer **2** *vi Rel* to officiate

officieux, -ieuse [ɔfisjø, -jøz] *adj* unofficial

offre [ɔfr] *nf* offer; *(aux enchères)* bid; *Fin* tender; *Écon* **l'o. et la demande** supply and demand; *Fin* **appel d'offres** invitation to tender; *Fin* **o. publique d'achat** takeover bid; **offres d'emploi** *(de journal)* job vacancies, *Br* situations vacant ▪ **offrande** *nf* offering

offrir* [ɔfrir] **1** *vt (donner en cadeau)* to give; *(proposer)* to offer; **o. qch à qn** *(donner)* to give sb sth, to give sth to sb; *(proposer)* to offer sb sth, to offer sth to sb; **o. de faire qch** to offer to do sth; **o. sa démission** to offer one's resignation **2 s'offrir** *vpr (cadeau)* to treat oneself to; *(se proposer)* to offer oneself (**comme** as); **s'o. aux regards** *(spectacle)* to greet one's eyes ▪ **offrant** *nm* **au plus o.** to the highest bidder

offusquer [ɔfyske] **1** *vt* to offend **2 s'offusquer** *vpr* **s'o. de qch** to take *Br* offence *or Am* offense at sth

ogive [ɔʒiv] *nf (de fusée)* head; *(de roquette)* nose cone; *Archit* rib; **o. nucléaire** nuclear warhead

OGM [ɔʒeɛm] *(abrév* **organisme génétiquement modifié)** *nm* GMO

ogre [ɔgr] *nm* ogre

oh [o] *exclam* oh!

ohé [ɔe] *exclam* hey (there)!

oie [wa] *nf* goose *(pl* geese)

oignon [ɔɲɔ̃] *nm (légume)* onion; *(de fleur)* bulb; *Fam* **en rang d'oignons** in a neat row; *Fam* **occupe-toi de tes oignons!** mind your own business!

oiseau, -x [wazo] *nm* bird; *Hum* **l'o. rare** the ideal person; *Péj* **drôle d'o.** oddball; **'attention! le petit o. va sortir!'** *(photo)* 'watch the birdie!'; **o. de proie** bird of prey

oiseux, -euse [wazø, -øz] *adj (conversation)* idle; *(explication)* unsatisfactory

oisif, -ive [wazif, -iv] *adj* idle ▪ **oisiveté** *nf* idleness

oisillon [wazijɔ̃] *nm* fledgling

oléoduc [ɔleɔdyk] *nm* pipeline

olfactif, -ive [ɔlfaktif, -iv] *adj* olfactory

oligoélément [ɔligoelemã] *nm* trace element

olive [ɔliv] **1** *nf* olive **2** *adj inv* **(vert) o.** olive (green) ▪ **olivier** *nm (arbre)* olive tree

olympique [ɔlɛ̃pik] *adj* Olympic; **les jeux Olympiques** the Olympic games

ombilical, -e, -aux, -ales [ɔ̃bilikal, -o] *adj* umbilical

ombrage [ɔ̃braʒ] *nm (ombre)* shade; *Littéraire* **prendre o. de qch** to take umbrage at sth

▪ **ombragé, -ée** *adj* shady ▪ **ombrager** *vt* to give shade to ▪ **ombrageux, -euse** *adj (caractère, personne)* touchy

ombre [ɔ̃br] *nf (forme)* shadow; *(zone sombre)* shade; **30° à l'o.** 30° in the shade; *Fig* **dans l'o.** *(comploter)* in secret; *Fig* **rester dans l'o.** to remain in the background; **sans l'o. d'un doute** without the shadow of a doubt; **pas l'o. d'un reproche/remords** not a trace of blame/ remorse; *Fig* **il y a une o. au tableau** there's a fly in the ointment; **o. à paupières** eyeshadow

ombrelle [ɔ̃brɛl] *nf* sunshade, parasol

> Il faut noter que le nom anglais **umbrella** est un faux ami. Il signifie **parapluie**.

OMC [ɔɛmse] *(abrév* **Organisation mondiale du commerce)** *nf* WTO

omelette [ɔmlɛt] *nf* omelet(te); **o. au fromage** cheese omelet(te); **o. norvégienne** baked Alaska

omettre* [ɔmɛtr] *vt* to omit (**de faire** to do) ▪ **omission** *nf* omission

omnibus [ɔmnibys] *adj & nm* **(train) o.** slow train *(stopping at all stations)*

omnipotent, -ente [ɔmnipɔtã, -ãt] *adj* omnipotent

omniprésent, -ente [ɔmniprezã, -ãt] *adj* omnipresent

omniscient, -iente [ɔmnisjã, -ãt] *adj* omniscient

omnisports [ɔmnispɔr] *adj inv* **centre o.** sports centre

omnivore [ɔmnivɔr] **1** *adj* omnivorous **2** *nmf* omnivore

omoplate [ɔmoplat] *nf* shoulder blade

OMS [ɔɛms] *(abrév* **Organisation mondiale de la santé)** *nf* WHO

on [ɔ̃] *(sometimes* **l'on** [lɔ̃]) *pron indéfini (les gens)* they, people; *(nous)* we, one; *(vous)* you, one; **on frappe** someone's knocking; **on dit** they say, people say; **on m'a dit que...** I was told that...; **on me l'a donné** somebody gave it to me

once [ɔ̃s] *nf (mesure) & Fig* ounce

oncle [ɔ̃kl] *nm* uncle

onctueux, -ueuse [ɔ̃ktɥø, -ɥøz] *adj* smooth, creamy

onde [ɔ̃d] *nf (à la radio) & Phys* wave; **grandes ondes** long wave; **ondes courtes/moyennes** short/medium wave; **o. de choc** shock wave; **sur les ondes** *(à l'antenne)* on the radio

ondée [ɔ̃de] *nf* sudden downpour

on-dit [ɔ̃di] *nm inv* rumour, hearsay

ondoyer [ɔ̃dwaje] *vi* to undulate

ondulation [ɔ̃dylasjɔ̃] *nf* undulation; *(de cheveux)* wave ▪ **ondulé, -ée** *adj* wavy ▪ **onduler** *vi* to undulate; *(cheveux)* to be wavy

onéreux, -euse [ɔnerø, -øz] *adj* costly

Il faut noter que le nom anglais **onerous** est un faux ami. Il signifie **lourd, pénible**.

ONG [ɔɛnʒe] (*abrév* **organisation non gouvernementale**) *nf* NGO

ongle [ɔ̃gl] *nm* (finger)nail; **se faire les ongles** to do one's nails

onglet [ɔ̃glɛ] *nm* (*d'un répertoire*) & *Ordinat* tab; **à onglets** (*dictionnaire*) thumb-indexed

ont [ɔ̃] *voir* **avoir**

ONU [ɔny] (*abrév* **Organisation des Nations unies**) *nf* UN

onyx [ɔniks] *nm* onyx

onze [ɔ̃z] *adj* & *nm* eleven ▪ **onzième** *adj* & *nmf* eleventh

OPA [ɔpea] *abrév* = **offre publique d'achat**

opale [ɔpal] *nf* opal

opaque [ɔpak] *adj* opaque ▪ **opacité** *nf* opacity

opéra [ɔpera] *nm* (*musique*) opera; (*édifice*) opera house; **o. rock** rock opera ▪ **opéra-comique** (*pl* **opéras-comiques**) *nm* comic opera ▪ **opérette** *nf* operetta

opérateur, -trice [ɔperatœr, -tris] *nmf* (*personne*) operator; *Cin* cameraman; **o. de saisie** keyboarder

opération [ɔperasjɔ̃] *nf* (*action*) & *Méd, Mil* & *Math* operation; *Fin* deal; **faire une o. portes ouvertes** to open one's doors to the public; **o. à cœur ouvert** open-heart surgery ▪ **opérationnel, -elle** *adj* operational ▪ **opératoire** *adj* (*méthode*) operating

opérer [ɔpere] **1** *vt* (*exécuter*) to carry out; (*choix*) to make; (*patient*) to operate on (**de** for); **se faire o.** to have an operation **2** *vi* (*agir*) to work; (*procéder*) to proceed; (*chirurgien*) to operate **3** **s'opérer** *vpr* (*se produire*) to take place

ophtalmologue [ɔftalmɔlɔg] *nmf* ophthalmologist

opiner [ɔpine] *vi* **o. (de la tête)** to nod (in agreement)

opiniâtre [ɔpinjatr] *adj* stubborn ▪ **opiniâtreté** [-trete] *nf* stubbornness

opinion [ɔpinjɔ̃] *nf* opinion (**sur** about *or* on); **sans o.** (*de sondage*) don't know; **mon o. est faite** my mind is made up; **o. publique** public opinion

opium [ɔpjɔm] *nm* opium

opportun, -une [ɔpɔrtœ̃, -yn] *adj* opportune, timely ▪ **opportunément** *adv* opportunely ▪ **opportunisme** *nm* opportunism ▪ **opportunité** *nf* timeliness

opposant, -ante [ɔpozɑ̃, -ɑ̃t] *nmf* opponent (**à** of)

opposé, -ée [ɔpoze] **1** *adj* (*direction*) opposite; (*intérêts*) conflicting; (*armées, équipe*) opposing; **être o. à qch** to be opposed to sth **2** *nm* **l'o.** the opposite (**de** of); **à l'o.** (*côté*) on the opposite side (**de** to); **à l'o. de** (*contrairement à*) contrary to

opposer [ɔpoze] **1** *vt* (*résistance, argument*) to put up (**à** against); (*équipes*) to pit against each other; (*armées*) to bring into conflict; (*styles, conceptions*) to contrast; **o. qn à qn** to set sb against sb; **match qui oppose...** match between... **2** **s'opposer** *vpr* (*équipes*) to confront each other; (*styles, conceptions*) to contrast; **s'o. à qch** to be opposed to sth; **je m'y oppose** I'm opposed to it

opposition [ɔpozisjɔ̃] *nf* opposition (**à** to); **faire o. à** to oppose; (*chèque*) to stop; **par o. à** as opposed to

oppresser [ɔprese] *vt* (*gêner*) to oppress ▪ **oppressant, -ante** *adj* oppressive ▪ **oppresseur** *nm* oppressor ▪ **oppressif, -ive** *adj* (*loi*) oppressive ▪ **oppression** *nf* oppression ▪ **opprimer** *vt* (*peuple, nation*) to oppress ▪ **opprimés** *nmpl* **les o.** the oppressed

opter [ɔpte] *vi* **o. pour qch** to opt for sth

opticien, -ienne [ɔptisjɛ̃, -jɛn] *nmf* optician

optimiser [ɔptimize] *vt* to optimize

optimisme [ɔptimism] *nm* optimism ▪ **optimiste 1** *adj* optimistic **2** *nmf* optimist

optimum [ɔptimɔm] *nm* & *adj* optimum ▪ **optimal, -e, -aux, -ales** *adj* optimal

option [ɔpsjɔ̃] *nf* (*choix*) option; (*chose*) optional extra; *Scol & Univ Br* option, optional subject, *Am* elective (subject)

optique [ɔptik] **1** *adj* (*nerf*) optic; (*verre, fibres*) optical **2** *nf* optics (*sing*); *Fig* (*aspect*) perspective; **d'o.** (*instrument, appareil*) optical; **dans cette o.** from this perspective

opulent, -ente [ɔpylɑ̃, -ɑ̃t] *adj* opulent ▪ **opulence** *nf* opulence

or¹ [ɔr] *nm* gold; **montre/chaîne en or** gold watch/chain; **règle/âge/cheveux d'or** golden rule/age/hair; **cœur d'or** heart of gold; **mine d'or** gold mine; **affaire en or** bargain; **or noir** (*pétrole*) black gold

or² [ɔr] *conj* (*cependant*) now, well

oracle [ɔrakl] *nm* oracle

orage [ɔraʒ] *nm* (thunder)storm ▪ **orageux, -euse** *adj* stormy

oraison [ɔrɛzɔ̃] *nf* prayer; **o. funèbre** funeral oration

oral, -e, -aux, -ales [ɔral, -o] **1** *adj* oral **2** *nm* *Scol & Univ* oral

orange [ɔrɑ̃ʒ] **1** *nf* orange; **o. pressée** (fresh) orange juice **2** *adj* & *nm inv* (*couleur*) orange ▪ **orangé, -ée** *adj* & *nm* (*couleur*) orange ▪ **orangeade** *nf* orangeade ▪ **oranger** *nm* orange tree

orang-outan(g) [ɔrɑ̃utɑ̃] (*pl* **orangs-outan(g)s**) *nm* orang-utan

orateur [ɔratœr] *nm* speaker, orator

orbite [ɔrbit] *nf* (*d'astre*) & *Fig* orbit; (*d'œil*) socket; **mettre qch sur o.** (*fusée*) to put sth into orbit ▪ **orbital, -e, -aux, -ales** *adj* **station orbitale** space station

orchestre [ɔrkɛstr] *nm (classique)* orchestra; *(de jazz)* band; *Théâtre (places) Br* stalls, *Am* orchestra ▪ **orchestration** *nf* orchestration ▪ **orchestrer** *vt (organiser) & Mus* to orchestrate

orchidée [ɔrkide] *nf* orchid

ordinaire [ɔrdinɛr] *adj (habituel, normal)* ordinary, *Am* regular; *(médiocre)* ordinary, average; **d'o., à l'o.** usually; **comme d'o., comme à l'o.** as usual ▪ **ordinairement** *adv* usually

ordinal, -e, -aux, -ales [ɔrdinal, -o] *adj* ordinal

ordinateur [ɔrdinatœr] *nm* computer; **o. individuel** personal computer; **o. portable** laptop

ordination [ɔrdinɑsjɔ̃] *nf Rel* ordination

ordonnance [ɔrdɔnɑ̃s] *nf (de médecin)* prescription; *(de juge)* order, ruling; *(disposition)* arrangement; *(soldat)* orderly

ordonner [ɔrdɔne] *vt* (**a**) *(commander)* to order (**que** + *subjunctive* that); **o. à qn de faire qch** to order sb to do sth (**b**) *(ranger)* to organize (**c**) *(prêtre)* to ordain; **il a été ordonné prêtre** he has been ordained (as) a priest ▪ **ordonné, -ée** *adj (personne, maison)* tidy

ordre [ɔrdr] *nm (organisation, discipline, catégorie, commandement) & Fin* order; *(absence de désordre)* tidiness; **en o.** *(chambre)* tidy; **mettre de l'o. dans qch** to tidy sth up; **rentrer dans l'o.** to return to normal; **jusqu'à nouvel o.** until further notice; **de l'o. de** *(environ)* of the order of; **du même o.** of the same order; **donnez-moi un o. de grandeur** give me a rough estimate; **de premier o.** first-rate; **par o. d'âge** in order of age; **assurer le maintien de l'o.** to maintain order; *Rel* **entrer dans les ordres** to take holy orders; *Mil* **à vos ordres!** yes sir!; **o. du jour** agenda; **l'o. public** law and order

ordures [ɔrdyr] *nfpl (déchets) Br* rubbish, *Am* garbage; **mettre qch aux o.** to throw sth out (in the *Br* rubbish *or Am* garbage) ▪ **ordurier, -ière** *adj* filthy

oreille [ɔrɛj] *nf* ear; **faire la sourde o.** to turn a deaf ear; **être tout oreilles** to be all ears; **écouter d'une o. distraite** to listen with half an ear; **dire qch à l'o. de qn** to whisper sth in sb's ear; **être dur d'o.** to be hard of hearing

oreiller [ɔrɛje] *nm* pillow

oreillons [ɔrɛjɔ̃] *nmpl (maladie)* mumps

ores et déjà [ɔrzedeʒa] **d'ores et déjà** *adv* already

orfèvre [ɔrfɛvr] *nm (d'or)* goldsmith; *(d'argent)* silversmith ▪ **orfèvrerie** [-vrɛri] *nf (magasin)* goldsmith's/silversmith's shop; *(objets)* gold/silver plate

organe [ɔrgan] *nm Anat & Fig* organ; *(porte-parole)* mouthpiece ▪ **organique** *adj* organic ▪ **organisme** *nm (corps)* body; *Biol* organism; *(bureaux)* organization

organisateur, -trice [ɔrganizatœr, -tris] *nmf* organizer

organisation [ɔrganizɑsjɔ̃] *nf (arrangement, association)* organization; **O. mondiale du commerce** World Trade Organization; **O. mondiale de la santé** World Health Organization; **O. des Nations unies** United Nations Organization

organiser [ɔrganize] **1** *vt* to organize **2 s'organiser** *vpr* to get organized ▪ **organisé, -ée** *adj* organized ▪ **organiseur** *nm* **o. électronique** electronic organizer; **o. personnel** personal organizer

orgasme [ɔrgasm] *nm* orgasm

orge [ɔrʒ] *nf* barley

orgie [ɔrʒi] *nf* orgy

orgue [ɔrg] **1** *nm* organ; **o. de Barbarie** barrel organ **2** *nfpl* **orgues** organ; **grandes orgues** great organ

orgueil [ɔrgœj] *nm* pride ▪ **orgueilleux, -euse** *adj* proud

orient [ɔrjɑ̃] *nm* **l'O.** the Orient, the East; **en O.** in the East ▪ **oriental, -e, -aux, -ales** **1** *adj (côte, région)* eastern; *(langue)* oriental **2** *nmf* **O., Orientale** Oriental

orientable [ɔrjɑ̃tabl] *adj (lampe)* adjustable; *(bras de machine)* movable

orientation [ɔrjɑ̃tɑsjɔ̃] *nf (détermination de position)* orientation; *(de grue, d'antenne)* positioning; *(de maison)* aspect; *(de politique, de recherche)* direction; **avoir le sens de l'o.** to have a good sense of direction; **o. professionnelle** careers guidance

orienter [ɔrjɑ̃te] **1** *vt (bâtiment)* to orientate; *(canon, télescope)* to point (**vers** at); **o. ses recherches sur** to direct one's research on; **être mal orienté** *(élève)* to have been given bad careers advice **2 s'orienter** *vpr* to get one's bearings; **s'o. vers** *(carrière)* to specialize in ▪ **orienté, -ée** *adj (peu objectif)* slanted; **o. à l'ouest** *(appartement)* facing west

orifice [ɔrifis] *nm* opening

originaire [ɔriʒinɛr] *adj* **être o. de** *(natif)* to be a native of

original, -e, -aux, -ales [ɔriʒinal, -o] **1** *adj (idée, artiste, version)* original **2** *nm (texte, tableau)* original **3** *nmf (personne)* eccentric ▪ **originalité** *nf* originality

origine [ɔriʒin] *nf* origin; **à l'o.** originally; **être à l'o. de qch** to be at the origin of sth; **d'o.** *(pneu)* original; **pays d'o.** country of origin; **être d'o. française** to be of French origin ▪ **originel, -elle** *adj* original

orme [ɔrm] *nm (arbre, bois)* elm

ornement [ɔrnəmɑ̃] *nm* ornament ▪ **ornemental, -e, -aux, -ales** *adj* ornamental

orner [ɔrne] *vt* to decorate (**de** with)

ornière [ɔrnjɛr] *nf* rut; *Fig* **sortir de l'o.** to get out of trouble

orphelin, -ine [ɔrfəlɛ̃, -in] *nmf* orphan ▪ **orphelinat** *nm* orphanage

ORSEC [ɔrsek] (*abrév* **organisation des secours**) **plan O.** = disaster contingency plan

orteil [ɔrtɛj] *nm* toe; **gros o.** big toe

orthodoxe [ɔrtɔdɔks] *adj* orthodox ▪ **orthodoxie** *nf* orthodoxy

orthographe [ɔrtɔgraf] *nf* spelling ▪ **orthographier** *vt* to spell; **mal o. qch** to misspell sth ▪ **orthographique** *adj* orthographic

orthopédie [ɔrtɔpedi] *nf* orthopaedics (*sing*)

orthophonie [ɔrtɔfɔni] *nf* speech therapy ▪ **orthophoniste** *nmf* speech therapist

ortie [ɔrti] *nf* nettle

os [ɔs, *pl o* ou *os*] *nm* bone; **trempé jusqu'aux os** soaked to the skin; **on lui voit les os** he's all skin and bone; **il ne fera pas de vieux os** he won't make old bones; *Fam* **tomber sur un os** to hit a snag

oscar [ɔskar] *nm* (*récompense*) Oscar; **les oscars** (*cérémonie*) the Oscars

osciller [ɔsile] *vi Tech* to oscillate; (*pendule*) to swing; (*aiguille, flamme*) to flicker; (*bateau*) to rock; *Fig* (*varier*) to fluctuate (**entre** between) ▪ **oscillation** *nf Tech* oscillation; *Fig* (*de l'opinion*) fluctuation

oseille [ozɛj] *nf* (*plante*) sorrel; *Fam* (*argent*) dosh

oser [oze] *vt* to dare; **o. faire qch** to dare (to) do sth ▪ **osé, -ée** *adj* daring

osier [ozje] *nm* wicker; **panier d'o.** wicker basket

ossature [ɔsatyr] *nf* (*du corps*) frame; (*de bâtiment*) & *Fig* framework ▪ **osselets** *nmpl* (*jeu*) jacks, *Br* knucklebones ▪ **ossements** *nmpl* bones

osseux, -euse [ɔsø, -øz] *adj* (*maigre*) bony; **tissu o.** bone tissue

ostensible [ɔstɑ̃sibl] *adj* open ▪ **ostensiblement** [-əmɑ̃] *adv* openly

---

Il faut noter que les termes anglais **ostensible** et **ostensibly** sont des faux amis. Ils signifient respectivement **apparent** et en **apparence**.

---

ostentation [ɔstɑ̃tasjɔ̃] *nf* ostentation ▪ **ostentatoire** *adj* ostentatious

ostéopathe [ɔsteɔpat] *nmf* osteopath ▪ **ostéopathie** *nf* osteopathy

ostréiculteur, -trice [ɔstreikytœr, -tris] *nmf* oyster farmer

otage [ɔtaʒ] *nm* hostage; **prendre qn en o.** to take sb hostage

OTAN [ɔtɑ̃] (*abrév* **Organisation du traité de l'Atlantique Nord**) *nf* NATO

otarie [ɔtari] *nf* sea lion

ôter [ote] **1** *vt* to take away, to remove (**à qn** from sb); (*vêtement*) to take off; (*déduire*) to take (away) **2** **s'ôter** *vpr Fam* **ôte-toi de là!** move over!

otite [ɔtit] *nf* ear infection

oto-rhino [ɔtɔrino] (*pl* **oto-rhinos**) *nmf Fam* (*médecin*) ENT specialist

ou [u] *conj* or; **ou bien** or else; **ou elle ou moi** either her or me; **pour ou contre nous** for or against us

où [u] *adv & pron relatif* where; **le jour où...** the day when...; **la table où...** the table on which...; **l'état où...** the condition in which...; **par où?** which way?; **d'où?** where from?; **d'où ma surprise** hence my surprise; **le pays d'où je viens** the country from which I come; **où qu'il soit** wherever he may be

ouate [wat] *nf* (*pour pansement*) *Br* cotton wool, *Am* absorbent cotton

oubli [ubli] *nm* (*trou de mémoire*) oversight; (*lacune*) omission; **tomber dans l'o.** to fall *or* sink into oblivion

oublier [ublije] **1** *vt* to forget (**de faire** to do); (*omettre*) to leave out **2** **s'oublier** *vpr* (*traditions*) to be forgotten; *Fig* (*personne*) to forget oneself

oubliettes [ublijɛt] *nfpl* (*de château*) dungeons; **être tombé aux o.** (*personne, projet*) to be long forgotten

oublieux, -ieuse [ublijø, -jøz] *adj* forgetful (**de** of)

ouest [west] **1** *nm* west; **à l'o.** in the west; (*direction*) (to the) west (**de** of); **d'o.** (*vent*) west(erly); **de l'o.** western **2** *adj inv* (*côte*) west; (*région*) western

ouf [uf] *exclam* (*soulagement*) phew!

Ouganda [ugɑ̃da] *nm* **l'O.** Uganda

oui [wi] **1** *adv* yes; **ah, ça o.!** oh yes (indeed!); **tu viens, o. ou non?** are you coming or aren't you?; **je crois que o.** I think so; **si o.** if so **2** *nm inv* **pour un o. pour un non** for the slightest thing

ouï-dire [widir] *nm* hearsay; **par o.** by hearsay

ouïe [wi] *nf* hearing; *Hum* **être tout o.** to be all ears

ouïes [wi] *nfpl* (*de poisson*) gills

ouille [uj] *exclam* ouch!

ouragan [uragɑ̃] *nm* hurricane

ourler [urle] *vt* to hem ▪ **ourlet** [-ɛ] *nm* hem

ours [urs] *nm* bear; **o. blanc** polar bear; *Fig* **o. mal léché** boor; **o. en peluche** teddy bear ▪ **ourse** *nf* she-bear; **la Grande O.** the Great Bear

oursin [ursɛ̃] *nm* sea urchin

ouste [ust] *exclam Fam* scram!

outil [uti] *nm* tool ▪ **outillage** *nm* tools; (*d'une usine*) equipment ▪ **outiller** *vt* to equip

outrage [utraʒ] *nm* insult (**à** to); *Jur* **o. à magistrat** contempt of court ▪ **outrageant, -ante** *adj* insulting

outrance [utrɑ̃s] *nf (excès)* excess; **à o.** to excess ▪ **outrancier, -ière** *adj* excessive

outre [utr] **1** *prép* besides; **o. mesure** unduly **2** *adv* **en o.** besides; **passer o.** to take no notice (**à** of) ▪ **outre-Manche** *adv* across the Channel ▪ **outre-mer** *adv* overseas; **d'o.** *(marché)* overseas; **territoires d'o.** overseas territories

outré, -ée [utre] *adj (révolté)* outraged; *(excessif)* exaggerated

outrepasser [utrəpɑse] *vt* to go beyond, to exceed

ouvert, -erte [uver, -ɛrt] **1** *pp de* **ouvrir 2** *adj* open; *(robinet, gaz)* on ▪ **ouvertement** [-əmɑ̃] *adv* openly ▪ **ouverture** *nf* opening; *(trou)* hole; *Mus* overture; *Phot (d'objectif)* aperture; **o. d'esprit** open-mindedness

ouvrable [uvrabl] *adj* **jour o.** *Br* working *or Am* work day

ouvrage [uvraʒ] *nm (travail, livre, objet)* work; *(couture)* (needle)work; **un o.** *(travail)* a piece of work ▪ **ouvragé, -ée** *adj (bijou)* finely worked

ouvreuse [uvrøz] *nf* usherette

ouvrier, -ière [uvrije, -jɛr] **1** *nmf* worker; **o. qualifié/spécialisé** skilled/semi-skilled worker; **o. agricole** farm worker **2** *adj*

(législation) industrial; *(quartier, origine)* working-class

ouvrir* [uvrir] **1** *vt* to open; *(gaz, radio)* to turn on; *(hostilités)* to begin; *(appétit)* to whet; *(procession)* to head **2** *vi* to open **3** **s'ouvrir** *vpr (porte, boîte, fleur)* to open; **s'o. la jambe** to cut one's leg open; *Fig* **s'o. à qn** *(perspectives)* to open up for sb ▪ **ouvre-boîtes** *nm inv Br* tin opener, *Am* can opener ▪ **ouvre-bouteilles** *nm inv* bottle opener

ovaire [ɔver] *nm Anat* ovary

ovale [ɔval] *adj & nm* oval

ovation [ɔvasjɔ̃] *nf* (standing) ovation

overdose [ɔvœrdoz] *nf* overdose; **faire un o.** to overdose (**de** on)

ovni [ɔvni] *(abrév* **objet volant non identifié)** *nm* UFO

oxyde [ɔksid] *nm Chim* oxide; **o. de carbone** carbon monoxide ▪ **oxyder** *vt*, **s'oxyder** *vpr* to oxidize

oxygène [ɔksiʒɛn] *nm* oxygen; **masque/tente à o.** oxygen mask/tent ▪ **oxygéné, -ée** *adj* **eau oxygénée** (hydrogen) peroxide; **cheveux blonds oxygénés** peroxide blonde hair, bleached hair ▪ **s'oxygéner** *vpr Fam* to get some fresh air

ozone [ozon] *nm Chim* ozone

P, p [pe] *nm inv* P, p

PAC [pak] (*abrév* **politique agricole commune**) *nf* CAP

pacifier [pasifje] *vt* to pacify ▪ **pacification** *nf* pacification

pacifique [pasifik] **1** *adj* (*manifestation*) peaceful; (*personne, peuple*) peace-loving; (*côte*) Pacific **2** *nm* **le P.** the Pacific

pacifiste [pasifist] *adj & nmf* pacifist

pack [pak] *nm* (*lot*) pack; **des cannettes de bière en p. de six** a six-pack (of beer)

pacotille [pakɔtij] *nf* junk; **de p.** (*marchandise*) shoddy; (*bijou*) paste

Pacs [paks] (*abrév* **Pacte civil de solidarité**) *nm* civil solidarity pact (*bill introduced in 1998 extending the legal rights of married couples to unmarried heterosexual couples and to homosexual couples, particularly with regard to inheritance and taxation*); **faire un P.** to enter into a Pacs agreement ▪ **pacsé, -ée** *nmf* = person who has entered into a civil solidarity pact ▪ **pacser** *vi*, **se pacser** *vpr* = to enter into a civil solidarity pact

pacte [pakt] *nm* pact ▪ **pactiser** *vi* **p. avec qn** to make a pact with sb

pactole [paktɔl] *nm Fam* jackpot

paf [paf] **1** *exclam* bang! **2** *adj inv Fam* (*ivre*) plastered

pagaie [page] *nf* paddle ▪ **pagayer** *vi* to paddle

pagaïe, pagaille [pagaj] *nf Fam* (*désordre*) mess; **en p.** in a mess; **des livres en p.** loads of books; **semer la p.** to cause chaos

page¹ [paʒ] *nf* (*de livre*) page; *Fig* **à la p.** up-to-date; **perdre la p.** to lose one's place; *Fig* **tourner la p.** to make a fresh start; **les pages jaunes** (*de l'annuaire*) the Yellow Pages®; *Ordinat* **p. d'accueil** home page; **p. de garde** *Typ/Ordinat* flyleaf; *Ordinat* **p. personnel**, *Fam* **perso** personal home page; *Ordinat* **p. précédente/suivante** page up/down; *Radio & TV* **p. de publicité** commercial break; *Ordinat* **p. Web** web page ▪ **page-écran** (*pl* **pages-écrans**) *nf Ordinat* screenful

page² [paʒ] *nm* (*à la cour*) page(boy)

paginer [paʒine] *vt* to paginate ▪ **pagination** *nf* pagination

pagne [paɲ] *nm* loincloth

pagode [pagɔd] *nf* pagoda

paie [pɛ] *nf* pay, wages; *Fam* **ça fait une p. que je ne l'ai pas vu** I haven't seen him for ages

paiement [pemã] *nm* payment

païen, païenne [pajɛ̃, pajɛn] *adj & nmf* pagan, heathen

paillasse [pajas] *nf* (*matelas*) straw mattress; (*d'évier*) *Br* draining board, *Am* drainboard

paillasson [pajasɔ̃] *nm* (door)mat

paille [pɑj] *nf* straw; (*pour boire*) (drinking) straw; *Fig* **homme de p.** figurehead; *Fig* **feu de p.** flash in the pan; **tirer à la courte p.** to draw lots; *Fig* **sur la p.** penniless

paillette [pajɛt] *nf* (*d'habit*) sequin; **paillettes** (*de savon, lessive*) flakes; (*d'or*) gold dust; (*maquillage*) glitter ▪ **pailleté, -ée** *adj* (*robe*) sequined; (*maquillage*) glittery

pain [pɛ̃] *nm* bread; **un p.** a loaf (of bread); *Fig* **avoir du p. sur la planche** to have a lot on one's plate; **petit p.** roll; **p. au chocolat** pain au chocolat, = chocolate-filled pastry; **p. complet** wholemeal bread; **p. d'épices** ≃ gingerbread; **p. grillé** toast; **p. de mie** sandwich loaf; **p. de savon** bar of soap; **p. de seigle** rye bread; **p. de sucre** sugar loaf

paintball [pɛntbol] *nm* paintball; **faire du p.** to go paintballing

pair, paire¹ [pɛr] **1** *adj* (*numéro*) even **2** *nm* (*personne*) peer; **hors p.** unrivalled; **aller de p.** to go hand in hand (**avec** with); **au p.** (*étudiante*) au pair; **travailler au p.** to work as an au pair

paire² [pɛr] *nf* pair (**de** of)

paisible [pezibl] *adj* (*vie, endroit*) peaceful; (*caractère, personne*) quiet ▪ **paisiblement** [-əmã] *adv* peacefully

paître* [pɛtr] *vi* to graze; *Fam* **envoyer qn p.** to send sb packing

paix [pɛ] *nf* peace; **en p.** (*vivre, laisser*) in peace (**avec** with); **être en p. avec qn** to be at peace with sb; **signer la p. avec qn** to sign a peace treaty with sb; **avoir la p.** to have a (some) peace and quiet

Pakistan [pakistã] *nm* **le P.** Pakistan ▪ **pakistanais, -aise 1** *adj* Pakistani **2** *nmf* **P., Pakistanaise** Pakistani

palabrer [palabre] *vi* to talk endlessly ▪ **palabres** *nfpl* endless discussions

palace [palas] *nm* luxury hotel

> Il faut noter que le nom anglais **palace** est un faux ami. Il signifie **palais**.

palais [palɛ] *nm (château)* palace; *Anat* palate; **P. de justice** law courts; **p. des sports** sports centre

pâle [pɑl] *adj* pale; **être p. comme un linge** to be as white as a sheet; *Fam* **se faire porter p.** to call in sick

Palestine [palɛstin] *nf* **la P.** Palestine ▪**palestinien, -ienne 1** *adj* Palestinian **2** *nmf* **P., Palestinienne** Palestinian

palet [palɛ] *nm (de hockey)* puck

paletot [palto] *nm (manteau)* (short) overcoat

palette [palɛt] *nf (de peintre)* palette; *(pour marchandises)* pallet

pâleur [pɑlœr] *nf (de lumière)* paleness; *(de personne)* pallor ▪**pâlir** *vi* to turn pale (**de** with)

palier [palje] *nm (niveau)* level; *(d'escalier)* landing; *(phase de stabilité)* plateau; **par paliers** in stages; **être voisins de p.** to live on the same floor

palissade [palisad] *nf* fence

pallier [palje] **1** *vt (difficultés)* to alleviate **2** *vi* **p. à qch** to compensate for sth ▪**palliatif** *nm* palliative

palmarès [palmarɛs] *nm* prize list; *(de chansons)* charts

palme [palm] *nf (de palmier)* palm (branch); *(de nageur)* flipper; *Fig (symbole)* palm ▪**palmier** *nm* palm (tree)

palmé, -ée [palme] *adj (patte, pied)* webbed

palombe [palɔ̃b] *nf* wood pigeon

pâlot, -otte [palo, -ɔt] *adj Fam* pale

palourde [palurd] *nf* clam

palper [palpe] *vt* to feel ▪**palpable** *adj* palpable

palpiter [palpite] *vi (cœur)* to flutter; *(plus fort)* to throb ▪**palpitant, -ante** *adj (film)* thrilling ▪**palpitations** *nfpl* palpitations

pâmer [pame] **se pâmer** *vpr Fig & Hum* **se p. devant qn/qch** to swoon over sb/sth; **se p. d'aise** to be blissfully happy

pamphlet [pɑ̃flɛ] *nm* lampoon

> Il faut noter que le terme anglais **pamphlet** est un faux ami. Il désigne le plus souvent **une brochure**.

pamplemousse [pɑ̃pləmus] *nm* grapefruit

pan¹ [pɑ̃] *nm (de chemise)* tail; *(de ciel)* patch; **p. de mur** section of wall

pan² [pɑ̃] *exclam* bang!

panacée [panase] *nf* panacea

panachage [panaʃaʒ] *nm* **p. électoral** = voting for candidates from more than one list

panache [panaʃ] *nm (plume)* plume; *(brio)* panache

panaché, -ée [panaʃe] **1** *adj* multicoloured; **p. de blanc** streaked with white **2** *nm* shandy

Panama [panama] *nm* **le P.** Panama

pan-bagnat [pɑ̃baɲa] *(pl pans-bagnats) nm =* large round sandwich filled with "salade niçoise"

pancarte [pɑ̃kart] *nf* sign, notice; *(de manifestant)* placard

pancréas [pɑ̃kreas] *nm Anat* pancreas

panda [pɑ̃da] *nm* panda

pané, -ée [pane] *adj Culin* breaded

panier [panje] *nm (ustensile, contenu)* basket; **jeter qch au p.** to throw sth into the wastepaper basket; *Sport* **marquer un p.** to score a basket; **p. à linge** *Br* linen basket, *Am (clothes)* hamper; **p. à salade** *(ustensile)* salad basket; *Fam (voiture de police) Br* black Maria, *Am* paddy wagon ▪**panier-repas** *(pl paniers-repas) nm Br* packed lunch, *Am* (brown-bag) lunch

panique [panik] **1** *nf* panic; **pris de p.** panic-stricken **2** *adj* **peur p.** panic ▪**paniqué, -ée** *adj Fam* in a panic ▪**paniquer** *vi Fam* to panic

panne [pan] *nf* breakdown; **tomber en p.** to break down; **être en p.** to have broken down; **'en panne'** *(machine, ascenseur)* 'out of order'; **tomber en p. sèche** to run out of *Br* petrol *or Am* gas; **trouver la p.** to locate the cause of the problem; **p. d'électricité** blackout, *Br* power cut

panneau, -x [pano] *nm (écriteau)* sign, notice, board; *(de porte)* panel; *Fam* **tomber dans le p.** to fall into the trap; **p. d'affichage** *Br* notice board, *Am* bulletin board; **p. de signalisation** road sign

panoplie [panɔpli] *nf (déguisement)* outfit; *(gamme)* set

panorama [panɔrama] *nm* panorama ▪**panoramique** *adj* panoramic; *Cin* **écran p.** wide screen

panse [pɑ̃s] *nf Fam* belly ▪**pansu, -ue** *adj* potbellied

panser [pɑ̃se] *vt (main)* to bandage; *(plaie)* to dress; *(cheval)* to groom; **p. qn** to dress sb's wounds ▪**pansement** *nm* dressing; **faire un p. à qn** to put a dressing on sb; **refaire le p.** to change the dressing; **p. adhésif** *Br* (sticking) plaster, Elastoplast®, *Am* Band-aid®

pantalon [pɑ̃talɔ̃] *nm Br* trousers, *Am* pants; **deux pantalons** two pairs of *Br* trousers *or Am* pants

pantelant, -ante [pɑ̃tlɑ̃, -ɑ̃t] *adj* panting

panthère [pɑ̃tɛr] *nf* panther

pantin [pɑ̃tɛ̃] *nm (jouet)* jumping-jack; *Péj (personne)* puppet

pantois, -oise [pɑ̃twa, -waz] *adj* flabbergasted; **elle en est restée pantoise** she was flabbergasted

pantoufle [pɑ̃tufl] *nf* slipper ▪**pantouflard, -arde** *nmf Fam Br* stay-at-home, *Am* homebody

PAO [peao] *(abrév* **publication assistée par ordinateur)** *nf Ordinat* DTP

paon [pɑ̃] *nm* peacock

papa [papa] *nm* dad(dy); *Fam Péj* **de p.** outdated

paparazzi [paparadzi] *nmpl Journ & Phot Péj* paparazzi *(pluriel)*

papaye [papaj] *nf* papaya ▪**papayer** *nm (arbre)* papaya

pape [pap] *nm* pope

paperasse [papras] *nf Péj* papers ▪**paperasserie** *nf Péj* (official) papers; *(procédure)* red tape

papeterie [papetri] *nf (magasin)* stationer's shop; *(articles)* stationery; *(fabrique)* paper mill ▪**papetier, -ière** *nmf* stationer

papi [papi] *nm* grand(d)ad

papier [papje] *nm (matière)* paper; **un p.** *(feuille)* a piece of paper; *(formulaire)* a form; *(de journal)* an article; *Fam* **être dans les petits papiers de qn** to be in sb's good books; **p. hygiénique** toilet paper; **papiers d'identité** identity papers; **p. journal** newspaper; **p. à lettres** writing paper; **p. peint** wallpaper; **p. recyclé** recycled paper; **p. de verre** sandpaper

papillon [papijɔ̃] *nm (insecte)* butterfly; *Fam (contravention)* (parking) ticket; **p. de nuit** moth

papoter [papɔte] *vi Fam* to chat

paprika [paprika] *nm* paprika

papy [papi] *nm* grand(d)ad

Pâque [pɑk] *nf Rel* **la P. juive, P.** Passover

paquebot [pakbo] *nm* liner

pâquerette [pakrɛt] *nf* daisy

Pâques [pɑk] *nm sing & nfpl* Easter; **le lundi de P.** Easter Monday

paquet [pakɛ] *nm (sac)* packet; *(de sucre)* bag; *(de cigarettes) Br* packet, *Am* pack; *(postal)* parcel, package; *Fam* **y mettre le p.** to pull out all the stops

par [par] *prép* **(a)** *(indique l'agent, la manière, le moyen)* by; **choisi/frappé p. qn** chosen/hit by sb; **p. mer** by sea; **p. le train** by train; **p. le travail/la force** by *or* through work/force; **apprendre p. un ami** to learn from *or* through a friend; **commencer p. qch** *(récit)* to begin with sth; **p. erreur** by mistake; **p. chance** by a stroke of luck; **p. malchance** as ill luck would have it **(b)** *(à travers)* through; **p. la porte/le tunnel** through the door/tunnel; **jeter/regarder p. la fenêtre** to throw/look out (of) the window; **p. ici/là** *(aller)* this/that way; *(habiter)* around here/there; **p. les rues** through the streets **(c)** *(à cause de)* out of, from; **p. pitié/respect** out of pity/respect **(d)** *(pendant)* **p. un jour d'hiver** on a winter's day; **p. ce froid** in this cold; **p. le passé** in the past **(e)** *(distributif)* **dix fois p. an/mois** ten times a *or* per year/month; **50 euros p. personne** 50 euros per person; **deux p. deux** two by two; **deux fois** twice **(f)** *(avec 'trop')* **p. trop aimable** far too kind

para [para] *nm Fam* para(trooper)

parabole [parabɔl] *nf (récit)* parable; *Math* parabola; *TV & Tél Br* satellite dish, *Am* dish antenna

parachever [paraʃve] *vt* to complete

parachute [paraʃyt] *nm* parachute; **saut en p.** parachute jump; **p. ascensionnel** parascending ▪**parachuter** *vt* to parachute in; *Fam (nommer)* to draft in ▪**parachutisme** *nm* parachute jumping ▪**parachutiste** *nmf* parachutist; *(soldat)* paratrooper

parade [parad] *nf (défilé)* parade; *(étalage)* show; *Boxe & Escrime* parry; *Fig (riposte)* reply ▪**parader** *vi* to show off

paradis [paradi] *nm* heaven; *Fig* paradise ▪**paradisiaque** *adj Fig (endroit)* heavenly

paradoxe [paradɔks] *nm* paradox ▪**paradoxal, -e, -aux, -ales** *adj* paradoxical ▪**paradoxalement** *adv* paradoxically

parafer [parafe] *vt* to initial

paraffine [parafin] *nf* paraffin (wax)

parages [paraʒ] *nmpl Naut* waters; **dans les p. de** in the vicinity of; *Fam* **est-ce qu'elle est dans les p.?** is she around?

paragraphe [paragraf] *nm* paragraph

Paraguay [paragwɛ] *nm* **le P.** Paraguay

paraître* [parɛtr] **1** *vi (sembler)* to seem, to appear; *(apparaître)* to appear; *(livre)* to come out, to be published **2** *v impersonnel* **il paraît qu'il va partir** it appears *or* seems (that) he's leaving; **à ce qu'il paraît** apparently

parallèle [paralel] **1** *adj* parallel (**à** with *or* to); *(police, marché)* unofficial; **mener une vie p.** to lead a secret life **2** *nf* parallel (line) **3** *nm (comparaison) & Géog* parallel; **mettre qch en p. avec qch** to draw a parallel between sth and sth ▪**parallèlement** *adv* **p. à** parallel to; *(simultanément)* at the same time as

paralyser [paralize] *vt Br* to paralyse, *Am* to paralyze ▪**paralysie** *nf* paralysis ▪**paralytique** *adj & nmf* paralytic

paramédical, -e, -aux, -ales [paramedikal, -o] *adj* paramedical

paramètre [parametr] *nm* parameter; *Ordinat* setting ▪**paramétrage** *nf Ordinat* configuration ▪**paramétrer** *vt Ordinat* to configure

paramilitaire [paramiliter] *adj & nmf* paramilitary

parano [parano] *adj Fam* paranoid

paranoïa [paranɔja] *nf* paranoia ▪**paranoïaque** *adj & nmf* paranoiac

parapente [parapɑ̃t] *nm (activité)* paragliding; **faire du p.** to go paragliding

parapet [parapɛ] *nm* parapet

parapher [parafe] *vt* to initial

paraphrase [parafraz] *nf* paraphrase ▪**paraphraser** *vt* to paraphrase

parapluie [paraplɥi] *nm* umbrella

parapsychologie [parapsikɔlɔʒi] *nf* parapsychology

parasite [parazit] **1** *nm (organisme, personne)* parasite; **parasites** *(à la radio)* interference **2** *adj* parasitic

parasol [parasɔl] *nm* sunshade, parasol; *(de plage)* beach umbrella

paratonnerre [paratɔnɛr] *nm* lightning *Br* conductor *or Am* rod

paravent [paravɑ̃] *nm* screen

parc [park] *nm (jardin)* park; *(de château)* grounds; *(de bébé)* playpen; **p. d'attractions** amusement park; **p. automobile** *(de pays)* number of vehicles on the road; **p. à huîtres** oyster bed; **p. naturel** natural park; **p. de stationnement** *Br* car park, *Am* parking lot

parcelle [parsɛl] *nf* small piece; *(terrain)* plot; *Fig (de vérité)* grain

parce que [parskə] *conj* because

parchemin [parʃəmɛ̃] *nm* parchment

parcimonie [parsimɔni] *nf* avec p. parsimoniously ■**parcimonieux, -ieuse** *adj* parsimonious

par-ci, par-là [parsiparla] *adv* here, there and everywhere

parcmètre [parkmɛtr] *nm (parking)* meter

parcourir* [parkurir] *vt (lieu)* to walk round; *(pays)* to travel through; *(mer)* to sail; *(distance)* to cover; *(texte)* to glance through; **p. qch des yeux** *ou* **du regard** to glance at sth; **il reste 2 km à p.** there are 2 km to go ■**parcours** *nm (itinéraire)* route; **p. de golf** *(terrain)* golf course

par-delà [pardəla] *prép & adv* beyond

par-derrière [parderjer] **1** *prép* behind **2** *adv (attaquer)* from behind; *(se boutonner)* at the back; **passer p.** to go in the back door

par-dessous [pardəsu] *prép & adv* underneath

pardessus [pardəsy] *nm* overcoat

par-dessus [pardəsy] **1** *prép* over; **p. tout** above all; *Fam* **en avoir p. la tête** to be completely fed up **2** *adv* over

par-devant [pardəvɑ̃] *adv (attaquer)* from the front; *(se boutonner)* at the front

pardon [pardɔ̃] *nm* forgiveness; **p.!** *(excusez-moi)* sorry!; **p.?** *(pour demander)* excuse me?, *Am* pardon me?; **demander p.** to apologize (**à** to) ■**pardonnable** *adj* forgivable ■**pardonner** *vt* to forgive; **p. qch à qn** to forgive sb for sth; **elle m'a pardonné d'avoir oublié** she forgave me for forgetting

pare-balles [parbal] *adj inv* **gilet p.** bulletproof *Br* jacket *or Am* vest

pare-brise [parbriz] *nm inv Br* windscreen, *Am* windshield

pare-chocs [parʃɔk] *nm inv* bumper

pare-feu [parfø] *nm inv (de cheminée)* fireguard; *Ordinat* firewall; **porte p.** firedoor

pareil, -eille [parɛj] **1** *adj* (**a**) *(identique)* the same; **p. à** the same as (**b**) *(tel)* such; **en p. cas** in such cases **2** *adv Fam* the same; **on a tous fait p.** we all did the same (thing) **3** *nmf (personne)* equal; **sans p.** unparalleled, unique; **il n'a pas son p.** he's second to none **4** *nf* **rendre la pareille à qn** *(se venger)* to get one's own back on sb ■**pareillement** *adv (de la même manière)* in the same way; *(aussi)* likewise; **p.!** *(en réponse à des vœux)* you too!, same to you!

parement [parmɑ̃] *nm (de vêtement)* facing

parent, -ente [parɑ̃, -ɑ̃t] **1** *nmf (oncle, tante, cousin)* relative, relation **2** *nmpl* **parents** *(père et mère)* parents **3** *adj* related (**de** to) ■**parental, -e, -aux, -ales** *adj* parental ■**parentalité** *nf* parenthood ■**parenté** *nf* relationship; **avoir un lien de p.** to be related

parenthèse [parɑ̃tɛz] *nf (signe)* bracket, parenthesis; *Fig (digression)* digression; **entre parenthèses** in brackets

paréo [pareo] *nm (de plage)* sarong

parer¹ [pare] **1** *vt (coup)* to parry **2** *vi* **p. à toute éventualité** to be prepared for any eventuality; **p. au plus pressé** to attend to the most urgent things first

parer² [pare] *vt (orner)* to adorn (**de** with)

paresse [parɛs] *nf* laziness ■**paresser** *vi* to laze about ■**paresseux, -euse 1** *adj* lazy **2** *nmf* lazy person **3** *nm (animal)* sloth

parfaire* [parfɛr] *vt* to finish off ■**parfait, -aite** *adj* perfect ■**parfaitement** *adv (sans fautes, complètement)* perfectly; *(certainement)* certainly

parfois [parfwa] *adv* sometimes

parfum [parfœ̃] *nm (essence)* perfume; *(senteur)* fragrance; *(de glace)* flavour; *Fam* **être au p.** to be in the know ■**parfumé, -ée** *adj (savon, fleur, mouchoir)* scented; **p. au café** coffee-flavoured ■**parfumer 1** *vt (embaumer)* to scent; *(glace)* to flavour (**à** with) **2** **se parfumer** *upr* to put perfume on ■**parfumerie** *nf (magasin)* perfumery

pari [pari] *nm* bet; **faire un p.** to make a bet; **p. mutuel** *Br* ≃ tote, *Am* ≃ pari-mutuel ■**parier** *vti* to bet (**sur** on; **que** that); **il y a fort à p. que...** the odds are that... ■**parieur, -ieuse** *nmf* better

Paris [pari] *nm ou f* Paris ■**parisien, -ienne 1** *adj* Parisian **2** *nmf* **P., Parisienne** Parisian

parité [parite] *nf* parity

parjure [parʒyr] **1** *nm* perjury **2** *nmf* perjurer **se parjurer** *upr* to perjure oneself

parka [parka] *nm ou f* parka

parking [parkiŋ] *nm Br* car park, *Am* parking lot; **'p. payant'** *Br* ≃ 'pay-and-display car park'

parlement [parləmɑ̃] *nm* **le P.** Parliament ■**parlementaire 1** *adj* parliamentary **2** *nmf* member of parliament

parlementer [parləmɑ̃te] *vi* to negotiate (**avec** with)

parler [parle] **1** *vi* to talk, to speak (**de** about *or* of; **à** to); **sans p. de...** not to mention...; **p. par gestes** to use sign language; **n'en parlons plus!** let's forget it!; *Fam* **tu parles!** you bet! **2** *vt (langue)* to speak; **p. affaires** to talk business

3 se parler *vpr (langue)* to be spoken; *(l'un l'autre)* to talk to each other **4** *nm* speech; *(régional)* dialect ▪**parlant, -ante** *adj (film)* talking; *(regard)* eloquent ▪**parlé, -ée** *adj (langue)* spoken

parloir [parlwar] *nm* visiting room

parmi [parmi] *prép* among(st)

parodie [parɔdi] *nf* parody ▪**parodier** *vt* to parody

paroi [parwa] *nf* wall; *(de rocher)* (rock) face

paroisse [parwas] *nf* parish ▪**paroissien, -ienne** *nmf* parishioner

parole [parɔl] *nf (mot, promesse)* word; *(faculté, langage)* speech; **paroles** *(de chanson)* words, lyrics; **adresser la p. à qn** to speak to sb; **prendre la p.** to speak; **demander la p.** to ask to speak; **tenir p.** to keep one's word; **je te crois sur p.** I take your word for it; *Jur* **libéré sur p.** free(d) on parole; **ma p.!** my word!

paroxysme [parɔksism] *nm* **atteindre son p.** to reach its peak

parpaing [parpɛ̃] *nm* breeze block

parquer [parke] *vt (bœufs)* to pen in; *Péj (gens)* to confine

parquet [parke] *nm (sol)* wooden floor; *Jur* public prosecutor's office

parrain [parɛ̃] *nm Rel* godfather; *(de sportif, de club)* sponsor ▪**parrainer** *(sportif, membre)* to sponsor

pars [par] *voir* **partir**

parsemer [parsəme] *vt* to scatter (**de** with)

part¹ [par] *voir* **partir**

part² [par] *nf (portion)* share, part; *(de gâteau)* slice; **prendre p. à** *(activité)* to take part in; *(la joie de qn)* to share; **faire p. de qch à qn** to inform sb of sth; **de toutes parts** on all sides; **de p. et d'autre** on both sides; **d'une p.... d'autre p....** on (the) one hand... on the other hand...; **d'autre p.** *(d'ailleurs)* moreover; **de p. en p.** right through; **de la p. de qn** from sb; **c'est de la p. de qui?** *(au téléphone)* who's calling?; **pour ma p.** as for me; **à p.** *(mettre)* aside; *(excepté)* apart from; *(personne)* different; **une place à p.** a special place; **prendre qn à p.** to take sb aside; **membre à p. entière** full member

partage [partaʒ] *nm (action)* dividing up; *(de gâteau, de responsabilités)* sharing out; **faire le p. de qch** to divide sth up; **recevoir qch en p.** to be left sth *(in a will)*

partager [partaʒe] **1** *vt (avoir en commun)* to share (**avec** with); *(répartir)* to divide (up); **p. qch en deux** to divide sth in two; **p. l'avis de qn** to share sb's opinion **2 se partager** *vpr (bénéfices)* to share (between themselves); **se p. entre** to divide one's time between ▪**partagé, -ée** *adj (amour)* mutual; **être p.** to be torn; **les avis sont partagés** opinions are divided

partance [partɑ̃s] **en partance** *adv (train)* about to depart; **en p. pour...** for...

partant, -ante [partɑ̃, -ɑ̃t] **1** *nmf (coureur, cheval)* starter **2** *adj Fam* **je suis p.!** count me in!

partenaire [partənɛr] *nmf* partner; **partenaires sociaux** workers and managers ▪**partenariat** *nm* partnership

parterre [partɛr] *nm (de fleurs)* flower bed; *Théâtre Br* stalls, *Am* orchestra; *Fam (sol)* floor

parti [parti] *nm (camp)* side; **prendre le p. de qn** to take sb's side; **tirer p. de qch** to make good use of sth; **p. (politique)** (political) party; **p. pris** bias; **un beau p.** *(personne)* a good match

partial, -e, -iaux, -iales [parsjal, -jo] *adj* biased ▪**partialité** *nf* bias

participe [partisip] *nm Grammaire* participle

participer [partisipe] *vi* **p. à** *(jeu)* to take part in, to participate in; *(bénéfices, joie)* to share (in); *(financièrement)* to contribute to ▪**participant, -ante** *nmf* participant ▪**participation** *nf* participation; *(d'élection)* turnout; *Fin* interest; **p. aux frais** contribution towards costs; **p. aux bénéfices** profit-sharing

particularité [partikylarite] *nf* peculiarity

particule [partikyl] *nf* particle; **avoir un nom à p.** to have a double-barrelled name

particulier, -ière [partikylje, -jɛr] **1** *adj (propre)* characteristic (**à** of); *(remarquable)* unusual; *(soin, intérêt)* particular; *(maison, voiture, leçon)* private; *Péj (bizarre)* peculiar; **en p.** *(surtout)* in particular; *(à part)* in private; **cas p.** special case **2** *nm* private individual; **vente de p. à p.** private sale ▪**particulièrement** *adv* particularly; **tout p.** especially

partie [parti] *nf (morceau)* part; *(jeu)* game; *(domaine)* field; *Jur* party; **une p. de cartes** a game of cards; **en p.** partly, in part; **en grande p.** mainly; **faire p. de** to be a part of; *(club)* to belong to; *(comité)* to be on; **ça n'a pas été une p. de plaisir** it was no picnic; **ce n'est que p. remise** we'll do it another time ▪**partiel, -ielle 1** *adj* partial **2** *nm Univ* end-of-term exam ▪**partiellement** *adv* partially

partir* [partir] *(aux être)* *vi (s'en aller)* to go, to leave; *(se mettre en route)* to set off; *(s'éloigner)* to go away; *(douleur)* to go, to disappear; *(coup de feu)* to go off; *(flèche)* to shoot off; *(tache)* to come out; *(bouton, peinture)* to come off; *(moteur)* to start; **p. en voiture** to go by car, to drive; **p. en courant** to run off; **p. de** *(lieu)* to leave from; *(commencer par)* to start (off) with; **p. de rien** to start with nothing; **à p. de** *(date, prix)* from; **à p. de maintenant** from now on; **je pars du principe que...** I'm working on the assumption that...; **ça partait d'un bon sentiment** it was with the best of intentions; **je pars!** I'm going!; **c'est parti!** off we go! ▪**parti, -ie** *adj* **bien p.** off to a good start

partisan [partizɑ̃] **1** *nm* supporter; *(combattant)*

partisan 2 *adj (esprit)* partisan; **être p. de qch/ de faire qch** to be in favour of sth/of doing sth

partition [partisjɔ̃] *nf Mus* score

partout [partu] *adv* everywhere; **p. où je vais** everywhere *or* wherever I go; **un peu p.** all over the place; *Football* **3 buts p.** 3 all; *Tennis* **15 p.** 15 all

paru, -ue [pary] *pp de* **paraître** ▪ **parution** *nf* publication

parure [paryr] *nf (ensemble)* set

parvenir* [parvənir] *(aux être) vi* **p. à** *(lieu)* to reach; *(objectif)* to achieve; **p. à faire qch** to manage to do sth ▪ **parvenu, -ue** *nmf Péj* upstart

parvis [parvi] *nm* square *(in front of church)*

pas¹ [pɑ] *adv (de négation)* **(ne...) p.** not; **je ne sais p.** I do not *or* don't know; **je n'ai p. compris** I didn't understand; **je voudrais ne p. sortir** I would like not to go out; **p. de pain/de café** no bread/coffee; **p. du tout** not at all; **elle chantera – p. moi!** she'll sing – not me!

pas² [pɑ] *nm* (a) *(enjambée)* step; *(allure)* pace; *(bruit)* footstep; *(trace)* footprint; **p. à p.** step by step; **à p. de loup** stealthily; **à deux p. (de)** close by; **aller au p.** to go at a walking pace; **rouler au p.** *(véhicule)* to crawl along; **marcher au p. (cadencé)** to march in step; **faire un faux p.** *(en marchant)* to trip; *Fig (faute)* to make a faux pas; *Fig* **faire le premier p.** to make the first move; **faire ses premiers p.** to take one's first steps; **faire les cent p.** to pace up and down; **revenir sur ses p.** to retrace one's steps; **marcher à grands p.** to stride along; **le p. de la porte** the doorstep (b) *(de vis)* pitch (c) **le p. de Calais** the Straits of Dover

pascal, -e, -als *ou* **-aux, -ales** [paskal, -o] *adj* **semaine pascale** Easter week

passable [pɑsabl] *adj* passable, fair ▪ **passablement** [-əmɑ̃] *adv* fairly

passage [pɑsaʒ] *nm (chemin, extrait)* passage; *(ruelle)* alley(way); *(traversée)* crossing; **être de p. dans une ville** to be passing through a town; **p. clouté** *ou* **pour piétons** *Br* (pedestrian) crossing, *Am* crosswalk; **p. souterrain** underpass, *Br* subway; **p. à niveau** *Br* level crossing, *Am* grade crossing; **'p. interdit'** 'no through traffic'; **'cédez le p.'** *(au carrefour)* *Br* 'give way', *Am* 'yield'; **p. pluvieux** rainy spell

passager, -ère [pɑsaʒe, -ɛr] **1** *adj* momentary **2** *nmf* passenger; **p. clandestin** stowaway

passant, -ante [pɑsɑ̃, -ɑ̃t] **1** *adj (rue)* busy **2** *nmf* passer-by **3** *nm (de ceinture)* loop

passe [pɑs] *nf Football* pass; *Fig* **une mauvaise p.** a bad patch; *Fig* **être en p. de faire qch** to be on the way to doing sth

passé, -ée [pɑse] **1** *adj (temps)* past; *(couleur)* faded; **la semaine passée** last week; **il est dix heures passées** it's after *or* *Br* gone ten o'clock;

être p. *(personne)* to have been (and gone); *(orage)* to be over; **avoir vingt ans passés** to be over twenty; **p. de mode** out of fashion **2** *nm (temps, vie passée)* past; *Grammaire* past (tense); **par le p.** in the past **3** *prép* after; **p. huit heures** after eight o'clock

passe-montagne [pɑsmɔ̃taɲ] *(pl passe-montagnes) nm Br* balaclava, *Am* ski mask

passe-partout [pɑspartu] **1** *nm inv* master key **2** *adj inv* all-purpose

passe-passe [pɑspas] *nm inv* **tour de p.** conjuring trick

passeport [pɑspɔr] *nm* passport

passer [pɑse] **1** *(aux avoir) vt (pont, frontière)* to go over; *(porte, douane)* to go through; *(ballon)* to pass; *(vêtement)* to slip on; *(film)* to show; *(disque)* to play; *(vacances)* to spend; *(examen)* to take; *(thé)* to strain; *(café)* to filter; *(commande)* to place; *(accord)* to conclude; *(visite médicale)* to have; *(omettre)* to leave out; **p. qch à qn** *(prêter)* to pass sth to sb; *(caprice)* to grant sb sth; **p. un coup d'éponge sur qch** to give sth a sponge; **p. son tour** to miss a turn; *Aut* **p. la seconde** to change into second; **p. sa colère sur qn** to vent one's anger on sb; **p. son temps à faire qch** to spend one's time doing sth; **j'ai passé l'âge de faire ça** I'm too old to do that; **je vous le passe** *(au téléphone)* I'm putting you through to him

2 *(aux être) vi (se déplacer)* to go past; *(disparaître)* to go; *(facteur, laitier)* to come; *(temps)* to pass (by), to go by; *(film, programme)* to be on; *(douleur, mode)* to pass; *(couleur)* to fade; *(courant)* to flow; *(loi)* to be passed; **laisser qn** to let sb through; **p. prendre qn** to pick sb up; **p. voir qn** to drop in on sb; **p. de qch à qch** to go from sth to sth; **p. devant qn/ qch** to go past sb/sth; **p. par Paris** to pass through Paris; **p. chez le boulanger** to go round to the baker's; **p. à la radio** to be on the radio; **p. à l'ennemi** to go over to the enemy; **p. pour** *(riche)* to be taken for; **faire p. qn pour** to pass sb off as; **faire p. qch sous/dans qch** to slide/push sth under/into sth; **faire p. un réfugié** to smuggle a refugee (**en Suisse** into Switzerland); **p. sur** *(détail)* to pass over; *Scol* **p. dans la classe supérieure** to move up a class; *Aut* **p. en seconde** to change into second; **p. capitaine** to be promoted to captain; **dire qch en passant** to mention sth in passing

3 se passer *vpr (se produire)* to happen; **se p. de qn/qch** to do without sb/sth; **cela se passe de commentaires** it needs no comment; **ça s'est bien passé** it went off well

passerelle [pɑsrɛl] *nf (pont)* footbridge; **p. d'embarquement** *(de navire)* gangway; *(d'avion)* steps

passe-temps [pɑstɑ̃] *nm inv* pastime

passeur, -euse [pɑsœr, -øz] *nmf (batelier)* ferryman, *f* ferrywoman; *(contrebandier)* smuggler

passible [pasibl] *adj* Jur **p. de** liable to

passif, -ive [pasif, -iv] 1 *adj* passive 2 *nm* (**a**) *Grammaire* passive (**b**) *Fin* liabilities • **passivité** *nf* passiveness, passivity

passion [pɑsjɔ̃] *nf* passion; **avoir la p. des voitures** to have a passion for cars • **passionnel, -elle** *adj* **crime p.** crime of passion

passionner [pɑsjɔne] 1 *vt* to fascinate 2 **se passionner** *vpr* **se p. pour qch** to have a passion for sth • **passionnant, -ante** *adj* fascinating • **passionné, -ée** 1 *adj* passionate; **p. de qch** passionately fond of sth 2 *nmf* fan (**de** of) • **passionnément** *adv* passionately

passoire [pɑswar] *nf (pour liquides)* sieve; *(à thé)* strainer; *(à légumes)* colander

pastel [pastɛl] *adj inv & nm* pastel

pastèque [pastɛk] *nf* watermelon

pasteur [pastœr] *nm* Rel pastor

pasteurisé, -ée [pastœrize] *adj* pasteurized

pastiche [pastiʃ] *nm* pastiche

pastille [pastij] *nf* pastille; *(médicament)* lozenge

pastis [pastis] *nm* pastis

pastoral, -e, -aux, -ales [pastɔral, -o] *adj* pastoral

patate [patat] *nf* Fam *(pomme de terre)* potato, *Br* spud; *Fig (idiot)* clot; **p. douce** sweet potato

patatras [patatra] *exclam* crash!

pataud, -aude [pato, -od] *adj* Fam clumsy

patauger [patoʒe] *vi (s'embourber)* to squelch; *(barboter)* to splash about; *Fam (s'embrouiller)* to flounder • **pataugeoire** *nf* paddling pool

patch [patʃ] *nm* Méd patch; **p. anti-tabac** nicotine patch

pâte [pɑt] *nf (pour tarte)* pastry; *(pour pain)* dough; *(pour gâteau)* mixture; **fromage à p. molle** soft cheese; **p. d'amandes** marzipan; **p. de fruits** fruit jelly; **p. à frire** batter; **p. à modeler** *Br* modelling *or* Am modeling clay; **p. brisée** shortcrust pastry; **p. feuilletée** puff pastry; **pâtes (alimentaires)** pasta

pâté [pate] *nm (charcuterie)* pâté; *(tache d'encre)* blot; **p. en croûte** meat pie; **p. de sable** sand castle; **p. de maisons** block of houses

pâtée [pate] *nf (pour chien)* dog food; *(pour chat)* cat food; *Fam* **prendre la p.** to get thrashed

patelin [patlɛ̃] *nm* Fam village

patent, -ente [patɑ̃, -ɑ̃t] 1 *adj* patent, obvious 2 *nf* Com **patente** *Br* licence, *Am* license *(to exercise a trade or profession)* • **patenté, -ée** *adj* Com licensed • **patenter** *vt* Com to license

patère [patɛr] *nf (coat)* peg

paternel, -elle [patɛrnɛl] *adj* paternal • **paternalisme** *nm* paternalism • **paternité**

nf (état) paternity, fatherhood; *(de livre)* authorship; **test de p.** paternity test

pâteux, -euse [pɑtø, -øz] *adj* doughy; **avoir la langue pâteuse** to have a furred tongue

pathétique [patetik] *adj* moving

> Il faut noter que l'adjectif anglais **pathetic** est un faux ami. Il signifie le plus souvent **lamentable**.

pathologie [patɔlɔʒi] *nf* pathology • **pathologique** *adj* pathological

patibulaire [patibylɛr] *adj* **avoir une mine p.** to look sinister

patience [pasjɑ̃s] *nf* patience; **avoir de la p.** to be patient; **perdre p.** to lose patience; **faire une p.** *(jeu de cartes)* to play (a game of) patience

patient, -iente [pasjɑ̃, -jɑ̃t] 1 *adj* patient 2 *nmf (malade)* patient • **patiemment** [-amɑ̃] *adv* patiently • **patienter** *vi* to wait

patin [patɛ̃] *nm (de patineur)* skate; *(pour parquet)* cloth pad; **p. à glace** ice skate; **p. à roulettes** roller skate; **p. de frein** brake shoe

patine [patin] *nf* patina

patiner [patine] *vi* Sport to skate; *(véhicule)* to skid; *(roue)* to spin around; *(embrayage)* to slip • **patinage** *nm* Sport skating; **p. artistique** figure skating; **p. de vitesse** speed skating • **patineur, -euse** *nmf* skater • **patinoire** *nf* skating rink, ice rink

pâtir [pɑtir] *vi* **p. de** to suffer because of

pâtisserie [pɑtisri] *nf (gâteau)* pastry, cake; *(magasin)* cake shop; *(art)* pastry-making • **pâtissier, -ière** 1 *nmf* pastry chef; *(commerçant)* confectioner 2 *adj* **crème pâtissière** confectioner's custard

patois [patwa] *nm* patois

patraque [patrak] *adj* Fam out of sorts

patriarche [patrijarʃ] *nm* patriarch

patrie [patri] *nf* homeland

patrimoine [patrimwan] *nm* heritage; *(biens)* property; *Biol* **p. génétique** genotype

patriote [patrijɔt] 1 *adj* patriotic 2 *nmf* patriot • **patriotique** *adj* patriotic • **patriotisme** *nm* patriotism

patron, -onne [patrɔ̃, -ɔn] 1 *nmf (chef)* boss; *(propriétaire)* owner (**de** of); *(gérant)* manager, *f* manageress; *(de bar)* landlord, *f* landlady; *Rel* patron saint 2 *nm* Couture pattern

> Il faut noter que le nom anglais **patron** est un faux ami. Il signifie le plus souvent **client**.

patronage [patrɔnaʒ] *nm (protection)* patronage; *(centre)* youth club

patronat [patrɔna] *nm* employers • **patronal, -e, -aux, -ales** *adj* employers'

patronyme [patrɔnim] *nm* family name

patrouille [patruj] *nf* patrol • **patrouiller** *vi* to patrol

patte [pat] nf (**a**) (membre) leg; (de chat, de chien) paw; **marcher à quatre pattes** to walk on all fours (**b**) (languette) tab; (de poche) flap ▪ **pattes** nfpl (favoris) sideburns

pâturage [patyraʒ] nm pasture

pâture [patyr] nf Fig **donner qn en p. à qn** to serve sb up to sb

paume [pom] nf palm

paumer [pome] vt Fam to lose ▪ **paumé, -ée** Fam **1** adj lost **2** nmf loser

paupière [popjɛr] nf eyelid

paupiette [popjɛt] nf **p. de veau** veal olive

pause [poz] nf (arrêt) break; (en parlant) pause

pauvre [povr] **1** adj (personne, sol, excuse) poor; (meubles) shabby; **p. en** (calories) low in; (ressources) low on **2** nmf poor man, f poor woman; **les pauvres** the poor ▪ **pauvrement** [-əmã] adv poorly ▪ **pauvreté** [-əte] nf poverty

pavaner [pavane] **se pavaner** vpr to strut about

paver [pave] vt to pave ▪ **pavage** nm (travail, revêtement) paving ▪ **pavé** nm **un p.** a paving stone; Fig **sur le p.** on the streets

pavillon [pavijɔ̃] nm (**a**) (maison) detached house; (d'hôpital) wing; (d'exposition) pavilion; **p. de chasse** hunting lodge (**b**) (drapeau) flag; **p. de complaisance** flag of convenience

pavoiser [pavwaze] vi Fam to gloat

pavot [pavo] nm poppy; **graines de p.** poppy seeds

payable [pejabl] adj payable

paye [pɛj] nf pay, wages ▪ **payement** nm payment

payer [peje] **1** vt (personne, somme) to pay; (service, objet) to pay for; (récompenser) to repay; **se faire p.** to get paid; Fam **p. qch à qn** (offrir en cadeau) to treat sb to sth; Fam **tu me le paieras!** you'll pay for this! **2** vi to pay **3 se payer** vpr Fam **se p. qch** to treat oneself to sth; Fam **se p. la tête de qn** to take the mickey out of sb ▪ **payant, -ante** [pejɑ̃, -ɑ̃t] adj (hôte, spectateur) paying; **l'entrée est payante** there's a charge for admission

pays [pei] nm country; (région) region; **du p.** (vin, gens) local

paysage [peizaʒ] nm landscape, scenery ▪ **paysagiste** nmf (jardinier) landscape gardener

paysan, -anne [peizɑ̃, -an] **1** nmf farmer; Péj peasant **2** adj **coutume paysanne** rural or country custom; **le monde p.** the farming community

Pays-Bas [peiba] nmpl **les P.** the Netherlands

PCV [peseve] (abrév **paiement contre vérification**) nm (**appel en**) **P.** Br reverse-charge call, Am collect call; **téléphoner en P.** Br to reverse the charges, Am to call collect

P-DG [pedeʒe] (abrév **président-directeur général**) nm Br MD, Am CEO

péage [peaʒ] nm (droit) toll; (lieu) tollbooth; **pont à p.** toll bridge; TV **chaîne à p.** pay channel

peau, -x [po] nf skin; (de fruit) peel, skin; (cuir) hide; (fourrure) pelt; Fig **faire p. neuve** to turn over a new leaf; Fig **se mettre dans la p. de qn** to put oneself in sb's shoes; Fam **avoir qn dans la p.** to be crazy about sb; Fam **être bien dans sa p.** to feel good about oneself; Fam **laisser sa p. dans** (aventure) to lose one's life in; Fam **j'aurai sa p.!** I'll get him!

péché [peʃe] nm sin; **p. mignon** weakness ▪ **pécher** vi to sin; **p. par orgueil** to be too proud ▪ **pécheur, -eresse** nmf sinner

pêche¹ [pɛʃ] nf (activité) fishing; (poissons) catch; **p. à la ligne** angling; **aller à la p.** to go fishing ▪ **pêcher¹ 1** vt (attraper) to catch; (chercher à prendre) to fish for; Fam (dénicher) to dig up **2** vi to fish ▪ **pêcheur** nm fisherman; (à la ligne) angler

pêche² [pɛʃ] nf (fruit) peach; **avoir une peau de p.** to have soft, velvety skin; Fam **avoir la p.** to be on top form ▪ **pêcher²** nm (arbre) peach tree

pectoraux [pɛktoro] nmpl chest muscles, pectorals

pécule [pekyl] nm savings

pécuniaire [pekynjɛr] adj financial

pédagogie [pedagoʒi] nf (discipline) pedagogy ▪ **pédagogique** adj educational ▪ **pédagogue** nmf teacher

pédale [pedal] nf (**a**) (de voiture, de piano) pedal; Fam **mettre la p. douce** to go easy; Fam **perdre les pédales** to lose one's marbles; **p. de frein** brake pedal (**b**) Fam Péj (homosexuel) queer, = offensive term used to refer to a male homosexual ▪ **pédaler** vi to pedal; Fam **p. dans la semoule** to be all at sea

Pédalo® [pedalo] nm pedal boat, pedalo

pédant, -ante [pedã, -ãt] **1** adj pedantic **2** nmf pedant

pédé [pede] nm très Fam Péj (homosexuel) queer, = offensive term used to refer to a male homosexual

pédestre [pedɛstr] adj **randonnée p.** hike

pédiatre [pedjatr] nmf Br paediatrician, Am pediatrician ▪ **pédiatrie** f Br paediatrics, Am pediatrics (sing)

pédicure [pedikyr] nmf Br chiropodist, Am podiatrist

pedigree [pedigre] nm pedigree

pédophile [pedofil] nmf Br paedophile, Am pedophile ▪ **pédophilie** nf Br paedophilia, Am pedophilia

pègre [pɛgr] nf **la p.** the underworld

peigne [pɛɲ] nm comb; **se donner un coup de p.** to give one's hair a comb; Fig **passer qch au p. fin** to go through sth with a fine-tooth comb ▪ **peigner 1** vt (cheveux) to comb; **p. qn** to comb sb's hair **2 se peigner** vpr to comb one's hair

peignoir [pɛɲwar] *nm Br* dressing gown, *Am* bathrobe; **p. de bain** bathrobe

peinard, -arde [penar, -ard] *adj Fam* quiet (and easy)

peindre* [pɛ̃dr] **1** *vt* to paint; *Fig (décrire)* to depict; **p. qch en bleu** to paint sth blue **2** *vi* to paint

peine [pɛn] *nf* (**a**) *(châtiment)* punishment; **p. de mort** death penalty; **p. de prison** prison sentence; **'défense d'entrer sous p. d'amende'** 'trespassers will be prosecuted' (**b**) *(chagrin)* sorrow; **avoir de la p.** to be upset; **faire de la p. à qn** to upset sb (**c**) *(effort)* trouble; *(difficulté)* difficulty; **se donner de la p.** *ou* **beaucoup de p.** to go to a lot of trouble (**pour faire** to do); **avec p.** with difficulty; **ça vaut la p. d'attendre** it's worth waiting; **ce n'est pas** *ou* **ça ne vaut pas la p.** it's not worth it (**d**) **à p.** hardly, scarcely; **à p. arrivée, elle...** no sooner had she arrived than she... ■**peiner 1** *vt* to upset **2** *vi* to labour

peintre [pɛ̃tr] *nm (artiste)* painter; **p. en bâtiment** painter and decorator ■**peinture** *nf (tableau, activité)* painting; *(matière)* paint; **p. à l'huile** oil painting; **'p. fraîche'** 'wet paint' ■**peinturlurer** *vt Fam* to daub with paint

péjoratif, -ive [peʒɔratif, -iv] *adj* pejorative

Pékin [pekɛ̃] *nm ou f* Peking, Beijing

pékinois [pekinwa] *nm (chien)* Pekin(g)ese

pelage [pəlaʒ] *nm* coat, fur

pelé, -ée [pəle] *adj* bare

pêle-mêle [pɛlmɛl] *adv* higgledy-piggledy

peler [pəle] **1** *vt* to peel **2** *vi (personne, peau)* to peel; *Fam* **ça pèle** it's freezing (cold)

pèlerin [pɛlrɛ̃] *nm* pilgrim ■**pèlerinage** *nm* pilgrimage

pélican [pelikɑ̃] *nm* pelican

pelisse [pəlis] *nf* fur-lined coat

pelle [pɛl] *nf* shovel; *(d'enfant)* spade; **p. à tarte** cake slice; *Fam* **à la p.** by the bucketload; *Fam* **ramasser** *ou* **prendre une p.** to fall flat on one's face ■**pelletée** *nf* shovelful ■**pelleteuse** *nf* mechanical shovel

pellicule [pelikyl] *nf (pour photos)* film; *(couche)* thin layer; **pellicules** *(de cheveux)* dandruff

pelote [pəlɔt] *nf (de laine)* ball; *(à épingles)* pincushion; *Sport* **p. basque** pelota

peloter [pəlɔte] *vt Fam* to grope

peloton [p(ə)lɔtɔ̃] *nm (de ficelle)* ball; *(de cyclistes)* pack; *Mil* platoon; **le p. de tête** the leaders; **p. d'exécution** firing squad

pelotonner [pəlɔtɔne] **se pelotonner** *vpr* to curl up (into a ball)

pelouse [pəluz] *nf* lawn

peluche [pəlyʃ] *nf (tissu)* plush; **(jouet en) p.** soft toy; **chien en p.** furry dog; **peluches** *(de pull)* fluff, lint ■**pelucher** *vi* to pill

pelure [pəlyr] *nf (de légumes)* peelings; *(de fruits)* peel

pénal, -e, -aux, -ales [penal, -o] *adj* penal ■**pénaliser** *vt* to penalize ■**pénalité** *nf* penalty

penalty [penalti] *nm Football* penalty

penaud, -aude [pəno, -od] *adj* sheepish

penchant [pɑ̃ʃɑ̃] *nm (préférence)* penchant (**pour** for); *(tendance)* propensity (**pour** for)

pencher [pɑ̃ʃe] **1** *vt (objet)* to tilt; *(tête)* to lean **2** *vi (arbre)* to lean over; *Fig* **p. pour qch** to incline towards sth **3** **se pencher** *vpr* to lean over; **se p. par la fenêtre** to lean out of the window; **se p. sur qch** *(problème)* to examine sth ■**penché, -ée** *adj* leaning

pendable [pɑ̃dabl] *adj* **faire un tour p.** to play a wicked trick (**à qn** on sb)

pendaison [pɑ̃dɛzɔ̃] *nf* hanging

pendant¹ [pɑ̃dɑ̃] *prép (au cours de)* during; **p. la nuit** during the night; **p. deux mois** for two months; **p. tout le trajet** for the whole journey; **p. que...** while...

pendentif [pɑ̃dɑ̃tif] *nm (collier)* pendant

penderie [pɑ̃dri] *nf Br* wardrobe, *Am* closet

pendre [pɑ̃dr] **1** *vti* to hang (**à** from); **p. qn** to hang sb **2** **se pendre** *vpr (se suicider)* to hang oneself; *(se suspendre)* to hang (**à** from) ■**pendant², -ante 1** *adj* hanging; *(langue)* hanging out; *Fig (en attente)* pending **2** *nm* **p. (d'oreille)** drop earring; **le p. de** the companion piece to ■**pendu, -ue** *adj (objet)* hanging (**à** from); *Fam* **être p. au téléphone** to be never off the phone

pendule [pɑ̃dyl] **1** *nf* clock **2** *nm (balancier)* pendulum

pénétrer [penetre] **1** *vi* **p. dans** to enter; *(profondément)* to penetrate (into) **2** *vt (sujet: pluie)* to penetrate **3** **se pénétrer** *vpr* **se p. d'une idée** to become convinced of an idea ■**pénétrant, -ante** *adj (vent, froid)* piercing; *(esprit)* penetrating ■**pénétration** *nf* penetration

pénible [penibl] *adj (difficile)* difficult; *(douloureux)* painful, distressing; *(ennuyeux)* tiresome ■**péniblement** [-əmɑ̃] *adv* with difficulty

péniche [peniʃ] *nf* barge

pénicilline [penisilin] *nf* penicillin

péninsule [penɛ̃syl] *nf* peninsula

pénis [penis] *nm Anat* penis

pénitence [penitɑ̃s] *nf (punition)* punishment; *Rel (peine)* penance; *(regret)* penitence; **faire p.** to repent ■**pénitent, -ente** *nmf Rel* penitent

pénitencier [penitɑ̃sje] *nm* prison, *Am* penitentiary ■**pénitentiaire** *adj* **régime p.** prison system

pénombre [penɔ̃br] *nf* half-light

pense-bête [pɑ̃sbɛt] *(pl* pense-bêtes*) nm Fam* reminder

pensée [pɑ̃se] *nf* (**a**) *(idée)* thought; **à la p. de**

faire qch at the thought of doing sth (**b**) *(fleur)* pansy

penser [pɑ̃se] **1** *vi (réfléchir)* to think (**à** of or about); **p. à qn/qch** to think of or about sb/sth; **p. à faire qch** *(ne pas oublier)* to remember to do sth; **p. à tout** to think of everything; **penses-tu!** what an idea! **2** *vt (estimer)* to think (**que** that); *(concevoir)* to think out; **je pensais rester** I was thinking of staying; **je pense réussir** I hope to succeed; **que pensez-vous de…?** what do you think of or about…?; **p. du bien de qn/qch** to think highly of sb/sth ▪**pensant, -ante** *adj* thinking; **bien p.** orthodox ▪**penseur** *nm* thinker ▪**pensif, -ive** *adj* thoughtful, pensive

pension [pɑ̃sjɔ̃] *nf* (**a**) *(école)* boarding school; **mettre un enfant en p.** to send a child to boarding school (**b**) *(hôtel)* **p. de famille** boarding house; **p. complète** *Br* full board, *Am* American plan (**c**) *(allocation)* pension; **p. alimentaire** maintenance, alimony ▪**pensionnaire** *nmf (élève, résident)* boarder ▪**pensionnat** *nm* boarding school ▪**pensionné, -ée** *nmf* pensioner

> Il faut noter que le nom anglais **pensioner** est un faux ami. Il signifie le plus souvent **retraité**.

pentagone [pɛ̃tagɔn] *nm Am Mil* **le P.** the Pentagon

pente [pɑ̃t] *nf* slope; **être en p.** to be sloping; *Fig* **être sur une mauvaise p.** to be going downhill ▪**pentu, -ue** *adj* sloping

Pentecôte [pɑ̃tkot] *nf Rel Br* Whitsun, *Am* Pentecost

pénurie [penyri] *nf* shortage (**de** of)

pépé [pepe] *nm* grandpa

pépère [pepɛr] *Fam* **1** *nm* grand(d)ad **2** *adj (lieu)* quiet; *(emploi)* cushy

pépier [pepje] *vi* to cheep, to chirp

pépin [pepɛ̃] *nm (de fruit) Br* pip, *Am* seed, pit; *Fam (ennui)* hitch; *Fam (parapluie)* umbrella, *Br* brolly

pépinière [pepinjɛr] *nf (pour plantes)* nursery; *Fig (école)* training ground (**de** for)

pépite [pepit] *nf (d'or)* nugget; **p. de chocolat** chocolate chip

péquenaud, -aude [pekno, -od] *nmf Fam* peasant

perçant, -ante [pɛrsɑ̃, -ɑ̃t] *adj (cri, froid)* piercing; *(vue)* sharp

percée [pɛrse] *nf (ouverture)* opening; *Mil, Sport & Tech* breakthrough

perce-neige [pɛrsənɛʒ] *nm ou f inv* snowdrop

perce-oreille [pɛrsɔrɛj] *(pl perce-oreilles) nm* earwig

percepteur [pɛrsɛptœr] *nm* tax collector ▪**perceptible** *adj* perceptible (**à** to) ▪**perception** *nf* (**a**) *(bureau)* tax office;

(d'impôt) collection (**b**) *(sensation)* perception

percer [pɛrse] **1** *vt (trouer)* to pierce; *(avec une perceuse)* to drill; *(trou, ouverture)* to make; *(abcès)* to lance; *(secret)* to uncover; *(mystère)* to solve; **p. une dent** *(bébé)* to cut a tooth; **p. qch à jour** to see through sth **2** *vi (soleil)* to break through; *(abcès)* to burst; *(acteur)* to make a name for oneself ▪**perceuse** *nf* drill

percevoir* [pɛrsəvwar] *vt* (**a**) *(sensation)* to perceive; *(son)* to hear (**b**) *(impôt)* to collect

perche [pɛrʃ] *nf* (**a**) *(bâton)* pole; *Sport* **saut à la p.** pole vaulting; *Fig* **tendre la p. à qn** to throw sb a line; *Fam* **une grande p.** *(personne)* a beanpole (**b**) *(poisson)* perch ▪**perchiste** *nmf Sport* pole vaulter

percher [pɛrʃe] **1** *vi (oiseau)* to perch; *(volailles)* to roost **2** *vt Fam (placer)* to perch **3** **se percher** *vpr (oiseau, personne)* to perch ▪**perchoir** *nm* perch; *(de volailles)* roost; *Fam Pol* = seat of the president of the "Assemblée nationale"

percolateur [pɛrkɔlatœr] *nm* percolator

percussion [pɛrkysjɔ̃] *nf Mus* percussion

percutant, -ante [pɛrkytɑ̃, -ɑ̃t] *adj Fig* forceful

percuter [pɛrkyte] **1** *vt (véhicule)* to crash into **2** *vi* **p. contre** to crash into **3** **se percuter** *vpr* to crash into each other

perdant, -ante [pɛrdɑ̃, -ɑ̃t] **1** *adj* losing **2** *nmf* loser

perdition [pɛrdisjɔ̃] **en perdition** *adv (navire)* in distress

perdre [pɛrdr] **1** *vt* to lose; *(habitude)* to get out of; **p. qn/qch de vue** to lose sight of sb/sth; **il a perdu son père** he lost his father; **sa passion du jeu l'a perdu** his passion for gambling was his undoing **2** *vi* to lose; **j'y perds** I lose out **3** **se perdre** *vpr (s'égarer)* to get lost; *(disparaître)* to die out; **se p. dans les détails** to get lost in details; *Fig* **je m'y perds** I'm lost; *Fig* **nous nous sommes perdus de vue** we lost touch ▪**perdu, -ue** *adj (égaré)* lost; *(gaspillé)* wasted; *(malade)* finished; *(lieu)* out-of-the-way; **à ses moments perdus** in one's spare time; **c'est du temps p.** it's a waste of time

perdrix [pɛrdri] *nf* partridge

père [pɛr] *nm* father; **de p. en fils** from father to son; **Dupont p.** Dupont senior; *Fam* **le p. Jean** old John; *Rel* **le p. Martin** Father Martin; *Rel* **mon p.** father; **p. de famille** father

péremption [perɑ̃psjɔ̃] *nf* **date de p.** use-by date

péremptoire [perɑ̃ptwar] *adj* peremptory

perfection [pɛrfɛksjɔ̃] *nf* perfection; **à la p.** to perfection

perfectionner [pɛrfɛksjɔne] **1** *vt* to improve, to perfect **2** **se perfectionner** *vpr* **se p. en anglais** to improve or perfect one's English ▪**perfectionné, -ée** *adj* advanced ▪**perfectionnement** *nm* improvement (**de** in; **par rapport à** on); **cours de p.** proficiency course

perfectionniste [pɛrfɛksjɔnist] *nmf* perfectionist

perfide [pɛrfid] *adj* perfidious ▪**perfidie** *nf* Littéraire (déloyauté) perfidiousness

perforer [pɛrfɔre] *vt* (pneu, intestin) to perforate; (billet) to punch; **carte perforée** punch card ▪**perforation** *nf* perforation; (trou) punched hole ▪**perforatrice** *nf* (pour papier) (hole) punch ▪**perforeuse** *nf* (hole) punch

performance [pɛrfɔrmɑ̃s] *nf* performance; Fig (exploit) achievement ▪**performant, -ante** *adj* highly efficient

perfusion [pɛrfyzjɔ̃] *nf* drip; **être sous p.** to be on a drip

péricliter [periklite] *vi* to collapse

péridurale [peridyral] *adj f & nf* (anesthésie) p. epidural; **accoucher sous p.** to give birth under an epidural

péril [peril] *nm* danger, peril; **à tes risques et périls** at your own risk; **mettre qch en p.** to endanger sth ▪**périlleux, -euse** *adj* dangerous, perilous

périmer [perime] *vi*, **se périmer** *vpr* **laisser qch (se) p.** to allow sth to expire ▪**périmé, -ée** *adj* (billet) expired; (nourriture) past its sell-by date

périmètre [perimɛtr] *nm* perimeter

période [perjɔd] *nf* period; **p. d'essai** trial period ▪**périodique** 1 *adj* periodic 2 *nm* (revue) periodical

péripétie [peripesi] *nf* Littéraire event

périphérie [periferi] *nf* (limite) periphery; (banlieue) outskirts

périphérique [periferik] 1 *adj* peripheral; **radio p.** = radio station broadcasting from outside France 2 *nm & adj* (boulevard) p. Br ring road, Am beltway ▪**périphériques** *nmpl* Ordinat peripherals

périphrase [perifraz] *nf* circumlocution

périple [peripl] *nm* trip, tour

périr [perir] *vi* to perish ▪**périssable** *adj* (denrée) perishable

périscope [periskɔp] *nm* periscope

perle [pɛrl] *nf* (bijou) pearl; (de bois, de verre) bead; Fig (personne) gem; Ironique (erreur) howler ▪**perler** *vi* (sueur) to form in beads

permanent, -ente [pɛrmanɑ̃, -ɑ̃t] 1 *adj* permanent; Cin (spectacle) continuous; (comité) standing 2 *nf* (coiffure) **permanente** perm ▪**permanence** *nf* permanence; (salle d'étude) study room; (service, bureau) duty office; **être de p.** to be on duty; **en p.** permanently

perméable [pɛrmeabl] *adj* permeable (à to)

permettre* [pɛrmɛtr] 1 *vt* to allow, to permit; **p. à qn de faire qch** to allow sb to do sth; **permettez!** excuse me!; **vous permettez?** may I? 2 **se permettre** *vpr* **se p. qch** to allow onself sth; **se p. de faire qch** to take the liberty of doing sth; **je ne peux pas me p.** I can't afford it

permis, -ise [pɛrmi, -iz] 1 *adj* allowed, permitted 2 *nm* Br licence, Am license, permit; **p. de conduire** Br driving licence, Am driver's license; **passer son p. de conduire** to take one's driving test; **p. de construire** planning permission; **p. de séjour** residence permit; **p. de travail** work permit

permission [pɛrmisjɔ̃] *nf* permission; Mil leave; **en p.** on leave; **demander la p.** to ask permission (**de faire** to do)

permuter [pɛrmyte] 1 *vt* (lettres, chiffres) to transpose 2 *vi* to exchange posts ▪**permutation** *nf* (de lettres, de chiffres) transposition

pernicieux, -ieuse [pɛrnisjø, -jøz] *adj* pernicious

pérorer [perɔre] *vi* Péj to hold forth

Pérou [peru] *nm* **le P.** Peru

perpendiculaire [pɛrpɑ̃dikyler] *adj & nf* perpendicular (**à** to)

perpétrer [pɛrpetre] *vt* to perpetrate

perpétuel, -uelle [pɛrpetɥɛl] *adj* perpetual; (membre) permanent ▪**perpétuellement** *adv* perpetually ▪**perpétuer** *vt* to perpetuate ▪**perpétuité** *adv* **à p.** in perpetuity; **condamnation à p.** life sentence

perplexe [pɛrplɛks] *adj* perplexed, puzzled ▪**perplexité** *nf* perplexity

perquisition [pɛrkizisjɔ̃] *nf* search ▪**perquisitionner** *vi* to make a search

perron [pɛrɔ̃] *nm* steps (leading to a building)

perroquet [pɛrɔkɛ] *nm* parrot

perruche [pɛryʃ] *nf* Br budgerigar, Am parakeet

perruque [pɛryk] *nf* wig

pers [pɛr] *adj m* Littéraire blue-green

persan, -ane [pɛrsɑ̃, -an] 1 *adj* Persian 2 *nm* (langue) Persian

persécuter [pɛrsekyte] *vt* to persecute ▪**persécution** *nf* persecution

persévérer [pɛrsevere] *vi* to persevere (**dans** in) ▪**persévérance** *nf* perseverance ▪**persévérant, -ante** *adj* persevering

persienne [pɛrsjɛn] *nf* shutter

persil [pɛrsi] *nm* parsley ▪**persillé, -ée** *adj* (plat) sprinkled with parsley

Persique [pɛrsik] *adj* **le golfe P.** the Persian Gulf

persister [pɛrsiste] *vi* to persist (**à faire** in doing; **dans qch** in sth) ▪**persistance** *nf* persistence ▪**persistant, -ante** *adj* persistent; **à feuilles persistantes** evergreen

personnage [pɛrsɔnaʒ] *nm* (de fiction, individu) character; (personnalité) important person; **p. célèbre** celebrity; **p. officiel** VIP

personnaliser [pɛrsɔnalize] *vt* to personalize; (voiture, ordinateur) to customize

personnalité [pɛrsɔnalite] *nf* (caractère, personnage) personality; **avoir de la p.** to have lots of personality

personne [pɛrsɔn] **1** *nf* person; **deux personnes** two people; **grande p.** grown-up, adult; **p. âgée** elderly person; **les personnes âgées** the elderly; **en p.** in person; **être bien de sa p.** to be good-looking; **être content de sa petite p.** to be pleased with oneself **2** *pron indéfini (de négation)* **(ne…) p.** nobody, no one; **je ne vois p.** I don't see anybody *or* anyone; **p. ne saura** nobody *or* no one will know; **mieux que p.** better than anybody *or* anyone

personnel, -elle [pɛrsɔnɛl] **1** *adj* personal; *(joueur, jeu)* individualistic **2** *nm (de firme, d'école)* staff; *(d'usine)* workforce; **service du p.** personnel (department); **manquer de p.** to be understaffed; **p. au sol** ground personnel ▪ **personnellement** *adv* personally

personnifier [pɛrsɔnifje] *vt* to personify ▪ **personnification** *nf* personification

perspective [pɛrspɛktiv] *nf (de dessin)* perspective; *(idée)* prospect (**de** of); *Fig (point de vue)* viewpoint; *Fig* **en p.** in prospect; *Fig* **à la p. de faire qch** at the prospect of doing sth; **perspectives d'avenir** future prospects

perspicace [pɛrspikas] *adj* shrewd ▪ **perspicacité** *nf* shrewdness

persuader [pɛrsɥade] *vt* **p. qn (de qch)** to persuade sb (of sth); **p. qn de faire qch** to persuade sb to do sth; **être persuadé de qch/que…** to be convinced of sth/that… ▪ **persuasif, -ive** *adj* persuasive ▪ **persuasion** *nf* persuasion

perte [pɛrt] *nf* loss; *(destruction)* ruin; **une p. de temps** a waste of time; **à p. de vue** as far as the eye can see; **en pure p.** to no purpose; **vendre qch à p.** to sell sth at a loss; *Fig* **courir à sa p.** to be heading for disaster; **vouloir la p. de qn** to seek sb's destruction; **p. sèche** dead loss

pertinent, -ente [pɛrtinɑ̃, -ɑ̃t] *adj* relevant, pertinent ▪ **pertinemment** [-amɑ̃] *adv* **savoir qch p.** to know sth for a fact ▪ **pertinence** *nf* relevance, pertinence

perturber [pɛrtyrbe] *vt (trafic, cérémonie)* to disrupt; *(personne)* to disturb ▪ **perturbateur, -trice** **1** *adj* disruptive **2** *nmf* troublemaker ▪ **perturbation** *nf* disruption; **p. atmosphérique** atmospheric disturbance

péruvien, -ienne [peryvjɛ̃, -jɛn] **1** *adj* Peruvian **2** *nmf* **P.,** **Péruvienne** Peruvian

pervenche [pɛrvɑ̃ʃ] *nf (plante)* periwinkle; *Fam (contractuelle)* Br (woman) traffic warden, *Am* meter maid

pervers, -erse [pɛrvɛr, -ɛrs] **1** *adj* perverse **2** *nmf* pervert ▪ **perversion** *nf* perversion ▪ **perversité** *nf* perversity ▪ **pervertir** *vt* to pervert

pesage [pəzaʒ] *nm Sport (vérification)* weigh-in; *(lieu)* weighing room

pesant, -ante [pəzɑ̃, -ɑ̃t] **1** *adj* heavy, weighty **2** *nm* **valoir son p. d'or** to be worth one's weight

in gold ▪ **pesamment** [-amɑ̃] *adv* heavily ▪ **pesanteur** *nf* heaviness; *Phys* gravity

pesée [pəze] *nf* weighing; *Boxe* weigh-in; *(pression)* force

peser [pəze] **1** *vt* to weigh; **p. le pour et le contre** to weigh up the pros and the cons; **p. ses mots** to weigh one's words; *Fig* **tout bien pesé** all things considered **2** *vi* to weigh; **p. 2 kilos** to weigh 2 kilos; **p. lourd** to be heavy; *Fig (argument)* to carry weight; **p. sur** *(appuyer)* to press on; *(influer)* to bear upon; **p. sur qn** *(menace)* to hang over sb; **p. sur l'estomac** to lie heavy on the stomach; *Fam* **elle pèse 20 millions** she's worth 20 million ▪ **pèse-bébé** *(pl* **pèse-bébés)** *nm* baby scales ▪ **pèse-personne** *(pl* **pèse-personnes)** *nm* (bathroom) scales

pessimisme [pesimism] *nm* pessimism ▪ **pessimiste** **1** *adj* pessimistic **2** *nmf* pessimist

peste [pɛst] *nf (maladie)* plague; *Fig (personne)* pest

> Il faut noter que le nom anglais **pest** est un faux ami. Il ne désigne jamais une maladie.

pester [pɛste] *vi* **p. contre qn/qch** to curse sb/sth

pestilentiel, -ielle [pɛstilɑ̃sjɛl] *adj* stinking

pétale [petal] *nm* petal

pétanque [petɑ̃k] *nf (jeu)* ≃ bowls

pétarades [petarad] *nfpl (de véhicule)* backfiring ▪ **pétarader** *vi (véhicule)* to backfire

pétard [petar] *nm (feu d'artifice)* firecracker, *Br* banger; *Fam (pistolet)* shooter

péter [pete] *Fam* **1** *vt (casser)* to bust; **p. la forme** to be full of beans; **p. les plombs** to blow one's top **2** *vi (exploser)* to blow up; *(casser)* to bust; *(personne)* to fart ▪ **pétante** *adj f Fam* **à une heure p.** at one o'clock on the dot

pétiller [petije] *vi (yeux, vin)* to sparkle ▪ **pétillant, -ante** *adj (eau, vin, yeux)* sparkling

petit, -ite [pəti, -it] **1** *adj* small; *(de taille, distance, séjour)* short; *(bruit, coup, rhume)* slight; *(somme)* small; *(accident)* minor; *(mesquin)* petty; **tout p.** tiny; **un p. Français** a French boy; **une bonne petite employée** a good little worker; **mon p. frère** my little brother; *Fam* **se faire tout p.** to make oneself inconspicuous; **c'est une petite nature** he's/she's a weak sort of person; *Scol* **les petites classes** the lower classes **2** *nmf (little)* boy, *f (little)* girl; *(personne)* small person; *Scol* junior; **petits** *(d'animal)* young; *(de chien)* pups; *(de chat)* kittens **3** *adv* **écrire p.** to write small; **p. à p.** little by little ▪ **petit-beurre** *(pl* **petits-beurre)** *nm Br* butter biscuit, *Am* butter cookie ▪ **petit-bourgeois, petite-bourgeoise** *(mpl* **petits-bourgeois,** *fpl* **petites-bourgeoises)** *adj Péj* lower middle-class ▪ **petite-fille** *(pl* **petites-filles)** *nf* granddaughter ▪ **petitesse** nf (de taille) smallness; (mesquinerie) pettiness ▪ **petit-fils** (pl petits-fils) nm grandson ▪ **petits-enfants** nmpl grandchildren ▪ **petit-suisse** (pl petits-suisses) nm = small dessert of thick fromage frais

pétition [petisjɔ̃] nf petition

pétrifier [petrifje] vt to petrify

pétrin [petrɛ̃] nm Fam **être dans le p.** to be in a mess, Br to be in a pickle

pétrir [petrir] vt to knead

pétrole [petrɔl] nm oil, petroleum; **p. lampant** Br paraffin, Am kerosine ▪ **pétrolier, -ière 1** adj **industrie pétrolière** oil industry **2** nm oil tanker ▪ **pétrolifère** adj **gisement p.** oilfield

> Il faut noter que le nom anglais **petrol** est un faux ami. Il signifie **essence**.

pétulant, -ante [petylɑ̃, -ɑ̃t] adj exuberant

> Il faut noter que l'adjectif anglais **petulant** est un faux ami. Il signifie le plus souvent **irascible**.

pétunia [petynja] nm petunia

peu [pø] **1** adv (avec un verbe) not much; (avec un adjectif, un adverbe) not very; (un petit nombre) few; **elle mange p.** she doesn't eat much; **p. intéressant/souvent** not very interesting/often; **p. ont compris** few understood; **p. de sel/de temps** not much salt/time, little salt/time; **p. de gens/de livres** few people/books; **p. à p.** little by little, gradually; **à p. près** more or less; **p. après/avant** shortly after/before; **sous p.** shortly; **pour p. que...** (+ subjunctive) if by chance... **2** nm **un p.** a little, a bit; **un p. grand** a bit big; **un p. de fromage** a little cheese, a bit of cheese; **un p. de sucre** a bit of sugar, a little sugar; **un (tout) petit p.** a (tiny) little bit; **le p. de fromage que j'ai** the little cheese I have; **reste encore un p.** stay a little longer; **pour un p. je l'aurais jeté dehors** I very nearly threw him out

peuplade [pœplad] nf tribe

peuple [pœpl] nm (nation, citoyens) people; **les gens du p.** ordinary people

peupler [pœple] vt (habiter) to inhabit ▪ **peuplé, -ée** adj (région) inhabited (de by); **très/peu p.** highly/sparsely populated; Fig **p. de qch** full of sth ▪ **peuplement** [-əmɑ̃] nm (action) populating; **zone de p.** area of population

peuplier [pøplije] nm (arbre, bois) poplar

peur [pœr] nf fear; **avoir p.** to be afraid or frightened (de qn/qch of sb/sth); **de faire qch** to do sth or of doing sth); **faire p. à qn** to frighten or scare sb; **de p. qu'il ne parte** for fear that he would leave; **de p. de faire qch** for fear of doing sth ▪ **peureux, -euse** adj easily frightened

peut [pø] voir **pouvoir 1**

peut-être [pøtɛtr] adv perhaps, maybe; **p. qu'il viendra, p. viendra-t-il** perhaps or maybe he'll come; **p. que oui** perhaps; **p. que non** perhaps not

peuvent, peux [pœv, pø] voir **pouvoir 1**

phallique [falik] adj phallic ▪ **phallocrate** nm Péj male chauvinist (pig)

pharaon [faraɔ̃] nm Hist Pharaoh

phare [far] **1** nm (pour bateaux) lighthouse; (de véhicule) headlight; **faire un appel de phares** to flash one's lights **2** adj **épreuve-p.** star event

pharmacie [farmasi] nf (magasin) Br chemist's shop, Am drugstore; (science) pharmacy; (armoire) medicine cabinet ▪ **pharmaceutique** adj pharmaceutical ▪ **pharmacien, -ienne** nmf Br chemist, pharmacist, Am druggist

pharynx [farɛ̃ks] nm pharynx ▪ **pharyngite** nf Méd pharyngitis

phase [faz] nf phase; Méd **cancer en p. terminale** terminal cancer; Fig **être en p.** to see eye to eye

phénomène [fenɔmɛn] nm phenomenon; Fam (personne) character ▪ **phénoménal, -e, -aux, -ales** adj Fam phenomenal

philanthrope [filɑ̃trɔp] nmf philanthropist ▪ **philanthropique** adj philanthropic

philatélie [filateli] nf stamp collecting, philately ▪ **philatéliste** nmf stamp collector, philatelist

philharmonique [filarmɔnik] adj philharmonic

Philippines [filipin] nfpl **les P.** the Philippines

philosophe [filɔzɔf] **1** nmf philosopher **2** adj philosophical ▪ **philosopher** vi to philosophize (**sur** about) ▪ **philosophie** nf philosophy ▪ **philosophique** adj philosophical

philtre [filtr] nm love potion

phobie [fɔbi] nf phobia; **avoir la p. de qch** to have a phobia of sth

phonétique [fɔnetik] **1** adj phonetic **2** nf phonetics (sing)

phonographe [fɔnɔgraf] nm Br gramophone, Am phonograph

phoque [fɔk] nm (animal) seal

phosphate [fɔsfat] nm Chim phosphate

phosphore [fɔsfɔr] nm Chim phosphorus ▪ **phosphorescent, -ente** adj phosphorescent

photo [fɔto] **1** nf (cliché) photo; (art) photography; **prendre une p. de qn/qch, prendre qn/qch en p.** to take a photo of sb/sth; Fam **il veut ma p.?** who does he think he's staring at?; **p. d'identité** ID photo; **p. de mode** fashion photo **2** adj inv **appareil p.** camera ▪ **photogénique** adj photogenic ▪ **photographe** nmf photographer ▪ **photographie** nf (art) photography; (cliché) photograph ▪ **photo-**

graphier *vt* to photograph; **se faire p.** to have one's photo taken ▪ **photographique** *adj* photographic

> Il faut noter que le nom anglais **photograph** est un faux ami. Il signifie **photographie, cliché**.

photocopie [fɔtɔkɔpi] *nf* photocopy ▪ **photocopier** *vt* to photocopy ▪ **photocopieur** *nm*, **photocopieuse** *nf* photocopier
Photomaton® [fɔtɔmatɔ̃] *nm* photo booth
phrase [fraz] *nf* sentence

> Il faut noter que le nom anglais **phrase** est un faux ami. Il signifie **expression**.

physicien, -ienne [fizisjɛ̃, -jɛn] *nmf* physicist

> Il faut noter que le nom anglais **physician** est un faux ami. Il signifie **médecin**.

physiologie [fizjɔlɔʒi] *nf* physiology ▪ **physiologique** *adj* physiological
physionomie [fizjɔnɔmi] *nf* face
physique [fizik] **1** *adj* physical **2** *nm* (*de personne*) physique **3** *nf* (*science*) physics (*sing*) ▪ **physiquement** *adv* physically
phytothérapie [fitɔterapi] *nf* herbal medicine
piaffer [pjafe] *vi* (*cheval*) to paw the ground; *Fig* **p. d'impatience** to fidget impatiently
piailler [pjaje] *vi* (*oiseau*) to cheep; *Fam* (*enfant*) to squeal
piano [pjano] *nm* piano; **jouer du p.** to play the piano; **p. droit/à queue** upright/grand piano ▪ **pianiste** [pjanist] *nmf* pianist ▪ **pianoter** *vi* **p. sur qch** (*table*) to drum one's fingers on sth
piaule [pjol] *nf Fam* (*chambre*) pad
PIB [peibe] *nm* (*abrév* **produit intérieur brut**) *Écon* GDP
pic [pik] *nm* (*cime*) peak; (*outil*) pick(axe); (*oiseau*) woodpecker; **couler à p.** to sink like a stone; **tomber à p.** (*falaise*) to go straight down; *Fam* to come at the right moment; **p. à glace** ice pick
pichenette [piʃnɛt] *nf* flick
pichet [piʃe] *nm Br* jug, *Am* pitcher
pickpocket [pikpɔkɛt] *nm* pickpocket
picoler [pikɔle] *vi Fam* to booze ▪ **picoleur, -euse** *nmf Fam* boozer
picorer [pikɔre] *vt* to peck
picoter [pikɔte] *vt* **j'ai la gorge qui (me) picote** I've got a tickle in my throat; **la fumée lui picotait les yeux** the smoke was stinging his eyes ▪ **picotement** *nm* (*de gorge*) tickling; (*dans les yeux*) stinging
pie [pi] **1** *nf* (*oiseau*) magpie; *Fam* (*personne*) chatterbox **2** *adj inv* (*cheval*) piebald
pièce [pjɛs] *nf* (*de maison*) room; (*morceau, objet*) piece; (*de pantalon*) patch; (*écrit de dossier*) document; **p. (de monnaie)** coin; **p. (de**

théâtre) play; **5 euros (la) p.** 5 euros each; **travailler à la p.** to do piecework; **mettre qch en pièces** to tear sth to pieces; **p. à conviction** exhibit (*in criminal case*); **p. d'eau** ornamental lake; (*petite*) ornamental pond; **p. d'identité** proof of identity; **p. montée** = large tiered wedding cake; **pièces détachées** *ou* **de rechange** spare parts; **pièces justificatives** supporting documents
pied [pje] *nm* (*de personne*) foot (*pl* feet); (*de lit, d'arbre, de colline*) foot; (*de meuble*) leg; (*de verre, de lampe*) base; (*d'appareil photo*) stand; (*de salade*) head; **à p.** on foot; **aller à p.** to walk, to go on foot; **au p. de** at the foot *or* bottom of; *Fig* **au p. de la lettre** literally; **sur p.** (*personne*) up and about; **sur un p. d'égalité** on an equal footing; **sur le p. de guerre** on a war footing; *Fam* **comme un p.** dreadfully; **avoir p.** to be within one's depth; **avoir le p. marin** to be a good sailor; **avoir bon p. bon œil** to be hale and hearty; **faire un p. de nez à qn** to thumb one's nose at sb; **mettre qch sur p.** to set sth up; **attendre qn de p. ferme** to be ready and waiting for sb; **être à p. d'œuvre** to be ready to get on with the job; **faire qch au p. levé** to do sth at a moment's notice; *Fam* **ça lui fera les pieds!** that will serve him/her right!; *Fam* **c'est le p.!** it's fantastic! ▪ **pied-noir** (*pl* **pieds-noirs**) *nmf Fam* = French settler in North Africa
piédestal, -aux [pjedɛstal, -o] *nm* pedestal
piège [pjɛʒ] *nm* (*pour animal*) & *Fig* trap ▪ **piéger** *vt* (*animal*) to trap; (*voiture*) to booby-trap; **voiture/lettre piégée** car/letter bomb
piercing [pirsiŋ] *nm* (*body*) piercing
pierre [pjɛr] *nf* stone; (*de bijou*) gem, stone; **maison en p.** stone house; **geler à p. fendre** to freeze hard; *Fig* **faire d'une p. deux coups** to kill two birds with one stone; **p. à briquet** flint (*for lighter*); **p. d'achoppement** stumbling block; **p. précieuse** precious stone, gem ▪ **pierreries** *nfpl* gems, precious stones ▪ **pierreux, -euse** *adj* stony
piété [pjete] *nf* piety
piétiner [pjetine] **1** *vt* **p. qch** (*en trépignant*) to stamp on sth; (*en marchant*) to trample on sth **2** *vi* (*ne pas avancer*) to stand around; **p. d'impatience** to stamp one's feet impatiently
piéton, -onne [pjetɔ̃, -ɔn] **1** *nmf* pedestrian **2** *adj* **rue p.** pedestrian(ized) street; **zone p.** pedestrian precinct ▪ **piétonnier, -ière** *adj* **rue p.** pedestrian(ized) street; **zone p.** pedestrian precinct
piètre [pjɛtr] *adj Littéraire* (*compagnon*) wretched; (*excuse*) paltry
pieu, -x [pjø] *nm* (*piquet*) post, stake; *Fam* (*lit*) bed; **aller au p.** to hit the sack
pieuvre [pjœvr] *nf* octopus
pieux, pieuse [pjø, pjøz] *adj* pious

pif [pif] *nm Fam (nez)* conk; **faire qch au p.** to do sth by guesswork ▪**pifomètre** *nm Fam* **faire qch au p.** to do sth by guesswork

pif(f)er [pife] *vt Fam* **je ne peux pas le p.** I can't stomach him

pigeon [piʒɔ̃] *nm* pigeon; *Fam (personne)* sucker; **p. voyageur** carrier pigeon

piger [piʒe] *Fam* **1** *vt (comprendre)* to get **2** *vi (comprendre)* to get it

pigment [pigmɑ̃] *nm* pigment ▪**pigmentation** *nf* pigmentation

pignon[1] [piɲɔ̃] *nm (de mur)* gable; *Fig* **avoir p. sur rue** to be of some standing

pignon[2] [piɲɔ̃] *nm (graine)* pine nut

pile [pil] **1** *nf* **(a) p. (électrique)** battery; **radio à piles** battery radio **(b)** *(tas)* pile; **en p.** in a pile **(c)** *(de pièce)* **p. (ou face)?** heads (or tails)?; **jouer à p. ou face** to toss up **2** *adv Fam* **s'arrêter p.** to stop dead; *Fam* **à deux heures p.** at two on the dot

piler [pile] **1** *vt (broyer)* to crush; *(amandes)* to grind **2** *vi Fam (en voiture)* to slam on the brakes ▪**pilonner** *vt (bombarder)* to bombard

pilier [pilje] *nm* pillar

piller [pije] *vt* to loot, to pillage ▪**pillage** *nm* looting, pillaging ▪**pillard, -arde** *nmf* looter

pilon [pilɔ̃] *nm (de poulet)* drumstick

pilote [pilɔt] **1** *nmf (d'avion, de bateau)* pilot; *(de voiture)* driver; **p. automatique** automatic pilot; **p. de chasse** fighter pilot; **p. d'essai** test pilot; **p. de ligne** airline pilot **2** *adj* **usine(-) p.** pilot factory ▪**pilotage** *nm* piloting; **p. automatique** automatic piloting ▪**piloter** *vt (avion)* to fly, to pilot; *(bateau)* to pilot; *(voiture)* to drive; *Fig* **p. qn** to show sb around

pilotis [pilɔti] *nmpl* **construit sur p.** built on piles

pilule [pilyl] *nf* pill; **prendre la p.** to be on the pill; **arrêter la p.** to come off the pill; **p. abortive** abortion pill; **p. du lendemain** morning-after pill

piment [pimɑ̃] *nm* chilli; *Fig* spice ▪**pimenté, -ée** *adj (plat)* & *Fig* spicy

pimpant, -ante [pɛ̃pɑ̃, -ɑ̃t] *adj* smart

pin [pɛ̃] *nm (arbre, bois)* pine; **pomme de p.** pine cone; *(de sapin)* fir cone

pinacle [pinakl] *nm* **être au p.** to be at the top

pinailler [pinɑje] *vi Fam* to nitpick (**sur** over)

pinard [pinar] *nm Fam (vin)* wine

pince [pɛ̃s] *nf (outil)* pliers; *(sur vêtement)* dart; *(de crustacé)* pincer; *Fam* **serrer la p. à qn** to shake sb's hand; **à pinces** on foot; **p. à cheveux** hair clip; **p. à épiler** tweezers; **p. à linge** (clothes) *Br* peg *or Am* pin; **p. à sucre** sugar tongs; **p. à vélo** bicycle clip

pinceau, -x [pɛ̃so] *nm* (paint)brush; *Fam* **s'emmêler les pinceaux** to get all muddled up

pincer [pɛ̃se] **1** *vt* to pinch; *(cordes d'un instrument)* to pluck; *Fam* **p. qn** *(arrêter)* to catch sb; *Fam* **se faire p.** to get caught **2** **se pincer** *vpr* **se p. le doigt** to get one's finger caught (**dans** in); **se p. le nez** to hold one's nose ▪**pincé, -ée** *adj (air)* stiff; *(sourire)* tight-lipped ▪**pincée** *nf* pinch (**de** of) ▪**pince-sans-rire** *nmf inv* person with a dry sense of humour ▪**pincettes** *nfpl (à feu)* (fire) tongs; *(d'horloger)* tweezers; *Fig* **il n'est pas à prendre avec des p.** he's like a bear with a sore head

pinède [pinɛd] *nf* pine forest

pingouin [pɛ̃gwɛ̃] *nm* auk; *(manchot)* penguin

ping-pong [piŋpɔ̃g] *nm* ping-pong, table tennis

pingre [pɛ̃gr] *adj* stingy

pin's [pinz] *nm inv* badge

pinson [pɛ̃sɔ̃] *nm* chaffinch

pintade [pɛ̃tad] *nf* guinea fowl

pinter [pɛ̃te] **se pinter** *vpr très Fam* to get trashed *or* wasted

pin-up [pinœp] *nf inv* pin-up

pioche [pjɔʃ] *nf (outil)* pick(axe); *Cartes* stock, pile ▪**piocher** *vt (creuser)* to dig *(with a pick)*; **p. une carte** to draw a card (from the pack)

pion [pjɔ̃] *nm (au jeu de dames)* piece; *Échecs* & *Fig* pawn; *Fam (surveillant)* supervisor *(paid to supervise pupils outside class hours)*

pionnier [pjɔnje] *nm* pioneer

pipe [pip] *nf (de fumeur)* pipe; **fumer la p.** to smoke a pipe

pipeau, -x [pipo] *nm (flûte)* pipe

pipelette [piplɛt] *nf Fam* gossip

piper [pipe] *vt* **ne pas p. mot** to keep mum

pipi [pipi] *nm Fam* **faire p.** to pee

pique [pik] **1** *nm Cartes (couleur)* spades **2** *nf (allusion)* cutting remark; *(arme)* pike

pique-assiette [pikasjɛt] *(pl* pique-assiettes*)* *nmf Fam* scrounger

pique-nique [piknik] *(pl* pique-niques*)* *nm* picnic ▪**pique-niquer** *vi* to picnic

piquer [pike] **1** *vt (percer)* to prick; *(langue, yeux)* to sting; *(sujet: moustique)* to bite; *(coudre)* to stitch; *Fam (voler)* to pinch; **p. qch dans** *(enfoncer)* to stick sth into; **la fumée me pique les yeux** the smoke is making my eyes sting; *Fam* **p. qn** *(faire une piqûre à)* to give sb an injection; **faire p. un chien** to have a dog put to sleep; *Fig* **p. qn au vif** to cut sb to the quick; **p. la curiosité de qn** to arouse sb's curiosity; *Fam* **p. une colère** to fly into a rage; *Fam* **p. une crise (de nerfs)** to throw a fit; *Fam* **p. une tête** to dive; *Fam* **p. un cent mètres** to sprint off **2** *vi (avion)* to dive; *(moutarde)* to be hot; *Fig* **p. du nez** *(s'assoupir)* to nod off **3** **se piquer** *vpr* to prick oneself; *Fam (se droguer)* to shoot up; **se p. au doigt** to prick one's finger; **se p. au jeu** to get into it; *Littéraire* **se p. de faire qch** to pride oneself on doing sth ▪**piquant, -ante 1** *adj (au goût)* spicy, hot; *(plante, barbe)* prickly; *(détail)* spicy **2** *nm (de plante)* prickle, thorn; *(d'animal)* spine ▪**piqué, -ée 1** *adj (meuble)* worm-eaten; *Fam (fou)* crazy **2** *nm Av* **descente en p.** nosedive

piquet [pikɛ] *nm (pieu)* stake, post; *(de tente)* peg; **envoyer qn au p.** to send sb to stand in the corner; **p. de grève** picket

piquette [pikɛt] *nf Péj (vin)* cheap wine; *Fam* **prendre la p.** to get a hammering

piqûre [pikyr] *nf (d'abeille)* sting; *(de moustique)* bite; *(d'épingle)* prick; *(de tissu)* stitching; *(de rouille)* spot; *Méd* injection; **faire une p. à qn** to give sb an injection

pirate [pirat] **1** *nm (des mers)* pirate; **p. de l'air** hijacker; *Ordinat* **p. informatique** hacker **2** *adj* **radio p.** pirate radio; **édition/CD p.** pirated edition/CD ▪**piratage** *nm* pirating; *Ordinat* **p. informatique** hacking ▪**pirater** *vt (enregistrement)* to pirate; *Ordinat* to hack; **p. un système** to hack into a system ▪**piraterie** *nf (sur les mers)* piracy; **p. aérienne** hijacking; *Ordinat* **p. informatique** hacking

pire [pir] **1** *adj* worse (**que** than); **c'est de p. en p.** it's getting worse and worse **2** *nmf* **le/la p.** the worst (one); **le p. de tout** the worst thing of all; **au p.** at (the very) worst; **s'attendre au p.** to expect the (very) worst

pirogue [pirɔg] *nf* canoe, dugout

pis¹ [pi] *nm (de vache)* udder

pis² [pi] **1** *adj Littéraire* worse **2** *adv* **aller de mal en p.** to go from bad to worse **3** *nm Littéraire* **le p.** the worst ▪**pis-aller** *nm inv* stopgap (solution)

piscine [pisin] *nf* swimming pool

pissenlit [pisɑ̃li] *nm* dandelion

pisser [pise] *vi Fam* to have a pee

pistache [pistaʃ] *nf (graine, parfum)* pistachio

piste [pist] *nf (traces)* track, trail; *(indices)* lead; *(de magnétophone) & Sport* track; *(de cirque)* ring; *(de ski)* run, piste; *(pour chevaux) Br* racecourse, *Am* racetrack; **être sur la p. de qn** to be on sb's track; *Sport* **tour de p.** lap; **jeu de p.** treasure hunt; **p. d'atterrissage** runway; **p. cyclable** *Br* cycle path, *Am* bicycle path; **p. de danse** dance floor

pistolet [pistɔlɛ] *nm* gun, pistol; *(de peintre)* spray gun; **p. à eau** water pistol

piston [pistɔ̃] *nm (de véhicule)* piston; *Fam* stringpulling; **avoir du p.** to have connections ▪**pistonner** *vt Fam (appuyer)* to pull strings for

pitié [pitje] *nf* pity; **avoir de la p. pour qn** to pity sb; **il me fait p.** I feel sorry for him; **être sans p.** to be ruthless ▪**piteux, -euse** *adj* pitiful; **en p. état** in a sorry state ▪**pitoyable** *adj* pitiful

piton [pitɔ̃] *nm (d'alpiniste)* piton; **p. (rocheux)** (rocky) peak

pitre [pitr] *nm* clown ▪**pitreries** [-əri] *nfpl* clowning

pittoresque [pitɔrɛsk] *adj* picturesque

pivoine [pivwan] *nf* peony

pivot [pivo] *nm (axe, d'argumentation)* pivot ▪**pivoter** *vi* to pivot, to swivel; **faire p. qch** to swivel sth round

pixel [piksɛl] *nm Ordinat* pixel

pizza [pidza] *nf* pizza ▪**pizzeria** *nf* pizzeria

PJ [peʒi] **1** *(abrév* **police judiciaire)** *nf Br* ≃ CID, *Am* ≃ FBI **2** *(abrév* **pièces jointes)** enc, encl

placage [plakaʒ] *nm (en bois)* veneer; *Rugby* tackle

placard [plakar] *nm (armoire) Br* cupboard, *Am* closet; **p. publicitaire** large display advertisement ▪**placarder** *vt (affiche)* to stick up

> Il faut noter que le nom anglais **placard** est un faux ami. Il signifie **pancarte**.

place [plas] *nf (endroit, rang) & Sport* place; *(lieu public)* square; *(espace)* room; *(siège)* seat; *(emploi)* job, post; **à la p.** instead (**de** of); **à votre p.** in your place; **se mettre à la p. de qn** to put oneself in sb's position; **sur p.** on the spot; *Fin* **sur la p. de Paris** on the Paris market; **en p.** *(objet)* in place; **mettre qch en p.** to put sth in place; **il ne tient pas en p.** he can't keep still; *Fig* **remettre qn à sa p.** to put sb in his/her place; **changer de p.** to change places; **changer qch de p.** to move sth; **faire de la p. (à qn)** to make room (for sb); **faire p. à qn/qch** to give way to sb/sth; **faire p. nette** to have a clearout; **prendre p.** to take a seat; **p. de parking** parking space; **p. de train/bus** train/bus fare; **p. assise** seat; **p. financière** financial market; **p. forte** fortress

placer [plase] **1** *vt (mettre)* to put, to place; *(faire asseoir)* to seat; *(trouver un emploi à)* to place; *(argent)* to invest (**dans** in); *(vendre)* to sell; **je n'ai pas pu p. un mot** I couldn't get a word in *Br* edgeways *or Am* edgewise **2 se placer** *vpr (debout)* to stand; *(s'asseoir)* to sit; *(objet)* to be put *or* placed; *(cheval, coureur)* to be placed; *Sport* **se p. troisième** to come third ▪**placé, -ée** *adj (objet) & Sport* placed; **bien/mal p. pour faire qch** well/badly placed to do sth; **les gens haut placés** people in high places ▪**placement** *nm (d'argent)* investment; **bureau de p.** *(d'école)* placement office

placide [plasid] *adj* placid

plafond [plafɔ̃] *nm* ceiling ▪**plafonner** *vi (prix)* to peak; *(salaires)* to have reached a ceiling (**à** of) ▪**plafonnier** *nm* ceiling light

plage [plaʒ] *nf (grève)* beach; *(surface)* area; *(de disque)* track; **p. de sable** sand beach; **p. arrière** *(de voiture)* back shelf; **p. horaire** time slot

plagiat [plaʒja] *nm* plagiarism ▪**plagier** *vt* to plagiarize

plaid [plɛd] *nm* travelling rug

plaider [plede] *vti Jur (défendre)* to plead; **p. coupable** to plead guilty ▪**plaideur, -euse**

nmfJur litigant ▪ **plaidoirie** *nfJur* speech for the *Br* defence *or Am* defense ▪ **plaidoyer** *nm Jur* speech for the *Br* defence *or Am* defense; *Fig* plea

plaie [plɛ] *nf* wound; *Fig (fléau)* affliction; *(personne)* nuisance

plaignant, -ante [plɛɲɑ̃, -ɑ̃t] *nmfJur* plaintiff

plaindre* [plɛ̃dr] **1** *vt* to feel sorry for, to pity **2 se plaindre** *vpr (protester)* to complain (**de** about; **que** that); **se p. de** *(douleur)* to complain of ▪ **plainte** *nf* complaint; *(gémissement)* moan; *Jur* **porter p. contre qn** to lodge a complaint against sb; *Jur* **p. contre X** complaint against person or persons unknown

plaine [plɛn] *nf* plain

plain-pied [plɛ̃pje] **de plain-pied** *adv* on the same level (**avec** as); *(maison)* single-storey

plaintif, -ive [plɛ̃tif, -iv] *adj* plaintive

plaire* [plɛr] **1** *vi* **elle me plaît** I like her; **ça me plaît** I like it; **je fais ce qui me plaît** I do whatever I want **2** *v impersonnel* **il me plaît de le faire** I like doing it; **s'il vous/te plaît** please; **comme il vous plaira** as you like it **3 se plaire** *vpr (l'un l'autre)* to like each other; **se p. à Paris** to like it in Paris

plaisance [plɛzɑ̃s] *nf* **navigation de p.** yachting ▪ **plaisancier** *nm* yachtsman

plaisant, -ante [plɛzɑ̃, -ɑ̃t] **1** *adj (drôle)* amusing; *(agréable)* pleasing **2** *nm* **mauvais p.** joker ▪ **plaisanter** *vi* to joke (**sur** about); **on ne plaisante pas avec la drogue** drugs are no joking matter; **tu plaisantes!** you're joking! ▪ **plaisanterie** *nf* joke; **par p.** for a joke; **elle ne comprend pas la p.** she can't take a joke ▪ **plaisantin** *nm* joker

plaisir [plɛzir] *nm* pleasure; **faire p. à qn** to please sb; **pour le p.** for the fun of it; **au p. (de vous revoir)** see you again sometime; **faites-moi le p. de…** would you be good enough to…

plan¹ [plɑ̃] *nm (projet, dessin, organisation)* plan; *(de ville)* map; *Math* plane; **au premier p.** in the foreground; *Phot* **au second p.** in the background; *Fig* **passer au second p.** to be forced into the background; **sur le p. politique, au p. politique** from the political viewpoint; **sur le même p.** on the same level; **de premier p.** of importance, major; *Fam* **laisser qn en p.** to leave sb in the lurch; *Fam* **un bon p.** *(combine)* a good trick; *Phot & Cin* **gros p.** close-up; **p. d'eau** stretch of water; *Fin* **p. d'épargne** savings plan; **p. social** = corporate restructuring plan, usually involving job losses

plan², plane [plɑ̃, plan] *adj (plat)* even, flat

planche [plɑ̃ʃ] *nf (en bois)* plank; *(plus large)* board; *(illustration)* plate; **faire la p.** to float on one's back; **monter sur les planches** *(au théâtre)* to go on the stage; **p. à repasser/à dessin** ironing/drawing board; **p. à roulettes**

skateboard; **faire de la p. à roulettes** to skateboard; **p. à voile** sailboard; **faire de la p. à voile** to go windsurfing; **p. de surf** surfboard

plancher¹ [plɑ̃ʃe] *nm* floor; **prix p.** minimum price

plancher² [plɑ̃ʃe] *vi Fam Scol* to have an exam

planer [plane] *vi (oiseau, planeur)* to glide; *Fam (se sentir bien)* to be floating on air; *(après s'être drogué)* to be high; *Fig* **p. sur qn/qch** *(mystère, danger)* to hang over sb/sth ▪ **planeur** *nm (avion)* glider

planète [planɛt] *nf* planet ▪ **planétaire** *adj* planetary ▪ **planétarium** *nm* planetarium

planifier [planifje] *vt Écon* to plan ▪ **planification** *nf Écon* planning ▪ **planning** *nm (emploi du temps)* schedule; **p. familial** family planning

planisphère [planisfɛr] *nm* planisphere

planque [plɑ̃k] *nf Fam (travail)* cushy job; *(lieu)* hideout ▪ **planquer** *vt,* **se planquer** *vpr Fam* to hide

plant [plɑ̃] *nm (de plante)* seedling

plantation [plɑ̃tasjɔ̃] *nf (action)* planting; *(exploitation agricole)* plantation

plante [plɑ̃t] *nf Bot* plant; **jardin des plantes** botanical gardens; **p. du pied** sole (of the foot); **p. verte, p. d'appartement** house plant

planter [plɑ̃te] **1** *vt (fleur, arbre)* to plant; *(clou, couteau)* to drive in; *(tente, drapeau)* to put up; *(mettre)* to put (**sur** on; **contre** against); *Fam* **p. là qn** to dump sb **2** *vi Fam Ordinat (ordinateur)* to crash **3 se planter** *vpr Fam (tomber)* to come a cropper; *Fam (se tromper)* to get it wrong; **se p. devant qn/qch** to stand in front of sb/sth ▪ **planté, -ée** *adj (debout)* standing; *Fam* **ne la laissez pas plantée là** don't leave her standing there; **bien p.** *(robuste)* sturdy; *Fam Ordinat* **être p.** *(réseau, ordinateur)* to be down

planteur [plɑ̃tœr] *nm* plantation owner

planton [plɑ̃tɔ̃] *nm Mil* orderly

plantureux, -euse [plɑ̃tyrø, -øz] *adj (femme)* buxom

plaque [plak] *nf* plate; *(de verre, de métal)* sheet, plate; *(de verglas)* sheet; *(de marbre)* slab; *(de chocolat)* bar; *(commémorative)* plaque; *(sur la peau)* blotch; *Fam* **à côté de la p.** wide of the mark; **p. chauffante** hotplate; **p. dentaire** (dental) plaque; *Aut* **p. minéralogique, p. d'immatriculation** *Br* number *or Am* license plate; *Fig* **p. tournante** centre

plaquer [plake] **1** *vt (métal, bijou)* to plate; *(bois)* to veneer; *(cheveux)* to plaster down; *Rugby* to tackle; *(aplatir)* to flatten (**contre** against); *Fam* **p. qn** to ditch sb; *Fam* **tout p.** to chuck it all in **2 se plaquer** *vpr* **se p. contre** to flatten oneself against ▪ **plaquage** *nm Rugby* tackle ▪ **plaqué, -ée 1** *adj (bijou)* plated; **p. or** gold-plated **2** *nm* **p. or** gold plate

plasma [plasma] *nm Biol* plasma

plastic [plastik] *nm* plastic explosive ▪**plastiquer** *vt* to bomb

plastifier [plastifje] *vt* to laminate

plastique [plastik] *adj & nm* plastic; **en p.** plastic

plastron [plastrɔ̃] *nm* shirt front

plat, plate [pla, plat] **1** *adj* flat; *(mer)* calm, smooth; *(ennuyeux)* flat, dull; **à fond p.** flat-bottomed; **à p. ventre** flat on one's face; **à p.** *(pneu, batterie)* flat; *Fam (épuisé)* run down; **poser qch à p.** to lay sth (down) flat; *Fig* **tomber à p.** *(être un échec)* to fall flat; **faire à qn de plates excuses** to make a humble apology to sb; **assiette plate** dinner plate; **calme p.** dead calm **2** *nm* (**a**) *(de la main)* flat (**b**) *(récipient, nourriture)* dish; *(partie du repas)* course; *Fig* **mettre les petits plats dans les grands** to put on a marvellous spread; *Fam* **en faire tout un p.** to make a song and dance about it; **p. cuisiné** ready meal; **p. du jour** today's special; **p. principal** *ou* **de résistance** main course ▪**plate-bande** (*pl* **plates-bandes**) *nf* flower bed; *Fam* **marcher sur les plates-bandes de qn** to tread on sb's toes ▪**plate-forme** (*pl* **plates-formes**) *nf* platform; **p. pétrolière** oil rig

platane [platan] *nm* plane tree

plateau, -x [plato] *nm* tray; *(de balance)* pan; *(de tourne-disque)* turntable; *TV & Cin* set; *Géog* plateau; **p. à fromages** cheeseboard ▪**plateau-repas** (*pl* **plateaux-repas**) *nm* meal on a tray

platine¹ [platin] **1** *nm (métal)* platinum **2** *adj inv* platinum; **blond p.** platinum blond ▪**platiné, -ée** *adj (cheveux)* platinum-blond(e)

platine² [platin] *nf (d'électrophone, de magnétophone)* deck; **p. laser** CD player

platitude [platityd] *nf (propos)* platitude

plâtre [platr] *nm (matière)* plaster; **un p.** *(de jambe cassée)* a plaster cast; **dans le p.** *(jambe, bras)* in plaster; **les plâtres** *(de maison)* the plasterwork; *Fam* **essuyer les plâtres** to put up with the teething problems ▪**plâtrer** *vt (mur)* to plaster; *(membre)* to put in plaster ▪**plâtrier** *nm* plasterer

plausible [plozibl] *adj* plausible

play-back [plɛbak] *nm inv* **chanter en p.** to mime

plébiscite [plebisit] *nm* plebiscite

plein, pleine [plɛ̃, plɛn] **1** *adj (rempli, complet)* full; *(solide)* solid; **p. de** full of; **p. à craquer** full to bursting; **en pleine mer** out at sea, on the open sea; **en pleine figure** right in the face; **en pleine nuit** in the middle of the night; **en p. jour** in broad daylight; **en p. hiver** in the depths of winter; **en p. soleil** in the full heat of the sun; **en pleine campagne** in the heart of the country; **être en p. travail** to be hard at work; **à la pleine lune** at full moon; **travailler à p.**

temps to work full-time; *Fam* **être p. aux as** to be loaded; **p. sud** due south; **p. tarif** full price; *(de transport)* full fare **2** *adv* **des billes p. les poches** pockets full of marbles; **du chocolat p. la figure** chocolate all over one's face; *Fam* **p. de lettres/d'argent** *(beaucoup de)* lots or loads of letters/money **3** *nm Aut* **faire le p. (d'essence)** to fill up (the tank); **battre son p.** *(fête)* to be in full swing ▪**pleinement** *adv* fully

pléonasme [pleonasm] *nm* pleonasm

pléthore [pletor] *nf* plethora

pleurer [plœre] **1** *vi* to cry, to weep (**sur** over); **p. de rire** to laugh till one cries **2** *vt (personne)* to mourn (for); **p. toutes les larmes de son corps** to cry one's eyes out ▪**pleurnicher** *vi Fam* to whine ▪**pleurs** *mpl* **en p.** in tears

pleuvoir* [pløvwar] **1** *v impersonnel* to rain; **il pleut** it's raining; *Fig* **il pleut des cordes** it's raining cats and dogs **2** *vi (coups)* to rain down (**sur** on)

Plexiglas® [pleksiglas] *nm Br* Perspex®, *Am* Plexiglas®

pli [pli] *nm* (**a**) *(de papier, de rideau, de la peau)* fold; *(de jupe, de robe)* pleat; *(de pantalon, de bouche)* crease; **(faux) p.** crease; **mise en plis** set *(hairstyle)*; *Fam* **ça n'a pas fait un p.** there was no doubt about it (**b**) *(enveloppe)* envelope; *(lettre)* letter; **sous p. séparé** under separate cover (**c**) *Cartes* trick; **faire un p.** to take a trick (**d**) *(habitude)* habit; **prendre le p. de faire qch** to get into the habit of doing sth

plier [plije] **1** *vt (draps, vêtements)* to fold; *(parapluie)* to fold up; *(courber)* to bend; **p. qn à** to submit sb to; **p. bagages** to pack one's bags (and leave); **être plié en deux** *(de douleur)* to be doubled up **2** *vi (branche)* to bend **3** **se plier** *upr (lit, chaise)* to fold up; **se p. à** to submit to ▪**pliable** *adj* foldable ▪**pliage** *nm (manière)* fold; *(action)* folding ▪**pliant, pliante 1** *adj (chaise)* folding **2** *nm* folding stool

plinthe [plɛ̃t] *nf (de mur) Br* skirting board, *Am* baseboard

plisser [plise] *vt (tissu, jupe)* to pleat; *(lèvres)* to pucker; *(front)* to wrinkle; *(yeux)* to screw up ▪**plissé, -ée** *adj (tissu, jupe)* pleated

plomb [plɔ̃] *nm (métal)* lead; *(fusible)* fuse; *(pour rideau)* lead weight; **plombs** *(de chasse)* lead shot; **tuyau de p.** *ou* **en p.** lead pipe; *Fig* **de p.** *(sommeil)* heavy; *(soleil)* blazing; *(ciel)* leaden; *Fig* **avoir du p. dans l'aile** to be in a bad way; *Fig* **ça lui mettra du p. dans la cervelle** that will knock some sense into him

plombe [plɔ̃b] *nf Fam* hour

plomber [plɔ̃be] *vt (dent)* to fill; *(mettre des plombs à)* to weigh with lead ▪**plombage** *nm (de dent)* filling

plombier [plɔ̃bje] *nm* plumber ▪**plomberie** *nf (métier, installations)* plumbing

plonger [plɔ̃ʒe] **1** *vi (personne)* to dive (**dans**

into); (oiseau, avion) to dive (**sur** onto); Fig (route) to plunge 2 vt (enfoncer) to plunge (**dans** into); **plongé dans ses pensées** deep in thought; **plongé dans l'obscurité** plunged into darkness 3 **se plonger** vpr **se p. dans** (lecture) to immerse oneself in ▪**plonge** nf Fam **faire la p.** to wash the dishes, Br to wash up ▪**plongeant, -ante** adj (décolleté) plunging; **vue plongeante** bird's-eye view ▪**plongée** nf diving; (de sous-marin) dive; **p. sous-marine** skin or scuba diving ▪**plongeoir** nm diving board ▪**plongeon** nm dive; **faire un p.** to dive ▪**plongeur, -euse** nmf (nageur) diver; Fam (de restaurant) dishwasher, Br washer-up

plouc [pluk] Fam 1 adj Br naff, Am lame 2 nm yokel, Am hick

plouf [pluf] exclam splash!

ployer [plwaje] vi Littéraire to bend

plu [ply] pp de **plaire, pleuvoir**

pluie [plyi] nf rain; **sous la p.** in the rain; Fig **une p. de pierres/coups** a shower of stones/blows; Fam **parler de la p. et du beau temps** to talk of this and that; **p. fine** drizzle; **pluies acides** acid rain

plume [plym] nf (d'oiseau) feather; Hist (pour écrire) quill (pen); (pointe de stylo) nib; Fam **vivre de sa p.** to live by one's pen ▪**plumage** nm plumage ▪**plumeau, -x** nm feather duster ▪**plumer** vt (volaille) to pluck; Fig **p. qn** (voler) to fleece sb ▪**plumier** nm pencil box

plupart [plypar] **la plupart** most; **la p. des cas** most cases; **la p. du temps** most of the time; **la p. d'entre eux** most of them; **pour la p.** mostly

pluriel, -ielle [plyrjɛl] Grammaire 1 adj plural 2 nm plural; **au p.** in the plural

plurilingue [plyrilɛ̃g] adj multilingual

plus¹ [ply] ([plyz] before vowel, [plys] in end position) adv (a) (comparatif) more (**que** than); **p. d'un kilo/de dix** more than a kilo/ten; **p. de thé** more tea; **p. beau/rapidement** more beautiful/rapidly (**que** than); **p. tard** later; **p. petit** smaller; **de p. en p.** more and more; **de p. en p. vite** quicker and quicker; **p. ou moins** more or less; **en p.** in addition (**de** to); **au p.** at most; **de p.** more (**que** than); (en outre) moreover; **les enfants de p. de dix ans** children over ten; **j'ai dix ans de p. qu'elle** I'm ten years older than she is; **il est p. de cinq heures** it's after five (o'clock); **p. il crie, p. il s'enroue** the more he shouts, the more hoarse he gets (**b**) (superlatif) **le p.** (the) most; **le p. beau** the most beautiful (**de** in); (de deux) the more beautiful; **le p. grand** the biggest (**de** in); (de deux) the bigger; **j'ai le p. de livres** I have (the) most books; **j'en ai le p.** I have the most

plus² [ply] adv (négation) (**ne...**) **p.** no more; **il**

n'a p. de pain he has no more bread, he doesn't have any more bread; **il n'y a p. rien** there's nothing left; **tu n'es p. jeune** you're not young any more or any longer, you're no longer young; **elle ne le fait p.** she no longer does it, she doesn't do it any more or any longer; **je ne la reverrai p.** I won't see her again; **je ne voyagerai p. jamais** I'll never travel again

plus³ [plys] 1 conj plus; **deux p. deux font quatre** two plus two are four; **il fait p. 2 (degrés)** it's 2 degrees above freezing 2 nm **le signe p.** the plus sign

plusieurs [plyzjœr] adj & pron several

plus-que-parfait [plyskəparfɛ] nm Grammaire pluperfect

plus-value [plyvaly] (pl **plus-values**) nf (bénéfice) profit

plutonium [plytɔnjɔm] nm plutonium

plutôt [plyto] adv rather (**que** than)

pluvieux, -ieuse [plyvjø, -jøz] adj rainy, wet

PME [peɛmø] (abrév **petite et moyenne entreprise**) nf small company

PMU [peɛmy] (abrév **Pari mutuel urbain**) nm = state-run betting system

PNB [peɛnbe] (abrév **produit national brut**) nm Écon GNP

pneu [pnø] (pl **pneus**) nm (de roue) Br tyre, Am tire; **p. neige** snow tyre; **p. pluie** wet-weather tyre ▪**pneumatique** adj (qui fonctionne à l'air) pneumatic; (gonflable) inflatable

pneumonie [pnømɔni] nf pneumonia

poche [pɔʃ] nf (de vêtement) pocket; (de kangourou) pouch; (sac) bag; **poches** (sous les yeux) bags; **faire des poches** (pantalon) to be baggy; Fam **faire les poches à qn** to go through sb's pockets; **j'ai cinq euros en p.** I have five euros on me; **elle connaît Paris comme sa poche** she knows Paris like the back of her hand; Fam **c'est dans la p.** it's in the bag ▪**pochette** nf (sac) bag; (d'allumettes) book; (de disque) sleeve; (sac à main) (clutch) bag; (mouchoir) pocket handkerchief

pocher [pɔʃe] vt (œufs) to poach; Fam **p. l'œil à qn** to give sb a black eye

podium [pɔdjɔm] nm podium

podomètre [pɔdɔmɛtr] nm pedometer

poêle [pwal] 1 nm (chauffage) stove 2 nf **p. (à frire)** frying pan

poème [pɔɛm] nm poem ▪**poésie** nf (art) poetry; (poème) poem ▪**poète** 1 nm poet 2 adj **femme p.** (woman) poet ▪**poétique** adj poetic

pognon [pɔɲɔ̃] nm Fam dough, cash

poids [pwa] nm weight; Sport shot; **au p.** by weight; Fig **de p.** (argument) influential; **prendre/perdre du p.** to gain/lose weight; Sport **lancer le p.** to put the shot; Fig **faire deux poids deux mesures** to apply double standards; **p. lourd** (camion) Br lorry, Am truck;

Boxe (personne) heavyweight; *Boxe* **p. plume** featherweight

poignant, -ante [pwaɲɑ̃, -ɑ̃t] *adj* poignant

poignard [pwaɲar] *nm* dagger; **coup de p.** stab ▪ **poignarder** *vt* to stab

poigne [pwaɲ] *nf* grip; *Fig* **avoir de la p.** to be firm

poignée [pwaɲe] *nf (quantité)* handful (**de** of); *(de porte, de casserole)* handle; *(d'épée)* hilt; **p. de main** handshake

poignet [pwaɲɛ] *nm* wrist; *(de chemise)* cuff

poil [pwal] *nm* hair; *(pelage)* coat; **poils** *(de brosse)* bristles; *(de tapis)* pile; *Fam* **à p.** stark naked; *Fam* **à un p. près** very nearly; *Fam* **au p.** great; *Fam* **de bon/mauvais p.** in a good/bad mood; *Fam* **de tout p.** of all kinds; **p. à gratter** itching powder ▪ **poilu, -ue** *adj* hairy

poinçon [pwɛ̃sɔ̃] *nm (outil)* awl; *(marque)* hallmark ▪ **poinçonner** *vt (billet)* to punch; *(bijou)* to hallmark ▪ **poinçonneuse** *nf (machine)* punching machine

poindre* [pwɛ̃dr] *vi Littéraire (jour)* to dawn

poing [pwɛ̃] *nm* fist; **dormir à poings fermés** to sleep like a log

point[1] [pwɛ̃] *nm (lieu, score, question)* point; *(sur i, à l'horizon)* dot; *(tache)* spot; *(de notation)* mark; *Couture* stitch; **être sur le p. de faire qch** to be about to do sth; **à p. nommé** *(arriver)* at the right moment; **à p.** *(steak)* medium rare; **déprimé au p. que...** depressed to such an extent that...; **mettre au p.** *(appareil photo)* to focus; *(moteur)* to tune; *(technique)* to perfect; *Fig (éclaircir)* to clarify; **être au p.** to be up to scratch; **au p. où j'en suis...** at the stage I've reached...; **au plus haut p.** extremely; **au p. mort** *Aut* in neutral; *Fig* at a standstill; *Fig* **faire le p.** to take stock; *Fig* **mettre les points sur les i** to make oneself perfectly clear; **un p., c'est tout!** that's final!, *Am* period!; **p. de côté** stitch; **p. de départ** starting point; **p. de vente** point of sale; **p. de vue** *(opinion)* point of view, viewpoint; *(endroit)* viewing point; **p. du jour** daybreak; **p. d'exclamation** exclamation *Br* mark *ou Am* point; **p. d'interrogation** question mark; **points de suspension** suspension points; **p. chaud** hot spot; **p. faible/fort** weak/strong point; **p. final** *Br* full stop, *Am* period; **p. noir** *(comédon)* blackhead; *(embouteillage)* blackspot ▪ **point-virgule** *(pl points-virgules) nm* semicolon

point[2] [pwɛ̃] *adv Littéraire* = **pas**[1]

pointe [pwɛ̃t] *nf (extrémité)* tip, point; *(clou)* nail; *Géog* headland; *Fig (maximum)* peak; **une p. d'humour** a touch of humour; **sur la p. des pieds** on tiptoe; **en p.** pointed; **de p.** *(technologie, industrie)* state-of-the-art; **vitesse de p.** top speed; *Fig* **à la p. de** *(progrès)* in or at the forefront of; **faire des pointes** *(danseuse)* to dance on points; **p. d'asperge** asparagus tip; **p. de vitesse** burst of speed

pointer [pwɛ̃te] **1** *vt (cocher) Br* to tick off, *Am* to check (off); *(braquer)* to point **(sur/vers** at); **p. les oreilles** to prick up its ears **2** *vi (employé) (à l'arrivée)* to clock in; *(à la sortie)* to clock out; *(jour)* to dawn; **p. vers** to rise towards **3** *se pointer vpr Fam (arriver)* to show up ▪ **pointage** *nm (sur une liste)* ticking off; *(au travail (à l'arrivée)* clocking in; *(à la sortie)* clocking out

pointillé [pwɛ̃tije] *nm* dotted line; **ligne en p.** dotted line

pointilleux, -euse [pwɛ̃tijø, -øz] *adj* fussy, particular

pointu, -ue [pwɛ̃ty] *adj (en pointe)* pointed; *(voix)* shrill; *Fig (spécialisé)* specialized

pointure [pwɛ̃tyr] *nf* size

poire [pwar] *nf (fruit)* pear; *Fam (figure)* mug; *Fam (personne)* sucker; *Fig* **couper la p. en deux** to meet each other halfway ▪ **poirier** *nm* pear tree

poireau, -x [pwaro] *nm* leek

poireauter [pwarote] *vi Fam* to hang around

pois [pwa] *nm (légume)* pea; *(dessin)* (polka) dot; **à p.** *(vêtement)* polka-dot; **petits p.** *Br* (garden) peas, *Am* peas; **p. de senteur** sweet pea; **p. chiche** chickpea

poison [pwazɔ̃] *nm* poison

poisse [pwas] *nf Fam* bad luck

poisseux, -euse [pwasø, -øz] *adj* sticky

poisson [pwasɔ̃] *nm* fish; **les Poissons** *(signe)* Pisces; **être Poissons** to be (a) Pisces; **p. d'avril** April fool; **p. rouge** goldfish ▪ **poissonnerie** *nf* fish shop ▪ **poissonnier, -ière** *nmf* fishmonger

poitrine [pwatrin] *nf* chest; *(seins)* bust; *Culin (de veau)* breast

poivre [pwavr] *nm* pepper ▪ **poivré, -ée** *adj* peppery ▪ **poivrer** *vt* to pepper ▪ **poivrier** *nm (plante)* pepper plant; *(ustensile)* pepper pot ▪ **poivrière** *nf* pepper pot

poivron [pwavrɔ̃] *nm* pepper, capsicum

poivrot, -ote [pwavro, -ot] *nmf Fam* drunk

poker [pɔker] *nm Cartes* poker

polar [pɔlar] *nm Fam (roman, film)* whodunnit

polariser [pɔlarize] *vt* to polarize

pôle [pol] *nm Géog* pole; **p. Nord/Sud** North/ South Pole; *Fig* **p. d'attraction** centre of attraction ▪ **polaire 1** *adj* polar; **laine p.** fleece, fleecy material **2** *nf (veste)* fleece

polémique [pɔlemik] **1** *adj* polemical **2** *nf* controversy, polemic

poli, -ie [pɔli] *adj (courtois)* polite (**avec** to *or* with); *(lisse)* polished ▪ **poliment** *adv* politely

police [pɔlis] *nf* police; **faire la p.** to keep order (**dans** in); **p. d'assurance** insurance policy; *Typ & Ordinat* **p. de caractères** font; **p. judiciaire** police investigation department; **p. mondaine** vice squad; **p. secours** emergency services ▪ **policier, -ière 1** *adj* **enquête policière**

police inquiry; **roman p.** detective novel **2** *nm* policeman, detective

polichinelle [pɔliʃinɛl] *nm (marionnette)* Punch; *Péj (personne)* buffoon; **secret de P.** open secret

polio [pɔljo] *(abrév* **poliomyélite)** *nf Méd* polio ▪ **poliomyélite** *nf Méd* poliomyelitis

polir [pɔlir] *vt* to polish

polisson, -onne [pɔlisɔ̃, -ɔn] **1** *adj* naughty **2** *nmf* rascal

politesse [pɔlitɛs] *nf* politeness; **par p.** out of politeness

politique [pɔlitik] **1** *adj* political; **homme/ femme p.** politician **2** *nf (activité, science)* politics *(sing); (mesure)* policy; **faire de la p.** to be in politics **3** *nmf* politician ▪ **politicien, -ienne** *nmf Péj* politician ▪ **politiser** *vt* to politicize

pollen [pɔlɛn] *nm* pollen

polluer [pɔlɥe] *vt* to pollute ▪ **polluant** *nm* pollutant ▪ **pollueur, -euse 1** *adj* polluting **2** *nmf* polluter ▪ **pollution** *nf* pollution

polo [pɔlo] *nm (chemise)* polo shirt; *Sport* polo

polochon [pɔlɔʃɔ̃] *nm Fam* bolster

Pologne [pɔlɔɲ] *nf* **la P.** Poland ▪ **polonais, -aise 1** *adj* Polish **2** *nmf* **P., Polonaise** Pole **3** *nm (langue)* Polish

poltron, -onne [pɔltrɔ̃, -ɔn] **1** *adj* cowardly **2** *nmf* coward

polycopier [pɔlikɔpje] *vt* to duplicate ▪ **polycopié** *nm Univ* duplicated course material

polyester [pɔliɛstɛr] *nm* polyester; **chemise en p.** polyester shirt

polygame [pɔligam] *adj* polygamous ▪ **polygamie** *nf* polygamy

polyglotte [pɔliglɔt] *adj & nmf (personne)* multilingual

Polynésie [pɔlinezi] *nf* **la P.** Polynesia

polytechnique [pɔliteknik] *adj & nf* **École p., P.** = "grande école" specializing in technology ▪ **polytechnicien, -ienne** *nmf* = student or graduate of the "École polytechnique"

> Il faut noter que le nom anglais **polytechnic** est un faux ami. Il désigne un établissement comparable à un IUT.

polyvalent, -ente [pɔlivalɑ̃, -ɑ̃t] **1** *adj (salle)* multi-purpose; *(personne)* versatile **2** *adj & nf Can* **(école) polyvalente** *Br* ≃ secondary school, *Am* ≃ high school

pommade [pɔmad] *nf* ointment

pomme [pɔm] *nf* **(a)** *(fruit)* apple; *Anat* **p. d'Adam** Adam's apple; **p. de terre** potato; **pommes chips** potato *Br* crisps *or Am* chips; **pommes frites** *Br* chips, *Am* French fries; **pommes vapeur** steamed potatoes **(b)** *(d'arrosoir)* rose **(c)** *(locutions) Fam* **tomber dans les pommes** to faint; *Fam* **être haut**

comme trois pommes to be knee-high to a grasshopper; *Fam* **ma p.** *(moi)* yours truly ▪ **pommier** *nm* apple tree

pommeau, -x [pɔmo] *nm (de canne)* knob

pommette [pɔmɛt] *nf* cheekbone; **pommettes saillantes** high cheekbones

pompe¹ [pɔ̃p] **1** *nf (machine)* pump; *Fam (chaussure)* shoe; *Sport Br* press-up, *Am* push-up; *Fam* **coup de p.** (sudden) feeling of exhaustion; *Fam* **il est à côté de ses pompes** he's not with it; **p. à essence** *Br* petrol *or Am* gas station; **p. à incendie** fire engine; **p. à vélo** bicycle pump **2** *nfpl* **pompes funèbres** undertaker's; **entrepreneur des pompes funèbres** *Br* undertaker, *Am* mortician

pompe² [pɔ̃p] *nf (splendeur)* pomp; **en grande p.** with great ceremony

pomper [pɔ̃pe] **1** *vt (eau, air)* to pump; *(faire monter)* to pump up; *(évacuer)* to pump out; *Fam (copier)* to crib **(sur** from); *Fam* **p. qn** *(épuiser)* to do sb in; *Fam* **tu me pompes (l'air)** you're getting on my nerves **2** *vi* to pump; *Fam (copier)* to crib **(sur** from)

pompeux, -euse [pɔ̃pø, -øz] *adj* pompous

pompier [pɔ̃pje] *nm* fireman; **voiture des pompiers** fire engine

pompiste [pɔ̃pist] *nmf Br* petrol *or Am* gas station attendant

pompon [pɔ̃pɔ̃] *nm* pompom

pomponner [pɔ̃pɔne] **se pomponner** *vpr Fam* to doll oneself up

ponce [pɔ̃s] *nf* **pierre p.** pumice stone ▪ **poncer** *vt (au papier de verre)* to sand (down) ▪ **ponceuse** *nf (machine)* sander

ponctuation [pɔ̃ktɥasjɔ̃] *nf* punctuation ▪ **ponctuer** *vt* to punctuate **(de** with)

ponctuel, -uelle [pɔ̃ktɥɛl] *adj (à l'heure)* punctual; *(unique) Br* one-off, *Am* one-of-a-kind ▪ **ponctualité** *nf* punctuality

pondéré, -ée [pɔ̃dere] *adj (personne)* level-headed ▪ **pondération** *nf (modération)* level-headedness

pondre [pɔ̃dr] *vt (œuf)* to lay; *Fam Péj (livre, discours)* to turn out

poney [pɔne] *nm* pony

pont [pɔ̃] *nm* bridge; *(de bateau)* deck; *Fig* **faire le p.** to make a long weekend of it *(taking the working day(s) between a bank holiday and a weekend)*; **p. aérien** airlift ▪ **pont-levis** *(pl* **ponts-levis)** *nm* drawbridge

ponte [pɔ̃t] **1** *nf (d'œufs)* laying **2** *nm Fam (personne)* big shot

pontife [pɔ̃tif] *nm Rel* **(souverain) p.** the Supreme Pontiff ▪ **pontifical, -e, -aux, -ales** *adj* papal

ponton [pɔ̃tɔ̃] *nm* pontoon

pop [pɔp] *nf & adj inv (musique)* pop

pop-up [pɔpœp] *nm Ordinat* pop-up

popote [pɔpɔt] *nf Fam (cuisine)* cooking

populace [pɔpylas] *nf Péj* rabble

populaire [pɔpylɛr] *adj (personne, gouvernement)* popular; *(quartier, milieu)* working-class; *(expression)* vernacular ▪ **populariser** *vt* to popularize ▪ **popularité** *nf* popularity (**auprès de** with)

population [pɔpylasjɔ̃] *nf* population ▪ **populeux, -euse** *adj* crowded

porc [pɔr] *nm (animal)* pig; *(viande)* pork; *Péj (personne)* swine

porcelaine [pɔrsəlɛn] *nf* china, porcelain

porc-épic [pɔrkepik] *(pl* **porcs-épics***) nm* porcupine

porche [pɔrʃ] *nm* porch

porcherie [pɔrʃəri] *nf Br* pigsty, *Am* pigpen

pore [pɔr] *nm* pore ▪ **poreux, -euse** *adj* porous

pornographie [pɔrnɔgrafi] *nf* pornography ▪ **pornographique** *adj* pornographic

port [pɔr] *nm* (a) *(pour bateaux)* port, harbour; *Ordinat* port; *Fig* **arriver à bon p.** to arrive safely (b) *(d'armes)* carrying; *(de barbe)* wearing; *(prix)* carriage, postage; *(attitude)* bearing

portable [pɔrtabl] 1 *adj (ordinateur)* portable; *(téléphone)* mobile 2 *nm (ordinateur)* laptop; *(téléphone) Br* mobile, *Am* cell

portail [pɔrtaj] *nm (de jardin)* gate; *(de cathédrale) & Ordinat* portal

portant, -ante [pɔrtɑ̃, -ɑ̃t] *adj* **bien p.** in good health

portatif, -ive [pɔrtatif, -iv] *adj* portable

porte [pɔrt] *nf* door, *(de jardin, de ville, de slalom)* gate; **Alger, p. de...** Algiers, gateway to...; **trouver p. close** to find nobody in; **faire du p.-à-p.** to go from door to door selling/canvassing/*etc*; **mettre qn à la p.** *(jeter dehors)* to throw sb out; *(renvoyer)* to fire sb; **p. à tambour** revolving door; **p. d'embarquement** *(d'aéroport)* (departure) gate; **p. d'entrée** front door; **p. cochère** carriage entrance

porte-à-faux [pɔrtafo] *nm inv* **en p.** unstable

portée [pɔrte] *nf* (a) *(de fusil)* range; *Fig* scope; **à la p. de qn** within reach of sb; *Fig (richesse, plaisir)* within sb's grasp; **à p. de la main** within reach; **à p. de voix** within earshot; **hors de p.** out of reach (b) *(animaux)* litter (c) *(impact)* significance (d) *Mus* stave

portefeuille [pɔrtəfœj] *nm Br* wallet, *Am* billfold; *(de ministre, d'actions)* portfolio

portemanteau, -x [pɔrtmɑ̃to] *nm (sur pied)* coat stand; *(crochet)* coat rack

porter [pɔrte] 1 *vt* to carry; *(vêtement, lunettes)* to wear; *(moustache, barbe)* to have; *(trace, responsabilité, fruits)* to bear; *(regard)* to cast; *(coup)* to strike; *(sentiment)* to have (**à** for); *(inscrire)* to enter; **p. qch à qn** to take/bring sth to sb; **p. bonheur/malheur** to bring good/bad luck; **p. une attaque contre qn** to attack sb; **p. son attention sur qch** to turn one's attention to

sth; **tout (me) porte à croire que...** everything leads me to believe that...; **se faire p. malade** to report sick

2 *vi (voix)* to carry; *(coup)* to strike home; **p. sur** *(concerner)* to be about; *(accent)* to fall on

3 **se porter** *vpr (vêtement)* to be worn; **p. bien** to be well; **comment te portes-tu?** how are you?; **se p. candidat** *Br* to stand *or Am* to run as a candidate ▪ **portant, -ante** *adj* **bien p.** in good health; **porté, -ée** *adj* **p. à croire** inclined to believe; **p. sur qch** fond of sth ▪ **porte-avions** *nm inv* aircraft carrier ▪ **porte-bagages** *nm inv* luggage rack ▪ **porte-bébé** *(pl* **porte-bébés***) nm* baby carrier ▪ **porte-bonheur** *nm inv* (lucky) charm ▪ **porte-cartes** *nm inv* card-holder ▪ **porte-clefs** *nm inv* key ring ▪ **porte-documents** *nm inv* briefcase ▪ **porte-drapeau** *(pl* **porte-drapeaux***) nm* standard bearer ▪ **porte-fenêtre** *(pl* **portes-fenêtres***) nf Br* French window, *Am* French door ▪ **porte-jarretelles** *nm inv Br* suspender *or Am* garter belt ▪ **porte-monnaie** *nm inv Br* purse, *Am* change purse ▪ **porte-parapluies** *nm inv* umbrella stand ▪ **porte-parole** *nmf inv* spokesperson (**de** for) ▪ **porte-plume** *nm inv* penholder ▪ **porte-revues** *nm inv* newspaper rack ▪ **porte-savon** *(pl* **porte-savons***) nm* soapdish ▪ **porte-serviettes** *nm inv Br* towel rail, *Am* towel rack ▪ **porte-voix** *nm inv* megaphone, *Am* bullhorn

porteur, -euse [pɔrtœr, -øz] 1 *nm (de bagages)* porter 2 *nmf (malade)* carrier; *(de nouvelles, de chèque)* bearer; *Méd* **p. sain** = carrier who doesn't have the symptoms of the disease 3 *adj* **marché p.** growth market

portier [pɔrtje] *nm* doorkeeper, porter ▪ **portière** *nf (de véhicule, de train)* door ▪ **portillon** *nm* gate

portion [pɔrsjɔ̃] *nf* portion

portique [pɔrtik] *nm Archit* portico; *(pour agrès)* crossbeam

porto [pɔrto] *nm (vin)* port

Porto Rico [pɔrtoriko] *nm ou f* Puerto Rico

portrait [pɔrtrɛ] *nm (peinture, dessin, photo)* portrait; *(description)* description; **faire le p. de qn** to do sb's portrait; *Fig* **c'est tout le p. de son père** he's the spitting image of his father ▪ **portrait-robot** *(pl* **portraits-robots***) nm* Photofit®, Identikit® picture; *Ordinat* **p. électronique** E-fit®

portuaire [pɔrtɥɛr] *adj* **installations portuaires** port *or* harbour facilities

Portugal [pɔrtygal] *nm* **le P.** Portugal ▪ **portugais, -aise** 1 *adj* Portuguese 2 *nmf* **P., Portugaise** Portuguese *inv;* **les P.** the Portuguese 3 *nm (langue)* Portuguese

pose [poz] *nf* (a) *(de rideau, de papier peint)* putting up; *(de moquette)* laying (b) *(pour* *photo, portrait)* pose; *Phot* exposure; **prendre la p.** to pose

posé, -ée [poze] *adj (calme)* composed, staid ▪ **posément** *adv* calmly

poser [poze] **1** *vt* to put down; *(papier peint, rideaux)* to put up; *(mine, moquette, fondations)* to lay; *(bombe)* to plant; *(conditions, principe)* to lay down; **p. qch sur qch** to put sth on sth; **p. une question à qn** to ask sb a question; **p. un problème à qn** to pose a problem for sb; **p. sa candidature** *(à une élection)* to put oneself forward as a candidate; *(à un emploi)* to apply (**à** for) **2** *vi (modèle)* to pose (**pour** for) **3** *se poser upr (oiseau, avion)* to land; *(problème, question)* to arise; **se p. sur** *(sujet: regard)* to rest on; **se p. des questions** to ask oneself questions

positif, -ive [pozitif, -iv] *adj* positive ▪ **positivement** *adv* positively ▪ **positiver** *vi Fam* to look on the bright side

position [pozisjɔ̃] *nf* position; *Fig* **prendre p.** to take a stand (**contre** against); *Fig* **rester sur ses positions** to stand one's ground

posologie [pozɔlɔʒi] *nf Méd* dosage

posséder [posede] *vt (biens, talent)* to possess; *(sujet)* to have a thorough knowledge of; *(langue)* to have mastered; *Fam (duper)* to have in ▪ **possesseur** *nm* possessor; owner ▪ **possessif, -ive** *adj & nm Grammaire* possessive ▪ **possession** *nf* possession; **en p. de qch** in possession of sth; **être en pleine p. de ses moyens** to be at the peak of one's powers; **prendre p. de qch** to take possession of sth

possibilité [posibilite] *nf* possibility; **avoir la p. de faire qch** to have the chance or opportunity of doing sth; **avoir de grandes possibilités** to have great potential

possible [posibl] **1** *adj* possible (**à faire** to do); **il (nous) est p. de le faire** it is possible (for us) to do it; **il est p. que...** (+ *subjunctive*) it is possible that...; **si p.** if possible; **le plus tôt p.** as soon as possible; **autant que p.** as far as possible; **le plus p.** as much/as many as possible; **le moins de détails p.** as few details as possible **2** *nm* **faire (tout) son p.** to do one's utmost (**pour faire** to do)

postal, -e, -aux, -ales [postal, -o] *adj* postal; *(train)* mail

postdater [postdate] *vt* to postdate

poste¹ [post] *nf (service)* mail, *Br* post; *(bureau)* post office; **la P.** the postal services; **par la p.** by mail, *Br* by post; **mettre qch à la p.** to mail or *Br* post sth; **p. aérienne** airmail; **p. restante** *Br* poste restante, *Am* general delivery

poste² [post] *nm* (**a**) *(lieu, emploi)* post; **être à son p.** to be at one's post; **p. d'aiguillage** *Br* signal box, *Am* signal tower; **p. d'essence** *Br* petrol or *Am* gas station; **p. d'incendie** fire point; **p. de pilotage** cockpit; **p. de police**

police station; **p. de secours** first-aid post; *Ordinat* **p. de travail** workstation (**b**) **p. (de radio/télévision)** radio/television set (**c**) *(de standard)* extension

poster¹ [poste] *vt (lettre) Br* to post, *Am* to mail

poster² [poste] **1** *vt (sentinelle, troupes)* to post, to station **2 se poster** *upr* to take up a position

poster³ [postɛr] *nm* poster

postérieur, -ieure [posterjœr] **1** *adj (dans le temps)* later; *(de derrière)* back; **p. à** after **2** *nm Fam (derrière)* posterior

postérité [posterite] *nf* posterity

posthume [postym] *adj* posthumous; **à titre p.** posthumously

postiche [postiʃ] **1** *adj* false **2** *nm* hairpiece

postier, -ière [postje, -jɛr] *nmf* postal worker

postillonner [postijɔne] *vi* to splutter ▪ **postillons** *nmpl* **envoyer des p.** to splutter

post-scriptum [postskriptɔm] *nm inv* post-script

postuler [postyle] **1** *vt Math* to postulate **2** *vi* **p. à un emploi** to apply for a job ▪ **postulant, -ante** *nmf* applicant (**à** for)

posture [postyr] *nf* posture; **être en fâcheuse p.** to be in an awkward situation

pot [po] *nm* pot; *(en verre)* jar; *(en carton)* carton; *(de bébé)* potty; **prendre un p.** to have a drink; *Fam* **avoir du p.** to be lucky; **p. à eau** water jug; **p. de chambre** chamber pot; **p. d'échappement** *Br* exhaust pipe, *Am* tail pipe; **p. de fleurs** *(récipient)* flowerpot

potable [potabl] *adj* drinkable; *Fam (passable)* tolerable; **eau p.** drinking water

potage [potaʒ] *nm* soup

potager, -ère [potaʒe, -ɛr] **1** *adj* **jardin p.** vegetable garden; **plante potagère** vegetable **2** *nm* vegetable garden

potasser [potase] *vt Fam (examen)* to bone up for

potassium [potasjɔm] *nm* potassium

pot-au-feu [potofø] *nm inv* = beef stew with vegetables

pot-de-vin [podvɛ̃] *(pl* **pots-de-vin**) *nm* bribe

pote [pot] *nm Fam (ami)* pal

poteau, -x [poto] *nm* post; **p. électrique** electricity pylon; **p. indicateur** signpost; **p. télégraphique** telegraph pole

potelé, -ée [potle] *adj* plump, chubby

potence [potɑ̃s] *nf (gibet)* gallows *(sing)*

potentiel, -ielle [potɑ̃sjɛl] *adj & nm* potential

poterie [potri] *nf (art, objets)* pottery; *(objet)* piece of pottery; **faire de la p.** to make pottery ▪ **potier, -ière** *nmf* potter

potin [potɛ̃] *nm Fam (bruit)* row; **faire du p.** to kick up a row ▪ **potins** *nmpl (ragots)* gossip

potion [posjɔ̃] *nf* potion

potiron [potirɔ̃] *nm* pumpkin

pot-pourri [popuri] *(pl* **pots-pourris**) *nm (fleurs séchées)* potpourri; *(chansons)* medley

pou, -x [pu] *nm* louse; **poux** lice

poubelle [pubɛl] *nf Br* dustbin, *Am* garbage can; **mettre qch à la p.** to throw sth out

pouce [pus] *nm (doigt)* thumb; *Fam* **coup de p.** helping hand; *Fam* **se tourner les pouces** to twiddle one's thumbs

poudre [pudr] *nf (poussière, explosif)* powder; **en p.** *(lait)* powdered; *(chocolat)* drinking; **p. à récurer** scouring powder ▪**poudrer 1** *vt* to powder **2 se poudrer** *vpr* to powder one's face ▪**poudreux, -euse 1** *adj* powdery **2** *nf* **poudreuse** *(neige)* powder snow ▪**poudrier** *nm (powder)* compact ▪**poudrière** *nf (entre-pôt)* powder magazine; *Fig (région)* powder keg

pouf [puf] **1** *exclam* thump! **2** *nm (siège)* pouf

pouffer [pufe] *vi* **p. (de rire)** to burst out laughing

pouilleux, -euse [pujø, -øz] *adj (personne)* filthy; *(quartier)* squalid

poulailler [pulaje] *nm* hen house; *Fam Théâtre* **le p.** the gods

poulain [pulɛ̃] *nm* foal; *Fig* protégé

poule¹ [pul] *nf (animal)* hen; *Culin* fowl; *Péj (femme)* tart, *Am* broad; *Fam* **ma p.** darling; *Péj* **p. mouillée** wimp

poule² [pul] *nf (groupe)* group

poulet [pulɛ] *nm (animal)* chicken; *Fam (policier)* cop

pouliche [puliʃ] *nf* filly

poulie [puli] *nf* pulley

poulpe [pulp] *nm* octopus

pouls [pu] *nm Méd* pulse; **prendre le p. de qn** to take sb's pulse

poumon [pumɔ̃] *nm* lung; **à pleins poumons** *(respirer)* deeply; **p. d'acier** iron lung

poupe [pup] *nf Naut* stern, poop; *Fig* **avoir le vent en p.** to have the wind in one's sails

poupée [pupe] *nf* doll; **jouer à la p.** to play with dolls

poupin [pupɛ̃] *adj* **visage p.** baby face

poupon [pupɔ̃] *nm (bébé)* baby; *(poupée)* baby doll

pour [pur] **1** *prép* for; **p. toi/moi** for you/me; **faites-le p. lui** do it for him, do it for his sake; **partir p. Paris/l'Italie** to leave for Paris/Italy; **elle part p. cinq ans** she's leaving for five years; **elle est p.** she's all for it, she's in favour of it; **p. faire qch** (in order) to do sth; **p. que tu le voies** so (that) you may see it; **p. quoi faire?** what for?; **trop poli p. faire qch** too polite to do sth; **assez grand p. faire qch** big enough to do sth; **p. femme/base** as a wife/basis; **p. affaires** on business; **p. cela** for that reason; **p. ma part** as for me; **jour p. jour/heure p. heure** to the day/hour; **dix p. cent** ten percent; **acheter p. 2 euros de bonbons** to buy 2 euros' worth of *Br* sweets *or Am* candies; **p. intelligent qu'il soit** however clever he may be; **je n'y suis p.**

rien! it's got nothing to do with me!; *Fam* **c'est fait p.** that's what it's there for **2** *nm* **le p. et le contre** the pros and cons

pourboire [purbwar] *nm* tip

pourcentage [pursɑ̃taʒ] *nm* percentage

pourchasser [purʃase] *vt* to pursue

> Il faut noter que le verbe anglais **to pur-chase** est un faux ami. Il signifie **acheter**.

pourparlers [purparle] *nmpl* negotiations, talks; **p. de paix** peace talks

pourpre [purpr] *adj & nm* crimson

pourquoi [purkwa] **1** *adv & conj* why; **p. pas?** why not? **2** *nm inv* reason *(de* for); **le p. et le comment** the whys and wherefores

pourra, pourrait [pura, purɛ] *voir* **pouvoir 1**

pourrir [purir] **1** *vt* to rot; *Fig* **p. qn** to spoil sb **2** *vi* to rot ▪**pourri, -ie** *adj (fruit, temps, personne)* rotten; *Fam* **être p. de fric** to be stinking rich ▪**pourriture** *nf* rot

pourriel [puriɛl] *nm Fam Ordinat* spam e-mail; **pourriels** spam

poursuite [pursɥit] **1** *nf (chasse)* pursuit; *(continuation)* continuation; **se lancer à la p. de qn** to set off in pursuit of sb **2** *nfpl Jur* **poursuites (judiciaires)** legal proceedings (**contre** against); **engager des poursuites contre qn** to start proceedings against sb

poursuivre* [pursɥivr] **1** *vt (chercher à atteindre)* to pursue; *(sujet: idée, crainte)* to haunt; *(sujet: malchance)* to dog; *(harceler)* to pester; *(continuer)* to continue, to go on with; *Jur* **p. qn (en justice)** to bring proceedings against sb; *(au criminel)* to prosecute sb **2 se poursuivre** *vpr* to continue, to go on ▪**poursuivant, -ante** *nmf* pursuer

pourtant [purtɑ̃] *adv* yet, nevertheless; **et p.** and yet

pourtour [purtur] *nm* perimeter

pourvoir* [purvwar] **1** *vt* to provide (**de** with); **être pourvu de** to be provided with **2 p. à** *(besoins)* to provide for **3 se pourvoir** *vpr Jur* **se p. en cassation** to take one's case to the Court of Appeal ▪**pourvoyeur, -euse** *nmf* supplier

pourvu [purvy] **pourvu que** *conj* (**a**) *(condition)* provided (that) (**b**) *(souhait)* **p. qu'elle soit là!** I just hope (that) she's there!

pousse [pus] *nf (croissance)* growth; *(bourgeon)* shoot, sprout; **pousses de bambou** bamboo shoots

poussée [puse] *nf (pression)* pressure; *(coup)* push; *(d'ennemi)* thrust, push; *(de fièvre)* outbreak; *(de l'inflation)* upsurge

pousser [puse] **1** *vt (presser)* to push; *(moteur)* to drive hard; **p. qn du coude** to nudge sb with one's elbow; **p. qn à qch** to drive sb to sth; **p. qn à faire qch** *(sujet: faim)* to drive sb to do sth; *(sujet: personne)* to urge sb to do sth; **poussé**

par la curiosité prompted by curiosity; **p. un cri** to shout; **p. un soupir** to sigh **2** *vi (presser)* to push; *(croître)* to grow; **faire p. qch** *(plante)* to grow sth; **se laisser p. les cheveux** to let one's hair grow; **p. jusqu'à Paris** to push on as far as Paris **3 se pousser** *upr (pour faire de la place)* to move over ▪ **poussé, -ée** *adj (travail, études)* thorough

poussette [puset] *nf Br* pushchair, buggy, *Am* stroller

poussière [pusjɛr] *nf* dust; **une p.** a speck of dust; *Fam* **faire la p.** ou **les poussières** to do the dusting; *Fam* **10 euros et des poussières** just over 10 euros ▪ **poussiéreux, -euse** *adj* dusty

poussif, -ive [pusif, -iv] *adj* wheezy

poussin [pusɛ̃] *nm (animal)* chick

poutre [putr] *nf (en bois)* beam; *(en acier)* girder ▪ **poutrelle** *nf* girder

pouvoir* [puvwar] **1** *v aux (être capable de)* can, to be able to; *(avoir la permission)* can, may, to be allowed; **je peux deviner** I can guess, I'm able to guess; **tu peux entrer** you may *or* can come in; **il peut être sorti** he may *or* might be out; **elle pourrait/pouvait venir** she might/ could come; **j'ai pu l'obtenir** I managed to get it; **j'aurais pu l'obtenir** I could have *Br* got *or Am* gotten it; **je n'en peux plus** *(de fatigue)* I'm utterly exhausted **2** *v impersonnel* **il peut neiger** it may snow; **il se peut qu'elle parte** she might leave **3** *nm (puissance, attributions)* power; **au p.** *(parti)* in power; **il n'est pas en mon p. de vous aider** it's not in my power to help you; **p. d'achat** purchasing power; **les pouvoirs publics** the authorities

poux [pu] *pl de* **pou**

pragmatique [pragmatik] *adj* pragmatic

praire [prɛr] *nf* clam

prairie [preri] *nf* meadow

praline [pralin] *nf* praline ▪ **praliné, -ée** *adj (glace)* praline-flavoured

praticable [pratikabl] *adj (route)* passable; *(terrain)* playable

praticien, -ienne [pratisjɛ̃, -jɛn] *nmf* practitioner

pratique [pratik] **1** *adj (méthode, personne)* practical; *(outil)* handy; **avoir l'esprit p.** to be practically minded **2** *nf (application, procédé, coutume)* practice; *(expérience)* practical experience; **la p. de la natation/du golf** swimming/golfing; **mettre qch en p.** to put sth into practice; **dans la p.** *(en réalité)* in practice ▪ **pratiquement** *adv (presque)* practically; *(en réalité)* in practice

pratiquer [pratike] **1** *vt (religion)* to *Br* practise *or Am* practice; *(activité)* to take part in; *(langue)* to use; *(sport)* to play; *(ouverture)* to make; *(opération)* to carry out; **p. la natation** to go swimming **2** *vi (médecin, avocat)* to *Br* practise

or Am practice ▪ **pratiquant, -ante 1** *adj* practising **2** *nmf* practising Christian/Jew/ Muslim/*etc*

pré [pre] *nm* meadow

préalable [prealabl] **1** *adj* prior, previous; **p. à** prior to **2** *nm* precondition, prerequisite; **au p.** beforehand ▪ **préalablement** [-əmɑ̃] *adv* beforehand

préambule [preɑ̃byl] *nm* preamble; *Fig* **sans p., elle annonça que...** without any warning, she announced that...

PréAO [preao] *(abrév* **présentation assistée par ordinateur)** *nf Ordinat* computer-assisted presentation

préau, -x [preo] *nm (de cour d'école)* covered area; *(salle)* hall

préavis [preavi] *nm (*advance) notice *(de* of); **p. de grève** strike notice; **p. de licenciement** notice of dismissal

précaire [preker] *adj* precarious; *(santé)* delicate ▪ **précarité** *nf* precariousness; **p. de l'emploi** lack of job security

précaution [prekosjɔ̃] *nf (mesure)* precaution; *(prudence)* caution; **par p.** as a precaution; **pour plus de p.** to be on the safe side; **prendre des précautions** to take precautions ▪ **précautionneux, -euse** *adj* careful

précédent, -ente [presedɑ̃, -ɑ̃t] **1** *adj* previous **2** *nmf* previous one **3** *nm* precedent; **sans p.** unprecedented ▪ **précédemment** [-amɑ̃] *adv* previously ▪ **précéder** *vti* to precede

précepte [presɛpt] *nm* precept

précepteur, -trice [preseptœr, -tris] *nmf* (private) tutor

prêcher [preʃe] *vti* to preach

précieux, -ieuse [presjø, -jøz] *adj* precious

précipice [presipis] *nm* chasm, abyss; *(de ravin)* precipice

précipiter [presipite] **1** *vt (hâter)* to hasten; *(jeter)* to hurl down; *Fig* to plunge *(*dans into) **2 se précipiter** *upr (se jeter)* to rush *(*vers/sur towards/at); *(se hâter)* to rush; **les événements se sont précipités** things started happening quickly ▪ **précipitamment** [-amɑ̃] *adv* hastily ▪ **précipitation** *nf* haste; **précipitations** *(pluie)* precipitation ▪ **précipité, -ée** *adj* hasty

précis, -ise [presi, -iz] **1** *adj* precise, exact; *(mécanisme)* accurate, precise; **à deux heures précises** at two o'clock sharp *or* precisely **2** *nm (résumé)* summary; *(manuel)* handbook ▪ **précisément** *adv* precisely ▪ **précision** *nf* precision; *(de mécanisme, d'information)* accuracy; *(détail)* detail; **donner des précisions sur qch** to give precise details about sth; **demander des précisions sur qch** to ask for further information about sth

préciser [presize] **1** *vt* to specify *(*que that) **2 se préciser** *upr* to become clear(er)

précoce [prekɔs] *adj (enfant)* precocious; *(fruit,*

été) early ▪**précocité** *nf* precociousness; *(de fruit)* earliness

préconçu, -ue [prekɔ̃sy] *adj* preconceived

préconiser [prekɔnize] *vt* to advocate (**que** that)

précurseur [prekyrsœr] **1** *nm* forerunner, precursor **2** *adj* **signe p.** forewarning

prédécesseur [predesesœr] *nm* predecessor

prédestiné, -ée [predestine] *adj* predestined (**à faire** to do)

prédicateur [predikatœr] *nm* preacher

prédilection [predileksjɔ̃] *nf* predilection; **de p.** favourite

prédire* [predir] *vt* to predict (**que** that) ▪**prédiction** *nf* prediction

prédisposer [predispoze] *vt* to predispose (**à qch** to sth; **à faire** to do) ▪**prédisposition** *nf* predisposition (**à** to)

prédominer [predɔmine] *vi* to predominate ▪**prédominance** *nf* predominance ▪**prédominant, -ante** *adj* predominant

préfabriqué, -ée [prefabrike] *adj* prefabricated

préface [prefas] *nf* preface (**de** to) ▪**préfacer** *vt* to preface

préfecture [prefektyr] *nf* prefecture; **la P. de police** police headquarters ▪**préfectoral, -e, -aux, -ales** *adj* = relating to a 'préfecture' or 'préfet'

préférable [preferabl] *adj* preferable (**à** to)

préférence [preferɑ̃s] *nf* preference (**pour** for); **de p.** preferably; **de p. à** in preference to ▪**préférentiel, -ielle** *adj* preferential

préférer [prefere] *vt* to prefer (**à** to); **p. faire qch** to prefer to do sth; **je préférerais rester** I would rather stay, I would prefer to stay ▪**préféré, -ée** *adj & nmf* favourite

préfet [prefɛ] *nm* prefect *(chief administrator in a "département")*; **p. de police** = chief commissioner of police

préfigurer [prefigyre] *vt* to herald, to foreshadow

préfixe [prefiks] *nm* prefix

préhistoire [preistwar] *nf* prehistory ▪**préhistorique** *adj* prehistoric

préjudice [preʒydis] *nm (à une cause)* prejudice; *(à une personne)* harm; **porter p. à qn** to do sb harm ▪**préjudiciable** *adj* prejudicial (**à** to)

> Il faut noter que le nom anglais **prejudice** est un faux ami. Il signifie le plus souvent **préjugé**.

préjugé [preʒyʒe] *nm* prejudice; **avoir des préjugés** to be prejudiced (**contre** against)

prélasser [prelɑse] **se prélasser** *vpr* to lounge

prélever [prel(ə)ve] *vt (échantillon)* to take (**sur** from); *(somme)* to deduct (**sur** from) ▪**prélèvement** *nm (d'échantillon)* taking; *(de somme)* deduction; **p. automatique** *Br* direct

debit, *Am* automatic deduction; **prélèvements obligatoires** = tax and social security contributions

préliminaire [preliminɛr] **1** *adj* preliminary **2** *nmpl* **préliminaires** preliminaries

prélude [prelyd] *nm* prelude (**à** to)

prématuré, -ée [prematyre] **1** *adj* premature **2** *nmf* premature baby ▪**prématurément** *adv* prematurely

préméditer [premedite] *vt* to premeditate ▪**préméditation** *nf* premeditation; **meurtre avec p.** premeditated murder

prémices [premis] *nfpl Littéraire* **les p. de** the (very) beginnings of

premier, -ière [prəmje, -jɛr] **1** *adj* first; *(enfance)* early; *(page du journal)* front; *(qualité)* prime; *(état)* original; *(notion, cause)* basic; *(danseuse, rôle)* leading; *(marche)* bottom; **le p. rang** the front row; **les trois premiers mois** the first three months; **à la première occasion** at the earliest opportunity; **en p.** firstly; **P. ministre** Prime Minister **2** *nm (étage) Br* first *or Am* second floor; **le p. juin** June the first; **le p. de l'an** New Year's Day **3** *nmf* first (one); **arriver le p. *ou* en p.** to arrive first; **être le p. de la classe** to be (at the) top of the class **4** *nf* **première** *(wagon, billet)* first class; *(vitesse)* first (gear); *(événement historique)* first; *(de chaussure)* insole; *Théâtre* opening night; *Cin* première; *Scol Br* ≃ lower sixth, *Am* ≃ eleventh grade ▪**premièrement** *adv* firstly

prémisse [premis] *nf* premise

> Il faut noter que le nom anglais **premises** est un faux ami. Il signifie **locaux**.

prémonition [premɔnisjɔ̃] *nf* premonition ▪**prémonitoire** *adj* premonitory

prémunir [premynir] **se prémunir** *vpr Littéraire* **se p. contre qch** to guard against sth

prenant, -ante [prǝnɑ̃, -ɑ̃t] *adj (film)* engrossing; *(travail)* time-consuming

prénatal, -e, -als, -ales [prenatal] *adj Br* antenatal, *Am* prenatal

prendre* [prɑ̃dr] **1** *vt* to take (**à qn** from sb); *(attraper)* to catch; *(repas, boisson, douche)* to have; *(nouvelles)* to get; *(air)* to put on; *(accent)* to pick up; *(pensionnaire)* to take in; *(bonne, assistant)* to take on; **p. qch dans un tiroir** to take sth out of a drawer; **p. qn pour** to take sb for; **p. feu** to catch fire; **p. du temps/une heure** to take time/an hour; **p. de la place** to take up room; **p. du poids/de la vitesse** to put on weight/gather speed; **p. l'air** *(se promener)* to get some fresh air; **p. l'eau** *(bateau, chaussure)* to be leaking; **passer p. qn** to come and get sb; *Fam* **p. un coup de poing dans la figure** to get a punch in the face; **qu'est-ce qui te prend?** what's *Br* got *or Am* gotten into you?; **à tout p.** on the whole **2** *vi (feu)* to catch; *(ciment, gelée)* to set; *(greffe, vaccin, plante)* to take; *(mode)* to catch on; **p. sur soi** to restrain oneself **3 se prendre** *upr (médicament)* to be taken; *(s'accrocher)* to get caught; **se p. les pieds dans qch** to get one's feet caught in sth; **s'y p. bien avec qn** to know how to handle sb; **s'en p. à qn** to take it out on sb; *Fig* **je me suis pris au jeu** I got really caught up in it

preneur, -euse [prənœr, -øz] *nmf (acheteur)* taker, buyer; **p. d'otages** hostage taker

prénom [prenɔ̃] *nm* first name ▪ **prénommer** *vt* to name; **il se prénomme Daniel** his first name is Daniel

préoccuper [preɔkype] **1** *vt (inquiéter)* to worry **2 se préoccuper** *upr* **se p. de qn/qch** to concern oneself with sb/sth ▪ **préoccupant, -ante** *adj* worrying ▪ **préoccupation** *nf* preoccupation, concern ▪ **préoccupé, -ée** *adj* worried (**par** about)

prépa [prepa] *nf Fam Scol* = preparatory class *(for the entrance exam to the "grandes écoles")*

préparatifs [preparatif] *nmpl* preparations (**de** for) ▪ **préparation** *nf* preparation ▪ **préparatoire** *adj* preparatory

préparer [prepare] **1** *vt* to prepare (**qch pour** sth for); *(examen)* to study for; **p. qch à qn** to prepare sth for sb; **p. qn à** *(examen)* to prepare *or* coach sb for; **plats tout préparés** ready-cooked meals **2 se préparer** *upr (être imminent)* to be in the offing; *(s'apprêter)* to prepare oneself (**à** *ou* **pour qch** for sth); **se p. à faire qch** to prepare to do sth; **se p. qch** *(boisson)* to make oneself sth

prépondérant, -ante [prepɔ̃derɑ̃, -ɑ̃t] *adj* predominant ▪ **prépondérance** *nf* predominance

préposer [prepoze] *vt* **p. qn à qch** to appoint sb to sth ▪ **préposé, -ée** *nmf* employee; *(facteur)* postman, *f* postwoman

préposition [prepozisjɔ̃] *nf Grammaire* preposition

préretraite [preʀətʀɛt] *nf* early retirement

prérogative [preʀɔgativ] *nf* prerogative

près [prɛ] *adv* **p. de qn/qch** near sb/sth, close to sb/sth; **p. de deux ans** nearly two years; **p. de partir** about to leave; **tout p.** nearby (**de qn/qch** sb/sth), close by (**de qn/qch** sb /sth); **de p.** *(suivre, examiner)* closely; **à peu de chose p.** more or less; **à cela p.** except for that; **voici le chiffre à un euro p.** here is the figure, give or take a euro; **calculer à l'euro p.** to calculate to the nearest euro

présage [preza3] *nm* omen, sign ▪ **présager** *vt (annoncer)* to presage; **ça ne présage rien de bon** it doesn't look well

presbyte [prɛsbit] *adj* long-sighted ▪ **presbytie** [-bisi] *nf* long-sightedness

presbytérianisme [prɛsbiterjanism] *nm* Presbyterianism ▪ **presbytérien, -ienne** [-jɛ̃, -jɛn] *adj & nmf* Presbyterian

préscolaire [preskɔlɛr] *adj* preschool

prescrire* [preskrir] *vt (médicament)* to prescribe ▪ **prescription** *nf (ordonnance)* prescription

préséance [preseɑ̃s] *nf* precedence (**sur** over)

présence [prezɑ̃s] *nf* presence; *(à l'école)* attendance (**à** at); **en p. de** in the presence of; **faire acte de p.** to put in an appearance; **p. d'esprit** presence of mind

présent¹, -ente [prezɑ̃, -ɑ̃t] **1** *adj (non absent, actuel)* present **2** *nm (temps)* present; *Grammaire* present (tense); **à p.** at present, now; **dès à p.** as from now

présent² [prezɑ̃] *nm Littéraire (cadeau)* present; **faire p. de qch à qn** to present sth to sb

présenter [prezɑ̃te] **1** *vt (montrer)* to show, to present; *(facture)* to submit; *(arguments)* to present; **p. qn à qn** to introduce sb to sb **2** *vi Fam* **elle présente bien** she looks good **3 se présenter** *upr (dire son nom)* to introduce oneself (**à** to); *(chez qn)* to show up; *(occasion)* to arise; **se p. à** *(examen)* to take, *Br* to sit for; *(élections)* to run in; *(emploi)* to apply for; *(autorités)* to report to; **ça se présente bien** it looks promising ▪ **présentable** *adj* presentable ▪ **présentateur, -trice** *nmf* presenter ▪ **présentation** *nf* presentation; *(de personnes)* introduction; **faire les présentations** to make the introductions; **p. de mode** fashion show

présentoir [prezɑ̃twar] *nm* display unit

préservatif [prezervatif] *nm* condom

> Il faut noter que le nom anglais **preservative** est un faux ami. Il signifie **agent de conservation**.

préserver [prezerve] *vt* to protect, to preserve (**de** from) ▪ **préservation** *nf* protection, preservation

présidence [prezidɑ̃s] *nf (de nation)* presidency; *(de firme)* chairmanship ▪ **président, -ente** *nmf (de nation)* president; *(de firme)* chairman, *f* chairwoman; **p.-directeur général** *Br* (chairman and) managing director, *Am* chief executive officer; **p. du jury** *(d'examen)* chief examiner; *(de tribunal)* foreman of the jury ▪ **présidentiel, -ielle** *adj* presidential

présider [prezide] *vt (réunion)* to chair; *(conseil)* to preside over

présomption [prezɔ̃psjɔ̃] *nf* presumption

présomptueux, -ueuse [prezɔ̃ptɥø, -ɥøz] *adj* presumptuous

presque [prɛsk] *adv* almost, nearly; **p. jamais/rien** hardly ever/anything

presqu'île [prɛskil] *nf* peninsula

presse [prɛs] *nf Tech* press; *Typ* (printing) press; **la p.** *(journaux)* the press; **la p. à sensation** the tabloids; **conférence de p.** press conference

pressentir* [presɑ̃tir] *vt (deviner)* to sense (**que**

that) ▪ **pressentiment** nm presentiment; *(de malheur)* foreboding

presser [prese] **1** vt *(serrer)* to squeeze; *(raisin)* to press; *(sonnette, bouton)* to press, to push; **p. qn** to hurry sb; **p. qn de questions** to bombard sb with questions; **p. qn de faire qch** to urge sb to do sth; **p. le pas** to speed up **2** vi **le temps presse** there's not much time left; **rien ne presse** there's no hurry **3 se presser** vpr *(se hâter)* to hurry *(**de faire** to do); (se serrer)* to squeeze (together); *(se grouper)* to crowd *(autour de* around) ▪ **pressant, -ante** adj urgent, pressing ▪ **pressé, -ée** adj *(personne)* in a hurry; *(air)* hurried ▪ **presse-citron** nm inv lemon squeezer ▪ **presse-fruits** nm inv juicer ▪ **presse-papiers** nm inv paperweight; *Ordinat* clipboard ▪ **presse-purée** nm inv potato masher

pressing [presiŋ] nm dry cleaner's

pression [presjɔ̃] nf *Tech* pressure; *(bouton)* snap (fastener); *Fam (bière) Br* draught beer, *Am* draft beer; **faire p. sur qn** to put pressure on sb, to pressurize sb; **subir des pressions** to be under pressure

pressoir [preswar] nm *(instrument)* press

pressuriser [presyrize] vt *(avion)* to pressurize ▪ **pressurisation** nf pressurization

prestance [prestãs] nf presence

prestataire [prestater] nmf **p. de service** service provider; *Ordinat* **p. d'accès** access provider

prestation [prestasjɔ̃] nf **(a)** *(allocation)* benefit; **prestations** *(services)* services; **prestations sociales** *Br* social security benefits, *Am* welfare payments **(b)** *(de comédien)* performance

prestidigitateur, -trice [prestidiʒitatœr, -tris] nmf conjurer ▪ **prestidigitation** nf **tour de p.** conjuring trick

prestige [prestiʒ] nm prestige ▪ **prestigieux, -ieuse** adj prestigious

présumer [prezyme] vt to presume *(**que** that);* **p. de qch** to overestimate sth

présupposer [presypoze] vt to presuppose *(**que** that)*

prêt¹, prête [prɛ, prɛt] adj *(préparé)* ready *(**à faire** to do; **à qch** for sth);* **être fin p.** to be all set; **être p. à tout** to be prepared to do anything ▪ **prêt-à-porter** [prɛtaporte] nm ready-to-wear clothes

prêt² [prɛ] nm *(somme)* loan

prétendre [pretãdr] **1** vt *(déclarer)* to claim *(**que** that); (vouloir)* to intend *(**faire** to do);* **à ce qu'il prétend** according to him; **on le prétend fou** they say he's mad **2** vi **p. à** *(titre)* to lay claim to **3 se prétendre** vpr to claim to be ▪ **prétendant** nm *(amoureux)* suitor ▪ **prétendu, -ue** adj *(progrès)* so-called; *(coupable)* alleged ▪ **prétendument** adv supposedly

Il faut noter que le verbe anglais **to pretend** est un faux ami. Il signifie le plus souvent **faire semblant**.

prétentieux, -ieuse [pretãsjø, -jøz] adj pretentious ▪ **prétention** nf *(vanité)* pretension; *(revendication, ambition)* claim; **sans p.** *(film, robe)* unpretentious

prêter [prete] **1** vt *(argent, objet)* to lend *(**à** to); (aide)* to give *(**à** to); (propos, intention)* to attribute *(**à** to);* **p. attention** to pay attention *(**à** to);* **p. serment** to take an oath; **p. main-forte à qn** to lend sb a hand **2** vi **p. à confusion** to give rise to confusion **3 se prêter** vpr **se p. à** *(consentir)* to agree to; *(convenir)* to lend itself to ▪ **prêteur, -euse** [pretœr, -øz] nmf lender; **p. sur gages** pawnbroker

prétérit [preterit] nm *Grammaire* preterite (tense)

prétexte [pretekst] nm excuse, pretext; **sous p. de/que** on the pretext of/that; **sous aucun p.** under no circumstances ▪ **prétexter** vt to plead *(**que** that)*

prêtre [pretr] nm priest

preuve [prœv] nf piece of evidence; **preuves** evidence; **faire p. de qch** to prove sth; **faire p. de courage** to show courage; **faire ses preuves** *(personne)* to prove oneself; *(méthode)* to be tried and tested; **p. d'amour** token of love

prévaloir* [prevalwar] vi to prevail *(**sur** over)*

prévenant, -ante [prevnã, -ãt] adj considerate

prévenir* [prevnir] vt **(a)** *(mettre en garde)* to warn; *(aviser)* to inform *(**de** of or about)* **(b)** *(maladie)* to prevent; *(accident)* to avert ▪ **préventif, -ive** adj preventive; **détention préventive** custody ▪ **prévention** nf prevention; **p. routière** road safety ▪ **prévenu, -ue** nmf Jur defendant, accused

prévisible [previzibl] adj foreseeable

prévision [previzjɔ̃] nf forecast; **en p. de** in expectation of; **prévisions météorologiques** weather forecast

prévoir* [prevwar] vt *(météo)* to forecast; *(difficultés, retard, réaction)* to expect; *(organiser)* to plan; **un repas est prévu** a meal is provided; **la réunion est prévue pour demain** the meeting is scheduled for tomorrow; **comme prévu** as planned; **plus tôt que prévu** earlier than expected; **prévu pour** *(véhicule, appareil)* designed for

prévoyant, -ante [prevwajã, -ãt] adj far-sighted ▪ **prévoyance** nf foresight

prier [prije] **1** vi *Rel* to pray **2** vt *(Dieu)* to pray to; *(supplier)* to beg; **p. qn de faire qch** to ask sb to do sth; **je vous en prie** *(faites-le)* please; *(en réponse à 'merci')* don't mention it; **sans se faire p.** without hesitation; **il ne s'est pas fait p.** he didn't need much persuading

prière [prijɛr] nf Rel prayer; (demande) request;
p. de répondre please answer

primaire [primɛr] **1** adj primary; **école p.** Br
primary school, Am elementary school **2** nm
Scol Br primary or Am elementary education;
être en p. to be at Br primary or Am
elementary school

primauté [primote] nf primacy

prime [prim] **1** nf (sur salaire) bonus; (d'État)
subsidy; **en p.** (cadeau) as a free gift; **p.
(d'assurance)** (insurance) premium; **p. de fin
d'année** ≃ Christmas bonus; **p. de
licenciement** severance allowance; **p. de
transport** transport allowance **2** adj de **p.
abord** at the very first glance

primé, -ée [prime] adj (film, animal)
prizewinning

primer [prime] vi to come first; **p. sur qch** to
take precedence over sth

primeurs [primœr] nfpl early fruit and
vegetables

primevère [primvɛr] nf primrose

primitif, -ive [primitif, -iv] adj (société, art)
primitive; (état, sens) original

primo [primo] adv first(ly)

primordial, -e, -iaux, -iales [primordjal, -jo]
adj vital (**de faire** to do)

prince [prɛ̃s] nm prince ▪ **princesse** nf princess
▪ **princier, -ière** adj princely ▪ **principauté** nf
principality

principal, -e, -aux, -ales [prɛ̃sipal, -o] **1**
adj main, principal; (rôle) leading **2** nm (de
collège) principal, Br headmaster, f
headmistress; **le p.** (l'essentiel) the main thing
▪ **principalement** adv mainly

principe [prɛ̃sip] nm principle; **en p.**
theoretically, in principle; **par p.** on principle

printemps [prɛ̃tɑ̃] nm spring; **au p.** in the spring
▪ **printanier, -ière** adj **température prin-
tanière** spring-like temperature

priorité [priorite] nf priority (**sur** over); Aut right
of way; Aut **avoir la p.** to have (the) right of way;
Aut **p. à droite** right of way to traffic coming
from the right; **'cédez la p.'** Br 'give way', Am
'yield'; **en p.** as a matter of priority
▪ **prioritaire** adj **secteur p.** priority sector;
être p. to have priority; Aut to have (the) right
of way

pris, prise¹ [pri, priz] **1** pp de **prendre 2** adj
(place) taken; **avoir le nez p.** to have a blocked
nose; **être p.** (occupé) to be busy; (candidat) to
be accepted; **p. de** (peur) seized with; **p. de
panique** panic-stricken

prise² [priz] nf (action) taking; (objet saisi)
catch; (manière d'empoigner) grip; (de judo)
hold; (de tabac) pinch; **lâcher p.** to lose one's
grip; Fig **être aux prises avec qn/qch** to be
struggling with sb/sth; **p. de sang** blood test;
faire une p. de sang à qn to take a blood

sample from sb; Él **p. (de courant)** (mâle) plug;
(femelle) socket; Él **p. multiple** adaptor; **p. de
conscience** awareness; Fig **p. de contact** first
meeting; Fig **p. de position** stand; **p. d'otages**
hostage-taking; Cin & TV **p. de son** sound
recording; Cin & Phot **p. de vue** (action)
shooting; (de tournage) take; (cliché) shot

priser¹ [prize] **1** vt **p. du tabac** to take snuff **2** vi
to take snuff

priser² [prize] vt Littéraire (estimer) to prize

prisme [prism] nm prism

prison [prizɔ̃] nf prison, jail; (peine)
imprisonment; **être en p.** to be in prison or in
jail; **mettre qn en p.** to put sb in prison, to jail
sb ▪ **prisonnier, -ière** nmf prisoner; **faire qn p.**
to take sb prisoner; **p. de guerre** prisoner of
war; **p. d'opinion** prisoner of conscience; **p.
politique** political prisoner

privation [privasjɔ̃] nf deprivation (**de** of);
privations (manque) hardship

privatiser [privatize] vt to privatize
▪ **privatisation** nf privatization

privé, -ée [prive] **1** adj private **2** nm **le p.** the
private sector; Scol the private education
system; **en p.** in private; **dans le p.** privately;
(travailler) in the private sector

priver [prive] **1** vt to deprive (**de** of) **2** se priver
upr **se p. de** to do without, to deprive oneself of

privilège [privilɛʒ] nm privilege ▪ **privilégié,
-iée** adj privileged

prix [pri] nm (coût) price; (récompense) prize; **à
tout p.** at all costs; **à aucun p.** on no account;
hors de p. exorbitant; **attacher du p. à qch** to
attach importance to sth; **faire un p. à qn** to
give sb a special price; **p. de revient** cost
price; **p. de vente** selling price

proactif, -ive [proaktif, -iv] adj proactive

probable [probabl] adj likely, probable; **peu
p.** unlikely ▪ **probabilité** nf probability, likelihood; **selon toute p.** in all probability
▪ **probablement** [-əmɑ̃] adv probably

probant, -ante [probɑ̃, -ɑ̃t] adj conclusive

probité [probite] nf integrity

problème [problɛm] nm problem ▪ **problématique** adj problematic

procédé [prosede] nm (technique) process;
(méthode) method; **p. de fabrication**
manufacturing process

procéder [prosede] vi (agir) to proceed; **p. à**
(enquête, arrestation) to carry out; **p. par
élimination** to follow a process of elimination
▪ **procédure** nf (méthode) procedure; (règles
juridiques) procedure; (procès) proceedings

procès [prosɛ] nm Jur (criminel) trial; (civil)
lawsuit; **faire un p. à qn** to take sb to court

Il faut noter que le nom anglais **process** est
un faux ami. Il signifie le plus souvent **processus**, **procédé**.

processeur [prɔsesœr] nm Ordinat processor

procession [prɔsesjɔ̃] nf procession

processus [prɔsesys] nm process

procès-verbal [prɔsɛverbal] (pl **procès-verbaux** [-o]) nm (amende) fine; (constat) report; (de réunion) minutes

prochain, -aine [prɔʃɛ̃, -ɛn] 1 adj next; (mort, arrivée) impending; (mariage) forthcoming; **un jour p.** one day soon 2 nf Fam **je descends à la prochaine** I'll get off at the next station; **à la prochaine!** see you soon! 3 nm (semblable) fellow (man) ■**prochainement** adv shortly, soon

proche [prɔʃ] adj (dans l'espace) near, close; (dans le temps) near, imminent; (parent, ami) close; **p. de** near (to), close to; **de p. en p.** step by step; **le P.-Orient** the Middle East ■**proches** nmpl close relations

proclamer vt to proclaim (**que** that); **p. qn roi** to proclaim sb king ■**proclamation** nf proclamation

procréer [prɔkree] vi to procreate ■**procréation** nf procreation; **p. médicalement assistée** assisted conception

procuration [prɔkyrasjɔ̃] nf power of attorney; **par p.** by proxy

procurer [prɔkyre] 1 vt **p. qch à qn** (sujet: personne) to get sth for sb; (sujet: chose) to bring sb sth 2 **se procurer** vpr se **p. qch** to obtain sth

procureur [prɔkyrœr] nm **p. de la République** Br ≃ public prosecutor, Am ≃ district attorney

prodige [prɔdiʒ] nm (miracle) wonder; (personne) prodigy; **tenir du p.** to be extraordinary ■**prodigieux, -ieuse** adj prodigious

prodigue [prɔdig] adj (dépensier) wasteful; (généreux) lavish (**de** with)

prodiguer [prɔdige] vt **p. qch à qn** to lavish sth on sb; **p. des conseils à qn** to pour out advice to sb

production [prɔdyksjɔ̃] nf production; (produit) product; (d'usine) output ■**producteur, -trice** 1 nmf producer 2 adj producing; **pays p. de pétrole** oil-producing country ■**productif, -ive** adj productive ■**productivité** nf productivity

produire* [prɔdɥir] 1 vt (marchandise, émission, gaz) to produce; (effet, résultat) to produce, to bring about 2 **se produire** vpr (événement) to happen, to occur; (acteur) to perform ■**produit** nm (article) product; (de vente, de collecte) proceeds; **p. chimique** chemical; **p. de consommation courante** basic consumer product; Écon **p. intérieur brut** gross domestic product; Écon **p. national brut** gross national product; **produits agricoles** farm produce; **produits de beauté** cosmetics; **produits ménagers** cleaning products

proéminent, -ente [prɔeminɑ̃, -ɑ̃t] adj prominent

prof [prɔf] nm Fam teacher

profane [prɔfan] 1 adj secular 2 nmf lay person

profaner [prɔfane] vt to desecrate ■**profanation** nf desecration

proférer [prɔfere] vt to utter

professer [prɔfese] vt to profess (**que** that)

professeur [prɔfesœr] nm teacher; (à l'université) professor; **p. principal** Br class or form teacher, Am homeroom teacher

profession [prɔfesjɔ̃] nf occupation, profession; (manuelle) trade; **sans p.** not gainfully employed; **de p.** (chanteur) professional; **p. libérale** profession; **p. de foi** Rel profession of faith; Fig declaration of principles ■**professionnel, -elle** 1 adj professional; (enseignement) vocational 2 nmf professional

profil [prɔfil] nm profile; **de p.** (viewed) from the side; **p. de poste** job description ■**se profiler** vpr to be outlined (**sur** against)

profit [prɔfi] nm profit; **tirer p. de qch** to benefit from sth; **mettre qch à p.** to put sth to good use; **au p. des pauvres** in aid of the poor ■**profitable** adj profitable (**à** to) ■**profiter** vi **p. de** to take advantage of; **p. de la vie** to make the most of life; **p. à qn** to benefit sb ■**profiteur, -euse** nmf Péj profiteer

profond, -onde [prɔfɔ̃, -ɔ̃d] 1 adj deep; (joie, erreur) profound; (cause) underlying; **p. de 2 m** 2 m deep 2 adv deep 3 nm **au plus p. de la terre** in the depths of the earth ■**profondément** adv deeply; (dormir) soundly; (triste, ému) profoundly; (creuser) deep ■**profondeur** nf depth; **faire 6 m de p.** to be 6 m deep; **à 6 m de p.** at a depth of 6 m; **en p.** (étude) in-depth

profusion [prɔfyzjɔ̃] nf profusion; **à p.** in profusion

progéniture [prɔʒenityr] nf offspring

progiciel [prɔʒisjɛl] nm Ordinat (software) package

programmable [prɔgramabl] adj programmable ■**programmation** nf Radio & TV programme planning; Ordinat programming

programmateur [prɔgramatœr] nm Tech automatic control (device)

programme [prɔgram] nm Br programme, Am program; (de parti politique) manifesto; Scol curriculum; (d'un cours) syllabus; Ordinat program ■**programmer** vt Ordinat to program; Radio, TV & Cin to schedule ■**programmeur, -euse** nmf (computer) programmer

progrès [prɔgrɛ] nm & nmpl progress; **faire des p.** to make (good) progress ■**progresser** vi to progress ■**progressif, -ive** adj progressive ■**progression** nf progression ■**progressiste**

adj & nmf progressive ▪ **progressivement** *adv* progressively

prohiber [pʀɔibe] *vt* to prohibit, to forbid ▪ **prohibitif, -ive** *adj* prohibitive ▪ **prohibition** *nf* prohibition

proie [pʀwa] *nf* prey; *Fig* **être la p. de qn** to fall prey to sb; **être la p. des flammes** to be consumed by fire; *Fig* **en p. au doute** racked with doubt

projecteur [pʀɔʒɛktœʀ] *nm (de monument, de stade)* floodlight; *(de prison, d'armée)* searchlight; *Théâtre* spotlight; *Cin* projector

projectile [pʀɔʒɛktil] *nm* missile

projection [pʀɔʒɛksjɔ̃] *nf (d'objet, de film)* projection; *(séance)* screening

projet [pʀɔʒɛ] *nm (intention)* plan; *(étude)* project; **faire des projets d'avenir** to make plans for the future; **p. de loi** bill

projeter [pʀɔʒte] *vt (lancer)* to project; *(liquide, boue)* to splash; *(lumière)* to flash; *(film)* to show; *(ombre)* to cast; *(prévoir)* to plan; **p. de faire qch** to plan to do sth

prolétaire [pʀɔletɛʀ] *nmf* proletarian ▪ **prolétariat** *nm* proletariat ▪ **prolétarien, -ienne** *adj* proletarian

proliférer [pʀɔlifeʀe] *vi* to proliferate ▪ **prolifération** *nf* proliferation

prolifique [pʀɔlifik] *adj* prolific

prolixe [pʀɔliks] *adj* verbose, wordy

prologue [pʀɔlɔg] *nm* prologue (**de** to)

prolonger [pʀɔlɔ̃ʒe] **1** *vt (vie, débat, séjour)* to prolong; *(mur, route)* to extend **2 se prolonger** *vpr (séjour)* to be prolonged; *(réunion)* to go on; *(rue)* to continue ▪ **prolongation** *nf (de séjour)* extension; *Football* **prolongations** extra time ▪ **prolongement** *nm (de rue)* continuation; *(de mur)* extension; **prolongements** *(d'affaires)* repercussions

promenade [pʀɔmnad] *nf (à pied)* walk; *(courte)* stroll; *(avenue)* promenade; **faire une p.** to go for a walk; **faire une p. à cheval** to go for a ride

promener [pʀɔmne] **1** *vt (personne, chien)* to take for a walk; *(visiteur)* to show around; **p. qch sur qch** *(main, regard)* to run sth over sth **2 se promener** *vpr (à pied)* to go for a walk ▪ **promeneur, -euse** *nmf* stroller, walker

promesse [pʀɔmɛs] *nf* promise; **tenir sa p.** to keep one's promise

promettre* [pʀɔmɛtʀ] **1** *vt* to promise (**qch à qn** sb sth; **que** that); **p. de faire qch** to promise to do sth; **c'est promis** it's a promise **2** *vi Fig* to be promising **3 se promettre** *vpr* **se p. qch** *(à soi-même)* to promise oneself sth; *(l'un l'autre)* to promise each other sth; **se p. de faire qch** *(à soi-même)* to resolve to do sth ▪ **prometteur, -euse** *adj* promising

promontoire [pʀɔmɔ̃twaʀ] *nm* headland

promoteur [pʀɔmɔtœʀ] *nm* **p. (immobilier)** property developer

promotion [pʀɔmosjɔ̃] *nf* (**a**) *(avancement)* & *Com* promotion; **en p.** *(produit)* on (special) offer; **p. sociale** upward mobility (**b**) *(d'une école)* Br year, Am class ▪ **promouvoir*** *vt (personne, produit)* to promote; **être promu** *(employé)* to be promoted (**à** to)

prompt, prompte [pʀɔ̃, pʀɔ̃t] *adj* prompt; **p. à faire qch** quick to do sth ▪ **promptitude** *nf* promptness

promulguer [pʀɔmylge] *vt* to promulgate

prôner [pʀone] *vt* to advocate

pronom [pʀɔnɔ̃] *nm Grammaire* pronoun ▪ **pronominal, -e, -aux, -ales** *adj Grammaire* pronominal

prononcer [pʀɔnɔ̃se] **1** *vt (articuler)* to pronounce; *(dire)* to utter; *(discours)* to deliver; *(jugement)* to pronounce **2 se prononcer** *vpr (mot)* to be pronounced; *(personne)* to give one's opinion (**sur** about or on); **se p. pour/contre qch** to come out in favour of/against sth ▪ **prononcé, -ée** *adj* pronounced, marked ▪ **prononciation** *nf* pronunciation

pronostic [pʀɔnɔstik] *nm* forecast; *Méd* prognosis ▪ **pronostiquer** *vt* to forecast

propagande [pʀɔpagɑ̃d] *nf* propaganda

propager [pʀɔpaʒe] *vt,* **se propager** *vpr* to spread ▪ **propagation** *nf* spreading

propension [pʀɔpɑ̃sjɔ̃] *nf* propensity (**à qch** for sth; **à faire** to do)

prophète [pʀɔfɛt] *nm* prophet ▪ **prophétie** [-fesi] *nf* prophecy ▪ **prophétique** *adj* prophetic

propice [pʀɔpis] *adj* favourable (**à** to); **le moment p.** the right moment

proportion [pʀɔpɔʀsjɔ̃] *nf* proportion; **respecter les proportions** to get the proportions right; **en p. de** in proportion to; **hors de p.** out of proportion (**avec** to); **l'affaire a pris des proportions considérables** the affair has blown up into a scandal ▪ **proportionné, -ée** *adj* proportionate (**à** to); **bien p.** wellproportioned ▪ **proportionnel, -elle** *adj* proportional (**à** to) **2** *nf* **proportionnelle** *(scrutin)* proportional representation

propos [pʀɔpo] *nm (sujet)* subject; *(intention)* purpose; **des p.** *(paroles)* talk, words; **à p. de qn/qch** about sb/sth; **à tout p.** constantly; **à p.** *(arriver)* at the right time; **à p.!** by the way!; **c'est à quel p.?** what is it about?; **juger à p. de faire qch** to consider it fit to do sth

proposer [pʀɔpoze] **1** *vt (suggérer)* to suggest, to propose (**qch à qn** sth to sb; **que +** *subjunctive* that); *(offrir)* to offer (**qch à qn** sb sth; **de faire** to do); **je te propose de rester** I suggest (that) you stay **2 se proposer** *vpr* to offer one's services; **se p. pour faire qch** to offer to do sth; **se p. de faire qch** to propose to do sth ▪ **proposition** *nf* suggestion, proposal; *(offre)* offer; *Grammaire* clause; **faire une p. à qn** to make a suggestion to sb

propre¹ [prɔpr] **1** *adj* clean; *(soigné)* neat; *(enfant)* toilet-trained; *(animal)* Br house-trained, *Am* house-broken; **p. comme un sou neuf** spick and span **2** *nm* **mettre qch au p.** to make a fair copy of sth; *Fam* **c'est du p.!** what a shocking way to behave! **■ proprement¹** [-əmã] *adv (avec propreté)* cleanly; *(avec soin)* neatly **■ propreté** [-əte] *nf* cleanliness; *(soin)* neatness

propre² [prɔpr] **1** *adj (à soi)* own; **mon p. argent** my own money; **ses propres mots** his/her very words; **être p. à qn/qch** *(particulier)* to be characteristic of sb/sth; **être p. à qch** *(adapté)* to be suitable for sth; **au sens p.** literally **2** *nm* **le p. de** *(qualité)* the distinctive quality of; **au p.** *(au sens propre)* literally **■ proprement²** [-əmã] *adv (strictement)* strictly; **à p. parler** strictly speaking; **le village p. dit** the village proper

Il faut noter que l'adjectif anglais **proper** est un faux ami. Il ne se rapporte jamais à la propreté.

propriétaire [prɔprijetɛr] *nmf* owner; *(de location)* landlord, *f* landlady; **p. foncier** landowner

propriété [prɔprijete] *nf (fait de posséder)* ownership; *(chose possédée)* property; *(caractéristique)* property; **p. littéraire** copyright; **p. privée** private property

Il faut noter que le nom anglais **propriety** est un faux ami. Il signifie **bienséance**.

propulser [prɔpylse] *vt* to propel **■ propulsion** *nf* propulsion; **sous-marin à p. nucléaire** nuclear-powered submarine

prosaïque [prɔzaik] *adj* prosaic

proscrire* [prɔskrir] *vt* to proscribe, to ban **■ proscrit, -ite** *nmf Littéraire (banni)* exile

prose [proz] *nf* prose

prospecter [prɔspɛkte] *vt (sol)* to prospect; *(clients)* to canvass **■ prospecteur, -trice** *nmf* prospector **■ prospection** *nf (de sol)* prospecting; *Com* canvassing

prospectus [prɔspɛktys] *nm* leaflet

prospère [prɔspɛr] *adj* prosperous; *(santé)* glowing **■ prospérer** *vi* to prosper **■ prospérité** *nf* prosperity

prostate [prɔstat] *nf Anat* prostate (gland)

prosterner [prɔstɛrne] **se prosterner** *upr* to prostrate oneself **(devant** before)

prostituer [prɔstitɥe] **1** *vt* to prostitute **2 se prostituer** *upr* to prostitute oneself **■ prostitué** *nm* male prostitute **■ prostituée** *nf* prostitute **■ prostitution** *nf* prostitution

prostré, -ée [prɔstre] *adj* prostrate

protagoniste [prɔtagɔnist] *nmf* protagonist

protecteur, -trice [prɔtɛktœr, -tris] **1** *nmf* protector; *(mécène)* patron **2** *adj (geste, crème)* protective; *Péj (ton, air)* patronizing

■ protection *nf* protection; **de p.** *(écran)* protective; **assurer la p. de qn** to ensure sb's safety; **p. de l'environnement** protection of the environment; **p. sociale** social welfare system **■ protectionnisme** *nm Écon* protectionism

protéger [prɔteʒe] **1** *vt* to protect **(de** from; **contre** against) **2 se protéger** *upr* to protect oneself **■ protégé** *nm* protégé **■ protège-cahier** *(pl* **protège-cahiers)** *nm* exercise book cover **■ protégée** *nf* protégée

protéine [prɔtein] *nf* protein

protestant, -ante [prɔtɛstã, -ãt] *adj & nmf* Protestant **■ protestantisme** *nm* Protestantism

protester [prɔtɛste] *vi* to protest **(contre** against); **p. de son innocence** to protest one's innocence **■ protestataire** *nmf* protester **■ protestation** *nf* protest **(contre** against); **en signe de p.** as a protest; **protestations d'amitiés** protestations of friendship

prothèse [prɔtɛz] *nf* prosthesis; **p. auditive** hearing aid; **p. dentaire** false teeth

protocole [prɔtɔkɔl] *nm* protocol

prototype [prɔtɔtip] *nm* prototype

protubérance [prɔtyberãs] *nf* protuberance

proue [pru] *nf* bows, prow

prouesse [prues] *nf* feat

prouver [pruve] *vt* to prove **(que** that)

Provence [prɔvãs] *nf* **la P.** Provence **■ provençal, -e, -aux, -ales 1** *adj* Provençal **2** *nmf* **P., Provençale** Provençal

provenir* [prɔvənir] *vi* **p. de** to come from **■ provenance** *nf* origin; **en p. de** from

proverbe [prɔvɛrb] *nm* proverb **■ proverbial, -e, -iaux, -iales** *adj* proverbial

providence [prɔvidãs] *nf* providence **■ providentiel, -ielle** *adj* providential

province [prɔvɛ̃s] *nf* province; **la p.** the provinces; **en p.** in the provinces; **de p.** *(ville)* provincial **■ provincial, -e, -iaux, -iales** *adj & nmf* provincial

proviseur [prɔvizœr] *nm Br* headmaster, *f* headmistress, *Am* principal

provision [prɔvizjɔ̃] *nf* **(a)** *(réserve)* supply, stock; **provisions** *(nourriture)* shopping; **panier/sac à provisions** shopping basket/bag; **faire des provisions de qch** to stock up on sth **(b)** *(somme)* credit; *(acompte)* deposit

provisoire [prɔvizwar] *adj* temporary; **à titre p.** temporarily **■ provisoirement** *adv* temporarily, provisionally

provoquer [prɔvɔke] *vt (incendie, mort)* to cause; *(réaction)* to provoke; *(colère, désir)* to arouse; **p. un accouchement** to induce labour **■ provocant, -ante** *adj* provocative **■ provocateur** *nm* troublemaker **■ provocation** *nf* provocation

proxénète [prɔksenɛt] *nm* pimp

proximité [prɔksimite] *nf* closeness, proximity; **à p.** close by; **à p. de** close to; **de p.** local

Prozac® [prɔzak] *nm* Prozac®

prude [pryd] **1** *adj* prudish **2** *nf* prude

prudent, -ente [prydɑ̃, -ɑ̃t] *adj (personne)* cautious, careful; *(décision)* sensible ▪ **prudemment** [-amɑ̃] *adv* cautiously, carefully ▪ **prudence** *nf* caution, care; **par p.** as a precaution

prune [pryn] *nf (fruit)* plum; *Fam* **pour des prunes** for nothing ▪ **pruneau, -x** *nm* prune ▪ **prunier** *nm* plum tree

> Il faut noter que le nom anglais **prune** est un faux ami. Il signifie **pruneau**.

prunelle [prynɛl] *nf (de l'œil)* pupil; **il y tient comme à la p. de ses yeux** it's the apple of his eye

P.-S. [peɛs] *(abrév* **post-scriptum**) PS

psaume [psom] *nm* psalm

pseudonyme [psødɔnim] *nm* pseudonym

psychanalyse [psikanaliz] *nf* psychoanalysis ▪ **psychanalyste** *nmf* psychoanalyst

psychédélique [psikedelik] *adj* psychedelic

psychiatre [psikjatr] *nmf* psychiatrist ▪ **psychiatrie** *nf* psychiatry ▪ **psychiatrique** *adj* psychiatric

psychique [psiʃik] *adj* psychic

psychologie [psikɔlɔʒi] *nf* psychology ▪ **psychologique** *adj* psychological ▪ **psychologue** *nmf* psychologist; **p. scolaire** educational psychologist

psychopathe [psikɔpat] *nmf* psychopath

psychose [psikoz] *nf* psychosis

psychothérapie [psikoterapi] *nf* psychotherapy; **faire une p.** to be in therapy ▪ **psychothérapeute** *nmf* psychotherapist

PTT [petete] *(abrév* **Postes, Télécommunications et Télédiffusion**) *nfpl Anciennement* ≃ Post Office and Telecommunications Service

pu [py] *pp de* **pouvoir 1**

puant, puante [pɥɑ̃, pɥɑ̃t] *adj* stinking ▪ **puanteur** *nf* stink, stench

pub [pyb] *nf Fam (secteur)* advertising; *(annonce)* ad

puberté [pyberte] *nf* puberty

public, -ique [pyblik] **1** *adj* public; **dette publique** national debt **2** *nm (de spectacle)* audience; **le grand p.** the general public; **film grand p.** film suitable for the general public; **en p.** in public; *(émission)* before a live audience; *Écon* **le p.** the public sector ▪ **publiquement** *adv* publicly

publication [pyblikasjɔ̃] *nf (action, livre)* publication; **p. assistée par ordinateur** desktop publishing ▪ **publier** *vt* to publish

publicité [pyblisite] *nf (secteur)* advertising; *(annonce)* advertisement, advert; *Radio & TV* commercial; **agence de p.** advertising

agency; **faire de la p. pour qch** to advertise sth ▪ **publicitaire 1** *adj* **agence p.** advertising agency; **film p.** promotional film **2** *nmf* advertising executive

puce [pys] *nf (insecte)* flea; *Ordinat* (micro-)chip; **le marché aux puces, les puces** the flea market; *Fig* **mettre la p. à l'oreille de qn** to make sb suspicious

pudeur [pydœr] *nf* modesty; **par p.** out of a sense of decency ▪ **pudibond, -onde** *adj* prudish ▪ **pudique** *adj* modest

puer [pɥe] **1** *vt* to stink of **2** *vi* to stink

puériculture [pɥerikyltyr] *nf* child care ▪ **puériculteur, -trice** *nmf* nursery nurse

puéril, -ile [pɥeril] *adj* puerile ▪ **puérilité** *nf* puerility

puis [pɥi] *adv* then; **et p.** *(ensuite)* and then; *(en plus)* and besides

puiser [pɥize] **1** *vt* to draw (**à/dans** from) **2** *vi* **p. dans qch** to dip into sth

puisque [pɥisk(ə)] *conj* since, as

puissant, -ante [pɥisɑ̃, -ɑ̃t] *adj* powerful ▪ **puissamment** [-amɑ̃] *adv* powerfully ▪ **puissance** *nf (force, nation) & Math* power; **les grandes puissances** the great powers; **en p.** *(meurtrier)* potential; *Math* **dix p. quatre** ten to the power of four

puisse(s), puissent [pɥis] *voir* **pouvoir 1**

puits [pɥi] *nm* well; *(de mine)* shaft; *Fig* **un p. de science** a fount of knowledge; **p. de pétrole** oil well

pull-over [pylɔver] *(pl* **pull-overs**), **pull** [pyl] *nm* sweater, *Br* jumper

pulluler [pylyle] *vi (abonder)* to swarm

pulmonaire [pylmɔner] *adj* pulmonary

pulpe [pylp] *nf (de fruits)* pulp

pulsation [pylsasjɔ̃] *nf* (heart)beat

pulsion [pylsjɔ̃] *nf* impulse; **p. de mort** death wish

pulvériser [pylverize] *vt (vaporiser)* to spray; *(broyer) & Fig* to pulverize; *Fam Sport* **p. un record** to smash a record ▪ **pulvérisateur** *nm* spray ▪ **pulvérisation** *nf (de liquide)* spraying

puma [pyma] *nm* puma

punaise [pynɛz] *nf (insecte)* bug; *(clou) Br* drawing pin, *Am* thumbtack ▪ **punaiser** *vt Fam* to pin up

punch *nm* **(a)** [pɔ̃ʃ] *(boisson)* punch **(b)** [pœnʃ] *Fam (énergie)* punch

punir [pynir] *vt* to punish; **p. qn de qch** *(bêtise, crime)* to punish sb for sth; **p. qn de mort** to punish sb with death ▪ **punition** *nf* punishment

punk [pœnk] *adj inv & nmf* punk

pupille [pypij] **1** *nf (de l'œil)* pupil **2** *nmf (enfant)* ward

pupitre [pypitr] *nm (d'écolier)* desk; *(d'orateur)* lectern; *Ordinat* console; *Ordinat* **p. de visualisation** visual display unit

pur, pure [pyr] *adj* pure; *(alcool)* neat, straight ▪ **purement** *adv* purely; **p. et simplement** purely and simply ▪ **pureté** *nf* purity

purée [pyre] *nf* purée; **p. (de pommes de terre)** mashed potatoes, *Br* mash

purgatoire [pyrgatwar] *nm* purgatory

purge [pyrʒ] *nf (à des fins médicales, politiques)* purge

purger [pyrʒe] *vt (patient)* to purge; *(radiateur)* to bleed; *(peine de prison)* to serve

purifier [pyrifje] *vt* to purify ▪ **purification** *nf* purification; **p. ethnique** ethnic cleansing

purin [pyrɛ̃] *nm* liquid manure

puriste [pyrist] *nmf* purist

puritain, -aine [pyritɛ̃, -ɛn] *adj & nmf* puritan

pur-sang [pyrsɑ̃] *nm inv* thoroughbred

pus¹ [py] *nm (liquide)* pus, matter

pus², put [py] *voir* **pouvoir 1**

putain [pytɛ̃] *Vulg* **1** *nf* whore **2** *exclam* **p.!** shit!

putois [pytwa] *nm* polecat

putréfier [pytrefje] *vt,* **se putréfier** *vpr* to putrefy ▪ **putréfaction** *nf* putrefaction

puzzle [pœzl] *nm* (jigsaw) puzzle

P.-V. [peve] *(abrév* **procès-verbal)** *nm Fam* (parking) ticket

PVC [pevese] *nm (matière plastique)* PVC

pygmée [pigme] *nmf* pygmy

pyjama [piʒama] *nm Br* pyjamas, *Am* pajamas; **un p.** a pair of *Br* pyjamas *or Am* pajamas; **être en p.** to be in *Br* pyjamas *or Am* pajamas

pylône [pilon] *nm* pylon

pyramide [piramid] *nf* pyramid

Pyrénées [pirene] *nfpl* **les P.** the Pyrenees

Pyrex® [pireks] *nm* Pyrex®; **plat en P.** Pyrex® dish

pyromane [pirɔman] *nmf* arsonist

python [pitɔ̃] *nm* python

Q, q [ky] *nm inv* Q, q

QCM [kyseɛm] (*abrév* **questionnaire à choix multiple**) *nm* multiple-choice questionnaire

QI [kyi] (*abrév* **quotient intellectuel**) *nm inv* IQ

qu' [k] *voir* **que**

quadragénaire [kwadraʒenɛr] (*Fam* **quadra** [kwadra]) **1** *adj* **être q.** to be in one's forties **2** *nmf* person in his/her forties

quadrillage [kadrijaʒ] *nm* (*de carte*) grid

quadriller [kadrije] *vt* (*quartier, ville*) to put under tight surveillance; (*papier*) to mark into squares ▪ **quadrillé, -ée** *adj* (*papier*) squared

quadrupède [k(w)adrypɛd] *adj & nm* quadruped

quadruple [k(w)adrypl] **1** *adj* quadruple, fourfold **2** *nm* **le q. (de)** (*quantité*) four times as much (as); (*nombre*) four times as many (as) ▪ **quadrupler** *vti* to quadruple ▪ **quadruplés, -ées** *nmfpl* quadruplets

quai [ke] *nm* (*de port*) quay; (*de fleuve*) embankment; (*de gare, de métro*) platform

qualification [kalifikasjɔ̃] *nf* (*action, d'équipe, de sportif*) qualification; (*désignation*) description ▪ **qualificatif 1** *adj Grammaire* qualifying **2** *nm* (*mot*) term

qualifier [kalifje] **1** *vt* (*équipe*) to qualify (**pour qch** for sth; **pour faire** to do); (*décrire*) to describe (**de** as) **2 se qualifier** *vpr* (*équipe*) to qualify (**pour** for) ▪ **qualifié, -iée** *adj* (*équipe*) that has qualified; **q. pour faire qch** qualified to do sth

qualité [kalite] *nf* (*de personne, de produit*) quality; (*occupation*) occupation; **produit de q.** quality product; **de bonne q.** of good quality; **en q. de** in his/her/*etc* capacity as; **q. de vie** quality of life ▪ **qualitatif, -ive** *adj* qualitative

quand [kã] *conj & adv* when; **q. je viendrai** when I come; **à q. le mariage?** when's the wedding?; **q. bien même vous le feriez** even if you did it; *Fam* **q. même** all the same

quant [kã] **quant à** *prép* as for

quantifier [kãtifje] *vt* to quantify ▪ **quantitatif, -ive** *adj* quantitative

quantité [kãtite] *nf* quantity; **une q., des quantités** (*beaucoup*) a lot (**de** of); **en q.** in abundance

quarante [karãt] *adj & nm inv* forty; **un q.-cinq tours** (*disque*) a single ▪ **quarantaine** *nf* (**a**)

une q. (de) (*nombre*) (about) forty; **avoir la q.** (*âge*) to be about forty (**b**) *Méd* quarantine; **mettre qn en q.** to quarantine sb ▪ **quarantième** *adj & nmf* fortieth

quart [kar] *nm* (**a**) (*fraction*) quarter; **q. de litre** quarter litre, quarter of a litre; **q. d'heure** quarter of an hour; **une heure et q.** an hour and a quarter; **il est une heure et q.** it's a quarter *Br* past *or Am* after one; **une heure moins le q.** (a) quarter to one; *Fam* **passer un mauvais q. d'heure** to have a bad time of it; *Sport* **quarts de finale** quarter finals (**b**) *Naut* watch; **être de q.** to be on watch ▪ **quartmonde** *nm* **le q.** the least developed countries

quarté [karte] *nm* = system of betting on four horses in the same race

quartette [kwartet] *nm* jazz quartet

quartier [kartje] *nm* (**a**) (*de ville*) district; **de q.** local; **les beaux quartiers** the fashionable district; **q. général** headquarters (**b**) (*de lune*) quarter; (*de pomme*) piece; (*d'orange*) segment (**c**) (*expressions*) **ne pas faire de q.** to give no quarter; **avoir q. libre** to be free

quartz [kwarts] *nm* quartz; **montre à q.** quartz watch

quasi [kazi] *adv* almost ▪ **quasi-** *préf* **quasi-obscurité** near darkness; **la quasi-totalité des membres** almost all the members ▪ **quasiment** *adv* almost

quatorze [katɔrz] *adj & nm inv* fourteen ▪ **quatorzième** *adj & nmf* fourteenth

quatre [katr] *adj & nm inv* four; *Fig* **se mettre en q.** to bend over backwards (**pour faire** to do); *Fam* **manger comme un q.** to eat like a horse; *Fam* **un de ces q.** some day soon; *Fam* **q. heures** (*goûter*) afternoon snack ▪ **quatrième** *adj & nmf* fourth

quatre-vingt [katrəvɛ̃] *adj & nm* eighty; **quatre-vingts ans** eighty years; **q.-un** eighty-one; **page q.** page eighty ▪ **quatre-vingt-dix** *adj & nm inv* ninety

quatuor [kwatɥɔr] *nm* quartet; **q. à cordes** string quartet

quat'zyeux [katzjø] **entre quat'zyeux** *adv* in private

que [kə]

que becomes **qu'** before a vowel or mute h.

1 *conj* (**a**) (*complétif*) that; **je pense qu'elle restera** I think (that) she'll stay; **qu'elle vienne**

ou non whether she comes or not; **qu'il s'en aille!** let him leave!; **ça fait un an q. je suis là** I've been here for a year; **ça fait un an q. je suis parti** I left a year ago (**b**) *(de comparaison)* than; *(avec 'aussi', 'même', 'tel', 'autant')* as; **plus/moins âgé q. lui** older/younger than him; **aussi sage/fatigué q. toi** as wise/tired as you; **le même q. Pauline** the same as Pauline (**c**) (**ne...**) **que** only; **tu n'as qu'un euro** you only have one euro **2** *adv* (**ce**) **qu'il est bête!** *(comme)* he's really stupid!; **q. de gens!** what a lot of people! **3** *pron relatif (chose)* that, which; *(personne)* that, whom; *(temps)* when; **le livre q. j'ai** the book (that *or* which) I have; **l'ami q. j'ai** the friend (that *or* whom) I have; **un jour qu'il faisait beau** one day when the weather was fine **4** *pron interrogatif* what; **q. fait-il?**, **qu'est-ce qu'il fait?** what is he doing?; **qu'est-ce qui est dans ta poche?** what's in your pocket?; **q. préférez-vous?** which do you prefer?

Québec [kebɛk] *nm* **le Q.** Quebec ▪ **québecois, -oise 1** *adj* (of *or* from) Quebec **2** *nmf* **Q., Québecoise** Quebec(k)er **3** *nm (langue)* Quebec French

quel, quelle [kɛl] **1** *adj interrogatif (chose)* what, which; *(personne)* which; **q. livre préférez-vous?** which *or* what book do you prefer?; **q. est cet homme?** who is that man?; **je sais q. est ton but** I know what your aim is; **je ne sais à q. employé m'adresser** I don't know which clerk to ask **2** *pron interrogatif* which (one); **q. est le meilleur?** which (one) is the best? **3** *adj exclamatif* **q. idiot!** what a fool!; **q. joli bébé!** what a pretty baby! **4** *adj relatif* **q. qu'il soit** *(chose)* whatever it may be; *(personne)* whoever it *or* he may be

quelconque [kɛlkɔ̃k] **1** *adj indéfini* any; **donne-moi un livre q.** give me any book; **sous un prétexte q.** on some pretext or other **2** *adj (insignifiant)* ordinary

quelque [kɛlk] **1** *adj indéfini* some; **quelques** some, a few; **les quelques amies qu'elle a** the few friends she has; **sous q. prétexte que ce soit** on whatever pretext; **q. numéro qu'elle choisisse** whichever number she chooses **2** *adv (environ)* about; some; **q. peu** somewhat; **q. grand qu'il soit** however tall he may be; *Fam* **q. 100 euros et q.** 100 euros and a bit, 100-odd euros

quelque chose [kɛlkəʃoz] *pron indéfini* something; **q. d'autre** something else; **q. de grand** something big; **q. de plus pratique/de moins lourd** something more practical/less heavy; **ça m'a fait q.** it touched or moved me

quelquefois [kɛlkəfwa] *adv* sometimes

quelque part [kɛlkəpar] *adv* somewhere; *(dans les questions)* anywhere

quelques-uns, -unes [kɛlkəzœ̃, -yn] *pron* some, a few

quelqu'un [kɛlkœ̃] *pron indéfini* someone, somebody; *(dans les questions)* anyone, anybody; **q. d'intelligent** someone clever

quémander [kemɑ̃de] *vt* to beg for

qu'en-dira-t-on [kɑ̃diratɔ̃] *nm* **le q.** gossip

querelle [kərɛl] *nf* quarrel; **chercher q. à qn** to try to pick a fight with sb ▪ **se quereller** *vpr* to quarrel ▪ **querelleur, -euse** *adj* quarrelsome

question [kɛstjɔ̃] *nf (interrogation)* question; *(affaire)* matter, question; **il est q. qu'ils déménagent** there's some talk about them moving; **il a été q. de vous** we/they talked about you; **il n'en est pas q.** it's out of the question; **en q.** in question; **hors de q.** out of the question; **remettre qch en q.** to call sth into question; **q. de confiance** vote of confidence ▪ **questionnaire** *nm* questionnaire ▪ **questionner** *vt* to question (**sur** about)

quête [kɛt] *nf (a) (collecte)* collection; **faire la q.** to collect money (**b**) *(recherche)* quest (**de** for); **en q. de** in quest *or* search of ▪ **quêter** [kete] **1** *vt* to seek **2** *vi* to collect money

queue [kø] *nf* (**a**) *(d'animal)* tail; *(de fleur, de fruit)* stalk; *(de poêle)* handle; *(de train, de cortège)* rear; **être en q. de classement** to be bottom of the table; **faire une q. de poisson à qn** to cut in front of sb; **à la q. leu leu** in single file; **ça n'a ni q. ni tête** it just doesn't make sense; **q. de cheval** *(coiffure)* ponytail (**b**) *(file)* *Br* queue, *Am* line; **faire la q.** *Br* to queue up, *Am* to stand in line (**c**) *(de billard)* cue ▪ **queue-de-pie** (*pl* **queues-de-pie**) *nf (veste)* tail coat, *Fam* tails

qui [ki] **1** *pron interrogatif (personne)* who; *(en complément)* whom; **q. (est-ce qui) est là?** who's there?; **q. désirez-vous voir?**, **q. est-ce que vous désirez voir?** who(m) do you want to see?; **à q. est ce livre?** whose book is this?; **q. encore?**, **q. d'autre?** who else?; **je demande q. a téléphoné** I'm asking who phoned **2** *pron relatif* (**a**) *(sujet) (personne)* who, that; *(chose)* which, that; **l'homme q. est là** the man who's here *or* that's here; **la maison q. se trouve en face** the house which is *or* that's opposite (**b**) *(sans antécédent)* **q. que vous soyez** whoever you are; **amène q. tu veux** bring along anyone you like *or* whoever you like; **q. que ce soit** anyone (**c**) *(après une préposition)* **la femme de q. je parle** the woman I'm talking about; **l'ami sur l'aide de q. je compte** the friend on whose help I rely

quiche [kiʃ] *nf* quiche; **q. lorraine** quiche lorraine

quiconque [kikɔ̃k] *pron (sujet)* whoever; *(complément)* anyone

quiétude [kjetyd] *nf Littéraire* quiet; **en toute q.** *(sans souci)* with an easy mind

quignon [kiɲɔ̃] *nm* chunk

quille [kij] *nf (de navire)* keel; *(de jeu)* (bowling) pin, *Br* skittle; *Fam (jambe)* pin; **jouer aux quilles** to bowl, *Br* to play skittles

quincaillier, -ière [kɛ̃kɑje, -jɛr] *nmf* hardware dealer, *Br* ironmonger ▪**quincaillerie** *nf (magasin)* hardware shop; *(objets)* hardware

quinine [kinin] *nf* quinine

quinquennal, -e, -aux, -ales [kɛ̃kenal, -o] *adj* **plan q.** five-year plan ▪**quinquennat** *nm Pol* five-year term (of office)

quinte [kɛ̃t] *nf* **q. (de toux)** coughing fit

quintessence [kɛ̃tesɑ̃s] *nf* quintessence

quintette [kɛ̃tɛt] *nm* quintet

quintuple [kɛ̃typl] **1** *adj* **q. de** fivefold **2** *nm* **le q. (de)** *(quantité)* five times as much (as); *(nombre)* five times as many (as) ▪**quintupler** *vti* to increase fivefold ▪**quintuplés, -ées** *nmfpl* quintuplets

quinze [kɛ̃z] *adj & nm inv* fifteen; **q. jours** two weeks, *Br* a fortnight; *Rugby* **le q. de France** the French fifteen ▪**quinzaine** *nf* **une q. (de)** (about) fifteen; **une q. (de jours)** two weeks, *Br* a fortnight ▪**quinzième** *adj & nmf* fifteenth

quiproquo [kiprɔko] *nm* mix-up

quittance [kitɑ̃s] *nf (reçu)* receipt; **q. de loyer** rent receipt

quitte [kit] *adj* quits (**envers** with); **q. à faire qch** even if it means doing sth; **en être q. pour qch** to get off *or* escape with sth

quitter [kite] **1** *vt (personne, lieu, poste)* to leave; *(vêtement)* to take off; **q. la route** to go off the road; **ne pas q. qn des yeux** to keep one's eyes on sb **2** *vi* **ne quittez pas!** *(au téléphone)* hold the line! **3 se quitter** *vpr* to part; **ils ne se quittent plus** they are inseparable

qui-vive [kiviv] **sur le qui-vive** *adv* on the alert

quoi [kwa] *pron* what; *(après une préposition)* which; **à q. penses-tu?** what are you thinking about?; **après q.** after which; **ce à q. je m'attendais** what I was expecting; **de q. manger** something to eat; *(assez)* enough to eat; **de q. écrire** something to write with; **q. que je dise** whatever I say; **q. qu'il advienne** whatever happens; **q. qu'il en soit** be that as it may; **il n'y a pas de q.!** *(en réponse à 'merci')* don't mention it!; **q.?** what?; *Fam* **c'est un idiot, q.!** he's a fool!; **et puis q. encore!** really, what next!

quoique [kwak] *conj* (al)though; **quoiqu'il soit pauvre** (al)though he's poor

quolibet [kɔlibɛ] *nm Littéraire* gibe

quorum [kwɔrɔm] *nm* quorum

quota [kwɔta] *nm* quota

quote-part [kɔtpar] *(pl* quotes-parts**)** *nf* share

quotidien, -ienne [kɔtidjɛ̃, -jɛn] **1** *adj* daily **2** *nm* daily (paper) ▪**quotidiennement** *adv* daily

quotient [kɔsjɑ̃] *nm* quotient

R, r [ɛr] *nm inv* R, r

rab [rab] *nm Fam (nourriture)* extra; **faire du r.** *(au travail)* to put in a bit of overtime

rabâcher [rabɑʃe] **1** *vt* to repeat endlessly **2** *vi* to say the same thing over and over again

rabais [rabɛ] *nm* reduction, discount; **faire un r. à qn** to give sb a discount

rabaisser [rabese] **1** *vt (dénigrer)* to belittle **2 se rabaisser** *vpr* to belittle oneself

rabat-joie [rabaʒwa] *nm inv* killjoy

rabattre* [rabatr] **1** *vt (col)* to turn down; *(couvercle)* to close; *(strapontin) (pour s'asseoir)* to fold down; *(en se levant)* to fold up; *(gibier)* to drive **2 se rabattre** *vpr (se refermer)* to close; *(strapontin)* to fold down; *(véhicule)* to pull back in; *Fig* **se r. sur qch** to fall back on sth

rabbin [rabɛ̃] *nm Rel* rabbi

rabibocher [rabiboʃe] *Fam* **1** *vt* to patch things up between **2 se rabibocher** *vpr* to patch things up *(avec* with)

rabiot [rabjo] *nm* = **rab**

râblé, -ée [rɑble] *adj* stocky

rabot [rabo] *nm (outil)* plane ▪ **raboter** *vt* to plane

raboteux, -euse [rabotø, -øz] *adj* uneven

rabougri, -ie [rabugri] *adj (personne, plante)* stunted

rabrouer [rabrue] *vt* to snub

racaille [rakɑj] *nf* scum, riff-raff

raccommoder [rakɔmɔde] **1** *vt (linge)* to mend; *(chaussette)* to darn; *Fam (personnes)* to patch things up between **2 se raccommoder** *vpr Fam* to patch things up *(avec* with) ▪ **raccommodage** *nm (de linge)* mending; *(de chaussette)* darning

raccompagner [rakɔ̃paɲe] *vt* to take back, to accompany

raccord [rakɔr] *nm (dispositif)* connection; *(de papier peint)* join; *(de peinture)* touch-up ▪ **raccordement** [-əmɑ̃] *nm (action, lien)* connection ▪ **raccorder** *vt,* **se raccorder** *vpr* to link up *(à* to)

raccourcir [rakursir] **1** *vt* to shorten **2** *vi* to get shorter ▪ **raccourci** *nm* short cut; **en r.** in brief

raccrocher [rakrɔʃe] **1** *vt (objet tombé)* to hang back up; *(téléphone)* to put down **2** *vi (au téléphone)* to hang up; *Fam (sportif)* to retire **3 se raccrocher** *vpr* **se r. à qch** to catch hold of sth; *Fig* to cling to sth

race [ras] *nf (ethnie)* race; *(animale)* breed; **chien de r.** pedigree dog ▪ **racé, -ée** *adj (cheval)* thoroughbred; *(personne)* distinguished ▪ **racial, -e, -iaux, -iales** *adj* racial ▪ **racisme** *nm* racism ▪ **raciste** *adj & nmf* racist

rachat [raʃa] *nm (de voiture, d'appartement)* repurchase; *(de firme)* buy-out; *Rel* atonement ▪ **racheter 1** *vt (acheter davantage)* to buy some more; *(remplacer)* to buy another; *(firme)* to buy out; *(péché)* to atone for; *(faute)* to make up for **2 se racheter** *vpr* to make amends, to redeem oneself

racine [rasin] *nf (de plante, de personne) & Math* root; **prendre r.** to take root

racket [raket] *nm Fam* racket

raclée [rakle] *nf Fam* thrashing; **prendre une r.** to get a thrashing

racler [rakle] **1** *vt* to scrape; *(peinture, boue)* to scrape off **2 se racler** *vpr* **se r. la gorge** to clear one's throat ▪ **raclette** *nf (outil)* scraper; *(plat)* raclette *(Swiss dish consisting of potatoes and melted cheese)* ▪ **racloir** *nm* scraper

racoler [rakɔle] *vt (sujet: prostituée)* to solicit ▪ **racolage** *nm (de prostituée)* soliciting ▪ **racoleur, -euse** *adj (publicité)* eye-catching

raconter [rakɔ̃te] *vt (histoire, mensonge)* to tell; *(événement)* to tell about; **r. qch à qn** *(histoire)* to tell sb sth; *(événement)* to tell sb about sth; **r. à qn que...** to tell sb that...; *Fam* **qu'est-ce que tu racontes?** what are you talking about? ▪ **racontars** *nmpl* gossip

racornir [rakɔrnir] *vt,* **se racornir** *vpr (durcir)* to harden; *(dessécher)* to shrivel

radar [radar] *nm* radar; **contrôle r.** radar speed check; *Fam* **être au r.** to be on automatic pilot

rade [rad] *nf* harbour; *Fam* **laisser qn en r.** to leave sb in the lurch; *Fam* **tomber en r.** to break down

radeau, -x [rado] *nm* raft

radiateur [radjatœr] *nm* radiator; **r. électrique** electric heater

radiation [radjasjɔ̃] *nf Phys* radiation; *(suppression)* removal *(de* from) ▪ **radier** *vt* to strike off *(de* from)

radical, -e, -aux, -ales [radikal, -o] **1** *adj* radical **2** *nm (de mot)* stem

radieux, -ieuse [radjø, -jøz] *adj (personne, visage, soleil)* radiant; *(temps)* glorious

radin, -ine [radɛ̃, -in] *Fam* **1** *adj* stingy, *Br* tight **2** *nmf* skinflint

radio [radjo] **1** *nf* (**a**) (*poste*) radio; (*station*) radio station; **à la r.** on the radio; **r. libre** = independent radio station (**b**) *Méd* X-ray; **passer une r.** to have an X-ray; **faire passer une r. à qn** to give sb an X-ray **2** *nm* (*opérateur*) radio operator ▪ **radio-réveil** (*pl* **radios-réveils**) *nm* radio alarm clock ▪ **radio-taxi** (*pl* **radio-taxis**) *nm Br* minicab

radioactif, -ive [radjoaktif, -iv] *adj* radioactive ▪ **radioactivité** *nf* radioactivity

radiodiffuser [radjodifyse] *vt* to broadcast ▪ **radiodiffusion** *nf* broadcasting

radiographie [radjografi] *nf* (*photo*) X-ray; (*technique*) radiography ▪ **radiographier** *vt* to X-ray ▪ **radiologie** *nf Méd* radiology ▪ **radiologue** *nmf* (*technicien*) radiographer; (*médecin*) radiologist

radioguidé, -ée [radjogide] *adj* radio-controlled

radiophonique [radjofɔnik] *adj* **émission r.** radio broadcast ▪ **radiotélévisé, -ée** *adj* broadcast on radio and television

radis [radi] *nm* radish; **r. noir** black radish; *Fam* **je n'ai plus un r.** I'm broke *or Br* skint

radoter [radɔte] **1** *vi Fam* to rabbit on about **2** *vi* (*rabâcher*) to rabbit on; (*divaguer*) to ramble on ▪ **radotage** *nm* (*divagations*) rambling

radoucir [radusir] **se radoucir** *vpr* (*personne*) to calm down; (*temps*) to become milder ▪ **radoucissement** *nm* (*du temps*) milder spell

rafale [rafal] *nf* (*vent*) gust; (*de mitrailleuse*) burst; **par rafales** in gusts

raffermir [rafermir] **1** *vt* (*autorité*) to strengthen; (*muscles*) to tone up **2** **se raffermir** *vpr* (*muscle*) to become stronger

raffiné, -ée [rafine] *adj* refined ▪ **raffinement** *nm* refinement

raffiner [rafine] *vt* to refine ▪ **raffinage** *nm* refining ▪ **raffinerie** *nf* refinery

raffoler [rafɔle] *vi Fam* **r. de qch** to be mad about sth

raffut [rafy] *nm Fam* din; **faire du r.** to make a din

rafiot [rafjo] *nm Fam Péj* (*bateau*) old tub

rafistoler [rafistɔle] *vt Fam* to patch up

rafle [rɑfl] *nf* raid ▪ **rafler** *vt Fam* to swipe

rafraîchir [rafreʃir] **1** *vt* (*rendre frais*) to chill; (*pièce*) to air; (*raviver*) to freshen up; **r. la mémoire à qn** to refresh sb's memory **2** *vi* to cool down **3** **se rafraîchir** *vpr* (*temps*) to get cooler; (*se laver*) to freshen up; *Fam* (*boire*) to have a cold drink ▪ **rafraîchissant, -ante** *adj* refreshing ▪ **rafraîchissement** *nm* (*de température*) cooling; (*boisson*) cold drink

ragaillardir [ragajardir] *vt Fam* to buck up

rage [raʒ] *nf* (*colère*) rage; (*maladie*) rabies; **faire r.** (*incendie, tempête*) to rage; **r. de dents** violent toothache ▪ **rageant, -ante** *adj Fam* infuri-ating ▪ **rager** *vi Fam* (*personne*) to fume ▪ **rageur, -euse** *adj* (*ton*) furious

ragots [rago] *nmpl Fam* gossip

ragoût [ragu] *nm Culin* stew

ragoûtant, -ante [ragutã, -ãt] *adj* **peu r.** (*plat*) unappetizing; (*personne*) unsavoury

rai [rɛ] *nm* (*de lumière*) ray

raid [rɛd] *nm* raid; **r. aérien** air raid

raide [rɛd] **1** *adj* (*rigide, guindé*) stiff; (*côte, escalier*) steep; (*cheveux*) straight; (*corde*) taut **2** *adv* (*grimper*) steeply; **tomber r.** to fall to the ground; **tomber r. mort** to drop (down) dead ▪ **raideur** *nf* (*rigidité*) stiffness; (*de côte*) steepness ▪ **raidillon** *nm* (*chemin*) steep path; (*partie de route*) steep rise ▪ **raidir 1** *vt* (*bras, jambe*) to brace; (*corde*) to tauten **2** **se raidir** *vpr* (*membres*) to stiffen; (*corde*) to tauten; (*personne*) to tense up

raie¹ [rɛ] *nf* (*motif*) stripe; (*de cheveux*) *Br* parting, *Am* part

raie² [rɛ] *nf* (*poisson*) skate

rail [rɑj] *nm* rail; **le r.** (*chemins de fer*) rail; **r. de sécurité** crash barrier

railler [rɑje] *vt* to mock ▪ **raillerie** *nf* gibe ▪ **railleur, -euse** *adj* mocking

rainure [rɛnyr] *nf* groove

raisin [rɛzɛ̃] *nm* raisin(s) grapes; **r. sec** raisin

> Il faut noter que le nom anglais **raisin** est un faux ami. Il signifie **raisin sec**.

raison [rɛzɔ̃] *nf* (**a**) (*faculté, motif*) reason; **la r. de mon absence** the reason for my absence; **la r. pour laquelle je…** the reason (why) I…; **pour raisons de famille/de santé** for family/ health reasons; **en r. de** (*cause*) on account of; **à r. de** (*proportion*) at the rate of; **à plus forte r.** all the more so; **plus que de r.** (*boire*) much too much; **r. de plus** all the more reason (**pour faire** to do *or* for doing); **avoir r. de qn/qch** to get the better of sb/sth; **se faire une r.** to resign oneself (**b**) **avoir r.** to be right (**de faire** to do *or* in doing); **donner r. à qn** to agree with sb; (*événement*) to prove sb right; **avec r.** rightly

raisonnable [rɛzɔnabl] *adj* reasonable ▪ **raisonnablement** [-əmã] *adv* reasonably

raisonner [rɛzɔne] **1** *vt* **r. qn** to reason with sb **2** *vi* (*penser*) to reason; (*discuter*) to argue ▪ **raisonné, -ée** *adj* (*choix*) reasoned ▪ **raisonnement** *nm* (*faculté, activité*) reasoning; (*argumentation*) argument

rajeunir [raʒœnir] **1** *vt* (*moderniser*) to modernize; **r. qn** (*faire paraître plus jeune*) to make sb look younger; (*donner moins que son âge à*) to underestimate how old sb is **2** *vi* to look younger ▪ **rajeunissement** *nm* (*après traitement*) rejuvenation; (*de population*) decrease in age

rajout [raʒu] *nm* addition ▪ **rajouter** *vt* to add (**à** to); *Fig* **en r.** to exaggerate

rajuster [raʒyste] **1** vt (vêtements, lunettes) to straighten, to adjust **2 se rajuster** vpr to tidy oneself up

râle [ral] nm (de mourant) death rattle ▪ **râler** vi (mourant) to give a death rattle; Fam (protester) to moan ▪ **râleur, -euse** nmf Fam moaner

ralentir [ralɑ̃tir] vti to slow down ▪ **ralenti** nm Cin & TV slow motion; **au r.** in slow motion; (travailler) at a slower pace; **tourner au r.** (moteur, usine) Br to tick over, Am to turn over ▪ **ralentissement** nm slowing down; (embouteillage) hold-up

rallier [ralje] **1** vt (réunir) to rally; (regagner) to return to; **r. qn à qch** (convertir) to win sb over to sth **2 se rallier** vpr **se r. à** (avis) to come round to; (cause) to rally to

rallonge [ralɔ̃ʒ] nf (de table) extension; (fil électrique) extension (lead) ▪ **rallonger** vti to lengthen

rallumer [ralyme] **1** vt (feu, pipe) to light again; (lampe) to switch on again; (conflit, haine) to rekindle **2 se rallumer** vpr (lumière) to come back on; (guerre, incendie) to flare up again

rallye [rali] nm (course automobile) rally

ramage [ramaʒ] nm (d'oiseaux) song ▪ **ramages** nmpl (dessin) foliage

ramassé, -ée [ramase] adj (trapu) stocky; (concis) compact

ramasser [ramase] **1** vt (prendre par terre, réunir) to pick up; (ordures, copies) to collect; (fruits, coquillages) to gather; Fam (gifle, rhume, amende) to get **2 se ramasser** vpr (se pelotonner) to curl up; (se relever) to pick oneself up; Fam (tomber) to fall flat on one's face; Fam (échouer) to fail ▪ **ramassage** nm (d'ordures) collection; (de fruits) gathering; **r. scolaire** school bus service

ramassis [ramasi] nm Péj **r. de** (voyous, vieux livres) bunch of

rambarde [rɑ̃bard] nf guardrail

rame [ram] nf (aviron) oar; (de métro) train; (de papier) ream ▪ **ramer** vi to row; Fam (peiner) to sweat blood ▪ **rameur, -euse** nmf rower

rameau, -x [ramo] nm branch; Rel **le dimanche des Rameaux, les Rameaux** Palm Sunday

ramener [ramne] **1** vt (amener) to bring back; (raccompagner) to take back; (remettre en place) to put back; (paix, ordre, calme) to restore; **r. qch à qch** to reduce sth to sth; **r. qn à la vie** to bring sb back to life; Fam **r. sa fraise** to show off **2 se ramener** vpr Fam (arriver) to roll up; **se r. à qch** (se réduire) to boil down to sth

ramification [ramifikasjɔ̃] nf ramification

ramollir [ramɔlir] vt, **se ramollir** vpr to soften ▪ **ramolli, -ie** adj soft; (personne) soft-headed

ramoner [ramɔne] vt (cheminée) to sweep ▪ **ramonage** nm (chimney) sweeping ▪ **ramoneur** nm (chimney) sweep

rampe [rɑ̃p] nf (d'escalier) banister; (pente) slope; **être sous les feux de la r.** to be in the limelight; **r. d'accès** (de pont) access ramp; **r. de lancement** launching ramp

ramper [rɑ̃pe] vi to crawl; Péj **r. devant qn** to grovel to sb

rancard [rɑ̃kar] nm Fam (rendez-vous) meeting

rancart [rɑ̃kar] nm Fam **mettre qch au r.** to chuck sth out

rance [rɑ̃s] adj rancid ▪ **rancir** vi to go rancid

ranch [rɑ̃tʃ] nm ranch

rancœur [rɑ̃kœr] nf rancour, resentment

rançon [rɑ̃sɔ̃] nf ransom; Fig **la r. de la gloire** the price of fame ▪ **rançonner** vt to hold to ransom

rancune [rɑ̃kyn] nf spite; **garder r. à qn** to bear sb a grudge; **sans r.!** no hard feelings! ▪ **rancunier, -ière** adj spiteful

randonnée [rɑ̃dɔne] nf (à pied) hike; (en vélo) ride

rang [rɑ̃] nm (rangée) row; (classement, grade) rank; Hum **en r. d'oignons** in a neat row; **par r. de taille** in order of size; **de haut r.** high-ranking; **se mettre en r.** to line up (**par trois** in threes) ▪ **rangée**[1] nf row

ranger [rɑ̃ʒe] **1** vt (papiers, vaisselle) to put away; (chambre) to tidy; (classer) to rank (**parmi** among); **r. par ordre alphabétique** to arrange in alphabetical order **2 se ranger** vpr (se disposer) to line up; (s'écarter) to stand aside; (voiture) to pull over; Fam (s'assagir) to settle down; **se r. à l'avis de qn** to come round to sb's opinion ▪ **rangé, -ée**[2] adj (chambre) tidy; (personne) steady ▪ **rangement** nm putting away; (de chambre) tidying (up); **rangements** (placards) storage space; **faire du r.** to do some tidying up

ranimer [ranime] vt (personne) (après évanouissement) to bring round; (après arrêt cardiaque) to resuscitate; (feu) to rekindle; (souvenir) to reawaken; (débat) to revive

rap [rap] nm (musique) rap ▪ **rappeur, -euse** nmf (chanteur) rapper

rapace [rapas] **1** nm (oiseau) bird of prey **2** adj (personne) grasping

rapatrier [rapatrije] vt to repatriate ▪ **rapatriement** nm repatriation

râpe [rap] nf Culin grater; (lime) rasp ▪ **râpé, -ée 1** adj (fromage, carottes) grated; (vêtement) threadbare; Fam **c'est r.** we've had it **2** nm grated cheese ▪ **râper** vt (fromage) to grate; (bois) to rasp

rapetisser [raptise] **1** vt (rendre plus petit) to make smaller; (faire paraître plus petit) to make look smaller **2** vi (vêtement, personne) to shrink

râpeux, -euse [rapø, -øz] adj rough

raphia [rafja] nm raffia

rapide [rapid] **1** adj fast; (progrès) rapid; (esprit, lecture) quick; (pente) steep **2** nm (train) express (train); *(de fleuve)* rapid ▪**rapidement** *adv* quickly, rapidly ▪**rapidité** *nf* speed

rapiécer [rapjese] *vt* to patch

rappel [rapɛl] *nm (de diplomate)* recall; *(d'événement, de promesse)* reminder; *(de salaire)* back pay; *(au théâtre)* curtain call; *(vaccin)* booster; *Sport* **descendre en r.** to abseil down; **r. à l'ordre** call to order

rappeler [rap(ə)le] **1** *vt (pour faire revenir, au téléphone)* to call back; *(souvenir, diplomate)* to recall; **r. qch à qn** to remind sb of sth **2** *vi (au téléphone)* to call back **3** **se rappeler** *vpr* **se r. qn/qch** to remember sb/sth; **se r. que...** to remember that...

rappliquer [raplike] *vi Fam (arriver)* to roll up

rapport [rapɔr] *nm* (**a**) *(lien)* connection, link; **par r. à** compared with; **sous ce r.** in this respect; **se mettre en r. avec qn** to get in touch with sb; **ça n'a aucun r.!** it has nothing to do with it!; **rapports** *(entre personnes)* relations; **rapports (sexuels)** (sexual) intercourse (**b**) *(profit)* return, yield (**c**) *(compte rendu)* report

rapporter [rapɔrte] **1** *vt (rendre)* to bring back; *(remporter)* to take back; *(raconter)* to report; *(profit)* to yield; **r. de l'argent** to be profitable; **r. qch à qn** *(financièrement)* to bring sb in sth; *(moralement)* to bring sb sth; **on rapporte que...** it is reported that... **2** *vi (chien)* to retrieve; *Péj (moucharder)* to tell tales **3** **se rapporter** *vpr* **se r. à qch** to relate to sth; **s'en r. à qn/qch** to rely on sb/sth ▪**rapporteur, -euse 1** *nmf Péj (mouchard)* telltale **2** *nm (de commission)* reporter; *(instrument)* protractor

rapprocher [raprɔʃe] **1** *vt (objet)* to move closer (**de** to); *(réconcilier)* to bring together; *(réunir)* to join; *(comparer)* to compare (**de** to *or* with) **2** **se rapprocher** *vpr* to get closer (**de** to); *(se réconcilier)* to be reconciled; *(ressembler)* to be similar (**de** to) ▪**rapproché, -ée** *adj* close; *(yeux)* close-set ▪**rapprochement** *nm (réconciliation)* reconciliation; *(rapport)* connection

rapt [rapt] *nm* abduction

raquette [rakɛt] *nf (de tennis)* racket; *(de ping-pong)* bat; *(de neige)* snowshoe

rare [rar] *adj* rare; *(argent, main-d'œuvre)* scarce; *(barbe, végétation)* sparse; **c'est r. qu'il pleuve ici** it rarely rains here ▪**se raréfier** *vpr (denrées)* to get scarce ▪**rarement** *adv* rarely, seldom ▪**rareté** *nf (objet rare)* rarity; *(de main-d'œuvre)* scarcity; *(de phénomène)* rareness

RAS [ɛraɛs] *(abrév* **rien à signaler)** *Fam* nothing to report

ras, rase [rɑ, rɑz] **1** *adj (cheveux)* close-cropped; *(herbe, barbe)* short; *(mesure)* full; **à r. bord** to the brim; **pull (au) r. du cou** crew-neck sweater **2** *nm* **au r. de, à r. de** level with; **voler au r. du sol** to fly close to the ground **3** *adv*

(coupé) short; *Fam* **en avoir r. le bol** to be fed up (**de** with)

raser [rɑze] **1** *vt (menton, personne)* to shave; *(barbe, moustache)* to shave off; *(démolir)* to raze to the ground; *(frôler)* to skim; *Fam (ennuyer)* to bore **2** **se raser** *vpr* to shave ▪**rasage** *nm* shaving ▪**rasé, -ée** *adj* **être bien r.** to be clean-shaven ▪**raseur, -euse** *nmf Fam* bore

rasoir [rɑzwar] **1** *nm* razor; *(électrique)* shaver **2** *adj inv Fam* boring

rassasier [rasazje] *vt (faim, curiosité)* to satisfy

rassembler [rasɑ̃ble] **1** *vt (gens, objets)* to gather (together); *(courage)* to muster; **r. ses esprits** to collect oneself **2** **se rassembler** *vpr* to gather, to assemble ▪**rassemblement** [-əmɑ̃] *nm (action, groupe)* gathering

rasseoir* [raswar] **se rasseoir** *vpr* to sit down again

rassis, -ise [rasi, -iz] *adj (pain)* stale ▪**rassir** *vi* to go stale

rassurer [rasyre] **1** *vt* to reassure **2** **se rassurer** *vpr* **rassure-toi** don't worry ▪**rassurant, -ante** *adj* reassuring

rat [ra] *nm* rat; *Fig* **r. de bibliothèque** bookworm; **petit r. de l'Opéra** ballet student *(at the Opéra de Paris)*

ratatiner [ratatine] **se ratatiner** *vpr* to shrivel up; *(vieillard)* to become wizened

ratatouille [ratatuj] *nf Culin* **r. (niçoise)** ratatouille

rate [rat] *nf Anat* spleen

râteau, -x [rɑto] *nm* rake

râtelier [rɑtəlje] *nm (pour outils, pour armes)* rack; *Fam (dentier)* set of false teeth

rater [rate] **1** *vt (bus, cible, occasion)* to miss; *(travail, gâteau)* to ruin; *(examen)* to fail; *(vie)* to waste; *Fam* **il n'en rate pas une** he's always putting his foot in it **2** *vi Fam* to fail; **ça n'a pas raté!** sure enough, it happened! ▪**raté, -ée 1** *nmf* loser **2** *nmpl* **avoir des ratés** *(moteur)* to backfire

ratifier [ratifje] *vt* to ratify ▪**ratification** *nf* ratification

ration [rasjɔ̃] *nf* ration ▪**rationnement** *nm* rationing ▪**rationner** *vt* to ration

rationaliser [rasjɔnalize] *vt* to rationalize ▪**rationalisation** *nf* rationalization

rationnel, -elle [rasjɔnɛl] *adj* rational

ratisser [ratise] *vt (allée)* to rake; *(feuilles)* to rake up; *Fam (fouiller)* to comb; *Fam* **se faire r.** *(au jeu)* to be cleaned out

raton [ratɔ̃] *nm* **r. laveur** raccoon

RATP [ɛratepe] *(abrév* **Régie autonome des transports parisiens)** *nf* = Parisian transport authority

rattacher [rataʃe] **1** *vt (lacets)* to tie up again; *(région)* to unite (**à** with); *(idée)* to link (**à** to) **2** **se rattacher** *vpr* **se r. à** to be linked to

▪**rattachement** *nm (de région)* uniting (**à** with)

rattraper [ratrape] **1** *vt* to catch; *(prisonnier)* to recapture; *(erreur)* to correct; **r. qn** *(rejoindre)* to catch up with sb; **r. le temps perdu** to make up for lost time **2 se rattraper** *vpr (se retenir)* to catch oneself in time; *(après une faute)* to make up for it; **se r. à qch** to catch hold of sth ▪**rattrapage** *nm Scol* **cours de r.** remedial class

rature [ratyr] *nf* crossing-out, deletion ▪**raturer** *vt* to cross out, to delete

rauque [rok] *adj (voix)* hoarse

ravages [ravaʒ] *nmpl* devastation; *(du temps, de maladie)* ravages; **faire des r.** to wreak havoc; *(femme)* to break hearts ▪**ravager** *vt* to devastate

ravaler [ravale] *vt (façade)* to clean; *(sanglots, salive)* to swallow; *Fig (colère)* to stifle; *Littéraire (avilir)* to lower (**à** to) ▪**ravalement** *nm* cleaning

ravi, -ie [ravi] *adj* delighted (**de** with; **de faire** to do; **que** that)

ravier [ravje] *nm* hors d'œuvre dish

ravigoter [ravigɔte] *vt Fam* **r. qn** to put new life into sb

ravin [ravɛ̃] *nm* ravine

ravioli(s) [ravjɔli] *nmpl* ravioli

ravir [ravir] *vt (emporter)* to snatch (**à** from); *(plaire à)* to delight; **chanter à r.** to sing delightfully ▪**ravissant, -ante** *adj* delightful ▪**ravissement** *nm (extase)* ecstasy ▪**ravisseur, -euse** *nmf* kidnapper

raviser [ravize] **se raviser** *vpr* to change one's mind

ravitailler [ravitɑje] **1** *vt (personnes)* to supply; *(avion)* to refuel **2 se ravitailler** *vpr* to get in supplies ▪**ravitaillement** *nm (action)* supplying; *(d'avion)* refuelling; *(denrées)* supplies

raviver [ravive] *vt (feu, sentiment)* to rekindle; *(douleur)* to revive; *(couleur)* to brighten up

rayer [rɛje] *vt (érafler)* to scratch; *(mot)* to cross out; **r. qn d'une liste** to cross sb off a list ▪**rayé, -ée** *adj (verre, disque)* scratched; *(tissu, pantalon)* striped ▪**rayure** *nf (éraflure)* scratch; *(motif)* stripe; **à rayures** striped

rayon [rɛjɔ̃] *nm* (**a**) *(de lumière)* ray; *(de cercle)* radius; *(de roue)* spoke; **dans un r. de** within a radius of; **r. X** X-ray; **r. d'action** range; **r. de soleil** sunbeam (**b**) *(d'étagère)* shelf; *(de magasin)* department; *(de ruche)* honeycomb (**c**) *(expressions) Fam* **elle en connaît un r.** she's well clued up about it ▪**rayonnage** *nm* shelving, shelves

rayonner [rɛjɔne] *vi (avenue, douleur)* to radiate; *(dans une région)* to travel around *(from a central base)*; *(soleil)* to beam; *Fig* **r. de joie** to beam with joy ▪**rayonnant, -ante** *adj (soleil)* radiant; *Fig (visage)* beaming (**de** with)

▪**rayonnement** *nm (du soleil)* radiance; *(influence)* influence

raz de marée [rɑdmare] *nm inv* tidal wave; *Fig (bouleversement)* upheaval; **r. électoral** landslide

razzia [ra(d)zja] *nf Fam* **faire une r. sur qch** to raid sth

ré [re] *nm inv Mus (note)* D

réacteur [reaktœr] *nm (d'avion)* jet engine; *(nucléaire)* reactor

réaction [reaksjɔ̃] *nf* reaction; **moteur à r.** jet engine; **r. en chaîne** chain reaction ▪**réactionnaire** *adj & nmf* reactionary

réadapter [readapte] *vt*, **se réadapter** *vpr* to readjust (**à** to) ▪**réadaptation** *nf* readjustment

réaffirmer [reafirme] *vt* to reaffirm

réagir [reaʒir] *vi* to react (**contre** against; **à** to); *Fig (se secouer)* to shake oneself out of it

réaliser [realize] **1** *vt (projet)* to realize; *(rêve, ambition)* to fulfil; *(bénéfices, économies)* to make; *(film)* to direct; *(se rendre compte)* to realize (**que** that) **2 se réaliser** *vpr (vœu)* to come true; *(personne)* to fulfil oneself ▪**réalisable** *adj (plan)* workable; *(rêve)* attainable ▪**réalisateur, -trice** *nmf (de film)* director ▪**réalisation** *nf (de projet)* realization; *(de rêve)* fulfilment; *(de film)* direction; *(œuvre)* achievement

réalisme [realism] *nm* realism ▪**réaliste** **1** *adj* realistic **2** *nmf* realist

réalité [realite] *nf* reality; **en r.** in reality

réanimation [reanimasjɔ̃] *nf* resuscitation; **(service de) r.** intensive care unit ▪**réanimer** *vt* to resuscitate

réapparaître* [reaparetr] *vi* to reappear ▪**réapparition** *nf* reappearance

réarmer [rearme] **1** *vt (fusil)* to reload **2** *vi (pays)* to rearm ▪**réarmement** [-əma] *nm* rearmament

rébarbatif, -ive [rebarbatif, -iv] *adj* forbidding; *Br* off-putting

rebâtir [rəbɑtir] *vt* to rebuild

rebattu, -ue [rəbaty] *adj (sujet)* hackneyed

rebelle [rəbɛl] **1** *adj (enfant, esprit)* rebellious; *(mèche)* unruly; *(fièvre)* stubborn; **être r. à** *(sujet: enfant)* to resist; *(sujet: organisme)* to be resistant to **2** *nmf* rebel ▪**se rebeller** *vpr* to rebel (**contre** against) ▪**rébellion** *nf* rebellion

rebelote [rəbəlɔt] *exclam Fam* here we go again!

rebiffer [rəbife] **se rebiffer** *vpr Fam* to hit back (**contre** at)

rebiquer [rəbike] *vi Fam (mèche, col)* to stick up

reboiser [rəbwaze] *vt* to reforest

rebond [rəbɔ̃] *nm* bounce; *(par ricochet)* rebound ▪**rebondir** *vi* to bounce; *(par ricochet)* to rebound; *Fam (se remettre)* to recover; **faire r. qch** *(affaire, discussion)* to get sth going again ▪**rebondissement** *nm* new development (**de** in)

rebondi, -ie [rəbɔ̃di] *adj* chubby

rebord [rəbɔr] *nm* edge; *(de plat)* rim; *(de vêtement)* hem; **r. de fenêtre** windowsill

reboucher [rəbuʃe] *vt (flacon)* to put the top back on; *(trou)* to fill in again

rebours [rəbur] **à rebours** *adv* the wrong way; **comprendre à r.** to get the wrong end of the stick; **compte à r.** countdown

rebrousse-poil [rəbruspwal] **à rebrousse-poil** *adv* **Fig prendre qn à r.** to rub sb up the wrong way

rebrousser [rəbruse] *vt* **r. chemin** to turn back

rebuffade [rəbyfad] *nf* rebuff

rébus [rebys] *nm* rebus

rebut [rəby] *nm* **mettre qch au r.** to throw sth out; *Péj* **le r. de la société** the dregs of society

rebuter [rəbyte] *vt (décourager)* to put off; *(déplaire)* to disgust ▪ **rebutant, -ante** *adj* off-putting

récalcitrant, -ante [rekalsitrɑ̃, -ɑ̃t] *adj* recalcitrant

recaler [rəkale] *vt* Fam Scol **r. qn** to fail sb; Fam Scol **être recalé, se faire r.** to fail

récapituler [rekapityle] *vti* to recap, to sum up ▪ **récapitulation** *nf* recap, summing up

recel [rəsɛl] *nm* receiving stolen goods ▪ **receler, recéler** *vt (mystère, secret)* to conceal; *(objet volé)* to receive; *(criminel)* to harbour ▪ **receleur, -euse, recéleur, -euse** *nmf* receiver *(of stolen goods)*

recenser [rəsɑ̃se] *vt (population)* to take a census of; *(objets)* to make an inventory of; *(votes)* to count ▪ **recensement** *nm (de population)* census; *(d'objets)* inventory; *(de votes)* counting

récent, -ente [resɑ̃, -ɑ̃t] *adj* recent ▪ **récemment** [-amɑ̃] *adv* recently

récépissé [resepise] *nm (reçu)* receipt

récepteur [reseptœr] *nm (téléphone)* receiver ▪ **réceptif, -ive** *adj* receptive **(à** to) ▪ **réception** *nf (accueil, soirée)* & *Radio* reception; *(de lettre)* receipt; *(d'hôtel)* reception (desk); **dès r. de** on receipt of; **avec accusé de r.** with acknowledgement of receipt ▪ **réceptionniste** *nmf* receptionist

récession [resesjɔ̃] *nf Écon* recession

recette [rəsɛt] *nf Culin & Fig* recipe **(de** for); *(argent, bénéfice)* takings; *(bureau)* tax office; **recettes** *(gains)* takings; *Fig* **faire r.** to be a success

recevoir* [rəsəvwar] **1** *vt (amis, lettre, proposition, coup de téléphone)* to receive; *(gifle, coup)* to get; *(client)* to see; *(candidat)* to admit; *(station de radio)* to pick up; **r. la visite de qn** to have a visit from sb; **être reçu à un examen** to pass an exam; **être reçu premier** to come first **2** *vi (faire une fête)* to have guests; *(médecin)* to see patients ▪ **recevable** *adj (excuse)* admissible ▪ **receveur, -euse** *nmf*

(de bus) (bus) conductor; **r. des Postes** post-master, *f* postmistress

rechange [rəʃɑ̃ʒ] **de rechange** *adj (outil, pièce)* spare; *(solution)* alternative; **des vêtements de r.** a change of clothes

rechapé, -ée [rəʃape] *adj* **pneu r.** retread

réchapper [reʃape] *vi* **r. de qch** to survive sth

recharge [rəʃarʒ] *nf (de stylo)* refill ▪ **rechargeable** *adj (briquet)* refillable; *(pile)* rechargeable ▪ **recharger** *vt (fusil, appareil photo, camion)* to reload; *(briquet, stylo)* to refill; *(batterie, pile)* to recharge; *(crédit du téléphone portable)* Br to top up, Am to refill

réchaud [reʃo] *nm* (portable) stove

réchauffer [reʃofe] **1** *vt (personne, aliment)* to warm up **2 se réchauffer** *vpr (personne)* to get warm; *(temps)* to get warmer ▪ **réchauffement** *nm (de température)* rise **(de** in); **le r. de la planète** global warming

rêche [rɛʃ] *adj* rough

recherche [rəʃɛrʃ] *nf* **(a)** *(quête)* search **(de** for); *(du pouvoir)* quest **(de** for); **à la r. de** in search of; **se mettre à la r. de qn/qch** to go in search of sb/sth **(b)** *(scientifique)* research **(sur** into); **faire de la r.** to do research **(c) recherches** *(de police)* search, hunt; **faire des recherches** to make inquiries **(d)** *(raffinement)* elegance

rechercher [rəʃɛrʃe] *vt (personne, objet)* to search for; *(emploi)* to look for; *(honneurs, faveurs)* to seek; *Ordinat* to do a search for ▪ **recherché, -ée** *adj* **(a)** *(très demandé)* in demand; *(rare)* sought-after; **r. pour meurtre** wanted for murder **(b)** *(élégant)* elegant

rechigner [rəʃiɲe] *vi Fam* **r. à qch** to balk at sth; **faire qch en rechignant** to do sth with a bad grace

rechute [rəʃyt] *nf* relapse; **faire une r.** to have a relapse ▪ **rechuter** *vi* to have a relapse

récidive [residiv] *nf (de malfaiteur)* repeat Br offence or Am offense; *(de maladie)* recurrence **(de** of) ▪ **récidiver** *vi (malfaiteur)* to reoffend; *(maladie)* to recur ▪ **récidiviste** *nmf (malfaiteur)* repeat offender

récif [resif] *nm* reef

récipient [resipjɑ̃] *nm* container

> Il faut noter que le nom anglais **recipient** est un faux ami. Il signifie **destinataire**.

réciproque [resiprɔk] *adj (sentiments)* mutual; *(concessions)* reciprocal ▪ **réciproquement** *adv* mutually; **et r.** and vice versa

récit [resi] *nm (histoire)* story; *(compte rendu)* account; **faire le r. de qch** to give an account of sth

récital, -als [resital] *nm* recital

réciter [resite] *vt* to recite ▪ **récitation** *nf* recitation

réclame [reklam] *nf (publicité)* advertising;

(annonce) advertisement; **en r.** on special offer
réclamer [reklame] **1** *vt (demander)* to ask for; *(exiger)* to demand; *(droit, allocation)* to claim; *(nécessiter)* to require **2** *vi* to complain **3 se réclamer** *vpr* **se r. de qn** *(se recommander)* to mention sb's name **• réclamation** *nf* complaint; **faire une r.** to make a complaint; **(bureau des) réclamations** complaints department

> Il faut noter que le verbe anglais **to reclaim** est un faux ami. Il signifie le plus souvent **récupérer**.

reclasser [rəklɑse] *vt (fiches)* to reclassify; *(chômeur)* to find a new job for
reclus, -use [rəkly, -yz] **1** *adj* cloistered; **vivre r.** to lead a cloistered life **2** *nmf* recluse
réclusion [reklyzjɔ̃] *nf* **r. (criminelle)** imprisonment; **r. (criminelle) à perpétuité** life imprisonment
recoiffer [rəkwafe] **se recoiffer** *vpr (se repeigner)* to redo one's hair
recoin [rəkwɛ̃] *nm (de lieu)* nook; *(de mémoire)* recess
recoller [rəkɔle] *vt (objet cassé)* to stick back together; *(enveloppe)* to stick back down
récolte [rekɔlt] *nf (action)* harvesting; *(produits)* harvest; *Fig (de documents)* crop; **faire la r.** to harvest the crops **• récolter** *vt* to harvest; *Fig (recueillir)* to collect
recommandable [rəkɔmɑ̃dabl] *adj* **peu r.** *(personne)* undesirable; *(endroit)* disreputable
recommandation [rəkɔmɑ̃dasjɔ̃] *nf (appui, conseil)* recommendation
recommander [rəkɔmɑ̃de] **1** *vt (appuyer)* to recommend (**à** to; **pour** for); **r. à qn de faire qch** to advise sb to do sth; **r. son âme à Dieu** to commend one's soul to God **2 se recommander** *vpr* **se r. de qn** to give sb's name as a reference **• recommandé, -ée 1** *adj (lettre)* registered **2** *nm* **en r.** registered
recommencer [rəkɔmɑ̃se] *vti* to start *or* begin again **• recommencement** *nm* renewal (**de** of)
récompense [rekɔ̃pɑ̃s] *nf* reward (**pour** *ou* **de** for); *(prix)* award; **en r. de qch** as a reward for sth **• récompenser** *vt* to reward (**de** *ou* **pour** for)
réconcilier [rekɔ̃silje] **1** *vt* to reconcile (**avec** with) **2 se réconcilier** *vpr* to become reconciled, *Br* to make it up (**avec** with) **• réconciliation** *nf* reconciliation
reconduire* [rəkɔ̃dɥir] *vt (contrat)* to renew; *(politique)* to continue; **r. qn (à la porte)** to show sb out; **r. qn à la frontière** to escort sb back to the border **• reconduction** *nf (de contrat)* renewal
réconfort [rekɔ̃fɔr] *nm* comfort **• réconfortant, -ante** *adj* comforting **• réconforter** *vt* to comfort

reconnaissable [rəkɔnɛsabl] *adj* recognizable (**à qch** by sth)
reconnaissant, -ante [rəkɔnɛsɑ̃, -ɑ̃t] *adj* grateful (**à qn de qch** to sb for sth) **• reconnaissance** *nf (gratitude)* gratitude (**pour** for); *(de droit, de gouvernement)* recognition; *Mil* reconnaissance; *Mil* **partir en r.** to go off on reconnaissance; **r. de dette** IOU; *Ordinat* **r. vocale** speech recognition
reconnaître* [rəkɔnɛtr] **1** *vt (identifier, admettre)* to recognize (**à qch** by sth); *(enfant, erreur)* to acknowledge; *(terrain)* to reconnoitre; **être reconnu coupable** to be found guilty **2 se reconnaître** *vpr (soi-même)* to recognize oneself; *(l'un l'autre)* to recognize each other; **se r. coupable** to acknowledge one's guilt **• reconnu, -ue** *adj* recognized
reconquérir* [rəkɔ̃kerir] *vt (territoire)* to reconquer; *(liberté)* to win back
reconsidérer [rəkɔ̃sidere] *vt* to reconsider
reconstituant, -uante [rəkɔ̃stitɥɑ̃, -ɥɑ̃t] *adj & nm* tonic
reconstituer [rəkɔ̃stitɥe] *vt (armée, parti)* to reconstitute; *(crime, quartier)* to reconstruct; *(faits)* to piece together; *(fortune)* to build up again **• reconstitution** *nf (de crime)* reconstruction; **r. historique** historical reconstruction
reconstruire* [rəkɔ̃strɥir] *vt* to rebuild **• reconstruction** *nf* rebuilding
reconvertir [rəkɔ̃vɛrtir] **1** *vt (entreprise)* to convert; *(personne)* to retrain **2 se reconvertir** *vpr (personne)* to retrain; **se r. dans qch** to retrain for a new career in sth **• reconversion** *nf (d'usine)* conversion; *(de personne)* retraining
recopier [rəkɔpje] *vt (mettre au propre)* to copy out; *(faire un double de)* to recopy
record [rəkɔr] *nm & adj inv* record
recoucher [rəkuʃe] **se recoucher** *vpr* to go back to bed
recoudre* [rəkudr] *vt (bouton)* to sew back on; *(vêtement, plaie)* to stitch up
recouper [rəkupe] **1** *vt (couper de nouveau)* to recut; *(confirmer)* to confirm **2 se recouper** *vpr (témoignages)* to tally **• recoupement** *nm* crosscheck; **par r.** by crosschecking
recourber [rəkurbe] *vt,* **se recourber** *vpr* to bend **• recourbé, -ée** *adj (bec)* curved; *(nez)* hooked
recours [rəkur] *nm* recourse; **avoir r. à** *(chose)* to resort to; *(personne)* to turn to; **en dernier r.** as a last resort; *Jur* **r. en cassation** appeal **• recourir*** *vi* **r. à** *(moyen, violence)* to resort to; *(personne)* to turn to
recouvrer [rəkuvre] *vt (santé, bien)* to recover; *(vue)* to regain
recouvrir* [rəkuvrir] *vt (revêtir, inclure)* to cover (**de** with); *(couvrir de nouveau)* to re-cover; *(enfant)* to cover up again

récréation [rekreasjɔ̃] *nf (détente)* recreation; *Scol Br* break, *Am* recess; *(pour les plus jeunes)* playtime

récrier [rekrije] **se récrier** *upr Littéraire* to protest (**contre** about)

récriminer [rekrimine] *vi* to complain bitterly (**contre** about) ▪**récriminations** *nfpl* recriminations

récrire* [rekrir] *vt (lettre)* to rewrite

recroqueviller [rəkrɔkvije] **se recroqueviller** *upr (personne)* to curl up

recrudescence [rəkrydesɑ̃s] *nf* renewed outbreak (**de** of)

recrue [rəkry] *nf* recruit ▪**recrutement** *nm* recruitment ▪**recruter** *vt* to recruit

rectangle [rɛktɑ̃gl] *nm* rectangle ▪**rectangulaire** *adj* rectangular

rectifier [rɛktifje] *vt (calcul, erreur)* to correct; *(compte)* to adjust; *Fig* **r. le tir** to take a slightly different tack ▪**rectificatif** *nm* correction ▪**rectification** *nf (de calcul, d'erreur)* correction; **faire une r.** to make a correction

recto [rɛkto] *nm* front; **r. verso** on both sides

rectorat [rɛktɔra] *nm Br* ≃ local education authority, *Am* ≃ board of education

reçu, -ue [rəsy] **1** *pp de* **recevoir** **2** *adj (idée)* received; *(candidat)* successful **3** *nm (récépissé)* receipt

recueil [rəkœj] *nm (de poèmes, de chansons)* collection (**de** of)

recueillir* [rəkœjir] **1** *vt (argent, renseignements)* to collect; *(suffrages)* to win; *(personne, animal)* to take in **2** **se recueillir** *upr* to meditate; *(devant un monument)* to stand in silence ▪**recueillement** *nm* meditation ▪**recueilli, -ie** *adj* meditative

recul [rəkyl] *nm (d'armée, de négociateur, de maladie)* retreat; *(de canon)* recoil; *(déclin)* decline; **avoir un mouvement de r.** to recoil; *Fig* **manquer de r.** to be too closely involved; *Fig* **prendre du r.** to stand back from things ▪**reculade** *nf Fig & Péj* climb-down

reculer [rəkyle] **1** *vi (personne)* to move back; *(automobiliste)* to reverse, *Am* to back up; *(armée)* to retreat; *(épidémie)* to lose ground; *(glacier)* to recede; *(renoncer)* to back down, to retreat; *(diminuer)* to decline; **faire r. la foule** to move the crowd back; *Fig* **il ne recule devant rien** nothing daunts him **2** *vt (meuble)* to move back; *(paiement, décision)* to postpone ▪**reculé, -ée** *adj (endroit, temps)* remote

reculons [rəkylɔ̃] **à reculons** *adv* backwards

récupérer [rekypere] **1** *vt (objet prêté)* to get back, to recover; *(bagages) & Ordinat* to retrieve; *(forces)* to recover; *(recycler)* to salvage; *Péj (détourner à son profit)* to exploit; **r. des heures supplémentaires** to take time off in lieu **2** *vi (reprendre des forces)* to recover

▪**récupération** *nf (d'objet)* recovery; *(de déchets)* salvage; *Péj (d'idée)* exploitation

récurer [rekyre] *vt* to scour

récuser [rekyze] **1** *vt* to challenge **2** **se récuser** *upr* to decline to comment

recycler [rəsikle] **1** *vt (matériaux)* to recycle; *(personne)* to retrain **2** **se recycler** *upr (personne)* to retrain ▪**recyclable** *adj* recyclable ▪**recyclage** *nm (de matériaux)* recycling; *(de personne)* retraining

rédacteur, -trice [redaktœr, -tris] *nmf (d'un acte)* writer; *(de journal)* editor; **r. en chef** *(de journal)* editor (in chief) ▪**rédaction** *nf (action)* writing; *(de contrat)* drawing up; *Scol (devoir de français)* essay, composition; *(journalistes)* editorial staff; *(bureaux)* editorial offices

reddition [redisjɔ̃] *nf* surrender

redécouvrir [redekuvrir] *vt (auteur, ouvrage)* to rediscover

redemander [rədəmɑ̃de] *vt (en reposant une question)* to ask again; *(pour en avoir plus)* to ask for more; **r. qch à qn** *(pour le récupérer)* to ask sb for sth back

redémarrer [rədemare] *vi (voiture)* to start again; *Ordinat* to reboot; **faire r. une voiture** to start a car again

rédemption [redɑ̃psjɔ̃] *nf Rel* redemption

redescendre [rədesɑ̃dr] **1** *(aux avoir)* *vt (objet)* to bring/take back down **2** *(aux être)* *vi* to come/go back down

redevable [rədəvabl] *adj* **être r. de qch à qn** to be indebted to sb for sth

redevance [rədəvɑ̃s] *nf (de télévision)* licence fee

redevenir* [rədəvənir] *(aux être)* *vi* to become again

rediffusion [rədifyzjɔ̃] *nf (de film)* repeat

rédiger [redize] *vt* to write; *(contrat)* to draw up

redire* [rədir] **1** *vt* to repeat **2** *vi* **avoir** *ou* **trouver à r. à qch** to find fault with sth ▪**redite** *nf* pointless repetition; **un texte plein de redites** a very repetitive text

redondant, -ante [rədɔ̃dɑ̃, -ɑ̃t] *adj* redundant

redonner [rədɔne] *vt (rendre)* to give back; *(donner plus)* to give more

redoubler [rəduble] **1** *vt* to increase; *Scol* **r. une classe** to repeat a year *or Am* a grade; **à coups redoublés** *(frapper)* harder and harder **2** *vi Scol* to repeat a year *or Am* a grade; *(colère)* to intensify; **r. de patience** to be much more patient ▪**redoublant, -ante** *nmf* pupil repeating a year *or Am* a grade ▪**redoublement** *nm* [-əmɑ̃] increase (**de** in)

redouter [rədute] *vt* to dread (**de faire** doing) ▪**redoutable** *adj (adversaire, arme)* formidable; *(maladie)* dreadful

redresser [rədrese] **1** *vt (objet tordu)* to straighten (out); *(économie, situation, tort)* to put right; **r. la tête** to hold up one's head **2 se redresser** *vpr (personne)* to straighten up; *(pays, économie)* to recover ▪ **redressement** [-ɛsmɑ̃] *nm (essor)* recovery; **plan de r.** recovery plan; **r. fiscal** tax adjustment

réduction [redyksjɔ̃] *nf* reduction (**de** in); *(rabais)* discount; **r. du temps de travail** = reduction of the working week in France from 39 to 35 hours

réduire* [redɥir] **1** *vt* to reduce (**à** to; **de** by); **r. qch en cendres** to reduce sth to ashes; **r. qn à qch** *(misère, désespoir)* to reduce sb to sth **2** *vi (sauce)* to reduce **3 se réduire** *vpr* **se r. à** *(se ramener à)* to come down to; **se r. en cendres** to be reduced to ashes ▪ **réduit, -uite 1** *adj (prix, vitesse)* reduced; *(moyens)* limited **2** *nm (pièce)* small room

réécrire* [reekrir] *vt* to rewrite

rééduquer [reedyke] *vt (personne)* to rehabilitate; *(partie du corps)* to re-educate ▪ **rééducation** *nf (de personne)* rehabilitation; *(de membre)* re-education; **faire de la r.** to have physiotherapy

réel, réelle [reel] **1** *adj* real **2** *nm* **le r.** reality ▪ **réellement** *adv* really

réélire* [reelir] *vt* to re-elect

réévaluer [reevalɥe] *vt (monnaie)* to revalue; *(salaires)* to reassess ▪ **réévaluation** *nf (de monnaie)* revaluation; *(de salaires)* reassessment

réexpédier [reekspedje] *vt (faire suivre)* to forward; *(à l'envoyeur)* to return

refaire* [rəfɛr] **1** *vt (exercice, travail)* to do again, to redo; *(chambre)* to do up; *(erreur, voyage)* to make again; *Fam (duper)* to take in; **r. sa vie** to make a new life for oneself; **r. du riz** to cook some more rice; **r. le monde** to put the world to rights; *Méd* **se faire r. le nez** to have one's nose reshaped, *Fam* to have a nose job **2 se refaire** *vpr* **se r. une santé** to recover

réfection [refeksjɔ̃] *nf* repair

réfectoire [refektwar] *nm* dining hall, refectory

référence [referɑ̃s] *nf* reference; **faire r. à qch** to refer to sth

référendum [referɑ̃dɔm] *nm* referendum

référer [refere] **1** *vi* **en r. à** to refer the matter to **2 se référer** *vpr* **se r. à** to refer to

refermer [rəfɛrme] *vt*, **se refermer** *vpr* to close *or* shut again

refiler [rəfile] *vt Fam* **r. qch à qn** *(donner)* to palm sth off on sb; *(maladie)* to give sb sth

réfléchir [refleʃir] **1** *vt (image, lumière)* to reflect; **r. que...** to realize that... **2** *vi* to think (**à** *ou* **sur** about) **3 se réfléchir** *vpr* to be reflected ▪ **réfléchi, -ie** *adj (personne)* thoughtful; *(action, décision)* carefully thought-out; *Grammaire (verbe, pronom)* reflexive; **c'est tout r.** my mind is made up; **tout bien r.** all things considered

reflet [rəflɛ] *nm (image)* & *Fig* reflection; *(lumière)* glint; **reflets** *(de cheveux)* highlights ▪ **refléter 1** *vt* to reflect **2 se refléter** *vpr* to be reflected

refleurir [rəflœrir] *vi* to flower again

réflexe [refleks] *nm & adj* reflex

réflexion [refleksjɔ̃] *nf (d'image, de lumière)* reflection; *(pensée)* thought, reflection; *(remarque)* remark; **faire une r. à qn** to make a remark to sb; **r. faite, à la r.** on second *Br* thoughts *or Am* thought

réflexologie [refleksɔlɔʒi] *nf* reflexology ▪ **réflexologiste** *nmf* reflexologist

refluer [rəflye] *vi (eaux)* to flow back; *(marée)* to ebb; *(foule)* to surge back ▪ **reflux** *nm (de marée)* ebb; *(de foule)* backward surge

réforme [refɔrm] *nf* reform ▪ **réformateur, -trice** *nmf* reformer ▪ **réformer** *vt (loi)* to reform; *(soldat)* to discharge as unfit

refouler [rəfule] *vt (personnes)* to force *or* drive back; *(étrangers)* to turn away; *(sentiment)* to repress; *(larmes)* to hold back ▪ **refoulé, -ée** *adj* repressed

réfractaire [refrakter] *adj (rebelle)* insubordinate

refrain [rəfrɛ̃] *nm (de chanson)* chorus, refrain; *Fam* **c'est toujours le même r.** it's always the same old story

refréner [refrene] *vt* to curb

réfrigérer [refriʒere] *vt* to refrigerate ▪ **réfrigérant, -ante** *adj Fam (accueil)* icy ▪ **réfrigérateur** *nm* refrigerator ▪ **réfrigération** *nf* refrigeration

refroidir [rəfrwadir] **1** *vt* to cool (down); *Fig (ardeur)* to cool; *très Fam (tuer)* to kill; *Fam* **ça m'a refroidi** *(déçu)* it dampened my enthusiasm **2** *vi (devenir froid)* to get cold; *(devenir moins chaud)* to cool down **3 se refroidir** *vpr (temps)* to get colder; *Fig (ardeur)* to cool ▪ **refroidissement** *nm (de la température)* drop in temperature; *(de l'eau)* cooling; *(rhume)* chill

refuge [rəfyʒ] *nm* refuge; *(de montagne)* (mountain) hut; *(pour piétons)* traffic island ▪ **réfugié, -iée** *nmf* refugee ▪ **se réfugier** *vpr* to take refuge

refus [rəfy] *nm* refusal; *Fam* **ce n'est pas de r.** I won't say no ▪ **refuser 1** *vt* to refuse (**qch à qn** sb sth; **de faire** to do); *(offre, invitation)* to turn down; *(proposition)* to reject; *(candidat)* to fail; *(client)* to turn away **2 se refuser** *vpr (plaisir)* to deny oneself; **ne rien se r.** not to stint oneself; **se r. à l'évidence** to shut one's eyes to the facts; **se r. à faire qch** to refuse to do sth

Il faut noter que le nom anglais **refuse** est un faux ami. Il signifie **ordures**.

réfuter [refyte] *vt* to refute

regagner [rəgaɲe] *vt (récupérer)* to regain, to

get back; *(revenir à)* to get back to; **r. le temps perdu** to make up for lost time ▪ **regain** *nm (renouveau)* renewal; **un r. d'énergie** renewed energy

régal, -als [regal] *nm* treat ▪ **régaler 1** *vt* to treat to a delicious meal **2 se régaler** *vpr* **je me régale** *(en mangeant)* I'm really enjoying it; *(je m'amuse)* I'm having a great time

regard [rəgar] *nm (coup d'œil, expression)* look; **jeter** *ou* **lancer un r. sur** to glance at; **au r. de la loi** in the eyes of the law; **en r.** *(en face)* opposite

> Il faut noter que le nom anglais **regard** est un faux ami. Il ne correspond jamais au français **regard**.

regarder [rəgarde] **1** *vt* to look at; *(émission, film)* to watch; *(considérer)* to consider, to regard *(comme* as); *(concerner)* to concern; **r. qn fixement** to stare at sb; **r. qn faire qch** to watch sb do sth; **ça ne te regarde pas!** it's none of your business! **2** *vi (observer)* to look; **r. autour de soi** to look round; **r. par la fenêtre** *(du dedans)* to look out of the window; **r. à la dépense** to be careful with one's money; **y r. à deux fois avant de faire qch** to think twice before doing sth **3 se regarder** *vpr (soi-même)* to look at oneself; *(l'un l'autre)* to look at each other; **se r. dans les yeux** to look into each other's eyes ▪ **regardant, -ante** *adj Fam (avare)* careful with money

> Il faut noter que le verbe anglais **to regard** est un faux ami. Il ne signifie jamais **regarder**.

régate [regat] *nf* regatta
régence [reʒɑ̃s] *nf* regency
régénérer [reʒenere] *vt* to regenerate
régenter [reʒɑ̃te] *vt* **vouloir tout r.** to want to run the whole show
régie [reʒi] *nf (entreprise)* state-owned company; *Théâtre* stage management; *TV (organisation)* production management; *(lieu)* control room
regimber [rəʒɛ̃be] *vi* to balk *(contre* at)
régime [reʒim] *nm (politique)* (form of) government; *(de moteur)* speed; *(de bananes)* bunch; **r. (alimentaire)** diet; **se mettre au r.** to go on a diet; **suivre un r.** to be on a diet; *Fig* **à ce r.** at this rate
régiment [reʒimɑ̃] *nm (de soldats)* regiment; *Fam* **un r. de** *(quantité)* a host of
région [reʒjɔ̃] *nf* region, area; **la r. parisienne** the Paris region ▪ **régional, -e, -aux, -ales** *adj* regional
régir [reʒir] *vt (déterminer)* to govern
régisseur [reʒisœr] *nm (de propriété)* manager; *Théâtre* stage manager; *Cin & TV* assistant production manager
registre [rəʒistr] *nm* register

réglable [reglabl] *adj* adjustable ▪ **réglage** *nm (de siège, de machine)* adjustment; *(de moteur, de télévision)* tuning
règle [rɛgl] *nf* (**a**) *(principe)* rule; **en r.** *(papiers d'identité)* in order; **en r. générale** as a (general) rule; **dans les règles de l'art** according to the book (**b**) *(instrument)* ruler ▪ **règles** *nfpl (de femme)* (monthly) period
règlement [rɛgləmɑ̃] *nm* (**a**) *(règles)* regulations; **contraire au r.** against the *Br* rules *or Am* rule (**b**) *(de conflit)* settling; *(paiement)* payment; *Fig* **r. de comptes** settling of scores ▪ **réglementaire** *adj* in accordance with the regulations; *Mil* **tenue r.** regulation uniform ▪ **réglementation** *nf (action)* regulation; *(règles)* regulations ▪ **réglementer** *vt* to regulate
régler [regle] **1** *vt (problème, conflit)* to settle; *(mécanisme)* to adjust; *(moteur, télévision)* to tune; *(payer)* to pay; **r. qn** to settle up with sb; *Fig* **r. son compte à qn** to settle old scores with sb **2** *vi* to pay **3 se régler** *vpr* **se r. sur qn** to model oneself on sb ▪ **réglé, -ée** *adj (vie)* ordered; *(papier)* ruled
réglisse [reglis] *nf Br* liquorice, *Am* licorice
réglo [reglo] **1** *adj inv Fam (personne)* on the level; *(opération)* kosher, legit **2** *adv* fair and square
règne [rɛɲ] *nm (de souverain)* reign; *(animal, minéral, végétal)* kingdom ▪ **régner** *vi (roi, silence)* to reign *(sur* over); *(prédominer)* to prevail; **faire r. l'ordre** to maintain law and order
regorger [rəgɔrʒe] *vi* **r. de** to be overflowing with
régresser [regrese] *vi* to regress ▪ **régression** *nf* regression; **en r.** on the decline
regret [rəgrɛ] *nm* regret; **à r.** with regret; **avoir le r.** *ou* **être au r. de faire qch** to be sorry to do sth ▪ **regrettable** *adj* regrettable ▪ **regretter** [rəgrɛte] *vt* to regret; **r. qn** to miss sb; **je regrette, je le regrette** I'm sorry; **r. que…** (+ *subjunctive*) to be sorry that…
regrouper [rəgrupe] *vt, se regrouper* *vpr* to gather together
régulariser [regylarize] *vt (situation)* to regularize
régulation [regylasjɔ̃] *nf* control
régulier, -ière [regylje, -jɛr] *adj (intervalles, traits du visage, clergé) & Grammaire* regular; *(constant)* steady; *(écriture)* even; *(légal)* legal; *Fam (honnête)* on the level ▪ **régularité** *nf (exactitude)* regularity; *(constance)* steadiness; *(de décision)* legality ▪ **régulièrement** *adv (à intervalles fixes)* regularly; *(avec constance)* steadily; *(selon la loi)* legitimately
réhabiliter [reabilite] *vt (délinquant)* to rehabilitate; *(accusé)* to clear
réhabituer [reabitɥe] *se réhabituer* *vpr* **se r. à**

qch/à faire qch to get used to sth/to doing sth again

rehausser [rəose] *vt (mur)* to make higher; *(teint)* to set off

réimpression [reɛ̃presjɔ̃] *nf (action)* reprinting; *(résultat)* reprint

rein [rɛ̃] *nm* kidney; **les reins** *(dos)* the lower back; **avoir mal aux reins** to have lower back pain; *Méd* **r. artificiel** kidney machine

reine [rɛn] *nf* queen; **la r. Élisabeth** Queen Elizabeth; **la r. mère** the queen mother ▪ **reine-claude** *(pl* **reines-claudes***) nf* greengage

réinsertion [reɛ̃sersjɔ̃] *nf* reintegration; **r. sociale** rehabilitation

réintégrer [reɛ̃tegre] *vt (fonctionnaire)* to reinstate; *(lieu)* to return to

réitérer [reitere] *vt* to repeat

rejaillir [rəʒajir] *vi* to spurt out; *Fig* **r. sur qn** to reflect on sb

rejet [rəʒɛ] *nm (refus) & Méd* rejection ▪ **rejeter** *vt (relancer)* to throw back; *(offre, candidature, greffe, personne)* to reject; *(épave)* to cast up; *(blâme)* to shift (**sur** on to); *(vomir)* to bring up ▪ **rejeton** *nm Fam (enfant)* kid

rejoindre* [rəʒwɛ̃dr] **1** *vt (personne)* to meet; *(fugitif)* to catch up with; *(rue, rivière)* to join; *(lieu)* to reach; *(régiment)* to return to; *(concorder avec)* to coincide with **2 se rejoindre** *vpr (personnes)* to meet up; *(rues, rivières)* to join up

rejouer [rəʒwe] *vt (match)* to replay

réjouir [reʒwir] **1** *vt* to delight **2 se réjouir** *vpr* to be delighted (**de** at; **de faire** to do) ▪ **réjoui, -ie** *adj* joyful ▪ **réjouissance** *nf* rejoicing; **réjouissances** festivities ▪ **réjouissant, -ante** *adj* delightful

relâche [rəlɑʃ] *nf Théâtre & Cin* (temporary) closure; **faire r.** *Théâtre & Cin* to be closed; *Naut* to put in (**dans un port** at a port); **sans r.** without a break

relâcher [rəlɑʃe] **1** *vt (corde, étreinte)* to loosen; *(discipline)* to relax; *(efforts)* to let up; *(prisonnier)* to release **2** *vi Naut* to put into port **3 se relâcher** *vpr (corde)* to slacken; *(discipline)* to become lax; *(employé)* to slack off ▪ **relâché, -ée** *adj* lax ▪ **relâchement** *nm (de corde)* slackening; *(de discipline)* relaxation

relais [rəlɛ] *nm (dispositif émetteur)* relay; *Sport* **(course de) r.** relay (race); **passer le r. à qn** to hand over to sb; **prendre le r.** to take over (**de** from); **r. routier** *Br* transport café, *Am* truck stop

relance [rəlɑ̃s] *nf (reprise)* revival ▪ **relancer** *vt (lancer à nouveau)* to throw again; *(rendre)* to throw back; *(production)* to boost; *(moteur, logiciel)* to restart; *(client)* to follow up

relater [rəlate] *vt Littéraire* to relate (**que** that)

relatif, -ive [rəlatif, -iv] *adj* relative (**à** to)

relativement *adv (assez)* relatively; **r. à** compared to

relation [rəlasjɔ̃] *nf (rapport)* relationship; *(ami)* acquaintance; **être en r. avec qn** to be in touch with sb; **avoir des relations** *(amis influents)* to have contacts; **r. de travail** colleague; **r. (amoureuse)** (love) affair; **relations extérieures** foreign affairs; **relations internationales** international relations; **relations publiques** public relations; **relations sexuelles** (sexual) intercourse

relaxe [rəlaks] *adj Fam* laid-back **se relaxer** *vpr* to relax ▪ **relaxation** *nf* relaxation

relayer [rəleje] **1** *vt (personne)* to take over from; *(émission)* to relay **2 se relayer** *vpr* to take turns (**pour faire** doing); *Sport* to take over from one another

reléguer [rəlege] *vt (objet)* to relegate (**à** to); *Fig* **r. qch au second plan** to push sth into the background

relent [rəlɑ̃] *nm* stench

relevé [rəlve] *nm* list; *(de compteur)* reading; **r. de compte** bank statement; *Scol* **r. de notes** list of *Br* marks or *Am* grades

relève [rəlɛv] *nf* relief; **prendre la r.** to take over (**de** from)

relèvement [rəlɛvmɑ̃] *nm (d'économie, de pays)* recovery; *(de salaires)* raising

relever [rəlve] **1** *vt (ramasser)* to pick up; *(personne)* to help back up; *(pays)* to revive; *(col)* to turn up; *(manches)* to roll up; *(copies)* to collect; *(faute)* to pick out; *(empreinte)* to find; *(défi)* to accept; *(sauce)* to spice up; *(copier)* to note down; *(compteur)* to read; *(relayer)* to relieve; *(rehausser)* to enhance; *(augmenter)* to raise; **r. la tête** to look up; **r. qn de ses fonctions** to relieve sb of his/her duties **2** *vi* **r. de** *(dépendre de)* to come under; *(maladie)* to be recovering from **3 se relever** *vpr (après une chute)* to get up; **se r. de qch** to get over sth

relief [rəljɛf] *nm (de paysage)* relief; **en r.** in relief; *Fig* **mettre qch en r.** to highlight sth ▪ **reliefs** *nmpl (de repas)* remains

relier [rəlje] *vt* to connect, to link (**à** to); *(idées, faits)* to link together; *(livre)* to bind

religion [rəliʒjɔ̃] *nf* religion ▪ **religieux, -ieuse 1** *adj* religious; **mariage r.** church wedding **2** *nm (moine)* monk ▪ **religieuse** *nf (femme)* nun; *(gâteau)* ≃ cream puff

relique [rəlik] *nf* relic

relire* [rəlir] *vt* to reread

reliure [rəljyr] *nf (couverture)* binding; *(art)* bookbinding

relooker [rəluke] *vt Fam* to revamp

reluire* [rəlɥir] *vi* to shine, to gleam; **faire r. qch** to polish sth up ▪ **reluisant, -ante** *adj* shiny; *Fig* **peu r.** far from brilliant

reluquer [rəlyke] *vt Fam* to eye up

remâcher [rəmɑʃe] *vt Fig (souvenirs)* to brood over

remanier [rəmanje] *vt (texte)* to revise; *(ministère)* to reshuffle ▪ **remaniement** *nm (de texte)* revision; **r. ministériel** cabinet reshuffle

remarier (se) [rəmarje] *se remarier upr* to remarry ▪ **remariage** *nm* remarriage

remarquable [rəmarkabl] *adj* remarkable (**par** for) ▪ **remarquablement** [-əmɑ̃] *adv* remarkably

remarque [rəmark] *nf* remark; **faire une r.** to make a remark

remarquer [rəmarke] *vt (apercevoir)* to notice (**que** that); *(dire)* to remark (**que** that); **faire r. qch** to point sth out (**à** to); **se faire r.** to attract attention; *Fam* **remarque, il n'est pas le seul!** mind you, he's not the only one!

> Il faut noter que le verbe anglais **to remark** est un faux ami. Il signifie uniquement **faire remarquer**.

remballer [rɑ̃bale] *vt* to repack; *Fam* **il s'est fait r.** he was sent packing

rembarrer [rɑ̃bare] *vt Fam* to snub

remblai [rɑ̃blɛ] *nm* embankment ▪ **remblayer** *vt (route)* to bank up

rembobiner [rɑ̃bɔbine] *vt, se rembobiner upr* to rewind

rembourrer [rɑ̃bure] *vt (fauteuil, matelas)* to stuff ▪ **rembourrage** *nm (action, matière)* stuffing

rembourser [rɑ̃burse] *vt (personne)* to pay back; *(billet, frais)* to refund ▪ **remboursement** [-əmɑ̃] *nm* repayment; *(de billet)* refund; **envoi contre r.** cash on delivery

remède [rəmɛd] *nm* cure, remedy (**contre** for) ▪ **remédier** *vi* **r. à qch** to remedy sth

remémorer (se) [rəmemore] *se remémorer upr* to remember

remercier [rəmɛrsje] *vt* (**a**) *(dire merci à)* to thank (**de** *ou* **pour qch** for sth); **je vous remercie d'être venu** thank you for coming; **non, je vous remercie** no thank you (**b**) *Euph (congédier)* to ask to leave ▪ **remerciements** *nmpl* thanks

remettre* [rəmɛtr] **1** *vt (replacer)* to put back; *(vêtement)* to put back on; *(télévision)* to turn on again; *(disque)* to put on again; *(différer)* to postpone (**à** until); *(ajouter)* to add (**dans** to); **r. qch à qn** *(lettre; télégramme)* to deliver sth to sb; *(rapport)* to submit sth to sb; *(démission)* to hand sth in to sb; **r. qn en liberté** to set sb free; **r. qch en question** *ou* **en cause** to call sth into question; **r. qch en état** to repair sth; **r. qch à jour** to bring sth up to date; **r. une montre à l'heure** to set a watch to the correct time; *Fig* **r. les pendules à l'heure** to clear things up; **je ne vous remets pas** I can't place you; *Fam* **r. ça** to start again **2** *se remettre upr* **se r. en question**

to question oneself; **se r. à qch** to start sth again; **se r. à faire qch** to start to do sth again; **se r. de qch** to recover from sth; **s'en r. à qn** to rely on sb

réminiscences [reminisɑ̃s] *nfpl* (vague) recollections

remise [rəmiz] *nf* (**a**) *(de lettre)* delivery; **r. à neuf** *(de machine)* reconditioning; **r. en cause** *ou* **question** questioning; **r. en état** *(de maison)* restoration; *Football* **r. en jeu** throw-in (**b**) *(rabais)* discount (**c**) *Jur* **r. de peine** reduction of sentence (**d**) *(local)* shed

remiser [rəmize] *vt* to put away

rémission [remisjɔ̃] *nf (de péché, de maladie)* & *Jur* remission; **sans r.** *(travailler)* relentlessly

remix [rəmiks] *nm (d'un disque)* remix ▪ **remixer** *vt (disque)* to remix

remmener [rɑ̃mne] *vt* to take back

remontée [rəmɔ̃te] *nf (de pente)* ascent; *(d'eau, de prix)* rising; **r. mécanique** ski lift

remonter [rəmɔ̃te] **1** *(aux être)* *vi* to come/go back up; *(niveau, prix)* to rise again, to go back up; *(dans le temps)* to go back (**à** to); **r. dans** *(voiture)* to get back in(to); *(bus, train)* to get back on(to); **r. sur** *(cheval, vélo)* to get back on(to); **r. à dix ans** to go back ten years **2** *(aux avoir)* *vt (escalier, pente)* to come/go back up; *(porter)* to bring/take back up; *(montre)* to wind up; *(relever)* to raise; *(col)* to turn up; *(objet démonté)* to put back together, to reassemble; *(garde-robe)* to restock; **r. qn** *(ragaillardir)* to buck sb up; **r. le moral à qn** to cheer sb up; *Fig* **r. la pente** to get back on to one's feet *(after a hard struggle)*; *Fam* **être (très) remonté contre qn** to be (really) furious with *ou* mad at sb; *Fam* **se faire r. les bretelles** to get rapped over the knuckles ▪ **remontant** *nm* tonic, pick-me-up ▪ **remonte-pente** *(pl* remonte-pentes*)* *nm* ski lift

remontoir [rəmɔ̃twar] *nm* winder

remontrance [rəmɔ̃trɑ̃s] *nf* remonstrance; **faire des remontrances à qn** to remonstrate with sb

remontrer [rəmɔ̃tre] *vt* to show again; **en r. à qn** to prove one's superiority over sb

remords [rəmɔr] *nm* remorse; **avoir du** *ou* **des r.** to feel remorse

remorque [rəmɔrk] *nf (de voiture)* trailer; **prendre qch en r.** to take sth in tow; *Fig* **être à la r.** to lag behind ▪ **remorquer** *vt (voiture, bateau)* to tow ▪ **remorqueur** *nm* tug(boat)

remous [rəmu] *nm (de rivière)* eddy; *Fig* **faire des r.** to cause a stir

rempailler [rɑ̃paje] *vt (chaise)* to reseat

rempart [rɑ̃par] *nm* rampart; **remparts** (city) walls

remplacer [rɑ̃plase] *vt* to replace (**par** with); *(professionnellement)* to stand in for ▪ **remplaçant, -ante** *nmf (personne)* replacement;

(enseignant) substitute teacher, *Br* supply teacher; *(joueur)* substitute ▪ **remplacement** *nm* replacement; **en r. de** in place of

remplir [rɑ̃plir] **1** *vt* to fill (up) **(de** with); *(formulaire)* to fill out *or Br* in; *(promesse)* to fulfil **2 se remplir** *upr* to fill (up) **(de** with) ▪ **remplissage** *nm* filling (up); *Péj* **faire du r.** to pad

remporter [rɑ̃pɔrte] *vt (objet)* to take back; *(prix, victoire)* to win; *(succès)* to achieve

remuer [rǝmɥe] **1** *vt (bouger)* to move; *(café)* to stir; *(salade)* to toss; *(terre)* to turn over; **r. qn** *(émouvoir)* to move sb **2** *vi* to move; *(gigoter)* to fidget **3 se remuer** *upr* to move; *Fam (se démener)* to have plenty of get-up-and-go ▪ **remuant, -uante** *adj (enfant)* hyperactive ▪ **remue-ménage** *nm inv* commotion ▪ **remue-méninges** *nm inv* brainstorming; **un r.** a brainstorming session

rémunérer [remynere] *vt (personne)* to pay; *(travail)* to pay for ▪ **rémunérateur, -trice** *adj* remunerative ▪ **rémunération** *nf* payment **(de**- for)

renâcler [rǝnɑkle] *vi Fam* **r. à faire qch** to balk at doing sth

renaître* [rǝnɛtr] *vi (personne)* to be born again; *(espoir, industrie)* to revive; *Fig* **r. de ses cendres** to rise from its ashes ▪ **renaissance** *nf* rebirth; *(des arts)* renaissance

renard [rǝnar] *nm* fox

renchérir [rɑ̃ʃerir] *vi (dire plus)* to go one better **(sur** than)

rencontre [rɑ̃kɔ̃tr] *nf (de personnes)* meeting; *(match) Br* match, *Am* game; **amours de r.** casual love affairs, flings; **aller à la r. de qn** to go to meet sb ▪ **rencontrer 1** *vt (personne)* to meet; *(difficulté, obstacle)* to come up against, to encounter; *(trouver)* to come across **2 se rencontrer** *upr* to meet

rendement [rɑ̃dmɑ̃] *nm (de champ)* yield; *(d'investissement)* return, yield; *(de personne, de machine)* output

rendez-vous [rɑ̃devu] *nm inv (rencontre)* appointment; *(amoureux)* date; *(lieu)* meeting place; **donner r. à qn** to arrange to meet sb; **prendre r.** to make an appointment with sb; **recevoir sur r.** *(médecin)* to see patients by appointment

rendormir* [rɑ̃dɔrmir] **se rendormir** *upr* to go back to sleep

rendre [rɑ̃dr] **1** *vt (restituer)* to give back, to return **(à** to); *(son)* to give; *(jugement)* to deliver; *(armes)* to surrender; *(invitation)* to return; *(santé)* to restore; *(rembourser)* to pay back; *(exprimer)* to render; *(vomir)* to bring up; **r. célèbre/plus grand** to make famous/bigger; **r. la monnaie à qn** to give sb his/her change; **r. sa liberté à qn** to set sb free; **r. la justice** to dispense justice; **r. l'âme** to pass away; **r. les armes** to surrender **2** *vi (vomir)* to vomit;

(arbre, terre) to yield **3 se rendre** *upr (criminel)* to give oneself up **(à** to); *(soldats)* to surrender **(à** to); *(aller)* to go **(à** to); **se r. à l'évidence** *(être lucide)* to face facts; **se r. malade/utile** to make oneself ill/useful ▪ **rendu, -ue** *adj* **être r.** *(arrivé)* to have arrived

renégat, -ate [rǝnega, -at] *nmf* renegade

rênes [rɛn] *nfpl* reins

renfermer [rɑ̃fɛrme] **1** *vt* to contain **2 se renfermer** *upr* to withdraw into oneself ▪ **renfermé, -ée 1** *adj (personne)* withdrawn **2** *nm* **sentir le r.** to smell musty

renflé, -ée [rɑ̃fle] *adj* bulging ▪ **renflement** [-ǝmɑ̃] *nm* bulge

renflouer [rɑ̃flue] *vt (navire)* to refloat; **r. les caisses de l'État** to replenish the State coffers

renfoncement [rɑ̃fɔ̃s(ǝ)mɑ̃] *nm* recess; **dans le r. d'une porte** in a doorway

renforcer [rɑ̃fɔrse] *vt* to strengthen, to reinforce ▪ **renforcement** [-ǝmɑ̃] *nm* reinforcement, strengthening

renfort [rɑ̃fɔr] *nm* **des renforts** *(troupes)* reinforcements; *Fig (aide)* backup, additional help; *Fig* **à grand r. de** with (the help of) a great deal of

renfrogner [rɑ̃frɔɲe] **se renfrogner** *upr* to scowl ▪ **renfrogné, -ée** *adj* scowling

rengaine [rɑ̃gɛn] *nf Fam Péj* **la même r.** the same old story

rengorger [rɑ̃gɔrʒe] **se rengorger** *upr* to strut

renier [rǝnje] *vt (ami, pays)* to disown; *(foi)* to deny ▪ **reniement** *nm (d'ami, de pays)* disowning; *(de foi)* denial

renifler [rǝnifle] *vti* to sniff ▪ **reniflement** [-ǝmɑ̃] *nm (bruit)* sniff

renne [rɛn] *nm* reindeer

renom [rǝnɔ̃] *nm* renown; **de r.** *(ouvrage, artiste)* famous, renowned ▪ **renommé, -ée** *adj* famous, renowned **(pour** for) ▪ **renommée** *nf* fame, renown

renoncer [rǝnɔ̃se] *vi* **r. à qch** to give sth up, to abandon sth; **r. à faire qch** to give up doing sth ▪ **renoncement** *nm*, **renonciation** *nf* renunciation **(à** of)

renouer [rǝnwe] **1** *vt (lacet)* to tie again; *(conversation)* to resume **2** *vi* **r. avec qch** *(tradition)* to revive sth; **r. avec qn** to take up with sb again

renouveau, -x [rǝnuvo] *nm* revival

renouveler [rǝnuvǝle] **1** *vt* to renew; *(erreur, expérience)* to repeat **2 se renouveler** *upr (incident)* to happen again, to recur; *(cellules, sang)* to be renewed ▪ **renouvelable** [-vlabl] *adj* renewable ▪ **renouvellement** [-ɛlmɑ̃] *nm* renewal

rénover [renɔve] *vt (édifice, meuble)* to renovate; *(institution)* to reform ▪ **rénovation** *nf (d'édifice, de meuble)* renovation; *(d'institution)* reform

renseigner [rɑ̃seɲe] **1** *vt* to give some information to (**sur** about) **2 se renseigner** *vpr* to make inquiries (**sur** about) ■**renseignement** [-ɛɲəmɑ̃] *nm* piece of information; **renseignements** information; **les renseignements (téléphoniques)** *Br* directory inquiries, *Am* information; **prendre** *ou* **demander des renseignements** to make inquiries

rentable [rɑ̃tabl] *adj* profitable ■**rentabilité** *nf* profitability

rente [rɑ̃t] *nf* (private) income; *(pension)* pension; **avoir des rentes** to have private means ■**rentier, -ière** *nmf* person of private means

rentrée [rɑ̃tre] *nf (retour)* return; **r. des classes** start of the new school year; **rentrées d'argent** (cash) receipts; **r. parlementaire** reopening of Parliament

rentrer [rɑ̃tre] **1** *(aux être) vi (entrer)* to go/come in; *(entrer de nouveau)* to go/come back in; *(chez soi)* to go/come (back) home; *(argent)* to come in; **r. en France** to return to France; **r. de vacances** to come back from holiday; **en rentrant de l'école** on my/his/her/etc way home from school; **r. dans qch** *(pénétrer)* to get into sth; *(sujet: voiture)* to crash into sth; **r. dans une catégorie** to fall into a category; **r. en classe** to go back to school; **r. dans ses frais** to recover one's expenses; *Fam* **je lui suis rentré dedans** I laid into him/her **2** *(aux avoir) vt (linge, troupeau)* to bring/take in; *(chemise)* to tuck in; *(larmes)* to stifle; *(griffes)* to retract ■**rentré, -ée** *adj (colère)* suppressed

renverse [rɑ̃vɛrs] **à la renverse** *adv (tomber)* backwards

renverser [rɑ̃vɛrse] **1** *vt (faire tomber)* to knock over; *(liquide)* to spill; *(piéton)* to run over; *(tendance, situation)* to reverse; *(gouvernement)* to overthrow; *(tête)* to tilt back **2 se renverser** *vpr (récipient)* to fall over; *(véhicule)* to overturn ■**renversant, -ante** *adj Fam* astounding ■**renversement** [-əmɑ̃] *nm (de situation, de tendance)* reversal; *(de gouvernement)* overthrow

renvoi [rɑ̃vwa] *nm (de marchandise, de lettre)* return; *(d'employé)* dismissal; *(d'élève)* expulsion; *(ajournement)* postponement; *(de texte)* cross-reference; *(rot)* belch, burp ■**renvoyer*** *vt (lettre, cadeau)* to send back, to return; *(employé)* to dismiss; *(élève)* to expel; *(balle)* to throw back; *(lumière, image)* to reflect; *(ajourner)* to postpone (**à** until)

réorganiser [reɔrganize] *vt* to reorganize ■**réorganisation** *nf* reorganization

réouverture [reuvɛrtyr] *nf* reopening

repaire [rəpɛr] *nm* den

repaître* [rəpɛtr] **se repaître** *vpr Fig* **se r. de qch** to revel in sth

répandre [repɑ̃dr] **1** *vt (liquide)* to spill; *(nouvelle, joie)* to spread; *(odeur)* to give off;

(lumière, larmes, sang, chargement) to shed; *(gravillons)* to scatter; *(dons, bienfaits)* to lavish **2 se répandre** *vpr (nouvelle, peur)* to spread; *(liquide)* to spill; **se r. dans** *(fumée, odeur)* to spread through ■**répandu, -ue** *adj (opinion, usage)* widespread

reparaître* [rəparɛtr] *vi* to reappear

réparer [repare] *vt (objet, machine)* to repair, to mend; *(faute)* to make amends for; *(dommage)* to make good; **faire r. qch** to get sth repaired ■**réparable** *adj (machine)* repairable ■**réparateur, -trice** **1** *nmf* repairer **2** *adj (sommeil)* refreshing ■**réparation** *nf (action)* repairing; *(résultat)* repair; *(dédommagement)* reparation; **en r.** under repair; **faire des réparations** to do some repairs

reparler [rəparle] *vi* **r. de qch** to talk about sth again

repartie [rəparti] *nf* retort

repartir* [rəpartir] *(aux être) vi (continuer)* to set off again; *(s'en retourner)* to go back; *(machine)* to start again; **r. à** *ou* **de zéro** to go back to square one

répartir [repartir] *vt (poids, charge)* to distribute; *(tâches, vivres)* to share (out); *(classer)* to divide (up); *(étaler dans le temps)* to spread (out) (**sur** over) ■**répartition** *nf (de poids)* distribution; *(de tâches)* sharing; *(classement)* division

repas [rəpɑ] *nm* meal; **prendre un r.** to have a meal

repasser [rəpɑse] **1** *vi* to come/go back; **r. chez qn** to drop in on sb again **2** *vt (montagne, frontière)* to go across again; *(examen)* to take again, *Br* to resit; *(leçon)* to go over; *(film)* to show again; *(disque, cassette)* to play again; *(linge)* to iron ■**repassage** *nm* ironing

repêcher [rəpɛʃe] *vt (objet)* to fish out; *Fam (candidat)* to let through

repeindre* [rəpɛ̃dr] *vt* to repaint

repenser [rəpɑ̃se] *vt* to rethink

repentir [rəpɑ̃tir] *nm* repentance ■**se repentir*** *vpr Rel* to repent (**de** of); **se r. de qch/d'avoir fait qch** *(regretter)* to regret sth/doing sth ■**repenti, -ie** *adj* repentant

répercuter [repɛrkyte] **1** *vt (son)* to reflect; *(augmentation)* to pass **2 se répercuter** *vpr (son, lumière)* to be reflected; *Fig* **se r. sur** to have repercussions on ■**répercussion** *nf (conséquence)* repercussion

repère [rəpɛr] *nm* mark; **point de r.** *(espace, temps)* reference point ■**repérer 1** *vt (endroit)* to locate; *Fam (remarquer)* to spot **2 se repérer** *vpr* to get one's bearings

répertoire [repɛrtwar] *nm (liste)* index; *(carnet)* (indexed) notebook; *Théâtre* repertoire; *Ordinat (de fichiers)* directory ■**répertorier** *vt* to list

répéter [repete] **1** *vt* to repeat; *(pièce de théâtre,* *rôle, symphonie)* to rehearse; **r. à qn que...** to tell sb again that...; **je te l'ai répété cent fois** I've told you a hundred times **2** *vi (redire)* to repeat; *(acteur)* to rehearse **3 se répéter** *upr (radoter)* to repeat oneself; *(événement)* to happen again ▪**répétitif, -ive** *adj* repetitive ▪**répétition** *nf (redite)* repetition; *Théâtre* rehearsal; **r. générale** dress rehearsal

repiquer [rǝpike] *vt (plante)* to plant out; *(disque)* to record

répit [repi] *nm* rest, respite; **sans r.** ceaselessly

replacer [rǝplase] *vt* to replace, to put back

replanter [rǝplāte] *vt* to replant

replet, -ète [rǝplɛ, -ɛt] *adj (personne)* podgy

repli [rǝpli] *nm (de vêtement, de terrain)* fold; *(d'armée)* withdrawal; *(de monnaie)* fall

replier [rǝplije] **1** *vt (objet)* to fold up; *(couteau)* to fold away; *(ailes)* to fold; *(jambes)* to tuck up **2 se replier** *upr (objet)* to fold up; *(armée)* to withdraw; *Fig* **se r. sur soi-même** to withdraw into oneself

réplique [replik] *nf (réponse)* retort; *(d'acteur)* lines; *(copie)* replica; **sans r.** *(argument)* unanswerable ▪**répliquer 1** *vt* **r. que...** to reply that... **2** *vi* to reply; *(avec impertinence)* to answer back

répondre [repɔ̃dr] **1** *vi* to answer, to reply; *(avec impertinence)* to answer back; *(réagir)* to respond (**à** to); **r. à qn** to answer sb, to reply to sb; *(avec impertinence)* to answer sb back; **r. à** *(lettre, question, objection)* to answer, to reply to; *(besoin)* to meet; *(salut)* to return; *(correspondre à)* to correspond to; **r. au téléphone** to answer the phone; **r. de qn/qch** to answer for sb/sth **2** *vt (remarque)* to answer or reply with; **r. que...** to answer or reply that... ▪**répondant** *nm Fam* **avoir du r.** to have money behind one ▪**répondeur** *nm* **r. (téléphonique)** answering machine

Il faut noter que le verbe anglais **to respond** est un faux ami. Il signifie le plus souvent **réagir.**

réponse [repɔ̃s] *nf* answer, reply; *(réaction)* response (**à** to); **en r. à** in answer or reply to

report [rǝpɔr] *nm (transcription)* transfer; *(de somme)* carrying forward; *(de rendez-vous)* postponement

Il faut noter que le nom anglais **report** est un faux ami. Il signifie **rapport.**

reportage [rǝpɔrtaʒ] *nm (article, émission)* report; *(métier)* reporting

reporter¹ [rǝpɔrte] **1** *vt (objet)* to take back; *(réunion)* to put off, to postpone (**à** until); *(transcrire)* to transfer (**sur** to); *(somme)* to carry forward (**sur** to) **2 se reporter** *upr* **se r. à** *(texte)* to refer to; **se r. sur** *(sujet: colère)* to be transferred to

Il faut noter que le verbe anglais **to report** est un faux ami. Il ne signifie jamais **reporter.**

reporter² [rǝpɔrter] *nm* reporter

repos [rǝpo] *nm (détente)* rest; *(tranquillité)* peace; *Mil* **r.!** at ease!; **jour de r.** day off; **de tout r.** *(situation)* safe

reposer [rǝpoze] **1** *vt (objet)* to put back down; *(problème, question)* to raise again; *(délasser)* to rest, to relax; **r. sa tête sur** *(appuyer)* to lean one's head on **2** *vi (être enterré)* to lie; **r. sur** *(bâtiment)* to be built on; *(théorie)* to be based on; **laisser r.** *(liquide)* to allow to settle **3 se reposer** *upr* to rest; **se r. sur qn** to rely on sb ▪**reposant, -ante** *adj* restful, relaxing ▪**reposé, -ée** *adj* rested

repousser [rǝpuse] **1** *vt (en arrière)* to push back; *(sur le côté)* to push away; *(attaque, ennemi)* to beat off; *(réunion)* to put off; *(offre)* to reject; *(dégoûter)* to repel **2** *vi (cheveux, feuilles)* to grow again ▪**repoussant, -ante** *adj* repulsive

répréhensible [repreɑ̃sibl] *adj* reprehensible

reprendre* [rǝprɑ̃dr] **1** *vt (objet)* to take back; *(évadé, ville)* to recapture; *(passer prendre)* to pick up again; *(activité)* to take up again; *(refrain)* to take up; *(vêtement)* to alter; *(corriger)* to correct; *(blâmer)* to admonish; *(pièce de théâtre)* to put on again; **r. de la viande/un œuf** to take some more meat/ another egg; **r. sa place** *(retourner s'asseoir)* to return to one's seat; **r. ses esprits** to come round; **r. des forces** to get one's strength back; *Fam* **on ne m'y reprendra plus** I won't be caught out doing that again **2** *vi (plante)* to take root again; *(recommencer)* to start again; *(affaires)* to pick up; *(en parlant)* to go on, to continue **3 se reprendre** *upr (se ressaisir)* to get a grip on oneself; *(se corriger)* to correct oneself; **s'y r. à deux/plusieurs fois** to have another go/several goes (at it)

représailles [rǝprezaj] *nfpl* reprisals, retaliation

représenter [rǝprezɑ̃te] **1** *vt* to represent; *(pièce de théâtre)* to perform **2 se représenter** *upr (s'imaginer)* to imagine ▪**représentant, -ante** *nmf* representative; **r. de commerce** sales representative ▪**représentatif, -ive** *adj* representative (**de** of) ▪**représentation** *nf* representation; *Théâtre* performance

répression [represjɔ̃] *nf (d'émeute)* suppression; *(mesures de contrôle)* repression ▪**répressif, -ive** *adj* repressive

réprimer [reprime] *vt (sentiment, révolte)* to suppress

réprimande [reprimɑ̃d] *nf* reprimand ▪**réprimander** *vt* to reprimand

repris [rǝpri] *nm* **r. de justice** hardened criminal

reprise [rəpriz] *nf (recommencement)* resumption; *Théâtre* revival; *(de film, d'émission)* repeat; *Boxe* round; *(de l'économie)* recovery; *(de locataire)* = money for fixtures and fittings *(paid by outgoing tenant)*; *(de marchandise)* taking back; *(pour nouvel achat)* part exchange, trade-in; **faire une r.** to mend sth; **à plusieurs reprises** on several occasions ▪**repriser** *vt (chaussette)* to mend

réprobation [reprɔbasjɔ̃] *nf* disapproval ▪**réprobateur, -trice** *adj* disapproving

reproche [rəprɔʃ] *nm* reproach; **faire des reproches à qn sur qch** to reproach sb for sth; **sans r.** beyond reproach ▪**reprocher** *vt* **r. qch à qn** to blame *or* reproach sb for sth; **qu'as-tu à r. à ce livre?** what do you have against this book? **2 se reprocher upr n'avoir rien à se r.** to have nothing to reproach *or* blame oneself for

reproduire* [rəprɔdɥir] **1** *vt (modèle, son)* to reproduce **2 se reproduire** *upr (animaux)* to reproduce; *(incident)* to happen again ▪**reproducteur, -trice** *adj* reproductive ▪**reproduction** *nf (d'animaux, de son)* reproduction; *(copie)* copy

réprouver [repruve] *vt* to condemn

reptile [rɛptil] *nm* reptile

repu, -ue [rəpy] *adj (rassasié)* satiated

république [repyblik] *nf* republic ▪**républicain, -aine** *adj & nmf* republican

répudier [repydje] *vt* to repudiate

répugnant, -ante [repyɲɑ̃, -ɑ̃t] *adj* repulsive ▪**répugnance** *nf* repugnance, loathing (**pour** for); *(manque d'enthousiasme)* reluctance ▪**répugner** *vi* **r. à qn** to be repugnant to sb; **r. à faire qch** to be loath to do sth

répulsion [repylsjɔ̃] *nf* repulsion

réputation [repytasjɔ̃] *nf* reputation; **avoir la r. d'être franc** to have a reputation for being frank *or* for frankness; **connaître qn de r.** to know sb by reputation ▪**réputé, -ée** *adj (célèbre)* renowned (**pour** for); **r. pour être très intelligent** reputed to be very intelligent

requérir [rəkerir] *vt (nécessiter)* to require; *(solliciter)* to request; *(peine de prison)* to call for ▪**requis, -ise** *adj* required, requisite

requête [rəkɛt] *nf* request; *Jur (auprès d'un juge)* petition

requiem [rekɥijɛm] *nm inv* requiem

requin [rəkɛ̃] *nm (poisson) & Fig* shark

requinquer [rəkɛ̃ke] *vt Fam* to perk up

réquisition [rekizisjɔ̃] *nf* requisition ▪**réquisitionner** *vt* to requisition, to commandeer

réquisitoire [rekizitwar] *nm Jur* prosecution address; *(critique)* indictment (**contre** of)

RER [ɛrøɛr] *(abrév* **Réseau express régional)** *nm* = express rail network serving Paris and its suburbs

rescapé, -ée [reskape] **1** *adj* surviving **2** *nmf* survivor

rescousse [reskus] **à la rescousse** *adv* to the rescue

réseau, -x [rezo] *nm* network; *Ordinat* **en r.** networked; **r. d'espionnage** spy ring *or* network

réservation [rezervasjɔ̃] *nf* reservation, booking; **faire une r.** to make a booking

réserve [rezɛrv] *nf (provision, discrétion)* reserve; *(entrepôt)* storeroom; *(de bibliothèque)* stacks; *(de chasse, de pêche)* preserve; *(restriction)* reservation; *Mil* **la r.** the reserve; **en r.** in reserve; **sans r.** *(admiration)* unqualified; **sous r. de** subject to; **sous toutes réserves** without guarantee; **r. indienne** (native American) reservation; **r. naturelle** nature reserve

réserver [rezɛrve] **1** *vt* to reserve; *(garder)* to save, to keep (**à** for); *(marchandises)* to put aside (**à** for); *(sort, surprise)* to hold in store (**à** for) **2 se réserver** *upr* **se r. pour qch** to save oneself for sth; **se r. de faire qch** to reserve the right to do sth ▪**réservé, -ée** *adj (personne, place, chambre)* reserved

réservoir [rezɛrvwar] *nm (lac)* reservoir; *(cuve)* tank; **r. d'essence** *Br* petrol *or Am* gas tank

résidence [rezidɑ̃s] *nf* residence; **r. secondaire** second home; **r. universitaire** *Br* hall of residence, *Am* dormitory ▪**résident, -ente** *nmf* resident; **un r. français en Irlande** a French national resident in Ireland ▪**résidentiel, -ielle** *adj (quartier)* residential ▪**résider** *vi* to reside; **r. dans** *(consister en)* to lie in

résidu [rezidy] *nm* residue

résigner [reziɲe] **se résigner** *upr* to resign oneself (**à qch** to sth; **à faire** to doing) ▪**résignation** *nf* resignation

résilier [rezilje] *vt (contrat)* to terminate ▪**résiliation** *nf* termination

résille [rezij] *nf* hairnet

résine [rezin] *nf* resin

résistance [rezistɑ̃s] *nf* resistance (**à** to); *Hist* **la R.** the Resistance

résister [reziste] *vi* **r. à** *(attaque, agresseur, tentation)* to resist; *(chaleur, fatigue, souffrance)* to withstand; *(mauvais traitement)* to stand up to; **r. à l'analyse** to stand up to analysis ▪**résistant, -ante** **1** *adj* tough; **r. à la chaleur** heat-resistant; **r. au choc** shockproof **2** *nmf Hist* Resistance fighter

résolu, -ue [rezɔly] **1** *pp de* **résoudre 2** *adj* determined, resolute; **r. à faire qch** determined to do sth ▪**résolument** *adv* resolutely ▪**résolution** *nf (décision)* resolution; *(fermeté)* determination

résonance [rezonɑ̃s] *nf* resonance

résonner [rezone] *vi (cri)* to resound; *(salle, voix)* to echo (**de** with)

résorber [rezɔrbe] **1** *vt (excédent)* to absorb; *(chômage)* to reduce **2 se résorber** *upr (excédent)* to be absorbed; *(chômage)* to be reduced ▪**résorption** *nf (de surplus, de déficit)* absorption

résoudre* [rezudr] **1** *vt (problème)* to solve; *(difficulté)* to resolve; **r. de faire qch** to resolve to do sth **2 se résoudre** *upr* **se r. à faire qch** to resolve to do sth

respect [respe] *nm* respect (**pour/de** for); **mes respects à...** my regards *or* respects to...; **tenir qn en r.** to hold sb in check ▪**respectabilité** *nf* respectability ▪**respectable** *adj (honorable, important)* respectable ▪**respecter** *vt* to respect; **qui se respecte** self-respecting; **r. la loi** to abide by the law; **faire r. la loi** to enforce the law ▪**respectueusement** *adv* respectfully ▪**respectueux, -ueuse** *adj* respectful (**envers** to; **de** of)

respectif, -ive [rɛspɛktif, -iv] *adj* respective ▪**respectivement** *adv* respectively

respirer [rɛspire] **1** *vi* to breathe; *Fig (être soulagé)* to breathe again **2** *vt* to breathe (in); *Fig (exprimer)* to radiate ▪**respiration** *nf* breathing; *(haleine)* breath; *Méd* **r. artificielle** artificial respiration ▪**respiratoire** *adj* **troubles respiratoires** breathing difficulties

resplendir [rɛsplɑ̃dir] *vi* to shine; *(visage)* to glow (**de** with) ▪**resplendissant, -ante** *adj (personne, visage)* radiant (**de** with)

responsable [rɛspɔ̃sabl] **1** *adj* responsible (**de qch** for sth; **devant qn** to sb) **2** *nmf (chef)* person in charge; *(dans une organisation)* official; *(coupable)* person responsible (**de** for) ▪**responsabilité** *nf* responsibility; *(légale)* liability

resquiller [rɛskije] *vi (au cinéma)* to sneak in without paying; *(dans le métro)* to dodge paying one's fare

ressaisir [rəsezir] **se ressaisir** *upr* to pull oneself together

ressasser [rəsase] *vt (ruminer)* to brood over; *(répéter)* to keep trotting out

ressemblance [rəsɑ̃blɑ̃s] *nf* likeness, resemblance (**avec** to) ▪**ressemblant, -ante** *adj* lifelike ▪**ressembler** **1** *vi* **r. à** to look like, to resemble; **ce ne lui ressemble pas** *(ce n'est pas son genre)* that's not like him/her **2 se ressembler** *upr* to look alike

ressentiment [rəsɑ̃timɑ̃] *nm* resentment

ressentir* [rəsɑ̃tir] **1** *vt* to feel **2 se ressentir** *upr* **se r. de qch** *(personne)* to feel the effects of sth; *(travail)* to show the effects of sth

> Il faut noter que le verbe anglais **to resent** est un faux ami. Il signifie **ne pas aimer du tout**.

resserre [rəsɛr] *nf* storeroom; *(remise)* shed

resserrer [rəsere] **1** *vt (nœud, boulon)* to tighten; *Fig (liens)* to strengthen **2 se resserrer** *upr (nœud)* to tighten; *(amitié)* to become closer; *(route)* to narrow

resservir* [rəsɛrvir] **1** *vt (plat)* to serve (up) again; **r. qn** to give sb another helping **2** *vi (outil)* to come in useful (again) **3 se resservir** *upr* **se r. de** *(plat)* to have another helping of

ressort [rəsɔr] *nm (objet)* spring; *(énergie)* spirit; **du r. de** within the competence of; **en dernier r.** *(décider)* as a last resort

ressortir* [rəsɔrtir] **1** *(aux être)* **vi** *(personne)* to go/come back out; *(film)* to be shown again; *(se voir)* to stand out; **ressortons, ressortir qch** to bring sth out; **il ressort de...** *(résulte)* it emerges from... **2** *(aux avoir)* **vi** *(vêtement)* to get out again

ressortissant, -ante [rəsɔrtisɑ̃, -ɑ̃t] *nmf* national

ressource [rəsurs] **1** *nfpl* **ressources** *(moyens, argent)* resources; **être sans ressources** to be without means; **ressources humaines** human resources **2** *nf (possibilité)* possibility (**de faire** of doing); **avoir de la r.** to be resourceful; **en dernière r.** as a last resort

ressusciter [resysite] **1** *vi* to rise from the dead **2** *vt (mort)* to raise

> Il faut noter que le verbe anglais **to resuscitate** est un faux ami. Il ne signifie jamais **ressusciter**.

restant, -ante [rɛstɑ̃, -ɑ̃t] **1** *adj* remaining **2** *nm* **le r.** the rest, the remainder; **un r. de viande** some leftover meat

restaurant [rɛstɔrɑ̃] *nm* restaurant

restaurer [rɛstɔre] **1** *vt (réparer, rétablir)* to restore **2 se restaurer** *upr* to have something to eat ▪**restaurateur, -trice** *nmf (hôtelier, hôtelière)* restaurant owner; *(de tableaux)* restorer ▪**restauration** *nf (hôtellerie)* catering; *(de tableau)* restoration

reste [rɛst] *nm* rest, remainder (**de** of); **restes** remains (**de** of); *(de repas)* leftovers; **un r. de fromage** some leftover cheese; **au r., du r.** moreover, besides; **avoir qch de r.** to have sth to spare; **il est parti sans demander son r.** he left without further ado

rester [rɛste] *(aux être)* **vi** to stay, to remain; *(calme, jeune)* to keep, to stay, to remain; *(subsister)* to be left, to remain; **il reste du pain** there's some bread left (over); **il me reste une minute** I have one minute left; **l'argent qui lui reste** the money he/she has left; **reste à savoir** it remains to be seen; **il me reste deux choses à faire** I still have two things to do; **il me reste à vous remercier** it remains for me to thank you; **il n'en reste pas moins que...** the fact remains that...; **en r. à** to stop at; **restons-en là** let's leave it at that; **r. sur sa faim** to remain hungry; **celá m'est resté sur l'estomac** *(plat)* it's lying heavy on my stomach; *Fam* **elle a failli y r.** that was very nearly the end of her

restituer [restitɥe] *vt* (*rendre*) to return (**à** to); (*argent*) to repay; (*son*) to reproduce; (*passé*) to re-create ▪ **restitution** *nf* (*d'objet*) return; (*de son*) reproduction; (*du passé*) re-creation

restreindre* [restrɛ̃dr] **1** *vt* to restrict (**à** to) **2 se restreindre** *vpr* (*domaine*) to become more restricted; (*faire des économies*) to cut down ▪ **restreint, -einte** *adj* restricted (**à** to); (*espace*) limited ▪ **restrictif, -ive** *adj* restrictive ▪ **restriction** *nf* restriction; **sans r.** (*approuver*) unreservedly

résultat [rezylta] *nm* result; **avoir qch pour r.** to result in sth ▪ **résulter 1** *vi* **r. de** to result from **2** *v impersonnel* **il en résulte que…** the result of this is that…

résumer [rezyme] **1** *vt* (*abréger*) to summarize; (*récapituler*) to sum up **2 se résumer** *vpr* (*orateur*) to sum up; **se r. à qch** (*se réduire à*) to boil down to sth ▪ **résumé** *nm* summary; **en r.** in short

---

Il faut noter que le verbe anglais **to resume** est un faux ami. Il signifie **recommencer**.

---

résurgence [rezyrʒɑ̃s] *nf* resurgence (**de** in)
résurrection [rezyreksjɔ̃] *nf* resurrection

rétablir [retablir] **1** *vt* (*communications, ordre*) to restore; (*vérité*) to re-establish; (*employé*) to reinstate **2 se rétablir** *vpr* (*ordre*) to be restored; (*malade*) to recover ▪ **rétablissement** *nm* (*d'ordre, de dynastie*) restoration; (*de vérité*) re-establishment; (*de malade*) recovery

retaper [rətape] *vt Fam* (*maison, voiture*) to do up; (*lit*) to straighten; (*malade*) to buck up

retard [rətar] *nm* (*de personne*) lateness; (*sur un programme*) delay; (*de région*) backwardness; **en r.** late; **en r. dans qch** behind in sth; **en r. sur qn/qch** behind sb/sth; **rattraper** *ou* **combler son r.** to catch up; **avoir du r.** to be late; (*sur un programme*) to be behind (schedule); (*montre*) to be slow; **avoir une heure de r.** to be an hour late; **prendre du r.** (*montre*) to lose (time); (*personne*) to fall behind; **sans r.** without delay; *Fam* **il a toujours un métro de r.** he's slow on the uptake ▪ **retardataire** *nmf* latecomer

retarder [rətarde] **1** *vt* (*faire arriver en retard*) to delay; (*date, montre, départ*) to put back; **r. qn** (*dans une activité*) to put sb behind **2** *vi* (*montre*) to be slow; **r. de cinq minutes** to be five minutes slow; *Fig* **r. (sur son temps)** (*personne*) to be behind the times ▪ **retardé, -ée** *adj* (*enfant*) backward

retenir* [rətnir] **1** *vt* (*personne*) to keep; (*eau, chaleur*) to retain; (*cotisation*) to deduct (**sur** from); (*suggestion*) to adopt; (*larmes, foule*) to hold back; *Math* (*chiffre*) to carry; (*se souvenir*

de) to remember; (*réserver*) to reserve; **r. qn par le bras** to hold sb back by the arm; **r. qn prisonnier** to keep sb prisoner; **r. l'attention de qn** to catch sb's attention; **r. qn de faire qch** to stop sb (from) doing sth; **votre candidature n'a pas été retenue** your application was unsuccessful **2 se retenir** *vpr* (*se contenir*) to restrain oneself; **se r. de faire qch** to stop oneself (from) doing sth; **se r. à qn/qch** to cling to sb/sth

retentir [rətɑ̃tir] *vi* to ring out (**de** with); *Fig* **r. sur qch** to have an impact on sth ▪ **retentissant, -ante** *adj* (*succès, échec*) resounding; (*scandale*) major ▪ **retentissement** *nm* (*effet*) impact; **avoir un grand r.** (*film*) to create a stir

retenue [rətəny] *nf* (*modération*) restraint; (*de salaire*) deduction; *Math* (*chiffre*) figure carried over; *Scol* (*punition*) detention; **en r.** in detention

réticent, -ente [retisɑ̃, -ɑ̃t] *adj* hesitant, unwilling ▪ **réticence** *nf* hesitation, unwillingness

---

Il faut noter que l'adjectif anglais **reticent** est un faux ami. Il signifie **discret**.

---

rétine [retin] *nf* retina

retirer [rətire] **1** *vt* to withdraw; (*faire sortir*) to take out; (*ôter*) to take off; (*éloigner*) to take away; (*aller chercher*) to pick up; **r. qch à qn** (*permis*) to take sth away from sb; **r. qch de qch** (*gagner*) to derive sth from sth **2 se retirer** *vpr* to withdraw (**de** from); (*mer*) to ebb ▪ **retiré, -ée** *adj* (*lieu, vie*) secluded

retomber [rətɔ̃be] *vi* to fall again; (*après un saut*) to land; (*intérêt*) to slacken; **r. dans** (*l'oubli, le chaos*) to sink back into; (*le péché*) to lapse into; **r. malade** to fall ill again; **r. sur qn** (*responsabilité, frais*) to fall on sb; *Fam* (*rencontrer*) to bump into sb again; *Fig* **r. sur ses pieds** to land on one's feet ▪ **retombées** *nfpl* (*radioactives*) fallout; *Fig* (*conséquences*) repercussions

rétorquer [retɔrke] *vt* **r. que…** to retort that…

retors, -orse [rətɔr, -ɔrs] *adj* wily, crafty

rétorsion [retɔrsjɔ̃] *nf* retaliation; **mesure de r.** reprisal

retouche [rətuʃ] *nf* (*de vêtement*) alteration; (*de photo*) touching up ▪ **retoucher** *vt* (*vêtement, texte*) to alter; (*photo, tableau*) to touch up

retour [rətur] *nm* return; (*trajet*) return journey; (*de fortune*) reversal; **être de r.** to be back (**de** from); **en r.** (*en échange*) in return; **par r. du courrier** *Br* by return (of post), *Am* by return mail; **à mon r.** when I get/got back (**de** from); **r. à l'envoyeur** return to sender; *Fig* **r. de flamme** backlash; **match r.** return *Br* match *or Am* game

retourner [rəturne] **1** (*aux avoir*) *vt* (*matelas,* steak) to turn over; (terre) to turn; (vêtement, sac) to turn inside out; (tableau) to turn round; (compliment, lettre) to return; Fam (maison) to turn upside down; **r. qch contre qn** (argument) to turn sth against sb; (arme) to turn sth on sb; Fam **r. qn** (bouleverser) to upset sb; Fam **savoir de quoi il retourne** to know what it's all about **2** (aux être) vi to go back, to return **3 se retourner** vpr (pour regarder) to turn round; (sur le dos) to turn over; (dans son lit) to toss and turn; (voiture) to overturn; **s'en r.** to go back; Fig **se r. contre** to turn against ▪**retournement** [-əmã] nm (de situation) turnaround

retracer [rətrase] vt (événement) to recount

rétracter [retrakte] vt, **se rétracter** vpr to retract ▪**rétractation** nf retraction

retrait [rətrɛ] nm withdrawal; (de bagages, de billets) collection; (des eaux) receding; **en r.** (maison) set back; **ligne en r.** indented line; **commencer un paragraphe en r.** to indent a paragraph; **rester en r.** to stay in the background

retraite [rətrɛt] nf (d'employé) retirement; (pension) (retirement) pension; (refuge) retreat, refuge; (d'une armée) retreat; **mettre qn à la r.** to pension sb off; **prendre sa r.** to retire; **être à la r.** to be retired; Mil & Fig **battre en r.** to beat a retreat; **r. aux flambeaux** torchlight procession; **r. anticipée** early retirement ▪**retraité, -ée 1** adj retired **2** nmf senior citizen, Br (old age) pensioner

retraitement [rətrɛtmã] nm reprocessing; **usine de r. (des déchets nucléaires)** (nuclear) reprocessing plant

retrancher [rətrãʃe] **1** vt (passage, nom) to remove (**de** from); (argent, quantité) to deduct (**de** from) **2 se retrancher** vpr (soldats) to dig in; Fig **se r. dans/derrière qch** to hide in/behind sth ▪**retranchement** nm Fig **pousser qn dans ses derniers retranchements** to drive sb to the wall

retransmettre* [rətrãsmɛtr] vt to broadcast ▪**retransmission** nf broadcast

rétrécir [retresir] **1** vt (vêtement) to take in **2** vi (au lavage) to shrink **3 se rétrécir** vpr (rue) to narrow ▪**rétréci, -ie** adj (route) narrow

rétribuer [retribɥe] vt (personne) to pay; (travail) to pay for ▪**rétribution** nf payment, remuneration

> Il faut noter que le nom anglais **retribution** est un faux ami. Il signifie **châtiment**.

rétro [retro] adj inv (personne, idée) retro

rétroactif, -ive [retroaktif, -iv] adj retroactive; **augmentation avec effet r.** retroactive (pay) increase

rétrograde [retrograd] adj retrograde ▪**rétrograder 1** vt (fonctionnaire, officier) to

demote **2** vi (automobiliste) to change down

rétroprojecteur [retroprɔʒɛktœr] nm overhead projector

rétrospectif, -ive [retrɔspɛktif, -iv] **1** adj retrospective **2** nf **rétrospective** retrospective ▪**rétrospectivement** adv in retrospect

retrousser [rətruse] vt (manches) to roll up; (jupe) to tuck up ▪**retroussé, -ée** adj (nez) turned-up, snub

retrouver [rətruve] **1** vt (objet) to find again; (personne) to meet again; (forces, santé) to regain; (se rappeler) to recall; (découvrir) to rediscover **2 se retrouver** vpr (être) to find oneself; (trouver son chemin) to find one's way (**dans** round); (se rencontrer) to meet; **se r. à la rue** to find oneself homeless; **je me suis retrouvé rue d'Assas** I ended up in rue d'Assas; **je ne m'y retrouve plus!** I'm completely lost! ▪**retrouvailles** nfpl reunion

rétroviseur [retrovizœr] nm rear-view mirror

Réunion [reynjɔ̃] nf la R. Réunion

réunion [reynjɔ̃] nf (séance) meeting; (d'objets) collection, gathering; (jonction) joining; **être en r.** to be in a meeting; **r. de famille** family gathering; Scol **r. de parents d'élèves** parents meeting

réunir [reynir] **1** vt (objets) to put together; (documents) to gather together; (fonds) to raise; (amis, famille) to get together; (après une rupture) to reunite; (avantages, qualités) to combine; **r. qch à qch** to join sth to sth **2 se réunir** vpr (personnes, routes) to meet; **se r. autour de qn/qch** to gather round sb/sth

réussir [reysir] **1** vt (bien faire) to make a success of; (examen) to pass **2** vi to succeed, to be successful (**à faire** in doing); (à un examen) to pass; **r. à qn** to work out well for sb; (aliment, climat) to agree with sb; **r. à un examen** to pass an exam ▪**réussi, -ie** adj successful ▪**réussite** nf success; Cartes **faire des réussites** to play patience

revaloir [rəvalwar] vt **je vous le revaudrai** (en bien ou en mal) I'll pay you back

revaloriser [rəvalɔrize] vt (monnaie) to revalue; (salaires, profession) to upgrade ▪**revalorisation** nf (de monnaie) revaluation; (de salaires, de profession) upgrading

revanche [rəvãʃ] nf revenge; (de match) return game; **prendre sa r. (sur qn)** to get one's revenge (on sb); **en r.** on the other hand

rêve [rɛv] nm dream; **faire un r.** to have a dream; **fais de beaux rêves!** sweet dreams!; **maison/voiture de r.** dream house/car ▪**rêvasser** vi to daydream

revêche [rəvɛʃ] adj bad-tempered

réveil [revɛj] nm (de personnes) waking; Fig awakening; (pendule) alarm (clock); **à son r.** on waking

réveiller [revɛje] vt **1** (personne) to wake (up);

Fig (douleur) to revive; *Fig (sentiment, souvenir)* to revive **2 se réveiller** *vpr (personne)* to wake (up); *(nature)* to reawaken; *Fig (douleur)* to come back ▪ **réveillé, -ée** *adj* awake

réveillon [revejɔ̃] *nm (repas)* midnight supper; *(soirée)* midnight party *(on Christmas Eve or New Year's Eve)* ▪ **réveillonner** *vi* to see in Christmas/the New Year

révéler [revele] **1** *vt* to reveal (**que** that) **2 se révéler** *vpr (personne)* to reveal oneself; *(talent)* to be revealed; **se r. facile** to turn out to be easy ▪ **révélateur, -trice** *adj* revealing; **r. de qch** indicative of sth ▪ **révélation** *nf (action, découverte)* revelation; *(personne)* discovery; **faire des révélations** to disclose important information

revenant [rəvɑ̃nɑ̃] *nm* ghost; *Fam* **tiens! un r.!** hello, stranger!

revendiquer [rəvɑ̃dike] *vt* to claim; *(attentat)* to claim responsibility for ▪ **revendicatif, -ive** *adj* **mouvement r.** protest movement ▪ **revendication** *nf* claim

revendre [rəvɑ̃dr] *vt* to resell; *Fig* **avoir (de) qch à r.** to have sth to spare ▪ **revendeur, -euse** *nmf* retailer; *(d'occasion)* second-hand dealer; **r. (de drogue)** drug pusher ▪ **revente** *nf* resale

revenir* [rəvənir] *(aux être) vi (personne)* to come back, to return; *(mot)* to crop up; *(date)* to come round again; **r. à 50 euros** to come to 50 euros; **le dîner nous est revenu à 50 euros** the dinner cost us 50 euros; **r. cher** to work out expensive; **r. à** *(activité, sujet)* to go back to, to return to; *(se résumer à)* to boil down to; **r. à qn** *(forces, mémoire)* to come back to sb; *(honneur)* to fall to sb; **r. à soi** to come round *or* to; **r. de** *(surprise)* to get over; **r. sur** *(décision, promesse)* to go back on; *(passé, question)* to go back over; **r. sur ses pas** to retrace one's steps; **faire r. qch** *(aliment)* to brown sth; *Fam* **sa tête ne me revient pas** I don't like the look of him; *Fam* **je n'en reviens pas!** I can't get over it!; *Fig* **elle revient de loin** she's been at death's door

revenu [rəvəny] *nm* income (**de** from); *(d'un État)* revenue (**de** from)

rêver [reve] **1** *vt* to dream (**que** that) **2** *vi* to dream (**de** of; **de faire** of doing) ▪ **rêvé, -ée** *adj* ideal

réverbération [reverberasjɔ̃] *nf (de lumière)* reflection; *(de son)* reverberation

réverbère [reverber] *nm* street lamp

révérence [reverɑ̃s] *nf (respect)* reverence; *(salut de femme)* curtsey; **faire une r.** to curtsey ▪ **révérer** *vt* to revere

révérend, -ende [reverɑ̃, -ɑ̃d] *adj & nm Rel* reverend

rêverie [revri] *nf* daydream

revers [rəver] *nm (de veste)* lapel; *(de pantalon)* *Br* turn-up, *Am* cuff; *(d'étoffe)* wrong side; *(de pièce)* reverse; *(coup du sort)* setback; *Sport (au*

tennis) backhand; **d'un r. de la main** with the back of one's hand; *Fig* **le r. de la médaille** the other side of the coin

reverser [rəverse] *vt (café, vin)* to pour more; *Fig (argent)* to transfer (**sur un compte** into an account)

réversible [reversibl] *adj* reversible

revêtir* [rəvetir] *vt* to cover (**de** with); *(habit)* to don; *(route)* to surface; *(caractère, forme)* to assume; **r. qn** *(habiller)* to dress sb (**de** in); **r. un document de** *(signature)* to provide a document with ▪ **revêtement** *nm (surface)* covering; *(de route)* surface

rêveur, -euse [revœr, -øz] **1** *adj* dreamy **2** *nmf* dreamer

revient [rəvjɛ̃] *nm* **prix de r.** *Br* cost price, *Am* wholesale price

revigorer [rəvigɔre] *vt (personne)* to revive

revirement [rəvirmɑ̃] *nm (changement) Br* about-turn, *Am* about-face; *(de situation, d'opinion, de politique)* reversal

réviser [revize] *vt (leçon) Br* to revise, *Am* to review; *(machine, voiture)* to service; *(jugement, règlement)* to review ▪ **révision** *nf (de leçon) Br* revision, *Am* review; *(de machine)* service; *(de jugement)* review

revisser [rəvise] *vt (bouchon)* to screw back again

revivre* [rəvivr] **1** *vt (incident)* to relive **2** *vi* to live again; **faire r. qch** to revive sth

révocation [revɔkasjɔ̃] *nf (de fonctionnaire)* dismissal; *(de contrat)* revocation

revoici [rəvwasi] *prép* **me r.** here I am again

revoilà [rəvwala] *prép* **la r.** there she is again

revoir* [rəvwar] *vt* to see (again); *(texte, leçon)* to revise; **au r.** goodbye

révolte [revɔlt] *nf* revolt ▪ **révoltant, -ante** *adj (honteux)* revolting ▪ **révolté, -ée** *nmf* rebel ▪ **révolter 1** *vt* to appal **2 se révolter** *vpr* to rebel, to revolt (**contre** against)

révolu, -ue [revɔly] *adj (époque)* past; **avoir trente ans révolus** to be over thirty

révolution [revɔlysjɔ̃] *nf (changement, rotation)* revolution ▪ **révolutionnaire** *adj & nmf* revolutionary ▪ **révolutionner** *vt (transformer)* to revolutionize

revolver [revɔlver] *nm* revolver

révoquer [revɔke] *vt (fonctionnaire)* to dismiss; *(contrat)* to revoke

revue [rəvy] *nf (magazine)* magazine; *(spécialisée)* journal; *(spectacle)* revue; *Mil* review; **passer qch en r.** to review sth

révulser [revylse] *vt* to repulse, to disgust ▪ **révulsé, -ée** *adj (visage)* contorted; *(yeux)* rolled back

rez-de-chaussée [redʃose] *nm inv Br* ground floor, *Am* first floor

rhabiller [rabije] **se rhabiller** *vpr* to get dressed again

rhapsodie [rapsɔdi] nf rhapsody

Rhésus [rezys] nm **R. positif/négatif** Rhesus positive/negative

rhétorique [retɔrik] nf rhetoric

Rhin [rɛ̃] nm **le R.** the Rhine

rhinocéros [rinɔserɔs] nm rhinoceros

rhododendron [rɔdɔdɛ̃drɔ̃] nm rhododendron

Rhône [ron] nm **le R.** the Rhône

rhubarbe [rybarb] nf rhubarb

rhum [rɔm] nm rum

rhumatisme [rymatism] nm rheumatism; **avoir des rhumatismes** to have rheumatism ▪**rhumatisant, -ante** adj & nmf rheumatic ▪**rhumatismal, -e, -aux, -ales** adj rheumatic

rhume [rym] nm cold; **r. de cerveau** head cold; **r. des foins** hay fever

ri [ri] pp de **rire**

riant, riante [rjɑ̃, rjɑ̃t] **1** p prés de **rire 2** adj cheerful, smiling

ribambelle [ribɑ̃bɛl] nf (de mots) long string; (d'enfants, de visiteurs) string, crowd

ricaner [rikane] vi (sarcastiquement) Br to snigger, Am to snicker; (bêtement) to giggle

riche [riʃ] **1** adj (personne, pays, aliment) rich; **r. en** (vitamines, minérai) rich in **2** nmf rich person; **les riches** the rich ▪**richement** adv (vêtu, illustré) richly ▪**richesse** nf (de personne, de pays) wealth; (d'étoffe, de sol, de vocabulaire) richness; **richesses** (trésor) riches; (ressources) wealth

ricin [risɛ̃] nm **huile de r.** castor oil

ricocher [rikɔʃe] vi to rebound, to ricochet ▪**ricochet** nm rebound, ricochet; **faire des ricochets (sur l'eau)** to skim stones; Fig **par r.** indirectly

rictus [riktys] nm grimace

ride [rid] nf (de visage) wrinkle; (sur l'eau) ripple ▪**ridé, -ée** adj (visage, peau) wrinkled ▪**rider 1** vt (visage, peau) to wrinkle; (eau) to ripple **2 se rider** vpr (visage, peau) to wrinkle

rideau, -x [rido] nm curtain; (métallique) shutter; Fig (écran) screen (**de** of)

ridicule [ridikyl] **1** adj ridiculous, ludicrous **2** nm (moquerie) ridicule; (absurdité) ridiculousness; **tourner qn/qch en r.** to ridicule sb/sth ▪**ridiculiser 1** vt to ridicule **2 se ridiculiser** vpr to make a fool of oneself

rien [rjɛ̃] **1** pron nothing; **il ne sait r.** he knows nothing, he doesn't know anything; **r. du tout** nothing at all; **r. d'autre/de bon** nothing else/good; **de tel** nothing like it; **il n'y avait r. que des filles** there were only girls there; **de r.!** (je vous en prie) don't mention it!; **ça ne fait r.** it doesn't matter; **trois fois r.** next to nothing; **avoir qch pour r.** (à bas prix) to get sth for next to nothing; **pour r. au monde** never- in a thousand years; **comme si de r. n'était** as if nothing had happened; **il n'en est r.** (ce n'est pas vrai) nothing of the kind; Fam **je n'en ai r. à**

faire I couldn't care less **2** nm (mere) nothing, trifle; **un r. de** a little; **en un r. de temps** in no time; **un r. trop petit** just a bit too small; **pleurer pour un r.** to cry at the slightest thing

rieur, rieuse [rijœr, rijøz] adj cheerful

rigide [riʒid] adj rigid; (carton) stiff; Fig (personne) inflexible; (éducation) strict ▪**rigidité** nf rigidity; (de carton) stiffness; (de personne) inflexibility; (d'éducation) strictness

rigole [rigɔl] nf (conduit) channel; (filet d'eau) rivulet

rigoler [rigɔle] vi Fam to laugh; (s'amuser) to have a laugh; (plaisanter) to joke (**avec** about); **tu rigoles?** are you kidding? ▪**rigolade** nf Fam fun; **prendre qch à la r.** to make a joke out of sth ▪**rigolo, -ote** Fam **1** adj funny **2** nmf joker

rigueur [rigœr] nf (d'analyse) rigour; (de climat) harshness; (de personne) strictness; **être de r.** to be the rule; **à la r.** if necessary; Fig **tenir r. à qn de qch** to hold sth against sb ▪**rigoureux, -euse** adj (analyse) rigorous; (climat, punition) harsh; (personne, morale, neutralité) strict

rillettes [rijɛt] nfpl Culin potted meat

rime [rim] nf rhyme ▪**rimer** vi to rhyme (**avec** with); **ça ne rime à rien** it makes no sense

Rimmel® [rimɛl] nm mascara

rincer [rɛ̃se] vt to rinse; (verre) to rinse (out) ▪**rinçage** nm rinsing; (pour les cheveux) rinse ▪**rince-doigts** nm inv finger bowl

ring [riŋ] nm (boxing) ring

ringard, -arde [rɛ̃gar, -ard] Fam **1** adj (démodé) uncool, Br sad **2** nmf geek, nerd

ripaille [ripɑj] nf Fam **faire r.** to have a blow-out

riposte [ripɔst] nf (réponse) retort; (attaque) counterattack ▪**riposter 1** vt **r. que...** to retort that... **2** vi to counterattack; **r. à** (attaque) to counter; (insulte) to reply to

riquiqui [rikiki] adj inv Fam tiny

rire* [rir] **1** nm laugh; **rires** laughter; **le fou r.** the giggles **2** vi to laugh (**de** at); (s'amuser) to have a good time; (plaisanter) to joke; **r. aux éclats** to roar with laughter; **faire qch pour r.** to do sth for a joke or laugh **3 se rire** vpr Littéraire **se r. de qch** (se jouer de) to make light of sth

ris [ri] nm Culin **r. de veau** calf's sweetbread

risée [rize] nf mockery; **être la r. de** to be the laughing stock of

risible [rizibl] adj laughable

risque [risk] nm risk; **au r. de faire qch** at the risk of doing sth; **les risques du métier** occupational hazards; **à vos risques et périls** at your own risk; **assurance tous risques** comprehensive insurance

risquer [riske] **1** vt to risk; (question) to venture; **r. le tout pour le tout** to go for broke; **r. de faire qch** to stand a good chance of doing sth; **ça risque de durer longtemps** that may well last for a long time; **qu'est-ce que tu risques?**

what have you got to lose? **2 se risquer** *vpr* **se r. à faire qch** to dare to do sth; **se r. dans qch** to venture into sth ■**risqué, -ée** *adj (dangereux)* risky; *(osé)* risqué

ristourne [risturn] *nf* discount

rite [rit] *nm* rite; *Fig (habitude)* ritual ■**rituel, -uelle** *adj & nm* ritual

rivage [rivaʒ] *nm* shore

rival, -e, -aux, -ales [rival, -o] *adj & nmf* rival ■**rivaliser** *vi* to compete (**avec** with; **de** in) ■**rivalité** *nf* rivalry

rive [riv] *nf (de fleuve)* bank; *(de lac)* shore

river [rive] *vt(attacher)* to rivet; *Fig* **il a les yeux rivés sur elle** his eyes are glued to her ■**rivet** *nm* rivet

riverain, -aine [rivərɛ̃, -ɛn] **1** *adj (de rivière)* riverside; *(de lac)* lakeside **2** *nmf (près d'une rivière)* riverside resident; *(près d'un lac)* lakeside resident; *(de rue)* resident

rivière [rivjɛr] *nf* river; **r. de diamants** diamond necklace

rixe [riks] *nf* brawl

riz [ri] *nm* rice; **r. blanc/complet/sauvage** white/brown/wild rice; **r. basmati** basmati rice; **r. au lait** rice pudding ■**rizière** *nf* paddy (field), rice-field

RMI [ɛrɛmi] *(abrév* **revenu minimum d'insertion)** *nm Br* ≃ income support, *Am* ≃ welfare ■**RMiste** *nmf Br* ≃ person on income support, *Am* ≃ person on welfare

RN *abrév* **route nationale**

robe [rɔb] *nf (de femme)* dress; *(d'ecclésiastique, de juge)* robe; *(de professeur)* gown; *(pelage)* coat; **r. de soirée** *ou* **du soir** evening dress; **r. de grossesse/de mariée** maternity/wedding dress; **r. de chambre** *Br* dressing gown, *Am* bathrobe; **pomme de terre en r. des champs** jacket potato, baked potato

robinet [rɔbinɛ] *nm Br* tap, *Am* faucet

robot [rɔbo] *nm* robot; **r. ménager** food processor ■**robotique** *nf* robotics *(sing)*

robuste [rɔbyst] *adj* robust ■**robustesse** *nf* robustness

roc [rɔk] *nm* rock

rocade [rɔkad] *nf (route)* bypass

rocaille [rɔkaj] *nf (terrain)* rocky ground; *(de jardin)* rockery ■**rocailleux, -euse** *adj* rocky, stony; *(voix)* harsh

rocambolesque [rɔkãbɔlɛsk] *adj* fantastic

roche [rɔʃ] *nf* rock

rocher [rɔʃe] *nm (bloc, substance)* rock ■**rocheux, -euse** *adj* rocky

rock [rɔk] **1** *nm (musique)* rock **2** *adj inv* **chanteur/opéra r.** rock singer/opera ■**rockeur, -euse** *nmf (musicien)* rock musician

rodéo [rɔdeo] *nm (de chevaux)* rodeo

roder [rɔde] *vt (moteur, voiture) Br* to run in, *Am* to break in; *Fig* **être rodé** *(personne)* to have *Br*

got *or Am* gotten the hang of things ■**rodage** *nm Br* running in, *Am* breaking in

rôder [rode] *vi* to be on the prowl ■**rôdeur, -euse** *nmf* prowler

rogne [rɔɲ] *nf Fam* bad temper; **être en r.** to be cross; **se mettre en r.** to get mad

rogner [rɔɲe] **1** *vt (ongles)* to trim, to clip; *Fig (économies)* to eat away at; *Fig* **r. les ailes à qn** to clip sb's wings **2** *vi* **r. sur qch** *(réduire)* to cut down on sth ■**rognures** *nfpl (de cuir, de métal)* trimmings

rognon [rɔɲɔ̃] *nm* kidney

roi [rwa] *nm* king; **fête des Rois** Twelfth Night

roitelet [rwatlɛ] *nm (oiseau)* wren

rôle [rol] *nm* role, part; *(de père)* job; **à tour de r.** in turn

roller [rolœr] *nm* rollerblading, in-line skating; **faire du r.** to go rollerblading *or* in-line skating ■**rollers (en ligne)** *nmpl* rollerblades, in-line skates

romain, -aine¹ [rɔmɛ̃, -ɛn] **1** *adj* Roman **2** *nmf* **R., Romaine** Roman

romaine² [rɔmɛn] *nf (laitue) Br* cos (lettuce), *Am* romaine

roman¹ [rɔmã] *nm* novel; *Fig (histoire)* story; **r. d'aventures/d'amour** adventure/love story; **r.-fleuve** saga; **r. noir** thriller; **r.-photo** photostory ■**romancé, -ée** *adj (histoire)* fictional ■**romancier, -ière** *nmf* novelist

roman², -ane [rɔmã, -an] *adj (langue)* Romance; *Archit* Romanesque

> Il faut noter que l'adjectif anglais **Roman** est un faux ami. Il signifie **romain**.

romanesque [rɔmanɛsk] *adj* romantic; *(incroyable)* fantastic

romanichel, -elle [rɔmaniʃɛl] *nmf* gipsy

romantique [rɔmãtik] *adj & nmf* romantic ■**romantisme** *nm* romanticism

romarin [rɔmarɛ̃] *nm* rosemary

rompre* [rɔ̃pr] **1** *vt* to break; *(pourparlers, relations)* to break off; *(digue)* to burst **2** *vi (casser)* to break; *(digue)* to burst; *(fiancés)* to break it off; **r. avec la tradition** to break with tradition **3** **se rompre** *vpr (corde)* to break; *(digue)* to burst ■**rompu, -ue** *adj (fatigué)* exhausted; **r. à qch** *(expérimenté)* used to sth

romsteck [rɔmstɛk] *nm* rump steak

ronces [rɔ̃s] *nfpl (branches)* brambles

ronchonner [rɔ̃ʃɔne] *vi Fam* to grumble

rond, ronde¹ [rɔ̃, rɔ̃d] **1** *adj* round; *(gras)* plump; *Fam (ivre)* plastered; **chiffre r.** whole number; **ouvrir des yeux ronds** to be wide-eyed with astonishment, to look astonished; *Fam* **r. comme une queue de pelle** *Br* ratarsed, *Am* stewed to the gills **2** *adv* **10 euros tout r.** 10 euros exactly **3** *nm (cercle)* circle; *Fam* **ronds** *(argent)* money; **r. de serviette** napkin ring; **en r.** *(s'asseoir)* in a circle; *Fig*

tourner en r. to go round and round ▪**rond-de-cuir** (pl **ronds-de-cuir**) nm Péj pen-pusher ▪**rondelet, -ette** adj chubby; Fig (somme) tidy ▪**rondement** adv (efficacement) briskly; (franchement) bluntly; **mener qch r.** to make short work of sth ▪**rond-point** (pl **ronds-points**) nm Br roundabout, Am traffic circle

ronde² [rɔ̃d] nf (de soldat) round; (de policier) beat; (danse) round (dance); Mus Br semibreve, Am whole note; **à la r.** around; **faire sa r.** (gardien) to do one's rounds

rondelle [rɔ̃dɛl] nf (tranche) slice; Tech washer

rondeur [rɔ̃dœr] nf roundness; (du corps) plumpness, **rondeurs** (de femme) curves; (embonpoint) plumpness

rondin [rɔ̃dɛ̃] nm log

ronflant, -ante [rɔ̃flɑ̃, -ɑ̃t] adj Péj (langage) high-flown

ronfler [rɔ̃fle] vi (personne) to snore; (moteur) to hum ▪**ronflement** [-əmɑ̃] nm (de personne) snore; (de moteur) hum; **ronflements** snoring; (de moteur) humming

ronger [rɔ̃ʒe] 1 vt to gnaw (at); (ver, mer, rouille) to eat into; **r. qn** (maladie, chagrin) to consume sb; Fig **r. son frein** to champ at the bit 2 **se ronger** vpr **se r. les ongles** to bite one's nails; Fam **se r. les sangs** to worry oneself sick ▪**rongeur** nm rodent

ronronnement [rɔ̃rɔnmɑ̃] (Fam **ronron**) nm purr ▪**ronronner** vi to purr

roquefort [rɔkfɔr] nm Roquefort

roquette [rɔkɛt] nf Mil & Culin rocket

rosaire [rozɛr] nm Rel rosary

Rosbif [rɔzbif] nmf Fam (Britannique) Brit, = pejorative or humorous term used to refer to a British person

rosbif [rɔzbif] nm **du r.** (rôti) roast beef; (à rôtir) roasting beef; **un r.** a joint of roast/roasting beef

rose [roz] 1 adj (couleur) pink; (situation, teint) rosy 2 nm (couleur) pink; **vieux r.** soft pink; **r. bonbon** bright pink 3 nf (fleur) rose; Fam **envoyer qn sur les roses** to send sb packing; Fam **découvrir le pot aux roses** to find out what's been going on ▪**rosé, -ée** 1 adj pinkish 2 adj & nm (vin) rosé ▪**roseraie** nf rose garden ▪**rosier** nm rosebush

roseau, -x [rozo] nm reed

rosée [roze] nf dew

rosette [rozɛt] nf (d'un officier) rosette; (nœud) bow

rosser [rose] vt **r. qn** to beat sb up

rossignol [rɔsiɲɔl] nm (oiseau) nightingale; (crochet) picklock

rot [ro] nm Fam burp, belch ▪**roter** vi Fam to burp, to belch

rotation [rɔtasjɔ̃] nf rotation; (de stock) turnover ▪**rotatif, -ive** 1 adj rotary 2 nf **rotative** rotary press

rotin [rɔtɛ̃] nm rattan; **chaise en r.** rattan chair

rôtir [rotir] 1 vti to roast; **faire r. qch** to roast sth 2 **se rôtir** vpr Fam **se r. au soleil** to roast in the sun ▪**rôti** nm **du r.** roasting meat; (cuit) roast meat; **un r.** a joint; **r. de porc/de bœuf** (joint of) roast pork/beef ▪**rôtissoire** nf (roasting) spit

rotule [rɔtyl] nf kneecap; Fam **être sur les rotules** to be Br knackered or Am beat

roturier, -ière [rɔtyrje, -jɛr] nmf commoner

rouage [rwaʒ] nm (de montre) (working) part; Fig (d'organisation) workings

roublard, -arde [rublar, -ard] adj Fam wily

rouble [rubl] nm (monnaie) rouble

roucouler [rukule] vi to coo

roue [ru] nf wheel; **r. dentée** cogwheel; **faire la r.** (paon) to spread its tail; **être en r. libre** to freewheel; **les deux roues** two-wheeled vehicles

rouer [rwe] vt **r. qn de coups** to beat sb black and blue

rouet [rwɛ] nm spinning wheel

rouge [ruʒ] 1 adj red; (fer) red-hot 2 nm (couleur) red; Fam (vin) red wine; **le feu est au r.** the (traffic) lights are at red; **r. à lèvres** lipstick; **r. à joues** rouge, Br blusher ▪**rougeâtre** adj reddish ▪**rougeaud, -aude** adj red-faced ▪**rouge-gorge** (pl **rouges-gorges**) nm robin

rougeole [ruʒɔl] nf measles (sing)

rougeoyer [ruʒwaje] vi to turn red

rouget [ruʒɛ] nm red mullet

rougeur [ruʒœr] nf redness; (due à la honte) blush; (due à l'émotion) flush; **rougeurs** (irritation) rash, red blotches

rougir [ruʒir] 1 vt (visage) to redden; (ciel, feuilles) to turn red 2 vi (de honte) to blush (**de** with); (d'émotion) to flush (**de** with)

rouille [ruj] 1 nf rust 2 adj inv (couleur) rust (-coloured) ▪**rouillé, -ée** adj rusty ▪**rouiller** 1 vi to rust 2 **se rouiller** vpr to rust; Fig (esprit, sportif) to get rusty

roulade [rulad] nf Culin roulade; **r. de poisson** rolled fish; Sport **r. avant/arrière** forward/ backward roll; **faire une r.** to do a roll

rouleau, -x [rulo] nm (outil, vague) roller; (de papier, de pellicule) roll; **r. à pâtisserie** rolling pin; **r. compresseur** steamroller

roulement [rulmɑ̃] nm (bruit) rumbling, rumble; (de tambour, de tonnerre, d'yeux) roll; (ordre) rotation; **par r.** in rotation; Tech **r. à billes** ball bearing

rouler [rule] 1 vt to roll; (crêpe, ficelle, manches) to roll up; Fam **r. qn** (duper) to cheat sb 2 vi (balle) to roll; (train, voiture) to go, to travel; (conducteur) to drive; **r. sur** (conversation) to turn on; Fig **r. sur l'or** to be rolling in it; Fam **ça roule!** everything's fine! 3 **se rouler** vpr to roll; **se r. dans** (couverture) to roll oneself (up) in

▪**roulant, -ante** adj (escalier, trottoir) moving; (meuble) on wheels; Fig **un feu r. de questions** a barrage of questions ▪**roulé** nm (gâteau) Swiss roll

roulette [rulɛt] nf (de meuble) castor; (de dentiste) drill; (jeu) roulette

roulis [ruli] nm (de navire) roll

roulotte [rulɔt] nf (de gitan) caravan

Roumanie [rumani] nf la R. Romania ▪**roumain, -aine** 1 adj Romanian 2 nmf R., Roumaine Romanian 3 nm (langue) Romanian

round [rawnd, rund] nm Boxe round

roupiller [rupije] vi Fam to snooze, Br to kip ▪**roupillon** nm Fam snooze, Br kip; **faire ou piquer un r.** to have a snooze or Br a kip

rouquin, -ine [rukɛ̃, -in] Fam 1 adj red-haired 2 nmf redhead

rouspéter [ruspete] vi Fam to grumble ▪**rouspéteur, -euse** nmf Fam grumbler

rousse [rus] voir roux

rousseur [rusœr] nf (de chevelure) redness; **tache de r.** freckle ▪**roussi** nm ça sent le r. there's a smell of burning ▪**roussir** 1 vt (brûler) to scorch, to singe 2 vi (feuilles) to turn brown

rouste [rust] nf Fam good hiding

routard, -arde [rutar, -ard] nmf Fam backpacker

route [rut] nf road (de to); (itinéraire) way, route; Fig (chemin) path; **grand-r., grande r.** main road; **code de la r.** Br Highway Code, Am traffic regulations; **en r.** on the way, en route; **en r.!** let's go!; **par la r.** by road; Fig **sur la bonne r.** on the right track; Fig **faire fausse r.** to be on the wrong track; **mettre qch en r.** (voiture) to start sth (up); **se mettre en r.** to set out (**pour** for); **une heure de r.** (en voiture) an hour's drive; **faire r. vers Paris** to head for Paris; **faire de la r.** to do a lot of driving; **bonne r.!** have a good trip!; Fig **leurs routes se sont croisées** their paths crossed; **r. des vins** wine trail; **r. départementale** secondary road, Br B road; **r. nationale** Br main road, A-road, Am (state) highway

routier, -ière [rutje, -jɛr] 1 adj **carte/sécurité routière** road map/safety; **réseau r.** road network 2 nm (camionneur) (long-distance) Br lorry or Am truck driver; (restaurant) Br transport café, Am truck stop

routine [rutin] nf routine; **contrôle de r.** routine check ▪**routinier, -ière** adj **travail r.** routine work; **être r.** (personne) to be set in one's ways

rouvrir* [ruvrir] vti, **se rouvrir** upr to reopen

roux, rousse [ru, rus] 1 adj (cheveux) red, ginger; (personne) red-haired 2 nmf redhead

royal, -e, -aux, -ales [rwajal, -jo] adj (famille, palais) royal; (cadeau, festin) fit for a king; (salaire) princely ▪**royalement** adv (traiter) royally; Fam **je m'en fiche r.** I don't give a

damn (about it) ▪**royaliste** adj & nmf royalist

royaume [rwajom] nm kingdom ▪**Royaume-Uni** nm le R. the United Kingdom

royauté [rwajote] nf (monarchie) monarchy

RSVP [ɛrɛsvepe] (abrév **répondez s'il vous plaît**) RSVP

ruban [rybã] nm ribbon; (de chapeau) band; **r. adhésif** sticky or adhesive tape

rubéole [rybeɔl] nf rubella, Fam German measles (sing)

rubis [rybi] nm (pierre) ruby; (de montre) jewel

rubrique [rybrik] nf (article de journal) column; (catégorie, titre) heading; (partie) section

ruche [ryʃ] nf beehive

rude [ryd] adj (pénible) tough; (hiver, voix) harsh; (rêche) rough ▪**rudement** adv (parler, traiter) harshly; (frapper, tomber) hard; Fam (très) awfully ▪**rudesse** nf harshness

> Il faut noter que l'adjectif anglais **rude** est un faux ami. Il signifie **grossier**.

rudiments [rydimã] nmpl rudiments ▪**rudimentaire** adj rudimentary

rudoyer [rydwaje] vt to treat harshly

rue [ry] nf street; **être à la r.** (sans domicile) to be on the streets ▪**ruelle** nf alley(way)

ruer [rɥe] 1 vi (cheval) to kick (out) 2 **se ruer** upr (foncer) to rush (**sur** at) ▪**ruée** nf rush; **la r. vers l'or** the gold rush

rugby [rygbi] nm rugby; **r. à quinze** rugby union; **r. à treize** rugby league ▪**rugbyman** [rygbiman] (pl **-men** [-mɛn]) nm rugby player

rugir [ryʒir] vi to roar ▪**rugissement** nm roar

rugueux, -euse [rygø, -øz] adj rough ▪**rugosité** nf roughness; **rugosités** (aspérités) rough spots

ruine [rɥin] nf (décombres, destruction, faillite) ruin; **en r.** (bâtiment) in ruins; **tomber en r.** (bâtiment) to become a ruin; (mur) to crumble ▪**ruiner** 1 vt (personne, santé, pays) to ruin 2 **se ruiner** upr (perdre tout son argent) to ruin oneself; (dépenser beaucoup d'argent) to spend a fortune ▪**ruineux, -euse** adj (goûts, projet) ruinously expensive; (dépense) ruinous; **ce n'est pas r.** it won't ruin me/you/etc

ruisseau, -x [rɥiso] nm stream; (caniveau) gutter ▪**ruisseler** vi to stream (**de** with)

rumeur [rymœr] nf (murmure) murmur; (nouvelle) rumour

ruminer [rymine] 1 vt (herbe) to chew; Fig (méditer) to mull over 2 vi (vache) to chew the cud; Fig to brood

rumsteck [rɔmstɛk] nm rump steak

rupture [ryptyr] nf breaking; (de fiançailles, de relations) breaking off; (de pourparlers) breakdown (**de** in); (brouille) break-up; Méd rupture; **être en r. de stock** to be out of stock; **r. de contrat** breach of contract

rural, -e, -aux, -ales [ryral, -o] adj

(population) rural; **vie/école rurale** country life/school ▪**ruraux** *nmpl* country people
ruse [ryz] *nf (subterfuge)* trick; **la r.** *(habileté)* cunning; *(fourberie)* trickery ▪**rusé, -ée** 1 *adj* cunning, crafty 2 *nmf* **c'est un r.** he's a cunning or crafty one ▪**ruser** *vi* to resort to trickery
Russie [rysi] *nf* **la R.** Russia ▪**russe** 1 *adj* Russian 2 *nmf* **R.** Russian 3 *nm (langue)* Russian
rustique [rystik] *adj (meuble)* rustic

rustre [rystr] *nm* lout, churl
rut [ryt] **en rut** *nm (animal) Br* on heat, *Am* in heat
rutabaga [rytabaga] *nm Br* swede, *Am* rutabaga
rutilant, -ante [rytilɑ̃, -ɑ̃t] *adj* gleaming
RV *abrév* **rendez-vous**
rythme [ritm] *nm* rhythm; *(de travail)* rate; *(allure)* pace; **au r. de trois par jour** at the rate of three a day ▪**rythmé, -ée, rythmique** *adj* rhythmic(al)

S, s [ɛs] *nm inv* S, s

s' [s] *voir* **se, si**

SA (*abrév* **société anonyme**) *nf Com Br* ≃ plc, *Am* ≃ Inc

sa [sa] *voir* **son²**

sabbat [saba] *nm* Sabbath

sabbatique [sabatik] *adj (repos, année)* sabbatical; **prendre un congé s.** to take a sabbatical

sable [sabl] *nm* sand; **sables mouvants** quicksands ■ **sabler** *vt (route)* to sand; *Fam* **s. le champagne** to celebrate with champagne ■ **sableux, -euse** *adj* sandy

sablier [sablije] *nm* hourglass; *Culin* egg timer ■ **sablière** *nf (carrière)* sand quarry

sablonneux, -euse [sablɔnø, -øz] *adj* sandy

sablé [sable] *nm* shortbread *Br* biscuit *or Am* cookie ■ **sablée** *adj f* **pâte sablée** shortcrust pastry

saborder [sabɔrde] *vt (navire)* to scuttle; *Fig (entreprise)* to scupper

sabot [sabo] *nm (de cheval)* hoof; *(chaussure)* clog; **s. de Denver** wheel clamp

saboter [sabɔte] *vt (machine, projet)* to sabotage ■ **sabotage** *nm* sabotage; **un acte de s.** an act of sabotage ■ **saboteur, -euse** *nmf* saboteur

sabre [sabr] *nm* sabre

sabrer [sabre] *vt Fam (critiquer)* to slate; **se faire s. à un examen** to mess up *or Am* flunk an exam

sac [sak] *nm bag; (grand, en toile)* sack; **s. à main** handbag; **s. à dos** rucksack; **s. de couchage** sleeping bag; **s. de voyage** travel bag; *Fig* **prendre qn la main dans le s.** to catch sb red-handed; *Fam* **je les mets dans le même s.** in my opinion they're as bad as each other; *Fam* **l'affaire est dans le s.!** it's in the bag!; **mettre une ville à s.** to sack a town

saccade [sakad] *nf* jerk, jolt; **par saccades** in fits and starts ■ **saccadé, -ée** *adj* jerky

saccager [sakaʒe] *vt (détruire)* to wreck havoc in; *(piller)* to sack

saccharine [sakarin] *nf* saccharin

sacerdoce [saserdɔs] *nm Rel* priesthood; *Fig* vocation

sachant, sache(s), sachent [saʃɑ̃, saʃ] *voir* **savoir**

sachet [saʃɛ] *nm* (small) bag; *(de lavande)* sachet; **s. de thé** teabag

sacoche [sakɔʃ] *nf* bag; *(de vélo, de moto)* saddlebag; *(d'écolier)* satchel

sacquer [sake] *vt Fam (renvoyer)* to sack; *(élève)* to give a bad *Br* mark *or Am* grade to; *Fam* **je ne peux pas le s.** I can't stand him

sacre [sakr] *nm (de roi)* coronation; *(d'évêque)* consecration ■ **sacrer** *vt (roi)* to crown; *(évêque)* to consecrate

sacré, -ée [sakre] *adj (saint)* sacred; *Fam* **un s. menteur** a damned or *Br* bloody liar; *Fam* **elle a eu une sacrée vie** she's had quite a life ■ **sacrément** *adv Fam (très)* damn(ed), *Br* bloody; *(beaucoup)* a hell of a lot

sacrement [sakrəmɑ̃] *nm Rel* sacrament

sacrifice [sakrifis] *nm* sacrifice ■ **sacrifier 1** *vt* to sacrifice (**à** to) **2** *vi* **s. à la mode** to be a slave to fashion **3 se sacrifier** *vpr* to sacrifice oneself (**pour** for)

sacrilège [sakrilɛʒ] **1** *adj* sacrilegious **2** *nm* sacrilege

sacristie [sakristi] *nf* vestry

sacro-saint, -sainte [sakrosɛ̃, -sɛ̃t] *(mpl* **sacro-saints**, *fpl* **sacro-saintes**) *adj Ironique* sacrosanct

sadisme [sadism] *nm* sadism ■ **sadique 1** *adj* sadistic **2** *nmf* sadist

safari [safari] *nm* safari; **faire un s.** to go on safari

safran [safrɑ̃] *nm* saffron

sagace [sagas] *adj* shrewd ■ **sagacité** *nf* shrewdness

sage [saʒ] **1** *adj (avisé)* wise; *(calme)* good; *(robe)* sober **2** *nm* wise man ■ **sage-femme** *(pl* **sages-femmes**) *nf* midwife ■ **sagement** *adv (raisonnablement)* wisely; *(avec calme)* quietly ■ **sagesse** *nf (philosophie)* wisdom; *(calme)* good behaviour

Sagittaire [saʒiter] *nm* **le S.** *(signe)* Sagittarius; **être S.** to be (a) Sagittarius

Sahara [saara] *nm* **le S.** the Sahara (desert)

saigner [seɲe] **1** *vi* to bleed; **s. du nez** to have a nosebleed **2 se saigner** *vpr Fig* **se s. aux quatre veines** to bleed oneself dry ■ **saignant, -ante** [seɲɑ̃, -ɑ̃t] *adj (viande)* rare ■ **saignée** *nf Méd* blood-letting ■ **saignement** [seɲəmɑ̃] *nm* bleeding; **s. de nez** nosebleed

saillant, -ante [sajɑ̃, -ɑ̃t] *adj* projecting; *Fig (trait)* salient ■ **saillie** *nf (partie avant)* projection

sain, saine [sɛ̃, sɛn] *adj* healthy; *(jugement)* sound; *(nourriture)* wholesome, healthy; **s. et sauf** safe and sound ▪**sainement** *adv (vivre)* healthily; *(raisonner)* sanely

saint, sainte [sɛ̃, sɛ̃t] **1** *adj (lieu)* holy; *(personne)* saintly; **s. Jean** Saint John; **la Sainte Vierge** the Blessed Virgin **2** *nmf* saint ▪**saint-bernard** *nm inv (chien)* St Bernard ▪**Saint-Esprit** *nm* le S. the Holy Spirit ▪**saint-frusquin** *nm Fam* **tout le s.** the whole caboodle ▪**saint-glinglin à la saint-glinglin** *adv Fam* never in a month of Sundays ▪**saint-honoré** *nm inv Culin* Saint-Honoré *(choux pastry ring filled with confectioner's custard)* ▪**Saint-Sylvestre** *nf* la S. New Year's Eve

sainteté [sɛ̃təte] *nf (de lieu)* holiness; *(de personne)* saintliness; **Sa S.** *(le pape)* His Holiness

sais [sɛ] *voir* **savoir**

saisie [sezi] *nf (de biens)* seizure; *Ordinat* **s. de données** data capture, keyboarding

saisir [sezir] **1** *vt* to take hold of; *(brusquement)* to grab; *(occasion)* to seize, to grasp; *(comprendre)* to grasp; *Jur* to seize; *(viande)* to seal; *Fig (frapper)* to strike **2 se saisir** *vpr* **se s. de qn/qch** to take hold of sb/sth; *(brusquement)* to grab sb/sth ▪**saisissant, -ante** *adj (film)* gripping; *(contraste, ressemblance)* striking ▪**saisissement** *nm (émotion)* shock

saison [sezɔ̃] *nf* season; **en/hors s.** in/out of season; **en haute/basse s.** in the high/low season; **la s. des pluies** the rainy season ▪**saisonnier, -ière** *adj* seasonal

sait [sɛ] *voir* **savoir**

salade [salad] *nf (laitue)* lettuce; *Fam (désordre)* mess; **s. composée** mixed salad; **s. de fruits** fruit salad; **s. niçoise** salade niçoise *(lettuce, tomatoes, tuna, olives, anchovies, eggs)*; **s. verte** green salad; ▪**salades** *nfpl Fam (mensonges)* whoppers ▪**saladier** *nm* salad bowl

salaire [salɛr] *nm (mensuel)* salary

salaison [salɛzɔ̃] *nf Culin* salting; **salaisons** *(denrées)* salted meats

salamandre [salamɑ̃dr] *nf* salamander

salami [salami] *nm* salami

salarial, -e, -iaux, -iales [salarjal, -jo] *adj* **accord s.** wage agreement ▪**salarié, -ée 1** *adj (payé mensuellement)* salaried **2** *nmf (payé mensuellement)* salaried employee; **salariés** *(de société)* employees

salaud [salo] *nm Vulg* bastard

sale [sal] *adj* dirty; *(dégoûtant)* filthy; *(mauvais)* nasty; *Fam* **s. coup** dirty trick; *Fam* **s. temps** filthy weather; *Fam* **avoir une s. gueule** to look rotten ▪**salement** *adv (se conduire, manger)* disgustingly ▪**saleté** *nf (manque de soin)* dirtiness; *(crasse)* dirt; *Fam (camelote)* junk; **saletés** *(détritus) Br* rubbish, *Am* garbage; *(obscénités)* filth; **faire des saletés** to make a mess

saler [sale] *vt* to salt ▪**salé, -ée** *adj (goût, plat)* salty; *(aliment)* salted; *Fig (grivois)* spicy; *Fam (excessif)* steep ▪**salière** *nf Br* saltcellar, *Am* saltshaker

salir [salir] **1** *vt* to (make) dirty; *Fig (réputation, mémoire)* to sully **2 se salir** *vpr* to get dirty ▪**salissant, -ante** *adj (travail)* dirty, messy; *(étoffe)* that shows the dirt ▪**salissure** *nf* dirty mark

salive [saliv] *nf* saliva ▪**saliver** *vi* to salivate

salle [sal] *nf* room; *(très grande, publique)* hall; *(de cinéma) Br* cinema, *Am* movie theater; *(d'hôpital)* ward; *(public de théâtre)* audience, house; **s. à manger** dining room; **s. de bain(s)** bathroom; **s. de classe** classroom; **s. de concert** concert hall; **s. de jeux** *(pour enfants)* playroom; *(de casino)* gaming room; **s. de spectacle** auditorium; **s. d'embarquement** *(d'aéroport)* departure lounge; *Com* **s. d'exposition** showroom; **s. des fêtes** community hall; **s. d'opération** *(d'hôpital)* operating *Br* theatre *or Am* room; **s. des professeurs** staff room; **s. des ventes** auction room

salon [salɔ̃] *nm* living room, *Br* lounge; *(exposition)* show; **s. de coiffure/de beauté** hairdressing/beauty salon; **s. de thé** tea room

salope [salɔp] *nf Vulg (femme)* bitch ▪**saloper** *vt Fam (salir)* to mess up ▪**saloperie** [-pri] *nf Fam (action)* dirty trick; *(camelote)* junk; **dire des saloperies sur qn** to bitch about sb

salopette [salɔpɛt] *nf Br* dungarees, *Am* overalls

salsifis [salsifi] *nf* salsify

saltimbanque [saltɛ̃bɑ̃k] *nmf* circus performer

salubre [salybr] *adj* healthy ▪**salubrité** *nf* healthiness; **s. publique** public health

saluer [salɥe] *vt* to greet; *(en partant)* to take one's leave of; *(de la main)* to wave to; *(de la tête)* to nod to; *Mil* to salute

salut [saly] **1** *nm* greeting; *(de la main)* wave; *(de la tête)* nod; *Mil* salute; *(sauvegarde)* rescue; *Rel* salvation **2** *exclam Fam (bonjour)* hi!; *(au revoir)* bye! ▪**salutation** *nf* greeting

salutaire [salytɛr] *adj* salutary

salve [salv] *nf* salvo

samedi [samdi] *nm* Saturday

SAMU [samy] *(abrév* **service d'aide médicale d'urgence)** *nm* emergency medical service

sanatorium [sanatɔrjɔm] *nm Br* sanatorium, *Am* sanitarium

sanctifier [sɑ̃ktifje] *vt* to sanctify

sanction [sɑ̃ksjɔ̃] *nf (approbation, peine)* sanction ▪**sanctionner** *vt (approuver)* to sanction; *(punir)* to punish

sanctuaire [sɑ̃ktɥɛr] *nm* sanctuary

sandale [sɑ̃dal] *nf* sandal

sandwich [sɑ̃dwitʃ] *nm* sandwich; **s. au fromage** cheese sandwich

sang [sɑ̃] *nm* blood; **être en s.** to be covered in blood; *Fig* **avoir du s. bleu** to have blue blood; *Fig* **avoir le s. chaud** to be hot-tempered; *Fam* **se faire du mauvais s.** to worry; *Fig* **mon s. n'a fait qu'un tour** my heart missed a beat ▪ **sang-froid** *nm inv* self-control; **garder son s.** to keep calm; **avec s.** calmly; **tuer qn de s.** to kill sb in cold blood ▪ **sanglant, -ante** *adj* bloody

sangle [sɑ̃gl] *nf* strap

sanglier [sɑ̃glije] *nm* wild boar

sanglot [sɑ̃glo] *nm* sob ▪ **sangloter** *vi* to sob

sangsue [sɑ̃sy] *nf* leech

sanguin, -ine [sɑ̃gɛ̃, -in] **1** *adj (tempérament)* full-blooded; **vaisseau s.** blood vessel **2** *nf* **sanguine** *(fruit)* blood orange

sanguinaire [sɑ̃ginɛr] *adj* blood-thirsty

sanitaire [saniter] *adj (conditions)* sanitary; *(personnel)* medical; **installation s.** bathroom fittings; **règlement s.** health regulations

sans [sɑ̃] ([sɑz] *before vowel and mute h) prép* without; **s. faire qch** without doing sth; **s. qu'il le sache** without him *or* his knowing; **s. cela, s. quoi** otherwise; **s. plus** (but) no more than that; **s. faute/exception** without fail/exception; **s. importance/travail** unimportant/unemployed; **s. argent/manches** penniless/sleeveless; **ça va s. dire** that goes without saying ▪ **sans-abri** *nmf inv* homeless person; **les s.** the homeless ▪ **sans-cœur** *nmf inv Fam* heartless person ▪ **sans-faute** *nm inv Équitation* clear round; *Fig* **faire un s.** not to put a foot wrong ▪ **sans-gêne 1** *adj inv* inconsiderate **2** *nm inv* inconsiderate person ▪ **sans-papiers** *nmf inv* illegal immigrant

santé [sɑ̃te] *nf* health; **en bonne/mauvaise s.** in good/bad health; **(à votre) s.!** *(en trinquant)* cheers!; **boire à la s. de qn** to drink to sb's (good) health; **la s. publique** public health

santiag [sɑ̃tjag] *nf Fam* cowboy boot

saoul [su] *adj & nm* = **soûl**

saper [sape] *vt* to undermine; **s. le moral à qn** to sap sb's morale

sapeur-pompier [sapœrpɔ̃pje] *(pl* **sapeurs-pompiers)** *nm* fireman

saphir [safir] *nm* sapphire

sapin [sapɛ̃] *nm (arbre, bois)* fir; **s. de Noël** Christmas tree

sarbacane [sarbakan] *nf (jouet)* peashooter

sarcasme [sarkasm] *nm* sarcasm; *(remarque)* sarcastic remark ▪ **sarcastique** *adj* sarcastic

sarcler [sarkle] *vt (jardin)* to weed

Sardaigne [sardɛɲ] *nf* **la S.** Sardinia ▪ **sarde** **1** *adj* Sardinian **2** *nmf* **S.** Sardinian

sardine [sardin] *nf* sardine; **sardines à l'huile** sardines in oil; *Fam* **serrés comme des sardines** packed together like sardines

sardonique [sardonik] *adj* sardonic

SARL [ɛsɑɛrɛl] *(abrév* **société à responsabilité limitée)** *nf* limited liability company, *Br* ≃ Ltd, *Am* ≃ Inc

sarment [sarmɑ̃] *nm* vine shoot

sarrasin [sarazɛ̃] *nm (plante)* buckwheat

sas [sas] *nm (de bateau, d'avion)* airlock; **s. de sécurité** security screen

Satan [satɑ̃] *nm* Satan ▪ **satané, -ée** *adj Fam (maudit)* damned ▪ **satanique** *adj* satanic

satellite [satelit] *nm* satellite; **télévision par s.** satellite television

satiété [sasjete] *nf* **à s.** *(boire, manger)* one's fill

satin [satɛ̃] *nm* satin ▪ **satiné, -ée** *adj* satiny

satire [satir] *nf* satire **(contre on)** ▪ **satirique** *adj* satirical ▪ **satiriser** *vt* to satirize

satisfaction [satisfaksjɔ̃] *nf* satisfaction; **donner s. à qn** to give sb (complete) satisfaction ▪ **satisfaire*** **1** *vt* to satisfy **2** *vi* **s. à qch** *(conditions)* to satisfy sth; *(obligation)* to *Br* fulfil *or Am* fulfill sth ▪ **satisfaisant, -ante** *adj (acceptable)* satisfactory ▪ **satisfait, -faite** *adj* satisfied **(de** with)

saturer [satyre] *vt* to saturate **(de** with) ▪ **saturation** *nf* saturation; **arriver à s.** to reach saturation point

satyre [satir] *nm Fam* sex maniac

sauce [sos] *nf* sauce; **s. tomate** tomato sauce ▪ **saucière** *nf* sauce boat, *Br* gravy boat

saucisse [sosis] *nf* sausage; **s. de Francfort** frankfurter; **s. de Strasbourg** = type of beef sausage ▪ **saucisson** *nm (cold)* sausage

sauf¹ [sof] *prép* except; **s. avis contraire** unless you hear otherwise; **s. erreur** if I'm not mistaken

sauf², sauve [sof, sov] *adj* **avoir la vie sauve** to be unharmed

sauge [soʒ] *nf* sage

saugrenu, -ue [sogrəny] *adj* preposterous

saule [sol] *nm* willow; **s. pleureur** weeping willow

saumâtre [somatr] *adj (eau)* brackish

saumon [somɔ̃] **1** *nm* salmon **2** *adj inv (couleur)* salmon (pink)

saumure [somyr] *nf* brine

sauna [sona] *nm* sauna

saupoudrer [sopudre] *vt* to sprinkle **(de** with)

saur [sɔr] *adj m* **hareng s.** smoked herring

saura, saurait [sora, sorɛ] *voir* **savoir**

saut [so] *nm* jump, leap; **faire un s.** to jump, to leap; *Fam* **faire un s. chez qn** to drop in on sb; **au s. du lit** first thing in the morning; **s. à la corde** *Br* skipping, *Am* jumping rope; **s. à l'élastique** bungee jumping; **s. en hauteur** high jump; **s. en longueur** *Br* long jump, *Am* broad jump; **s. en parachute** parachute jump; *(activité)* parachute jumping

sauté, -ée [sote] *adj & nm Culin* sauté

sauter [sote] **1** *vt (franchir)* to jump (over); *(mot, repas, classe, ligne)* to skip **2** *vi (personne, animal)* to jump, to leap; *(bombe)* to go off, to explode; *(fusible)* to blow; *(bouton)* to come off; **faire s. qch** *(pont, mine)* to blow sth up; *(serrure)* to force sth; *Fig (gouvernement)* to bring sth down; *Culin* to sauté sth; **s. à la corde** *Br* to skip, *Am* to jump rope; **s. en parachute** to jump at a parachute jump; *Fig* **s. sur l'occasion** to jump at the opportunity; **ça saute aux yeux** it's obvious; *Fam* **elle m'a sauté dessus** she pounced on me ▪ **saute-mouton** *nm inv* leapfrog

sauterelle [sotrɛl] *nf* grasshopper

sautes [sot] *nfpl (d'humeur, de température)* sudden changes (**de** in)

sautiller [sotije] *vi* to hop about

sautoir [sotwar] *nm (de stade)* jumping area

sauvage [sovaʒ] *adj (animal, plante)* wild; *(tribu, homme)* primitive; *(cruel)* savage; *(farouche)* unsociable; *(illégal)* unauthorized ▪ **sauvagerie** *nf (insociabilité)* unsociability; *(cruauté)* savagery

sauve [sov] *adj voir* **sauf²**

sauvegarde [sovgard] *nf* safeguard (**contre** against); *Ordinat* backup ▪ **sauvegarder** *vt* to safeguard; *Ordinat* to save

sauver [sove] **1** *vt (personne)* to save, to rescue (**de** from); *(matériel)* to salvage; **s. la vie à qn** to save sb's life **2 se sauver** *vpr (s'enfuir)* to run away; *(s'échapper)* to escape; *Fam (partir)* to go ▪ **sauvetage** *nm (de personne)* rescue ▪ **sauveteur** *nm* rescuer ▪ **sauveur** *nm* saviour

sauvette [sovɛt] **à la sauvette** *adv (pour ne pas être vu)* on the sly; **vendre qch à la s.** to peddle sth illegally on the streets

savane [savan] *nf* savanna

savant, -ante [savã, -ãt] **1** *adj (érudit)* learned; *(habile)* clever **2** *nm (scientifique)* scientist ▪ **savamment** [-amã] *adv (avec érudition)* learnedly; *(avec habileté)* cleverly

savate [savat] *nf Fam (pantoufle)* slipper

saveur [savœr] *nf (goût)* flavour; *Fig (piment)* savour

Savoie [savwa] *nf* **la S.** Savoy

savoir* [savwar] **1** *vt* to know; *(nouvelle)* to have heard; **s. lire/nager** to know how to read/swim; **faire s. à qn que…** to inform sb that…; **à s.** *(c'est-à-dire)* that is, namely; **pas que je sache** not that I know of, not as far as I know; **je n'en sais rien** I have no idea, I don't know; **en s. long sur qn/qch** to know a lot about sb/sth **2** *nm (culture)* learning, knowledge ▪ **savoir-faire** *nm inv* know-how ▪ **savoir-vivre** *nm inv* good manners

savon [savɔ̃] *nm* soap; *Fam* **passer un s. à qn** to give sb a telling-off ▪ **savonner** *vt* to wash with soap ▪ **savonnette** *nf* bar of soap ▪ **savonneux, -euse** *adj* soapy

savourer [savure] *vt* to savour ▪ **savoureux, -euse** *adj* tasty; *Fig (histoire)* juicy

savoyard, -arde [savwajar, -ard] **1** *adj* Savoyard **2** *nmf* **S., Savoyarde** Savoyard

saxophone [saksɔfɔn] *nm* saxophone

sbire [sbir] *nm Péj* henchman

scabreux, -euse [skabrø, -øz] *adj* obscene

scalp [skalp] *nm (chevelure)* scalp ▪ **scalper** *vt* to scalp

scalpel [skalpɛl] *nm* scalpel

scandale [skãdal] *nm* scandal; **faire s.** *(sujet: livre, événement)* to cause a scandal; **faire un s.** *(sujet: personne)* to make a scene ▪ **scandaleux, -euse** *adj* scandalous ▪ **scandaliser** **1** *vt* to scandalize, to shock **2 se scandaliser** *vpr* to be shocked *or* scandalized (**de** by)

scander [skãde] *vt (vers)* to scan; *(slogan)* to chant

Scandinavie [skãdinavi] *nf* **la S.** Scandinavia ▪ **scandinave** **1** *adj* Scandinavian **2** *nmf* **S.** Scandinavian

scanner **1** [skaner] *nm Ordinat & Méd* scanner; *Ordinat* **passer qch au s.** to scan sth; *Méd* **faire un s.** *(d'un médecin)* to do a scan; *(d'un patient)* to have a scan **2** [skane] *vt Ordinat* to scan

scaphandre [skafãdr] *nm (de plongeur)* diving suit; *(de cosmonaute)* spacesuit; **s. autonome** aqualung ▪ **scaphandrier** *nm* diver

scarabée [skarabe] *nm* beetle

scarlatine [skarlatin] *nf* scarlet fever

scarole [skarɔl] *nf* endive

sceau, -x [so] *nm* seal ▪ **sceller** *vt (document)* to seal ▪ **scellés** *nmpl (cachets de cire)* seals; **mettre les s.** to seal

scélérat, -ate [selera, -at] *nmf Littéraire* scoundrel

scénario [senarjo] *nm* script, screenplay ▪ **scénariste** *nmf* scriptwriter

scène [sɛn] *nf* **(a)** *(de théâtre)* scene; *(plateau)* stage; *(action)* action; **mettre qch en s.** *(pièce)* to stage sth; *(film)* to direct sth; **entrer en s.** *(acteur)* to come on; *Fig* **sur la s. internationale** on the international scene **(b)** *(dispute)* scene; **faire une s.** to make a scene; **elle m'a fait une s.** she made a scene; **s. de ménage** domestic (quarrel)

scepticisme [sɛptisism] *nm Br* scepticism, *Am* skepticism ▪ **sceptique** **1** *adj Br* sceptical, *Am* skeptical **2** *nmf Br* sceptic, *Am* skeptic

schéma [ʃema] *nm* diagram; *Fig* outline ▪ **schématique** *adj* schematic; *Péj* oversimplified ▪ **schématiser** *vt* to schematize; *Péj* to oversimplify

schizophrène [skizɔfrɛn] *adj & nmf* schizophrenic

sciatique [sjatik] *nf* sciatica

scie [si] *nf (outil)* saw; **s. électrique** power saw; **s. musicale** musical saw ▪ **scier** *vt* to saw ▪ **scierie** *nf* sawmill

sciemment [sjamã] *adv* knowingly

science [sjãs] *nf* science; *(savoir)* knowledge; **étudier les sciences** to study science;

sciences humaines social sciences; **sciences naturelles** biology ▪**science-fiction** nf science fiction ▪**scientifique 1** adj scientific **2** nmf scientist

scinder [sɛde] vt, **se scinder** vpr to split up (**en** into)

scintiller [sɛtije] vi to sparkle; (étoile) to twinkle ▪**scintillement** nm sparkling; (d'étoile) twinkling

scission [sisjɔ̃] nf (de parti) split (**de** in); **s. de l'atome** splitting of the atom

sciure [sjyr] nf sawdust

sclérose [skleroz] nf Méd sclerosis; Fig ossification; **s. en plaques** multiple sclerosis ▪**sclérosé, -e** adj Fig (société) ossified

scolaire [skɔlɛr] adj **année s.** school year; **enfant d'âge s.** child of school age; **progrès scolaires** academic progress ▪**scolariser** vt (enfant) to send to school ▪**scolarité** nf schooling; **certificat de s.** certificate of attendance (at school or university); **pendant ma s.** when I was at school

scoliose [skɔljoz] nf Méd curvature of the spine

scooter [skuter] nm (motor) scooter; **s. des mers** jet ski

scorbut [skɔrbyt] nm Méd scurvy

score [skɔr] nm score

scories [skɔri] nfpl (résidu) slag

scorpion [skɔrpjɔ̃] nm scorpion; **le S.** (signe) Scorpio; **être S.** to be (a) Scorpio

Scotch [skɔtʃ] nm (ruban adhésif) Br Sellotape®, Am Scotch tape® ▪**scotcher** vt Br to sellotape, Am to tape; Fam **être scotché devant la télé** to be glued to the TV; Fam (stupéfaire) **ça m'a vraiment scotché!** I was staggered or Br gobsmacked!

scotch [skɔtʃ] nm (boisson) Scotch

scout, -e [skut] adj & nm scout ▪**scoutisme** nm (activité) scouting

script [skript] nm (écriture) printing; Cin script

scripte [skript] nmf Cin continuity man, f girl

scrupule [skrypyl] nm scruple; **sans scrupules** unscrupulous; (agir) unscrupulously ▪**scrupuleusement** adv scrupulously ▪**scrupuleux, -euse** adj scrupulous

scruter [skryte] vt to scrutinize

scrutin [skrytɛ̃] nm (vote) ballot; (élection) poll; (système) voting system; **premier tour de s.** first ballot or round; **s. majoritaire** first-past-the-post voting system

sculpter [skylte] vt (statue, pierre) to sculpt; (bois) to carve; **s. qch dans qch** to sculpt/carve sth out of sth ▪**sculpteur** nm sculptor ▪**sculptural, -e, -aux, -ales** adj (beauté, femme) statuesque ▪**sculpture** nf (art, œuvre) sculpture; **s. sur bois** woodcarving

SDF [ɛsdeɛf] (abrév **sans domicile fixe**) nmf inv person of no fixed abode

se [sə]

se becomes **s'** before vowel or mute h.

pron personnel (**a**) (complément direct) himself; (féminin) herself; (non humain) itself; (indéfini) oneself, pl themselves; **il se lave** he washes himself; **ils** ou **elles se lavent** they wash themselves (**b**) (indirect) to himself/herself/itself/oneself; **se dire qch** to say sth to oneself; **il se lave les mains** he washes his hands; **elle se lave les mains** she washes her hands (**c**) (réciproque) each other; (indirect) to each other; **ils s'aiment** they love each other; **ils** ou **elles se parlent** they speak to each other (**d**) (passif) **ça se fait** that is done; **ça se vend bien** it sells well

séance [seɑ̃s] nf (de cinéma) showing, performance; (d'assemblée, de travail) session; **s. de pose** sitting; **s. tenante** at once

seau, -x [so] nm bucket; **s. à glace** ice bucket

sec, sèche [sɛk, sɛʃ] **1** adj dry; (fruits, légumes) dried; (ton) curt; (maigre) lean; Fig (cœur) hard; **frapper un coup s.** to knock sharply; **bruit s.** snap **2** adv (boire) Br neat, Am straight; (frapper, pleuvoir) hard **3** nm à **s.** dry; Fam (sans argent) broke; **au s.** in a dry place

sécateur [sekatœr] nm pruning shears, Br secateurs

sécession [sesesjɔ̃] nf secession; **faire s.** to secede

sèche [sɛʃ] voir sec

sécher [seʃe] **1** vt to dry; Fam (cours) to skip, to cut **2** vi to dry; Fam (ne pas savoir) to be stumped; Fam (être absent) Br to bunk off, Am to play hookey **3 se sécher** vpr to dry oneself ▪**séchage** nm drying ▪**sèche-cheveux** nm inv hair dryer ▪**sèche-linge** nm inv Br tumble-dryer, Am (clothes) dryer

sécheresse [seʃrɛs] nf (d'air, de sol, de peau) dryness; (de ton) curtness; (manque de pluie) drought

séchoir [seʃwar] nm (appareil) dryer; **s. à linge** clothes horse

second, -onde¹ [səgɔ̃, -ɔ̃d] **1** adj & nmf second **2** nm (adjoint) second in command; (étage) Br second floor, Am third floor **3** nf **seconde** Rail second class; Scol Br ≃ fifth form, Am ≃ tenth grade; Aut (vitesse) second (gear) ▪**secondaire** adj secondary; **école s.** Br secondary school, Am high school

seconde² [səgɔ̃d] nf (instant) second

seconder [səgɔ̃de] vt to assist

secouer [səkwe] **1** vt to shake; (poussière) to shake off; **s. qn** (maladie, nouvelle) to shake sb up; **s. qch de qch** (enlever) to shake sth out of sth; **s. la tête** (réponse affirmative) to nod (one's head); (réponse négative) to shake one's head **2 se secouer** vpr Fam (faire un effort) to snap out of it

secourir [səkurir] vt to assist, to help ▪**secourable** adj helpful ▪**secourisme** nm first aid ▪**secouriste** *nmf* first-aid worker

secours [səkur] *nm* help; *(financier, matériel)* aid; *Mil* **les s.** *(renforts)* relief; **premiers s.** first aid; **au s.!** help!; **porter s. à qn** to give sb help; **roue de s.** spare wheel

secousse [səkus] *nf* jolt, jerk; *(de tremblement de terre)* tremor

secret, -ète [səkrɛ, -ɛt] **1** *adj* secret; *(cachottier)* secretive **2** *nm* secret; *(discrétion)* secrecy; **s. d'État** state secret; **en s.** in secret, secretly; **dans le s.** *(au courant)* in on the secret; **au s.** *(en prison)* in solitary confinement

secrétaire [səkretɛr] **1** *nmf* secretary; **s. d'État** Secretary of State; **s. de mairie** town clerk; **s. médicale** medical secretary; *Journ* **s. de rédaction** *Br* sub-editor, *Am* copyreader **2** *nm (meuble)* writing desk ▪**secrétariat** *nm (bureau)* secretary's office; *(d'organisation internationale)* secretariat; *(métier)* secretarial work; **école/travail de s.** secretarial school/work

sécréter [sekrete] *vt Biol* to secrete ▪**sécrétion** *nf* secretion

secte [sɛkt] *nf* sect ▪**sectaire** *adj & nmf Péj* sectarian

secteur [sɛktœr] *nm (zone)* area; *Écon* sector; *Él* mains; **branché sur s.** plugged into the mains; *Écon* **s. primaire/secondaire/tertiaire** primary/secondary/tertiary sector

section [sɛksjɔ̃] *nf* section; *(de ligne d'autobus)* stage; *Mil* platoon ▪**sectionner** *vt (diviser)* to divide (into sections); *(couper)* to sever

séculaire [sekylɛr] *adj (tradition)* age-old

séculier, -ière [sekylje, -jɛr] *adj* secular

secundo [səgɔ̃do] *adv* secondly

sécurité [sekyrite] *nf (absence de danger)* safety; *(tranquillité)* security; **s. routière** road safety; **S. sociale** *Br* Social Security, *Am* Welfare; **s. de l'emploi** job security; **en s.** *(hors de danger)* safe; *(tranquille)* secure ▪**sécuriser** *vt* to reassure

sédatif [sedatif] *nm* sedative

sédentaire [sedɑ̃tɛr] *adj* sedentary

sédiment [sedimɑ̃] *nm* sediment

séditieux, -ieuse [sedisjø, -jøz] *adj* seditious ▪**sédition** *nf* sedition

séduire* [seduir] *vt* to charm; *(plaire à)* to appeal to; *(abuser de)* to seduce ▪**séduisant, -ante** *adj* attractive ▪**séducteur, -trice 1** *adj* seductive **2** *nmf* seducer, *f* seductress ▪**séduction** *nf* attraction; **pouvoir de s.** power of attraction

> Il faut noter que le verbe anglais **to seduce** est un faux ami. Il ne signifie jamais **charmer**.

segment [sɛgmɑ̃] *nm* segment ▪**segmenter** *vt* to segment

ségrégation [segregasjɔ̃] *nf* segregation

seiche [sɛʃ] *nf* cuttlefish

seigle [sɛgl] *nm* rye; **pain de s.** rye bread

seigneur [sɛɲœr] *nm Hist (noble, maître)* lord; *Rel* **le S.** the Lord

sein [sɛ̃] *nm* breast; *Littéraire* bosom; **bout de s.** nipple; **donner le s. à** *(enfant)* to breastfeed; **au s. de** within

Seine [sɛn] *nf* **la S.** the Seine

séisme [seism] *nm* earthquake

seize [sɛz] *adj & nm inv* sixteen ▪**seizième** *adj & nmf* sixteenth; *Sport* **les seizièmes de finale** the first round *(of a four-round knockout competition)*

séjour [seʒur] *nm* stay; **s. linguistique** language-learning trip; **(salle de) s.** living room ▪**séjourner** *vi* to stay

sel [sɛl] *nm* salt; *Fig (piquant)* spice; **sels (à respirer)** (smelling) salts; **s. de mer** sea salt; **sels de bain** bath salts

sélect, -e [selɛkt] *adj Fam* select

sélectif, -ive [selɛktif, -iv] *adj* selective ▪**sélection** *nf* selection ▪**sélectionner** *vt* to select ▪**sélectionneur** *nm* selector

self(-service) [self(sɛrvis)] *nm* self-service restaurant

selle [sɛl] *nf (de cheval, de vélo)* saddle ▪**seller** [sele] *vt* to saddle

selles [sɛl] *nfpl Méd* **les s.** stools, *Br* motions

sellette [selɛt] *nf Fam* **sur la s.** in the hot seat

selon [səlɔ̃] *prép* according to; **s. que...** depending on whether...; *Fam* **c'est s.** it (all) depends

semailles [səmɑj] *nfpl (travail)* sowing; *(période)* seedtime

semaine [səmɛn] *nf* week; **en s.** in the week; **à la s.** by the week, weekly; *Fam* **vivre la petite s.** to live from day to day

sémantique [semɑ̃tik] **1** *adj* semantic **2** *nf* semantics

sémaphore [semafɔr] *nm (pour trains)* semaphore signal; *Naut* signal station

semblable [sɑ̃blabl] **1** *adj* similar (**à** to); **de semblables propos** such remarks **2** *nm* fellow creature; **toi et tes semblables** you and your kind

semblant [sɑ̃blɑ̃] *nm* **faire s.** to pretend (**faire** to do); **un s. de** a semblance of

sembler [sɑ̃ble] **1** *vi* to seem (**à** to); **il (me) semble vieux** he seems *or* looks old (to me); **s. faire qch** to seem to do sth **2** *v impersonnel* **il semble que...** it seems that...; **il me semble que...** it seems to me that...; **quand bon lui semble** when he/she sees fit

semelle [səmɛl] *nf (de chaussure)* sole; *(intérieure)* insole; *Fig* **ne pas quitter qn d'une s.** to be always at sb's heels

semer [səme] *vt (graines)* to sow; *Fig (répandre)* to spread; *(poursuivant)* to shake off; *Fig* **semé de** strewn with ▪**semence** *nf* seed

semestre [səmɛstr] nm half-year; Univ semester ▪ **semestriel, -ielle** adj half-yearly

séminaire [seminɛr] nm Univ seminar; Rel seminary

semi-remorque [səmirəmɔrk] (pl **semi-remorques**) nm (camion) Br articulated lorry, Am semi(-trailer), trailer truck

semis [səmi] nm sowing; (terrain) seedbed; (plant) seedling

sémite [semit] 1 adj Semitic 2 nmf S. Semite ▪ **sémitique** adj (langue) Semitic

semonce [səmɔ̃s] nf reprimand; **coup de s.** warning shot

semoule [səmul] nf semolina

sempiternel, -elle [sɑ̃pitɛrnɛl] adj endless, ceaseless

sénat [sena] nm senate ▪ **sénateur** nm senator

sénile [senil] adj senile ▪ **sénilité** nf senility

senior [senjɔr] nm & adj inv Sport senior

sens [sɑ̃s] nm (a) (faculté, raison, instinct) sense; **avoir le s. de l'humour** to have a sense of humour; **avoir du bon s.** to be sensible; **cela tombe sous le s.** that's obvious; **à mon s.** to my mind; **s. commun, bon sens** common sense (b) (signification) meaning, sense; **ça n'a pas de s.** that doesn't make sense; **dans un certain s.** in a way (c) (direction) direction; Aut **s. giratoire** Br roundabout, Am traffic circle; **s. interdit** ou **unique** (rue) one-way street; **'s. interdit'** 'no entry'; **à s. unique** (rue) one-way; **s. dessus dessous** [sɑ̃d(ə)syd(ə)su] upside down; **dans le s. des aiguilles d'une montre** clockwise; **dans le s. inverse des aiguilles d'une montre** Br anticlockwise, Am counterclockwise

sensation [sɑ̃sasjɔ̃] nf feeling, sensation; **faire s.** to create a sensation; Péj à s. (film, roman) sensational ▪ **sensationnel, -elle** adj sensational; Fam (excellent) fantastic

sensé, -ée [sɑ̃se] adj sensible

sensible [sɑ̃sibl] adj sensitive (à to); (douloureux) tender, sore; (perceptible) perceptible; (progrès, différence) noticeable ▪ **sensiblement** [-ɑ̃mɑ̃] adv (notablement) noticeably; (à peu près) more or less ▪ **sensibiliser** vt s. qn à qch (problème) to make sb aware of sth ▪ **sensibilité** nf sensitivity

> Il faut noter que l'adjectif anglais **sensible** est un faux ami. Il signifie **sensé**.

sensoriel, -ielle [sɑ̃sɔrjɛl] adj sensory

sensuel, -elle [sɑ̃sɥɛl] adj sensual ▪ **sensualité** nf sensuality

sentence [sɑ̃tɑ̃s] nf Jur (jugement) sentence; (maxime) maxim

senteur [sɑ̃tœr] nf (odeur) scent

sentier [sɑ̃tje] nm path

sentiment [sɑ̃timɑ̃] nm feeling; **avoir le s.**

que... to have a feeling that...; **faire du s.** to be sentimental; **meilleurs sentiments** (sur une carte de visite) best wishes ▪ **sentimental, -e, -aux, -ales** adj sentimental; **vie sentimentale** love life ▪ **sentimentalité** nf sentimentality

sentinelle [sɑ̃tinɛl] nf sentry

sentir* [sɑ̃tir] 1 vt (douleur) to feel; (odeur) to smell; (danger) to sense; **s. le moisi/le parfum** to smell musty/of perfume; **s. le poisson** to smell of fish; **se faire s.** (effet) to make itself felt; Fam **je ne peux pas le s.** I can't stand him 2 vi to smell; **s. bon/mauvais** to smell good/bad 3 **se sentir** vpr **se s. fatigué/humilié** to feel tired/humiliated ▪ **senti, -ie** adj **bien s.** (remarque) hard-hitting

séparation [separasjɔ̃] nf separation; (départ) parting

séparer [separe] 1 vt to separate (de from); (cheveux) to part; **plus rien ne nous sépare de la victoire** nothing stands between us and victory 2 **se séparer** vpr (couple) to separate; (assemblée, cortège) to disperse, to break up; (se détacher) to split off; **se s. de** (objet aimé, chien) to part with ▪ **séparé, -ée** adj (distinct) separate; (époux) separated (de from) ▪ **séparément** adv separately

sept [sɛt] adj & nm inv seven ▪ **septième** adj & nmf seventh; **un s.** a seventh

septante [sɛptɑ̃t] adj Belg & Suisse seventy

septembre [sɛptɑ̃br] nm September

septennat [sɛptena] nm Pol seven-year term (of office)

septentrional, -e, -aux, -ales [sɛptɑ̃trijɔnal, -o] adj northern

sépulcre [sepylkr] nm (tombeau) sepulchre

sépulture [sepyltyr] nf burial; (lieu) burial place

séquelles [sekɛl] nfpl (de maladie) after-effects; (de guerre) aftermath

séquence [sekɑ̃s] nf sequence; Cartes run; **s. de film** film sequence

séquestrer [sekɛstre] vt s. qn to keep sb locked up

sera, serait [səra, sərɛ] voir **être**

Serbie [sɛrbi] nf la S. Serbia ▪ **serbe** 1 adj Serbian 2 nmf S. Serb ▪ **serbo-croate** (pl **serbo-croates**) 1 adj Serbo-Croat 2 nmf S. Serbo-Croat 3 nm (langue) Serbo-Croat

serein, -eine [sərɛ̃, -ɛn] adj serene ▪ **sérénité** nf serenity

sérénade [serenad] nf serenade

sergent [sɛrʒɑ̃] nm Mil sergeant

série [seri] nf series; (ensemble) set; Fig **s. noire** series of disasters; **de s.** (article, voiture) standard; **fin de s.** discontinued line; **fabrication en s.** mass production; **numéro hors s.** special issue

sérieux, -ieuse [serjø, -jøz] 1 adj (personne, doute) serious; (de bonne foi) genuine, serious; (fiable) reliable; (bénéfices) substantial; **de**

sérieuses chances de... a good chance of... **2** *nm (application)* seriousness; *(fiabilité)* reliability; **prendre qn/qch au s.** to take sb/ sth seriously; **garder son s.** to keep a straight face; **se prendre (trop) au s.** to take oneself (too) seriously ▪ **sérieusement** *adv* seriously

serin [sərɛ̃] *nm* canary

seriner [sərine] *vt Fig* **s. qch à qn** to repeat sth to sb over and over again

seringue [sərɛ̃g] *nf* syringe

serment [sɛrmɑ̃] *nm (affirmation solennelle)* oath; *(promesse)* pledge; **prêter s.** to take an oath; **faire le s. de faire qch** to swear to do sth; *Jur* **sous s.** on or under oath

sermon [sɛrmɔ̃] *nm (de prêtre)* sermon; *Péj (discours)* lecture ▪ **sermonner** *vt (faire la morale à)* to lecture

séropositif, -ive [seropozitif, -iv] *adj Méd* HIV positive ▪ **séronégatif, -ive** *adj Méd* HIV negative

serpent [sɛrpɑ̃] *nm* snake; **s. à sonnette** rattlesnake

serpenter [sɛrpɑ̃te] *vi (sentier)* to meander

serpentin [sɛrpɑ̃tɛ̃] *nm (ruban)* streamer

serpillière [sɛrpijɛr] *nf* floor cloth

serre [sɛr] *nf* greenhouse ▪ **serres** *nfpl (d'oiseau)* claws, talons

serrement [sɛrmɑ̃] *nm* **s. de cœur** heavy-hearted feeling

serrer [sere] *vt (tenir)* to grip; *(nœud, vis)* to tighten; *(poing)* to clench; *(taille)* to hug; *(frein)* to apply; *(rapprocher)* to close up; **s. la main à qn** to shake hands with sb; *Fig* **s. les rangs** to close ranks; *Fig* **s. les dents** to grit one's teeth; **s. qn** *(embrasser)* to hug sb; *(sujet: vêtement)* to be too tight for sb; **s. qn de près** *(talonner)* to be close behind sb **2** *vi* **s. à droite** to keep (to the) right **3 se serrer** *vpr (se rapprocher)* to squeeze up; **se s. contre** to squeeze up against ▪ **serré, -ée** *adj (nœud, budget, vêtement)* tight; *(gens)* packed (together); *(lutte)* close; *(rangs)* serried; *(écriture)* cramped; *Fig* **avoir le cœur s.** to have a heavy heart ▪ **serre-livres** *nm inv* book-end ▪ **serre-tête** *nm inv* headband

serrure [seryr] *nf* lock ▪ **serrurier** *nm* locksmith

sertir [sɛrtir] *vt (diamant)* to set

sérum [serɔm] *nm* serum

servante [sɛrvɑ̃t] *nf (maid)* servant

serveur, -euse [sɛrvœr, -øz] *nmf (de restaurant, de café)* waiter, waitress; *(de bar)* Br barman, f barmaid, Am bartender; *Ordinat* server; **s. de réseau** network server

serviable [sɛrvjabl] *adj* helpful, obliging ▪ **serviabilité** *nf* helpfulness

service [sɛrvis] *nm* service; *(travail)* duty; *(pourboire)* service (charge); *(d'entreprise)* department; *Tennis* serve, service; **un s.** *(aide)* a favour; **rendre s.** to be of service (**à qn** to sb); **rendre un mauvais s. à qn** to do sb a disservice; **être de s.** to be on duty; *Tennis* **être au s.** to be serving; **faire son s. (militaire)** to do one's military service; **à votre s.!** at your service!; **s. à café/à thé** coffee/tea set; **s. (non) compris** service (not) included; **s. après-vente** aftersales service; **s. d'ordre** *(policiers)* police; **s. public** civil service

serviette [sɛrvjɛt] *nf (pour s'essuyer)* towel; *(sac)* briefcase; **s. de bain/de toilette** bath/hand towel; **s. de table** napkin, Br serviette; **s. hygiénique** sanitary Br towel or Am napkin ▪ **serviette-éponge** *(pl* serviettes-éponges*)* *nf* terry towel

servile [sɛrvil] *adj* servile; *(imitation)* slavish ▪ **servilité** *nf* servility; slavishness

servir* [sɛrvir] **1** *vt* to serve *(qch à qn* sb with sth, sth to sb); *(convive)* to wait on **2** *vi* to serve; **s. à qch/à faire qch** to be used for sth/to do or for doing sth; **ça ne sert à rien** it's useless, it's no good or use (**de faire** doing); **à quoi ça sert de protester** what's the use or good of protesting; **s. de qch** to be used for sth, to serve as sth; **ça me sert à faire qch/de qch** I use it to do or for doing sth/as sth; **s. à qn de guide** to act as a guide to sb **3 se servir** *vpr (à table)* to help oneself (**de** to); **se s. de qch** *(utiliser)* to use sth

serviteur [sɛrvitœr] *nm* servant ▪ **servitude** *nf (esclavage)* servitude; *Fig (contrainte)* constraint

ses [se] *voir* **son²**

session [sesjɔ̃] *nf* session

set [sɛt] *nm Tennis* set; **s. de table** place mat

seuil [sœj] *nm (entrée)* doorway; *Fig (limite)* threshold; *Fig* **au s. de** on the threshold of

seul, seule [sœl] **1** *adj (sans compagnie)* alone; *(unique)* only; **tout s.** by oneself, on one's own, all alone; **se sentir s.** to feel lonely or alone; **la seule femme** the only woman; **un s. chat** only one cat; **une seule fois** only once; **pas un s. livre** not a single book; **seuls les garçons, les garçons seuls...** only the boys... **2** *adv (tout)* **s.** *(rentrer, vivre)* by oneself, alone, on one's own; *(parler)* to oneself; **s. à s.** *(parler)* in private **3** *nmf* **le s., la seule** the only one; **un s., une seule** only one, one only; **pas un s.** not (a single) one

seulement [sœlmɑ̃] *adv* only; **non s.... mais encore...** not only... but (also)...; **pas s.** *(même)* not even

sève [sɛv] *nf (de plante)* & *Fig* sap

sévère [sevɛr] *adj* severe; *(parents, professeur, juge)* strict ▪ **sévèrement** *adv* severely; *(éduquer)* strictly ▪ **sévérité** *nf* severity; *(de parents)* strictness

sévices [sevis] *nmpl* ill-treatment; **s. à enfant** child abuse

sévir [sevir] *vi Fig (fléau)* to rage; **s. contre qch** to deal severely with sth

sevrer [səvre] *vt (enfant)* to wean

sexe [sɛks] *nm (catégorie, sexualité)* sex; *(organes)* genitals ▪ **sexisme** *nm* sexism ▪ **sexiste** *adj & nmf* sexist ▪ **sexualité** *nf* sexuality ▪ **sexuel, -elle** *adj* sexual; **éducation/vie sexuelle** sex education/life ▪ **sexy** *adj inv Fam* sexy

sextuor [sɛkstɥɔr] *nm* sextet

seyant, -ante [sejɑ̃, -ɑ̃t] *adj (vêtement)* becoming

shampooing [ʃɑ̃pwɛ̃] *nm* shampoo; **s. colorant** rinse; **faire un s. à qn** to shampoo sb's hair

shérif [ʃerif] *nm (aux États-Unis)* sheriff

shiatsu [ʃjatsu] *nm* shiatsu, shiatzu

shooter [ʃute] **1** *vti Football* to shoot **2 se shooter** *vpr Fam (drogué)* to shoot up

short [ʃɔrt] *nm (pair of)* shorts

si¹ [si]

> **si** becomes **s'** [s] before **il, ils.**

1 *conj* if; **si je pouvais** if I could; **s'il vient** if he comes; **si j'étais roi** if I were *or* was king; **je me demande si...** I wonder whether *or* if...; **si on restait?** *(suggestion)* what if we stayed?; **si je dis ça, c'est que...** I say this because...; **si ce n'est que...** *(sauf que)* apart from the fact that...; **si oui** if so; **si non** if not; **si seulement** if only; **même si** even if **2** *adv* (**a**) *(tellement)* so; **pas si riche que toi/que tu crois** not as rich as you/as you think; **un si bon dîner** such a good dinner; **si grand qu'il soit** however big he may be; **si bien que...** so much so that... (**b**) *(après négative)* yes; **tu ne viens pas? – si!** you're not coming? – yes (I am)!

si² [si] *nm inv (note)* B

siamois, -oise [sjamwa, -waz] *adj* Siamese; **frères s., sœurs siamoises** Siamese twins

Sicile [sisil] *nf* la S. Sicily

SIDA [sida] *(abrév* **syndrome immuno-déficitaire acquis)** *nm* AIDS; **malade/virus du S.** AIDS sufferer/virus ▪ **sidéen, -enne** *nmf* AIDS sufferer

sidérer [sidere] *vt Fam* to stagger

sidérurgie [sideryrʒi] *nf* iron and steel industry ▪ **sidérurgique** *adj* **industrie s.** iron and steel industry

siècle [sjɛkl] *nm* century; *(époque)* age; *Fam* **depuis des siècles** for ages (and ages)

siège [sjɛʒ] *nm* (**a**) *(meuble, centre)* & *Pol* seat; *(d'autorité, de parti)* headquarters; **s. social** head office; *Mil* siege; **faire le s. de** to lay siege to ▪ **siéger** *vi (assemblée)* to sit

sien, sienne [sjɛ̃, sjɛn] **1** *pron possessif* **le s., la sienne, les sien(ne)s** *(d'homme)* his; *(de femme)* hers; *(de chose)* its; **les deux siens** his/her two **2** *nmpl* **les siens** *(sa famille)* one's family **3** *nfpl* **faire des siennes** *(personne, machine)* to act up

sieste [sjɛst] *nf* siesta; **faire la s.** to have a nap

siffler [sifle] **1** *vi* to whistle; *(avec un sifflet)* to blow one's whistle; *(gaz, serpent)* to hiss **2** *vt (chanson)* to whistle; *(chien)* to whistle at; *Sport (faute, fin de match)* to blow one's whistle for; *(acteur, pièce)* to boo; *Fam (boisson)* to knock back; **se faire s.** *(acteur)* to be booed ▪ **sifflement** [-əmɑ̃] *nm* whistling; *(de serpent, de gaz)* hissing

sifflet [sifle] *nm (instrument)* whistle; **sifflets** *(de spectateurs)* booing ▪ **siffloter** *vti* to whistle

sigle [sigl] *nm (initiales)* abbreviation; *(acronyme)* acronym

signal, -aux [siɲal, -o] *nm* signal; **s. d'alarme** alarm signal; **s. lumineux** warning light; **s. sonore** *(au téléphone)* beep; *(pour avertir)* warning sound

signalement [siɲalmɑ̃] *nm* description, particulars

signaler [siɲale] **1** *vt (faire remarquer)* to point out (**à qn** to sb; **que** that); *(avec un panneau)* to signpost; *(rapporter à la police)* to report (**à** to) **2 se signaler** *vpr* **se s. par qch** to distinguish oneself by sth

signalétique [siɲaletik] *adj* **fiche s.** personal details card

signalisation [siɲalizasjɔ̃] *nf (sur les routes)* signposting; *(pour les trains)* signals; *(pour les avions)* lights and marking; **s. routière** *(signaux)* road signs

signature [siɲatyr] *nf* signature; *(action)* signing; *Ordinat* **s. électronique** *ou* **numérique** digital signature ▪ **signataire** *nmf* signatory ▪ **signer 1** *vt* to sign **2 se signer** *vpr* to cross oneself

signe [siɲ] *nm (indice)* sign, indication; **en s. de protestation** as a sign of protest; **faire s. à qn** *(geste)* to motion (to) sb *(de faire to do)*; *(contacter)* to get in touch with sb; **faire s. que oui** to nod (one's head); **faire s. que non** to shake one's head; **faire le s. de croix** to make the sign of the cross; **ne pas donner s. de vie** to give no sign of life; **s. particulier/de ponctuation** distinguishing/punctuation mark; **s. astrologique** astrological sign

signet [siɲe] *nm (de livre, de page Web)* bookmark; *Ordinat* **créer un s. sur une page** to bookmark a page

signification [siɲifikasjɔ̃] *nf* meaning ▪ **significatif, -ive** *adj* significant, meaningful; **s. de qch** indicative of sth

signifier [siɲifje] *vt* to mean (**que** that); **s. qch à qn** *(notifier)* to notify sb of sth

silence [silɑ̃s] *nm* silence; *Mus* rest; **en s.** in silence; **garder le s.** to keep quiet *or* silent (**sur** about) ▪ **silencieux, -ieuse 1** *adj* silent **2** *nm (de voiture) Br* silencer, *Am* muffler; *(d'arme)* silencer ▪ **silencieusement** *adv* silently

silex [silɛks] *nm* flint

silhouette [silwɛt] *nf* outline; *(en noir)* silhouette; *(du corps)* figure

silicium [silisjɔm] *nm* silicon; **pastille de s.** silicon chip ▪ **silicone** *nf* silicone

sillage [sijaʒ] *nm (de bateau)* wake; *Fig* **dans le s. de** in the wake of

sillon [sijɔ̃] *nm (de champ)* furrow; *(de disque)* groove

sillonner [sijɔne] *vt (parcourir)* to criss-cross

silo [silo] *nm* silo

simagrées [simagre] *nfpl* airs and graces; *(minauderies)* fuss

similaire [similɛr] *adj* similar ▪ **similitude** *nf* similarity

similicuir [similikɥir] *nm* imitation leather, leatherette

simple [sɛ̃pl] **1** *adj (facile, crédule, sans prétention)* simple; *(composé d'un élément)* single; *(employé, particulier)* ordinary; *Fam* **c'est s. comme bonjour** it's as easy as pie **2** *nmf* **s. d'esprit** simpleton **3** *nm Tennis* singles; **passer du s. au double** to double ▪ **simplement** [-əmɑ̃] *adv* simply ▪ **simplicité** *nf* simplicity

simplifier [sɛ̃plifje] *vt* to simplify ▪ **simplification** *nf* simplification

simpliste [sɛ̃plist] *adj* simplistic

simulacre [simylakr] *nm* **ce fut un s. de procès** the trial was a farce

simuler [simyle] *vt (reproduire)* to simulate; *(feindre)* to feign ▪ **simulateur, -trice 1** *nmf (hypocrite)* faker; *(malade)* malingerer **2** *nm (appareil)* simulator ▪ **simulation** *nf (de phénomène)* simulation; *(action)* feigning

simultané, -ée [simyltane] *adj* simultaneous ▪ **simultanément** *adv* simultaneously

sincère [sɛ̃sɛr] *adj* sincere ▪ **sincèrement** *adv* sincerely; *Fig* **sincérité** *nf* sincerity; **en toute s.** quite sincerely

sinécure [sinekyr] *nf Fam* **ce n'est pas une s.** it's no rest cure

Singapour [sɛ̃gapur] *nm* Singapore

singe [sɛ̃ʒ] *nm* monkey; **grand s.** ape ▪ **singer** *vt (imiter)* to ape, to mimic ▪ **singeries** *nfpl* antics; **faire des s.** to monkey around

singulariser [sɛ̃gylarize] **se singulariser** *vpr* to draw attention to oneself

singulier, -ière [sɛ̃gylje, -jɛr] **1** *adj (peu ordinaire)* peculiar, odd; **combat s.** single combat **2** *adj & nm Grammaire* singular; **au s.** in the singular ▪ **singularité** *nf* peculiarity ▪ **singulièrement** *adv (notamment)* particularly; *(beaucoup)* extremely

sinistre [sinistr] **1** *adj (effrayant)* sinister; *(triste)* grim **2** *nm (désastre)* disaster; *(incendie)* fire; *Jur (dommage)* damage ▪ **sinistré, -ée 1** *adj (population, région)* disaster-stricken **2** *nmf* disaster victim

sinon [sinɔ̃] *conj (autrement)* otherwise, or else; *(sauf)* except **(que** that); *(si ce n'est)* if not

sinueux, -ueuse [sinɥø, -ɥøz] *adj* winding ▪ **sinuosités** *nfpl* twists (and turns)

sinus [sinys] *nm inv Anat* sinus ▪ **sinusite** *nf* sinusitis; **avoir une s.** to have sinusitis

siphon [sifɔ̃] *nm* siphon; *(d'évier)* trap, *Br* U-bend

siphonné, -ée [sifɔne] *adj Fam* round the bend, crazy

sirène [sirɛn] *nf (d'usine)* siren; *(femme)* mermaid

sirop [siro] *nm* syrup; *(à diluer)* (fruit) cordial; **s. contre la toux** cough mixture ▪ **syrupeux, -euse** *adj* syrupy

siroter [sirɔte] *vt Fam* to sip

sismique [sismik] *adj* seismic; **secousse s.** earth tremor

site [sit] *nm (endroit)* site; *(pittoresque)* beauty spot; **s. classé** conservation area; *Ordinat* **s. de bavardage** chatroom; **s. touristique** place of interest; *Ordinat* **s. (Web)** (web)site

sitôt [sito] *adv* **s. que...** as soon as...; **s. levée, elle partit** as soon as she was up, she left; **s. après** immediately after; **pas de s.** not for some time

situation [sitɥasjɔ̃] *nf* situation, position; *(emploi)* position; **s. de famille** marital status ▪ **situé, -ée** *adj (maison)* situated **(à** in) ▪ **situer 1** *vt (placer)* to situate; *(trouver)* to locate; *(dans le temps)* to set **2 se situer** *vpr (se trouver)* to be situated

six [sis] ([si] *before consonant,* [siz] *before vowel)* *adj & nm inv* six ▪ **sixième** [sizjɛm] **1** *adj & nmf* sixth; **un s.** a sixth **2** *nf Scol Br* ≃ first form, *Am* ≃ sixth grade

Skaï® [skaj] *nm* imitation leather, leatherette

skateboard [skɛtbɔrd] *nm* skateboard; **faire du s.** to go skateboarding

sketch [skɛtʃ] *(pl* **sketches)** *nm (de théâtre)* sketch

ski [ski] *nm (objet)* ski; *(sport)* skiing; **faire du s.** to ski; **s. alpin** downhill skiing; **s. de fond** cross-country skiing; **s. nautique** water-skiing ▪ **skiable** *adj (piste)* skiable, fit for skiing ▪ **skier** *vi* to ski ▪ **skieur, -ieuse** *nmf* skier

slalom [slalɔm] *nm Sport* slalom; **faire du s.** to slalom

slave [slav] **1** *adj* Slav, Slavic; *(langue)* Slavonic **2** *nmf* S. Slav **3** *nm (langue)* Slavonic

slip [slip] *nm (d'homme)* (under)pants, briefs; *(de femme) Br* pants, *Am* panties; **s. de bain** (swimming) trunks; *(de bikini®)* briefs

> Il faut noter que le nom anglais **slip** est un faux ami. Il ne signifie jamais **culotte**.

slogan [slɔgɑ̃] *nm* slogan

Slovaquie [slɔvaki] *nf* **la S.** Slovakia ▪ **slovaque 1** *adj* Slovak **2** *nmf* S. Slovak **3** *nm (langue)* Slovak

Slovénie [slɔveni] *nf* **la S.** Slovenia ▪ **slovène 1**

adj Slovenian 2 *nmf* S. Slovenian 3 *nm (langue)* Slovenian

slow [slo] *nm* slow (dance)

SMIC [smik] *(abrév* **salaire minimum interprofessionnel de croissance)** *nm* guaranteed minimum wage ▪ **smicard, -arde** *nmf Fam* minimum wage earner

smoking [smɔkiŋ] *nm (veston, costume)* dinner jacket, *Am* tuxedo

SMS [ɛsɛmɛs] *(abrév* **short message service)** *nm Tél* text (message); **envoyer un SMS à qn** to text sb, to send sb a text

snack(-bar) [snak(bar)] *nm* snack bar

SNCF [ɛsɛnseɛf] *(abrév* **Société nationale des chemins de fer français)** *nf* = French national railway company

sniffer [snife] *vt Fam (colle)* to sniff

snob [snɔb] 1 *adj* snobbish 2 *nmf* snob ▪ **snober** *vt* s. qn to snub sb ▪ **snobinard, -arde** 1 *adj* stuck-up, snobbish 2 *nmf* stuck-up person, snob ▪ **snobisme** *nm* snobbery

sobre [sɔbr] *adj* sober ▪ **sobriété** *nf* sobriety

sobriquet [sɔbrikɛ] *nm* nickname

sociable [sɔsjabl] *adj* sociable ▪ **sociabilité** *nf* sociability

social, -e, -iaux, -iales [sɔsjal, -jo] *adj* social ▪ **socialisme** *nm* socialism ▪ **socialiste** *adj* & *nmf* socialist

société [sɔsjete] *nf (communauté)* society; *(compagnie)* company; **s. anonyme** *Br* (public) limited company, *Am* corporation ▪ **sociétaire** *nmf (membre)* member

sociologie [sɔsjɔlɔʒi] *nf* sociology ▪ **sociologique** *adj* sociological ▪ **sociologue** *nmf* sociologist

socle [sɔkl] *nm (de statue, de colonne)* plinth, pedestal; *(de lampe)* base

socquette [sɔkɛt] *nf* ankle sock, *Am* bobby sock

soda [sɔda] *nm Br* fizzy drink, *Am* soda (pop)

sœur [sœr] *nf* sister; *(religieuse)* sister, nun; *Fam* **bonne s.** nun; *Fam* **et ta s.!** get lost!

sofa [sɔfa] *nm* sofa, settee

soi [swa] *pron personnel* oneself; **chacun pour s.** every man for himself; **en s.** *(concept)* in itself; **chez s.** at home; **prendre sur s.** to get a grip on oneself; **cela va de soi** it's self-evident (**que** that) ▪ **soi-même** *pron* oneself

soi-disant [swadizã] 1 *adj inv* so-called 2 *adv* supposedly

soie [swa] *nf (tissu)* silk; *(de porc)* bristle ▪ **soierie** *nf (tissu)* silk; *(activité)* silk trade

soient [swa] *voir* **être**

SOFRES [sɔfrɛs] *(abrév* **Société française d'enquêtes par sondages)** *nf* = French opinion poll company

soif [swaf] *nf* thirst (**de** for); **avoir s.** to be thirsty; *Fig* **avoir s. de liberté** to thirst for freedom; **donner s. à qn** to make sb thirsty

soigner [swaɲe] 1 *vt* to look after, to take care of; *(sujet: médecin) (malade, maladie)* to treat; *(présentation, travail)* to take care over; **se faire s.** to have (medical) treatment 2 **se soigner** *vpr* to take care of oneself, to look after oneself ▪ **soigné, -ée** *adj (personne, vêtement)* neat, tidy; *(travail)* careful

soigneux, -euse [swaɲø, -øz] *adj (attentif)* careful (**de** with); *(propre)* neat, tidy ▪ **soigneusement** *adv* carefully

soin [swɛ̃] *nm (attention)* care; *Méd* **soins** treatment, care; **soins de beauté** beauty care or treatment; **les premiers soins** first aid; **avoir** *ou* **prendre s. de qch/de faire qch** to take care of sth/to do sth; **être aux petits soins avec qn** to wait hand and foot on sb; **aux bons soins de** *(sur lettre)* care of, c/o; **avec s.** carefully, with care

soir [swar] *nm* evening; **le s.** *(chaque soir)* in the evening(s); **à neuf heures du s.** at nine in the evening; **repas du s.** evening meal ▪ **soirée** *nf* evening; *(réunion)* party; **s. dansante** dance

sois, soit¹ [swa] *voir* **être**

soit² 1 [swa] *conj (à savoir)* that is (to say); **s.... s....** either... or...; *Math* **s. une droite...** given a straight line... 2 [swat] *adv (oui)* very well

soixante [swasɑ̃t] *adj* & *nm inv* sixty ▪ **soixantaine** *nf* **une s. (de)** *(nombre)* (about) sixty; **avoir la s.** *(âge)* to be about sixty ▪ **soixantième** *adj* & *nmf* sixtieth

soixante-dix [swasɑ̃tdis] *adj* & *nm inv* seventy ▪ **soixante-dixième** *adj* & *nmf* seventieth

soja [sɔʒa] *nm (plante)* soya; **graines de s.** soya bean; **germes** *ou* **pousses de s.** beansprouts; **sauce de s.** soy sauce

sol¹ [sɔl] *nm* ground; *(plancher)* floor; *(territoire, terrain)* soil

sol² [sɔl] *nm inv (note)* G

solaire [sɔlɛr] *adj* solar; **crème/huile s.** sun (-tan) lotion/oil; **maison s.** solar-heated house; *Anat* **plexus s.** solar plexus; **système s.** solar system

solarium [sɔlarjɔm] *nm (établissement)* solarium; *(terrasse)* sun terrace

soldat [sɔlda] *nm* soldier; **simple s.** private

solde [sɔld] 1 *nm (de compte, à payer)* balance; **en s.** *(acheter)* in the sales, *Am* on sale; **soldes** *(marchandises)* sale goods; *(vente)* (clearance) sale(s); **faire les soldes** to go round the sales 2 *nf (de soldat)* pay; *Fig Péj* **à la s. de qn** in sb's pay

solder [sɔlde] 1 *vt (articles)* to clear, to sell off; *(compte)* to pay the balance of 2 **se solder** *vpr* **se s. par un échec** to end in failure ▪ **soldé, -ée** *adj (article)* reduced

sole [sɔl] *nf (poisson)* sole

soleil [sɔlɛj] *nm* sun; *(chaleur, lumière)* sunshine; *(fleur)* sunflower; **au s.** in the sun; **il fait s.** it's sunny

solennel, -elle [sɔlanɛl] *adj* solemn ■**solennellement** *adv* solemnly ■**solennité** [-anite] *nf* solemnity

Solex® [sɔlɛks] *nm* moped

solfège [sɔlfɛʒ] *nm* music theory

solidaire [sɔlidɛr] *adj* **être s.** *(ouvriers)* to show solidarity (**de** with); *(pièce de machine)* to be interdependent (**de** with) ■**solidairement** *adv* jointly ■**se solidariser** *vpr* to show solidarity (**avec** with) ■**solidarité** *nf (entre personnes)* solidarity

solide [sɔlid] **1** *adj (mur, voiture, état)* solid; *(amitié)* strong; *(argument, nerfs)* sound; *(personne)* sturdy **2** *nm (corps)* solid ■**solidement** *adv* solidly ■**se solidifier** *vpr* to solidify ■**solidité** *nf (d'objet)* solidity; *(d'argument)* soundness

soliste [sɔlist] *nmf Mus* soloist

solitaire [sɔlitɛr] **1** *adj (par choix)* solitary; *(involontairement)* lonely **2** *nmf* loner; **en s.** on one's own ■**solitude** *nf* solitude; **aimer la s.** to like being alone

solive [sɔliv] *nf* joist, beam

solliciter [sɔlisite] *vt (audience)* to request; *(emploi)* to apply for; **s. qn** *(faire appel à)* to appeal to sb (**de faire** to do); **être (très) sollicité** *(personne)* to be in (great) demand ■**sollicitation** *nf* request

sollicitude [sɔlisityd] *nf* solicitude, concern

solo [sɔlo] *adj inv & nm Mus* solo

solstice [sɔlstis] *nm* solstice

soluble [sɔlybl] *adj (substance, problème)* soluble

solution [sɔlysjɔ̃] *nf (de problème)* solution (**de** to); *(mélange chimique)* solution

solvable [sɔlvabl] *adj Fin* solvent ■**solvabilité** *nf Fin* solvency

> Il faut noter que l'adjectif anglais **solvable** est un faux ami. Il signifie **soluble**.

solvant [sɔlvã] *nm* solvent

Somalie [sɔmali] *nf* **la S.** Somalia

sombre [sɔ̃br] *adj* dark; *(triste)* sombre, gloomy; **il fait s.** it's dark

sombrer [sɔ̃bre] *vi (bateau)* to sink; *Fig* **s. dans** *(folie, sommeil)* to sink into

sommaire [sɔmɛr] **1** *adj* summary; *(repas)* basic **2** *nm (table des matières)* contents

sommation [sɔmasjɔ̃] *nf Jur* summons; *(de policier)* warning

somme [sɔm] **1** *nf* sum; **faire la s. de** to add up; **en s., s. toute** in short **2** *nm (sommeil)* nap; **faire un s.** to have a nap

sommeil [sɔmɛj] *nm* sleep; **avoir s.** to feel sleepy; **être en plein s.** to be fast asleep; *Fig* **laisser qch en s.** to put sth on hold ■**sommeiller** *vi* to doze; *Fig (faculté, qualité)* to lie dormant

sommelier [sɔməlje] *nm* wine waiter

sommer [sɔme] *vt* **s. qn de faire qch** to summon sb to do sth

sommes [sɔm] *voir* **être**

sommet [sɔmɛ] *nm* top; *(de montagne)* summit, top; *Fig (de la gloire)* height, summit; **conférence au s.** summit *(conference)*

sommier [sɔmje] *nm (de lit)* base; **s. à ressorts** sprung base

somnambule [sɔmnãbyl] *nmf* sleepwalker; **être s.** to sleepwalk ■**somnambulisme** *nm* sleepwalking

somnifère [sɔmnifɛr] *nm* sleeping pill

somnolence [sɔmnɔlãs] *nf* drowsiness, sleepiness ■**somnolent, -ente** *adj* drowsy, sleepy ■**somnoler** *vi* to doze

somptuaire [sɔ̃ptɥɛr] *adj* extravagant

somptueux, -ueuse [sɔ̃ptɥø, -ɥøz] *adj* sumptuous ■**somptuosité** *nf* sumptuousness

son¹ [sɔ̃] *nm (bruit)* sound; **s. 3D** surround sound

son² [sɔ̃] *nm (de grains)* bran

son³, sa, ses [sɔ̃, sa, se]

> **sa** becomes **son** [sɔ̃n] before a vowel or mute h.

adj possessif (d'homme) his; *(de femme)* her; *(de chose)* its; *(indéfini)* one's; **s. père/sa mère** his/her/one's father/mother; **s. ami(e)** his/her/one's friend

sonate [sɔnat] *nf Mus* sonata

sondage [sɔ̃daʒ] *nm (de terrain)* drilling; **s. (d'opinion)** (opinion) poll

sonde [sɔ̃d] *nf Géol* drill; *Naut* sounding line; *Méd* probe; *(pour l'alimentation)* (feeding) tube; **s. spatiale** space probe

sonder [sɔ̃de] *vt (rivière)* to sound; *(terrain)* to drill; *Méd* to probe; *Fig (personne, l'opinion)* to sound out

songe [sɔ̃ʒ] *nm* dream

songer [sɔ̃ʒe] **1** *vi* **s. à qch/à faire qch** to think of sth/of doing sth **2** *vt* **s. que...** to think that... ■**songeur, -euse** *adj* thoughtful, pensive

sonner [sɔne] **1** *vi* to ring; *(cor, cloches)* to sound; **on a sonné (à la porte)** someone has rung the (door)bell; **midi a sonné** it has struck twelve **2** *vt (cloche)* to ring; *(domestique)* to ring for; *(cor)* to sound; *(l'heure)* to strike; *Fam (assommer)* to knock out ■**sonnant, -ante** *adj* **en espèces sonnantes et trébuchantes** in hard cash, in coin of the realm; **à cinq heures sonnantes** on the stroke of five ■**sonné, -ée** *adj Fam (fou)* crazy; *(assommé)* dazed, groggy

sonnerie [sɔnri] *nf (de téléphones, de cloche)* ring(ing); *(de téléphone portable)* ringtone; *(de cor)* sound; *(appareil)* bell

sonnette [sɔnɛt] *nf* bell; **coup de s.** ring; **s. d'alarme** alarm (bell)

sonnet [sɔnɛ] *nm (poème)* sonnet

sonore [sɔnɔr] *adj (rire)* loud; *(salle, voix)* resonant; **effet s.** sound effect ■**sonorité** *nf (de salle)* acoustics; *(de violon)* tone

sonorisation [sɔnɔrizasjɔ̃] nf (matériel) sound equipment; **système de s.** PA (system) ▪ **sonoriser** vt (salle) to wire for sound; (film) to add the soundtrack to

sont [sɔ̃] voir **être**

sophistiqué, -ée [sɔfistike] adj sophisticated

soporifique [sɔpɔrifik] adj (médicament, discours) soporific

soprano [sɔprano] Mus **1** nmf (personne) soprano **2** nm (voix) soprano

sorbet [sɔrbɛ] nm sorbet

sorcellerie [sɔrsɛlri] nf witchcraft, sorcery ▪ **sorcier 1** nm sorcerer **2** adj m Fam **ce n'est pas s.!** it's dead easy! ▪ **sorcière** nf witch

sordide [sɔrdid] adj (acte, affaire) sordid; (maison) squalid

sornettes [sɔrnɛt] nfpl Péj (propos) twaddle, nonsense

sort [sɔr] nm (destin) fate; (condition) lot; (maléfice) spell

sortable [sɔrtabl] adj Fam **tu n'es pas s.!** I really can't take you anywhere!

sortant, -ante [sɔrtɑ̃, -ɑ̃t] adj (numéro) winning; (député) outgoing

sorte [sɔrt] nf sort, kind (**de** of); **toutes sortes de** all sorts or kinds of; **en quelque s.** in a way, as it were; **de (telle) s. que tu apprennes** so that or in such a way that you may learn; **de la s.** (de cette façon) in that way; **faire en s. que…** (+ subjunctive) to see to it that…

sortie [sɔrti] nf (porte) exit, way out; (action de sortir) leaving, exit, departure; (de scène) exit; (promenade à pied) walk; (en voiture) drive; (excursion) outing, trip; Ordinat output; (de film, de disque) release; (de livre, de modèle) appearance; (de devises) export; **sorties** (argent) outgoings; **à la s. de l'école** when the children come out of school; **l'heure de la s. de qn** the time at which sb leaves; **être de s.** to be out; **s. de bain** bathrobe; **s. de secours** emergency exit

sortilège [sɔrtilɛʒ] nm (magic) spell

sortir* [sɔrtir] **1** (aux être) vi to go out, to leave; (pour s'amuser) to go out; (film, modèle) to come out; (numéro gagnant) to come up; **s. de** (endroit) to leave; (université) to be a graduate of; (famille, milieu) to come from; (légalité, limites) to go beyond; (compétence) to be outside; (sujet) to stray from; (gonds, rails) to come off; **s. de table** to leave the table; **s. de terre** (plante, fondations) to come up; **s. de l'ordinaire** ou **du commun** to be out of the ordinary; **s. indemne** to escape unhurt (**de** from) **2** (aux **avoir**) vt to take out (**de** of); (film, modèle, livre) to bring out; Fam (dire) to come out with; Fam (expulser) to throw out **3** se **sortir** vpr **s'en s.** (malade) to pull through **4** nm **au s. de l'hiver** at the end of winter; **au s. du lit** on getting out of bed

SOS [ɛsoɛs] nm SOS; **lancer un SOS** to send (out) an SOS

sosie [sɔzi] nm (personne) double; **c'est le s. de son père** he's the double or the spitting image of his father

sot, sotte [so, sɔt] **1** adj silly, foolish **2** nmf fool ▪ **sottement** adv foolishly ▪ **sottise** nf silliness, foolishness; (action, parole) silly or foolish thing; **faire des sottises** to do silly things

> Il faut noter que le nom anglais **sot** est un faux ami. Il signifie **ivrogne**.

sou [su] nm Hist (pièce) sou; Fam **sous** (argent) money; **elle n'a pas un** ou **le s.** she doesn't have a penny; Fig **n'avoir pas un s. de bon sens** not to have an ounce of common sense; **dépenser jusqu'à son dernier s.** to spend one's last penny; **machine à sous** slot machine

soubresaut [subrəso] nm (sudden) start, jolt

souche [suʃ] nf (d'arbre) stump; (de carnet) stub, counterfoil; (de famille) founder; (de virus) strain

souci [susi] nm (inquiétude) worry, concern; (préoccupation) concern (**de** for); **se faire du s.** to worry, to be worried; **ça lui donne du s.** it worries him/her ▪ **se soucier** vpr **se s. de** to be worried or concerned about; Fam **se s. de qch comme de l'an quarante** not to give a hoot about sth ▪ **soucieux, -euse** adj worried, concerned (**de qch** about sth); **s. de plaire** anxious to please

soucoupe [sukup] nf saucer; **s. volante** flying saucer

soudain, -aine [sudɛ̃, -ɛn] **1** adj sudden **2** adv suddenly ▪ **soudainement** adv suddenly ▪ **soudaineté** nf suddenness

Soudan [sudɑ̃] nm **le S.** Sudan

soude [sud] nf soda; **s. caustique** caustic soda

souder [sude] **1** vt (par alliage) to solder; (par soudure autogène) to weld; Fig (groupes) to unite (closely); **lampe à s.** blowlamp **2 se souder** vpr (os) to knit (together) ▪ **soudure** nf (par alliage) soldering; (autogène) welding

soudoyer [sudwaje] vt to bribe

souffle [sufl] nm (d'air, de vent) breath, puff; (respiration) breathing; (de bombe) blast; Fig (inspiration) inspiration; **reprendre son s.** to get one's breath back ▪ **souffler 1** vi to blow; (haleter) to puff; **laisser s. qn** (se reposer) to give sb time to catch his/her breath **2** vt (bougie) to blow out; (fumée, poussière, verre) to blow; (par une explosion) to blast; (chuchoter) to whisper; Fam (étonner) to stagger; **s. une réplique à qn** (acteur) to give sb a prompt; **ne pas s. mot** not to breathe a word ▪ **soufflet** nm (de forge) bellows; (de train, d'autobus) concertina vestibule ▪ **souffleur, -euse** nmf (de théâtre) prompter

soufflé [sufle] *nm Culin* soufflé

souffrance [sufrɑ̃s] *nf* suffering; **en s.** *(colis)* unclaimed; *(travail)* pending

souffreteux, -euse [sufrətø, -øz] *adj* sickly

souffrir* [sufrir] **1** *vi* to suffer; **s. de** to suffer from; **faire s. qn** *(physiquement)* to hurt sb; *(moralement)* to make sb suffer; **ta réputation en souffrira** your reputation will suffer **2** *vt (endurer)* to endure; *(exception)* to admit of; *Fam* **je ne peux pas le s.** I can't bear him ▪ **souffrant, -ante** *adj* unwell

soufre [sufr] *nm Br* sulphur, *Am* sulfur

souhait [swɛ] *nm* wish; **à vos souhaits!** *(après un éternuement)* bless you!; **à s.** perfectly ▪ **souhaitable** *adj* desirable ▪ **souhaiter** [swete] *vt (bonheur)* to wish for; **s. qch à qn** to wish sb sth; **s. faire qch** to hope to do sth; **s. que...** *(+ subjunctive)* to hope that...

souiller [suje] *vt* to soil, to dirty; *Fig (déshonorer)* to tarnish ▪ **souillon** *nf Littéraire* slut

soûl, soûle [su, sul] **1** *adj* drunk **2** *nm* **tout son s.** *(boire)* to one's heart's content ▪ **soûler** *vt* **s. qn** to get sb drunk **3** **se soûler** *upr* to get drunk

soulager [sulaʒe] *vt* to relieve *(de* of) ▪ **soulagement** *nm* relief

soulever [sulve] **1** *vt* to lift (up); *(poussière, question)* to raise; *(peuple)* to stir up; *(sentiment)* to arouse; **cela me soulève le cœur** it makes me feel sick **2** **se soulever** *upr (personne)* to lift oneself (up); *(se révolter)* to rise up ▪ **soulèvement** [-ɛvmɑ̃] *nm (révolte)* uprising

soulier [sulje] *nm* shoe; *Fam* **être dans ses petits souliers** to feel awkward

souligner [suliɲe] *vt (d'un trait)* to underline; *(faire remarquer)* to emphasize

soumettre* [sumɛtr] **1** *vt (pays, rebelles)* to subdue; *(rapport, demande)* to submit *(à* to); **s. qn à** *(assujettir)* to subject sb to **2** **se soumettre** *upr* to submit *(à* to) ▪ **soumis, -ise** *adj (docile)* submissive; **s. à** subject to ▪ **soumission** *nf (à une autorité)* submission; *(docilité)* submissiveness

soupape [supap] *nf* valve; **s. de sécurité** safety valve

soupçon [supsɔ̃] *nm* suspicion; *Fig* **un s. de** *(quantité)* a hint *or* touch of; **au-dessus de tout s.** above suspicion ▪ **soupçonner** *vt* to suspect *(de* of; **d'avoir fait** of doing) ▪ **soupçonneux, -euse** *adj* suspicious

soupe [sup] *nf* soup; *Fam* **être s. au lait** to be hot-tempered; **s. populaire** soup kitchen ▪ **soupière** *nf (soup)* tureen

soupente [supɑ̃t] *nf (sous un toit)* loft

souper [supe] **1** *nm* supper **2** *vi* to have supper

soupeser [supəze] *vt (objet dans la main)* to feel the weight of; *Fig (arguments)* to weigh up

soupir [supir] *nm* sigh ▪ **soupirant** *nm Hum* suitor ▪ **soupirer** *vi* to sigh

soupirail, -aux [supiraj, -o] *nm* basement window

souple [supl] *adj (corps, personne)* supple; *(branche)* flexible ▪ **souplesse** *nf (de corps)* suppleness; *(de branche)* flexibility

source [surs] *nf* **(a)** *(point d'eau)* spring; **prendre sa s.** *(rivière)* to rise *(à* at) **(b)** *(origine)* source; **s. d'énergie** source of energy; **tenir qch de s. sûre** to have sth on good authority

sourcil [sursi] *nm* eyebrow ▪ **sourciller** *vi Fig* **ne pas s.** not to bat an eyelid

sourd, sourde [sur, surd] **1** *adj (personne)* deaf *(à* to); *(douleur)* dull; **bruit s.** thump; **lutte sourde** secret struggle; *Fam* **s. comme un pot** deaf as a post **2** *nmf* deaf person ▪ **sourd-muet, sourde-muette** *(mpl* **sourds-muets,** *fpl* **sourdes-muettes) 1** *adj* deaf-and-dumb **2** *nmf* deaf mute

sourdine [surdin] *nf Mus (dispositif)* mute; *Fig* **en s.** quietly, secretly

souricière [surisjer] *nf* mousetrap; *Fig* trap

sourire* [surir] **1** *nm* smile; **faire un s. à qn** to give sb a smile **2** *vi* to smile *(à* at); **s. à qn** *(fortune)* to smile on sb ▪ **souriant, -ante 1** *adj (visage)* smiling, smiley; *(personne)* cheerful **2** *nm Ordinat* smiley, emoticon

souris [suri] *nf (animal)* & *Ordinat* mouse *(pl* mice)

sournois, -oise [surnwa, -waz] *adj* sly, underhand ▪ **sournoisement** *adv* slyly ▪ **sournoiserie** *nf* slyness

sous [su] *prép (position)* under, underneath, beneath; *(rang)* under; **s. la pluie** in the rain; **nager s. l'eau** to swim underwater; **s. calmants** under sedation; **s. cet angle** from that point of view; **s. le nom de** under the name of; **s. Charles X** under Charles X; **s. peu** *(bientôt)* shortly

sous-alimenté, -ée [suzalimɑ̃te] *(mpl* **sous-alimentés,** *fpl* **sous-alimentées)** *adj* underfed, malnourished ▪ **sous-alimentation** *nf* undernourishment, malnutrition

sous-bois [subwa] *nm* undergrowth

sous-chef [suʃɛf] *(pl* **sous-chefs)** *nmf* second-in-command

souscrire* [suskrir] *vi* **s. à** *(payer, approuver)* to subscribe to ▪ **souscription** *nf* subscription

sous-développé, -ée [sudevlɔpe] *(mpl* **sous-développés,** *fpl* **sous-développées)** *adj (pays)* underdeveloped

sous-directeur, -trice [sudirɛktœr, -tris] *(pl* **sous-directeurs)** *nmf* assistant manager

sous-emploi [suzɑ̃plwa] *nm* underemployment

sous-entendre [suzɑ̃tɑ̃dr] *vt* to imply ▪ **sous-entendu** *(pl* **sous-entendus)** *nm* insinuation

sous-estimer [suzɛstime] *vt* to underestimate

sous-jacent, -ente [suʒasɑ̃, -ɑ̃t] (*mpl* **sous-jacents**, *fpl* **sous-jacentes**) *adj* underlying
sous-louer [sulwe] *vt (sujet: locataire)* to sublet
sous-main [sumɛ̃] *nm inv* desk blotter; **en s.** secretly
sous-marin, -ine [sumarɛ̃, -in] (*mpl* **sous-marins**, *fpl* **sous-marines**) 1 *adj* underwater 2 *nm* submarine
sous-officier [suzɔfisje] (*pl* **sous-officiers**) *nm* non-commissioned officer
sous-payer [supeje] *vt* to underpay
sous-préfet [suprefɛ] (*pl* **sous-préfets**) *nm* subprefect ▪**sous-préfecture** *nf* subprefecture
sous-produit [suprɔdɥi] (*pl* **sous-produits**) *nm* by-product
soussigné, -ée [susiɲe] *adj & nmf* undersigned; **je s.** l the undersigned
sous-sol [susɔl] (*pl* **sous-sols**) *nm (d'immeuble)* basement
sous-titre [sutitr] (*pl* **sous-titres**) *nm* subtitle ▪**sous-titrer** *vt (film)* to subtitle
soustraire* [sustrer] 1 *vt* to remove; *Math* to take away, to subtract (**de** from); **s. qn à** *(danger)* to shield *or* protect sb from 2 **se soustraire** *vpr* **se s. à** to escape from; *(devoir, obligation)* to avoid ▪**soustraction** *nf Math* subtraction
sous-traiter [sutrete] *vt* to subcontract ▪**sous-traitance** *nf* **travailler en s. avec qn** to work as a subcontractor with sb ▪**sous-traitant** *nm* subcontractor
sous-verre [suver] *nm inv (encadrement)* (frameless) glass mount
sous-vêtement [suvetmɑ̃] *nm* undergarment; **sous-vêtements** underwear
soutane [sutan] *nf (de prêtre)* cassock
soute [sut] *nf (de bateau)* hold
soutenir* [sutənir] *vt* to support, to hold up; *(opinion)* to uphold, to maintain; *(candidat)* to back; *(effort)* to sustain; *(thèse)* to defend; *(regard)* to hold; **s. que...** to maintain that... ▪**soutenu, -ue** *adj (attention, effort)* sustained; *(langue)* formal
souterrain, -aine [suterɛ̃, -ɛn] 1 *adj* underground 2 *nm* underground passage
soutien [sutjɛ̃] *nm* support; *(personne)* supporter; **s. de famille** breadwinner ▪**soutien-gorge** (*pl* **soutiens-gorge**) *nm* bra
soutirer [sutire] *vt* **s. qch à qn** to extract sth from sb
souvenir [suvnir] *nm* memory, recollection; *(objet)* memento; *(cadeau)* keepsake; *(pour touristes)* souvenir; **en s. de** in memory of ▪**se souvenir*** *vpr* **se s. de qn/qch** to remember sb/sth; **se s. que...** to remember that...
souvent [suvɑ̃] *adv* often; **peu s.** seldom; **le plus s.** usually, more often than not
souverain, -aine [suvərɛ̃, -ɛn] 1 *adj*

(puissance, état, remède) sovereign; *(bonheur, mépris)* supreme 2 *nmf* sovereign ▪**souveraineté** *nf* sovereignty
soviétique [sɔvjetik] *Anciennement* 1 *adj* Soviet; **l'Union s.** the Soviet Union 2 *nmf* Soviet citizen
soyeux, -euse [swajø, -jøz] silky
soyons, soyez [swajɔ̃, swaje] *voir* **être**
SPA [ɛspea] *(abrév* **Société protectrice des animaux)** *nf Br* ≃ RSPCA, *Am* ≃ ASPCA
spacieux, -ieuse [spasjø, -jøz] *adj* spacious, roomy
spaghettis [spageti] *nmpl* spaghetti
spammer [spame] *vt Ordinat* to spam, to send spam to ▪**spamming** *nm Ordinat* spamming
sparadrap [sparadra] *nm (pour pansement) Br* sticking plaster, Elastoplast®, *Am* Band-Aid®
spasme [spasm] *nm* spasm ▪**spasmodique** *adj* spasmodic
spatial, -e, -iaux, -iales [spasjal, -jo] *adj* **station spatiale** space station; **engin s.** spaceship, spacecraft; **combinaison spatiale** spacesuit
spatule [spatyl] *nf* spatula
speaker [spikœr], **speakerine** [spikrin] *nmf (de télévision, de radio)* announcer
spécial, -e, -iaux, -iales [spesjal, -jo] *adj* special; *(bizarre)* peculiar ▪**spécialement** *adv (exprès)* specially; *(en particulier)* especially, particularly; *Fam* **pas s.** not particularly, not especially

> Il faut noter qu'en anglais l'adjectif **special** ne s'emploie jamais à propos de quelque chose d'inhabituel ou d'étrange.

spécialiser [spesjalize] **se spécialiser** *vpr* to specialize (**dans** in) ▪**spécialisation** *nf* specialization ▪**spécialiste** *nmf* specialist ▪**spécialité** *nf Br* speciality, *Am* specialty
spécifier [spesifje] *vt* to specify (**que** that)
spécifique [spesifik] *adj* specific
spécimen [spesimɛn] *nm* specimen; *(livre)* specimen copy
spectacle [spɛktakl] *nm* (**a**) *(vue)* sight, spectacle; *Péj* **se donner en s.** to make an exhibition of oneself (**b**) *(représentation)* show; **le s.** *(industrie)* show business ▪**spectateur, -trice** *nmf* spectator; *(au théâtre, au cinéma)* member of the audience; *(témoin)* witness; **spectateurs** *(au théâtre, au cinéma)* audience
spectaculaire [spɛktakylɛr] *adj* spectacular
spectre [spɛktr] *nm (fantôme) Br* spectre, *Am* specter; *Phys* spectrum
spéculer [spekyle] *vi* to speculate; *Fig* **s. sur** *(compter sur)* to bank *or* rely on ▪**spéculateur, -trice** *nmf* speculator ▪**spéculatif, -ive** *adj* speculative ▪**spéculation** *nf* speculation
speed [spid] *Fam* 1 *adj (nerveux)* hyper 2 *nm (amphétamines)* speed ▪**speeder** *vi Fam (être*

drogué) to be on speed; (*se dépêcher*) to get a move on

spéléologie [speleɔlɔʒi] *nf* (*activité*) *Br* potholing, caving, *Am* spelunking ▪ **spéléologue** *nmf Br* potholer, *Am* spelunker

sperme [spɛrm] *nm* sperm, semen

sphère [sfɛr] *nf* (*boule, domaine*) sphere ▪ **sphérique** *adj* spherical

sphinx [sfɛks] *nm* sphinx

spirale [spiral] *nf* spiral

spirite [spirit] *nmf* spiritualist ▪ **spiritisme** *nm* spiritualism

spirituel, -uelle [spiritɥɛl] *adj* (*amusant*) witty; (*pouvoir, vie*) spiritual

spiritueux [spiritɥø] *nmpl* (*boissons*) spirits

splendide [splɑ̃did] *adj* splendid ▪ **splendeur** *nf* splendour

spongieux, -ieuse [spɔ̃ʒjø, -jøz] *adj* spongy

spontané, -ée [spɔ̃tane] *adj* spontaneous ▪ **spontanéité** *nf* spontaneity ▪ **spontanément** *adv* spontaneously

sporadique [spɔradik] *adj* sporadic

sport [spɔr] *nm* sport; **faire du s.** to do *or* play *Br* sport *or Am* sports; **(de) s.** (*chaussures, vêtements*) casual, sports; **voiture/terrain de s.** sports car/ground; **sports de combat** combat sports; **sports d'équipe** team sports; **sports extrêmes** extreme sports; **sports d'hiver** winter sports; **aller aux sports d'hiver** to go skiing; **sports mécaniques** motor sports (*on land, in the air, on water*); **sports nautiques** water sports; **sports de plein air** outdoor sports ▪ **sportif, -ive 1** *adj* (*personne*) fond of *Br* sport *or Am* sports; (*attitude, esprit*) sporting; (*association, journal, résultats*) sports, sporting; (*allure*) athletic **2** *nmf* sportsman, *f* sportswoman ▪ **sportivité** *nf* sportsmanship

spot [spɔt] *nm* (*lampe*) spotlight, *Fam* (*endroit*) spot; **s. publicitaire** commercial

sprint [sprint] *nm Sport* sprint ▪ **sprinter** *Sport* **1** *vt* to sprint **2** [-œr] *nm* sprinter ▪ **sprinteuse** *nf Sport* sprinter

square [skwar] *nm* public garden

squash [skwaʃ] *nm* (*jeu*) squash

squat [skwat] *nm* squat ▪ **squatteur, -euse** *nmf* squatter ▪ **squatter 1** *vi* to squat **2** [-œr] *nm* squatter

squelette [skəlɛt] *nm* skeleton ▪ **squelettique** *adj* (*personne, maigreur*) skeletal; (*exposé*) sketchy

SRAS [sras] (*abrév* **syndrome respiratoire aigu sévère**) *nm Méd* SARS

stable [stabl] *adj* stable ▪ **stabilisateur** *nm* stabilizer ▪ **stabiliser** *vt*, **se stabiliser** *vpr* to stabilize ▪ **stabilité** *nf* stability

stade [stad] *nm Sport* stadium; (*phase*) stage

stage [staʒ] *nm* (*période*) training period; (*cours*) (training) course; **faire un s.** to undergo training; **être en s.** to be on a training course;

s. de formation training period; **s. professionnel** *ou* **en entreprise** *Br* work placement, *Am* internship ▪ **stagiaire** *adj & nmf* trainee

> Il faut noter que le nom anglais **stage** est un faux ami.

stagner [stagne] *vi* to stagnate ▪ **stagnant, -ante** *adj* stagnant ▪ **stagnation** *nf* stagnation

stalle [stal] *nf* (*d'écurie, d'église*) stall

stand [stɑ̃d] *nm* (*d'exposition*) stand, stall; *Sport* **s. de ravitaillement** pit; **s. de tir** (*de foire*) shooting range; (*militaire*) firing range

standard [stɑ̃dar] **1** *nm* (*téléphonique*) switchboard **2** *adj inv* (*modèle*) standard ▪ **standardiser** *vt* to standardize ▪ **standardiste** *nmf* (switchboard) operator

standing [stɑ̃diŋ] *nm* standing, status; **immeuble de (grand) s.** luxury *Br* block of flats *or Am* apartment building

starter [starter] *nm* (*de véhicule*) choke; *Sport* starter

station [stasjɔ̃] *nf* (*de métro, d'observation, de radio*) station; (*de ski*) resort; (*d'autobus*) stop; **s. de taxis** *Br* taxi rank, *Am* taxi stand; **s. debout** standing (position) ▪ **station-service** (*pl* **stations-service**) *nf* service station, *Br* petrol *or Am* gas station

stationnaire [stasjɔnɛr] *adj* stationary

stationner [stasjɔne] *vi* (*être garé*) to be parked; (*se garer*) to park ▪ **stationnement** *nm* parking; **'s. interdit'** (*sur panneau*) 'no parking'

statique [statik] *adj* static

statistique [statistik] **1** *adj* statistical **2** *nf* (*donnée*) statistic; **la s.** (*science*) statistics (*sing*)

statue [staty] *nf* statue ▪ **statuette** *nf* statuette

statuer [statɥe] *vi* **s. sur** (*juge*) to rule on

statu quo [statykwo] *nm inv* status quo

stature [statyr] *nf* stature

statut [staty] *nm* (*position*) status; **statuts** (*règles*) statutes ▪ **statutaire** *adj* statutory

steak [stɛk] *nm* steak

stencil [stɛnsil] *nm* stencil

sténo [steno] *nf* (*personne*) stenographer; (*sténographie*) shorthand, stenography; **prendre qch en s.** to take sth down in shorthand ▪ **sténodactylo** *nf Br* shorthand typist, *Am* stenographer ▪ **sténographie** *nf* shorthand, stenography

stéréo [stereo] **1** *nf* stereo; **en s.** in stereo **2** *adj inv* (*disque*) stereo ▪ **stéréophonique** *adj* stereophonic

stéréotype [stereɔtip] *nm* stereotype ▪ **stéréotypé, -ée** *adj* stereotyped ▪ **stéréotyper** *vt* to stereotype

stérile [steril] *adj* sterile; (*terre*) barren ▪ **stérilisation** *nf* sterilization ▪ **stériliser** *vt* to sterilize ▪ **stérilité** *nf* sterility; (*de terre*) barrenness

stérilet [sterilɛ] *nm* IUD, coil

stéroïde [steʀɔid] *nm* steroid

stéthoscope [stetɔskɔp] *nm* stethoscope

steward [stiwaʀt] *nm (d'avion, de bateau)* steward

stigmate [stigmat] *nm Fig* mark, stigma (**de** of) ▪ **stigmatiser** *vt (dénoncer)* to stigmatize

stimuler [stimyle] *vt* to stimulate ▪ **stimulant** *nm Fig* stimulus; *(médicament)* stimulant ▪ **stimulateur** *nm* **s. cardiaque** pacemaker ▪ **stimulation** *nf* stimulation

stimulus [stimylys] *(pl stimuli* [-li]*) nm (physiologique)* stimulus *(pl stimuli)*

stipuler [stipyle] *vt* to stipulate (**que** that) ▪ **stipulation** *nf* stipulation

stock [stɔk] *nm* stock (**de** of); **en s.** in stock ▪ **stockage** *nm* stocking ▪ **stocker** *vt (provisions)* to stock

stoïque [stɔik] *adj* stoical ▪ **stoïcisme** *nm* stoicism

stop [stɔp] **1** *exclam* stop! **2** *nm Aut (panneau)* stop sign; *(feu arrière de véhicule) Br* brake light, *Am* stoplight; *Fam* **faire du s.** to hitchhike; *Fam* **prendre qn en s.** to give sb a *Br* lift *or Am* ride ▪ **stopper** *vti* to stop

store [stɔʀ] *nm Br* blind, *Am* (window) shade; *(de magasin)* awning

strabisme [strabism] *nm* squint

strapontin [strapɔ̃tɛ̃] *nm* tip-up *or* folding seat

stratagème [strataʒɛm] *nm* stratagem, ploy

stratège [strateʒ] *nm* strategist ▪ **stratégie** *nf* strategy ▪ **stratégique** *adj* strategic

stress [strɛs] *nm inv* stress ▪ **stressant, -ante** *adj* stressful ▪ **stressé, -ée** *adj* under stress, *Fam* stressed (out) ▪ **stresser 1** *vt* to put under stress, *Fam* to stress (out) **2** *vi Fam* to stress

strict, -e [strikt] *adj (principes, professeur)* strict; *(tenue, vérité)* plain; **le s. minimum** the bare minimum; **mon droit le plus s.** my basic right; **dans la plus stricte intimité** in the strictest privacy ▪ **strictement** [-əmɑ̃] *adv* strictly; *(vêtu)* plainly

strident, -ente [stridɑ̃, -ɑ̃t] *adj* shrill, strident

strie [stri] *nf (sillon)* groove; *(de couleur)* streak ▪ **strier** *vt* to streak

string [striŋ] *nm (slip)* G-string, thong

strip-tease [striptiz] *nm* striptease ▪ **strip-teaseur** *nm* (male) stripper ▪ **strip-teaseuse** *nf* stripper

strophe [strɔf] *nf* verse, stanza

structure [stryktyr] *nf* structure ▪ **structural, -e, -aux, -ales** *adj* structural ▪ **structurer** *vt* to structure

STS [esteɛs] *(abrév* **section de technicien supérieur)** *nf* = two-year advanced vocational course, taken after the baccalauréat

stuc [styk] *nm* stucco

studieux, -ieuse [stydjø, -jøz] *adj* studious; *(vacances)* devoted to study

studio [stydjo] *nm (de cinéma, de télévision, de* *peintre)* studio; *(logement) Br* studio flat, *Am* studio apartment

stupéfait, -aite [stypefɛ, -ɛt] *adj* amazed, astounded (**de** at, by) ▪ **stupéfaction** *nf* amazement

stupéfier [stypefje] *vt* to amaze, to astound ▪ **stupéfiant, -ante 1** *adj* amazing, astounding **2** *nm* drug, narcotic

stupeur [stypœʀ] *nf (étonnement)* amazement; *(inertie)* stupor

stupide [stypid] *adj* stupid ▪ **stupidement** *adv* stupidly ▪ **stupidité** *nf* stupidity; *(action, parole)* stupid thing

style [stil] *nm* style; **meubles de s.** period furniture ▪ **stylisé, -ée** *adj* stylized ▪ **styliste** *nmf* stylist ▪ **stylistique** *adj* stylistic

stylé, -ée [stile] *adj (personnel)* well-trained

stylo [stilo] *nm* pen; **s. à bille** ballpoint (pen), *Br* biro®; **s. à encre, s.-plume** fountain pen

su, sue [sy] *pp de* **savoir**

suave [sɥav] *adj (odeur, voix)* sweet

subalterne [sybaltɛrn] *adj & nmf* subordinate

subconscient, -ente [sypkɔ̃sjɑ̃, -ɑ̃t] *adj & nm* subconscious

subdiviser [sybdivize] *vt* to subdivide (**en** into) ▪ **subdivision** *nf* subdivision

subir [sybir] *vt* to undergo; *(conséquences, défaite, perte, tortures)* to suffer; *(influence)* to be under; **faire s. qch à qn** to subject sb to sth; *Fam* **s. qn** *(supporter)* to put up with sb

subit, -ite [sybi, -it] *adj* sudden ▪ **subitement** *adv* suddenly

subjectif, -ive [sybʒɛktif, -iv] *adj* subjective ▪ **subjectivement** *adv* subjectively ▪ **subjectivité** *nf* subjectivity

subjonctif [sybʒɔ̃ktif] *nm Grammaire* subjunctive

subjuguer [sybʒyge] *vt* to subjugate, to subdue; *(envoûter)* to captivate

sublime [syblim] *adj & nm* sublime ▪ **sublimer** *vt (passion)* to sublimate

submerger [sybmɛrʒe] *vt* to submerge; *Fig (envahir)* to overwhelm; *Fig* **submergé de travail** snowed under with work; **submergé par** *(ennemi, foule)* swamped by ▪ **submersible** *nm* submarine

subodorer [sybɔdɔre] *vt Fam* to scent

subordonner [sybɔʀdɔne] *vt* to subordinate (**à** to) ▪ **subordination** *nf* subordination ▪ **subordonné, -ée 1** *adj* subordinate (**à** to); **être s. à** *(dépendre de)* to depend on **2** *nmf* subordinate **3** *nf Grammaire* **subordonnée** subordinate clause

subreptice [sybrɛptis] *adj* surreptitious ▪ **subrepticement** *adv* surreptitiously

subside [sypsid] *nm* grant, subsidy

subsidiaire [sybsidjɛr] *adj* subsidiary; **question s.** *(de concours)* deciding question

subsister [sybziste] **1** *vi (chose)* to remain;

(personne) to subsist **2** *v impersonnel* to remain; **il subsiste un doute/une erreur** there remains some doubt/an error ▪**subsistance** *nf* subsistence

substance [sypstɑ̃s] *nf* substance; *Fig* **en s.** in essence ▪**substantiel, -ielle** *adj* substantial

substantif [sypstɑ̃tif] *nm Grammaire* noun

substituer [sypstitɥe] **1** *vt* to substitute (**à** for) **2 se substituer** *vpr* **se s. à qn** to take the place of sb, to substitute for sb ▪**substitution** *nf* substitution; **produit de s.** substitute (product); **maternité de s.** surrogacy

substitut [sypstity] *nm (produit)* substitute (**de** for); *(magistrat)* deputy public prosecutor

subterfuge [sypterfyʒ] *nm* subterfuge

subtil, -e [syptil] *adj* subtle ▪**subtilité** *nf* subtlety

subtiliser [syptilize] *vt Fam (dérober)* to make off with

subvenir* [sybvənir] *vi* **s. à** *(besoins, frais)* to meet

subvention [sybvɑ̃sjɔ̃] *nf* subsidy ▪**subventionner** *vt* to subsidize

subversif, -ive [sybvɛrsif, -iv] *adj* subversive ▪**subversion** *nf* subversion

suc [syk] *nm (gastrique, de fruit)* juice; *(de plante)* sap

succédané [syksedane] *nm* substitute (**de** for)

succéder [syksede] **1** *vi* **s. à qn** to succeed sb; **s. à qch** to follow sth, to come after sth **2 se succéder** *vpr (choses, personnes)* to follow one another

succès [syksɛ] *nm* success; **s. de librairie** *(livre)* best-seller; **avoir du s.** to be successful; **à s.** *(auteur, film)* successful; **avec s.** successfully

successeur [syksesœr] *nm* successor ▪**successif, -ive** *adj* successive ▪**successivement** *adv* successively ▪**succession** *nf* succession (**de** of, **à** to); *(série)* sequence (**de** of); *(patrimoine)* inheritance, estate; **prendre la s. de qn** to succeed sb

succinct, -incte [syksɛ̃, -ɛ̃t] *adj* succinct, brief

succion [sy(k)sjɔ̃] *nf* suction

succomber [sykɔ̃be] *vi (mourir)* to die; **s. à** *(céder à)* to succumb to; **s. à ses blessures** to die of one's wounds

succulent, -ente [sykylɑ̃, -ɑ̃t] *adj* succulent

succursale [sykyrsal] *nf (de magasin, de banque)* branch; **magasin à succursales multiples** chain store

sucer [syse] *vt* to suck ▪**sucette** *nf* lollipop; *(pour bébé)* Br dummy, Am pacifier

sucre [sykr] *nm* sugar; *(morceau)* sugar lump; **s. cristallisé** granulated sugar; **s. en morceaux** lump sugar; **s. en poudre, s. semoule** Br caster sugar, Am finely ground sugar; **s. d'orge** barley sugar

sucrer [sykre] *vt* to sugar, to sweeten ▪**sucré, -ée** *adj* sweet, sugary; *(artificiellement)* sweetened; *Fig (doucereux)* sugary, syrupy

sucrerie [sykrəri] *nf (usine)* sugar refinery; **sucreries** *(bonbons)* Br sweets, Am candy

sucrier, -ière [sykrije, -jɛr] **1** *adj* **industrie sucrière** sugar industry **2** *nm (récipient)* sugar bowl

sud [syd] **1** *nm* south; **au s.** in the south; *(direction)* (to the) south (**de** of); **du s.** *(vent, direction)* southerly; *(ville)* southern; *(gens)* from or in the south; **l'Afrique du S.** South Africa **2** *adj inv (côte)* south(ern) ▪**sud-africain, -aine** *(mpl* sud-africains, *fpl* sud-africaines) **1** *adj* South African **2** *nmf* **S.-Africain, S.-Africaine** South African ▪**sud-américain, -aine** *(mpl* sud-américains, *fpl* sud-américaines) **1** *adj* South American **2** *nmf* **S.-Américain, S.-Américaine** South American ▪**sud-est** *nm & adj inv* south-east ▪**sud-ouest** *nm & adj inv* south-west

Suède [sɥɛd] *nf* **la S.** Sweden ▪**suédois, -oise 1** *adj* Swedish **2** *nmf* **S., Suédoise** Swede **3** *nm (langue)* Swedish

suer [sɥe] **1** *vi (personne, mur)* to sweat; *Fam* **faire s. qn** to get on sb's nerves; *Fam* **se faire s.** to be bored stiff **2** *vt Fig* **s. sang et eau** to sweat blood ▪**sueur** *nf* sweat; **(tout) en s.** sweating; *Fam* **avoir des sueurs froides** to break out in a cold sweat

suffire* [syfir] **1** *vi* to be enough (**à** for); **ça suffit!** that's enough! **2** *v impersonnel* **il suffit de faire qch** one has only to do sth; **il suffit d'une goutte/d'une heure pour faire qch** a drop/an hour is enough to do sth; **il ne me suffit pas de faire qch** I'm not satisfied with doing sth **3 se suffire** *vpr* **se s. à soi-même** to be self-sufficient

suffisance [syfizɑ̃s] *nf (vanité)* conceit

suffisant, -ante [syfizɑ̃, -ɑ̃t] *adj (satisfaisant)* sufficient, adequate; *(vaniteux)* conceited ▪**suffisamment** [-amɑ̃] *adv* sufficiently; **s. de** enough, sufficient

suffixe [syfiks] *nm Grammaire* suffix

suffoquer [syfɔke] *vti* to choke, to suffocate; *Fig* **s. qn** *(étonner)* to astound sb, to stagger sb ▪**suffocant, -ante** *adj* stifling, suffocating ▪**suffocation** *nf* suffocation; *(sensation)* feeling of suffocation

suffrage [syfraʒ] *nm Pol (voix)* vote; **s. universel** universal suffrage; **suffrages exprimés** (valid) votes cast; *Fig* **remporter tous les suffrages** to win universal approval

suggérer [sygʒere] *vt (proposer)* to suggest (**à** to; **de faire** doing; **que** + *subjunctive* that); *(évoquer)* to suggest ▪**suggestif, -ive** *adj* suggestive ▪**suggestion** *nf* suggestion

suicide [sɥisid] *nm* suicide ▪**suicidaire** *adj* suicidal ▪**suicidé, -ée** *nmf* suicide (victim) ▪**se suicider** *vpr* to commit suicide

suie [sɥi] *nf* soot

suif [sɥif] *nm* tallow

suinter [sɥɛ̃te] *vi* to ooze ▪**suintement** *nm* oozing

suis [sɥi] *voir* **être, suivre**

Suisse [sɥis] *nf* **la S.** Switzerland; **S. allemande/romande** German-speaking/French-speaking Switzerland ▪**suisse 1** *adj* Swiss **2** *nmf* **S.** Swiss; **les Suisses** the Swiss ▪**Suissesse** *nf* Swiss (woman)

suite [sɥit] *nf* (*reste*) rest; (*continuation*) continuation; (*de film, de roman*) sequel; (*série*) series, sequence; (*appartement, escorte*) & *Mus* suite; (*cohérence*) order; **suites** (*séquelles*) effects; (*résultats*) consequences; **faire s. (à)** to follow; **donner s. à** (*demande*) to follow up; **prendre la s. de qn** to take over from sb; **attendre la s.** to wait and see what happens next; **avoir de la s. dans les idées** to be single-minded (of purpose); **par la s.** afterwards; **par s. de** as a result of; **à la s.** one after another; **à la s. de** (*derrière*) behind; (*événement, maladie*) as a result of; **de s.** (*deux jours*) in a row

suivant¹, -ante [sɥivɑ̃, -ɑ̃t] **1** *adj* next, following; (*ci-après*) following **2** *nmf* next (one); **au s.!** next!, next person! ▪**suivant²** *prép* (*selon*) according to

suivi, -ie [sɥivi] *adj* (*régulier*) regular, steady; (*cohérent*) coherent; **peu/très s.** (*cours*) poorly/well attended

suivre* [sɥivr] **1** *vt* to follow; (*accompagner*) to go with, to accompany; (*cours*) to attend, to go to; (*malade*) to treat; **s. qn/qch des yeux** *ou* **du regard** to watch sb/sth; **s. l'exemple de qn** to follow sb's example; **s. le mouvement** to follow the crowd; **s. l'actualité** to follow events *or* the news **2** *vi* to follow; **faire s.** (*courrier, lettre*) to forward; **'à s.'** 'to be continued'; **comme suit** as follows **3 se suivre** *vpr* to follow each other

sujet¹, -ette [syʒɛ, -ɛt] **1** *adj* **s. à** (*maladie*) subject to; **s. à caution** (*information, nouvelle*) unconfirmed **2** *nmf* (*personne*) subject

sujet² [syʒɛ] *nm* (**a**) (*question*) & *Grammaire* subject; (*d'examen*) question; **au s. de** about; **à quel s.?** about what? (**b**) (*raison*) cause; **sujet(s) de dispute** grounds for dispute (**c**) (*individu*) subject; **un brillant s.** a brilliant student

sulfurique [sylfyrik] *adj* (*acide*) *Br* sulphuric, *Am* sulfuric

sultan [syltɑ̃] *nm* sultan

summum [sɔmɔm] *nm* *Fig* (*comble*) height

super [sypɛr] **1** *adj inv* *Fam* (*bon*) great, super **2** *nm* (*supercarburant*) *Br* four-star (petrol), *Am* premium *ou* hi(gh)-test gas ▪**supercarburant** *nm* high-octane *Br* petrol *or Am* gasoline ▪**supergrand** *nm* *Fam Pol* superpower

superbe [sypɛrb] *adj* superb

supercherie [sypɛrʃəri] *nf* deception

supérette [sypeʀɛt] *nf* convenience store, minimarket

superficie [sypɛrfisi] *nf* surface; (*dimensions*) area ▪**superficiel, -ielle** *adj* superficial ▪**superficiellement** *adv* superficially

superflu, -ue [sypɛrfly] *adj* superfluous

supérieur, -e [sypeʀjœr] **1** *adj* (*étages, partie*) upper; (*qualité, air, ton*) superior; **à l'étage s.** on the floor above; **s. à** (*meilleur que*) superior to, better than; (*plus grand que*) above, greater than; **s. à la moyenne** above average; **études supérieures** higher *or* university studies **2** *nmf* superior ▪**supériorité** *nf* superiority

superlatif, -ive [sypɛrlatif, -iv] *adj* & *nm* *Grammaire* superlative

supermarché [sypɛrmarʃe] *nm* supermarket

superposer [sypɛrpoze] *vt* (*objets*) to put on top of each other; (*images*) to superimpose ▪**superposition** *nf* *Ordinat* **mode de s.** overwrite mode

superproduction [sypɛrprɔdyksjɔ̃] *nf* (*film*) blockbuster

superpuissance [sypɛrpɥisɑ̃s] *nf* *Pol* superpower

supersonique [sypɛrsɔnik] *adj* supersonic

superstar [sypɛrstar] *nf* superstar

superstitieux, -ieuse [sypɛrstisjø, -jøz] *adj* superstitious ▪**superstition** *nf* superstition

superviser [sypɛrvize] *vt* to supervise

supplanter [syplɑ̃te] *vt* to take the place of

suppléer [syplee] *vi* **s. à** (*compenser*) to make up for ▪**suppléant, -ante** *adj* & *nmf* (*personne*) substitute, replacement; **(professeur) s.** substitute *or Br* supply teacher

supplément [syplemɑ̃] *nm* (*argent*) extra charge, supplement; (*de revue, de livre*) supplement; **en s.** extra; **un s. de** (*information, de travail*) extra, additional; **payer un s.** to pay extra, to pay a supplement ▪**supplémentaire** *adj* extra, additional

supplication [syplikasjɔ̃] *nf* plea, entreaty

supplice [syplis] *nm* torture; *Fig* **au s.** in agony ▪**supplicier** *vt* to torture

supplier [syplije] *vt* **s. qn de faire qch** to beg sb to do sth; **je vous en supplie!** I beg you! ▪**suppliant, -ante** *adj* (*regard*) imploring

support [sypɔr] *nm* support; (*d'instrument*) stand; *Fig* (*moyen*) medium; **s. audio-visuel** audio-visual aid

supporter¹ [sypɔrte] *vt* (*malheur, conséquences*) to bear, to stand, to endure; (*chaleur*) to withstand; (*plafond*) to support; (*frais*) to bear; (*affront*) to suffer; **je ne peux pas la s.** I can't bear *or* stand her ▪**supportable** *adj* bearable; (*excusable, passable*) tolerable

supporter² [sypɔrtɛr] *nm* (*de football*) supporter

supposer [sypoze] *vt* to suppose, to assume (**que** that); (*impliquer*) to imply (**que** that); **à**

s. *ou* **en supposant que...** *(+ subjunctive)* supposing (that)... ▪**supposition** *nf* assumption, supposition

suppositoire [sypozitwar] *nm* suppository

suppression [sypresjɔ̃] *nf* removal; *(de mot)* deletion; *(de train)* cancellation; *(d'emplois)* axing

supprimer [syprime] **1** *vt* to get rid of, to remove; *(mot, passage)* to cut out, to delete; *(train)* to cancel; *(tuer)* to do away with; **s. des emplois** to axe jobs; **s. qch à qn** to take sth away from sb **2 se supprimer** *upr (se suicider)* to do away with oneself

> Il faut noter que le verbe anglais **to suppress** est un faux ami. Il signifie **réprimer** ou **interdire**.

supputer [sypyte] *vt* to calculate

suprématie [sypremasi] *nf* supremacy

suprême [syprem] *adj* supreme

sur [syr] *prép* on, upon; *(par-dessus)* over; *(au sujet de)* on, about; **six s. dix** six out of ten; **un jour s. deux** every other day; **six mètres s. dix** six metres by ten; **coup s. coup** blow after *or* upon blow; **s. ce** after which, and then; *(maintenant)* and now; **s. votre gauche** to *or* on your left; **mettre/monter s. qch** to put/climb on (to) sth; **aller s. ses vingt ans** to be approaching twenty; **être s. le départ** to be about to leave

sûr, sûre [syr] *adj* sure, certain (**de** of; **que** that); *(digne de confiance)* reliable; *(lieu)* safe; *(avenir)* secure; *(goût)* discerning; *(jugement)* sound; *(main)* steady; **c'est s. que...** *(+ indicative)* it's certain that...; **s. de soi** self-assured; *Fam* **être s. de son coup** to be quite sure of oneself; **bien s.!** of course!

surabondant, -ante [syrabɔ̃dɑ̃, -ɑ̃t] *adj* overabundant

suranné, -ée [syrane] *adj* outmoded

surcharge [syrʃarʒ] *nf* (**a**) *(poids)* excess weight; **s. de travail** extra work; **en s.** *(passagers)* extra (**b**) *(correction)* alteration *(à payer)* surcharge ▪**surcharger** *vt (voiture, personne)* to overload (**de** with)

surchauffer [syrʃofe] *vt* to overheat

surchoix [syrʃwa] *adj inv* top-quality

surclasser [syrklase] *vt* to outclass

surcroît [syrkrwa] *nm* increase (**de** in); **de s., par s.** in addition

surdité [syrdite] *nf* deafness

surdose [syrdoz] *nf (de drogue)* overdose

surdoué, -ée [syrdwe] **1** *adj* exceptionally gifted **2** *nmf* gifted child

surélever [syrelve] *vt* to raise

sûrement [syrmɑ̃] *adv* certainly; *(sans danger)* safely

surenchère [syrɑ̃ʃɛr] *nf (offre d'achat)* higher bid ▪**surenchérir** *vi* to bid higher (**sur** than)

surestimer [syrestime] *vt* to overestimate; *(tableau)* to overvalue

sûreté [syrte] *nf* safety; *(de l'État)* security; *(garantie)* surety; *(de geste)* sureness; *(de jugement)* soundness; **être en s.** to be safe; **mettre qn/qch en s.** to put sb/sth in a safe place; **pour plus de s.** to be on the safe side

surexcité, -ée [syreksite] *adj* overexcited

surf [sœrf] *nm Sport* surfing; **faire du s.** to surf, to go surfing ▪**surfer** *vi Sport* to surf; *Ordinat* **s. sur le Net** to surf the Net ▪**surfeur, -euse** *nmf Sport & Ordinat* surfer

surface [syrfas] *nf* surface; *(étendue)* (surface) area; **faire s.** *(sous-marin)* to surface; **(magasin à) grande s.** hypermarket; **de s.** *(politesse)* superficial

surfait, -aite [syrfɛ, -ɛt] *adj* overrated

surgelé, -ée [syrʒəle] *adj* frozen ▪**surgelés** *nmpl* frozen foods

surgir [syrʒir] *vi* to appear suddenly (**de** from); *(problème)* to crop up

surhomme [syrɔm] *nm* superman ▪**surhumain, -aine** *adj* superhuman

sur-le-champ [syrləʃɑ̃] *adv* immediately

surlendemain [syrlɑ̃dəmɛ̃] *nm* **le s.** two days later; **le s. de** two days after

surligner [syrliɲe] *vt* to highlight ▪**surligneur** *nm* highlighter (pen)

surmener [syrməne] *vt, se surmener* *upr* to overwork ▪**surmenage** *nm* overwork

surmonter [syrmɔ̃te] *vt (être placé sur)* to surmount; *Fig (obstacle, peur)* to overcome

surnager [syrnaʒe] *vi* to float

surnaturel, -elle [syrnatyrɛl] *adj & nm* supernatural

surnom [syrnɔ̃] *nm* nickname ▪**surnommer** *vt* to nickname

> Il faut noter que le nom anglais **surname** est un faux ami. Il signifie **nom de famille**.

surnombre [syrnɔ̃br] *nm* **en s.** too many; **je suis en s.** I am one too many

surpasser [syrpase] **1** *vt* to surpass (**en** in) **2 se surpasser** *upr* to surpass oneself

surpeuplé, -ée [syrpœple] *adj* overpopulated

surplace [syrplas] *nm* **faire du s.** *(dans un embouteillage) & Fig* to be hardly moving

surplomb [syrplɔ̃] *nm* **en s.** overhanging ▪**surplomber** *vti* to overhang

surplus [syrply] *nm* surplus

surprendre* [syrprɑ̃dr] **1** *vt (étonner)* to surprise; *(prendre sur le fait)* to catch; *(secret)* to discover; *(conversation)* to overhear **2 se surprendre** *upr* **se s. à faire qch** to find oneself doing sth ▪**surprenant, -ante** *adj* surprising ▪**surpris, -ise** *adj* surprised (**de** at; **que** + *subjunctive* that); **je suis s. de te voir** I'm surprised to see you ▪**surprise** *nf* surprise; **prendre qn par s.** to catch sb unawares

surproduction [syrprɔdyksjɔ̃] *nf* overproduction

surréaliste [syrrealist] *adj & nmf (poète, peintre)* surrealist; *Fam (bizarre)* surrealistic ▪**surréalisme** *nm* surrealism

sursaut [syrso] *nm* (sudden) start *ou* jump; **s. d'énergie** burst of energy; **se réveiller en s.** to wake (up) with a start ▪**sursauter** *vi* to jump, start

sursis [syrsi] *nm (à l'armée)* deferment; *Fig (répit)* reprieve; **un an (de prison) avec s.** a one-year suspended sentence

surtaxe [syrtaks] *nf* surcharge ▪**surtaxé, -ée** *adj Tél (numéro)* premium-rate

surtout [syrtu] *adv* especially; *(avant tout)* above all; **s. pas** certainly not; *Fam* **s. que...** especially since *ou* as...

surveiller [syrveje] **1** *vt (garder)* to watch, to keep an eye on; *(contrôler)* to supervise; *(épier)* to watch; *Fig* **s. son langage/sa santé** to watch one's language/health **2 se surveiller** *vpr* to watch oneself ▪**surveillance** *nf* watch (**sur** over); *(de travaux, d'ouvriers)* supervision; *(de police)* surveillance ▪**surveillant, -ante** *nmf (de lycée)* supervisor (in charge of discipline); *(de prison)* (prison) guard, *Br* warder; *(de chantier)* supervisor; **s. de plage** lifeguard

> Il faut noter que les termes anglais **surveyor** et **to survey** sont des faux amis. Le premier signifie **géomètre** et le second ne se traduit jamais par **surveiller**.

survenir* [syrvənir] *vi* to occur; *(personne)* to turn up

survêtement [syrvɛtmã] *nm* tracksuit

survie [syrvi] *nf* survival ▪**survivre*** *vi* to survive (**à qch** sth); **s. à qn** to outlive sb ▪**survivance** *nf (chose)* survival, relic ▪**survivant, -ante** *nmf* survivor

survol [syrvɔl] *nm* **le s. de** *(en avion)* flying over; *Fig (question)* the overview of ▪**survoler** *vt* to fly over; *Fig (question)* to skim over

survolté, -ée [syrvɔlte] *adj (surexcité)* overexcited

sus [sys] **en sus** *adv Littéraire* in addition

susceptible [sysɛptibl] *adj (ombrageux)* touchy, sensitive; **s. de** *(interprétations)* open to; **s. de faire qch** likely *ou* liable to do sth; *(capable)* able to do sth ▪**susceptibilité** *nf* touchiness, sensitivity

susciter [sysite] *vt (sentiment)* to arouse; *(ennuis, obstacles)* to create

suspect, -ecte [syspɛ, -ɛkt] **1** *adj* suspicious, suspect; **s. de qch** suspected of sth **2** *nmf* suspect ▪**suspecter** *vt (personne)* to suspect (**de qch** of sth; **de faire** of doing); *(sincérité)* to question, to suspect

suspendre [syspɑ̃dr] **1** *vt (accrocher)* to hang (up) (**à** on); *(destituer, interrompre, différer)* to

suspend **2 se suspendre** *vpr* **se s. à** to hang from ▪**suspendu, -ue** *adj* **s. à** hanging from; **pont s.** suspension bridge; *Fig* **être s. aux paroles de qn** to hang upon sb's every word ▪**suspension** *nf (d'hostilités, d'employé, de véhicule)* suspension

suspens [syspɑ̃] **en suspens** *adv (affaire, travail)* in abeyance; *(en l'air)* suspended

suspense [syspɛns] *nm* suspense

suspicion [syspisjɔ̃] *nf* suspicion

susurrer [sysyre] *vti* to murmur

suture [sytyr] *nf* suture; *Méd* **point de s.** stitch ▪**suturer** *vt* to stitch up

svelte [svɛlt] *adj* slender ▪**sveltesse** *nf* slenderness

SVP [ɛsvepe] *(abrév* **s'il vous plaît)** please

syllabe [silab] *nf* syllable

symbole [sɛ̃bɔl] *nm* symbol ▪**symbolique** *adj* symbolic; *(salaire, cotisation, loyer)* nominal; **geste s.** symbolic *ou* token gesture ▪**symboliser** *vt* to symbolize ▪**symbolisme** *nm* symbolism

symétrie [simetri] *nf* symmetry ▪**symétrique** *adj* symmetrical

sympa [sɛ̃pa] *adj inv Fam* nice

sympathie [sɛ̃pati] *nf (affinité)* liking; *(condoléances)* sympathy; **avoir de la s. pour qn** to be fond of sb ▪**sympathique** *adj* nice; *(accueil)* friendly ▪**sympathisant, -ante** *nmf (de parti politique)* sympathizer ▪**sympathiser** *vi* to get along well, *Br* to get on well (**avec** with)

> Il faut noter que les termes anglais **sympathy, sympathetic** et **to sympathize** sont des faux amis. Ils signifient respectivement **compassion, compréhensif** et **compatir**.

symphonie [sɛ̃fɔni] *nf* symphony ▪**symphonique** *adj* symphonic; **orchestre s.** symphony orchestra

symposium [sɛ̃pozjɔm] *nm* symposium

symptôme [sɛ̃ptom] *nm Méd & Fig* symptom ▪**symptomatique** *adj* symptomatic (**de** of)

synagogue [sinagɔg] *nf* synagogue

synchroniser [sɛ̃krɔnize] *vt* to synchronize

syncope [sɛ̃kɔp] *nf (évanouissement)* blackout; **tomber en s.** to black out

syndicat [sɛ̃dika] *nm (d'ouvriers) (Br* trade *or Am* labor) union; *(de patrons)* association; **s. d'initiative** tourist (information) office ▪**syndical, -e, -aux, -ales** *adj* **réunion syndicale** *(Br* trade *or Am* labor) union meeting ▪**syndicalisme** *nm Br* trade *or Am* labor unionism ▪**syndicaliste** **1** *nmf Br* trade *or Am* labor unionist **2** *adj* **esprit/idéal s.** union spirit/ideal

syndiquer [sɛ̃dike] **1** *vt* to unionize **2 se syndiquer** *vpr (adhérer)* to join a *(Br* trade *or Am* labor) union ▪**syndiqué, -ée** *nmf (Br* trade *or Am* labor) union member

syndrome [sɛ̃drom] *nm Méd & Fig* syndrome; **s. immunodéficitaire acquis** acquired immune deficiency syndrome; **syndrome prémenstruel** premenstrual syndrome, *Br* premenstrual tension

synonyme [sinɔnim] **1** *adj* synonymous (**de** with) **2** *nm* synonym

syntaxe [sɛ̃taks] *nf (grammaire)* syntax

synthèse [sɛ̃tɛz] *nf* synthesis ▪ **synthétique** *adj* synthetic

synthétiseur [sɛ̃tetizœr] *nm* synthesizer

syphilis [sifilis] *nf Méd* syphilis

Syrie [siri] *nf* la S. Syria ▪ **syrien, -ienne 1** *adj* Syrian **2** *nmf* S., Syrienne Syrian

système [sistɛm] *nm (structure, réseau) & Anat* system; **le s. immunitaire** the immune system; **le s. nerveux** the nervous system; *Fam* **le s. D** resourcefulness; *Ordinat* **s. d'exploitation** operating system ▪ **systématique** *adj* systematic ▪ **systématiquement** *adv* systematically

T, t [te] *nm inv* T, t

t' [t] *voir* **te**

ta [ta] *voir* **ton¹**

tabac [taba] *nm* tobacco; *(magasin)* Br
tobacconist's (shop), Am tobacco store; *Fam*
faire un t. to be a big hit; *Fam* **passer qn à t.** to
beat sb up; *Fam* **passage à t.** beating up; **t. à
priser** snuff ■ **tabasser** *vt Fam* to beat up; **se
faire t.** to get beaten up

table [tabl] *nf* (a) *(meuble)* table; *(d'école)* desk;
mettre/débarrasser la t. to set *or* Br lay/clear
the table; **être à t.** to be sitting at the table; **à t.!**
food's ready!; *Fig* **faire t. rase** to make a clean
sweep (**de** of); **mettre qn sur t. d'écoute** to tap
sb's phone; **t. à repasser** ironing board; **t. de
nuit/d'opération/de jeu** bedside/operating/
card table; **t. basse** coffee table; **t. ronde**
(réunion) (round-table) conference; **t. roulante** Br (tea) trolley, Am (serving) cart (**b**) *(liste)*
table; **t. des matières** table of contents

tableau, -x [tablo] *nm* (a) *(peinture)* picture,
painting; *(image, description)* picture; *(scène de
théâtre)* scene; **t. de maître** *(peinture)* old
master (**b**) *(panneau)* board; *(liste)* list;
(graphique) chart; **t. (noir)** (black)board; **t.
d'affichage** Br noticeboard, Am bulletin board;
t. de bord *(de véhicule)* dashboard; *(d'avion)*
instrument panel; **t. des départs/arrivées** *(de
gare, d'aéroport)* departures/arrivals board; *Scol*
avoir le t. d'honneur Br to get one's name
on the merit list, Am to make the honor roll

tabler [table] *vi* **t. sur qch** to count *or* rely on sth

tablette [tablet] *nf* *(de chocolat)* bar, slab; *(de
lavabo)* shelf; *(de cheminée)* mantelpiece

tableur [tablœr] *nm* Ordinat spreadsheet

tablier [tablije] *nm* (a) *(vêtement)* apron;
(d'écolier) smock; *Fig* **rendre son t.** to hand in
one's notice (**b**) *(de pont)* roadway

tabou [tabu] *adj & nm* taboo

taboulé [tabule] *nm* Culin tabbouleh

tabouret [taburɛ] *nm* stool

tabulateur [tabylatœr] *nm (d'ordinateur, de
machine à écrire)* tabulator

tac [tak] *nm* **répondre du t. au t.** to give tit for tat

tache [taʃ] *nf* mark; *(salissure)* stain; *Péj* **faire t.**
(détonner) to jar, to stand out; *Fig* **faire t. d'huile**
to spread ■ **tacher** *vt*, **se tacher** *vpr (tissu)* to
stain

tâche [taʃ] *nf* task, job; **être à la t.** to be on
piecework; *Fig* **se tuer à la t.** to work oneself
to death; **tâches ménagères** housework

tâcher [taʃe] *vi* **t. de faire qch** to try to do sth

tâcheron [taʃrɔ̃] *nm Péj* drudge

tacheté, -ée [taʃte] *adj* speckled (**de** with)

tacite [tasit] *adj* tacit ■ **tacitement** *adv* tacitly

taciturne [tasityrn] *adj* taciturn

tacot [tako] *nm Fam (voiture)* (old) wreck, *Br*
banger

tact [takt] *nm* tact; **avoir du t.** to be tactful

tactile [taktil] *adj* tactile

tactique [taktik] **1** *adj* tactical **2** *nf* tactics
(sing); **une t.** a tactic

tag [tag] *nm tag (spray-painted graffiti)* ■ **taguer**
vti to tag, to spray-paint ■ **tagueur, -euse** *nmf*
graffiti artist, tagger

Tahiti [taiti] *nm* Tahiti ■ **tahitien, -ienne** [taisjɛ̃,
-jɛn] **1** *adj* Tahitian **2** *nmf* **T., Tahitienne** Tahitian

tai-chi [tajʃi] *nm* tai chi

taie [te] *nf* **t. d'oreiller** pillowcase, pillowslip

taillade [tajad] *nf* gash, slash ■ **taillader** *vt* to
gash, to slash

taille¹ [taj] *nf* (a) *(hauteur)* height; *(dimension,
mesure)* size; **de haute t.** *(personne)* tall; **de
petite t.** short; **de t. moyenne** medium-sized;
Fig **être de t. à faire qch** to be capable of
doing sth; *Fam* **de t.** *(erreur, objet)* enormous
(**b**) *(ceinture)* waist; **tour de t.** waist
measurement

taille² [taj] *nf* cutting; *(de haie)* trimming;
(d'arbre) pruning ■ **taillé, -ée** *adj* **t. en athlète**
built like an athlete; *Fig* **t. pour faire qch** cut
out for doing sth ■ **tailler 1** *vt* to cut; *(haie,
barbe)* to trim; *(arbre)* to prune; *(crayon)* to
sharpen; *(vêtement)* to cut out **2 se tailler** *vpr*
(**a**) **se t. la part du lion** to take the lion's share
(**b**) *Fam (partir)* to beat it

taille-crayon [tajkrɛjɔ̃] *nm inv* pencil-
sharpener

tailleur [tajœr] *nm (personne)* tailor; *(costume)*
suit

taillis [taji] *nm* copse, coppice

tain [tɛ̃] *nm (de glace)* silvering; **glace sans t.**
two-way mirror

taire* [ter] **1** *vt* to say nothing about **2** *vi* **faire t.
qn** to silence sb **3 se taire** *vpr (ne rien dire)* to
keep quiet (**sur qch** about sth); *(cesser de
parler)* to stop talking, to fall silent; **tais-toi!** be
quiet!

Taïwan [tajwan] *nm ou f* Taiwan ■**taïwanais, -aise1** *adj* Taiwanese 2 *nmf* T., Taïwanaise Taiwanese

talc [talk] *nm* talcum powder, talc

talé, -ée [tale] *adj (fruit)* bruised

talent [talã] *nm* talent; **avoir du t.** to be talented ■**talentueux, -ueuse** *adj* talented

talion [taljõ] *nm* **la loi du t.** an eye for an eye

talisman [talismã] *nm* talisman

talkie-walkie [talkiwalki] *(pl* **talkies-walkies)** *nm* walkie-talkie

taloche [talɔʃ] *nf Fam (gifle)* clout

talon [talɔ̃] *nm* (**a**) *(de chaussure)* heel; **tourner les talons** to walk away; **c'est son t. d'Achille** it's his Achilles' heel; **(chaussures à) talons hauts** high heels, high-heeled shoes; **talons aiguilles** stiletto heels (**b**) *(de chèque)* stub, counterfoil; *(bout de pain)* crust; *(de jambon)* heel ■**talonnette** *nf (pour chaussure)* heel pad

talonner [talɔne] **1** *vt (fugitif)* to follow on the heels of **2** *vi Rugby* to heel

talus [taly] *nm* slope

tambour [tãbur] *nm (de machine, instrument de musique)* drum; *(personne)* drummer; **sans t. ni trompette** quietly, without fuss ■**tambourin** *nm* tambourine ■**tambouriner** *vi (avec les doigts)* to drum (**sur** on)

tamis [tami] *nm* sieve ■**tamiser** *vt (farine)* to sift; *(lumière)* to filter

Tamise [tamiz] *nf* la T. the Thames

tampon [tãpɔ̃] *nm* (**a**) *(marque, instrument)* stamp; **t. dateur** date stamp; **t. encreur** ink pad; **lettre à renvoyer avant minuit le t. de la poste faisant foi** letter to be postmarked no later than midnight (**b**) *(bouchon)* plug, stopper; *(de coton)* wad, pad; *(pour pansement)* swab; **t. (hygiénique** *ou* **périodique)** tampon; **t. à récurer** scouring pad (**c**) *(de train)* & *Fig* buffer; **état t.** buffer state

tamponner [tãpɔne] **1** *vt (lettre, document)* to stamp; *(visage)* to dab; *(plaie)* to swab; *(train, voiture)* to crash into **2 se tamponner** *vpr* to crash into each other ■**tamponneuses** *adj fpl* **autos t.** Dodgems®, bumper cars

tam-tam [tamtam] *(pl* **tam-tams)** *nm (tambour)* tom-tom

tandem [tãdɛm] *nm (bicyclette)* tandem; *Fig (duo)* duo; **travailler en t.** to work in tandem

tandis [tãdi] **tandis que** *conj (simultanéité)* while; *(contraste)* whereas, while

tangent, -ente [tãʒã, -ãt] *adj* tangential (**à** to); *Fam (juste)* touch and go ■**tangente** *nf* tangent

tangible [tãʒibl] *adj* tangible

tango [tãgo] *nm* tango

tanguer [tãge] *vi (bateau, avion)* to pitch ■**tangage** *nm (de bateau, d'avion)* pitching

tanière [tanjɛr] *nf* den, lair

tank [tãk] *nm* tank

tanker [tãker] *nm (navire)* tanker

tanner [tane] *vt (cuir)* to tan ■**tanné, -ée** *adj (visage)* weather-beaten

tant [tã] *adv (travailler)* so much (**que** that); **t. de** *(pain, temps)* so much (**que** that); *(gens, choses)* so many (**que** that); **t. de fois** so often, so many times; **t. que** *(autant que)* as much as; *(aussi fort que)* as hard as; *(aussi longtemps que)* as long as; **en t. que** *(considéré comme)* as; **t. bien que mal** more or less, somehow or other; **t. mieux!** so much the better!; **t. pis!** too bad!; **t. mieux pour toi!** good for you!; **t. pis pour toi!** too bad (for you)!; **t. soit peu** (even) remotely *or* slightly; **un t. soit peu** somewhat; **t. s'en faut** far from it

tante [tãt] *nf* aunt

tantinet [tãtinɛ] *nm & adv* **un t.** a tiny bit (**de** of)

tantôt [tãto] *adv* (**a**) **t....t....** sometimes... sometimes... (**b**) *(cet après-midi)* this afternoon

tapage [tapaʒ] *nm* din, disturbance ■**tapageur, -euse** *adj (bruyant)* rowdy; *(criard)* flashy

tape [tap] *nf* slap

tape-à-l'œil [tapalœj] *adj inv Fam* flashy, showy

taper [tape] **1** *vt (enfant, cuisse)* to slap; *(table)* to bang; **t. qch à la machine** to type sth; **t. au toucher** to touch-type; *Fam* **t. qn** *(emprunter de l'argent à)* to cadge money off sb **2** *vi (soleil)* to beat down; **t. du pied** to stamp one's foot; **t. à la porte** to knock on the door; **t. à la machine** to type; **t. sur qch** to bang on sth; *Fam* **t. sur qn** *(critiquer)* to knock sb; *Fam* **t. sur les nerfs de qn** to get on sb's nerves; *Fam* **t. dans** *(provisions)* to dig into; *Fam* **t. dans l'œil à qn** to take sb's fancy **3 se taper** *vpr Fam (travail)* to get landed with; *Fam (nourriture)* to scoff; *(boisson)* to sink; **je me taperais bien une bière** I could murder a beer; *très Fam (s'en moquer)* **elle s'en tape** she doesn't give *Br* a toss *or Am* a rat's ass ■**tapant, -ante** *adj* **à huit heures tapantes** at eight sharp

tapeur, -euse [tapœr, -øz] *nmf Fam* scrounger

tapioca [tapjɔka] *nm* tapioca

tapir [tapir] **se tapir** *vpr* to crouch ■**tapi, -ie** *adj* crouching, crouched

tapis [tapi] *nm* carpet; **envoyer qn au t.** *(abattre)* to floor sb; **mettre qch sur le t.** *(sujet)* to bring sth up for discussion; **dérouler le t. rouge** to put out the red carpet; **t. de bain** bath mat; **t. de sol** earth mat; *Ordinat* **t. de souris** mouse mat; **t. roulant** *(pour marchandises)* conveyor belt; *(pour personnes)* moving walkway ■**tapis-brosse** *(pl* **tapis-brosses)** *nm* doormat

tapisser [tapise] *vt (mur)* to (wall)paper; *(de tentures)* to hang with tapestry; *Fig (recouvrir)* to cover ■**tapisserie** *nf (papier peint)* wallpaper; *(broderie)* tapestry; *Fig* **faire t.** *(jeune* *fille)* to be a wallflower ▪**tapissier, -ière** *nmf (qui pose des tissus)* upholsterer

tapoter [tapɔte] **1** *vt* to tap; *(joue)* to pat **2** *vi* **t. sur** to tap (on)

taquin, -ine [takɛ̃, -in] *adj* teasing ▪**taquiner** *vt* to tease ▪**taquineries** *nfpl* teasing

tarabiscoté, -ée [tarabiskɔte] *adj* over-elaborate

tarabuster [tarabyste] *vt (idée)* to trouble

tarauder [tarode] *vt* to gnaw at

tard [tar] *adv* late; **plus t.** later (on); **au plus t.** at the latest; **sur le t.** late in life

tarder [tarde] **1** *vi (lettre, saison)* to be a long time coming; **sans t.** without delay; **t. à faire qch** to take one's time doing sth; **elle ne va pas t.** she won't be long **2** *v impersonnel* **il me tarde de le faire** I can't wait to do it, I'm dying to do it

tardif, -ive [tardif, -iv] *adj* late; *(regrets)* belated ▪**tardivement** *adv* late

tare [tar] *nf (poids)* tare; *Fig (défaut)* defect ▪**taré, -ée** *adj Fam (fou)* mad

tarentule [tarɑ̃tyl] *nf* tarantula

targuer [targe] **se targuer** *upr* **se t. de qch/de faire qch** to pride oneself on sth/on doing sth

tarif [tarif] *nm (prix)* rate; *(de train)* fare; *(tableau)* price list, *Br* tariff; **plein t.** full price; *(de train, bus)* full fare ▪**tarification** *nf* pricing

tarir [tarir] *vti,* **se tarir** *upr (fleuve)* & *Fig* to dry up; *Fig* **ne pas t. d'éloges sur qn** to rave about sb

tarot [taro] *nm* tarot

tartare [tartar] *adj* **sauce t.** tartar(e) sauce

tarte [tart] **1** *nf (open)* pie, tart; *Fam* **ce n'est pas de la t.!** it isn't easy! **2** *adj inv Fam (sot)* silly ▪**tartelette** [-alɛt] *nf* (small) tart

tartine [tartin] *nf* slice of bread; **t. de beurre/de confiture** slice of bread and butter/jam ▪**tartiner** *vt (beurre)* to spread; **fromage à t.** cheese spread

tartre [tartr] *nm (de bouilloire)* scale, *Br* fur; *(de dents)* tartar

tas [tɑ] *nm* pile, heap; **mettre qch en t.** to pile *or* heap sth up; *Fam* **un** *ou* **des t. de** *(beaucoup)* loads of; *Fam* **apprendre sur le t.** to learn on the job

tasse [tɑs] *nf* cup; **t. à café** coffee cup; **t. à thé** teacup; *Fam* **boire la t.** to swallow a mouthful *(when swimming)*

tasser [tɑse] **1** *vt* to pack (**dans** into); *(terre)* to pack down; *Fam* **un café bien tassé** *(fort)* a strong coffee **2** **se tasser** *upr (se serrer)* to squeeze up; *(sol)* to sink, to collapse; *(se voûter)* to become bowed; *Fam* **ça va se t.** *(s'arranger)* things will settle down

tâter [tɑte] **1** *vt* to feel; *Fig* **t. le terrain** to see how the land lies **2** *vi* **t. de** *(prison, métier)* to have a taste of **3** **se tâter** *upr (hésiter)* to be in two minds

tatillon, -onne [tatijɔ̃, -ɔn] *adj Fam* finicky

tâtonner [tɑtɔne] *vi* to grope about ▪**tâtonnement** *nm* **par t.** *(procéder)* by trial and error ▪**tâtons** *adv* **avancer à t.** to feel one's way (along); **chercher qch à t.** to grope for sth

tatouer [tatwe] *vt (corps, dessin)* to tattoo; **se faire t.** to get a tattoo; **se faire t. un bateau sur le bras** to get a boat tattooed on one's arm ▪**tatouage** *nm (dessin)* tattoo; *(action)* tattooing

taudis [todi] *nm* slum

taule [tol] *nf Fam (prison) Br* nick, *Am* can

taupe [top] *nf (animal, espion)* mole ▪**taupinière** *nf* molehill

taureau, -x [tɔro] *nm* bull; **le T.** *(signe)* Taurus; **être T.** to be (a) Taurus ▪**tauromachie** *nf* bull-fighting

taux [to] *nm* rate; **t. d'alcool/de cholestérol** alcohol/cholesterol level; **t. d'intérêt/de change** interest/exchange rate; **t. de natalité/de mortalité** birth/death rate

taverne [tavɛrn] *nf* tavern

taxe [taks] *nf (impôt)* tax; **t. à la valeur ajoutée** value-added tax ▪**taxation** *nf* taxation

taxer [takse] *vt (produit, personne, firme)* to tax; **t. qn de** to accuse sb of sth; *Fam* **t. qch à qn** *(voler)* to cadge sth off sb ▪**taxé, -ée** *adj (produit)* taxed

taxi [taksi] *nm* taxi

tchador [tʃador] *nm (voile)* chador

tchatcher [tʃatʃe] *vi Fam* to chat ▪**tchatche** *nf Fam* **avoir de la t.** to have the gift of the gab ▪**tchatcheur, -euse** *nmf Fam* smooth talker

Tchécoslovaquie [tʃekɔslɔvaki] *nf Ancien-nement* **la T.** Czechoslovakia ▪**tchèque 1** *adj* Czech; **la République t.** the Czech Republic **2** *nmf* **T.** Czech **3** *nm (langue)* Czech

TD [tede] *(abrév* **travaux dirigés)** *nm Scol & Univ* ≃ tutorial

te [tə]

t' is used before a word beginning with a vowel or h mute.

pron personnel (**a**) *(complément direct)* you; **je te vois** I see you (**b**) *(indirect)* (to) you; **il te parle** he speaks to you; **elle te l'a dit** she told you (**c**) *(réfléchi)* yourself; **tu te laves** you wash yourself

technicien, -ienne [tɛknisjɛ̃, -jɛn] *nmf* technician ▪**technique 1** *adj* technical **2** *nf* technique ▪**techniquement** *adv* technically ▪**technocrate** *nm* technocrat ▪**technologie** *nf* technology; **haute t.** high tech(nology) ▪**technologique** *adj* technological

teck [tɛk] *nm (bois)* teak

teckel [tekɛl] *nm* dachshund

tee-shirt [tiʃœrt] *nm* tee-shirt, T-shirt

teindre* [tɛ̃dr] **1** *vt* to dye; **t. qch en rouge** to dye sth red **2** **se teindre** *upr* **se t. (les cheveux)** to dye one's hair

teint [tɛ̃] *nm (de visage)* complexion; **bon** *ou* **grand t.** *(tissu) Br* colourfast, *Am* colorfast; *Fig Hum* **bon t.** *(catholique)* staunch

teinte [tɛ̃t] *nf* shade, tint ▪ **teinter 1** *vt* to tint; *(bois)* to stain **2 se teinter** *vpr Fig* **se t. de** *(remarque, ciel)* to be tinged with

teinture [tɛ̃tyr] *nf* dyeing; *(produit)* dye ▪ **teinturerie** [-rri] *nf (boutique)* (dry) cleaner's ▪ **teinturier, -ière** *nmf* dry cleaner

tel, telle [tɛl] *adj* such; **un t. livre/homme** such a book/man; **un t. intérêt** such interest; **de tels mots** such words; **t. que** such as, like; **t. que je l'ai laissé** just as I left it; **laissez-le t. quel** leave it just as it is; **en tant que t., comme t.** as such; **t. ou t.** such and such; **rien de t. que...** (there's) nothing like...; **rien de t.** nothing like it; **t. père t. fils** like father like son

télé [tele] *nf Fam* TV, *Br* telly; **à la t.** on TV, *Br* on (the) telly; **regarder la t.** to watch TV *or Br* (the) telly ▪ **téléfilm** *nm Br* TV film, *Am* TV movie ▪ **télé-réalité** *nf* reality TV

téléachat [teleaʃa] *nm (d'articles présentés à la télévision)* teleshopping; *(sur Internet)* on-line shopping

télébenne [teleben] *nf*, **télécabine** [telekabin] *nf (cabine, système)* cable car

Télécarte® [telekart] *nf* phone card

télécharger [teleʃarʒe] *vt Ordinat* to download ▪ **téléchargement** *nm* downloading, download

télécommande [telekɔmɑ̃d] *nf* remote control ▪ **télécommander** *vt* to operate by remote control

télécommunications [telekɔmynikasjɔ̃] *nfpl* telecommunications

téléconférence [telekɔ̃ferɑ̃s] *nf Tél* conference call

télécopie [telekɔpi] *nf* fax ▪ **télécopieur** *nm* fax (machine)

télégramme [telegram] *nm* telegram

télégraphe [telegraf] *nm* telegraph ▪ **télégraphie** *nf* telegraphy ▪ **télégraphier** *vt (message)* to wire, to cable (**que** that) ▪ **télégraphique** *adj* **poteau/fil t.** telegraph pole/wire; *Fig* **style t.** telegraphic style

téléguider [telegide] *vt* to operate by remote control ▪ **téléguidage** *nm* remote control

télématique [telematik] *nf* telematics *(sing)*

téléobjectif [teleɔbʒɛktif] *nm Phot* telephoto lens

télépathie [telepati] *nf* telepathy ▪ **télépathique** *adj* telepathic

téléphérique [teleferik] *nm* cable car

téléphone [telefɔn] *nm* (tele)phone; **coup de t.** (phone) call; **passer un coup de t. à qn** to give sb a ring *or* a call; **au t.** on the (tele)phone; **avoir le t.** to be on the (tele)phone; **t. portable** mobile phone; **t. sans fil** cordless phone; *Fig* **apprendre qch par le t. arabe** to

hear about sth on *or* through the grapevine ▪ **téléphoner 1** *vt (nouvelle)* to (tele)phone (**à** to) **2** *vi* to (tele)phone; **t. à qn** to (tele)phone sb, to call sb (up) ▪ **téléphonique** *adj* **appel t.** (tele)phone call

téléprompteur [teleprɔ̃ptœr] *nm* teleprompter, *Br* autocue

télescope [teleskɔp] *nm* telescope ▪ **télescopique** *adj* telescopic

télescoper [teleskɔpe] **1** *vt (voiture, train)* to smash into **2 se télescoper** *vpr (voiture, train)* to concertina

téléscripteur [teleskriptœr] *nm Br* teleprinter, *Am* teletypewriter

télésiège [telesjɛʒ] *nm* chair lift

téléski [teleski] *nm* ski lift *or* tow

téléspectateur, -trice [telespektatœr, -tris] *nmf* (television) viewer

télétravail [teletravaj] *nm* teleworking ▪ **télétravailleur, -euse** *nmf* teleworker

télévente [televɑ̃t] *nf* telesales

téléviser [televize] *vt* to televise ▪ **téléviseur** *nm* television (set) ▪ **télévision** *nf* television; **à la t.** on (the) television; **regarder la t.** to watch (the) television; **programme de t.** television programme; **t. à circuit fermé** closed-circuit television

télex [telɛks] *nm (service, message)* telex

telle [tɛl] *voir* **tel** ▪ **tellement** *adv (si)* so; *(tant)* so much; **t. grand que...** so big that...; **crier t. que...** to shout so much that...; **t. de travail** so much work; **t. de soucis** so many worries; **tu aimes ça? – pas t.** *(pas beaucoup)* do you like it? – not much *or* a lot; **personne ne peut le supporter, t. il est bavard** nobody can stand him, he talks so much

tellurique [telyrik] *adj* **secousse t.** earth tremor

téméraire [temerɛr] *adj* reckless ▪ **témérité** *nf* recklessness

témoigner [temwaɲe] **1** *vt (gratitude)* to show (**à qn** (to) sb); **t. que...** *(attester)* to testify that... **2** *vi Jur* to give evidence, to testify (**contre** against); **t. de qch** *(personne, attitude)* to testify to sth ▪ **témoignage** *nm Jur* evidence, testimony; *(récit)* account; **faux t.** *(délit)* perjury; *Fig (d'affection)* token, sign (**de** of); **en t. de qch** as a token of sth

témoin [temwɛ̃] **1** *nm* **(a)** *Jur* witness; **t. à charge** witness for the prosecution; **être t. de qch** to witness sth (**b)** *(de relais)* baton **2** *adj* **appartement t.** *Br* show flat, *Am* model apartment

tempe [tɑ̃p] *nf Anat* temple

tempérament [tɑ̃peramɑ̃] *nm (caractère)* temperament; **acheter qch à t.** to buy sth on *Br* hire purchase *or Am* on the installment plan

tempérance [tɑ̃perɑ̃s] *nf* temperance

température [tɑ̃peratyr] *nf* temperature; **avoir de la t.** to have a temperature

tempérer [tɑ̃pere] *vt (ardeurs)* to moderate ▪**tempéré, -ée** *adj (climat, zone)* temperate

tempête [tɑ̃pɛt] *nf* storm; **t. de neige** snowstorm, blizzard

tempêter [tɑ̃pete] *vi (crier)* to storm, to rage (**contre** against)

temple [tɑ̃pl] *nm (romain, grec)* temple; *(protestant)* church

tempo [tempo] *nm* tempo

temporaire [tɑ̃pɔrɛr] *adj* temporary ▪**temporairement** *adv* temporarily

temporel, -elle [tɑ̃pɔrɛl] *adj* temporal; *(terrestre)* wordly

temporiser [tɑ̃pɔrize] *vi* to play for time

temps¹ [tɑ̃] *nm (durée, période, moment)* time; *Grammaire* tense; *(étape)* stage; **en t. de guerre** in wartime, in time of war; **avoir/ trouver le t.** to have/find (the) time (**de faire** to do); **il est t.** it is time (**de faire** to do); **il était t.!** it was about time (too)!; **il est (grand) t. que vous partiez** it's (high) time you left; **ces derniers t.** lately; **de t. en t.** [dətɑ̃zɑ̃tɑ̃], **de t. à autre** [dətɑ̃zaotr] from time to time, now and again; **en t. utile** [ɑ̃tɑ̃zytil] in due course; **en t. voulu** in due course; **en même t.** at the same time (**que** as); **à t.** *(arriver)* in time; **à plein t.** *(travailler)* full-time; **à t. partiel** *(travailler)* part-time; **dans le t.** *(autrefois)* in the old days; **avec le t.** *(à la longue)* in time; **tout le t.** all the time; **de mon t.** in my time; **pendant un t.** for a while *or* time; *Fam* **par les t. qui courent** at the present time; **t. d'arrêt** pause, break; **t. libre** free time; *Fig* **t. mort** lull

temps² [tɑ̃] *nm (climat)* weather; **il fait beau/ mauvais t.** the weather's fine/bad; **quel t. fait-il?** what's the weather like?

tenable [tənabl] *adj* bearable

tenace [tənas] *adj* stubborn, tenacious ▪**ténacité** *nf* stubbornness, tenacity

tenailler [tənaje] *vt (faim, remords)* to torture

tenailles [tənaj] *nfpl (outil)* pincers

tenancier, -ière [tənɑ̃sje, -jɛr] *nmf (d'hôtel)* manager, *f* manageress

tenant, -ante [tənɑ̃, -ɑ̃t] 1 *nmf* **le t. du titre** *(champion)* the title holder 2 *nm (partisan)* supporter (**de** of) ▪**tenants** *nmpl* **les t. et les aboutissants d'une question** the ins and outs of a question

tendance [tɑ̃dɑ̃s] *nf (penchant)* tendency; *(évolution)* trend (**à** towards); **avoir t. à faire qch** to tend to do sth, to have a tendency to do sth

tendancieux, -ieuse [tɑ̃dɑ̃sjø, -jøz] *adj Péj* tendentious

tendeur [tɑ̃dœr] *nm (à bagages)* elastic strap, *Am* bungee

tendon [tɑ̃dɔ̃] *nm Anat* tendon

tendre¹ [tɑ̃dr] 1 *vt* to stretch; *(main)* to hold out (**à qn** to sb); *(bras, jambe)* to stretch out; *(cou)* to strain, to crane; *(muscle)* to tense; *(arc)* to bend; *(piège)* to set, to lay; *(filet)* to spread; **t. qch à qn** to hold sth out to sb; *Fig* **t. l'oreille** to prick up one's ears 2 *vi* **t. à qch/à faire qch** to tend towards sth/to do sth 3 **se tendre** *vpr (rapports)* to become strained ▪**tendu, -ue** *adj (corde)* tight, taut; *(personne, situation, muscle)* tense; *(rapports)* strained

tendre² [tɑ̃dr] *adj (personne)* affectionate (**avec** to); *(parole, regard)* tender, loving; *(viande)* tender; *(bois, couleur)* soft; **depuis ma plus t. enfance** from my earliest childhood ▪**tendrement** [-əmɑ̃] *adv* tenderly, lovingly ▪**tendresse** *nf (affection)* affection, tenderness ▪**tendreté** [-əte] *nf (de viande)* tenderness

ténèbres [tenɛbr] *nfpl* **les t.** the darkness ▪**ténébreux, -euse** *adj* dark, gloomy; *(mystérieux)* mysterious

teneur [tənœr] *nf (de lettre)* content; **t. en alcool** alcohol content (**de** of)

tenir* [tənir] 1 *vt (à la main)* to hold; *(promesse, comptes, hôtel)* to keep; *(rôle)* to play; *(propos)* to utter; **t. sa droite** *(conducteur)* to keep to the right; **t. la route** *(véhicule)* to hold the road; *Fig* **t. sa langue** to hold one's tongue; **t. qch propre/chaud** to keep sth clean/hot; **je le tiens!** *(je l'ai attrapé)* I've got him!; **je le tiens de Louis** *(fait)* I got it from Louis; *(caractère héréditaire)* I get it from Louis 2 *vi (nœud)* to hold; *(neige, coiffure)* to last, to hold; *(résister)* to hold out; *(offre)* to stand; **t. à qn/qch** to be attached to sb/sth; **t. à la vie** to value life; **t. à faire qch** to be anxious to do sth; **t. dans qch** *(être contenu)* to fit into sth; **t. de qn** to take after sb; **tenez!** *(prenez)* here you are!; **tiens!** *(surprise)* well!, hey!; **ça tient à sa maladie** it's due to his/her illness 3 *v impersonnel* **il ne tient qu'à vous de le faire** it's up to you to do it 4 **se tenir** *vpr (avoir lieu)* to be held; *(rester)* to remain; **se t. debout** to stand (up); **se t. droit** to stand up/sit up straight; **se t. par la main** to hold hands; **se t. bien** to behave oneself; **se t. à qch** to hold on to sth; **s'en t. à qch** *(se limiter à)* to stick to sth; **savoir à quoi s'en t.** to know what's what; *Fig* **tout se tient** it all hangs together

tennis [tenis] 1 *nm* tennis; *(terrain)* (tennis) court; **t. de table** table tennis 2 *nmpl (chaussures) Br* tennis shoes

ténor [tenɔr] *nm Mus* tenor

tension [tɑ̃sjɔ̃] *nf* tension; **t. artérielle** blood pressure; **avoir de la t.** to have high blood pressure

tentacule [tɑ̃takyl] *nm* tentacle

tente [tɑ̃t] *nf* tent

tenter¹ [tɑ̃te] *vt (essayer)* to try; **t. de faire qch** to try *or* attempt to do sth ▪**tentative** *nf* attempt;

t. **d'assassinat** attempted murder; **t. de suicide** suicide attempt

tenter² [tɑ̃te] vt (faire envie à) to tempt; **tenté de faire qch** tempted to do sth ▪ **tentant, -ante** adj tempting ▪ **tentation** nf temptation

tenture [tɑ̃tyr] nf (wall) hanging; (de porte) drape, curtain

tenu, -ue¹ [təny] 1 pp de **tenir** 2 adj **t. de faire qch** obliged to do sth; **bien/mal t.** (maison) well/badly kept

ténu, -ue² [teny] adj (fil) fine; (soupçon, différence) tenuous; (voix) thin

tenue [təny] nf (a) (vêtements) clothes, outfit; **être en petite t.** to be scantily dressed; **t. de combat** (uniforme) battledress; **t. de soirée** evening dress (**b**) (conduite) (good) behaviour; (maintien) posture (**c**) (de maison, d'hôtel) running; (de comptes) keeping (**d**) **t. de route** (de véhicule) road-holding

ter [ter] adj 4 **t.** (adresse) ≃ 4B

térébenthine [terebɑ̃tin] nf turpentine

Tergal® [tergal] nm Br Terylene®, Am Dacron®

tergiverser [tergiverse] vi to equivocate

terme [term] nm (**a**) (mot) term (**b**) (date limite) time (limit); (fin) end; **mettre un t. à qch** to put an end to sth; **à court/long t.** (conséquences, projet) short-/long-term; **être né avant/à t.** to be born prematurely/at (full) term (**c**) **moyen t.** (solution) middle course (**d**) **en bons/ mauvais termes** on good/bad terms (**avec qn** with sb) (**e**) (loyer) rent; (jour) rent day; (période) rental period

terminal, -e, -aux, -ales [terminal, -o] 1 adj final; (phase de maladie) terminal 2 adj & nf Scol (**classe**) **terminale** Br ≃ sixth form, Am ≃ twelfth grade 3 nm (d'ordinateur, pétrolier) terminal

terminer [termine] 1 vt to end; (achever) to finish, to complete 2 **se terminer** vpr to end (**par** with; **en** in) ▪ **terminaison** nf (de mot) ending

terminologie [terminɔlɔʒi] nf terminology

terminus [terminys] nm terminus

termite [termit] nm termite

terne [tern] adj (couleur, journée) dull, drab; (personne) dull ▪ **ternir** 1 vt (métal, réputation) to tarnish; (meuble, miroir) to dull 2 **se ternir** vpr (métal) to tarnish

terrain [terɛ̃] nm (sol) & Fig ground; (étendue) land; (à bâtir) plot, site; (pour opérations militaires) & Géol terrain; **un t.** a piece of land; **céder/gagner/perdre du t.** (armée) & Fig to give/gain/lose ground; Fig **trouver un t. d'entente** to find a common ground; Fig **être sur son t.** to be on familiar ground; **t. d'aviation** airfield; **t. de camping** campsite; **t. de football/rugby** football/rugby pitch; **t. de golf** golf course; **t. de jeu(x)** (pour enfants) playground; (stade) Br playing field, Am

athletic field; **t. de sport** Br sports ground, Am athletic field; **t. vague** waste ground, Am vacant lot

terrasse [teras] nf (balcon, plate-forme) terrace; (toit) terrace (roof); (de café) Br pavement or Am sidewalk area; **à la t.** outside (the café)

terrassement [terasmɑ̃] nm (travail) excavation

terrasser [terase] vt (adversaire) to floor; Fig (accabler) to overcome

terrassier [terasje] nm labourer

terre [ter] nf (matière, monde) earth; (sol) ground; (opposé à mer, étendue) land; **terres** (domaine) land, estate; Él Br earth, Am ground; **la t.** (le monde) the earth; **la T.** (planète) Earth; **à ou par t.** (tomber) to the ground; (poser) on the ground; **par t.** (assis, couché) on the ground; **aller à t.** (marin) to go ashore; **sous t.** underground; **t. cuite** (baked) clay, earthenware; **poterie en t. cuite** earthenware pottery; **t. battue** (de court de tennis) clay ▪ **terre-à-terre** adj inv down-to-earth ▪ **terre-plein** (pl **terres-pleins**) nm (earth) platform; (de route) Br central reservation, Am median strip

terreau [tero] nm compost

terrer [tere] **se terrer** vpr (fugitif, animal) to go to earth

terrestre [terestr] adj (vie, joies) earthly; **animal/transport t.** land animal/transportation

terreur [terœr] nf terror ▪ **terrible** adj awful, terrible; Fam (formidable) terrific; Fam **pas t.** nothing special ▪ **terriblement** [-əmɑ̃] adv (extrêmement) terribly

terreux, -euse [terø, -øz] adj (goût) earthy; (couleur, teint) muddy

terrien, -ienne [terjɛ̃, -jɛn] 1 adj land-owning; **propriétaire t.** landowner 2 nmf (habitant de la terre) earthling

terrier [terje] nm (de lapin) burrow; (chien) terrier

terrifier [terifje] vt to terrify ▪ **terrifiant, -ante** adj terrifying

terrine [terin] nf (récipient) terrine; (pâté) pâté

territoire [teritwar] nm territory ▪ **territorial, -e, -iaux, iales** adj territorial; **eaux territoriales** territorial waters

terroir [terwar] nm (sol) soil; (région) region; **accent du t.** rural accent

terroriser [terɔrize] vt to terrorize ▪ **terrorisme** nm terrorism ▪ **terroriste** adj & nmf terrorist

tertiaire [tersjer] adj tertiary

tertre [tertr] nm hillock, mound

tes [te] voir **ton¹**

tesson [tesɔ̃] nm **t. de bouteille** piece of broken bottle

test [test] nm test ▪ **tester** vt (élève, produit) to test

testament [tɛstamɑ̃] nm (document) will; Fig (œuvre) testament; Rel **Ancien/Nouveau T.** Old/New Testament

testicule [tɛstikyl] nm Anat testicle

tétanos [tetanos] nm tetanus

têtard [tetar] nm tadpole

tête [tɛt] nf head; (visage) face; (cerveau) brain; (de lit, de clou, de cortège) head; (de page, de liste) top, head; Football header; **à t. reposée** at one's leisure; **à la t. de** (entreprise, parti) at the head of; (classe) at the top of; **de la t. aux pieds** from head or top to toe; **t. nue** bareheaded; **en t.** (d'une course) in the lead; **tenir à qn** (s'opposer à) to stand up to sb; **faire la t.** (bouder) to sulk; Football **faire une t.** to head the ball; **avoir/faire une drôle de t.** to have/ give a funny look; **tomber la t. la première** to fall headlong or head first; **calculer qch de t.** to work sth out in one's head; **se mettre dans la t. de faire qch** to get it into one's head to do sth; Fig **perdre la t.** to lose one's head; Fam **se payer la t. de qn** to make fun of sb; Fam **j'en ai par-dessus la t.** I've had enough of it; Fam **ça me prend la t.** it gets under my skin; Fam **tu n'as pas de t.!** you're a scatterbrain!; **t. nucléaire** nuclear warhead ▪ **tête-à-queue** nm inv faire un t. (en voiture) to spin right round ▪ **tête-à-tête** nm inv tête-à-tête; **en t.** in private ▪ **tête-bêche** adv head to tail

téter [tete] vt (lait, biberon) to suck; **t. sa mère** to feed or suck at one's mother's breast; **donner à t. à un bébé** to feed or suckle a baby ▪ **tétée** nf (de bébé) feed ▪ **tétine** nf (de biberon) Br teat, Am nipple; (sucette) Br dummy, Am pacifier ▪ **téton** nm Fam (de femme) tit

têtu, -ue [tety] adj stubborn, obstinate

texte [tɛkst] nm text; (de théâtre) lines; (de chanson) words ▪ **textuel, -elle** adj (traduction) literal ▪ **textuellement** adv word for word

textile [tɛkstil] adj & nm textile

texto [tɛksto] nm Tél text (message); **envoyer un t. à qn** to send sb a text, to text sb

texture [tɛkstyr] nf texture

TGV [teʒeve] abrév = **train à grande vitesse**

Thaïlande [tailɑ̃d] nf **la T.** Thailand ▪ **thaïlandais, -aise** 1 adj Thai 2 nmf **T., Thaïlandaise** Thai

thé [te] nm (boisson, réunion) tea ▪ **théière** nf teapot

théâtre [teatr] nm (art, lieu) Br theatre, Am theater; (œuvres) drama; Fig (d'un crime) scene; **faire du t.** to act ▪ **théâtral, -e, -aux, -ales** adj theatrical

thème [tɛm] nm theme; Scol (traduction) translation (into a foreign language), Br prose (composition)

théologie [teɔlɔʒi] nf theology ▪ **théologique** adj theological

théorème [teɔrɛm] nm theorem

théorie [teɔri] nf theory; **en t.** in theory ▪ **théoricien, -ienne** nmf theorist, theoretician ▪ **théorique** adj theoretical ▪ **théoriquement** adv theoretically

thérapeutique [terapøtik] 1 adj therapeutic 2 nf (traitement) therapy ▪ **thérapie** nf therapy

thermal, -e, -aux, -ales [tɛrmal, -o] adj **station thermale** spa; **eaux thermales** hot or thermal springs

thermique [tɛrmik] adj (énergie, unité) thermal

thermomètre [tɛrmɔmɛtr] nm thermometer

thermonucléaire [tɛrmɔnykleɛr] adj thermonuclear

Thermos® [tɛrmɔs] nm ou f Thermos® (Br flask or Am bottle)

thermostat [tɛrmɔsta] nm thermostat

thèse [tɛz] nf (proposition, ouvrage) thesis

thon [tɔ̃] nm tuna (fish)

thorax [tɔraks] nm Anat thorax

thrombose [trɔ̃boz] nf Méd thrombosis; **t. veineuse profonde** deep vein thrombosis

thym [tɛ̃] nm (plante, aromate) thyme

thyroïde [tiroid] adj & nf Anat thyroid

Tibet [tibɛ] nm **le T.** Tibet

tibia [tibja] nm shinbone, tibia

tic [tik] nm (contraction) twitch, tic; Fig (manie) mannerism

ticket [tikɛ] nm ticket; **t. de caisse** receipt; **t. de quai** (de gare) platform ticket; **t. modérateur** = portion of the cost of medical treatment paid by the patient ▪ **ticket-repas** (pl tickets-repas), **ticket-restaurant** (pl tickets-restaurant) nm Br luncheon voucher, Am meal ticket

tic-tac [tiktak] exclam & nm inv tick-tock

tiède [tjɛd] adj lukewarm, tepid; (vent, climat) mild; (accueil, partisan) half-hearted ▪ **tiédeur** nf tepidness; (de vent) mildness; (d'accueil) half-heartedness ▪ **tiédir** vti (refroidir) to cool down; (réchauffer) to warm up

tien, tienne [tjɛ̃, tjɛn] 1 pron possessif **le t., la tienne, les tien(ne)s** yours; **les deux tiens** your two 2 nmpl **les tiens** (ta famille) your family

tiens, tient [tjɛ̃] voir **tenir**

tiercé [tjɛrse] nm **jouer/gagner au t. =** to bet/ win on the horses; **pari t. =** forecast of the first three horses

tiers, tierce [tjɛr, tjɛrs] 1 adj third 2 nm (fraction) third; (personne) third party; **t. provisionnel** interim tax payment (one third of previous year's tax) ▪ **Tiers-Monde** nm **le T.** the Third World

tifs [tif] nmpl Fam hair

tige [tiʒ] nf (de plante) stem, stalk; (barre) rod

tignasse [tiɲas] nf Fam mop (of hair)

tigre [tigr] nm tiger ▪ **tigresse** nf tigress

tigré, -ée [tigre] adj (rayé) striped

tilleul [tijœl] nm (arbre) lime tree; (infusion) lime-blossom tea

timbale [tɛbal] nf (a) (gobelet) (metal) tumbler; Fam **décrocher la t.** to hit the jackpot (b) (instrument) kettledrum

timbre [tɛbr] nm (a) (vignette) stamp; (pour traitement médicale) patch (b) (sonnette) bell (c) (d'instrument, de voix) tone (quality) ▪**timbré, -ée** adj (lettre) stamped; Fam (fou) crazy ▪**timbre-poste** (pl **timbres-poste**) nm (postage) stamp ▪**timbrer** vt (lettre) to put a stamp on; (document) to stamp

timide [timid] adj (gêné) shy; (protestations) timid ▪**timidement** adv shyly; (protester) timidly ▪**timidité** nf shyness

timoré, -ée [timɔre] adj timorous, fearful

tintamarre [tɛ̃tamar] nm Fam din, racket

tinter [tɛ̃te] vi (cloche) to tinkle; (clefs, monnaie) to jingle; (verres) to chink ▪**tintement** nm (de cloche) tinkling; (de clefs) jingling; (de verres) chinking

tique [tik] nf (insecte) tick

tiquer [tike] vi Fam (personne) to wince

tir [tir] nm (sport) shooting; (action) firing, shooting; Football shot; **t. (forain)** shooting or rifle range; **t. à l'arc** archery

tirade [tirad] nf (au théâtre) & Fig Br monologue, Am monolog

tirage [tiraʒ] nm (a) (de journal) circulation; (de livre) print run; Typ Phot (impression) printing (b) (de loterie) draw; **t. au sort** drawing lots (c) (de cheminée) Br draught, Am draft

tirailler [tiraje] 1 vt to pull at; Fig **tiraillé entre** (possibilités) torn between 2 vi **j'ai la peau qui tiraille** my skin feels tight ▪**tiraillement** nm (crampe) cramp

tirant [tirã] nm **t. d'eau** (de bateau) Br draught, Am draft

tire [tir] nf (a) **vol à la t.** pickpocketing (b) Fam (voiture) car

tirelire [tirlir] nf Br moneybox, Am coin bank

tirer [tire] 1 vt to pull; (langue) to stick out; (trait, rideaux, conclusion) to draw; (balle) to fire; (gibier) to shoot; (journal, épreuves de livre, photo) to print; **t. qch de qch** to pull sth out of sth; (nom, origine) to derive sth from sth; (produit) to extract sth from sth; **t. qn de qch** (danger, lit) to get sb out of sth; Fig **je vous tire mon chapeau** I take my hat off to you 2 vi to pull (**sur** on, at); (faire feu) to shoot, to fire (**sur** at); Football to shoot; (cheminée) to draw; **t. au sort** to draw lots; **t. à sa fin** to draw to a close; **t. sur le vert** to verge on green; Fig **t. à boulets rouges sur qn** to go for sb hammer and tongs 3 **se tirer** vpr Fam (partir) to make tracks; **se t. de qch** (travail, problème) to cope with sth; (danger, situation) to get out of sth; **se t. d'affaire** to get out of trouble; Fam **s'en t.** (de malade) to pull through; (financièrement) to make it ▪**tiré, -ée** adj (traits, visage) drawn; Fig **t. par les cheveux** far-fetched ▪**tire-au-**

flanc nm inv Fam (paresseux) shirker ▪**tire-bouchon** (pl **tire-bouchons**) nm corkscrew ▪**tire-d'aile** adv **à t.** swiftly ▪**tire-fesses** nm inv Fam T-bar (ski lift)

tiret [tire] nm (trait) dash

tireur [tirœr] nm gunman; **un bon t.** a good shot; **t. d'élite** marksman; **t. isolé** sniper ▪**tireuse** nf **t. de cartes** fortune-teller

tiroir [tirwar] nm (de commode) drawer ▪**tiroir-caisse** (pl **tiroirs-caisses**) nm till, cash register

tisane [tizan] nf herbal tea

tison [tizɔ̃] nm (fire)brand ▪**tisonner** vt to poke ▪**tisonnier** nm poker

tisser [tise] vt to weave ▪**tissage** nm (action) weaving ▪**tisserand, -ande** nmf weaver

tissu [tisy] nm material, cloth; Biol tissue; **du t.-éponge** Br (terry) towelling, Am toweling; Fig **un t. de mensonges** a web of lies; **le t. social** the social fabric

titre [titr] nm (nom, qualité) title; Fin security; (diplôme) qualification; (gros) **t.** (de journal) headline; **à quel t.?** (pour quelle raison) on what grounds?; **à ce t.** (en cette qualité) as such; (pour cette raison) therefore; **à aucun t.** on no account; **au même t.** in the same way (**que** as); **à t. d'exemple** as an example; **à t. exceptionnel** exceptionally; **à t. privé** in a private capacity; **à t. provisoire** temporarily; **à t. indicatif** for general information; **à juste t.** rightly; **t. de noblesse** title (of nobility); **t. de propriété** title deed; **t. de transport** ticket

titrer [titre] vt (film) to title; (journal) to run as a headline ▪**titré, -ée** adj (personne) titled

tituber [titybe] vi to stagger

titulaire [titylɛr] 1 adj (enseignant) tenured; **être t. de** (permis) to be the holder of; (poste) to hold 2 nmf (de permis, de passeport) holder (**de** of) ▪**titularisation** nf granting of tenure ▪**titulariser** vt (fonctionnaire) to give tenure to

toast [tost] nm (pain grillé) piece or slice of toast; (allocution) toast; **porter un t. à** to drink (a toast) to

toboggan [tɔbɔgã] nm (d'enfant) slide; Can (traîneau) toboggan; (voie de circulation) Br flyover, Am overpass

toc [tɔk] 1 exclam **t. t.!** knock knock! 2 nm **du t.** (camelote) junk, trash; **bijou en t.** imitation jewel

tocard [tɔkar] nm Fam dead loss

tocsin [tɔksɛ̃] nm alarm bell

tohu-bohu [tɔybɔy] nm (bruit) hubbub; (confusion) confusion

toi [twa] pron personnel (a) (après une préposition) you; **avec t.** with you (b) (sujet) you; **t., tu peux** you may; **c'est t. qui...** it's you who... (c) (réfléchi) **assieds-t.** sit (yourself) down; **dépêche-t.** hurry up ▪**toi-même** pron yourself

toile [twal] nf (**a**) (étoffe) (à voile, sac) cloth; canvas; (à draps) linen; **une t.** a piece of cloth or canvas; Théâtre & Fig **t. de fond** backdrop; **t. de jute** hessian; **t. cirée** oilcloth (**b**) (tableau) painting, canvas (**c**) **t. d'araignée** (spider's) web, cobweb (**d**) Ordinat **la T.** the Web (**e**) Fam **se faire une t.** to go to the Br cinema or Am movies

toilette [twalɛt] nf (action) wash(ing); (vêtements) clothes, outfit; **faire sa t.** to wash (and dress); **les toilettes** (W.C.) Br the toilet(s), Am the bathroom, the men's/ladies' room

toiser [twaze] vt to eye scornfully

toison [twazɔ̃] nf (de mouton) fleece

toit [twa] nm roof; **t. ouvrant** sunroof ▪ **toiture** nf roof(ing)

tôle [tol] nf sheet metal; **une t.** a metal sheet; **t. ondulée** corrugated iron

tolérer [tolere] vt (permettre) to tolerate; (à la douane) to allow ▪ **tolérable** adj tolerable ▪ **tolérance** nf tolerance; (à la douane) allowance; Pol **t. zéro** zero tolerance ▪ **tolérant, -ante** adj tolerant (à l'égard de of)

tollé [tɔle] nm outcry

tomate [tɔmat] nf tomato

tombe [tɔ̃b] nf grave; (avec monument) tomb ▪ **tombale** adj f **pierre t.** gravestone, tombstone ▪ **tombeau, -x** nm tomb

tomber [tɔ̃be] (aux être) vi to fall; (température) to drop, to fall; (vent) to drop (off); (robe) to hang down; **t. malade** to fall ill; **t. par terre** to fall (down); **faire t.** (personne) to knock over; (gouvernement, prix) to bring down; **laisser t.** (objet) to drop; Fig **laisser t. qn** to let sb down; **se laisser t. dans un fauteuil** to drop into an armchair; Fig **tu tombes bien/mal** you've come at the right/wrong time; **t. de sommeil** ou **de fatigue** to be ready to drop; **t. un lundi** to fall on a Monday; **t. sur qch** (trouver) to come across sth; **t. de haut** to be bitterly disappointed ▪ **tombée** nf **la t. de la nuit** nightfall

tombola [tɔ̃bɔla] nf raffle, tombola

tome [tom] nm (livre) volume

tomme [tom] nf = cheese made in Savoie

ton¹, ta, tes [tɔ̃, ta, te]

adj possessif your; **t. père** your father; **ta mère** your mother; **t. ami(e)** your friend

ton² [tɔ̃] nm (de voix) tone; (de couleur) shade, tone; Mus (gamme) key; (hauteur de son) & Ling pitch; **de bon t.** (goût) in good taste; Fig **donner le t.** to set the tone ▪ **tonalité** nf (timbre, impression) tone; (de téléphone) Br dialling tone, Am dial tone

tondre [tɔ̃dr] vt (mouton) to shear; (gazon) to mow; Fam **t. qn** (escroquer) to fleece sb ▪ **tondeuse** nf shears; (à cheveux) clippers; **t. (à gazon)** (lawn)mower

tongs [tɔ̃g] nfpl (sandales) flip-flops, Am thongs

tonifier [tɔnifje] vt (muscles, peau) to tone up; (personne) to invigorate ▪ **tonifiant, -ante** adj (crème, exercice) toning; (activité, climat) invigorating

tonique [tɔnik] **1** adj (froid, effet) tonic, invigorating; Ling (accent) tonic **2** nm (médicament) tonic; (cosmétique) tonic lotion

tonitruant, -ante [tɔnitryɑ̃, -ɑ̃t] adj Fam (voix) booming

tonnage [tɔnaʒ] nm (de navire) tonnage

tonne [tɔn] nf (poids) metric ton, tonne; Fam **des tonnes de** (beaucoup) tons of

tonneau, -x [tɔno] nm (**a**) (récipient) barrel, cask (**b**) (acrobatie) roll; **faire un t.** to roll over (**c**) Fam **du même t.** of the same kind

tonnelle [tɔnɛl] nf arbour, bower

tonner [tɔne] **1** vi (canons) to thunder; Fig (crier) to thunder, to rage (**contre** against) **2** v impersonnel **il tonne** it's thundering ▪ **tonnerre** nm thunder; Fam **du t.** (excellent) fantastic

tonte [tɔ̃t] nf (de moutons) shearing; (de gazon) mowing

tonton [tɔ̃tɔ̃] nm Fam uncle

tonus [tɔnys] nm (énergie) energy, vitality; **t. musculaire** muscle tone

top [tɔp] nm (signal sonore) beep; **les tops** the pips; Fam **c'est le t. (du t.)!** it's the best!, Br it's the business!

topaze [tɔpaz] nf topaz

topinambour [tɔpinɑ̃bur] nm Jerusalem artichoke

topo [tɔpo] nm Fam (exposé) rundown

topographie [tɔpɔgrafi] nf topography

toquade [tɔkad] nf Fam (pour un objet) craze (**pour** for); (pour une personne) crush (**pour** on)

toque [tɔk] nf (de fourrure) fur hat; (de jockey) cap; (de cuisinier) hat

toquer [tɔke] **se toquer** vpr Fam **se t. de qn** to go crazy over sb ▪ **toqué, -ée** adj Fam (fou) crazy

torche [tɔrʃ] nf (flamme) torch; **t. électrique** Br torch, Am flashlight

torcher [tɔrʃe] vt Fam (enfant) to wipe; (travail) to botch

torchon [tɔrʃɔ̃] nm (à vaisselle) Br tea towel, Am dish towel

tordre [tɔrdr] **1** vt to twist; (linge, cou) to wring; (barre) to bend **2 se tordre** vpr to twist; (barre) to bend; **se t. de douleur** to be doubled up with pain; **se t. (de rire)** to split one's sides (laughing); **se t. la cheville** to twist or sprain one's ankle ▪ **tordant, -ante** adj Fam (drôle) hilarious ▪ **tordu, -ue** adj twisted; (esprit) warped

tornade [tɔrnad] nf tornado

torpeur [tɔrpœr] nf torpor

torpille [tɔrpij] nf torpedo ▪ **torpiller** vt (navire,

projet) to torpedo ▪**torpilleur** *nm* torpedo boat
torréfier [tɔrefje] *vt (café)* to roast
▪**torréfaction** *nf* roasting
torrent [tɔrã] *nm* torrent; *Fig* **un t. de larmes**
floods of tears; **il pleut à torrents** it's pouring
(down) ▪**torrentiel, -ielle** *adj (pluie)* torrential
torride [tɔrid] *adj (chaleur)* torrid
torsade [tɔrsad] *nf (de cheveux)* twist, coil
▪**torsader** *vt* to twist
torse [tɔrs] *nm Anat* chest; *(statue)* torso; **t. nu**
stripped to the waist
torsion [tɔrsjɔ̃] *nf* twisting
tort [tɔr] *nm (dommage)* wrong; *(défaut)* fault;
avoir t. to be wrong *(de faire* to do, in doing);
tu as t. de fumer! you shouldn't smoke!; **être
dans son t.** *ou* **en t.** to be in the wrong;
donner t. à qn *(accuser)* to blame sb; *(faits)* to
prove sb wrong; **faire du t. à qn** to harm sb; **à
t.** wrongly; **à t. ou à raison** rightly or wrongly;
parler à t. et à travers to talk nonsense
torticolis [tɔrtikɔli] *nm* **avoir le t.** to have a stiff
neck
tortillard [tɔrtijar] *nm Fam* local train
tortiller [tɔrtije] **1** *vt* to twist; *(moustache)* to
twirl **2** *vi Fam* **il n'y a pas à t.** there's no two
ways about it **3 se tortiller** *vpr (ver, personne)*
to wriggle
tortionnaire [tɔrsjɔnɛr] *nm* torturer
tortue [tɔrty] *nf Br* tortoise, *Am* turtle; *(de mer)*
turtle; *Fam (personne) Br* slowcoach, *Am*
slowpoke
tortueux, -ueuse [tɔrtɥø, -ɥøz] *adj* tortuous
torture [tɔrtyr] *nf* torture ▪**torturer** *vt* to
torture; *Fam* **se t. les méninges** to rack one's
brains
tôt [to] *adv* early; **au plus t.** at the earliest; **le
plus t. possible** as soon as possible; **t. ou tard**
sooner or later; **je n'étais pas plus t. sorti
que...** no sooner had I gone out than...
total, -e, -aux, -ales [tɔtal, -o] *adj & nm* total;
au t. all in all, in total; *(somme toute)* all in all
▪**totalement** *adv* totally, completely
▪**totaliser** *vt* to total ▪**totalité** *nf* entirety; **la
t. de** all of; **en t.** *(détruit)* entirely; *(payé)* fully
totalitaire [tɔtalitɛr] *adj (État, régime)*
totalitarian
toubib [tubib] *nm Fam (médecin)* doctor
touche [tuʃ] *nf (de clavier)* key; *(de téléphone)*
(push-)button; *(de peintre)* touch; *Football &
Rugby* throw-in; *Pêche* bite; **téléphone à
touches** push-button phone; **une t. de** *(un peu
de)* a touch *or* hint of
toucher [tuʃe] **1** *nm (sens)* touch; **au t.** to the
touch **2** *vt* to touch; *(paie)* to draw; *(chèque)* to
cash; *(cible)* to hit; *(émouvoir)* to touch, to move;
(concerner) to affect; **t. le fond (du désespoir)**
to hit rock bottom **3** *vi* **t. à** to touch; *(sujet)* to
touch on; *(but, fin)* to approach **4 se toucher**

vpr (lignes, mains) to touch ▪**touchant, -ante**
adj (émouvant) moving, touching ▪**touche-à-
tout** *nmf inv (qui a plusieurs occupations)*
dabbler
touffe [tuf] *nf (de cheveux, d'herbe)* tuft
▪**touffu, -ue** *adj (barbe, haie)* thick, bushy;
Fig (livre) dense
touiller [tuje] *vt Fam (salade)* to toss
toujours [tuʒur] *adv (exprime la continuité, la
répétition)* always; *(encore)* still; **pour t.** for
ever; **essaie t.!** *(quand même)* try anyway!; **t.
est-il que...** [tuʒurzetilkə] the fact remains
that...
toupet [tupɛ] *nm Fam (audace)* nerve, *Br* cheek
toupie [tupi] *nf (spinning) top*; *Fam* **vieille t.**
(femme) old bag
tour¹ [tur] *nf (bâtiment)* & *Ordinat* tower;
(immeuble) tower block, high-rise; *Échecs*
castle, rook
tour² [tur] *nm* (a) *(mouvement, ordre, tournure)*
turn; *(de magie)* trick; *(excursion)* trip, outing;
(à pied) stroll, walk; *(en voiture)* drive; **t. (de
piste)** *(de course)* lap; **faire un t. d'honneur**
(sportif) to do a lap of honour; **de dix mètres
de t.** ten metres round; **faire le t. de** to go
round; *(question, situation)* to review; **faire le t.
du monde** to go round the world; **faire un t.** *(à
pied)* to go for a stroll *or* walk; *(en voiture)* to go
for a drive; **jouer** *ou* **faire un t. à qn** to play a
trick on sb; *Fam* **avoir plus d'un t. dans son
sac** to have more than one trick up one's
sleeve; **c'est mon t.** it's my turn; **à qui le tour?**
whose turn (is it)?; **à son t.** in (one's) turn; **t.
de rôle** in turn; **t. à t.** in turn, by turns; **t. de
cartes** card trick; **t. d'horizon** survey; **t. de
poitrine** chest size (b) *Tech* lathe; *(de potier)*
wheel
tourbe [turb] *nf* peat ▪**tourbière** *nf* peat bog
tourbillon [turbijɔ̃] *nm (de vent)* whirlwind;
(d'eau) whirlpool; *(de sable)* swirl; *Fig
(tournoiement)* whirl ▪**tourbillonner** *vi* to whirl
tourelle [turɛl] *nf* turret
tourisme [turism] *nm* tourism; **faire du t.** to go
touring; **agence de t.** tourist agency; **t.
écologique** ecotourism; **t. organisé** package
tourism ▪**touriste** *nmf* tourist ▪**touristique**
adj **guide/menu t.** tourist guide/menu; **circuit
ou route t.** scenic route
tourment [turmã] *nm* torment ▪**tourmenté,
-ée** *adj (mer, vie)* turbulent; *(expression, visage)*
anguished; *(paysage)* wild ▪**tourmenter 1** *vt*
to torment **2 se tourmenter** *vpr* to worry
tourmente [turmãt] *nf (troubles)* turmoil
tournage [turnaʒ] *nm (de film)* shooting, filming
tourne-disque [turnədisk] *(pl* **tourne-
disques)** *nm* record player
tournedos [turnədo] *nm* tournedos
tournée [turne] *nf (de facteur, de boissons)*
round; *(spectacle)* tour; **faire sa t.** to do one's

rounds; **faire la t. de** *(magasins, musées)* to go to, *Br* to go round

tournemain [turnəmɛ̃] **en un tournemain** *adv Littéraire* in an instant

tourner [turne] **1** *vt* to turn; *(film)* to shoot, to make; *(difficulté)* to get round; **t. qn/qch en ridicule** to ridicule sb/sth; **t. le dos à qn** to turn one's back on sb **2** *vi* to turn; *(tête, toupie)* to spin; *(Terre)* to revolve, to turn; *(moteur, usine)* to run; *(lait)* to go off; **t. autour de** *(objet)* to go round; *(maison, personne)* to hang around; *(question)* to centre on; **t. bien/mal** *(évoluer)* to turn out well/badly; **t. au froid** *(temps)* to turn cold; **t. à l'aigre** *(ton, conversation)* to turn nasty; *Fig* **t. autour du pot** to beat around the bush; *Fam* **t. de l'œil** to faint; *Fam* **faire t. qn en bourrique** to drive sb crazy; **ça me fait t. la tête** *(vin)* it goes to my head; *(manège)* it makes my head spin; **silence! on tourne** quiet, we're filming *or* shooting! **3 se tourner** *vpr* to turn *(vers* to, towards) ▪**tournant, -ante 1** *adj* **pont t.** swing bridge **2** *nm (de route)* bend; *Fig (moment)* turning point *(de* in)

tournesol [turnəsɔl] *nm* sunflower

tourneur [turnœr] *nm (ouvrier)* turner

tournevis [turnəvis] *nm* screwdriver

tourniquet [turnikɛ] *nm (barrière)* turnstile; *(pour arroser)* sprinkler; *Méd* tourniquet

tournis [turni] *nm Fam* **avoir le t.** to feel giddy; **donner le t. à qn** to make sb giddy

tournoi [turnwa] *nm (de tennis) & Hist* tournament

tournoyer [turnwaje] *vi* to swirl (round)

tournure [turnyr] *nf (expression)* turn of phrase; **t. d'esprit** way of thinking; **t. des événements** turn of events; **prendre t.** to take shape

tourte [turt] *nf* pie

tourterelle [turtərɛl] *nf* turtledove

Toussaint [tusɛ̃] *nf* **la T.** All Saints' Day

tousser [tuse] *vi* to cough

tout, toute, tous, toutes [tu, tut, tu, tut] **1** *adj* all; **tous les livres** all the books; **t. l'argent/le temps/le village** all the money/time/village; **toute la nuit** all night, the whole (of the) night; **tous (les) deux** both; **tous (les) trois** all three; **t. un problème** quite a problem

2 *adj indéfini (chaque)* every, each; *(n'importe quel)* any; **tous les ans/jours** every *or* each year/day; **tous les deux mois** every two months, every second month; **tous les cinq mètres** every five metres; **à toute heure** at any time; **t. homme** [tutɔm] every *or* any man

3 *pron pl* **tous** [tus] all; **ils sont tous là, tous sont là** they're all there

4 *pron m sing* **tout** everything; **dépenser t.** to spend everything, to spend it all; **t. ce qui est là** everything that's here; **t. ce que je sais** everything that *or* all that I know; **en t.** *(au total)* in all

5 *adv (tout à fait)* quite; *(très)* very; **t. simplement** quite simply; **t. petit** very small; **t. neuf** brand new; **t. seul** all alone; **t. droit** straight ahead; **t. autour** all around, right round; **t. au début** right at the beginning; **le t. premier** the very first; **t. au plus/moins** at the very most/least; **t. en chantant** while singing; **t. rusé qu'il est** *ou* **soit** however sly he may be; **t. à coup** suddenly, all of a sudden; **t. à fait** completely, quite; **t. de même** all the same; **t. de même!** *(indignation)* really!; **t. de suite** at once

6 *nm* **le t.** everything, the lot; **un t.** a whole; **le t. est que…** *(l'important)* the main thing is that…; **pas du t.** not at all; **rien du t.** nothing at all; **du t. au t.** *(changer)* entirely, completely ▪**tout-à-l'égout** *nm inv* mains drainage ▪**tout-puissant, toute-puissante** *(mpl* **tout-puissants,** *fpl* **toutes-puissantes)** *adj* all-powerful ▪**tout-terrain 1** *(pl* **tout-terrains)** *adj* **véhicule t.** off-road *or* all-terrain vehicle; **vélo t.** mountain bike **2** *nm* **faire du t.** to do off-road racing

toutefois [tutfwa] *adv* nevertheless, however

toutou [tutu] *nm Fam (chien)* doggie

toux [tu] *nf* cough

toxicomane [tɔksikɔman] *nmf* drug addict ▪**toxicomanie** *nf* drug addiction

toxine [tɔksin] *nf* toxin ▪**toxique** *adj* toxic

TP [tepe] *(abrév* **travaux pratiques)** *nmpl Scol & Univ* practical work

trac [trak] *nm* **le t.** *(peur)* the jitters; *(de candidat)* exam nerves; *(d'acteur)* stage fright; **avoir le t.** to be nervous

tracas [traka] *nm* worry ▪**tracasser** *vt*, **se tracasser** *vpr* to worry ▪**tracasseries** *nfpl* annoyances

trace [tras] *nf (quantité, tache, vestige)* trace; *(marque)* mark; *(de fugitif)* trail; **traces** *(de bête, de pneus)* tracks; **traces de pas** footprints; **disparaître sans laisser de traces** to disappear without trace; *Fig* **suivre** *ou* **marcher sur les traces de qn** to follow in sb's footsteps

tracer [trase] *vt (dessiner)* to draw; *(écrire)* to trace; **t. une route** to mark out a route; *(frayer)* to open up a route ▪**tracé** *nm (plan)* layout; *(ligne)* line

trachée [trafe] *nf Anat* windpipe

tract [trakt] *nm* leaflet

tractations [traktasjɔ̃] *nfpl* dealings

tracter [trakte] *vt* to tow ▪**tracteur** *nm* tractor

traction [traksjɔ̃] *nf Tech* traction; *Gymnastique* pull-up; **t. arrière/avant** *(voiture)* rear-/front-wheel drive

tradition [tradisjɔ̃] *nf* tradition ▪**traditionnel, -elle** *adj* traditional

traduire* [traduir] *vt* to translate (**de** from, **en** into); *Fig (exprimer)* to express; **t. qn en justice**

to bring sb before the courts ■**traducteur, -trice** *nmf* translator ■**traduction** *nf* translation ■**traduisible** *adj* translatable

trafic [trafik] *nm (automobile, ferroviaire)* traffic; *(de marchandises)* traffic, trade; **faire le t. de** to traffic in, trade in ■**trafiquant, -ante** *nmf* trafficker, dealer; **t. d'armes/de drogue** arms/ drug trafficker *or* dealer ■**trafiquer** *vt Fam (produit)* to tamper with

tragédie [traʒedi] *nf (pièce de théâtre, événement)* tragedy ■**tragique** *adj* tragic; **prendre qch au t.** *(remarque)* to take sth too much to heart ■**tragiquement** *adv* tragically

trahir [trair] **1** *vt* to betray; *(secret)* to give away, to betray; *(sujet: forces)* to fail **2 se trahir** *vpr* to give oneself away ■**trahison** *nf* betrayal; *(crime)* treason; **haute t.** high treason

train [trɛ̃] *nm* **(a)** *(de voyageurs, de marchandises)* train; **t. à grande vitesse** high-speed train; **t. autocouchettes** car-sleeper; **t. corail** express train; **t. couchettes** sleeper; *Fig* **prendre le t. en marche** to jump on the bandwagon **(b)** **en t.** *(en forme)* on form; **se mettre en t.** to get (oneself) into shape; **être en t. de faire qch** to be (busy) doing sth; **mettre qch en t.** to get sth going, to start sth off **(c)** *(allure)* pace; **t. de vie** lifestyle **(d)** *(de pneus)* set; *(de péniches, de véhicules)* string **(e)** **t. d'atterrissage** *(d'avion)* undercarriage ■**train-train** *nm inv Fam* **le t. quotidien** the daily grind

traînailler [trenaje], **traînasser** [trenase] *vi Fam* to dawdle; *(errer)* to hang around ■**traînard, -arde** *nmf Br* slowcoach, *Am* slowpoke

traîne [trɛn] *nf (de robe)* train; *Fam* **à la t.** *(en arrière)* lagging behind

traîneau, -x [treno] *nm* sleigh, *Br* sledge, *Am* sled

traînée [trene] *nf (de peinture, dans le ciel)* streak; *Fam (prostituée)* tart; *Fig* **se répandre comme une t. de poudre** to spread like wildfire

traîner [trene] **1** *vt* to drag; *(wagon)* to pull; **faire t. qch en longueur** to drag sth out **2** *vi (jouets, papiers)* to lie around; *(s'attarder)* to lag behind, to dawdle; *(errer)* to hang around; *(subsister)* to linger on; **t. par terre** *(robe)* to trail (on the ground); **t. en longueur** to drag on **3 se traîner** *vpr (avancer)* to drag oneself (along); *(par terre)* to crawl; *(durer)* to drag on ■**traînant, -ante** *adj (voix)* drawling

traire* [trer] *vt (vache)* to milk

trait [trɛ] *nm* line; *(en dessinant)* stroke; *(caractéristique)* feature, trait; **traits** *(du visage)* features; **d'un t.** *(boire)* in one gulp, in one go; **avoir t. à qch** to relate to sth; **t. de génie/ d'esprit** flash of genius/wit; **t. d'union** hyphen

traite [trɛt] *nf (de vache)* milking; *(lettre de change)* bill, draft; **d'une (seule) t.** *(sans interruption)* in one go; **t. des Noirs** slave trade; **t. des Blanches** white slave trade

traité [trete] *nm (accord)* treaty; *(ouvrage)* treatise (**sur** on); **t. de paix** peace treaty

traiter [trete] **1** *vt (se comporter envers, soigner)* to treat; *(problème, sujet)* to deal with; *(marché)* to negotiate; *(matériau, produit)* to treat, to process; **t. qn de lâche** to call sb a coward; **t. qn de tous les noms** to call sb all the names under the sun **2** *vi* to negotiate, to deal (**avec** with); **t. de** *(sujet)* to deal with ■**traitement** [tretmɑ̃] *nm (de personne, de maladie)* treatment; *(de matériau)* processing; *(gains)* salary; **t. de données/de texte** data/word processing; **machine à t. de texte** word processor

traiteur [tretœr] *nm (fournisseur)* caterer; **chez le t.** at the delicatessen

traître [trɛtr] **1** *nm* traitor; **en t.** treacherously **2** *adj (dangereux)* treacherous; **être t. à une cause** to be a traitor to a cause ■**traîtrise** *nf* treachery

trajectoire [traʒɛktwar] *nf* path, trajectory

trajet [traʒɛ] *nm* journey; *(distance)* distance; *(itinéraire)* route

trame [tram] *nf (de récit)* framework; *(de tissu)* weft; **usé jusqu'à la t.** threadbare

tramer [trame] **1** *vt (évasion)* to plot; *(complot)* to hatch **2 se tramer** *vpr* **il se trame quelque chose** something's afoot

trampoline [trɑ̃pɔlin] *nm* trampoline

tramway [tramwe] *nm Br* tram, *Am* streetcar

tranche [trɑ̃ʃ] *nf (morceau)* slice; *(bord)* edge; *(partie)* portion; *(de salaire, d'impôts)* bracket; **t. d'âge** age bracket

tranchée¹ [trɑ̃ʃe] *nf* trench

trancher [trɑ̃ʃe] **1** *vt* to cut; *(difficulté, question)* to settle **2** *vi (décider)* to decide; *(contraster)* to contrast (**sur** with) ■**tranchant, -ante 1** *adj (couteau)* sharp; *(ton)* curt **2** *nm (cutting)* edge; *Fig* **à double t.** double-edged ■**tranché, -ée²** *adj (couleurs)* distinct; *(opinion)* clearcut

tranquille [trɑ̃kil] *adj* quiet; *(mer)* calm, still; *(esprit)* easy; *Fam (certain)* confident; **avoir la conscience t.** to have a clear conscience; **je suis t.** *(rassuré)* my mind is at rest; **soyez t.** don't worry; **laisser qch/qn t.** to leave sth/sb alone ■**tranquillement** *adv* calmly

tranquilliser [trɑ̃kilize] *vt* to reassure; **tranquillisez-vous** set your mind at rest ■**tranquillisant** *nm Méd* tranquillizer

tranquillité [trɑ̃kilite] *nf* (peace and) quiet; *(d'esprit)* peace of mind

transaction [trɑ̃zaksjɔ̃] *nf (opération)* transaction; *Jur* compromise

transatlantique [trɑ̃zatlɑ̃tik] **1** *adj* transatlantic **2** *nm (paquebot)* transatlantic liner; *(chaise)* deckchair ■**transat** [trɑ̃zat] *nm (chaise)* deckchair

transcender [trãsãnde] *vt* to transcend
- **transcendant, -ante** *adj* transcendent

transcrire* [trãskrir] *vt* to transcribe
- **transcription** *nf* transcription; *(document)* transcript

transe [trãs] *nf* **en t.** *(mystique)* in a trance; *(excité)* very exited; **entrer en t.** to go into a trance

transférer [trãsfere] *vt* to transfer (**à** to)
- **transfert** *nm* transfer

transfigurer [trãsfigyre] *vt* to transfigure

transformer [trãsfɔrme] **1** *vt* to transform; *(maison) & Rugby* to convert; *(matière première)* to process; *(robe)* to alter; **t. qch en qch** to turn sth into sth **2 se transformer** *upr* to change, to be transformed (**en** into) - **transformateur** *nm Él* transformer - **transformation** *nf* change, transformation; *(de maison)* alteration

transfuge [trãsfyʒ] *nmf* defector

transfusion [trãsfyzjɔ̃] *nf* **t. (sanguine)** (blood) transfusion

transgénique [trãsʒenik] *adj* transgenic

transgresser [trãsgrese] *vt (ordres)* to disobey; *(loi)* to infringe - **transgression** *nf (de loi)* infringement; *(d'ordres)* disobeying

transi, -ie [trãzi] *adj (personne)* numb with cold; **t. de peur** *Br* paralysed *or Am* paralyzed with fear

transiger [trãziʒe] *vi* to compromise

transistor [trãzistɔr] *nm* transistor

transit [trãzit] *nm* transit; **en t.** in transit
- **transiter 1** *vt (marchandises)* to transit **2** *vi* to pass in transit

transitif, -ive [trãzitif, -iv] *adj & nm Grammaire* transitive

transition [trãzisjɔ̃] *nf* transition - **transitoire** *adj (qui passe)* transient; *(provisoire)* transitional

translucide [trãslysid] *adj* translucent

transmettre* [trãsmetr] **1** *vt (message, héritage)* to pass on (**à** to); *Radio & TV (informations)* to transmit; *(émission)* to broadcast **2 se transmettre** *upr (maladie, tradition)* to be passed on - **transmetteur** *nm (appareil)* transmitter - **transmission** *nf* transmission

transparaître* [trãsparetr] *vi* to show (through)

transparent, -ente [trãsparã, -ãt] *adj* clear, transparent - **transparence** *nf* transparency; **voir qch par t.** to see sth showing through

transpercer [trãsperse] *vt* to pierce

transpirer [trãspire] *vi (suer)* to sweat, to perspire; *Fig (information)* to leak out - **transpiration** *nf* perspiration

transplanter [trãsplãte] *vt (organe, plante)* to transplant - **transplantation** *nf* transplantation; *(greffe d'organe)* transplant

transport [trãspɔr] *nm (action)* transport, transportation (**de** of); **transports** *(moyens)*

transport; **transports en commun** public transport; **frais de t.** transport costs; **moyen de t.** means of transport

transporter [trãspɔrte] *vt (passagers, troupes, marchandises)* to transport, to carry; **t. qn d'urgence à l'hôpital** to rush sb *Br* to hospital *or Am* to the hospital - **transporteur** *nm* **t. (routier)** *Br* haulier, *Am* trucker

transposer [trãspoze] *vt* to transpose - **transposition** *nf* transposition

transsexuel, -elle *adj & nmf* transsexual

transvaser [trãsvaze] *vt* to pour; *(vin)* to decant

transversal, -e, -aux, -ales [trãsversal, -o] *adj* transverse, transversal; **rue transversale** cross street

trapèze [trapez] *nm (de cirque)* trapeze - **trapéziste** *nmf* trapeze artist

trappe [trap] *nf (de plancher)* trap door

trappeur [trapœr] *nm* trapper

trapu, -ue [trapy] *adj (personne)* stocky, thickset; *Fam (problème)* tough

traquenard [traknar] *nm* trap

traquer [trake] *vt* to hunt (down)

traumatiser [tromatize] *vt* to traumatize - **traumatisant, -ante** *adj* traumatic - **traumatisme** *nm (choc)* trauma; **t. crânien** severe head injury

travail, -aux [travaj, -o] *nm (activité, lieu)* work; *(à effectuer)* job, task; *(emploi)* job; *(façonnage)* working (**de** of); *(ouvrage, étude)* work, publication; *Écon & Méd* labour; **travaux** work; *(dans la rue) Br* roadworks, *Am* roadwork; *(aménagement)* alterations; *Scol & Univ* **travaux dirigés** ≃ tutorial; **travaux forcés** hard labour; *Scol* **travaux manuels** arts and crafts; **travaux ménagers** housework; *Scol & Univ* **travaux pratiques** practical work; **travaux publics** public works

travailler [travaje] **1** *vi (personne)* to work (**à qch** on sth); *(bois)* to warp **2** *vt (discipline, rôle, style)* to work on; *(façonner)* to work; *Fam (inquiéter)* to worry; **t. la terre** to work the land - **travaillé, -ée** *adj (style)* elaborate - **travailleur, -euse 1** *adj* hard-working **2** *nmf* worker

travailliste [travajist] *Pol* **1** *adj* Labour **2** *nmf* member of the Labour party

travelling [travliŋ] *nm Cin (mouvement de la caméra)* tracking; *(plan)* tracking shot

travers [traver] **1** *prép & adv* **à t.** through; **en t. (de)** across **2** *adv* **de t.** *(chapeau, nez)* crooked; *Fig* **aller de t.** to go wrong; **comprendre de t.** to misunderstand; **regarder qn de t.** *(avec suspicion)* to look askance at sb; **j'ai avalé de t.** it went down the wrong way **3** *nm (défaut)* failing

traverse [travers] *nf (de voie ferrée) Br* sleeper, *Am* tie

traverser [traverse] *vt* to cross; *(foule, période,*

mur) to go through ▪**traversée** *nf (voyage)* crossing

traversin [travɛrsɛ̃] *nm* bolster

travesti [travɛsti] *nm (acteur)* female impersonator; *(homosexuel)* transvestite

travestir [travɛstir] *vt* to disguise; *(pensée, vérité)* to misrepresent ▪**travestissement** *nm* disguise

trébucher [trebyʃe] *vi* to stumble (**sur** over); **faire t. qn** to trip sb (up)

trèfle [trɛfl] *nm (plante)* clover; *Cartes (couleur)* clubs

treille [trɛj] *nf* climbing vine

treillis [trɛji] *nm* (**a**) *(treillage)* lattice(work); *(en métal)* wire mesh (**b**) *(tenue militaire)* combat uniform

treize [trɛz] *adj & nm inv* thirteen ▪**treizième** *adj & nmf* thirteenth

tréma [trema] *nm* diaeresis

trembler [trɑ̃ble] *vi* to shake, to tremble; *(de froid, peur)* to tremble (**de** with); *(flamme, lumière)* to flicker; *(voix)* to tremble, to quaver; *(avoir peur)* to be afraid (**que** + *subjunctive* that); **t. pour qn** to fear for sb; **t. de tout son corps** to shake all over, to tremble violently ▪**tremblement** [-əmɑ̃] *nm (action, frisson)* shaking, trembling; **t. de terre** earthquake ▪**trembloter** *vi* to quiver

trémolos [tremɔlo] *nmpl* **avec des t. dans la voix** with a tremor in one's voice

trémousser [tremuse] **se trémousser** *vpr* to wriggle (about)

trempe [trɑ̃p] *nf* **un homme de sa t.** a man of his calibre; *Fam* **mettre une t. à qn** to give sb a thrashing

tremper [trɑ̃pe] **1** *vt* to soak, to drench; *(plonger)* to dip (**dans** in); *(acier)* to temper **2** *vi* to soak; **faire t. qch** to soak sth; *Péj* **t. dans** *(participer)* to be mixed up in **3 se tremper** *vpr Fam (se baigner)* to take a dip ▪**trempette** *nf Fam* **faire t.** to take a dip

tremplin [trɑ̃plɛ̃] *nm Sport & Fig* springboard

trente [trɑ̃t] *adj & nm inv* thirty; **un t.-trois tours** *(disque)* an LP; **se mettre sur son t. et un** to get all dressed up; *Fam* **il n'y en a pas t.-six** there aren't that many of them; *Fam* **tous les t.-six du mois** once in a blue moon; *Fam* **être au t.-sixième dessous** to be (feeling) really down ▪**trentaine** *nf* **une t. (de)** *(nombre)* (about) thirty; **avoir la t.** *(âge)* to be about thirty ▪**trentième** *adj & nmf* thirtieth

trépas [trepa] *nm Littéraire* death; **passer de vie à t.** to pass away

trépidant, -ante [trepidɑ̃, -ɑ̃t] *adj (vie)* hectic

trépied [trepje] *nm* tripod

trépigner [trepiɲe] *vi* to stamp (one's feet)

très [trɛ] ([trɛz] *before vowel or mute h*) *adv* very; **t. aimé/critiqué** *(with past participle)* much or greatly liked/criticized

trésor [trezɔr] *nm* treasure; **le T. (public)** *(service)* public revenue (department); *(finances)* public funds; **des trésors de patience** boundless patience ▪**trésorerie** [-rri] *nf (bureaux d'un club)* accounts department; *(gestion)* accounting; *(capitaux)* funds ▪**trésorier, -ière** *nmf* treasurer

tressaillir* [tresajir] *vi (frémir)* to shake, to quiver; *(de joie, de peur)* to tremble (**de** with); *(sursauter)* to jump, to start ▪**tressaillement** *nm (frémissement)* quiver; *(de joie)* trembling; *(de surprise)* start

tressauter [tresote] *vi (sursauter)* to start, to jump

tresse [trɛs] *nf (cordon)* braid; *(cheveux) Br* plait, *Am* braid ▪**tresser** [trese] *vt* to braid; *(cheveux) Br* to plait, *Am* to braid

tréteau, -x [treto] *nm* trestle

treuil [trœj] *nm* winch

trêve [trɛv] *nf (de combat)* truce; *Fig (répit)* respite; **la T. des confiseurs** the Christmas and New Year political truce; **t. de plaisanteries!** joking apart!

tri [tri] *nm* sorting (out); **faire le t. de** to sort (out); **(centre de) t.** *(des postes)* sorting office ▪**triage** *nm* sorting (out)

triangle [trijɑ̃gl] *nm* triangle ▪**triangulaire** *adj* triangular

tribord [tribɔr] *nm (de bateau, d'avion)* starboard

tribu [triby] *nf* tribe ▪**tribal, -e, -aux, -ales** *adj* tribal

tribulations [tribylasjɔ̃] *nfpl* tribulations

tribunal, -aux [tribynal, -o] *nm Jur* court; *(militaire)* tribunal

tribune [tribyn] *nf (de salle publique)* gallery; *(de stade)* (grand)stand; *(d'orateur)* rostrum; **t. libre** *(de journal)* open forum

tribut [triby] *nm* tribute (**à** to)

tributaire [tribytɛr] *adj Fig* **t. de** dependent on

tricher [triʃe] *vi* to cheat ▪**tricherie** *nf* cheating, trickery; **une t.** a piece of trickery ▪**tricheur, -euse** *nmf Br* cheat, *Am* cheater

tricolore [trikɔlɔr] *adj (cocarde)* red, white and blue; **le drapeau/l'équipe t.** the French flag/team

tricot [triko] *nm (activité, ouvrage)* knitting; *(chandail)* sweater, *Br* jumper; *(ouvrage)* piece of knitting; **en t.** knitted; **t. de corps** *Br* vest, *Am* undershirt ▪**tricoter** *vti* to knit

tricycle [trisikl] *nm* tricycle

trier [trije] *vt (lettres)* to sort; *(vêtements)* to sort through

trifouiller [trifuje] *vi Fam* to rummage around

trilingue [trilɛ̃g] *adj* trilingual

trilogie [trilɔʒi] *nf* trilogy

trimbal(l)er [trɛ̃bale] *Fam* **1** *vt* to cart around **2 se trimbal(l)er** *vpr* to trail around

trimer [trime] *vi Fam* to slave (away)

trimestre [trimɛstr] *nm* quarter; *Scol* term; *Scol* **premier/second/troisième t.** *Br* autumn *or Am* fall/winter/summer term ■**trimestriel, -ielle** *adj (revue)* quarterly; **bulletin t.** end-of-term *Br* report *or Am* report card

tringle [trɛ̃gl] *nf* rod; **t. à rideaux** curtain rod

Trinité [trinite] *nf* **la T.** *(fête)* Trinity; *(dogme)* the Trinity

trinquer [trɛ̃ke] *vi* to chink glasses; **t. à la santé de qn** to drink to sb's health

trio [trijo] *nm (groupe) & Mus* trio

triomphe [trijɔ̃f] *nm* triumph (**sur** over); **porter qn en t.** to carry sb shoulder-high ■**triomphal, -e, -aux, -ales** *adj* triumphal ■**triomphant, -ante** *adj* triumphant ■**triompher** *vi* to triumph (**de** over); *(jubiler)* to be jubilant

tripes [trip] *nfpl Culin* tripe; *Fam* guts ■**tripier, -ière** *nmf* tripe butcher

triple [tripl] **1** *adj* treble, triple; *Sport* **t. saut** triple jump **2** *nm* **le t.** three times as much (**de** as) ■**tripler** *vti* to treble, to triple ■**triplés, -ées** *nmfpl* triplets

tripot [tripo] *nm* gambling den

tripoter [tripɔte] *vt Fam* to mess around with, *Br* to fiddle with

trique [trik] *nf* cudgel

triste [trist] *adj* sad; *(morne)* dreary; *(lamentable)* unfortunate ■**tristement** [-əmɑ̃] *adv* sadly ■**tristesse** *nf* sadness; *(du temps)* dreariness

triturer [trityre] *vt (broyer)* to grind; *Fam (manipuler)* to fiddle with

trivial, -e, -iaux, -iales [trivjal, -jo] *adj* coarse, vulgar ■**trivialité** *nf* coarseness, vulgarity

> Il faut noter que l'adjectif anglais **trivial** est un faux ami. Il signifie **insignifiant**.

troc [trɔk] *nm* exchange; *(système économique)* barter

troène [trɔɛn] *nm* privet

trognon [trɔɲɔ̃] *nm (de fruit)* core; *(de chou)* stump

trois [trwa] *adj & nm inv* three; **les t. quarts (de)** three-quarters (of) ■**troisième 1** *adj & nmf* third; **le t. âge** *(vieillesse)* the retirement years; **personne du t. âge** senior citizen **2** *nf Scol Br* **la t.** ≃ fourth year, *Am* ≃ eighth grade; *Aut (vitesse)* third gear ■**troisièmement** *adv* thirdly ■**trois-pièces** *nm inv (appartement)* three room(ed) *Br* flat *or Am* apartment

trombe [trɔ̃b] *nf* **trombe(s) d'eau** *(pluie)* rainstorm, downpour; *Fig* **entrer en t.** to burst in like a whirlwind

trombone [trɔ̃bɔn] *nm (instrument)* trombone; *(agrafe)* paper clip

trompe [trɔ̃p] *nf (d'éléphant)* trunk; *(d'insecte)* proboscis; *(instrument de musique)* horn

tromper [trɔ̃pe] **1** *vt (abuser)* to fool (**sur** about); *(être infidèle à)* to be unfaithful to; *(échapper à)* to elude **2 se tromper** *vpr* to be mistaken; **se t. de route/de train** to take the wrong road/train; **se t. de date/de jour** to get the date/day wrong; **c'est à s'y t.** you can't tell the difference ■**trompe-l'œil** *nm inv* trompe-l'œil; **en t.** trompe-l'œil ■**tromperie** [-pri] *nf* deceit, deception ■**trompeur, -euse** *adj (apparences)* deceptive, misleading; *(personne)* deceitful

trompette [trɔ̃pɛt] *nf* trumpet ■**trompettiste** *nmf* trumpet player

tronc [trɔ̃] *nm (d'arbre) & Anat* trunk; *(boîte)* collection box

tronche [trɔ̃ʃ] *nf Fam* face, mug; **il a une drôle de t.** he's really odd-looking; **faire la t.** to sulk; **ce mec-là, c'est une t.!** that guy's really brainy!

tronçon [trɔ̃sɔ̃] *nm* section ■**tronçonner** *vt* to cut into sections ■**tronçonneuse** *nf* chainsaw

trône [tron] *nm* throne ■**trôner** *vi Fig (vase, personne)* to occupy the place of honour

tronquer [trɔ̃ke] *vt (mot, texte)* to shorten

trop [tro] *adv (avec adjectif, adverbe)* too; *(avec verbe)* too much; **t. dur/loin** too hard/far; **t. fatigué pour jouer** too tired to play; **boire/lire t.** to drink/read too much; **t. de sel** too much salt; **t. de gens** too many people; **du fromage en t.** too much cheese; **des œufs en t.** too many eggs; **un euro/verre en t.** one euro/glass too many; **t. souvent** too often; **t. peu** not enough; **se sentir de t.** to feel in the way; *Fam* **en faire t.** to overdo it ■**trop-plein** *(pl* **trop-pleins)** *nm (excédent)* overflow; *(dispositif)* overflow pipe

trophée [trɔfe] *nm* trophy

tropique [trɔpik] *nm* tropic; **les tropiques** the tropics; **sous les tropiques** in the tropics ■**tropical, -e, -aux, -ales** *adj* tropical

troquer [trɔke] *vt* to exchange (**contre** for)

trot [tro] *nm* trot; **aller au t.** to trot; *Fam* **au t.** *(sans traîner)* at the double ■**trotter** [trɔte] *vi (cheval)* to trot; *Fig (personne)* to trot about

trotteuse [trɔtøz] *nf (de montre)* second hand ■**trotteur, -euse** *nmf (cheval)* trotter

trottiner [trɔtine] *vi (personne)* to trot along

trottinette [trɔtinɛt] *nf (jouet)* scooter; *Fam (voiture)* little car

trottoir [trɔtwar] *nm Br* pavement, *Am* sidewalk; **t. roulant** moving walkway

trou [tru] *nm* hole; *(d'aiguille)* eye; *Fam Péj (village)* dump, hole; *Fig (manque)* gap (**dans** in); **t. d'homme** *(ouverture)* manhole; **t. de (la) serrure** keyhole; *Fig* **t. de mémoire** memory lapse

trouble [trubl] **1** *adj (liquide)* cloudy; *(image)* blurred; *(affaire)* shady **2** *adv* **voir t.** to see things blurred **3** *nm Littéraire (émoi, émotion)* agitation; *(désarroi)* distress; *(désordre)* confusion; **troubles** *(de santé)* trouble; *(révolte)* disturbances, troubles

troubler [truble] **1** *vt* to disturb; *(vue)* to blur; *(liquide)* to make cloudy; *(esprit)* to unsettle; *(projet)* to upset; *(inquiéter)* to trouble **2 se troubler** *vpr (liquide)* to become cloudy; *(candidat)* to become flustered ▪**troublant, -ante** *adj (détail)* disturbing, disquieting ▪**trouble-fête** *nmf inv* killjoy, spoilsport

trouer [true] *vt* to make a hole/holes in; *(silence, ténèbres)* to cut through ▪**trouée** *nf* gap; *(de ciel)* patch

trouille [truj] *nf Fam* **avoir la t.** to be scared stiff ▪**trouillard, -arde** *adj Fam (poltron)* chicken

troupe [trup] *nf (de soldats)* troop; *(groupe)* group; *(de théâtre)* company, troupe; **la t., les troupes** *(armée)* the troops

troupeau, -x [trupo] *nm (de vaches)* & *Fig Péj* herd; *(de moutons)* flock

trousse [trus] *nf (étui)* case, kit; *(d'écolier)* pencil case; **t. à outils** toolkit; **t. à pharmacie** first-aid kit; **t. de toilette** toilet bag

trousseau, -x [truso] *nm (de mariée)* trousseau; **t. de clefs** bunch of keys

trousses [trus] *nfpl Fig* **aux t. de qn** on sb's heels

trouvaille [truvaj] *nf* (lucky) find

trouver [truve] **1** *vt* to find; **aller/venir t. qn** to go/come and see sb; **je trouve que...** I think that...; **comment la trouvez-vous?** what do you think of her? **2 se trouver** *vpr* to be; *(être situé)* to be situated; **se t. dans une situation difficile** to find oneself in a difficult situation; **se t. mal** *(s'évanouir)* to faint; **se t. petit** to consider oneself small **3** *v impersonnel* **il se trouve que...** it happens that...

truand [tryã] *nm* crook

> Il faut noter que le nom anglais **truant** est un faux ami. Il désigne un élève qui fait l'école buissonnière.

truander [tryãde] *vi Fam (tricher)* to cheat

truc [tryk] *nm Fam (chose)* thing; *(astuce)* trick; *(moyen)* way; **avoir/trouver le t.** to have/get the knack (**pour faire** of doing) ▪**trucage** *nm* = **truquage**

truchement [tryʃmã] *nm* **par le t. de qn** through (the intermediary of) sb

truculent, -ente [trykylã, -ãt] *adj (langage, personnage)* colourful

> Il faut noter que l'adjectif anglais **truculent** est un faux ami. Il signifie **agressif**.

truelle [tryɛl] *nf* trowel

truffe [tryf] *nf (champignon)* truffle; *(de chien)* nose

truffer [tryfe] *vt (remplir)* to stuff (**de** with) ▪**truffé, -ée** *adj (pâté)* (garnished) with truffles; *Fig* **t. de** *(balles, fautes)* riddled with; *(citations)* peppered with

truie [trɥi] *nf* sow

truite [trɥit] *nf* trout

truquer [tryke] *vt (photo)* to fake; *(élections, match)* to rig ▪**truquage** *nm (de cinéma)* (special) effect; *(action)* faking; *(d'élections)* rigging ▪**truqué, -ée** *adj (élections, match)* rigged; **photo truquée** fake photo; *Cin* **scène truquée** scene with special effects

trust [trœst] *nm Com (cartel)* trust

tsar [dzar] *nm* tsar, czar

TSF [teɛsɛf] *(abrév* **télégraphie sans fil**) *nf Vieilli (poste de radio)* wireless

tsigane [tsigan] **1** *adj* gipsy **2** *nmf* **T.** gipsy

TSVP [teɛsvepe] *(abrév* **tournez s'il vous plaît**) PTO

TTC [tetese] *(abrév* **toutes taxes comprises**) inclusive of tax

tu¹ [ty] *pron personnel* you *(familiar form of address)*

tu² [ty] *pp de* **taire**

tuba [tyba] *nm (instrument de musique)* tuba; *(de plongée)* snorkel

tube [tyb] *nm* tube; *Fam (chanson, disque)* hit; **t. à essai** test tube; *Fam* **marcher à pleins tubes** *(stéréo)* to be going full blast ▪**tubulaire** *adj* tubular

tuberculose [tybɛrkyloz] *nf* TB, tuberculosis ▪**tuberculeux, -euse** *adj* tubercular; **être t.** to have TB *or* tuberculosis

TUC [tyk] *(abrév* **travail d'utilité collective**) *nm* = community work project for unemployed young people

tuer [tɥe] **1** *vt* to kill; *Fam (épuiser)* to wear out **2 se tuer** *vpr* to kill oneself; *(dans un accident)* to be killed; *Fig* **se t. à faire qch** to wear oneself out doing sth ▪**tuant, -ante** *adj Fam (fatigant)* exhausting ▪**tuerie** *nf* slaughter ▪**tueur, -euse** *nmf* killer; **t. en série** serial killer

tue-tête [tytɛt] **à tue-tête** *adv* at the top of one's voice

tuile [tɥil] *nf* tile; *Fam (malchance)* (stroke of) bad luck

tulipe [tylip] *nf* tulip

tuméfié, -ée [tymefje] *adj* swollen

tumeur [tymœr] *nf* tumour

tumulte [tymylt] *nm (de la foule)* commotion; *(des passions)* turmoil ▪**tumultueux, -ueuse** *adj* turbulent

tunique [tynik] *nf* tunic

Tunisie [tynizi] *nf* **la T.** Tunisia ▪**tunisien, -ienne 1** *adj* Tunisian **2** *nmf* **T., Tunisienne** Tunisian

tunnel [tynɛl] *nm* tunnel; **le t. sous la Manche** the Channel Tunnel

turban [tyrbã] *nm* turban

turbine [tyrbin] *nf* turbine

turbulences [tyrbylãs] *nfpl (tourbillons)* turbulence

turbulent, -ente [tyrbylã, -ãt] *adj (enfant)* boisterous

turfiste [tyrfist] *nmf* racegoer, *Br* punter

turlupiner [tyrlypine] *vt Fam* **t. qn** to bother sb

Turquie [tyrki] *nf* **la T.** Turkey ▪ **turc, turque 1** *adj* Turkish **2** *nmf* **T., Turque** Turk **3** *nm (langue)* Turkish

turquoise [tyrkwaz] *adj inv* turquoise

tuteur, -trice [tytœr, -tris] **1** *nmf (de mineur)* guardian **2** *nm (bâton)* stake, prop ▪ **tutelle** *nf Jur* guardianship; *Fig* protection

tutoyer [tytwaje] *vt* **t. qn** to address sb using the familiar "tu" form ▪ **tutoiement** *nm* = use of the familiar "tu" *(instead of the more formal "vous")*

tutu [tyty] *nm* tutu

tuyau, -x [tɥijo] *nm* pipe; *Fam (conseil)* tip; **t. d'arrosage** hose(pipe); **t. de cheminée** flue; **t. d'échappement** *(de véhicule)* exhaust (pipe) ▪ **tuyauter** *vt Fam* **t. qn** *(conseiller)* to give sb a tip ▪ **tuyauterie** [-tri] *nf (tuyaux)* piping

TVA [tevea] *(abrév* **taxe à la valeur ajoutée)** *nf* VAT

tympan [tɛ̃pã] *nm* eardrum

type [tip] **1** *nm (genre)* type; *Fam (individu)* fellow, guy, *Br* bloke; *Fig* **le t. même de** the very model of **2** *adj inv* typical; **lettre t.** standard letter ▪ **typique** *adj* typical (**de** of) ▪ **typiquement** *adv* typically

typé, -ée [tipe] *adj* **il est très t.** *(il est italien)* he looks typically Italian

typhoïde [tifɔid] *nf* typhoid (fever)

typhon [tifɔ̃] *nm* typhoon

typographie [tipɔgrafi] *nf* typography, printing ▪ **typographe** *nmf* typographer ▪ **typographique** *adj* typographical

tyran [tirã] *nm* tyrant ▪ **tyrannie** *nf* tyranny ▪ **tyrannique** *adj* tyrannical ▪ **tyranniser** *vt* to tyrannize

tzigane [tzigan] **1** *adj* gipsy **2** *nmf* **T.** gipsy

U, u [y] *nm inv* U, u

UE [yø] *(abrév* Union européenne) *nf* EU

Ukraine [ykrɛn] *nf* l'U. the Ukraine

ulcère [ylsɛr] *nm* ulcer ■**ulcérer** *vt Fig* u. qn *(irriter)* to make sb seethe

ULM [yɛlɛm] *(abrév* ultraléger motorisé) *nm inv Av* microlight

ultérieur, -e [ylterjœr] *adj* later, subsequent (**à** to) ■**ultérieurement** *adv* later (on), subsequently

ultimatum [yltimatɔm] *nm* ultimatum; **lancer un u. à qn** to give sb an ultimatum

ultime [yltim] *adj* last; *(préparatifs)* final

ultramoderne [yltramɔdɛrn] *adj* high-tech

ultrasensible [yltrasɑ̃sibl] *adj* ultra-sensitive

ultrason [yltrasɔ̃] *nm* ultrasound

ultraviolet, -ette [yltravjɔlɛ, -ɛt] *adj & nm* ultraviolet

un, une [œ̃, yn] **1** *art indéfini* a; *(devant voyelle)* an; **une page** a page; **un ange** [œ̃nɑ̃ʒ] an angel **2** *adj* one; **la page** un page one; **un kilo** one kilo; **un jour** one day; **un type (quelconque)** some *or* a fellow **3** *pron & nmf* one; **l'un** one; **les uns** some; **le numéro un** number one; **j'en ai un** I have one; **l'un d'eux, l'une d'elles** one of them; *Journ* **la une** front page; *Fam* **j'ai eu une de ces peurs!** I was really scared!

unanime [ynanim] *adj* unanimous ■**unanimité** *nf* unanimity; **à l'u.** unanimously

Unetelle [yntɛl] *nf voir* Untel

uni, -ie [yni] *adj (famille, couple)* close; *(surface)* smooth; *(couleur, étoffe)* plain

unième [ynjɛm] *adj (after a number)* (-)first; **trente et u.** thirty-first; **cent u.** hundred and first

unifier [ynifje] *vt* to unify ■**unification** *nf* unification

uniforme [ynifɔrm] **1** *adj (expression)* uniform; *(sol)* even; *(mouvement)* regular **2** *nm* uniform ■**uniformément** *adv* uniformly ■**uniformiser** *vt* to standardize ■**uniformité** *nf (de couleurs)* uniformity; *(monotonie)* monotony

unijambiste [ynizɑ̃bist] **1** *adj* one-legged **2** *nmf* one-legged man/woman

unilatéral, -e, -aux, -ales [ynilateral, -o] *adj (décision)* unilateral; *(contrat)* one-sided; *(stationnement)* on one side of the road/street only

union [ynjɔ̃] *nf (de partis, de consommateurs)* union, association; *(entente)* unity; *(mariage)* marriage; **l'U. européenne** the European Union; **u. libre** cohabitation; **u. monétaire** monetary union

unique [ynik] *adj* (**a**) *(fille, fils)* only; *(espoir, souci)* only, sole; *(prix, parti, salaire, marché)* single; **son seul et u. souci** his/her one and only worry (**b**) *(exceptionnel)* unique; *Fam (drôle)* priceless; **u. en son genre** completely unique ■**uniquement** *adv* only, just

unir [ynir] **1** *vt (personnes, territoires)* to unite; *(marier)* to join in marriage; *(efforts, qualités)* to combine (**à** with); **l'amitié qui nous unit** the friendship that unites us **2** **s'unir** *vpr (s'associer)* to unite; *(se marier)* to be joined in marriage; **s'u. à qn** to join forces with sb

unisexe [ynisɛks] *adj* unisex

unisson [ynisɔ̃] **à l'unisson** *adv* in unison (**de** with)

unité [ynite] *nf (de mesure, élément, régiment)* unit; *(cohésion)* unity; **u. de longueur** unit of measurement; **u. de production** production unit; *Univ* **u. de valeur** credit; *Ordinat* **u. centrale** central processing unit ■**unitaire** *adj (prix)* per unit

univers [ynivɛr] *nm* universe; *Fig* world ■**universalité** *nf* universality ■**universel, -elle** *adj* universal ■**universellement** *adv* universally

université [ynivɛrsite] *nf* university; **à l'u.** *Br* at university, *Am* in college ■**universitaire 1** *adj* **ville/restaurant u.** university town/refectory **2** *nmf* academic

Untel, Unetelle [œ̃tɛl, yntɛl] *nmf* what's-his-name, *f* what's-her-name

uranium [yranjɔm] *nm* uranium

urbain, -aine [yrbɛ̃, -ɛn] *adj* urban ■**urbaniser** *vt* to urbanize ■**urbanisme** *nm Br* town planning, *Am* city planning ■**urbaniste** *nmf Br* town planner, *Am* city planner

urgent, -ente [yrʒɑ̃, -ɑ̃t] *adj* urgent ■**urgence** *nf (de décision, de tâche)* urgency; *(cas d'hôpital)* emergency; **d'u.** urgently; **mesures d'u.** emergency measures; *Pol* **état d'u.** state of emergency; *Méd* **(service des) urgences** *(d'hôpital) Br* casualty (department), *Am* emergency room, ER; **il y a u.** it's a matter of urgency ■**urgentiste** *nmf Méd* emergency doctor

urine [yrin] *nf* urine ▪**uriner** *vi* to urinate ▪**urinoir** *nm* (public) urinal

urne [yrn] *nf (vase)* urn; *(pour voter)* ballot box; **aller aux urnes** to go to the polls

URSS [yereses, yrs] *(abrév* **Union des républiques socialistes soviétiques)** *nf Anciennement* **l'U.** the USSR

urticaire [yrtiker] *nf* nettle rash

Uruguay [yrygwe] *nm* **l'U.** Uruguay

us [ys] *nmpl* **les us et coutumes** the ways and customs

usage [yzaʒ] *nm (utilisation)* use; *(coutume)* custom; *(de mot)* usage; **faire u. de qch** to make use of sth; **faire bon u. de qch** to put sth to good use; **faire de l'u.** *(vêtement)* to wear well; **d'u.** *(habituel)* customary; **à l'u. de** for (the use of); **hors d'u.** out of order; **je n'en ai pas l'u.** I have no use for it ▪**usagé, -ée** *adj (vêtement)* worn; *(billet)* used ▪**usager** *nm* user

user [yze] **1** *vt (vêtement)* to wear out; *(personne)* to wear down; *(consommer)* to use (up) **2** *vi* **u. de qch** to use sth **3** **s'user** *vpr (tissu, machine)* to wear out; *(talons, personne)* to wear down ▪**usé, -ée** *adj (tissu)* worn out; *(sujet)* stale; *(personne)* worn out; **eaux usées** dirty *or* waste water

usine [yzin] *nf* factory; **u. à gaz** gasworks; **u. métallurgique** ironworks

usiner [yzine] *vt Tech* to machine

usité, -ée [yzite] *adj* in common use; **peu u.** little used

ustensile [ystãsil] *nm* implement, tool; **u. de cuisine** kitchen utensil

usuel, -elle [yzɥɛl] *adj* everyday ▪**usuels** *nmpl (de bibliothèque)* reference books

usure [yzyr] *nf (de pneu)* wear; *(de sol)* wearing away; *Fig* **avoir qn à l'u.** to wear sb down

usurier, -ière [yzyrje, -jer] *nmf* usurer

usurper [yzyrpe] *vt* to usurp ▪**usurpateur, -trice** *nmf* usurper

utérus [yterys] *nm Anat* womb, uterus

utile [ytil] *adj* useful (**à** to); **puis-je vous être u.?** what can I do for you? ▪**utilement** *adv* usefully

utiliser [ytilize] *vt* to use ▪**utilisable** *adj* usable ▪**utilisateur, -trice** *nmf* user; **u. final** end-user ▪**utilisation** *nf* use ▪**utilité** *nf* usefulness; **d'une grande u.** very useful; **déclaré d'u. publique** state-approved

utilitaire [ytiliter] **1** *adj* utilitarian; **véhicule u.** utility vehicle **2** *nf Ordinat* utility

utopie [ytɔpi] *nf (idéal)* utopia; *(projet, idée)* utopian plan/idea ▪**utopique** *adj* utopian

UV [yve] *(abrév* **ultraviolet)** *nm inv* UV; **faire des UV** *(pour bronzer)* to go on a sunbed

V, v [ve] *nm inv* V, v

va [va] *voir* **aller¹**

vacances [vakɑ̃s] *nfpl Br* holiday(s), *Am* vacation; **en v.** *Br* on holiday, *Am* on vacation; **partir en v.** to go on *Br* holiday *or Am* vacation; **prendre des v.** to take a holiday; **les grandes v.** the summer *Br* holidays *or Am* vacation ▪ **vacancier, -ière** *nmf Br* holidaymaker, *Am* vacationer

vacant, -ante [vakɑ̃, -ɑ̃t] *adj* vacant

vacarme [vakarm] *nm* din, uproar

vaccin [vaksɛ̃] *nm* vaccine; **faire un v. à qn** to vaccinate sb ▪ **vaccination** *nf* vaccination ▪ **vacciner** *vt* to vaccinate; **se faire v.** to get vaccinated (**contre** against); *Fam* **je suis vacciné** I've learnt my lesson

vache [vaʃ] **1** *nf* cow; *Fam Péj (femme méchante)* bitch, cow; *Fam Péj (homme méchant)* pig; **v. laitière** dairy cow; **maladie de la v. folle** mad cow disease; *Fam* **la v.!** *(d'admiration)* wow!; *(de surprise) Br* blimey!, *Am* gee (whiz)! **2** *adj Fam (méchant)* nasty, bitchy ▪ **vachement** *adv Fam (très)* Br dead, bloody, *Am* real; *(beaucoup)* **a hell of a lot** ▪ **vacherie** *nf Fam (action)* nasty trick; *(parole)* nasty remark

vaciller [vasije] *vi* to sway; *(flamme, lumière)* to flicker; *(mémoire)* to fail ▪ **vacillant, -ante** *adj (lumière)* flickering; *(démarche)* staggering; *(mémoire)* failing

vadrouille [vadruj] *nf Fam* **en v.** roaming about ▪ **vadrouiller** *vi Fam* to roam about

va-et-vient [vaevjɛ̃] *nm inv (mouvement)* movement to and fro; *(de personnes)* comings and goings

vagabond, -onde [vagabɔ̃, -ɔ̃d] **1** *nmf (clochard)* vagrant, tramp **2** *adj* wandering ▪ **vagabondage** *nm* vagrancy ▪ **vagabonder** *vi* to roam, to wander; *Fig (pensée)* to wander

vagin [vaʒɛ̃] *nm Anat* vagina ▪ **vaginal, -ale** *adj Anat* vaginal

vagir [vaʒir] *vi (bébé)* to cry

vague¹ [vag] **1** *adj* vague; *(regard)* vacant; *(souvenir)* dim, vague **2** *nm* vagueness; **regarder dans le v.** to gaze into space, to gaze vacantly; **rester dans le v.** to be vague; **avoir du v. à l'âme** to be melancholy ▪ **vaguement** *adv* vaguely

vague² [vag] *nf (de mer)* & *Fig* wave; **v. de**

chaleur heat wave; *Fig* **v. de fond** ground swell; **v. de froid** cold spell *or* snap

vaillant, -ante [vajɑ̃, -ɑ̃t] *adj (courageux)* brave, valiant; *(vigoureux)* healthy ▪ **vaillamment** [-amɑ̃] *adv* valiantly ▪ **vaillance** *nf* bravery

vaille, vailles *voir* **valoir** ▪ **vaille que vaille** *adv* somehow or other

vain, vaine [vɛ̃, vɛn] *adj (sans résultat)* futile; *(mots, promesse)* empty; *(vaniteux)* vain; **en v.** in vain ▪ **vainement** *adv* in vain

vaincre* [vɛ̃kr] *vt (adversaire)* to defeat; *(en sport)* to beat; *Fig (maladie, difficulté)* to overcome ▪ **vaincu, -ue** *nmf* defeated man/woman; *(de match)* loser ▪ **vainqueur 1** *nm* victor; *(de match)* winner **2** *adj m* victorious

vais [ve] *voir* **aller¹**

vaisseau, -x [veso] *nm Anat* vessel; *(bateau)* ship, vessel; **v. spatial** spaceship

vaisselier [vɛsəlje] *nm (meuble) Br* dresser, *Am* hutch

vaisselle [vɛsɛl] *nf* crockery; **faire la v.** to do the washing up, to do the dishes

val [val] *(pl* **vals** *ou* **vaux** [vo]*) nm* valley

valable [valabl] *adj (billet, motif)* valid; *Fam (remarquable, rentable)* worthwhile

valet [valɛ] *nm Cartes* jack; **v. de chambre** valet

valeur [valœr] *nf (prix, qualité)* value; *(mérite)* worth; *(poids)* weight; *Fin* **valeurs** securities; **la v. de** *(équivalent)* the equivalent of; **avoir de la v.** to be valuable; **prendre de la v.** to increase in value; **mettre qch en v.** *(faire ressortir)* to highlight sth; **personne de v.** person of merit; **objets de v.** valuables; **v. refuge** safe investment

valide [valid] *adj (personne)* fit, able-bodied; *(billet)* valid ▪ **valider** *vt* to validate; *(titre de transport)* to stamp; *Ordinat (option)* to confirm ▪ **validité** *nf* validity

valise [valiz] *nf* suitcase; **v. diplomatique** diplomatic *Br* bag *or Am* pouch; **faire ses valises** to pack (one's bags)

vallée [vale] *nf* valley ▪ **vallon** *nm* small valley ▪ **vallonné, -ée** *adj (région)* undulating

valoir* [valwar] **1** *vi (avoir pour valeur)* to be worth; *(s'appliquer)* to apply (**pour** to); **v. mille euros/cher** to be worth a thousand euros/a lot; **un vélo vaut bien une auto** a bicycle is just as good as a car; **il vaut mieux rester** it's better to stay; **il vaut mieux que j'attende** I'd better wait; **ça ne vaut rien** it's no good; *Fam* **ça vaut la peine** *ou* **le coup** it's worth while (**de faire** doing); **faire v. qch** *(faire ressortir)* to highlight sth; *(argument)* to put sth forward; *(droit)* to assert sth; **se faire v.** to get oneself noticed **2** *vt* **v. qch à qn** *(ennuis)* to bring sb sth **3 se valoir** *vpr (objets, personnes)* to be as good as each other; *Fam* **ça se vaut** it's all the same

valse [vals] *nf* waltz ▪ **valser** *vi* to waltz ▪ **valseur, -euse** *nmf* waltzer

valve [valv] *nf* valve

vampire [vɑ̃pir] *nm* vampire

vandale [vɑ̃dal] *nmf* vandal ▪ **vandalisme** *nm* vandalism

vanille [vanij] *nf* vanilla; **glace à la v.** vanilla ice cream ▪ **vanillé, -ée** *adj* vanilla-flavoured; **sucre v.** vanilla sugar

vanité [vanite] *nf (orgueil)* vanity; *Littéraire (futilité)* futility ▪ **vaniteux, -euse** *adj* vain, conceited

vanne [van] *nf (d'écluse)* sluice gate, floodgate; *Fam (remarque)* dig, jibe; *Fam* **envoyer une v. à qn** to have a dig at sb

vanné, -ée [vane] *adj Fam (fatigué) Br* knackered, shattered, *Am* beat

vannerie [vanri] *nf (fabrication)* basketweaving; *(objets)* basketwork

vanter [vɑ̃te] **1** *vt* to praise **2 se vanter** *vpr* to boast, to brag (**de** about, of); *Fam* **il n'y a pas de quoi se v.** there's nothing to brag or boast about ▪ **vantard, -arde 1** *adj* boastful **2** *nmf* boaster, braggart ▪ **vantardise** *nf (caractère)* boastfulness; *(propos)* boast

va-nu-pieds [vanypje] *nmf inv* beggar, downand-out, *Br* tramp

vapeur [vapœr] *nf (brume, émanation)* vapour; **v. (d'eau)** steam; **cuire qch à la v.** to steam sth; **bateau à v.** steamboat ▪ **vaporeux, -euse** *adj (atmosphère)* steamy; *(tissu)* flimsy

vaporiser [vaporize] *vt* to spray ▪ **vaporisateur** *nm (appareil)* spray

vaquer [vake] *vi* **v. à qch** to attend to sth; **v. à ses occupations** to go about one's business

varappe [varap] *nf* rock climbing ▪ **varapper** *vi* to rock climb ▪ **varappeur, -euse** *nmf* rock climber

vareuse [varøz] *nf (d'uniforme)* tunic

variable [varjabl] **1** *adj* variable; *(humeur, temps)* changeable **2** *nf* variable ▪ **variante** *nf* variant ▪ **variation** *nf* variation

varicelle [varisɛl] *nf* chickenpox

varices [varis] *nfpl* varicose veins

varier [varje] *vti* to vary (**de** from) ▪ **varié, -ée** *adj (diversifié)* varied; *(vocabulaire)* wide

variété [varjete] *nf* variety; **spectacle de variétés** *(chansons)* variety show

variole [varjɔl] *nf* smallpox

vas [va] *voir* **aller¹**

vasculaire [vaskyler] *adj* vascular

vase¹ [vaz] *nm (récipient)* vase

vase² [vaz] *nf (boue)* mud, silt ▪ **vaseux, -euse** *adj (boueux)* muddy, silty; *Fam (faible)* under the weather, *Br* off colour; *Fam (idées)* woolly

vaseline [vazlin] *nf* Vaseline®

vasistas [vazistas] *nm* fanlight

vasouillard, -arde [vazujar, -ard] *adj Fam* confused, muddled

vaste [vast] *adj* vast, huge

Vatican [vatikɑ̃] *nm* **le V.** the Vatican

va-tout [vatu] *nm inv* **jouer son v.** to stake one's all

vaudeville [vodvil] *nm Théâtre* light comedy

vau-l'eau [volo] **à vau-l'eau** *adv* **aller à v.** to go to rack and ruin

vaurien, -ienne [vorjɛ̃, -jɛn] *nmf* good-fornothing

vaut [vo] *voir* **valoir**

vautour [votur] *nm* vulture

vautrer [votre] **se vautrer** *vpr (personne)* to sprawl; **se v. dans la boue/le vice** to wallow in the mud/in vice

va-vite [vavit] **à la va-vite** *adv Fam* in a rush

veau, -x [vo] *nm (animal)* calf; *(viande)* veal; *(cuir)* calfskin; *Fam (voiture)* really slow car

vécu, -ue [veky] **1** *pp de* **vivre 2** *adj (histoire)* real-life **3** *nm* real-life experience

vedette [vədɛt] *nf* (**a**) *(célébrité)* star; **avoir la v., être en v.** *(dans un spectacle)* to top the bill (**b**) *(bateau)* launch

végétal, -e, -aux, -ales [veʒetal, -o] **1** *adj* **huile végétale** vegetable oil; **règne v.** vegetable kingdom **2** *nm* plant ▪ **végétalien, -ienne** *adj & nmf* vegan ▪ **végétarien, -ienne** *adj & nmf* vegetarian ▪ **végétation** *nf* vegetation ▪ **végétations** *nfpl Méd* adenoids

végéter [veʒete] *vi Péj (personne)* to vegetate

véhément, -ente [veemɑ̃, -ɑ̃t] *adj* vehement ▪ **véhémence** *nf* vehemence

véhicule [veikyl] *nm* vehicle; **v. tout-terrain** offroad or all-terrain vehicle ▪ **véhiculer** *vt* to convey

veille [vɛj] *nf* (**a**) *(jour précédent)* **la v. (de qch)** the day before (sth); **la v. de Noël** Christmas Eve; **à la v. de qch** *(événement)* on the eve of sth; *Fam* **ce n'est pas demain la v.** that's not going to happen for quite a while (**b**) *(état)* wakefulness; *Ordinat* standby mode; **en (mode) v.** in standby mode

veillée [veje] *nf (soirée)* evening; *(de mort)* vigil; **v. d'armes** knightly vigil

veiller [veje] **1** *vi* to stay up or awake; *(sentinelle)* to keep watch; **v. à qch** to see to sth; **v. à ce que...** (+ *subjunctive)* to make sure that...; **v. sur qn** to watch over sb; *Fig* **v. au grain** to keep an eye open for trouble **2** *vt (malade)* to sit up with ▪ **veilleur** *nm* **v. de nuit**

night watchman ▪ **veilleuse** nf (de voiture) Br sidelight, Am parking light; (de cuisinière) pilot light; (lampe allumée la nuit) nightlight; Fam **mets-la en v.!** put a sock in it!

veinard, -arde [vɛnar, -ard] nmf Fam lucky devil

veine [vɛn] nf Anat, Bot & Géol vein; Fam (chance) luck; Fam **avoir de la v.** to be lucky or Br jammy

vêler [vele] vi to calve

véliplanchiste [veliplɑ̃ʃist] nmf windsurfer

velléité [veleite] nf vague desire

vélo [velo] nm bike, bicycle; (activité) cycling; **faire du v.** to cycle, to go cycling; **v. tout-terrain** mountain bike ▪ **vélodrome** nm velodrome ▪ **vélomoteur** nm moped

velours [vəlur] nm velvet; **v. côtelé** corduroy ▪ **velouté, -ée** 1 adj velvety; (au goût) mellow, smooth 2 nm (texture) smoothness; **v. d'asperges** cream of asparagus soup

velu, -ue [vəly] adj hairy

venaison [vənɛzɔ̃] nf venison

vénal, -e, -aux, -ales [venal, -o] adj mercenary

vendange [vɑ̃dɑ̃ʒ] nf (récolte) grape harvest; (raisin récolté) grapes (harvested); **une bonne v.** a good vintage; **vendanges** (période) grape-harvesting time; **faire les vendanges** to pick the grapes ▪ **vendanger** vi to pick the grapes ▪ **vendangeur, -euse** nmf grape picker

vendetta [vɑ̃deta] nf vendetta

vendre [vɑ̃dr] 1 vt to sell; **v. qch à qn** to sell sb sth, to sell sth to sb; **v. qch 10 euros** to sell sth for 10 euros; **'à v.'** 'for sale' 2 **se vendre** vpr to be sold; **ça se vend bien** it sells well ▪ **vendeur, -euse** nmf (de magasin) Br sales or shop assistant, Am sales clerk; (non professionnel) seller

vendredi [vɑ̃drədi] nm Friday; **V. saint** Good Friday

vénéneux, -euse [venenø, -øz] adj poisonous

vénérable [venerabl] adj venerable ▪ **vénérer** vt to venerate

vénérien, -ienne [venerjɛ̃, -jɛn] adj venereal

venger [vɑ̃ʒe] 1 vt to avenge 2 **se venger** vpr to get one's revenge (**de qn** on sb; **de qch** for sth) ▪ **vengeance** nf revenge, vengeance ▪ **vengeur, -eresse** 1 adj vengeful 2 nmf avenger

venin [vənɛ̃] nm poison, venom; Fig venom ▪ **venimeux, -euse** adj poisonous, venomous; Fig (haineux) venomous

venir* [vənir] 1 (aux être) vi to come (**de** from); **v. faire qch** to come to do sth; **viens me voir** come and see me; **je viens/venais d'arriver** I've/I'd just arrived; **en v. à** (conclusion) to come to; **où veux-tu en v.?** what are you getting or driving at?; **les jours qui viennent** the coming days; **faire v. qn** to send for sb; **une idée m'est venue** an idea occurred to me; **d'où vient que…?** how is it that…? 2 v

impersonnel **s'il venait à pleuvoir** if it happened to rain

vent [vɑ̃] nm wind; **il y a** ou **il fait du v.** it's windy; **avoir v. de qch** to get wind of sth; Fam **dans le v.** (à la mode) hip, with it

vente [vɑ̃t] nf sale; **en v.** (en magasin) on sale; **mettre qch en v.** to put sth up for sale; **v. aux enchères** auction (sale); **v. de charité** charity sale; **v. par correspondance** mail order

ventilateur [vɑ̃tilatœr] nm (électrique) fan; (de voiture) blower ▪ **ventilation** nf ventilation ▪ **ventiler** vt to ventilate

ventouse [vɑ̃tuz] nf (de sangsue) sucker; (de plastique) suction pad

ventre [vɑ̃tr] nm stomach, belly; (utérus) womb; (de cruche) bulge; **à plat v.** flat on one's face; **avoir/prendre du v.** to have/get a paunch; **avoir mal au v.** to have a sore stomach; Fam **il n'a rien dans le v.** he has no guts ▪ **ventru, -ue** adj (personne) pot-bellied; (objet) bulging

ventriloque [vɑ̃trilɔk] nmf ventriloquist

venu, -ue [vəny] 1 pp de **venir** 2 adj **bien v.** (à propos) timely; **mal v.** untimely 3 nmf **nouveau v., nouvelle venue** newcomer; **le premier v.** (just) anyone 4 nf **venue** (de personne, de printemps) coming; **dès sa venue au monde** since he/she came into the world

> Il faut noter que le nom anglais **venue** est un faux ami. Il désigne un lieu de réunion.

vêpres [vɛpr] nfpl Rel vespers

ver [vɛr] nm (animal) & Ordinat worm; (larve) grub; (de fruits, de fromage) maggot; Fig **tirer les vers du nez à qn** to drag it out of sb; **v. à soie** silkworm; **v. de terre** (earth)worm; **v. luisant** glow-worm; **v. solitaire** tapeworm

véracité [verasite] nf truthfulness

véranda [verɑ̃da] nf veranda(h); (en verre) conservatory

verbaliser [verbalize] vi (policier) to record the details of an offence

verbe [vɛrb] nm verb ▪ **verbal, -e, -aux, -ales** adj (promesse, expression) verbal

verbeux, -euse [verbø, -øz] adj Péj verbose ▪ **verbiage** nm Péj verbiage

verdâtre [verdɑtr] adj greenish

verdeur [verdœr] nf (de fruit, de vin) tartness; (de vieillard) sprightliness; (de langage) crudeness

verdict [verdikt] nm verdict

verdir [verdir] vti to turn green ▪ **verdoyant, -ante** adj green ▪ **verdure** nf (végétation) greenery; **théâtre de v.** open-air theatre

véreux, -euse [verø, -øz] adj (fruit) wormy, maggoty; Fig (malhonnête) dubious, shady

verger [verʒe] nm orchard

vergetures [verʒətyr] nfpl stretch marks

verglas [vergla] nm Br (black) ice, Am glaze ▪ **verglacé, -ée** adj (route) icy

vergogne [vɛrgɔɲ] **sans vergogne 1** *adj* shameless **2** *adv* shamelessly

véridique [veridik] *adj* truthful

vérifier [verifje] **1** *vt* to check, to verify; *(comptes)* to audit **2 se vérifier** *vpr* to prove correct ▪**vérifiable** *adj* verifiable ▪**vérification** *nf* checking, verification; *(de comptes)* audit(ing)

vérité [verite] *nf (de déclaration)* truth; *(de personnage, de tableau)* trueness to life; *(sincérité)* sincerity; **en v.** in fact; **dire la v.** to tell the truth

véritable [veritabl] *adj (histoire, ami)* true, real; *(cuir, or, nom)* real, genuine; *(en intensif)* real ▪**véritablement** [-əmã] *adv* really

verlan [vɛrlã] *nm* back slang *(in which the syllables of words are inverted)*

vermeil, -eille [vɛrmɛj] *adj* bright red; **carte vermeil** = senior citizen's rail pass

vermicelle [vɛrmisɛl] *nm Culin (nouille)* vermicelli; **vermicelles chinois** Chinese noodles

vermine [vɛrmin] *nf (insectes, racaille)* vermin

vermoulu, -ue [vɛrmuly] *adj* worm-eaten

vermouth [vɛrmut] *nm* vermouth

verni, -ie [vɛrni] *adj (meuble, parquet)* varnished; *Fam (chanceux)* lucky

vernir [vɛrnir] *vt (bois)* to varnish; *(céramique)* to glaze ▪**vernis** *nm* varnish; *(pour céramique)* glaze; *Fig (apparence)* veneer; **v. à ongles** nail polish *or Br* varnish ▪**vernissage** *nm (d'exposition)* opening

verra, verrait [vera, vere] *voir* **voir**

verre [vɛr] *nm (substance, récipient)* glass; **boire** *ou* **prendre un v.** to have a drink; **porter des verres** to wear glasses; **gravure sous v.** glass-mounted engraving; **v. de bière** glass of beer; **v. à bière/à vin** beer/wine glass; **v. à dents** toothbrush glass *or* mug; **v. de contact** contact lens ▪**verrerie** *nf (objets)* glassware

verrou [veru] *nm* bolt; **fermer qch au v.** to bolt sth; **sous les verrous** behind bars ▪**verrouiller** *vt (porte)* to bolt; *(quartier)* to seal off

verrue [very] *nf* wart; **v. plantaire** verruca

vers¹ [vɛr] *prép (direction)* toward(s); *(approximation)* around, about

vers² [vɛr] *nm (de poème)* line; **des vers** *(poésie)* verse

versant [vɛrsã] *nm* slope, side

versatile [vɛrsatil] *adj* fickle

> Il faut noter que l'adjectif anglais **versatile** est un faux ami. Il signifie **polyvalent**.

verse [vɛrs] **à verse** *adv* pleuvoir à v. to pour (down); **la pluie tombait à v.** the rain was coming down in torrents

versé, -ée [vɛrse] *adj Littéraire* **v. dans** well-versed in

Verseau [vɛrso] *nm (signe)* Aquarius; **être V.** to be (an) Aquarius

verser [vɛrse] **1** *vt* to pour (out); *(larmes, sang)* to shed; *(argent)* to pay (**sur un compte** into an account) **2** *vi (véhicule)* to overturn ▪**versement** [-əmã] *nm* payment ▪**verseur** *adj* **bec v.** spout

verset [vɛrse] *nm* verse

version [vɛrsjɔ̃] *nf (de film, d'incident)* version; *Scol (traduction)* translation *(into one's mother tongue), Br* unseen; *Cin* **en v. originale** in the original language; **en v. française** dubbed *(into French)*

verso [vɛrso] *nm* back (of the page); **'voir au v.'** 'see overleaf'

vert, verte [vɛr, vɛrt] **1** *adj* green; *(pas mûr)* unripe; *(vin)* too young; *Fig (vieillard)* sprightly; *Fam (écologiste)* green, eco-friendly; **aller en classe verte** to go on a school trip to the countryside; *Fig* **en dire des vertes et des pas mûres** to say some pretty shocking things **2** *nm* green; **se mettre au v.** to go to the country (to recuperate); *Pol* **les Verts** the Greens

vertèbre [vɛrtɛbr] *nf* vertebra

vertement [vɛrtəmã] *adv* sharply

vertical, -e, -aux, -ales [vɛrtikal, -o] *adj & nf* vertical; **à la verticale** vertically ▪**verticalement** *adv* vertically

vertige [vɛrtiʒ] *nm (étourdissement)* (feeling of) dizziness *or* giddiness; *(peur du vide)* vertigo; **vertiges** dizzy spells; **avoir le v.** to be *or* feel dizzy *or* giddy; **donner le v. à qn** to make sb (feel) dizzy *or* giddy ▪**vertigineux, -euse** *adj (hauteur)* giddy, dizzy; *Fig (très grand)* staggering

vertu [vɛrty] *nf* virtue; **en v. de** in accordance with ▪**vertueux, -euse** *adj* virtuous

verve [vɛrv] *nf (d'orateur)* verve

verveine [vɛrvɛn] *nf (plante)* verbena; *(tisane)* verbena tea

vésicule [vezikyl] *nf* **v. biliaire** gall bladder

vessie [vesi] *nf* bladder

veste [vɛst] *nf* jacket, coat

vestiaire [vɛstjɛr] *nm (de théâtre)* cloakroom; *(de piscine, de stade)* changing room, *Am* locker room

vestibule [vɛstibyl] *nm* (entrance) hall

vestiges [vɛstiʒ] *nmpl (ruines)* remains; *(traces)* relics

vestimentaire [vɛstimãter] *adj* **dépense v.** clothing expenditure; **élégance v.** sartorial elegance

veston [vɛstɔ̃] *nm* (suit) jacket

vêtement [vɛtmã] *nm* garment, article of clothing; **vêtements** clothes; **vêtements de sport** sportswear; **industrie du v.** clothing industry

vétéran [veterã] *nm* veteran

vétérinaire [veteriner] **1** *adj* veterinary **2** *nmf* vet, *Br* veterinary surgeon, *Am* veterinarian

vétille [vetij] *nf* trifle, triviality

vêtir* [vetir] *vt*, **se vêtir** *upr* to dress ▪ **vêtu, -ue** *adj* dressed (**de** in)

veto [veto] *nm inv* veto; **opposer son v. à qch** to veto sth

vétuste [vetyst] *adj* dilapidated

veuf, veuve [vœf, vœv] **1** *adj* widowed **2** *nm* widower **3** *nf* widow

veuille(s), veuillent [vœœj] *voir* **vouloir**

veule [vøl] *adj Littéraire* effete

veut, veux [vø] *voir* **vouloir**

vexer [vɛkse] **1** *vt* to upset, to hurt **2 se vexer** *vpr* to get upset (**de** at) ▪ **vexant, -ante** *adj* upsetting, hurtful; *(contrariant)* annoying ▪ **vexation** *nf* humiliation

> Il faut noter que le verbe anglais **to vex** est un faux ami. Il signifie **fâcher, chagriner.**

VF [veɛf] *(abrév* version française) *nf* film en VF film dubbed into French

viable [vjabl] *adj (entreprise, enfant)* viable ▪ **viabilité** *nf* viability

viaduc [vjadyk] *nm* viaduct

viager, -ère [vjaʒe, -ɛr] **1** *adj* **rente viagère** life annuity **2** *nm* life annuity

Viagra® [vjagra] *nm Méd* Viagra®

viande [vjɑ̃d] *nf* meat

vibrer [vibre] *vi* to vibrate; *(être ému)* to be stirred (**de** with); **faire v. qn** to stir sb; **sa voix vibrait de colère** his/her voice was shaking with anger ▪ **vibrant, -ante** *adj (hommage)* stirring ▪ **vibration** *nf* vibration ▪ **vibromasseur** *nm* vibrator

vicaire [viker] *nm (anglican)* curate

vice [vis] *nm (perversité)* vice; *(défectuosité)* defect; *Jur* **v. de forme** flaw, legal technicality

vice versa [vis(e)versa] *adv* vice versa

vicié, -ée [visje] *adj (personne)* corrupt; *(air, atmosphère)* polluted ▪ **vicier** *vt (personne)* to corrupt, *(air, atmosphère)* to pollute

vicieux, -ieuse [visjø, -jøz] *adj (pervers)* depraved; *(perfide)* underhand

> Il faut noter que l'adjectif anglais **vicious** est un faux ami. Il signifie **méchant.**

vicinal, -e, -aux, -ales [visinal, -o] *adj* **chemin v.** minor road, *Br* byroad

vicissitudes [visisityd] *nfpl* vicissitudes

vicomte [vikɔ̃t] *nm* viscount ▪ **vicomtesse** *nf* viscountess

victime [viktim] *nf* victim; *(d'accident)* casualty; **être v. de** *(accident, attentat)* to be the victim of

victoire [viktwar] *nf* victory; *(en sport)* win ▪ **victorieux, -ieuse** *adj* victorious; *(équipe)* winning

victuailles [viktɥaj] *nfpl* provisions

vidange [vidɑ̃ʒ] *nf* emptying, draining; *(de véhicule)* oil change ▪ **vidanger** *vt* to empty, to drain

vide [vid] **1** *adj* empty **2** *nm (espace)* empty

space; *(d'emploi du temps)* gap; *Phys* vacuum; **regarder dans le v.** to stare into space; **emballé sous v.** vacuum-packed; **à v.** empty

vidéo [video] *adj inv* & *nf* video ▪ **vidéocassette** *nf* video (cassette) ▪ **vidéoclip** *nm* (music) video

vidéodisque [videodisk] *nm Br* videodisc, *Am* videodisk

vider [vide] **1** *vt* to empty; *(lieu)* to vacate; *(poisson, volaille)* to gut; *Fam* **v. qn** *(chasser)* to throw sb out; *(épuiser)* to tire sb out; *Fam* **j'ai vidé mon sac** I got it off my chest **2 se vider** *vpr* to empty ▪ **vidé, -ée** *adj Fam (fatigué)* exhausted ▪ **vide-ordures** *nm inv Br* rubbish or *Am* garbage chute ▪ **vide-poches** *nm inv (de véhicule)* glove compartment ▪ **videur** *nm Fam (de boîte de nuit)* bouncer

vie [vi] *nf* life; *(durée)* lifetime; **en v.** living; **à v., pour la v.** for life; **donner la v. à qn** to give birth to sb; *Fig* **avoir la v. dure** *(préjugés)* to die hard

vieil, vieille [vjej] *voir* **vieux**

vieillard [vjejar] *nm* old man; **les vieillards** old people ▪ **vieillerie** *nf (objet)* old thing; *(idée)* old idea ▪ **vieillesse** *nf* old age

vieillir [vjejir] **1** *vi* to grow old; *(changer)* to age; *(théorie, mot)* to become old-fashioned **2** *vt* **v. qn** *(vêtement)* to make sb look old(er) ▪ **vieilli, -ie** *adj (démodé)* old-fashioned ▪ **vieillissant, -ante** *adj* ageing ▪ **vieillissement** *nm* ageing

vieillot, -otte [vjejo, -ɔt] *adj* old-fashioned

Vienne [vjɛn] *nm ou f* Vienna

viens, vient [vjɛ̃] *voir* **venir**

vierge [vjɛrʒ] **1** *adj (femme, neige)* virgin; *(feuille de papier, film)* blank; **être v.** *(femme, homme)* to be a virgin **2** *nf* virgin; **la V.** *(signe)* Virgo; **être V.** to be (a) Virgo

Vietnam, Viêt Nam [vjetnam] *nm* **le V.** Vietnam ▪ **vietnamien, -ienne** **1** *adj* Vietnamese **2** *nmf* **V., Vietnamienne** Vietnamese

vieux, vieille, vieux, vieilles [vjø, vjej]

> **vieil** is used before masculine singular nouns beginning with a vowel or mute h.

1 *adj* old; **être v. jeu** *(adj inv)* to be old-fashioned; *Péj* **v. garçon** bachelor; *Péj* **vieille fille** old maid; **se faire v.** to get old **2** *nm* old man; **les vieux** old people; *Fam* **mon v.!** *(mon ami) Br* mate!, pal! **3** *nf* **vieille** old woman; *Fam* **ma vieille!** *(mon amie)* dear!

vif, vive [vif, viv] **1** *adj (personne)* lively; *(imagination)* vivid; *(intelligence, vent, douleur)* sharp; *(intérêt, satisfaction)* great; *(couleur, lumière)* bright; *(froid)* biting; *(pas, mouvement)* quick; **brûler qn v.** to burn sb alive **2** *nm* **entrer dans le v. du sujet** to get to the heart of the matter; **à v.** *(plaie)* open; **piqué au v.** *(vexé)* cut to the quick

vigie [viʒi] *nf (matelot)* lookout; *(poste)* lookout post

vigilant, -ante [viʒilɑ̃, -ɑ̃t] *adj* vigilant ▪ **vigilance** *nf* vigilance

vigile [viʒil] *nm* watchman

> Il faut noter que le nom anglais **vigil** est un faux ami. Il ne signifie jamais **gardien**.

vigne [viɲ] *nf (plante)* vine; *(plantation)* vineyard; *pied de v.* vine (stock) ▪ **vigneron, -onne** [-ərɔ̃, -ɔn] *nmf* wine grower ▪ **vignoble** *nm* vineyard; *(région)* vineyards

vignette [viɲɛt] *nf (de véhicule)* road tax sticker, *Br* ≃ road tax disc; *(de médicament)* label *(for reimbursement by Social Security)*

vigueur [vigœr] *nf* vigour; **entrer/être en v.** *(loi)* to come into/be in force ▪ **vigoureux, -euse** *adj (personne, style)* vigorous; *(bras)* sturdy

vilain, -aine [vilɛ̃, -ɛn] *adj (laid)* ugly; *(peu sage)* naughty; *(impoli)* rude

villa [vila] *nf* villa

village [vilaʒ] *nm* village ▪ **villageois, -oise** *nmf* villager

ville [vil] *nf* town; *(grande)* city; **aller/être en v.** to go (in)to/be in town; **v. d'eaux** spa (town)

villégiature [vileʒjatyr] *nf* **lieu de v.** *Br* holiday resort, *Am* vacation resort

vin [vɛ̃] *nm* wine; **v. ordinaire** *ou* **de table** table wine; **v. d'honneur** reception *(in honour of sb)* ▪ **vinicole** *adj (région)* wine-growing

vinaigre [vinɛgr] *nm* vinegar ▪ **vinaigrette** *nf (sauce)* vinaigrette, *Br* French dressing, *Am* Italian dressing

vindicatif, -ive [vɛ̃dikatif, -iv] *adj* vindictive

vingt [vɛ̃] *([vɛ̃t] before vowel or mute h and in numbers 22-29) adj & nm inv* twenty; **v. et un** twenty-one ▪ **vingtaine** *nf* **une v. (de)** *(nombre)* about twenty ▪ **vingtième** *adj & nmf* twentieth

vinyle [vinil] *nm* vinyl

viol [vjɔl] *nm (de personne)* rape; *(de lieu)* violation ▪ **violation** *nf* violation ▪ **violenter** *vt* to rape ▪ **violer** *vt (femme)* to rape; *(tombe)* to desecrate; *(secret)* to divulge ▪ **violeur** *nm* rapist

violent, -ente [vjɔlɑ̃, -ɑ̃t] *adj* violent; *(effort)* strenuous ▪ **violemment** [-amɑ̃] *adv* violently ▪ **violence** *nf* violence; **acte de v.** act of violence

violet, -ette [vjɔlɛ, -ɛt] **1** *adj & nm (couleur)* purple **2** *nf* **violette** *(fleur)* violet ▪ **violacé, -ée** *adj* purplish-blue; **v. par le froid** blue with cold

violon [vjɔlɔ̃] *nm* violin; *Fig* **accordons nos violons** let's make sure we get our stories straight ▪ **violoncelle** *nm* cello ▪ **violoncelliste** *nmf* cellist ▪ **violoniste** *nmf* violinist

vipère [vipɛr] *nf* adder, viper

virage [viraʒ] *nm (de route)* bend; *(de véhicule)* turn; *Fig (revirement)* change of course

virée [vire] *nf Fam (en voiture)* drive

virer [vire] **1** *vi* to turn; **v. au bleu** to turn blue **2** *vt Fin (somme)* to transfer (**à** to); *Fam* **v. qn** to chuck or kick sb out; *(d'un travail)* to fire sb; **v. qch** to get rid of sth, to chuck sth out ▪ **virement** *nm Fin* transfer

virevolter [virvɔlte] *vi* to spin round

virginité [virʒinite] *nf* virginity

virgule [virgyl] *nf (ponctuation)* comma; *Math* (decimal) point; **2 v. 5** 2 point 5

viril, -e [viril] *adj* virile; *(force, attribut)* male ▪ **virilité** *nf* virility

virtuel, -elle [virtɥɛl] *adj* potential; *(image)* virtual; **réalité virtuelle** virtual reality ▪ **virtuellement** *adv (potentiellement)* potentially; *(très probablement)* virtually

> Il faut noter que l'adverbe anglais **virtually** ne s'emploie jamais dans le sens de **potentiellement**.

virtuose [virtɥoz] *nmf* virtuoso ▪ **virtuosité** *nf* virtuosity

virulent, -ente [virylɑ̃, -ɑ̃t] *adj* virulent ▪ **virulence** *nf* virulence

virus [virys] *nm Méd & Ordinat* virus

vis[1] [vi] *voir* **vivre, voir**

vis[2] [vis] *nf* screw

visa [viza] *nm (de passeport)* visa; **v. de censure** *(de film)* certificate

visage [vizaʒ] *nm* face

vis-à-vis [vizavi] **1** *prép* **v. de** *(en face de)* opposite; *(envers)* towards; *(comparé à)* compared to **2** *nm inv (personne)* person opposite

viscères [visɛr] *nmpl* intestines ▪ **viscéral, -e, -aux, -ales** *adj Fig (haine)* deep-seated

viscosité [viskozite] *nf* viscosity

viser [vize] **1** *vt (cible)* to aim at; *(concerner)* to be aimed at; *(document)* to stamp **2** *vi* to aim (**à** at); **v. à faire qch** to aim to do sth ▪ **visées** *nfpl Fig (desseins)* aims; **avoir des visées sur qn/qch** to have designs on sb/sth ▪ **viseur** *nm Phot* viewfinder; *(d'arme)* sight

visible [vizibl] *adj* visible; **v. à l'œil nu** visible to the naked eye ▪ **visibilité** *nf* visibility ▪ **visiblement** [-amɑ̃] *adv* visibly

visière [vizjɛr] *nf (de casquette)* peak; *(en plastique)* eyeshade; *(de casque)* visor

vision [vizjɔ̃] *nf (conception, image)* vision; *(sens)* sight; *Fam* **avoir des visions** to be seeing things ▪ **visionnaire** *adj & nmf* visionary ▪ **visionner** *vt (film)* to view ▪ **visionneuse** *nf (pour diapositives)* viewer

visite [vizit] *nf* visit; *(personne)* visitor; *(examen)* inspection; **rendre v. à qn, faire une v. à qn** to visit sb; **avoir de la v.** to have a visitor/visitors; **heures de v.** visiting hours; **v. (à domicile)** *(de médecin)* (house) call; **v. médicale** medical examination; **v. guidée** guided tour ▪ **visiter**

vt (lieu touristique, patient) to visit; *(examiner)* to inspect ▪**visiteur, -euse** *nmf* visitor

vison [vizɔ̃] *nm* mink

visqueux, -euse [viskø, -øz] *adj* viscous; *(surface)* sticky

visser [vise] *vt* to screw on

visu [vizy] **de visu** *adv Littéraire* with one's own eyes

visuel, -elle [vizɥɛl] *adj* visual ▪**visualiser** *vt* to visualize; *Ordinat (afficher)* to display

vit [vi] *voir* **vivre, voir**

vital, -e, -aux, -ales [vital, -o] *adj* vital ▪**vitalité** *nf* vitality

vitamine [vitamin] *nf* vitamin ▪**vitaminé, -ée** *adj* vitamin-enriched

vite [vit] *adv (rapidement)* quickly, fast; *(sous peu)* soon; **v.!** quick(ly)! ▪**vitesse** *nf* speed; *(de moteur)* gear; **à toute v.** at top *or* full speed; *Fam* **en v.** quickly

viticole [vitikɔl] *adj (région)* wine-growing ▪**viticulteur, -trice** *nmf* wine grower ▪**viticulture** *nf* wine growing

vitre [vitr] *nf* (window)pane; *(de véhicule, de train)* window ▪**vitrage** *nm (vitres)* windows ▪**vitrail, -aux** *nm* stained-glass window ▪**vitré, -ée** *adj* **porte vitrée** glass door ▪**vitreux, -euse** *adj Fig (regard, yeux)* glassy ▪**vitrier** *nm* glazier

vitrine [vitrin] *nf (de magasin)* (shop) window; *(meuble)* display cabinet

vitriol [vitrijɔl] *nm* vitriol

vivable [vivabl] *adj Fam (personne)* easy to live with; *(endroit)* fit to live in

vivace [vivas] *adj (plante)* perennial; *Fig (souvenir)* vivid ▪**vivacité** *nf* liveliness; *(d'imagination)* vividness; *(d'intelligence)* sharpness; *(de couleur)* brightness; *(emportement)* petulance; **v. d'esprit** quick-wittedness

vivant, -ante [vivɑ̃, -ɑ̃t] **1** *adj (en vie)* alive, living; *(récit, rue, enfant)* lively; *(être, matière, preuve)* living **2** *nm* **de son v.** in one's lifetime; **les vivants** the living

vivats [viva] *nmpl* cheers

vive¹ [viv] *voir* **vif**

vive² [viv] *exclam* **v. le roi!** long live the king!

vivement [vivmɑ̃] *adv* quickly; *(répliquer)* sharply; *(regretter)* deeply; **v. demain!** I can hardly wait for tomorrow!, *Br* roll on tomorrow!; **v. qu'il parte** I'll be glad when he's gone

vivier [vivje] *nm* fish pond

vivifier [vivifje] *vt* to invigorate

vivisection [viviseksjɔ̃] *nf* vivisection

vivoter [vivɔte] *vi Fam* to struggle to get by

vivre* [vivr] **1** *vi* to live; **elle vit encore** she's still alive *or* living; **faire v. qn** *(famille)* to support sb; **v. vieux** to live to be old; **facile/difficile à v.** easy/hard to get along with; **v. de** *(fruits)* to live on; *(travail)* to live by; **avoir de quoi v.** to

have enough to live on **2** *vt (vie)* to live; *(aventure, époque)* to live through; *(éprouver)* to experience ▪**vivres** *nmpl* food, supplies

vlan [vlɑ̃] *exclam* bang!, wham!

VO [veo] *(abrév* **version originale)** *nf* **film en VO** film in the original language

vocabulaire [vɔkabyler] *nm* vocabulary

vocal, -e, -aux, -ales [vɔkal, -o] *adj* vocal ▪**vocalises** *nfpl* **faire des v.** to do voice exercises

vocation [vɔkasjɔ̃] *nf* vocation, calling

vociférer [vɔsifere] *vti* to shout angrily ▪**vociférations** *nfpl* shouting

vodka [vɔdka] *nf* vodka; **v. orange** *(verre)* vodka and orange

vœu, -x [vø] *nm (souhait)* wish; *(promesse)* vow; **faire un v.** to make a wish; **faire le v. de faire qch** to vow to do sth; **tous mes vœux!** best wishes!

vogue [vɔg] *nf* fashion, vogue; **en v.** in vogue ▪**voguer** *vi Littéraire* to sail

voici [vwasi] *prép* here is/are; **me v.** here I am; **me v. triste** I'm sad now; **v. dix ans** ten years ago; **v. dix ans que...** it's ten years since...

voie [vwa] *nf (route)* road; *(rails)* track, line; *(partie de route)* lane; *(chemin)* way; *(de gare)* platform; *(de communication)* line; *(moyen)* means, way; *(diplomatique)* channels; *Fig* **préparer la v.** to pave the way; *Fig* **sur la bonne v.** on the right track; **en v. de** in the process of; **pays en v. de développement** developing country; **v. sans issue** dead end; **v. navigable** waterway; **v. publique** public highway

voilà [vwala] *prép* there is/are; **les v.** there they are; **v., j'arrive!** all right, I'm coming!; **le v. parti** he has left now; **v. dix ans** ten years ago; **v. dix ans que...** it's ten years since...; **et v.!** there you go!

voile¹ [vwal] *nm (étoffe, coiffure)* & *Fig* veil ▪**voilage** *nm* net curtain ▪**voilé, -ée** *adj (femme, allusion)* veiled; *(photo, lumière)* hazy ▪**voiler¹** **1** *vt (visage, vérité)* to veil **2** **se voiler** *vpr (personne)* to wear a veil; *(ciel, regard)* to cloud over

voile² [vwal] *nf (de bateau)* sail; *(sport)* sailing; **faire de la v.** to sail ▪**voilier** *nm* sailing boat; *(de plaisance)* yacht ▪**voilure** *nf* sails

voiler² [vwale] *vt*, **se voiler** *vpr (roue)* to buckle

voir* [vwar] **1** *vt* to see; **faire** *ou* **laisser v. qch** to show sth; **v. qn faire qch** to see sb do/doing sth; *Fam* **je ne peux pas la v.** *(la supporter)* I can't stand the sight of her; *Fam* **elle lui en a fait v. de toutes les couleurs** she made his/her life a misery **2** *vi* to see; **fais v.** let me see, show me; **voyons!** *(sois raisonnable)* come on!; **on verra bien** *(attendons)* we'll see; **ça n'a rien à v. avec ça** it's got nothing to do with that; **y v. clair** *(comprendre)* to see clearly **3** **se voir** *vpr (soi-*

même) to see oneself; (*se fréquenter*) to see each other; (*objet, attitude*) to be seen; (*reprise, tache*) to show; **ça se voit** that's obvious

voire [vwar] *adv* indeed

voirie [vwari] *nf* (*service des ordures*) refuse collection; (*routes*) public highways

voisin, -ine [vwazɛ̃, -in] **1** *adj* (*pays, village*) *Br* neighbouring, *Am* neighboring; (*maison, pièce*) next (**de** to); (*idée, état*) similar (**de** to) **2** *nmf* neighbour, *Am* neighbor ▪ **voisinage** *nm* (*quartier, voisins*) *Br* neighbourhood, *Am* neighborhood; (*proximité*) closeness, proximity ▪ **voisiner** *vi* **v. avec** to be side by side with

voiture [vwatyr] *nf* car; (*de train*) carriage, *Br* coach, *Am* car; (*charrette*) cart; **en v.!** (*dans le train*) all aboard!; **v. de course/de tourisme** racing/private car; **v. d'enfant** *Br* pram, *Am* baby carriage

voix [vwa] *nf* voice; (*d'électeur*) vote; **à v. basse** in a whisper; **à haute v.** aloud; **à portée de v.** within earshot; *Fig* **avoir v. au chapitre** to have a say (in the matter); *Fig* **rester sans v.** to remain speechless

vol [vɔl] *nm* (**a**) (*d'avion, d'oiseau*) flight; (*groupe d'oiseaux*) flock, flight; **à v. d'oiseau** as the crow flies; **attraper qch au v.** to catch sth in the air; **v. aller-retour** *Br* return flight, *Am* round-trip flight; **v. habité** manned flight; **v. libre** hang-gliding; **v. à voile** gliding (**b**) (*délit*) theft; **v. à main armée** armed robbery; **v. à l'étalage** shoplifting; **c'est du v.!** (*trop cher*) it's daylight robbery! ▪ **vol-au-vent** *nm inv Culin* vol-au-vent

volage [vɔlaʒ] *adj* flighty, fickle

volaille [vɔlaj] *nf* **la v.** poultry; **une v.** a fowl

volatile [vɔlatil] *nm* winged creature

volatiliser [vɔlatilize] **se volatiliser** *upr* to vanish into thin air

volcan [vɔlkɑ̃] *nm* volcano ▪ **volcanique** *adj* volcanic

voler¹ [vɔle] *vi* (*oiseau, avion*) to fly; *Fig* (*courir*) to rush ▪ **volant, -ante** **1** *adj* (*tapis*) flying; **feuille volante** loose sheet **2** *nm* (*de véhicule*) (steering) wheel; (*de badminton*) shuttlecock; (*de jupe*) flounce ▪ **volée** *nf* (*de flèches*) flight; (*groupe d'oiseaux*) flock, flight; (*de coups*) thrashing; *Tennis & Football* volley; **sonner à toute v.** to ring out

voler² [vɔle] **1** *vt* (*prendre*) to steal (**à** from); **v. qn** to rob sb; *Fam* **tu ne l'as pas volé!** it serves you right! **2** *vi* (*prendre*) to steal

volet [vɔlɛ] *nm* (*de fenêtre*) shutter; (*de programme*) section, part

voleter [vɔlte] *vi* to flutter

voleur, -euse [vɔlœr, -øz] **1** *nmf* thief; **au v.!** stop, thief! **2** *adj* thieving

volière [vɔljɛr] *nf* aviary

volley-ball [vɔlebol] *nm* volleyball ▪ **volleyeur, -euse** *nmf* volleyball player

volontaire [vɔlɔ̃tɛr] **1** *adj* (*geste, omission*) deliberate; (*travail*) voluntary; (*opiniâtre*) *Br* wilful, *Am* willful **2** *nmf* volunteer ▪ **volontairement** *adv* (*spontanément*) voluntarily; (*exprès*) deliberately

volontariat [vɔlɔ̃tarja] *nm* voluntary work

volonté [vɔlɔ̃te] *nf* (*faculté, intention*) will; (*détermination*) willpower; (*souhait*) wish; **bonne v.** willingness; **mauvaise v.** unwillingness; **à v.** (*quantité*) as much as desired

volontiers [vɔlɔ̃tje] *adv* gladly, willingly; **v.!** (*oui*) I'd love to!

volt [vɔlt] *nm* volt ▪ **voltage** *nm* voltage

volte-face [vɔltəfas] *nf inv Br* about turn, *Am* about face; *Fig* (*changement d'opinion*) U-turn; **faire v.** to turn round; *Fig* to do a U-turn

voltige [vɔltiʒ] *nf* acrobatics

voltiger [vɔltiʒe] *vi* (*feuilles*) to flutter

volubile [vɔlybil] *adj* voluble

volume [vɔlym] *nm* (*de boîte, de son, livre*) volume ▪ **volumineux, -euse** *adj* bulky, voluminous

volupté [vɔlypte] *nf* sensual pleasure ▪ **voluptueux, -ueuse** *adj* voluptuous

vomir [vɔmir] **1** *vt* to bring up, to vomit; *Fig* (*exécrer*) to loathe **2** *vi* to vomit, *Br* to be sick ▪ **vomi** *nm Fam* vomit ▪ **vomissements** *nmpl* **avoir des v.** to vomit ▪ **vomitif, -ive** *adj* emetic

vont [vɔ̃] *voir* **aller¹**

vorace [vɔras] *adj* voracious

vos [vo] *voir* **votre**

vote [vɔt] *nm* (*action*) vote, voting; (*suffrage*) vote; (*de loi*) passing; *Br* **bureau de v.** polling station, *Am* polling place ▪ **votant, -ante** *nmf* voter ▪ **voter 1** *vt* (*loi*) to pass; (*crédits*) to vote **2** *vi* to vote

votre, vos [vɔtr, vo] *adj possessif* your ▪ **vôtre 1** *pron possessif* **le** *ou* **la v., les vôtres** yours; **à la v.!** cheers! **2** *nmpl* **les vôtres** (*votre famille*) your family

voudra, voudrait [vudra, vudrɛ] *voir* **vouloir**

vouer [vwe] **1** *vt* (*promettre*) to vow (**à** to); (*consacrer*) to dedicate (**à** to); (*condamner*) to doom (**à** to) **2** **se vouer** *upr* **se v. à** to dedicate oneself to

vouloir* [vulwar] *vt* to want (**faire** to do); **je veux qu'il parte** I want him to go; **v. dire** to mean (**que** that); **je voudrais un pain** I'd like a loaf of bread; **je voudrais rester** I'd like to stay; **je veux bien attendre** I don't mind waiting; **veuillez attendre** kindly wait; **ça ne veut pas bouger** it won't move; **voulez-vous me suivre** will you follow me; **si tu veux** if you like *or* wish; **en v. à qn d'avoir fait qch** to be angry with sb for doing sth; **l'usage veut que...** (+ *subjunctive*) custom dictates that...; **v. du bien à qn** to wish sb. well; **que voulez-vous!** (*résignation*) what can you expect!; **sans le v.** unintentionally; **ne pas v. de qn/qch** not to want sb/sth ▪**voulu, -ue** *adj (requis)* required; *(délibéré)* deliberate, intentional

vous [vu] *pron personnel* (**a**) *(sujet, complément direct)* you; **v. êtes ici** you are here; **il v. connaît** he knows you (**b**) *(complément indirect)* (to) you; **il v. l'a donné** he gave it to you, he gave you it (**c**) *(réfléchi)* yourself, *pl* yourselves; **v. v. lavez** you wash yourself/ yourselves (**d**) *(réciproque)* each other; **v. v. aimez** you love each other ▪**vous-même** *pron* yourself ▪**vous-mêmes** *pron pl* yourselves

voûte [vut] *nf (arch)* vault; **v. d'ogive** vault ▪**voûté, -ée** *adj (personne)* bent, stooped

vouvoyer [vuvwaje] *vt* **v. qn** to address sb as "vous" ▪**vouvoiement** *nm* = use of the formal "vous" *(instead of the more familiar "tu")*

voyage [vwajaʒ] *nm* trip, journey; *(par mer)* voyage; **aimer les voyages** to like *Br* travelling *orAm* traveling; **faire un v., partir en v.** to go on a trip; **être en v.** to be (away) travelling; **bon v.!** have a pleasant trip!; **v. de noces** honeymoon; **v. organisé** (package) tour ▪**voyager** *vi* to travel ▪**voyageur, -euse** *nmf Br* traveller, *Am* traveler; *(passager)* passenger; **v. de commerce** travelling salesman, *Br* commercial traveller ▪**voyagiste** *nm* tour operator

voyant, -ante[1] [vwajɑ̃, -ɑ̃t] **1** *adj (couleur)* gaudy, loud **2** *nm (signal)* (warning) light; *(d'appareil électrique)* pilot light

voyant, -ante[2] [vwajɑ̃, -ɑ̃t] *nmf* clairvoyant

voyelle [vwajɛl] *nf* vowel

voyeur, -euse [vwajœr, -øz] *nmf* voyeur, *f* voyeuse

voyou [vwaju] *nm* hooligan

vrac [vrak] **en vrac** *adv (en désordre)* in a muddle; *(au poids)* loose

vrai [vrɛ] **1** *adj* true; *(réel)* real; *(authentique)* genuine **2** *adv* **dire v.** to be right (in what one says) **3** *nm (vérité)* truth ▪**vraiment** *adv* really

vraisemblable [vrɛsɑ̃blabl] *adj (probable)* likely, probable; *(crédible)* credible ▪**vraisemblablement** [-amɑ̃] *adv* probably ▪**vraisemblance** *nf* likelihood; *(crédibilité)* credibility

vrille [vrij] *nf (outil)* gimlet; *(acrobatie)* (tail)spin; **descendre en v.** *(avion)* to spin down; *Fam* **partir en v.** *(projet)* to go down the pan

vrombir [vrɔ̃bir] *vi* to hum ▪**vrombissement** *nm* hum(ming)

VRP [veɛrpe] *(abrév* **voyageur représentant placier)** *nm* sales rep

VTT [vetete] *(abrév* **vélo tout terrain)** *nm inv* mountain bike

vu, -ue [vy] **1** *pp de* **voir 2** *adj* **bien vu** well thought of; **mal vu** frowned upon **3** *prép* in view of; **vu que...** seeing that...

vue [vy] *nf (sens)* (eye)sight; *(panorama, photo, idée)* view; **en v.** *(proche)* in sight; *(en évidence)* on view; *Fig (personne)* in the public eye; **avoir qn/qch en v.** to have sb/sth in mind; **à v.** *(tirer)* on sight; *(payable)* at sight; **à première v.** at first sight; **à v. d'œil** *(grandir)* visibly; *Fam* **à v. de nez** at a rough guess; **de v.** *(connaître)* by sight; **en v. de faire qch** with a view to doing sth; **v. d'ensemble** overall view

vulgaire [vylgɛr] *adj (grossier)* vulgar; *(ordinaire)* common ▪**vulgairement** *adv (grossièrement)* vulgarly; *(appeler)* commonly ▪**vulgariser** *vt* to popularize ▪**vulgarité** *nf* vulgarity

vulnérable [vylnerabl] *adj* vulnerable ▪**vulnérabilité** *nf* vulnerability

W, w [dubləve] *nm inv* W, w
wagon [vagɔ̃] *nm (de voyageurs)* carriage, *Br* coach, *Am* car; *(de marchandises) Br* wagon, *Am* freight car ▪ **wagon-lit** (*pl* **wagons-lits**) *nm* sleeping car, sleeper ▪ **wagon-restaurant** (*pl* **wagons-restaurants**) *nm* dining *or* restaurant car
Walkman® [wɔkman] *nm* Walkman®, personal stereo
wallon, -onne [walɔ̃, -ɔn] **1** *adj* Walloon **2** *nmf* W., Wallonne Walloon
WAP [wap] (*abrév* **wireless applications protocol**) *nm Tél* WAP
water-polo [watɛrpɔlo] *nm* water polo
watt [wat] *nm Él* watt
W.-C. [(dublə)vese] *nmpl Br* toilet, *Am* men's/ladies' room

Web [wɛb] *nm Ordinat* **le W.** the Web ▪ **Webcam** *nm Ordinat* webcam ▪ **Weblog** *nm Ordinat* weblog ▪ **Webmestre** *nm Ordinat* webmaster ▪ **Webzine** *nm Ordinat* webzine
week-end [wikɛnd] (*pl* **week-ends**) *nm* weekend; **partir en w.** to go away for the weekend
western [wɛstɛrn] *nm* western
whisky [wiski] (*pl* **-ies** *ou* **-ys**) *nm Br* whisky, *Am* whiskey
WWW [dubləvedubləvedubləve] (*abrév* **World Wide Web**) *nm Ordinat* WWW
wysiwyg [wiziwig] (*abrév* **what you see is what you get**) *adj & nm Ordinat* WYSIWYG

X, x [iks] *nm inv (lettre, personne ou nombre inconnus)* X, x; *Fam (ecstasy)* E; **x fois** umpteen times; **film classé X** adults-only film, *Br* '18' film, *Am* X-rated film; **accoucher sous X** to give birth anonymously; **naître sous X** to be born to an unidentified mother
xénophobe [gsenɔfɔb] **1** *adj* xenophobic **2** *nmf* xenophobe ▪ **xénophobie** *nf* xenophobia
xérès [gzeres] *nm* sherry
xylophone [gsilɔfɔn] *nm* xylophone

Y, y¹ [igrɛk] *nm inv* Y, y
y² [i] **1** *adv* there; *(dedans)* in it/them; *(dessus)* on it/them; **elle y vivra** she'll live there; **j'y entrai** I entered (it); **allons-y** let's go; **j'y suis!** *(je comprends)* now I get it! **2** *pron* **j'y pense** I'm thinking about it; **je m'y attendais** I was expecting it; **ça y est!** that's it!; **je n'y suis pour rien** I have nothing to do with it
yacht [jɔt] *nm* yacht ▪ **yachting** *nm* yachting

yaourt [jaurt] *nm* yoghurt
Yémen [jemen] *nm* **le Y.** Yemen
yen [jɛn] *nm* yen
yeux [jø] *voir* œil
yiddish [jidiʃ] *nm & adj* Yiddish
yoga [jɔga] *nm* yoga; **faire du y.** to do yoga
yog(h)ourt [jɔgurt] *nm* = yaourt
Yo-Yo [jojo] *nm inv* yoyo

Z, z [zɛd] *nm inv* Z, z

Zaïre [zair] *nm* **le Z.** Zaïre

zapper [zape] *vi Fam* to channel-hop *or* channel-surf ▪ **zapping** *nm Fam* **faire du z.** to channel-hop *or* channel-surf

zèbre [zɛbr] *nm* zebra ▪ **zébré, -ée** [ze-] *adj* striped, streaked (**de** with) ▪ **zébrures** [ze-] *nfpl* stripes

zèle [zɛl] *nm* zeal; **faire du z.** to overdo it ▪ **zélé, -ée** *adj* zealous

zen [zɛn] **1** *nm* Zen **2** *adj* Zen; *Fam* **rester z.** *(serein)* to stay cool

zénith [zenit] *nm* zenith

zéro [zero] *nm (chiffre)* zero, *Br* nought; *(de numéro de téléphone)* 0 [əʊ]; *(température)* zero; *(rien)* nothing; *Fig (personne)* nonentity; *Football* **deux buts à z.** *Br* two nil, *Am* two zero

zeste [zɛst] *nm* **un z. de citron** a piece of lemon zest *or* peel

zézayer [zezeje] *vi* to lisp

zibeline [ziblin] *nf (fourrure)* sable

zieuter, zyeuter [zjøte] *vt Fam* to eye up, to check out

zigzag [zigzag] *nm* zigzag; **en z.** *(route)* zigzag(ging) ▪ **zigzaguer** *vi* to zigzag

Zimbabwe [zimbabwe] *nm* **le Z.** Zimbabwe

zinc [zɛ̃g] *nm (métal)* zinc; *Fam (comptoir)* bar; *Fam (avion)* plane

zinzin [zɛ̃zɛ̃] *Fam* **1** *adj inv (fou)* nuts **2** *nm (chose)* whatsit

zipper [zipe] *vt Ordinat* to zip ▪ **zippé, -ée** *adj Ordinat* **fichier z.** zip file

zizanie [zizani] *nf* discord; **semer la z.** to sow discord

zodiaque [zɔdjak] *nm* zodiac; **signe du z.** sign of the zodiac

zona [zona] *nm Méd* shingles *(sing)*

zone [zon] *nf* zone; **de seconde z.** second-rate; *Fam* **la z.** *(bidonvilles)* the slums; **z. euro** euro zone *or* area; **z. fumeurs/non-fumeurs** smoking/no-smoking area; **z. industrielle** industrial *Br* estate *or Am* park; **z. scientifique** science park ▪ **zonard** *nm Fam (marginal)* dropout ▪ **zoner** *vi Fam* to hang about

zoo [zo(o)] *nm* zoo ▪ **zoologie** [zɔɔ-] *nf* zoology ▪ **zoologique** *adj* zoological; **parc z.** zoo ▪ **zoologiste** *nmf* zoologist

zoom [zum] *nm (objectif)* zoom lens

zozo [zɔzɔ] *nm Fam* fool

zozoter [zɔzɔte] *vi Fam* to lisp

zut [zyt] *exclam Fam* blast!